Otorhinolaryngology
-Head and Neck Surgery

이비인후과학

이과 *Otology*

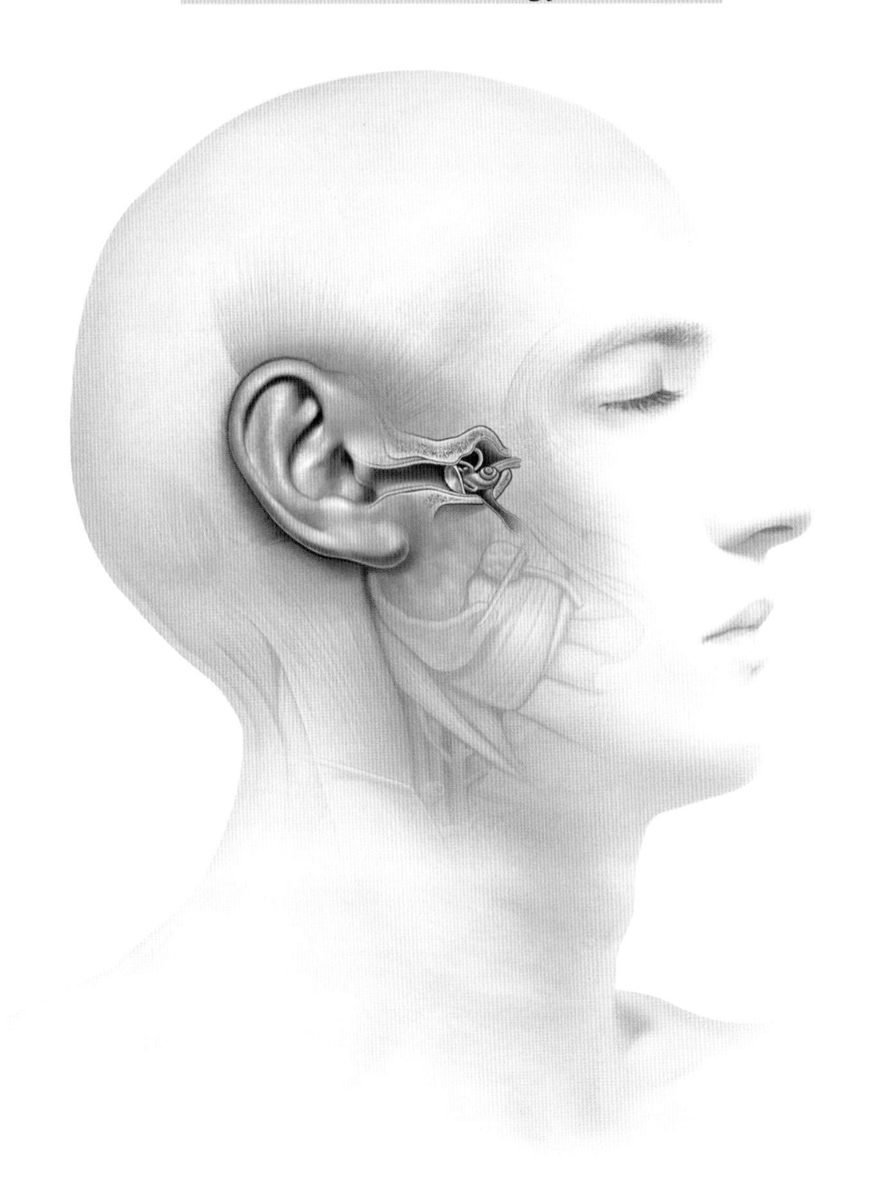

대한이비인후과학회

이비인후과학(이과)

Otorhinolaryngology - Head and Neck Surgery

첫째판 1쇄 발행 | 2002년 8월 15일
개정1판 1쇄 발행 | 2009년 3월 5일
개정2판 1쇄 인쇄 | 2018년 11월 1일
개정2판 1쇄 발행 | 2018년 11월 16일

지 은 이 대한이비인후과학회
발 행 인 장주연
출 판 기 획 이성재
책 임 편 집 배혜주
편집디자인 박은정
표지디자인 김재욱
일 러 스 트 이호현
발 행 처 군자출판사(주)
등록 제 4-139호(1991. 6. 24)
본사 (10881) **파주출판단지** 경기도 파주시 회동길 338(서패동 474-1)
전화 (031) 943-1888 팩스 (031) 955-9545
홈페이지 | www.koonja.co.kr

ISBN 979-11-5955-371-4
979-11-5955-370-7 (set)

정가 170,000원

집필진

편찬위원회

(가나다 순)

● 편찬위원장

김정수 경북의대 경북대학교병원

● 분과위원장

이 과 **조양선** 성균관의대 삼성서울병원

비 과 **김선태** 가천의대 길병원

두경부 **김세헌** 연세의대 세브란스병원

● 위 원

강제구 국립중앙의료원

김한수 이화의대 목동병원

김현직 서울의대 서울대학교병원

박시내 가톨릭의대 서울성모병원

박용호 충남의대 충남대학교병원

백승국 고려의대 안암병원

안순현 서울의대 서울대학교병원

이규엽 경북의대 경북대학교병원

정유삼 울산의대 서울아산병원

정진혁 한양의대 한양대학교구리병원

● 간 사

허성재 경북의대 칠곡경북대학교병원

집필진(이과)

(가나다 순)

강성호 건국의대 충주병원

고의경 부산의대 부산대학교병원

구자원 서울의대 분당서울대학교병원

권중근 울산의대 울산대학교병원

김규성 인하의대 인하대학교병원

김리석 동아의대 동아대학교병원

김보형 건국의대 충주병원

김성헌 연세의대 세브란스병원

김영호 서울의대 보라매병원

김 진 인제의대 일산백병원

김형종 한림의대 성심병원

김형진 성균관의대 삼성서울병원 영상의학과

남성일 계명의대 동산병원

남의철 강원의대 강원대학교병원

노혜일 가톨릭의대 성빈센트병원

박경호 가톨릭의대 서울성모병원

박계훈 순천향의대 천안병원

박문서 경희의대 강동병원

집필진

집필진(이과)

(가나다 순)

박민현 서울의대 보라매병원
박소영 가톨릭의대 여의도성모병원
박수경 한림의대 강남성심병원
박시내 가톨릭의대 서울성모병원
박용호 충남의대 충남대학교병원
박철원 한양의대 한양대학교병원
박홍주 울산의대 서울아산병원
백무진 인제의대 해운대백병원
변성완 이화의대 목동병원
변재용 경희의대 강동병원
송재준 고려의대 구로병원
신시옥 충북의대 충북대학교병원
심현준 을지의대 을지대학교병원
안성기 경상의대 경상대학교병원
안중호 울산의대 서울아산병원
여상원 가톨릭의대 서울성모병원
여승근 경희의대 경희대학교병원
오승하 서울의대 서울대학교병원
오정훈 가톨릭의대 성바오로병원
우훈영 인제의대 상계백병원
윤용주 전북의대 전북대학교병원
이광선 소리귀클리닉
이규엽 경북의대 경북대학교병원
이동희 가톨릭의대 의정부성모병원
이병돈 순천향의대 서울병원
이승환 한양의대 한양대학교구리병원
이일우 부산의대 양산부산대학교병원
이종대 순천향의대 부천병원
이준호 서울의대 서울대학교병원
이창호 차의대 분당차병원
이치규 순천향의대 천안병원
이호기 소리이비인후과병원
이효정 한림의대 성심병원
임기정 고려의대 안암병원
장기홍 가톨릭의대 성바오로병원
장철호 전남의대 전남대학교병원
전범조 가톨릭의대 의정부성모병원
전은주 가톨릭의대 인천성모병원
정성욱 동아의대 동아대학교병원
정연훈 아주의대 아주대학교병원
정원호 성균관의대 삼성서울병원
정재윤 단국의대 단국대학교병원
정종우 울산의대 서울아산병원
조양선 성균관의대 삼성서울병원
조용범 전남의대 전남대학교병원
조창현 가천의대 길병원
조형호 전남의대 전남대학교병원
채성원 고려의대 구로병원
최병윤 서울의대 분당서울대학교병원
최영석 충북의대 충북대학교병원
최재영 연세의대 세브란스병원
한규철 가천의대 길병원
허경욱 인제의대 부산백병원
홍성화 성균관의대 삼성창원병원

발간사

대한이비인후과학회 교과서는 2002년 8월 초판이 발간된 후 7년이 지난 2009년 3월에 개정판이 발간되었습니다. 그 후 가이드라인들이 바뀌고, 많은 새로운 지식이 소개되고 기술들이 발전하여 교과서 개정이 필요하게 되었습니다. 따라서, 본 학회에서는 2015년에 교과서 개정위원회를 발족해서 교과서 개정 작업을 시작하였고, 약 4년의 노력 끝에 드디어 결실을 맺게 되었습니다.

대한이과학회, 대한비과학회, 대한갑상선두경부외과학회를 비롯한 많은 분과/유관학회들과 연구회에서 발간한 다양한 교과서들이 있지만, 이비인후과 전문의로서 알아야 할 필수 지식들과 실제 진료에 필요한 정보들을 한 곳에 정리할 필요가 있고, 그러한 요구를 이번 대한이비인후과학회 교과서가 충족시킬 수 있도록 노력하였습니다. 이번 교과서는 이비인후과학을 처음 접하는 의과대학생이 쉽게 이해할 수 있도록 기본적인 내용에 충실했을 뿐만 아니라, 전문가의 역량이 더욱 강조되는 시대적 요구에 부응하고 선도적인 연구의 기틀이 될 수 있는 전문적인 내용을 함께 포함시켰습니다. 날로 발전하고 빠르게 변화해가는 의료지식, 새로운 의료기술을 포함시키면서, 환자 진료를 위해서 꼭 필요한 책이 될 수 있도록 근거위주의 지식들을 이 책에 충분히 담고자 하였습니다.

대한이비인후과학회는 최근 눈부신 발전을 하고 있습니다. 그 발전에 걸맞은 우수한 이비인후과 교과서가 될 수 있도록 많은 노력을 기울였기에, 이 교과서가 대한이비인후과학회뿐만 아니라 많은 회원님들의 학문의 발전과 진료에 큰 도움이 되길 기대합니다.

교과서 개정을 중요한 학회의 사업으로 적극적으로 추진해주신 전임 태경 이사장님과, 4년 동안 많은 노력과 희생을 해주신 김정수 편집위원장님께 감사 드립니다. 또한, 좀 더 좋은 교과서가 발간될 수 있도록 열을 성을 다해주신 김선태, 김세헌, 조양선 분과위원장님을 비롯한 편집위원님들과, 집필에 많은 노력을 기울여주신 저자들께도 깊은 감사를 드립니다.

2018년 10월

대한이비인후과학회 이사장 **이재서**

머리말

2002년 대한이비인후과 교과서가 처음 발간된 후 약 7년이 경과된 2009년에 개정판이 발간되었습니다. 이후 이비인후과 학문 분야의 눈부신 발전으로 새로운 개정판 발간의 필요성이 대두되어 태경 전 이사장님의 결단으로 재개정판의 발간이 결정되었고 2014년 7월에 개정위원회가 발족되었습니다. 각분과위원장으로 이과 조양선, 비과 김선태, 두경부 김세헌 선생님을 주축으로 각 분과에서 세 분을 다시 모셔 총 12명의 개정위원을 구성하였으며, 이후 최근에 안면성형 분야가 이비인후과 분야에서 차지하는 부분이 늘어나 안면성형학회의 추천으로 편집위원을 한 분 추가하여 총 13명의 위원이 교과서 개정방향 설정과 저자 선정 작업에 들어갔습니다.

개정 방향은 기존 교과서를 바탕으로 이비인후과 전문의로서 필요한 지식과 술기를 포함하는 것으로 하였습니다. 이후 좀 더 내용을 튼실히 하고자 분과별로 개정판에 포함될 내용과 양 및 깊이 등에 대한 설문 조사를 하는 등의 노력을 기울였으며, 몇 번의 회의를 거쳐 전체 양을 너무 늘리거나 완전히 새로운 내용으로 개정하는 것은 교재로 활용될 전공의에게 부담이 클 수 있겠다는 태경 전이사장님의 의견을 수렴하여 20~40% 내에서 분량과 내용을 조정하기로 하였습니다.

이전 개정판은 2권으로 구성되어 있어 책이 너무 무겁다는 많은 의견에 따라 분과별로 분권하여 출판하기로 하였습니다. 또한 이전 개정판에는 세 분야의 기초 부분을 한 책에 모았으나 새로운 개정판은 세 분야에 걸쳐 분권으로 출판되는 만큼 각 분권에 기초와 각론을 같이 구성하는 것으로 하였습니다. 각 분과별로 기존 내용에 추가하여 새로운 지식과 술기를 적극적으로 반영하여 이과에선 이식형 청각보조장치, 중심성 현훈 등과 비과에서는 수면과 성형 분야에서 새로운 장을 만들고 두경부에서는 각 영역을 보다 세분화하여 저자를 선정하기로 하였으며, 2015년 초에 각 저자들에게 집필요청서와 집필 주의사항 등을 보낼 수 있었습니다.

전국의 대학병원 및 종합병원의 부교수급 이상을 총망라하여 많은 집필진이 구성된 관계로 저자에 따라 원고 제출이 약 2년에 걸쳐 이루어져, 조기에 원고를 제출하신 많은 저자들은 원고 제출과 출판간의 공백기간으로 최신지견을 다 포함하지 못하는 상황이 발생하여 안타깝게 생각하며, 매끄럽지 않은 진행으로 불편을 드린 저자들께 심심한 사과의 말씀을 드립니다.

개정판 교과서 편찬을 마치며 그 동안 도움을 주신 많은 분들께 진심으로 감사드립니다. 가장 먼저, 바쁜 와중에도 원고 집필을 승낙해 주시고 옥고를 보내주신 여러 교수님들께 감사드리며, 교과서 개정판의 발간을 결정하시고 많은 도움을 주신 태경 전이사장님, 시간에 쫓기지 말고 제대로 된 교과서를 만들어 달라고 격려해주신 노환중 전 이사장님과 이재서 이사장님께도 깊이 감사드립니다.

지난 약 4년간에 걸쳐 함께 해주신 편집위원 조양선 교수, 김선태 교수, 김세헌 교수, 박시내 교수, 박용호 교수, 이규엽 교수, 김현직 교수, 정유삼 교수, 정진혁 교수, 강제구 교수, 김한수 교수, 백승국 교수 안순현 교수와 특히 싫은 소리 하나 하지 않고 모든 업무를 주선하고 처리하여 주신 허성재 교수에게 진심으로 감사를 드리며, 편집위원은 아니나 리뷰에 참여하여 주신 모든 교수님들께도 이 자리를 빌어 감사의 말을 전합니다.

마지막으로 이번에 출간되는 이비인후과 교과서 개정판은 학회의 미래의 주역인 이비인후과 전공의의 학업에 가장 중요한 교재가 될 뿐만 아니라 기존 전문의에게도 이비인후과와 관련된 총괄적인 새로운 지식과 기술을 이해하고 진료에 도움이 되는 매개체가 될 수 있기를 바랍니다.

2018년 10월

편집위원장 **김정수**

목 차

CHAPTER 18 소이증 및 선천성 중이기형

CHAPTER 19 급성 중이염

CHAPTER 20 삼출성중이염

CHAPTER 21 만성 화농성 중이염

CHAPTER 22 진주종성 중이염

CHAPTER 23 만성중이염의 합병증

CHAPTER 24 고실성형술과 이소골 성형술

CHAPTER 25 유양돌기절제술

CHAPTER 26 이경화증

CHAPTER 27 측두골 외상

CHAPTER 28 외림프누공

CHAPTER 29 감각신경성 난청의 감별진단

CHAPTER 30 유전성 난청

CHAPTER 31 노인성난청

CHAPTER 32 이독성 난청

CHAPTER 33 소음성 난청

CHAPTER 59 측두골과 외측두개저의 종양_ 측두골의 양성종양

CHAPTER 60 측두골과 외측두개저의 종양_ 측두골의 악성종양

CHAPTER 61 측두골과 외측두개저의 종양_ 소뇌교각의 질환 및 접근법

이 과 Otology

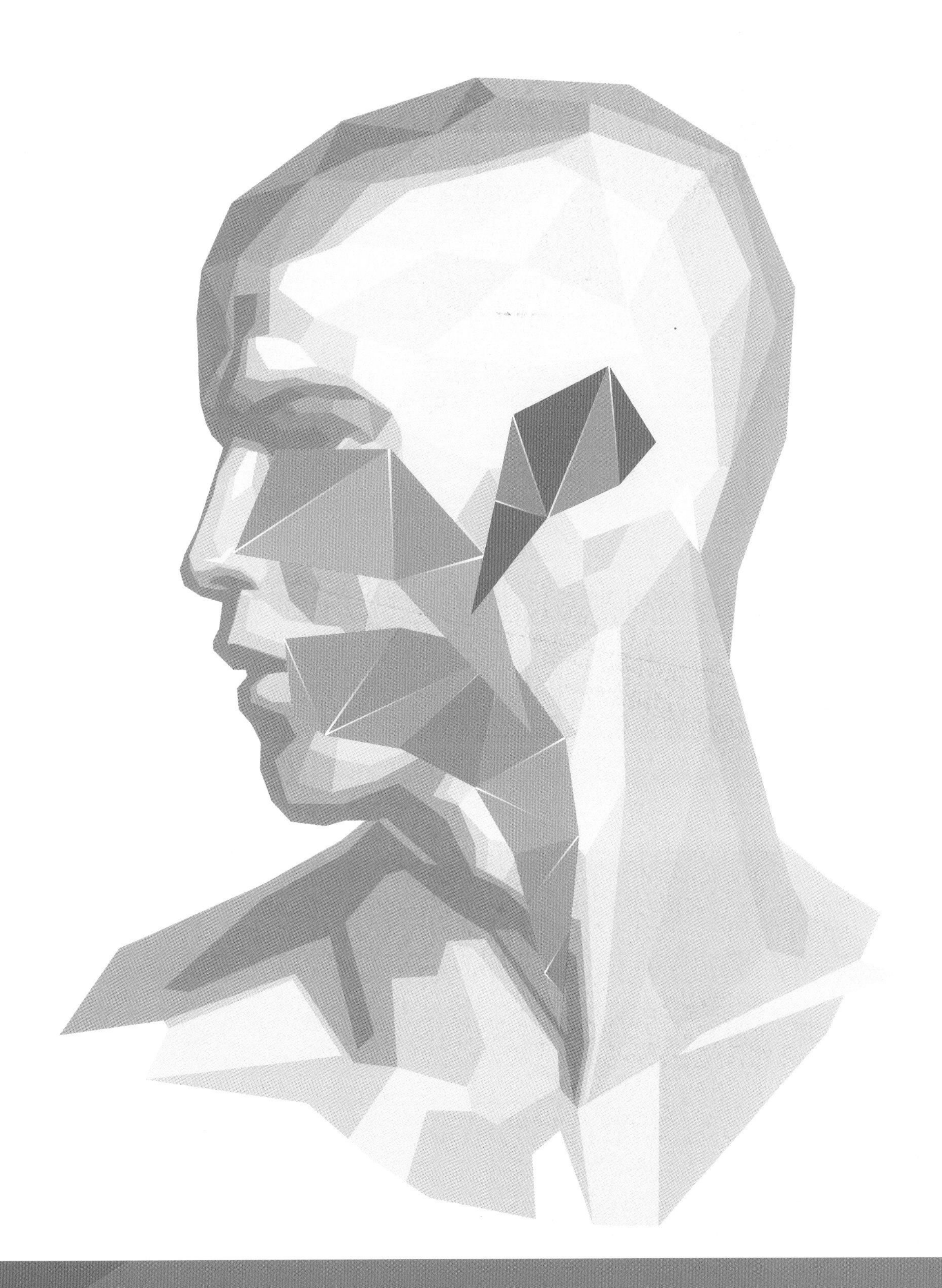

OTOLOGY

이 과

CHAPTER 01

귀의 발생과 해부

박경호

I 귀의 발생

1. 외이

이개의 발생은 태생 4주경 제1 새구(branchial groove) 주변의 제1 새궁(branchial arch)과 제2 새궁에서 생긴 간엽 조직들이 응축되고 태생 6주경 6개의 이개 융기(hill-ocks of His)들이 나타난다(그림 1-1A). 이러한 이개 융기의 중요성에 대해서는 다양한 의견이 존재하는데 일부에서는 이주(tragus)와 외이도 앞부분을 제외한 대부분은 제2 새궁에서 유래한다는 연구가 있다. 그러나 일부에서는 이 두 새궁이 이개 형성에 거의 동등하게 역할을 한다고 주장하고 있다. 태생 7주경에는 이개 융기들이 융합되면서 2개의 fold를 형성하고(그림 1-1B) 이 간엽조직들은 태생 12주에 서로 융합되거나 분리되면서 발생 20주경에는 성인 이개 모양이 된다(그림 1-1C).[2,4,13,14,18,21,25]

외이도의 발생은 태생 4주경 제1 새열(first branchial cleft)이 넓어지고 외배엽들이 증식하면서 내측인 제1 두낭(first pharyngeal pouch) 쪽으로 진행하면서 하나의 작고 짧은 관의 형태가 이루어지며 시작된다(그림 1-2A). 태생 8주경에는 외이도의 형태가 뚜렷해지고 증식된 외배엽 세포들이 외이도전(meatal plug)을 형성한다. 태생 9주경 내측 바닥에서는 외배엽 세포들이 증식한다. 외배엽 세포들의 증식은 태생 12주경까지 내측으로 진행되어 외배엽 세포들에 의해 채워진 원시 외이도가 만들어진다.[12,20,21]

이후 태생 18주경에 형태학적으로 완전한 외이도 모양을 띠게 되고, 태생 21주경 원시 외이도를 채운 외배엽 세포들이 점차 흡수되기 시작하여 외이도 전의 가장 깊은 곳에서부터 고막과 분리되기 시작한다. 이러한 분리는 외이도의 바깥쪽 개방 부위로 진행되어, 21~28주경에 완전한 외이도관의 형태를 갖추게 된다(그림 1-2B, C, D).[12,20,21]

2. 중이

중이는 제1 인두낭(pharyngeal pouch)이 제1 새열

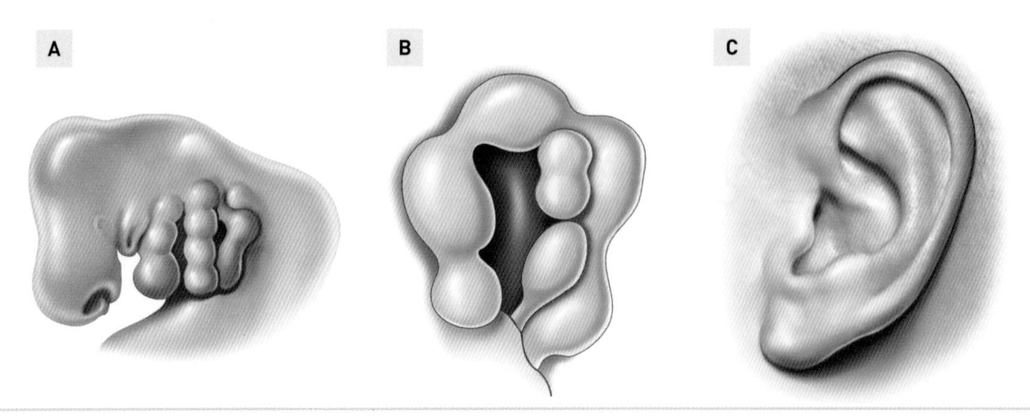

■ 그림 1-1. **이개의 발생.** **A)** 태생 6주의 제1, 2 새궁(branchial arch)에서 발생한 6개의 이개 융기. **B)** 태생 7주경 이개 융기들이 융합되면서 2개의 fold를 형성. **C)** 성인의 이개와 이개 융기의 발생 부위

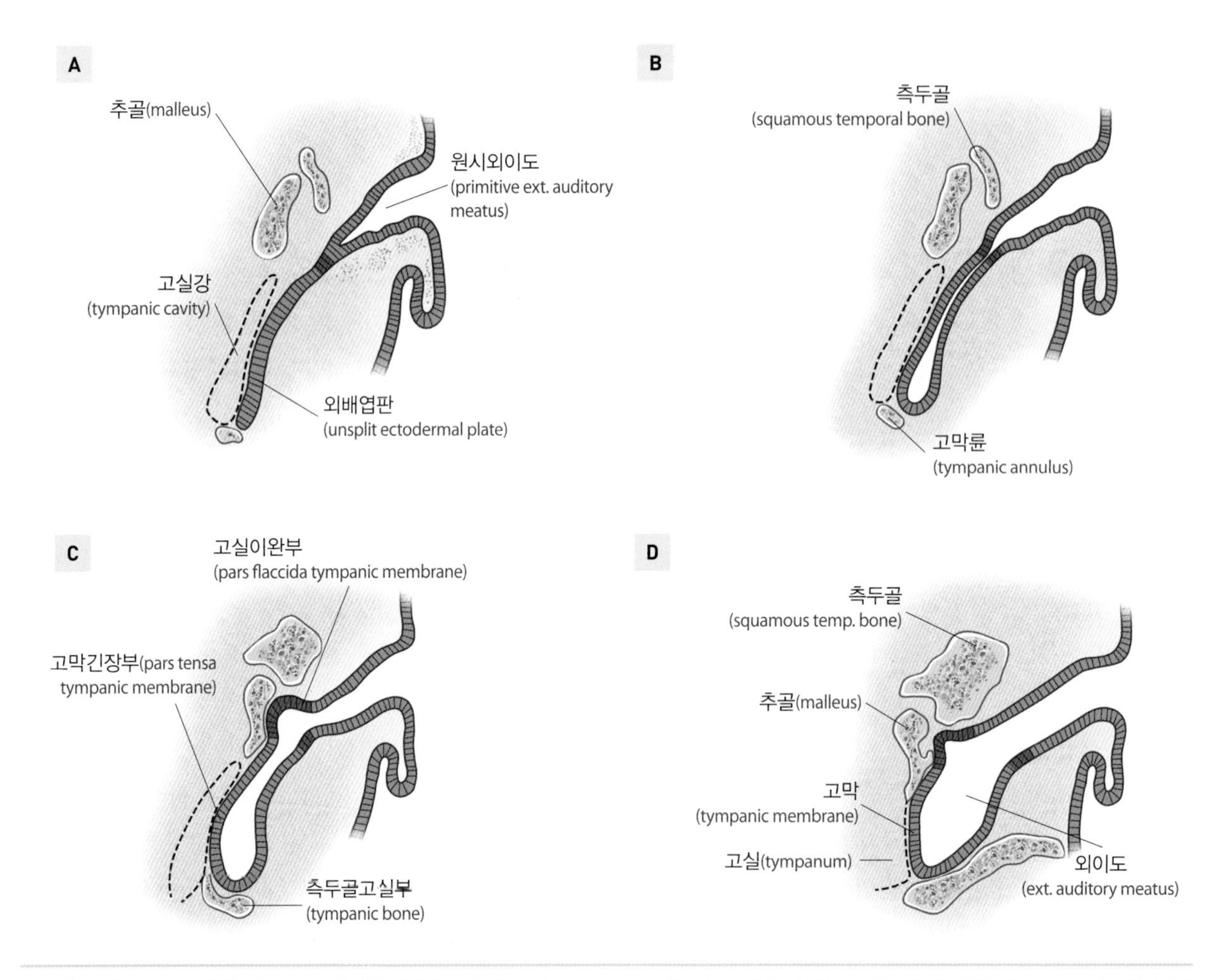

■ 그림 1-2. **외이도의 발생.** **A)** 태생 4주경 제1 새열(first branchial cleft)의 함몰과 고실의 형성. **B)** 외배엽관의 분화. **C), D)** 고막이완부와 긴장부의 형성과 완전한 형태의 외이도의 형성

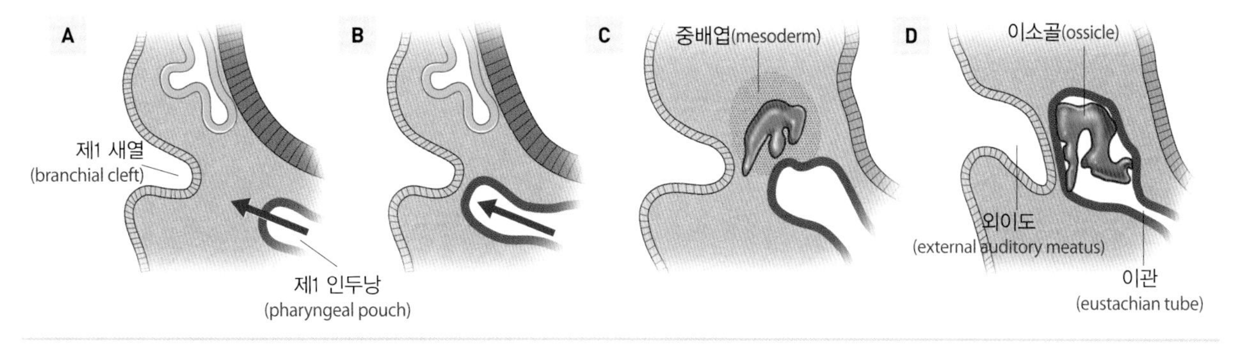

■ 그림 1-3. **중이강의 발생.** **A)** 제1 인두낭(first branchial cleft)의 확장, **B)** 태생 4주경 제1 인두낭과 제1 새열(first branchial cleft)의 접촉, **C)** 중배엽과 중이강의 형성, **D)** 태생 30~35주경에 중이강의 완성

(branchial cleft) 쪽으로 함몰되어 그 끝이 확장되어 형성되는 공간이며(그림 1-3A), 이 공간과 인두 사이는 이관이 된다.[5,11,13,21] 태생 3주경 제1 인두낭의 내배엽 조직이 주머니 모양으로 제1 새열을 향하고 4주경에는 이 둘이 서로 접촉된 후(그림 1-3B), 중배엽이 그 사이로 차게 된다(그림 1-3C). 그 후 중이강은 지속적으로 확장되며 7주경에는 제2 새궁(branchial arch)에 의해 중간 부분이 눌리면서 외측이 계속 확장된다. 중이강 간엽 조직들이 흡수가 활발해지면서 중이강의 팽창은 더욱 확대되어 12주경에는 고막의 내측과 상고실 부위에 도달하게 된다.[5,13,21]

이와 같이 중이강이 팽창하고 간엽 조직은 흡수되며 이소골과 근육 등의 주변 구조물들은 분화를 계속하여 중이 점막으로 둘러싸이게 됨으로써 발생 30~35주경에 중이강이 완성된다(그림 1-3D).[21]

3. 이소골

이소골(ossicle)의 발생은 제1 새궁, 제2 새궁 그리고 이낭(otic cyst)으로부터 발생한다고 알려져 있다. 추골(malleus)의 두부(head)와 침골(incus)의 체부(body)는 제1 새궁의 간엽조직으로부터 발생하고, 추골병(handle of malleus)과 침골의 장돌기(long process), 등골(stapes)의 두부, 전후각(anterior and posterior crus), 족판(foot plate)의 외측은 제2 새궁으로부터, 그리고 족판의 내측과 윤상 인대는 이낭으로부터 발생한다.[20,24]

이소골의 발생은 태생 4주경 제1 새궁과 제2 새궁의 후외측에 생긴 간엽조직들의 응축에서 시작하는데, 발생 6주경에는 이소골의 형태가 만들어지고 7주에는 연골이 형성된다. 발생 15주경에는 연골 형태의 이소골들이 완성되고 이때 이소골은 성인의 크기에 도달된다. 그리고 이 시기에 골화가 시작되는데 침골로부터 골화가 시작되어 추골과 등골의 순으로 진행된다. 태생 27주경에는 주위의 간엽조직들은 보이지 않고 점막으로 덮여 있으며 형태학적으로 완성된 모양을 갖추게 된다(그림 1-4).[13]

4. 내이

내이는 태생 4주 초에 두부 측면의 외배엽(ectoderm)이 비후되어 두꺼워진 이판(otic placode)이 형성되면서 발생이 시작된다(그림 1-5A). 이러한 외배엽으로 구성된 이판은 점차 함몰되어 이와(otic pit)(그림 1-5B)를 만들고, 이 함몰은 더욱 깊어지면서 태생 4주에는 함몰이 시작된 입구부가 막히면서 원시 형태의 막성미로인 이낭(otic cyst)(그림 1-5C)을 형성한다. 이낭은 크게 상하 두 부분으로 구분할 수 있고 이낭 상부의 벽으로부터 원시 형태의 전반고리관과 후반고리관, 측반고리관이 발생하고 분화를 계속하여 태생 7~8주경에는 3개의 반고리관들이 관의 형태를 갖추고 난형낭(utricle)과 구형낭(saccule)을 포함한 전

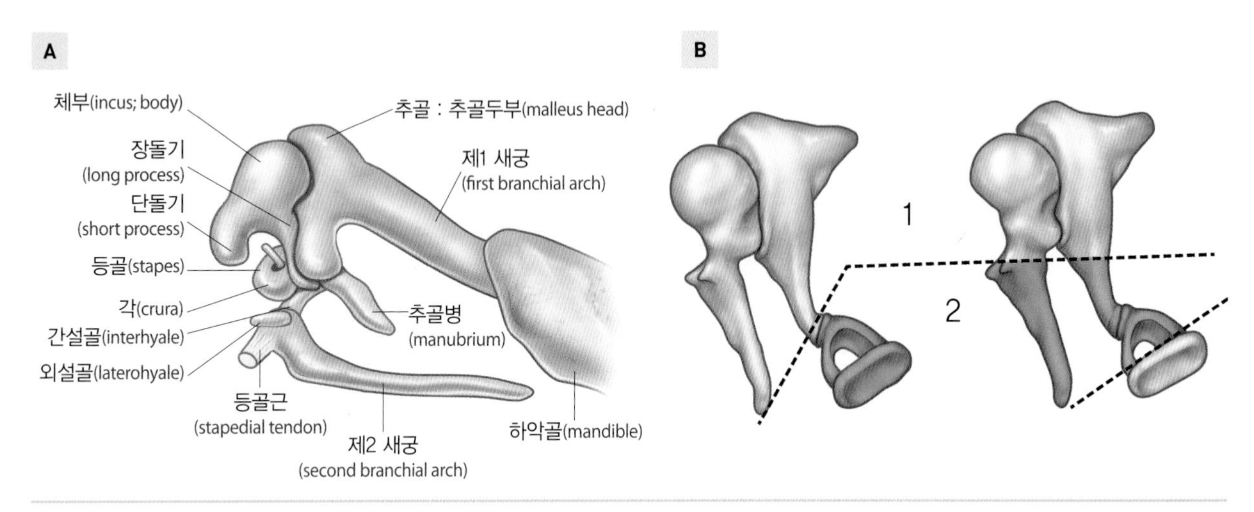

■ 그림 1-4. **이소골의 발생. A)** 태생 8~9주경의 이소골 발생. **B)** 태생 27주경 형태학적으로 완성된 형태를 갖추고 출생 시 성인과 유사하며 발생 기원에 대해서는 두 가지 견해가 있음(1: 제1 새궁 기원, 2: 제2 새궁 기원)

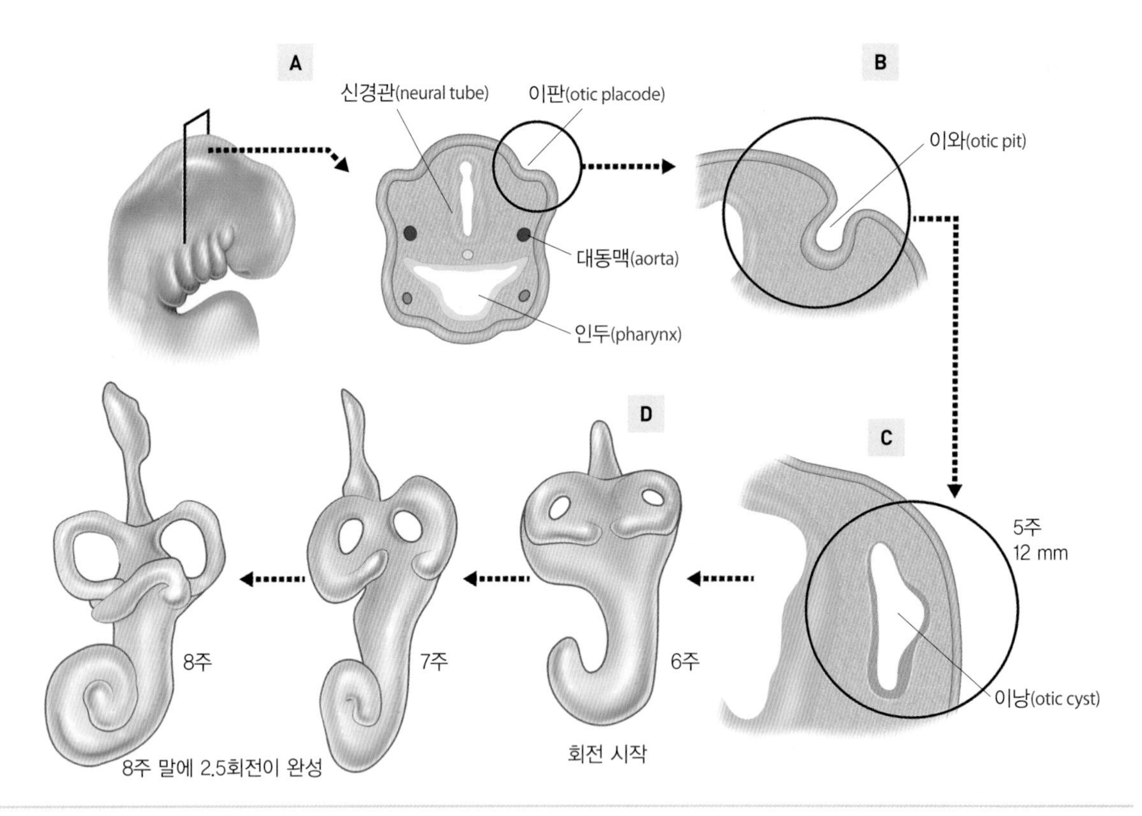

■ 그림 1-5. **내이의 발생. A)** 이판(otic placode)의 형성. **B)** 이와(otic pit)의 형성. **C)** 이낭(otic cyst)의 형성. **D)** 와우전정미로(cochleovestibular labyrith)의 형성

정미로가 형성된다(그림 1-5D).[4,20,21]

와우(cochlea)는 발생학적으로 전정기관보다 더 늦게 발생한다. 즉, 이낭의 하부에서 발생을 시작한 와우는 태생 6주경에 회전을 시작하여 태생 8주 말에 2.5회전이 완

성된다. 이러한 발생 과정 중 태생 4주째에 발생이 중지되면 공동강 기형(common cavity deformity)이 유발되고, 태생 7주째에 발생이 중지되면 Mondini 기형이 유발된다.[4,20,21]

태생 8~16주 사이에 이미로(otic labyrinth)는 성인과 같은 모양으로 발달하고 25주경에는 Corti 기(organ of Corti)가 성인과 같은 구조로 발달된다.

5. 유양돌기와 유양동의 발달

유양동은 태생 21~22주에 상고실(epitympanum) 측면으로 발달하여 나타나기 시작하며 34주 때 내면(lumen)이 발달한다. 유돌부는 태생 후 발달하며 1세 때 유양돌기가 발달하기 시작하고 3세 때 가장 많이 발달한다. 19세 정도까지 발달하면서 주로 유양동 후방과 측방으로 발달한다.[23]

출생 시에 유양돌기는 고실륜(tympanic ring) 후방에 위치하며 거의 발달되지 않은 상태이기 때문에 성인과 달리 안면신경은 바로 외측으로 나온다. 따라서 신생아에서 이개후부를 절개할 때는 성인에 비해 수평하게 절개해야 한다.[2,4]

유양돌기는 유양동의 발달과 함께 함기화가 진행되면서 태생기의 간엽조직이나 골수가 흡수되면서 발생하기 시작하며 두개골과 주변 근육발육과 함께 주로 외측과 후방으로 발달한다. 성인에서 유돌부의 함기화는 이관의 기능, 중이의 염증, 출산 시의 태변 및 외상, 유전 등 여러 요인에 따라 개인차가 있다. 유양동의 함기화 정도는 그 정도에 따라 정상 함기형(fully pneumatized), 판간형(diploic), 경화형(sclerotic)의 세 가지로 구분된다. 판간형과 경화형은 함기화가 유양동과 그 주변의 봉소들에 국한되는데 판간형은 골수와 같은 연조직들을 포함하고, 경화형은 주로 단단한 뼈로 구성되어 있다.[1,2,4]

II 귀의 구조와 해부

1. 외이

1) 이개

(1) 이개의 모양과 구조

이개(auricle)는 소리를 모으는 기능을 하며 소리의 방향을 구분하는데 도움을 준다. 또한 이개의 모양은 사람마다 매우 다양한 모습을 가지고 있다. 이개는 탄성을 가진 약 0.5~1 mm 두께의 탄성 연골(elastic cartilage)이 골격을 이루며 그 위에 연골막, 피하조직, 피부가 덮고 있다. 연골 골격은 요철을 이루면서 이개의 모양을 형성하고 그에 대한 각기 명칭이 있다(그림 1-6).[2,4]

이개의 외측과 내측은 구조적으로 차이를 보이며, 외측은 피하조직이 거의 없이 연골막에 피부가 단단히 붙어 있는 구조로서 움직임이 거의 없다. 그러나 내측은 피부와 연골막 사이에 피하조직이 존재함으로써 운동성을 유지하고 있다(그림 1-7).[2,4,7,17]

이수(ear lobule)는 연골 조직이 없이 피부와 피하조직 및 지방으로 구성되어 있으며, 이곳의 지방조직은 고막성형술 시에 이식 재료로 사용되기도 하며 다른 부위의 지방보다 고막 치유 과정에 유리한 것으로 알려져 있다.[15]

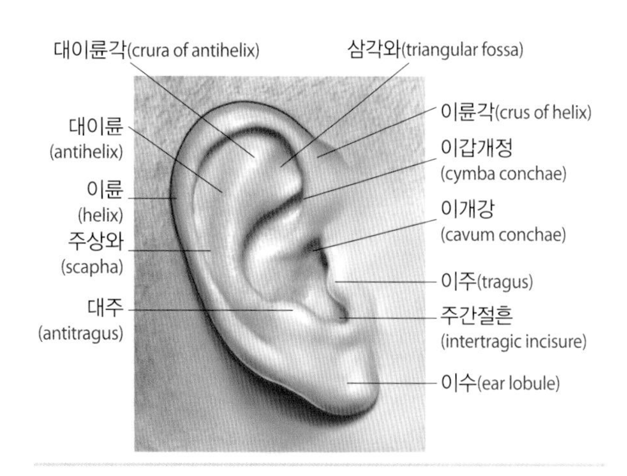

■ 그림 1-6. **이개의 각 부위별 명칭**

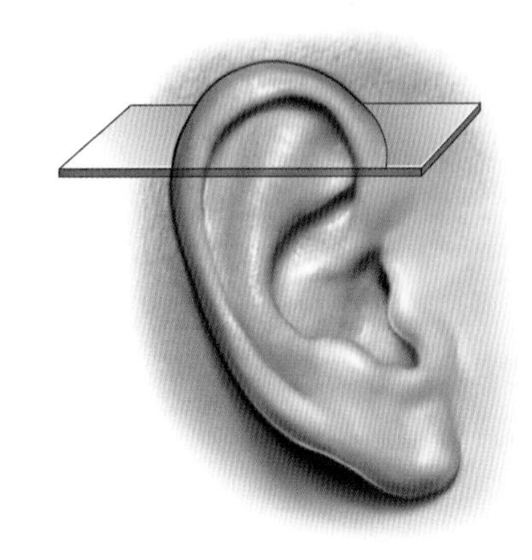

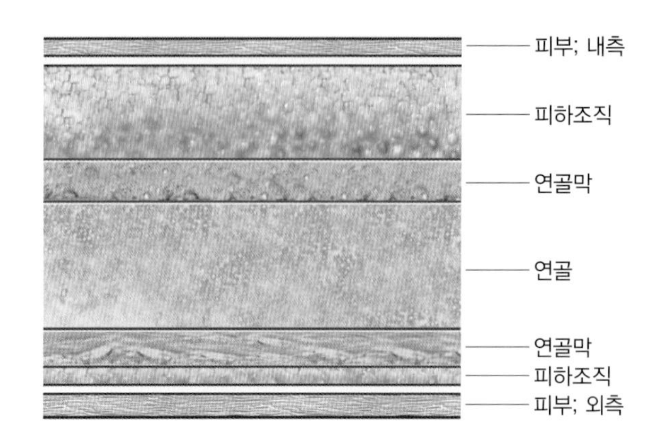

■ 그림 1-7. 이개의 외측과 내측의 단면의 구조적 차이

이개는 외이도의 연골과 연결되어 단단히 고골(tympanic bone)에 붙어 있게 되며, 나머지 부분은 피부와 결합조직, 인대 그리고 이개 주위의 근육 등에 의해 유연하게 붙어 있게 된다. 사람의 이개에는 3개의 근육, 즉 전이개근(anterior auricular muscle), 상이개근(superior auricular muscle), 후이개근(posterior auricular muscle)이 있으며, 전이개근과 상이개근은 안면신경의 측두 분지(temporal branch), 후이개근은 안면신경의 후이개 분지(postauricular branch)의 지배를 받는다.[7,13,17]

그러나 사람은 이개 주변의 근육들이 퇴화되어 흔적만 남아 있기 때문에 소리에 반사적으로 이개를 움직이는 Preyer반사를 거의 볼 수 없다.[2,4,13]

(2) 이개의 신경지배와 혈관

이개에 대한 감각신경의 분포는 삼차 신경의 하악 분절인 이개 측두신경(auriculotemporal nerve)가 이개 전면의 전상부에 분포하고, 이개 후면과 전면의 뒤쪽에는 제2, 3 경추신경에서 나온 대이개신경(greater auricular nerve)가 위치한다.[2,4,13]

이개 후면의 상부는 대이개신경뿐만 아니라 소후두신경(lesser occipital nerve)의 이중 지배를 받고 있다. 또한 제7, 9, 10 뇌신경은 이개강(cavum concha) 부근의 이개에 분포한다(그림 1-8).[13,17]

이개의 혈관분포는 외경동맥에서 기원하는 후이개동맥(posterior auricular artery)과 천측두동맥(superficial temporal artery)에서 혈액을 공급받는다. 후이개동맥은 유양돌기의 전반부를 따라 상행하면서 이개에 분포하며, 천측두동맥은 이개의 앞쪽에 분포한다.[2,4,7]

이개에 분포한 후안면정맥(posterior facial vein)과 후이개정맥(posterior auricular vein)은 총안면정맥(common facial vein)과 외경정맥(external jugular vein)으로 유입된다.[2,4,13]

2) 외이도

(1) 외이도의 형태

외이도는 외이 입구부터 고막까지의 부위를 지칭한다. 외이도의 외측 1/3은 연골부로 구성되며 이개 연골과 연결되어 있으며, 내측 2/3는 고골(tympanic bone)과 인상골(squamous bone)에 의한 골부로 형성되어 있다. 성인에서 외이도의 길이는 약 2.5~3 cm, 내경은 7~9 mm이며, 대체로 S자형으로 구부러져 있다. 고막은 하부와 전방부가 내측으로 경사를 이루기 때문에 외이도는 전하부가 후상부에 비해서 약 5~6 mm 정도 더 길다(그림 1-9).[2,4,6,8,16,17]

영아기에는 골부 외이도가 없이 주로 연골부로 구성되기 때문에 짧고 곧지만, 고골과 유양돌기가 발달하고 두개와 안면이 성장함에 따라 외이도의 골부가 완성되면서 성

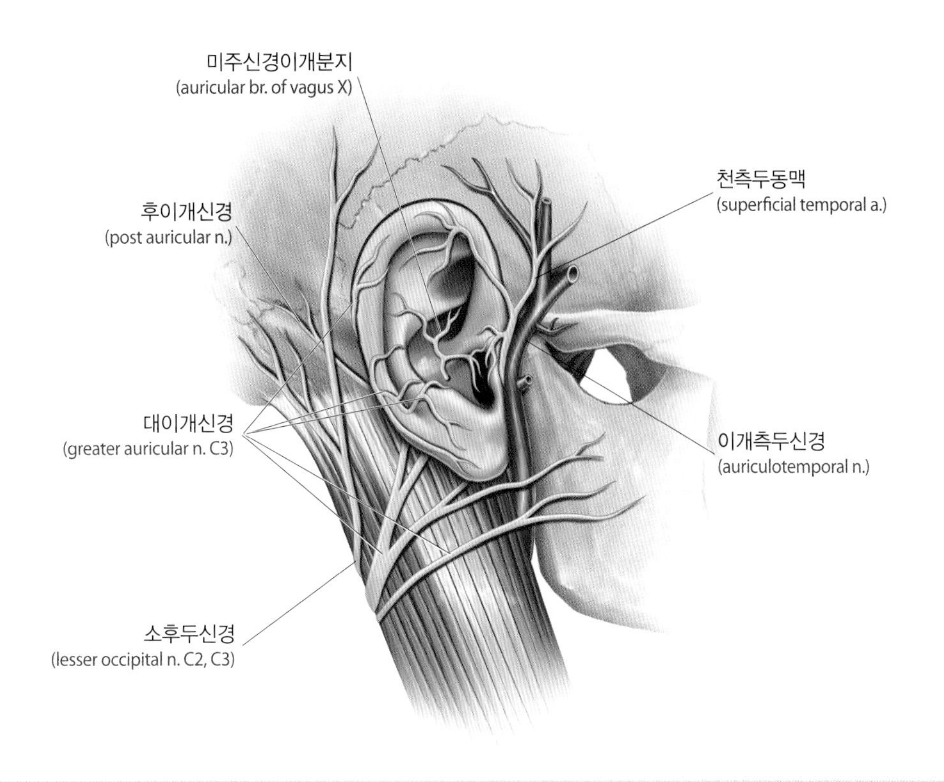

■ 그림 1-8. **이개 지각 신경의 분포**

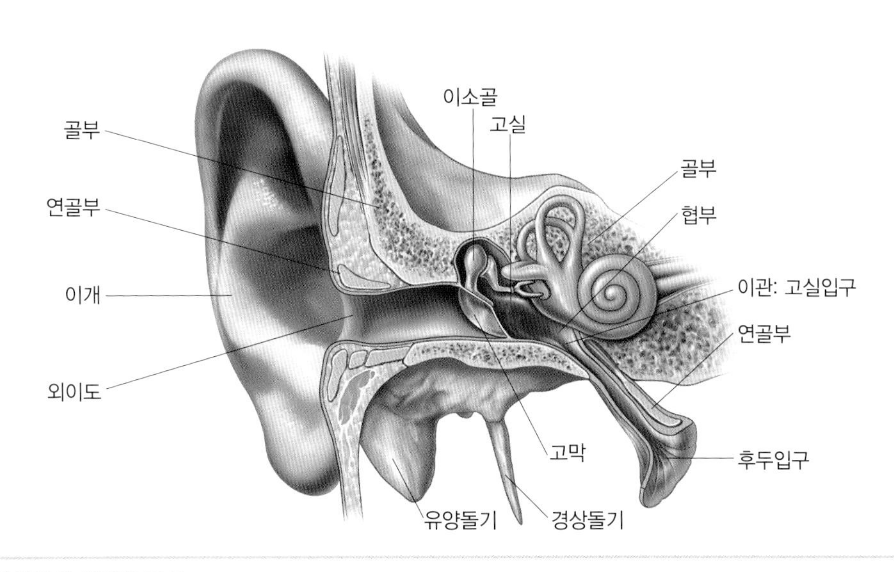

■ 그림 1-9. **외이도의 형태와 구조**

인이 되면 길이가 더 길어지고 S자 형태를 띤다(그림 1-10).[2,4,13] 이와 같은 굴곡은 고막을 보호하는 역할을 하며 따라서 고막검사를 위해서는 이개를 후상방으로 끌어당겨야 한다. 그러나 유소아에서는 골부 외이도가 아직 형성되어있지 않으므로 이개를 후하방으로 당겨야 한다.

외이도에서 골부와 연골부의 경계부에서 약간 내측에

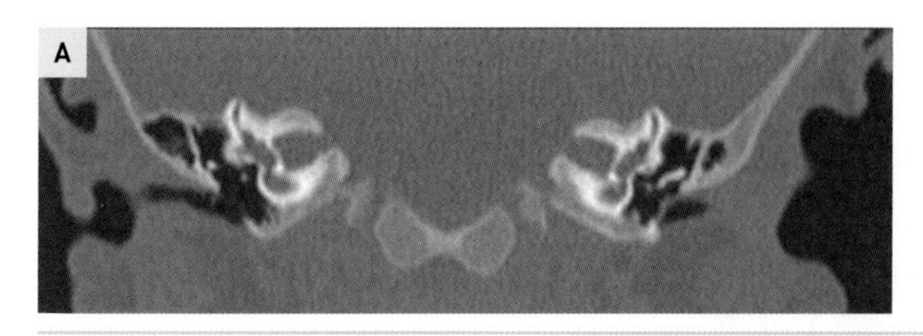

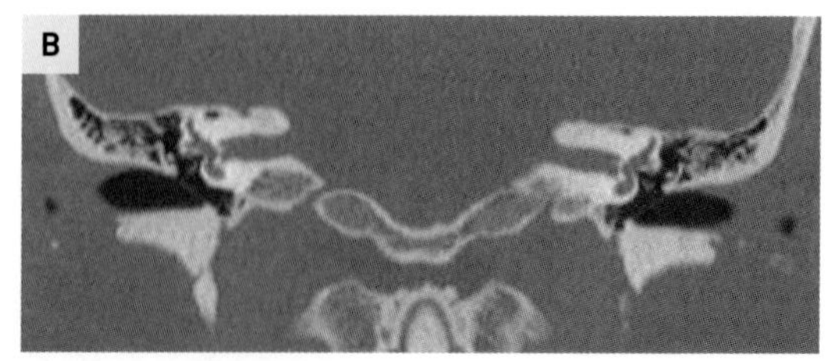

■ 그림 1-10. **영아와 성인의 외이도.** **A)** 영아시 (생후 3개월)에는 골부 외이도가 거의 없고 연골 조직으로 구성. **B)** 나이가 들면서 골부가 외측으로 성장하면서 골부 외이도를 형성

외이도에서 가장 좁은 부위가 있는데 이를 협부(isthmus)라고 한다. 협부는 그 부위의 외이도 전, 하벽의 뼈가 융기되어 생긴 것이다.[2,4]

외이도 연골부의 하부에 연골이 결손된 부위가 있는데 이를 Santorini 절흔(fissure of Santorini)이라고 하며, 이곳은 혈관과 신경들의 통로이며 외이도나 이하선, 유돌부같은 주위 조직의 염증이나 종양이 서로 파급되는 통로가 되기도 한다.[2,4,17]

(2) 외이도의 피부와 방어 기능

외이도의 연골부와 골부는 조직학적으로 차이를 보인다. 즉 연골부의 피부는 두껍고 모낭, 피지선, 이구선 등이 존재하는 반면 골부 외이도는 피부가 얇고 바로 뼈에 부착되어 있으며 모낭, 피지선, 이구선 같은 피부 부속기가 없는 것이 특징이다(그림 1-11).[2,4,17]

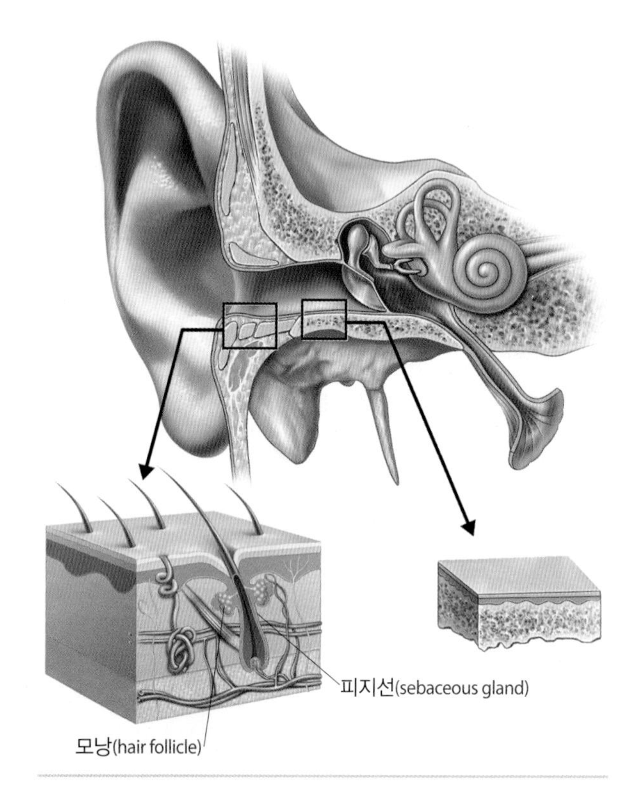

■ 그림 1-11. **외이도 연골부와 골부의 피부 조직의 차이**

이구선은 대한선과 땀샘이 변한 것으로 1,000~2,000개 정도가 존재한다. 지방성의 황갈색 액체를 분비하고 여기에 탈락된 상피 세포들과 피지가 더해져서 이구(cerumen)를 생성한다. 이구는 지방 성분이 많기 때문에 물기가 귀에 스며들지 못하게 하고, pH 6.5~6.8의 산성이기 때문에 병원균들이 잘 증식할 수 없으며, 다른 외분비선들과 마찬가지로 리소좀(lysozome)을 함유하고 있어 항균성을 지니고 있다. 이러한 특성들에 의해 이구는 외이의 방어 기전의 일부를 담당하고 있다.[2,4]

이구는 인종 및 개인에 따라 다를 수 있다. 동양인은 주로 건조형(dry cerumen)이 많고 백인과 흑인은 주로 습한 성상(wet cerumen)을 가지고 있다. 이구는 연골부 외이도에서 생성되기 때문에 비정상적으로 이구가 많이 쌓여있어 발생하는 이구 전색(ceruminal impaction)은 주로 연골부 외이도에 발생한다.[2,4]

외이도는 외배엽으로부터 발생하기 때문에 신체 다른 부위의 표피처럼 상피에서 각질화가 진행되어 탈락된 각질들이 외이도에 쌓이게 된다. 그런데 고막과 외이도의 상피세포들은 고막의 제(umbo)를 중심으로 하여 외이도의

바깥쪽을 향하여 원심성으로 움직이기 때문에 탈락된 각질세포들은 외부로 자연스럽게 배출된다. 이를 외이의 자정작용이라 한다.[7]

이와 함께 외이도는 특징적인 구조에 의한 방어 기능을 가지고 있다. 즉, 외이도는 전체적인 모양이 S자 형태이고 외이도의 중간 부위에 협부가 있기 때문에 외부의 이물이 내부로 쉽게 들어갈 수 없는 구조를 갖고 있다. 또한 이개의 이주(tragus)의 돌출된 구조도 중이 및 내이를 보호하는 역할도 하고 있다.[17]

(3) 외이도의 신경지배와 혈관분포

외이도의 신경지배에 있어서는 전벽과 상벽에는 삼차신경의 하악 분절인 이개측두신경(auriculotemporal nerve)이 분포하며, 후벽과 하벽은 주로 미주신경의 이개분지(auricular branch, Arnold's nerve)의 지배를 받고 있다. 그 외에 외이도 후벽에는 안면신경이 분포하며 설인신경이 일부 분포하는 것으로 알려져 있다(그림 1-12).[2,4,13]

외이에는 이처럼 많은 신경들이 분포하므로 외이에 병변이 없더라도 같은 신경지배를 받는 구강, 인두, 후두 등에 병변이 있으면 마치 귀에 병변이 있는 것처럼 이통을 호소할 수 있는데 이를 연관통(referred otalgia)이라 한다. 또한 외이도를 자극하였을 때 일어나는 기침은 미주신경반사(vagal reflex)로 일어난다.[2,4]

외이도의 혈관분포에서는 전상방에는 천측두동맥의 분지인 이개측두동맥(auriculotemporal artery)이 분포하며, 후방에는 내악동맥(internal maxillary artery)의 분지인 심이개동맥(deep auricular artery)이 분포한다. 외이도에서 고실유돌봉합(tympanomastoid suture)과 고실인상봉합(tympanosquamous suture) 사이에 많은 혈관들이 분포한 부위를 혈관대(vascular strip)라고 한다. 이 혈관들은 고막까지 연결되어 있고 수술 후 치유과정에서 중요한 역할을 하므로 수술 시 가능한 보존해야 한다.[2,4]

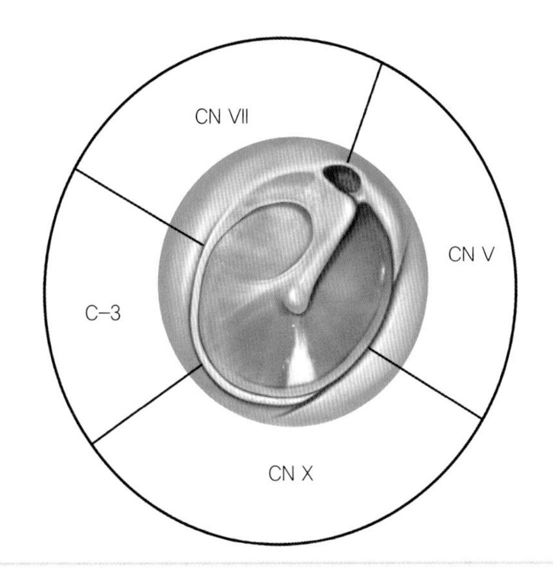

■ 그림 1-12. **외이도의 각 부위별 신경의 분포**

2. 고막

1) 고막의 형태와 부위

고막(tympanic membrane)의 크기는 약 8×9 mm, 두께 약 0.1 mm의 얇은 막이며, 약간 투명한 회백색을 띤다. 고막의 형태는 타원형이며, 중심부가 내측으로 함몰되어 있다. 고막에서 가장 많이 함몰된 부위를 제(umbo)라 하며 이소골 중 추골병(malleus handle)의 끝부분에 부착된 부위에 해당한다.[2,4,8]

고막은 외이도에서 수직으로 위치하지 않고 외이도의 상벽과는 약 140°, 하벽과는 약 27°의 경사를 이루면서 기울어져 있다. 이러한 경사는 신생아에서 더욱 심하여 거의 수평으로 위치하며 측두골이 성장하면서 점차 수직에 가까워진다.[2,4]

고막은 임상적으로 용이하게 표시하기 위하여 추골병을 따라 선을 긋고 제에서 이 선에 직각으로 선을 그어서 전상부, 전하부, 후상부, 후하부의 4부분으로 나눌 수 있다.[2,4] 각각의 부위는 중이 및 내이의 중요 구조물의 위치와 연관되어 있으며 따라서 고막에 대한 각종 시술을 시행할 때는 각 부위별 구조물을 숙지하고 있어야 한다(그림 1-13).

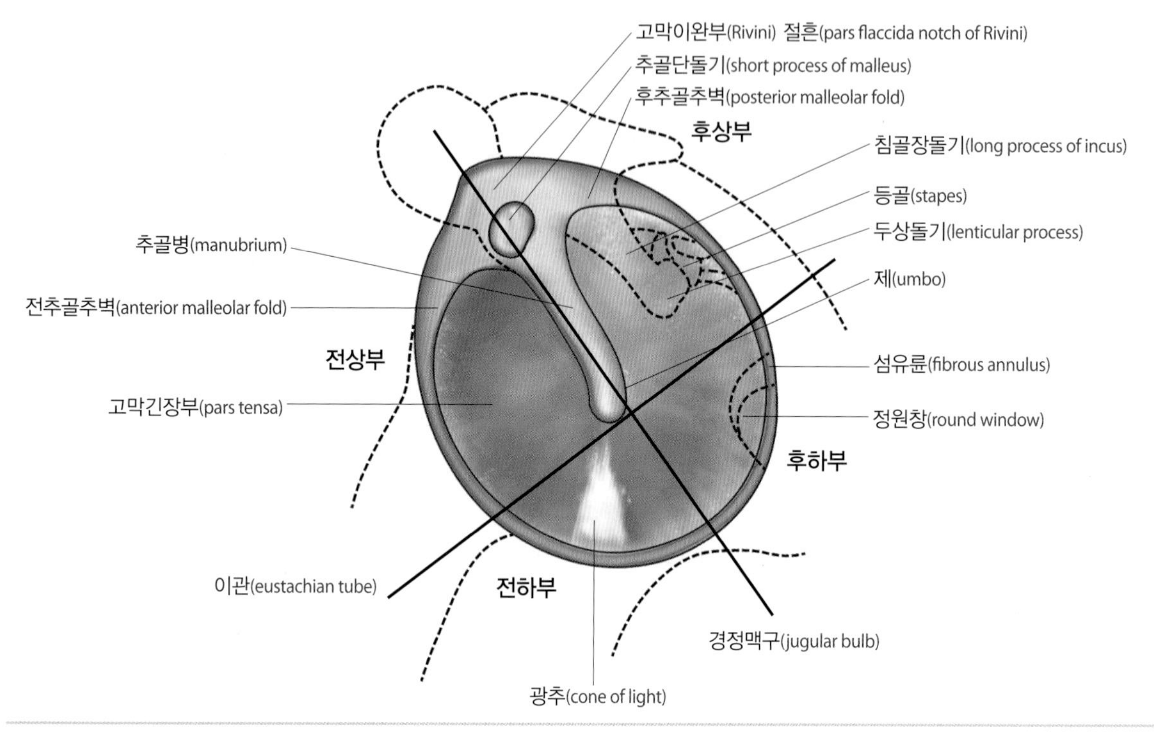

■ 그림 1-13. **고막의 형태와 각 부위의 명칭**

2) 고막의 미세구조

고막은 조직학적으로 세 층으로 구성되어 있다. 외측은 외이도 피부의 피부층으로 구성되어 있으며, 중간부는 탄력성의 결체 조직으로 구성되어 있어 고유층(lamina propria), 중간층(middle layer), 섬유층(fibrous layer)으로도 불리며, 내측은 점막으로 구성되어 있다.[7,8]

고막의 긴장부와 이완부는 조직학적으로 차이가 있으며 그에 따라 이완부가 중이강의 압력 변화에 쉽게 함몰될 수 있게 된다. 이는 이완부의 고유층에 방사선상(radiating)과 윤상(circular)의 교원섬유(collagen fiber)들이 존재하지 않기 때문이다(그림 1-14).[7,8]

3. 중이

중이(middle ear)는 외측으로 고막과 내측으로는 와우의 기저회전부에 해당하는 공간이며 고막의 상측과 하측을 기준으로 하여 상고실(epitympanum)과 중고실(mesotympanum), 하고실(hypotympanum)로 구분한다. 중이는 측두골 내에서 점막으로 덮여 있고 공기로 채워진 하나의 공간으로서 대략 상하, 전후, 내외의 6개 면을 가진 육면체 구조를 갖고 있다.[1,4,12]

상부는 고실천장(tegmen)으로 중두개와(middle cranial fossa)에, 하부는 경정맥구(jugular bulb)와 경동맥(internal carotid artery)에 접하며, 전방부에는 이관(eustachian tube), 내이도(internal auditory canal), 전고실동맥(anterior tympanic artery), 전추골인대(anterior malleolar ligament)에 접한다. 육면체 후면에는 유돌동구(aditus ad antrum), 침골와(incudal fossa), 추체융기(pyramidal eminence), 안면신경와(facial recess)에 인접하며 외측면은 고막(tympanic membrane)과 고실륜(tympanic annulus)에 접하고 내측면은 고실갑각(promontory), 갑각절(ponticulus), 갑각지각(subiculum), 정원창(round window), 난원창(oval window), 안면신경관(facial canal)에 접한다.[1,2,4]

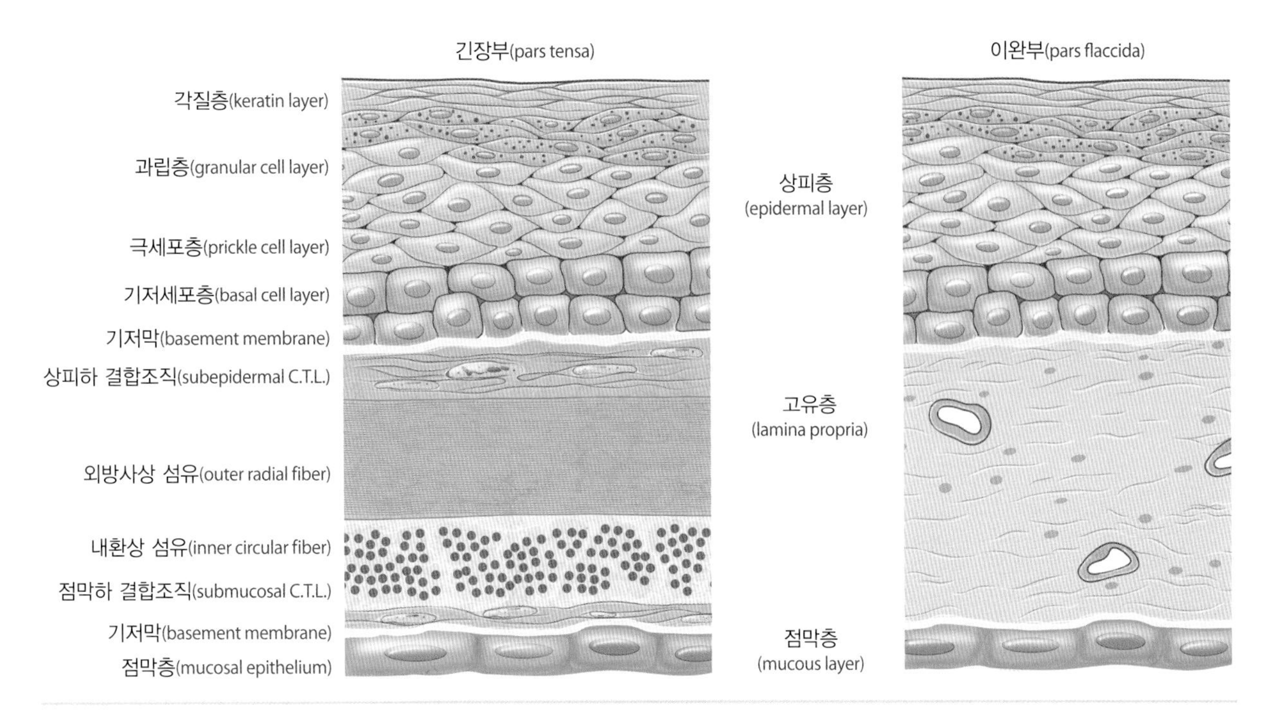

■ 그림 1-14. **고막의 긴장부와 이완부의 미세 구조**

1) 이소골(Ossicle)

이소골은 인체에서 가장 작은 뼈로서 망치 모양의 추골(malleus), 모루 모양의 침골(incus), 등자 모양의 등골(stapes)로 이루어진다. 추골은 고막의 내측에 부착되어 있고 추골, 침골, 등골순으로 관절에 의해 연결되어 있으며 등골은 윤상인대에 의해 난원창에 부착되어 있다.

(1) 추골(Malleus)

추골은 이소골 중 가장 크며 길이는 약 7~8 mm로 두부(head), 경부(neck), 병(handle)으로 구성 되어있으며, 전돌기(anterior, long process), 단돌기(lateral, short process)가 있다.

추골의 두부는 상고실(epitympanum)에 위치하며 침골 체부와 침추관절(incudomalleolar joint)을 이루며 추골병은 고막의 섬유층에 묻혀있다(그림 1-15A).[2,4,7,14]

추골에는 3개의 인대와 1개의 근육이 부착되어 있다. 3개의 인대로는 전추골인대(anterior malleolar ligament), 상추골인대(superior malleolar ligament), 외추골인대(lateral malleolar ligament)가 있으며, 1개의 근육은 고막장근(tensor tympani muscle)이 부착되어 있다. 전추골인대는 추체고실열에서 시작하여 추골 전돌기에 붙고, 상추골인대는 상고실 천장인 고실개에서 시작하여 상고실의 추골 두부에 붙으며, 외추골인대는 Rivini 절흔(Rivini's notch)에서 시작하여 단돌기에 부착된다. 고막장근은 이관의 골부 상부를 지나고 와우각상돌기(cochleariform process)에서 직각으로 외측으로 방향을 바꾸어 추골 경부에 붙는다.[2,4,6,7]

(2) 침골(Incus)

침골은 체부(body), 장돌기(long process), 단돌기(short process), 두상돌기(lenticular process)로 구성되며, 장돌기는 약 6~7 mm, 단돌기는 약 5 mm이다. 체부와 단돌기는 상고실에 위치하고 단돌기는 상고실의 침골와(incudal fossa)에 놓여 있다(그림 1-15B).[2,4,7] 장돌기는 추골병과 평행하게 하방으로 뻗어 내려오고, 두상돌기는 거의 90°로 내측으로 꺾어지며 등골과 관절을 이룬다.[2,4,8]

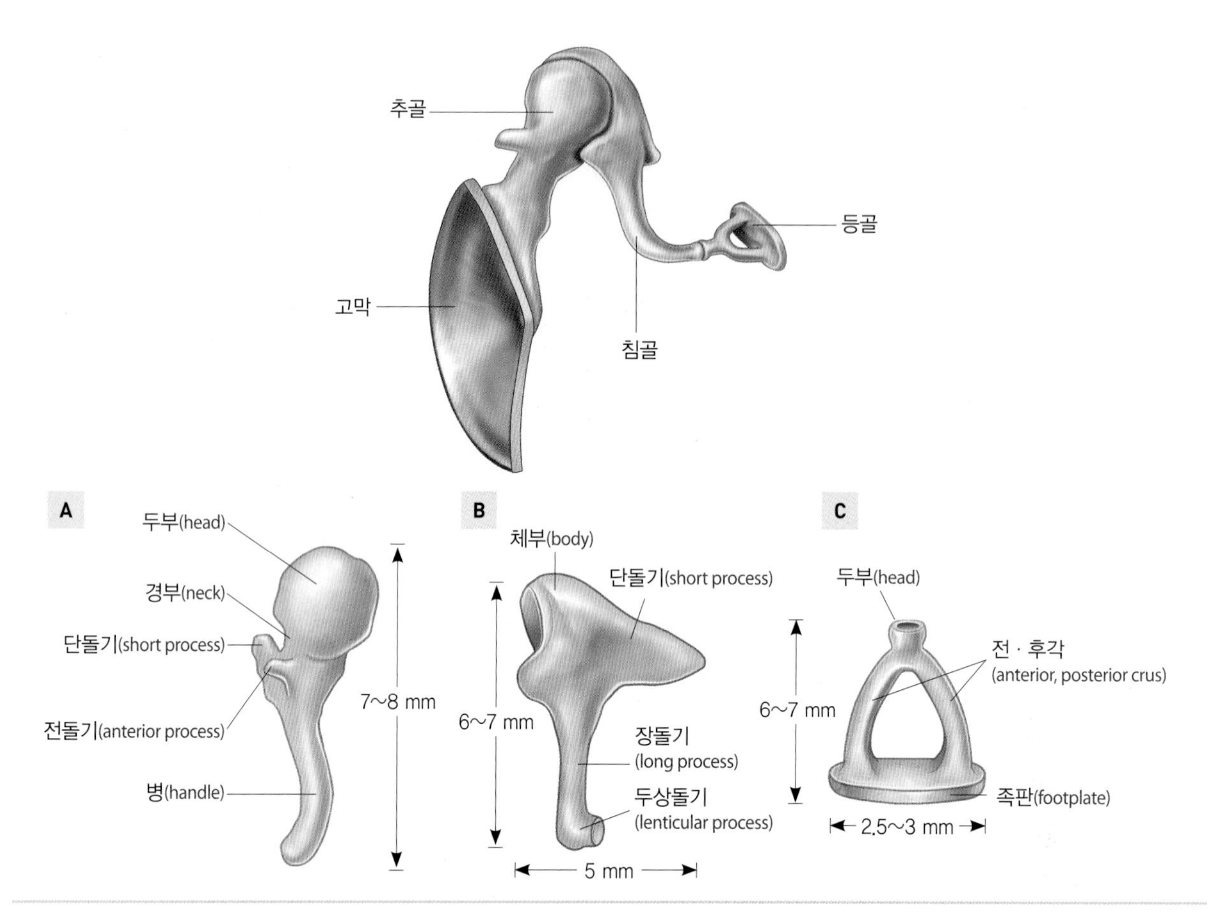

■ 그림 1-15. **이소골의 구조.** **A)** 추골(malleus), **B)** 침골(incus), **C)** 등골(stapes)

침골에는 후침골인대(posterior incudal ligament)와 상침골인대(superior incudal ligament)가 붙어 있다. 후침골인대는 침골의 단돌기와 침골와를 연결하며 상침골인대는 침골체부에서 고실개를 연결한다.[2,4,6,7]

침골은 추골의 내후방에 위치하여 등골과 추골 사이에서 관절을 형성하며, 지렛대 역할을 함으로써 중이의 변압기능에 중요한 역할을 한다.[19]

(3) 등골(Stapes)

등골은 두부(head), 전·후각(anterior and posterior crura), 족판(footplate)으로 구성되며 윤상인대에 의해 난원창에 부착된다. 등골의 두부는 침골의 두상돌기와 접합하여 침등관절(incudostapedial joint)을 형성한다. 전각은 후각에 비하여 더 가늘며 굴곡이 더 작고, 후각과 두부가 만나는 부위에 등골근의 건(stapedial tendon)이 부착된다.[2,4]

등골의 높이는 약 2.5~3.5 mm이고, 족판은 약 2.5~3.0 mm×1.0~1.5 mm이며 상면은 평편하거나 약간 오목하다(그림 1-15C).[2,4,7]

2) 이내근(Auditory muscles)

중이에 위치하는 이내근으로는 고막장근(tensor tympani muscle)과 등골근(stapedius muscle)이 있다. 이소골에 부착하여 외부에서 강한 음이 들어오면 반사적으로 수축하여 이들을 고정함으로써 강한 음이 내이로 전달되지 못하게 하여 내이를 보호하는 역할을 한다(그림 1-16).[2,4]

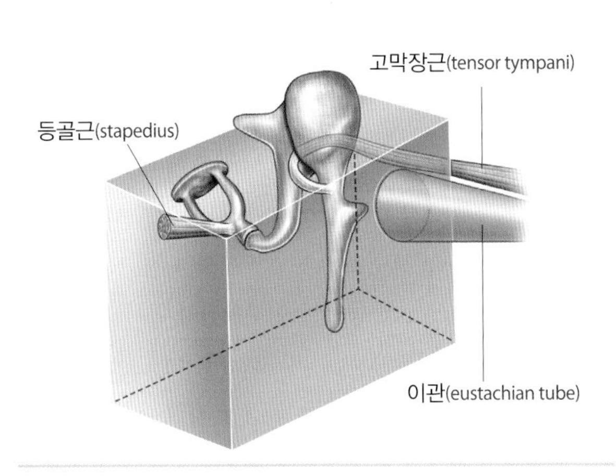

■ 그림 1-16. **이내근의 위치와 경로**

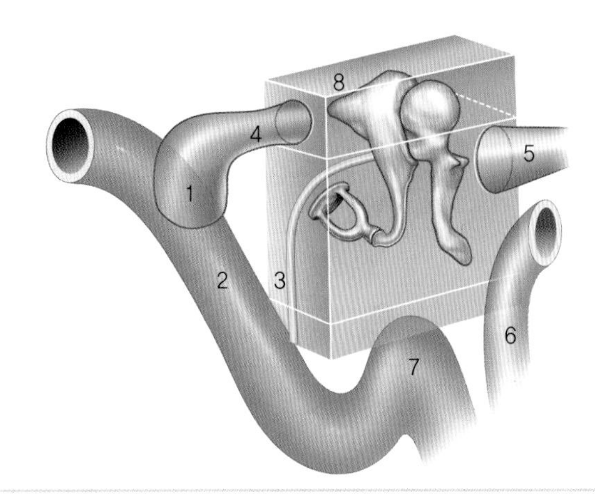

■ 그림 1-17. **고실의 육면체 구조.** 1: 유양동(mastoid antrum), 2: S상 정맥동(sigmoid sinus), 3: 안면신경(facial nerve), 4: 유돌동구(aditus ad antrum), 5: 이관(Eustachian tube), 6: 내경동맥(internal carotid artery), 7: 경정맥구(jugular bulb), 8: 측두엽(temporal lobe)

(1) 고막장근(Tensor tympani muscle)

고막장근은 이관의 연골부, 접형골(sphenoid bone) 주위, 추체첨(petrous pyramid) 등의 부위에서 기원하여 이관의 골부 위에 놓인 고막장근반관(musculotubal canal)을 따라 고실내로 들어오며 그 길이는 약 2 cm 정도이다. 고실내로 들어온 고막장근은 와우각상돌기(cochleariform process)부위에서 직각으로 외측으로 구부러져 추골 경부의 내측에 붙게 된다. 고막장근은 삼차신경의 제3 분지인 하악신경에 의해 지배되며 추골을 내측으로 끌어당기는 기능을 한다. 고막장근은 중이강 내의 만성 염증으로 인해 수축될 수 있으며 이때 추골병은 내측으로 이동하게 되고 심한 경우에는 추골병의 끝부분이 고실갑각(promontory)에 닿는 경우도 있다.[2,4,6,7,8]

(2) 등골근(Stapedius muscle)

등골근은 비교적 짧고 두꺼운 근육으로 안면신경관(fallopian canal)의 유돌부(mastoid portion)의 전내측에서 기원하여 추체융기(pyramidal eminence)를 거쳐 등골 경부의 후면에 부착한다. 등골근은 등골을 후방과 약간 외방으로 당기는 기능을 하며 안면신경의 지배를 받는다.[2,4,6,8] 따라서 안면신경이 마비된 경우에는 등골근반사가 소실되며 이는 임피던스 청력검사를 통해서 확인할 수 있다.

3) 고실의 육면체 구조(그림 1-17)

(1) 상벽

상벽은 고실천장(tegmen)로 이루어지며, 이것의 상부에는 중두개와(middle cranial fossa)가 위치한다. 상벽은 측두골의 추체부와 인상부가 접하는 추체인상 봉합선(petrosqumous suture)을 포함한다.[2,4,7,13]

(2) 하벽

하벽은 얇은 뼈로 이루어져 있으며 그 하방에 경정맥구(jugular bulb)가 있고, 전하부에서 내경동맥(internal carotid artery)이 지나간다. 이 하벽의 뼈가 선천적으로 결손된 경우에는 경정맥구가 고실내로 돌출되어 청색 고막(blue drum)으로 보이게 되고, 고막천자나 고막절개 시 손상을 초래할 수 있으므로 주의해야 한다.[2,4,7,13]

(3) 전벽

전벽에는 이관의 고실구가 개구하며 하방에 내경동맥이 지나가고, 그 상방에는 고삭신경이 들어가는 Huguier 관이 있으며 이와 인접하여 추체고실열(petrotympanic fissure)이 있다. 추체고실열을 통하여 전고실동맥(ante-

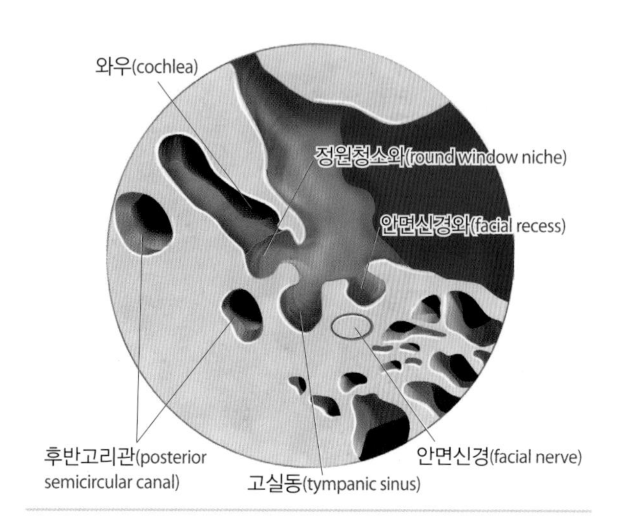

■ 그림 1-18. **안면신경와의 단면과 인근 구조물**

rior tympanic artery)이 고실내로 들어오고 전추골인대(anterior malleolar ligament)가 여기에 부착되어 있다.[2,4,7,13]

(4) 후벽

후벽에는 상고실 부위에 유양동으로 통하는 유돌동구(aditus ad antrum)가 위치하며, 그 하방에는 침골의 단돌기가 놓이는 침골와(incudal fossa)가 있어 후침골인대(posterior incudal ligament)가 이곳에 부착되어 있다. 침골와 하방 후벽에 추체융기(pyramidal eminence)가 위치하며 이곳에서 등골근(stapedial muscle)의 건이 나와 등골(stapes)의 경부에 부착된다.

고삭신경(chorda tympani nerve)은 경유돌공(stylomastoid foramen) 상부에서 안면신경으로부터 분리되어 추체융기의 외측에서 중이강 내로 들어오며, 고삭신경과 추체융기의 사이를 안면신경와(facial recess)라고 한다(그림 1-18). 안면신경와의 경계는 외측으로 고실륜의 후상부, 상부는 침골와의 침골의 단돌기로 이루어져 있고 고실 후상방을 통하여 유돌동구로 이행한다.[2,4,7,13]

(5) 외벽

외벽은 대부분 고막으로 이루어지며 그 외에 고막륜, 골고막구, 상고실의 외벽과 고실경판 으로 구성된다.[2,4,7,13]

(6) 내벽

내벽은 크게 갑각(promontory), 정원창(round window), 난원창(oval window), 안면신경이 지나는 안면신경관(fallopian canal) 등으로 이루어진다. 갑각은 내벽의 중앙부에 위치하며 와우의 기저 회전에 의해 생긴 융기된 부분이다. 갑각의 중앙부에는 신경이 지나는 몇 개의 얕은 구(groove)가 있는데 이 신경들이 모여 고실신경총(tympanic plexus)을 형성한다.

갑각의 후상방에는 약 2.5×1.5 mm 크기의 난원창이 있으며 그 위에 등골의 족판이 놓여 있고 윤상인대로 연결된다. 이 난원창은 약 2~3 mm 정도 함몰되어 있는데 이를 난원창소와(oval window niche)라고 한다.

갑각의 후하방에는 약 1.2~1.5 mm 크기의 정원창이 있으며 정원창막(round window membrane)으로 덮여있다. 정원창은 갑각보다 약 2~3 mm 정도 내측으로 함몰되어 있고 그 주변이 융기된 뼈로 둘러싸여 있는데 이를 정원창소와(round window niche)라고 한다. 정원창막은 얇은 막으로 구성되어 있으며 고막이 병변으로 소실되어 없는 경우에는 소리가 내이로 전달되는 경로가 되기 때문에 제2 고막(secondary tympanic membrane)이라고도 불리며 고막과는 거의 직각으로 위치해 있다. 또한 난원창막과 정원창막의 내측은 바로 와우의 전정계(scala vestibuli)와 고실계(scala tympani)이며 중이강의 염증이나 염증성 산물들이 내이로 파급되는 통로가 되기도 한다.

갑각 후상방의 난원창 하부에는 등골근과 평행하게 추체융기를 향하는 뼈의 미세한 융기가 있는데 이를 갑각절(ponticulus)이라 하며, 정원창소와의 상부에서 고실 후벽을 잇는 뼈의 융기를 갑각지각(subiculum)이라 한다.

갑각의 가장 뒤쪽 난원창과 정원장 사이의 후방에 있는 깊은 함몰부를 고실동(tympanic sinus)이라 한다(그림 1-19A). 고실동의 앞부분은 갑각절과 갑각지각에 의해 경계를 이룬다(그림 1-19B).[2,4,7,13]

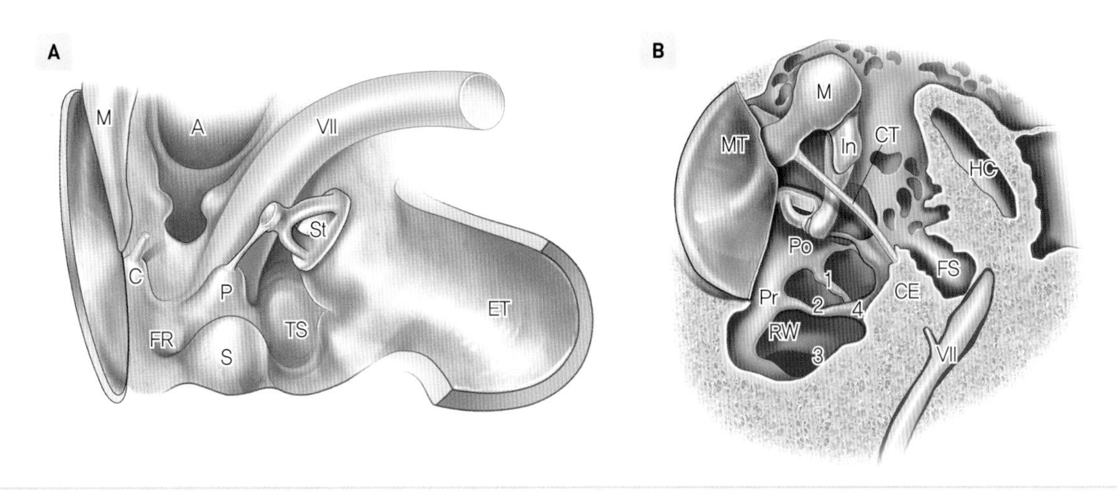

■ 그림 1-19. **A) 고실동과 안면신경**. M: 추골병(malleus handle), A: 유양동(mastoid antrum), VII: 안면신경(facial neerve), St: 등골(stapes, C: 고삭융기(chordal eminence), P: 추체융기(pyramidal eminence), S: 경상융기(styloid eminence), ET: 이관(eustachian tube), FR: 안면신경와 (facial recess), TS: 고실동(tympanic sinus) **B) 후고실의 갑각절과 갑각지각**. M: 추골(malleus), In: 침골(incus), CT: 고삭신경(chorda tympani), HC: 외반고리관(horizontal canal), MT: 고막(tympanic membrane), Po: 갑각절(ponticulus) FS: 안면신경와(facial recess) CE: 고삭융기(chorda eminence), Pr: 고실갑각(promontory) 1: 갑각지각(subiculum), 2: 골교(bony bridge) 3: 정원창소와(round window niche), 4: 경상융기(styloid eminence), RW: 정원창(round window)

4) 중이의 신경지배와 혈관분포

중이의 감각은 설인신경(glossopharyngeal nerve)의 고실분지(tympanic branch, Jacobson's nerve)가 담당하고 있으며, 이 신경은 경정맥구(jugular bulb)와 내경동맥관(canal of internal carotid artery) 사이의 작은 공(foramaen)을 통하여 중이 내로 들어온다. 이 신경은 경동맥신경총(carotid plexus)에서 나오는 교감신경인 경동맥고실신경(caroticotympanic nerve)과 함께 갑각의 점막 하에서 고실신경총(tympanic plexus)을 형성하여 중이강 내를 신경 지배한다.[2,4,6,7,8]

고실 주위의 뼈와 점막에 분포하는 동맥은 대부분 외경동맥(external carotid artery)에서 기원하며 부분적으로는 내경동맥으로부터 혈액을 공급받고 있다. 내악동맥(internal maxillary artery)의 분지인 전고실동맥(anterior tympanic artery)은 추체고실열(petrotympanic fissure)을 통하여 중이강으로 들어오고 고막을 포함하여 고실의 앞쪽에 분포한다. 상행인두동맥(ascending pharyngeal artery)의 분지인 하고실동맥(inferior tympanic artery)은 설인신경의 고실분지를 따라 고실의 아래쪽으로부터 중이강 내로 들어온다. 후이개동맥(posterior auricular artery)에서 나온 경유돌공동맥(stylomastoid artery)은 안면신경을 따라 중이강으로 들어와 혈액을 공급하고 후고실동맥(posterior tympanic artery)을 내어 고막과 갑각의 후방과 고실 내벽의 일부를 담당한다. 고실의 상부에는 중수막동맥(middle meningeal artery)에서 나오는 상고실동맥(superior tympanic artery)과 천추체동맥(superficial petrosal artery)이 분포한다. 내경동맥의 내경동맥 고실분지(caroticotympanic branch)가 중이강의 전방부에 분포한다.[2,4,6,7,8,13]

정맥은 동맥과 비슷하게 분포하고 익돌근정맥총(pterygoid plexus), 상.하추체정맥동(superior& inferior petrosal sinus), 측정맥동(lateral sinus)으로 유입된다.[2,4,6,7,8,13]

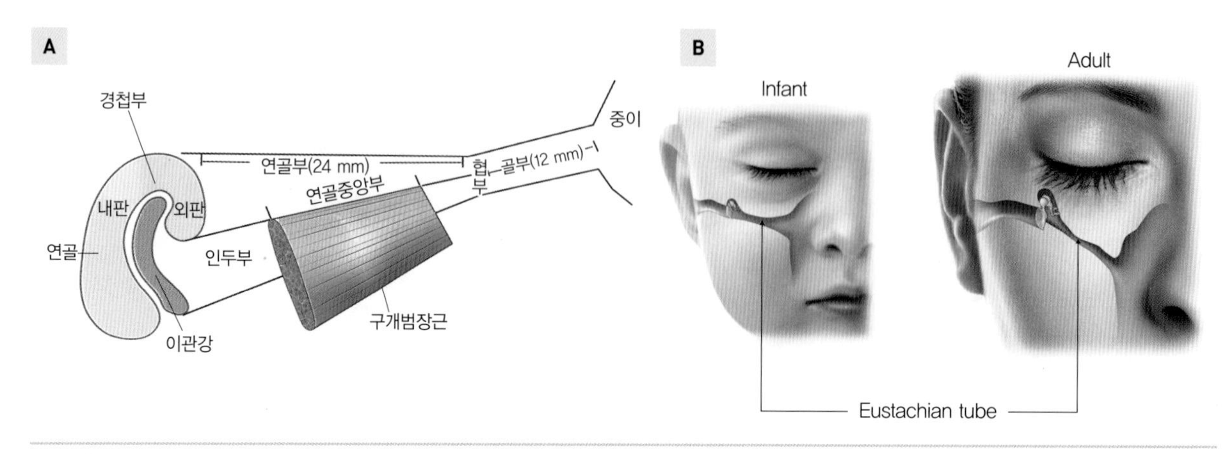

■ 그림 1-20. A) 이관의 구조와 구개 범장근, B) 소아와 성인의 이관 구조의 차이

5) 이관(Eustachian tube)

이관은 중이와 비인강을 연결하는 관이며 외부 기압의 변화에 따라 이관을 통하여 공기가 중이강으로 유입되거나 중이강에서 배출되어 고막 내외의 압이 평형을 유지하도록 한다.[2,4]

비인강 쪽의 이관은 보통 닫혀 있지만 하품을 하거나 음식을 삼킬 때 이관을 개구시키는 근육들, 특히 구개범장근(tensor veli palatini muscle)이 작용하여 이관이 열려지고 외부의 공기가 중이강으로 유입된다(그림 1-20A).[2,4,13]

이관의 길이는 성인에서 약 3.5 cm지만, 유아에서는 길이가 더 짧고 직경이 더 크고 중이와 비인강이 수평이 되도록 위치하기 때문에 감기 등의 상기도 염증이 쉽게 중이강으로 파급되어 중이염을 일으킬 수 있다(그림 1-20B).[2,4,13]

4. 내이(Inner ear)

내이는 아주 복잡한 구조와 형태를 가지고 있기 때문에 미로(labyrinth)라고도 하며, 와우(cochlea), 3개의 반고리관(semicircular canal), 전정(vestibule) 세 부분으로 이루어져있다. 미로는 골부로 이루어진 골성 미로(bony labyrinth)와 내측의 막성 미로(membranous labyrinth)로 이루어져 있다(그림 1-21). 막성 미로 내에는 내림프액(endolymph)으로 차 있으며 골성 미로와 막성 미로 사이에는 외림프액(perilymph)이 차 있다.

내이는 두 가지의 주된 기능을 가지고 있으며 청각 기능은 와우에서, 평형 기능은 전정과 세 개의 반고리관에서 담당하고 있다.

1) 와우(Cochlea)

(1) 와우의 구조와 형태

와우는 달팽이와 모양이 비슷해서 붙여진 이름이며, 사람에서는 2.5 회전을 하며 기저, 중간, 첨단 회전부로 구분된다. 와우 내에는 와우축(modiolus)을 중심으로 회전하는 골나선판(osseous spiral lamina)이 있으며 이 골나선판은 축에서 바깥쪽을 향하며 기저막(basilar membrane)을 통하여 나선인대(spiral ligament)와 연결된다(그림 1-22A).[2,4,6]

와우의 내부는 Reissner막, 기저막, 나선판에 의해서 크게 세 부분으로 나뉜다. Reissner막과 기저막에 의해 만들어진 부위를 와우관(cochlear duct) 또는 중간계(scala media)라고 하며, 와우관의 위쪽 Reissner막이 있는 쪽을 전정계(scala vestibuli)라 하고, 와우관의 아래쪽 기저막이 있는 쪽은 고실계(scala tympani)라고 하며 두 곳은 첨단 회전부에서 서로 교통하고 있다(그림 1-22B).[2,4,6]

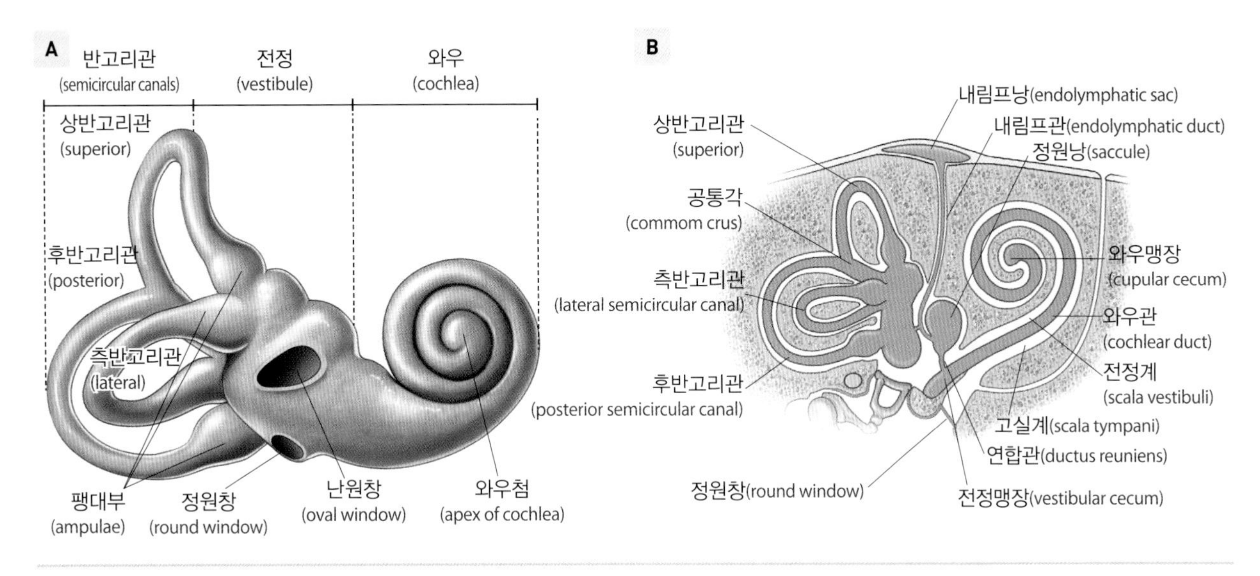

■ 그림 1-21. **내이의 구조.** **A)** 골성 미로, **B)** 막성 미로

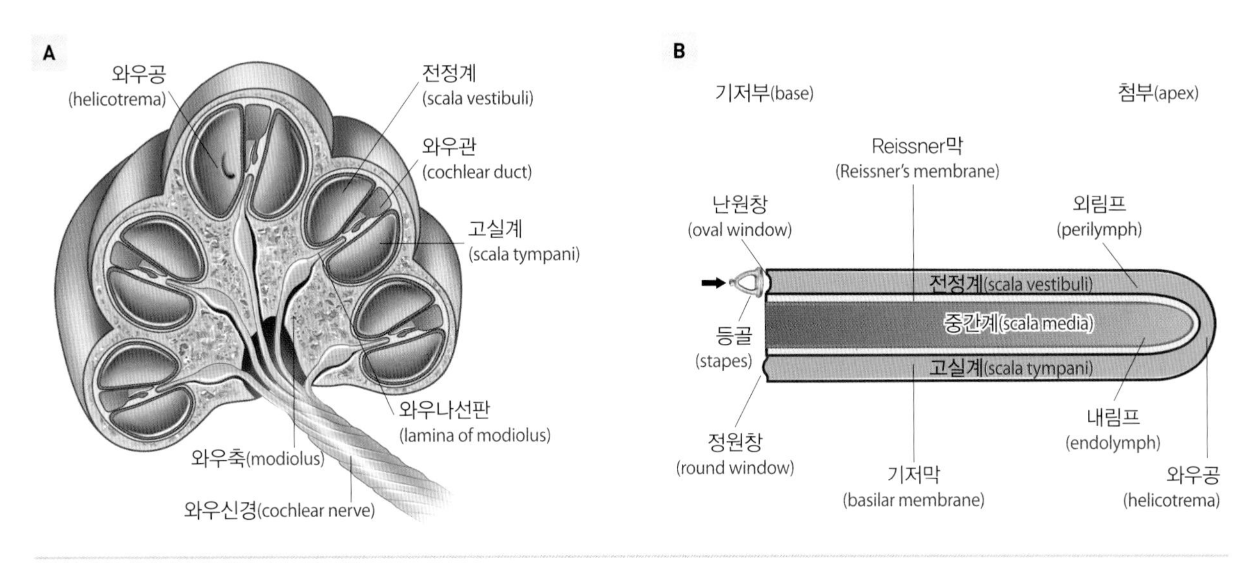

■ 그림 1-22. **와우의 구조.** **A)** 와우의 단면, **B)** 와우에서 전정계와 고실계의 교통

(2) Corti기와 유모세포의 형태

기저막 위에는 소리를 받아들이는데 중심적 역할을 하는 Corti기(organ of Corti)가 있다. 내측에는 내유모세포가 1열로 배열되어 있고 3,500개 정도이며, 그 외측에는 외유모세포가 3열로 배열되어 있으며 약 12,000개 정도 존재하며 주변에는 지주세포들이 있다(그림 1-23).[2,4,5,6]

2) 전정(Vestibule)

전정은 직경이 약 4 mm로 와우의 후상방, 반고리관의 전하방에 위치한다. 막전정은 구형낭(saccule)과 난형낭(utricle)으로 이루어지고 그 내부에는 감각상피인 평형반(macula)이 있다.[2,4]

구형낭은 와우쪽에 위치하며 연합관(ductus reuniens)에 의해서 와우관과 연결된다. 난형낭은 세반고리관

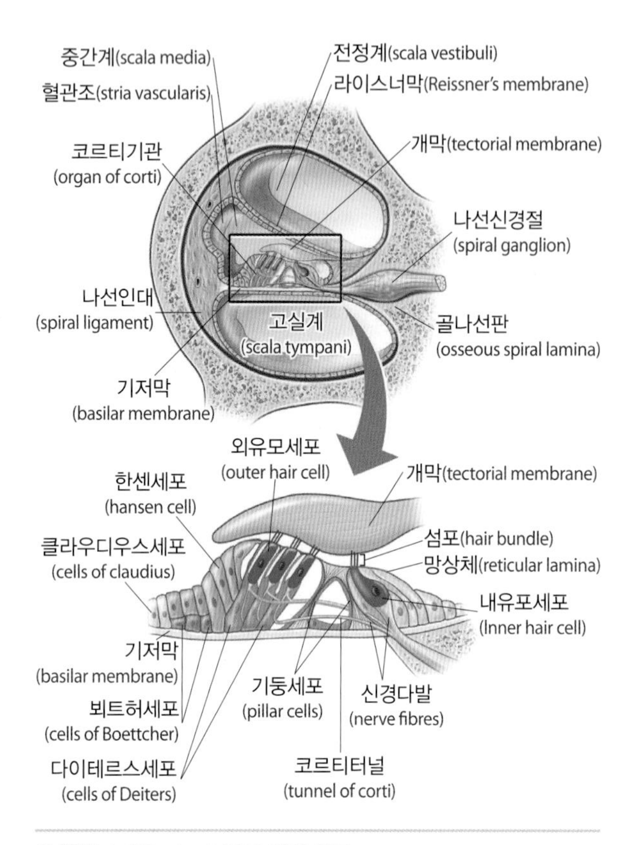

■ 그림 1-23. **Corti 기의 미세 구조**

쪽에 위치하고 3개의 세반고리관과 연결되어 있다. 구형낭과 난형낭은 난형구형낭관(utriculosaccular duct)에 의해 서로 연결될 뿐만 아니라 내림프관(endolymphatic duct)을 경유하여 내림프낭(endolymphatic sac)과 연결된다(그림 1-24).[2,4,5,7]

(1) 난형낭(Utricle)

난형낭은 불규칙한 타원형의 낭으로 전정 내벽 후상부의 난형낭함요(elliptical recess)에 위치한다. 난형낭 내에는 난형의 평형반인 난형낭반(utricular macula)이 있으며 직립 자세에서 수평면에 놓이게 된다. 난형낭반의 중심을 양분하는 곡선을(striola)라 한다. 난형낭반은 자극을 받아들이는 감각세포와 이를 지지하는 지지세포로 이루어지며 감각 세포 위에는 이석막과 이석이 있다. 난형낭의 하부로는 난형낭관이 내림프관으로 연결되기 위한 개

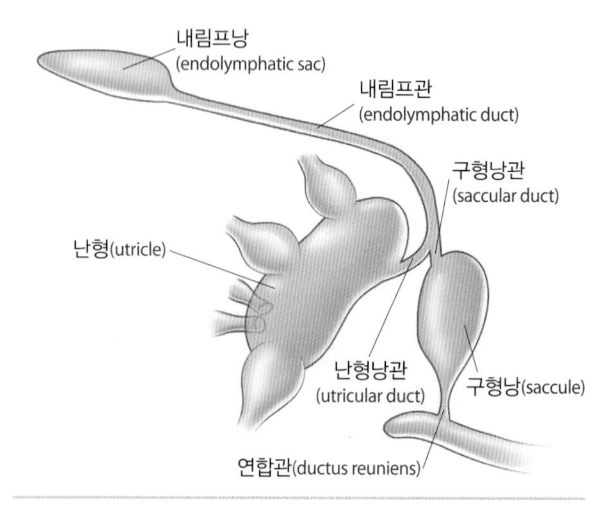

■ 그림 1-24. **막전정의 구조**

구부가 있으며, 세반고리관은 난형낭의 후벽에 개구한다.[2,3,4,7]

(2) 구형낭(Saccule)

구형낭은 긴 불규칙한 모양의 반타원형으로 전정 내벽의 구형낭함요(spherical recess)에 위치한다. 구형낭 내의 구형낭반(saccular macula)은 난형낭과는 달리 L자형을 띠며 직립자세에서 수직면으로 위치하고 난형낭반과는 90° 각도를 유지하고 있다. 구형낭은 하부로 좁아지면서 연합관이 되어 와우관과 연결된다(그림 1-24).[2,3,4,7]

3) 반고리관(Semicircular canal)

반고리관은 전정의 후상방에 위치하고 한 개의 수평반고리관과 두 개의 수직 반고리관으로 구성되어 있다. 반고리관은 그 위치에 따라서 외측(수평)반고리관, 후(수직)반고리관, 상(전)반고리관으로 나뉘고 각 반고리관은 서로 직각으로 공간의 3평면에 위치한다(그림 1-25). 반고리관은 골성 미로와 막성미로로 구성되며 각 반고리관의 한쪽 끝은 부풀어 올라 팽대부(ampulla)를 이루고 있다. 상, 후반고리관의 팽대부 반대 방향 반고리관은 하나로 합쳐져서 총각(common crus)을 형성하고 외측반고리관은 단독으로 전정으로 연결되어 총 5개의 관이 전정과 연결되어

있다(그림 1-21B).[2,3,4]

5. 측두골(Temporal bone)

두개골의 양측에 위치한 측두골(temporal bone)은 추체부(petrous portion), 인상부(squamous portion), 고실부(tympanic portion,) 유돌부(mastoid portion)으로 구성된다(그림 1-26A, B).

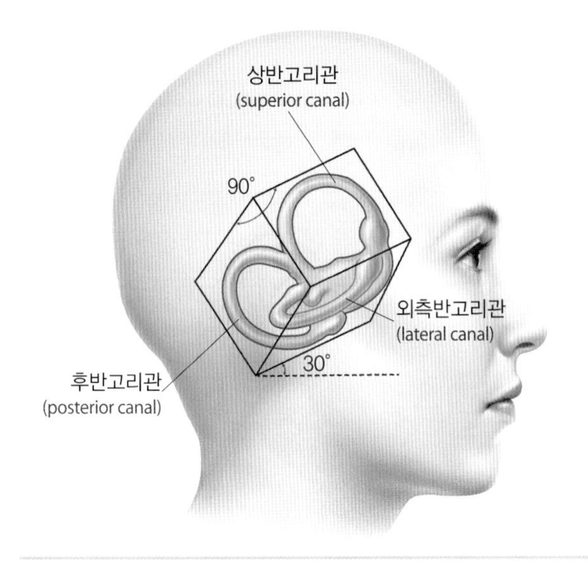

■ 그림 1-25. **각 반고리관의 구조 및 상대적 위치**

1) 외이도 상극(Suprameatal spine)과 유돌와(Mastoid fossa)

외이도 상극(suprameatal spine, Henle's spine)은 골부 외이도의 후상방에 있는 돌출 구조물로서, 후방에 삼각형의 조그만 함몰 부위가 있는데 이를 유돌와(mas-toid fossa, suprameatal triangle of Macewen)라 한다. 유돌와에는 작은 혈관들이 들어가는 많은 혈관공들이 있으며 그 내측에 유양동(mastoid antrum)이 위치하기 때문에 유양돌기 절제술시에 유양동에 대한 지표가 된다(그림 1-27). 성인에서는 유돌와에서 내측으로 약 1.25 cm 되는 곳에 유양동이 위치한다.[1,2,4]

2) 측두선(Linea temporalis)

측두골 인상부(squmous part)의 전하방과 유돌와의 상방에서 인상부의 후상방으로 이어지는 선상 융기를 측두선(linea temporalis)이라 하며 측두근(temporalis muscle)이 부착해 있다. 측두선은 일반적으로 중두개와의 저면에 해당하므로 유양돌기 절제술시에 중두개와 경질막의 위치를 파악하고 손상을 피하는데 도움이 되는 지표로 이용된다.[1,2,4]

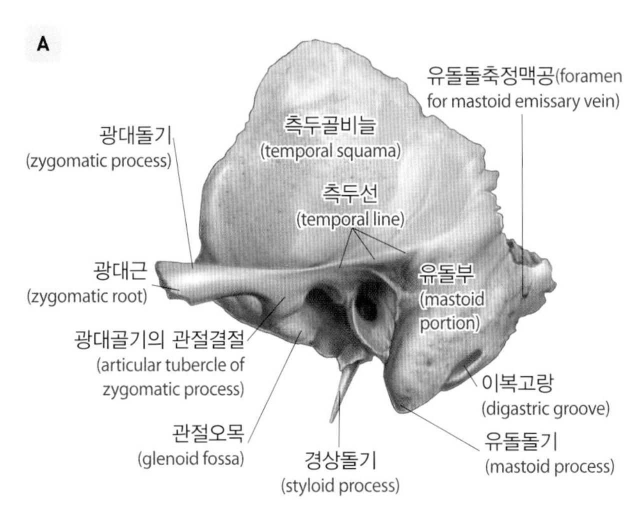

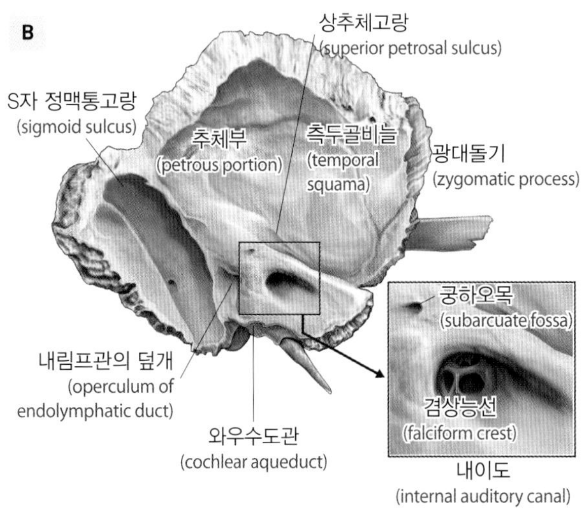

■ 그림 1-26. **측두골의 해부학적 구조.** **A)** 외측면도 **B)** 내측면도

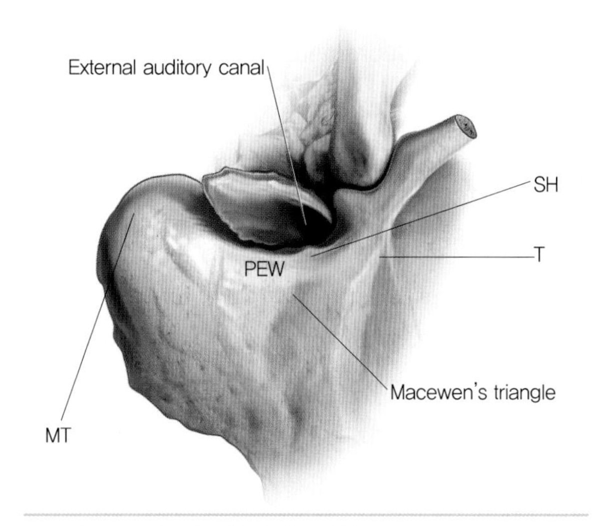

■ 그림 1-27. **측두골 외측면의 해부학적 구조.** SH: suprameatal spine, Henle's spine, T: temporal line MT: mastoid tip, PEW: posterior external auditory canal wall.

3) 유돌공(Mastoid foramen)과 유돌도관정맥(Mastoid emissary vein)

유돌도관정맥(mastoid emissary vein)은 S상정맥동(sigmoid sinus)과 후이개정맥(posterior auricular vein) 및 후두정맥(occipital vein)을 연결하는 정맥으로서 유양돌기의 후상부에 위치하는 유돌공(mastoid foramen)을 통하여 교통한다. 따라서 정맥동에 발생한 혈전정맥염과 같은 염증이 유양돌기의 외측으로 파급되어 S상정맥동 혈전 징후인(Griesinger's sign)이 유돌부에서 나타날 수 있다.[1,2,4]

4) 유돌첨(Mastoid tip)

유양돌기의 아래쪽 끝을 유돌첨이라 한다. 유돌첨의 외측은 흉쇄유돌근(sternocleidomastoid muscle)이 부착하며 벽이 두꺼운 반면, 내측은 벽이 얇고 유양돌기 절흔(mastoid notch)에 이복근(digastric muscle)의 후복(posterior belly)이 부착해 있다. 이처럼 외측벽은 두꺼우나 내측벽은 얇기 때문에 유양돌기내의 염증이 얇은 내측벽을 뚫고 흉쇄유돌근을 따라 하방으로 내려와 Bezold 농양(Bezold abscess)을 형성하기도 한다.[1,2,4]

5) 유양동(Mastoid antrum)과 유돌봉소(Mastoid air cells)

유양동은 유돌와(suprameatal triangle)의 내측에 위치하며, 정상적으로는 공기가 차 있는 공간으로 어른에서는 크기가 약 10 mm 내외이며 부피는 약 1 cc 정도이다. 유양동의 앞쪽은 유돌동구(aditus ad antrum)를 통하여 상고실과 교통하며, 내측은 수평 및 후반고리관과 접하고, 주변에는 공기를 함유한 유돌봉소(mastoid air cells)들이 존재한다.[1,2,4]

6) 추체인상격벽(Petrosquamous septum, Koerner's septum)

추체인상봉합(petrosquamous suture)이 판상으로 격벽을 형성하여 남아있는 것을 추체인상격벽이라 한다(그림 1-28). 유양돌기의 앞쪽과 외측은 측두골의 인상부(squamous part)에서 발생하고 뒤쪽과 내측은 측두골의 추체부(petrous part)에서 발생하기 때문에 추체인상격벽이 생긴다. 추체인상격벽은 정상인의 약 6.6%에서 존재하고, 만성 중이염 환자에서는 17.4%, 고막의 함입이나 유착이 있는 경우에는 30.4%에서 존재한다고 알려져 있다.[10] 유양돌기절제술시에 이 격벽이 유양동의 내측벽으로 오인되어 이 격벽 내측의 봉소를 남겨두는 경우가 있어 수평반고리관 같은 주변의 해부학적 구조물이 확인되지 않는다면 이 격벽을 의심해야 한다.[2,4]

6. 측두골의 안면신경(Facial nerve)

안면신경은 뇌교(pons)와 연수(medulla oblongata) 사이에서 나와 내이도를 통해 측두골로 들어가 안면신경관(fallopian canal) 속을 주행하며 경유돌공(stylomastoid foramen)을 통해 측두골 밖으로 나온다.

측두골 내에서 안면신경은 내이도분절(meatal segment), 미로분절(labyrinthine segment), 고실분절(tympanic segment)과 유돌분절(mastoid segment)로

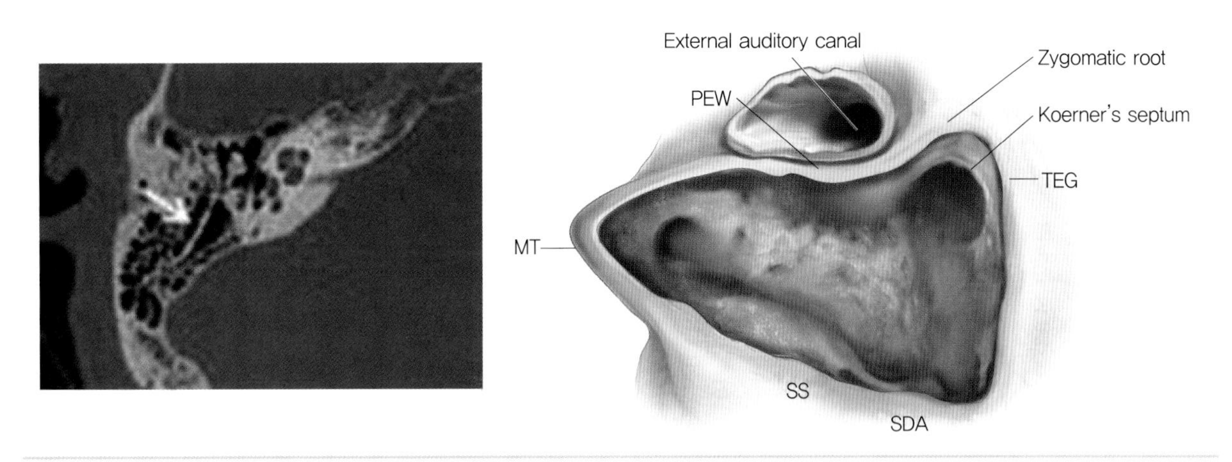

■ 그림 1-28. **추체인상격벽의 전산화 단층 촬영 소견과 위치.** TEG: Tegmen, SDA: sinudural angle, SS: sigmoid sinus, PEW: posterior external auditory canal wall, MT: mastoid tip.

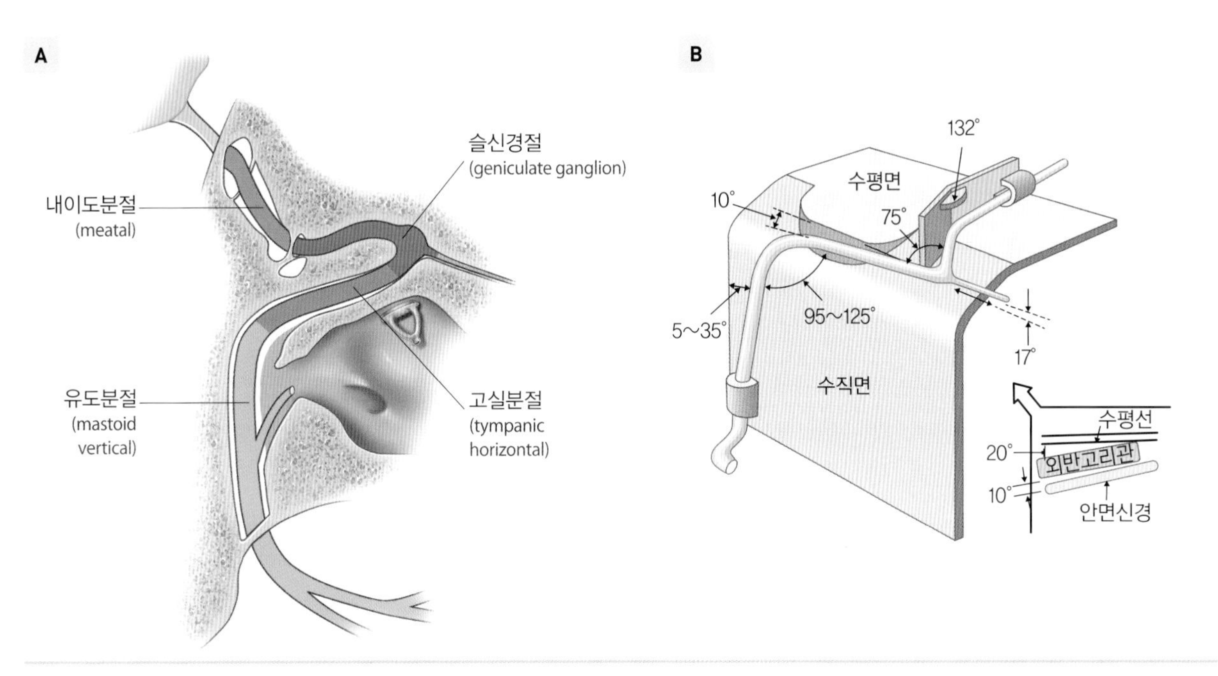

■ 그림 1-29. **안면신경 각 분절의 주행 및 각도 관계**

나눌 수 있다(그림 1-29A). 내이도분절은 내이공(porus of internal auditory canal)에서 도내공(meatal foramen)까지 8~10 mm이며 내이도 내에서 청신경의 상전방에 위치한다. 미로분절은 도내공에서 슬신경절(geniculate ganglion)까지 3~5 mm이며, 슬신경절에서 첫번째 분지인 대천추제신경(greater superficial petrosal nerve)을 분지한다. 고실분절은 8~11 mm의 길이로 슬신경절 후방으로 진행하는데 40~80° 정도의 각도를 형성한다. 유돌분절은 추체융기(pyramidal eminence)로부터 경유돌공까지로 10~14 mm이며 등골신경(stapedius nerve)과 고삭신경(chorda tympani)이 분지된다(그림 1-29B).[1,2,4]

참고문헌

1. 박문서, 여상원, 이상흔. Comprehensive temporal bone anatomy. 이과학미세수술실습서, 엠엘커뮤니케이션 2013, p11-17.
2. 백만기, 최신이비인후과학, 일조각, 1987, p.3-21.
3. 이정구, 말초전정기관의 해부, 어지럼증. 단국대학교출판부, 2007, p.11-34.
4. 조용범, 귀의 발생과 해부, 이비인후과학 두경부외과학, 일조각, 2009, p.3-18.
5. Anson BJ, Davies J, Duckert LG. Embryology. In: Paparella MM, Shumrick DA, Gluckman JL, et al. eds, Otolaryngology, 3rd ed. Philadelphia: WB Saunders, 1991, p.3-22.
6. Austin DF. Anatomy of the Ear. In: Ballenger JJ, Snow JB, eds. Otorhinolaryngology: Head & Neck Surgery, 15th ed. Baltimore: Williams & Wilkins, 1996, p.838-857.
7. Donalson JA, Duckert LG. Anatomy of ear. In: Paparella MM, Shumrick DA, Gluckman JL, et al. eds, Otolaryngology, 3rd ed. Philadelphia: WB Saunders, 1991, p.23-58.
8. Duckert LG. Anatomy of the skull base, temporal bone, external ear. In: Cummings CW, Fredericson JM, HarkerLA, eitors. Otolaryngology-Head and Neck Surgery. 5th ed. St Louis: Mosby Year Book; 2010. p.2533-2546.
9. Francis HW. Anatomy of the Temporal bone, External ear, and Middle ear. In: Cummings CW, Fredericson JM, HarkerLA, eitors. Otolaryngology-Head and Neck Surgery. 5th ed. St Louis: Mosby Year Book; 2010. p.1977-1986.
10. Goksu N, Kemaloglu YK, Koybasioglu A, et al. Clinical importance of the Koener's septum. Am J Otol 1997;18:304-306.
11. Graney DO, Sie KCY. Development anatomy. In Cummings CW, Fredrickson JM, Harker LA et al. eds, Otolaryngology; Head & Neck Surgery, 3rd ed. St Louis: Mosby Year Book; 1998. p.11-24.
12. Gulya AJ, Anatomy of the Ear and Temporal bone. in: Glasscock ME, Gulya AJ. Surgery of the Ear. 5th ed. Hamilton:BC Decker Inc; 2003. p.35-57.
13. Gulya AJ, Schuknecht HF. Anatomy of the Temporal Bone with Surgical Implications, 2nd ed. New York: Parthenon Publishing Group, 1995.
14. Karmody CS, Annino DJ Jr. Embryology and Anomalies of the External Ear. Facial Plast Surg 1995;11:251-256.
15. Kim DG, Park SN, Park KH et al., Clinical efficacy of fat-graft myringoplasty for perforation of different sizes and locations. Acta Otolaryngol 2011;131:22-26.
16. Lysakowsky A, McCrea RA, Tomlinson RD. Anatomy of vestibular end organs and neural pathways. In Cummings CW, Fredrickson JM, Harker LA et al. eds, Otolaryngology; Head & Neck Surgery, 3rd ed. St Louis: Mosby Year Book; 1998. p.2561-2583.
17. Lucente FE, Lawson W, Novick NL. The external ear. Philadelphia: WB Saunders, 1995, p.1-17.
18. Michael JW, Anil KL, Robert KJ. Developm,ent of the Ear. In: Byron JB, ed. Head & Neck Surgery: Otolaryngology, 4th ed. Philadelphia: Lippincott Williams & Wilkins, 2006, p.1871-1873.
19. Mills JH, Adkins WY, Weber PC. Anatomy and physiology of hearing. In: Bailey BJ, Calhoun KH, Kohut RI, et al, eds, Head and Neck Surgery: Otolaryngology, 2nd ed, Philadelphia: Lippincott-Raven, 1998, p.1869-1889.
20. O'ahilly R, Muller F. Development of the human ear. In: Ballenzer JJ, Snow JB, eds. Otorhino;aryngology: Head & Neck Surgery, 15th ed. Baltimore: Williams & Wilkins, 1996, p.829-837.
21. Sadler TW, Langman J. Langman's Medical Embryology, 8th ed, Philadelphia: Lippincott-Raven, 2000, p.217-227.
22. Shambaugh GE, Glasscock ME. Surgery of the Ear, 4th ed. Philadelphia: WB Saunders, 1990, p.217-227.
23. Shambaugh GE, Glasscock ME. Surgery of the Ear, 4th ed. Philadelphia: WB Saunders, 1990, p.3-33.
24. Standring S. Grey's Anatomy, 39th ed. Norwich: Churchil Livingstone, 2005.
25. Wright CG. Development of the human external ear. J Am Acad Audiol 1997;8:379-38.

CHAPTER 02

청각기관의 구조와 기능

임기정, 이호기

I 소리의 특성

소리는 공기입자의 진동, 공기입자가 압축(compression)되고, 다른 때는 서로 더욱 희박(rarefaction)해지는 연쇄 반응으로 정의된다. 이는 고체, 액체, 기체를 포함한 여러 종류의 매질을 통해 이동할 수 있고, 실생활에서 소리는 주로 공기를 통해 이동하게 된다. 소리굽쇠를 이용한 소리 전파의 예를 보면, 공기입자의 압축과 희박해짐을 볼 수 있다(그림 2-1). 소리는 파동의 이동이지만, 공기입자 자체의 이동이 아니다.

사람이 귀 안의 와우로 구성된 청각 기능을 이용하여 소리를 알아들을 수 있는 것은, 공기라는 매질을 통하여 이동하는 음파의 물리적인 에너지를 전기적인 신호로 바꾸기에 가능하다. 고막과 중이에 의하여 증폭된 소리는 와우에서 복잡한 과정을 통하여 전기적인 신호로 변환되며, 이는 청각신경을 타고 뇌피질로 연결되면서 우리의 신경과학적 회로가 상호 작용하여 다양한 정신음향적인 반응들을 만들어낸다.

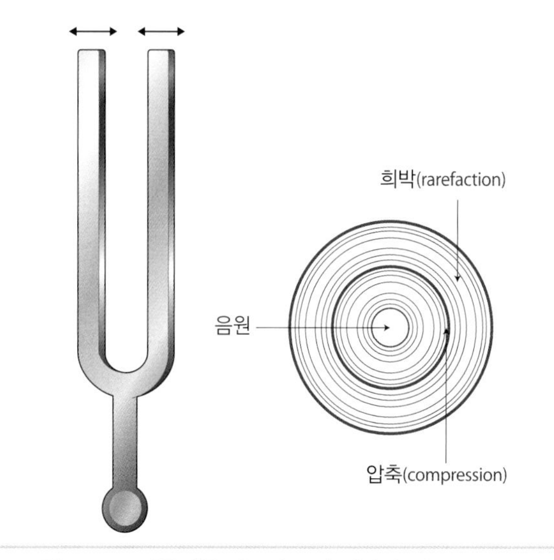

■ 그림 2-1. **소리굽쇠를 이용한 소리 전파의 예.** 음원으로부터 퍼져나가는 공기입자의 압축과 희박을 볼 수 있다.

1. 주파수, 강도, 주파수역

공기입자 진동의 전파를 나타내는 세 가지 요소로 주파수(frequency), 강도(intensity), 주파수역(spectrum)

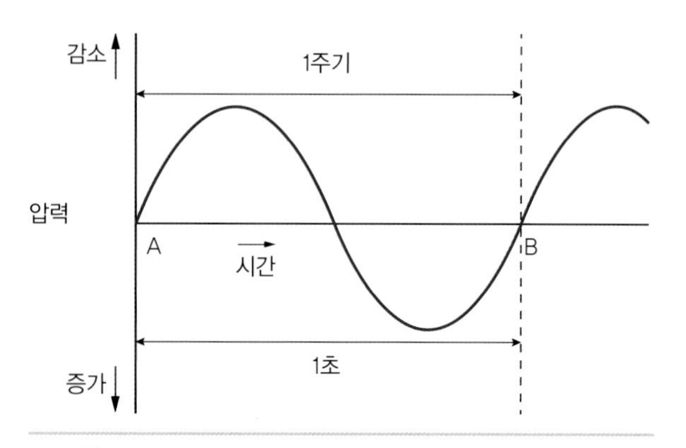

■ **그림 2-2. 주파수는 공기입자의 진동.** 즉 압축과 희박을 겪는 빠르기 및 속도를 말하는 것으로서 하나의 연속적 압축과 희박을 한 주기(cycle)라고 한다. 대개 1초의 시간 동안 압축과 희박의 수 또는 주기를 표시한 것을 주파수라고 한다.

이 있다.

1) 주파수(Frequency)

주파수는 공기입자의 진동, 즉 압축과 희박을 겪는 빠르기 및 속도를 말하는 것으로서 하나의 연속적 압축과 희박을 한 주기(cycle)라고 한다(그림 2-2). 주파수는 1초에 일어나는 주기의 수로 정의되며 이는 헤르츠(Hertz; Hz)로 표기한다. 예를 들어 1초에 1,000개의 연속적인 압축과 희박이 있으면 1초에 1,000 cycle, 즉 1,000 Hz, 1 kHz로 표기한다. 일정한 형태의 단순 파동을 SHM (simple harmonic motion) 또는 사인파(sine wave)라고 한다. 임상에서 순음청력검사를 시행할 때 사용하는 순음(pure tone)은 SHM의 한 예다.

2) 강도(Intensity) 또는 진폭(Amplitude)

강도와 진폭은 정해진 시간 동안 소리를 통해 전해지는 에너지를 표현하는 용어이다. 다른 용어로는 힘, 음압, 혹은 에너지로 표현될 수 있다. 소리의 크기를 비교할 때 'A는 B보다 100배 크다'라고 표현할 수 있다. 음의 크기를 측정할 때도 이러한 '~배'를 쓸 수 있지만, 우리가 듣는 소리 크기의 범위는 상당히 넓기 때문에 그 범위를 압축한 단위를 쓰게 된다. 소리의 강도, 진폭 및 에너지를 표현하는 단위로 데시벨(decibel; dB)을 사용하는데, 두 소리 간 또는 기준에 대한 두 소리의 강도 혹은 음압의 비율을 나타내는 것이다. 소리의 강도는 음원에서 발산되어 파동 진행방향에 직각인 한정된 표면적에서의 압력을 말하며, 표준적으로 cm^2에 대한 상대적인 압력 값을 데시벨(dB)로 표현한다. 음향학적 음압은 dB SPL (sound pressure level) 단위를 사용하는데, 10^{-16} Watts/cm^2와 0.0002 dynes/cm^2(=20(μ)Pa)을 0 dB SPL 이라고 정의하고, 이 기준값은 인간의 귀로 감지할 수 있는 가장 조용한 소리에 가깝다(1 pascal [Pa] = 10 dyne/centimeter^2 [dyn/cm^2], 1 μPa 즉 1 micropascal = 10^{-6} Pa).

$$\text{dB SPL} = 20\log(P/PO)$$

(P: 측정음압, PO: 기준음압 0.0002 dynes/cm^2)

위와 같은 수식에 따라서 음압이 2배가 되면 dB SPL은 6 dB 증가하고, 음압이 10배 증가하면 dB SPL은 20 dB 증가하며, 음압이 100배 증가하면 dB SPL은 40 dB 증가한다. 따라서 dB SPL은 음압의 절대적인 크기를 나타내는 단위가 된다.

임상적으로 청력검사를 할 때는 dB SPL을 사용하지 아니하고, American National Standards Institute (ANSI) 규격에 따라 결정된 dB HL(hearing level)을 사용하는데, 이는 청력검사 상의 0(audiometric zero)을 기준으로 한 것이다. 청력검사 기준, 즉 0 dB HL은 정상인 젊은이들이 귀로 감지할 수 있는 가장 작은 소리의 평균역치이다. 이러한 dB HL을 이용하면 측정된 청력역치를 모든 정상 인간들의 평균과 쉽게 비교할 수 있기 때문에 dB HL은 대부분의 청력검사기기에서 사용되는 단위가 되었다. 또한, 인간은 전 주파수 영역에서 똑같은 음압의 크기로 들을 수가 없기 때문에 각각의 주파수에서 평균적인 정상인이 들을 수 있는 가장 작은 소리를 dB SPL 음압으로 보정 환산하여 0 dB HL을 정하는 것이 편리하다. 따라서 각각의 주파수에서 0 dB HL에 해당하는 dB

SPL의 값은 다음과 같이 각기 다르다.

Hz	dB HL	dB SPL
125	0	45.00
250	0	27.0
500	0	13.5
750	0	9.0
1000	0	7.5
1500	0	7.5
2000	0	9.0
3000	0	11.5
4000	0	12.0
6000	0	16.0
8000	0	15.5

청력검사에서 사용되는 또 다른 단위는 dB SL (sensation level)이다. 이것은 청력검사 시에 측정자의 역치, 즉 측정하는 사람의 청력 역치가 기준이 된 상대적인 피측정자의 음압 추정치이다. 이러한 청력 측정 방식에서는 측정자의 청력이 지극히 정상이라는 전제가 필요하다.

3) 주파수역(Spectrum)

순음은 주파수와 강도만으로 충분히 설명할 수 있는 데 비해 실제로 음성과 같은 자연음들은 여러 가지 주파수 성분들이 복잡하게 얽혀 있는 복합음이다. 주파수역이란 복합음 진폭들의 주파수 분포로 정의된다. 즉 복합음을 이루고 있는 여러 주파수의 음을 분리하여 각각의 주파수의 음을 스펙트럼으로 표현할 수 있다는 이론이다. 이때 주기적인 음은 선스펙트럼으로 표현되고, 비주기적인 음은 연속스펙트럼으로 표현된다.

이 구성성분들을 분석하고 관련 심리현상을 이해하는 데 필요한 이론적 기초가 Fourier분석방법이다. 이 방법은 언어분석에서도 중요한 개념인데, 간략히 요약하면 '복합음은 여러 순음이 모여서 이루어진 것'이라 할 수 있다. 역으로, '복합음을 분해하면 여러 기본 순음으로 나눌 수

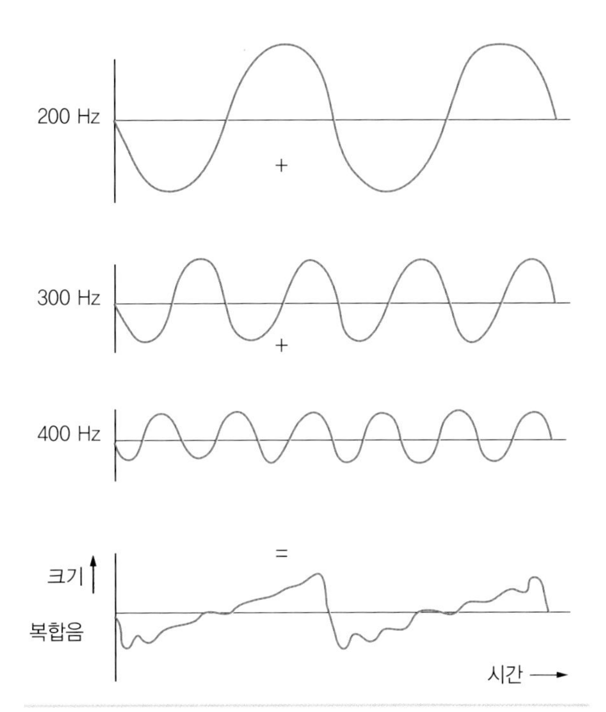

■ 그림 2-3. 복합음은 여러 순음이 모여서 이루어진 것으로, 복합음을 분해하면 여러 기본 순음으로 나눌 수 있다(복합음의 합성과 분리).

있다'는 설명도 가능하다. 실제로 순음을 이용해서 복합음을 만들 수 있고, 그 반대로 복합음을 분석해서 해당 순음들을 역으로 만들어낼 수도 있다(그림 2-3).

주기적인 소리는 같은 주기를 가지는 성분음 및 그 정수배의 주파수를 가진 배음(倍音)으로 된 선스펙트럼이 되고, 비주기적인 소리는 주파수가 연속적으로 분포된 연속스펙트럼이 된다. 예를 들면 규칙적인 것으로 생각되는 악기의 소리도 분석해 보면 주파수나 세기가 다른 순음이 겹쳐서 되어 있는 복합음인 것이다. 복합음의 성분이 되어 있는 여러 순음들 중 가장 낮은 주파수를 가진 소리를 기음 또는 기본주파수, 그 밖의 성분음을 상음이라고 한다. 악기 중에서도 현악기·관악기로부터는 대개 상음들의 주파수가 기음의 정수배로 되어 존재하는데, 이 상음을 배음(倍音) 또는 하모닉스라고 한다. 이에 비하여 타악기에서 나오는 소리는 반드시 배음이 아니며, 트라이앵글·캐스터네츠 등과 같이 높이가 분명하지 않은 음을 내는 악

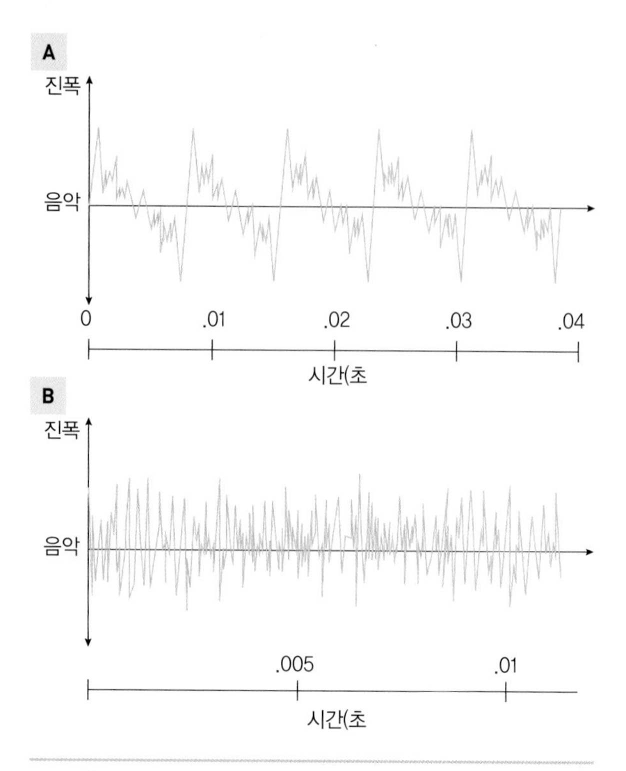

■ 그림 2-4. **복합음과 소음의 차이.** 음악 소리와 같은 복합음(A)은 파동 모양이 복잡하더라도 같은 모양이 명확히 반복되는 주기성을 가지고 있다. 반면 소음(B)은 불규칙한 주파수와 강도로 구성되고 기본 주파수가 없는 비주기적 파동이다.

기에서 나오는 소리는 성분음의 주파수가 기음의 주파수와 일정한 관계없이 연속적으로 분포되어 있다. 이처럼 음악 소리는 파동 모양이 복잡하더라도 같은 모양이 명확히 반복되는 주기성을 가지고 있다(주기적 파동). 반면 소음은 불규칙한 주파수와 강도로 구성되고 기본 주파수가 없는 비주기적 파동이다(그림 2-4).

우리가 사용하는 언어도 순음이 아닌 복합음이며, 그 종류도 무수히 많다. 따라서 순음청력검사의 유용성은 무수히 많은 복합음을 전부 검사하지 않고 복합음의 기본 구성성분인 순음만 검사해도, 그 결과로 복합음의 성질을 유추할 수 있다는 가정 하에서 출발한다. 음성에서 남성의 기본주파수는 120~150 Hz이며 여성의 기본 주파수는 210~240 Hz로 알려져 있다.

2. 기도전도 및 골도전도

인체에서의 소리전달 경로는 와우에서 전기적인 신호 변환이 일어나기 전의 과정에서 기도전도(air conduction; AC)와 골도전도(bone conduction; BC)로 나뉜다. 기도전도는 외이도, 고막, 이소골을 통하여 와우로 전달되는 소리경로를 칭한다. 골도전도는 기도전도의 경로를 거치치 아니하고 와우로 직접 소리가 전달되는 소리경로로서, 세 가지 성분이 있다. 우선 와우의 골구조가 진동되어 생기는 성분(distortional component), 이소골과 내이액체의 질량에 골도진동이 영향을 미쳐 발생하는 관성성분(inertial component), 그리고 골도진동이 외이도를 통해 고막으로 전달되어 생기는 반응(osseo-tympanic component)이 있다. 임상적으로 난청의 원인에 따라 소리전달 경로의 상호작용이 서로 다르기 때문에 청력검사 결과가 다르게 나타날 수 있다.

3. 가청영역(청각의 예민성, Hearing acuity)

1) 가청역치(Threshold of audibility)

최소가청역치(absolute threshold of hearing; ATH)는 음의 존재가 50%에서 감지되고, 정적과 겨우 구별할 수 있는 정도의 강도이다. 최소가청역치는 환자, 측정 주파수, 다양한 역치 측정방법에 따라 차이가 난다. 청력검사상의 0(audiometric zero)이란 청력검사상의 기준 영점을 말하며, 정상 청력을 가진 사람들의 평균 가청역치이다.

2) 불쾌역치(Uncomfortable loudness level; UCL)

최소가청역치와 상대되는 개념으로 불쾌역치가 있다. 너무 소리가 커서 불쾌하게 들리기 시작하는 강도를 불쾌역치(threshold of discomfort; TD, loudness discomfort level; LDL, uncomfortable loudness level; UCL)라 부른다. 이는 흔히 120~140 dB SPL에서 느껴지는 간

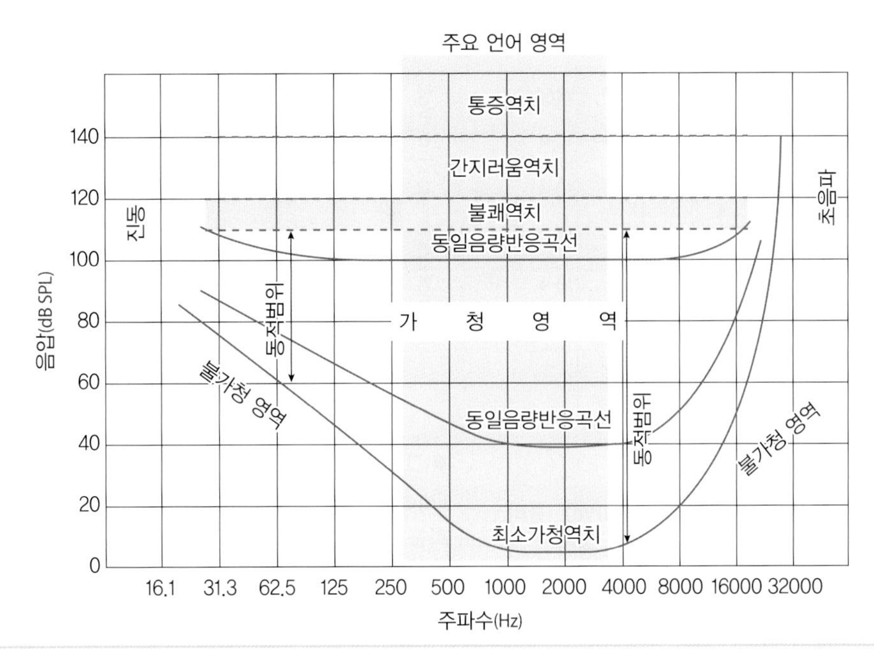

■ 그림 2-5. **인간의 청각 영역.** 보통 사람이 들을 수 있는 주요 청력 수준과 범위를 보여준다(약 20~20,000 Hz). 가청영역의 동적범위란 불쾌역치와 최소가청역치의 차이를 말한다. 이는 중간 주파수 대역에서 가장 크다.

지러움 혹은 통증을 의미하며, 이는 촉각으로서 이개, 외이도, 고막, 또 다른 중이 내 구조의 신경말단과 관련이 있다.

3) 동적범위(Dynamic range)

가청영역의 동적범위(auditory dynamic range; DR)란 불쾌역치와 최소가청역치의 차이를 말한다. 이는 주파수에 따라서 다른데, 중간 주파수 대역보다는 저주파수나 고주파수에서 더 좁다(그림 2-5). 임상적으로 보청기의 가청 영역을 동적범위로 설정하여 처방하는 것이 적절하다.

4) 인간의 청각 영역

그림 2-5는 보통 사람이 들을 수 있는 주요 청력 수준과 범위를 보여준다. 들을 수 있는 주파수 범위는 약 20~20,000 Hz이다. 20 μPa (0 dB SPL)를 기준으로 했을 때 겨우 들을 수 있는 작은 소리는 0 dB (0.0002 dynes/cm^2 혹은 20 μPa), 귓속말, 새소리, 시냇물 소리 등은 20 dB, 도시의 밤 소음은 40 dB, 보통 대화 음성은 55~75 dB(1미터 떨어진 곳에서 65 dB), 가압 드릴은 3미터 떨어진 곳에서 90 dB 정도이며 110 dB 이상은 불쾌감을 초래한다.

4. 주관적인 소리의 크기, 음조, 및 음색

소리의 세 가지 물리적 특성인 강도, 주파수, 주파수역은 인간의 청력 없이도 전기적 기구를 사용하는 물리적 방법으로 쉽고 일관되게 측정할 수 있다. 이와 대조적으로 소리의 주관적 특성을 나타내는 값인 소리의 크기(loudness), 음조(pitch), 소리의 질 즉 음색(timbre)을 아는 것 역시 중요하다. 이런 값들은 인간의 청력으로만 측정할 수 있다.

1) 소리의 크기, 음량(Loudness)

음압의 진폭 및 강도가 커지면 소리가 크게 들리게 되지만, 이들 사이의 관계는 정비례하지 않는다. 따라서 우리가 주관적으로 느끼는 소리의 크기를 음량(loudness)

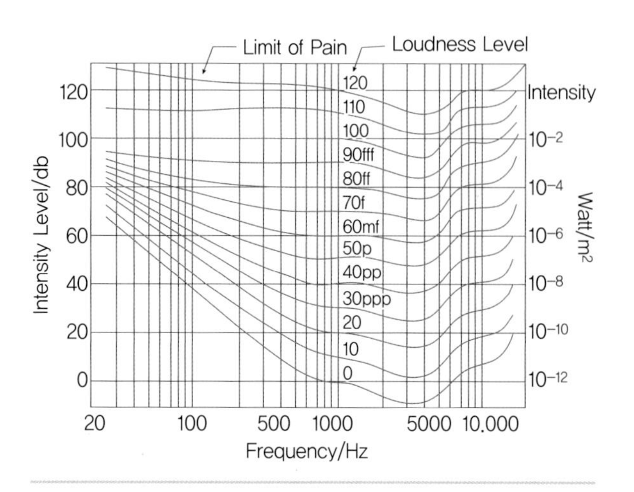

■ 그림 2-6. **동일음량반응곡선(equal loudness curve).** 물리적 음압이 같더라도 주파수가 다르면 주관적인 음의 강약이 다르게 느껴진다. 청력도 상에서 주파수에 따라 같은 음량 정도를 연결한 것이 동일음량반응곡선이다.

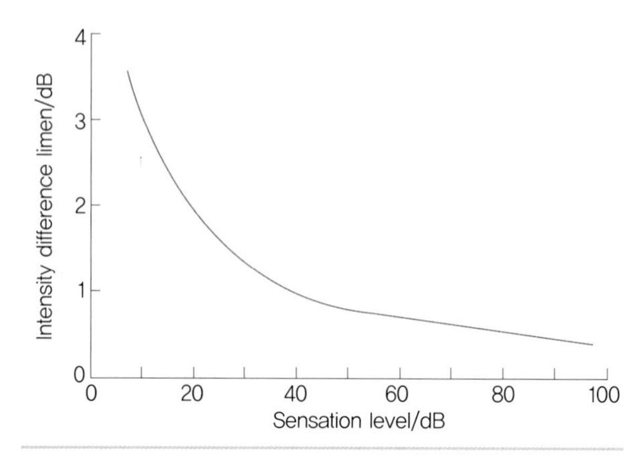

■ 그림 2-7. **음의 강도차이 판별역치(intensity discrimination limen).** 같은 주파수에서 감지할 수 있는 조그만 음의 크기 변화를 뜻하며, 이는 자극음에서 인지할 수 있는 가장 작은 변화를 의미한다. 작은 음압 레벨에서는 어려워서 구분할 수 있는 음강도의 차이가 커야 가능하며, 높은 음압에서는 작아도 가능하다.

이라고 한다. 물리적 음압이 같더라도 주파수가 다르면 음의 강약이 다르게 느껴진다. 청력도 상에서 주파수에 따라 같은 음량 정도를 연결한 것이 동일음량반응곡선(equal loudness curve)이다(그림 2-6).

이 음량을 정량화한 단위가 phon과 sone이다. Phon은 1 kHz를 기준으로 하여 같은 크기로 들리는 점들을 연결한 것이다. 예를 들어 1 kHz 에서의 50 dB과 100 Hz 에서의 60 dB은 동일한 음량을 가진 50 phon이 된다. 동일음량반응곡선에서 4 kHz 에서의 음량이 가장 잘 들리면서 감도가 좋은데, 이는 외이도의 공명 현상 때문이다.

Phon은 실제로 몇 배 크게 들리는가 쉽게 정량화하는 데에는 사용하기가 어렵기 때문에 만든 것이 sone이다. 40 phon의 1 kHz의 순음을 기준으로 만든 음량척도 loudness scale가 1 sone이다. 예를 들어서 여기서 소리의 크기가 두배 정도로 느껴지면 2 sone이다. Sone과 phon의 관계는 Sone = 2(Phon−40)/10과 같다.

sone	1	2	4	8	16	32	64	128	256
phon	40	50	60	70	80	90	100	110	120

같은 주파수에서 감지할 수 있는 조그만 음의 크기 변화를 음의 강도차이 판별역치(intensity discrimination limen)라고 한다. 이는 자극음에서 인지할 수 있는 가장 작은 변화를 의미하며, 보통 50%의 정확도 확률을 보이는 강도를 역치로 결정한다. 음의 강도차이 판별은 아주 작은 음압 레벨에서는 어려워서 구분할 수 있는 음강도의 차이(just noticeable difference; JND)가 커야 가능하며, 높은 음압에서는 작아도 가능하다(그림 2-7).

음량은 음압이 커짐에 따라서 증가하는데 전음성 난청과 감각신경성 난청은 각각 증가하는 형태가 다르다(그림 2-8). 감각신경성 난청에서는 소리가 잘 들리지 않다가 갑자기 크게 들리는 음량누가(loudness recruitment)현상이 발생하는 경우가 많다. 이는 말초신경 단위에서 억제되던 자극 신경세포의 수가 많아져서 발생할 수도 있고, 대뇌 쪽의 청신경세포에서 억제(inhibitory)와 흥분(excitatory) 경로 간의 균형이 감각신경성 난청 때문에 깨져서 대뇌 중추신경계의 억제 역할이 떨어지고, 이러한 이유로 소리의 크기에 민감한 반응을 보여서 발생할 수도 있다.[25]

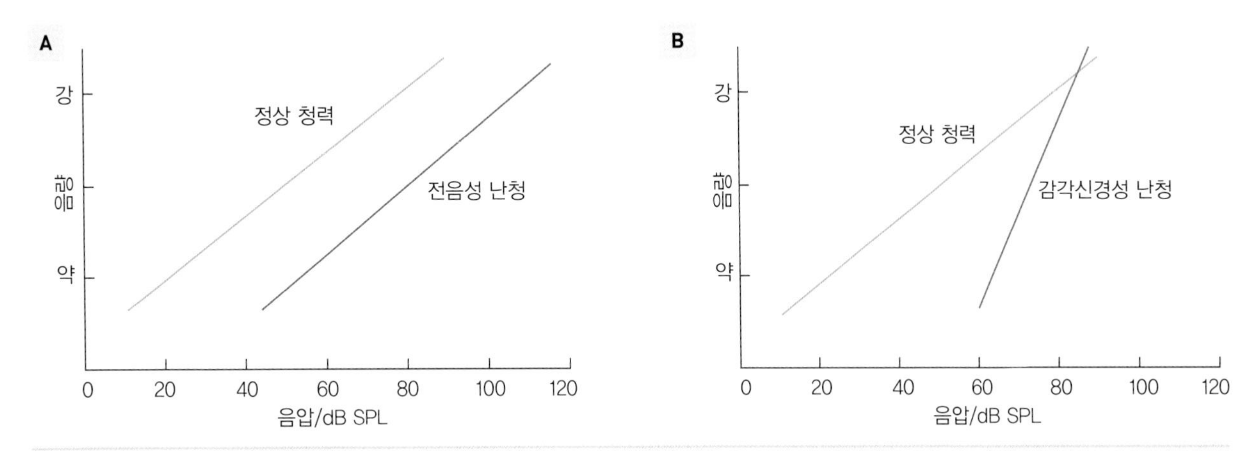

■ 그림 2-8. **음량누가현상.** A) 음량은 음압이 커짐에 따라서 증가하는데 전음성 난청은 정상청력과 같은 비율로 증가하는 반면, B) 감각신경성 난청에서는 소리가 잘 들리지 않다가 갑자기 크게 들리는 음량누가현상을 보이게 된다.

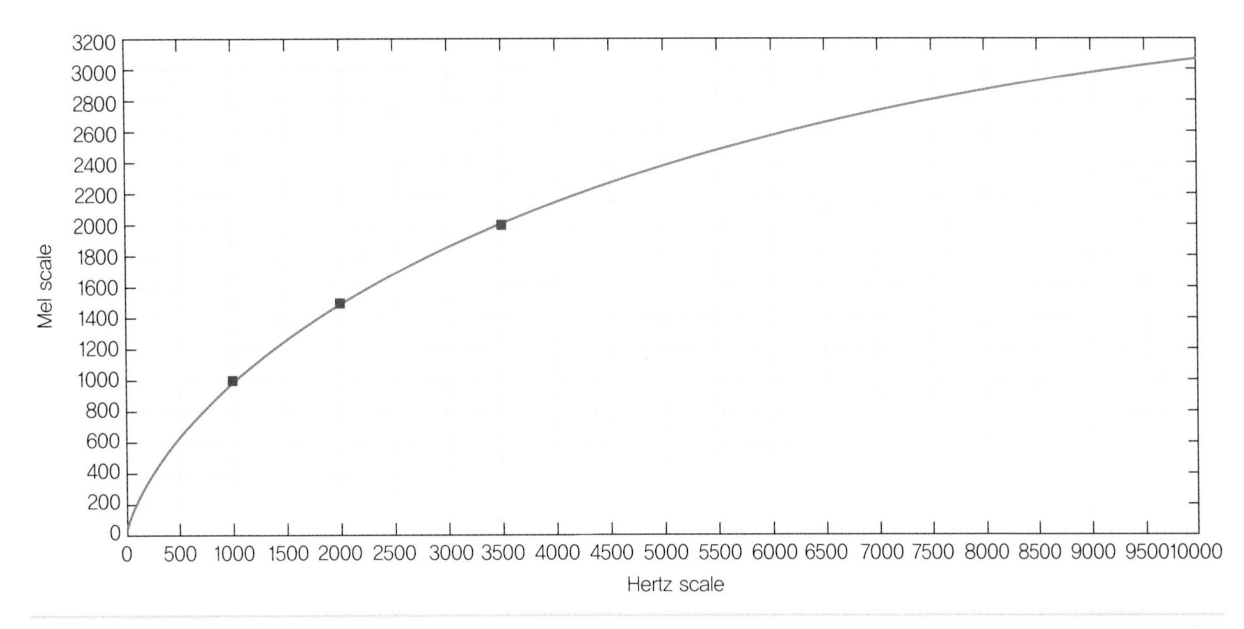

■ 그림 2-9. **주파수와 음조와의 관계.** 주관적인 음의 고저 감각을 음조라 하는데, 음의 주파수가 2배가 된다고 해서 음조도 2배가 되지는 않는다. 1,000 Hz의 순음을 40 dB SL에서 고정시켰을 때를 1,000 mel로 정의한다. 따라서 주관적으로 2배 높게 들리는 음은 2,000 mel이 되는데, 이때의 주파수는 3,500 Hz 정도가 된다. 따라서, 주파수의 증가가 음조의 증가와 비례하지 않는다.

2) 음조(Pitch)

주관적인 음의 고저 감각을 음조(pitch)라고 한다. 음의 주파수가 2배가 된다고 해서 음조도 2배가 되지는 않는다. 이 음조를 정량화하기 위해서 만든 단위가 mel이다. 1,000 Hz의 순음을 40 dB에서 고정시켰을 때를 1,000 mel로 정의한다. 따라서 주관적으로 2배 높게 들리는 음은 2,000 mel이 되는데, 이때의 주파수는 3,500 Hz 정도가 된다. 주관적으로 1.5배 높게 들리는 음이 1,500 mel(약 2,000 Hz)이 되는 것을 보아도, 주파수의 증가가 음조의 증가와 비례되지 않는다(그림 2-9).

3) 음색(Timbre)

음악에서 음색(timbre)은 특정한 악기 소리를 다른 것들과 구별할 수 있게 하는 요소이다. 이는 심지어 동일한 음량과 음조를 가지고 있다고 하더라도 구별이 가능한데, 예를 들어 음성 노래, 현악기, 관악기 등의 음악들을 서로 구별할 수 있게 된다. 음색은 밝다, 어둡다, 따뜻하다, 거칠다 등으로 표현되기도 한다. 음색은 스펙트럼(spectrum)과 엔빌로프(envelope) (파형의 끝을 서로 연결하여 파형을 둘러싸듯이 그려 놓은 선)의 구성 비율과 모양 등으로 결정된다.

II 청각기관의 구조

1. 외이

외이는 귓바퀴(pinna)와, 외이도 입구(meatus)부터 고막까지의 외이도로 구성된다(그림 2-10A). 귓바퀴는 대부분 연골이며 귓바퀴의 중앙부인 이개강(cavum concha)은 외이도로 연결된다. 외이도의 길이는 약 2.5 cm로서 외측 1/3과 내측 2/3는 해부학적으로 다르다. 외측 1/3은 연골부이며 피부에 이구선(cerumen-producing glands)들과 모낭들이 있으나, 내측 2/3는 골부로서 피하 구조 없이 상피층으로 덮여 있어서 면봉 등으로 귀를 후빌 때 골부를 건드리면 통증을 쉽게 느끼게 된다.

외이도의 한쪽은 외측으로 열려 있고 반대측은 고막에 의해 닫혀 있는 맹관이다. 맹관은 4분파(λ/4)공명기(quarter-wave resonater) 역할을 한다. 공명현상이란, 물체가 공명 주파수(f0)라고 불리는 특정한 주파수에서 가장 진동하기 쉬운 현상을 말한다. 공명주파수(f0)는 관의 길이에 의하여 결정되고, 곡률(curvature)과는 무관하다. 따라서 길이가 2.5 cm인 외이도에서의 공명주파수는 f0 = [350 m/s(음속)] / (4×2.5 cm)의 공식에 따라 대략 3.5 kHz 정도이다. 이로 인하여 성인의 경우 3 kHz에서 약 15 dB, 2~5 kHz에서 10 dB 정도의 이득이 생긴다(그림 2-10B). 외이도의 공명은 유아 때는 약 8 kHz 정도이나 2.5세 이후에는 성인 수준으로 변한다. 소음성 난청이 4 kHz 영역에서 청력손실이 가장 먼저 그리고 가장 심하게 일어나는 이유 중 하나는 외이도의 음향학적 특징 때문이다. 이와 같이 외이에 의해 3~5 kHz 영역에서 발생하는 10~15 dB의 이득은 무성마찰음 같은 저에너지, 고주파수음을 탐지하고 인식하는 데 유용하다.

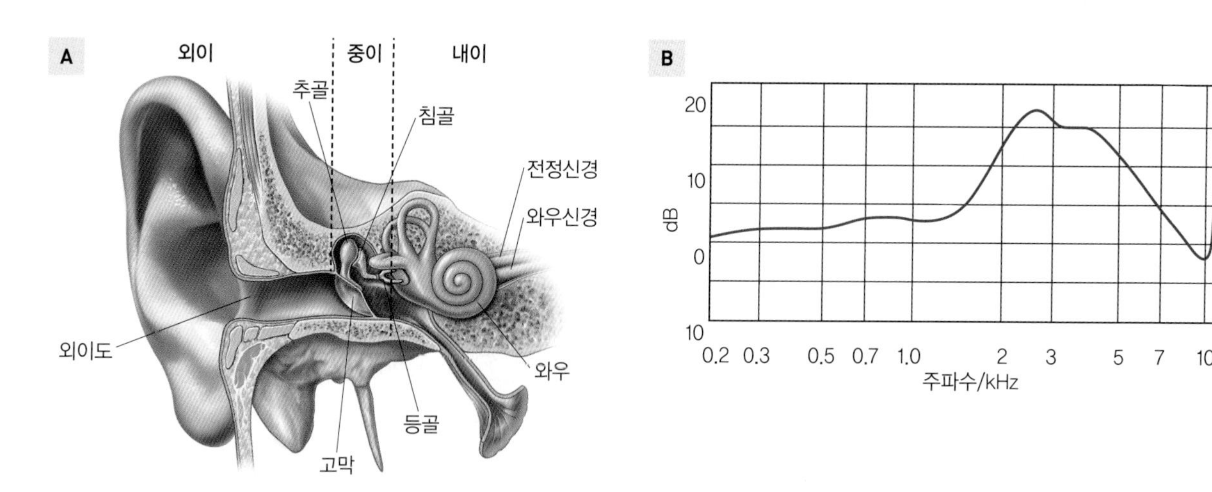

■ 그림 2-10. 귀의 구조는 외이(귓바퀴와 외이도), 중이(고막과 이소골), 내이(와우, 전정, 세반고리관, 내이도 신경)로 구성된다**(A)**. 외이도에서의 공명주파수는 대략 3.5 kHz에서 가장 크게 일어난다**(B)**.

1) 양이청 효과(Binaural hearing effects)

귀는 머리의 양측에 위치하므로 주파수 분별과 더불어 인간이 소리의 방향과 기원을 예측하게 되는데, 이를 양이청 효과(binaural hearing effects)라고 부른다. 양이청은 한쪽 귀만 사용할 때보다 더 다양한 형태의 주파수 정보를 처리할 수 있다. 양이청은 소리의 방향 분별력 향상, 소리신호의 합산 그리고 소음억제의 효과를 가져온다.

양이청의 중요한 효과가 약 10° 내의 저주파수 음원들을 구분할 수 있다는 점이다. 음원의 방향성은 두 귀를 모두 사용할 때에만 정확히 구별할 수 있다. 방향성 구별은 고주파영역의 소리는 주로 양측 귀 간에 소리 강도의 차이에 의하여, 저주파영역의 소리는 양측 귀 간에 신호의 시간 차이에 의하여 이루어진다.

머리는 소리의 파장이 머리의 크기보다 작은 경우(주파수가 높은 경우) 음원에서 먼 쪽의 귀에 소리가 도달하지 않게 되어, 소리의 크기를 감소시키는 감쇠기(attenuator)역할을 하게 될 수 있다. 따라서 이러한 현상을 두부음영 효과(head shadow effect)라고 한다(그림 2-11). 두부음영 효과는 주파수에 따라 차이가 있는데 주로 2 kHz 이상의 고주파수 영역에서 영향을 많이 받는다. 2 kHz보다 큰 주파수 대역에서는 양 귀 사이에 소리의 강도 차이(interaural intensity difference; ITD)가 5~15 dB 정도가 생기며, 2 kHz보다 더 작은 저주파수 대역에서는 머리에 의한 감쇠는 거의 발생하지 않는다.

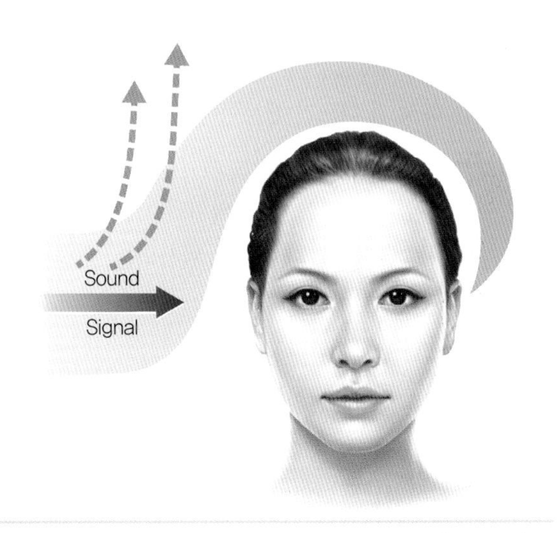

■ 그림 2-11. **두부음영 효과(head shadow effect).** 소리의 파장이 머리의 크기보다 작은 경우(주파수가 높은 경우) 음원에서 먼 쪽의 귀에 소리가 도달하지 않게 되어, 소리의 크기가 감소할 수 있다. 주로 2 kHz 이상의 고주파수 영역에서 영향을 많이 받아 소리 감쇠가 일어난다.

음원의 방향에 따라 양 귀 사이에 도달하는 시간 차이(interaural time difference)가 발생하게 되는데 소리가 머리를 가로질러 가는 데는 약 0.6 ms 정도가 걸린다.

이와 같이 한 음원에서 소리가 발생했을 때 양 귀 사이에 소리의 강도 차이 및 위상 차이, 양 귀 사이에 도달하는 시간 차이, 두부음영 효과 등은 음원의 위치를 인지하는 데 중요한 역할을 한다. 이때 발휘되는 발음체의 위치 판단력을 음원정위(sound localization)이라고 한다.

2) 양측 귀의 합산(Binaural loudness summation)

소리는 한쪽 귀로 들을 때보다, 양측 귀로 들을 때 청력 역치가 낮아진다. 소리가 나는 방향에 따라 양쪽 귀에는 서로 다른 청각신호가 전달된다. 따라서 더 많은 정보가 뇌로 전달되어 합산되므로 결과적으로 청각역치가 호전된다(양이 융합(binaural fusion; binaural integration)). 양측 귀의 합산을 통하여 청각역치가 약 3 dB 정도 호전되고, 역치상수준(suprathreshold level)에서는 약 6~10 dB 정도가 호전된다. 대개 50 dB HL에서는 약 6 dB 정도 , 90 dB HL에서는 약 9 dB 정도 호전된다.

또한 양이청으로 인한 주파수나 강도의 difference limens(DLs)은 한 귀 청취 때의 약 2/3 크기 정도가 된다. 이로써 조용한 곳에서 뿐만 아니라 소음환경 가운데서도 말지각능력이 호전된다.

3) 양측 귀의 소음억제(Binaural loudness squelch)

한쪽 귀보다는 양측 귀를 사용할 때에 차폐 효과가 감소하거나 신호대잡음비(S/N ratio)가 증가하는 것을 뜻한다. Raymond Carhart가 보청기에 대해 기술하면서 나온 용어로, 소음 하에서 소리신호가 양측 귀에 들리는 것

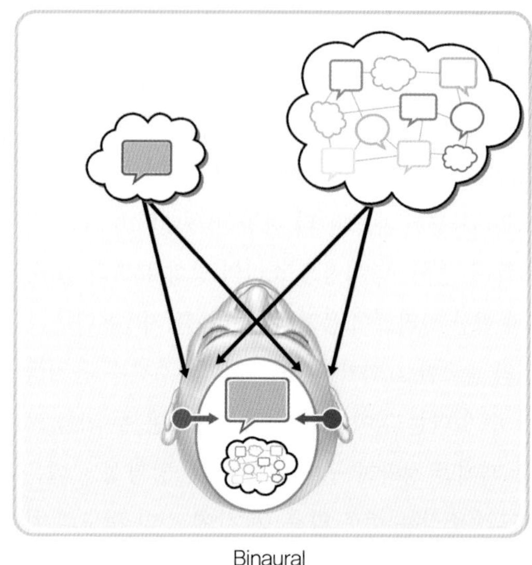

■ 그림 2-12. **양측 귀의 소음억제(binaural loudness squelch).** 한쪽 귀보다는 양측 귀를 사용할 때에 차폐 효과가 감소하거나 신호대잡음비가 증가하는 것을 뜻한다. 소음 하에서 소리신호가 양측 귀에 들리는 것은 서로 시간, 강도, 주파수역에 차이가 생기므로 중추신경계에서는 말소리를 배경소음으로부터 쉽게 분리할 수 있어서 소음환경에서 말지각능력이 향상된다.

은 서로 시간, 강도, 주파수역에 차이가 생기므로 중추신경계에서는 말소리를 배경소음으로부터 쉽게 분리할 수 있어서 소음환경에서 말지각능력이 향상된다(그림 2-12). 신호대 잡음비 증가는 약 3 dB이며, 특정 환경에서는 양이청으로 인한 단어 인지력 향상률이 20% 이상이 될 수도 있다. 이러한 양이청의 소음억제는 두 귀가 비교적 동일한 민감도를 가질 때 가장 효과적으로 발휘된다.

2. 중이(Middle ear)

고실(tympanic cavity; middle ear cavity)은 측두골 속에서 고막과 내이 사이에 위치한 공기로 차 있는 부분이다. 고막과 정원창(round window)은 서로 수직관계를 이루어 직접적인 음압 상쇄를 억제한다. 고실의 내측에 존재하는 정원창과 난원창(oval window)은 압력에 대하여 역위상관계를 유지하여 압력상쇄를 서로 억제하고 있다.

소리의 본질은 음압의 변화이며, 소리가 전달되기 위해서는 전달 매체가 필요하다. 외이에서는 공기가 매체이고, 내이에서는 와우 림프액이 매체이다. 음압은 매체의 특성이 변화할 때 그 경계면에서 효과적으로 전달되지 못하고 반사된다. 따라서 기체와 액체라는 매체의 차이 때문에 대부분의 소리 에너지는 계속 전달되지 못하고 반사된다. 이러한 에너지 반사는 기체와 액체의 고유 임피던스(각 매체의 전달 특성)가 다르기 때문이라고 설명된다.[9,32] 외이에서 전달된 소리 에너지가 내이로 전달되는 과정에서, 소리 전달 매체인 공기와 액체 간의 임피던스 차이가 커서 대부분의 에너지가 전달되지 못하고 반사되는 것이다. 이러한 반사를 극복하고 그 에너지 전달 효율을 높여주는 것이 중이의 역할 중 하나이다.

중이는 임피던스 변환기(impedance matching device)의 기능을 하여 소리 에너지 전달의 효율성을 높여주는 역할을 한다. 임피던스 변환은 다유 세 가지 방법으로 이루어진다.

1) 표면적 비율(Surface area ratio; hydraulic lever)

첫째는 고막의 유효진동부의 면적이 등골족판(stapes

footplate)의 유효진동부 면적의 약 17배로 임피던스 변환에 가장 크게 기여한다.

2) 이소골 간의 지렛대 효과(Lever effect)

침골의 장돌기(long process)의 길이가 추골의 머리와 경부 길이의 1:1.3이 된다. 이 결과 압력을 약 1.3배 정도 더 증폭시켜서 음압이 커지게 된다.

3) 추가 압력 상승효과; 원뿔효과(Catenary effects; shearing effects; buckling effects)

인간의 고막은 오목한 형태이기 때문에 고막의 집음력과 고막의 신장상태에서의 복원력을 고려하면, 약 2배 정도의 추가 압력 상승효과를 기대할 수 있다는 이론(catenary effects, shearing effects, buckling effects)이 있다.[44]

이 세 가지 요소의 결과로 약 45배(17×1.3×2 = 45), 대략 30~35 dB 정도 음압이 커지게 된다(그림 2-13). 중이가 없다는 가정 하에서 공기와 물 사이의 에너지 전달 효율을 계산해보면 약 0.1%이다(실제로는 내이의 림프액 구성 성분의 특징 때문에 에너지 전달 효율은 약 3% 정도로 다소 개선된다). 여기에 중이가 삽입되면 중이의 구조에 의해서 음압이 증폭되는 효과가 나타난다. 그러나 중이가 주파수별 반응, 선형성(linearity), 임피던스 변환 특성 등이 뛰어난 시스템이라 할지라도, 인대와 중이 점막 등을 통해 흡수되는 에너지 때문에 중이를 거쳐 내이로 실제 전달된 에너지는 중이로 들어오는 양의 반이 되지 못한다. 또한 중이 자체의 경직성 정도와 자체 질량 때문에 가청 영역의 주파수 중에서 1,000~2,000 Hz 부분을 주로 증폭해주는 효과를 보인다.

청력은 머리, 외이, 중이의 종합적인 음향학적 특징 외에 내이의 임피던스의 영향도 크게 받는다. 예를 들어 사람은 약 20 kHz 이상의 고주파음은 인식하지 못하는데 이는 20 kHz 이상의 고주파음은 중이에서 내이로 효과적으로 전달되지 못하기 때문이다. 이런 요소들에 의해

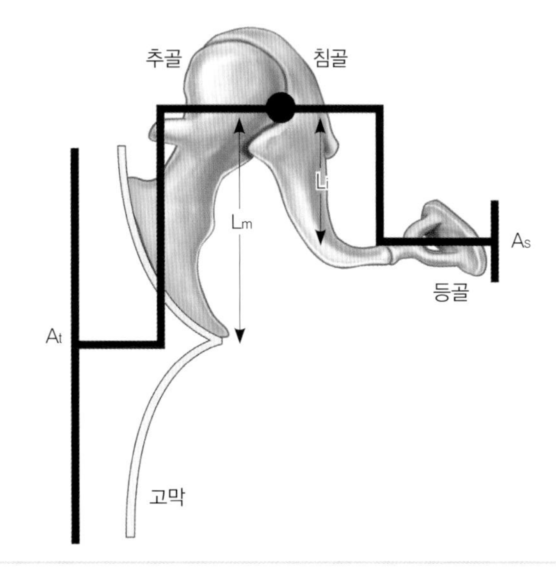

■ 그림 2-13. 중이는 임피던스 변환기의 기능을 하여 소리 에너지 전달의 효율성을 높여주는 역할을 한다. 고막(At)과 등골(As) 의 면적 차이가 약 17:1 이며, 추골(Lm)과 침골(Li)의 길이 차이가 약 1.3:1 이다. 인간의 고막은 오목한 형태이기 때문에 고막의 집음력과 고막의 신장상태에서의 복원력을 고려하면, 약 2배 정도의 추가 압력 상승효과(catenary effect)를 기대할 수 있다. 이 세 가지 요소의 결과로 약 45배(17x1.3x2=45), 대략 30~35 dB 정도 음압이 커지게 된다.

가청도 곡선의 형태와 이에 따른 인간의 청각 주파수 범위가 결정된다.

4) 고막긴장근(Tensor tympani muscle)과 등골근(Stapedius muscle)

중이에는 2개의 근육이 존재하는데, 고막긴장근(tensor tympani muscle)과 등골근(stapedius muscle)이다. 고막긴장근과 등골근은 몸에서 가장 작은 횡문근이면서 또한 단위근육 당 삽입되는 신경비가 높다. 고막긴장근은 추골(malleus)에 부착되어 있으며 삼차신경(trigeminal nerve)의 지배를 받아서 수축하게 된다. 등골근은 우리 몸에서 가장 작은 근육으로 등골의 후면 경부에 연결되어 있고 안면신경의 지배를 받는다. 80 dB SPL 이상의 소리가 한쪽 귀 또는 양쪽 귀에 들릴 때, 양측성으로 교감성 반사에 따른 등골근의 수축이 일어난다. 이 두

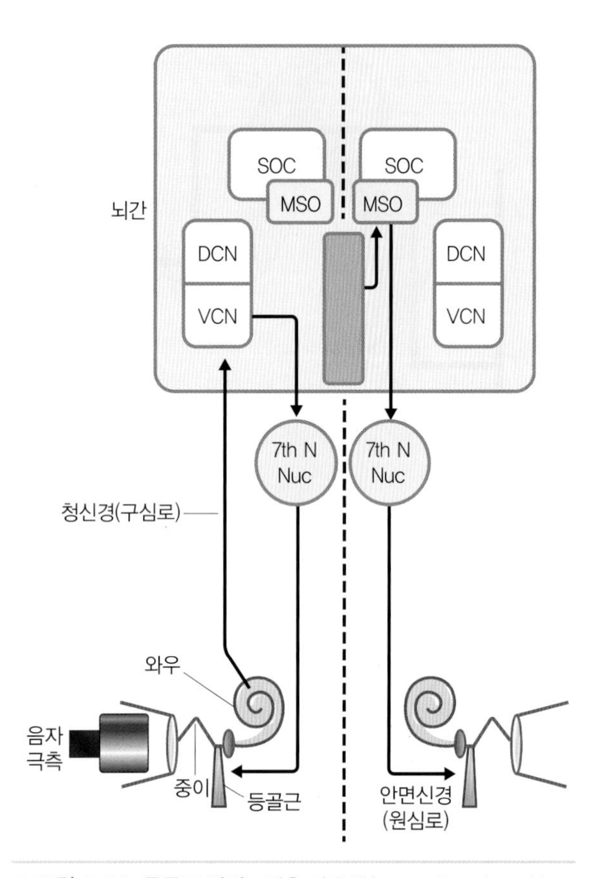

■ 그림 2-14. **등골근 반사.** 배측 와우핵(DCN; dorsal cochlear nucleus), 복측 와우핵(VCN; ventral cochlear nucleus), 안면신경핵(7th N Nuc; facial nerve nucleus), 상올리브복합체(SOC; superior olivary complex), 내측 상올리브(MSO; medial superior olive), 능형체(TB; trapezoid body), 망상체(RF; reticular formation)

근육의 수축은 주로 2 kHz 이하 소리에 대한 이소골과 고막의 경직도(stiffness)를 높여 서로 상승 작용하여 에너지 전달을 억제하게 된다(그림 2-14).

음향반사(acoustic reflex) 경로는 큰 소리에 이내근이 반응하는 일련의 작동 경로이다. 사람에게서는 주로 등골근이 반응한다. 아주 큰 소리에는 경악반응(startle response)의 일부로 고막긴장근도 반응하게 된다. 음향반사의 경로를 살펴보면 구심성 경로(afferent pathway)는 청신경에서 출발해서 복측 와우신경핵(ventral cochlear nucleus)으로 들어가게 되며, 이 중 상당 부분은 능형체(trapezoid body)를 통해서 반대쪽의 상올리브복합체(superior olivary complex)로 구심성 신호(afferent signal)를 전달하게 된다.[9,25] 이러한 구심성 신경경로의 연결상태 때문에 한쪽 귀만 자극하더라도 양쪽에서 반응이 일어난다. 원심성 전달경로(efferent motor pathway)는 최종적으로 양쪽의 안면신경을 자극하여 등골근반사(stapedius reflex; acoustic reflex)를 일으키게 된다. 경우에 따라서 삼차신경으로 전달되어서 고막긴장근의 수축을 야기하기도 한다. 소음성 난청에 대한 연구 결과를 볼 때 등골반사는 특히 90 dB이 넘는 2 kHz 이하의 저주파음의 자극에 대해 내이를 보호한다. 하지만 반사반응의 잠복기가 10 ms가 넘으므로 예기치 못한 소리에 대해 내이는 짧은 시간 동안 보호받지 못할 수 있다.[22] 이러한 중이의 임피던스 변화나 이내근 반응 정도를 객관적으로 측정하는 장비를 만들어서 중이 내의 상태를 진단하는 임피던스 청력검사법이 현재 많이 이용되고 있다. 이는 외이도 내에서의 반사 에너지를 간접적으로 측정하여 중이의 임피던스 변화를 정량화하고, 중이의 상태를 평가하는 방법이다.

이 외에도 중이근은 이소골의 강도와 경직도를 높이고, 이소골의 혈액공급에 기여한다. 또한 씹을 때와 발성할 때 생기는 생리적인 소음을 줄이는데 특히 무성마찰음 같은 고주파음에 대해서 큰 저주파 배경소음을 감소시킴으로써 고주파 신호에 대한 신호대잡음비를 향상시킨다. 그리고 자동이득조절과 귀의 동적 영역(dynamic range)을 증가시키며, 중이의 전달작용에서 불규칙성을 줄여주는 역할을 한다.

3. 내이

내이는 전정기관과 더불어 측두골 내에 존재하며 미로(labyrinth) 구조를 이루고 있다. 이 구조는 골성 미로(bony labyrinth)와 막성 미로(membranous labyrinth)로 나뉘는데, 뼈로 된 골성 미로 안에 막성 미로가 물로 채워진 풍선처럼 떠 있는 구조이다. 골성 미로는 와우, 전

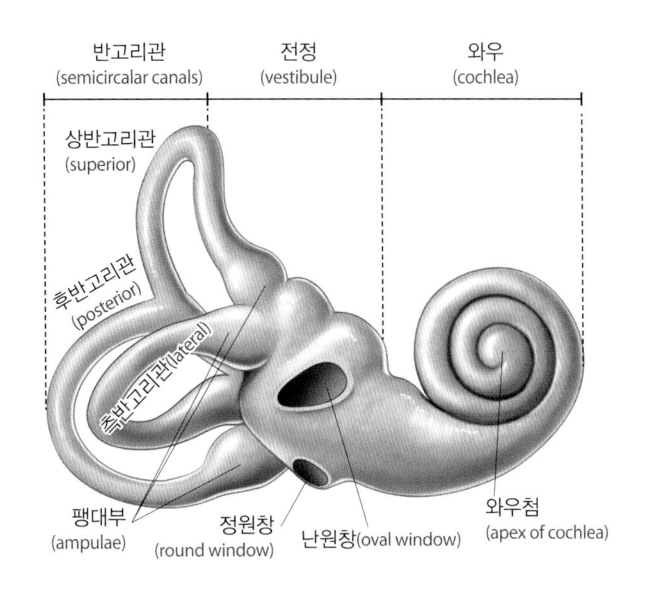

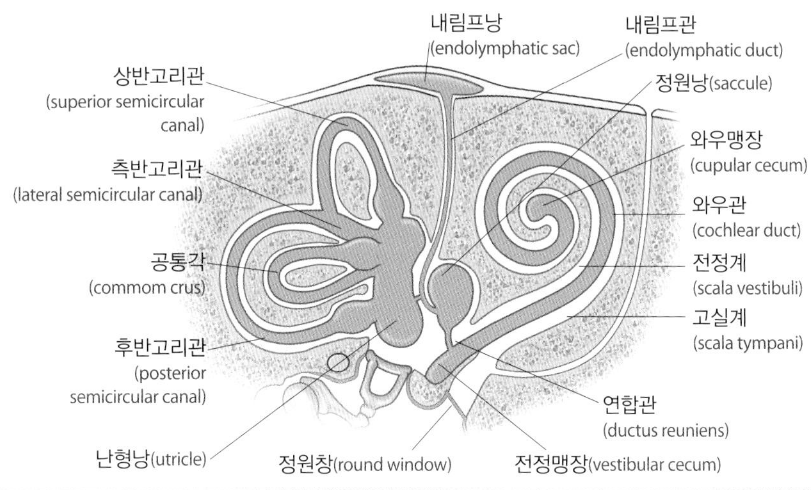

■ 그림 2-15. 내이는 전정기관과 더불어 측두골 내에 존재하며 미로구조를 이루고 있다. 골성 미로는 와우, 전정, 반고리관의 세 부분으로 나눌 수 있다**(A)**. 뼈로 된 골성 미로 안에 막성 미로가 물로 채워진 풍선처럼 떠 있는 구조이다**(B)**.

정, 반고리관의 세 부분으로 나눌 수 있다(그림 2-15).

1) 와우

인간의 달팽이관, 즉 와우는 펼쳤을 때 35 mm 길이의 나선형 관구조로 약 2 1/2 ~ 2 3/4 바퀴 회전되어 있다. 펼쳐 놓은 와우의 단면을 통해서 그 구조를 살펴보면, 액체로 채워진 3개의 구획으로 나눠는데 전정계(scala vestibuli), 와우관(cochlear duct), 고실계(scala tympani)로 구성된다(그림 2-16). 와우의 기저(base) 쪽이 가장 넓고, 직경은 약 9 mm이며, 첨단(apex)으로 갈수록 직경은 약 5 mm 정도로 좁아진다. 와우축(modiolus)부분은 나선형의 중심에 위치하며 청신경과 와우에 혈액을 공급하는 혈관의 통로가 되기도 한다. 와우관(cochlear duct)은 와우의 단면에서 중심부를 차지하여 중간계(scala media)라고도 불리고, Reissner막, 기저막, 골나선판(osseous spiral lamina), 외벽 등이 경계를 이룬다(그림 2-16). 와우관 또는 중간계는 K^+ 144 mEq/L, Na^+ 13 mEq/L 농도로 체내의 다른 세포 내액과 조성이 비슷한

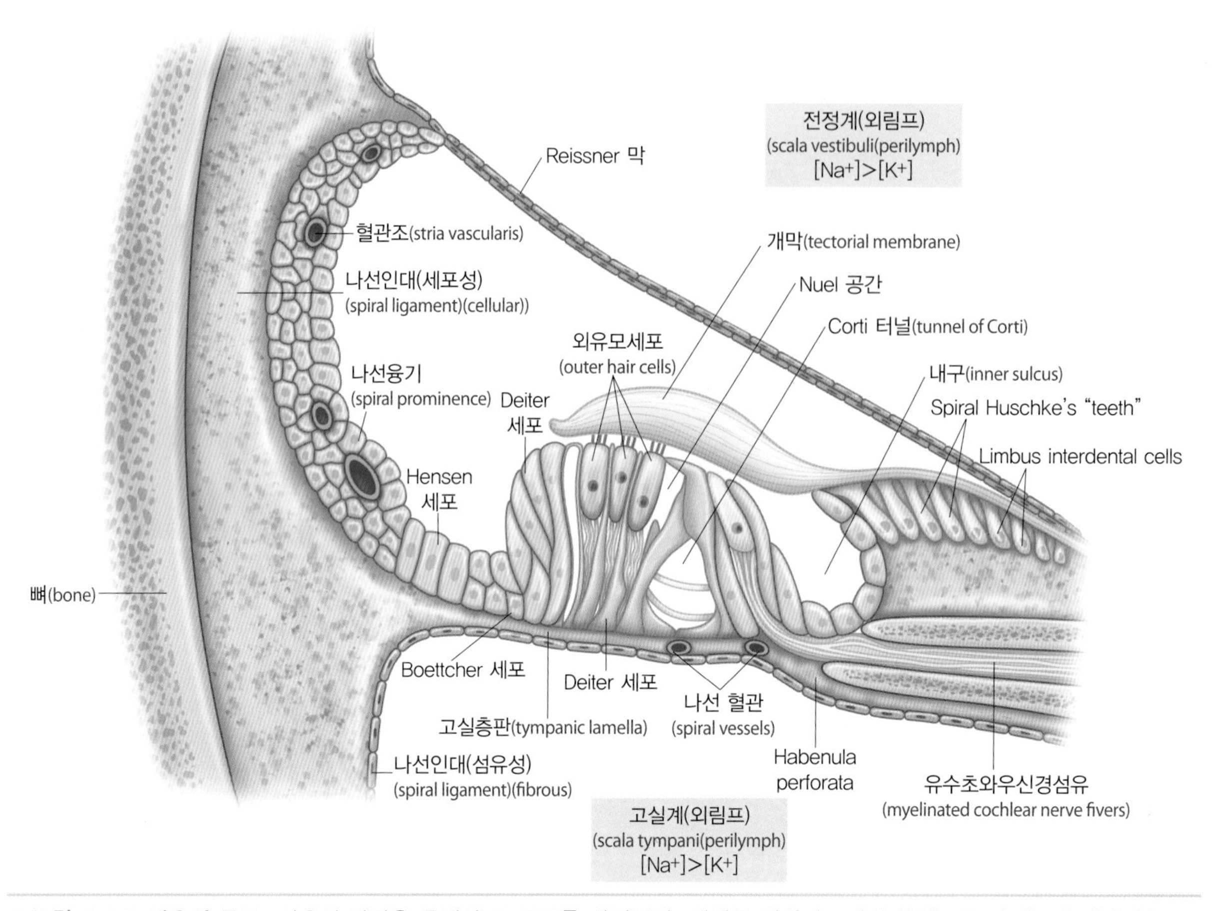

■ 그림 2-16. **와우의 구조.** 와우의 단면을 통해서 그 구조를 살펴보면, 액체로 채워진 3개의 구획으로 나뉘는데 전정계(scala vestibuli), 와우관(cochlear duct), 고실계(scala tympani)로 구성된다.

내림프액(endolymph)으로 채워져 있다. 와우관은 80 mV의 직류정지전위를 가지는데 이 전위는 기저부에서 첨부로 갈수록 점차 감소한다. 이 내림프관전위는 와우의 외벽에 있는 혈관조에서 생성된다. Reissner막에 의해 와우관과 구분되는 부분을 전정계라고 부르며, 반대쪽에 있는 부분을 고실계라고 부른다. 전정계 및 고실계는 K^+ 4 mEq/L, Na^+ 139 mEq/L 농도로 세포외액의 조성과 비슷한 외림프액(perilymph)으로 채워져 있다. 와우관은 첨부(apex) 쪽으로 갈수록 좁아지는데 그 끝쪽 부분, 즉 전정계와 고실계가 만나는 부분을 와우공(helicotrema)이라 부른다. 내이 첨부에 존재하는 와우공은 전정계의 외림프액이 고실계의 외림프액과 소통하는 작은 개구부로서 사람에서 이 공간은 약 0.05 mm^2이다. 소리 에너지는 난원창에 닿아 있는 등골 족판의 피스톤 운동에 의해 전정계의 외림프액으로 직접적으로 전해지며 와우공을 통하여 고실계의 외림프액과 소통된다.

2) 기저막

내이로 전달된 소리에너지는 와우 내에서 전정계에 있는 난원창과 고실계에 있는 정원창의 움직임으로 기저막(basilar membrane)을 진동시키게 되며 기저막의 움직임은 진행파(traveling wave)로서 기저부에서 첨부 쪽으로 진행된다. 섬유결체조직인 기저막은 와우 크기와는 다르게 내이 기저부에서는 폭이 약 0.12 mm이고, 첨부로 갈수록 증가하여 폭이 0.5 mm까지 된다. 물리적 구조의 특성상 음의 주파수 성분을 구분할 수 있는 능력이 있다.

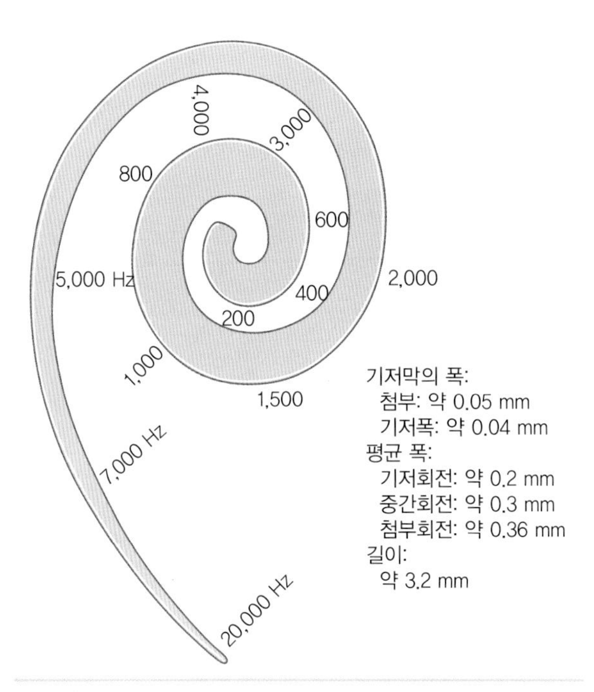

■ 그림 2-17. 와우에서 자극음에 대한 주파수분석이 질서 정연하게 일어나며, 고주파수에서 생성된 진행파는 내이 기저부 근처에서 최대 진폭을 나타내고 저주파수에서 생성된 진행파는 첨부 근처에서 최대 진폭을 나타낸다.

구조 특성상 기저부 쪽이 더 딱딱하며 경직도가 일정하게 변하므로 진행파가 발생하여 기저부에서 첨부 쪽으로 이동하는데, 기저막 움직임의 최대 진폭은 자극주파수의 정도에 따라 변한다. 고주파수(10 kHz)에서 생성된 진행파는 내이 기저부 근처에서 최대 진폭을 나타내고 저주파수(125 Hz)에서 생성된 진행파는 첨부 근처에서 최대 진폭을 나타낸다.[32] 고주파에 의한 진행파는 내이 전부까지 도달하지 못하나, 저주파에서 생성된 진행파는 기저막의 전 범위에 걸쳐 도달할 수 있다. 이 기저막 부분이 와우에서 자극음에 대한 주파수분석이 최초로 질서 정연하게 일어나는 부분이다(그림 2-17). 이러한 기저막의 움직임과 주변 액체의 상호 간섭이 기저막 위에 있는 유모세포에 물리적 힘을 가하게 된다.

3) 코르티기관(Organ of Corti)

와우관 내 존재하는 코르티기관(organ of corti; OC)는 기저막과 골나선판(osseous spiral lamina) 위에 위치한다. 코르티기관의 주 구성 요소는 외유모세포, 내유모세포, 지지세포(supporting cells(Deiter, Hensen, Claudius)), 개막(tectorial membrane), 망상판–소피판 복합체(reticular lamina–cuticular plate complex)이다. 지지세포는 코르티기관을 구조적 및 대사적으로 돕는다. Deiter 세포의 지골돌기(phalangeal process)는 망상판과 폐쇄연접(tight junction)을 이룬다(그림 2-18).

4) 유모세포

코르티기관의 외유모세포(outer hair cell)와 내유모세포(inner hair cell)는 소리에너지를 전기 에너지로 전환하는 데 중요한 역할을 한다. 인간에서는 약 12,000개 정도의 외유모세포가 3개열로 기저막상에 정돈되어 있다. 반면에 내유모세포는 3,000개 정도이며 단일 열을 이루고 있다. 외유모세포는 첨단회전 쪽으로 갈수록 더 길어지는데, 길이의 차이가 어떤 역할을 하는지는 아직 알려지지 않았다. 내유모세포는 전체적으로 그 길이가 거의 비슷하다. 그리고 각 내유모세포의 부동섬모(stereocilia) 길이는 기저부 쪽으로 갈수록 더 짧고, 외유모세포의 경우와 비교해서 전체적으로 조금 더 짧고 굵다.

외유모세포는 여러 면에서 내유모세포와 다른 특징을 가지고 있다. 외유모세포의 경우는 세포 밑 부분이 반달 모양이고, 여기에 청신경 섬유들이 부착되어 있다(그림 2-19). 여기에 W자나 V자 형태로 약 50~150개의 부동섬모가 나와서 개막을 향하고 있다. 가장 바깥쪽 부동섬모의 길이가 가장 길고, 이 끝은 개막 속에 삽입된 상태로 존재한다. 이 유모세포의 부동섬모는 교차결합(cross link) 형태로 서로 연결되어 있다.[21,22] 외유모세포는 음자극에 의해서 자체 길이가 수축하는 등의 변화를 보일 수 있다. 그 결과 기저막의 진동을 더 도와주거나 억제하게 된다. 이러한 과정을 외유모세포의 능동적 과정(active mechanism)이라고 한다. 충분히 이 진동이 커지게 되면 역으로 외이도 근처에서도 음압의 형태로 감지되어 기록

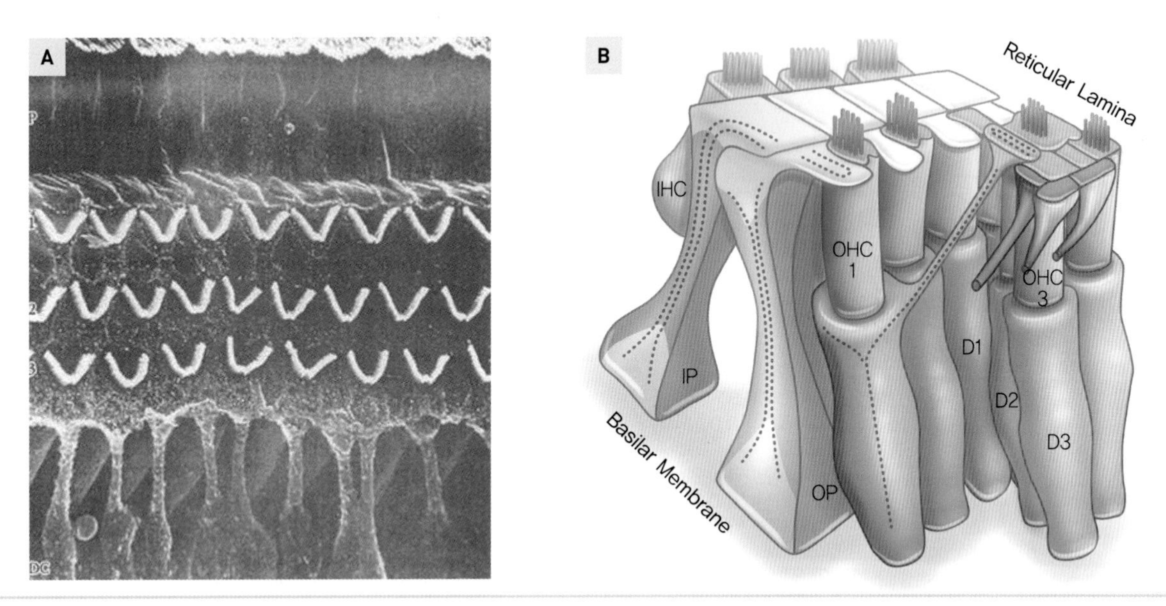

■ 그림 2-18. **A)** 코르티기관을 위에서 바라본 전자현미경사진. 내유모세포 1열과 외유모세포 3열(V자)을 관찰할 수 있다. **B)** 코르티기관의 주 구성 요소는 외유모세포, 내유모세포, 지지세포(supporting cells(Deiter, Hensen, Claudius)) 등으로, Deiter 세포의 지골돌기(phalangeal process)는 망상판(reticular lamina)과 폐쇄연접(tight junction)을 이룬다.

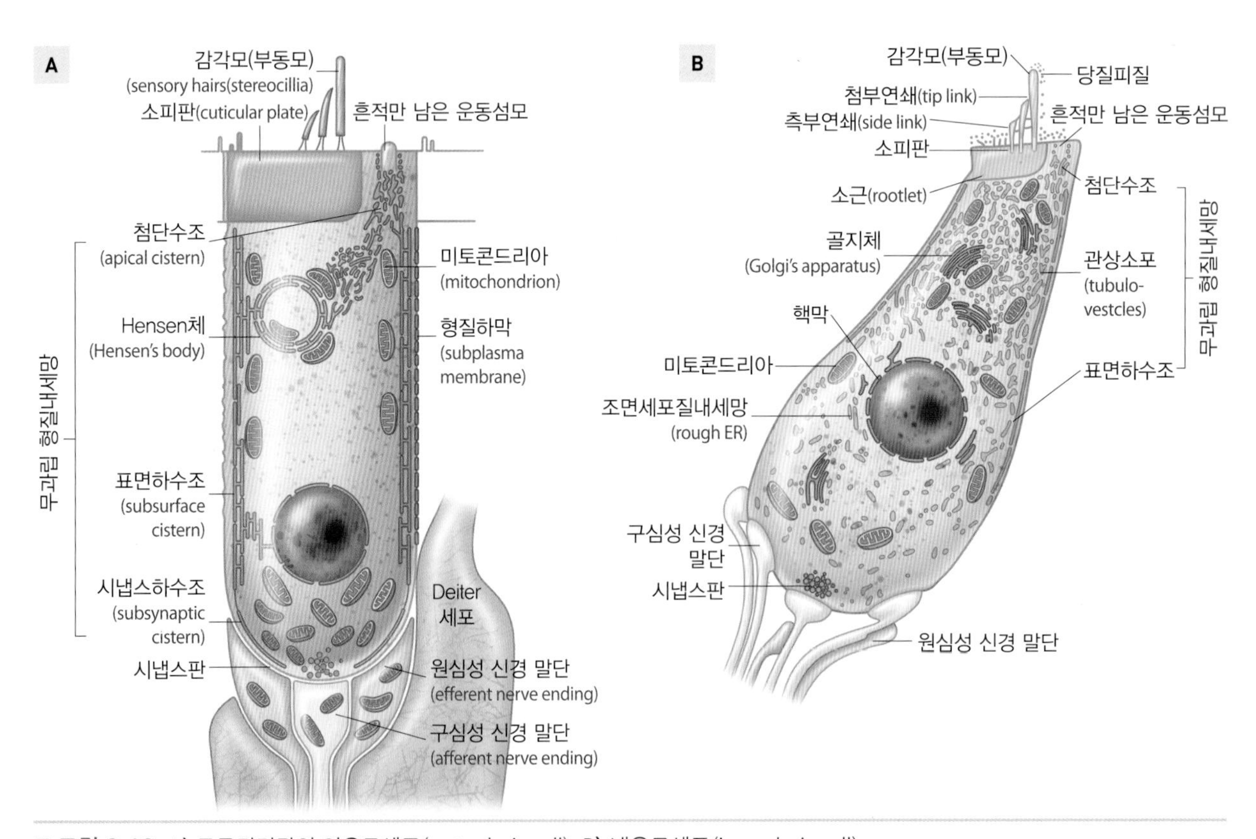

■ 그림 2-19. **A)** 코르티기관의 외유모세포(outer hair cell), **B)** 내유모세포(inner hair cell)

될 수 있다. 이것이 이음향방사(otoacoustic emission; OAE)이다. 어떤 경우에는 이 진동이 음자극이 없어도 자발적으로 일어나기도 하는데 이런 경우를 자발이음향방사(spontaneous OAE; SOAE)라고 한다. 외유모세포는 내유모세포에 비하여 비교적 이독성 약물이나 물리적 자극에 대해 저항이 약한 편이다.

내유모세포는 약 70~80개 정도의 부동섬모가 U자 모양으로 개막 쪽을 향하여 나와 있다. 그러나 그 긴 끝은 개막에 삽입되어 있지 않다. 그리고 외유모세포의 경우처럼 직접 능동적으로 기저막의 진동에 기여하지는 않는다.

외유모세포와 내유모세포는 형태학적 차이 외에도 신경지배도 서로 다르다. 청신경의 세포체인 나선신경 절은 축삭을 뇌간의 와우신경핵(cochlear nucleus)으로 보내고 가지돌기(dendrite)는 골나선판으로 뻗는다. 와우로 이어지는 신경원 중 90~95%는 제1형 신경원으로 내유모세포로 직접 시냅스하며, 1개의 내유모세포에는 약 15~20개의 제1형 청신경이 분포한다. 신경원중 5~10%는 제2형 신경원으로 외유모세포로 분포하는데, 1개의 제2형 청신경은 약 10개의 외유모세포에 분지한다. 또 와우의 구심성 신경경로 외에 대략 1,800개의 원심성 섬유들이 동측과 내측의 상올리브 복합체에서 기원해서 와우로 방사된다(그림 2-20). 또한 와우에는 자율신경분포가 있다. 이들은 아드레날린성 교감신경섬유(adrenergic sympathetic nerve fiber)로, 주로 혈관과 연결되며 유모세포와도 연결된다.

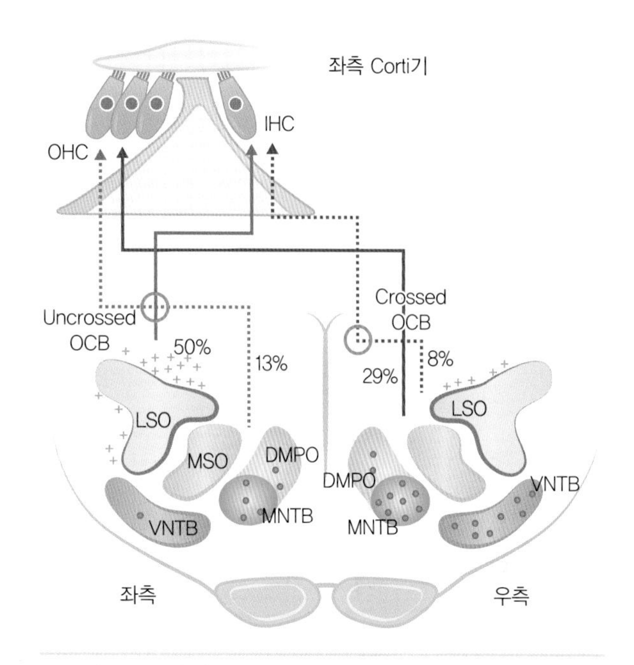

■ 그림 2-20. **올리브와우 번들의 원심성 섬유의 기원과 분포(고양이).** 십자가 기호는 소 올리브와우 번들 뉴론이고, 삼각형 기호는 대 올리브와우 번들 뉴론이다. 각 종류 별 기호의 숫자, 여러 가지 두께의 선과 백분율 등은 각 세포 그룹으로부터 발생한 전체 올리브와우 번들 뉴론에 대한 한 와우로의 방사 비율을 가리킨다. 외유모세포의 원심성 섬유들은 상올리브복합체의 내측 부분의 큰 세포들로부터 기원한다. 외유모세포로 방사되는 섬유의 약 70%는 뇌의 반대쪽으로부터 기원한다. 내유모세포로의 방사는 상올리브핵의 외측 부위의 작은 세포들로부터 기원한다. 이 섬유들의 대부분(85%)은 뇌의 동측 부위에서 기원한다. DMPO: 배내측 전올리브핵(dorsomedial preolivary nucleus), IHC: 내유모세포(inner hair cells), LSO: 외측 상올리브핵lateral superior olivary nucleus), MNTB: 능형체의 내측핵(medial nucleus of the trapezoid body), MSO: 내측 상올리브핵(medial superior olivary nucleus), OCB: 올리브와우삭(olivocochlear bundle), OHC: 외유모세포(outer hair cells), VNTB: 능형체의 복측핵(ventral nucleus of the trapezoid body).

Ⅲ 각기관의 기능

1. 소리에너지의 전기적 변환과정과 와우증폭기 (Cochlear amplifier)

기저막 위에 있는 유모세포는 기저막의 진동으로 인해 비틀린 힘(shearing force)을 전달받게 된다. 부동섬모-유모세포 복합체(stereocilia–hair cell complex)는 소리 전환 과정에서 중요한 역할을 한다. 부동섬모(stereocilia)는 액틴 섬유다발로 관을 형성하며 소피판(cuticular plate)으로 삽입된다. 섬유 다발끼리는 서로 교차한다. 내유모세포의 부동섬모는 소피판과 직접적인 접촉은 없는 것으로 보이나 외유모세포의 부동섬모는 소피판과 직접

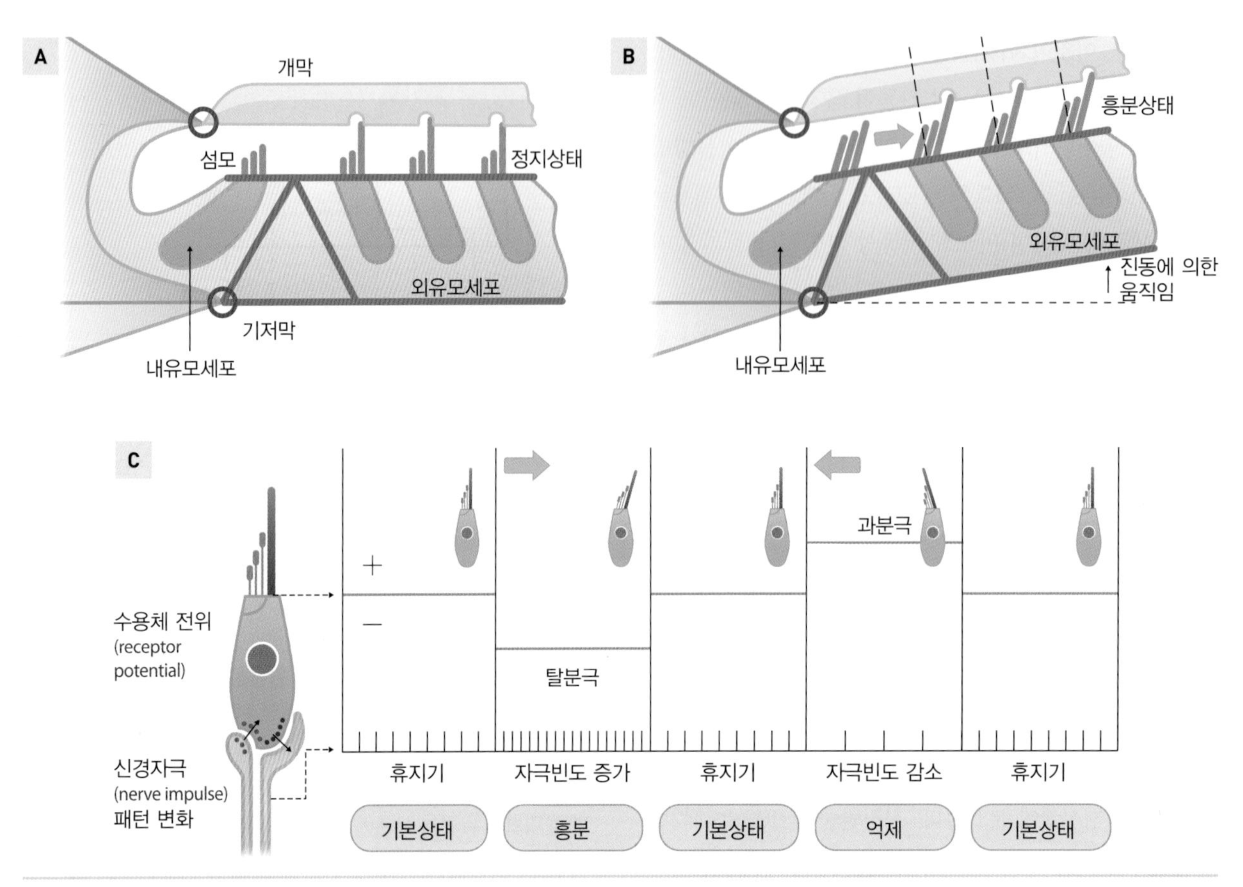

■ 그림 2-21. 기저막 위에 있는 유모세포는 기저막의 진동으로 인해 비틀린 힘(shearing force)을 전달받게 된다. **A)** 비자극 상태, **B)** 소리진동에 의하여 기저막이 움직일때 섬모가 개막에 닿아 눌리면서 유모세포의 자극이 일어난다. **C)** 유모세포의 섬모 굴곡 방향에 따른 신경전위반응으로 탈분극 및 과분극을 관찰할 수 있다.

닿아 있다. 비틀린 힘에 의하여 와우에서의 부동섬모가 가장 큰 부동섬모 쪽으로 힘을 받게 되면 흥분성(excitatory)자극이 되며, 부동섬모에 위치한 K^+이온 채널들을 열리게 한다(그림 2-21).[9,13,22] 이러한 양이온의 유입이 세포막(cellular membrane)의 탈분극(depolarization)을 유도한다. 그리고 이 과정이 전압에 예민한 voltage sensitive Ca^{++}이온채널을 열리게 하여 Ca^{++}이온이 유입되게 한다. Ca^{++}이온이 유입되면 해당유모세포와 청신경 사이의 시냅스 근처에서 양전위가 축적 되고 신경전달물질이 방출된다. 구심성 신경전달물질은 글루타메이트(glutamate) 계열로 알려져 있는데 이런 신경전달물질이 다른 시냅스와 마찬가지로 시냅스후전압(postsynaptic potential)에 의한 탈분극을 유도하게 되며, 시냅스후 전압이 일정크기 이상 적립되면 연결된 구심성 신경섬유에서 활동전위를 발생한다(그림 2-21). 이러한 활동전위들이 대뇌로 전달되면서 소리로 인식된다.

2. 와우의 신경전달물질: Glutamate vs. Acetylcholine

와우의 신경전달눌질에 대해서는 많은 연구가 진행되었다.[16] 구심성 신경전달물질은 글루타메이트(glutamate)이며, 원심성 신경전달물질은 아세틸콜린(acetylcholine; ACh)으로 알려졌다. 코르티기관은 원심성계의 영향 하에서 외유모세포의 운동성 변화로 인해 기계적으로 조절되는 것으로 알려졌다. 또 원심성계에서는 아세틸콜린 외에도 γ-aminobutyric acid와 여러 신경 활성 펩타이드들이 신경전달물질로 작용한다.[20] 한편, 유모세포를 탈분극시키게 되는 전위는 외유모세포에서는 특이하게 세포 자체도 수축시키면서 기저막을 와우관 쪽으로 끌어당기는 능동적 과정이 일어난다. 이러한 능동적인 과정은 와우에서의 비선형 반응특성의 발현에 관여하는 것으로 알려졌다. 과거에는 물리적인 진행파가 물리적 에너지에서 전기적 에너지로의 전환, 청신경, 중추신경계에 순차적으로 진행되는 광범위 동조반응(broadly tuned response)으로 여겨졌다. 그러나 더 세밀하고 정밀한 방법으로 데이터를 얻은 결과 진행파는 주파수에 따라 매우 예민하게 동조되는 반응(sharply tuned response)으로 밝혀졌고, 따라서 귀의 많은 주파수 선택적 기능은 와우의 기계적 특성에 의한 것임이 알려졌다. 기계적 진행파 내에서 예민하게 동조되는 반응이 발생하는 기전은 와우 조절기(cochlear modifier)로 알려진 현상에 의한다. 이것은 외유모세포가 각 와우부위에 해당하는 주파수의 소리가 들어왔을 때, 해당 기저막 부위의 운동을 증가시키는 기능이다. 이런 현상 때문에 귀는 아주 미세한 주파수별로 소리를 구별할 수 있고, 아주 희미한 소리도 탐지할 수 있다. 와우증폭기(cochlear amplifier), 즉 와우의 능동과정은 이음향방사(otoacoustic emission)로 증명된다. 즉 짧은 시간의 음자극이 귀로 전달되면 와우로부터 발생되는 반사파가 외이도에서 기록된다.

최근 연구에 따르면 외유모세포에서 발견된 'Prestin' 단백질은 외유모세포의 운동단백질과 유모세포의 전기적 운동의 추진력으로 작용하는 것으로 여겨진다.[49] 또 하나의 관점은 K^+와 Ca^{++}이온 채널이 와우증폭기와 그것의 조절 기초가 된다는 것이다.[11] 많은 형태의 청력소실이 와우증폭기의 손상 때문이므로, 와우증폭기의 생물학적 특정에 대한 자세한 연구가 중요하다. 신호를 구심성 방향으로 전달하는 역할은 주로 내유모세포가 담당한다. 내유모세포 자체에서 발생하는 전위는 0 혹은 1, 즉 all or nothing과 같은 형태의 신호가 아니라 연속적인 전위(graded potential)이다. 따라서 유모세포 단계에서 일어나는 변화는 기계적 에너지를 전기적 에너지로 변환하는 첫 단계라고 볼 수 있다. 이러한 감각기능에 이상이 생기면 청력장애가 나타나고 그 양상은 전도성 장애와 비교했을 때 상당히 다르다.

3. 와우 유모세포의 구심성 기전(Mechanism of Afferent Activation in Cochlear Inner Hair Cell)

소리자극에 의한 mechanical input에 의해 내유모세포의 유모다발(hair bundles)이 키가 가장 큰 부동모 방향으로 기울어지면 이와 거의 동시에 각 부동모의 첨부에 위치한 비 선택적 양이온 채널인 mechanotransduction channel (stretch-activated ion channel)이 열린다. 이 채널은 부동모 간에 서로 연결된 tip link의 작용으로 열리고 이 이온통로를 통해 K^+과 Ca^{++} 등의 양이온이 세포내로 유입되면(transduction current) 내유모세포 내의 전위가 변하여 수용체 전위(receptor potential)가 생긴다.[19,39] 개방되었던 mechanotransduction channel은 주변의 Ca^{++} 이온의 농도가 증가함에 따라 부동모가 제자리로 돌아가기 이전에 다시 닫히는데, 이 일종의 adaptation 현상이 지속적인 고주파 자극에 대한 내유모세포의 재활성을 가능하게 하는 기전의 하나로 설명되고 있다.[26]

유모세포의 탈분극으로 형성된 수용체 전위는 세포 기저부와 측부 세포막에 존재하는 전압의존성 칼슘채널(voltage gated calcium channel)을 활성화시키고, 채널을 통해 세포로 유입된 칼슘에 반응하여 시냅스소포(synaptic vesicle)가 세포막과 융합하여 신경전달물질을 분비한다(stimulus-secretion coupling)(그림 2-22).[12,43]

유모세포와 구심신경 사이에서 신경전달물질이 분비되어 시냅스 전달이 일어나는 영역을 active zone이라고 하는데 전자현미경으로 관찰 시 많은 시냅스소포에 둘러싸인 electron dense body와 구심신경 말단의 시냅스 부위

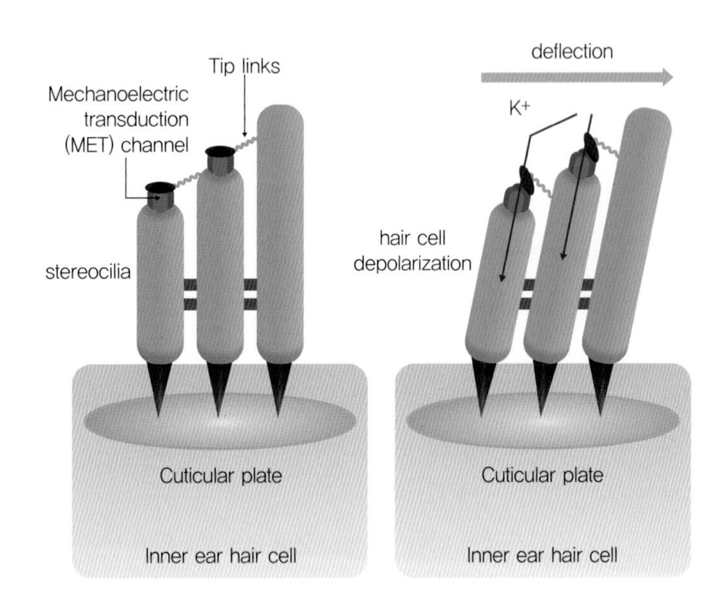

■ 그림 2-22. 유모세포의 탈분극으로 형성된 수용체 전위는 세포 기저부와 측부 세포막에 존재하는 전압의존성 칼슘채널(voltage gated calcium channel)을 활성화시키고, 채널을 통해 세포로 유입된 칼슘에 반응하여 시냅스소포(synaptic vesicle)이 세포막과 융합하여 신경전달물질을 분비한다(stimulus-secretion coupling).

가 두꺼워진 post-synaptic thickening(혹은 post-synaptic density, PSD)으로 구성되어 있다. 이 electron dense body를 synaptic ribbon을 가지는 시냅스 부위를 리본시냅스(ribbon synapse)라고 부른다.

한 개의 내유모세포에는 약 10~30개의 synaptic ribbon이 있으므로 동일한 수의 구심성신경이 active zone에 접하고 있다. Synaptic ribbon은 구형 혹은 계란형의 모양으로 내유모세포의 기저측부(basolateral area)에 분포한다. 반경이 100~200 nm 정도이며 주변부로 반경 약 35 nm의 synaptic vesicle이 20 nm의 거리로 연결되어 있다. 하나의 synaptic ribbon엔 약 60개의 vesicle이 연결되어 있으며 일부의 vesicle들은 세포막에 접촉하고 있다(그림 2-23).[14,37] 내유모세포 synaptic ribbon에서의 synaptic vesicle 안에 존재하는 신경전달물질이 바로 글루타메이트(glutamate)이다.[28]

4. 와우 유모세포의 원심성 억제 기전(Mechanism of Efferent Inhibition in Cochlear Outer Hair Cell)

인간의 와우에는 총 15,000개의 유모세포가 존재한다. 이 중 내유모세포(inner hair cell; IHC)가 3,000개, 외유모세포(outer hair cell; OHC)가 12,000개 정도이다. 청신경계의 조절은 뇌 및 중추신경계에서 시작된 원심성 뉴런(efferent neurons)을 이용하여 와우의 구심성 신경계(afferent system)의 정보를 조절, 통제함으로써 이루어진다. 원심성 뉴런의 작용은 상올리브핵(superior olivary nucleus)에서 기시한 내측올리브(medial olivo-cochlear; MOC) 원심성 뉴런의 자극을 통하여 시작된다. 아세틸콜린(acetylcholine; ACh)은 MOC 원심성 뉴런의 주요한 신경전달물질로 외유모세포를 향해 분출된다.[46] 원심성 억제작용(efferent inhibition)은 아세틸콜린이 외유모세포의 과분극(hyperpolarization)을 초래하여 외유모세포의 안정화가 이루어지는 과정이다. 이는 내유모세포로 받아들여진 소리자극인 복합활동전위(compound action potential; CAP)의 크기를 줄이는 것이고, 결국 음자극에 따른 청신경의 전위를 줄이는 것이라 말할 수 있다.[15] 이와 같은 원심성 억제 작용은 외유모세포의 전기적 운동성(active electromobile response)을 억제함으로써 나타난다.

뇌의 상올리브핵에서 시작되는 원심성 억제 작용은 와우의 기능을 조절한다. 내측올리브 원심성 뉴런(MOC efferent neuron)은 외유모세포와 청력 개시 전의 내유

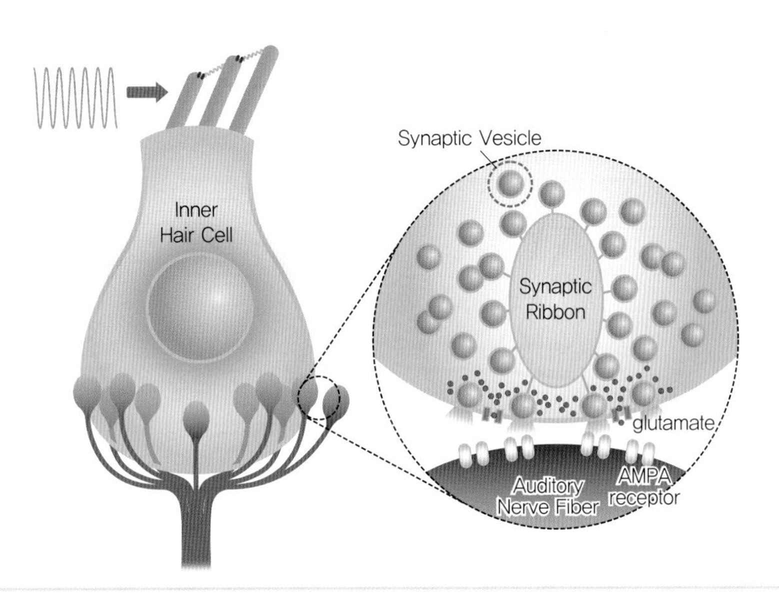

■ 그림 2-23. 한 개의 내유모세포에는 약 10~30개의 ribbon이 있으므로 동일한 수의 구심성신경이 active zone에 접하고 있다. Ribbon은 구형 혹은 계란형의 모양으로 내유모세포의 기저측부(basolateral area)에 분포한다. 반경이 100~200 nm 정도이며 주변부로 반경 약 35 nm의 synaptic vesicle이 20 nm의 거리로 연결되어있다. 하나의 ribbon엔 약 60개의 vesicle이 연결되어 있으며 일부의 vesicle들은 세포막에 접촉하고 있다. 내유모세포 synaptic ribbon에서의 vesicle 안에 존재하는 신경전달물질이 바로 glutamate이다.

모세포를 지배하며 아세틸콜린에 의하여 작동된다. 외유모세포의 원심성 억제는 내측올리브 원심성 뉴런에서 분출된 아세틸콜린이 아세틸콜린 수용체(α9α10 nicotinic acetylcholine receptor)를 자극하면서 시작된다. 아세틸콜린 수용체는 세포 내로 칼슘 유입를 일으켜 연쇄적으로 SK channel을 열게 된다. 최종적으로 SK channel을 통하여 세포 밖으로 칼륨 유출을 유발하여 유모세포를 과분극시켜 안정화한다(그림 2-24). 외유모세포가 안정화되면 외유모세포의 전기적 운동성(active electromobile response)이 억제되어 내유모세포의 신호의 증폭작용이 억제된다. 이러한 외유모세포의 원심성 억제작용은 첫째, 배경소음을 이겨내고 해당음을 잘 듣게 하고 둘째, 특정 음역을 잘 듣게 하고 셋째, 매우 큰 소음으로부터 내이를 보호한다.[16,24,30]

이때 시냅스 수조(subsynaptic cistern) (외유모세포 세포막과 subsynaptic cistern 사이의 좁은 공간)에서 CICR (calcium-induced calcium release)이 유도되어 시냅스 수조 안의 칼슘농도를 비약적으로 증가시키는데 일조한다. 외유모세포 말단, 즉 MOC의 신경 연결 부위의 외유모세포 내에는 항상 시냅스 수조가 존재하는데 이는 원심성 신경작용에 필요한 추가적인 칼슘 저장소의 역할을 한다(그림 2-25). 이러한 시냅스 수조는 efferent synapse가 붙어 있는 유모세포의 세포막에 얇은 판상구조로 넓게 분포하여 존재하므로, 전자현미경으로 관찰하여 보면 세포막이 이중으로 보이는 것처럼 보인다.[23]

5. 와우에서의 전위

와우에서 측정되는 세포외 전위(extracellular potential)에는 와우음전기전위(cochlear microphonic potential; CM), 가중전위(summating potential; SP), 복합활동전위(compound action potential; AP), 내림프관전위(endolymphatic potential)가 존재한다(그림 2-26). 이 중 음자극에 의한 반응으로 나타나는 것은 와우음전기전위,

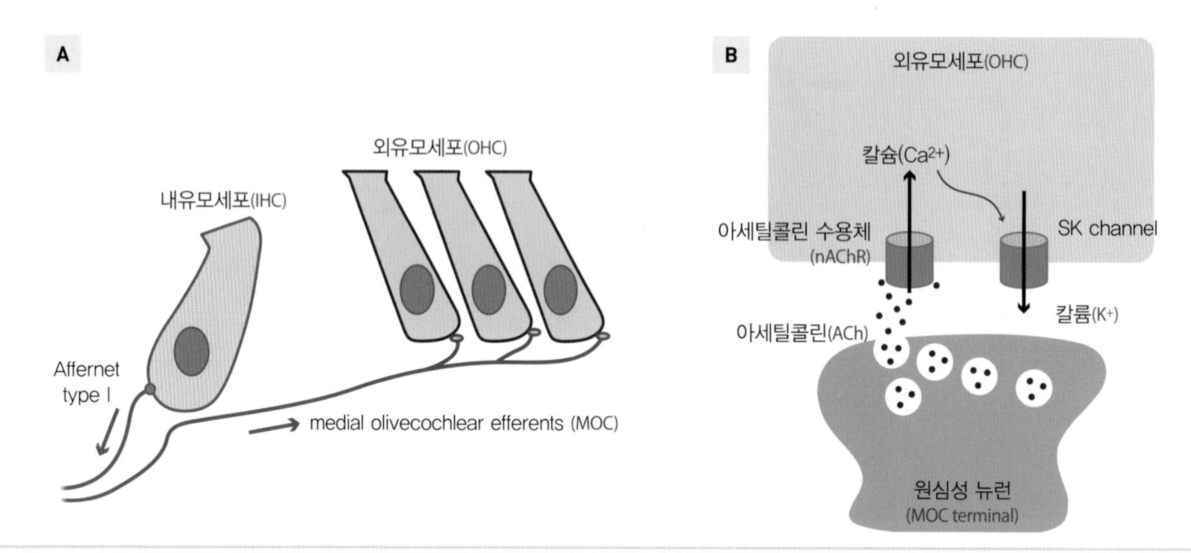

■ 그림 2-24. 뇌의 상올리브핵에서 시작되는 원심성 억제 작용은 와우의 기능을 조절한다. **A)** 내측올리브 원심성 뉴런(MOC efferent neuron)은 외유모세포와 청력 개시 전의 내유모세포를 지배하며 아세틸콜린에 의하여 작동된다. **B)** 외유모세포의 원심성 억제는 내측올리브 원심성 뉴런에서 분출된 아세틸콜린이 아세틸콜린 수용체α9α10 nicotinic acetylcholine receptor을 자극하면서 시작된다. 아세틸콜린 수용체는 세포 내로 칼슘 유입를 일으켜 연쇄적으로 SK channel을 열게 된다. 최종적으로 SK channel을 통하여 세포 밖으로 칼륨 유출을 유발하여 유모세포를 과분극시켜 안정화한다. 외유모세포가 안정화되면 외유모세포의 전기적 운동성(active electromobile response)이 억제되어 내유모세포의 신호의 증폭작용이 억제된다. 이러한 외유모세포의 원심성 억제작용은 첫째, 배경소음을 이겨내고 해당음을 잘 듣게 하고 둘째, 특정음역을 잘 듣게 하고 셋째, 매우 큰 소음으로부터 내이를 보호한다.

가중전위, 복합활동전위이다.

와우음전기전위(cochlear microphonic potential; CM)는 대개 와우 내나 정원창 주변에서 측정되는 교류전위이다. 이 전위의 발생처는 주로 기저 쪽의 외유모세포로 알려져 있으며[10] 주로 외유모세포를 통해 발생한 K^+이온 전위로, 기저막의 움직임으로 인해 바뀐 외유모세포의 전기적 저항이라 할 수 있다. 즉, 부동섬모가 와우축(modiolus)으로부터 먼 쪽으로 기울어지면 유모세포의 저항은 감소하며 그 결과 전류는 증가한다. 부동섬모가 와우축 쪽으로 기울어지면 저항은 증가하고 전류는 감소한다. 가중전위(summating potential; SP)는 음자극에 대하여 발생하는 또 다른 전위로 직류 전위로서 주로 기저막의 비대칭적인 진동을 반영하는 것으로 추정된다. 대개 자극을 받아 발생한 외유모세포 내 전위에 의한 직류 전위의 변화를 반영하고 내유모세포의 영향은 작다고 생각되나 정확한 비율은 알려져 있지 않다.[10] 가중전위는 고실계, 와우관, 전정계에서 측정 가능하며 특수 조건에서는 사람의 외이도에서 전극을 통해서 기록할 수 있다. 전위는 양일 수도 있고 음일 수도 있으며 이는 전극의 위치나 자극 주파수와 정도에 따라서 반대 극성을 나타낼 수도 있다.

복합활동전위(compound action potential; AP)는 음자극에 의한 청신경섬유의 방전(all or none discharge)으로부터 발생하며 동시성 신경활동의 결과로 나타난다. 이는 임상적으로 두피나 외이도에 꽂은 전극, 혹은 경고막 접근법으로 정원창 주변에 위치시킨 전극을 통해 기록될 수 있다. 40~50 dB 강도 이상의 자극 하에서 복합활동전위의 진폭은 증가하며 자극 강도가 증가할수록 잠복기는 감소한다. SP와 AP의 비는 외림프누공(perilymphatic fistula)의 진단적 지표로 사용되어 왔으나 그 타당성은 분명치 않다.

내림프관전위(endolymphatic potential; endoco-

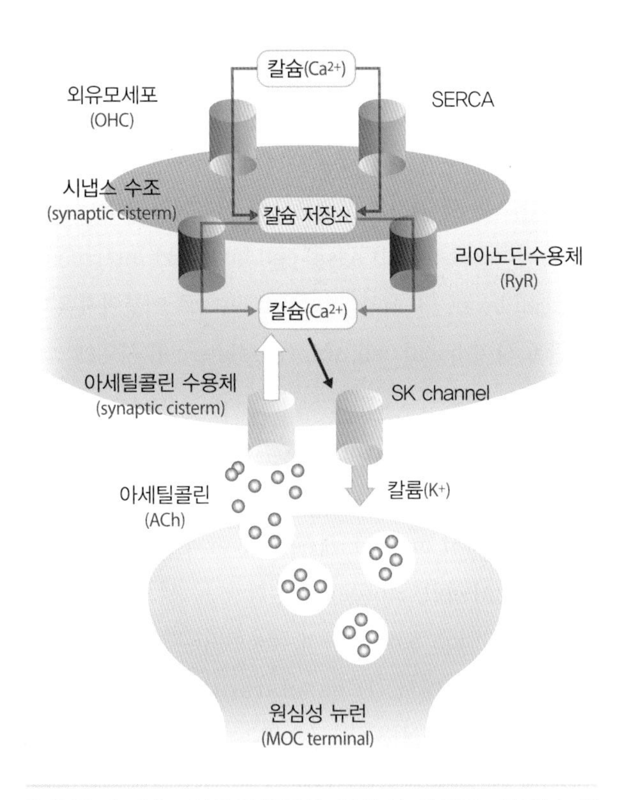

■ 그림 2-25. 외유모세포의 원심성 억제가 일어날 때 subsynaptic cistern에서 CICR (calcium-induced calcium release)이 유도되어 subsynaptic space(외유모세포 세포막과 subsynaptic cistern 사이의 좁은 공간) 안의 칼슘농도를 비약적으로 증가시키는데 일조한다. 외유모세포 말단, 즉 MOC의 신경 연결 부위의 외유모세포 내에는 항상 subsynaptic cistern이 존재하는데 이는 원심성 신경작용에 필요한 추가적인 칼슘 저장소의 역할을 한다. 이러한 subsynaptic cistern은 efferent synapse가 붙어있는 유모세포의 세포막에 얇은 판상구조로 넓게 분포하여 존재하므로, 전자현미경으로 관찰하여 보면 세포막이 이중으로 보이는 것처럼 보인다.

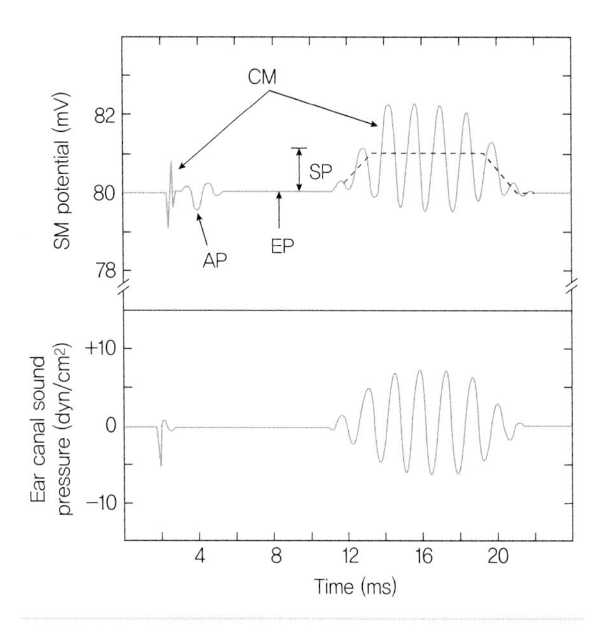

■ 그림 2-26. **전형적인 청각 자극에 대한 반응으로 와우관에서의 와우 전위를 기록한 모식도.** 위: 한 개의 마이크로피펫을 통해 기저부 와우관에서 기록한 전위의 시간 곡선. CM: 와우음전기전위(cochlear microphonic potential), EP: 내림프관전위(endolymphatic potential), SP: 가중전위(summating potential), AP: 복합활동전위(compound action potential) 아래: 클릭과 750 Hz의 tone burst에 대한 외이도에서의 마이크로 측정한 음압의 시간 파형 곡선. 양압과 음압은 공기압축(condensation)과 공기희박(rarefaction)에 해당되고 각각은 대기압에서 뺀 정적인 수치를 말한다.

chlear potential)은 다른 와우 전위와 달리 음자극에 의한 반응으로 생성되지 않으며 외우관에서 80~100 mV의 직류 전위로 기록된다. 이는 와우관의 측벽인 혈관조(stria vascularis)에서 발생한다.[25] 혈관조는 혈액공급이 많고 미토콘드리아가 풍부하며 Na^+–K^+ATPase가 존재하여 소리 전도에 필수적인 와우의 에너지원을 공급한다. 와우에서 이온수송에 중요한 역할을 하는 Na^+–K^+ATPase는 혈관조의 변연세포, 외부고랑세포(outer sulcus cell), 섬유세포, 나선인대와 Reissner막 가까이 있는 섬유세포 등에 존재한다. 내림프의 생성이나 내림프관전위의 생성에 문제가 생기면 난청이 발생할 수 있는데 대사성 노인성난청(metabolic presbycusis)이 이와 같은 경우이다.

Ⅳ 칼륨재순환(Potassium recycling)

소리를 듣는 와우의 중요한 기전이 칼륨재순환(potassium recycling)을 통한 내림프관전위의 생성이다(그림 2-27). 이는 중간계(scala media)에 존재하는 내림프액과 전정계(scala vestibuli)와 고실계(scala tympani)에 존재

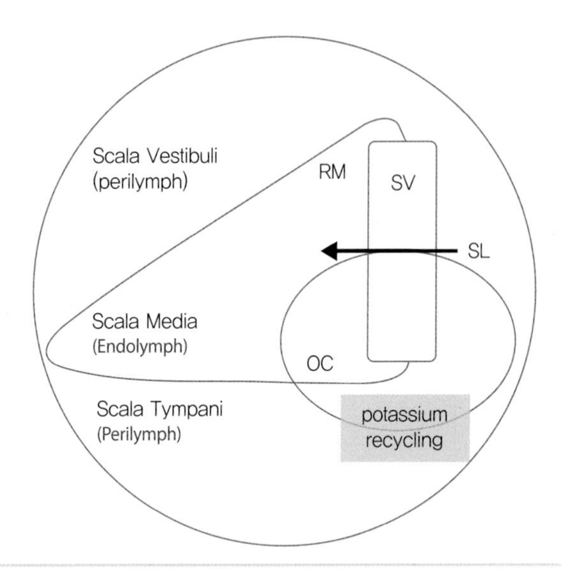

■ 그림 2-27. **와우에서의 칼륨재순환(potassium recycling).** 소리를 듣는 와우의 중요한 기전이 칼륨재순환을 통한 내림프관전위의 생성이다. 이는 scala media에 존재하는 내림프액과 scala vestibuli 와 scala tympani에 존재하는 외림프액 사이의 이온 조성비에 의하여 생겨나며, 그 주요한 이온 주체가 바로 칼륨(potassium)이다. 그림과 같이 칼륨이 중간계(scala media), 유모세포, 지지세포 등을 거쳐 혈관조로 유입되고 정교한 흡수 및 방출과정을 거쳐 중간계로 다시금 돌아오는 와우의 칼륨이온흐름을 칼륨재순환이라 하며 내림프관 전위 형성에 핵심적인 작용을 하게 된다.

하는 외림프액 사이의 이온 조성비에 의하여 생겨나며, 그 주요한 이온 주체가 바로 칼륨(potassium)이다. 내유모세포 내로의 칼륨의 유입은 (1) 기저막의 기계적 진동, (2) 부동모(stereocilia)의 굴곡, (3) tip links의 팽팽한 당겨짐, (4) mechanotransduction channel (stretch-activated ion channel) 열림의 과정으로 이루어진다.

내유모세포의 탈분극을 일으켜 리본시냅스(ribbon synapse) 반응을 완성한 칼륨은 large conductance Ca^{2+} activated K^+ channel (BK)과 delayed rectifier K^+ channel (Kv, KCNQ4) 채널의 활성화를 통하여 세포 밖으로 유출되어 세포 내의 전위가 다시 낮아져 정상화 및 재분극된다. 유모세포에서 방출된 칼륨은 종국에는 와우관의 측벽인 혈관조(stria vascularis)로 이동하게 되는데, (1) 외림프 공간을 통한 확산, (2) 유모세포 주변 지지세포들 사이의 gap junction을 통한 이동, (3) 지지세포들이 칼륨버퍼(K^+ buffer)작용에 의한 외림프쪽으로의 확산 등으로 이루어진다(그림 2-28).[48]

혈관조는 세 가지의 세포층으로 이루어져 있는데 와우의 바깥쪽으로부터 (1) basal cell layer, (2) intermediate cell layer, (3) marginal cell layer로 이루어져 있다. 혈관조 사이 basal cell, intermediate cell 사이에 공간이 존재하는데 이를 intra-strial compartment 라고 부른다. 혈관조 외곽의 intermediate cell, basal cell, fibrocyte는 gap junction을 통한 유기적인 결합이 이루어진다. 따라서 marginal cell layer와 intermediate cell, basal cell, fibrocyte 결합층 두 세포층 layer는 tight-junction barrier로서 작용한다(그림 2-29). 혈관조의 fibrocyte에서 (1) basolateral Na+/K+/2Cl- cotransporter (NKCC1), (2) 3Na+/2K+-ATPase, (3) Cl-channels 등에 의하여 칼륨이 흡수된다. 이는 intermediate cell layer에서 KCNJ10 (Kir 4.1) 이온채널을 통하여 intra-strial compartment로 방출된다. 따라서 intra-strial compartment에 높은 칼륨 농도가 이루어져 유효한 내림프관 전위가 형성된다. 이어서 marginal cell layer에서도 동일한 방식으로 칼륨의 흡수가 세포 내로 이루어지고, 최종적으로 중간계로 칼륨이 방출되는데 이때 작용하는 이온채널이 KCNQ1/KCNE1이 된다.

병리학적으로 와우에서의 칼륨재순환(potassium recycling)에 관여하는 gap junction과 이온채널들에 이상 또는 mutation이 초래되면 난청이 초래된다. 예를 들어 KCNQ1/KCNE1 mutation의 경우 Jervell-Lange-Nielsen syndrome을 초래하며 난청 및 심장 부정맥 등의 증상을 보인다. 또한 gap junction mutation 이 많은데, 특히 connexin-26, -30, -31, -43의 이상이 흔하다. 이 중 connexin-26의 이상을 초래하는 것이 가장 흔한 언어 습득 전 농(prelingual deafness)의 원인이 된다. 이는 gap junction beta-2 protein (connexin 26)을 발현하는 유전자인 GJB2의 이상으로 나타나는

Model A:
K+ recycling via open perilymph

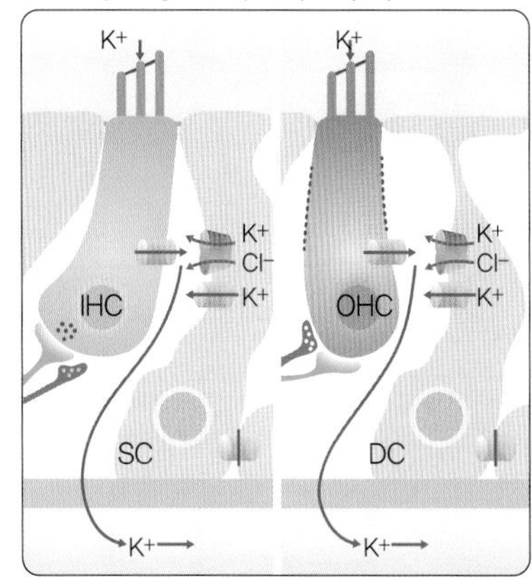

Model B:
K+ recycling via gap junctions

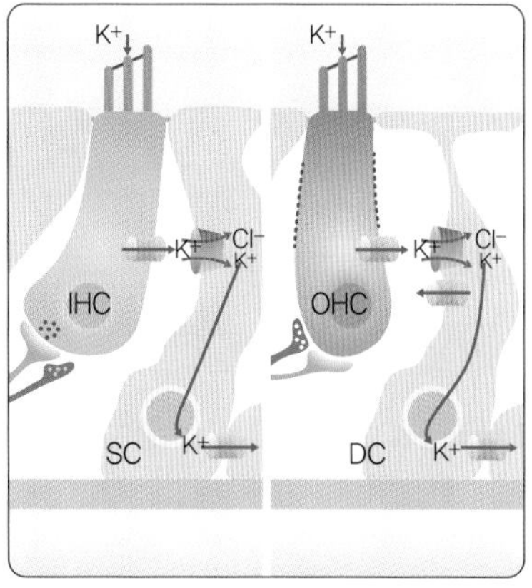

Model C:
K+ buffering

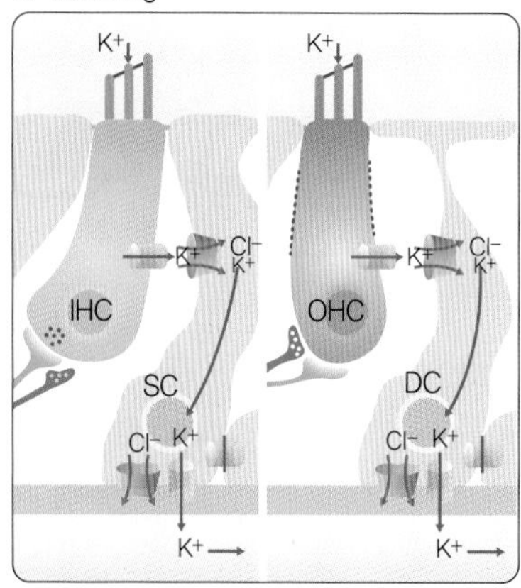

■ 그림 2-28. 내유모세포의 탈분극을 일으켜 synaptic ribbon 반응을 완성한 칼륨은 large conductance Ca^{2+} activated K^+ channel (BK)과 delayed rectifier K^+ channel (Kv, KCNQ4) 채널의 활성화를 통하여 세포 밖으로 유출되어 세포 내의 전위가 다시 낮아져 정상화된다. 유모세포에서 방출된 칼륨은 종국에는 와우관의 측벽인 혈관조stria vascularis로 이동하게 되는데, (1) 외림프 공간을 통한 확산, (2) 유모세포 주변 지지세포들 사이의 gap junction을 통한 이동, (3) 지지세포들이 칼륨버퍼(K^+ buffer) 작용에 의한 외림프로의 확산 등으로 이루어진다. [modified figure in Potassium ion movement in the inner ear: insights from genetic disease and mouse models. Zdebik AA, Wangemann P, Jentsch TJ. Physiology (Bethesda). 2009 Oct;24:307-16.]

DFNB1 (nonsyndromic hearing loss and deafness)이라 명명된다. DFNB1은 상염색체 열성(autosomal recessive) 유전되며, 선천적으로 중고도의 난청을 유발한다. 이는 모두 칼륨재순환에 지장이 생겨 유효한 내림프관 전위가 형성되지 못하기 때문이다.

이와 같이 칼륨이 중간계(scala media), 유모세포, 지지세포 등을 거쳐 혈관조로 유입되고 정교한 흡수 및 방출과정을 거쳐 중간계로 다시금 돌아오는 와우의 칼륨이온흐름을 칼륨재순환이라 하며 내림프관 전위 형성에 핵심적인 작용을 하게 된다.

 말초청신경과 신경생리학

사람의 청신경은 약 31,400개의 신경섬유로 이루어져 있다.[18] 이는 내이도에서 약 18,500개의 전정신경과 합쳐져 제8 신경을 이룬다. 청신경과 유모세포는 시냅스로 연결된다. 제1 형 세포인 방사섬유(radial fibers)는 전체의 90~95%를 차지하고 3,000개 정도의 내유모세포에 분포하며, 제 2형 세포인 외부나선섬유(outer spiral fiber)는 5~10%를 차지하고 약 12,000개의 외유모세포에 분포한다. 즉, 내유모세포에서는 약 15~20개의 신경섬유가 1개의 내유모세포로 연결되며 외유모세포의 경우에는 1개의 청신경세포에 10개의 외유모세포가 연결된다(그림 2-30). 비록 전부는 아닐지라도 대부분의 청신경섬유로부터 측정되는 전위는 내유모세포와 결합하고 있는 제1형 섬유로부터 나온 것이다. 제1형 세포인 방사섬유들의 세포체는 Rosenthal관(Rosenthal's canal)이라는 뼈로 된 나선구조 속에 있는 나선신경절에서 쌍극세포(bipolar cell) 형태를 하고 있으며 와우기저막 내측부인 habenula perforata를 거쳐서 유모세포와 연결된다. 이 방사섬유들은 외우 회전에 직각으로 직접 연결되어 있다. 이들은 수초형성(myelination)이 되어 있지만 와우기 내에서는 수초형성이 되어 있지 않다. 제2형 세포인 외부나선섬유는 단극(monopolar)이며 수초가 없다. 내측의 방사섬유(제1형)는 나선섬유(제2형)와 역할이 다를 것으로 추정되나, 이들의

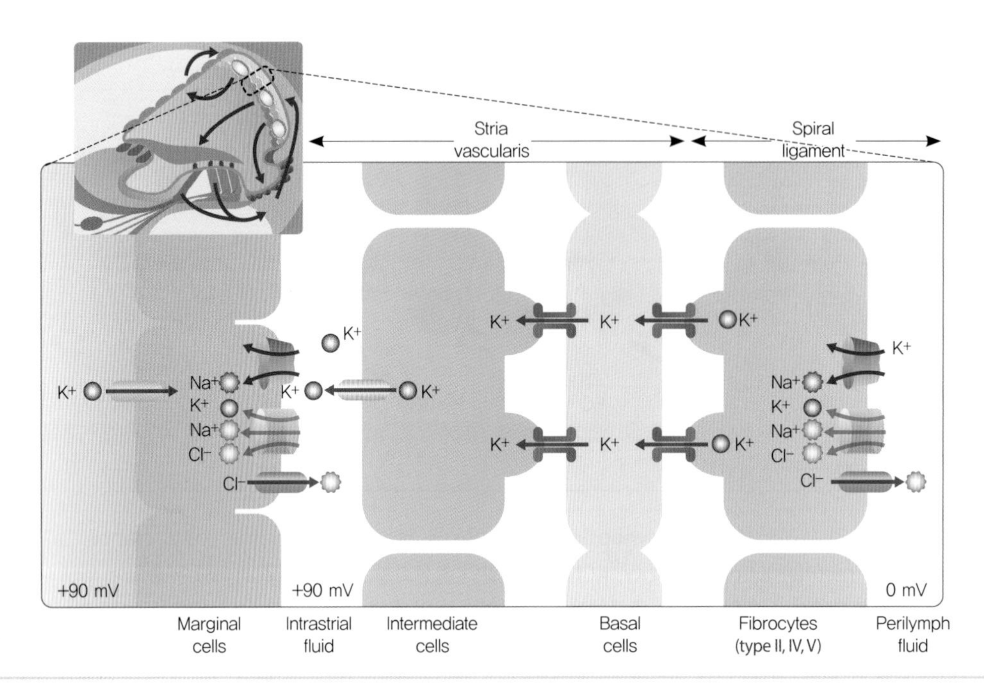

■ 그림 2-29. 혈관조는 세 가지의 세포층으로 이루어져 있는데 와우의 바깥쪽으로부터 (1) basal cell layer, (2) intermedicate cell layer, (3) margincal cell layer로 이루어져 있다. 혈관조 사이 basal cell, intermedicate cell 사이에 공간이 존재하는데 이를 intra-strial compartment라고 부른다. 혈관조 외곽의 intermedicate cell, basal cell, fibrocyte 는 gap junction을 통한 유기적인 결합이 이루어진다. 따라서 marginal cell layer와 intermedicate cell, basal cell, fibrocyte 결합층 두 세포층 layer는 tight-junction barrier 로서 작용한다. 혈관조의 fibrocyte에서 (1) basolateral $Na^+/K^+/2Cl^-$ cotransporter (NKCC1), (2) $3Na^+/2K^+$-ATPase, (3) Cl-channels 등에 의하여 칼륨이 흡수된다. 이는 intermedicate cell layer에서 KCNJ10 (Kir 4.1) 이온채널을 통하여 intra-strial compartment로 방출된다. 따라서 intra-strial compartment에 높은 칼륨 농도가 이루어져 유효한 내림프관 전위가 형성된다. 이어서 margincal cell layer에서도 동일한 방식으로 칼륨의 흡수가 세포 내로 이루어지고, 최종적으로 scala media로 칼륨이 방출되는데 이때 작용하는 이온채널이 KCNQ1/KCNE1이 된다.

자세한 기전과 역할에 관해서는 아직 자세히 알려진 바가 없다.

청신경의 한 단위(single units)는 미세전극을 내이도에서 나오는 청신경 부위에 삽입하면 기록할 수 있다. 청신경기능의 가장 기본 측정치는 자발전위횟수(spontaneous rate), 동조곡선(tuning curve), 강도함수(intensity function)이다.

포유류에서 대부분의 청신경섬유는 음자극이 없어도 전위를 갖고 있는데, 이러한 자발전위의 발생 횟수에 따라 신경섬유를 세 가지로 구분한다. 1초당 18~120회의 전위발생을 보이는 섬유를 '고자발전위횟수 섬유', 1초당 0.5~18회의 전위발생을 보이는 섬유를 '중자발전위횟수 섬유', 1초당 0~0.5회의 전위발생을 보이는 섬유를 '저자발전위횟수 섬유'라 한다. 고자발전위횟수 섬유들은 중자발 전위횟수나 저자발전위횟수 섬유들보다 민감하여 낮은 수준의 소리에 반응한다. 청신경섬유에서 약 60%의 구심성 신경들은 고자발전위횟수 섬유를 갖고 있으며, 20 dB 이내의 역치를 가진다. 나머지 저자발전위횟수 섬유들은 대략 60 dB 정도의 역치를 가진다. 대부분의 청신경섬유의 동적범위는 역치부터 포화까지 약 30 dB 정도인데 저자발전위횟수 섬유들의 동적범위가 더 넓다. 정상적인사람의 귀는 120 dB 범위 이상의 소리에 대한 반응이 가능한데 이는 청신경계에 넓은 범위의 역치를 포함하는 신경원들이 있다는 것을 의미한다.

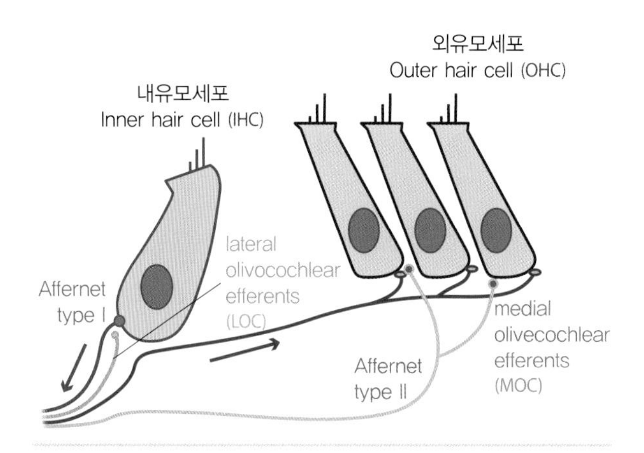

■ 그림 2-30. 사람의 청신경은 약 31,400개의 신경섬유로 이루어져 있다.[18] 이는 내이도에서 약 18,500개의 전정신경과 합쳐져 제8 신경을 이룬다. 청신경과 유모세포는 시냅스로 연결된다. 제1형 세포인 방사섬유(radial fibers)는 전체의 90~95%를 차지하고 4,000개 정도의 내유모세포에 분포하며, 제2형 세포인 외부나선섬유(outer spiral fiber)는 5~10%를 차지하고 약 12,000개의 외유모세포에 분포한다. 즉, 내유모세포에서는 약 15~20개의 신경섬유가 1개의 내유모세포로 연결되며 외유모세포의 경우에는 1개의 청신경세포에 10개의 외유모세포가 연결된다.

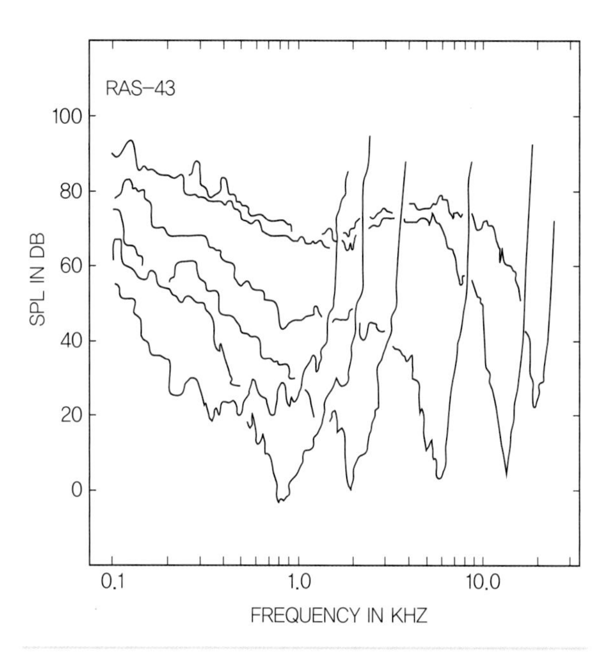

■ 그림 2-31. **청신경 기능에서 기본적인 측정요소인 단일 청신경섬유의 동조곡선.** 다양한 범위의 주파수와 크기가 정해진 단음tone burst를 주면서, 특정 방전률을 야기하는 주파수에서 가장 낮은 수준의 신호를 기록하여 그 결과로 생기는 등반응 곡선을 단일 청신경의 순음에 대한 동조곡선(tuning curve)이라고 부른다(6 month Gerbil).

청신경 기능에서 기본적인 측정요소인 단일 청신경섬유의 동조곡선은 다음과 같이 기록한다. 다양한 범위의 주파수와 크기가 정해진 단음(tone burst)를 주면서, 특정 방전률을 야기하는 주파수에서 가장 낮은 수준의 신호를 기록하여 그 결과로 생기는 등반응 곡선을 단일 청신경의 순음에 대한 동조곡선(tuning curve)이라고 부른다(그림 2-31). 즉, 단일청신경은 순음에 대하여 가장 예민하게 반응하는 주파수와 그 음역치를 가지게 된다. 동조곡선의 뾰족한 정점은 그 신경섬유의 가장 최적의 특이주파수를 나타낸다. 이때 가장 예민하게 반응하는 주파수를 최적자극주파수(best excitatory frequency; BEF), 동조주파수 또는 특이주파수(characteristic frequency)라고 하며, 이 주파수에서 청신경이 반응하는 가장 낮은 음압을 이 청신경의 음압역치로 추정한다.[19] 이러한 동조곡선의 주파수 변별능력을 정량적으로 나타내는 방법으로 Q10값이 있다. 이는 동조곡선의 최대 민감주파수를 이 최대민감주파수에서의 역치보다 10 dB 더 큰 음압을 나타내는 직선과 만나는 주파수 대역 폭으로 나눈 값이다. 이 값이 클수록 더 예민한 주파수 변별 능력이 있는 것으로 해석한다(그림 2-32). 낮은 특이주파수를 가진 신경섬유들은 와우첨부의 내유모세포에 분포하고, 높은 특이주파수를 가진 신경섬유들은 기저부 쪽의 내유모세포에 분포한다. 1 kHz보다 낮은 특이주파수를 가진 섬유들은 정점이 뭉툭한 V 형태를 나타내며, 보다 높은 특이 주파수를 가진 동조곡선은 정점이 뾰족한 V 형태의 곡선으로 나타난다. 부동섬모를 포함한 감각세포의 손상은 동조곡선의 형태를 확연히 바꿀 수 있다. 그림 2–33은 외유모세포가 파괴되었을 때, 정상 내유모세포에서 나온 청신경섬유의 동조곡선의 형태가 변하는 것을 보여준다. 가장 민감한 정점 부위는 사라지고, 신경섬유의 역치가 대략 40~45 dB 정도 높아진다. 고주파 영역은 더 이상 가파른 경사를 나타내지 않

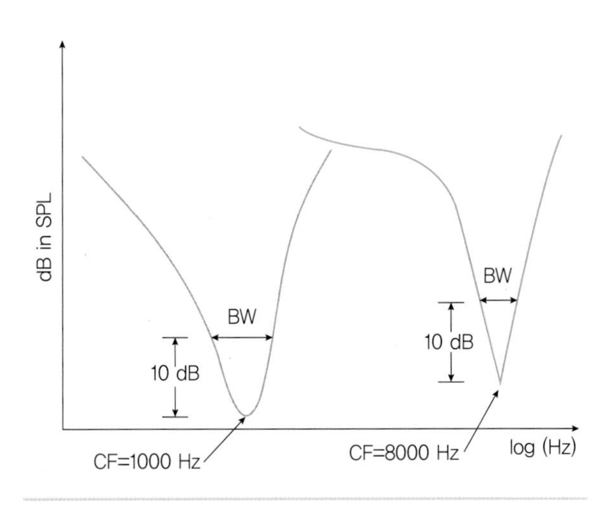

■ 그림 2-32. 동조곡선의 주파수 변별능력을 정량적으로 나타내는 방법으로 Q10값이 있다. 이는 동조곡선의 최대 민감주파수를 이 최대민감주파수에서의 역치보다 10 dB 더 큰 음압을 나타내는 직선과 만나는 주파수 대역 폭으로 나눈 값이다. 이 값이 클수록 더 예민한 주파수 변별 능력이 있는 것으로 해석한다. 특이주파수 (CF; characteristic frequency), Q10 (quality factor of tuning curve = CF/BW band width).

고 저주파 영역은 약간 더 민감해지거나 많이 과민해진다. 신경섬유의 특이주파수는 더 낮아지고 곡선의 폭은 더 넓어진다. 이와 같이 소리에 대한 민감도와 주파수 분별력 등을 포함한 정상 신경활동은 온전한 외유모세포와 정상 부동섬모가 있어야 가능하다.

청각 중추신경계

1. 대뇌 청각 중추성 경로의 구조과 반응 특성

대뇌 청각계의 중요한 특징은 구조적 배열(tonotopic organization)을 지닌다는 것이다. 기저막으로부터 청각피질까지 청각계는 주파수에 대해 공간적으로 대칭 배열되어 있다(그림 2-34). 기저막에서 각각의 위치는 특이주파수에 대해 최대로 반응한다. 기저부는 고주파수에 잘 반응하고 첨부 쪽은 저주파수에 반응한다. 와우의 구조적 배열 특성은 와우신경핵에서도 유지된다. 그림 2-35는 전극이 와우신경핵을 관통함에 따라, 각기 다른 특이주파수의 신경섬유가 접촉되었고 특이 주파수는 순서대로 배열되어 있음을 보여준다. 즉 저주파수는 복측 와우신경핵에서, 고주파수는 배측 와우신경핵에서 나타나며 전기생리학적 기록도 그러한 특징을 보여주고 있다.[28] 청각피질을 포함한 청각 중추계의 모든 핵에서도 비슷한 데이터를 얻을 수 있다. 즉 와우기저막에서 기저 쪽은 고주파수에, 첨부 쪽은 저주파수에 잘 반응하는 것과 같은 음의 배열 현상은 대뇌 쪽으로 연결되면서도 계속된다.

청신경에서는 첨부 쪽을 지배하는 신경들이 청신경다발의 중심에 위치하고 기저 쪽을 지배하는 신경들은 바깥

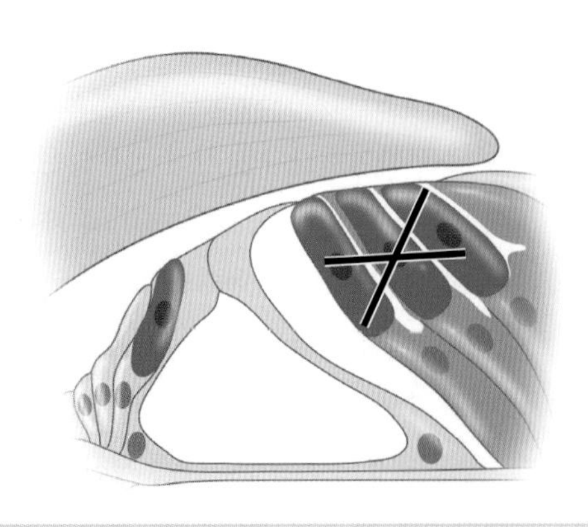

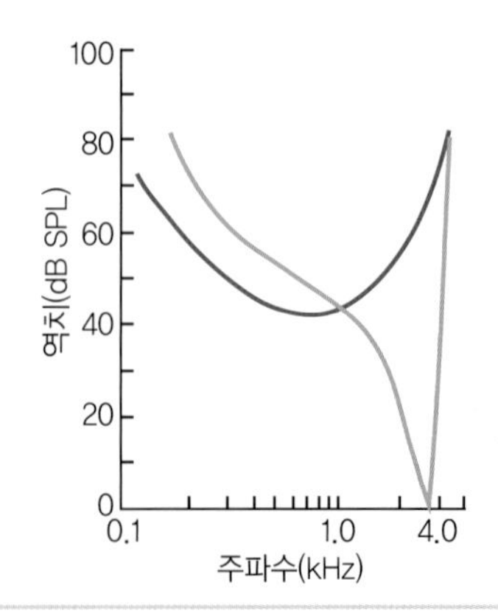

■ 그림 2-33. 외유모세포가 파괴되었을 때, 정상 내유모세포에서 나온 청신경섬유의 동조곡선의 형태가 변하는 것을 보여준다. 가장 민감한 정점 부위는 사라지고, 신경섬유의 역치가 대략 40~45 dB 정도 높아진다. 고주파 영역은 더 이상 가파른 경사를 나타내지 않고 저주파 영역은 약간 더 민감해지거나 많이 과민해진다. 신경섬유의 특이주파수는 더 낮아지고 곡선의 폭은 더 넓어진다.

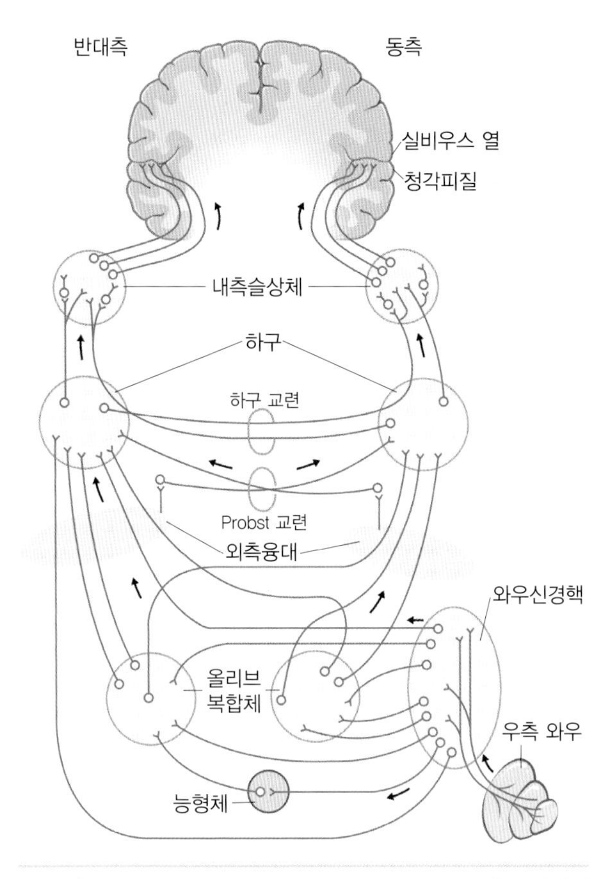

■ 그림 2-34. **우측 와우로부터 청각피질까지의 중추신경계에서의 청각 구심성 신경섬유의 모식도**

쪽에 위치한다.[3,21] 이러한 주파수 정렬은 와우신경핵에서는 배측에서 복측(dorsoventral direction)으로 나타난다. 상올리브복합체에서는 고주파수가 복내측(ventromedial) 방향으로 나타나고, 저주파수는 배외측(dorsolateral) 방향으로 나타난다.[18] 외측융대(lateral lemniscus)에서는 복측에서 고주파수에 민감한 부분이 나타나고 배측에서는 저주파수에 민감한 부분이 존재한다.[1] 하구(inferior colliculus)에서는 중심핵(central nucleus) 부분에서는 복내측 방향으로 점점 고주파수에 민감하게 반응한다. 그러나 외측핵(external nucleus)에서는 복내측으로 갈수록 점점 저주파수에 민감해진다. 그러나 외측핵에서는 약 9/17 비율로 주파수 규칙성이 발견될 뿐이고, 중심핵의 경우처럼 일정하지는 않다고 알려져 있다.[41] 내측슬상체(medial geniculate body)에서도 일정한 주파수 규칙이 발견되었다.[2] 주변부의 세포들은 저주파수에 반응하고 가운데 부분의 세포들은 고주파수에 반응한다. 대뇌피질에서도 일정한 주파수 배열 규칙이 발견되지만 그 강도는 점점 약해진다. 와우기저 쪽의 자극(고음)은 일차청각피질(primary auditory area) (AⅠ) 영역의 문측(rostral)으로 나타나고, 와우첨부 쪽의 자극(저음)은 미측(caudal)으로 나타난다. 즉, 일차청각피질(AⅠ)에서는 저주파에 대해서는 미내측(caudomedial) 방향으로 나타나고, 고주파는 문측으로 나타난다. 이차청각피질(secondary auditory area) (AⅡ) 영역에서는 이와 반대되는 배열이 관찰되었다. 와우기저 세포들의 자극은 미측 부분에 나타나고, 와우첨부 세포들의 자극은 문측 부분에서 나타난다.[33] AⅡ에서는 AⅠ보다 주파수의 정렬이 잘 정돈되어 있지는 않다. 잘 정돈된 연결상태가 AⅠ과 내측슬상체 사이에서 관찰되었는데, 내측 슬상체는 tonotopically organized projection을 대부분 일차청각피질로 보낸다(그림 2-36).

이 같은 인체에서의 주파수와 물리적 위치 간의 규칙적 배열에 대한 연구가 별로 없지만 규칙성이 대뇌 쪽으로 가면서 점점 약해지는 것으로 알려져 있다.[6]

2. 구심성 경로

와우의 유모세포와 청신경은 시냅스로 연결되며 구심성(afferent)신경과 원심성(efferent)신경의 두 가지 종류가 유모세포와 연결된다. 음자극에 의하여 유모세포와 청신경을 통해서 변환된 활동전위는 그 다음 단계의 신경계로 전송되게 된다(그림 2-28). 구심성 경로상에 있는 청신경은 뇌간에 있는 배측 와우신경핵(dorsal cochlear nucleus)과 복측 와우신경핵(ventral cochlear nucleus)으로 들어간다. 이 위치로부터 좌우측의 정보가 서로 교환되기 시작하며, 와우신경핵으로부터 대부분의 섬유(약 70%)들은 뇌간을 교차해서 반대쪽 상올리브핵으로 가고 나머지 적은

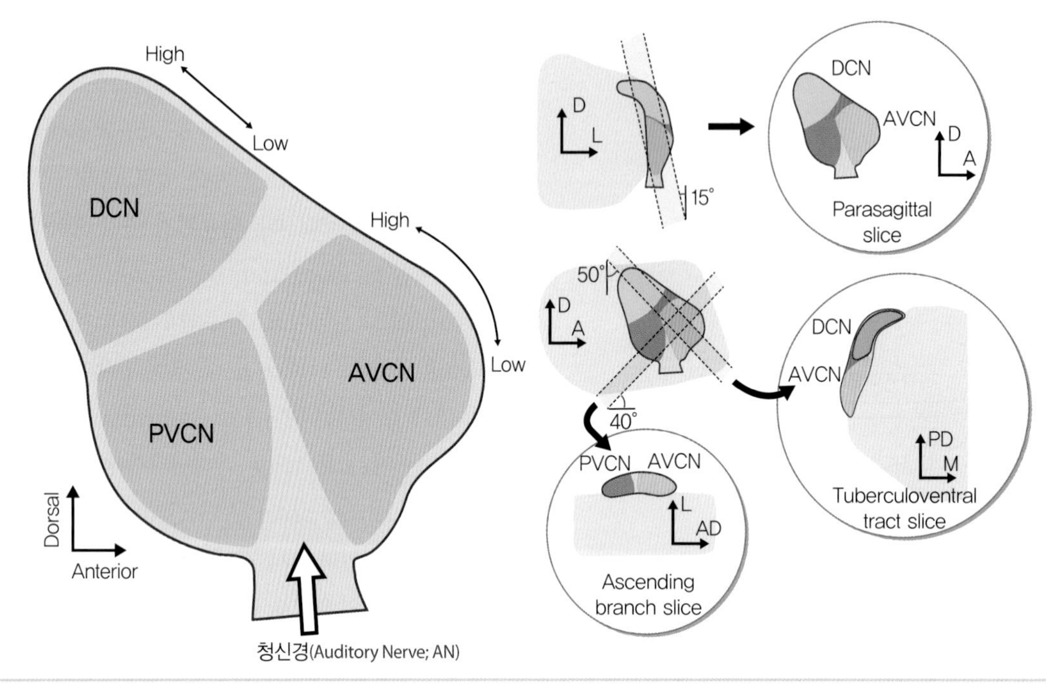

■ 그림 2-35. **전극삽입을 통해 만들어진 와우신경핵의 단면도.** 신경원의 특징적인 주파수가 와우신경핵 내의 다양한 부위에서 기록된다. 이러한 구조적 배열은 중추 신경계를 통해서 유지된다. AVCN: 전복측 와우신경핵(anteroventral cochlear nucleus), DCN: 배측 와우신경핵(dorsal cochlear nucleus), PVCN: 후복측 와우신경핵(posteroventral cochlear nucleus).
(출처: Modified from Luke Campagnola, and Paul B. Manis J. Neurosci. 2014;34:2214-2230)

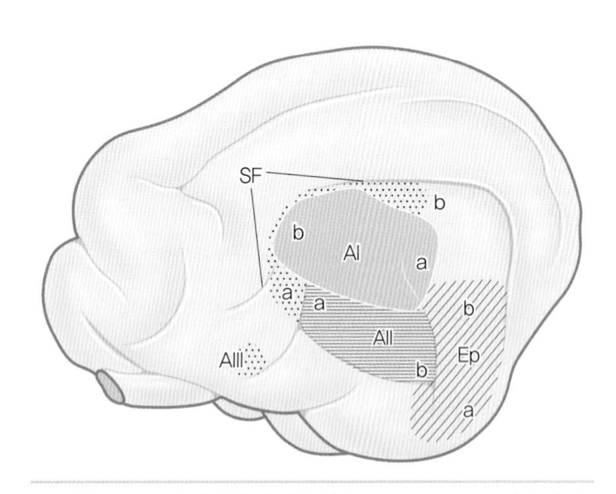

■ 그림 2-36. **대뇌피질 청각영역의 tonotopy.** A: 저음역, b: 고음역, AI: primary auditory area, AII: secondary auditory area, AIII: third auditory area, Ep: posterior ectosylvian area, SF: sylvian fringe area

수의 신경섬유(약 30%)가 같은 쪽 상올리브핵으로 간다.

상올리브핵은 양쪽 귀로 입력된 신호가 모이는 상행성 청각계에서 첫 번째 중심지로 여겨진다. 상올리브핵 위쪽의 청각핵들은 양쪽 귀로부터의 신호에 대해 흥분될 수도 억제될 수도 있다. 반대측 귀의 자극은 전형적으로 청각 중추신경계의 세포체를 자극하는 것에 비하여, 같은 쪽 귀로부터의 자극은 청각 중추 세포체를 억제한다. 내측 상올리브핵(MSO)은 외유모세포에서 종결되는 교차된 원심성 섬유의 기원인 반면, 외측 상올리브핵(LSO)은 내유모세포에서 종결되는 교차되지 않은 원심성 섬유의 기원이다(그림 2-20).

하구(inferior colliculus)는 핵 복합체로 최소 18가지 이상의 세포형태와 최소 5가지 이상의 특화 구역이 있다. 주파수, 강도, 음량에 대한 감별과 양이청 등을 포함한 모든 형태의 청각 활동과 관련이 있는 것으로 알려져 있다. 하구에서 동측 및 반대측의 내측슬상체(medial geniculate body)로 연결되며, 시상(thalamus)의 내측슬상체의 세부 기능은 아직 밝혀지지 않았다.

내측슬상체에 도달한 신호는 대뇌피질 청각영역(cortical auditory area(Heschl's area))에 전달되어 최종적으로 청각인식을 하게 된다.

청각피질은 측두엽의 실비우스 열(sylvian fissure)에 위치해 있으며 많은 이차 청각피질이 일차 청각피질 주변에 모여 있다. 각각의 구역에서 세포들은 세로칸(columnar manner)으로 배열되어 있으며 각 세로칸은 특정 기능을 갖는다. 한 가지 세로칸 내의 세포들은 유사한 특정 주파수에 대해 각기 다른 동조를 나타낸다. 반면에 다른 구역은 강도 신호화와 연관되는데, 이는 어떤 자극에 대해 한쪽 귀는 억제성 반응을 나타낼 수 있고 반대쪽 귀는 자극성 반응을 나타낼 수 있는 현상과 연관된다. 양측 측두엽의 병변 및 손상은 소리 구분, 소리의 위치 파악, 측두엽의 정보 처리, 희미하고 짧은 신호 파악 등을 포함하는 대뇌 피질성 청각기능 상실을 초래한다.

3. 원심성 경로

유모세포는 Rasmussen 다발(bundle of Rasmussen)(올리브와우다발(olivocochlear bundle))을 통해 원심성 섬유와 연결된다. 원심성 섬유는 외유모세포가 많이 연결되어 있다(그림 2-20). 인간의 원심성 섬유 수는 약 500~600개이다. 이들은 뇌간의 상올리브핵(superior olivary nucleus)에서 세포체(cell body)를 가지고 있다.

신경정보가 내려오는 경로에서 혈관이 있는 큰 신경들은 외유모세포에 직접 연결되는 반면, 내유모세포에 연결되는 신경들은 유모세포 자체보다 접해 있는 구심성 섬유에 연결된다(그림 2-19, 24).[36] 따라서 원심성 경로의 효과는 외유모세포에서는 시냅스전(presynaptic)효과이며, 내유모세포에서는 시냅스후(postsynaptic)효과로 작용한다고 볼 수 있다. 이러한 외유모세포에 대한 원심성 연결은 기저부에서 더 많이 관찰되며 내측이 외측보다 더 많다.

이 섬유는 두 가지 종류로 나눌 수가 있다. 내측 올리브와우(medial olivocochlear) 세포는 큰 유수섬유이고 내측 상올리브복합체(medial superior olivary complex)에서 주로 반대쪽을 향해서 나오게 된다. 이 세포는 전정세포와 함께하며, 다시 청신경으로 분리된다. 그리고 외유모세포에 연결된다.

외측 올리브와우 원심성 섬유(lateral olivocochlear efferent fiber)는 외측 상올리브복합체(lateral superior olivary complex)에서 대개 같은 쪽으로 내려오며, 내유모세포와 Ⅰ형 원심성 연결을 이룬다. 이 원심성 연결은 외유모세포에서는 시냅스전 연결이며 내유모세포에서는 시냅스후 연결이다. 각 원심성 세포들은 많은 외유모세포들과 연결된다. 이 원심성 연결은 내유모세포에서는 드문 편이다. 발생학적으로는 우선적으로 내유모세포가 작용하는 쪽에서 먼저 원심성 전달 경로가 발생하는 것으로 알려져 있다.

4. 청신경 경로에 따른 반응특성

와우에서 최적자극주파수(best excitatoty frequency; BEF)에 의해서 위치배열상 동조되는 경향이, 계속적으로 청각시스템의 경로를 따라가면서 관찰된다. 따라서 일정한 위치에 따라 주파수 반응영역이 일정하게 정렬되는 tonotopy가 계속 이어지는 것이 관찰된다. 실제로 동물실험을 통하여 특정한 순음주파수 인식에 기여하는 세포군들을 염색하여 볼 수 있다. 이 세포군들은 같은 주파수에 기여하는 부분이 밴드 형식을 이루며 주파수에 따라 이동한다.

주파수가 변화되면 이 밴드는 규칙적으로 이동한다. 이러한 밴드의 나열은 생물학적으로 중요한 소리를 더 잘 처리할 수 있는 방향으로 나열해 있는 것으로 보인다. 이러한 경로는 와우신경핵, 상올리브복합체, 능형체, 하구, 내측슬상체, 청각피질 등에서도 관찰된다. 이러한 이유로 인공와우 시스템은 그 전기자극을 tonotopy에 의존하게 된다. 그렇지만 여러 가지 자료를 비교해 볼 때 이러한 주파수 선택도가 와우에서는 뚜렷하나, 상위의 뇌간 혹은 대뇌에서 계속 향상 또는 유지되는 것이라고 보기는 어렵다. 이 점은 아직도 계속 연구해야 할 분야로서, 대뇌 쪽으로 갈수록 청신경세포들이 음의 복잡한 특징에 더 잘 반응한다는 자료들이 많다.[5,35] 즉, 순음에 대한 동조곡선은 오히려 완만해지고, 양측 귀로부터 전해지는 소리의 시간 차이 혹은 음의 복잡한 특징으로 인해 반응이 더 커진다. 여기서 자극 후 시간(post-stimulus time; PST) 반응 유형은 같은 자극을 여러 번 반복하여 주고, 그 반응을 발생시간부터 짧은 시간 구간별(time bin)로 나누어 모은 것이다. 반응 정도를 활동전위의 빈도나 극파의 빈도(spike rate)로 나타내기도 한다.[27] 청신경에서는 이 패턴이 전형적인 양상을 보이나, 대뇌영역으로 갈수록 다양한 형태로 변이되어 그 역할이 각각 다를 것으로 추정하고 있다(그림 2-37).[38] 또한 양측 음에 대하여 반응하기 시작하는 신경세포도 존재하며, 그 영향이 흥분성(excitatory)인 경우뿐만 아니라 억제성(inhibitory)인 경우도 나타난다.[4,5,17] 예를 들면 한쪽에서의 자극은 상올리브 복합체에서 어떤 청세포들의 활동전위율을 높여주지만 반대편의 동일 자극은 그 활동 전위율을 감소시켜준다(excitory inhibitory 신경세포; E-I 신경세포).

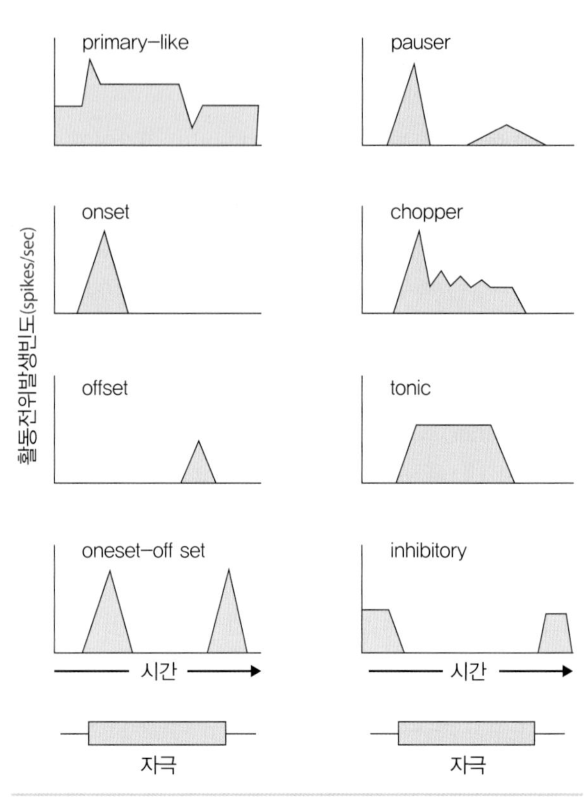

■ 그림 2-37. 와우핵 신경원에서 발생하는 자극 후 시간(post-stimulus time); PST 반응 유형은 같은 자극을 여러 번 반복하여 주고, 그 반응을 발생시간부터 짧은 시간 구간별(time bin)로 나누어 모은 것이다. 반응 정도를 활동전위의 빈도나 극파의 빈도(spike rate)로 나타내기도 한다. 청신경에서는 이 패턴이 전형적인 양상을 보이나, 대뇌영역으로 갈수록 다양한 형태로 변이되어 그 역할이 각각 다를 것으로 추정하고 있다.

5. 청각 중추 유발전위 및 뇌전도(Electroencephalogram)

청각 중추계의 기본 정보를 얻는 가장 명확한 임상적 방법은 유발전위 해석이다. 뇌파인 EEG (electroencephalogram)를 측정하는 것처럼 음자극에 따른 전위를 기록할 수 있다. 이들은 반복자극을 하여 평균가감을 하면 잡음성분은 상쇄되어 없어지지만 일정한 반응들은 계속 적체된다. 이를 통하여 비침습적으로 세포군의 반응 특성을 알 수가 있다. 소리 자극 후 반응시간에 따라서 나타나는 뇌파의 반응을, 초기반응(short latency response), 중기반응(middle latency response), 후기반응(long latency response)으로 분류할 수 있다.

초기반응인 뇌간반응에서의 처음 두 가지 피크를 제외하고는 거의 모두 여러 개의 발생원이 있다는 것이 알려져 있다. 중기반응은 지연시간(latency)이 8~60 ms 정도이다. 대부분 여러 청신경 경로의 반응이며, 그 원인에 피질하 각성(subcortical alerting) (망상활성계reticular activating system)도 관련된다.[25] 후기반응은 지연시간이 약 70~300 ms이다. 발생기전은 정확하지 않지만, 일차청각피질을 주 발생원으로 추정하고 있다. 우발적 음전위(contingent negative potential)가 약 300 ms에서 일

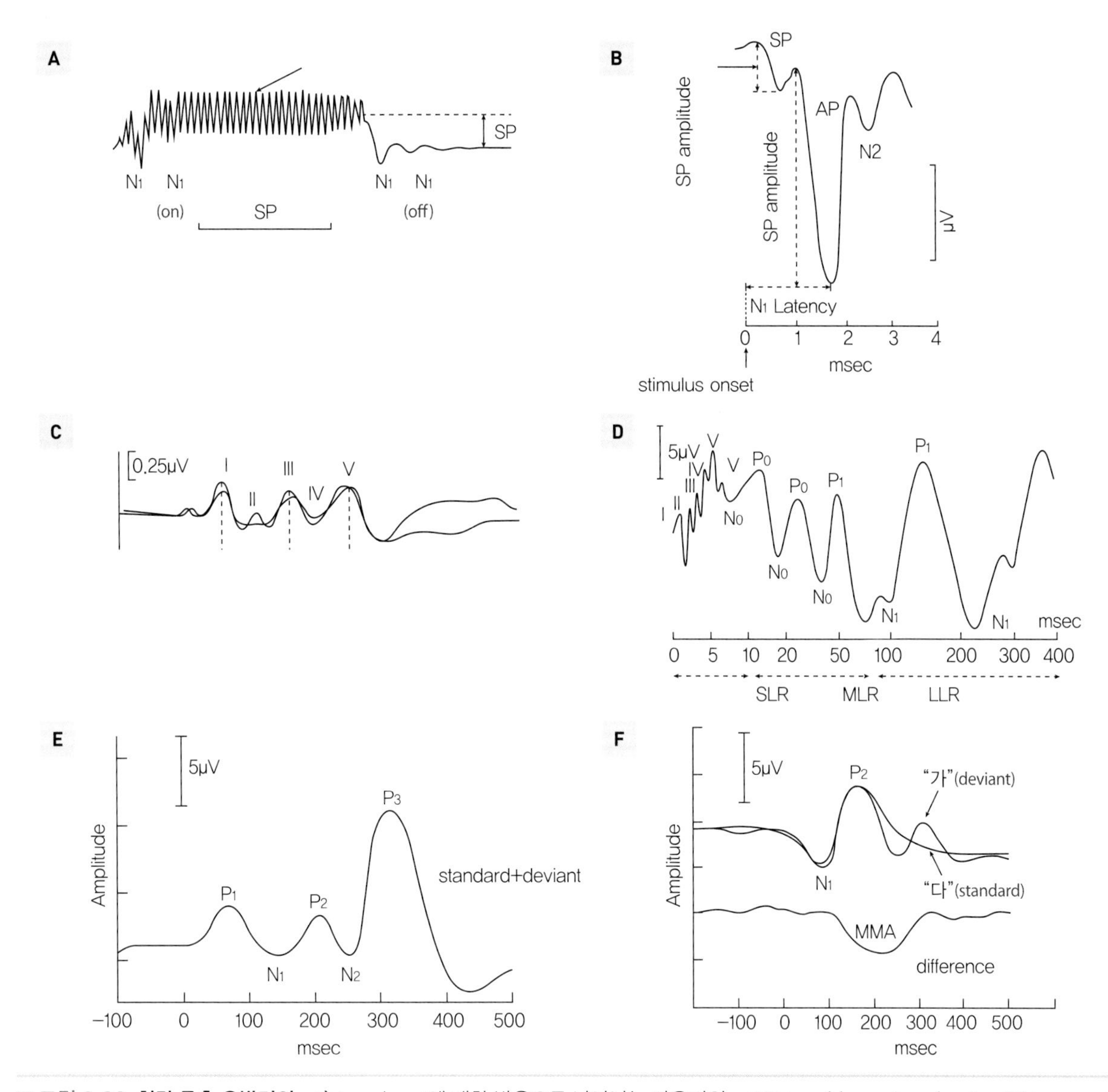

■ 그림 2-38. **청각 중추 유발전위. A)** tone burst에 대한 반응으로 나타나는 와우전위, CM : cochlear microphonics, SP : summating potential, NI, N2 활동전위. **B)** ECoG 반응. **C)** 클릭음에 대한 ABR 반응. **D)** 반응시간 및 잠복기에 따른 청성유발전위의 분석. SLR : short-latency response, MLR middle-latency response, LLR : long-latency response. **E)** P300. 드물게 나타나는 자극(deviant, rare)과 잦은 자극(standard, frequent)의 합성음성자극에서 나타나는 유발전위. P300은 피검자의 주의 집중력과 인지에 따라 나타나거나 변화될 수 있다. **F)** MMN : mismatch negativity. 가끔 나타나는 자극(deviant)('가')으로 발생하는 유발전위와 자주 나타나는 자극(standard)('다')으로 발생하는 유발전위를 서로 감했을 때 나타나는 차이.

어나는데, 이것에는 정신적 기능이나 운동피질motor cortex의 기능도 관련되어 있다. 이러한 음전위negative potential 반응은 사실상 반응이 나타나는 부위의 기능에 대한 정보를 포함하고 있다고 보고되고 있다. 이 중에서 임상적으로 현재 주목받고 있는 전위는 ABR, ASSR, P300, MMN 등이다(그림 2-38).[8,33,34]

청성뇌간반응(auditory brainstem response; ABR)의 존재는 Sohmer와 Feinmesser 등이 1967년에 처음 보고하였다.[42] 청성뇌간반응ABR은 머리의 여러 부위에 부착한 전극을 통해 기록된다. 청성뇌간반응ABR은 자극 발생 후 10 ms 내에서 발생하는 7개의 연속된 파들로 구성된다. 미국에서는 통상적으로 각각의 파의 정점을 로마숫자로 표기한다. 청성뇌간반응ABR은 일반적으로 청신경과 뇌간내 청각 전도로에서 발생하는 것으로 알려져 있다. 각각의 파의 기원으로 Ⅰ, Ⅱ는 청신경, Ⅲ은 와우신경핵, Ⅳ는 상올리브/외측융대, Ⅴ는 외측융대/하구에서 발생하는 것으로 알려져 있다.

최근에 청각유발반응을 통한 객관적인 청각 검사방법인 청성지속반응(auditory steady-state response; ASSR)이 개발되었다. 일시적인 자극음을 주는 청성뇌간반응ABR과 달리 청성지속반응ASSR은 지속적으로 연속적인 자극을 주어 유발한다. 연속적인 tone들은 tone burst나 클릭음처럼 분광학적 왜곡의 문제가 없기 때문에 이 tone들은 주파수 특이적이다.[29] 청성뇌간반응ABR처럼 청성지속반응ASSR도 의식 여부와 관계없이 검사할 수 있다.

청성지속반응ASSR은 청성뇌간반응ABR에 비해 여러 가지 면에서 더 유리하다. 첫째, 보청기나 인공와우에서 일시적인 자극에 비해 연속적인 자극에서 신호왜곡이 적기 때문에 보청기 성능 등을 평가하는 데 더 유용한 방법이다. 둘째, 120 dB이나 그 이상의 강도에서도 주파수 특이적인 역치 정보를 제공한다. 그러므로 청성지속반응ASSR은 청성뇌간반응ABR로는 할 수 없는 고도난청과 전농을 평가할 수 있으며 소아에서 와우이식 대상자를 평가하는 방법으로도 쓰인다. 셋째, 청각역치를 결정하는 데 있어 시간적으로 청성뇌간반응ABR보다 더 효율적이다. 넷째, 청력도의 모습으로 나타나기에 사용자 이해 및 순음청력도와의 비교가 용이하다.

중추 신경학적 정보 처리는 병렬적 혹은 순차적 처리 과정을 거친다. 병렬처리는 해부학적으로 볼 때 여러 목석지로 분지되는 1개의 신경섬유를 통해 정보가 처리되는 방법이다. 순차적 처리는 1개의 신경섬유가 하나의 목표로 가서 도착한 후 연이어 다른 목표를 향해서 계속 나아가는 방법이다. 청각의 중추신경계는 이 같은 병렬적·순차적 처리가 모두 연관되는 매우 복잡한 구조를 띠기 때문에 유발전위 정보를 해석할 때는 주의가 필요하며, 향후 청각 연구의 방향이 점차 청각 중추계의 연구 및 통합에 향해 있다.

참고문헌

1. Aitkin LM, Anderson DJ, Brugge JF. Tonotopic organization and discharge characteristics of single neurons in nuclei of the lateral lemiscus of the cat. J Neurophysiol 1970;33:421-440.
2. Aitkin LM, Webster WR. Tonotopic organization in the medial geniculate body of the cat. Brain Res 1971;26:402-405.
3. Arnesen AR, Osen KK. The cochlear nerve in the cat: topography, cochleotopy, fiber spectrum. J Comp Neurol 1978;178:661-678.
4. Brugge JF, Dubrovsky NA, Aitkin LM, et al. Sensitivity of single neurons in auditory cortex of cat to binaural tonalstimulation. Effects of varying interaural time and intensity. J Neurophysiol 1969;32:1005-1024.
5. Brugge JF, Geisler CD. Auditory mechanisms of the lower brainstem. Ann Rev Neurosci 1978;1:363-394.
6. Cansino S, Williamson SJ, Karron D. Tonotopic organization of human auditory association cortex. Brain Res 1994;663:38-50.
7. Carhart R. Monaural and binaural discrimination against competing sentences. Int Audiol 1965;4:5-10.
8. Davis H. Enhancement of evoked cortical potentials in humans related to a task requiring a decision. Science 1964;145:182-183.
9. Durrant JD, Lovrinic JH. Bases of Hearing Science. Baltimore: Williams & Wilkins, 1984.
10. Eggermont JJ. Electrocochleography. In: Keidel WD, Neff WD, eds. Handbook of Sensory Physiology. New York:Springer-Verlag, 1976, p.625-705.
11. Eguiluz VM, Ospeck M, Choe Y, et al. Essential nonlinearities in hearing. Physiol Rev Lett 2000;84:5232-5235.
12. Fettiplace R. The role of calcium in hair cell transduction. Soc Gen Physiol Ser 1992;47:343-56.
13. Flock A. Transducing mechanisms in lateral line canal organ receptors. Cold Spring harbor Symposium Quant. Biol 1965;30:133-146.
14. Fuchs PA, Glowatzki E, Moser T. The afferent synapse of cochlear hair cells. Curr Opin Neurobiol 2003;13(4):452-458.
15. Galambos R. Suppression of auditory nerve activity by stimulation of efferent fiers to cochlea. J Neurophysiol 1956;19(5):424-437.
16. Glowatzki E, Fuchs PA. Cholinergic synaptic inhibition of inner hair cells in the neonatal mammalian cochlea. Science 2000;288

(5475):2366-2368.

17. Goldberg JM, Brown PB. Functional organization of the dog superior olivary complex: An anatomical and physiological study. J Neurophysiol 1968;31:639-656.
18. Goldberg JM, Brown PB. Response of binaural neurons of dog superior olivary complex to dichotic tonal stimuli:some physiological mechanisms of sound localization. J Neurophysiol 1969;32:613-636.
19. Gummer AW, Meyer J, Frank G, Scherer MP, Preyer S. Mechanical transduction in outer hair cells. Audiol Neurootol 2002;7(1):13-16.
20. Houseley GD, Ryan AE. Cholinergic and purinergic neurohumoral signalling in the inner ear: a molecular physiological analysis. Audiol Neurotol 1997;2:92-100.
21. Hudspeth AJ, Corey DP. Sensitivity, polarity, and conduction change in the response of verterbrate hair cells to controlled mechanical stimuli. Proc Natl Acad Sci USA 1977;74:2407-2411.
22. Hudspeth AJ. How the ear? works work. Nature 1989;341:397-404.
23. Im GJ, Moskowitz HS, Lehar M, Hiel H, Fuchs PA. Synaptic calcium regulation in hair cells of the chicken basilar papilla. J Neurosci. 2014 Dec 10;34(50):16688-16697.
24. Im GJ. Role of nicotinic acetylcholine receptor on efferent inhibition in cochlear hair cell. Korean J Audiol 2012:16(3):108-113.
25. Katz J. Handbook of Clinical Audiology, 5th ed. Maryland: Lippincott Williams & Wilkins, 2002.
26. Kennedy HJ, Evans MG, Crawford AC, Fettiplace R. Fast adaptation of mechanoelectrical transducer channels in mammalian cochlear hair cells. Nat Neurosci 2003;6(8):832-836.
27. Kiang NYS, Watanabe T, Thomas EC, et al. Discharge patterns of single fibers in the cat? auditory nerve. Cambridge:MIT, 1965.
28. Lee SH. Synaptic transmission of Cochlear Inner Hair Cells. Korean J Otolaryngol 2007:50:284-290.
29. Lins OG, Picton TW. Auditory steady state responses to multiple simultaneous stimuli. Electroencephlogr Clin Neurophysiol 1995;95:420-432.
30. Lipovsek M, Im GJ, Franchini LF, Pisciottano F, Katz E, Fuchs PA, et al. Phylogenetic differences in calcium permeability of the auditory hair cell cholinergic nicotinic receptor. Proc Natl Acad Sci USA 2012;109(11):4308-4313.
31. Mills AW. On the minimum audible angle. J Acoust Soc Am 1958;30:237-246.
32. Moller AR. An experimental study of the acoustic impedance of the middle ear and its transmission properties. Acta Otolaryngol 1965;60:129-149.
33. Naatanen R, Lehtokoski A, Lennes M, et al. Languagespecific phoeme representations revealed by electric and magnetic brain responses. Nature 1997;385:432-434.
34. Naatanen R. Selective attention and evoked potentials in humans: A critical review. Biological Review 1975;2:237-307.
35. Naatanen R. The mismatch negativity: A powerful tool forcognitive neuroscience. Ear Hearing 1995;16:6-18.
36. Nadol JB Jr, Burgess BJ, Reissner C. Morphometric analysisof normal human spiral ganglion cells. Ann Otol Rhinol Laryngol 1990;99:340-348.
37. Nouvian R, Beutner D, Parsons TD, Moser T. Structure and function of the hair cell ribbon synapse. J Membr Biol 2006;209(2-3):153-165.
38. Pfeiffer RR. Classification of response patterns of spike discharges for units in the cochlear nucleus. Tone burst stimulation. Exp Brain Res 1966;1:220-235.
39. Ricci AJ, Kennedy HJ, Crawford AC, Fettiplace R. The transduction channel filter in auditory hair cells. J Neurosci 2005;25(34): 7831-7839.
40. Rose JE, Galambos R, Hughes JR. Microelectrode studies of cochlear nuclei of the cat. Bull Johns Hopkins Hosp 1959;104:211-251.
41. Rose JE, Greenwood DD, Goldberg JM, et al. Some discharge characteristics of single neurons in the inferior colliculus of the cat. I. Tonotopical organization, relation of spike-counts to tone intensity, and firing patterns of single elements. J Neurophysiol 1963;26:294-320.
42. Sohmer H, Feinmesser M. Cochlear action potentials recorded from the external ear in man. Ann Otol Rhinol Laryngol 1967;76: 427-436.
43. Spassova M, Eisen MD, Saunders JC, Parsons TD. Chick cochlear hair cell exocytosis mediated by dihydropyridine-sensitive calcium channels. J Physiol 2001;535(pt 3):689-96.
44. Tonndorf J, Khanna SM. Tympanic-membrane vibtations in human cadaver ears studied by time-averaged holography. J Acoust Soc Am 1972;52:1221-1233.
45. von Bekesy G. Experiments in Hearing. New York: Mc- Graw-Hill, 1960.
46. Wersinger E, Fuchs PA. Modulation of hair cell efferents. Hear Res 2011;279(1-2):1-12.
47. Woolsey CN. Organization of cortical auditory system: A review and a synthesis. In: Rasmussen GL, Windle WF, eds. Neural Mechanisms of the Auditory and Vestibular Systems. Springfield: Thomas, 1960;165-180.
48. Zdebik AA, Wangemann P, Jentsch TJ. Potassium ion movement in the inner ear: insights from genetic disease and mouse models. Physiology (Bethesda). 2009 Oct;24:307-316.
49. Zheng J, Shen W, He DZ, et al. Prestin is the motor protein of cochlear outer hair cells. Nature 2000;405:149-155.

CHAPTER 03

전정계의 해부와 기능

이비인후과학 Otorhinolaryngology - Head and Neck Surgery

박홍주

I 전정계 해부

전정계는 회전 각가속도를 감지하는 세개의 반규관(semicircular canal)과 직선 가속도 및 머리의 기울임을 감지하는 이석기관을 통해 몸의 균형과 운동 중의 시력의 안정을 유지하는 기능을 한다. 전정-안반사를 통해 시력의 안정 유지에 기여하며, 전정-경부반사를 통해 머리의 안정, 전정-척추반사를 통해 자세의 안정에 기여한다.

수평 반규관은 머리의 수평면에서 앞쪽이 30° 상방으로 기울어 있으며, 수직 반규관인 상반규관과 후반규관은 서로 90° 각도로 위치하고 있다(그림 3-1). 반규관은 해부학적으로 위치하는 특정 반규관의 평면에서 머리가 회전할 때 최대의 반응을 보이게 되며, 따라서 세 개의 반규관이 모든 방향의 회전성 운동을 감지하도록 위치하고 있다. 좌우의 반규관은 해부학적 위치상 측두골 내에서 같은 평면에서 서로 쌍을 이루고 있다. 양측 측반규관, 우측 상반규관과 좌측 후반규관, 우측 후반규관과 좌측 상반규관은 서로 거의 동일 평면상에 놓여있기 때문에 동일한 머리의 회전성 운동에 있어서 같은 평면상에 위치하는 양쪽 반규관은 항상 동시에 자극과 억제를 받게 되며, 한쪽 반규관이 자극 반응을 받으면 이와 쌍을 이루는 반대쪽 반규관은 억제 반응이 일어나는 밀고당기는 배열(push-pull arrangement)의 형태를 갖추고 있다. 반규관은 적분형 가속도계(integrating accelerometer)로 작용하며, 머리 움직임의 각가속도에 의해 자극되지만 반규관을 통해 나오는 구심성 전정신경의 정보는 머리의 속도를 대변한다. 포유동물의 경우 구심성 전정신경이 초당 약 80~100회의 자발적 발화율(resting firing rate)을 보이므로 한쪽의 반고리관의 흥분과 억제를 통해 모든 방향의 머리운동을 감지할 수 있어 한쪽이 소실되더라도 낮은 각가속도의 머리운동은 감지할 수 있다.

전정미로는 골성 미로와 막성 미로로 구성되어 있으며, 막성 미로와 골성 미로 사이에는 외림프로, 막성 미로 내부에는 내림프(endolymph)로 차 있다. 반규관은 수평 반규관(측반규관)과 수직 반규관으로 나뉘어지며, 수직 반규관은 상반규관과 후반규관으로 나뉘어 진다. 각 반규

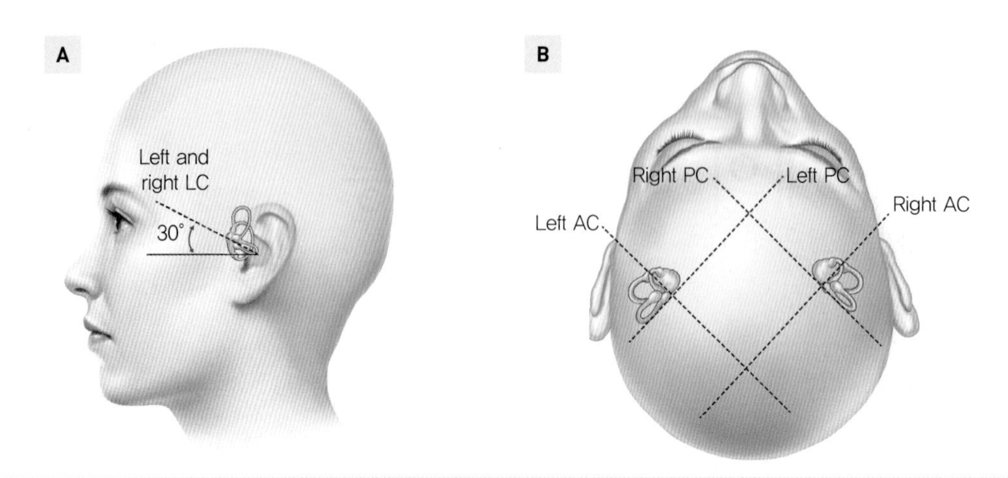

■ 그림 3-1. **반규관의 해부학적 모식도. A)** 측반규관은 머리의 수평면에서 앞쪽이 30° 상방으로 기울어져 있다. **B)** 수직반규관인 상반규관과 후반규관은 서로 90° 각도로 위치하고 있으며, 전중시상면에서 약 45° 각도로 위치하여 모든 방향의 회전성 운동을 감지할 수 있다. 좌우 반규관은 해부학적 위치상 측두골 내에서 서로 쌍을 이루고 있다. AC: anterior canal, LC: lateral canal, PC: posterior canal.

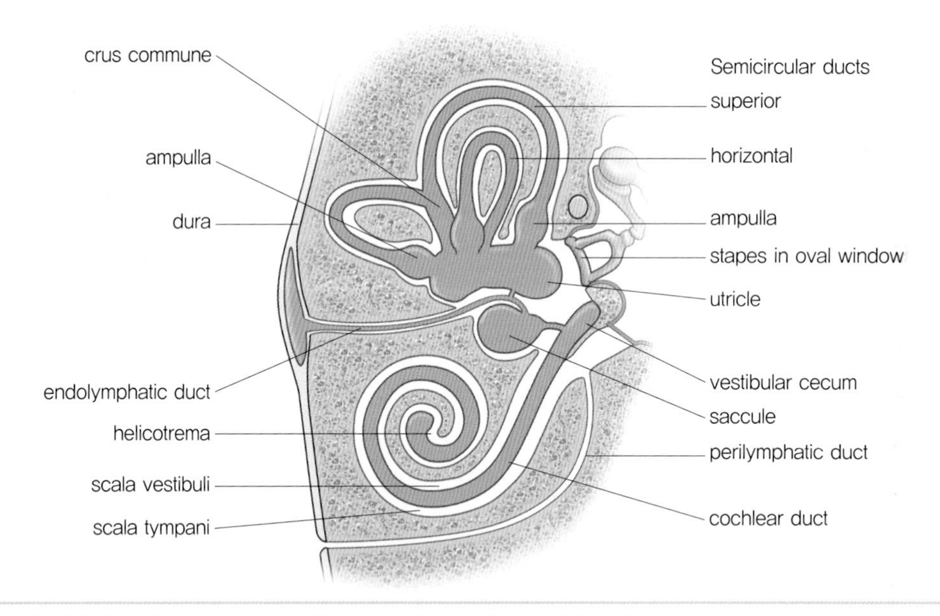

■ 그림 3-2. **와우와 전정의 모식도.** 막성 미로는 골성 미로 안에 존재한다. 난형낭관(utricular duct)과 구형낭관(saccular duct)이 만나서 내림프낭(endolymphatic duct)을 형성하며, 와우와 전정기관은 연합관(ductus reuniens)에 의해 연결된다.

관은 전정쪽 끝 부위에 팽대부를 갖고 있다. 난형낭(utricle)은 대략적으로 수평면에 위치하며, 구형낭(saccule)은 수직면에 위치한다(그림 3-2). 전정미로의 바깥쪽에는 유양동이 있으며, 안쪽으로는 후두개저를 접하고 있으며, 내림프낭이 뇌경막 아래에 위치한다.

전정(vestibule)은 직경이 약 4 mm로 전방의 와우와 후방의 반규관 사이의 중앙부에 위치하는 골성 미로이다. 전정 내벽의 후상방에는 타원낭 함요(elliptical recess)가 있으며 난형낭반이 위치한다. 전정의 전내측에는 구형낭반이 위치한다. 이 두 개의 함요 사이를 연결하는 전정능선

(vestibular crest)은 후방으로 와우기저부의 끝인 전정맹장(vestibular cecum)에 해당하는 와우 함요(cochlea recess)의 경계를 만든다. 외측벽에는 난원창이 위치하여 중이강으로 연결된다. 전정의 후하방에는 내림프관(endolymphatic duct)이 위치하는 전정도수관(vestibular aqueduct)과 연결되어 있다.

말초 전정기관의 감각기는 반규관 팽대부 내에 위치하는 팽대부릉(crista ampullaris)과 난형낭과 구형낭 내에 위치하는 이석기관인 평형반(macula)으로 구성되어 있다. 말초 전정기관의 감각세포는 팽대부릉과 평형반 모두 동일한 모양의 유모세포를 갖고 있으며, 이는 구심성 전정신경과의 신경접합 모양에 따라 1형 유모세포와 2형 유모세포로 나뉘어진다.

1. 반규관

막성 반규관은 2/3의 원(240도)을 그리는 직경 약 6.4 mm의 원형관으로 양쪽 끝 모두 전정으로 연결된다. 관의 직경은 평균 0.24×0.44 mm이며, 골성 반규관의 직경은 후반규관의 경우 평균 1.41×1.07 mm로 측정된다.[11,31,33,54] 반규관이 전정과 만나는 한 쪽 끝 부위는 관의 직경이 약 2 mm로 두 배가 커지며 팽대부(ampulla)를 형성하며, 팽대부의 기저부는 골성 미로와 붙어 있다. 팽대부의 기저부에는 팽대부릉(crista)이 놓여 있으며, 그 위로 팽대부릉정(cupula)이 위치한다. 반규관의 팽대부 반대쪽 끝 부위의 수평반규관은 직접 전정으로 연결되며 상반규관과 후반규관은 서로 합쳐져 공통각(common crus)을 이루어 전정으로 연결된다.

1) 팽대부릉정

팽대부릉의 위쪽으로 놓여 있는 약 1.1 mm 높이의 아교성(gelatinous) 구조로 팽대부 천정과 외측벽까지 팽대부를 완전히 막고 있어 팽대부릉정을 경계로 반규관과 전정 사이의 내림프 이동은 이루어지지 않는다. 따라서 반규관 내 내림프의 이동을 유모세포 섬모에 전달하는 역할을 한다. 각질 섬유주(keratin meshwork)를 채우는 당단백질(glycoprotein)을 포함한 점액다당질(mucopolysaccharide)로 구성되어 있고, 비중은 약 1.0 gm/ml로 내림프와 동일하다. 따라서, 중력이나 직선 각속도에 의해 팽대부릉정의 운동이 유발되지 않으며, 음주에 의해 팽대부릉정의 비중이 변화할 경우 안진과 어지럼증이 유발될 수 있다. 팽대부릉정(cupula)과 유모세포 사이에는 소피하 공간(subcuticular space)이 있어 부동모(stereocilia)가 자유롭게 움직일 수 있다.

2) 팽대부릉

팽대부릉(crista ampullaris)은 반규관 주행방향과 직각으로 팽대부의 중심을 가로지르는 안장 모양의 융기로 감각상피에는 유모세포와 지지세포가 분포하고 있고, 바닥에 기저막이 놓여 있으며 기저막 아래로 혈관, 신경, 섬유모세포(fibroblast) 등이 분포하는 기질(stroma)이 있다. 사람에서 높이는 약 0.25 mm, 폭은 약 0.42 mm로 측정된다. 감각상피 주변으로는 이행부가 있으며 이행부 외측으로는 분비기능이 있는 것으로 생각되는 암세포(dark cell)가 있다(그림 3-3). 암세포(dark cell)는 팽대부릉의 이행부 주변부, 난형낭반의 주변부에 분포하며 호농성(osmophilic) 세포로 하방으로는 멜라닌 세포(melanocyte)가 관찰된다. 암세포의 세포질은 진하게 염색되며 작은 크기의 많은 수포와 사립체가 있다. 암세포는 내림프 형성과 흡수 및 퇴화된 이석의 처리에 관여하고 있는 것으로 생각된다.[35]

(1) 유모세포

유모세포는 상부에 섬모를 가진 원주상피로, 세포에 접합하는 신경종말의 구조에 따라 1형과 2형 유모세포로 구분된다.[66] 섬모는 부동모와 운동모가 있으며, 한 유모세포에 40~200개의 부동모(stereocilia)가 있으며 가장 길이가 큰 운동모(kinocila)로부터 계단 모양으로 일정하게

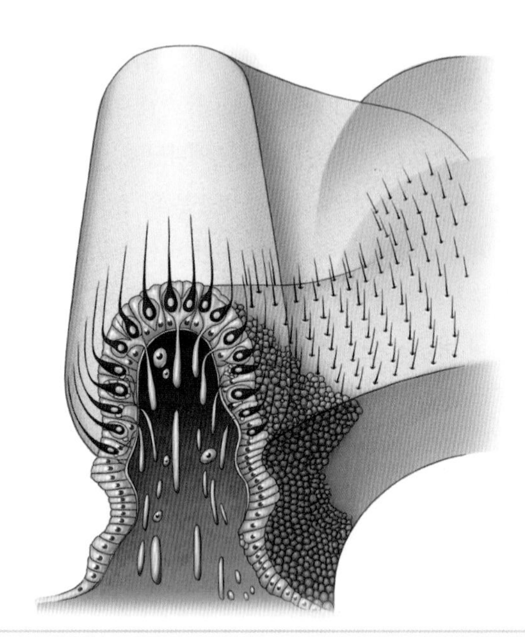

■ 그림 3-3. **팽대부릉의 단면도.** 팽대부릉에 유모세포와 지지세포가 있으며 위쪽에 팽대부릉정이 주변 내림프막과 결합하여 좌우의 내림프를 분리한다.

배열되어 있다. 부동모는 중심에 가는 actin 섬유(actin filament)를 함유하고 있으며, 하부로 내려가며 유모세포의 상부에 위치한 actin으로 이루어진 두꺼운 소피판(cuticular plate)에 부착된다. 운동모는 부동모의 한쪽 끝에 위치하고 미세관(microtubule)이 9+2 쌍의 구조를 이루고 있으며, 유모세포의 상부에 연결되며, 이 부위에는 소피판이 존재하지 않는다. 능동운동(active movement)을 하는 것으로 알려져 있다. 운동모와 부동모의 배열 방향은 반규관에 따라 일정하여 동일한 반규관에서는 한 개의 분극 벡터(polarization vector)를 갖는다. 수평 반규관에서는 운동모가 난형낭 쪽으로 위치하며, 수직 반규관에서는 반규관 쪽 즉 난형낭 반대쪽으로 위치한다. 따라서, 난형낭 방향의 편위에 의해 수평 반규관에서는 자극이 되며, 수직 반규관은 억제가 나타난다(그림 3-4).

① 1형 유모세포

1형 유모세포는 포도주잔 모양(flask shape)으로 구심성 전정신경 말단의 한가지 유형인 배형 단위(calyx unit)에 의해 둘러싸여 있다(그림 3-5). 하나의 배형 단위가 하나의 유모세포를 감싸거나 여러 개의 유모세포를 감쌀 수 있으며, 주로 팽대부의 중심부에서는 하나의 배형 단위가 여러 개의 유모세포를 감싼다. 설치류에서는 1형과 2형 세포의 수가 비슷하나 영장류에서는 1형 세포가 약 5배 더 많다고 보고되어 동물에 따른 차이를 보이며, 이석기관의 경우 원숭이에서 2형 세포가 1형 세포에 비해 2배 더 많은 것으로 보고된다.[48] 구형의 세포핵은 세포의 중하방에 위치한다. 세포질에는 사립체(mitochondria)가 다수 산재해 있고 소포체(endoplasmic reticulum)가 밀집되어 있으며 Golgi체가 있다. 팽대부릉에서 1형 유모세포는 감각상피층 주변부보다 중심부에 많이 분포하고 있다.[42] 원심성 신경말단은 세포와 직접 접합하지 않고 구심성 신경말단에 접합한다.

② 2형 유모세포

2형 유모세포는 원통형으로 세포핵은 중앙에 위치하고 부동모, 운동모, 세포질의 구성은 1형 유모세포와 유사하다. 구심성 신경말단은 단추형(bouton type)으로 세포의 하방 1/3에 위치하며 구심성신경과 원심성신경이 모두 세포에 직접 접합한다. 중심부의 2형 유모세포는 소수의 단추형 구심성 신경말단과 접합하나, 주변부의 2형 유모세포는 보다 많은 단추형 구심성 신경말단과 접합한다.[47]

(2) 지지세포

지지세포는 감각상피층 내에서 유모세포를 감싸고 있으며, 세포핵은 불규칙한 모양으로 기저막 상방 유모세포 핵의 하방에 위치하고, 세포질은 기저막으로부터 팽대부릉의 상부까지 긴 모양을 갖고 있다. 세포 상부에서 감각세포와 폐쇄소대(tight junction) 혹은 결합소체(desmosome)로 부착되어 섬모가 떠 있는 내림프 공간과 상피 상층과의 직접적 교통이 차단되어 있다.

세포질에는 골지체와 사립체가 산재하며 세포대사와 관계있는 소포(vesicle)들이 밀집되어 있고 지질체(lipid

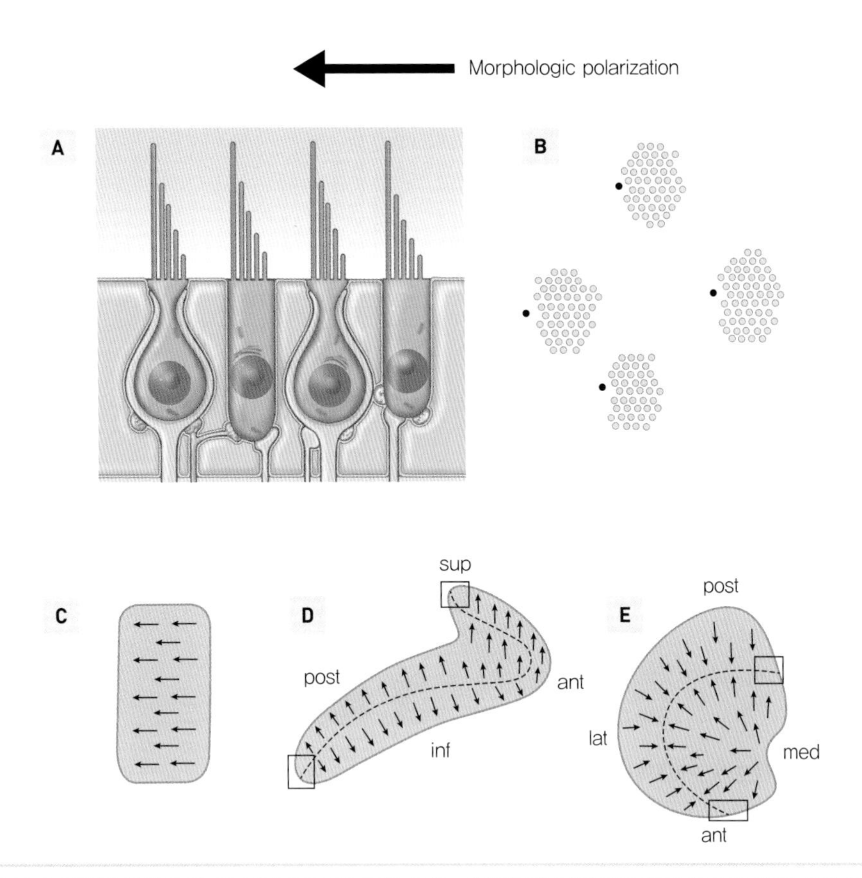

■ 그림 3-4. **반규관과 평형반에서의 운동모와 부동모의 배열 방향.** 운동모와 부동모의 배열 방향에 따라 신경의 흥분과 억제가 결정된다. **A)** 유모세포기준으로 수직단면. **B)** 유모세포기준으로 수평단면. **C)** 반규관에서는 모든 유모세포가 같은 방향으로 배열됨. **D)** 구형낭반은 striola를 기준으로 밖으로 향하는 방향으로 배열됨. **E)** 난형낭반은 striola를 기준으로 안으로 향하는 방향으로 배열됨. 평형반의 경우 유모세포의 운동모 배열 방향이 서로 다르며, 평형반 내에서도 striola의 위치에 따라 서로 다른 배열 방향을 보임

droplet)들이 관찰된다. 세포 상부에 구형의 분비과립이 관찰되며 이것은 팽대부릉정과 이석막의 생성과 유지에 관계된 것으로 추측되고 있다.

2. 이석기관

난형낭과 구형낭으로 구성된다. 난형낭은 불규칙한 타원형의 주머니로 구형낭의 상부에 위치하고, 전정 내벽 후상방의 타원낭 함요(elliptical recess)에 놓여 있다. 난형낭의 하방으로 난형낭관(utricular duct)을 통해 내림프관(endolymphatic duct)과 연결되며, 난형낭관이 열리는 부위의 두꺼워진 난형낭벽은 난형낭 내림프 판막(utriculoendolymphatic valve)을 형성한다. 후방으로는 반규관과 연결된다.

구형낭은 길고 불규칙한 모양의 구형으로 전정 내벽 전방의 구형 함요(spherical recess)에 놓여 있으며 난형낭의 하방에 위치한다. 구형낭관(saccular duct)은 난형낭관과 합쳐져 내림프관으로 연결되며, 연합관(ductus reuniens)을 통해 와우관(cochlea duct)과 연결된다.

이석기관의 감각기는 평형반(macula)으로 난형낭에 위치한 난형낭반(utricular macula)과 구형낭에 위치한 구형낭반(saccular macula)으로 구분된다. 난형낭반은 난형(ovoid) 혹은 U자 모양으로 수평면으로 놓여 있으며, 구형낭반은 L자 모양으로 수직면으로 놓여 있다(그림 3-6).[38]

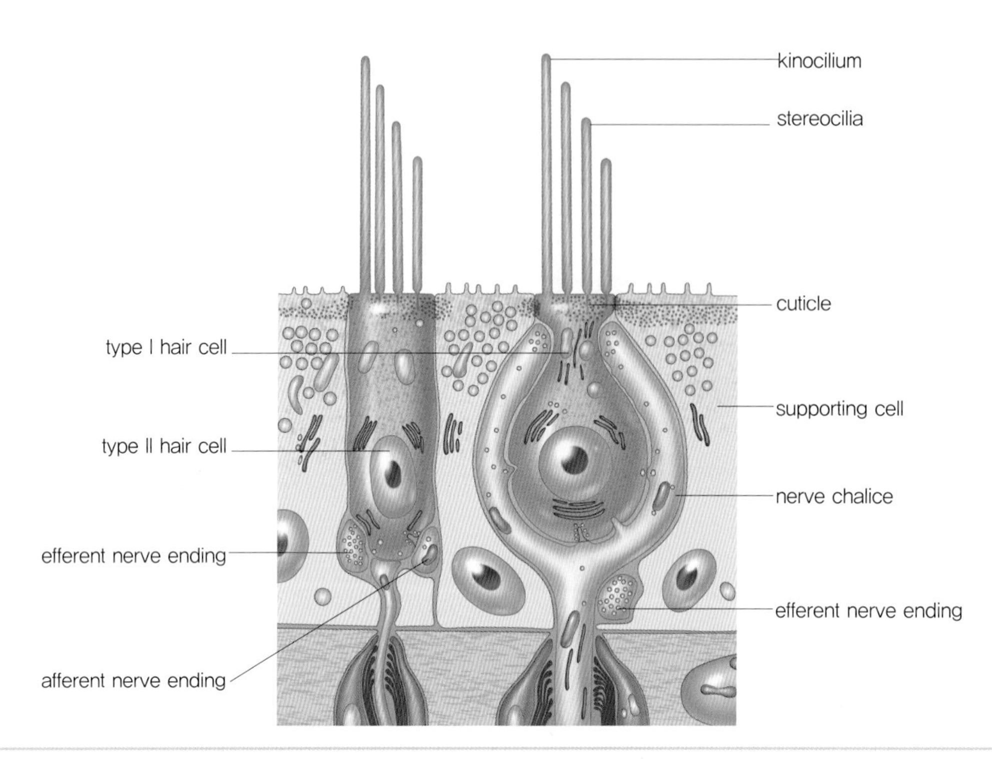

■ 그림 3-5. **1형 및 2형 유모세포의 도식화된 그림.** 1형 유모세포는 포도주잔 모양(flask shape)으로 구심성 전정신경 말단의 한가지 유형인 배형 단위(calyx unit)에 의해 둘러싸여 있다. 2형 유모세포는 원통형으로 세포핵은 중앙에 위치하고 부동모, 운동모, 세포질의 구성은 1형 유모세포와 유사하다. 구심성 신경말단은 단추형(bouton type)으로 세포의 하방 1/3에 위치하며 구심성신경과 원심성신경이 모두 세포에 직접 접합한다.

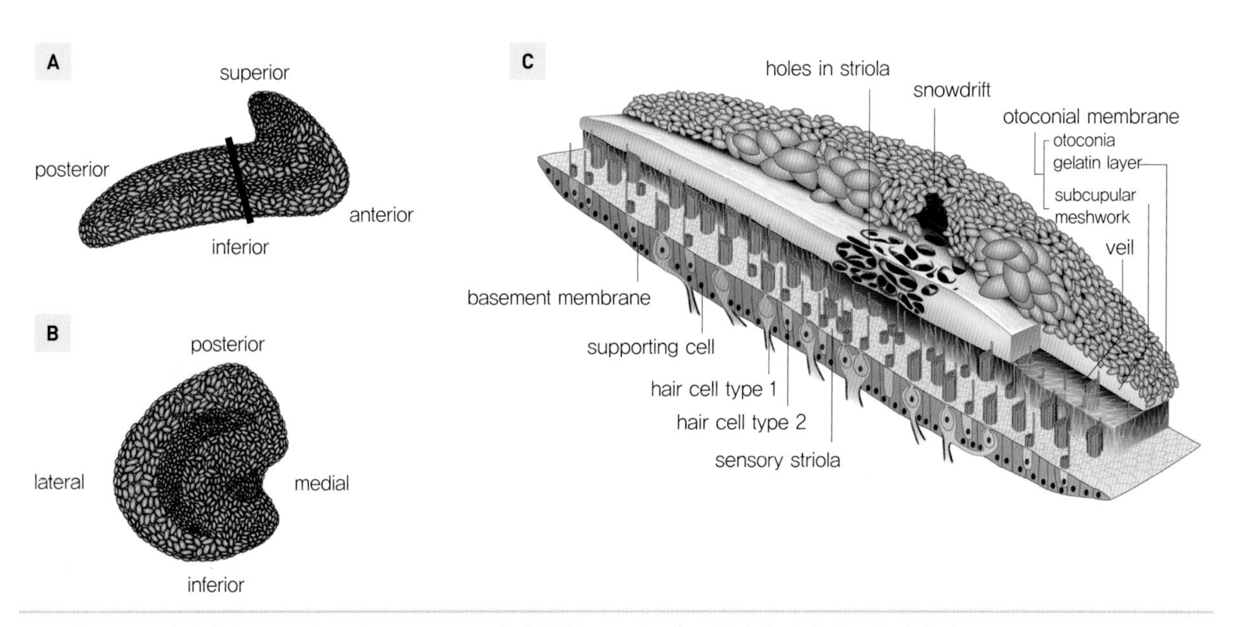

■ 그림 3-6. **이석기관의 구조. A)** 구형낭(saccule), **B)** 난형낭(utricle), **C)** 구형낭의 절단면(A의 실선 기준)

1) 이석막

팽대부릉의 팽대부릉정과 같은 역할을 하는 구조로 아교(gelatin)층으로 구성되어 있고, 이석막 위에 이석(otoconia)이 놓여 있다.[37] 아교층은 당단백질(glycoprotein)을 함유한 아교성(gelatinous) 구조로 비중은 1.0 gm/ml이다. 아교층에는 운동모와 키가 큰 일부의 부동모가 접촉하고 대부분의 부동모는 자유롭게 움직일 수 있다. 아교층에 striola 부분의 중심부에 작은 구멍이 striola를 따라 있다. Striola에는 평형반 중심부의 부동모가 주변부에 비하여 짧으며 감각세포의 분포가 감소하면서 생긴 선으로 곡선을 이루고 있다. 구형낭반의 이석막은 난형낭반의 이석막에 비하여 두껍다.

이석은 탄산칼슘(calcium carbonate, calcite)으로 구성된 무기결정 침착(inorganic crystalline deposit)으로, 크기는 0.5~30 μm로 다양하나 주로 5~7 μm의 크기를 갖는다. 비중은 2.71~2.94로 물에 비해 약 3배 무겁다. 평형반의 중심을 따라 striola가 존재하는데, 이 부위의 이석은 매우 작으며(약 1 μm), 난형낭반인 경우 striola 부위 중심부가 함몰되었고, 구형낭반은 중심에 눈이 쌓인 것 같이 융기되어 있다.

2) 감각 세포층

평형반의 감각 세포층에는 팽대부릉과 마찬가지로 1형 유모세포와 2형 유모세포 및 지지세포가 분포하며 이들 세포들의 기본구조는 팽대부릉과 동일하다.

1형 유모세포는 striola 주위의 평형반 중심부에 많이 분포하며, 2형 유모세포는 평형반 주변부에 많이 분포한다.[15,40] 유모의 분극은 난형낭반과 구형낭반이 반대방향을 이루고 있다. 난형낭반에서는 운동모가 striola를 향하여 배열되어 있으며, 구형낭반에서는 운동모가 striola의 반대방향으로 배열되어 있다. 평형반은 일직선이 아니라 U자나 L자의 형태를 가지므로 한쪽으로 기울임이나 직선 가속운동에 따른 반응은 난형낭이나 구형낭에서 위치에 따라 다르게 되어 한 평형반 내에서도 흥분이 되는 유모세포가 있고 억제가 되는 유모세포가 있는 등 다양한 반응을 보인다.

3. 내림프관과 내림프낭

내림프낭(endolymphatic sac)은 추체골 후면의 골소와(bony niche)와 후두개와의 경막층 내에 놓여 있으며, 내이도 공(porus)과 S자형 정맥동 중간지점의 추체골 후면으로 개구하는 전정도수관 내에 위치하는 내림프관을 통해 내림프와 교통된다(그림 3-2). 내림프낭은 깊은 주름(fold)과 소낭선(crypt)이 이루는 불규칙한 표면을 갖고 있으며, 근위부, 중간부(rugose part), 원위부 등의 세 부위로 나뉘어 진다.[46]

근위부는 전정도수관 내에 위치하며 내림프관의 세포에 비해 약간 긴 세포들로 구성되어 있다. 중간부 일부는 전정도수관 내에, 일부는 경막 내에 놓여 있으며 유두(papillae)와 소낭선(crypt)이 불규칙하게 배열된 상피층은 긴 원통형의 세포들로 구성된다. 세포들은 흐리게 염색되는 세포와 진하게 염색되는 세포들로 구분된다. 원위부는 경막 내에 놓여 있으며 내부 공간은 존재하지 않는다. 상피층은 입방세포(cuboidal cell)들로 흐리게 염색되는 세포들이 주로 분포한다.[57]

4. 혈관분포

막성미로에 분포하는 미로동맥은 두개 내의 혈관 분지로 골성 미로와 고실에 분포하는 혈관과는 교통하지 않는다(그림 3-7). 미로동맥은 주로 전하소뇌동맥(anterior inferior cerebellar artery; AICA)에서 기시하며(80%), 상소뇌동맥(superior cerebellar artery)이나 기저동맥(basilar artery)에서 기시하기도 한다. 내이도에서 신경절, 신경, 경막, 지주막으로 분지를 내며 2개의 주된 분지인 공통와우동맥(common cochlear artery)과 전전정동맥(anterior vestibular artery)으로 내이에 분포한다.[57]

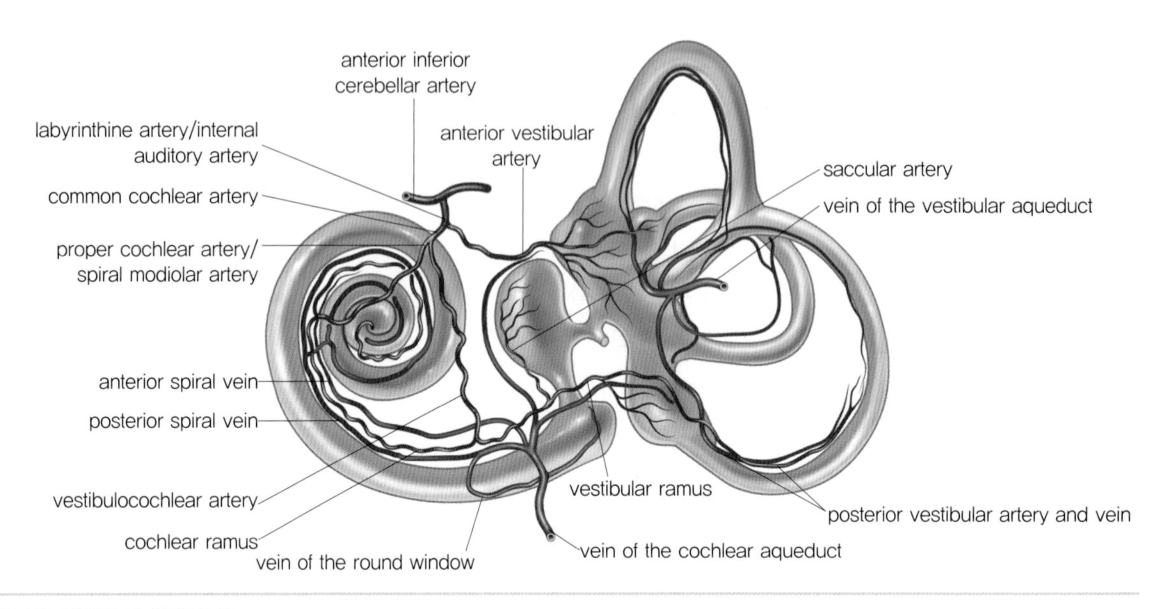

■ 그림 3-7. **내이로의 혈액 공급**

전전정동맥은 난형낭, 상반규관과 수평반규관, 구형낭의 일부 등에 혈액을 공급한다. 공통와우동맥은 전정와우동맥(vestibulocochlear artery)과 주와우동맥(main cochlear artery or spiral modiolar artery)으로 나뉘어지며, 전정와우동맥은 와우분지와 전정분지로 나뉘며, 전정분지는 후전정동맥으로도 불리우며, 구형낭의 대부분과 후반규관에 분포하며, 난형낭과 상반규관이나 측반규관의 일부에도 혈액을 공급한다.

전정와우정맥은 와우로부터의 정맥인 공통와우축정맥과 와우도수관에서 정맥을 형성하며, 이는 하추체정맥동(inferior petrosal sinus)으로 연결된다. 반규관의 정맥들은 전정도수관의 정맥을 형성하여 S자정맥동(sigmoid sinus)으로 연결된다.

5. 내이액

내이액(inner ear fluid)은 골성 미로와 막성 미로 사이의 외림프강(perilymphatic space)을 채우는 외림프액과 막성 미로 내의 내림프강(endolymphatic space)을 채우는 내림프액으로 구분된다. 두 림프액은 서로 분리되어 있어 교통되지 않으며 다른 성분으로 구성되어 있다.

내이액의 생성기전에 관해서는 아직 잘 알려져 있지 않다. 외림프액은 뇌척수액과 와우의 모세혈관들로부터 여과되어 생성되는 것으로 여겨진다. 외림프강은 대부분 섬유조직으로 채워져 있는 와우도수관을 통해 뇌척수액과 직접 연결되어 있으며, 백혈구와 적혈구 등의 혈액세포들은 뇌척수액에서 외림프액으로 이동할 수 있으며 와우도수관뿐만 아니라 내이도의 소관공(porus canaliculi)을 통해 외림프액과 교통될 수 있다.[27] 그러나 외림프액 생성에는 외림프강 내의 혈관을 통한 혈액의 여과가 가장 중요하게 작용할 것으로 생각되고 있다.

내림프액은 와우혈관조(stria vascularis)의 분비세포와 전정미로내의 암세포로부터 생성되며, 흡수는 내림프낭에서 이루어지는 것으로 여겨지는데,[35] 이는 실험적으로 와우 내에 색소를 주입할 때 색소가 내림프낭 내로 침착되는 것과 내림프낭 상피의 능동적 흡음활성도(active pinocytotic activity)의 관찰이 가능한 점, 내림프낭의 파괴나 내림프관의 폐쇄시 내림프수종이 유발되는 등의 간접적 증거를 통해 뒷받침되고 있다.

내림프액의 흐름은 와우에서 생성된 내림프가 연합관

표 3-1. 내림프액과 외림프액의 화학성분

	내림프액	외림프액	뇌척수액
K+	144 mEq/liter	10 mEq/liter	4 mEq/liter
Na+	5 mEq/liter	140 mEq/liter	152 mEq/liter
Protein	126 mg%	200-400 mg%	20-50 mg%
Specific gravity (fish, scoliodontus)	1.0204	1.0200	1.0233
Pressure (Cat)	lower than in perilymph	90-110 mm H_2O	

을 지나 내림프낭에서 흡수되는 종적흐름(longitudianl flow)과, 전정미로 내 암세포와 반월면에서 내림프가 국소 생성 및 흡수되는 방사상 흐름(radial flow)으로 나뉘어 진다.

림프액의 화학적 성분은 외림프액은 낮은 칼륨 농도와 높은 나트륨 농도를 보이는 세포외액과 유사하며, 내림프액은 높은 칼륨 농도와 낮은 나트륨 농도를 보이는 세포내액과 유사한 특징을 갖는다(표 3-1).[60] 또한, 내림프낭은 내림프 공간 중에서 가장 높은 단백질을 함유하고 있어 삼투압에 의한 내림프의 흡수에 기여하기도 한다.

6. 전정신경

1) 구심성 전정신경

(1) 구심성 신경지배

말초전정 감수기에 분포하는 구심성 전정신경 말단의 유형은 3가지로 배형 단위(calyx unit), 단추형 단위(bouton unit), 배형 단위와 단추형 단위가 혼합된 복합형 단위(dimorphic unit) 등으로 구분된다(그림 3-8).[18]

배형 단위에는 굵은 신경섬유(2.8 ± 0.58 μm)가 분포하며, 이들 신경섬유는 주로 팽대능선의 중심부 또는 이석기관의 striola에 있는 한 개 또는 몇 개의 1형 유모세포에 분포하고, 비정규적인 자발 전위를 보이며, 머리의 회전운동에 대해 낮은 이득을 보인다. 단추형 단위에는 가는 신경섬유(1.40±0.37 μm)들이 분포하며 이들은 팽대능선 주변부에 주로 분포하며 25~75 μm의 범위에 있는 다수의 2형 유모세포들에 분포하며, 정규적인 자발 전위를 보이며, 머리의 회전운동에 대해 낮은 이득을 보인다. 복합형 단위에는 중간 굵기(2.26±0.57 μm)의 신경섬유들이 분포하며 팽대능선 전반에 걸쳐 골고루 분포하며, 주변부에서 기원하는 복합형 단위는 정규적인 자발 전위와 머리의 회전운동에 대해서도 낮은 이득을 보이며, 중앙부에서 기원하는 복합형 단위는 비정규적인 자발전위를 보이며, 머리의 회전운동에 대해서도 높은 이득을 보이는 등 다양한 반응을 보일 수 있다.[3] 배형 단위는 약 10%, 단추형 단위는 약 20%, 복합형 단위는 약 70%로 구성된다. 굵은 신경섬유와 가는 신경섬유는 상반규관과 측반규관에서 전정핵으로 중추투사(central projection)를 할 때도 전정핵 내의 다른 부위와 신경세포로 투사되는 것으로 보고된다.

(2) 전정신경과 전정신경절

사람의 전정신경은 약 20,000개의 신경섬유들로 이루어지며, 90% 이상이 유수 신경섬유(myelinated fiber)로 구성되어 있다. 신경섬유의 크기는 1 μm 이하에서 10 μm 이상의 크기를 가지며, 대부분의 신경섬유의 크기는 5 μm 이하에 속한다. 양극성 신경절 세포(bipolar ganglion cell)들은 두 개의 신경 세포군이 위아래로 배열된 형태로 있으며, 위쪽 세포군은 전정신경의 상전정신경을, 아래쪽 세포군은 전정신경의 하전정신경을 형성한다.[24] 상전정신경은 상반규관, 수평반규관, 난형낭 및 구형낭의 전상부에 분포하며, 하전정신경은 후반규관과 구형낭의 대부분에

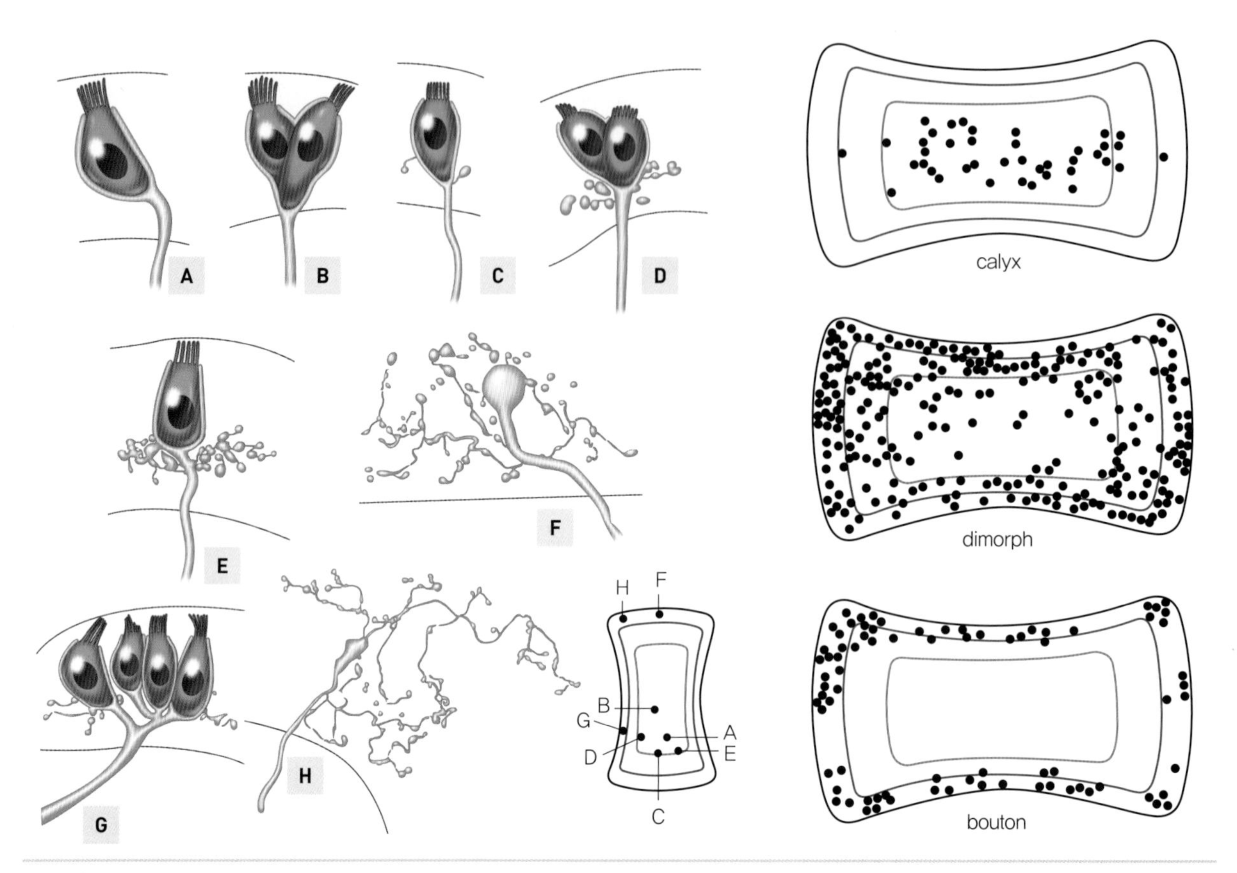

■ 그림 3-8. **친칠라 팽대부릉에서 구심성 전정신경과 전정신경 말단의 모양 및 특성.** **A)** 하나의 1형 유모세포에 분포하는 배형 신경원, **B)** 두 개의 1형 유모세포에 분포하는 배형 신경원, **C)-G)** 1형과 2형 유모세포에 분포하는 복합형 신경원, **H)** 여러개의 2형 유모세포에 분포하는단추형 신경원. 각각의 신경원의 팽대부릉에서의 위치가 표시되어 있다. 우측 그림은 팽대부릉 중심부, 중간부, 주변부에서의 배형, 복합형, 단추형 신경원의 분포 양상을 보여주고 있으며, 복합형 신경원이 70%를 차지하여 가장 많은 형태이며 전반에 걸쳐 분포하고, 단추형은 20%를 차지하고 주변부에 분포, 배형은 10%로 주로 중심부에 분포한다.

분포한다. 상전정신경은 주로 굵은 신경섬유들로, 하전정신경은 가는 신경섬유들로 이루어지며 신경섬유들은 중앙부보다 주변부에 밀집되어 있다. 굵은 신경섬유들은 신경의 중앙부에 위치하고 이들 주위로 가는 신경섬유들이 위치한다. 이러한 형태는 말초 감수기까지 유지되어 팽대부릉의 중앙부에는 굵은 신경섬유가 주변부에는 가는 신경섬유가 분포하게 된다. 또한 굵은 신경섬유는 가는 신경섬유에 비해 앞쪽으로 위치한다. 상반규관, 측반규관과 후반규관의 팽대부릉에는 비슷한 수의 신경섬유가 분포하나, 이석기관의 낭반 특히 난형낭반에는 보다 많은 수의 신경섬유가 분포한다.[14] 전정 신경절의 내측방향으로 이러한 신경들이 하나의 전정신경을 이루며 뇌간 내로 주행한다. 반규관 기원 신경섬유는 전정신경의 중상부로 주행하며 후반규관의 신경섬유는 다른 반규관의 신경섬유보다 아래쪽으로 주행한다. 이석기관 기원 신경섬유는 전정신경의 중하부로 주행하며, 구형낭반의 신경섬유가 보다 아래쪽으로 주행한다.[65]

Voit's 접합(anastomosis)은 상전정신경을 경유하여 구형낭반에 분포하는 신경분지로 약 300개의 신경섬유들로 구성된다. Oort's 접합(anastomosis)은 하전정신경을 따라 청신경으로 분포하는 신경분지로, 원심성 청신경섬유로 이루어진다.[41]

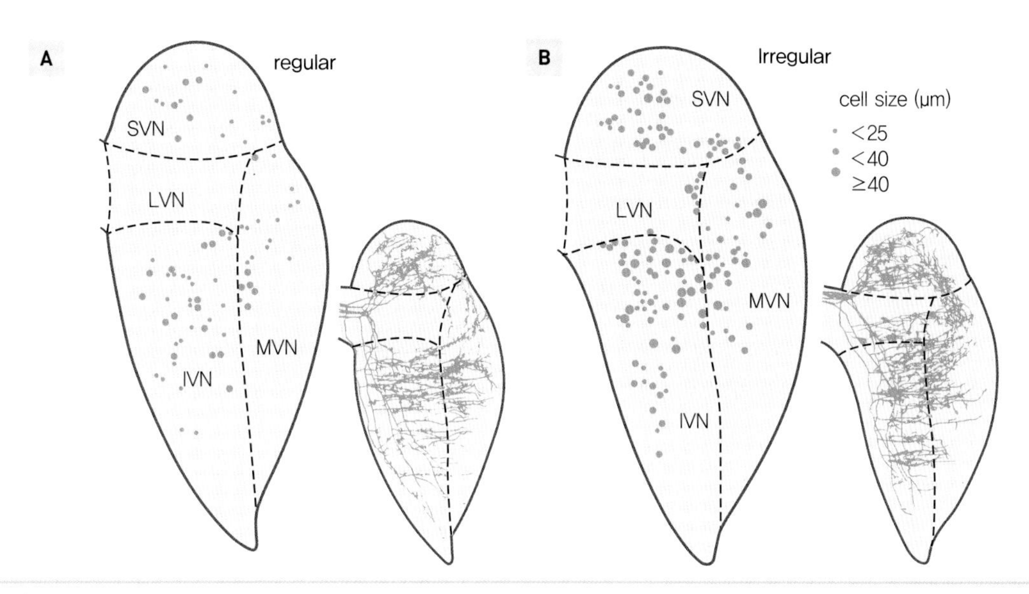

■ 그림 3-9. **말초 전정신경의 전정신경핵으로의 투사.** 전정신경핵으로 투사되는 전정신경은 하소뇌각 내측에서 상행분지와 하행분지로 나뉘어진다. 상행분지의 신경분지들은 상전정핵이나 내측전정핵 및 소뇌로 투사하며, 하행분지의 신경분지들은 내전정핵, 하전정핵, 외측전정핵의 복외측 부분에 투사한다. 정규적 자발전위를 보이는 전정신경**(A)**은 비정규적 자발전위를 보이는 전정신경**(B)**에 비교하여 보다 가늘고 보다 작은 전정신경절에서 기원하며, 보다 작은 크기의 전정신경핵에 투사하는 경향을 보인다.

(3) 전정신경의 중추투사

일차 구심성 전정신경은 청신경과 안면신경과 함께 내이도를 통해 연수교뇌이행부(pontomedullary junction)의 복외측으로 들어가며, 배측 내측으로 돌아서 하소뇌각(inferior cerebellar peduncle)과 삼차신경의 하행로(descending tract)의 사이를 따라 진행한다. 전정신경은 전정신경핵과 소뇌로 투사되며, 반대쪽으로 교차하여 투사되지 않는다.

전정신경핵으로 투사되는 전정신경은 하소뇌각 내측에서 상행분지와 하행분지로 나뉘어진다. 상행분지의 신경분지들은 상전정핵이나 내측전정핵 및 소뇌로 투사하며, 하행분지의 신경분지들은 내전정핵, 하전정핵, 외측전정핵의 복외측 부분에 투사한다(그림 3-9).[45] 정규적 자발전위를 보이는 전정신경은 주로 작거나 중간크기의 전정신경핵에 투사하며, 비정규적 자발전위를 보이는 전정신경은 중간 크기나 큰 전정신경핵에 투사한다.

전정신경의 약 70%는 이끼섬유(mossy fibers)를 통하여 소뇌 충부(vermis) 하부에 존재하는 소뇌 목젖(uvula)과 소뇌 소절(nodulus)의 과립층(granular layer)에 투사한다.[4] 소뇌의 이 부위는 머리와 안구의 운동의 조화를 담당하는 것으로 생각되며, 소뇌의 출력세포인 퍼킨제세포는 소뇌의 실정핵(fastigial nucleus)에 투사하거나 직접 전정신경핵에 투사하여 억제성 신호를 준다. 실정핵은 심부소뇌핵(deep cerebellar nuclei)의 하나로, 소뇌 퍼킨제세포로부터의 억제성 신호(GABAergic)를 받고, 전정신경핵으로 흥분성 신호(glutamate, aspartate)를 주어 신경 흥분과 억제를 조절한다. 실정핵은 이끼섬유를 통해 전정신경으로부터 직접 신호를 받기도 한다. 전정신경핵으로 신호를 주는 또 다른 소뇌 피질인 소뇌 편엽(flocculus)은 전정신경으로부터 직접적인 신호를 받기보다는 이차적으로 입력신호를 받는 것으로 생각된다.

2) 원심성 전정신경

원심성 전정신경은 안면신경슬(genu of facial nerve)과 외전신경핵의 바깥쪽에 위치하는 약 200개의 신경원(group e neurons)으로부터 기원한다.[21] 이 신경들은 동측이 반대측으로 분지를 내며, 반대측으로 가는 신경은 안면신경슬 높이에서 반대쪽으로 가서 동측의 원심성 전정신경분지와 만나서 함께 주행하며, 전정신경핵의 앞쪽에서 상올리브핵에서 기원하는 올리브와우속(olivocochlear bundle)과 합류하여 전정신경을 따라 전정기관에 분포하게 된다. 이들은 2형 유모세포, 구심성 전정신경의 단추형 단위, 배형 단위 및 구심성 전정신경 섬유 등에 접합한다. 원심성 전정신경의 기능은 전정 재활에 신경가소성을 조절하는 역할을 하는 것으로 여겨진다.[28]

7. 전정핵

전정핵(vesibular nucleus)은 제4 뇌실의 바닥에 놓여 있으며, 외측으로는 삭상체(restiform body), 두측으로는 소뇌결합완(brachium conjunctivum cerebelli), 전방으로는 삼차신경의 핵과 척수로, 내측으로는 뇌교망상체(pontine reticular formation)와 경계를 이루고 있다.

전정핵은 주전정핵과 부전정핵으로 나뉘어 진다. 주전정핵은 상전정핵(angular nucleus, Bechterew 핵), 내측전정핵(triangular nucleus, Schwalbe 핵), 외측전정핵(Deiter 핵), 하전정핵(하행전정핵, 척수핵) 등 4개의 전정핵으로 구성되어 있으며, 부전정핵은 주전정핵 주위에 분포하는 여러 개의 신경세포군들로 구성되어 있다(그림 3-9).[2] 반규관에서 기원하는 전정신경은 주로 상전정핵, 내측전정핵, 복측 외측전정핵으로 투사하며, 이석기관에서 기원하는 전정신경은 주로 배측 외측전정핵과 하전정핵으로 투사된다.

전정핵에는 네가지 형태의 신경세포가 존재한다. 제1형 세포는 머리의 동측으로의 머리회전에 의해 흥분하며, 제2형 세포는 동측으로의 머리회전에 의해 억제된다. 제1형 세포는 동측의 전정신경으로부터의 정보를 받아 흥분되며 제2형 세포는 반대측 또는 접합면 입력(commissural input)에 의해 억제된다. 제3형 세포는 양측으로의 머리회전에 의해 흥분되며, 제4형 세포는 양측 모두의 회전자

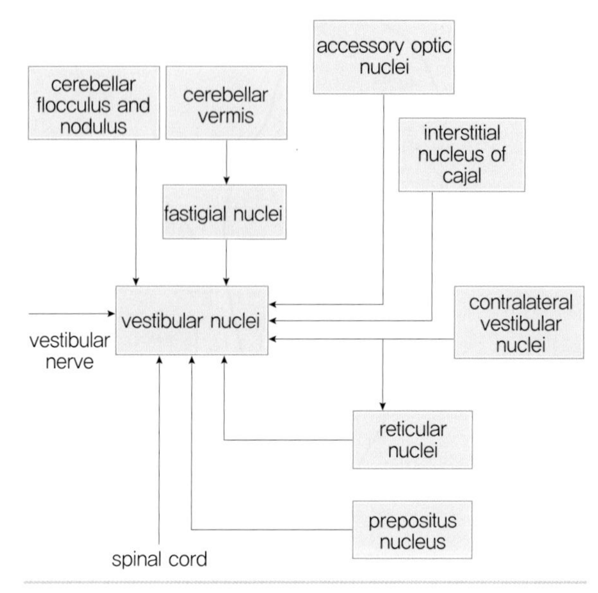

■ 그림 3-10. **전정핵으로의 구심성 경로**

극에 의해 억제된다. 제1형 세포가 가장 흔한 형태이며, 제2형 세포는 자주 관찰되나 제3형 및 제4형은 매우 드물게 관찰된다.

전정신경핵의 교차 경로(commissural pathway)는 배측 외측전정핵을 제외한 모든 전정핵에서 관찰되며, 일측의 전정핵은 해부학적으로 동등한 반대측의 전전핵과 주로 정보를 주고 받지만, 다른 전정핵과도 상호 작용을 한다. 이러한 교차 경로는 양측에서의 전정핵의 기능의 균형을 유지하는 기능을 하여 일측의 전정기능소실이 발생할 경우 전정재활에 있어 중요한 역할을 하고, 속도저장계의 신경회로도 이러한 교차 경로에 의해 형성되는 것으로 생각된다.

전정핵은 전정신경으로부터의 정보 입력이 대부분을 차지하지만, 소뇌의 편엽(flocculus)과 실정핵(fastigial nucleus), 뇌간의 주변 신경핵으로부터 다양한 정보를 받는다(그림 3-10). 비전정계 구심성 정보 중 시각계로부터의 정보가 가장 흔하다. 대부분의 전정핵은 머리의 움직임 뿐 아니라 시운동성 자극(optokinetic stimulation)에 의해서도 반응을 보인다.[64] 반규관은 0.05 Hz이하의 낮은 주파수의 머리운동에 대한 민감도가 낮으며, 시각계의 정

보가 전정핵 주변의 뇌간 세포나 소뇌를 통해 전정핵에 정보를 제공함으로써 저주파수의 운동에 대한 전정기관의 부족한 민감도를 보상할 수 있는 상호보완적인 역할을 하는 것으로 생각된다. 소뇌의 역할은 전정핵의 시각에 대한 반응을 조정하는 것뿐 아니라 전정안반사의 이득 조정이나 전정기능소실에 대한 보상작용도 조절한다. 전정안반사의 이득 조절은 소뇌 편엽이 역할을 한다.[44] 소뇌 편엽의 퍼킨제세포가 시운동 자극과 망막의 중심와에서의 움직임에 의해 민감하며,[43] 전정안반사에 의해 안구가 적절히 움직이지 못해 중심와에 안정적으로 물체를 주시할 수 없게 될 경우 퍼킨제세포가 전정핵의 머리운동에 대한 민감도를 조절하여 이를 보상할 수 있게 된다.[8]

1) 상전정핵

상전정핵은 전정핵의 상부 배측에 위치하며, 중심부에는 주로 중간크기의 신경원들로 구성되어 있고 주변부에는 작은 신경원으로 이루어져 있다. 일차 구심성 전정신경은 주로 반규관에서부터 투사되어 상전정핵은 전정안반사의 주요 경로이다. 상반규관은 내측으로, 외측반규관과 후반규관은 외측으로 투사하며, 난형낭과 구형낭은 핵의 주변부로 투사한다.[2] 상전정핵의 신경섬유는 동측과 반대측 내측종속(medial longitudinal fasciculus; MLF)을 통해 외안근의 운동핵으로 신경지배하며, 그외 소뇌, 등쪽 뇌교망상체(dorsal pontine reticular formation)로 투사한다.

상전정핵은 소뇌로부터도 많이 투사되는데, 편엽(flocculus)은 중심부로, 실정핵(室頂核, fastigial nucleus), 소결절(nodulus), 소뇌 충수부(uvula)는 주변부로 투사하며 반대측 내전정핵과 하전정핵으로부터도 투사된다.

2) 외측전정핵

외측전정핵은 전정척수 반사의 주경로로 작용하며 해부학적 및 기능적으로 두 개의 하위 전정핵으로 나누어 볼 수 있다. 배측(dorsal) 외측전정핵은 거대신경원(Deiters 세포)로 구성되어지며, 외측 전정척수경로(lateral vestibulospinal tract)가 시작된다. 복측(ventral) 외측 전정핵은 중간 크기의 전정신경원을 포함하며, 전정안반사, 내측 전정척수경로(medial vestibulospinal tract), 전정시상경로(vestibulothalamic pathway)가 시작된다.

구심성 전정신경은 두복측(rostroventral)에 분포하며, 배미측은 소뇌 충부수와 실정핵으로부터 신경들이 분포한다. 외전정핵의 대부분의 원심성 신경은 동측 전정척수로로 척수로를 통하여 투사하며, 두복측의 신경섬유들은 경흉부 척수로, 배미측의 신경섬유들은 요추천골 척수로 분포한다. 또한 원심성 신경은 양측 내측종속(MLF)을 통해 동안신경핵으로도 투사한다.[2]

3) 내측전정핵

서로 크기가 다른 여러 신경원들로 구성되어 있으며, 다른 전정핵과는 달리 굵은 신경섬유는 분포하지 않는다. 핵의 윗부위는 반규관, 소뇌의 실정핵과 편엽으로부터 신경섬유를 받으며, 중간부위는 난형낭과 구형낭으로 부터 신경섬유를 받고, 아랫부위는 동측 및 반대측 소뇌의 실정핵과 동측 소뇌의 소결절로부터 신경섬유를 받는다. 그 이외에도 반대측 내측전정핵과 일부 망상체로부터 신경섬유를 받는다.[2]

내측전정핵의 원심성 신경은 하행 내측종속을 통해 전정 척수로(medial vestibulospinal tract)를 따라 경부 및 흉부 척수까지 주행하며, 또한 양측 상행 내측종속을 따라 동안 신경핵에 분포한다. 그 이외에도 전정소뇌, 망상체와 반대측 전정핵에 분포한다. 따라서, 내측전정핵은 전정안반사, 전정경부반사를 통합 조절하는 부위로 작용하며, 말초 전정기능 손상 후 보상과정에 중요한 역할을 하는 것으로 여겨진다.

4) 하전정핵

하전정핵은 이석기관으로부터의 말초 구심성 전정신경이 투사하는 주요 전정신경핵의 하나로 전정척수반사에 중

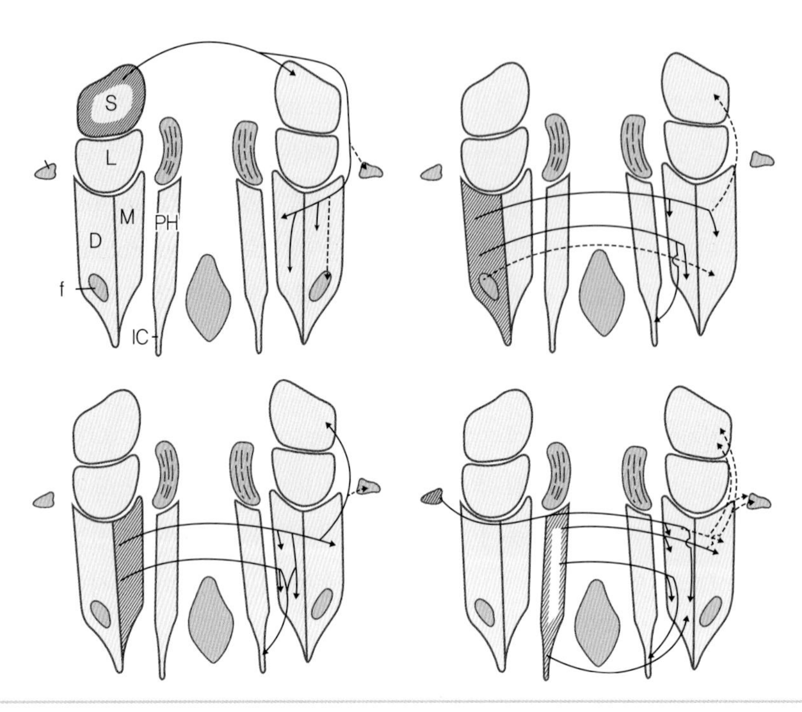

■ 그림 3-11. **전정핵간의 상호 투사를 통한 교차 경로(commissural pathways).** 대부분 반대쪽의 대응되는 전정핵으로 상호 투사를 하는 경우가 많으나, 다른 전정핵으로도 상호 투사가 이루어 진다. D, L, M, S, 하전정핵(descending inferior), 외측전정핵(lateral), 내측전정핵(medial), 상전정핵(superior vestibular nuclei; f), 세포군 f; IC, 삽입핵(nucleus intercalatus; PH), 설하신경주위 세포군(perihypoglossal complex; y), 세포군 y

요한 역할을 할 것으로 생각되며,[52] 소뇌와 망상체(reticular formation)로도 투사한다.[2]

5) 부전정핵

주요 전정신경핵 이외에도 다양한 전정신경핵이 전정신경으로부터의 정보를 받으며, 세포군 f, l, x, y, z, e 등이 있다. 세포군 f는 하전정핵의 미부에 위치하며, 중간 크기의 세포로 이루어지며, 세포군 l은 외측전정핵의 외미측에 위치하는 중간 크기의 세포군으로 T1 이하의 척수로 투사한다. 세포군 z는 전정핵의 미부에 위치하며, 전정신경에서 정보를 받지 않고 척수로부터의 정보를 받으며, 시상으로 가는 체지각경로(ascending somatosensory pathways)에 기여한다. 세포군 x는 전정핵의 미부에 위치하며, 척수로부터 정보를 받아 소뇌로 투사한다. 세포군 y는 상전정핵의 미측부에 위치하며 외측전정핵과 하소뇌각(inferior cerebellar peduncle)의 사이에 위치한다. 세포군 y의 복측의 전정핵은 구형낭 기원 전정신경으로부터 정보를 받으며,[52] 배측의 전정핵은 소뇌편엽과 연관되며 수직면에서의 안구운동의 조절에 관여한다.[10] 세포군 e는 내측전정핵의 두부의 배내측에 위치하며, 전정신경에서 정보를 받지 않고 내이로 투사하여, 전정기관으로의 원심성 전정신경을 이룬다.

8. 전정핵으로부터의 투사

전정신경핵은 뇌간, 소뇌, 척수에 투사할 뿐 아니라 전정핵 사이에도 상호 투사를 한다. 이러한 상호 투사는 반대쪽 전정핵으로 투사하는 교차 경로(commissural pathway)뿐 아니라 동일한 쪽의 다양한 전정핵에도 투사를 한다(그림 3-11).

배측 외측전정핵을 제외하고 모든 전정핵은 소뇌 충부(vermis), 편엽(flocculus), 실정핵(fastigial nucleus)로

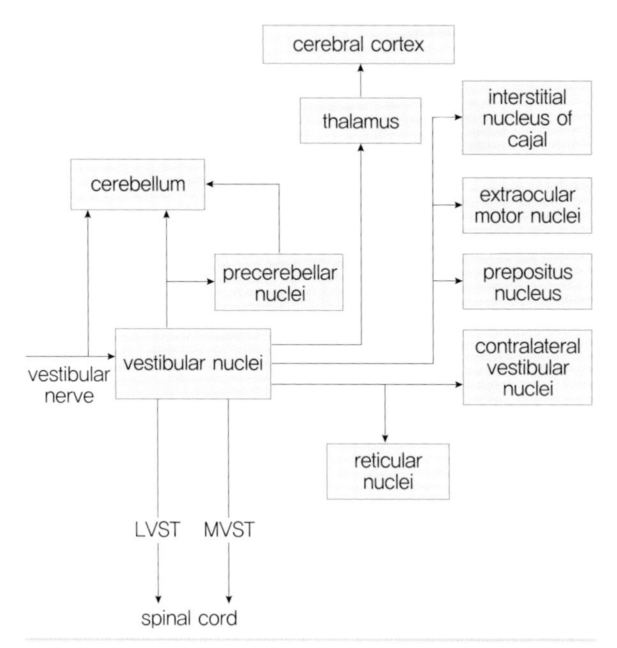

■ 그림 3-12. **전정핵의 원심성 경로.** LVST; lateral vestibulospinal tract, MLF; medial longitudinal fasciculus, MVST; medial vestibulospinal tract

투사를 하여 몸의 균형, 머리와 안구의 운동의 조화를 이룬다(그림 3-12). 소뇌와 전정핵은 상호 투사를 통해 작용을 하며, 소뇌에서는 배측 외측전정핵으로 직접적인 투사를 통해 외측 전정척수경로(lateral vestibulospinal pathway)에 기여하며, 소뇌 충부의 퍼킨제세포는 실정핵을 통해서, 편엽의 퍼킨제세포는 직접 상전정핵, 내측전정핵, 외측 전정핵에 투사하여 전정안반사의 조절과 전정기능이 소실될 경우 전정보상에 관여한다.

전정안반사는 내측 전정핵, 상전정핵, 복측 외측전정핵으로부터 양측 뇌간의 안구운동신경핵으로의 광범위한 투사로 이루어지며, 외안신경핵(abducens nucleus)에 근접한 내측종속(medial longitudinal fasciculus)을 통해 연결된다.

내측전정척수경로(medial vestibulospinal tract)는 내측 전정핵과 복측 외측전정핵으로부터 양측 내측종속(medial longitudinal fasciculus)을 통해 경부 척수의 복측각(ventral horn)으로 투사되어 경부 근육의 움직임을 조정하여 머리의 안정에 기여한다.[68] 전정핵의 약 50%에서는 측부 축삭(axon collaterals)을 통해 전정안반사에도 기여한다.[49]

외측전정척수경로(lateral vestibulospinal tract)는 몸의 균형 유지에 중요한 역할을 하며, 배측 외측전정핵에서 기시하여 요추 수준까지 동측 척수의 복측각에 투사한다. 외측전정척수경로는 동측의 신전근육(extensor)에 흥분성 자극을 지속적으로 보내고 있어 일측의 전정기능의 급성소실이 있을 경우 흥분성 자극의 소실에 의해 병변쪽으로 넘어지는 경향을 보인다.

전정시상경로는 복측 외측전정핵에서 기시하여 시상을 통해 대뇌 피질에 정보를 투사한다. 많은 대뇌 피질이 전정 자극에 반응하며, 전정 반응뿐 아니라 시각, 의식 등 다양한 영역과 함께 복합적인 반응이 일어나게 된다.

Ⅱ 전정계 생리

1. 말초 전정계 생리

1) 개요

난형낭반과 구형낭반은 선형가속도와 기울임에 의한 중력의 변화를 감지하며, 반규관 내의 팽대부릉은 각 방향의 회전 각가속도를 감지하게 된다. 반규관의 자극에 의해 자극된 반규관의 평면에 일치하는 안구와 머리의 움직임이 일어나며(Ewald 제1 법칙), 부동모와 운동모의 해부학적 위치에 따라 수평 반규관에서는 팽대지향성(ampullupetal) 내림프액 흐름에 의해 자극반응을 나타내며(Ewald 제2 법칙), 수직 반규관에서는 이와는 반대로 팽대반지향성(ampullofugal) 방향의 내림프액 흐름에 의해 자극반응을 나타낸다(Ewald 제3 법칙).[3]

따라서, 머리를 수평면에서 왼쪽으로 돌릴 경우에 좌측 측반규관이 자극되고 우측 측반규관은 억제되며, 같은 평면에 존재하는 우측 외직근과 좌측 내직근이 수축

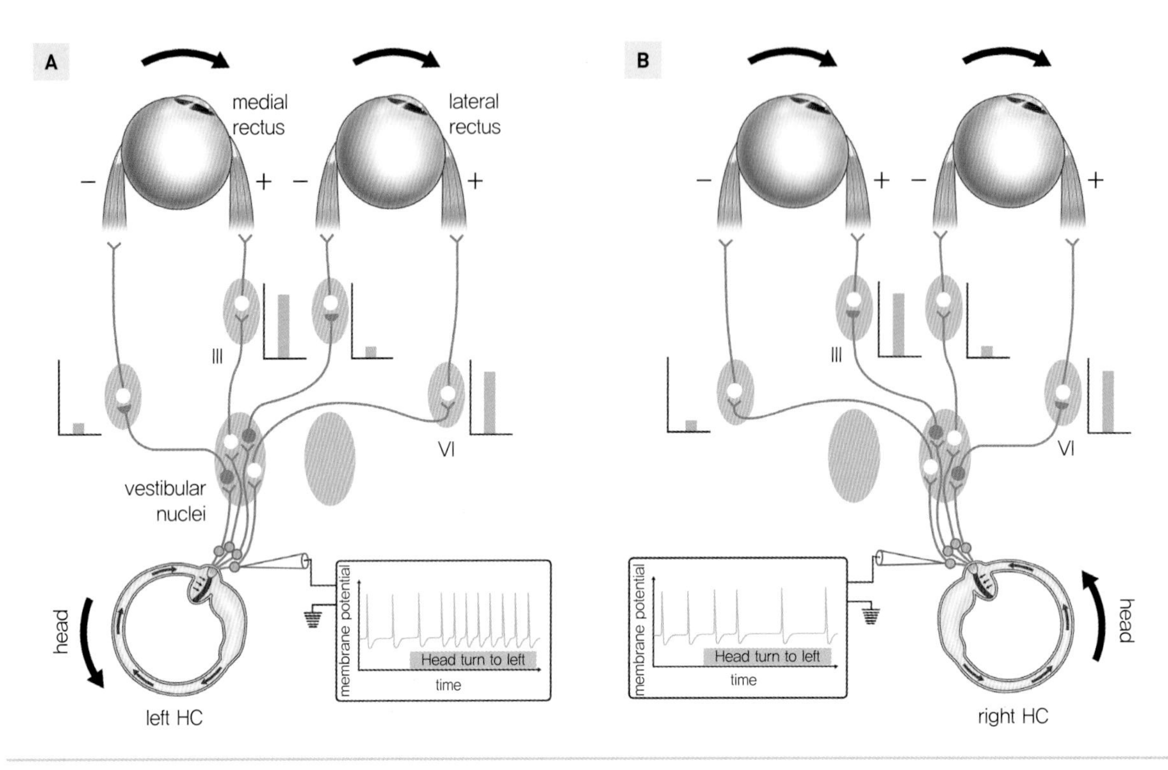

■ **그림 3-13. 좌측 머리회전운동에 따른 전정안반사의 구성.** 좌측 머리회전에 의해 좌측 측반고리관의 팽대지향성 내림프액의 흐름이 유발되어 전정신경이 흥분되어 전정핵을 자극하게 되면 같은 평면에 존재하는 좌측의 내직근(medial rectus)과 우측의 외직근(lateral rectus)이 수축하게 된다**(A)**. 반대로 우측 측반고리관은 팽대반지향성 내림프액의 흐름으로 전정신경의 반응이 억제되게 되고, 전정핵으로 들어오는 자극의 감소로 좌측의 내직근(medial rectus)과 우측의 외직근(lateral rectus)을 지배하는 안구운동핵에 지속적으로 입력되는 억제성 신호가 감소하게 되어 양측 측반고리관에서 상호 상승적으로 수평면에서 우측으로 향하는 안구운동을 유발한다.

하여 안구는 우측을 향하는 완서상 운동이 유발되고, 유발되는 안진의 방향은 좌측을 향하게 된다(그림 3-13).

좌측 전반규관-우측 후반규관(left anterior-right posterior canal, LARP) 평면에서 머리가 아래를 향하는 회전운동을 할 경우, 좌측 상반규관이 자극되고 우측 후반규관이 억제되게 되며, 이때 유발되는 안구의 완서상 움직임은 좌측 상직근과 우측 하사근이 수축하여 같은 평면에서 안구가 위를 향하게 되고, 유발되는 안진은 같은 평면에서 아래를 향하게 된다(그림 3-14). 반규관의 평면과 외안근의 평면이 정확히 일치하지는 않지만, 고등동물로 갈수록 이러한 연관관계는 일치하게 되어 뇌간에서의 복잡한 계산과정을 거치지 않고 7 ms의 짧은 잠복기를 가진 세 개의 신경으로 이루어진 전정안반사가 이루어진다. 3차원적으로 구성되어 있는 측, 상, 후반규관이 머리의 움직임을 각 평면에서 정확하게 감지하여 각 평면에서의 정확한 안구의 움직임을 일으킬 수 있어 빠른 머리 회전에도 망막오류(retinal error)를 최소화할 수 있다(표 3-2).[56,62]

좌우측 반규관은 측두골 내의 해부학적 위치상 서로 쌍을 이루고 있으며, 즉 양측 수평반규관, 우측 상반규관과 좌측 후반규관, 우측 후반규관과 좌측 상반규관은 서로 거의 동일 평면상에 놓여 있기 때문에 동일한 머리의 회전성 운동에 있어서 한쪽 반규관의 자극 반응 시 이와 쌍을 이루는 반대쪽 반규관은 억제반응이 일어나는 밀고 당기는 배열(push-pull arrangement)의 형태를 갖추고 있다.

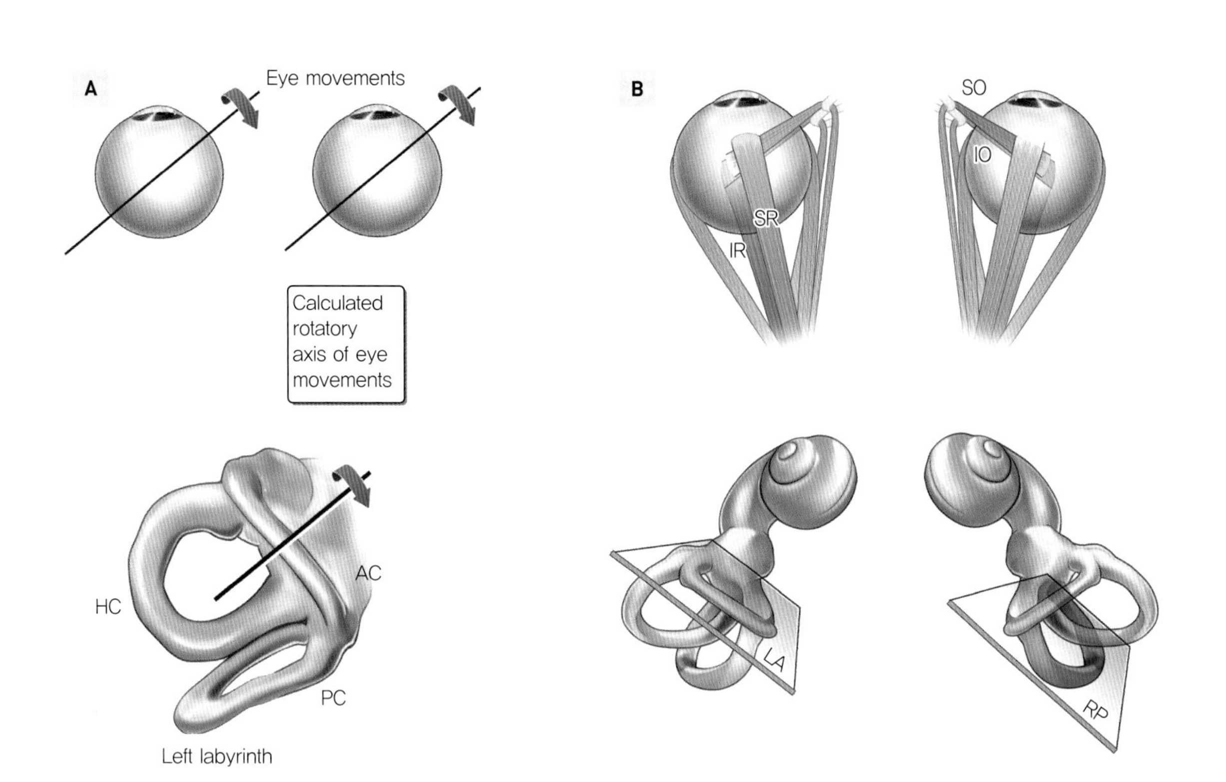

■ 그림 3-14. 좌측 전반규관-우측 후반규관(left anterior-right posterior canal, LARP) 평면에서의 머리 회전운동은 동일한 평면에서의 반규관을 자극하거나 억제하여 동일한 평면에서의 완서상 안구운동(화살표 방향)을 유발한다**(A)**. 이러한 안구운동은 좌측 상직근(superior rectus, SO)과 하직근(inferior rectus, IO), 우측 상사근(superior oblique, SO)과 하사근(inferior oblique, IO)의 작용에 의해 발생되며**(B)**, 좌측 상반규관의 자극은 좌측 상직근, 우측 하사근의 수축을 유발하여 LARP평면에서 위로 향하는 안구의 완서상 움직임을 유발하며, 아래로 향하는 안진이 유발된다. 안구는 LARP평면에서 움직이기 때문에 안구가 좌측을 주시할 경우에는 수직 성분이 두드러지게 되며, 우측을 주시할 경우 회선 성분이 두드러지게 된다.

표 3-2. 반규관이 자극될 때의 완서상 안구운동을 유발하는 작용 외안근과 유발되는 안진(급속 성분)의 방향

자극되는 반규관	완서상 안구운동을 유발하는 외안근	유발되는 안진의 방향
측반규관	동측 - 내직근	자극되는 반규관을 향한 수평안진
	반대측 - 외직근	
후반규관	동측 - 상사근	상방 및 안구의 상극upper pole이 자극받는 쪽으로 회선형 안진
	반대측 - 하직근	
상반규관	동측 - 상직근	하방 및 안구의 상극upper pole이 자극받는 쪽으로 회선형 안진
	반대측 - 하사근	

2) 유모세포 신호전달

부동섬모가 안정위(resting position)에서 변위되면, 섬모 내의 기계적으로 작동되는 이온통로(mechanically gated ion channel)가 열리게 되어 내림프의 칼륨이 유모세포 내로 유입되어 탈분극 현상이 일어난다. 유모세포의 탈분극 현상으로 세포 기저부의 전위차에 의해 작동되는 칼슘통로(voltage-dependent calcium channel)가 열리게 되어 칼슘이 세포 내로 유입되고, 이로 인해 신경

전달물질(글루타메이트)이 세포신경 접합부로 방출되어 신경이 탈분극화된다. 신경전달 물질은 머리의 움직임이 없는 상태에서 어느 정도 지속적으로 유출되기 때문에 구심성 전정신경은 자발전위를 보인다.

부동섬모가 운동섬모로 기우는 경우에는 유모세포의 탈분극화가 일어나 신경전달 물질의 방출이 증가하나, 반대의 경우에는 과다분극되어 신경전달 물질의 방출이 감소하게 된다. 따라서 구심성 전정신경은 양방향성으로 반응을 나타나게 된다.

3) 반규관 반응

팽대부릉정은 주위 내림프액과 비중이 동일하기 때문에 머리의 움직임이 없거나, 직선가속도 등에 의해 팽대부릉정의 편위는 일어나지 않는다. 머리가 회전운동을 하면 관성에 의한 내림프액의 상대적으로 느린 움직임으로 회전의 반대방향으로 팽대부릉정의 편위가 일어나고, 팽대부릉정에 묻혀 있는 섬모의 편위를 통해 유모세포의 자극을 유발하게 된다. 팽대부릉정은 이러한 물리적 에너지를 생물학적 에너지로 치환하는 역할을 하는 유모세포사이의 연결자(coupler) 역할을 함으로서 구심성 전정신경의 활동전위를 발생시키며, 이러한 전기적 반응은 유모의 편위에 비례하게 된다(그림 3-15).

이러한 물리적 자극에 대한 반규관의 반응관계는 진자모델(torsional pendulum model)에 의해 설명된다.[3] 머리의 회전운동 시 회전 각가속도에 의한 힘에 반하여 팽대부릉정의 탄력(elastic force, Telastic), 팽대부릉정-내림프의 점성에 의한 힘(Tviscous), 팽대부릉정-내림프 복합체의 가속도에 비례하는 관성의 힘(Tinertia)이 발생하게 된다. 이러한 진자모델에 따르면, 저주파수의 회전자극이나 지속적인 회전자극에 대해서는 팽대부릉정의 편위 정도는 각가속도에 의해 결정되지만, 자연적인 머리의 움직임과 같이 정현파형의 회전운동(0.1~15 Hz) 때는 편위 정도는 머리의 각속도와 비례하고 위상차(phase)도 머리의 각속도와 일치하게 된다(그림 3-16).

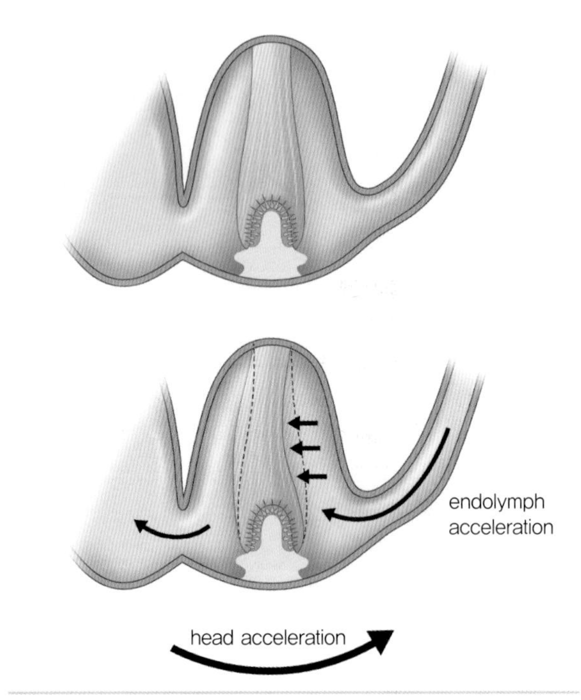

■ 그림 3-15. **머리의 회전운동에 의한 내림프액 및 팽대부릉정의 이동.** 머리회전운동을 하면 내림프액의 관성에 의해 반대방향으로의 팽대부릉정의 움직임이 유발되어 유모세포의 운동모의 움직임이 유발되어 해당 반규관 평면에서의 머리의 회전 정도를 감지한다.

또한 계단형 각속도(step velocity)로 회전운동 때에 시간에 따른 팽대부릉정의 편위는 시간에 따라 지수적(exponential)으로 증가하고 감소한다(그림 3-17).

4) 이석기관의 반응

유모세포에 놓여 있는 이석막(otolith membrane)의 밀도는 주위의 내림프액보다 크기 때문에 이석막의 무게에 의해 놓여 있는 유모세포에 전단력(shearing force)이 작용하게 되며, 구형낭은 전정vestibule의 내측벽에 수직으로 위치하여 중력이 아래쪽으로 이석막에 작용하고, 난형낭은 구형낭의 위쪽에 측반규관과 같은 평면에 수평으로 위치하여 좌우로 기울임이 발생하면 중력에 의한 영향을 받게 된다. 두 기관 모두 선형가속에 의해서도 유모세포의 섬모가 영향을 받게 된다. 반규관과 동일한 기전에 의해 유모세포가 흥분되지만, 반규관의 분극벡터(polar-

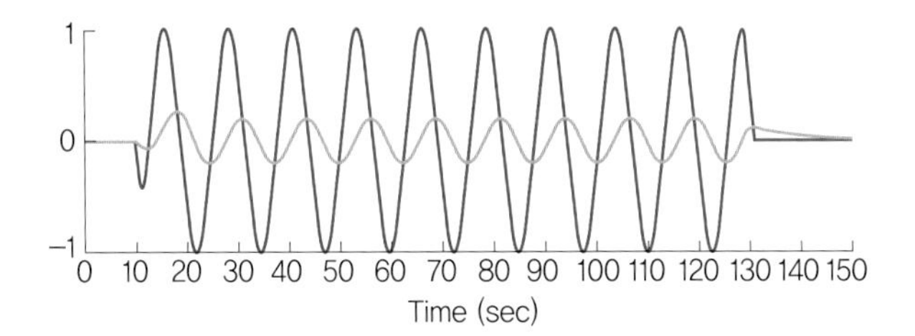

■ 그림 3-16. **머리의 회전운동에 대한 진자모델을 통해 예측된 팽대부릉정의 변화.** 정현파형의 머리 회전 각가속도(붉은색)에 의해 발생되는 팽대부릉정의 변화는 90° 늦게 발생되며, 이는 반규관이 적분형 각가속도계(integrating accelerometer)로 작용하여 팽대부릉정의 변화(전정신경의 반응)가 각속도에 비례하고 따라서 위상차도 각속도와 일치하게 된다. 머리의 회전운동의 주파수가 낮아질수록 이러한 적분형 반응이 감소되며 점차 머리의 각가속도에 반응하기 때문에 저주파수에서는 위상차가 선행을 하게 된다.

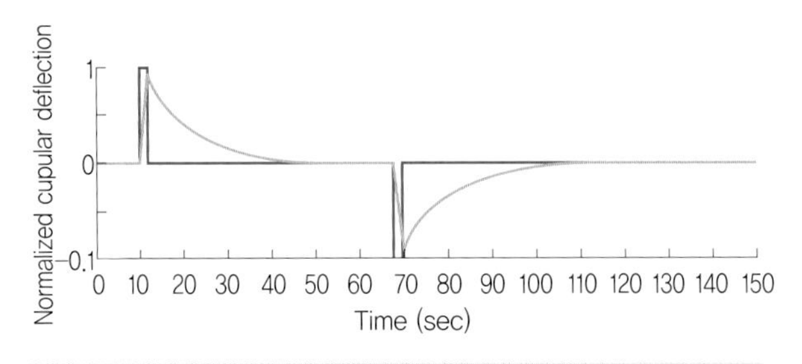

■ 그림 3-17. **머리의 계단형 각가속도운동에 대한 진자모델을 통해 예측된 팽대부릉정의 변화.** 계단형 각가속도운동(red)은 한쪽으로의 짧은 각가속도 자극과 반대쪽으로의 짧은 각가속도 자극으로 이루어진다. 팽대부릉정(green)은 급격히 편위되었다가 지수함수적으로 감소하여 안정상태로 복귀한다. 전정신경의 반응 양상도 자극 방향에 따라 급격히 증가 또는 억제되었다가 지수함수적으로 점차 안정기의 자발반응을 보인다.

ization vector)가 한 방향인 것에 비해 이석기관은 striola에 의해 서로 상반된 평형반의 분극벡터가 다양하게 분포하고 있어, 공간 내에서 삼차원적 선형운동이나 중력방향에 대한 방향정위(orientation)는 구조적으로 한쪽 이석기관에 의해서 감지될 수 있다(그림 3-18).

5) 구심성 전정신경 반응

움직임이 없는 머리의 안정된 상태에서도 신경전달 물질은 어느정도 지속적으로 유모세포-신경접합부로 유리되기 때문에 전정신경은 초당 방전율 50~100회의 자발방전율(spontaneous activity)을 보인다.[3] 머리의 움직임에 따라 부동모(stereocilia)가 운동모(kinocilia) 쪽으로 편위 되면 유모세포의 탈분극화 현상으로 신경전달 물질의 유리가 증가하여 신경의 활동성이 증가하고 반대의 움직임으로는 신경의 활동성이 감소하는 극성(polarity)를 갖게되어 전정신경의 반응은 양방향으로 작동하게 된다. 즉, 수평 반규관에서는 내림프액이 팽대부로 흐를 때, 수직 반규관에서는 내림프액이 반규관 방향으로 흐를 때 전정신경의 활동성이 증가된다.

포유류의 전정신경은 초당 방전율 50~100회의 자발방전율을 가지고 있으며, 전정신경의 흥분성 반응은 방전율이 초당 300~400회까지 증가할 수 있고, 억제성 반응의 경우 자발방전율이 소실될 정도까지만으로 제한되어 있으므로, 정현파형 회전자극에 대한 반응의 경우 약한 회전자극에 대해서는 어느 쪽이든 관계없이 대칭성 반응으로 나타나나, 동측으로 향하는 강한 회전자극은 충분히 반응을 나타낼 수 있으나, 반대측으로 향하는 강한 회전자극은 충분히 나타낼 수 없어 비대칭적 반응으로 나타나게 되며 Ewald 제2 법칙(excitation-inhibition asymmetry)은 이로서 설명된다. 이러한 차이는 유모세포에서도 관찰되며, 섬모가 자극되는 방향으로 기울어질 때 보다 큰 전위반응을 보이게 된다.[29]

말초전정신경은 극파간 간격(inter spike interval)의 변동계수(coefficient of variation)로 표현되는 자발 방전율(spontaneous discharge rate)의 모양에 따라 규칙적인 자발 방전율을 보이는 신경과 불규칙적인 자발 방전율을 보이는 신경으로 구분되어 진다.[3]

불규칙적 자발 방전율의 전정신경은 굵은 신경섬유들로, 주로 팽대부릉의 중심부나 평형반의 striola에 분포하고 있어 주로 1형 유모세포와 접합하며 전도속도가 빠르고 직류전기(galvanic) 자극에 민감하게 반응하며 지속적 가속도에 대해 적응을 보인다. 또한 높은 주파수 역동

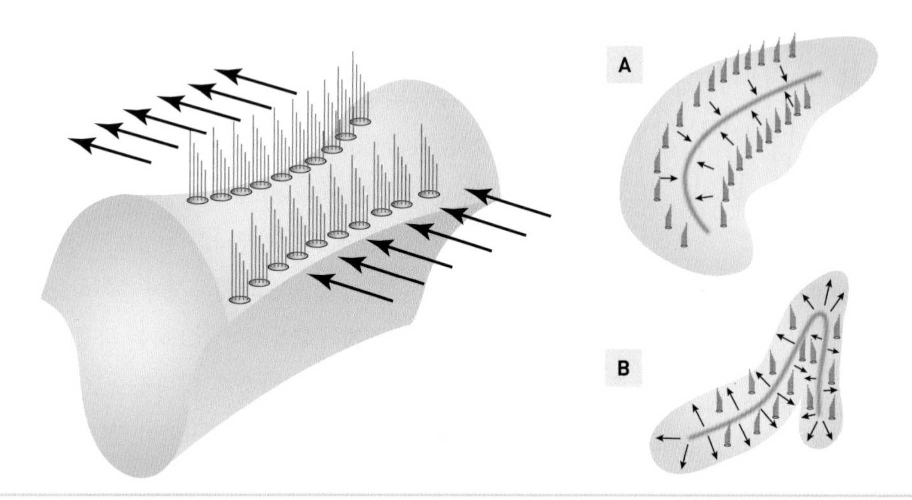

■ 그림 3-18. **반규관 팽대부릉(A)과 이석기관(B)에서의 섬모의 분극 방향.** 반규관이나 이석기관에서 운동모(kinocila)를 향한 섬모의 기울임에 의해 자극되는 것은 동일하지만, 반규관의 분극벡터(polarization vector)는 한 방향으로 배열되어 반규관의 모든 유모세포가 동일한 반응을 보이는 반면, 이석기관은 striola에 의해 서로 상반된 평형반의 분극벡터가 다양하게 분포하고 있어 공간 내에서 삼차원적 선형 운동이나 중력방향에 대한 방향정위(orientation)는 한쪽 이석기관에 의해서 감지될 수도 있다. 난형낭의 경우 striola를 향한 방향, 구형낭의 경우 striola에서 멀어지는 방향으로 운동모가 배치되어 자극되는 방향이 다르다.

성을 갖고 있어 머리회전의 각속도보다는 각가속도에 일치하는 반응을 보여 급격한 머리회전에 대한 정보를 전정핵에 투사하는 것으로 생각되며,[30] 주시 거리의 변화나 안경의 착용 등에 의한 전정안반사의 이득의 변화가 필요하거나 일측 전정기능의 손상에 대한 이득의 조절에 역할을 할 것으로 생각된다.[7,9,36] 규칙적인 자발 방전율의 전정신경은 가늘고 주로 팽대부릉 또는 평형반의 주변부에 분포하여 2형 유모세포나 1형과 2형 유모세포에 복합적으로 접합한다. 전도속도는 느리며 직류전기 자극에 대한 민감도가 낮아 직류전기 자극에 의한 자발방전의 억제를 보이지 않는다. 또한 머리회전의 각속도와 위상차가 일치하게 반응을 보여 저주파수의 머리 회전에 대한 반응을 전정핵으로 투사하는 것으로 생각된다.[3]

2. 중추 전정계 생리

1) 개요

양측 전정미로의 구심성 자극은 전정핵에서 다른 감각기의 신호와 통합되어 조절된다. 즉, 전정핵에서는 전정기관의 구심성 전정신경을 받을 뿐 아니라 경부, 소뇌, 망상체, 척수, 반대측 전정핵 등으로부터 구심성 신경을 받는다. 예를 들어 시각정보는 소뇌 편엽(floculus)을 통하여 전달되어 상전정핵과 내측전정핵의 전정안 반사 조절에 관여하며, 소뇌는 소뇌충부수(vermis)가 외측전정핵 및 하전정핵과 연결되어 전정척수 반사에 영향을 미치게 된다.

2) 2차 전정신경원

말초 전정신경에 전기적 자극을 가할 경우 2차 전정신경 세포의 반응은 0.5~1.0 ms의 짧은 잠복기를 보이는 단일연접 활성(monosynaptic activation) 신경에 의한 N1 반응과, 2.5 ms의 긴 잠복기를 보이는 다연접활성(multisynaptic activation) 신경에 의한 N2 반응으로 구분된다.[2] 이러한 전기자극 반응을 보이는 신경세포들은 전정핵 신경세포들의 약 75%이며 이중 50% 정도가 단일연접 활성 신경세포들이다.

2차 전정신경세포는 말초 전정기관의 자극에 대한 반응에 따라 1형 신경원과 2형 신경원으로 나눠진다. 1형 신경원은 직류전기 자극에 의한 동측 말초 전정기관의 자극에 대해 흥분성 반응을 보이는 신경원으로, 머리가 우측으로 회전할 경우 우측 1형 신경원의 방전율은 증가하며, 좌측 1형 신경원의 방전율은 감소한다.

2형 신경원은 반대로 동측 말초 전정기관의 자극에 대해 억제성 반응을 보이는 신경원으로 많은 2형 신경원은 교차연결(commissural connection)을 통해 반대측 1형 신경원 자극에 의해 흥분되며 일부 2형 신경원의 흥분은 동측 1형 신경원을 억제한다.[2]

따라서 1형 신경원은 반대측 전정기관이 자극될 때 동측 2형 신경원의 흥분을 통해 억제되며 동측 전정기관의 자극과 동측 2형 신경원의 억제가 감소될 때 흥분성 반응이 증가한다. 또한 제 1형 신경원은 반대측 전정핵을 전기적으로 자극할 경우 활성화되는 망상체 신경세포 중계에 의한 교차성 억제 신경로의 영향을 받는다.[25] 이러한 양측 신경원을 연결하는 긴장성 억제 교차계(tonic inhibitory commissural system)는 반규관-안 반사의 이득증가에 의한 민감도를 증가시켜주고, 양측의 반규관의 활동성을 조절하여 일측 전정미로가 손상될 때에 전정보상에 중요한 역할을 하는 것으로 생각된다.

3) 전정안 반사

(1) 반규관 전정안반사

전정안반사(vestibulo ocular reflex)는 머리가 움직일 때 명확한 시각을 위하여 머리 움직임과 반대방향으로 동일한 속도의 안구움직임을 유발시키는 반사이다. 머리 움직임에 따른 주시안정을 위해서는 전정안 반사뿐 아니라 안구운동계도 작용하게 되는데, 시추적(smooth pursuit) 반응은 1~2 Hz 이하의 주파수와 50~100°/sec 이하의 속도를 보이는 움직임에 반응을 하며 잠복기가 약 75~150 ms로 느린 반응을 보인다. 보행이나 달릴 때 머리의 회전 주파수대는 0.5~5.0 Hz이며 머리가 상하운동할 때 보다 높은 주파수대를 나타내며 머리의 회전속도는 달릴 때는 150°/sec 이내이며 보행할 때는 보통 30°/sec 이내이다. 전정안 반사는 5~10 Hz의 주파수대와 초당 수백도의 회전속도 자극에 효율적으로 반응하며 반응 잠복기도 15 ms로 짧기 때문에 높은 주파수를 보이는 일상 생활에서 머리를 움직일 때 안정된 시각을 유지하는데 보다 효율적으로 반응하게 된다.[50,59] 경부안 반사도 머리회전에 따른 안구의 보상적 운동을 유발하나 정상적인 머리운동은 고주파수대이므로 거의 무시될 정도의 반응을 보인다.

전정안 반사 경로는 세 개의 신경원궁(neuron arc)을 통한 직접 전정안반사로와 망상체와 소뇌를 거치는 보다 복잡한 간접 전정안반사로로 구분된다. 직접 전정안반사로는 7~14 ms의 짧은 반응 잠복기를 갖으며 전정신경으로부터 회전속도 정보를 동안신경원으로 전달한다. 머리 회전운동이 종료할 때에 안구의 위치가 고정되기 위해서는 안구위치에 대한 정보가 필요한데 이는 머리 회전속도 정보로부터 수학적인 적분에 의해 얻어질 수 있으며 수평성 안구운동의 경우 내측전정핵과 nucleus prepositus hypoglossi에서 일어나며 이를 신경적분체(neural integrator)라 한다.[59] 이러한 과정은 약 19 ms의 긴 반응 잠복기를 보이는 간접 전정신경로를 통해 일어난다. 전정안 반사에 의한 안구의 움직임은 세 개의 회전축인 yaw(z)축, pitch(y)축, roll(x)축을 따라 일어난다. yaw(z)축은 수직축으로 수평면상의 운동이 일어나며, pitch(y)축은 양측 귀를 연결하는 수평축으로 수직평면상의 운동이 일어나고, roll(x)축은 후두-비(occopito-nasal)축으로 회전성(torsional) 안구운동이 일어나게 된다. 각각의 반규관이 연결된 외안근과 반규관의 자극에 따른 안진 방향은 표 3-2와 같다.

안구의 보상적 움직임을 유발하는 전정기 자극은 머리의 각가속도이며, 0.01 Hz 이하의 낮은 회전주파수의 움직임에서는 가속감지기(accelerometer)와 같이 반응하나, 0.1~10 Hz의 회전주파수 운동에서는 반규관의 내림프-팽대부릉정 역학(endolymph-cupula dynamics)에 의해 적분형 가속감지기(integrating accelerometer)와 같이 반응하여 속도신호로 변환되어 중추로 전달된다.[50] 진자모델을 적용한 전달기능(transfer function)을 통한 주

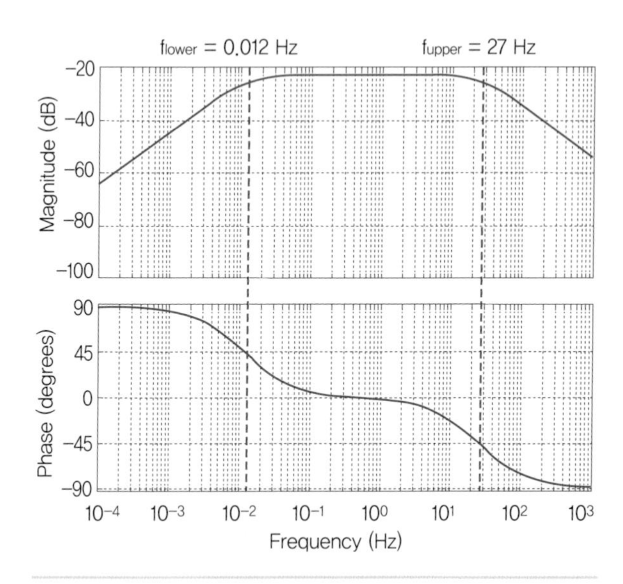

■ 그림 3-19. 진자모델을 적용한 전달기능(transfer function)을 통한 주파수별 자극과 반응과의 관계를 펴보면, 0.012-27 Hz의 중간회전 주파수에서 이득이 일정하며 위상차가 없어(속도의 위상과 일치) 반규관에서의 반응은 머리 회전 속도를 대변한다. 저회전 주파수의 회전자극에서는 이득의 감소와 속도의 위상보다 선행하여 가속도의 위상과 일치하는 위상차 선행(phase lead)이 나타난다.

파수별 자극과 반응과의 관계를 펴보면,[67] 0.012~27 Hz의 중간회전 주파수에서 이득이 일정하며 위상차가 없어(속도의 위상과 일치) 반규관에서의 반응은 머리 회전 속도를 대변한다. 저회전 주파수의 회전자극에서는 이득의 감소와 속도의 위상보다 선행하여 가속도의 위상과 일치하는 위상차 선행(phase lead)이 나타난다(그림 3-19).

이와 같이 전정안반사는 저주파수의 회전운동에서는 이득의 감소와 위상차 선행으로 효율적인 보상적 안구운동을 유발하지 못하는데, 이러한 저주파수에서의 전정안반사의 제한점은 시추적운동계와 시운동계 등의 시각계 및 속도저장을 통해 보상된다.

(2) 이석기관 전정안반사

이석기관은 중력과 머리의 흔들림에 의한 선상가속도를 감지하는 기능을 한다. 따라서 이석기관에 의한 이석안구 반사(otolith–ocular reflex)는 머리가 움직일 때 안구를 안정시키는 동적인 반사와 고정된 머리의 위치에 대한 정적인 반사로 구분될 수 있다.[20]

난형낭은 수평반규관과 거의 동일한 평면상에 위치하기 때문에 전후 또는 좌우로 직선운동과 머리의 기울임을 감지한다. 구형낭은 시상옆면(parasagittal plane)에 위치하기 때문에 전후 직선운동이나 머리의 기울임뿐만 아니라 상하 직선운동을 감지한다.

이석기관은 선형각가속도와 기울기에 의해 흥분과 억제가 발생하며, 선형각가속도에 의해서는 수평성분의 안구의 움직임이 발생하며 기울기에 의해서는 회선형의 안구 움직임이 발생한다. 그러나, 물리적인 관점에서 이석기관이 선형가속과 기울기를 구별하는 것은 불가능하며, 이러한 차이는 이석기관을 자극하는 운동의 주파수가 두 가지 자극을 구별하는데 중요한 역할을 한다. 저주파수 또는 일정한 선형 가속은 기울임으로 해석하며, 일시적인 자극은 선형가속으로 해석한다.[51,63] 이외에 반규관에서의 정보를 함께 이용하여 종합적으로 판단하는데, 머리의 기울기에 의한 이석기관의 자극은 머리를 기울이는 초기에 반규관도 같이 자극이 되지만 선형 가속에 의해서는 반규관이 자극되지 않기 때문에 이러한 차이가 기울기와 선형가속을 구별하는데 도움을 준다.[1]

동물실험에 의하면, 난형낭 striola 내측에서 기원하는 전정신경원의 수가 외측에서 기원하는 신경원보다 약 3:1의 비율로 더 많아, 난형낭은 같은 쪽 귀로 기울임에 더 예민한 것으로 생각된다. 따라서, 일측성 기능 소실이 발생할 경우 반대쪽의 자발전위에 의해 상대적으로 반대쪽(정상쪽)이 자극되는 것처럼 인식되어 머리를 정상 쪽으로 기울이고 있다고 지각하게 된다.[19] 따라서, 일측 난형낭의 기능이 소실될 경우 정상 쪽으로 기울고 있다는 잘못된 인식에 의해 머리를 병변 쪽으로 기울이고, 정상 쪽 눈은 위로 올라가고 병변 쪽 눈이 더 아래로 내려가고(skew deviation), 안구의 상극(upper pole)이 병변 쪽을 향해 회전하는(counterroll) 세 가지 특징적인 소견을 보이는 눈기울임 반응(ocular tilt reaction)이 관찰된다.[26] 말초성 병변에서 이러한 반응은 보상 기전에 의해 빨리 호전되어 세 가지 반응이 모두 관찰되는 경우는 드물며, 주로 중추성 병변에서 많이 관찰된다.[22] 병변 쪽으로 안구의 회선이 유지되는 경우는 수주나 수개월간 지속되기도 하며, 이는 fundus photography나 주관적시각수직(subjective visual vertical) 검사를 통해 병변쪽으로 기울어져 있음을 확인할 수 있다.[6]

구형낭의 경우 시상(parasagittal) 평면에 존재하고, 이석이 striola에서 멀어질수록 흥분하게 되므로 striola의 아래쪽에 존재하는 전정신경은 머리가 위로 올라가는 경우에 흥분되며, striola의 위쪽에 존재하는 전정신경은 머리가 땅으로 떨어질 때 흥분되게 된다. 똑바로 앉은 상태에서는 striola의 아래쪽에 존재하는 전정신경은 이미 중력에 의해 아래로 당겨져 상대적으로 이미 흥분되어 있는 상태로 추가적인 자극이 주어진다면 striola의 위쪽에 존재하는 전정신경에 비해 반응성이 떨어진다.[19] 따라서, 소리 자극에 의해 구형낭이 전체적으로 흥분될 경우에 striola 위쪽에 있는 전정신경이 보다 흥분하게 되어 머리가 땅을 향해 떨어지게 되는 것으로 인지하게 된다. 따라서, 목과 사지의 신전근(extensor)이 흥분되고 굴근(flexor)은 억제된다. 따라서, 구형낭의 기능이 정상일 경우 경부 전정유발근전위검사에서 소리나 진동 자극에 의해 흉쇄유돌근(sternocleidomastoid muscle)의 근전위의 억제가 관찰될 수 있다.

4) 속도저장기전과 신경적분체

0.1 Hz 이하의 낮은 주파수의 회전자극 시 팽대부릉정은 머리의 움직임을 효과적으로 감지하지 못해 이득이 매우 낮으며, 지속적인 등속도 운동의 경우 팽대부릉정이 초기에 각가속도에 의해 편위가 일어나지만 이내(시간상수가 약 7초) 제자리로 돌아가게 되어 지속적인 등속도운동의 정보를 충분히 전정핵으로 보내지 못한다.[53] 또한, 신경은 지속적인 자극에 대한 반응이 쉽게 감소(decay)하는 특성이 있어 낮은 주파수나 등속운동에 대한 전정안반사의 역할에는 한계가 있다. 그러나, 실제로는 안진은 예상했던 것 보다 길게 나타나게 되어 시간상수가 약 20초 정도 되는데,[5] 이는 중추 신경계에서 말초 전정감수기로부터의 반응을 저장하였다 방출함으로서 저주파수 회전이나 등속도 회전자극에 대한 반응 시간을 연장시키는 속도저장(velocity storage)이 작용하는 것으로 생각된다(그림 3-20).[55]

속도저장기전에 의해 전정안반사의 반응이 보다 낮은 주파수의 머리 회전운동에까지 효과적으로 작동하게 되면, 낮은 주파수에서의 주시안정에 기여하는 원활추적운동과 상호 보완적으로 충분하게 활동주파수가 겹치게 되는 장점이 있다.[58] 이러한 속도저장기전은 내측 전정핵과 하전정핵의 상호교차작용을 통한 신경 되먹임기전을 이용한 신경회로를 통해 작동한다.[34] 두진후안진도 이러한 속도저장기전에 의해 발생하는 것으로 생각된다.

반규관에서 전정핵으로 입력되는 정보는 머리의 회전 각속도에 대한 정보이며, 이를 이용하여 외안근에 수축과 이완의 명령을 유지하기 위해서는 안구의 위치를 유지하기 위한 지속적인 신호가 필요하게 된다. 예를 들어, 수평면에서의 단속운동(saccade)을 하기 위해 방정중뇌교그물체(paramedian pontine reticular formation; PPRF)에 위치하는 흥분성 방출신경원(burst neuron)에 의해 펄스(pulse) 속도신호가 발생되어 안구의 점성저항(viscous drag)을 극복하여 안구의 운동이 발생하고, 주변의 외안근에 의한 탄성복원력(elastic restoring force)을 극복하고 원하는 위치를 유지하기 위해 속도신호에 따른 적절한 위치신호를 줄 수 있는 지속적인(tonic) 신호가 필요하다(pulse-step 또는 phasic-tonic 신호). 전정안반사에서도 이러한 속도신호와 위치신호가 필요하며, 속도신호는 반규관으로부터 기원하지만, 위치신호는 뇌간에 존재하는 신경회로인 신경적분체를 통해 만들어진다(그림 3-21). 이러한 신경적분체는 전정안반사, 단속운동, 원활추적운동 등 모든 신경계에서 공통으로 사용된다.[23] 수평면의 안구운동에 대한 신경적분체는 뇌교(pons)의 nucleus

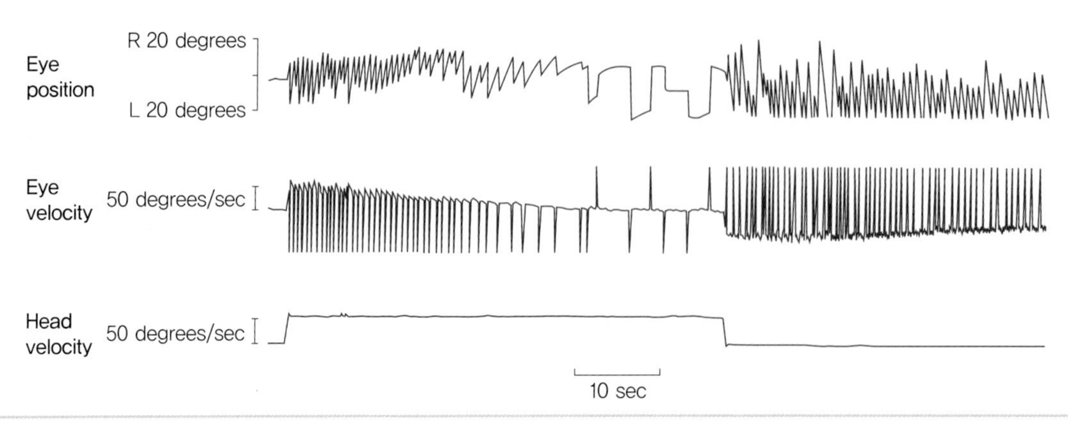

■ 그림 3-20. **전정안반사와 속도저장기전.** 50 deg/sec의 등속 step 운동에서 관찰되는 안진은 팽대부릉정의 변위에 의해 예상(시간상수 약 7초)보다 더 오랫동안 유지되며, 이는 속도저장기전에 의해 시간상수가 약 20초로 연장된 것으로 생각된다.

prepostitus hypoglossi에, 수직 또는 회선형 안구운동에 대한 신경적분체는 중뇌(midbrain)의 카잘간질핵(interstitial nucleus of Cajal)에 존재한다. 전정기능이 소실될 경우 과도한 전정신호의 비대칭을 줄이기 위한 노력으로 이러한 신경적분체의 기능이 기능적으로 저하되어(leaky neural integrator), 안진의 방향을 주시할 때 안진의 크기가 더 커지고 반대방향을 주시할 때 안진의 크기가 작아질 수 있으나(Alexander's law), 주시에 따라 안진의 방향이 바뀌는 주시유발안진(gaze-evoked nystagmus)은 신경적분체의 기능이 손상되는 중추성 병변을 시사한다.

5) 전정안반사의 이득 조절 및 전정 보상

전정안반사의 이득조절은 다양한 환경에서 필요하게 된다. 시각자극과 전정자극이 상호 충돌되어 한쪽의 자극이 시각 안정을 위해 우선되어야 하는 경우에는 시각자극에 의한 안구운동이 전정안 반사에 비해 우선하게 되어 전정안반사가 억제된다. 시각안 반사(visuo-ocular reflex)와 전정안 반사 모두 안구움직임의 이득은 자극의 속도와 주파수에 의존된다. 즉, 시각안운동계(visual oculomotor system)는 느린 속도와 주파수 운동의 목표물에 효율적으로 반응하게 되는데, 100°/sec 이상의 속도와 1 Hz 이상으로 움직이는 목표물에 대해서는 이득은 급격히 떨어지게 된다. 이에 반해 전정안 반사의 이득은 100°/sec 이상의 속도와 1 Hz에서 4 Hz 사이의 회전자극에 대해서는 1에 가깝게 나타난다. 따라서, 전정안반사의 시각억제(visual suppression)은 회전주파수가 증가할수록 감소하게 된다.[13] 전정안 반사의 억제는 주시에 의해서 뿐만 아니라 상상에 의한 주시에 의해서도 영향을 받으며 또한, 예측도(predictability)도 시추적(visual tracking)에 영향을 주어 시전정안 반사에 영향을 준다.[13] 전정안 반사는 이러한 시각계뿐만 아니라 각성상태에 의해 영향을 받으며, 이는 저주파수 회전 때 극대화되며 주파수가 증가할수록 이러한 영향은 감소하게 된다.

주시하는 물체와 안구와의 거리에 따라 전정안반사의 이득도 변화하게 된다. 물체가 안구에 가깝게 위치하는 경우 멀리 위치하는 경우에 비교하여 보다 큰 안구의 움직임이 필요하다. 이러한 상황에서 전정안반사의 이득의 조절이 10~20 ms의 짧은 잠복기를 거쳐 이루어지므로 이러한 이득의 조절은 시각정보의 되먹임기전을 이용하기 보다는 이석기관과 반규관의 상호작용에 의해 공간지각에 대한 인식의 변화를 통해 이득을 조절하는 것으로 생각된다.[69]

새로운 안경을 착용할 때에도 전정안반사의 이득의 조절이 필요하게 된다. 돋보기를 착용하게 되면 동일한 머리 회전에 의해 주변 시야의 움직임이 더 커지기 때문에 전정

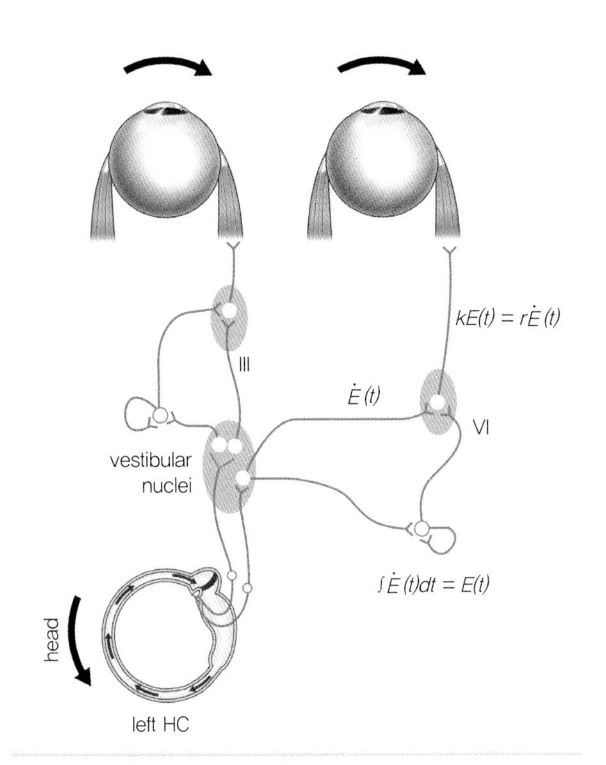

■ 그림 3-21. **전정안반사와 신경적분체.** 전정신경으로부터의 머리각속도에 대한 구심성 신호를 받은 전정핵에서는 외안근세포핵(III, VI)에 직접적으로 속도신호(E'(t))를 투사하여 안구운동을 유발한다. 전정핵으로부터의 속도 신호는 nucleus prepostitus hypoglossi에 존재하는 신경적분체에도 투사되어 안구의 위치신호(E(t))가 만들어져 외안근세포핵에 투사되어 안구의 위치를 유지한다.

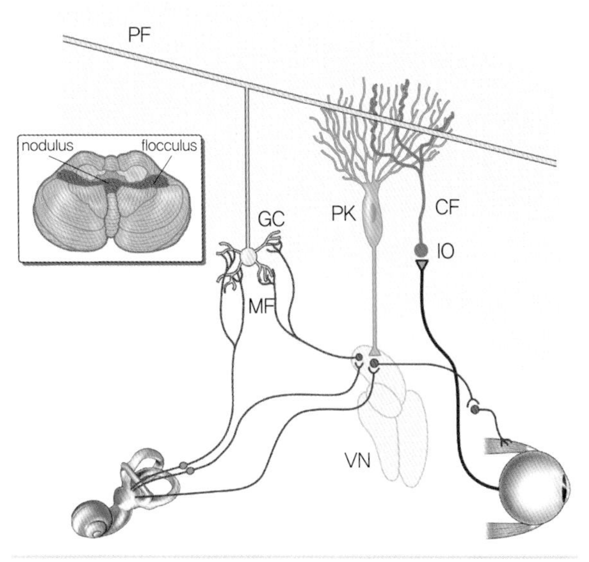

■ 그림 3-22. **소뇌 편엽(flocculus)과 소절(nodulus)을 통한 전정안반사의 이득조절 기전.** 전정신경과 전정핵(vestibular nucleus, VN)을 통한 정보가 이끼섬유(mossy fiber, MF)를 통해 소뇌의 과립세포(granule cell, GC)로 투사된다. 과립세포로부터 발생하는 평형섬유(parallel fiber, PF)는 퍼킨제세포(Purkinje cell, PK)와 약한 신경접합을 하여 퍼킨제세포로부터의 강한 억제성 신호가 전정핵에 투사하여 전정안반사의 이득을 조절한다. 또한, 주목하는 물체가 중심와에 안정적으로 맺히지 못하게 되면 망막오류(retinal error)가 발생하고, 이러한 신호는 하올리브(inferior olive)로부터의 등상섬유(climbing fiber, CF)를 통해 강력한 신경접합으로 퍼킨제세포로 전달되며, 이를 통해 평형섬유의 기능을 조절을 하여 퍼킨제세포의 활성을 조절한다.

안반사의 이득 조절이 필요하게 되며 장기간의 착용을 통해 전정안반사의 이득 조절이 장기적으로 유지될 수 있다. 이는 소뇌의 편엽과 소절의 작용에 의해 이루어진다(그림 3-22). 전정신경과 전정핵(vestibular nucleus; VN)을 통한 정보가 이끼섬유(mossy fiber; MF)를 통해 소뇌의 과립세포(granule cell; GC)로 투사된다. 과립세포로부터 발생하는 평형섬유(parallel fiber; PF)는 퍼킨제세포(Purkinje cell, PK)와 약한 신경접합을 하여 퍼킨제세포로부터의 강한 억제성 신호가 전정핵에 투사하여 전정안반사의 이득을 조절한다. 또한, 주목하는 물체가 중심와에 안정적으로 맺히지 못하게 되면 망막오류(retinal error)가 발생하고, 이러한 신호는 하올리브(inferior olive)로부터 기원하는 등상섬유(climbing fiber, CF)가 퍼킨제세포의 수상돌기와 많은 신경접합을 하여 강력한 신경접합으로 퍼킨제세포로 전달되며, 이를 통해 퍼킨제세포의 저빈도의 복합적인 신경반응을 유발하게 되며, 지속적인 이끼섬유와 등상섬유의 자극을 통해 평형섬유의 퍼킨제세포에 대한 영향을 감소시켜(long-term depression) 퍼킨제세포의 활성을 억제하여 전정안반사의 이득을 올릴 수 있다. 실제로는 보다 복잡한 신경망을 통한 전정안반사의 이득 조절이 필요하나, 시각을 통한 망막오류가 장기적으로 이득의 조절과 이를 유지하는데 필요함을 알 수 있으며, 전정기능소실이 발생할 경우에 시각을 통한 망막오류 정보가 필요하며, 이를 없애기 위한 전정재활운동이 장기적으로 필요함을 알 수 있다.

일측 전정미로 또는 전정신경 절제시 동측 내측전정핵의 1형 신경원은 자발활성도를 소실하게 되고, 반대측으로 향하는 억제성 자극이 소실됨에 따라 반대측 제1형 신경원은 정상 상태보다 자발활성도가 증가하여 양측 전정핵간의 정적인 비대칭 상태가 유발된다. 이에 따라 건측을 향하는 자발안진이 나타나게 되며 또한, 반대측 말초전정기 자극에 대한 민감도도 감소한다. 시간이 지남에 따라 1~3주 이후부터는 전정핵의 자발전위가 회복되어 정적인 비대칭 상태는 점차 소실된다.[17] 전정보상(vestibular compensation)은 신경계의 적응 유연성을 대변하는 현상으로 전정기능 손상 후 전정 척수계와 전정안 운동계를 포함한 평형기능의 점진적 회복을 말한다. 전정보상은 시각기관, 말초전정기관, 고유감각기관 등으로부터 몸과 주위환경의 움직임에 관련되어 받아들이는 정보가 중추 내 여러 경로와 단계별 부위에서 재통합 및 재조절의 과정을 거치면서 이루어지게 된다. 이러한 보상과정은 전정신경 회로(vestibular neural circuit)의 재조직(reorganization)을 뜻하며, 이에 관련된 주요 부위로는 전정핵, 척수, 시각계, 소뇌, 하올리브(inferior olive), 교차계(commisural system) 등이 있다.[32,61]

전정핵은 콜린성, 글루타민성, 도파민성, GABA성 수용체를 포함하는 신경들로 구성되어 있으므로, 전정보상은 이러한 수용체와 관련된 전달물질에 영향을 받을 수 있으며 일반적으로 barbiturates, 알코올, diazepam 등의 진정작용 약물들은 전정보상을 둔화시키며, caffeine, ACTH, amphetamines 등의 흥분성 약물들은 전정보상을 촉진시킨다. 전정보상을 촉진시키는 물질들로는 부신피질자극호르몬 제재, Gingko biloba (EGb 761), atropine, scopolamine 등의 아세틸콜린 길항제, carbachol 등의 cholinolytics, bromocriptine 등의 도파민 D2 촉진제, calmodulin 길항제 등이 보고되고 있고, 전정보상을 억제하는 물질들로는 eserine, nicotine 등의 아세틸콜린 촉진제, 콜린유사약물, NMDA 수용체 차단제 등이 보고되고 있다.[12]

전정보상은 전정계뿐 아니라 다른 감각계의 정보를 통해서도 이루어진다. 움직임의 예측을 통해 안구나 몸의 움직임을 미리 유발하여 시야와 몸의 균형을 유지할 수 있으며, 발의 체성감각은 몸의 균형을 잡는데 도움을 주며, 목의 체성감각은 경부안반사를 통해 시력의 안정에 도움을 준다. 혈관이나 내장에서의 압력 각각도 몸의 위치를 파악하는데 도움을 준다. 불충분한 전정안반사에 의한 망막에 상이 정확하게 맺히지 못할 경우에 발생하는 망막오류(retinal error)는 원활추적운동과 같은 시각계를 통한 보상에 의해 시력의 안정에 도움을 줄 수 있다. 그러나, 이러한 시각계는 긴 잠복기(−100 ms), 낮은 주파수(−1 Hz)와 각속도에 최적화되어 있어 보상에 한계가 있다. 따라서, 고주파수 고각속도의 머리회전에 표과적인 시각 안정을 위해서는 전정계의 회복이 가장 중요하며, 임상적으로 전정기능이 손상된 후 보상기전에 의해 증상이 호전된 환자에서 고주파수의 고각속도의 검사를 통해서만 이러한 전정기능의 손상 여부를 확인할 수 있다.

6) 전정-척수 반사

전정척수반사(vestibulo-spinal reflex)는 중력 방향에 대해 머리와 몸통의 직립자세를 유지하고 넘어지지 않게 자세를 유지하는 역할을 하며 전정자극에 대한 효과기는 경부, 체간, 사지의 신전근 등의 항중력근(antigravity muscle)이다.

2차 전정신경원은 외측전정척수로(lateral vestibuo-spinal tract), 내측전정척수로, 망상체척수로(reticulo-spinal tract)를 통해 척수전각세포에 영향을 준다. 외측전정척수로와 내측전정척수로는 전정핵의 신경원에서 기시하며 망상체척수로는 망상체 신경원에서 기시한다. 이들 전정척수로는 소뇌와 밀접하게 연관되어 있다.[16]

외측전정척수로의 대부분의 신경섬유는 외측전정핵 신경원에서 기시하며, 경부척수, 흉부척수, 요천추척수로 투

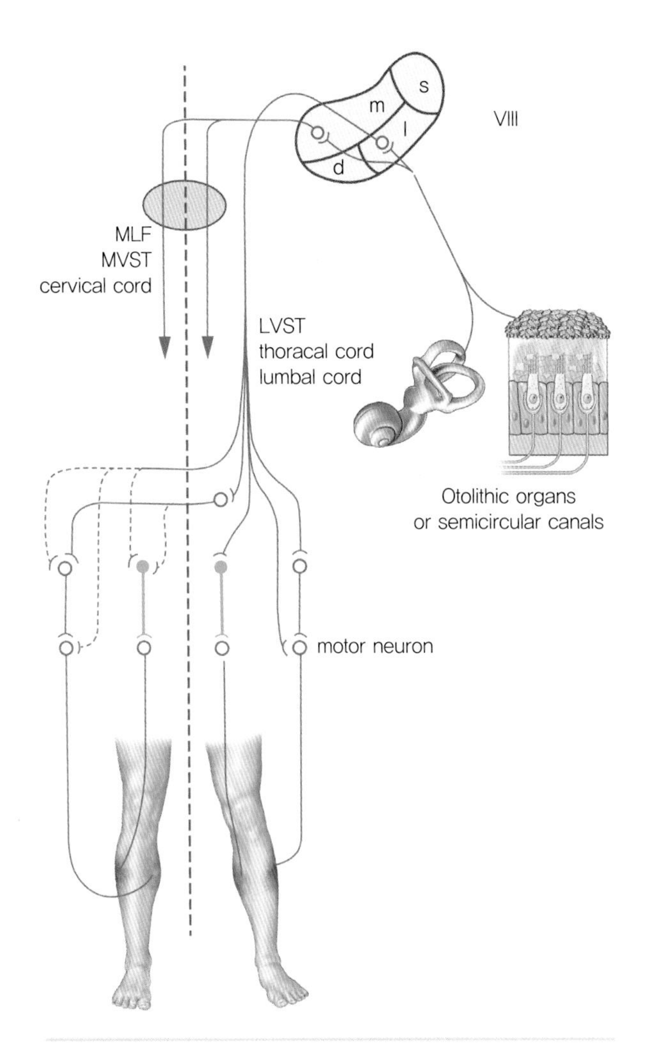

■ 그림 3-23. **말초전정감수기를 경부 및 요부척수의 항중력 운동신경원과 연결하는 전정척수로.** 머리의 선형 또는 회전 가속력은 하행외측전정척수로를 통해 동측 신전근(열린원)의 긴장을 증가시키고, 상호굴전근(흑색원)의 긴장을 저하시킨다. 점선은 확인되지 않은 신경로를 표시함. 내측전정척수로는 내측종속을 통해 주로 전정경부반사에 관여한다.

사한다. 이들 신경섬유의 자극은 경부, 체간, 일부 무릎과 발목 신전근의 단일연접 흥분(monosynaptic excitation)과 굴근의 두개연접 억제(disynaptic inhibition)을 유발한다.[16] 내측전정척수로의 신경섬유들은 내측전정핵에서 기시하여, 하행내측종속을 통해 척수로 투사하며, 대부분 경부척수의 7번째와 8번째 판(lamina)의 중간신경원(interneuron)에 접합한다. 내측 전정척수로는 경부-전정안반사의 상호작용에 중요한 역할을 한다.[16]

망상체척수로는 연수망상체형성(bulbar reticular formation)의 신경원에서 기시하며, 일부 일차 전정신경섬유가 망상체에 투사하나 대부분 이차 전정신경원을 통해 영향을 받는다.

전정척수반사의 구성은 그림 3-23와 같으며, 이들 신전근과 골격굴근들은 전정안반사에서 외안근과 같이 자세균형을 위해 push-pull 형태의 기전으로 작용하며, 이러한 작용에는 많은 신전근과 굴근들이 관여하므로 전정척수반사는 자극과 반응의 조절기전은 전정안반사에 비해 매우 복잡한 형태를 취하고 있다. 짧은 잠복기의 상반사(phasic reflex)는 반규관을 통해 주로 내측 전정척수로를 경유하여 머리의 자세를 유지하게 된다.[16] 긴장성 이석반사(tonic otolithic reflex)는 외측 전정척수로를 통해 선상 가속도운동에 대해 반응을 보이며, 이는 사지의 동측 신전운동신경원의 흥분과 상반굴곡운동신경원(reciprocal flexor motor neuron)의 억제를 유발한다.

참고문헌

1. Angelaki DE, McHenry MQ, Dickman JD, et al: Computation of inertial motion: neural strategies to resolve ambiguous otolith information. J Neurosci 19:316, 1999.
2. Baloh RW, Honrubia V. The central vestibular system. *In clinical neurophysiology of the vestibular system*, 2nd ed. Philadelphia, FA Davis company, 1990, p.44-80.
3. Baloh RW, Honrubia V. The peripheral vestibular system. *In clinical neurophysiology of the vestibular system*, 2nd ed. Philadelphia, FA Davis company, 1990, p.20-40.
4. Barmack NH, Baughman RW, Errico P, et al: Vestibular primary afferent projection to the cerebellum of the rabbit. *J Comp Neurol* 327:521-534, 1993.
5. Barr CC, Schultheis LW, Robinson DA: Voluntary, non-visual control of the human vestibulo-ocular reflex. *Acta Otolaryngol (Stockh)* 81:365, 1976.
6. Bohmer A, Rickenmann J: The subjective visual vertical as a clinical parameter of vestibular function in peripheral vestibular diseases. *J Vestib Res* 5:35, 1995.

7. Chen-Huang C, McCrea RA: Contribution of vestibular nerve irregular afferents to viewing distance-related changes in the vestibulo-ocular reflex. *Exp Brain Res* 119:116, 1998.
8. Chen-Huang C, McCrea RA: Viewing distance related sensory processing in the ascending tract of Deiters vestibulo-ocular reflex pathway. *J Vestib Res* 8:175-184, 1998.
9. Clendaniel RA, Lasker DM, Minor LB: Horizontal vestibuloocular reflex evoked by high-acceleration rotations in the squirrel monkey. IV. Responses after spectacle-induced adaptation. *J Neurophysiol* 86:1594, 2001.
10. Cullen KE, Minor LB: Semicircular canal afferents similarly encode active and passive head-on-body rotations: implications for the role of vestibular efference. *J Neurosci* 22:RC226, 2002.
11. Curthoys IS, Charles MO. Dimensions of the horizontal semicircular duct, ampulla and utricle in rat and guinea pig. Acta Otlaryngol (Stockh) 1986;101:1-10.
12. Curthoys IS, Halmagyi GM. How does the brain compensate for vestibular lesions? *In Baloh RW, Halmagyi GM: Disorders of the vestibular system*. New York, Oxford university press, 1996, p145-154.
13. Demer JL. How does the visual system interact with the vestibulo-ocular reflex? *In Baloh RW, Halmagyi GM: Disorders of the vestibular system*. New York, Oxford university press, 1996, p73-84.
14. Dohlmann GF. The attachment of the cupulae, otolith and tectorial membranes to the sensory cell areas. *Acta Otolaryngol (Stockh)*. 71:89-105, 1971.
15. Engström H, Wersäll J. Structure and innervation of the inner ear sensory epithelia. Int Rev Cytol 1958; 7: 535-585.
16. Fetter M, Dichgans J. How do the vestibulo-spinal reflexes work? *In Baloh RW, Halmagyi GM: Disorders of the vestibular system*. New York, Oxford university press, 1996, p105-112.
17. Fetter M, Zee DS: Recovery from unilateral labyrinthectomy in rhesus monkey. *J Neurophysiol* 59:370, 1988.
18. Fernandez C, Baird RA, Goldberg JM. The vestibular nerve of the chinchilla. I. Peripheral inneration patterns in the horizontal and superior semicircular canals. J Neurophysiol 1988; 60(1): 167-181.
19. Fernandez C, Goldberg JM: Physiology of peripheral neurons innervating otolith organs of the squirrel monkey. I. Response to static tilts and to long duration centrifugal force. *J Neurophysiol* 39:970, 1976.
20. Furman JMR. Off-vertical axis rotational testing. *In Sharpe JA, Barber HO: The vestibulo-ocular reflex and vertigo*. New York, Raven Press, 1993, p79-88.
21. Gacek RR, Lyon M. The localization of vestibular efferent neurons in the kitten with horseradish peroxidase. Acta Otolaryngol. 1974; 77(1): 92-101.
22. Glasauer S, Dieterich M, Brandt T: Simulation of pathological ocular counter-roll and skew-torsion by a 3-D mathematical model. *Neuroreport* 10:1843, 1999.
23. Goldman MS, Kaneko CR, Major G, et al: Linear regression of eye velocity on eye position and head velocity suggests a common oculomotor neural integrator. *J Neurophysiol* 88:659, 2002.
24. Grossman GE, Leigh RJ, Abel LA, et al: Frequency and velocity of rotational head perturbations during locomotion. *Exp Brain Res* 70:470, 1988.
25. Halmagyi GM, Curthoys IS, Aw ST, Todd MJ. The human vestibulo-ocular reflex after unilateral vestibular deafferentiation. The result of high-acceleration impulsive testing. *In Sharpe JA, Barber HO: The vestibulo-ocular reflex and vertigo*. New York, Raven Press, 1993, p.45-54.
26. Halmagyi GM, Gresty MA, Gibson WPR: Ocular tilt reaction with peripheral vestibular lesion. *Ann Neurol* 6:80, 1979.
27. Holden HB, Schuknecht HF. Distribution pattern of blood in the inner ear following spontaneous subarachnoid haemorrhage. J Laryngol Otol. 1968;82(4):321-329.
28. Hübner PP, Khan SI, Migliaccio AA. The mammalian efferent vestibular system plays a crucial role in the high-frequency response and short-term adaptation of the vestibulo-ocular reflex. J Neurophysiol. 2015 [Epub ahead of print]
29. Hudspeth AJ, Corey DP: Sensitivity, polarity, and conductance change in the response of vertebrate hair cells to controlled mechanical stimuli. *Proc Natl Acad Sci U S A* 74:2407, 1977.
30. Hullar TE, Minor LB: High-frequency dynamics of regularly discharging canal afferents provide a linear signal for angular vestibuloocular reflexes. *J Neurophysiol* 82:2000, 1999.
31. Igarashi M. Dimentional study of the vestibular apparatus. Laryngoscope 1966; 27: 1806-1817.
32. Igarashi M. Vestibular compensation: an overview. Acta Otolaryngol (Stockh), Suppl 1984;406:78-82.
33. Igarashi M, Toshiaki OU, Alford BR. Volumetric and dimensional measurements of vestibular structures in the squirrel monkey. Acta Otolaryngol (Stockh) 1981;91:437-444.
34. Katz E, Vianney de Jong JMB, Buettner-Ennever JA, et al. Effects of midline section on the velocity storage and the vestibulo-ocular reflex. *Exp Brain Res* 87:505, 1991.
35. Kimura RS. Distribution, structure, and function of dark cells in the vestibular labyrinth. Ann Otol Rhinol Laryngol. 1969;78(3):542-561.
36. Lasker DM, Backous DD, Lysakowski A, et al: Horizontal vestibuloocular reflex evoked by high-acceleration rotations in the squirrel monkey. II. Responses after canal plugging. *J Neurophysiol* 82:1271, 1999.
37. Lim DJ. Ultrastructure of the otolithic membrane and the cupula. A scanning electron microscopic observation. Adv Otorhinolaryngol.

1973;19:35-49.

38. Lim DJ. Vestibular sensory organs. A scanning electron microscopic investigation. Arch Otolaryngol. 1971;94(1):69-76.
39. Lim DJ. Otoconia in health and disease. A review. Ann Otol Rhinol Laryngol Suppl. 1984;93:17-24.
40. Lindeman HH. Regional differences in structure of the vestibular sensory regions. J Laryngol Otol 1969;83:1-17.
41. Lindemann HH. Studies on the morphology of the sensory regions of the vestibular apparatus. Ergeb Anat Entwicklungsgesch 42:1-113, 1969.
42. Lindeman HH, Reith A, Winther FO. The distribution of type I and type II cells in the cristae ampullaris of the guinea pig. Acta Otolaryngol. 1981;92(3-4):315-321.
43. Lisberger SG, Fuchs A: Role of primate flocculus during rapid behavioral modification of the vestibulo-ocular reflex. I. Purkinje cell activity during visually guided horizontal smooth-pursuit eye movements and passive head rotation. *J Neurophysiol* 41:733-763, 1978.
44. Lisberger SG, Miles FA. Role of the primate vestibular nucleus in long-term adaptive plasticity of the vestibulo-ocular reflex. *J Neurophysiol* 43:1725-1745, 1980.
45. Lorente de No R. Anatomy of the eighth nerve: the central projection of the nerve endings of the internal ear. *Laryngoscope* 43:1-38, 1933.
46. Lundquist PG. The endolymphatic duct and sac in the guinea pig. An electron microscopic and experimental investigation. Acta Otolaryngol (Stockh) Suppl. 1965;201:1-108.
47. Lysakowski A, Goldberg JM: A regional ultrastructural analysis of the cellular and synaptic architecture in the chinchilla cristae ampullares. *J Comp Neurol* 389:419-443, 1997.
48. Lysakowski A, Goldberg JM. Ultrastructural analysis of the cristae ampullares in the squirrel monkey (Saimiri sciureus). *J Comp Neurol* 511:47-64, 2008.
49. Minor LB, McCrea RA, Goldberg JM: Collateral projections of medial vestibulospinal tract neurons to the extraocular motor nuclei in the squirrel monkey. *Exp Brain Res* 83:9-21, 1990.
50. Paige GD. How does the linear vestibulo-ocular reflex compare with the angular vestibulo-ocular reflex? *In Baloh RW, Halmagyi GM: Disorders of the vestibular system*. New York, Oxford university press, 1996, p93-104.
51. Paige GD, Tomko DL. Eye movement responses to linear head motion in the squirrel monkey I. Basic characteristics. *J Neurophysiol* 65:1170, 1991.
52. Plotnik M, Marlinski V, Goldberg JM: Reflections of efferent activity in rotational responses of chinchilla vestibular afferents. *J Neurophysiol* 88:1234, 2002.
53. Rabbitt RD, Damiano ER, Grant JW. Biomechanics of the semicircular canals and otolith organs. In Highstein SM, Fay RR, Popper AN, editors: *The Vestibular System*, New York, 2004, Springer.
54. Ramprashad F, Landolt JP, Money KE, Laufer J. Dimensional analysis and dynamic response characterization of mammalian peripheral vestibular structures. Am J Anat. 1984;169(3):295-313.
55. Raphan T, Cohen B. How does the vestibulo-ocular reflex work? *In Baloh RW, Halmagyi GM: Disorders of the vestibular system*. New York, Oxford university press, 1996, p20-47.
56. Robinson DA. The use of matrices in analyzing the three-dimensional behavior of the vestibulo-ocular reflex. *Biol Cybern* 46:53, 1982.
57. Schuknecht HF. Anatomy. *In Pathology of the ear*. 2nd ed. Philadelphia, Lea & Febiger, 1993, p.31-75.
58. Schweigart G, Mergner T, Evdokimidis I, et al: Gaze stabilization by optokinetic reflex (OKR) and vestibulo-ocular reflex (VOR) during active head rotation in man. *Vision Res* 37:1643, 1997.
59. Sharpe JA, Johnston JL. The vestibulo-ocular reflex: clinical, anatomic, and physiologic correlates. *In Sharpe JA, Barber HO: The vestibulo-ocular reflex and vertigo*. New York, Raven Press, 1993, p.15-39.
60. Silverstein H. Biochemical studies of the inner ear fluids in the cat. Preliminary report. Ann Otol Rhinol Laryngol. 1966;75(1):48-63.
61. Smith PF, Curthoys IS. Mechanisms of recovery following unilateral labyrinthectomy: a review. Brain Res Brain Res Rev. 1989;14(2):155-80.
62. Tabak S, Collewijn H: Human vestibulo-ocular responses to rapid, helmet-driven head movements. *Exp Brain Res* 102:367, 1994.
63. Telford L, Seidman SH, Paige GD: Dynamics of squirrel monkey linear vestibuloocular reflex and interactions with fixation distance. *J Neurophysiol* 78:1775, 1997.
64. Waespe W, Henn V: Motion information in the vestibular nuclei of alert monkeys: visual and vestibular input vs. optomotor output. *Prog Brain Res* 50:683-693, 1979.
65. Werner CF: Die Differenzierung der Maculae im Labyrinth, insbesondere bei Säaugetieren. *Z Anat Entwickl-Gesch* 99:696-709, 1933.
66. Wersäll J. Studies on the structure and innervation of the sensory epithelium of the cristae ampullares in the guinea pig. A light and electron microscopic investigation. Acta Otolaryngol (Stockh) Suppl. 1956;126:1-85.
67. Wilson VJ, Melvill Jones G. Biophysics of the peripheral end organs. *In Mammalian vestibular physiology*, New York, Plenum press, 1979, p.41-76.
68. Wilson VJ, Peterson BW. Peripheral and central substrates of vestibulospinal reflexes. *Physiol Rev* 58:80-105, 1978.
69. Viirre E, Tweed D, Milner K, et al: A reexamination of the gain of the vestibuloocular reflex. *J Neurophysiol* 56:439, 1986.

CHAPTER 04

이관의 구조와 기능

윤용주

고대 그리스 철학자 Aristotle가 이관에 대해 언급한 이래 이태리 해부학자 Bartolommeo Eustachio (1510~1574)가 처음으로 이관의 존재를 상세히 기술한 뒤 수세기 동안 중이의 구조와 생리기능에 대한 많은 연구가 시행되어 왔지만 이관의 해부형태 및 기능이 복잡해 중이의 각종 질환과 관련된 이관의 역할에 대한 새로운 이론이 대두됨과 함께 많은 연구가 아직도 지속되고 있다.

이관은 상기도의 확장된 부분으로 중이와 비인강을 연결하며, Eustachian tube, auditory tube, pharyngo-tympanic tube 등으로 불려 왔다. 이관은 서로 마주보는 2개의 원추, 즉 큰 연골부와 작은 골부가 만나 형성되며 전체 길이는 성인에서 31~38 mm이고 골부는 외측의 1/3을 구성하고 그 끝 부분인 고실구(tympanic orifice)는 중이강에 열리고 내측 2/3는 연골부이고, 그 끝의 비인강구(nasopharyngeal orifice)는 인두편도의 외측의 비인강으로 열린다(그림 4-1). 연골부이관은 골부이관과 다르게 연골과 점막, 연조직 및 근육으로 둘러싸여 관을 형성하며 성인의 이관은 수평면에 45°, 시상평행면(para-sagittal plane)에 40°를 유지하며 중이에서 보면 하, 내측, 전방으로 향한다.[14,33] 고실구는 난원형으로 중이강의 바닥보다는 4 mm 상방에 있고[15] 이 근처의 골부이관의 내벽은 경동맥과 내이(inner ear)에 접근해 있다. 이관의 비인강구는 하비갑개의 후단에 가깝고, 경구개의 면보다 2 cm 높은 위치에 있으며[14] 이관의 연골이 이곳까지 돌출되어 이관융기(torus tubarius)를 이루며 그 뒤에 인두함요(Rosenmüller fossa)가 있다(그림 4-2).[15,31] 이관에서 능동적 기능을 하는 부위는 이관의 내측 2/3를 차지하는 연골부이관이기 때문에 연골부이관의 해부 형태 및 생리가 더욱 중요하다.

I 이관의 해부일반

발생학적으로는 이관은 제1 인두낭(first pharygeal pouch)의 tubotympanic recess에서 기원하고 그 말단부가 중이강이 되고 근위부는 좁아져 이관을 형성하게 되

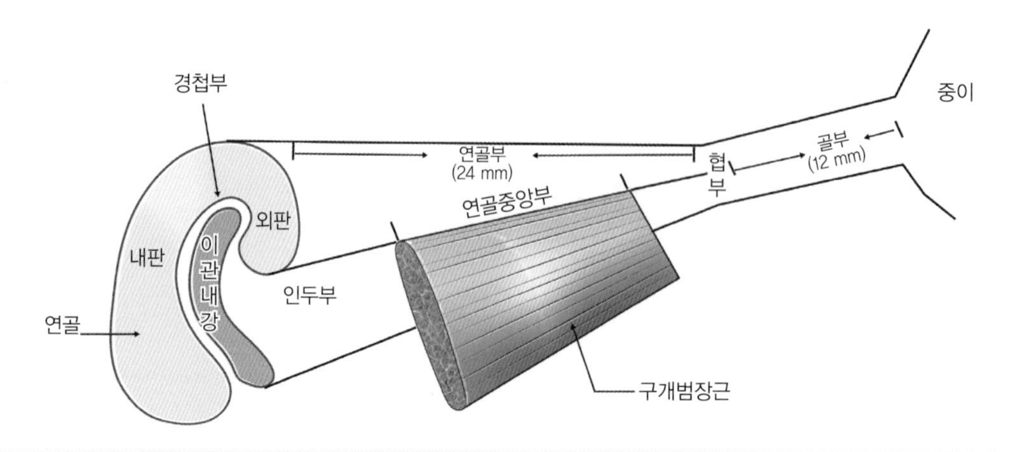

■ 그림 4-1. **이관의 모식도(구개범장근 부착부 포함)**

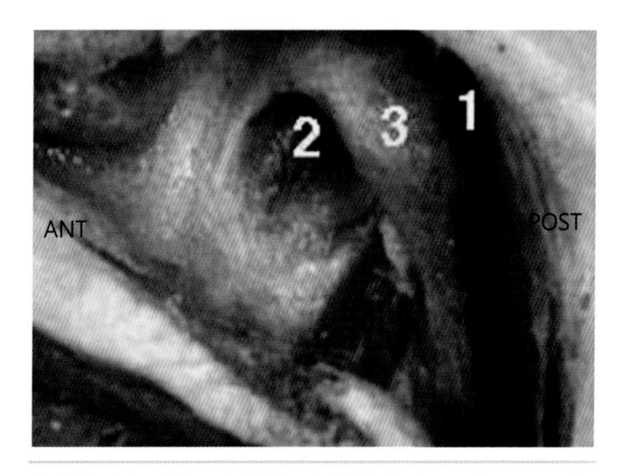

■ 그림 4-2. **이관의 비인강구 주변의 단면.** 1: Rosenmuller fossa, 2: 비인강구, 3: Torus tubarius, ANT(전부)-POST(후부)

며 성장함에 따라 뇌저부가 하방으로 자라 내려가게 되므로 이관도 수평면에 대해 점점 더 경사를 이루게 된다.

측두골 속에 있는 중이는 고실, 이관 그리고 유돌부로 구성되며 서로 연결되어 통한다.[1] 이들 중 유일하게 외계와 통하고 있는 이관은 중이와 코 뒷부분의 비인강을 연결하고 있는 작고, 긴 관으로 측두골 내의 고정된 골부 그리고 밖에 있는 매우 역동적인 연골부로 구성되어 있으며 연하(침 삼킴)시 연골부주위의 근육들이 작용(수축)하여 순간 열린다. 정상적으로 중이강은 공기로 차 있으며 중이 내의 공기압이 외계의 대기압과 같게 유지될 수 있도록 해 주는 것이 바로 이관의 기능이다.

이관은 상기도의 확장된 부분으로서 연골부와 골부가 만나 좁아진 곳이 협부이고, 그 반대 방향들 즉 양쪽 입구로 갈수록 내강(lumen)은 넓어진다(그림 4-1). 따라서 이관은 연골부, 협부(경계부), 골부 3부분으로 나눠지며 고실과 가까운 골부는 원위부(distal), 좁은 협부(isthmus), 그리고 연골부는 근위부(proximal)로 비인강에 열린다. 이관은 골부, 협부 그리고 인두구 근처의 일부분이 항상 열려 있지만 대부분의 연골부이관은 평상 시 닫혀 있어 중이는 외부로부터 차단된 폐쇄공간이 된다.

Sudo[41]는 wire frame model로 측정하여 연골부, 협부(경계부), 골부를 23.6, 3.0, 6.4 mm, 전체길이는 33 mm라고 하였으며, 이관 전체길이(31~38 mm)에서 골부는 외측의 11~14 mm를 구성하고 그리고 내측 20~25 mm는 연골부이다(그림 4-1). 이관은 비인강에서 시작되어 추체부의 후방으로 그리고 외측으로 향하는데 직선으로 달리지 않고 어느 정도 S자 곡선을 이루면서 올라간다. 골부이관은 추체골(petrous bone)로 완전하게 둘러싸여 있고 중이강의 전상벽의 고실구로 열리며, 전내측으로 추체부를 따라 주행하여 연골부와 불규칙하게 만나 160도의 각을 이룬다. 골부의 내벽은 두 부분으로 후·외측에 내이, 전·내측에 경동맥이 있다. Sudo는 연골과 골부가 만나는 3 mm의 부분을 경계부(협부)라 명명했으며, 이 부위는 엄밀하게 보면 연골부의 끝부분이라고 하였다. 전통적으로 이 부위가 가장 좁은 곳이기 때문에 오랫동안에 걸쳐 중이 질환을 일으키는 주 병소로 여겨 왔지만 Sade 등[33] 의 연구들에서 오히려 연골이관의 중앙부와 인두부가 가장 중요한 병소로서 밝혀지고 있다. 연골은 외측연골[외판(lateral lamina)]과 내측연골[내판(medial lamina)]로 구성되며 이관의 장축에 대해 수직으로 절단하였을 때 shepherd,s crook 또는 inverted J의 모양(그림 4-3, 4)이다. 이관의 연골 중 외측연골 즉 외판에는 이관의 개구를 일으키는 가장 중요한 근육인 구개범장근(tensor veli palatini muscle)이 부착되어 있기 때문에 이관기능에 매우 중요하며 외판의 구조, 조성, 뇌저부와 이관주위의 근육과의 부착정도에 따라 이관의 기능이 달라질 수 있다. 협부를 지나 인두구에 가까워짐에 따라 연골부이관의 내강이 넓어지며 이 부위는 연조직과 연골로 구성되어 있어 매우 유연하므로 이관이 열리고 닫히는 매우 중요한 부위이다. 형태기능학적으로 보면 연골부이관 내의 내강은 밸브 같은 관으로서[39] 연골과 근육으로 싸여있어 매우 역동적인 기능과 더불어 기도의 호흡기 상피와 같은 능동적인 점액섬모정화계(mucociliary system)를 포함하고 있다. 따라서 이관은 침을 삼킬 시 열려 이곳을 통해 공기가 들어가서 중이 내부와 주위 외계의 압력과의 균형을 이루게 되는 한편 중이강 내의 분비액들이 쉽게 빠져나가 고막이 최상의 진동을 할 수 있는 중이의 환경을 만들어 준다.

역동적인 이관의 골격을 이루는 연골은 짧은 외판과 긴 내판이[36] 연결되어 돔을 이루며, 연골의 주요성분인 탄력섬유는 연골고리(돔)의 하면에 가장 풍부하게 분포한다(그림 4-5).[25,48] Matsune[25]는 아주 풍부한 탄력섬유가 양쪽의 판이 만나는 부분 즉 경첩부(hinge)에 매우 풍부하게 존재하기 때문에 구개범장근이 붙어 있는 외판부의 탄력

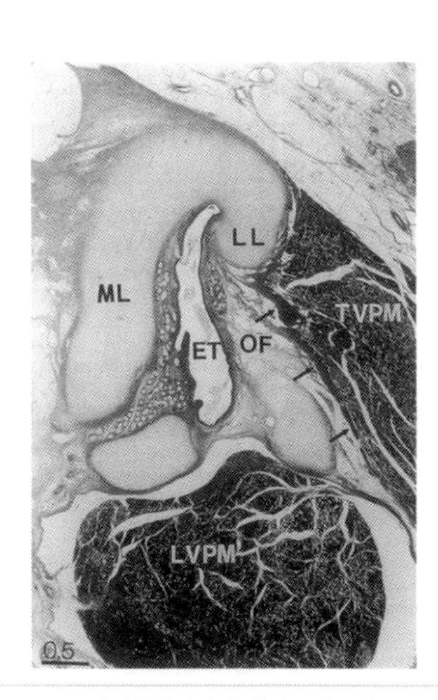

■ 그림 4-3. **중앙연골부이관의 횡단조직소견.** ML: medial lamina(내판), LL: lateral lamina(외판), ET: eustachian tube lumen(이관 내강), OF: ostman,s fat pad(우스만지방조직), TVPM: tensor veli palatini muscle(구개범장근), LVPM: levator veli palatini muscle(구개거근)

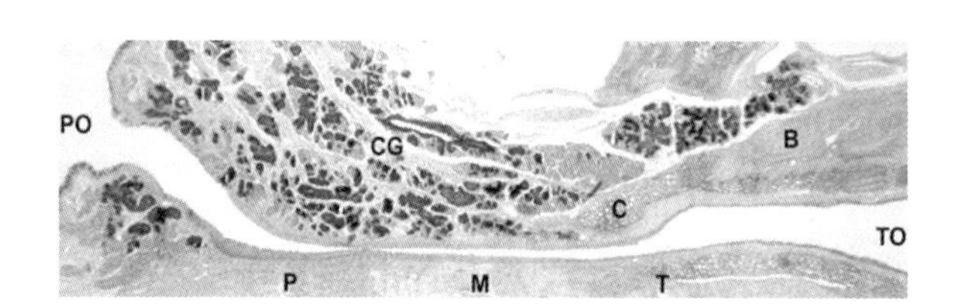

■ 그림 4-4. **이관 전 길이의 종 단면도에서 샘의 분포.** TO: Tympanic orifice, PO: Pharyngeal orifice, T: Tympanic portion(고실구), M: Midportion, P: Pharyngeal portion(인두구), CG: Caudal paratubal gland, C: Cartilagenous tube, B: Bony tube

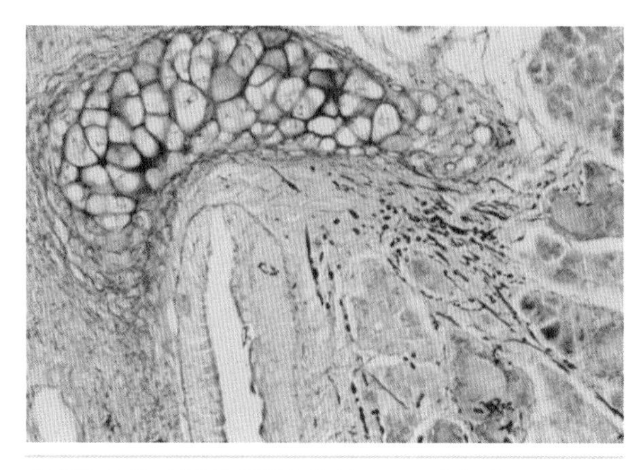

■ 그림 4-5. **이관의 탄력소의 분포.** modified weighert,s stain

성으로 이관 상부의 열림과 수축 후 원래 위치, 제자리로 찾아가는 recoiling에 관련된 탄력성을 부여한다고 하였다. 하여간 이러한 연골의 탄력성에 중요한 탄력섬유는 소아에서 적고 성장함에 따라 증가하므로 소아에서 이관 부전을 일으키는 원인 중 하나로 보기도 한다.

중앙연골부 내의 전.외측과 후.내측 벽의 점막은 서로 접근해 맞닿아 있기 때문에 평상시엔 닫혀 있는 부위로서 비교적 긴(8 mm) 이 부분은 점막, 점막하 지방조직, 외판, 구개범장근 등의 전체덩어리와 함께 연합되며 이곳의 열리는 부분을 기능적 밸브(functional valve)라 하였다.[13,39]

연골부이관의 내강은 비인두를 향하여 나팔 모양으로 퍼져 있고 연골은 비인강으로 더 돌출되어 돌기를 이루는데 이것을 이관융기(torus tubarius)라 하며 비인강구의 후방을 둘러쌓고 있다.[31] 내시경 검사 시 이관의 비인강구는 하비갑개의 후방에서 움직이는 내판과 posterior cushion으로 알려진 이관융기를 확인함으로서 쉽게 찾을 수 있으며 이관융기 후방에 있는 인두함요(fossa of Rosenmuller)를 이관입구로 혼동해서는 안된다(그림 4-2).

1. 이관 주위 근육

이관주위의 근육[5,20,35]은 구개범장근(tensor veli palatini muscle), 구개거근(levator veli palatini muscle), 고장근(tensor tympani muscle)이 있어 직·간접으로 이관의 열림에 상호작용을 하게 된다. 이관은 연하 시 연구개의 근육인 구개범장근과 구개거근의 수축으로 열리게 되며(그림 4-3),[35] 특히 구개범장근은 이관개구에 가장 중요한 근육이며 나머지 근육들도 이관의 열림을 돕는다. 연골부이관의 상당한 부분에 붙어 있는 구개범장근은 연골의 외판과 외측막벽(lateral membranous wall)을 히 외측으로 당겨 이관의 개구에 직접 작용한다(그림 4-6). 구개거근은 넓은 체적의 덩어리로 이관 연골부의 하부를 달리며 이관의 저부에서 이관연골의 내측면의 하단을 위로 밀어 구개범장근이 외측으로 잡아당기는 작용을 도와 이

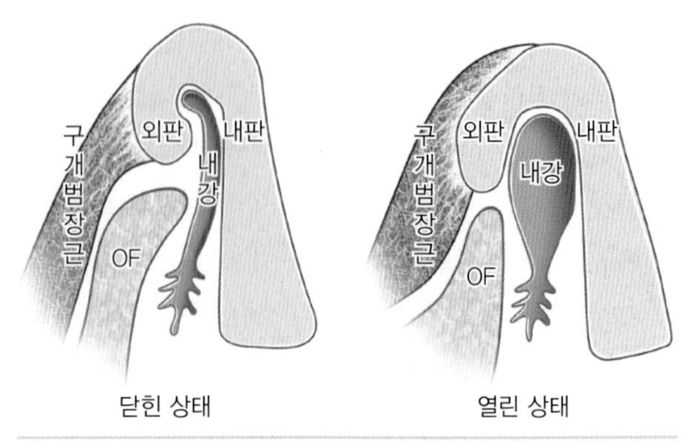

■ 그림 4-6. **이관개폐의 단면모식도.** OF: 우스만지방조직

관이 효과적으로 열리게 해 준다(그림 4-3).

1) 구개범장근(Tensor veli palatini muscle)

이관이 열리는데 가장 중요한 역할을 하는 근육으로 두 개의 근육섬유다발로 이루어져 있다. 이 중 이관의 개구에 주된 역할을 하는 내측다발(dilator tubae muscle)은 이관의 측부막성벽의 후1/3에서 기시하며 전·하방으로 급격히 내려가 외측다발과 합쳐진다.[5] 외측다발은 역삼각형 모양으로 주상와(scaphoid fossa), 접형구 외측골릉(lateral osseous ridge of sphenoid sulcus)에서 기시하여 내익돌판(medial pterygoid plate)의 구(hamulus)를 내측으로 돌아 구개건막(palatal aponeurosis)과 경구개의 후연에 붙는다(그림 4-7).

2) 구개거근(Levator veli palatini muscle)

구개범장근 보다 도 더 체적이 넓고 길게 수축하는 근육으로서 추체첨(petrous apex)의 하면과 이관 연골의 내판에서 기시하여 이관의 하부를 따라 하·내측으로 들어가 이관연골의 하방으로 나란히 달리며, 그 섬유는 연구개의 배면에서 부채살 같이 퍼져 붙게 된다. 일차적인 이관의 개구기능은 안하지만 이관의 비인강 끝에서 연골의 내판을 밀어 올려줘 이관개구에 기여할 것으로 보며 그 외 pumping drainage의 관여도 시사되고 있다.[19]

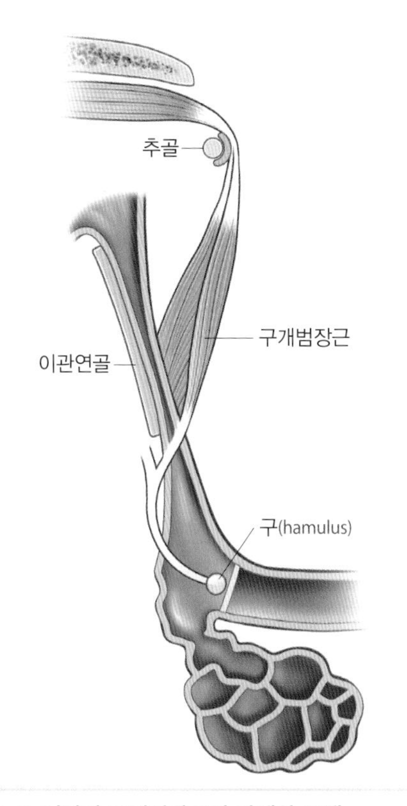

■ 그림 4-7. 이관과 구개범장근의 관계와 주행

2. 이관의 조직형태학

전체 이관은 뼈와 연골, 근육, 지방, 결합조직으로 구성된 골격으로 구성되며 내부점막은 상기도로부터 이관을 경유 중이와 연결되어 있어 일종의 변형된 호흡기점막으로 보며, 작은 섬모(cilia)들이 점막표면을 덮고 있어 점액성 분비물이 중이에서 인두로 배출되는 것을 돕게 된다.

3. 이관의 부위 별 해부조직학적 소견

이관은 세분하여 말초부로부터 인두부(pharyngeal region), 중앙연골부(midcartilaginous region), 협부전부(preisthmic region), 협부(isthmus), 협부후부(postisthmus region), 고실전부(protympanum)로 나눌 수 있으며 각 부위는 그 형태와 조직학적인 측면에서 차이가 있다(그림 4-8).[33]

1) 인두부

내강은 세극(slit)모양으로 반원형 곡선의 형태를 띠며 저부(바닥)는 상부(천정)보다 넓다(그림 4-8A). 상피 하 결합조직 층에 분포된 샘 조직(gland)은 내·외 양측에 풍부하며 상부보다 저부에 훨씬 많이 분포한다. 이관 주위에는 구개범장근과 구개거근이 잘 발달해 있으며 연골은 이관의 상부, 내측, 외측에 나타나지만 아직 전형적인 양치기 지팡이(shepherd,s crook) 모양을 이루고 있지는 않다(그림 4-8A).

2) 연골중앙부

이관에서 가장 긴 부분으로 그 내강은 세극 모양이고 곡선 형태를 이루는 등 거의 인두부와 비슷하지만 분비샘은 내측에서만 보이고 외측에서는 샘 조직 대신 우스만 지방조직(Ostmann's fat pad)이 차지하며(그림 4-8B, 4-3)[42] 연골(내판과 외판)은 이 부위에서 드디어 전형적인 양치기 지팡이 형상을 띤다. 구개범장근과 구개거근은 내강의 근처에 잘 발달해 있으며 구개범장근이 이 부위에 가장 넓게 잘 부착되어 있어 이관 개구 시 매우 중요한 역할을 한다.

3) 협부 전부

내강의 모양은 난형이며 매우 짧다. 내측에 있는 연골의 크기는 작고 샘 조직은 거의 보이지 않으며 두 근육들도 상당히 얇아져서 건 상태로 존재한다. 외측의 지방조직은 결합조직으로 대체되고 내측에선 내경동맥이 보이기 시작한다(그림 4-8C).

4) 협부

협부는 연골부에서 골로 이행되는 부위로 알려져 있지만 최근 이 부위는 연골부에 포함시키고 있으며, 성인에서 4.3×1.7 mm, 소아에서 2.4×0.8 mm 정도로[22,41] 좁아 전체 이관검사를 하는 내시경의 크기(직경)의 선택에 제한을 주게 된다. 두 이관근육들은 더 이상 보이지 않게 되

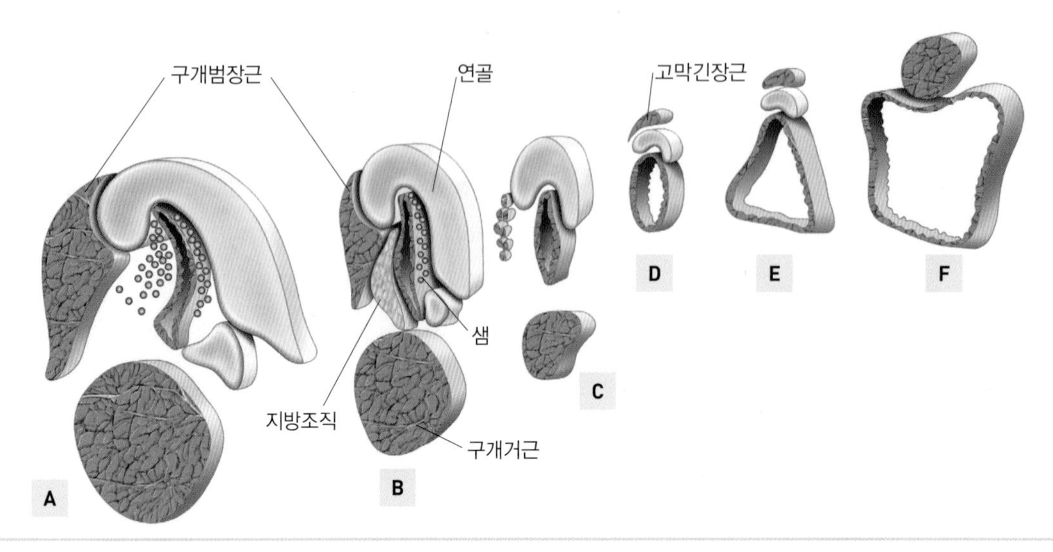

■ 그림 4-8. **이관의 부분별 단면 모식도.** **A)** 연골부, **B)** 연골중앙부, **C)** 협부전부, **D)** 협부, **E)** 협부후부, **F)** 전고실.
(From Sade J: Eustachian tube lumen. Ann Otol Rhinol Laryngol 98; 631, 1989; with permission)

고 고장근(tensor tympani muscle)이 상부에 나타나며 내측에 내경동맥이 있다(그림 4-8D).

5) 협부 후부

내강의 모양은 삼각형이며 협부보다는 상당히 넓다. 상부로 고장근이 잘 보이고 상부 내측엔 내경동맥이 있다. 상피 하 결합조직은 얇고 샘 조직은 감소하여 극히 일부에만 존재한다(그림 4-8E).

6) 전고실

고실강의 확장부이기 때문에 전고실이라 불리며 골부 이관의 끝은 중이강의 전상부와 연결된다. 내강은 네모 모양으로 이관 중 가장 넓다. 고장근은 잘 발달되어 있고 이관의 내강으로 부풀어 이관의 지붕이 볼록해진다(그림 4-8F). 내벽은 두 부분으로 나누어지는데 후외측은 미로의 골벽이고 전내측은 내경동맥의 골관이다. 와우는 후·내측의 면에 위치하며 이때 와우의 첨부가 이관을 향하기 때문에 해부학적 지침이 되기도 한다. 내경동맥은 중이강에 접근된 골부이관의 바로 내측에서 매우 얇은 골벽으로 분리되어 있는데, 정상 성인의 2%에서 골벽 결손이 관찰된다. 중이염이 있는 환자에서 이 골벽이 얇은 경우에는 이루의 박동과 함께 분출될 수 있다.

II 주요 이관조직의 구조

1. 내강(Lumen)

이관의 개구에 중요한 내강(lumen)의 모양은 C형을 이루며, 인두부로 내려가면서 점차 넓어지고 불규칙해지는데 조직학적으로 점막주름(mucosal fold)이 증가되어 있고(그림 4-9), 점액 또는 장액샘들이 잘 발달되어 내강에는 분비물로 덮여 있다.[13] 이런 내강을 통해 중이와 대기사이의 압력조절과, 비인두부로부터의 들어오는 음향압력과 해로운 물질로부터의 보호 그리고 중이 내에서 만들어지는 불필요한 물질들을 이곳을 통하여 배설하는 역할을 한다.[2]

2. 상피

비인강 상피는 이관을 거쳐 중이까지 섬모상피로 연결

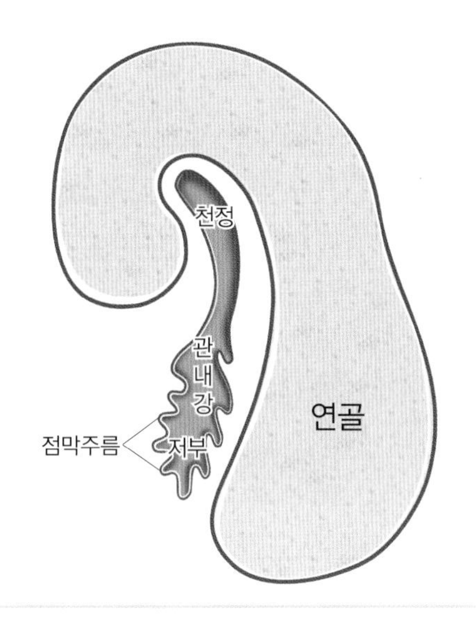

■ 그림 4-9. 이관 연골부의 단면모식도

되며, 섬모의 운동은 중이의 고실에서 비인강을 향해 지속된다. 이관 점막의 상피세포층은 주로 호흡기상피의 세포인 섬모세포와 술잔세포(goblet cell)(표 4-1), 기타 비 섬모세포와 기저세포로 구성되고 이관 내의 부위에 따라 이들 세포들의 구성이 다르다.[23] 한편 이관의 상피세포층은 호흡기의 상피와 비교하여 섬모상피의 크기가 작고, 술잔세포의 수는 적은 편이다.

이관의 섬모상피는 오직 배부(ventral part)에만 있으며 등부(dorsal part)에는 편평상피가 주로 차지한다.[23] 섬모상피세포는 100~200개의 섬모를 갖고 있으며 그 섬모는 거의 균일한 길이로 평균 8 μm이다. 섬모상피의 수는 이관의 고실구로 그리고 내강의 천정부로 갈수록 감소된다(표 4-1).[4,18]

술잔세포는 섬모세포들 사이에 끼어 있으며(그림 4-10B) 주로 바닥에 많이 있고 천정에는 매우 적으며 이관 전체를 통하여 섬모세포가 있는 곳에 더 많이 존재한다.[45] 술잔세포는 특히 인두구에 가장 많고 고실구로 올라갈수록 감소된다(표 4-1).[15,18] 술잔세포는 점막의 보호에 관련된 점액을 생성 분비하여 점액막층(mucous blanket)을 이루며 주성분은 당단백(glycoprotein)으로 비인강에서 이관으로 침입하여 자극하는 물질 및 미생물들을 포착하여 섬모운동에 의해 제거한다. 일반적으로 염증 시엔 술잔세포는 증가한다.[26] 한편 이러한 섬모상피, 술잔세포, 샘 조직이 천정보다 바닥부에 더 많이 있어 저부는 배액기능을 그리고 천정부는 공기가 드나드는 환기기능이 더 강한 것으로 보고되었다.[15]

3. 점막상피하 결합조직

상피하 결합조직층에는 풍부한 분비샘과 함께 탄력섬유(elasstic fiber), 교원섬유(collagen fiber), 혈관과 림프관이 많이 존재하는데 점막층은 골부보다는 연골부에 그리고 비인강구로 내려갈수록 두꺼워지며 샘 조직도 증가하게 된다(그림 4-4). 분비샘은 호흡기의 점막과 마찬가지로 장액샘(serous gland)과 점액샘(mucous gland)으로 구성된 세관소포상 혼합샘(tubuloacinar mixed gland)이며 인두부에 가장 풍부하게 분포된다.[25] 그리고 이들 분비샘은 특히 이관의 내측에 더 많이 있으며 내측에서는 표면상피 직하부에, 외측에서는 좀 더 깊게 존재한다(그림

표 4-1. 이관의 부위별 조직학적 비교

	인두부	중앙연골부 협부	골 부
원주섬모상피밀도	가장 높다	◀------------------------	가장 낮다
술잔세포밀도	가장 높다	◀------------------------	가장 낮다
비만세포밀도	가장 높다	◀------------------------	가장 낮다
주름의 밀도	가장 높다	◀------------------------	가장 낮다
장액세포/점액세포	가장 낮다	------------------------▶	가장 높다

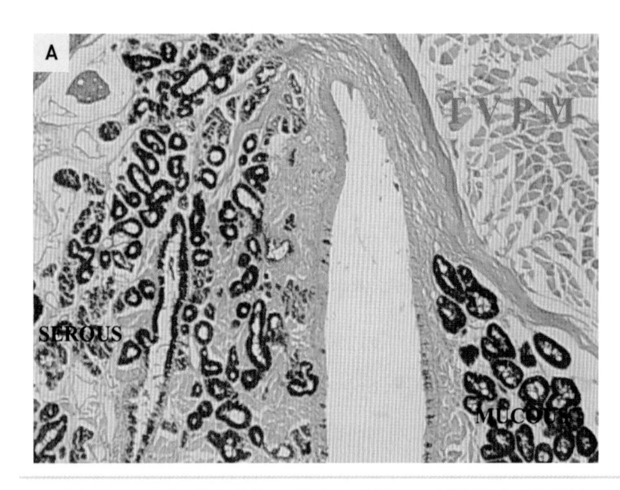

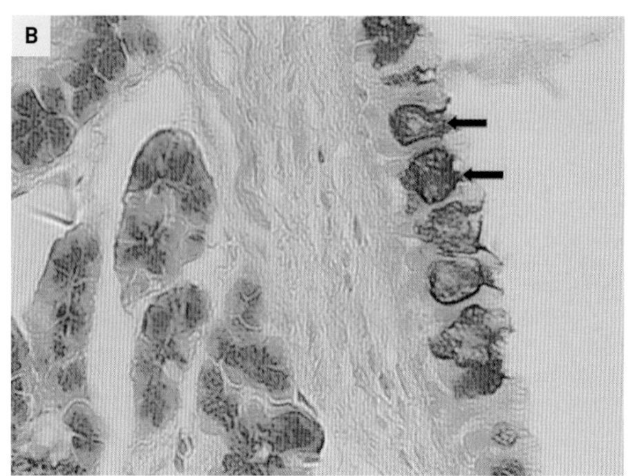

■ 그림 4-10. **A) 인두이관의 샘세포의 분포.** 연회색의 장액샘(Serous), 흑회색의 점액샘(Mucous), alcian blue-PAS stain. **B) 이관 점막상피의 술잔세포(화살표)**, alcian blue-PAS stain, TVPM(구개범장근)

4-9). 인두부의 풍부한 분비샘은 위로 올라가 협부로 갈수록 점점 감소되어 골부이관에서는 거의 볼 수 없으며 고실구와 중이점막에는 전혀 존재하지 않는다. 또한 분비샘은 이관의 천정보다 저부에 더 풍부하게 존재한다. 따라서 이관의 저부는 보다 더 능동적으로 중이의 정화기능을 하게 된다.

한편 장액샘과 점액샘은 AB-PAS 염색으로 쉽게 구별되며, 장액샘은 둥근 점액샘에 눌려 반달 모양으로 보이기도 한다. 장액샘은 작은 과립을 함유하며 중성 당단백을 포함하므로 AB-PAS에 반응하여 적색으로, 점액샘은 산성 당단백을 함유하고 있어 자색 혹은 청자색으로 보인다(그림 4-10A, B).

점액세포는 점막 표면을 덮고 있는 대부분의 점액을 분비하고 장액세포는 섬모운동에 매우 중요한 섬모주위액(periciliary fluid)의 생성과 더불어 라이소자임(lysozyme),[17] secretory IgA, STLS (surface tension lowering substance), antileukoprotease,[8] α1-antitrypsin,[49] (lactoferrin)[17] 등의 자연면역(innate immunity)의 핵심인 항균단백들을 분비하여 이관 점막의 중요한 생화학적 방어 역할에 기여한다.

이들 샘은 형태 그리고 생화학적 요건에 따라 유·소아시엔 점액세포가 풍부하나 성인으로 갈수록 장액세포가 증가되어 그 비율이 역전된다.

이관의 교감신경은 동측 상경신경절(superior cervical ganglion)에서, 부교감신경은 익구개신경절(pterygopalatine ganglion, sphenopalatine ganglion)에서 기시한다. 교감신경은 인두부에 풍부하게 분포해 있으며 협부로 가면서 감소되며[28] 교감신경은 이관의 통기에, 부교감신경은 샘 분비에 더 영향을 준다.

4. 외측막벽(Lateral membraneous wall)

관 내강과 밀착된 외측막벽은 연골이관의 중앙부에서 그 기능은 매우 중요한데 그 이유는 내연은 내강의 점막하이고 외연은 구개범장근이 붙어 있기 때문이다. 대개 외측 벽의 전방으로 샘 조직이, 후방으론 지방조직이 있다.

5. 점막주름(Mucosal fold)

이관의 성화기능에 기여하는 점박주름은 점막 표면을 불규칙하게 만들며 인두부의 저부에 가장 많이 보인다(그림 4-7).[2] 주름은 점막의 표면적을 증가시키므로 정화면적을 넓히는 동시에 이관의 저부에서 공기흐름과 반대방향으로 공기의 이동을 격리시킬 수 있다.[40] 이관의 저부에 많이 나타나는 점막주름은 풍부한 섬모세포, 분비샘, 술잔세포 등과 함께 이곳에서 일어나는 능동적인 정화기능을 하는 작은 돌기로서 이관의 비인두구로 갈수록 그리고 이내강의 바닥에 주로 많이 존재하므로 이관의 천정과 달리 이내강의 바닥 즉 저부는 섬모정화기능이 중요한 역할로 여겨진다. 한편 소아에선 성인에 비해 점막주름이 더 많이 관찰된다.

6. 우스만 지방조직(Ostmann's fat pad)

지방조직이 이관의 하·외측에 있으며 우스만 지방조직이라 불리며 이관의 폐쇄를 도와주는 중요한 조직들 중의 하나로 고려되며[27,42] 성장함에 따라 점점 그 체적이 증가한다. Takasaki는 구개범장근의 수축은 이관 연골의 외판을(상부 이내강) 하 외측으로 잡아당겨 움직이는데 우스만 지방조직이 있는 내강의 하부는 역으로 이관의 열림을 제한시킨다고 하였다.[42] 어쨌든 이 지방조직은 이관의 폐쇄에 더 중요한 역할을 하는 것으로 고려되고 있다

Ⅲ 이관생리

이관은 기도의 연장이지만 기관지와는 달리 점막 하근육이 없고 평상시에는 대개 폐쇄되어 있다가 연하, 하품, 재채기 후 이관이 일시적으로 열려 중이강을 포함한 측두골의 함기봉소 전체를 환기해 줌으로써 중이 압력을 대기압에 맞추어 균형을 이루게 해준다. 중이는 공기로 채워져 있으나, 이러한 공기는 중이점막에 있는 모세혈관 내의 혈액사이에서 일어나는 확산작용(분압차이)에 의해 산소가 혈액내로 빠져(흡수)나가 주위의 대기압보다 조금 낮은 음압상태가 되므로 가끔은 이관이 열려 중이 내로 새 공기가 들어가게 되며 이때 함께 중이 내의 점액 등 찌꺼기를 포함한 분비물 등이 흘러나가게 된다.[32] 하지만 우리가 알고 있는 이관의 가장 기본 기능은 중이 내의 압력이 정상 공기 압력 근처로 남아 있도록 중이를 환기시켜 주는 것이다. 따라서 이관은 중이강과 비인강을 연결하는 유일한 통로로서, 중이와 대기의 압력이 균형을 이루도록 하는 환기기능, 중이의 분비물을 비인강으로 배출하는 배출기능, 비인강의 감염원으로부터 중이강 쪽으로 침입을 격리 차단하며, 또한 비인강에서 전달되는 발성 시의 소음과 호흡 시 발생하는 압력의 변화로부터 중이를 보호하는 등 복합적인 기능을 함으로써 기여하며 그 기능의 중요도는 연구자마다 강조되는 면에 차이가 있다. 특히 새롭게 강조되고 있는 것이 바로 중이압의 조절에 중이의 후·상부와 유돌부 함기세포의 역할이며, 유돌부의 점막은 폐와 같이 혈관이 표면에 매우 가까이 있고 폐포(alveloli)의 조직학적 구조와 비슷해 가스의 교환이 활발하게 일어나며, 중이의 전·하부는 섬모상피가 주로 있어 찌꺼기를 포함된 분비물의 정화(배출)기능을 할 수 있다.

하여간 이관에서 능동적 기능을 하는 부위는 이관 내측 2/3을 차지하는 연골부이관이므로 연골부의 역할이 중요하며, 이관은 공기를 통과시키기도 하지만 반대로 비인강의 감염원 등이 중이로 역류되는 것을 차단해야 하는 차별화된 기능을 갖고 있으므로 이관의 해부조직학적 관점에선 이관의 주된 역할이 중이에서 비인강으로 배액기능 그리고 방어기능이고 중이압력의 급성조절과 같은 환기 기능은 보조기능일 거라는 상반된 주장이 어느 정도 근거가 있는 것으로 증명되고 있다.

1. 중이의 환기(Ventilation)

이관의 기본 기능은 정상공기압력 근처로 유지될 수 있도록 중이강을 환기시켜주어 고막 안팎의 압력을 동일하게 유지시키는 것이다. 중이강은 외이와 고막에 의해 막혀 단절되어 있지만 비인강과 사이에 이관으로 연결되어 중이강을 채우고 있는 공기가 순환하게 된다. 연골부이관은 평상시엔 닫혀있으며 연하 등의 생리적 현상에 의해 능동적으로 열리며, Valsalva 등에 의한 비인강의 압력의

변화는 수동적으로 이관을 열리기도 한다. 물론 정상이관은 대부분의 시간이 닫혀 있으며 압력을 맞출 필요가 있을 때 열린다. 이관의 열림은 침을 삼키거나 하품을 할 때 또는 씹을 때 이관주위에 붙어 있는 근육들이 수축하여 이관연골과 주위조직을 잡아당겨 이관이 열리게 되며 이때 적은양의 신선한 공기가 중이 내로 들어가 환기 및 압력조절이 이루어진다.

이관의 열림은 가해진 근육의 힘에 매우 예민하나 연골의 탄력성에는 그다지 민감하지 않다. 근육의 힘과, 연조직의 탄력성을 분석하면 이내강의 열림은 근육수축으로 내판의 상부회전을 일으켜 차례로 이관을 둘러싼 우스만 지방조직의 변형을 일으킨다. 이관의 열림 자체는 부분적으로는 구개거근의 수축으로 구개상승과 함께 시작되는 한편 이관융기(torus tubarius)와 연골내판을 내 쪽으로 회전시켜 이관의 열림을 도우며, 이관이 열리는 과정 중 가장 먼저 반응하며 수축된 상태에서 구개범장근이 잇달아 작용하는 발판으로서 기여한다.[20] 결론적으로 이관 열림의 가장 핵심작용은 구개거근의 반응 후 일어나는 구개범장근의 수축이며 이관의 외판과 전·외측 막벽을 하·외측으로 잡아당기는 힘으로 이관의 밸브를 능동적으로 최대의 둥근 강 모양으로 열리게 한다. 한편 이내강의 상부에 부착된 구개범장근의 건 때문에 내강의 하부(바닥)보다는 상부(천정)가 열리게 되며 내강의 저부는 우스만 지방조직 때문에 열리는 것이 제한된다(그림 4-6). 이관 내강의 단면은 대개 C형이며 외측으로 향한 쪽이 요면형으로, 이러한 모양은 구개범장근이 수축해 이관 측벽을 외측으로 끌어당길 때 효율적으로 이관이 개구될 수 있도록 돕는 이관의 중요한 구조적 특징 중의 하나이다(그림 4-3, 8A). 일반적으로 구개범장근은 연골의 후부 그리고 구개거근은 연골의 전부에 작용하여 이관이 열리게 되며 전체적으로 보면 비인강부분이 가장 먼저 열리고 차례로 올라가면서 열리게 되며, 폐쇄는 그 반대로 협부가까이에서 먼저 시작되어 비인강구가 마지막으로 닫히게 된다.

이관의 개구에 필요한 힘은 이관주위 조직의 탄력성과 점막의 두께에 달려 있으며 기타 이관의 개구에 영향을 주는 인자로는 분비물의 점도, 점액의 표면장력, 점막혈관의 혈량 등이 있다. 한편 이관에도 존재하는 것으로 밝혀진[9)] 표면활성물질(surfactant)은 표면장력을 감소시키므로 이관의 개폐에 관련된 정상생리에 또한 중요하며, 폐에서와 마찬가지로 표면활성물질이 전자현미경검사에서 다층판상체(multilamellar body)로 관찰된다. 이 물질은 주로 인지질(90%)과 단백(8%)으로 구성되는데, 인지질 중에서 특히 phosphatidylcholine이 주로 관여한다고 알려져 있다. 이관의 내강을 덮고 있는 표면활성물질은 이관 표면의 고착을 막아주고 이관 개구를 용이하게 하여 이관의 정상 통기를 도와주는 동시에 항균작용을 하는 종류도 있다.

이관의 열림은 대개 하루를 통해 1~2번/분 열리며, 열리는 시간은 400 ms이며 정상 성인은 깨어 있을 땐 평균 1분에 한번 수면 중에는 매 5분에 한 번 열린다. 일반적으로 이관은 인두로 들어가는 곳에서 막혀 있지만 중이와 인두 간에 충분한 기압 차가(비행기 이·착륙, 고속승강기) 있으면 수동적으로 열린다. 서 있는 자세에서 이관이 열리는데 필요한 가장 적은 압력의 변화(차이)는 20 mmHg이다. 실제로 이렇게 열릴 때마다 "찌, 끼"하는 소리 들을 수 있고 중이의 기압은 외부의 기압과 같아지고 고막은 원래의 모양으로 돌아가게 된다. 이런 급격한 형태 변화에 관련된 고막의 움직임 때문에 귀가 멍멍해진다.

이관의 닫힘은 이관의 열림만치 주목을 받지 못해 왔지만 지금은 그 기능이 환기나 배액기능 이상으로 중요하다고 알려지고 있다. 이관의 닫힘은 연골의 탄력성에 기인한 원위치능력(recoiling), 즉 이관이 열릴 때 변형되었던 이관의 주위조직 또는 탄력섬유의 반동 작용으로 수동적으로 닫히게 되며 구개범장근의 체적, 내강 주위조직의 압력 그리고 이들 조건 외에 마주보는 점막표면의 표면장력에 의해서도 보조된다. 한편 우스만 지방조직도 이관의 하·외측에 있어 이관의 닫힘에 기여한다.[5]

2. 중이의 정화(Clearance or drainage)

이관과 중이에 축적 된 분비물, 감염물질, 또는 이물을 포함한 찌꺼기들을 중이공간에서 배출시켜야 한다. 가장 활발하게 정화작용이 말초의 연골부이관에서 일어나 능동적으로 분비물, 액, 찌꺼기를 비인강구를 향해 배액시킨다. 아주 끈끈한 점액성 분비물도 점액섬모기능으로 제거가 가능하다. 또한 이관 폐쇄(닫힘) 시 일어나는 근육성 펌핑작용도[19] 배액기능의 부가적인 협력 배액법으로 많은 양의 분비물을 제거할 수 있다. 어쨌든 이관과 중이는 점액섬모로 덮여 있어 중이의 점액을 배출시키는 역할을 동반 수행한다.

점액막층은 점액층과 섬모주위층의 두 층으로 구성되며 점액층은 대부분 점액으로 구성되나 섬모주위액층은 장액으로 섬모를 적셔 자유롭게 움직이도록 도와준다. 점액층은 침입하는 이물들을 직접 흡착하는 층으로서 점성, 탄력성 등 물리적 특성을 지닌 겔(gel)상태이며, 섬모주위액층은 졸(sol)상태로 섬모가 원활하게 운동하여 점액층이 이동될 수 있도록 해준다. 즉 섬모가 섬모주위액층 내에서 능동적 운동을 하여 점액층이 이동하고, 이때 점액층에 흡착된 이물 등도 같이 이동하여 배출되게 한다. 즉 점액세포가 분비하는 얇은 점액층은 섬모의 상부 끝에 있고 지속적인 섬모운동으로 중이에서 비인강으로 콘베이어 벨트같이 분비물이 빗자루로 쓸려 내려가게 된다.

점액섬모운동은 외부 침입자를 제거하는 일차적인 방어기전이며 그 중요한 구성요소들인 섬모운동, 점액층, 섬모주위액층의 공조로 일어나게 된다. 이 중 점액층은 섬모와 함께 국소방어의 일차적 역할을 하며 흡입된 이물질이나 세균을 여과 정화하고 기계적 자극이나 독성자극에 대해서는 상피를 보호하고 수분의 손실을 막아준다.[32] 점액섬모계의 이동은 조직, 수행되는 입자 및 외부 환경상태의 영향을 받으며 정상에서는 중이강으로부터 비인강까지 평균 6~8 mm/min의 속도로 일정하게 점액을 배출시킨다.

3. 중이의 방어

중이염의 병인은 복잡하고 다양하다. 중이의 염증을 일으키는 병균들이 비인강에서 이관을 통해 침입하여 중이염을 일으킨다. 따라서 이러한 해로운 물질 그리고 병균의 침입으로부터 이관 자체의 해부적, 면역적 그리고 미생물적 요인들이 작용하여 막아주는데 이 중 가장 중요한 것은 이관의 폐쇄 부위인 판막(valve)이 이관을 감싸주어 비인강의 소리와 해로운 물질의 역류로부터 중이를 보호해주는 것이다. 우스만 지방조직도 이관의 하외측에 있어 이관의 닫힘에 기여하여 비인강의 분비액의 역류를 막는 보조역할을 한다고 볼 수 있다.

이러한 해부적요소는 건강한 이관의 점막상피 그리고 길고 좁은 구조와 대부분 시간 이관의 연골부가 닫혀 있기 때문에 병균으로 집락형성(colonization)을[47] 이룬 비인강으로 부터 무균상태의 중이강을 보호하게 된다. 집락형성은 인두나 이관의 세포에서 세균의 부착에 의해 촉진되며 비인강에서 세균은 섬모세포가 아닌 비섬모세포에 부착되어 있다. 하여간 무엇보다도 호흡기와 마찬가지로 공존하는 점액섬모 운동에 의하여 중이에서 비인강 방향으로 지속적으로 정화작용이 일어나는 자기방어기전의 능동적인 활동으로서 외부의 침입자를 제거해 주는 중요한 기계 물리적 방어기전이다.[32]

또한 이관과 중이의 점막은 다른 점막과 마찬가지로 병균들을 막아내는 공유된 점막면역계를 포함하고 있다. 하지만 정상 이관이나 중이점막에는 그다지 많은 immunocompetent cell들이 존재하지는 않아 미생물이 침입할 때에 상피세포와 그 분비물이 바로 직접적이고 즉각적인 방어 작용을 하게 된다. 따라서 즉각적으로 일어나는 자연면역(innate immunity)에 관련된 생물 화학적 방어가 중요할 것으로 보인다. 점막표면의 분비물에는 점막상피와 점막 하 분비샘(주로 장액세포)에서 분비된 lysozyme, lactoferrin, 분비형 IgA, antimicrobial peptide (defensin, LL-37) 및 surfactant protein A와 D 같은

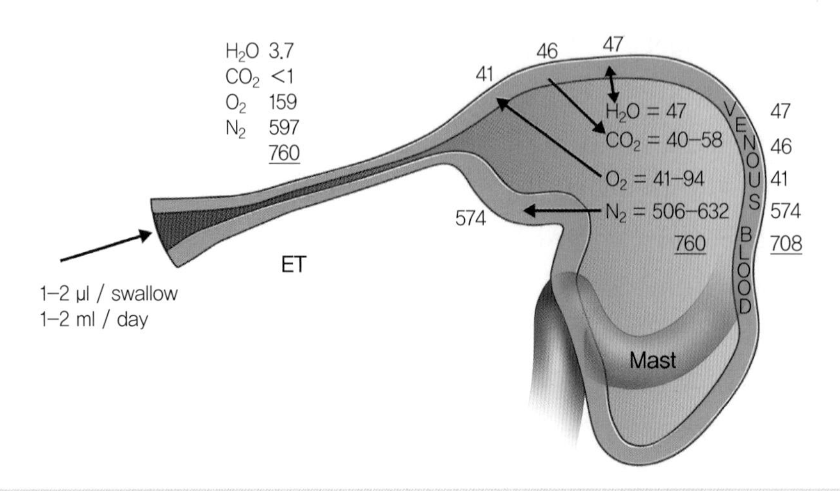

■ 그림 4-11. **중이의 개스교환(mmHg).** ET(이관), Mast(유돌강 및 유돌봉소)

잘 알려진 항균 물질 그리고 α1-antitrypsin[49]과 secretory leukoprotease inhibibitor등[8]의 항단백분해효소들을 포함하고 있다. 따라서 이런 항균 물질들이 미생물 감염 시 숙주에 대한 일차적 방어 작용을 하게 된다.

일반적으로 기도의 샘 조직 중 점액샘은 39%, 장액샘 61%의 면적을 차지하는 것으로 보고되어 있다. 따라서 이러한 장액샘의 우세가 점막에서 일차적인 생화학적 방어에 그 역할을 하리라 여겨진다. 한편 이러한 항 세균 기능을 가진 물질들이 중이강보다는 이관에 더 많이 분포되어 있다. 그 이유는 이관이 중이강으로 들어가는 주요 관문이므로 균의 침입을 일차적으로 막기 위해 전략적으로 많이 존재하는 것으로 고려되며 이런 방어기전들이 유·소아에선 덜 발달(성숙)되어 있기 때문에 중이염이 발생 되는 또 하나의 이유가 될 수 있다.

4. 중이점막의 가스교환(Transmucosal gas exchange)

중이 내는 공기로 차 있고, 점막으로 둘러싸여진 비교적 견고한 공간으로서 대기압과 같은 압력의 유지가 필요한데 이러한 중이압력의 조절은 전통적으로 이관에 의해서 이루어진다고 알려져 왔지만 이관만 가지곤 충분히 설명되지는 않아 이관말고 중이자체의 환기기능에 관심을 두게 되었으며 바로 그것이 유돌강의 점막을 통한 가스교환이다.[16] 이 연구는 처음 Sade[34] 등에 의해 시작되어 활발하게 지속되어 왔다. 연구자들은 중이에서도 호흡기의 폐와 비슷하게 가스교환이 일어나며 중이의 정상적 생리기능을 유지하기 위해서 이관을 통한 환기와 더불어 매우 중요하다고 하였다(그림 4-11).

중이압은 잘 조율된 항상성 기전을 바탕으로 이관을 통하여 그리고 중이의 점막을 통한 기체의 교환, 즉 확산(diffusion)에 의해 조절된다.[16]

정상에서는 이관은 닫혀 있고 주기적으로 공기가 들어가도록 열리는 한편 이때 중이 내의 점액은 빠져나가게 되고 중이압을 일정하게 유지시켜 중이를 건강하게 해준다. 중이에선 공기가 끊임없이 점막에 의해 흡수되고 있으므로 신선한 공기의 공급이 때때로 필요로 하게 된다. 이렇게 점막의 모세혈관으로 흡수되어 발생하는 가스의 상실량은 이관을 통하여 들어오는 공기로 대치되어야 한다. 정상적인 상태에서 이관이 닫혀 있을 때 중이강 내의 공기는 혈액 내의 기체들의 분압과의 차이로 중이점막을 통해 점진적으로 흡수와 유출이 일어나는데 그 결과 중이강의 기압은 대기보다 낮아져 하품을 하거나 연하 시 순간적으로 이관이 열렸을 때 비인강으로부터 공기가 들어가 중이기압의 평형을 유지하고 흡수된 산소를 보충하게 된다.

가스는 중이강과 점막 사이에서 항시 교환되는데, 중이압 변화의 가장 큰 부분은 중이강 내의 활성기체인 산소가 점막조직의 모세혈관 내로 흡수됨에 따라 달라진다. 중이점막에서 가스교환의 방향은 각각의 가스분압의 차이에 달려 있다. 정상인의 중이압은 −50~+50 mmH_2O 정도의 압력을 지니며, 전체적인 중이가스의 분압은 대체로 점막혈내의 산소, 이산화탄소 및 질소의 분압에 의해서 조절된다(그림 4-11).[37] 산소와 이산화탄소는 활성기체로 중이점막의 모세혈관과 중이강 사이에서 빠르게 교환되지만 질소는 확산이 매우 느리고 쉽지 않아 중이 압력의 변화에 거의 영향을 주지 못한다. 활성기체 중 산소는 중이점막의 모세혈관 내로 흡수되고 이산화탄소는 점막의 모세혈관에서 중이강으로 확산되어 나오게 되는데 공기 성분 중 산소가 이산화탄소보다 훨씬 높은 비율을 차지하기 때문에 결국 중이압이 떨어져 중이 내에 음압을 일으키게 된다. 이러한 확산기능에 대한 근거는 정상 중이의 가스분압이 일반 공기보다 오히려 정맥혈의 가스분압과 비슷하고 전체압력은 54 mmHg 정도로 중이 내 압력이 정맥혈 내보다 더 높다는 것이었다. 이러한 사실은 Sade 등이 처음으로 보고하였으며, 중이강의 점막은 가스교환이 활발하게 일어나는 폐포의 조직학적 구조와 비슷하게 한층의 상피 아래 간질조직이 거의 없고 대부분 모세혈관이 차지하고 있다는 점이었다. 따라서 중이의 환기 및 압력조절은 이관의 역할뿐만 아니라 유돌봉소를 포함한 중이 점막에서 일어나는 확산 즉 가스교환에 의해서도 이루어진다는 사실이 최근 더 주목을 받게 된 것이었다.

하여간 중이압은 이관을 통한 환기와 점막의 모세혈관을 통한 가스확산에서 중이점막의 두께, 고막의 탄력성, 유돌부의 함기세포의 수 및 크기와 같은 여러 요인들의 영향을 받으며,[34] 점막을 경유한 가스의 확산은 잔존분압의 변화, 가스의 용해도와 확산율, 가스교환의 유효표면적, 점막혈류의 속도에도 의존된다.

한편 중이강은 공기 저장소로서 유돌부의 기능이 주목되고 있으며 특히 유돌부 함기화의 정도가 압력완충장치(pressure buffer)로서의 능력과 관계가 있다고 알려져 있다. 유돌부의 공기봉소의 존재는 수술 이후 압력을 완충하는데 대단히 중요하다는 것이었으며 유돌부를 포함한 중이강이 넓고 건강할수록 표면적이 넓어 가스의 교환이 잘 일어나 중이압의 조절이 쉽게 된다고 볼 수 있다. 이런 유돌부의 함기화는 생후 33주경부터 시작되어 발달하며 유돌부 크기는 성장함에 따라 커진다.

이관의 통기는 연하 시 잠깐 열려 중이를 환기시키는 즉각적이고 능동적인 환기 및 압력 조절이며 점막을 통한 가스 교환은 수동적으로 서서히 지속적으로 작용한다. 이런 점에서 중이는 이관을 통하여 대기압을 유지하면서 중이점막까지 양방향으로 가스를 교환하는 생리적으로 변형된 공간이다. 중이강에서 중이점막조직 내로 24시간 동안 0.7~1.1 mL의 기체가 흡수되는데 이관기능이 정상이 아닐 때는 중이의 음압을 일으키게 된다. 정상적으로는 이관이 열려 1일 1~2 mL의 공기가 중이강으로 들어가 균형을 이루게 된다(그림 4-11). 하지만 이런 정상적인 중이 압력 조절 기능도 때론 급격한 변화에 대처되어야 한다. 만일 중이강 내의 공기압력이 외부의 압력변화에 신속하게 대처하지 못하게 되면 귀가 멍멍해지고 심하면 통증이 유발되기도 한다. 이런 증상은 비행기의 하강(descent) 시 더 자주 심하게 느낄 수 있다. 이때 어린 아이들의 경우 이관이 덜 발달되어 있어 이유 없이 갑자기 계속 울고 보채는 경우 의심해 봐야 하며 미리 깨워 보듬고 젖꼭지를 물리도록 해 주어야 한다. 즉 급격히 일어나는 중이 압력 변화에 대한 조절역할은 이관에 의해서만 이루어진다.

5. 소아이관의 발달 및 특징

성인에 비해 조직형태학적으로 소아의 이관은 수평이고, 짧으며, 연골은 과순응(hypercompliant) 상태로 힘이 없는(floppy) 한 상태이기 때문에 이내강이 열리고 닫힘이 좋지 않고 면역 방어계도 성숙되지 못한 까닭에 중이에 자주 문제를 일으킨다.

유아의 이관은 18 mm 길이이며 소아 시에 급속도로 자라 7세 전후에선 3~4 cm에 달하게 되며 동시에 조직형태학적 성숙이 성인수준에 이른다.[22] 유소아에서 이관의 짧은 길이 그리고 성인보다 훨씬 수평각인 이관의 형태는 중이의 방어와 배액기능에 지장을 주어 중이감염이 빈발하게 되며 성장함에 따라 길어지는 이관의 길이와 내려가는 경사는 방어, 환기 그리고 배액기능에 효율적인 구조로 성숙되는 것이다.

많은 중이 및 이관의 연구가들이 지난 수십 년에 걸쳐 해부형태조직학적으로 성인과 유소아의 이관의 차이점을 세분하여 기술하여 왔다. 즉 이관의 길이, 관의 평면에 경사도, 구개범장근의 연골에 길이와 각 그리고 부착상태, 내강의 크기 및 체적, 연골체적, 연골세포의 밀도, 탄력소, 우스만 지방조직 체적, 추벽, 샘, 상피하 결합조직 등이 대표적으로 성인과 유소아와 비교되었다(표 4-2).[20,22,27,40,42]

표 4-2. 유소아와 성인과의 이관의 해부조직학적 비교

	ADULT	INFANT
Length	Long (36mm)	Short (18mm)
Angle with horizontal	45°	10°
Lumen	Narrower	Wider
Angulation at isthmus	Present	Absent
Cartilage(stiffness)	Rigid(Stiffer)	Flaccid(Softer)
Elastin at hinge portion of cartilage		Less
Elastic recoil	Effective	Ineffective
Ostmann's fat	More	Less
Opening into throat	Oblong	Round
Angle/length of TVP to cartilage	Stable	Varialble
Cartilage volume		Less
Cartilage cell density		Greater
Mucosal fold		Greater

Ⅳ 이관기능검사의 총론

중이 질환을 일으키는 이관부전(dysfunction)의 복잡한 병인을 알기 위해 객관적, 주관적으로 이관기능을 평가하여 도움을 얻고는 있지만 아직도 널리 임상적으로 이용되는 특정검사법이 없으며[38] 일반적으로 임상에서 실시하고 있는 이관기능검사의 방법들은 개폐의 여부를 알려줄 뿐이지 기능의 검사라고 말할 수 없으며, 이관의 보호기능이나 배출기능을 검사하는 것도 실제 임상에서 손쉽게 실행하기가 어렵기 때문에 이관기능을 평가하는 데 어려움이 있다.

외래에서 시행할 수 있는 이관진단의 가장 쉽고 기본적인 검사로는 병력청취와 이경검사를 하여 고막의 형태와 움직임을 관찰하는 것이다. 때로는 고막운동성계측법(tympanometry)이 도움이 될 수도 있다. 하지만 이관 기능 장애의 비슷한 증후가 혼동을 주기 때문이 정확한 진단을 얻기가 쉽지는 않다. 최근 이관에 대한 관심의 증가와 더불어 다양하고 새로운 진단법의 사용으로 이관 질환의 발견이 증가되고 있다.

이관기능을 평가하는 방법들은 매우 다양하며 고전적 Valsalva통기법에서부터 압력계(manometry), 고실계측법, 음향이관측정법(sonotubometry)[6] 및 Scintigraphy[44]와 컴퓨터 단층촬영(CT)(그림 4-12A, B), 자기공명촬영(MRI)등[43]의 영상진단방법이 있고, 그 밖에도 이관의 배출기능을 검사하는 방법으로 색소를 중이강에 주입한 후 비인강 쪽 개구부를 비인강경이나 내시경[10]을 통해 관찰하는 방법, sniff test(코 훌쩍거림검사)나[12] 내시경 검사[10,29] 그리고 이관의 개구근육들에 대한 근전도검사(그림 4-13)[9]로 이관기능을 평가하기도 한다.

1. 고식적 이관통기검사

이관 개방성을 검사하는 고식적인 방법으로는 자가 팽창법(autoinflation), Politzer 법, Valsalva 법, Toynbee

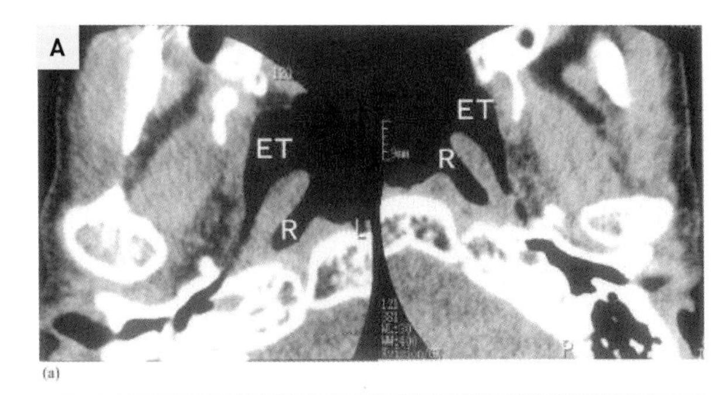

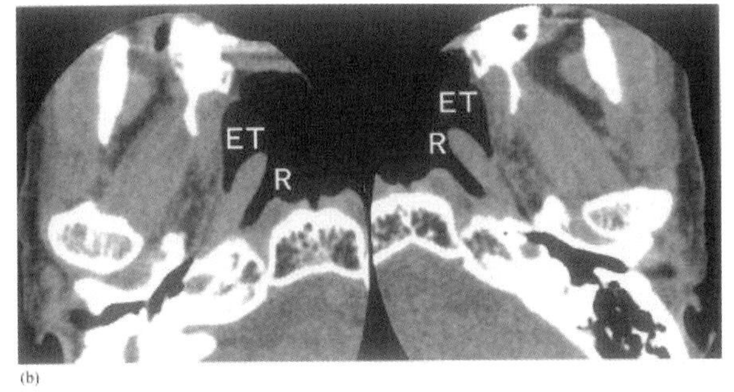

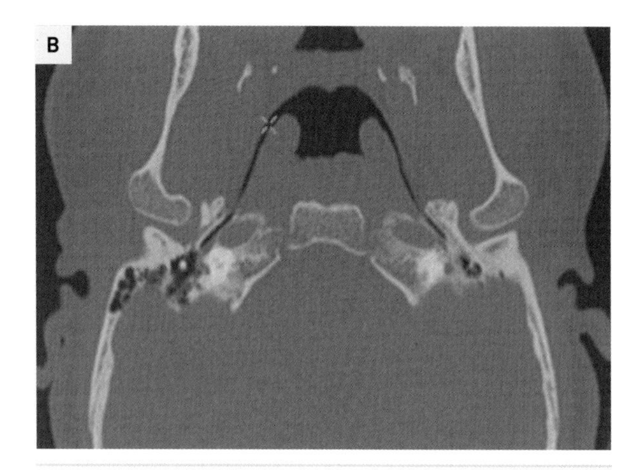

■ 그림 4-12. **A) 연골부의 CT (Axial image)소견.** (a) Sitting, (b) Recumbent position; Eustachian tube(이관) lumen, R: fossa of Rosenmuller. **B) 발살바 후 CT 이관 검사**(Tarabichi M, The Laryngoscope, 2014) (From Tarabichi, Laryngoscope, 2014; with permission)

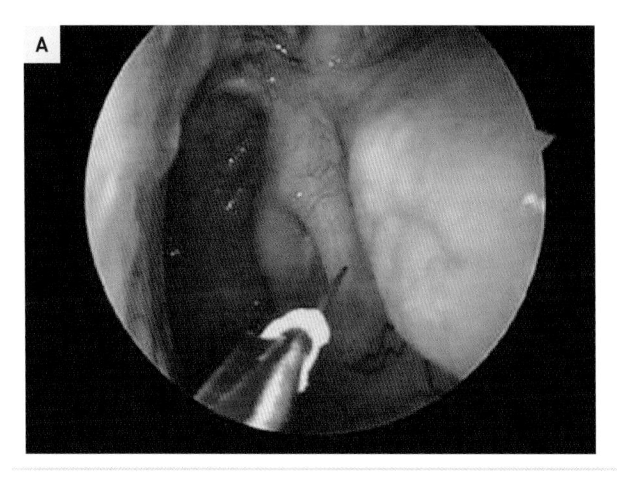

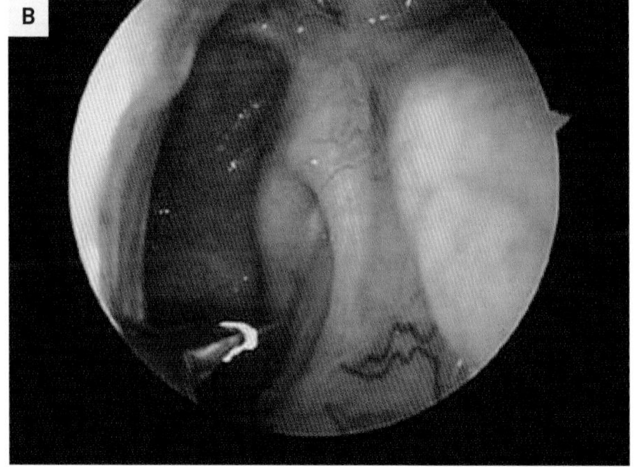

■ 그림 4-13. **구개범장근(A)과 구개거근(B)의 근전도 검사.**
(From Jang: Eustachian tube lumen. Ann Otol Rhinol Laryngol 98; 631, 1989; with permission)

법, 카테터 통기법, 고막운동성계측을 이용한 방법 등이 있으며 이런 전통적인 가압 통기법은 단순히 이관개폐에 대한 유무를 알아보는 방법으로 기질적 폐쇄를 진단하는 의의는 있지만 이관의 기능적 이상을 감지하지는 못한다. 또한 Politzer, Toynbee, Valsalva 법은 유소아에서 적용할 수 없고, 협조가 가능한 학령기 아동에게서나 시행할 수 있다. 이상의 고식적인 방법들은 아직도 임상현장에서 매우 유용하게 활용되고 있지만 정량적인 검사방법은 아니다.

1) Valsava 법

입을 다물고 자신의 코를 잡고 코풀 때처럼 스스로 힘을 주어 비인강에 압력을 증가시켜 이관을 통해(열려) 공기가 중이 내로 유입되는지를 확인하는 간단한 이관기능검사법이다. 이관을 통해 공기가 중이강으로 들어갈 때 고막이 정상상태이면 공기방울 터지는 소리가 들리거나 중이강 내에 충만감을 느끼게 되며, 고막이 천공된 경우에는 천공된 고막을 통해 공기가 새어나가는 느낌을 받을 때 이관의 환기기능이 있다고 판정하는 방법이다.

2) Toynbee 법

코를 잡아 막은 상태에서 침 삼키기를 시키면 이관이 열려 공기가 들어가게 된다.[8] 고막이 정상적인 상태라면 처음에는 비인강이 양압일 때 고막이 밖으로 밀리고, 반대로 음압이 될 때 고막이 안쪽으로 말려들어가는 현상을 이경으로 관찰하거나 고실도(tympanogram)로 확인하여 이관의 환기기능의 유무를 간주하는 방법으로서 소아에서 비교적 쉽게 검사할 수 있다. 고막이 천공되어 있는 경우도 중이강 내의 압력의 변화를 압력계로 측정하여 이관의 환기기능을 확인할 수 있다. 이 방법은 전통적인 이관기능검사 중 기능적 측면에서 볼 때 가장 생리적인 검사라 할 수 있다.

3) Politzer 법

Politzer 고무구를 한 쪽 콧구멍에 넣어 공기가 새어나가지 않도록 막고, 나머지 콧구멍을 검사자가 잡은 후 환자에게 침을 삼키게 하거나 'ㄱ', 'K' 등의 음을 발음을 시켜 연구개가 상승되어 비인두를 폐쇄시킨 후 고무구를 압축하여 비인강 내로 공기를 넣어 주어 이관을 열리게 하는 방법이다. 이때 공기가 중이강 내로 들어가는 소리나, 중이의 충만감을 느낄 때 이관의 환기기능이 있다고 알아내는 방법이지만 역시 이관의 생리적 기능을 평가하는 데는 부적절하다. 임상에서 이런 방법들은 이관기능의 평가보다는 일부 환자에서 중이 환기를 위한 보조직 치료 수단으로 이용되는 경우가 많다.

4) 카테터 삽입법

카테터를 비강을 통해 이관의 비인강구에 넣은 후 고무구나 압축공기로 직접 비인강에 양압을 주어 이관의 열림을 확인하는 방법이다. 하지만 이 방법은 이관 개구부의 점막 손상을 초래할 수 있기 때문에 최근에는 거의 시행하지 않으며 내시경의 발달로 효용성이 많이 감소하였으며 오히려 최근 이관의 풍선 확장술의 지침으로 주로 이용되고 있다.

2. 생리적 기능검사

단지 이관의 개방 유무만을 확인하는 이관 통기검사법과는 달리, 이관의 생리적 기능을 검사할 수 있는 다양한 방법들이 개발되었다. 이 중 압력계(manometry)를 이용한 부하음압검사는 Flisberg[13]가 고안한 방법으로, 현재 가장 신뢰받는 검사방법으로 인정받고 있다. 그리고 이관의 기능적 폐쇄를 검사할 수 있는 음향이관측정법(sono-tubometry)같은 새로운 검사법이 개발되어 이관의 능동적 개구능력을 평가할 수 있게 되었다.

1) 고막운동성계측법(Tympanometry)

가장 간단하고 단순한 압력계(manometry) 검사법들 중 하나가 고막운동성계측법으로서 중이압을 측정하여 이관기능을 간접적으로 평가하는 방법이다. 중이압은 이관이 정상적으로 기능을 하는 귀에서도 약간 음압상태이며 성인에선 −50에서 +50 mmH_2O 사이를 정상으로 보고 있으며 소아에선 더 낮은 압에서조차도 임상적 의미를 두지 않고 있다.

2) 부하음압검사법(Inflation deflation)

압력계를 이용한 부하음압평형검사법은 정상의 고막과 천공이 있는 고막 모두에서 검사가 가능하며 양압과 음압을 이용한 직접검사법, 변형가압감압 고실계측법 등이 있다. 이 검사법을 이용하여 음압과 양압에 대한 이관기능을 모두 측정하기 때문에 이관기능을 가장 잘 반영하는 검사법이다. 고막이 천공된 경우에선 중이와 비인강의 압력차이가 외이도에 커플된 외부 기구로 쉽게 측정되며 고막이 정상인 경우의 중이압의 차이는 압력방 안에서 이관이 열려있는 동안 고실계측도로 측정된 gradient 변화를 얻어 이관의 환기와 압력의 균형을 알게 된다.

변형가압감압 고실계측법에 의한 이관기능 판정은 외이도에 직접 양압(mmH_2O)과 음압(-300 mmH_2O)을 가한 후 침을 3차례 삼키게 한 후 중이강에 남아있는 압력을 고막운동성계측기로 측정하여 분류한다. Bluestone은 부아음압검사의 변형으로 양 음압 하에서 연하를 시켜 이관기능을 검사하는 9단계 가압감압 고실계측법(nine step inflation/deflation tympanometric test)을 시행하여 외이도에 음압과 양압을 가한 뒤, 반복적 연하에 따라 중이 내 압력이 정상화되는지를 측정하여 이관의 생리적 기능을 간접적으로 평가하였다.

3) 음향이관측정법(Sonotubometry)

음향이관측정법은 콧구멍을 통해 고주파의 음(6~8 kHz, 100~112 dB)을 주고, 연하동안 이관의 열림이 있는지 없는지를 환자의 외이도에서 측정된 음압의 차이로 알아내는 방법으로서 생리적 압력조건에서 이관개구를 측정할 수 있는 몇 안 되는 검사법 중의 하나이다. 고막에 천공이 있어도 이관의 기능을 평가할 수 있고, 간단하며 소아에서 실시할 수 있는 객관적이 검사법으로 연하 시 5 dB 이상 음의 증가가 관찰될 때를 양성 판정의 기준으로 삼으며 정상인의 90%에서 양성 소견을 나타낸다.

4) 근전도검사

이관의 열림에 중요한 구개범장근과 구개거근의 감소된 기능이 이관부전증에 관련되므로 이관기능검사로서 이들 근육의 근전도 검사를 실시하여 평가할 수 있다. 이 검사는 이관의 능동적 열림을 검사한다는 장점이 있지만 침습적인 방법이다.

5) 배출기능검사

배출기능을 보는 방법으로는 gentian violet, methylene blue 등을 중이 내에 주입 후 비인두에서 색소가 관찰 되는 시간을 측정하거나, 또는 조영제를 외이도(중이)에 점적 후 연하 시 순차적인 조영방사선촬영으로 측정하는 방법 등이 있다.

3. 기타검사

1) 영상평가

이관의 기능적 영상은 개발의 초기상태로 CT가 사용되었으며 MRI도 이관관련검사에 이용되고 있다. 최근에는 이관 입구부의 정지된 모습뿐만 아니라 개구되는 과정을 느린 동영상과 같이 분석하여[3] 이관기능을 평가하기도 하지만 MRI는 비용이 비싸고 real-time monitoring에는 비효율적이다.

2) 내시경검사

기존의 내시경에 의한 이관의 관찰은[10] 이관의 개구부, 이관 협부 및 중이강의 점막의 상태나 구조물의 형태학적인 관찰이 가능하지만 이관의 개폐의 모습을 분석한 기능적인 면을 반영하지 못한다는 단점이 있어왔다. Linstrom 등은 굴곡형 내시경을 중이강에서 이관으로 통과시켜 검사하여 이관의 연골부가 열리고-닫히는 움직임을 처음으로 관찰했다.

강직형 내시경은 이관의 입구부를 영상화하기에 좋은 화질을 나타내긴 하지만, 굴곡형 내시경은 다루기가 쉽고, 직경이 작아 환자가 불편을 덜 느끼며 좀 더 가까이 이관개구부에 접근하여 더 좋은 화질을 얻을 수 있어 강직형 내시경을 대체할 수 있다고 하였다. 한편 강직형내시경은 30° 또는 70°의 각도를 가진 굳은 Hopkins rod 내시경이 가장 좋은 시야를 제공해준다.

최근엔 slow motion video endoscopy가 개발되어 이관기능을 눈으로 보고 평가할 수 있게 되었다. 직경 4 mm,

30°의 강직형 비 내시경을 비강을 통해 내시경을 삽입하고 이관 입구부가 가장 잘 보이는 위치에서 내시경을 고정시킨 후 환자에게 침을 삼키게 하여 이관 입구부의 개구되는 움직임을 정지영상 및 동영상을 녹화하여 느린 장면으로 평가 분석한다.[3]

참고문헌

1. Anson B, Donaldson J. The surgical anatomy of the temporal bone and ear. Philadelphia: WB Saunders; 1967.
2. Aoki H, Sando I, Takahashi H. Mucosal folds of eustachian tube in young children. Auris Nasus Larynx (Tokyo) 1993;20:125-130.
3. Augustine AM, Varghese L, Michael RC, Albert RR, Job A. The efficacy of dynamic slow motion video endoscopy as a test of eustachian tube function. J Laryngol Otol. 2013;127:650-655.
4. Bak-Pedersen K, Tos M. Density of goblet cells in the human eustachian tube. Relationship between goblet-cell density in the tube and number of mucous glands in the middle ear. Acta Otolaryngol (Stockh) 1972;74:197-205.
5. Barsoumian R, Kuehn DP, Moon JB, et al. An anatomic study of the tensor palatini and dilator tubae muscles in relation to eustachian tube and velar function. Cleft Palate Craniofac 1998;35:101-110.
6. Beleskiene V, Lesinskas E, Januskiene V, Daunoraviciene K, Rauba D, Ivaska J. Eustachian tube opening measurement by sonotubometry using perfect sequences for healthy adults. Clin Exp Otorhinolaryngol 2016;9:116-122.
7. Birken EA, Brookier KH. Surface tension lowering substance of the canine eustachian tube. Ann Oto l Rhinol Laryngol 1972;81:268-271.
8. Carlsson B, Ohlsson K. Localization of antileukoprotease in middle ear mucosa. Acta Otolaryngol 1983;95:111-116.
9. Chang KH, Jun BC, Jeon EJ, Park YS. Functional evaluation of paratubal muscles using electromyography in patients with chronic unilateral tubal dysfunction. Eur Arch Otorhinolaryngol. 2013;270:1217-1221.
10. Di Martino E, Walther LE, Maneschi P, et al. Endoscopic examination of the eustachian tube. Otol Neurotol 2005;26:1112-1117.
11. Djeric D, Savic D. Anatomical variations and relations of the bony portion of the Eustachian tube. Acta Otolaryngol (Stockh) 1985;99: 543-560.
12. Falk B. Negative middle ear pressure induced by sniffing: A tympanometric study in persons with healthy ears. J Otolaryngol 1981;10:299-305.
13. Flsberg K, Ingelstedt S, Ortegren U. On the function of middle ear and eustachian tube: The valve and "locking" mechanims of the eustachian of the eustachian tube. Acta Otolaryngol (Stockh) 1963;182:57-68.
14. Goss C, editor. Gray's anatomy of the human body. Philadelphia: Lea & Febiger; 1967.
15. Graves GO, Edwards LF. The eustachian tube. A review of its descriptive, microscopic, topographic and clinical anatomy. Arch Otolaryngol 1944;39:359-399.
16. Hamada Y, Utahashi H, Aoki K. Physiological gas exchange in the middle ear cavity. Int J Pediatr Otorhinolaryngol 2002;64:41-49.
17. Hanamure Y. Lim DJ. Normal distribution of lysozyme-and lactoferrin-secreting cells in the chinchilla tubotympanum. Am J Otolaryngol 1986;7:410-425.
18. Hellstrom S, Stenfors L-E, Albin N, et al. Pathophysiology of the eustachian tube: Results in animal experiments. Ann Otol Rhinol Laryngol 1985;(suppl 120):37-38.
19. Honjo I, Okazaki N, Nozoe T, et al. Experimental study of the pumping function of the eustachian tube. Acta Otolaryngol 1981;91:85-89.
20. Ishijima K, Sando I, Balaban CD, et al. Functional anatomy of levator veli palatini muscle and tensor veli palatini muscle in association with Eustachian tube cartilage. Ann Otol Rhinol 2002;111:530-536.
21. Kimura H, Yamaguchi H, Cheng SS, Okudaira T, Kawano A, Iizuka N, Imakirei M, Funasaka S. Direct observation of the tympanic cavity by the superfine fiberscope. Nihon Jibiinkoka Gakkai Kaiho 1989;92:233-238.
22. Kitajiri M, Sando I, Takahara T. Postnatal development of the eustachian tube and its surrounding structures. Ann Otol Rhinol Laryngol 1987;96:191-198.
23. Lim DJ. Functional morphology of the lining membrane of the middle ear and eustachian tube: An overview. Ann Otol Rhinol Laryngol 1974;83(suppl 11):5-26.
24. Magnuson B. On the origin of high negative pressure in the middle ear space. Am J Otolaryngol 1981;2:1-12.
25. Matsune S, Sando I, Takahashi H. Comparative study of elastin at the hinge portion of eustachian tube cartilage in normal and cleft palate cases. Ann Otol Rhinol Laryngol 1992;101:163-167.
26. Matsune S, Sando I, Takahashi H. Distributions of eustachian tube goblet cells and glands in children with and without otitis media. Ann Otol Rhinol Laryngol 1992;101:750-754.
27. Orita Y, Sando I, Hasebe S, et al. Postnatal change on the location of Ostmann,s fatty tissue in the region lateral to Eustachian tube. Int J Pediatr Otolaryngol 2003;67:1105-1112.
28. Oyagi S, Ito J, Honjo I. The origin of autonomic nerves of the Eustachian tube as studied by the horseradish peroxidase tracer method. Acta Otolaryngol (Stockh) 1988;105:266-272.
29. Poe DS1, Rebeiz EE, Pankratov MM, Shapshay SM. Transtympanic

endoscopy of the middle ear. Laryngoscope 1992;102:993-996.
30. Proctor B. Embryology and anatomy of the Eustachian tube. Arch Otolaryngol 1967;86:503-526.
31. Rood SR, Doyle WJ. The nasopharyngeal orifice of the auditory tube: implications for tubal dynamics anatomy. Cleft Palate J 1982;19:119-128.
32. Sade J, Meyer A, King M, et al. Clearance of middle ear effusions by mucociliary system. Acta Otolaryngol 1975;79:277-282.
33. Sade J, Wolfson S, Luntz M, Berger G. The anatomical regions of the eustachian tube. In: Sade J, ed. The eustachian tube. Amsterdam: Kugler, 1987:31-40.
34. Sade J, Luntz M. Dynamic measurement of gas composition in the middle ear. Acta Otolaryngol (Stockh) 1993;113:349-352.
35. Sief S, Dellon AL. Anatomic relationship between the human levator and tensor veli palatini and the eustachian tube. Cleft Palate J 1978;15:329-336.
36. Siegel MI, Cantekin EI, Todhunter JS, Sadler-Kimes D. Aspect ratio as a descriptor of Eustachian tube cartilage shape. Ann Otol Rhinol Laryngol 1988;97(suppl 133):16-17.
37. Shupak A, Tabari R, Swarts JD, et al. Effects of middle-ear oxygen and carbon dioxide tensions on Eustachian tube ventilatory function. Laryngoscope 1996;106:221-224.
38. Smith ME1, Blythe AJC, Baker C, Zou CC, Hutchinson PJA, Tysome JR. Tests of eustachian tube function: the effect of testing technique on tube opening in healthy ears.Otol Neurotol 2017;38:714-720.
39. Su CY. Valve section of the eustachian tube. J Laryngol Otol 1995;109:486-490.
40. Sudo M, Sando I. Developmental changes in folding of the human eustachian tube. Acta Otolaryngol 1996;116:307-311.
41. Sudo M, Sando I, Suzuki C. Three-dimensional reconstruction and measurement of human Eustachian tube structures: a hypothesis of Eustachian tube function. Ann Otol Rhinol Laryngol 1998;107:547-554.
42. Takasaki K, Sando I, Miura M. Functional anatomy of the tensor veli palatini muscle and Ostmann's fatty tissue. Ann Otol Rhinol Laryngol 2002;111:1045-1049.
43. Terzi S, Beyazal Çeliker F, Özgür A, Çeliker M, Beyazal M, Demirci M, Dursun E. The evaluation of eustachian tube paratubal structures using magnetic resonance imaging in patients with chronic suppurative otitis media. Acta Otolaryngol 2016;136:673-676.
44. Timoshenko AP, Denis C, Dubois F, et al. Study of the auditory tube by ventilation scintigraphy with technetium-99m. Surg Radiol Anat 2005;27:482-486.
45. Tos M, Bak-Pedersen K. Goblet cell population in the normal middle ear and Eustachian tube of children and adults. Ann Otol Rhinol Laryngol 1976;85(suppl 25):44-50.
46. Toynbee J. On the muscles with open the eustachian tube. Proc R Soc 1853;6:286.
47. Williams RC, Gibbons RJ. Inhibition of bacterial adherence by secretory immunoglobulin A: a mechanism of antigen disposal. Science 1972;177:697-699.
48. Yoon YJ, Jeong HS, Kim YK, et al. The distribution of elastic fibers in the eustachian tube of the rat. Korean J Otolaryngol 1996;39:568-575.
49. Yoon YJ, Jeong WC, Kim YK. Immunohistochemical localization of alpha 1-antitrypsin in the rat eustachian tube and tympanic membrane. Korean J Otolaryngol 1999;42:279-283.

CHAPTER

05

측두골과 두개저 질환의 영상진단

이비인후과학 Otorhinolaryngology - Head and Neck Surgery

김형진

I 측두골의 정상 전산화단층촬영술과 자기공명영상술

1. 전산화단층촬영술

공기와 골조직은 측두골을 구성하는 구조물 중 주요한 요소로 전산화단층촬영술(computed tomography; CT)은 이 구조물을 침범한 병변을 검사하는 데에 있어서 종래에 사용되던 고식적 단층촬영술을 거의 완전히 대체한 가장 우수한 영상방법이다(그림 5-1).

최근에는 다중검출기 전산화단층촬영술(multidetector row CT)의 개발로 1 mm 이하의 절편두께로 영상획득이 가능하며, 512×512 행렬(matrix)과 고공간해상도연산법(high spatial frequency algorithm)을 사용하여 현재는 화소(pixel)의 크기가 0.2 mm 이하인 고해상도의 영상을 쉽게 얻을 수 있다. 축상(axial)과 관상(coronal) 스캔을 병행하여 병변의 위치와 범위를 정확하게 평가할 수 있으며, 필요에 따라 임의의 단면으로 영상을 재구성할 수 있다.[6]

영상 표현은 일반적으로 골구조물을 잘 볼 수 있도록 하기 위하여 4,000 HU의 넓은 창 폭(window width)과 400~900HU의 높은 중앙창값(window level)을 사용하는 골격창 설정(bone window setting)으로 영상화하지만 연조직을 위하여 필요에 따라 −400 HU를 중앙창값으로 하는 연조직창 설정(soft tissue window setting)을 병행할 수도 있다.

일반적으로 조영증강을 하지 않으나 혈관 기형이나 경정맥사구종양(glomus jugulare tumor)과 같은 혈관이 풍부한 연조직 종양에 대하여 선택적으로 정맥을 통하여 조영제를 사용하기도 한다.

축상스캔은 두개기저선(Reid's base line, infraorbitomeatal line)에 대하여 0~30°의 각도로 외이도로부터 상추체능(superior petrous ridge)까지 스캔하며, 관상스캔은 두개기저선과 90~120°의 각도로 이관에서 후반고리관까지 영상을 얻는다.

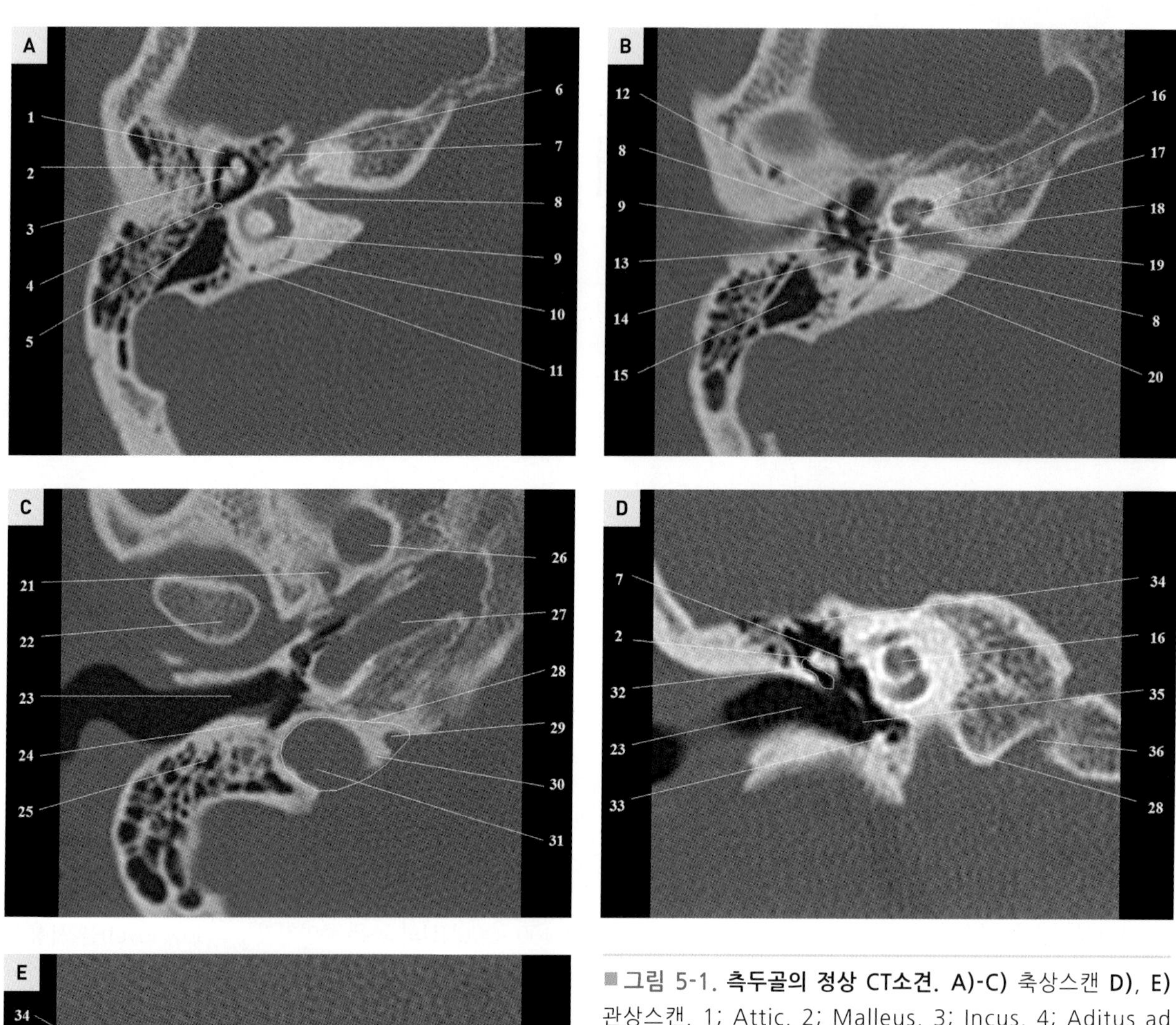

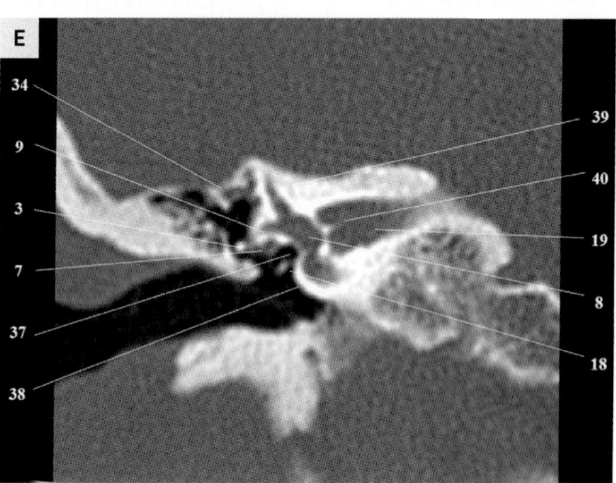

■ 그림 5-1. **측두골의 정상 CT소견. A)-C)** 축상스캔 **D), E)** 관상스캔. 1; Attic, 2; Malleus, 3; Incus, 4; Aditus ad antrum, 5; Koerner's septum, 6; Geniculate fossa, 7; Facial canal, 8; Vestibule, 9; Lateral semicircular canal, 10; Vestibular aqueduct, 11; Posterior semicircular canal, 12; Cochleariform process, 13; Facial recess, 14; Pyramidal eminence, 15; Antrum, mastoid, 16; Cochlea, 17; Modiolus, 18; Stapes, 19; Internal auditory canal, 20; Sinus tympani, 21; Foramen spinosum, 22; Mandibular condyle, 23; External auditory canal, 24; Tympanic annulus, 25; Mastoid air cell, 26; Foramen ovale, 27; Carotid canal, 28; Jugular foramen, 29; Pars nervosa (jugular foramen), 30; Jugular spine, 31; Pars vascularis (jugular foramen), 32; Prussak's space, 33; Limbus, 34; Tegmen tympani, 35; Tympanic membrane, 36; Petrooccipital fissure, 37; Oval window, 38; Cochlear promontory, 39; Superior semicircular canal, 40; Falciform crest.

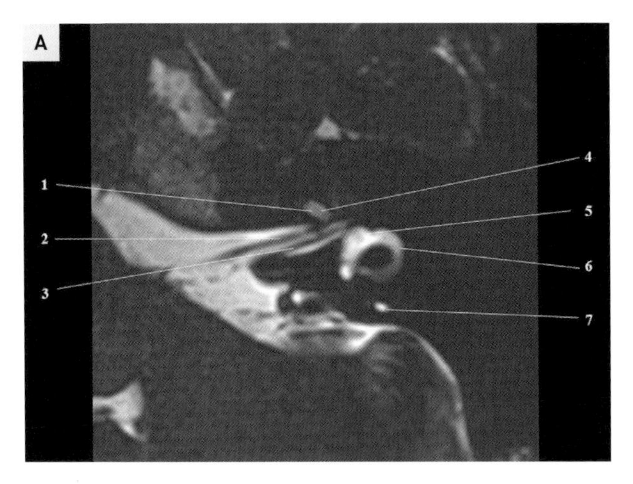

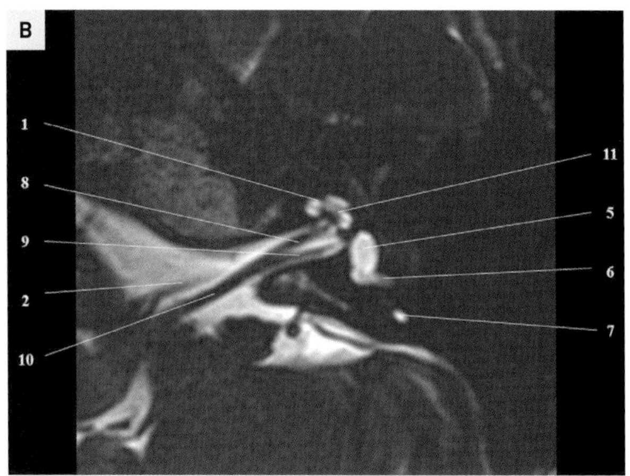

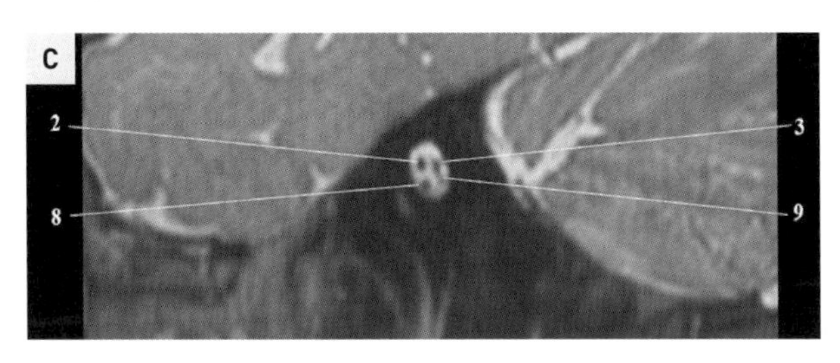

■ 그림 5-2. **측두골의 정상 MRI소견. A), B)** 삼차원 급속경사에코 T2WI 축상스캔, **C)** T2WI 시상스캔. 1; Cochlea, 2; Facial nerve, 3; Superior vestibular nerve, 4; Interscalar septum, 5; Vestibule, 6; Lateral semicircular canal, 7; Posterior semicircular canal, 8; Cochlear nerve, 9; Inferior vestibular nerve, 10; Vesibulocochlear nerve, 11; Modiolus.

2. 자기공명영상술

자기공명영상술(magnetic resonance imaging; MRI)은 CT와 달리 전리방사선(ionized X-ray)을 사용하지 않고 원하는 방향으로 자유자재의 다면영상(multi-planar image)을 얻을 수 있으며 CT에 비하여 연조직의 해상도가 뛰어나 측두골 영상에 있어 주로 막성 미로, 추체, 혈관, 그리고 청신경과 안면신경의 병변을 진단하는 데에 이용된다(그림 5-2).[4] 최근에는 급속영상술(fast scanning)과 더불어 삼차원(three-dimensional) 영상, 표면코일(surface coil) 개발 등 영상 획득 기술의 발달로 CT와 비슷한 정도의 고해상 영상을 빠른 시간에 얻을 수 있으며, 정맥을 통한 조영증강을 병행하면 다른 영상방법으로는 보기 어려운 막성 미로의 병변도 관찰할 수 있다.[4,19,34]

그러나, 와우이식기(cochlear implant)나 인공심장기와 같이 외부 자장에 크게 영향을 받는 인공삽입물이나 철자성(ferromagnetic)의 이물질을 가지고 있는 환자는 MRI의 제한적인 금기 대상이 된다.

측두골의 MRI에 있어 흔히 사용되는 기법은 스핀에코(spin echo) 기법과 경사에코(gradient echo) 기법이다. 스핀에코 기법은 일반적으로 인체에서 가장 흔하게 사용되는 MRI의 영상획득 기법으로, 90°와 180° 펄스를 외부에서 가해 반복시간(repetition time;TR)과 에코시간(echo time; TE)에 따라 양자가 비교적 모두 짧은 T1 강조영상(T1-weighted image;T1WI)과 양자가 모두 긴 T2 강조영상(T2-weighted image; T2WI)을 얻는 방법이다. 그러나, 이 방법은 영상획득에 있어 많은 시간이 걸리는 단점이 있다. 반면, 경사에코 기법에서는 180° 펄스 대신 경사자장(gradient magnetic field)을 이용하여 짧은 시간에 영상획득이 가능하다. 최근에는 내이와 내이도의 병변에 대하여 삼차원 기법과 급속영상술을 접목한 다양한 형태의 스핀에코와 경사에코 기법이 널리 사용되고 있으며 이를 이용하여 외림프공간(perilymphatic space)

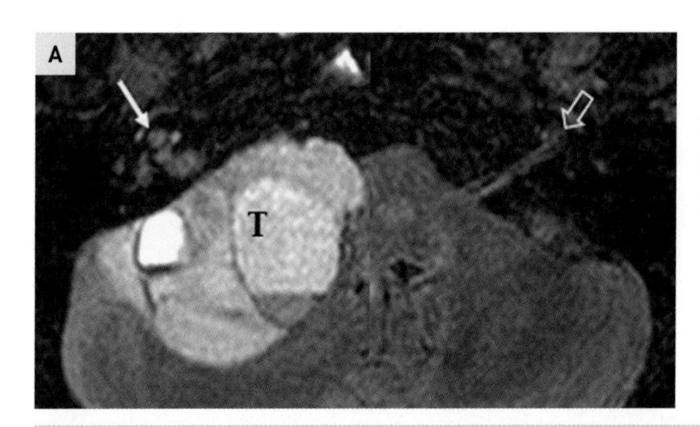

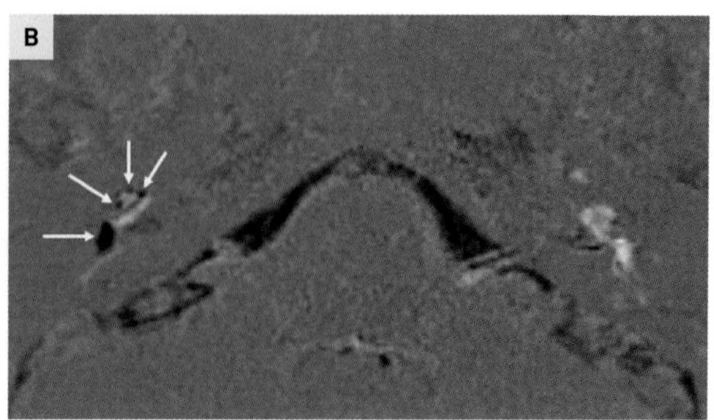

■ 그림 5-3. **삼차원 액체감약반전회복기법(fluid attenuated inversion recovery; FLAIR)을 이용한 내이 질병의 진단.** **A)** 청신경종. 조영제 주입 전 촬영한 삼차원 액체감약반전회복기법 영상에서 우측 소뇌교각과 내이도에 출혈과 낭포성변화를 가진 큰 청신경종(T)이 있으며, 동측 와우(화살표)와 전정의 외림프공간에는 증가된 단백질 성분에 의하여 좌측(빈화살표) 내이에 비하여 신호강도가 매우 높다. **B)** 메니에르병. 정맥 조영제 주입 4시간 후 촬영한 변형modified 삼차원 액체감약반전회복기법 영상에서 우측 와우와 전정 내에 고신호강도의 외림프공간과 대비되어 신호결손으로 나타나는 확장된 내림프공간(화살표)이 보인다. 좌측 내이에서는 우측과 달리 큰 영역의 신호결손은 보이지 않는다.

과 내림프공간(endolymphatic space)의 이상 소견을 발견하는 데에도 유용하게 이용되고 있다(그림 5-3).[20,27]

측두골 내에 위치한 각각의 구조물은 그 구조물을 이루는 성분에 따라 MR 영상에서 다양한 신호강도를 보이는데, 일반적으로 뇌척수액이나 외림프와 같이 자유 수소원자가 많은 물질일수록 T1WI에서는 저신호 강도를, T2WI에서는 고신호 강도를 보이고, 신경조직과 같은 연조직은 T1WI와 T2WI 모두에서 중간 정도의 신호강도를 보이며, 피질골(cortical bone)이나 공기에는 자유 수소원자가 거의 없어 무에코(anechoic)의 검은 음영으로 나타난다.

영상 획득은 조영증강 전 축상스캔으로 T1WI와 T2WI를 기본으로 얻고, 조영증강 후 T1WI로 축상스캔과 하나 이상의 관상 또는 시상스캔을 병행한다. 측두골 MRI는 될수록 얇은 절편 두께를 사용하는 것이 좋다. 뇌와 뇌간 병변의 유무를 파악하기 위하여 선별김사로 측두골 검사 전 축상스캔으로 T2WI 또는 유체감쇠반전회복영상(fluid attenuated inversion recovery; FLAIR) 기법의 뇌 MRI를 시행할 수 있다. 편측얼굴연축(hemifacial spasm)이나 삼차신경통(trigeminal neuralgia) 또는 동맥류(aneurysm)와 혈관의 기형 및 협착 등 혈관성 병변에 대하여는 자기공명혈관조영술(magnetic resonance angiography; MRA)을 병행하기도 한다. 또한, 최근에는 이차확인수술(second-look operation) 전 중이 진주종의 유무를 확인하는데 확산강조영상술(diffusion-weighted imaging)의 유용성이 강조되고 있다.[7]

3. 혈관조영술과 색전술

CT나 MRI 등 비침습적으로 인체 단면의 해부학적 영상을 제공하는 영상검사법의 급속한 발전에도 불구하고, 침습적으로 카테타와 유도철사(guide wire)를 사용하여 혈관 내부를 검사하는 혈관조영술(angiography)은 지금도 뇌를 포함한 두경부 영역의 혈관성 질환을 진단하는데 매우 유용한 방법이다. 혈관조영술은 동맥협착 및 폐색, 동맥류(aneurysm), 동정맥기형(arteriovenous malformation), 동정맥루(arteriovenous fistula) 등 경동맥과 척주동맥에서 발생하는 동맥 질환은 물론, 경막정맥동(dural venous sinus), 뇌피질정맥(cerebral cortical vein), 경정맥 등에서 발생한 정맥의 협착 및 폐색 등을 쉽게 진단할

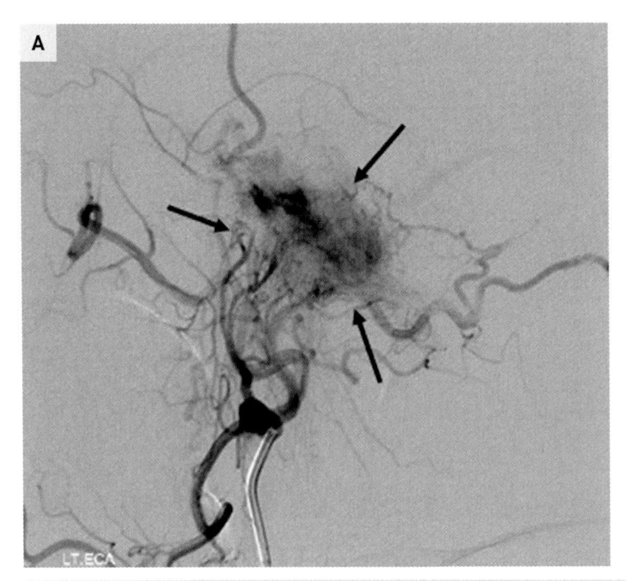

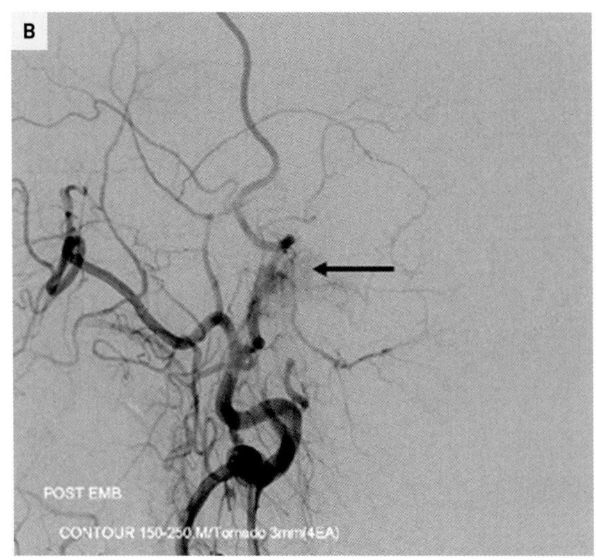

■ 그림 5-4. **경정맥사구종양의 혈관조영술과 색전술. A)** 외경동맥조영술에서 좌측 경정맥구 근처에 외경동맥으로부터 혈액이 공급되어 종양조영(tumor stain)되는 과다혈관종양(화살표)이 관찰된다. **B)** 외경동맥의 분지인 후두동맥(occipital artery)과 상행인두동맥(ascending pharyngeal artery)을 통한 선택적 색전술 후 시행한 외경동맥조영술에서 종양조영은 거의 소실되어 있다(화살표).

수 있으며, 경정맥사구종양(glomus jugulare)과 같은 과다혈관종양(hypervascular tumor)의 진단에도 널리 사용된다. 이와 함께, 혈관조영술은 혈류를 차단하는 색전술(embolization)과 병행하여 수술을 대신한 동맥류, 동정맥 기형, 동정맥루의 치료법으로 사용되고 있으며, 수술에서 예상되는 과다 출혈을 방지하기 위하여 과다혈관종양의 수술 전 시술로도 흔히 사용된다(그림 5-4). 두개외 경부 동맥의 협착은 풍선혈관성형술(balloon angioplasty)과 금속 스텐트(metallic stent)로 치료가 가능하며, 풍선혈관성형술은 정맥협착에도 사용이 가능하다.

II 측두골 질환의 영상의학적 소견

1. 측두골의 선천성 질환

외이와 중이는 태생 4~30주 사이에 제1 새궁(branchial arch)과 제2 새궁, 제1 새열(branchial cleft), 그리고 제1 인두낭(pharyngeal pouch)에서 기원하고 내이는 이판(otic placode)과 이소포(otic vesicle)에서 기원한다. 선천성 기형의 약 60% 정도가 외이와 중이에, 약 30%는 내이에 발생하며, 나머지 10%는 복합 기형이다.[4,5] 일반적으로 외이 및 중이기형의 진단에는 CT가, 내이기형의 진단에는 MRI가 우수한 것으로 알려져 있다.[8]

1) 외이와 중이의 선천성 기형

외이의 기형은 고실륜(tympanic ring)의 이형성(dysplasia)으로 인한 경미한 발육부전으로부터 고실륜의 무형성으로 인한 외이폐쇄까지 다양하다. 전자의 경우 중이는 정상일 수 있으나 이소골 유합의 소견을 보일 수도 있으며, 후자의 경우 대개 이소골 융합의 소견을 동반한다. 제1 새궁과 제2 새궁의 이형성증으로 인한 경우 해당되는 새궁으로부터 유래되는 구조물의 소실과 발달장애와 함께 다양한 정도의 외이, 중이와 유돌봉소의 이상 소견을 관찰할 수 있다. 심한 외이도 기형에서는 정상에 비하여 후상측으로 전위된 악관절의 위치 이상이 흔히 동반되며,

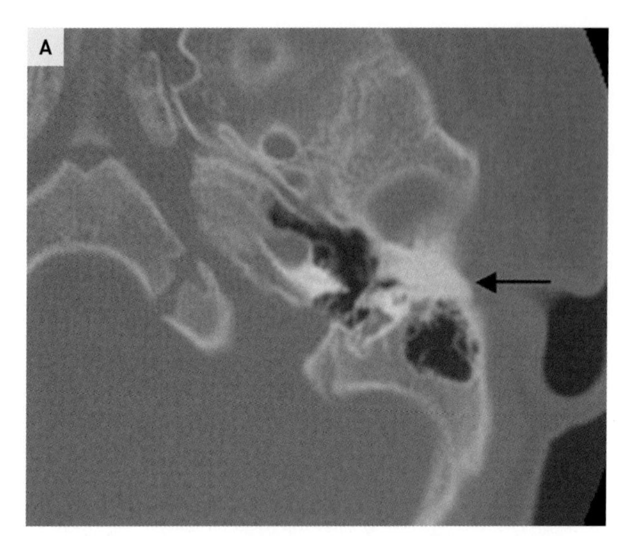

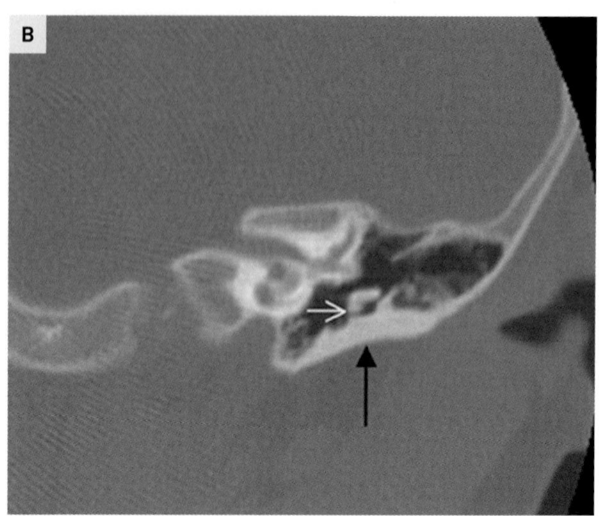

■ **그림 5-5. 외이도의 선천성 폐쇄. A)** CT 축상스캔에서 좌측의 외이도의 완전폐쇄(화살표)가 보인다. **B)** CT 관상스캔에서 좌측 외이도의 폐쇄(검은 화살표)와 함께 융합으로 변형된 등골과 침골이 폐쇄판에 고정된 소견(흰 화살표)이 관찰된다.

간혹 하악골과(mandibular condyle)의 발육부전과 관절강 이상이 함께 나타나기도 한다. 심한 외이도 기형에서는 비정상적으로 위치한 안면신경관 역시 비교적 흔한 소견으로 유돌부의 안면신경관이 정상보다 전외측으로 전위되는 형태로 주로 나타나며, 이소골의 융합도 흔히 동반된다(그림 5-5).[5,50] 외이의 선천성 폐쇄 때에는 고실개(tegmen tympani)의 하강에 의하여 낮은 위치의 경막이 흔히 동반된다.[45] 드물게 선천성 기형이 이소골에만 국한되어 나타날 수 있는데 등골이나 침골이 추골보다 더 흔한 것으로 알려져 있다.[37]

2) 내이의 선천성 기형

내이의 선천성 기형은 대개 임신 1기에 유전적으로 또는 기형발생인자(teratogen)에 노출되어 발생된다. 선천적 감각신경성 난청은 90% 이상에서 골미로의 이상 없이 막성 미로의 발달 장애에 의하여 초래되며,[15] 영상검사로는 이상 소견을 발견할 수 없다. 내이 기형의 10~20%에서 막성 미로와 함께 골미로의 발육부전이 나타나며, 이때에는 CT나 MRI에서 이상 소견을 관찰할 수 있다.[43] 내이 기형은 65% 정도에서 양측성으로 대칭적으로 나타나며 와우, 반고리관, 전정도수관(vestibular aqueduct)의 일부 또는 전부를 침범하는 다양한 형태를 띤다.[15]

골와우 기형은 내이 전부가 무형성되는 Michel 이형성으로부터 경미한 형태인 Mondini 이형성에 이르기까지 다양한 형태로 나타난다. Mondini 이형성은 태생 7주에 불완전 분할에 의하여 와우가 정상적인 2½~2¾ 회전 대신 1½ 회전을 하고 중간 및 와우첨 회전부가 하나로 합해진 것으로 전체 골와우 기형의 55%를 차지한다.[16] 영상의학적으로 왜소한 와우와 함께 골나선판(osseous spiral lamina)와 와우축(modiolus)의 소실이 특징적이며 종종 전정도수관의 확장 소견을 동반한다(그림 5-6).

골 반고리관의 선천적 기형은 무형성(20%)과 다양한 정도의 형성부전(80%)으로 분류하며, 태생학적으로 가장 늦게 분화하는 외반고리관에 흔하고 가장 일찍 분화되는 상반고리관의 침범은 드물다. 와우 기형의 40% 정도에서 외반고리관의 형성부전이 동반된다.[16] 반고리관 형성부전은 영상검사에서 전정과 합류하는 짧고 넓은 낭성 구조물의 형태로 관찰된다(그림 5-7).

전정도수관의 확장은 영상검사에서 진단할 수 있는 선천적 감각신경성 난청 중 가장 흔한 원인이다.[16,24] CT에서

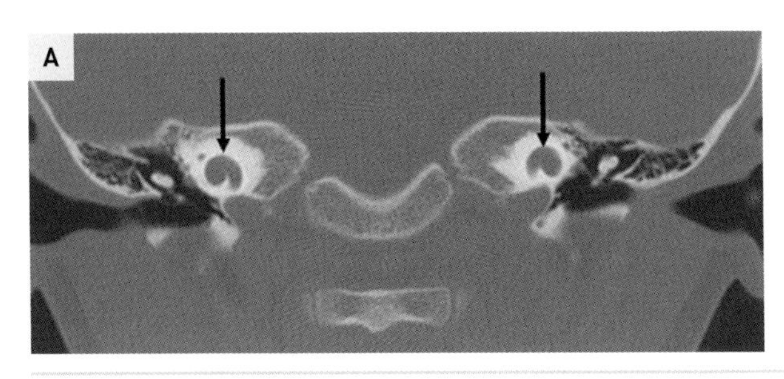

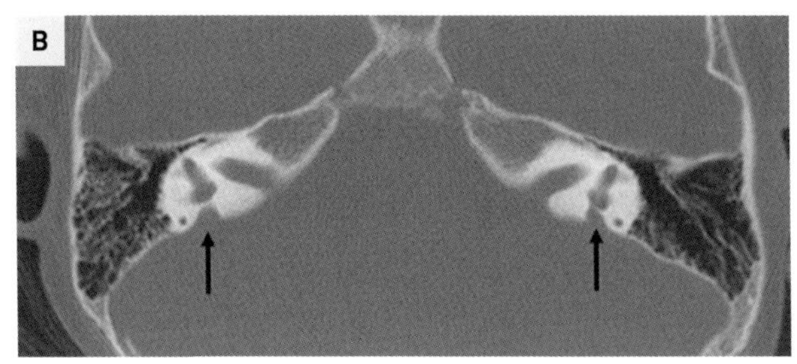

■ 그림 5-6. **Mondini 기형. A)** CT 관상스캔에서 양측 와우(화살표)가 미분화되어 있다. **B)** CT 축상스캔에서 양측 전정도수관(화살표)이 확장되어 있다.

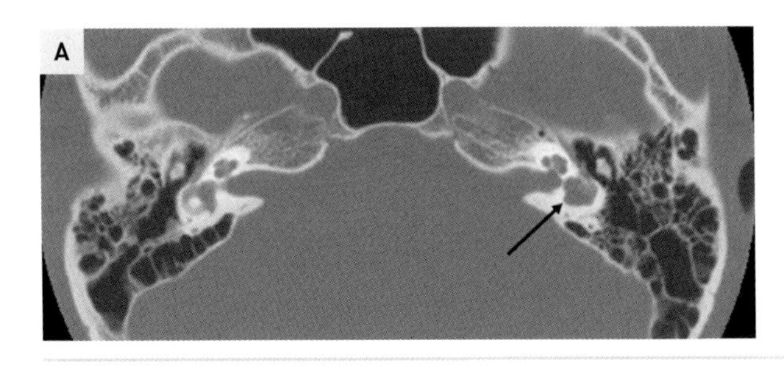

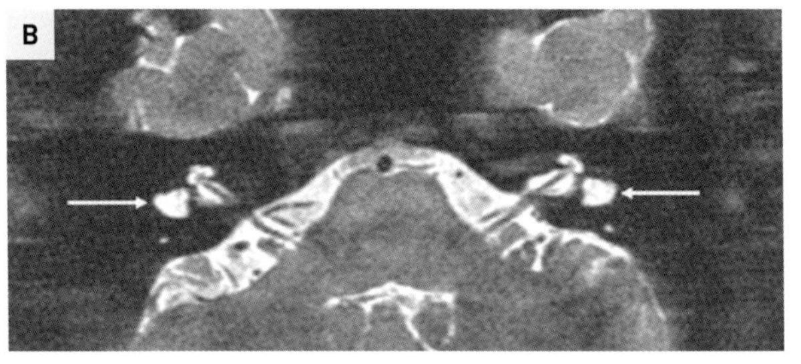

■ 그림 5-7. **외반고리관의 발육부전. A)** CT 축상스캔에서 좌측 외반고리관과 전정이 하나의 구조물(화살표)로 융합되어 있다. **B)** 다른 환자의 삼차원 급속스핀에코 T2WI 축상스캔에서 양측 외반고리관과 전정이 하나의 구조물(화살표)로 융합되어 있다.

중심부에서의 폭이 1.5 mm를 넘으면 전정도수관의 확장을 진단할 수 있다(그림 5-6B). 전정도수관 확장의 60% 가량에서 와우나 반고리관의 기형 동반을 영상의학적으로 진단할 수 있다.[46] 전정도수관확장증후군(enlarged vestibular aqueduct syndrome)은 대개 양측성으로 나타나며, 임상적으로 생후 점진적으로 악화되는 감각신경성 난청을 보이는 환자의 영상검사에서 다른 부분의 내이 기형 없이 전정도수관의 확장만 보일 때 진단할 수 있다.[46]

3) 내이도의 선천성 기형

내이도는 내이와는 별개의 태생학적 기원을 가져 내이 기형과 무관하게 선천성 질환이 발생할 수 있으나 간혹 확장되거나 협소한 내이도가 내이 기형을 동반하기도 한다. 협소한 내이도는 대개 청신경의 발육부전을 의미하는 중요한 영상 소견이지만(그림 5-8) 내이도의 확장은 단순한 정상 변이의 소견일 수 있다.[15] 내이도 확장이 관찰되는 환자에서 등골절제술은 수술 중 발생하는 외림프 분출(perilymph gush)의 가능성 때문에 주의를 해야 하는데 영상검사에서 특히 내이도와 전정 사이의 분획 형성이 잘 관찰되지 않는 경우는 등골절제술의 금기증이다.

4) 혈관 기형과 정상변이

측두골에는 내경정맥과 내경동맥이 위치하며 이 혈관들의 다양한 기형과 변이가 동반될 수 있다. 이러한 혈관 기형은 박동성 이명(pulsatile tinnitus)을 발생시켜 영상검사를 하는 원인이 될 수도 있으나 다른 목적으로 시행한 영상검사에서 우연히 발견되기도 한다.[26]

(1) 경정맥의 기형과 변이

경정맥의 크기는 매우 다양하며 2/3 이상에서 우측이 좌측보다 크다. 고경정맥구(high jugular bulb)는 외이도에 비하여 경정맥구가 높은 경우를 말하며 경정맥구를

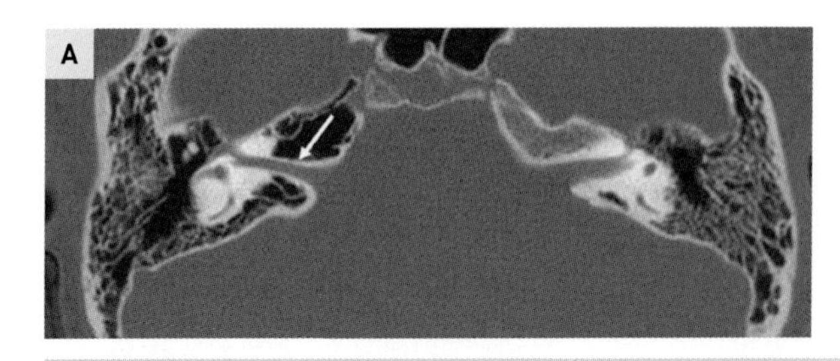

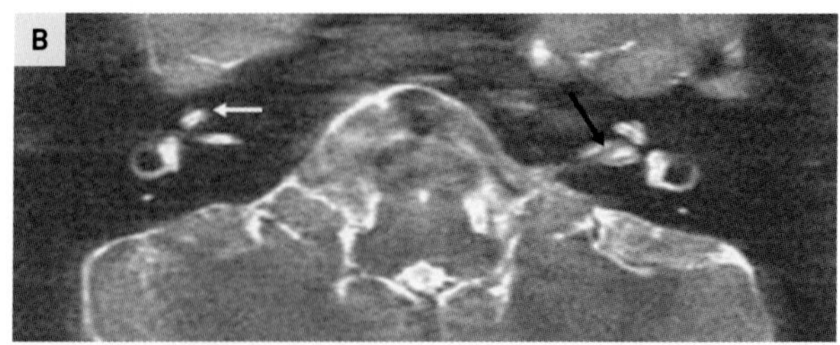

■ 그림 5-8. **내이도의 발육부전.** **A)** CT 축상스캔에서 좌측에 비하여 현저히 좁은 우측의 내이도(화살표)가 보인다. **B)** 삼차원 급속스핀에코 T2WI 축상스캔에서 동측의 골성미로(흰 화살표)는 비교적 정상적으로 발달되어 있으나, 반대쪽 와우신경(검은 화살표)이 내이도 내에서 잘 보이는 것과 달리 동측 와우신경은 보이지 않아 와우신경 발육부전을 시사하고 있다.

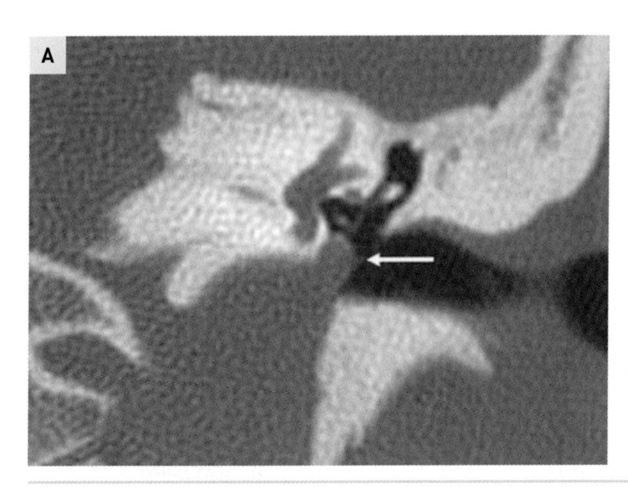

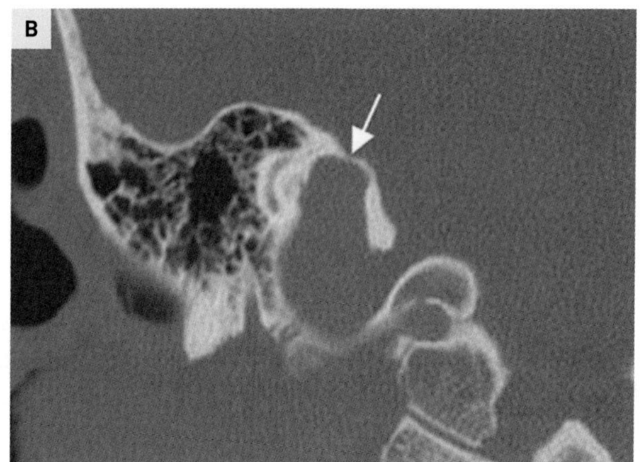

■ 그림 5-9. **경정맥의 정상변이.** **A)** 피열경정맥구. CT 관상스캔에서 좌측 경정맥판의 소실로 인하여 경정맥구(화살표)가 고실로 돌출되어 있다. **B)** 경정맥게실. CT 관상스캔에서 좌측 경정맥구로부터 상부로 돌출된 게실(화살표)이 잘 관찰되며, 인접한 추체골이 매우 얇아져 보인다.

싸는 골이 얇아 중이 수술 시 외상에 쉽게 노출될 수 있다. 전체 측두골의 약 7%에서 중이 하벽의 피열이 관찰되는데 이때 경정맥구의 일부가 하고실로 돌출되어 이경검사상 고막 후방에 혈관성 종괴로 나타날 수 있으며, 박동성 이명이나 전음성 난청을 일으킬 수도 있다(그림 5-9A).[30] 경정맥게실(jugular diverticulum)은 경정맥구로부터 돌출된 불규칙한 모양의 정맥기형으로 고경정맥구에 비하여 내측 후방에 위치하고 중이를 침범하지 않으며 이경으로 관찰되지 않는다는 점에서 고경정맥구나 피열경정맥구와 구별되며 영상검사로만 진단할 수 있다(그림 5-9B).[17,30] 드물게 경정맥게실이 내림프낭이나 내이도를 압박하여 감각신경성 난청이나 현기증을 일으킬 수 있다.[17]

(2) 내경동맥의 기형과 변이

외측전위내경동맥(laterally placed internal carotid artery)은 선천적인 골화 미숙이나 후천적 질환에 의한 골미란에 의하여 내경동맥이 외측으로 전위된 것으로 CT에서 추체수평부 내경동맥이 고실로 돌출된 소견을 보인다.[14] 지속등골동맥(persistent stapedial artery)은 CT에서 두개저에서 극공(foramen spinosum)이 관찰되지 않고 측두골 내에서 안면신경관의 전고실부가 확장된 소견을 확인함으로써 진단할 수 있다.[14] 이상내경동맥/이소성경동맥(aberrant internal carotid artery/ectopic carotid artery)은 배측 대동맥(dorsal aorta)의 퇴화로 인한 혈류의 우회로 발생하며, CT로는 추체수직부 내경

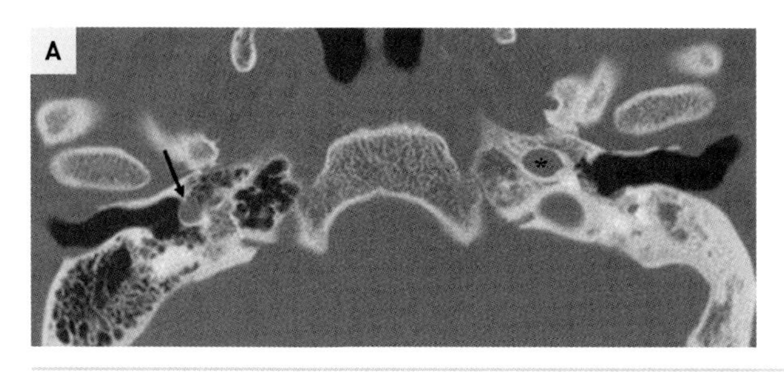

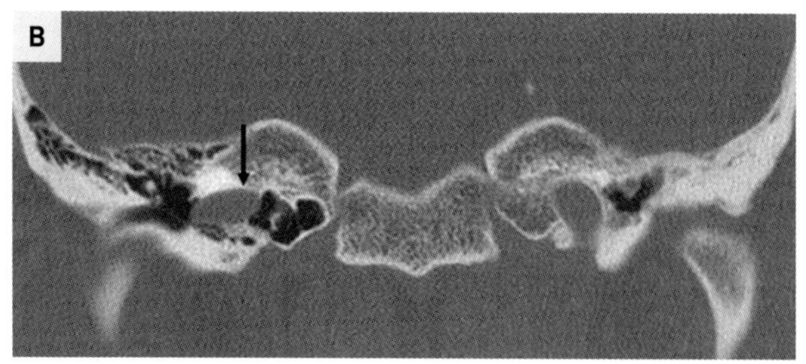

■ 그림 5-10. **이상내경동맥. A)** CT 축상스캔에서 우측 추체수직부 내경동맥관(화살표)이 왜소하고 확장된 하고실세관(*)을 통하여 비정상적인 혈관이 중이로 돌출하여 있다. **B)** CT 관상스캔에서 추체수직부 이상내경동맥은 추체수평부에서 정상 크기의 내경동맥(화살표)으로 연결되는 소견을 보인다.

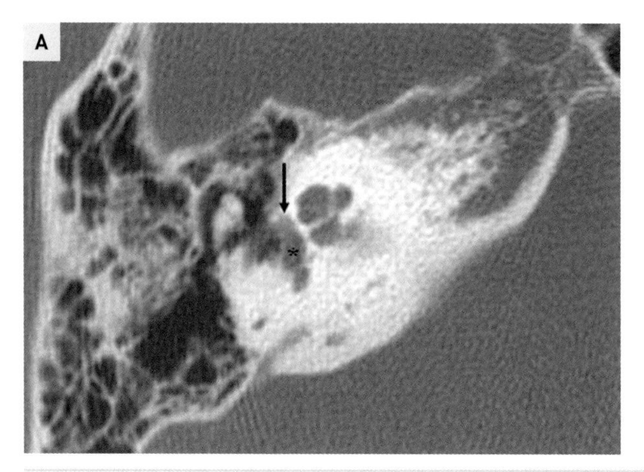

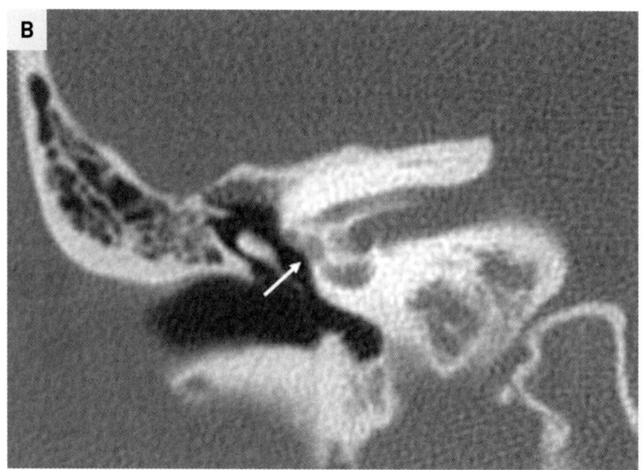

■ 그림 5-11. **창형 이경화증.** CT 축상**(A)** 및 관상**(B)**스캔에서 우측 전정(*)의 앞쪽에 난원형의 국소적 골용해 병변(화살표)이 보인다.

동맥관이 왜소하거나 소실되어 있고, 확장된 하고실세관(inferior tympanic cannaliculus)을 통하여 비정상적인 혈관이 중이로 돌출하여 와우갑각(cochlear promontory)에 종괴를 형성하고 수평부 내경동맥으로 연결되는 소견을 보임으로써 쉽게 진단할 수 있다(그림 5-10).[14] 내경동맥의 무형성증은 매우 드문 기형으로 종종 동맥류를 동반하는데 CT로는 두개저에서 내경동맥관이 소실된 소견을 보임으로써 진단할 수 있다.[29]

5) 이경화증과 측두골의 이형성증

이낭(otic capsule)은 골내막골과 골외막골 사이에 연골내골(endochondral bone)이 존재하는 세 겹의 골구조물로 구성되어 있는데 이경화증(otosclerosis)은 이 연골내골이 용해되고 대신 과혈관의 해면골(spongy bone)이 침착하여 발생하게 된다. 이경화증은 난원창 주위를 흔히 침범하는 창형(fenestral otosclerosis)과 와우 주위를 침범하는 와우형(cochlear otosclerosis)으로 구분할 수 있는데 전자가 후자에 비하여 훨씬 많다.[31,39]

창형 이경화증은 난원창의 전방부를 가장 흔히 침범하여 난원창의 일부 또는 전부를 폐쇄시켜 전음성 난청을 일으킨다. 병변의 활성기에는 CT에서 난원창의 전방부에 주위골보다 낮은 음영의 국소 병변을 관찰할 수 있으며(그림 5-11), MRI에서 높은 조영증강을 보인다. 병변이 커지면 중이로 돌출하거나 난원창의 전면을 좁히는 소견을 확인할 수 있다. 병변의 비활성기에 CT는 주위골과 비슷한 밀도를 가지며 단지 난원창 전방부의 골이 커진 소견을

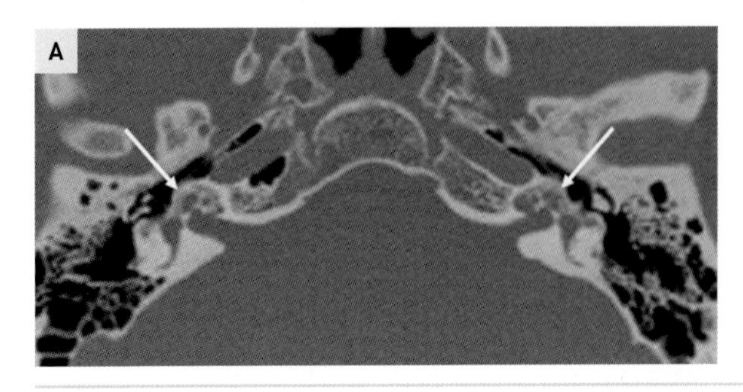
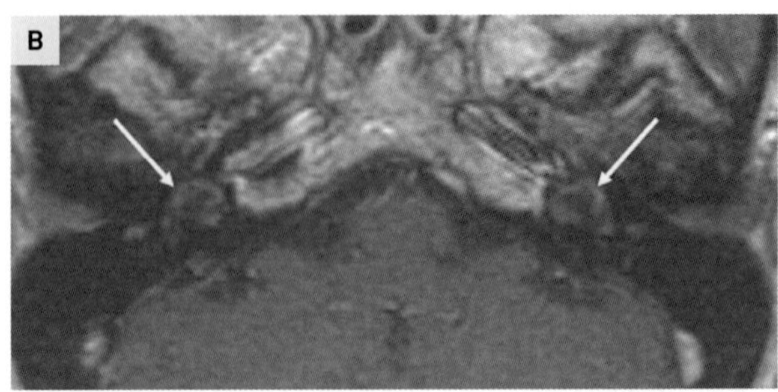

■ 그림 5-12. **와우형 이경화증. A)** CT 축상스캔에서 양측 와우 주위로 이중고리징후를 보이는 곡선형의 용해성 병변(화살표)이 보인다. **B)** 조영증강 T1WI에서 양측 와우 주위의 병변은 균질한 조영증강을 보인다(화살표).

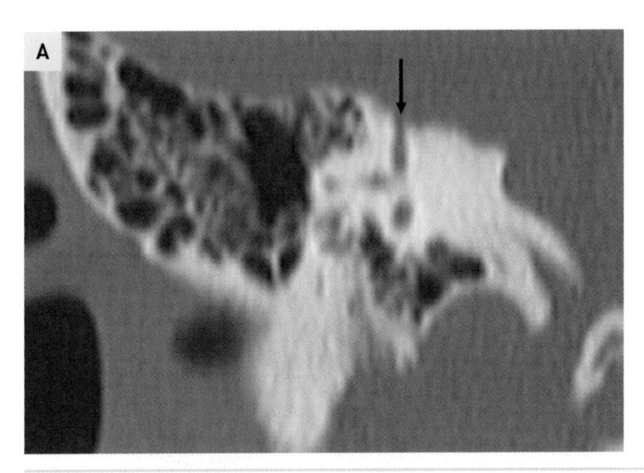
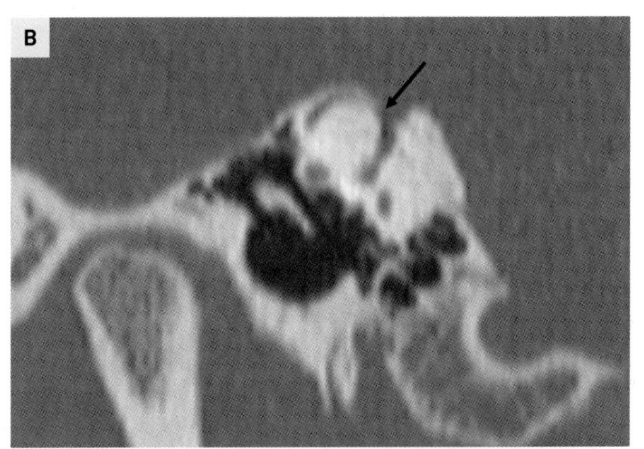

■ 그림 5-13. **상반고리관 덮개의 피열. A)** CT 관상스캔(**A**)에서 우측 상반고리관 덮개의 피열(화살표)이 보인다. **B)** 이 상반고리관 덮개의 피열은 상반고리관과 평행 방향의 Poschl 자세로 얻은 재구성영상에서 더욱 잘 볼 수 있다(화살표).

관찰할 수 있다.[31]

와우형 이경화증은 거의 대부분 창형 이경화증을 동반하며 감각신경성 난청을 일으킨다. 병변의 활성기에 CT에서는 와우 주위의 용해성 골 병변에 의하여 이중고리징후(double ring sign)가 관찰되며 MRI에서 높은 조영증강을 보인다(그림 5-12).[45] 병변의 비활성기에 경화된 병변은 CT에서 단지 이낭을 이루는 골의 일부 또는 전부가 비후된 소견을 보인다.[31,45]

6) 상반고리관 덮개의 피열

상반고리관의 덮개를 이루는 측두골에 피열이 있는 경우 큰 소리나 압력에 기인한 어지럼(sound- or pressure-induced vertigo)이 발생할 수 있다. 얇은 절편두께를 사용한 CT 관상스캔이나 다면재구성영상(multiplanar reformatted image)은 상반고리관 덮개의 피열을 잘 보여준다(그림 5-13).[2]

2. 측두골 외상

측두골 골절(temporal bone fracture)은 골절의 방향에 따라 추체의 장축과 평행인 종골절(longitudinal fracture)(그림 5-14)과 장축과 수직인 횡골절(transverse fracture)(그림 5-15)로 분류되며, 전자가 후자에 비하여 5배 정도 많이 발생하나 실제로는 혼합골절(mixed fracture)이 가장 많은 형태를 차지한다.[36] 측두골 골절의 영상의학적 진단에 있어 단순촬영은 전체 측두골 골절의

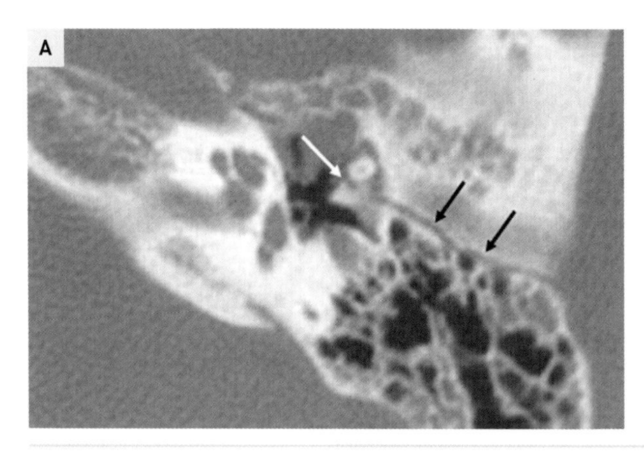

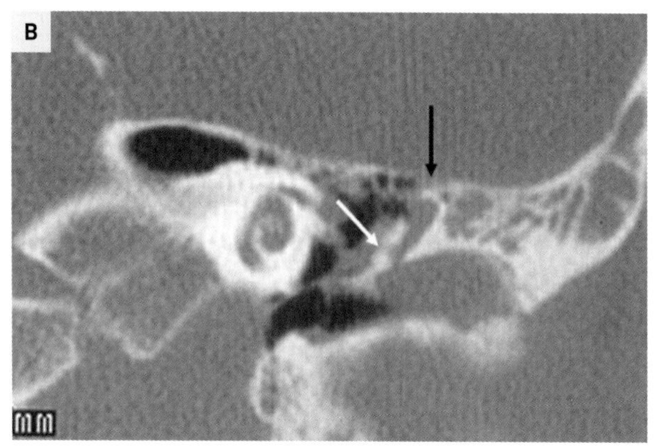

■ 그림 5-14. **측두골의 종골절.** **A)** CT 축상스캔에서 좌측 측두골에 종골절(검은 화살표)이 관찰되며, 이로 인하여 추골-침골 탈구와 침골 골절(흰 화살표)이 동반되어 있다. **B)** CT 관상스캔에서 측두골 종골절은 고실개에도 골절(검은 화살표)을 동반하고 있으며, 추골-침골 탈구와 침골 골절에 의한 이소골 변형(흰 화살표)이 야기되어 있다.

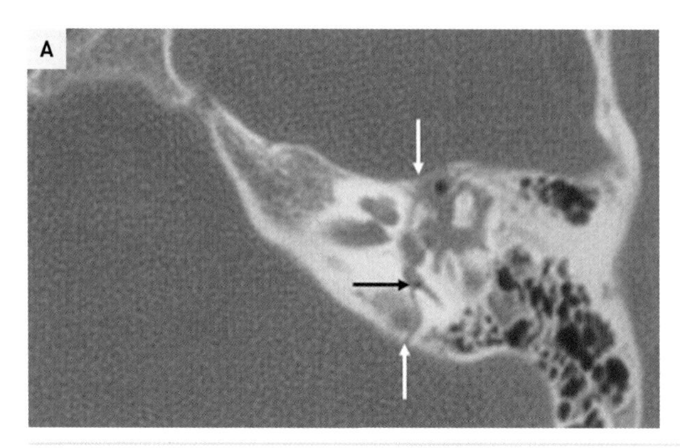

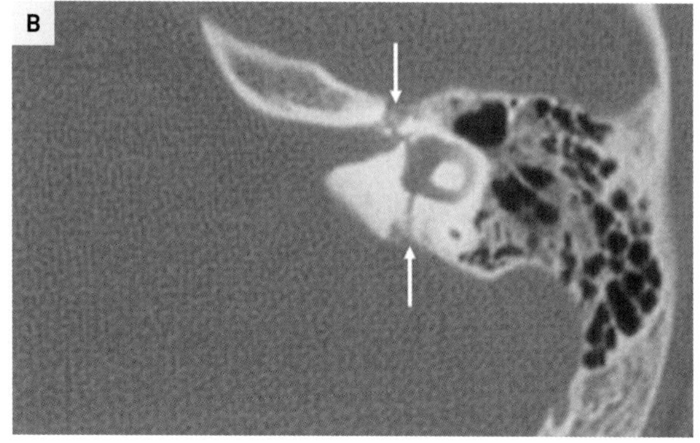

■ 그림 5-15. **측두골의 횡골절.** **A)** CT 축상스캔에서 후반고리관의 팽대부와 전정을 지나는 횡골절(흰 화살표)이 관찰되며 후반고리관의 팽대부 내에 기미로(검은 화살표)가 동반되어 있다. **B)** 상부 CT 축상스캔에서 골절(화살표)은 전정과 미로부 안면신경관을 지나고 있다.

17~55%만을 진단할 수 있다.[11]

CT는 측두골 골절에서 가장 정확한 진단방법이며 골절 자체뿐 아니라 동반된 합병증의 원인과 위치를 밝히는 데에도 매우 유용하다.[11] 종골절은 축상스캔에서 잘 보이고 횡골절은 관상스캔과 축상스캔 모두에서 잘 관찰된다. MRI는 측두골 외상과 동반된 뇌손상, 뇌수막류(encephalomeningocele), 혈관 손상 등을 관찰하기 위하여 주로 사용하고 있으나, 뇌척수액이비루(cerebrospinal otorhinorrhea)나 안면신경 손상의 진단에도 유용하다.[9,11,32]

간혹 골절이나 뇌간 손상의 증거 없이 감각신경성 난청과 현기증이 발생할 수 있는데 이는 미로진탕(labyrinthine concussion)이나 미로출혈이 원인으로 생각되며, 이 경우 CT는 정상 소견을 보이나 MRI에서는 TIWI에서 고신호강도를 보이는 내이 출혈을 관찰할 수 있다(그림 5-16).[11]

1) 종골절

측두골 골절의 70~90%를 차지하는 종골절은 외이도 손상, 고막 천공, 이소골 손상 등이 흔하게 동반되며 내이의 손상은 비교적 적다. 침골-등골 탈구(incudostape-

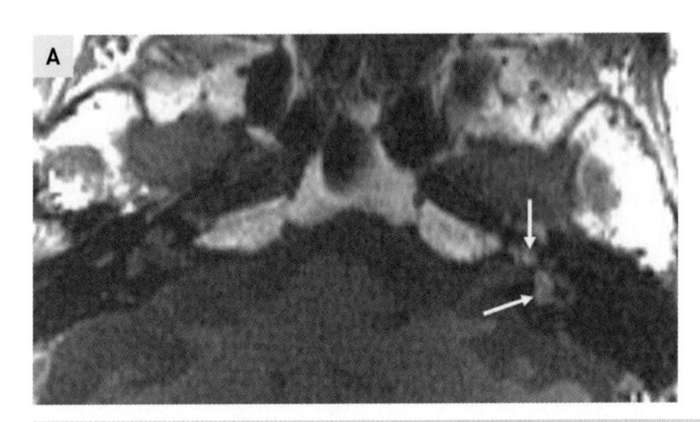

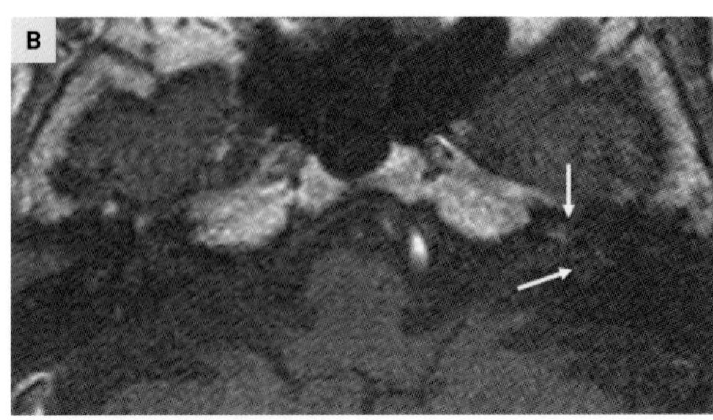

■ **그림 5-16. 미로출혈.** **A)** 조영증강 전 T1WI 축상스캔에서 좌측 와우와 전정에 고신호강도(화살표)가 관찰된다. **B)** 한 달 후 촬영한 조영증강 전 T1WI 축상스캔에서 좌측 와우와 전정에서 보이던 고신호강도는 거의 소실되어 있다(화살표).

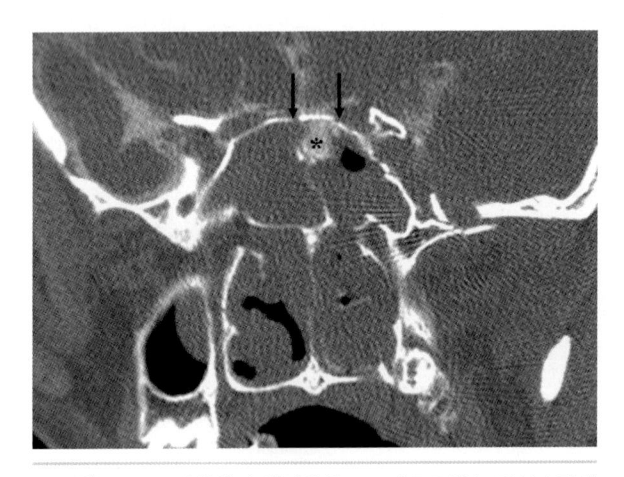

■ **그림 5-17. 외상성 수액이비루.** CT뇌조조영술 관상스캔에서 접형동 천장에 다발성 골절(화살표)이 관찰되며 조영제가 접형동으로 유입된 소견(*)이 보인다.

dial dislocation)는 이소골 손상 중 가장 흔한 소견이며, 축상 CT에서 침골의 두상돌기(lenticular process)와 등골의 두부 사이의 거리가 1 mm 이상이면 의심할 수 있다. 추골-침골 탈구는 축상 CT에서 상고실에서 특징적인 정상 아이스크림콘 모양에 이상을 보인다(그림 5-14). 이소골의 골절은 대개 침골-등골 관절 부위에 발생하며 침골의 두상돌기와 등골각(stapedial crus)에 가장 흔하다.[11] 안면신경 마비는 종골절의 10~20%에서 동반되는데 근위고실부의 손상이 가장 흔하고, 대개 외상 후 얼마의 시간이 지난 다음 나타나며, 불완전마비 증세가 많다. 외상성 뇌척수액이비루는 측두골 종골절로 인한 고실개 파열에 의한 경우가 가장 많으나 후유돌봉소 골절에 의해서도 발생할 수 있다.[11] CT뇌조조영술(CT-cisternography) 관상스캔은 뇌척수액이비루의 위치를 결정하는 데 매우 효과적이다(그림 5-17).

2) 횡골절

측두골 골절의 10~30%를 차지하는 횡골절은 내이 또는 내이도저(fundus)의 손상에 의한 심한 현기증, 자발적 안구진탕, 감각신경성 난청, 안면신경 마비 등의 소견을 흔히 동반하며 이소골 손상은 드물다. 안면신경 마비는 횡골절의 30~50%에서 동반되는데 원위미로부의 손상이 가장 흔하고, 외상 후 즉시 나타나며 완전마비 증세가 많다. 내이의 손상이나 외림프누공(perilymphatic fistula)에서는 간혹 CT에서 기미로(pneumolabyrinth)와 같은 특징적 소견을 관찰할 수 있다(그림 5-15).[11]

3. 측두골의 염증성 질환

1) 급성 중이염

대부분의 급성 중이염은 합병증을 동반하지 않고 내과적 치료로 쉽게 호전되어 영상검사가 필요 없으며, 중이와 유돌봉소에서 종종 기수위(air-fluid level)를 관찰할 수 있다. 급성 중이염의 1~5%에서는 적절하지 못한 치료나 저하된 면역성 또는 맹독성 병원균에 의하여 유양돌기중격(mastoid septum)이 소실되고 불규칙적인 축농(empyema)이 형성되는 융합성 유양돌기염(coalescent mastoiditis)으로 발전하고, 유양돌기의 외측 피질골이 천공되어 골막하농양을 형성할 수 있다. 융합성 유양돌기염과 골막하농양은 CT에서 특징적인 골미란과 농양을 관찰함으로써 진단이 용이하다(그림 5-18).[38]

이러한 농양성 골병변은 어느 방향으로도 진행이 가능하여 유양돌기 첨단을 뚫고 경부를 침범하여 Bezold 농양을 형성하거나, 유돌의 내측벽을 뚫고 두개 내로 파급되어 뇌정맥동혈전증, 경막외농양(epidural abscess), 경막하농양(subdural abscess), 뇌막염, 뇌농양 등을 형성할 수 있는데, 정확히 진단하려면 조영증강 후의 CT나 MRI가 필수적이다(그림 5-19).[38]

미로염도 중이염으로 인한 합병증의 하나이며, 대개는 정원창이나 난원창을 통한 염증의 직접 파급이 원인이나 혈행성으로도 올 수 있다. CT로는 진단이 불가능하며 MRI로는 막성 미로의 조영증강을 관찰함으로써 진단할 수 있다(그림 5-20).[38]

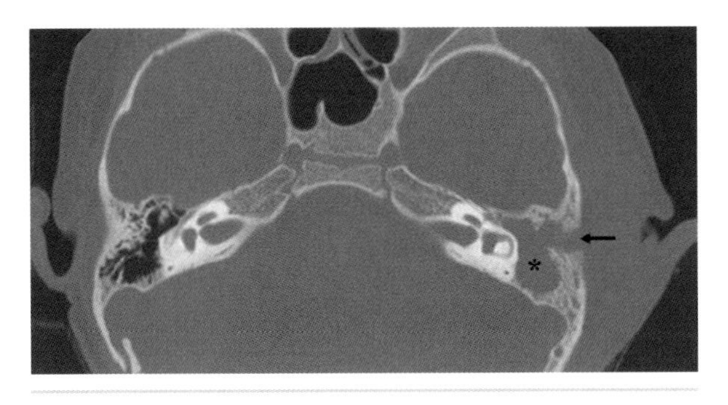

■ 그림 5-18. **융합성 유양돌기염.** CT 축상스캔에서 좌측 유돌봉소가 연조직음영(*)으로 채워져 있으며 격막 소실과 함께 피질골의 파괴(화살표)가 동반되어 있다. 인접한 안면부에는 심한 염증성 부종이 보인다.

2) 만성 중이염

만성 중이염은 독성이 낮은 병원균에 의한 감염 또는 급성 중이염의 후유증으로 의한 만성 화농성 중이염과 이관의 기능부전으로 야기된 중이의 함기화 장애에 따른 만성 유착성 중이염으로 나눌 수 있다. 최근에는 항생제의 발달과 전반적인 건강 상태의 향상으로 인하여 전자보다 후자가 더 흔하다.

(1) 삼출성 중이염

이관의 기능부전은 중이 내 압력을 감소시켜 삼출성

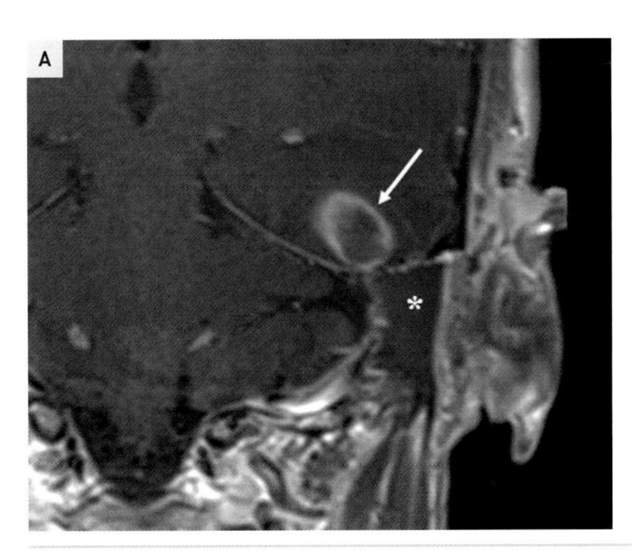

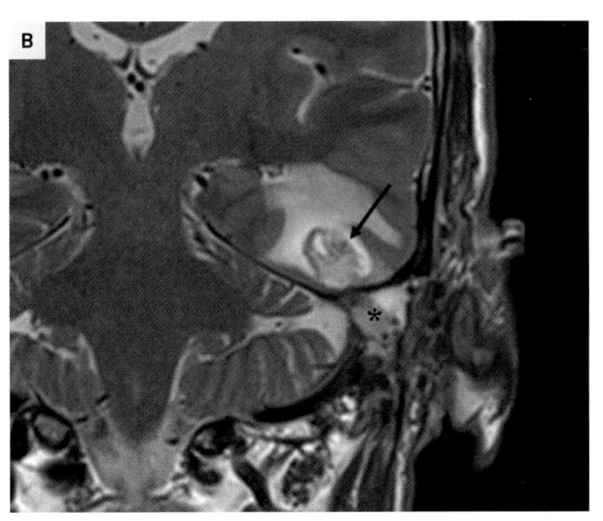

■ 그림 5-19. **중이염에 의한 뇌농양.** **A)** 조영증강 후 T1WI 관상스캔에서 좌측 뇌 측두엽에 조영증강되는 두꺼운 벽을 가지는 낭포성 병변(화살표)이 관찰된다. 병변의 아래쪽은 중이염의 치료에 사용된 유돌절제술로 인한 골결손(*)이 보인다. **B)** T2WI 관상스캔에서 뇌농양(화살표) 주위로 심한 부종에 의한 고신호강도가 관찰된다.

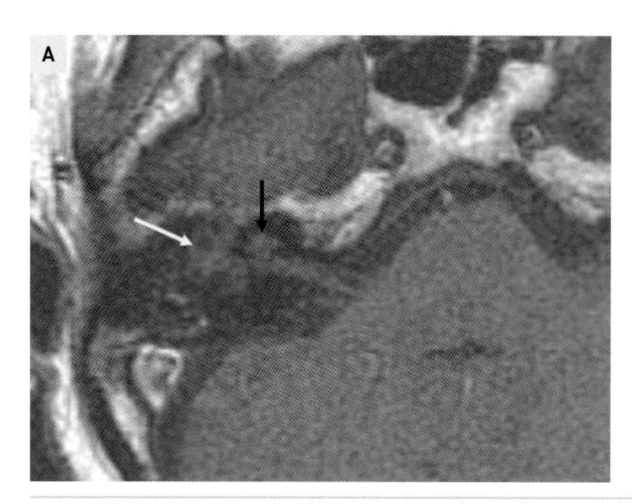

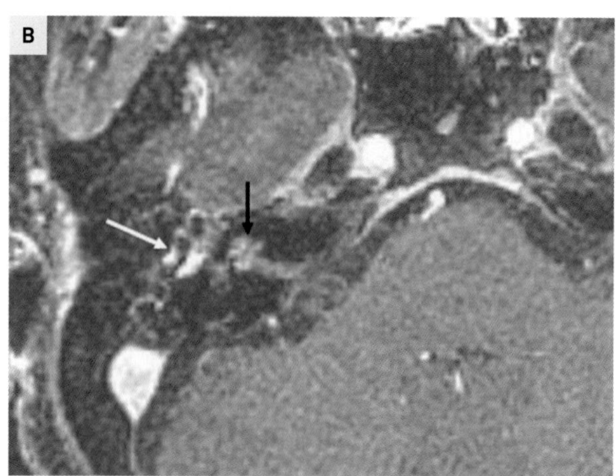

■ 그림 5-20. **중이염에 의한 미로염.** 조영증강 전(A)과 후(B) T1WI 축상스캔에서 우측 고실 염증으로 인한 조영증강(흰 화살표)이 관찰되며, 내이로의 염증 파급에 의하여 와우(화살표)에 강한 조영증강이 보인다.

중이염 또는 중이저류액증을 일으킬 수 있다. 소아에서의 삼출성 중이염은 영상 검사의 도움 없이도 대부분 쉽게 진단할 수 있지만, 성인에서는 비인두암 같이 이관 폐쇄를 일으키는 종양성 병변의 존재를 확인하기 위하여 종종 영상 검사를 해야 한다.[38] 삼출성 중이염은 CT에서 중이, 유양동, 유돌봉소 등에서 기수위를 관찰함으로써 확인할 수 있으나 삼출액이 중이와 유돌봉소 전체를 혼탁시키면 다른 연조직 병변과 감별하기가 어렵다.[38]

(2) 육아조직

중이염이 지속되면 중이 점막의 화생(metaplasia)과 골막 손상이 야기되고 손상된 골막을 회복시키기 위하여 화생된 점막으로부터 육아조직(granulation tissue)이 생성된다. CT에서 육아조직은 중이나 유양동에 골미란을 동반하지 않은 고정된 연조직 음영으로 나타나며, 흔히 MRI에서 높은 조영증강을 보인다.[38]

콜레스테롤 육아종(cholesterol granuloma)은 조직학적으로 섬유성 결체조직으로 둘러싸인 만성 염증성 육아종이다.[11] 중이의 콜레스테롤 육아종은 이경검사상 고막 후방에 혈관성 종괴로 보일 수 있어 고실사구종양(glomus tympanicum tumor)이나 혈관기형 등과 감별해야 한다.[38] CT에서는 중이염과 동반되어 종괴 효과가 없는 연조직 병변을 중이에서 관찰하면 감별할 수 있으며, MRI에서는 풍부한 세포외 메트헤모글로빈(methemoglobin)에 의하여 T1WI와 T2WI 모두에서 고신호강도를 보여 쉽게 진단할 수 있다(그림 5-21).[38]

(3) 이소골 고정

염증성 이소골 고정(ossicular fixation)은 섬유조직형성, 고실경화증(tympanosclerosis), 신생골 형성의 세 가지 병리학적 유형으로 나눌 수 있는데, 넓은 의미의 고실경화증은 이 세 가지 유형을 모두 지칭한다.[38,42] 섬유조직형성은 CT에서 이소골 근처에 석회화가 없는 연조직 병변으로 관찰되어 초기 진주종과의 감별이 어렵다.[42]

고실경화증은 중이의 점막하에 유리교원질(hyalinized collagen)의 침전으로 야기되며 여기에 칼슘 등이 침착되어 CT에서 점상 또는 망사형의 석회화 병변으로 관찰된다(그림 5-22A). 이소골 고정의 유형 중 가장 드문 형태인 신생골 형성은 골아세포(osteoblast)에 의한 층판상(lamellar)의 신생골이 형성되는 것으로서 CT에서 두꺼운 골망(bony web) 또는 골 침착의 소견을 보인다(그림 5-22B).[42]

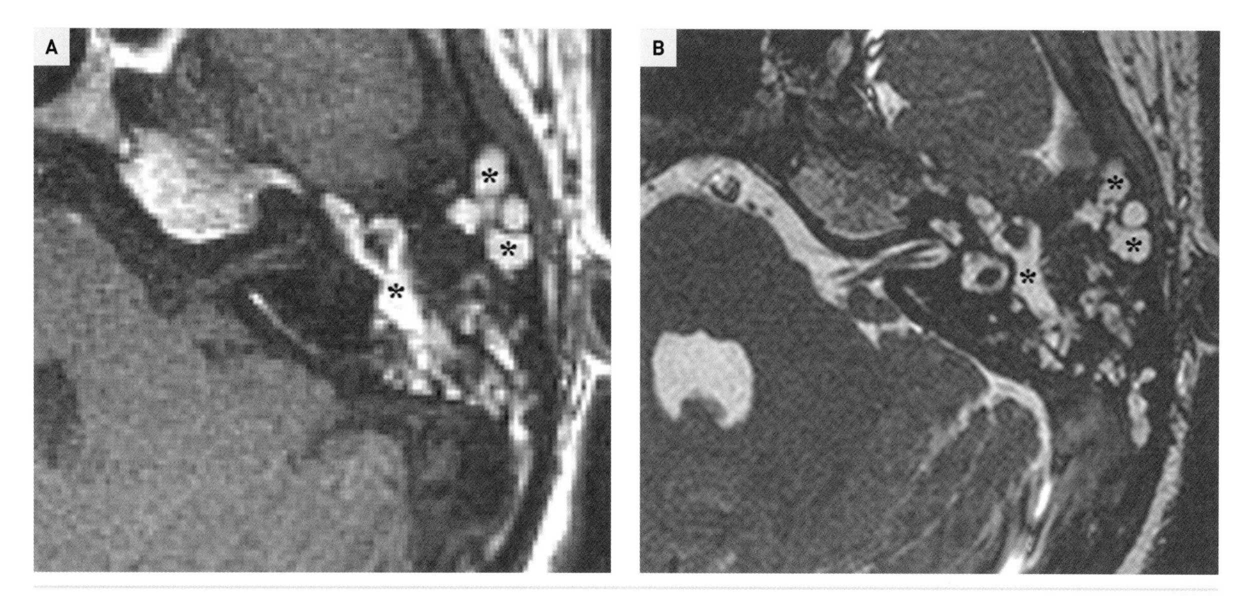

■ 그림 5-21. **콜레스테롤 육아종.** T1WI **(A)**와 T2WI **(B)** 축상스캔에서 좌측 고실과 유돌봉소를 채우는 고신호강도 병변(*)이 보인다.

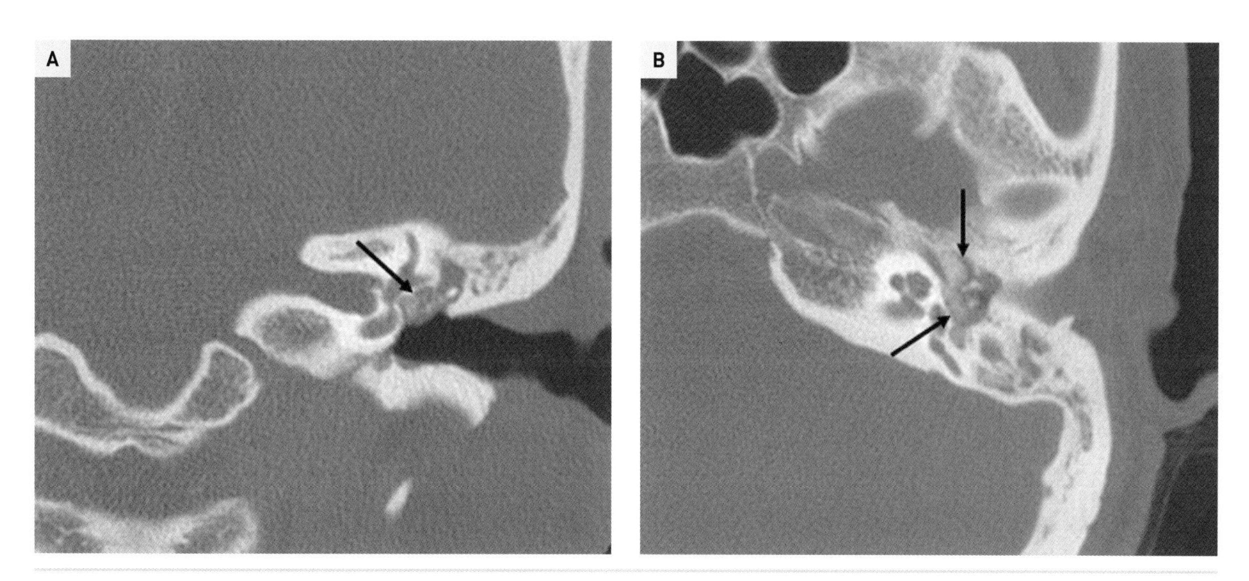

■ 그림 5-22. **고실경화증과 이소골 고정. A)** CT 관상스캔에서 좌측 고실에 중이염에 의한 연조직음영이 관찰되며, 이소골 주위로 점상형의 석회화(화살표)가 보인다. 이 병변은 이소골의 정상적인 움직임을 제한하여 이소골 고정을 초래시킨다. **B)** CT 축상스캔에서 좌측 고실을 채우는 신생골에 의한 고밀도음영(화살표)이 보인다.

(4) 이소골 미란

중이염과 동반된 이소골 미란(ossicular erosion)은 침골의 장돌기와 두상돌기에 가장 흔하며 추골 두부나 침골 체부의 미란은 드물다. CT로는 이소골 부분의 소실을 관찰함으로써 쉽게 진단할 수 있다.[24]

3) 후천성 진주종

초기의 진주종은 CT에서 비의존적 위치의 연조직 음영으로 관찰되며 특징적인 골미란이 동반되지 않은 경우 육아조직이나 종양성 병변과 감별하기가 어렵다.[35] 그러나 작은 크기의 진주종이라 하더라도 종괴효과에 의하여 이

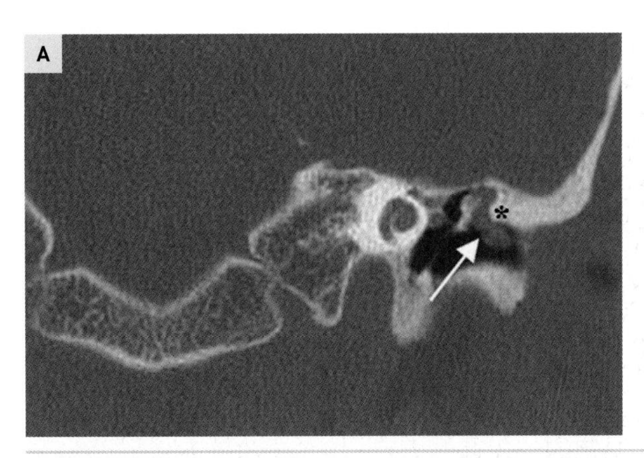

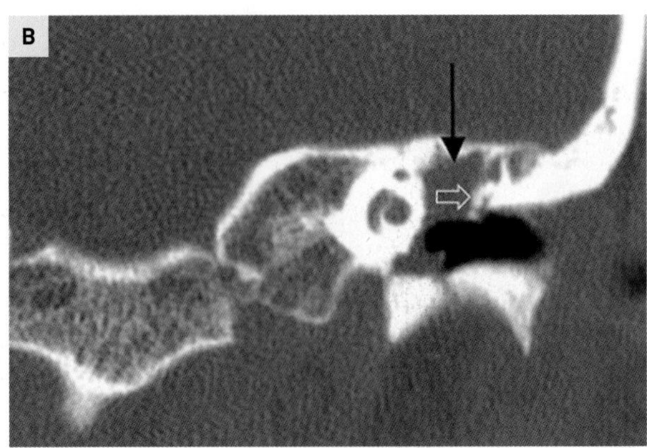

■ 그림 5-23. **후천성 진주종. A)** 이완부진주종. CT 관상스캔에서 좌측 Prussak 공간에 연조직음영(화살표)이 있으며 경판의 미란(*)과 추골의 내측 전위가 동반되어 있다. **B)** 긴장부진주종. CT 관상스캔에서 좌측 상고실의 내측에 팽창성 연조직음영(화살표)이 관찰되며 추골의 부분적 미란과 외측 전위(빈 화살표)가 동반되어 있다.

소골을 전위시키는 경향이 있어 종괴효과가 없는 육아조직과 구별된다. 상고실함요(Prussak space)에 위치한 이완부 진주종은 등골 두부와 침골을 내측으로 전위시키며(그림 5-23A), 긴장부 진주종은 고실 후벽의 함요인 고실동(sinus tympani)이나 안면함요(facial recess)를 먼저 침범한 후 파급과정에서 이소골을 외측으로 전위시킨다(그림 5-23B). 진주종이 진행함에 따라 골파괴에 의한 국소적 합병증이 유발되며 이러한 골파괴는 진주종의 영상진단을 매우 용이하게 한다.[23,35]

진주종은 MRI에서 내용물에 따라 다양한 신호강도를 보일 수 있으나, 일반적으로 T1WI에서는 뇌실질과 비슷하거나 약간 낮은 신호강도를 보이고, T2WI에서는 대개 고신호강도를 보이며 조영제 주입 후 그 내부는 조영증강을 보이지 않는다(그림 5-24).[23] 최근에는 중이염의 이차확인수술(second-look operation) 전 진주종의 유무를 확인하는데 확산강조영상(diffusion-weighted imaging)의 유용성이 강조되고 있다(그림 5-24).[7]

진주종에 의한 국소적 합병증으로는 경판(scutum)과 상고실 측벽의 미란, 이소골의 미란, 이성피막의 미란, 미로누공(labyrinthine fistula), 안면신경관의 미란, 그리고 두개 내 침범 등이 있다.[23] 이소골 미란은 이완부와 긴장부 진주종 모두 침골의 장돌기에서 가장 흔하나, 등골이나 침골 체부, 추골 두부의 미란도 흔히 보인다.[38] 진주종에 의한 이낭의 미란과 이에 동반된 미로누공의 형성은 외반고리관에 가장 흔하다. CT에서 중이의 연조직 병변과 연한 국소적 이성피막의 소실이 관찰되면 미로누공으로 진단할 수 있고, MRI에서는 막성 미로가 조영증강되는 소견을 보인다(그림 5-25). 심한 진주종은 외반고리관뿐 아니라 전정, 와우 등 미로의 대부분을 파괴할 수 있다.

진주종으로 의한 두개내 합병증은 대부분 감염된 진주종으로 의한 두개기저골 파괴 때문에발생하며 흔히 고실개나 S정맥동판(sigmoid sinus plate)의 미란을 동반하여 뇌막염, 뇌정맥동혈전증, 경막외농양, 경막하농양, 뇌농양 등의 매우 심각한 병변을 일으킬 수 있다. CT에서 고실개나 S정맥동판의 미란이 보이거나 임상적으로 두개내 합병증이 의심되면 조영증강 CT나 MRI로 병변의 존재, 위치 및 범위를 확실히 파악해야 한다.

드물게 진주종에 의하여 외이도 후벽이 파괴되고 골결손 부위를 통하여 진주종의 전부 또는 일부가 자연 배출되어 유돌절제술과 비슷한 양상을 보일 수 있는데 이를 자가유돌절제(automastoidectomy)라 한다. 수술 병력이 없는 환자에서 CT에서 특징적인 외이도 후벽의 파괴와 함께 다양한 정도의 잔류 연조직 병변이 자가절제된 유돌에서 관찰되면 진단할 수 있으며, 일반적인 진주종에서 나타나

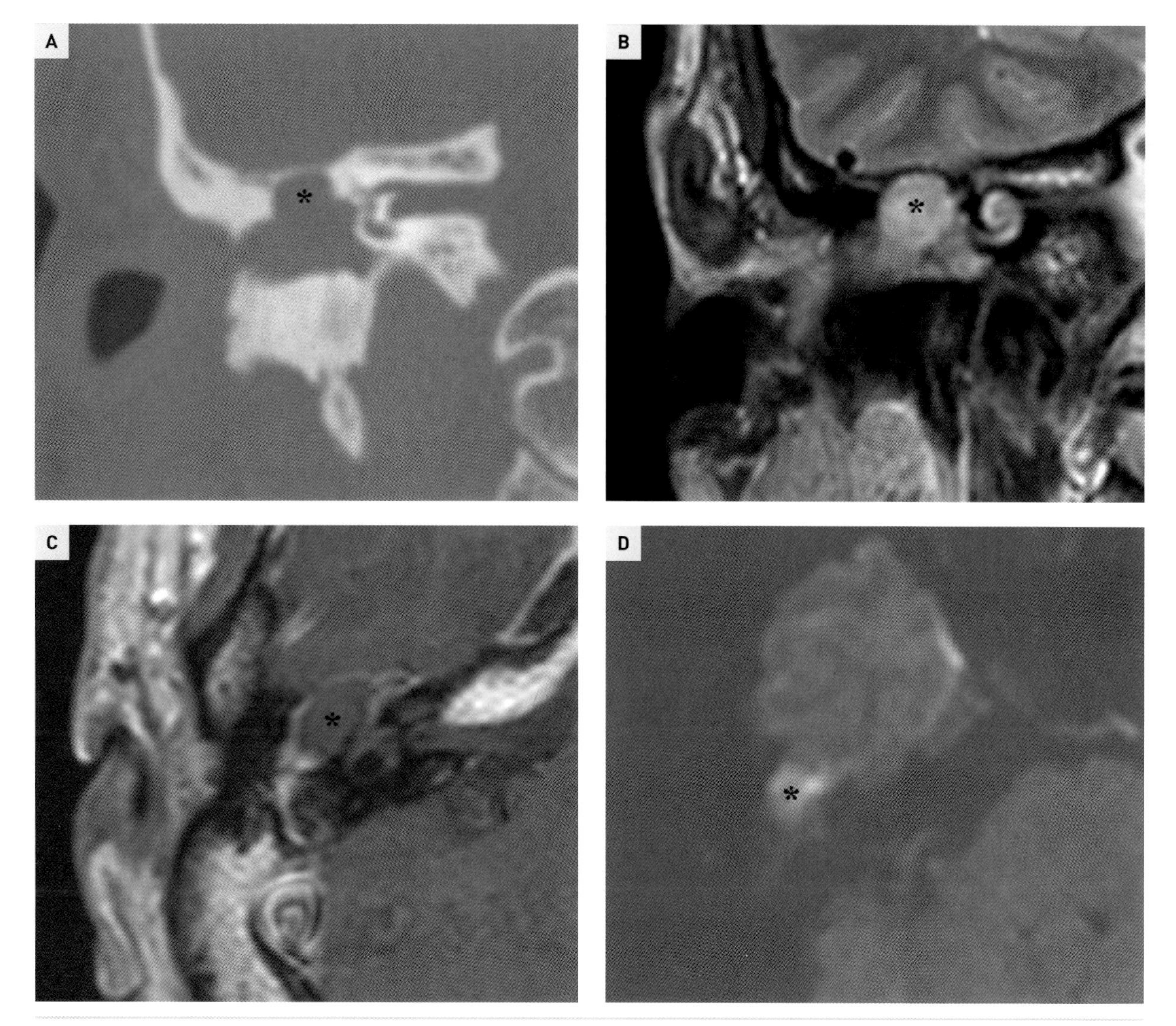

■ 그림 5-24. **진주종.** **A)** CT 축상스캔에서 우측 고실에 경판의 미란을 동반한 종괴(*)가 관찰되며 정상적인 이소골이 관찰되지 않는다. **B)** T2WI 관상스캔에서 종괴(*)는 고신호강도를 보인다. **C)** 조영증강 후 T1WI 축상스캔에서 종괴(*) 내 유의한 조영증강은 보이지 않는다. **D)** 확산조영증강 축상스캔에서 종괴(*)는 확산 제약에 따른 고신호강도 병변으로 관찰된다.

는 여러 합병증의 소견을 동반할 수 있다(그림 5-26).[1]

4) 미로염 및 미로골화

미로염(labyrinthitis)은 내이를 이루는 외림프공간과 내림프공간의 염증으로 그 원인에 따라 고실성(tympanogenic), 뇌막성(meningogenic), 혈행성(hematogenous), 외상성(traumatic) 미로염 등으로 분류된다.

고실성미로염은 가장 흔한 미로염의 원인으로 중증의 중이염이 외림프공간으로 파급되거나 진주종에 의한 미로누공에 의하여 발생하는데 대개 편측으로 생긴다. 뇌막성미로염은 뇌막염이 내이도를 통하여 전정 또는 와우로 파급되어 발생하며, 대개 양측으로 생기며 소아의 후천성청각소실의 가장 흔한 원인이다. 혈행성미로염은 드문 질환으로 홍역이나 볼거리 등에 의한 감염성 질환에 의하여 발생한다. 외상성미로염은 골성미로의 골절이나 외상 또는 수술에 의한 외림프누공에 의하여 발생한다. 이 외 드

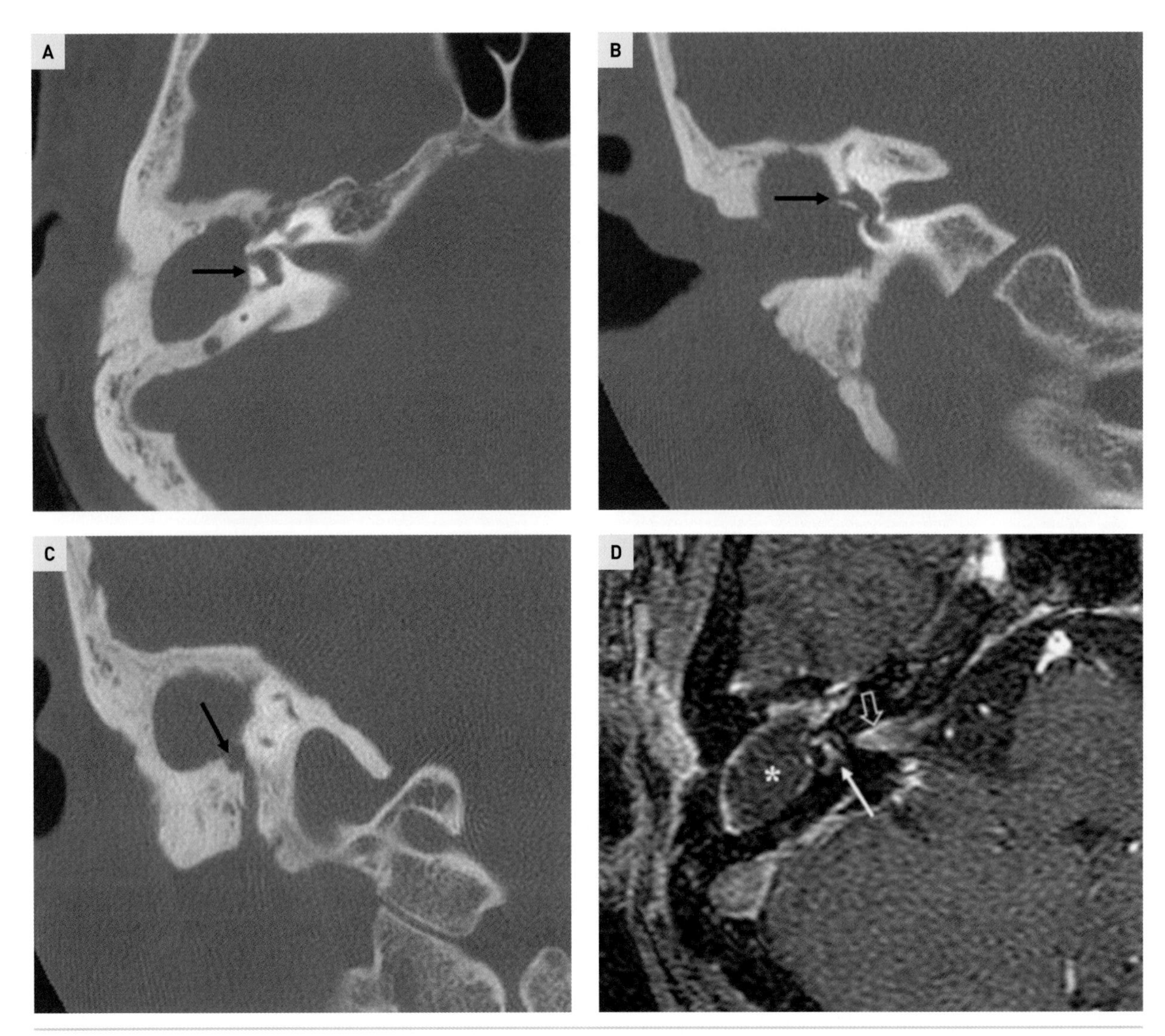

■ **그림 5-25. 진주종에 의한 미로 누공.** **A)**, **B)** CT 축상**(A)** 및 관상**(B)**스캔에서 우측 고실에 위치한 팽창성 종괴에 의하여 외반고리관의 골벽이 용해되어 있다(화살표). **C)** 측두골의 관상스캔에서 안면신경관의 제2슬(화살표)도 병변에 의하여 골미란을 보인다. **D)** 조영증강 후 T1WI 축상스캔에서 종괴(*) 내 유의한 조영증강은 보이지 않으나, 인접한 와반고리관과 전정(화살표), 그리고 내이도(빈 화살표)에 염증 파급에 의한 강한 조영증강이 관찰된다.

물게 결절다발동맥염(polyarteritis nodosa), 재발성다발성연골염(relapsing polychondritis), 전신홍반루프스(systemic lupus erythematosus), 류마티스관절염(rheumatoid arthritis), 코간증후군(Cogan syndrome) 등 자가면역성 질환에 의하여도 발생할 수 있다.[38]

급성 또는 아급성기의 미로염은 CT에서는 이상 소견을 관찰할 수 없으나 MRI에서는 종종 조영증강 후 와우나 전정이 조영증강되어 미로염의 진단에 도움이 된다(그림 5-27). 그러나, 많은 수의 미로염 환자는 MRI에서도 정상 소견을 보이므로 주의를 요한다.[38]

급성미로염이 낫지 않고 염증이 지속되면 만성미로염으로 진행되는데, 만성미로염은 외림프공간이 섬유아세포(fibroblast) 증식으로 채워지는 섬유성미로염(fibrous labyrinthitis)을 거쳐 유골(osteoid)조직의 증식에 의한

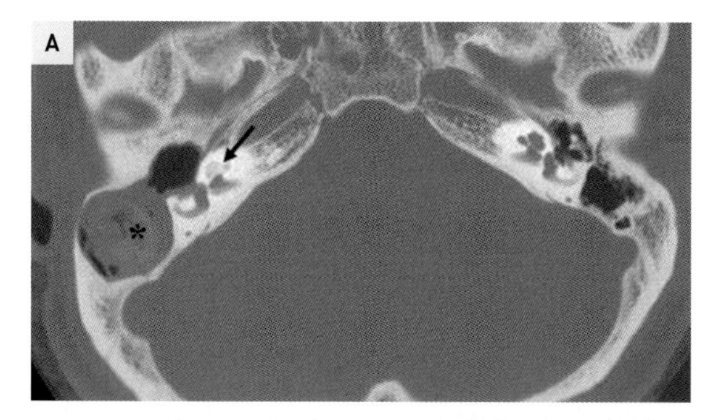

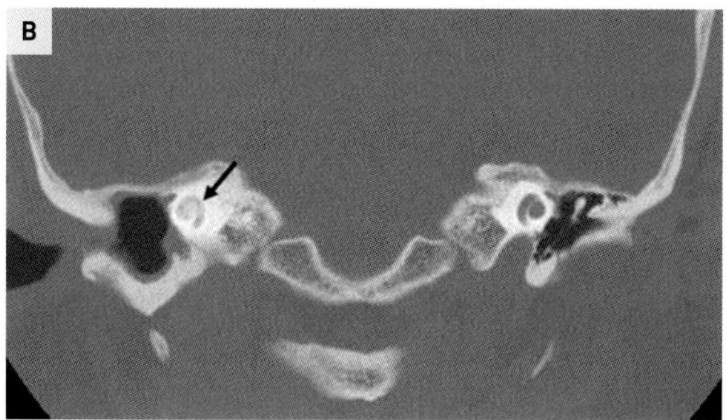

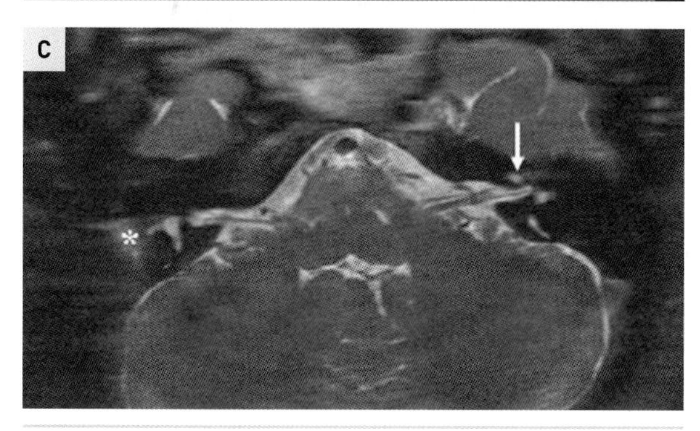

■ **그림 5-26. 진주종에 의한 자가유돌절제와 미로골화. A), B)** CT 축상(**A**) 및 관상(**B**)스캔에서 우측 고실과 유양동에 위치한 팽창성 종괴(*)에 의하여 모든 이소골이 보이지 않는다. 종괴의 일부는 외이도를 통하여 외부로 빠져 나가 마치 유돌절제술 후의 소견과 비슷한 양상을 보인다. 와우는 미로골화에 의한 경화성 변화(화살표)가 관찰된다. **C)** T2WI 축상스캔에서 종괴(*)는 고신호강도를 보인다. 반대쪽 정상 와우의 고신호강도(화살표)와 달리 동측 와우는 미로골화에 의하여 신호결손을 보인다.

화골성미로염(ossifying labyrinthitis; labyrinthitis ossificans)으로 진행한다. 화골성미로염은 미로골화(labyrinthine ossification)라고도 하며 미로의 비가역적 말기 병변으로 고실성미로염에 의하여 가장 흔하게 발생한다.[41]

섬유성미로염은 급성미로염과 같이 CT에서 정상 소견을 보이는데, MRI에서는 T2WI에서 미로 내 정상적인 고신호강도가 소실되어 있어 진단이 가능하다. 미로골화는 CT에서 섬유성미로염과는 달리 다양한 정도의 골화에 의하여 미로가 혼탁해진 소견을 보여 진단이 용이하며, MRI에서는 섬유성미로염과 같이 T2WI에서 미로 내 정상적인 고신호강도가 소실된 소견을 보인다(그림 5-26, 28). 특히, 미로골화는 흔히 와우의 기저회전부(basal turn)를 침범하여 와우협착을 야기하므로 와우이식술 환자 선정에서 이에 대한 충분한 고려가 이루어져야 한다.[38]

5) 악성 외이염

악성(괴사성) 외이염[malignant (necrotizing) external otitis]은 주로 고령의 당뇨병이나 면역저하 환자에서 발생하며, 대개 녹농균(*Pseudomonas aeruginosa*)에 감염되어 발생한다. 이 염증은 근막을 따라 측두하와, 비인두, 악관절, 중이와 유양동으로 파급되는데 고막을 통한 중이로의 파급은 드물다.[38] 두개내 합병증으로는 뇌막염, 뇌농양, 뇌정맥동혈전증, 뇌경색 등이 있다. CT와 MRI는 병변의 침범 부위를 판정하는 데 유용하며, CT는 특히 동반된 골파괴를 관찰하는 데 유용하고, MRI는 병변의 범위와 두개내 합병증을 판정하는 데 유용하다(그림 5-29).[12,38] 영상검사로는 외이도에 발생한 편평세포암종, 기저세포암종, 이구선(ceruminous gland)의 악성종양, 전이암 등과 감별하기가 힘들다.[38]

4. 측두골과 소뇌교각의 종양성 병변

1) 외이도의 종양성 병변

(1) 양성 종양

외골증(exostosis)은 외이도에 발생하는 양성 종양 중 가장 흔하며, 대부분 양측성으로 발생하고 오랜 수영 또는 잠수 경력이 있을 때 호발한다. CT에서 넓은 기저부를

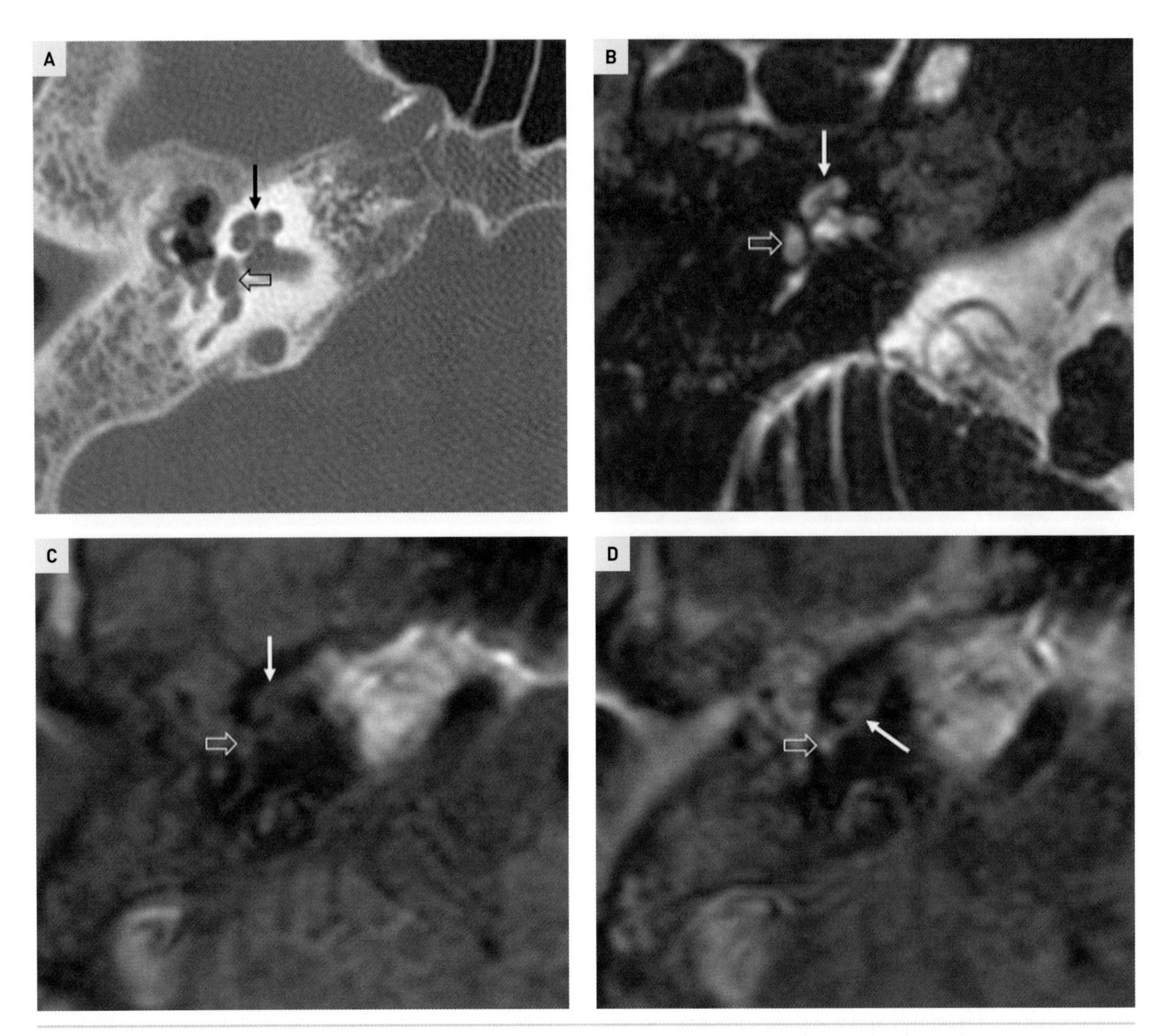

■ 그림 5-27. **중이염에 의한 급성미로염. A), B)** CT **(A)**와 T2WI **(B)** 축상스캔에서 우측 고실과 유돌에 염증성 변화가 관찰된다. 와우(화살표)와 전정(빈 화살표)에 이상 소견은 보이지 않는다. **C), D)** 조영증강 전**(C)**과 후**(D)** T1WI 축상스캔에서 와우(화살표)와 전정(빈 화살표)에 비정상적인 조영증강이 관찰된다.

가진 다결절성의 골융기의 소견을 보인다(그림 5-30A, B).[44]

골종(osteoma)은 외골증에 비하여 매우 드물고 대개 일측성의 고립성 병변으로 나타나며 CT에서 국소적인 유경(pedunculation)의 골증식 소견을 보인다(그림 5-30C).[44] 이 외에 외이도의 드문 양성 종양으로는 선종과 다형성 선종 등의 이구선 종양, 혈관종, 림프관종, 평활근종(leiomyoma), 신경초종(schwannoma) 등이 있다.

외이도의 병변 중 진성 종양은 아니나 종양과 감별을 해야 하는 질환으로 폐쇄성 각화증(keratosis obturans)과 외이도 진주종이 있다. 폐쇄성 각화증은 대개 양측성이며, 종종 부비동염이나 기관지확장증을 동반하고 CT에서 연조직 음영과 외이도의 미만성 확장 소견을 보인다(그림 5-31A).[44] 이에 비하여, 외이도 진주종은 대개 일측성으로 생기고, CT에서 연조직 음영과 외이도의 국소적 골미란의 소견을 보인다(그림 5-31B).[44]

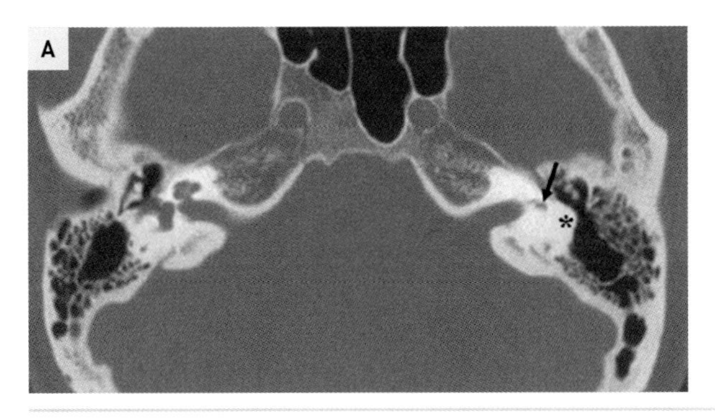

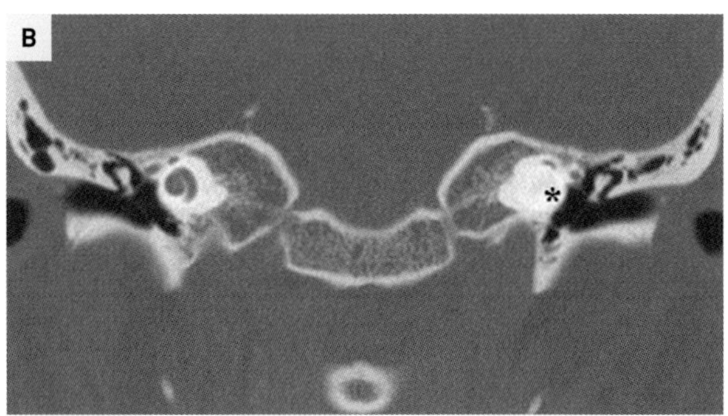

■ 그림 5-28. **미로골화.** **A)** CT 축상스캔에서 좌측 와우와 외반고리관이 심한 경화성 변화로 인하여 형태를 알아 볼 수 없으며, 전정(화살표)에도 심한 경화성 변화가 보인다. 그러나, 외반고리관의 존재를 시사하는 외반고리관갑각(*)이 정상적으로 고실쪽으로 돌출하고 있어 외반고리관의 선천성 무형성과는 구분할 수 있다. 이 환자는 유년기에 발생한 뇌막염에 의하여 초래된 일측성 미로골화의 증례이다. **B)** CT 관상스캔에서 좌측 와우는 심한 경화성 변화로 인하여 형태가 보이지 않는다. 그림 A와 마찬가지로 와우의 존재를 시사하는 와우갑각(*)이 정상적으로 고실쪽으로 돌출하고 있어 와우의 선천성 무형성과는 구분할 수 있다.

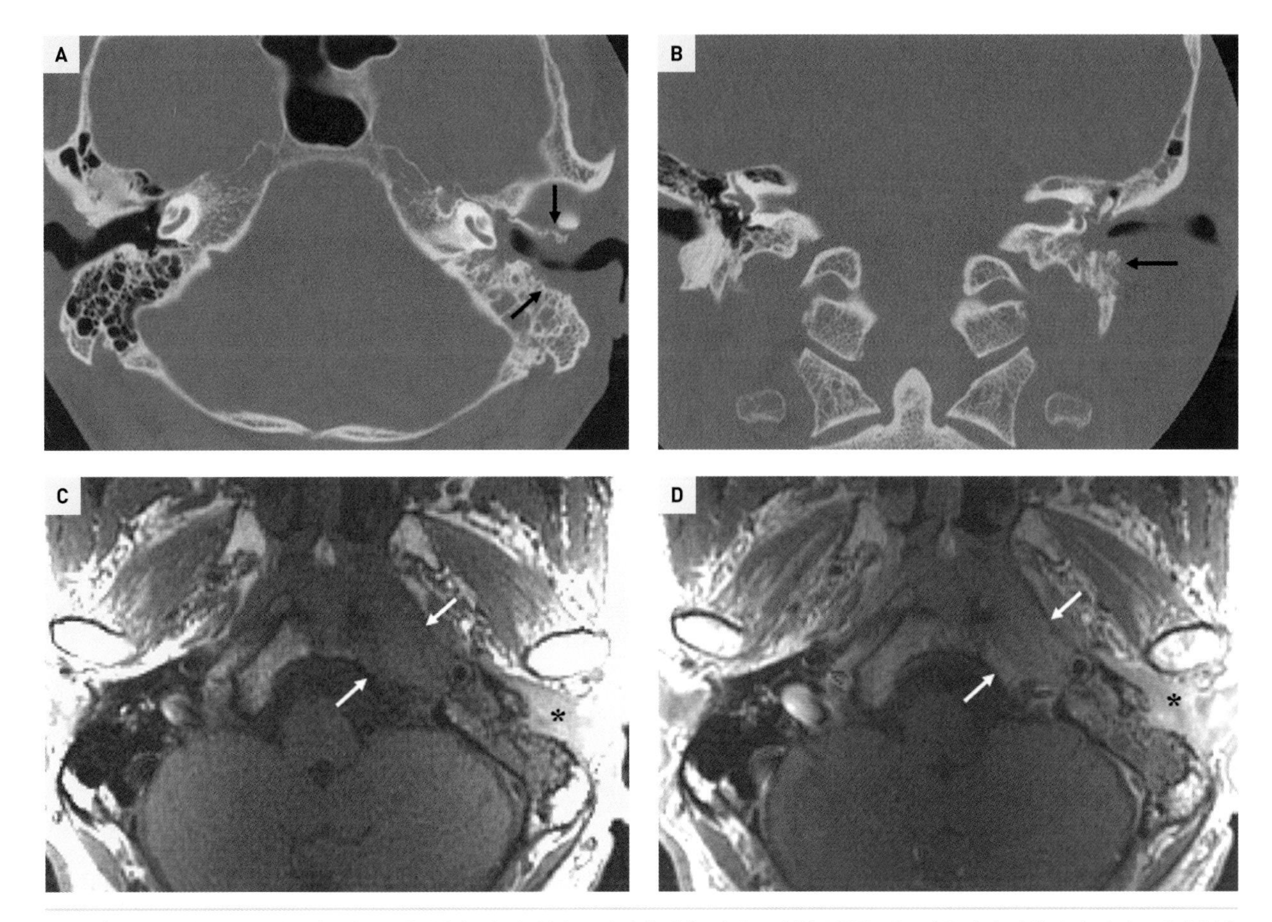

■ 그림 5-29. **악성 외이염.** **A), B)** CT 축상**(A)** 및 관상**(B)**스캔에서 좌측 외이도에 불규칙한 연조직음영이 관찰되며 외이도벽의 침윤성 골소실(화살표)이 야기되어 있다. 고실에도 염증성 변화가 보인다. **C), D)** 조영증강 전**(C)**과 후**(D)** T1WI 축상스캔에서 외이도 병변(*)은 미만성 조영증강을 보인다. 인접한 두개저와 주위 조직(화살표)에는 골수염과 염증 파급에 의한 조영증강이 관찰된다.

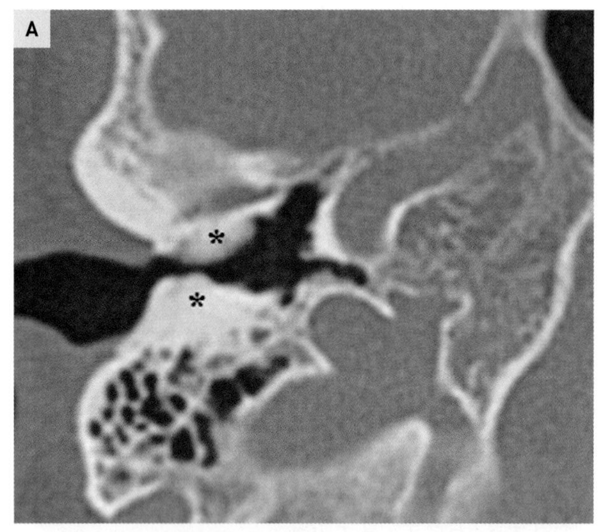

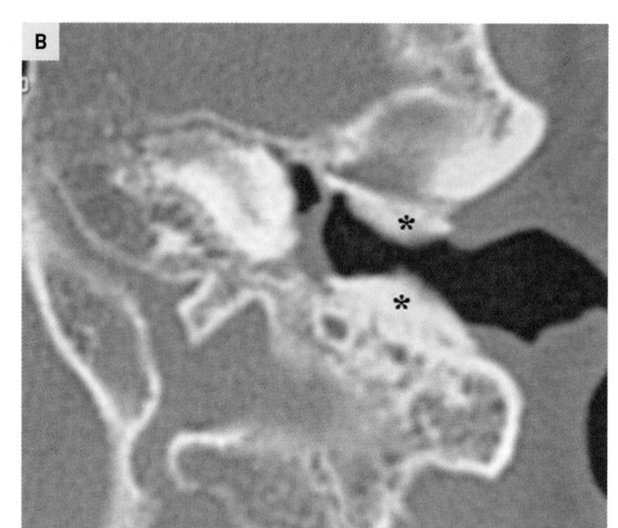

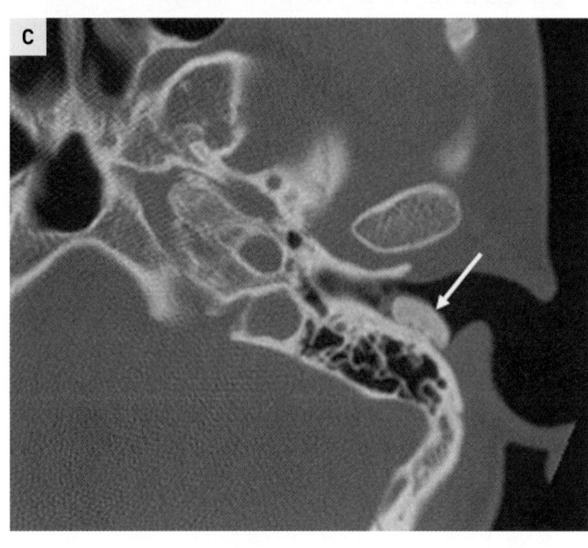

■ 그림 5-30. **외이도의 양성 종양.** **A)**, **B)** 외골증. 동일 환자의 우측(**A**) 및 좌측(**B**) 외이도 CT 축상스캔에서 전후벽에 넓은 기저부를 가지며 양측 외이도를 좁히는 골병변(*)이 보인다. **C)** 골종. CT의 축상스캔에서 좌측 외이도의 후벽으로부터 자라는 유경성 골종(화살표)이 보인다.

(2) 악성 종양

외이도의 원발성 악성 종양은 흔하지 않다. 편평세포암종, 기저세포암종, 이구선암, 전이암, 흑색종, 육종(sarcoma), 림프종, 골수종(myeloma) 등이 있으며, 이 중 편평세포암종이 가장 흔하다.[45] 이러한 악성 종양은 인접 골을 파괴하여 악관절, 유양돌기, 안면신경, 두개강, 이하선, 측두하와, 중이 등 주위 조직으로 파급되는데 CT와 MRI는 이러한 악성 종양과 동반된 골파괴를 관찰하고 종양의 침습범위를 결정하는 데 유용하다(그림 5-32).[45]

2) 중이와 유양돌기의 종양성 병변

(1) 양성 종양

중이의 원발성 종양 중 가장 흔한 것은 부신경절종(paraganglioma)의 일종인 고실사구종양이며, 이 밖에 혈관종, 신경초종, 수막종, 선종양 종양(adenomatous tumor), 분리종(choristoma), 유두종(papilloma) 등이 있다. 또한 진성 종양은 아니나 종양과 감별해야 하는 질환으로 선천성 진주종과 콜레스테롤 육아종이 있다.

고실사구종양은 박동성 이명의 한 원인이며, 이경검사에서 고막 후방에 위치한 혈관성 종괴로 보여 내경동맥기

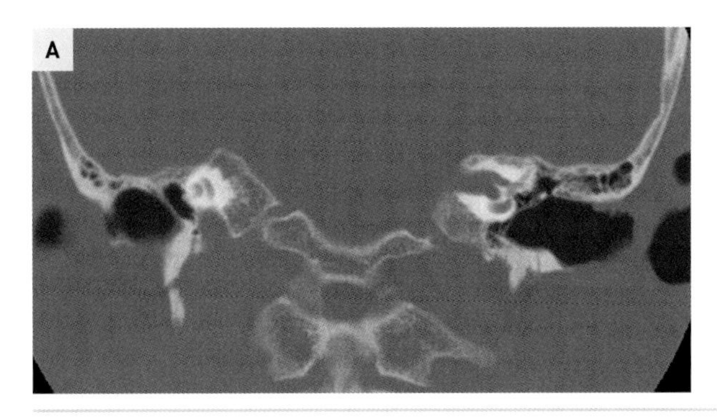

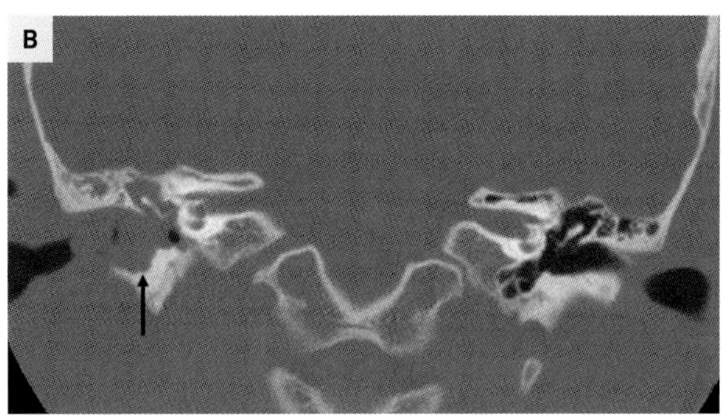

■ **그림 5-31. 폐쇄성각화증과 외이도진주종. A)** 폐쇄성각화증. CT 관상스캔에서 양측 외이도가 미만성으로 확장되어 있으나 연조직 음영은 관찰되지 않는다. 이러한 소견은 연조직이 바깥으로 유출되고 단지 외이도의 골변화 만을 남긴 폐쇄성각화증의 전형적 소견이다. **B)** 외이도진주종. CT 관상스캔에서 우측 외이도에 팽창성 연조직 음영이 있으며 외이도 하벽이 부분적으로 미란(화살표)되어 있다.

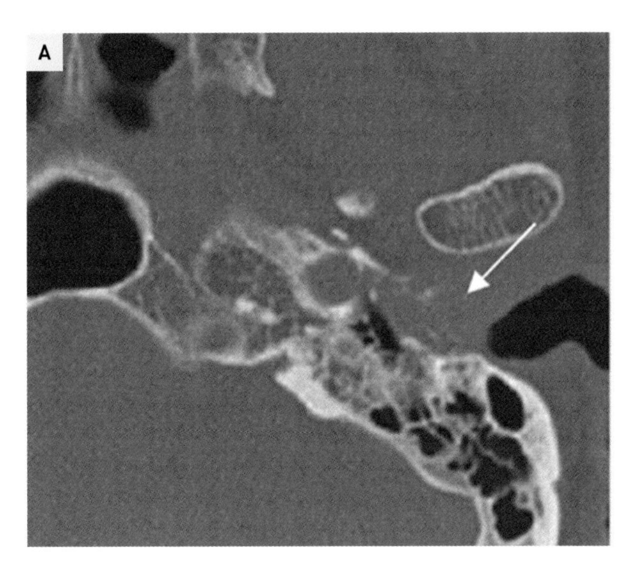

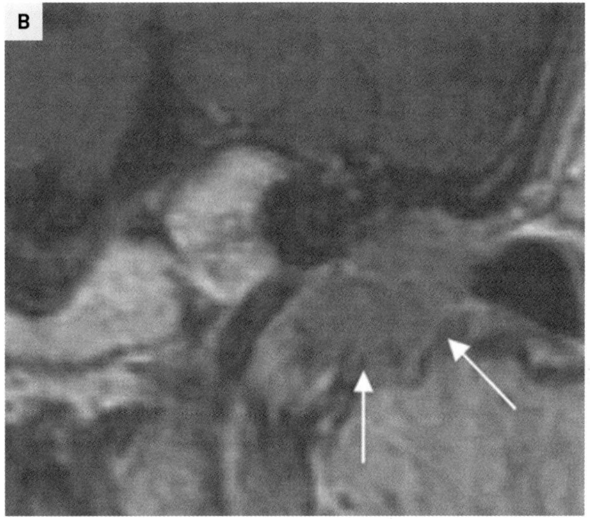

■ **그림 3-32. 외이도의 편평세포암. A)** CT 축상스캔에서 좌측 외이도에 골파괴를 동반한 경계가 불분명한 종괴(화살표)가 관찰된다. 중이로의 침습은 보이지 않는다. **B)** 조영증강 후 T1WI 관상스캔에서 종괴(화살표)는 미만성 조영증강을 보이며 외이도벽을 뚫고 아래쪽으로 침윤하고 있다.

형이나 피열경정맥구, 콜레스테롤 육아종과 감별해야 한다. 이 종양은 와우갑각 부근에 주로 나타나는 것으로 알려져 있으나 Jacobson 신경의 주행경로를 따라 고실 내벽의 어디라도 발생할 수 있다.[49] 고실 전체를 차지하는 종양이라도 이소골의 파괴는 드물며 조영제 주입 후 CT와 MRI에서 강한 조영증강을 보인다(그림 5-33).

중이에 발생하는 신경초종은 대개 안면신경에서 유래하며 CT와 MRI에서 안면신경의 주행경로를 따라 조영증강되는 연조직 종괴로 관찰된다.

(2) 악성 종양

중이와 유양돌기에서 발생하는 원발성 악성 종양은 매우 드물며, 편평세포암종, 횡문근육종(rhabdomyosarcoma), Langerhans 조직구증(Langerhans cell histiocytosis), 악성 혈관내피종(malignant hemangioendothelioma), 림프종, 흑색종, 형질세포종(plasmacyto-

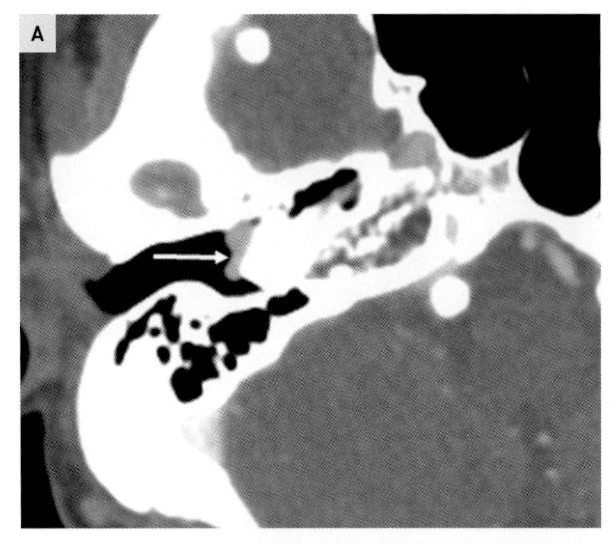

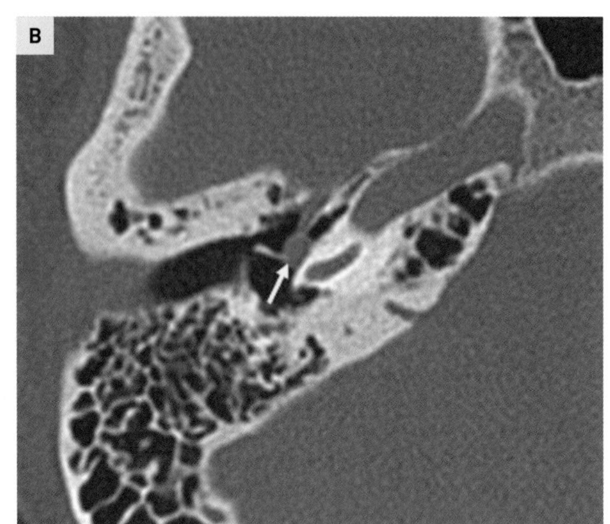

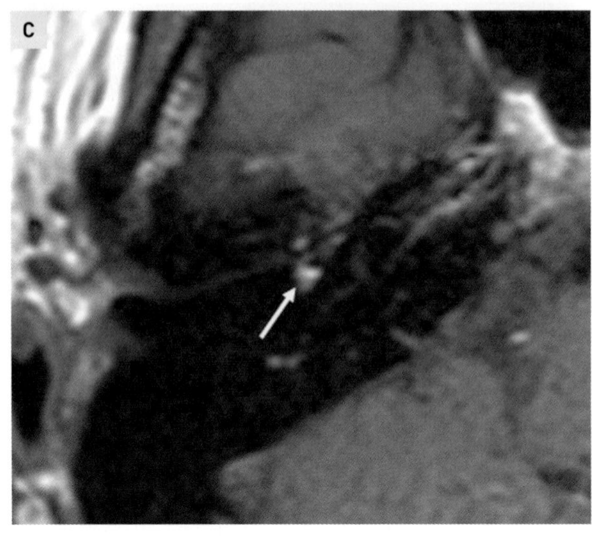

■ 그림 5-33. **고실사구종양.** A) 조영증강 후 CT 축상스캔에서 우측 고실의 와우갑각 부근에 미만성 조영증강을 보이는 분엽상 연조직 종괴(화살표)가 보인다. B), C) CT (B)와 조영증강 후(C) T1WI 축상스캔에서 우측 고실의 와우갑각 부근에 경계가 좋으며 조영증강 잘 되는 연조직 종괴(화살표)가 보인다.

ma), 선암 등이 있다.[57] 중이와 유양돌기의 전이암은 주로 추체의 전이암으로부터 파급되나 이하선암 같이 원발암의 직접 침습에 의해서도 발생한다.[45] 측두골에 잘 전이되는 원발암은 유방암, 폐암, 신장암, 전립선암, 두경부의 편평세포암종, 위암 등이다.

3) 안면신경의 종양성 병변

CT와 MRI는 안면신경 종양의 진단과 범위를 결정하는데 유용하다. CT는 안면신경관과 주위 골변화를 관찰하는 데 특히 유용하고, 조영증강 MRI는 내이도와 안면신경관 내에서 안면신경의 변화를 관찰하는 데 특히 유용하다. MRI 판독에서 정상적으로 조영증강되는 안면신경을 병변으로 오인하지 않도록 주의하여야 한다. 안면신경의 정상적인 조영증강은 해부학적으로 안면신경 주위의 풍부한 동정맥총(arteriovenous plexus)의 존재에 기인하는데,[10] 슬상신경절(geniculate ganglion), 고실부 안면신경, 대천추체신경(greater superficial petrosal nerve)의 근위부에 가장 흔하며 유양돌기에도 관찰되나 내이도, 소뇌교각, 두개외 안면신경에서는 관찰되지 않는다(그림 5-34). 또한 정상에서도 흔히 양측 안면신경이 비대칭적으

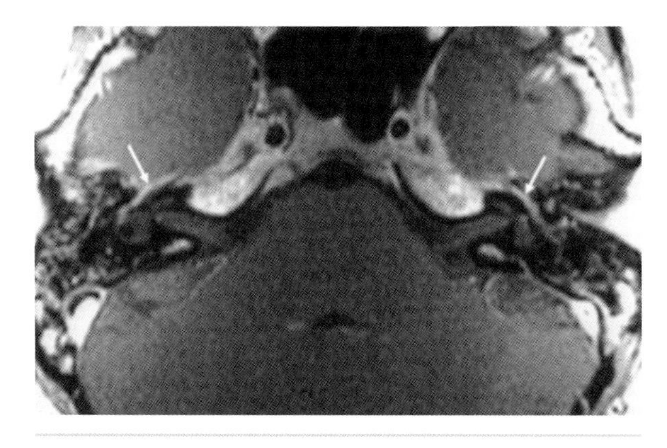

■ 그림 5-34. **정상 안면신경의 조영증강.** 조영증강 후 T1WI 축상스캔에서 양측 고실부 안면신경(화살표)이 현저하게 조영증강된 소견이 보인다.

로 조영증강되므로 판독할 때 주의해야 한다.[10]

(1) 안면신경 마비를 일으키는 염증성 병변

말초 안면신경 마비의 50~80%는 Bell 마비라고 불리는 특발성의 급성 염증성 병변에 의하여 야기된다. 전형적인 Bell 마비는 대개 임상적으로 진단되어 별다른 영상검사가 필요없으나, 조영증강 MRI를 시행하면 정상적인 안면신경의 조영증강과 달리 내이도저나 미로부의 안면신경이 조영증강되는 소견을 보인다(그림 5-35A).[40] Bell 마비의 15%는 임상적으로 비전형적인 소견을 보이며 이때는 안면신경 마비를 일으킬 수 있는 다른 원인들과 감별하기 위하여 영상검사를 실시한다.

Ramsay-Hunt 증후군은 대상포진(Herpes zoster) 바이러스에 의한 감염으로 급성 안면신경 마비와 통증을 동반한 외이도 수포가 보이면 진단할 수 있다. MRI에서는 Bell 마비에서와 마찬가지로 안면신경이 비정상적인 조영증강을 보이며, 종종 청신경이나 막성 미로도 조영증강되는 소견을 보인다(그림 5-35B).[38,40]

이 외에 안면신경 마비를 일으킬 수 있는 염증성 질환으로는 급성 및 만성 중이염, 진주종, 모균증(mucormycosis), 결핵, 매독, 악성 외이염, Lyme병, Guillain-Barre 증후군, 유육종증(sarcoidosis), 전염성 단핵세포증(infectious mononucleosis)등이 있다.

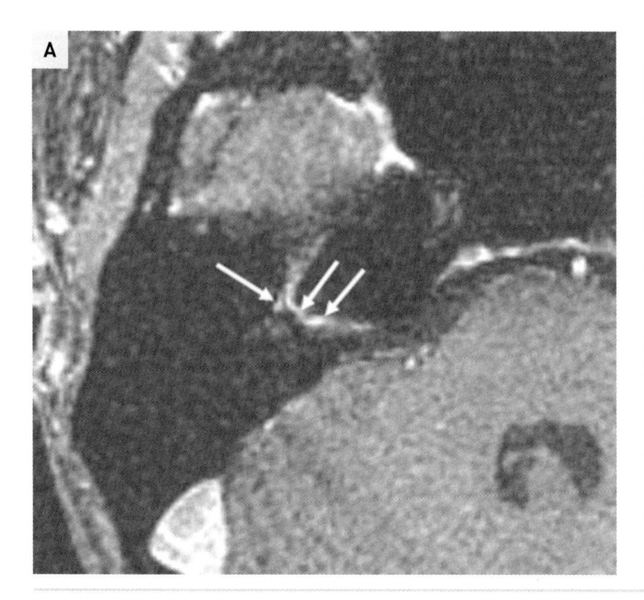

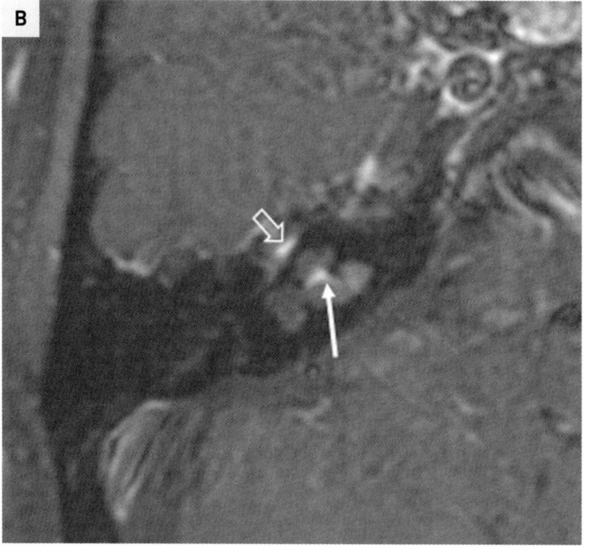

■ 그림 5-35. **안면신경염. A)** Bell 마비. 조영증강 후 T1WI 축상스캔에서 우측 내이도저와 미로부 및 고실부 안면신경을 따라 조영증강을 보이는 염증성 병변(화살표)이 보인다. **B)** Ramsay-Hunt 증후군. 조영증강 후 T1WI 축상스캔에서 우측 내이도저로부터 와우신경과 와우의 기저회전부에 조영증강 되는 병변(화살표)이 보인다. 동측 고실부 안면신경에도 정상에 비하여 높은 조영증강을 보이는 병변(빈 화살표)이 관찰된다.

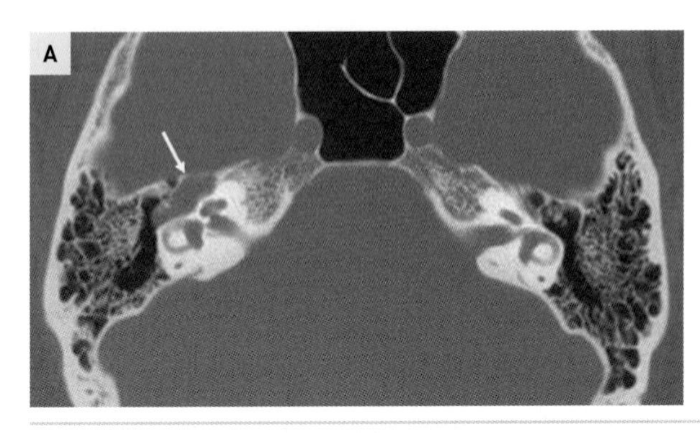

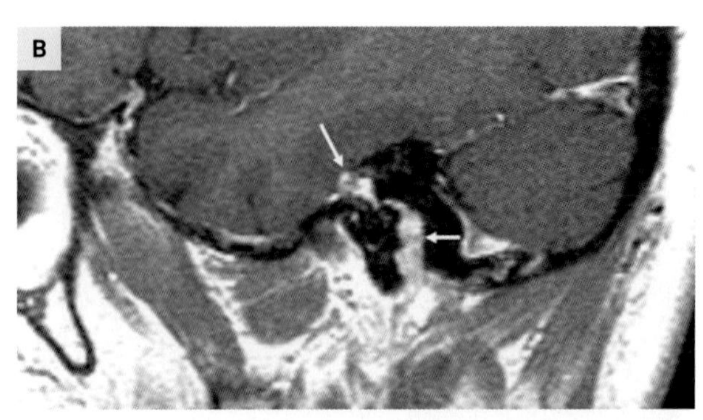

■ **그림 5-36. 안면신경초종.** CT 축상스캔(**A**)과 조영증강 후 T1WI 관상스캔(**B**)에서 우측 슬신경절로부터 고실부 및 유돌부 안면신경을 따라 강한 조영증강을 보이는 분엽상의 긴 종괴(화살표)가 보인다. 종괴 주위에는 압력으로 인한 완만한 골미란이 동반되어 있다.

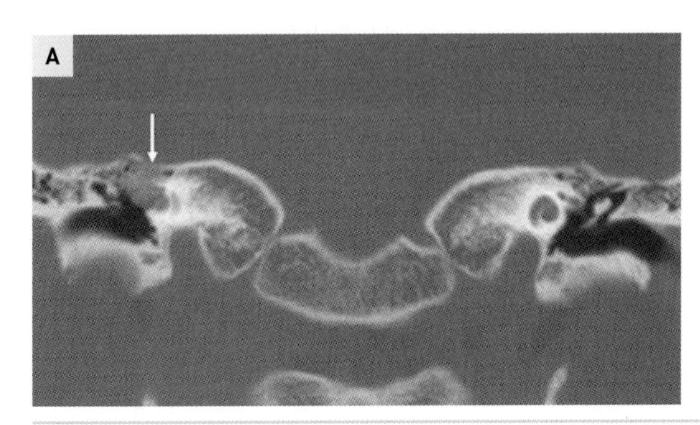

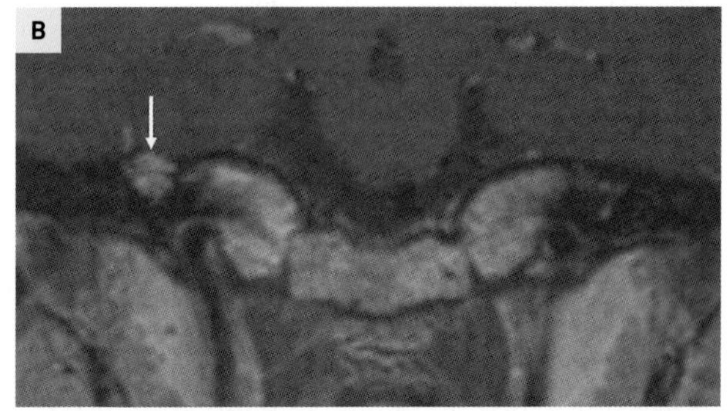

■ **그림 5-37. 안면신경의 골화혈관종. A)** CT 관상스캔에서 우측 슬신경절 부위에 내부에 골침에 의한 고밀도 음영을 보이는 경계가 불분명한 골용해성 병변(화살표)이 관찰된다. **B)** 조영증강 후 T1WI 관상스캔에서 병변은 강한 조영증강 소견을 보인다.

(2) 안면신경 종양

전체 안면신경 질환의 6% 정도가 종양 때문에 발병하며 이 중 가장 흔한 종양이 신경초종이다.[40] 신경초종은 안면신경의 어느 위치에도 생길 수 있으나 슬상신경절 주위에 가장 호발한다. 안면신경의 신경초종은 CT와 MRI에서 흔히 긴 구역의 안면신경을 침범하는 소시지 모양의 연조직 종괴로 관찰되며 조영제 주입 후 강한 조영증강을 보인다(그림 5-36). CT에서는 안면신경관의 확장 또는 골미란이 보이나 골파괴는 드물다.

신경초종을 제외하고 안면신경에서 발생하는 원발성 종양으로는 양성 혈관성 종양, 분리종, 부신경절종이 있다.[22] 양성 혈관성 종양은 안면신경 종양 중 신경초종 다음으로 흔한 종양으로 슬신경절 부위와 내이도의 안면신경에 호발하며 드물게 안면신경의 제2 슬부에 발생한다. 이 종양은 내부에 종종 골침(bony spicule)을 동반하는데 이를 골화혈관종(ossifying hemangioma)이라고 하며 주위골에 불규칙한 침윤을 일으키는 특성이 있다(그림 5-37).[44] 이 외에도 안면신경은 외이도, 중이, 추체첨, 경정맥공, 내이도와 소뇌교각, 이하선 등에서 유래한 종양에 의하여 이차적으로 침습될 수 있으며, 혈행성 전이암에 의해서도 침습될 수 있다. 특히 이하선의 악성 종양 중 선양낭성암종(adenoid cystic carcinoma)은 안면신경을 따라 신경주위파급(perineural spread)을 잘하므로 영상 진단 시 주의해야 한다(그림 5-38).[40,44]

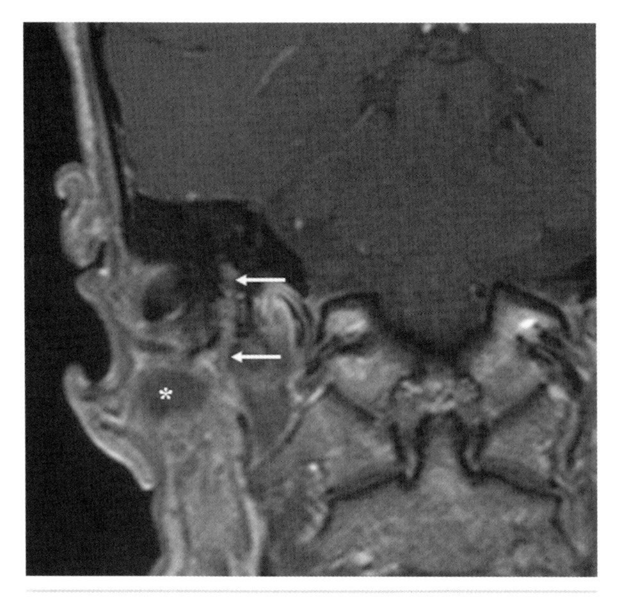

■ 그림 5-38. **이하선 악성 종양에 의한 안면신경을 통한 신경 주위파급.** 조영증강 후 T1WI 관상스캔에서 우측 이하선에 악성 종양에 의한 경미한 조영증강을 보이는 종괴(*)가 보인다. 이 종양은 안면신경을 따라 신경주위파급을 야기하여 유돌부 안면신경(화살표)이 두껍게 조영증강 되고 있다.

4) 추체첨의 종양성 병변

추체첨을 침범하는 종양성 병변은 크게 추체 자체에서 기원한 병변과 추체첨의 인접 기관에서 기원하여 이차적으로 추체첨을 침습하는 병변의 두 가지로 분류할 수 있다. 전자에는 콜레스테롤 육아종, 선천성 진주종, 점액류(mucocele), 거대 내경동맥 동맥류 등의 비종양성 병변과 전이암, 거대세포종(giant cell tumor), 동맥류상 골낭포(aneurysmal bone cyst), Langerhans 조직구증, 횡문근육종, 형질세포종, 혈관종, 내림프낭 종양(endolymphatic sac tumor) 등이 있으며, 후자에는 연골육종(chondrosarcoma), 척삭종(chordoma), 수막종(meningioma), 삼차신경초종(trigeminal schwannoma), 경막내 유표피종(epidermoid), 경정맥-고실사구종양, 비인두암 등이 있다.[43,44]

내이도나 중이의 종양성 병변과는 달리 추체첨의 종양성 병변은 대개 충분한 크기에 이르러서야 증상을 일으키므로 영상검사에서 비교적 큰 종괴 형태를 보인다.[44]

콜레스테롤 육아종은 추체첨에 발생하는 원발성 병변 중 가장 흔하며 거대콜레스테롤 낭포(giant cholesterol cyst)라고 부르기도 한다. CT에서는 낭성 또는 뇌조직과 비슷한 감약을 보이는 경계가 좋은 팽창성 종괴에 의하여 종괴의 벽을 이루는 피질골이 압박 미란된 소견을 보이고, MRI에서는 T1WI와 T2WI 모두에서 특징적인 고신호강도를 보이며 종종 내부에 콜레스테롤 결정이나 혈철소(hemosiderin)의 침전으로 인한 불균질한 저신호강도 음영을 동반한다(그림 5-39).[22]

선천성 진주종은 조직학적으로 태생적 기원의 유표피종이나 중이에 발생하는 후천성 진주종과 동일한 병변이며 드물게 경막외 골내 추체첨에 발생한다. CT에서는 콜레스테롤 육아종과 비슷한 소견을 보이나 일반적으로 MRI에서는 T1WI에서는 저신호강도, T2WI에서는 고신호강도를 보여 콜레스테롤 육아종과 구분된다.[22,44]

매우 드물게 추체첨에도 부비동과 마찬가지로 점액의 출구 폐쇄로 인한 축적에 의하여 점액류가 발생할 수 있다. 내용물에 함유된 단백 성분의 양에 따라 CT와 MRI에서 다양한 감약 및 신호강도를 나타낼 수 있으며 단백 성분이 적으면 선천성 진주종과, 단백 성분이 많으면 콜레스테롤육아종과 비슷한 소견을 보인다.[43]

내경동맥 추체부의 거대 동맥류에 의하여 추체첨에 경계가 좋은 팽창성의 골미란이 야기될 수 있다. 영상검사에서는 동반된 혈전의 특성에 따라 다양한 양상을 보일 수 있는데, 일반적으로 MRI에서 개방된 내강(patent lumen)은 T1WI와 T2WI 모두에서 혈류에 의한 신호소실을 보이는 반면 혈전은 형성된 시기에 따라 다양한 신호강도를 나타낸다(그림 5-40).[43,44]

두개저의 악성 종양 중 연골육종과 척삭종은 영상검사에서 비슷한 소견을 보이며 이차적으로 추체첨을 침습할 수 있다. 연골육종과 척삭종을 감별진단 하는데 가장 중요한 소견은 종괴의 위치인데 전자는 대부분 추체후두열(petrooccipital fissure)이나 추체접형열(petrosphenoidal fissure)에서 기원하므로 영상검사에서 주로 중앙에

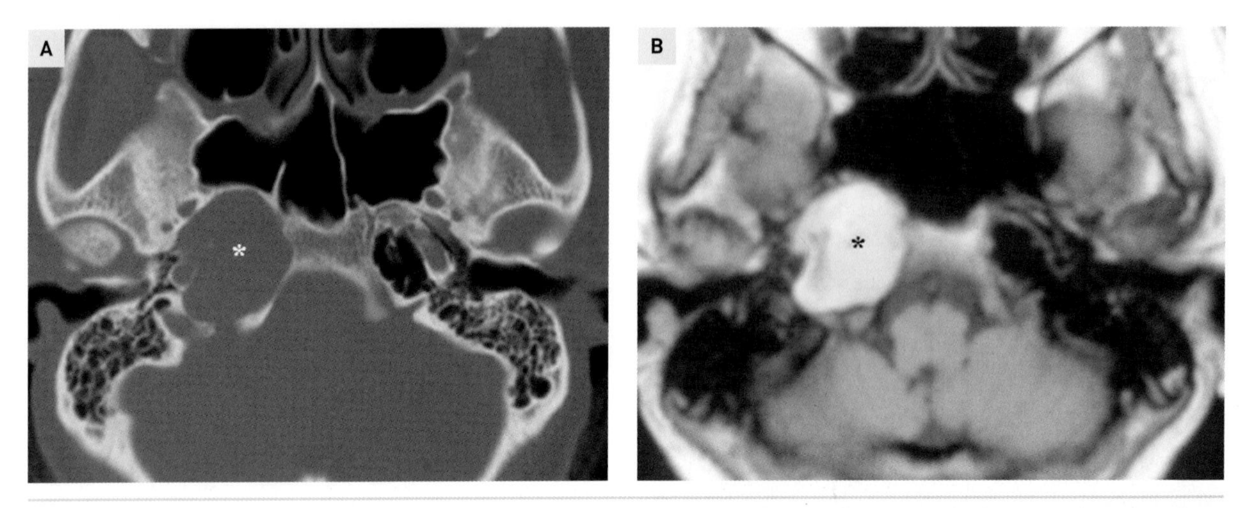

■ 그림 5-39. **추체첨의 콜레스테롤육아종.** **A)** CT 축상스캔에서 우측 추체첨에 경계가 좋은 커다란 팽창성 종괴(*)가 관찰된다. **B)** T1WI 축상스캔에서 종괴 내부는 아급성 출혈에 의한 균질한 고신호강도(*)를 보인다.

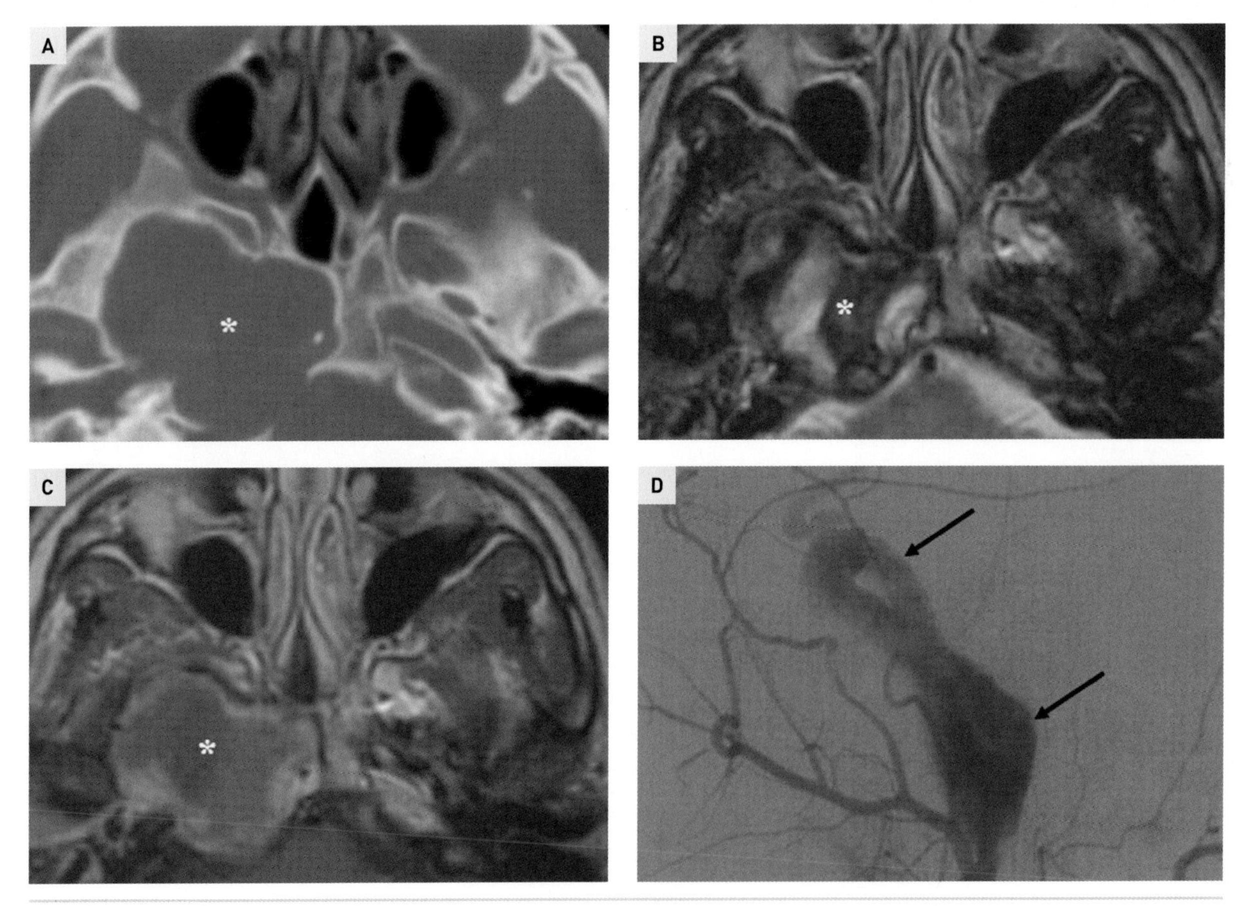

■ 그림 5-40. **내경동맥의 거대 동맥류.** **A)** CT 축상스캔에서 우측 추체첨에 압박성 골미란을 동반한 커다란 팽창성 병변(*)이 보인다. **B)**, **C)** T2WI **(B)** 및 조영증강 후 T1WI **(C)** 관상스캔에서 병변(*)은 서로 다른 시기의 혈전에 의하여 내부에 다양한 신호강도를 보인다. **D)** 경동맥조영술에서 내경동맥에 아령 모양의 커다란 동맥류(화살표)가 관찰된다.

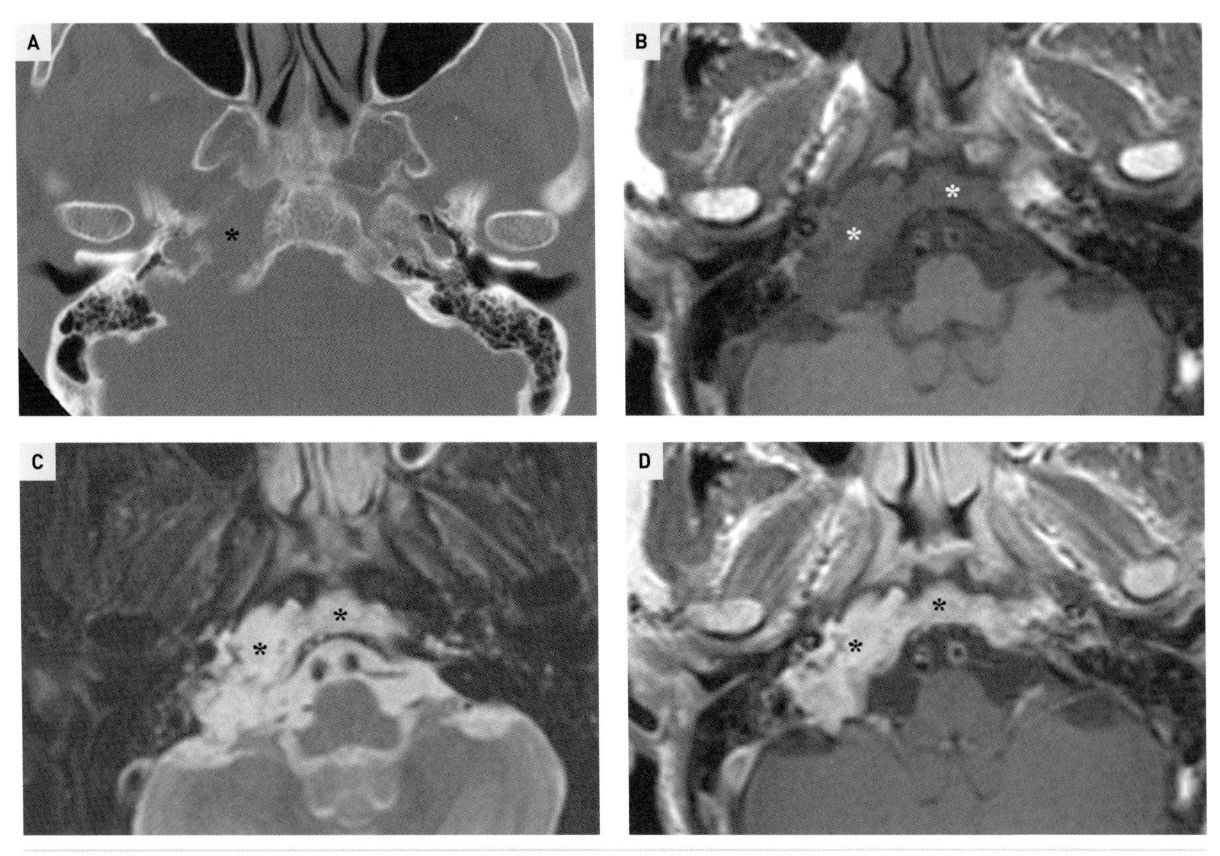

■ 그림 5-41. **연골육종.** A) CT 축상스캔에서 우측 추체후두열 부위에 경계가 불분명한 골용해성 병변(*)이 보인다. B) T1WI 축상스캔에서 우측 추체후두열을 중심으로 인접한 사대를 침습하는 저신호강도 종괴(*)가 보인다. C), D) T2WI (C)와 조영증강 후 T1WI (D) 축상스캔에서 종괴(*)는 각각 매우 높은 고신호강도와 높고 균질한 조영증강을 보인다.

서 외측으로 치우쳐 관찰되는 반면(그림 5-41), 후자는 태생학적 구조물인 척삭(notochord)에서 기원하므로 영상 검사에서 주로 사대(clivus)의 중앙에 위치한 종괴로 관찰된다(그림 5-42).[43] 두 종양은 CT에서 불규칙한 경계의 골파괴를 동반한 불균질하게 조영증강되는 연조직 종괴로 관찰된다. 종종 종양 내부에 석회화 또는 골파편이 관찰되는데 석회화의 동반은 45~60%로 연골육종에 더 흔하다.[3] MRI에서 두 종양은 모두 T1WI에서 균질한 저신호강도 또는 중등신호강도를 보이고 T2WI에서 불균질한 고신호강도를 보이며 조영제 주입 후 불균질하게 조영증강된다(그림 5-41, 42). T2WI에서의 고신호강도는 종양에 함유된 풍부한 수분과 기질 내의 점액성 물질에 기인한다.[47]

비인두암의 두개저 침습은 흔한 소견으로 대개 추체후두열을 통하여 추체로 파급된다. 비인두암은 연골육종보다 매우 침윤적이고 균질한 골파괴를 야기시키며 MRI의 T2WI에서 연골육종에 비하여 낮고 균질한 신호강도를 보인다(그림 5-43).[44]

내림프낭 종양은 국소적으로 침습적이고 과혈관성의 유두상 선종양 종양(papillary adenomatous tumor)으로 추체의 골파괴를 야기하여 감각신경성난청이나 안면신경마비를 일으킬 수 있으며 추체첨 및 미로하부, 유돌, 중이, 경정맥와, 후두개와를 침범할 수 있다.[44] von Hippel–Lindau 병을 가진 환자에서 더 흔한 것으로 알려져 있으며, 이 병과 동반될 때에는 종종 양측성으로 발생한다. 이 종양은 CT에서 전정도수관 부근의 추체골이 연조직 종괴에 의하여 불규칙적인 골파괴를 보이고 흔히 종양 내

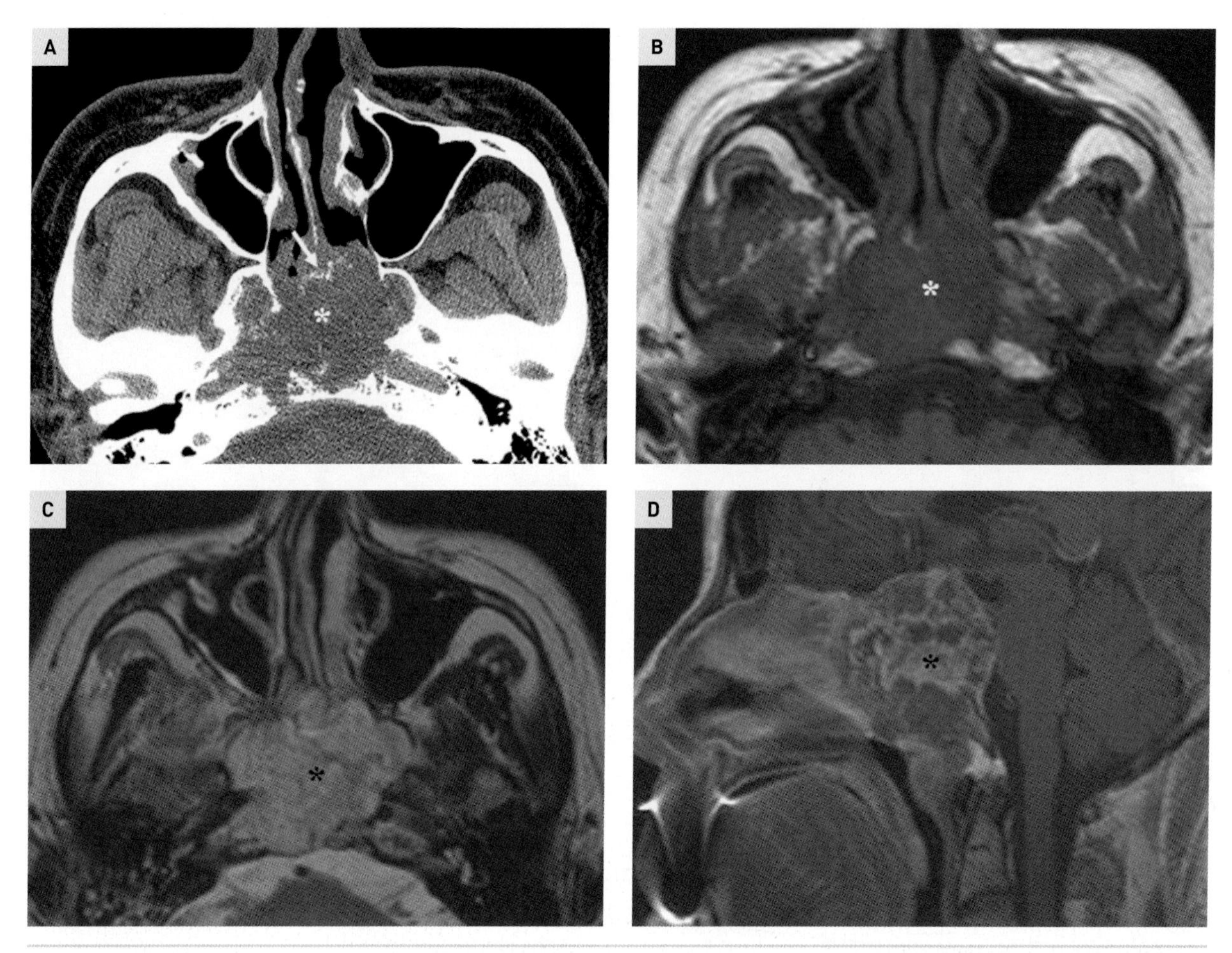

■ **그림 5-42. 척삭종.** **A)** CT 축상스캔에서 두개저 중앙 사대와 양측 추체첨 부위에 경계가 불분명한 골용해성 종괴(*)가 보인다. 종괴 내부에는 불규칙한 점상형의 석회화(화살표)가 관찰된다. **B), C)** T1WI **(B)**와 T2WI **(C)** 축상스캔에서 종괴(*)는 각각 저신호강도와 고신호강도를 보인다. **D)** 조영증강 후 T1WI 시상스캔에서 종괴(*)는 비균질한 조영증강을 보이며 내부에 넓은 영역의 낭포성 변화를 가진다.

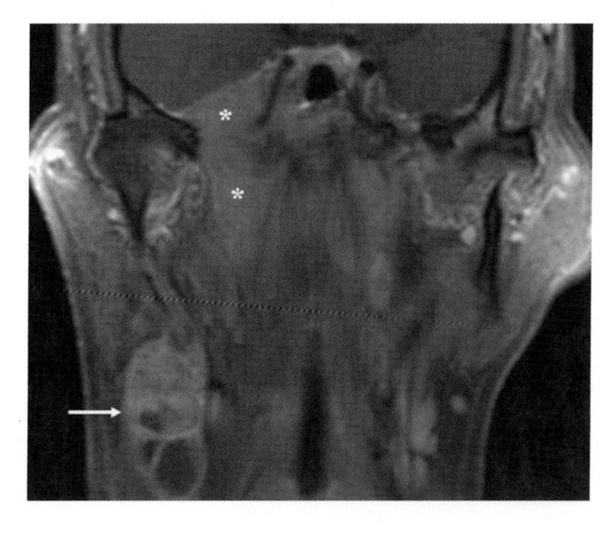

■ **그림 5-43. 비인두암.** 조영증강 후 T1WI 관상스캔에서 비균질한 조영증강을 보이며 경계가 불분명한 커다란 침윤성 종괴(*)에 의하여 두개저의 골파괴가 보인다. 종괴는 측두하와를 침습하여 주로는 난원공을 통하여 두개 내 공간을 침범하고 있다. 우측 경부에는 괴사를 동반한 큰 전이림프절(화살표)이 관찰된다.

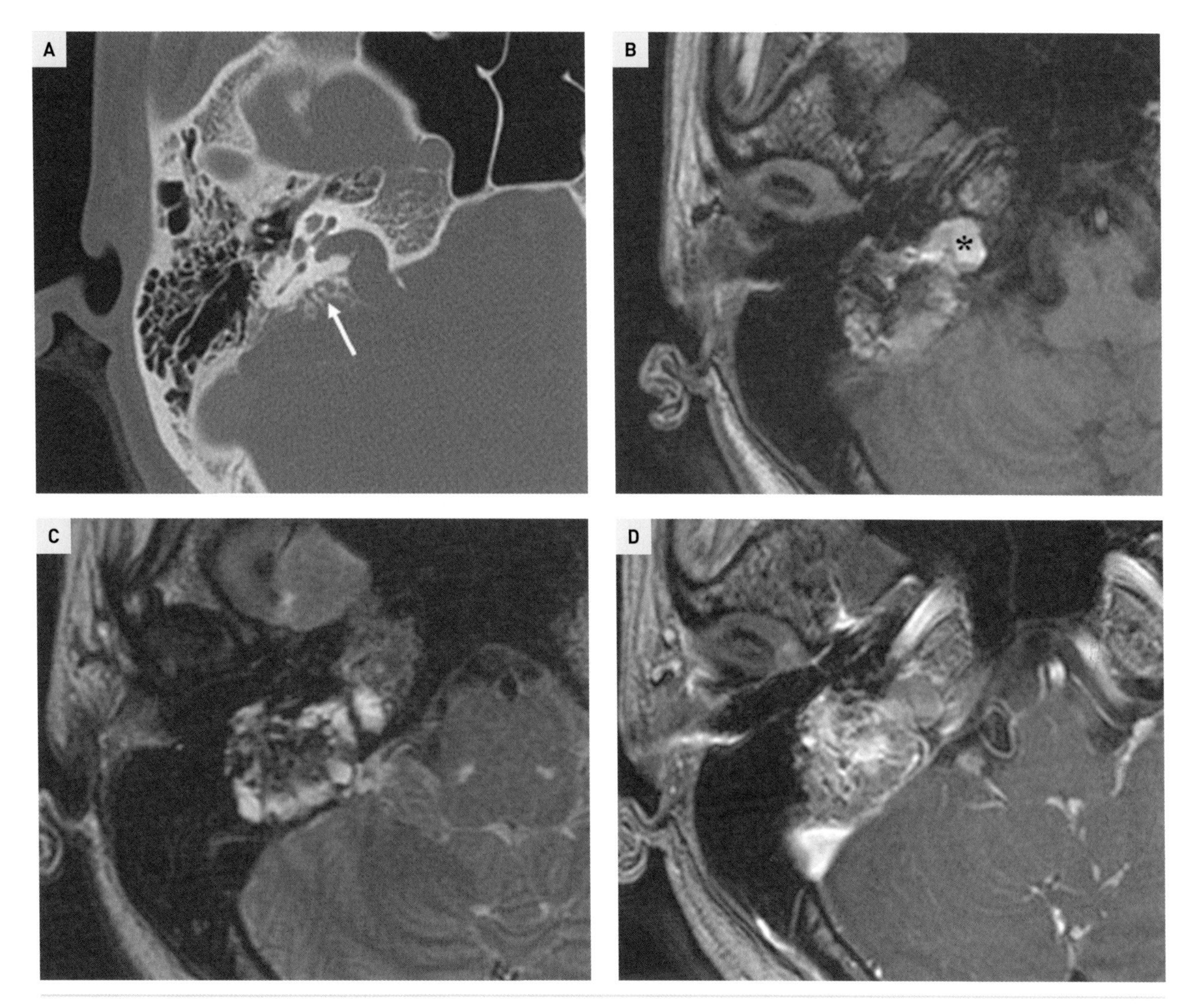

■ **그림 5-44. 내림프낭 종양. A)** CT 축상스캔에서 우측 추체에 정상적으로 보여야 할 전정도수관이 보이지 않으며 그 부위에 골소침(화살표)을 동반한 불규칙한 골용해성 병변이 관찰된다. **B), C)** T1WI **(B)**와 T2WI **(C)** 축상스캔에서 종괴는 다양한 신호강도를 보이는데, 특히 T1WI에서 출혈에 의한 고신호강도(*)가 특징적이다. **D)** 조영증강 후 T1WI 축상스캔에서 종괴(*)는 각각 불균질한 조영증강을 보인다.

부에 골소침(bone spicule)이 관찰된다. MRI에서 종양은 T1WI와 T2WI에서 다양한 신호강도를 보이는데, 특징적으로 T1WI에서 종괴 내에 출혈에 의한 고신호강도가 관찰되며 조영제 주입 후 불균질한 조영증강을 보인다(그림 5-44).[44] 종양 내의 저신호강도는 만성 출혈과 연관된 혈철소 침착을 의미한다.

5) 경정맥공의 종양성 병변

경정맥공의 종양 중 가장 흔한 것은 전체의 80% 이상을 차지하는 부신경절종인 경정맥-고실사구종양이고 그 다음을 하부 뇌신경 기원의 신경초종과 수막종이 차지한다. 이 밖에 경정맥공의 드문 종양으로는 연골육종, 혈관주위세포종(hemangiopericytoma), 형질세포종, 전이암 등이 있다.

경정맥사구종양의 영상진단에 있어 CT와 MRI는 상호

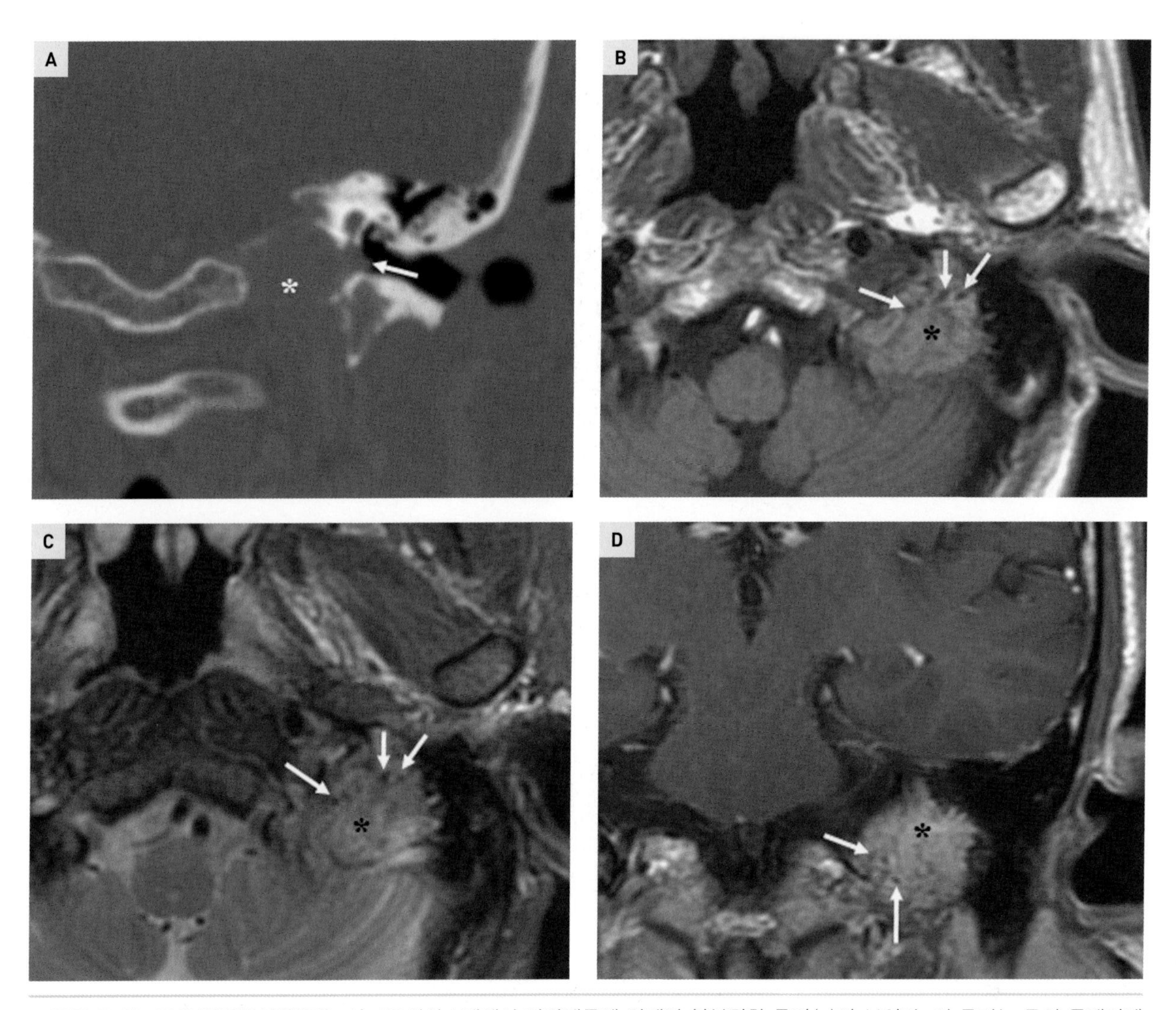

■ 그림 5-45. **고실-경정맥사구종양.** **A)** CT 관상스캔에서 경정맥공에 경계가 불분명한 종괴(*)가 보인다. 이 종괴는 주위 두개저에 침윤성 골용해를 야기하며 일부는 고실로 침습(화살표)하고 있다. **B)**, **C)** T1WI **(B)**와 T2WI **(C)** 축상스캔에서 종괴(*)는 각각 경미한 고신호강도와 중등신호강도를 보이며 내부에 빠른 혈류로 인한 신호결손들(화살표)이 관찰된다. **D)** 조영증강 후 T1WI 관상스캔에서 종괴는 강한 조영증강을 보이며 내부에 빠른 혈류로 인한 신호결손들이 관찰된다.

보완적인 역할을 한다. 즉, CT는 종양에 의한 골파괴의 소견을 잘 보여주는 반면, MRI는 CT에 비하여 종양의 침습 범위를 관찰하는 데 용이하다. CT에서 관찰되는 골파괴는 불규칙하고 좀이 먹은 듯한 양상을 보인다(그림 5-45A).[44] MRI에서 종양은 T1WI에서는 뇌조직과 등신호강도를 보이고 T2WI에서는 고신호강도를 보이며 조영제 주입 후 대부분의 종양에서 강한 조영증강을 관찰할 수 있다(그림 5-45B-D). 종종 종양 내부에 풍부한 혈관 및 빠른 혈류로 인해 특징적인 무신호를 관찰할 수 있는데 이는 주로 2 cm 이상의 큰 종양에서 관찰된다.[28] 고실사구종양은 수술로 인한 심각한 출혈의 위험이 없어 혈관조영술이 불필요하나 경정맥사구종양은 수술 시 상당량의 출혈을 동반하므로 수술 전 혈관조영술이 필수적이며, 비후된 영양동맥(feeding artery)과 빠른 정맥 배출과 함께 현저한 종양염색을 보인다.(그림 5-4A) 혈관조영술은 종양을 진단하고 혈관 분포를 파악하는 것 외에도 수술 전 색

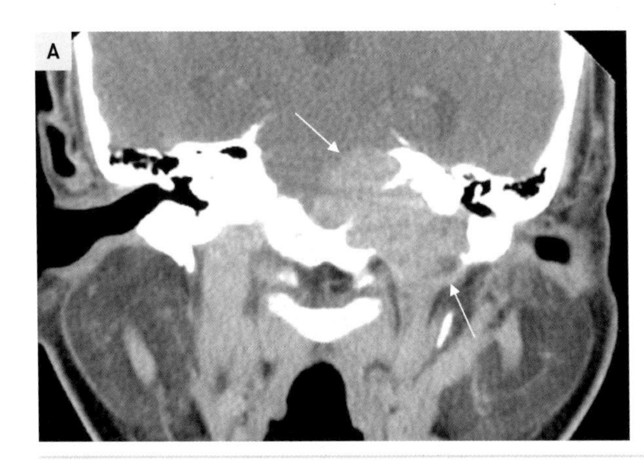

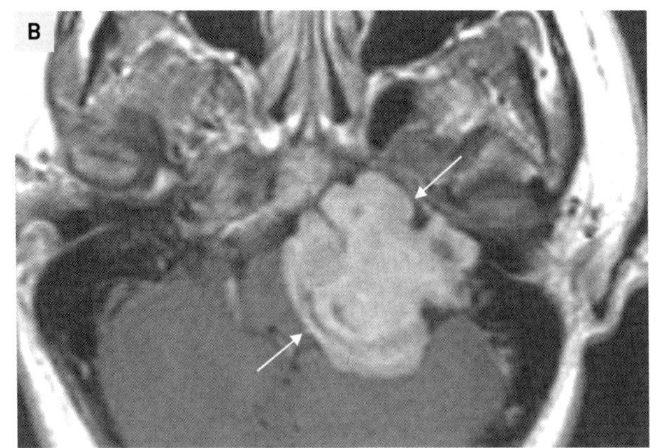

■ 그림 5-46. **경정맥공의 신경초종.** 조영증강 후 CT의 관상스캔(**A**)과 조영증강 후 T1WI MRI의 축상스캔(**B**)에서 좌측 경정맥공에 미만성의 높은 조영증강을 가지는 분엽상의 큰 종괴(화살표)가 보인다. 종괴는 주위골을 팽창시키며 후두개와에도 큰 종괴를 형성하고 있으며 고실에도 종괴의 일부가 보인다.

전술(embolization)을 병행함으로써 수술 중 발생할 수 있는 다량의 출혈을 예방할 수 있으며(그림 5-4B), 사구종양의 약 10%에서 발생하는 다발성 종양의 진단에도 도움이 된다.[14,48]

설인신경, 미주신경과 부신경은 뇌간을 떠난 후 뇌조와 경정맥공에서 서로 인접해 있어 이 부위의 어느 한 신경에 종양이 발생하더라도 임상적으로나 영상의학적으로 그 기원을 알기 어렵다. 경정맥공에 발생한 신경초종은 부신경절종과 달리 CT에서 경계가 매우 좋은 경정맥공의 매끄러운 팽창성 병변을 야기하고, 조영제 주입 후 경도 또는 중등도의 조영증강을 보인다(그림 5-46A).[39] MRI는 종양의 내부 양상과 범위를 파악하는 데 CT보다 우월한데, 뇌조직과 비교하여 T1WI에서는 등신호 또는 약간 저신호강도, T2WI에서는 고신호강도를 보이고, 조영제 주입 후 강한 조영증강을 보인다(그림 5-46B).[48] 종양이 두개 내 뇌조로 성장하거나 두개외 경부로 성장하면 아령 모양의 종괴를 형성할 수 있다.[43] 설하신경의 신경초종은 설하신경의 경로를 따라 두개 내 또는 두개외 어느 곳이나 발생할 수 있으며 종양이 성장하면 근접한 경정맥공을 침범할 수 있다.[44] 설하신경관 부위에 발생한 신경초종은 설하신경관에 경계가 좋은 골팽창을 초래한다.

6) 내이도와 소뇌교각의 종양

(1) 소뇌교각의 종양성 병변

소뇌교각에 발생하는 종양의 대부분은 청신경의 신경초종이며, 수막종과 유표피종도 종종 발생한다. 그 외에 드문 종양성 병변으로는 청신경을 제외한 후두개와의 뇌신경에서 발생한 신경초종, 혈관성 병변, 골종양, 소뇌나 뇌실 종양, 전이암 등이 있다.[43,44]

청신경의 신경초종은 모든 측두골 종양 중 가장 흔한 양성 종양으로 전체 뇌종양의 6~10%를, 소뇌교각을 침범한 종양의 60~90%를 차지한다.[40] 제2형 신경섬유종증(neurofibromatosis type 2; NF-2)의 경우 96%가 양측성 종양이다.[22] 청신경의 신경초종은 내이도, 내이공(porus acousticus), 소뇌교각 어디에라도 발생할 수 있으며, 막성 미로에도 신경초종이 발생한다.[4,43,44] 청신경의 신경초종의 영상검사 중 가장 정확한 MRI 기법은 조영증강 후 T1WI이나 선별검사로서 고속 스핀에코나 급속 경사에코를 이용한 T2WI도 사용되고 있다.[33] MRI에서 신경초종은 뇌조직과 비교하여 T1WI에서 등신호 또는 약간 저신호강도, T2WI에서 고신호강도를 보이며 조영제 주입 후 매우 강한 조영증강을 보인다(그림 5-47). 조영증강 MRI 검사에서 청신경의 염증성 병변도 국소적인 청신경의 조영증강 소견을 보여 신경초종과 감별하기가 매우 어

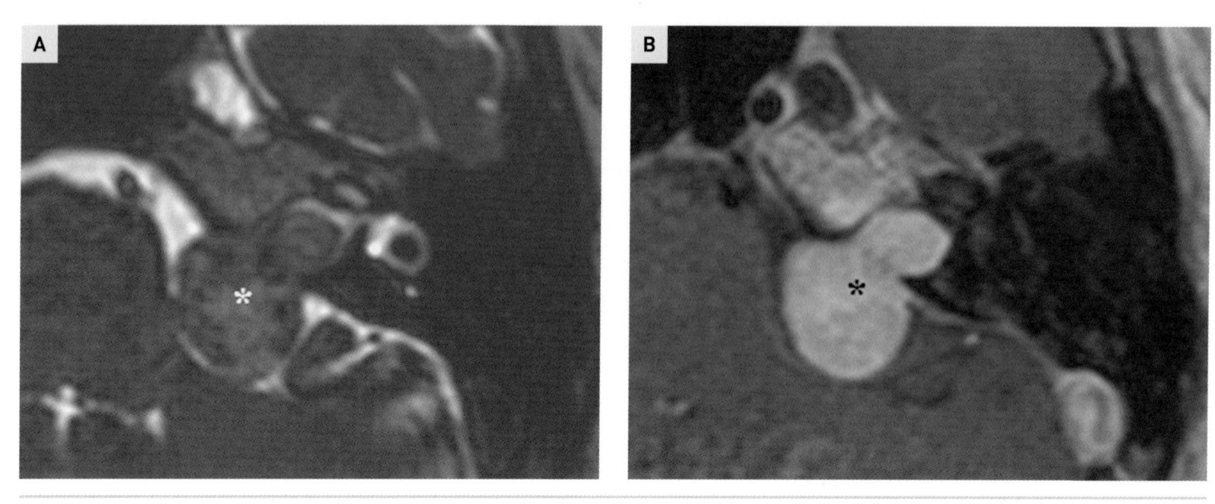

■ **그림 5-47. 청신경의 신경초종. A)** 삼차원 T2WI 축상스캔에서 좌측 내이도와 소뇌교각에 아령모양의 비균질한 종괴(*)가 보인다. **B)** 조영증강 후 T1WI 축상스캔에서 종괴(*)는 현저한 조영증강을 보인다.

려울 수 있으나, 일반적으로 염증성 병변이 신경초종에 비하여 조영증강 정도가 낮다. 신경초종이 소뇌교각에 큰 종괴를 형성하면 다른 종양, 특히 수막종과 감별하기가 어려울 수 있는데, 이 경우 종양 일부가 내이도를 차지하는 소견이 관찰되면 신경초종으로 진단할 수 있다(그림 5-47).[44] CT에서 신경초종은 조영제 주입 전 주로 뇌조직과 비슷한 감약을 보이고, 조영제 주입 후 강한 조영증강을 보인다. 청신경의 신경초종의 75~80%가 단순촬영에서 내이도의 확장 소견을 보이는데, 정상 쪽과 비교하여 2 mm 이상의 높이 차이를 보이거나 내이도 후벽이 3 mm 이상 단축된 소견을 보이면 신경초종의 존재를 예측할 수 있다.[45] 간혹 신경초종 없이도 신경섬유종증과 동반된 경막확장(dural ectasia)으로 인하여 양측성으로 내이도가 확장된 소견을 보일 수 있으므로 주의해야 한다.

수막종은 소뇌교각 종양의 3~8%를 차지한다.[43,44] 영상검사에서 내이공으로부터 중심이 벗어난 반구형의 종괴로 관찰되며 종종 중두개와를 침범한다. 간혹 반(plaque) 모양의 수막종이 추체에 침윤성 골 병변을 일으킬 수 있다. 수막종에 의한 내이도 침범은 드문 소견이나 큰 종양에서 관찰될 수 있으며, 아주 드물게 작은 수막종이 내이도에 국한되어 발생할 수 있다. 조영증강 전 CT에서 종양은 뇌조직과 비교하여 고음영 또는 등음영을 보이며 조영제 주입 후 강한 조영증강을 보인다. 약 25%에서 종양 내 석회화가 관찰되며, 드물지만 주변골에 동반된 경화성 변화는 수막종의 매우 특징적인 소견이다(그림 5-48).[43] MRI에서 수막종은 뇌조직과 비교하여 T1WI에서는 등신호 또는 약간 저신호강도, T2WI에서는 조직 유형에 따라 다양한 신호강도를 보이며 조영제 주입 후 매우 강하고 균질한 조영증강을 보이는데 흔히 경막꼬리징후(dural tail sign)를 동반한다(그림 5-48B). 조직학적으로 경막꼬리는 반응성 염증조직일 수도 있으나 종양의 침윤일 수도 있으므로 수술시 반드시 조직학적으로 확인해야 한다.[43,44]

소뇌교각의 유표피종은 경막 내에 발생하는 선천성 진주종으로 소뇌교각 종양 중 세 번째로 흔하다.[43,44] CT에서 대부분의 유표피종은 조영증강되지 않으며 척수액과 비슷한 감약을 가지는 낭성 병변으로 보이나 드물게 높은 감약을 보일 수 있다. MRI에서 대부분의 종양은 척수액과 비교하여 T1WI에서 등신호 또는 약간 고신호강도, T2WI에서 약간 고신호강도를 보이며 조영제 주입 후 조영증강되지 않는다. 유표피종은 확산강조영상에서 특징적인 고신호강도를 보여 다른 낭포성 병변과 감별이 용이하다(그림 5-49). 간혹 유표피종이 내부에 풍부한 콜레스테롤

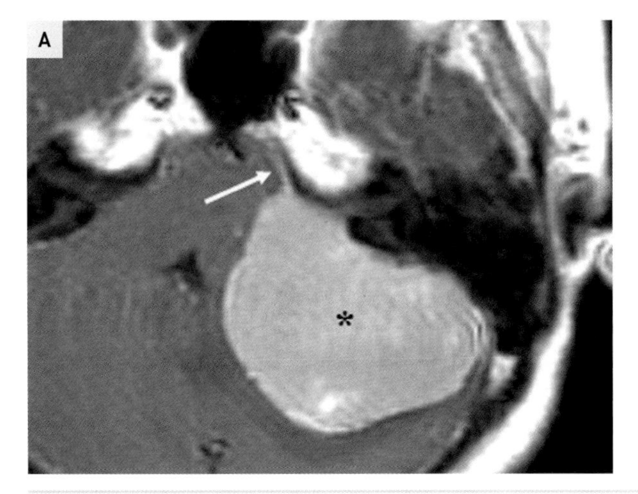

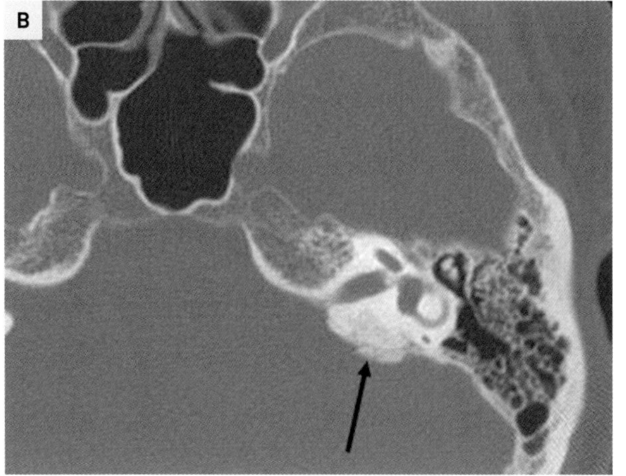

■ 그림 5-48. **소뇌교각의 수막종.** **A)** 조영증강 후 T1WI 축상스캔에서 좌측 소뇌교각에 추체와 둔각을 이루며 현저한 조영증강을 보이는 경계가 좋은 종괴(*)가 보인다. 종괴는 내이도로 자라지 않으며 인접한 경막에 경막꼬리징후(화살표)를 동반하고 있다. **B)** CT 축상스캔에서 종괴와 연한 추체 후벽에 골증식(화살표)이 관찰된다.

결정을 함유하고 있으면 T1WI에서 고신호강도를 보일 수 있으므로 주의하여야 한다.

지주막성 낭포(arachnoid cyst)는 CT, MRI 모두에서 조영증강되지 않으며, 척수액과 동일한 감약과 신호강도를 보이는 낭성 병변으로 관찰되고 유표피종과 달리 변연부의 경계가 깨끗하며 규칙적이다.[43] 이 외에 소뇌교각에 발생하는 낭포성 병변에는 낭미충증(cysticercosis), 지방종, 상피성 낭포(epithelial cyst), 신경장관성 낭포(neurenteric cyst), 두개인두종(craniopharyngioma,) 낭포성 신경초종 등이 있다.[44]

전체 두개 내 신경초종의 95%가 청신경에서 기원하며 청신경을 제외한 후두개와의 제5, 7, 9-12 뇌신경에서 유래한 신경초종이 드물게 소뇌교각에 발생할 수 있는데 이 중 삼차신경의 신경초종이 가장 흔하다.[43,44] 삼차신경의 신경초종은 주로 삼차신경절이 위치한 Meckel 동(Meckel's cave)에 중심을 두고 후두개와나 중두개와로 성장하여 아령 모양의 종괴를 형성하지만 큰 종괴의 경우에도 내이도의 침범은 관찰되지 않아 청신경 종양과 구분된다(그림 5-50).[43]

소뇌교각에 발생하는 혈관성 병변으로는 추골뇌저동맥확장증(vertebrobasilar dolichoectasia), 혈관계제(vascular loop), 동정맥기형, 혈관종, 동맥류, 표재성 철침착증(superficial siderosis) 등이 있으며, 인접한 신경 및 뇌조직을 압박하여 현훈, 감각신경성 난청, 이명, 반측안면경련(그림 5-51), 안면신경 마비, 삼차신경통, 복시 등을 일으킬 수 있다.[25,43,44]

드물게 성상세포종(astrocytoma), 수아세포종(medulloblastoma), 혈관아세포종(hemangioblastoma), 상의세포종(ependymoma), 맥락막총유두종(choroid plexus papilloma), 림프종 등 소뇌나 뇌간, 또는 뇌실에서 발생한 축내종양이 소뇌교각을 침범하여 임상적으로나 영상의학적으로 청신경 종양을 모방할 수 있으며, 뇌경색과 다발성 경화증 등의 비종양성 병변도 비슷한 양상을 보일 수 있다.[43,44]

(2) 내이도에 국한된 종양성 병변

내이도에 국한된 종양성 병변의 감별진단은 소뇌교각과 약간 다르며 전체의 90% 정도를 청신경의 신경초종이 차지한다(그림 5-52). 기타 다른 종양으로는 안면신경의 신경초종, 수막종, 혈관종, 전이암, 지방종, 림프종, 골종, 흑

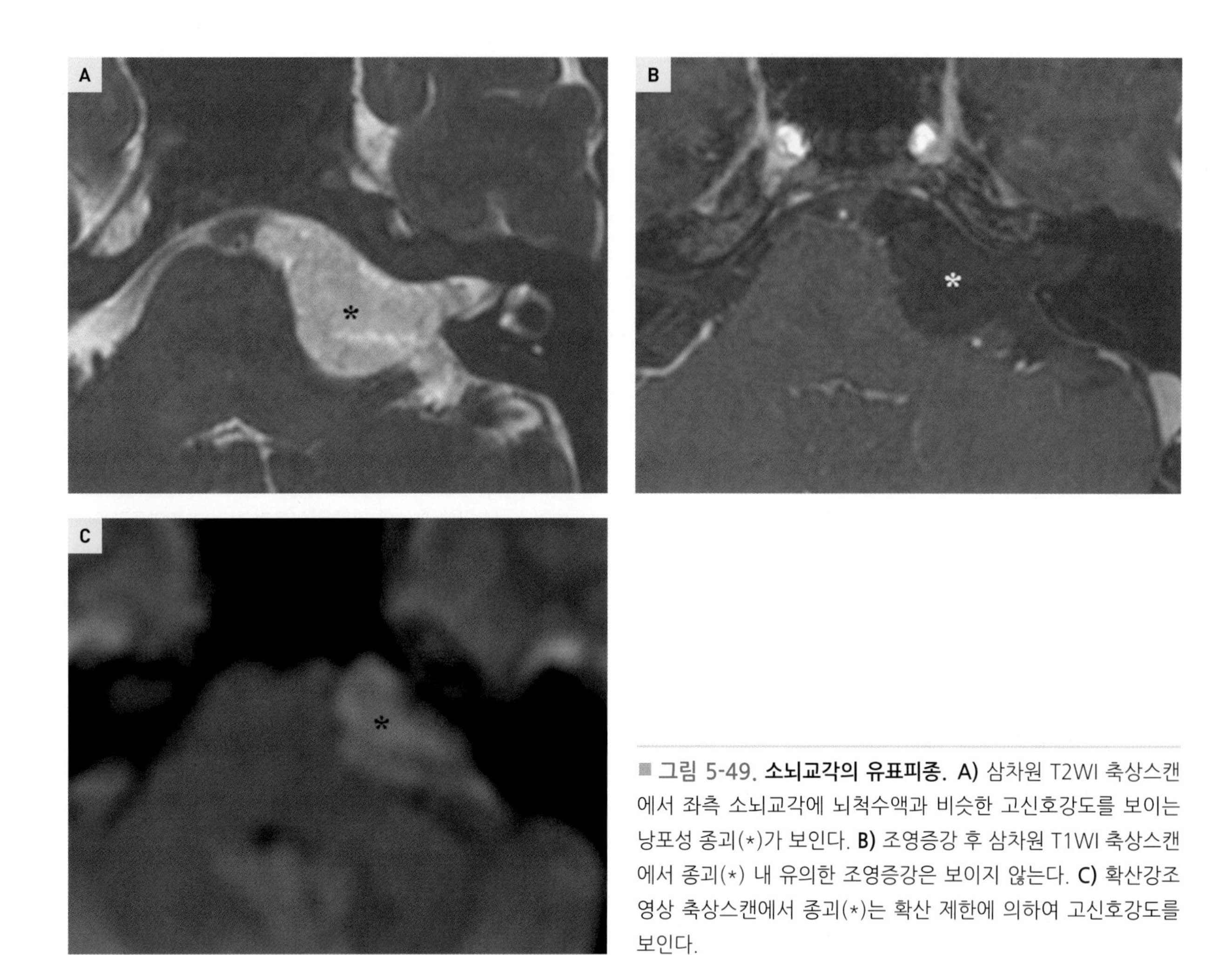

■ 그림 5-49. **소뇌교각의 유표피종. A)** 삼차원 T2WI 축상스캔에서 좌측 소뇌교각에 뇌척수액과 비슷한 고신호강도를 보이는 낭포성 종괴(*)가 보인다. **B)** 조영증강 후 삼차원 T1WI 축상스캔에서 종괴(*) 내 유의한 조영증강은 보이지 않는다. **C)** 확산강조영상 축상스캔에서 종괴(*)는 확산 제한에 의하여 고신호강도를 보인다.

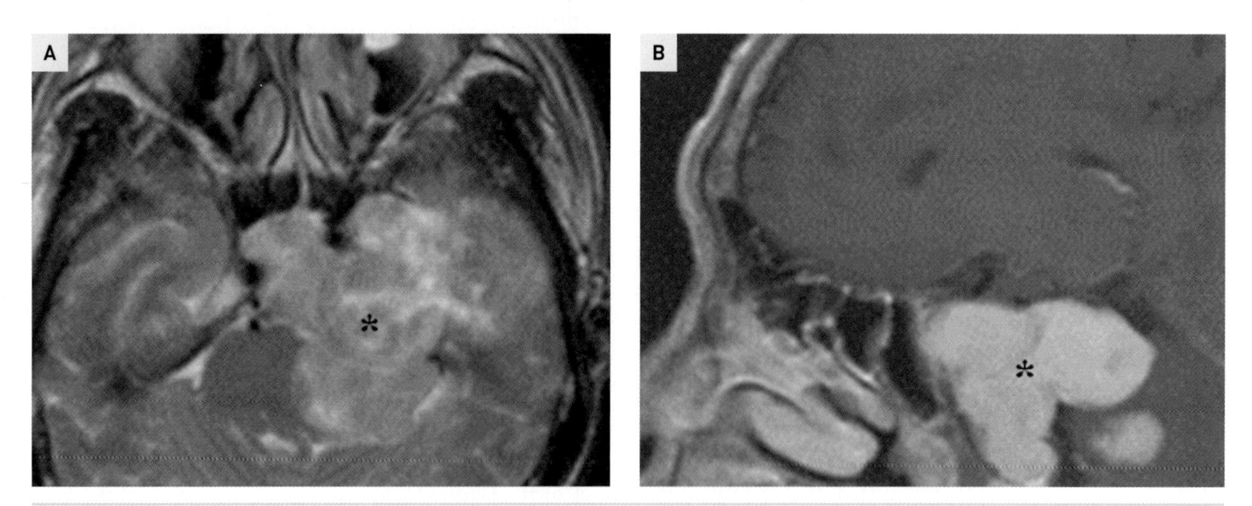

■ 그림 5-50. **삼차신경의 신경초종. A)** T2WI 축상스캔에서 좌측 소뇌교각과 Meckel동에 걸쳐 아령모양의 크고 비균질한 종괴(*)가 보인다. **B)** 조영증강 후 T1WI 시상스캔에서 종괴(*)는 삼차신경을 따라 후두개와와 중두개와에 걸쳐 관찰되며 종괴 내 현저한 조영증강을 보인다.

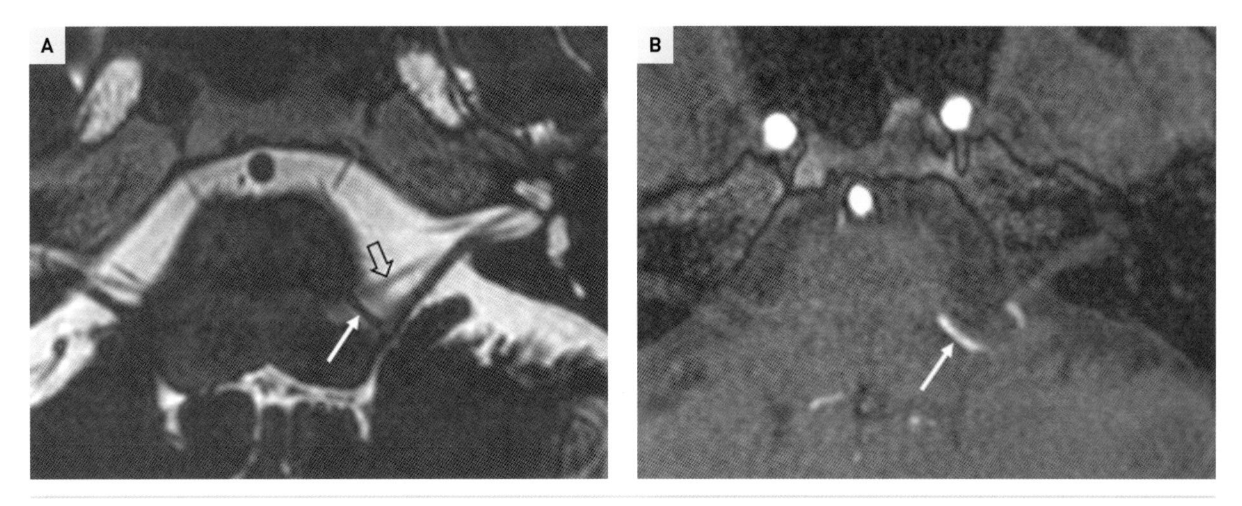

■ 그림 5-51. **반측 안면경련.** A), B) 삼차원 T2WI (A)와 삼차원 TOF (B) 축상스캔에서 좌측 후하소뇌동맥(posterior inferior cerebellar artery)(화살표)이 뇌간으로부터 기시하는 안면신경(빈 화살표)의 뿌리 부위와 접촉하고 있다.

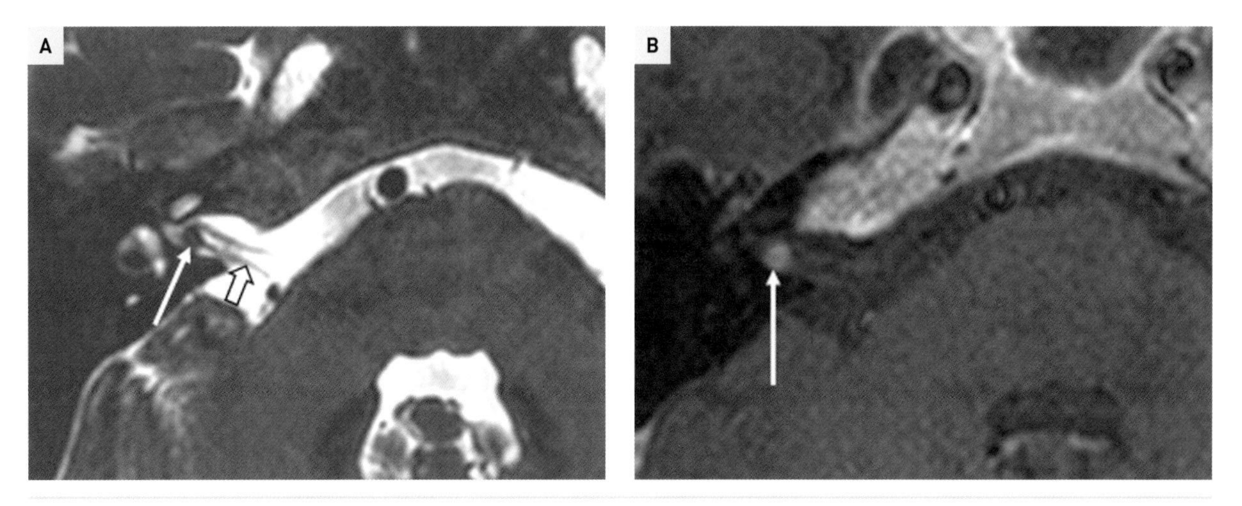

■ 그림 5-52. **내이도에 국한된 작은 청신경의 신경초종.** A) 삼차원 T2WI (C) 축상스캔에서 좌측 내이도에 상전정신경(빈 화살표)에서 시원한 작은 원형 종괴(화살표)가 보인다. B) 조영증강 후 T1WI 축상스캔에서 종괴(화살표)는 유의한 조영증강을 보인다.

색종, 신경교종(glioma), 과오종(hamartoma) 등이 있으며, 비종양성 병변으로는 혈관계제, 동맥류, 지주막염, 신경염 등이 있다.[44]

5. 박동성 이명

이명은 외이와 중이를 통한 전도성 청각경로와 내이와 후미로 기관을 통한 감각신경성 청각경로 중 어떤 부위의 이상에서라도 발생할 수 있으며, 이 중 와우의 이상에 의한 이명이 가장 흔하다. 전통적으로, 이명은 피검자에게만 들리는 자각이명(subjective tinnitus)과 피검자뿐 아니라 검사자도 들을 수 있는 타각이명(objective tinnitus)으로 나뉘는데, 전자가 후자에 비하여 훨씬 흔하다.

자각이명은 대개 청각경로 자체에 이상이 있을 때 발생하는데, 종종 그 원인을 찾기 어렵고 따라서 치료도 어렵다. 반면, 빈도가 훨씬 낮은 타각이명은 청각경로 자체보

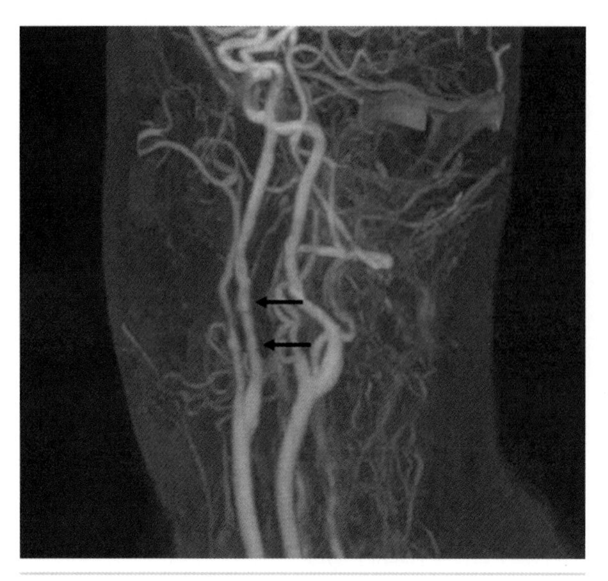

■ 그림 5-53. **내경동맥의 섬유근육형성이상.** 자기공명혈관조영술에서 우측 내경동맥에 섬유근육형성이상의 특징적 소견인 염주모양string of beads(화살표)의 구불거림이 관찰된다.

다는 청각경로 주위의 혈관성 또는 근육성 병변에 의하여 발생하며, 대개 영상검사를 통하여 이명을 야기하는 특정 질환을 찾을 수 있어 선택적 치료가 가능하다. 혈관병변에 의한 이명은 흔히 박동성 이명을 야기하는데, 그 원인으로는 다양한 동맥성, 동정맥성, 정맥성 질환이 있으며 그 외에도 혈관성 종양과 측두골에 발생하는 골성병변에 의하여 박동성 이명이 발생할 수 있다.[14,26] 박동성 이명이 항상 타각이명을 야기하는 것은 아니므로 용어의 선택에 주의를 요한다.

1) 혈관성 병변

(1) 동맥성 병변

이명을 일으키는 동맥성 병변은 동맥경화, 섬유근육형성이상(fibromuscular dysplasia)(그림 5-53), 경동맥/척추동맥 박리(dissection), 경상돌기(styloid process)에 의한 경동맥 압박, 추체부 경동맥류(petrous carotid aneurysm)(그림 5-40) 등 동맥 내경의 변화를 초래하는 질환과 이상내경동맥(그림 5-10), 외측전위내경동맥, 지속등골동맥 등 동맥 주행경로의 이상을 동반하는 질환에서 발생할 수 있다.[26] 드물게 내이도 주위의 혈관게재(vascular loop)와 이명의 연관성이 보고되고 있지만 이에 대해서는 향후 더욱 확실한 과학적 규명이 필요하다.[13]

(2) 동정맥성 병변

뇌동정맥기형(cerebral arteriovenous malformation)과 경막동정맥루(dural arteriovenous fistula), 그리고 경동맥해면정맥동루(carotid-cavernous fistula)를 포함한 직접동정맥루(direct arteriovenous fistula)와 같이 혈류 증가를 초래하는 동정맥성 병변에 의하여 박동성 이명이 야기될 수 있다.[26]

뇌동정맥기형은 발생 빈도는 높으나 이로 인한 박동성 이명은 드물다. 이명은 구불정맥동(sigmoid sinus)이나 추체정맥동(petrosal sinus)의 혈류량 증가에 의하여 초래되기 때문에 반드시 병변의 위치가 측두골과 가까울 필요는 없다.

경막동정맥루는 발생 빈도는 낮으나 박동성 이명의 가장 흔한 원인이며, 정맥폐색의 동반 유무가 가장 중요한 예후 인자이다. CT와 MRI의 다양한 기술적 발전에도 불구하고, 이러한 정맥계 순환의 평가에는 아직까지 카테타 혈관조영술이 치료를 겸한 가장 유용한 진단 수단이다(그림 5-54).

직접동정맥루는 드문 혈관기형으로 대개 외상 후 발생하고, 드물게 섬유신경종증이나 섬유근육이형성 등의 질환과 동반되어 발생하기도 한다. 이 질환은 척추동맥에 호발하는데, 대부분의 환자에서 이명을 동반하며, 혈관색전술이 가장 유용한 치료법이다. 드물게 경동맥에도 직접동정맥루가 발생하는데 이는 외상 후 해면정맥동에서 가장 흔하다. 대부분의 환자에서 박동성 이명을 호소하며, 치료는 풍선색전술이 가장 널리 사용되고 있다.[26]

(3) 정맥성 병변

정맥혈의 와류(turbulent flow)에 의한 이명은 심장 수축기에 증가하는 지속성잡음(continuous murmur)의

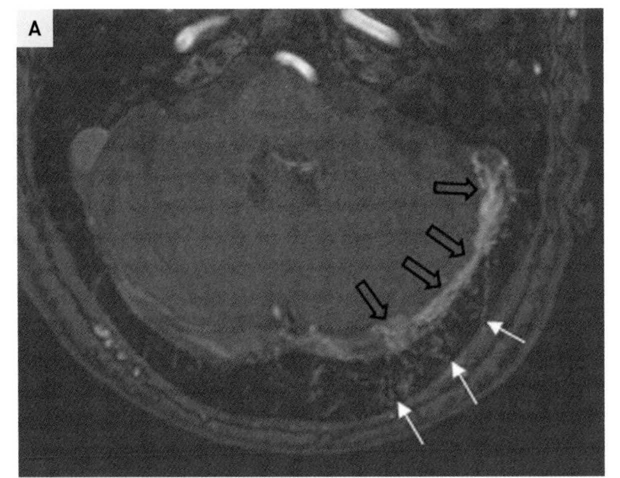

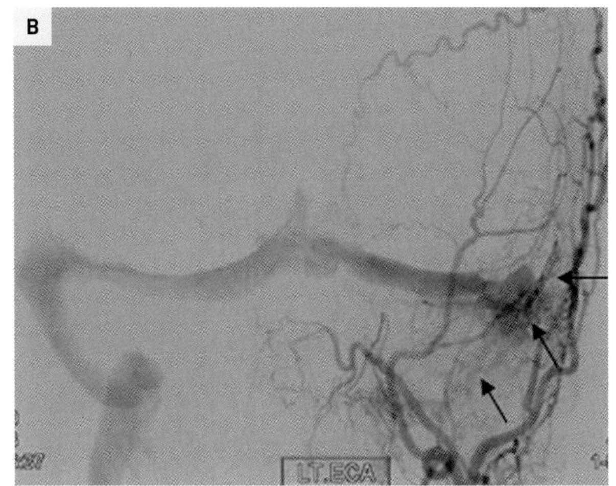

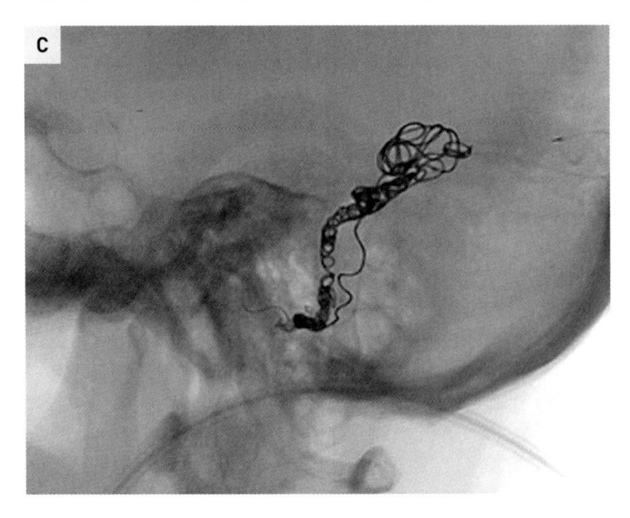

■ 그림 5-54. **경막동정맥루.** **A)** 삼차원 유체속도강조time-of-flight, TOF 축상스캔에서 좌측 횡정맥동에 경막동정맥루의 빠른 혈류에 의한 고신호강도(빈화살표)가 관찰되며, 주변 후두골에도 도출정맥을 통한 소혈관 내 고신호강도(화살표)가 관찰된다. **B)** 좌측 외경동맥조영술 정면촬영에서 외경동맥으로부터 공급되는 수많은 미세혈관들이 관찰되며(화살표), 이로 인하여 양측 횡정맥동을 비롯한 정맥들이 빠르게 조영되고 있다. 좌측 구불정맥동은 폐색되어 보이지 않는다. **C)** 두개골의 측면 X선촬영에서 정맥을 통하여 좌측 횡정맥동과 구불정맥동의 색전술에 사용한 코일이 보인다.

형태로 나타나는데, 거의 모든 경우에서 우성경정맥(dominant jugular vein)과 동측의 귀 부위에 발생하고, 우측이 좌측보다 2배 이상 흔하다. 정맥성 이명은 빈혈, 임신, 갑상선항진증과 같이 혈류량 증가를 동반하는 전신 질환, 특발 또는 다른 특정 원인에 의한 두개내압상승, 고경정맥구/피열경정맥구(그림 5-9A) 또는 구불정맥동의 외측 전위 및 피열/도출정맥(emissary vein)의 확장(그림 5-55) 등에 의하여 야기된다.

특발두개내압상승(idipathic increased intracranial pressure)은 선행 원인이 동반되지 않은 두개내압상승으로 양성두개내압상승 또는 가성뇌종양(pseudotumor cerebri)이라고도 불린다. 이 질환의 원인은 아직 확실하지 않으나, 뇌척수액의 박동에 의한 뇌정맥동의 압박이 중요한 기전으로 간주되고 있으며, 이에 따른 정맥의 와류가 박동성 이명을 초래하는 것으로 생각된다. 특발두개내압상승은 두개내압상승을 가진 환자에서 다른 원인 질환 없이 CT와 MRI에서 공터키안(empty sella), 왜소한 뇌실, 안신경주위지주막하공간 확장(perioptic nerve subarachnoid space distension), Meckel동 확장, 횡정맥동협착(transverse sinus) (stenosis), 뇌척수액루, 뇌수막류(meningocele) 등의 소견이 보이면 의심할 수 있다(그림 5-56).

2) 종양성 병변

앞에 언급한 중이와 경정맥공에 발생하는 부신경절종

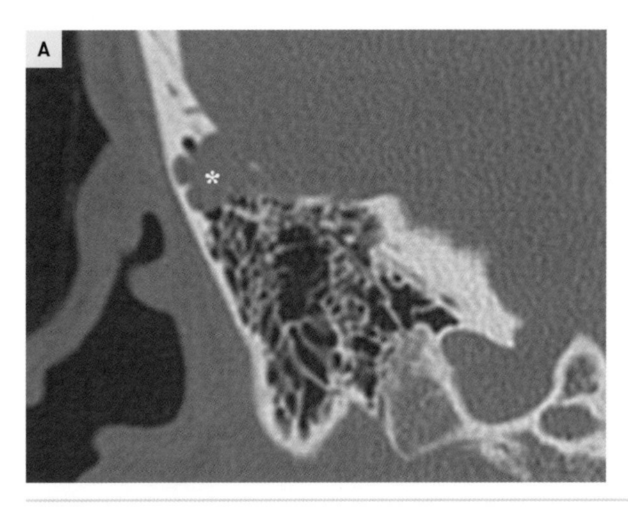

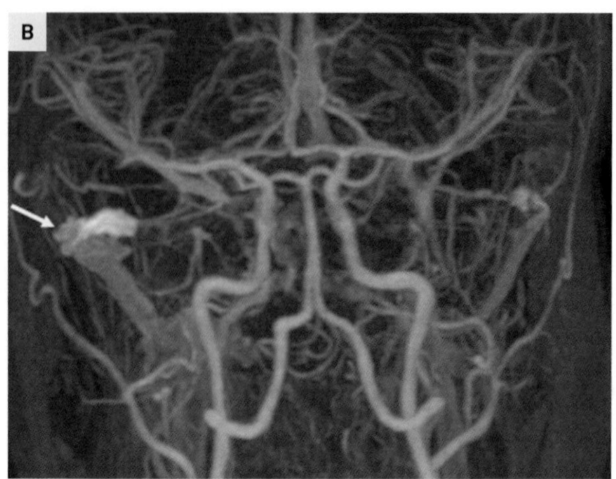

■ 그림 5-55. **구불정맥동의 외측 전위 및 피열.** **A)** CT 관상스캔에서 외측으로 전위된 우측 횡정맥동-구불정맥동 경계부에 분엽상 게실(*)이 관찰되며 인접한 유돌봉소의 골벽이 소실되어 있다. **B)** 조영증강 후 삼차원 자기공명혈관조영술에서 우측 구불정맥동이 좌측에 비하여 현저히 발달해 있으며 횡정맥동-구불정맥동 경계부에 분엽상 게실(화살표)이 보인다.

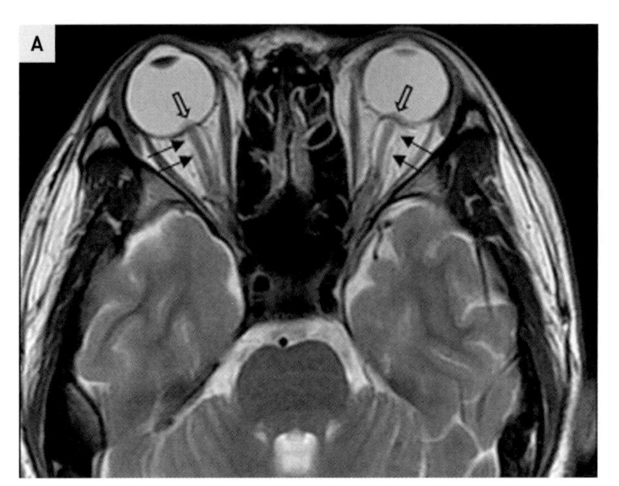

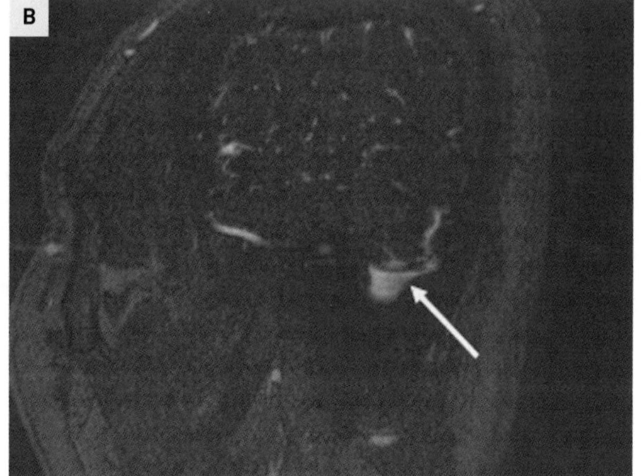

■ 그림 5-56. **특발두개내압상승.** **A)** T2WI 축상스캔에서 양측 안구의 시신경유두부종(papilledema)이 관찰되며(빈화살표), 안신경 주위 지주막하공간이 확장되어 있다(화살표). **B)** 자기공명정맥영상술에서 우측 횡정맥동의 국소적 협착이 관찰된다(화살표).

의 일종인 고실사구종양(그림 5-33)과 경정맥사구종양(그림 5-45)은 박동성 이명을 야기하는 가장 흔한 종양성 병변이다. 그 외, 혈관종, 수막종, 갑상선이나 신장으로부터의 전이암, 선종양 종양, 내림프낭종양 등이 드물게 박동성 이명을 초래할 수 있다.

3) 기타

두개골의 파제트병(Paget's disease)은 혈류의 증가와 동정맥단락(arteriovenous shunting)을 야기하여 박동성 이명을 야기할 수 있다. 이경화증에서도 신생혈관형성과 미세동정맥루(arteriovenous microfistula)에 의하여 드물게 박동성 이명이 초래될 수 있다.

박동성 이명은 아니지만 중이나 구개 근육의 수축에 의하여 기계음의 이명이 발생할 수 있다. 이 중 대표적인 질환은 구개 근간대경련(palatal myoclonus)인데, 이 질환은 동측 뇌간 중심피개로(central tegmental tract)나

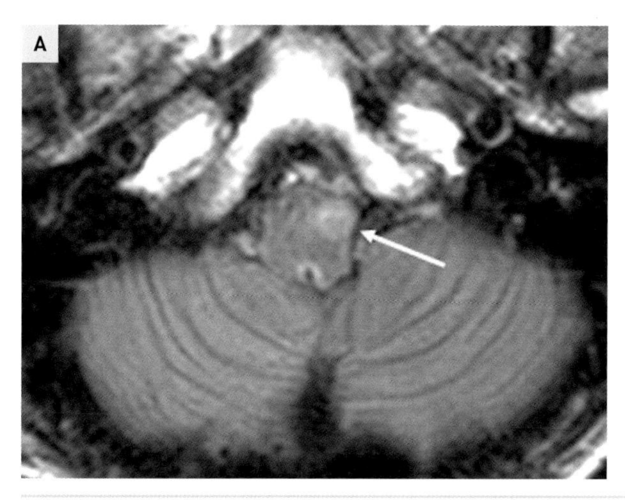

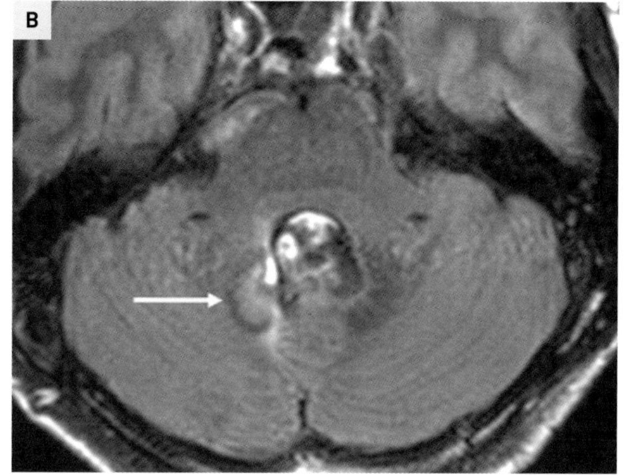

■ 그림 5-57. **하올리브핵비후성퇴행.** **A)** 액체감약반전회복기법영상에서 좌측 연수의 올리브핵 부위가 고신호강도를 가진 병변에 의하여 비후되어 있다(화살표). **B)** 액체감약반전회복기법영상에서 반대쪽 우측 소뇌의 치아핵dentate nucleus에서 고신호강도를 보이는 병변(화살표)이 보인다. 이 환자는 제4뇌실의 종양 제거 수술 후 발생한 치아핵 손상에 의하여 하올리브핵비후성퇴행과 이로 인한 근간대경련이 초래되었다.

반대측 소뇌의 치아핵(dentate nucleus)의 병변에 의한 하올리브핵비후성퇴행(hypertrophic degeneration of inferior olivary nucleus)에 의하여 야기된다(그림 5-57).[15]

Ⅲ 두개저의 영상의학적 소견

1. 정상 두개저의 영상학적 해부학

두개저는 위치에 따라 전두개저, 중두개저, 후두개저로 분류할 수 있으며 영상의학적으로 열(fissure)과 공(foramen) 등 두개저의 정상 골구조물을 관찰하는 데에는 얇은 절편 두께의 고해상도 CT가 가장 효과적이다(그림 5-1, 58).

2. 두개저 질환의 영상의학적 소견

다른 부위와 마찬가지로 두개저도 선천성, 염증성, 종양성, 외상성 병변 등 다양한 질환에 의하여 침범될 수 있다. CT와 MRI는 이러한 두개저 질환을 진단하고 평가하는 데 매우 유용하며 서로가 상호보완적인 역할을 한다. 즉, CT는 MRI보다 골구조물을 관찰하기가 더 용이하며, MRI는 CT보다 연조직 변화를 관찰하는데 효과적이다. 두개저 질환은 두개 내 병변의 파급, 골절을 포함한 두개저 자체의 골병변, 두개외 병변의 파급 등 크게 세 가지로 분류된다.[21]

1) 두개 내 병변의 파급에 의한 두개저 질환

두개저를 침범하는 두개 내 병변에는 뇌수막류, 비신경교종(nasal glioma), 유표피종 또는 유피종(dermoid) 등의 선천성 질환과 수막종, 척삭종, 침습성 뇌하수체선종, 두개인두종, 신경종 등의 종양성 병변 및 뇌동맥류 등의 혈관성 병변이 있다.[21]

2) 두개저 자체의 골병변

두개저 뼈 자체의 병변에는 두개유합증(craniosynostosis), 골이형성증(osseous dysplasia), 선천성 진주종(유표피종) 등의 선천성 또는 발달성 기형과 골절, 혈액낭포(hematic cyst) 등의 외상성 병변 및 콜레스테롤 육아종, 골종, 골양골종(osteoid osteoma), 골아세포종

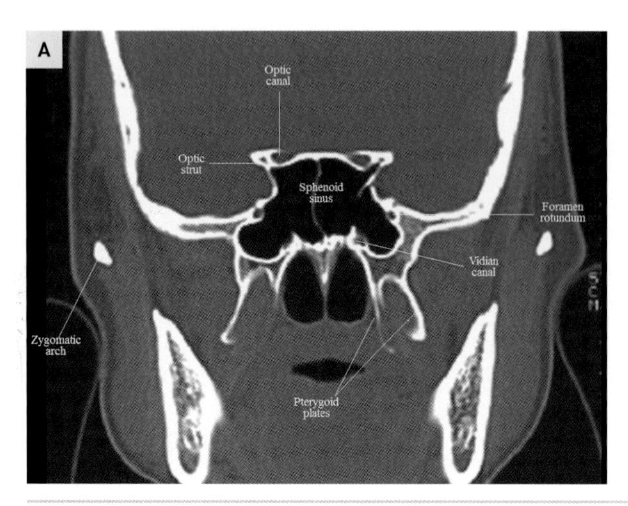

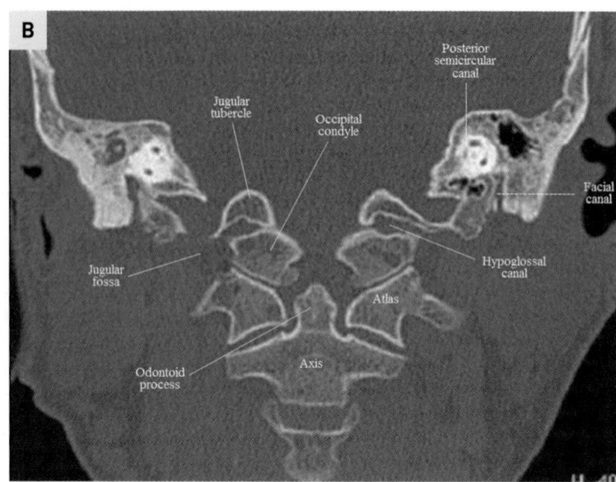

■ 그림 5-58. 두개저의 정상 CT소견. A), B) 관상스캔

(osteoblastoma), 파골세포종(osteoclastoma), 혈관종, 연골종(chondroma), 연골육종, 골육종, 형질세포종, Langerhans 조직구증, 혈관주위세포종, 섬유종증, 전이암 등의 종양성 병변이 있다. 성인에 있어 전이암은 폐, 유방, 전립선, 갑상선, 신장의 악성 종양으로부터 주로 전이되는 반면, 소아에서는 백혈병이나 신경아세포종에 의한 전이가 가장 흔하다.[21]

3) 두개외 병변의 파급에 의한 두개저 질환

두개저를 침범하는 두개외 병변에는 부비동, 비강, 비인두, 안와, 측두골의 염증성과 종양성 병변이 있으며 림프절 또는 연조직의 전이암도 두개저를 침범할 수 있다.[21]

참고문헌

1. 김형진, 정혜경, 김재형 등. CT findings of automastoidectomy. Journal of the Korean Radiological Society 1992;28:47-50.
2. Belden CJ, Weg N, Minor LB, et al. CT evaluation of bone dehiscence of the superior semicircular canal as a cause of sound and/or pressure-induced vertigo. Radiology 2003;226:337-343.
3. Brown E, Hug EB, Weber AL. Chondrosarcoma of the skull base. Neuroimaging Clin North Am 1994;4:529-541.
4. Casselman JW. Temporal bone imaging. Neuroimaging Clin North Am 1996;6:265-289.
5. Casselman JW. Aplasia and hypoplasia of the vestibulocochlear nerve: diagnosis with MR imaging. Radiology 1997;202:773-781.
6. Curtin HD, Gupta R, Bergeron RT. Embryology, anatomy, and imaging of the temporal bone. In: Som PM, Curtin HD, eds. Head and neck imaging, 5th ed. St. Louis: Mosby;2011. p.1093-1108.
7. De Foer B, Vercruysse J-P, Spaepen M, et al. Diffusion-weighted magnetic resonance imaging of the temporal bone. Neuroradiology 2010;52:785-807.
8. Fisher NA, Curtin HD. Radiology of congenital hearing loss. Otolaryngol Clin North Am 1994;27:511-531.
9. Gammal TE, Sobol W, Wadlington VR, et al. Cerebrospinal fluid fistula: detection with MR cisternography. AJNR Am J Neuroradiol 1998;19:627-631.
10. Gebarski SS, Telian SA, Niparko JK. Enhancement along the normal facial nerve in the facial canal: MR imaging and anatomic correlation. Radiology 1992;183:391-394.
11. Gentry LR. Temporal bone trauma: current perspectives for diagnostic evaluation. Neuroimaging Clin North Am 1991;1:319-340.
12. Gherini SG, Brackmann DE, Bradley WG. Magnetic resonance imaging and computed tomography in malignant external otitis. Laryngoscope 1986;96:542-548.
13. Gultekin S, Celik H, Akpek S, et al. Vascular loops at the cerebellopontine angle: is there a correlation with tinnitus? AJNR Am J Neuroradiol 2008;29:1746-1749.
14. Harnsberger HR, Swartz JD. Temporal bone vascular anatomy, anomalies, and diseases, emphasizing the clinical-radiological problem of pulsatile tinnitus. In: Swartz JD, Harnsberger HR, eds. Imaging of the temporal bone, 3rd ed. New York: Thieme;1998. p.170-239.
15. Jackler RK Congenital malformations of the inner ear. In: Cummings

CW, Fredrickson JM, Harker LA, et al, eds. Otolaryngology-Head and Neck Surgery, 2nd ed. St. Louis: Mosby-Year Book;1993. p.2756-2771.
16. Jackler RK, Luxford WM, House WF. Congenital malformations of the inner ear: a classification based on embryogenesis. Laryngoscope 1987;97(suppl 40):2-14.
17. Jahrsdoerfer RA, Cail WS, Cantrell RW. Endolymphatic duct obstruction from a jugular bulb diverticulum. Ann Otol 1981;90:619-623.
18. Kim SJ, Lee JH, Suh DC. Cerebellar MR changes in patients with olivary hypertrophic degeneration. AJNR Am J Neuroradiol 1994;15:1715-1719.
19. Lane JI, Ward H, Witte RJ. 3-T imaging of the cochlear nerve and labyrinth in cochlear-implant candidates: 3D fast recovery fast spin-echo versus 3D constructive interference in the steady state techniques. AJNR Am J Neuroradiol 2004;25:618-622.
20. Lee IH, Kim H-J, Chung WH, et al. Signal intensity change of the labyrinth in patients with surgically confirmed or radiologically diagnosed vestibular schwannoma on isotropic 3D fluid-attenuated inversion recovery MR imaging at 3T. Eur Radiol 2010;20:949-957.
21. Mafee MF: Nasopharynx, parapharyngeal space, and base of skull. In: Valvassori GE, Mafee MF, Carter BL, eds. Head and neck imaging. New York: Thieme;1995. p.332-363.
22. Mafee MF, Kumar A, Heffner DK, et al. Epidermoid cyst (cholesteatoma) and cholesterol granuloma of the temporal bone and epidermoid cysts affecting the brain. Neuroimaging Clin North Am 1994;4:561-578.
23. Mafee MF, Levin BC, Applebaum EL, et al. Cholesteatoma of the middle ear and mastoid: a comparison of CT scan and operative findings. Otolaryngol Clin North Am 1988;21:265-293.
24. Mafee MF, Selis JE, Yannias DA, et al. Congenital sensorineural hearing loss. Radiology 1984;150:427-434.
25. Mitsuoka H, Tsunoda A, Okuda O, et al. Delineation of small nerves and blood vessles with three-dimensional fast spin-echo MR imaging: comparison of presurgical and surgical findings in patients with hemifacial spasm. AJNR Am J Neuroradiol 1998;19:1823-1829.
26. Moonis G, Lo WWM, Maya MM. Vascular tinnitus of the temporal bone. In: Som PM, Curtin HD, eds. Head and neck imaging, 5th ed. St. Louis: Mosby;2011. p.1409-1424.
27. Naganawa S, Nakashima T. Visualization of endolymphatic hydrops with MR imaging in patients with Meniere's disease and related pathologies: current status of its methods and clinical significance. Jpn J Radiol 2014;32:191-204.
28. Olsen WL, Dillon WP, Kelly WM, et al. MR imaging of paragangliomas. AJR Am J Roentgenol 1987;148:201-204.
29. Quint DJ, Silbergleit R, Young WC. Absence of the carotid canals at skull base CT. Radiology 1992;182:477-481.
30. Romo LV, Casselman JW, Robson CD. Congenital anomalies of the temporal bone. In: Som PM, Curtin HD, eds. Head and neck imaging, 5th ed. St. Louis: Mosby, 2011, p.1097-1166.
31. Sakai O, Curtin HD, Hasso AN, et al. Otosclerosis and dysplasias of the temporal bone. In: Som PM, Curtin HD, eds. Head and neck imaging, 5th ed. St. Louis: Mosby;2011. p.1231-1261.
32. Sartoretti-Schefer S, Scherler M, Wichmann W, et al. Contrast-enhanced MR of the facial nerve in patients with posttraumatic peripheral facial nerve palsy. AJNR Am J Neuroradiol 1997;18:1115-1125.
33. Stuckey SL, Harris AJ, Mannolini SM. Detection of acoustic schwannoma: use of constructive interference in the steady state three-dimensional MR. AJNR Am J Neuroradiol 1996;17:1219-1225.
34. Sugiura M, Naganawa S, Teranishi M, et al. Three-dimentional fluid-attenuated inversion recovery magnetic resonance imaging findings in patients with sudden sensorineural hearing loss. Laryngoscope 2006;116:1451-1454.
35. Swartz JD. Cholesteatoma of the middle ear: diagnosis, etiology, and complications. Radiol Clin North Am 1984;22:15-35.
36. Swartz JD, Kang MD. Trauma to the temporal bone. In: Som PM, Curtin HD, eds. Head and neck imaging, 5th ed. St. Louis: Mosby;2011. p.1167-1182.
37. Swartz JD, Glazer AU, Faerber EN, et al. Congenital middle-ear deafness. Radiology 1986;159:187-190.
38. Swartz JD, Hagiwara M. Inflammatory diseases of the temporal bone. In: Som PM, Curtin HD, eds. Head and neck imaging, 5th ed. St. Louis: Mosby;2011. p.1183-1229.
39. Swartz JD, Harnsberger HR. The otic capsule and otodystrophies. In: Swartz JD, Harnsberger HR, eds. Imaging of the temporal bone, 3rd ed. New York: Thieme;1998. p.240-317.
40. Swartz JD, Harnsberger HR, Mukherji SK. The temporal bone: contemporary diagnostic dilemmas. Radiol Clin North Am 1998;36:819-853.
41. Swartz JD, Mandell DM, Faerber EN, et al. Labyrinthine ossification: etiologies and CT findings. Radiology 1985;157:395-398.
42. Swartz JD, Wolfson RJ, Marlowe FI, et al. Postinflammatory ossicular fixation: CT analysis with surgical correlation. Radiology 1985;154:697-700.
43. Tong KA, Harnsberger HR, Swartz JD. The vestibulocochlear nerve, emphasizing the normal and diseased internal auditory canal and cerebellopontine angle. In: Swartz JD, Harnsberger HR, eds. Imaging of the temporal bone, 3rd ed. New York: Thieme;1998. p.394-472.
44. Tsang Juliano AF, Maya MM, Lo WWM, et al. Temporal bone tumors and cerebellopontine angle lesions. In: Som PM, Curtin HD, eds. Head and neck imaging, 5th ed. St. Louis: Mosby;2011. p.1263-1407.
45. Valvassori GE, Buckingham RA. Imaging of the temporal bone. In Valvassori GE, Mafee MF, Carter BL, eds. Head and neck imaging.

New York: Thieme;1995. p.1-156.

46. Valvassori GE, Clemis JD. The large vestibular aqueduct syndrome. Laryngoscope 1978;88:723-728.
47. Weber AL, Liebsch NJ, Sanchez R, et al. Chordomas of the skull base. Neuroimaging Clin North Am 1994;4:515-527.
48. Weber AL, McKenna MJ. Radiologic evaluation of the jugular foramen: anatomy, vascular variants, anomalies, and tumors. Neuroimaging Clin North Am 1994;4:579-598.
49. Weissman JL, Hirsch BE. Beyond the promontory: the multifocal origin of glomus tympanicum tumor. AJNR Am J Neuroradiol 1998;19:119-122.
50. Yeakley JW, Jahrsdoerfer RA. CT evaluation of congenital aural atresia: what the radiologist and surgeon need to know. J Comput Assist Tomogr 1996;20:724-731.

CHAPTER 06

이과 질환의 레이저 치료

이창호

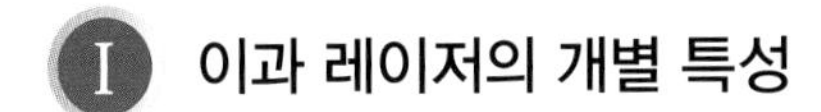

I 이과 레이저의 개별 특성

최근 20년간 Argon, KTP, CO_2, ErYAG 4종의 이과 레이저가 등골 수술 시 FDA 승인을 받았으며 상기 레이저의 물리적 특성을 표 6-1에 정리하였다.[38] 이경화증 등골절개 시 200 μm 이내의 최소 탄점과, 1mm 이내 얕은 투과심도를 가져 내이 손상이 없어야 이과 레이저로 사용되므로, 동시에 중이 질환에도 사용 가능하다. 안면 신경 손상에 유의하여야 하며, 현미경 연결을 위한 미세조작기 또는 파이버 타입이 필요하다.

표 6-1. 이과 레이저의 물리학적 특성

	CO_2	ErYAG	KTP	Argon
매질(Gain media)	Gas	Crystal YAG	Crystal Nd:YAG	Gas
파장(Wavelength)	10,600 nm	2,960 nm	532 nm	488~514 nm
Energy spectrum	mid-infrared (higher than microwave)	mid-infrared (higher than microwave)	visible (higher than infrared)	visible (higher than infrared)
색상	invisible	invisible	green	blue green
흡수 영역 Absorption area Chromophore	water	water bone (hydroxyapatite)	pigment, oxyhemoglobin	pigment, hemoglobin, melanin, myoglobin
최소 탄점 (Smallest spot size)	150 μm	200 μm	150 μm	150 μm
침투 깊이 Depth of penetration	30 μm	3 μm	900 μm	800 μm

ErYAG erbium yttrium aluminium garnet, KTP KTiOPO4 Potassium potassium titanyl phosphate

1. 가시 Visible 레이저

1985년까지 아르곤 레이저가 등골 수술에 적합한 200 μm 이내 광학적 정밀성과 심도 1 mm 이내의 특성을 갖춘 레이저로 보고되었으나 중이 수술에 주로 보고되었다. Nd:YAG (neodymium-yttrium-aluminum-garnet) 레이저는 레이저의 4mm 깊은 심도는 내이 손상 유발에 대한 우려 때문에 이과 수술 시 사용되지 않았다. Nd:YAG를 변형한 KTP 레이저는 등골 수술 시 안전성과 우수한 청력 개선을 보여 1997년 국내에서도 KTP 레이저 등골 수술이 최초 보고되었다.[1] 그러나 CO_2 레이저 등장 이후 KTP레이저도 조직을 깊이 침투하여 내이 손상을 유발된다는 주장이 흑색 열전도자(thermocoupler) 실험과 더불어 제기되었다.[38] KTP는 침투 깊이가 CO_2의 30배이면서 보색인 적혈구에 주로 흡수되는 특성이 있기 때문에, 무색인 외림프액을 통과할 경우 전정 또는 와우막 직접 손상 가능성이 있다는 단점이 제기된 것이다. 실제 아르곤 레이저는 안과에서 각막, 수정체, 안액을 무사 통과하므로 망막혈관 응고치료 시 사용되며, KTP 레이저도 피부를 통과하여 멜라닌에 흡수되는 성질을 이용하여 적색 문신, 혈관성 병변의 치료에 사용되므로, 내이 감각 세포 손상 가능성이 유추된다. 그러나 임상적으로 KTP 레이저 등골 수술 후 내이 손상 보고는 아직 없는데, 인체에서 타원낭, 구형낭은 흑색인 아닌 연분홍색이기 때문에 레이저 광선이 반사되고, 파이버팁을 등골에 직접 대지 않으면 14° 각도로 탈초점되는 것으로 추정된다.[1,26] 단 이경화증 재수술 시, 즉 난원창이 골부 없이 콜라겐으로만 덮여있을 경우, 가시 영역 레이저를 사용한 콜라겐 제거 시도 중 외림프액에 직접 닿으면 175℃ 까지 상승되며 내이 손상 우려가 있으므로 재수술 시는 CO_2 레이저를 선호하는 경향이 있다.[38]

2. CO_2 레이저

CO_2 레이저는 HeNe 612 nm 가이드빔의 0.1 mm 오차, 10,600 nm 긴 파장 특성 으로 인한 정밀성 결여(KTP가시 영역 레이저 대비) 등의 단점 때문에 이과(등골) 수술용으로 적합하지 않다고 간주된 적이 있다. 그러나 색선별(dichroic) 거울이 사용된 Sharplan (현재 Lumenis) Acuspot® 미세조작기 모델이 보고된 1991년 현재는 등골 수술 시 가장 널리 사용되는데,[46] 이는 외림프에 흡수되어 내이 손상이 적은 CO_2 레이저의 특성 때문에, 난원창(oval window)이 노출된 이경화증 재수술 시 안전하다고 평가되기 때문이다.[1] 3세대 모델인 Surgi-touch 스캐너-Acublade 미세조작기®은 모델은 일발 등골 절개공 One shot stapedotomy 및 레이저 고막 절개 사용자화가 가능하다. CO_2 레이저는 파이버 타입 제작이 불가능한 것이 활용상 단점이었으나, 네이쳐에 보고된 옵티칼 파이버 기술을 활용한 Omniguide Beampath®, Lumenis FiberLase®와 같은 파이버 타입 CO_2 레이저가 2008년도 상용화되면서 진주종 수술 시 미세 조작기 없이 사용 가능한 장점이 있다. 그러나 탄점 크기가 커서 밀착 시 295 μm, 1 mm 거리에서 349 μm이며, 레이저 고막 절개와 같은 기존 경이경 수술시 파이버가 시야를 가리는 불편함도 있어 용도에 따른 선택이 필요하다.

연부조직인 Stapes tendon은 pulse 2 W 0.05s duration (Power density 8,000 W/cm^2) 셋팅으로 2~3회 발사로 쉽게 진동 충격 없이 절단 가능하다. 골조직인 posterior crura, footplate는 pulse 6 W 0.05s duration (power density 24,000 W/cm^2)의 셋팅으로 각각 8~14회, 4~8회, 6~12회 발사하여 비접촉 기화(no touch technique)시켜 진동 충격을 최소화한다.[27] 골조직에 스캐너 없이 사용할 경우 CO_2 레이저의 180 μm 탄점 크기 상 여러 번 발사가 필요하고 그을음이 생기는 단점이 있다. 스캐너 옵션(SurgiTouch®) (별도 구매)은 탄점 영역 내를 나선형 회전하는 회전 거울 시스템(rotating mirror system)이 자동으로 레이저 빔을 등속 나선 회전시키기 때문에 고출력에서도 조직의 thermal relax- ation time을 넘지 않으면서 그을음 없는 일발 절개(char-free one- shot application)가 가능하다. 주로 등자골 수술 시 일발 등자골 절개공 One shot stapedotomy을 통해 외림프액이 100도 이상 가열되는 내이 손상을 최소화하기 위해 사용되는데, 20~22 W 0.03~0.05 s duration (Power densitiy 80,000~88,000 W/cm^2) 셋팅을 사용한다.[28]

3. 기타 레이저

ErYAG 레이저는 레이저 침투 깊이가 CO_2의 30 μm의 1/10인 3 μm에 불과해 피부 미용 프락셀에서는 CO_2 보다 얕은 미백 레이저로 간주되면서도, 골절삭력을 이용해 치아 연마용으로도 사용되는데 이는 hydroxyapatite에 흡수되는 성질이 있기 때문이다. 따라서 등골 수술 시 이상적인 레이저로 활용하는 방법이 시도되었는데, 외림프액 온도 상승이 최소화되며, 열손상 없이 등골을 절단할 것으로 기대되었기 때문이다. 그러나 continuous wave 모드 없이 비연속 펄스 모드로만 작동하기 때문에 음향 충격에 의한 조직 진동으로 140~160 dB에 이르는 소음이 발생하는 것이 단점이고, 실제 8% 환자에서 4 kHz 고주파 영역의 골도 청력 손실이 임상 보고된 바 있다. 그러나 골도 청력 손실을 ErYAG 소음만으로 설명하기 힘들다는 반론도 제기되며, 안전하다는 임상 보고도 계속되고 있다.[20,32]

Nd:YAG 레이저의 경우 4 mm 깊이까지 침투하여 내이, 안면 신경에 열손상을 줄 수 있기 때문에, 이과 레이저로 추천되지 않지만 CO_2 레이저보다 지혈 능력이 뛰어나기 때문에, 목정맥 사구종양(glomus jugulare) 신경이과 수술 시 Nd:YAG로 지혈한 다음 CO_2 레이저와 같이 사용하기도 한다.[30,48] 반도체를 사용해서 장비 가격이 저렴한 다이오드 레이저는 사체 실험이 최근 보고된 바 있으나,[29] Nd:YAG 레이저와 유사한 3~4 mm의 깊은 조직 투과력 특성을 고려하면 등골 수술 안전성 확보가 힘들다고 고려되지만, 단순 고막 절개 시 안전함은 보고된 바 있다.[50] 국산 CO_2 레이저와 미세조작기는 HeNe 가이드빔의 정밀도가 떨어지지만 단순 고막 절개 시 사용 가능하다.

Ⅱ 진주종 수술 시 레이저의 활용

이과 레이저가 유용한 이유를 한 가지만 꼽는다면 수술 시 이소골의 진동으로 인한 내이 손상을 최소화할 수 있다는 점이며,[40] 등골 수술 외 중이 수술에서는 진주종이 가장 흔한 적용 대상이다.[22,24] CO_2 레이저가 자주 사용되어 CLEAR (CO_2 laser enabled ablation and resection)라고 부르기도 하는데,[34] 수분에 주로 흡수되는 CO_2 레이저의 특성 상 염증 조직을 주로 소작시키기 때문에, 시야가 불투명해 접근이 곤란한 이소골 주위 육아종을 수술하면서도 깨끗한 현미경 시야를 확보해서 진주종 기질 matrix 확인이 용이하기 때문이다. 중이 수술 시는 등골 수술처럼 최대 에너지가 전달되는 180 μm 최소 초점(접촉) 상태에서 사용하기보다는, 탈초점(비접촉) 상태에서 사용하기 때문에 등골 수술에 비하여 상대적으로 안전하다.

1. 중이 레이저 사용 시 안면신경 손상 가능성 및 예방

진주종 수술 시 이과 레이저 적용이 적은 이유는 이소골 연쇄가 파괴된 경우 시 기존 수술 기구 cold instrumentation만으로도 충분히 수술 가능한 경우가 많고, 안면신경 마비에 대한 우려가 있기 때문이다. 레이저 등골 수술 시에도 안면신경 마비는 대부분 일과성이며, 동물실험에서 수술 강도의 50배에서도 조직 손상이 없음이 보고된 바 있으며, 기존 비레이저 수술에서도 0.1~0.5%의 빈도를 보이므로 레이저가 매우 위험한 수술 도구라고 할 수는 없다.[13] 그러나 이소골 주위 진주종 또는 육아 조직의 레이저 제거는 등골 수술과 같은 단발 모드 대신 연속 모드(continuous mode) 사용 시 안면신경 열손상 가능성이 높아지기 때문에 기존 술기에서 안면신경의 위치를 정확히 파악함과 동시에 단발 모드(single mode)인 레이저 고막 절개 등에서 학습 커브가 필요하다. 아울러 안면신경 열손상은 레이저 탄점 부위에만 직접 생기는 것이 아니라, 열전달을 통해서 발생할 수 있음을 숙지해야 한다. KTP 레이저를 사용한 진주종 수술 시 안면신경관에 직접 조사 하지 않았음에도, 고실동(tympanic sinus), 숟가락돌기(cochleariform process) 등 안면신경에 가까운 잔존 진주종 의심 부위에 도포식으로 사용하면, 주변 골조직의 온도 상승에 의한 것으로 추정되는 지연성 안면신경마비 증례가 보고된 바 있다.[18] 따라서 침투 깊이가 CO_2의 30배인 KTP 레이저는 도포식으로 사용하는 것보다는 적절한 출력하에(1 W 미만, 300~ 800 mW) 이소골에 단단히 붙은 진주종 분리를 위해서 사용하는 것이 올바른 응용이다.[21,22,23] CO_2 레이저의 경우도 0.25~1.5 W의 저출력 시에도 안면신경관 직접 조사 시 열손상에 의한 안면신경 마비가 보고된 바 있으므로, 안면신경관 부위의 레이저 사용은 최대한 피하는 것이 안전하겠다.[12] 따라서 열손상에 취약한 등골판과 안면신경관 등은 젖은 젤폼이나 관류액, 파이브린 글루 등으로 덮어서 보호하고, 검은 탄점(charcol)이 생기는 부위는 관류액을 뿌려서 냉각하고 주기적 관류액 분사를 통해 주위 열전달을 방지해야 한다.

2. 진주종성 중이염

등골 수술에서 검증된 비접촉(non-touch) 무진동 레이저 테크닉은 모든 중이 질환에 응용할 수 있으나, 특히 이소골 연쇄가 온전한 진주종 제거에 용이하다.[24] 골조직은 등골 수술과 같은 파워 셋팅 하에서 초점 모드로 조작 가능하며, 진주종과 같은 연조직은 탈초점 모드에서 쉽게 기화시길 수 있다. 레이저를 사용한 수술 시 진주종 잔존으로 인한 재수술 비율이 유의하게 낮아서 2차 관찰 수술이 필수적이지 않음과 동시에,[21,22] 이소골 보존을 통한 청력 개선 효과가 우수하고, 개방성 유양동 공동을 피할 수 있다.[23,24]

그러나 후방 고실술(posterior tymapanotomy) 시야에서 레이저 사용은 불필요 또는 불편한 경우가 많으며, 경외이도 수술(transcanal surgery) 또는 상고실 개방술(atticotomy) 시야에서 모든 이소골, 즉 추골 단완까지 완전 노출시켜 레이저를 사용하는 것이 편하다(그림 6-1A, B). 상고실 개방술은 귀내시경 수술의 주요 술기로 사용되면 증가 추세인데, 귀내시경 수술시는 파이버 타입이 편리하며 상고실 개방을 최소화하고 고실동을 쉽게 노출시켜서, 진주종 상습으로 인한 2차 관찰 수술을 최소화할 수 있는 방법으로 보고되고 있다.[49] 추골이 제거되면 안면신경 고실 분지~고실동(tympanic sinus) 부위 광범위한 시야를 확보할 수 있게 된다(그림 6-1C, D). 따라서 상고실 개방술과 연골을 사용한 상고실 재건(attic reconstruction) 수술 경험이 필요하며, 상고실 함몰낭의 위험성이 적은 선천성 진주종에서 레이저 사용의 빈도가 높다. 선천성 진주종은 이소골을 침범하는 중이 종양성 병변으로 분류되므로 이소골 조작이 중요하며, 후천성 진주종과는 달리 상고실 함몰낭 발생 가능성이 적기 때문에, 상고실 절개술을 통한 레이저 사용 시 내이 절개 접근를 통해서도 이소골 보존이 용이하며, 진주종 제거 시 이소골 수술을 동시에 시행하여 2차 관찰 수술을 줄일 수 있다.[8] 숟가락 돌기(cochleariform process)를 침범하지 않은 초기 선천성 진주종은 레이저 고막 절개를 통한 제거를 시도해볼 수 있다(그림 6-2).[36,37]

III 레이저 고막 절개(Laser myringotomy)와 삼출성 중이염

레이저 고막 절개는 중이염 치료, 고실 내 약물 주입 등 이과 외래 다빈도 질환을 치료할 수 있고, 단발(single mode)에서 사용되므로 가장 간단한 레이저 술기이기도 하다. 레이저는 이소골에 닿아도 기계적 충격을 주지 않

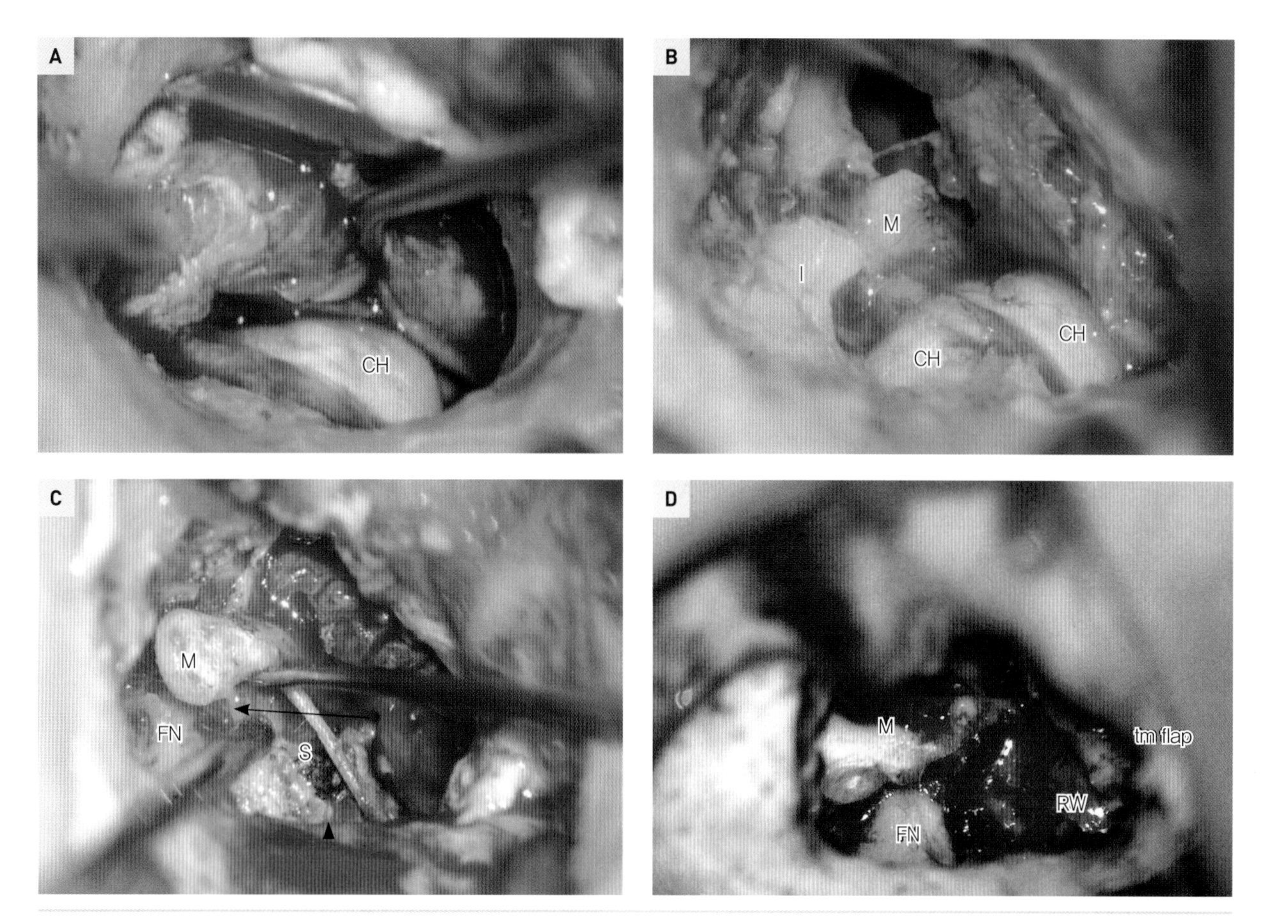

■ 그림 6-1. **진주종 수술 시 레이저 사용. A)** 소아 선천성 진주종. 상고실 개방술(atticotomy) 이전(우측 귀). **B)** 상고실 개방술을 통해 고실끈신경(chorda tympani nerve) 상방의 추골두와 침골 단완까지 노출시킨다음 레이저를 사용하여 침골-등골 관절을 찾는다. **C)** 추골-등골 관절이 분리된 경우 침골 제거 후 레이저를 사용하여 등골 및 노출 상태. 숟가락 돌기(석션)와 추골병(픽) 사이 고막긴장근인대(화살표)가 보이고, 숟가락 돌기에서 시작된 진주종이 안면신경 고실 분지 내측과 등골 사이에서 등골 인대(stapes tendon)를 침범하고 있다. **D)** 진주종 제거 후 고실동 노출 상태. CH; Cholesteatoma, FN; facial nerve, M; Malleus, I; Incus, S; stapes, RW round window

고, 와우각(promontory)에 직접 닿은 경우에도 단발 모드에서는 내이에 손상을 주지 않으므로, 좁은 외이도를 통한 경이경 수술 시 칼을 사용한 고막 절개보다 안전하고 편하다. 통상 레이저고막 절개는 한 번의 발사로 촛점 크기 200 μm의 약 10배 크기인 1.5~2.0 mm 크기의 절개를 만드는 것이 목적이기 때문에, 파워 10~20 W, 0.10~15 sec duration으로 출력을 높인 다음, 수동으로 미세조작기를 탈촛점(defocus)시켜 탄점 크기를 크게 해왔으나, 최신 Surgitouch 모델에서 탄점 크기를 자동화하는 스캐너 기능이 유리하다.

1. 레이저 고막 절개 단독 중이염 치료(Laser myringotomy)

OtoLAM 장비 등장과 더불어 임상 이용이 늘어난 레이저 고막 절개는 약 2 mm 지름 원형 고막절개를 통해 전신마취 없이 중이염 치료를 시도하는 것인데 평균 환기기간이 약 2주(16.35일, 8~34일) 로써 칼절개보다는 유용하지만 환기관 치료보다는 효과가 적다.[43] 효과는 대상환자, 성공기준, 추적기간에 따라 40~84% 까지 매우 다양하게 보고되었기 때문에 중이염의 예후가 좋은 경우에 사용하는 것이 권장된다.[2,10,16] 무작위 대응짝(matched

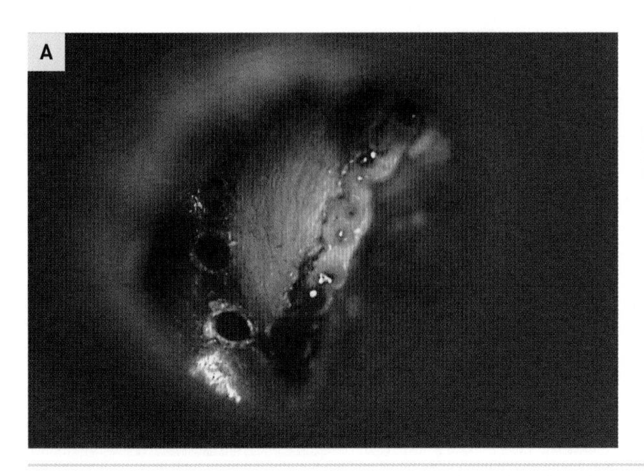

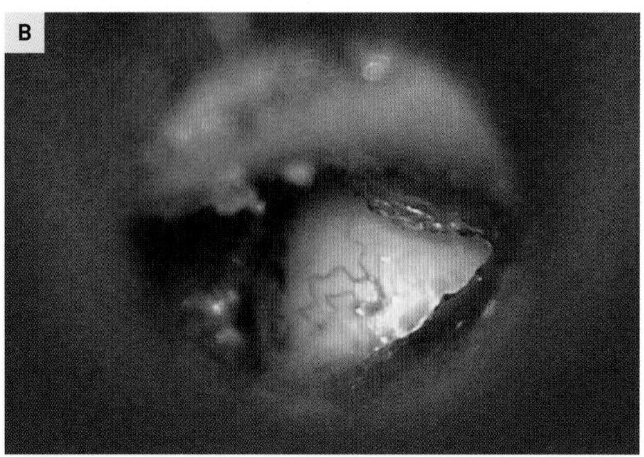

■ 그림 6-2. **초기 선천성 진주종의 레이저 고막 절개 수술. A)** 레이저 고막 절개를 추골 전방에 최대한 가깝게 위치시켜 숟가락 돌기(cochleariform process) 접근을 쉽게 한다(좌측귀). **B)** 고막 절개편을 부채꼴 모양으로 외연시켜 시야를 확보한다.

pair) 연구에서 6개월 추적 시 대조군 귀의 환기관의 성공률을 70.7%, 레이저 고막 절개의 성공률을 40% 로 보고하였는데, 이는 양측성 중이염 사용 시 성공률이 20% 미만이므로, 환기관과 같이 사용되는 것이 권장된다.[31] 현재 OtoLAM 장비의 절판으로 현미경 미세조절기를 사용해야 하므로 장비 가격이 비싼 단점이 있는데, 국산 장비 또는 다이오드 레이저를 사용하기도 한다.[50]

2. 레이저 고막 절개와 튜브 병용 치료(Laser myringotomy assisted ventilation tube insertion)

레이저 고막 절개 단독 치료는 재수술 빈도가 높아서 환자 만족도가 낮지만, 협조 가능한 환아를 선별하여 레이저 고막 절개 시 환기관을 같이 삽입하면 전신마취 비율과 아데노이드 수술 빈도를 낮출 수 있다.[6,35] 한국 아동에서 국소마취 하 칼절개 후 튜브 삽입이 가능한 아동은 평균 9세이지만, 레이저 고막 절개 후 튜브는 5세 이하 연령에서도 국소 마취를 시도해 볼 수 있다. 약 1.5 mm 절개가 순간적이어서 아동이 어느 정도 움직여도 안전하고, 고막 절개가 원형이어서 짧은 시간 내에 튜브 삽입을 하기 때문이다.[6,7] 수술 후 감염, 이루가 거의 없고, 수술 후 환자 만족도가 높기 때문에, 재수술이 반복되는 삼출성 중이염 치료에 유용하다.[9,44] 술전 협조도를 고려하지 않고 모든 소아를 대상으로 튜브를 시도한 전향적 연구에서 73% 정도에서 일측에 튜브 삽입이 가능하고, 양측 튜브가 가능한 경우는 45% 정도였다.[7] 시술 전 협조 및 튜브 성공 가능성이 있는 아동을 선택할 수 있으며, 선별한 경우 97% 의 아동에서 레이저 고막 절개 동시 튜브 삽입이 가능하다.[15] 48개월 이하 아동의 경우 79%에서 결박(papoose restrain)이 필요했으나, 92%의 보호자가 전신마취보다 만족했다고 보고되어 레이저 절개만 시행한 경우의 만족도 45%에 비하면 만족도가 높다.[44]

3. 레이저 고막 절개를 통한 고실 내 약물 전달

돌발성 난청, 메니에르병 치료 등에서 고실 후방 정원창 부위 고막절개를 통한 고실 내 약물 주입, 튜브 삽입, 이내시경 관찰 필요성이 늘어나고 있다. 정원창은 추골(Umbo)에서 113.2 degrees (±9.8 degrees) 후하방 3.44 mm 에 위치하므로 칼절개 시 이소골 손상 위험이 있으나 레이저 고막 절개를 사용하면 이소골 손상 없이 반복적인 고실 내 약물 주입이 2주간 가능하다. 레이저 고막 절개부에 1.7~2.4 mm 30° 내시경을 삽입해서 정원창을 확인하고 약물과 혼합한 젤폼(gelfoam slurry), 피브린 글루(fibrin glue) 등을 투입하는 지속형 약물 전달을 시도할 수 있다. II형 튜브(1.27 mm 직경)를 후상방에 위치시키고, 스테로이드, 겐타마이신 용액을 자가 투여 처방할 수 있다.

Ⅳ 만성 중이염 수술 시 레이저 활용

1. 레이저 이소골 수술(Laser-assisted ossicular surgery)

등골 수술에서 검증된 비접촉(non–touch) 무진동 레이저 테크닉은 모든 이소골 수술에 응용 가능하다. 추골두 또는 침골이 고실경화(tymapanosclerotic plaque)로 상고실에 고정된 경우 큰 기도–골도 청력의 차이를 보이지만, 과도한 픽의 사용이나 추골 니퍼(malleus nipper) 등은 내이 손상 위험이 있으므로 침골–등골 관절 분리가 필요할 때도 있다.[47] 반면 레이저를 사용하면 고막 내 고실경화를 쉽고 빠르고 안전하게 제거할 수 있으며 드릴 대신 레이저를 사용하여 침골–등골 관절을 분리하지 않고 외이도의 골극(bony spur)을 제거할 수 있다.[40] 선천성 외이도 폐쇄증 수술에서 추침골 복합체가 상고실에 고정된 경우도 동일하며, 무리한 이소골 분리 시도나 과다한 드릴 사용 시 감각신경성 난청이 우려될 경우 레이저를 사용할 수 있다. 연골 고막 성형술의 재수술 또는 2차 이소골 수술 시 연골 이식물이 등골 또는 인공 이소골 TORP/PORP 과 유착된 경우에도 레이저가 유용하다.

2. 레이저를 이용한 단순 고막 천공의 치료 (Laser-assisted myringoplasty)

레이저 고막성형술(laser assisted myringoplasty)은 1) 고막 천공 다듬질(trimming), 2) 이식물 레이저로 다림질(laser welding) 등의 방법을 사용해 고막 천공을 치료하는 것이다.[40] 픽과 같은 기구 사용 시 접근이 어렵거나 이소골에 충격을 주기 쉬운 전방부 천공, 이소골 직근 천공의 다듬질 시에도 안전하므로 임상적으로 외상성 고막 천공의 치료, 튜브 방출 부위 천공의 치료 시 기존 고막성형술 전 외래에서 시행할 수 있는 장점이 있다. CO_2 레이저 1 Watt, 0.05 sec 단발 모드로 천공연을 반복 소작술로 천공연 상피부분만 제거하며, 페이퍼/SteriStrip® 패치와 같이 사용할 수 있다. 기존 지방, 연골막, 근막을 이용한 고실 성형술 중에도, 레이저를 다림질(laser welding) 도구로 사용해서 이식물의 이동을 줄여줄 수 있는데, 이 또한 레이저 고막성형술이라고 부른다.[41] 유양동 수술 이후 잔존하는 3 mm 이내 작은 천공인 경우 감염 상태가 아니면, 이식물을 사용한 재수술 없이 80% 에서 천공의 치료가 가능하다고 보고된다.[40]

3. 상고실 및 고막 병변 치료

기존기구를 사용한 상고실 진주종 폴립제거술(polyp–ectomy)은 좁은 이경 시야, 악명 높은 출혈, 이소골 손상 위험 때문에 입원수술 전 외래에서 상대적 금기 사항이다. 반면 레이저 폴립제거술은 이소골에 부착된 폴립도 진주종 수술 전 외래 치료 가능하다. 출혈이 적고 시야 확보를 통해 수술 전 이루 조절이 가능하며, 고막의 천공, 이소골, 진주종 상태를 충분히 관찰할 수 있어서 유용하다.[40] 만성 중이염 수술 후 외래 추적 관리에도 유용하여 개방성 공동의 폴립 제거, 내성균 감염 이루 시 조직 제거술(debridement), 중도의 외이도 협착도 치료 등을 국소마취 하 짧은 시간에 치료 가능하다.[5]

Ⅴ 최소 침습 이과 수술(Minimally invasive otologic surgery)

고막 내 병변의 제거 시 이경 하 좁은 시야에서 출혈은 이소골 충격 및 내이 손상 가능성이 있으며, 불완전 제거 또는 과다한 고막 절개로 고막 섬유층이 병변과 같이 제

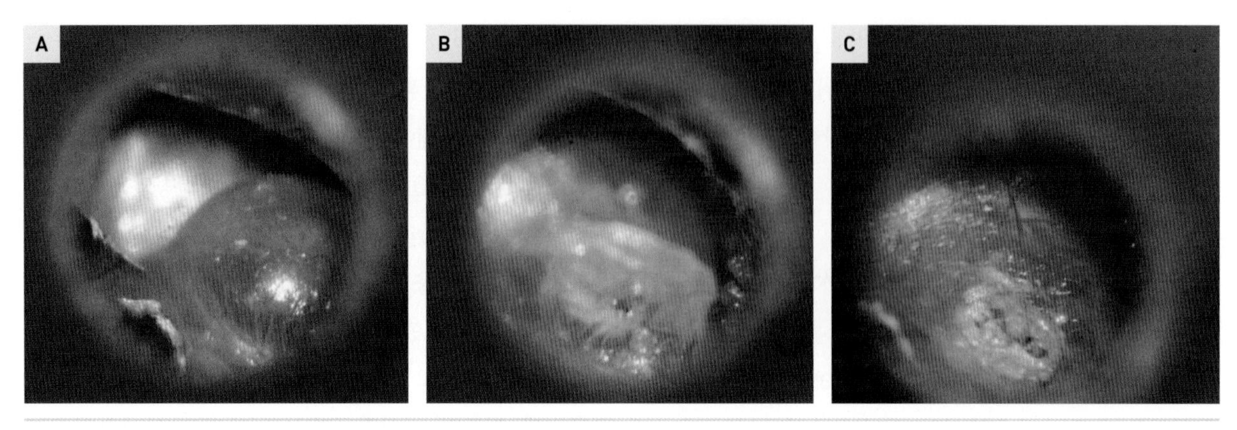

■ 그림 6-3. **진주종 전단계 위축성 중이염의 표면 마취 하 레이저 응고 리프팅 치료.** **A)** 위축성 변성으로 고막 긴장부 함입낭(pars tensa retraction pocket)을 형성하고 있던 고막 후방부를 이관통기, 마취 가스 또는 석션을 통해 외전시킨다. **B)** CO_2 레이저 2~3 W defocus를 발사하여 늘어난 고막 내 섬유를 수축시킨다. **C)** 위축성 고막이 더 이상 가라앉지 않고 리프팅된 상태

거될 경우 고막 성형술이 필요해지기 때문에 이과 영역은 최소 침습 치료 또는 국소마취 치료가 힘들다. 그러나 현미경에 부착된 레이저는 미세 조작기의 탈초점 다이얼를 통해 빔의 크기와 심도를 자유롭게 조절하여 기화(vaporization)와 절개(cutting)를 동시에 시행하기 때문에 현미경 하에서 전기소작기와 미세절삭기(microdebrider)를 가지고 수술하는 효과를 가진다. 환자 측면에서 합병증 없는 외래 수술을 보장하고, 의사 입장에서도 통증, 출혈에 신경 쓰지 않고 고막 표면 점이 마취(topical anesthesia)만 해도 되므로 최소 침습 이과 수술(minimally invasive otologic surgery)로 언급된다.[6,7] 점이 마취는 성인은 EMLA 크림을 20G 니들을 통해 고막에 도포하며, 소아는 Inotophoresis® Xylocaine 을 사용한다. 경이경 수술(trans-speculum surgery)은 파이버핸드피스 타입보다 현미경에 부착하는 미세조작기를 사용하는 것이 유리하다.

1. 위축성 중이염 또는 함입낭의 치료(Atrophic otitis media or pars tensa retraction pocket)

유착성 중이염 전단계인 위축성(atrophic) 중이염은 고막 긴장부 진주종(pars tensa cholesteatoma)로 발전하는데, 이소골이 침범되지 않은 위축성 중이염 치료 시 레이저가 매우 유용하게 사용된다. CO_2 레이저는 늘어진 고막 섬유층 내 콜라겐 파이버를 수축시킬 수 있으며 2~3 Watt 탈초점 빔(또는 스캐너) 을 사용하여 위축성 중이염 고막이 침골에 미란을 주지 않도록 리프팅하거나, 튜브 거치 기간을 연장시킬 수 있다(그림 6-3). 비절개 고막 수축 성형술(contraction myringoplasty)라고 호칭하기도 하며, 표면 마취 하에서 짧은 시술이기 때문에 연골 고막 보강술 시행 전 또는 최소 침습 수술 로서 유용하다.[1] 또한 위축성 고막에 칼절개를 사용하면 절개연이 불안정해서 2개월 내 튜브 조기 탈락, 천공 발생 가능성으로 환기관 수술이 오히려 치료 경과를 악화시킨다는 우려가 있다. 레이저 절개 시 절개연 응고 효과를 통해 환기관을 고정시킬 수 있기 때문에 평균 4.8 개월 유지 기간을 보여, 칼절개 시 평균 1.7 개월보다 유의한 연장을 보였다.[9]

2. 고막 내 병변의 치료(그림 6-4, 5)

고막 내 진주종(그림 6-3)은 고막의 섬유층과 표피층 사이에 발생한 유표피 낭종(epidermoid cyst)으로, CO_2 레이저 1~3 W 출력, 연속 조사 모드에서 기화시켜 고막의 섬유층을 보존할 수 있으며, 재발 없이 경이경 수술로 안

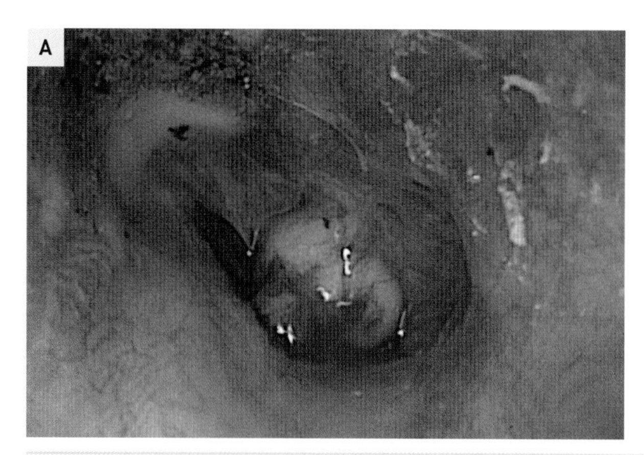
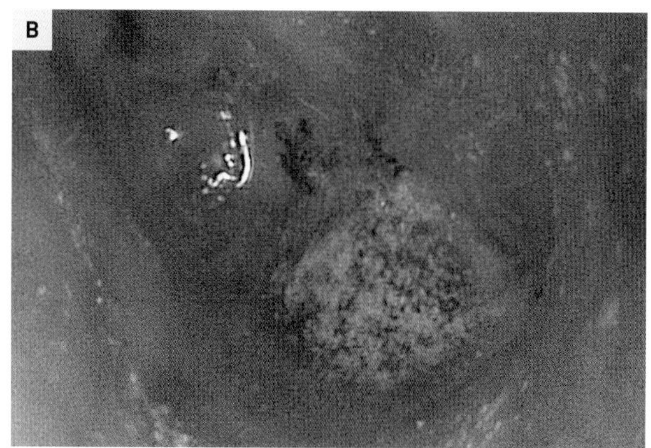

■ 그림 6-4. **고막 내 진주종의 CO_2 레이저 수술 전후.** 표면마취 내이경 수술(transcanal surgery under topical anesthesia)

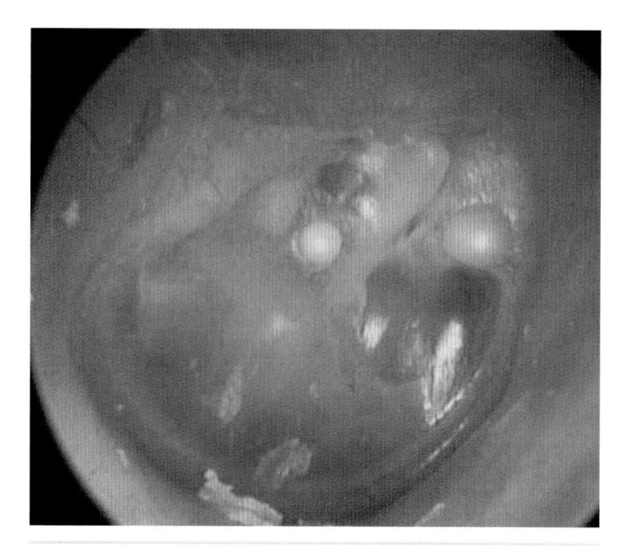

■ 그림 6-5. **진주종 수술 후 발병한 고막 내 케라틴 함입 낭종 (intratympanic keratin inclusion cyst)**

전한 조대술을 시행할 수 있다.[34] 진주종 술 후 의인성 병변인 케라틴 함입 낭종(inclusion cyst)(그림 6-4)도 유사한 병변으로서 레이저 사용 시 외래에서 제거 가능하며, 소아에서는 전신 마취 재수술을 줄일 수 있다.

3. 만성 육아종 고막염

이루가 동반된 만성 육아종 고막염을 스테로이드 이용액, 식초 세척, 카스텔라니 도포 등으로 치료하기 힘든 경우, 점이 마취 하 레이저을 사용한 표피 재생술(resurfacing) 통해 추가적 고막성형술을 피할 수 있다.[3,25] 최근 연골 고막 성형술(cartilage tympanoplasty)의 증가와 더불어, 수술 후 만성 고막염이 증가되고 있는데, 수술 후 레이저를 사용한 고막염 치료와 더불어 연골 절삭을 통해 연골 고막의 두께를 조절할 수 있다. CO_2 레이저를 2~3 W 탈초점(또는 스캐너) 모드에서 사용하여 육아조직을 제거하되, 정상 고막을 변연에 남도록 하면 73~85% 의 성공률이 보고된 바 있다.[40]

Ⅵ 레이저가 유용한 이과 기타 질환

1. 이과 종양성 병변

중이 내 국한된 사구종(glomus tympanicum)은 레이저를 통한 출혈 조절과 시야확보가 용이하므로, 이소골에 근접한 경우에도 청력 보존 수술이 가능하여 내이 절개를 통한 레이저 수술이 추천된다. KTP, Argon, CO_2모두 사용 가능하며, 유양동을 침범한 경우는 폐쇄형 유양동 수술을 통해 레이저를 적용할 수 있다.[17] Nd:YAG레이저는 혈관 응고에 우수하지만 내이 손상이 보고된 바 있어서 중이 사구종에는 추천되지 않는다. 그러나 광범위하게 경정맥을 침범한 사구종(glomus jugulare)은 혈관치료에 좋은 Nd:YAG로 응고시킨 다음, CO_2 레이저로 기화시키는 방법을 사용할 수 있다.[30,48]

진주종이 뇌경막을 침범한 경우 진주종 제거 시 레이저를 사용하면 기존 전기 소작 술기보다 안전하게, 진주종 조직을 제거할 수 있다. 소뇌교뇌각(cerebellopontine angle)병변의 경미로(translabyrinthine), 후두골하(suboccipital) 접근 수술에서도 레이저로 캡슐 내의 종양 조직을 기화시켜 종양을 수축시킨 다음, 캡슐을 주위 신경으로부터 박리하면 신경 보존에 유리하며, 청신경 초종 수술에서 CO_2 및 아르곤 레이저 사용이 보고된 바 있다.[48]

2. 레이저 외이개 성형술

레이저 연골 재조형술(laser-assisted cartilage reshaping; LACR)은 비절개 수술로써 연골을 제거하지 않고 약 70°C의 온도에서 물과 프로테오글라이칸 분자 결합 변화만으로 비중격 성형술, 외이개 성형술을 시도하는 것이다.[11] 1,540 nm ErYAG 레이저를 이개에 경피 조사하면 연골의 휘어지는 성질을 이용하여, 돌출귀의 비절개 치료가 가능하다.[33] 통증이 적고, 별도의 표면 마취 없어 간편한 장점이 있으나, 재발률은 24%로 개방적 시술보다는 높고, 6주간 귀에 몰드 착용이 필요한 것이 단점이다. 기존 돌출귀 개방 절개 술식에서도 CO_2 레이저 절개 사용 시 주상연골 두께 감소와 더불어 내측으로 휘어지는 성질을 이용하면 대이륜 윤곽이 부드럽고, 장기간 유지할 수 있으며 2.4년 추적 시 재수술이 필요하지 않았다고 보고되었다.

참고 문헌

1. 구자원, 김동욱, 유재철 등. CO_2 레이저를 이용한 등골절개술. Korean Journal of Otolaryngology-Head and Neck Surgery 2009;52:560-565.
2. 김경택, 이동명, 김진홍 등. 삼출성 중이염 환자에서 레이저 고막절개술의 효과. Korean Journal of Otolaryngology-Head and Neck Surgery 2000;43:1295-1297.
3. 김명구. 육아성 고막염에 대한 레이저 치료효과. Korean Journal of Otolaryngology-Head and Neck Surgery 2006;49:13-17.
4. 김종선, 장선오, 오승하 등. KTP 레이저 등골 개창술을 이용한 등골수술. Korean J Audiol 1997;1:176-181.
5. 김진홍, 조승배, 김태형 등. 개방공동 유양동 삭개술후 발생한 이루의 치료. Korean Journal of Otolaryngology-Head and Neck Surgery 2001;44:1270-1270.
6. 노계연, 이창호, 강창우. 레이저 고막절개술을 통한 환기관 삽입술의 전신마취의 비율: 전향적 연구. Korean Journal of Otolaryngology-Head and Neck Surgery 2006;49:18-22.
7. 이창호, 추교범, 이건익 등. 점이 마취 하 레이저 고막 절개술을 통한 환기관 삽입 수술의 치료 성적. Korean Journal of Otolaryngology-Head and Neck Surgery 2004;47:714-718.
8. 임대근, 이창호, 홍종의 등. 선천성 진주종의 최소 절개 레이저 수술기법. Korean Journal of Otolaryngology-Head and Neck Surgery 2012;55:422-428.
9. 장철호, 김영호, 정재권 등. 소아 만성 삼출성 중이염에서 레이저 고막절개술 및 환기관 삽입술의 임상적 연구. Korean Journal of Otolaryngology-Head and Neck Surgery 2000;43:1045-1049.
10. 조용범, 김은주, 김행재 등. 아르곤레이저를 이용한 고막개구술 후 치유과정에 대한 연구. Korean Journal of Otolaryngology-Head and Neck Surgery 1995;38:1689-1694.
11. 최익수. 레이저 연골 성형술. Korean Journal of Otolaryngology-Head and Neck Surgery 2009;52:296-301.
12. Ator GA, Coker NJ, Jenkins HA. Thermal injury to the intratemporal facial nerve following CO_2 laser application. Am J Otolaryngol 1985;6:437-442.
13. Barbara AE, Kartush JM, Bouchard KR, et al. The effect of laser thermal conduction on neural activity. In: Yanagihara N. New Horizons in Facial Nerve Research and Facial Expression. Kugler Publications; 1998. 69-74.
14. Brawner JT, Saunders JE, Berryhill WE. Laser myringoplasty for tympanic membrane atelectasis. Otolaryngol Head Neck Surg. 2008;139:47-50.
15. Brodsky L, Brookhauser P, Chait D, et al. Office-based insertion of pressure equalization tubes: the role of laser-assisted tympanic membrane fenestration. Laryngoscope 1999;109(12):2009-2014.
16. Cotter CS, Kosko JR. Effectiveness of laser-assisted myringotomy for otitis media in children. Laryngoscope 2004;114:486-489.
17. Durvasula VS, De R, Baguley DM, et al. Laser excision of glomus tympanicum tumours: long-term results. Eur Arch Otorhinolaryngol. 2005 Apr. 262(4):325-327.
18. Eskander A, Holler T, Papsin BC. Delayed facial nerve paresis after using the KTP laser in the treatment of cholesteatoma despite interop-

erative facial nerve monitoring. Int J Pediatr Otorhinolaryngol 2010;74:823-824.

19. Hart SD, Maskaly GR, Temelkuran B, et al. External reflection from omnidirectional dielectric mirror fibers. Science 2002;296:510513.
20. Hausler R, Schar PJ, Pratisto H, et al. Advantages and dangers of erbium laser application in stapedotomy. Acta Otolaryngol 1999;119:207-213.
21. Hamilton JW. Ch. 34 Functional orthogonal cholesteatoma surgery. In:Oswal V, Remacle M, Jovanovic S, editors.Principles and Practice of Lasers in Otorhinolaryngology and Head and Neck Surgery 2nd Edition: Kulger Publications; 2014. 533-547.
22. Hamilton JW. Efficacy of the KTP laser in the treatment of middle ear cholesteatoma. Otol Neurotol 2005;26:135-139.
23. Hamilton JW. Systematic preservation of the ossicular chain in cholesteatoma surgery using a fiber-guided laser. Otol Neurotol 2010;31:1104-1108.
24. James AL. Approaches to cholesteatoma with an intact ossicular chain: Combined use of microscope, endoscope and laser.in Takahashi H editors. Cholesteatoma and Ear Surgery an Update. Kugler Publications2013;333-336.
25. Jang CH, Kim YH, Cho YB, et al. Endoscopy-aided laser therapy for intractable granular myringitis. J Laryngol Otol. 2006 Jul;120(7):553-555.
26. Jovanovic S, Schonfeld U, Prapavat V, et al. Effects of pulsed laser systems on stapes footplate. Lasers in Surgery and Medicine. 1997;21:341-350.
27. Jovanovic S. Ch. 36 CO_2 laser in stapes surgery. In:Oswal V, Remacle M, Jovanovic S, editors.Principles and Practice of Lasers in Otorhinolaryngology and Head and Neck Surgery second Edition: Kulger Publications; 2014. 561-585.
28. Jovanovic S. Technical and Clinical Aspects of' One-Shot' C02 Laser Stapedotomy. In: Arnold W, Hausler R editors. Otosclerosis and Stapes Surgery. Karger Medical and Scientific Publishers; 2007. 255-266.
29. Kamalski DMA, de Boorder T, Bittermann AJN, et al. Capturing thermal,mechanical, and acoustic effects of the diode (980 nm) laser in stapedotomy. Otol Neurotol 2014;35:1070-1076.
30. Kaylie DM, O'Malley M, Aulino JM, Jackson CG. Neurotologic surgery for glomus tumors. Otolaryngologic Clinics of North America. 2007;40:62549.
31. Koopman JP, Reuchlin AG, Kummer EE, et al. Laser myringotomy versus ventilation tubes in children with otitis media with effusion: A Randomized trial. Laryngoscope 2004;114:844-849.
32. Keck T, Burner H, Rettinger G.Prospective clinical study on cochlear function after erbium:yttrium-aluminum-garnet laser stapedotomy. Laryngoscope 2005;115:1627-1631.
33. Leclere FM, Trelles M, Petropoulos I, et al. Ch 63 Clinical application of laser cartilage reshaping for protruding ears.In: Oswal V, Remacle M, Jovanovic S, et al. editors.Principles and Practice of Lasers in Otorhinolaryngology and Head and Neck Surgery 2nd Edition: Kulger Publications; 2014. 837-844.
34. Lee CH, Kim JY, Kim YJ, Yoo CK, Kim H-M, Ahn J-C. Transcanal CO_2 laser-enabled ablation and resection (CLEAR) for intratympanic membrane congenital cholesteatoma. Int J Pediatr Otorhinolaryngol 2015;79:2316-2320.
35. Lee CH, Lee JH, Kim HM. Flexible integration of laser myringotomy and ventilation tube for bilateral Otitis media with effusion: analysis of laser tympanostomy versus ventilation tube. PLoS One 2014;9:e84966.
36. Lee CH, Kim SY, Kim HM, et al. Cochleariform Process Abutment on TBCT in Early Congenital Cholesteatoma. Otology & Neurotology 2017;38:79-85.
37. Lee CH, Kim MK, Kim H-M, et al. Bilateral Congenital Cholesteatoma. Otol Neurotol. 2018;39(5):e336-e341.
38. Lesinski SG. Ch 18. Lasers in Otology. In Gulya AJ, Minor LB, Glasscock ME, et al editors. Glasscock-Shambaugh Surgery of the Ear. Sixth edition. PMPH-USA; 2010.
39. Ostrowski VB, Bojrab DI. Minimally invasive laser contraction myringoplasty for tympanic membrane atelectasis. Otolaryngol Head Neck Surg. 2003;128:711-718.
40. Oswal V. Ch. 33 Overview of lasers in otology. In:Oswal V, Remacle M, Jovanovic S, et al. editors.Principles and Practice of Lasers in Otorhinolaryngology and Head and Neck Surgery 2nd Edition: Kulger Publications; 2014. 513-519.
41. Pyykko I, Poe D, Ishizaki H. Laser-assisted myringoplasty-technical aspects. Acta Otolaryngol Suppl 2000;543:135-138.
42. Robertson JH, Clark WC. Ch 7. Tumors of the posterior fossa and skull base in adults. In:Lasers in Neurosurgery. Springer Science & Business Media; 2012.
43. Sedlmaier B, Jivanjee A, Gutzler R, et al. Ventilation time of the middle ear in otitis media with effusion (OME) after CO_2 laser myringotomy. Laryngoscope 2002;112:661-668.
44. Siegel GJ, Chandra RK. Laser office ventilation of ears with insertion of tubes. Otolaryngol Head Neck Surg. 2002;127:60-66.
45. Temelkuran B, Hart SD, Benoit G, Joannopoulos JD, Fink Y. Wavelength scalable optical fibers for CO_2 laser transmission. Nature 2002;420:650-653.
46. Tos M. Ch 12. Lasers in stapes surgery. In: Tos M. Surgical Solutions for Conductive Hearing Loss. Thieme; 2000.
47. Vernick MD. Laser applications in ossicular surgery. Otolaryngol Clin North Am 1996;29:931-941.
48. William D, Trobler M, John M, et al. Ch. 19 Neurosurgical applications of laser technology. in Joffe SN, Oguro Y eidtors. Advances in Nd:YAG Laser Surgery. Springer Science & Business Media; 2012.
49. Yau AY, Mahboubi H, Maducdoc M, et al. Curved adjustable fiberoptic laser for endoscopic cholesteatoma surgery. Otol Neurotol.

2015;36:61-64.
50. Zanetti D, Piccioni M, Nassif N, et al. Diode laser myringotomy for chronic otitis media with effusion in adults. Otol Neurotol. 2005;26:12-18.

CHAPTER

07

전신 질환의 이비인후과적 발현

이비인후과학 Otorhinolaryngology - Head and Neck Surgery

강성호

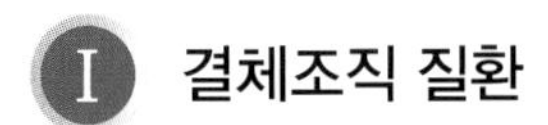

I 결체조직 질환

1. 전신성 홍반성 루푸스

전신성 홍반성 루푸스(systemic lupus erythematosus; SLE)는 병원성 자가항체와 면 역복합체에 의해서 세포와 조직이 손상되는 질환이다. 환자의 약 90%가 여성으로 대부분 가임기 연령에 발생한다. 원인은 정확히 밝혀지지 않았지만 유전적 요인, 환경적 요인 등이 작용하는 것으로 알려져 있다. 자외선 A와 B의 환경적 요인에 의해 T 및 B 림프구가 과다활성되고 조절능력의 장애로 비정상적인 면역반응이 나타난다. 이러한 비정상적인 면역반응은 감수성 유전자와 환경요인의 상호작용에 좌우된다. 또한 항DNA항체와 항Sm항체가 관련이 있는 것으로 알려져 있다. 신장, 관절, 피부, 림프절, 안구, 맥락총, 간질조직, 각 장기 장막의 혈관벽에 면역복합체 또는 소동맥에 섬유소양 물질이 축적되어 급성 괴사성 혈관염이 발생한다.

두경부에서는 주로 피부와 점막 부위에 발현된다. 뺨에 나비 모양의 홍반성 발진이 나타나는데 대개 광과민성이고 흉터를 남기는 경우는 거의 없으나 모세혈관확장증이 나타날 수 있다. 햇빛은 피부발진뿐만 아니라 전신질환도 야기할 수 있다. 두부에는 원형 탈모증, 광범위한 비반흔성 탈모 그리고 치유된 위축성 원판상 병변에는 반흔성 탈모도 나타날 수 있다. 약 3~5%에서 비중격 궤양 또는 천공이 발견되는데 혈관염이 원인으로 예상된다.[15] 구강, 구개, 치은에는 특징적으로 동통성의 홍반으로 둘러싸인 홍반성 운륜(erythematous halo)을 보이는 표재성 점막 궤양이 잘 나타난다.[114] 이 외에도 구강건조증, 연하곤란 증상이 나타날 수 있으며, 환자의 약 10%에서는 일측성으로 통증을 동반한 이하선 비대와 다발성 경부 종물이 있을 수 있다.[2] 후두와 기관에는 염증성 변화로 인해 진성대 주름의 비대 혹은 마비, 윤상피열관절염, 성문하 협착 등의 증상이 나타날 수 있다.

신경계 증상으로는 혈관염으로 인한 증상과 신경병증으로 인한 증상이 있다. 중추신경 계에 혈관염으로 인해 생기는 증상은 일측 사지마비, 경련, 정신병, 기타 인격장애 등이며, 환자의 약 15%에서는 외안근을 지배하는 운동신경, 삼차신경의 감각 분지, 안면신경의 운동 분지, 전정와우신경의 전정부 등에 신경병증이 생길 수 있다.

1982년 미국 류마티즘 협회에서 개정하여 제시한 다음 열한 가지 중 네 가지 혹은 그 이상의 증상이 있으면 SLE로 진단할 수 있다.[119] ① 안면홍조, ② 피부의 원판상 루푸스 병변, ③ 광과민성, ④ 구강 내 궤양, ⑤ 비미란성 관절염, ⑥ 장막염, ⑦ 신병증, ⑧ 중추신경계 질환, ⑨ 혈액학적 이상 소견, ⑩ 면역학적 이상, ⑪ 원인 불명의 항핵항체 역가의 이상상승 등이다.

SLE의 피부 병변과 루푸스 관절염은 항말라리아 제제에 반응을 보여, 400 mg의 hydroxychloroquine을 매일 투약하면 수주 이내에 피부 병변이 호전될 수 있다. 피부 발진에 대한 치료로 햇빛차단제, 국소 또는 병변 내 스테로이드 치료가 있다. 스테로이드 전신 요법은 다른 치료에 반응하지 않는 심한 병변에 사용한다. Prednisolone을 8~12시간 간격으로 분할하여 투여하고 질병이 조절되면 아침에 한 차례 투약하며 임상증상이 허용하는 대로 투약용량을 감량한다.

Azathiopurine (Imuran), chlorambucil (Leukeran), cyclophosphamide (Cytoxan) 같은 세포독성약제는 질병의 활성도를 조절하고 질병의 악화율을 감소시키며 스테로이드 요구량을 떨어뜨린다.

구강궤양 치료에는 스테로이드가 포함된 국소성 용액이 효과가 좋다. Klack 용액은 tetracycline, cortisone, diphenhydramine과 nystatin으로 구성된다.

2. 류마티스양 관절염

류마티스양 관절염(rheumatoid arthritis; RA)은 주로 대칭적으로 말초관절을 침범하는 활액조직의 염증으로, 비화농성 증식성 염증성 병변을 일으켜 심한 경우 관절 연골의 파괴와 강직증을 초래하는 질환이다. 인구의 약 1%에서 발생하고 여성에서 남성보다 2~3배 더 많이 발생하며, 30~40대에 가장 많다. 원인은 정확히 모르나 유전적 요인(HLA-DR4), 자가면역적 기전, 감염 등을 그 원인으로 추정하고 있다.

환자의 55~60%에서 증상이 수주 내지 수개월에 걸쳐 서서히 나타나기 시작하는데 발현 양상과 정도가 매우 다양하다. 초기에는 통증, 부종, 압통이 관절에만 국한하지 않을 수 있다. 활액막염으로 관절막이 팽창되어 관절운동 시에 통증이 심해진다. 관절증상으로는 30분 이상 지속되는 조조강직(morning stiffness) 혹은 장기간 무활동 후 강직이 가장 흔하며, 이는 점진적, 진행적, 대칭적으로 말초 관절을 침범한다. 관절 외 증상 중 전신 증상으로 전신 쇠약감, 피로, 근력손실, 식욕부진, 체중감소, 미열 등이 있다.

두경부 영역에서는 이소골, 측두하악 관절,[45] 윤상피열관절, 경추에 많이 생긴다. 윤상피열관절이 침범된 경우에는 전경부 통증, 이통, 인후팽만감, 연하곤란, 흡인, 애성 등이 나타날 수 있다. 전음성 난청이나 감각신경성 난청이 나타나는데, 전음성 난청은 이소골의 연결부위에 발생한 병변으로 중이의 비정상적인 경직(stiffness)으로 인한 것으로 생각되며,[86] 자가면역 질환으로 인한 감각신경성 난청의 유병률은 정상인보다 높은 것으로 알려져 있다.[104] 류마티스양 결절은 2~25 mm 크기의 압통이 없는 단단하고 둥근 피하 결절로 골격의 융기 부위, 특히 팔꿈치에 호발한다. 이 결절이 성대 내에 존재하면 애성이 생길 수 있다. 구강 병변은 대개 Sjögren 증후군과 연관되어 생기며 귀 병변으로 전음성 난청과 이완성 고막[86] 등이 나타난다.

일반적으로 다음에 열거하는 일곱 가지 증상 중 네 가지 이상에 해당하면 진단할 수 있는데 특히 ①~④가 6주 이상 지속되어야 한다. ① 1시간 이상 지속되는 조조강직, ② 3개 이상의 관절 종창, ③ 수지 관절의 종창, ④ 대칭성 관절 종창, ⑤ 류마티스양 결절, ⑥ 혈청 내 류마티스양인자, ⑦ 수지관절 혹은 주관절의 특징적 방사선학적 변화.

염증을 억제하기 위해 치료제로 salicylates, NSAIDS, gold salts, penicillamine, hydroxychloroquine 그리고 면역억제제 등을 사용한다. 부가적 치료의 목표는 관절기능 보존과 관절변형의 예방이다.

3. Sjögren 증후군

Sjögren 증후군(Sjögren's syndrome)은 외분비선에 림프구가 침윤되어 구강건조와 안구건조를 일으키며 서서히 진행되는 자가면역 질환이다. 연령에 관계없이 발생하나 중년 여성의 발병률이 9배 정도 더 높다. 일차성은 주로 침샘과 눈물샘에 생기며, 이차성은 류마티스양 관절염, 전신성 홍반성 루푸스, 피부경화증 환자의 약 30%에서 동반 질환으로 생긴다.[124]

관련이 있는 자가항체로 Anti-Ro (SS-A), Anti-La (SS-B)가 알려져 있으나, 조직 손상의 정확한 기전이 세포독성 T세포에 의한 것인지 자가항체에 의한 것인지는 분명치 않다. 또한 HLA-DR3, HLA-DQA1, HLA-DQB1(원발성), HLA-DR4(속발성) 등이 이환된 환자에서 높게 검출되는 것으로 보아 유전적 소인도 있는 것으로 생각된다. 타액선과 누선의 파괴 병소에 주로 보조 T세포와 B세포의 침윤을 볼 수 있다.

흔한 증상은 구강건조증, 안구건조증, 이차성 각결막염이다. 환자의 약 80%가 구강건조증으로 마른 음식을 삼키기 힘들어하고 말을 꾸준하게 할 수 없으며 작열감, 치아부식이 증가하고 의치를 부착하는 데 어려움을 느끼며, 비강에서는 건성 비염으로 인해 가피 형성, 후각장애, 비출혈 등이 나타난다.[45,72] 신체검사에서는 구강점막이 홍반성 건조 소견을 보이며, 설배부에 있는 실유두(filiform papillae)가 위축되고 주타액선으로부터 타액이 잘 나오지 않거나 타액 색깔이 흐리다. 눈에 건조증, 열감, 가려움증, 이물감 등이 나타나며, 약 25%에서 귀에 이통, 이명, 청력감소 등이 생긴다.[56] 안구건조증, 구강건조증, 자가면역 질환, 류마티스 질환 또는 림프증식 질환 등의 세 가지 기준 중에 두 가지가 있으면 진단할 수 있다. 대부분의 환자에서 류마티스양인자와 항핵항체의 수치가 높으며 Anti-Ro (SS-A), Anti-La (SS-B)에 대한 직접적인 항체는 환자의 각각 60%와 30%에서 나타나는 것으로 알려져 있다.

침샘 생검에서 비특이적인 림프구성 침윤을 볼 수 있는 Mikulicz 질환은 고지단백혈증, 영양실조, 당뇨병, 간경변증, 결핵, 사르코이드증 같은 비결합조직병을 동반한 침샘부종이 있는 질환으로 Sjögren 증후군과 감별해야 한다.

치료 목표는 안구건조, 구강건조로 인한 증상을 줄이는 것으로 대증적 요법이 일차 치료이다. 수분을 많이 섭취하고, 타액대체제와 pilocarpine 등을 사용할 수 있다. 충혈제거제, 항히스타민제, 이뇨제, 심혈관 질환과 정신과적 질환에 사용되는 약제들은 구강건조를 악화시킬 수 있으므로 주의한다.[57] 구강칸디다증이 발생하면 nystatin 또는 clotrimazole로 치료하며, 부신피질호르몬이나 면역억제제 cyclophosphamide는 폐, 신장 침범과 혈관염 등 전신증상이 있는 경우에 사용한다.

4. 경피증

경피증(scleroderma)은 과도한 결합조직 침착으로 인해 피부가 두꺼워지며, 전신 여러 장기에 섬유화가 일어나는 질환이다. 여자에서 많이 생기며 평균 연령은 30~50세이다.

원인은 현재까지 불분명하지만, 면역반응의 이상 또는 미세혈관의 이상이 섬유화에 관여한다고 생각된다. 자가항체(Anti-Scl-70, Anti-centromere) 같은 중독성 물질이 내피세포를 파괴하고, 림포카인과 모노카인을 유리하여 섬유모세포의 이동과 증식을 일으키며, 교원섬유의 합성을 자극한다.

초기 증상은 Raynaud 현상, 손과 손가락의 부종, 경피증이다. 위장관, 폐, 심장, 신장과 갑상선이 주로 침범되어 그에 따른 증상이 발생하며, 근골격계 증상으로는 관절통과 근무력이 흔하다.

질병 유형은 크게 미만성 경화증, 국소형 경화증, systemic sclerosis sine scleroderma, 중복 증후군의 네 가지로 분류할 수 있다. 미만성 경화증은 피부를 광범위하게 침범하고 내부 장기를 빠르게 침범한다. 국소형 경화증은 피부는 비교적 제한적으로, 내부 장기는 느리게 침범하며 환자의 대부분은 CREST (Calcinosis, Raynaud phenomenon, Esophageal dysmotility, Sclerodactyly, Telangiectasia) 증후군의 특징을 갖고 있으며 수년 후 폐동맥고혈압이나 담즙성 간경변이 발생할 수 있으나 대부분 예후가 양호한 편이다. 피부 침범 없이 내부 장기에 경화증이 생기는 경우를 systemic sclerosis sine scleroderma라 하며, 경화증이 다른 결합조직병과 동반되어 나타나는 경우를 중복 증후군이라고 한다.[99]

환자의 약 80%에서 두경부가 침범되어 그에 따른 증상과 징후가 나타나며, 이러한 환자의 30%는 두경부 증상을 주로 호소한다.[126] 치은염과 치주막 비후도 흔한 증상이며 환자의 약 25%에서는 구강건조증, 안구건조증이 생길 수 있다. 후두가 침범되면 음성이 변하며,[67] 이 외에도 연하곤란, 개구능력 저하, 드물지만 삼차신경통과 안면신경 마비가 생길 수 있다.

경피증의 치료는 대증적 요법으로 Raynaud 현상에는 칼슘 채널 차단제를 사용할 수 있으며 H2차단제는 역류성 식도염 증상을 완화한다. 비스테로이드성 항염증약제와 저용량의 스테로이드는 관절통, 근육통의 증상을 완화하는데 도움이 된다.

5. 다발성 근염, 피부근염, 봉입체근염

염증성 근육병증은 근위부 근력의 약화와 골격근의 비화농성 염증이 특징인 질환으로 다발성 근염(polymyositis), 피부근염(dermatomyositis), 봉입체근염(inclusion body myositis)으로 나뉜다. 발생률은 10만 명당 1명 정도이며 다발성 근염은 성인에서, 피부근염은 소아와 성인에서 모두 발생하며, 남성보다 여성에서 흔하다. 봉입체근염은 남성에서 3배 더 호발하며 50세 이상에서 흔하다.

병인은 정확히 알 수는 없으나 유전인자, 바이러스 감염, 자가항체(Anti-Jo-1) 등이 상호작용하여 발생하는 것으로 생각되며, 골격근에 주로 림프구가 침윤되는 비화농성 염증반응과 근육의 파괴를 볼 수 있다.[66] 환자의 약 1/3에서는 류마티스양 관절염, SLE, 혼합성 결체조직병, 진행성 전신성 경화증 등의 각종 결합조직병과 동반되어 증상이 나타난다. 15~54%에서는 폐암, 전립선암, 유방암, 비인강암[67] 등의 악성 종양이 동반되어 나타난다.[21]

임상증상으로는 피부 소견이 대개 처음 나타나며 안면과 안검에 홍반과 부종이 나타난다. 안검은 가장 먼저 침범되는 부분으로 압통을 동반한 부종과 연자색 홍반이 나타난다. 환자의 약 50%에서 경부근육 약화가 나타나며 설근이 침범되면 발성장애, 연하장애가 나타나고, 상부식도, 윤상인두근, 인두, 상부인두 수축근의 침범 때문에도 연하장애가 나타날 수 있다.[21]

진단을 위한 검사에서 근위부 근육의 약화, 혈청 골격근 효소치 상승, 전기근전도검사에서 근병증 소견, 근생검상 염증 소견이 나타난다. 이 네 가지를 모두 만족하면 확진하고, 세 가지만 만족하면 의심할 수 있으며, 두 가지만 만족하면 진단의 가능성을 염두에 둔다. 피부근염으로 진단 하기 위해서는 상기 네 가지 증상 이외에도 특징적 발진이 동반되어야 한다.

치료에는 스테로이드가 도움이 되며 면역억제제는 스테로이드 요법에 반응이 없을 때 사용한다. 상부 위장관 증상에는 omeprazole, cisapride 등이 도움이 된다.

6. 재발성 다발연골염

재발성 다발연골염(relapsing polychondritis)은 주로 귀, 코, 후두, 기관, 기관지의 연골을 침범하며 발작적이고 진행성 경과를 특징으로 하는 염증성 질환으로서 일시적,

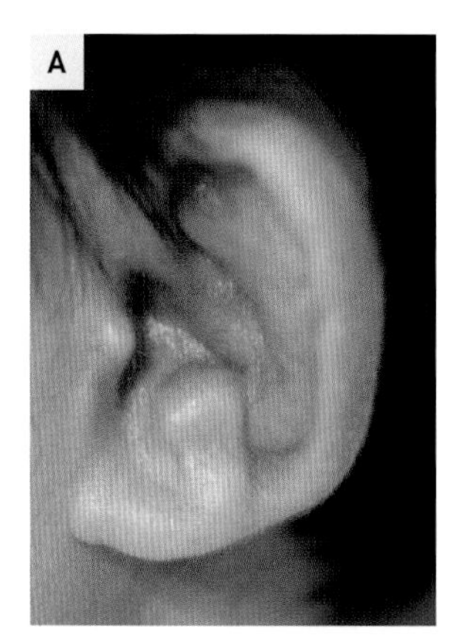

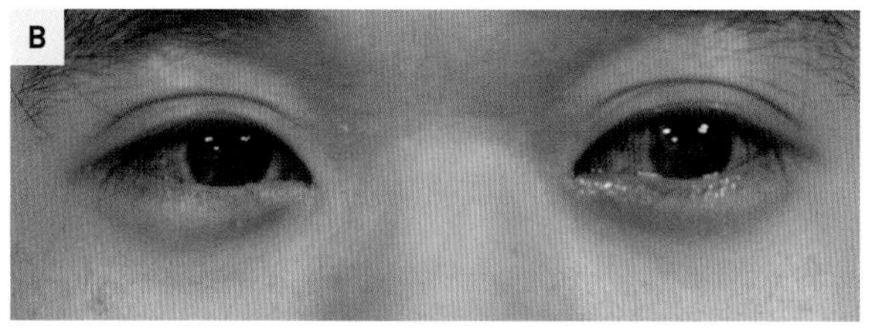

■ 그림 7-1. **재발성 다발연골염 환자.** 양측 귀의 연골염과 양측 눈의 결막염을 볼 수 있다.

재발성 염증반응으로 연골구조가 육아조직이나 섬유성 조직으로 대체된다.[73] 그 외에 공막염, 감각신경성 난청, 다발성 관절염, 혈관염, 심장 질환, 피부병변, 사구체 신염 등이 발생하기도 한다.[73] 발병원인은 아직 밝혀져 있지 않으나, 약 25%의 환자에서 류마티스 질환이나 자가면역 질환이 동반되는 것으로 보아 면역기능의 장애가 발병에 관여하는 것으로 추측되고 있으며 특히 연골 항원에 대한 자가면역이 중요한 역할을 하는 것으로 알려져 있다. 호발 연령은 40~60세이며, 남녀의 차이는 보이지 않고, 가족력은 없다.

임상 증상은 침범하는 부위에 따라 다양하게 나타나며, 가장 흔한 증상은 귀의 연골염과 비미란성 관절염이다. 귀의 연골염(그림 7-1A)은 약 95%에서 양쪽 귀 모두에서 발생하며 연골부위에 갑작스러운 통증과 압통, 종창이 나타난다. 종창으로 인해 이관이 막히면 장액성 중이염이, 외이도가 막히면 전음성 난청이 생길 수 있다. 환자의 약 49%에서는 내이동맥 또는 와우분지의 염증으로 내이 증상이 동반될 수 있다. 내이를 침범한 경우 현훈과 난청, 이명과 같은 증상을 보일 수 있다. 비연골 침범은 환자의 약 61%에서 생길 수 있으며 비폐색, 비루, 비출혈, 코의 변형을 초래하기도 한다. 이외에 눈을 침범하는 경우 상공막염, 공막염, 포도막염, 각막염, 결막염(그림 7-1B), 백내장 등의 소견을 보일 수 있으며, 후두, 기관이 침범되면 초기에는 마른기침이 있다가 진행하면 애성과 천음이 생기며, 심한 경우에는 기관내삽관이나 기관절개술이 필요하다.[28] 특히 후두, 기관의 연골염은 예후가 불량하여 재발성 다발성 연골염 환자 사망의 50%가 폐렴이나 호흡부전에 의한 것으로 보고되었다.

Prednisone은 질병 활성도를 억제하는데 효과적이다. Prednisone에 반응하지 않으면 methotrexate, cyclophosphamide나 azathioprine과 같은 면역억제제를 사용한다. 비스테 로이드성 항염제는 관절염에 사용한다.

7. 결절성 다발동맥염

결절성 다발동맥염(polyarteritis nodosa)은 다발성으로 장기를 침범하고, 소형 또는 중간 크기의 근육혈관의 괴사를 일으키는 혈관염으로서 신장과 장혈관을 침범하는 것이 특징이다. 발병연령은 50대이며, 남자에서 약간 더 많이 발생한다.

특징적으로 소형 혹은 중간 크기의 근육혈관에서 분절성으로 혈관의 분기점과 분지를 침범하는 괴사성 염증이다. 동맥을 침범해 널리 퍼짐에도 불구하고 이비인후과적 발현 양상은 드물다. 갑작스럽게 발생하는 양측성 감각신경성 난청과 전정의 장해 등이 보고되고 있다. 뇌신경 마비를 일으킬 수 있는데 그중 안면신경이 가장 흔하게 침범되며, 그 외 비궤양, 협점막이나 연구개의 궤양 등이 올 수 있다.

환자의 약 50%는 B형간염 표면항원(HBsAg) 양성반응을 보인다. 동맥조영술을 실시하여 혈관이 좁아지거나 동맥류성 확장이 일어난 곳을 찾아낼 수 있다. 확진하려면 혈관염이 생긴 부위를 조직 검사하여 염증 소견을 증명해야 한다. Cyclophosphamide와 스테로이드를 병합 투여하면 90%까지 치료될 수 있으며,[67] 혈장사혈 plasmapheresis을 하기도 한다. 치료를 받지 않으면 예후가 매우 나쁘고 급격히 악화하여 환자가 사망에 이르기도 한다.

8. 복합교원성 질환

복합교원성 질환(mixed connective tissue disease; MCTD)은 SLE, 경피증, 다발성 피부근염과 류마티스양 관절염의 임상양상이 섞여서 나타나는 중복증후군이다. 핵내 RNP항원에 대한 항체가 매우 높게 나타나며, 이 anti-U1-RNP 항체가 MCTD를 독립된 질환으로 간주하는 근거가 된다. U1리보핵산 단백 U1-RNP 에 대해 높은 혈청 항체가를 보이는 질환으로 여자에게 많으며 호발 연령은 10~20대이다.

두경부 증상으로는 뺨 주위 발진, 원판상 루푸스, 피부경화증, 구강점막 궤양, 비중격천공, 삼차신경통 등이 있다. 폐 침범은 85% 정도에서, 식도기능 이상은 80%에서 나타난다.

진단기준으로는 anti-U1-RNP 수치 증가와 다음 사항, 즉 손 부종, 활막염, 근염, Raynaud 현상, 선단경화증 중 세 가지를 만족해야 한다.

증상 호전을 위해 스테로이드 치료가 도움이 되며, 반응이 없는 경우 면역억제제를 사용한다.

9 . Wegener 육아종증

Wegener 육아종증(Wegener's granulomatosis)은 상부, 하부호흡기의 육아종성 혈관염과 사구체 신염을 특징으로 하는 질환으로, 소동맥과 정맥을 모두 침범할 수 있으며 다양한 정도의 미만성 혈관염이 동반될 수 있다. 청소년기 이전에는 거의 발병하지 않으며, 평균 발생연령은 40세이고, 남녀 비는 1:1이다.[110]

조직학적으로 혈관 내외의 육아종을 동반하는 소동맥과 정맥의 괴사성 혈관염이 특징이다(그림 7-2). 특징적인 임상증상으로 양측성 폐실질염, 만성 부비동염, 비인두 점막 궤양, 신질환의 증상이 있다.[53]

비증상으로 가피형성, 비출혈, 비루, 재발성 부비동염 등이 나타나며 이 외에도 비중격의 미란으로 인한 외비기형, 연골부 손상으로 인한 비협착이 생기기도 한다. 구강에서는 치은비후와 치은염을 볼 수 있으며, 후두에서는 부종, 궤양, 성문하 협착 등이 나타나는데, 성문하 협착은 나쁜 예후를 시사한다.[81,126] 이과적으로는 이개의 염증, 외이도염이나 이관을 침범하여 이차적으로 발생한 중이염 증상을 나타내고 대개 전음성 난청을 보이나 드물게 감각신경성 난청을 보이기도 한다. 고막의 천공은 다발성으로 나타나 결핵성 중이염과 감별하기 어려울 수 있다. 내이를 침범하여 전정장애가 나타나기도 하며 혈관염으로 인해 안면신경 마비가 발생하기도 한다.[62,81]

신장의 침범은 환자의 77%에서 나타난다. 경미한 사구체염이 단백뇨, 혈뇨, 적혈구 원주와 동반되어 나타나나, 일단 신기능이 손상되면 적절한 치료를 하지 않을 경우 빠르게 신부전으로 진행한다.

진단은 임상적, 병리학적 검사 결과에 기초한다. c-ANCA 검사는 민감도가 66~90%지만 비교적 특이도가 높아 좋은 진단적 검사법으로 알려져 있다. 하지만 확진을 위하여는 조직검사가 필요하다.[81] 병리조직검사 결과에서 육아종과 괴사성 혈관염의 특징적인 소견을 관찰할 수 있다(그림 7-2).

치료는 부신피질호르몬, cyclophosphamide (cytoxan), trimethoprim-sulfamethoxazole의 병합요법이다. 주된 사망 원인은 신장 침범으로 인한 만성 신부전증이며, 5년 생존율은 약 70%로 알려져 있다.

10. 거대세포 동맥염

거대세포 동맥염(giant cell arteritis)은 중형, 대형 동

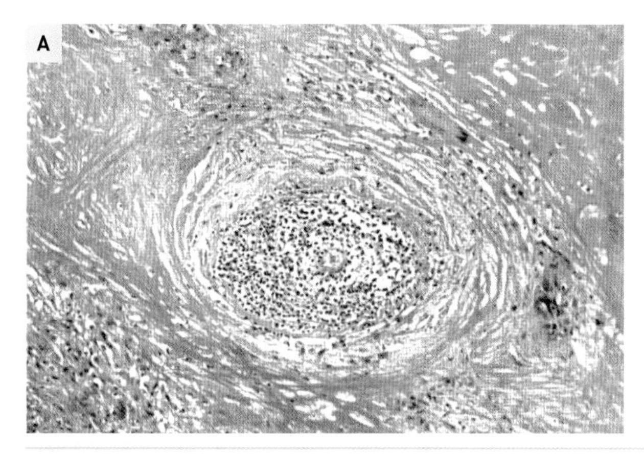
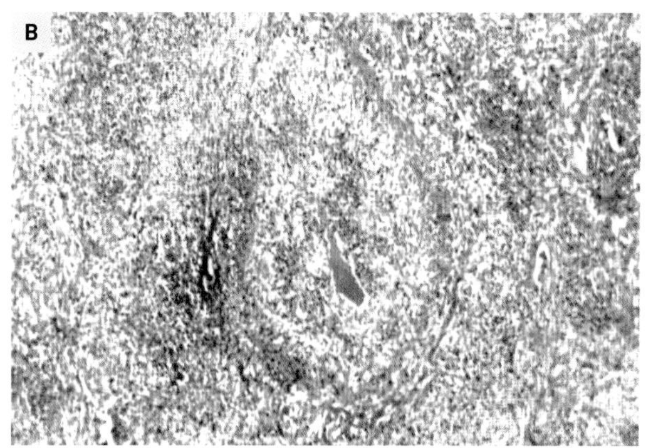

■ 그림 7-2. **Wegener 육아종증의 현미경 소견. A)** 림프구와 호산구가 침윤하고 주위에 환상의 섬유화가 동반되었다. **B)** 혈관염의 형태로 호산구와 림프구의 침윤을 동반하고 있다. 혈관의 내강은 좁아져 있으며 혈관내피층의 증식이 관찰된다.

맥에 국소적으로 육아종성 염증을 일으키는 질환으로 흔히 측두동맥을 침범하여 측두동맥염(temporal arteritis)이라고도 한다. 주로 노인에서 흔하고 대부분 55세 이후에 발생하며 남자보다 여자에서 흔하다. 병리조직학적으로는 혈관벽에 염증성 단핵구가 침윤되면서 빈번하게 거대세포를 형성하는 전층동맥염의 소견을 보인다.

증상으로는 주로 발열, 빈혈, 적혈구침강속도의 상승과 두통이 나타나며 이 외에도 권태, 피로, 식욕부진, 체중감소, 발한, 관절통이 있다. 두통은 가장 흔한 증상으로 특히 두피에 심한 압통이 있으며 이 외에도 턱, 혀의 파행(claudification), 현기증, 난청, 연하장애 등이 일어날 수 있다. 적절히 치료되지 않으면 허혈성 시신경염을 일으켜 심한 경우 갑작스런 실명까지 초래될 수 있으며, 뇌신경이상, 정신병증상을 보이는 경우에는 두개 내 침범을 의심할 수 있다.

노인에서 발열, 빈혈, 적혈구침강속도의 상승 등의 특정적인 소견에 근거해 진단하고, 확진은 측두동맥의 조직검사로 가능하다.

Prednisone에 좋은 반응을 보이며 적혈구 침강 속도는 염증성 질환의 활동성을 관찰하고 약제를 줄여나가는데 유용한 지표로 사용될 수 있다. 재발할 가능성이 있으므로 적어도 1~2년간 치료한다. 예후는 비교적 좋으며, 대부분의 환자에서 완전관해가 유도되고, 약을 중단한 후에도 관해가 지속된다.

11. Behçet 증후군

Behçet 증후군(Behçet syndrome)은 구강과 생식기의 재발성 궤양뿐만 아니라 안구를 침범하는 혈관염으로, 1937년 Behçet가 만성, 재발성, 원발성, 전신다발성 질환으로 구강 궤양, 외음부 궤양, 전방농축성 홍채염 등을 특징적으로 보이는 질환을 처음 보고하였다. 원인으로 바이러스 감염설, 연쇄상구균에 대한 지연성 과민반응, 환경오염 질환, 자가면역성 질환 등 여러 가지 설이 있으나 일반적으로 자가면역성 질환으로 생각되고 있다.

재발성 아프타 궤양이 진단에 필수적인데 대개 통증을 동반하고, 지름이 2~10 mm이며 중앙에 노란색의 괴사성 기저부가 있다. 구강 병변은 입술, 치은, 협점막, 혀 등에 경계가 명확하고 기저부는 회색, 주위는 적색을 띠는 통증이 심한 궤양이 생기며 이들은 대개 1~2주 정도 지속된 후에 반흔을 남기지 않고 소실된다. 외부성기 궤양은 대개 통증을 동반할 수 있으나 질내 궤양은 대개 무통성이다. 이과 증상으로 진행성의 감각신경성 난청, 이명, 현기증 등이 있으며,[27] 비강, 후두, 기관 점막에서는 혈관염이 진행되어 궤양을 형성하기도 한다.

점막병변일 때는 구강세척이나 연고형태의 부신피질호르몬을 국소에 도포하고, 관절염은 휴식과 소염제로 치료하며, azathioprine (Imuran), methotrexate (MTX) 등의 약물요법이 도움이 될 수 있다. 이 질환은 시간이 지나면 증상이 약해진다. 신경학적 합병증 환자 외에 Behçet 증후군 환자의 평균여명은 정상인과 같다.

12. Cogan 증후군

Cogan 증후군(Cogan syndrome)은 특징적으로 청각·전정기능 이상, 비매독성 간질성 각막염을 나타내는 질환으로 주로 노인층에서 많이 발생한다. 병리조직 소견으로 나선인대의 염증, 막성 와우와 반고리관의 부종, 전정신경절과 나선신경절의 변성이 나타난다.

청각전정기능 이상증상으로 대개 양측성의 변동성 난청, 현훈, 이명 등이 있으며,[65] 이러한 증상들은 저절로 해소되었다가 수개월 후 다시 나타나기도 한다. 병이 진행되면 난청은 점진적으로 진행하여 고도 난청이 되며 전정기능이 떨어질 수도 있다. 증상 발현 뒤 초기 수주 이내에 스테로이드를 사용하면 난청은 회복될 수 있다. 간질성 각막염 또한 국소 혹은 전신 스테로이드요법에 반응한다.

13. Kawasaki병

Kawasaki병(Kawasaki disease)은 소아에서 발생하는 급성 열성 전신질환으로 항생제에 반응하지 않으며, 비화농성 경부 림프선염, 부종, 울혈성 결막, 구강, 입술, 손바닥의홍반, 손가락 끝의 표피탈락 같은 피부와 점막의 변화가 특징이다.

이 질환은 양성 경과를 취하여 자연 치유되나, 25%에서 합병증으로 관상동맥류가 생겨 치사율이 0.5~2.8%에 이른다. 이러한 합병증은 회복기인 발병 후 약 3~4주 내에 발생한다. 질병 초기에 고용량의 정맥용 감마글로불린과 아스피린의 병합치료를 시행하면 관상동맥 합병증의 발병률을 낮출 수 있다.

II 감염성 질환

1. 바이러스 질환

1) 홍역

홍역은 열, 결막염, 콧물, 기침, 그리고 구강점막에 Koplik 반점 등이 있는 유행성 질환으로 매우 전염력이 높은 바이러스 감염 질환이다. 3~7세의 어린이에게 주로 생기며 원인은 RNA 바이러스로 paramyxovirus에 속한다.

호흡기 분비물이나 오염된 물건을 통해 호흡기로 감염된다. 전염성이 강하여 접촉자의 90%가 발병한다. 전염력은 발진이 나타나기 6~7일 전부터 발진 후 5일까지이다. 격리기간은 환자와 접촉 후 7일부터 발진 후 5일까지이다. 코감기와 결막염으로 시작하는 급성, 열성 전신 바이러스 감염 후에 구강 내의 반점, 림프망상 증식, 전신적 홍반성(홍역양) 발진이 나타난다. 고열과 발진은 수일 내에 가장 심하며 합병증이 없으면 1~2주일 만에 서서히 회복된다. Koplik 반점은 홍역의 특징적인 소견으로, 첫째 하구치 맞은편 구강 점막에 생기는 회백색의 모래알 크기의 작은 반점이다. 발진 1~2일 전에 나타나 48시간 내에 소멸한다. 발진은 얼룩지고 적갈색이며 약간 융기해 있으며 귀 뒤에서 시작하여 점차 흉부, 몸통, 사지로 퍼지고, 나타난 순서대로 사라진다.

합병증으로 중이염, 폐렴, 뇌염 등이 발생한다. 난청은 주로 양측성으로 피부발적과 동시에 오며 45%는 농이 되고 나머지는 경도 내지 중등도 난청이 된다.[107] 환자의 약 70%에서 전정반응이 감소한다.[111]

특징적인 임상증상으로 진단할 수 있다. 경우에 따라 보체고정, 효소면역분석, 면역형광, 혈구 응집저지의 혈청학적 검사가 필요하다. 치료는 대증적 요법이며 백신의 보

급으로 홍역으로 인한 이차성 난청은 많이 감소하고 있다.[75]

2) 헤르페스 바이러스 질환

헤르페스 바이러스는 DNA 바이러스의 일종으로 사소한 감기 질환에서부터 치명적인 전신 질환에 이르기까지 광범위한 감염을 일으키며, 나이가 들어감에 따라 1개 혹은 여러개의 바이러스에 감염되나 대부분은 증상을 나타내지 않고 잠복한다.

(1) 단순포진 바이러스 감염(Herpes simplex virus infections)

단순포진 바이러스는 크게 1형(HSV-1)과 2형(HSV-2)으로 나뉜다. 1형은 주로 입술, 구강, 배꼽 위 피부의 감염을 일으키고, 2형은 주로 생식기와 배꼽 아래 피부 감염을 일으킨다. 감염양식에는 초발 감염과 재발 병변이 있다.

구강 분비물 혹은 직접적인 접촉으로 전파되며, 약 90%가 불현성 감염이다. 급성 치은구내염, 재발성 구내염, 구순포진, 수막뇌염, 각결막염 등이 있으며, 이개와 외이도의 피부에 소수포성 발진을 보이기도 하며 다양한 정도의 안면신경 마비를 일으키기도 한다. 난청에 관련된 임상증례는 아직 보고된 적이 없다.[3] 특징적인 임상증상과 바이러스 분리, Tzanck 도말검사와 중합효소 연쇄반응 검사 등으로 진단이 가능하며 acyclovir, famciclovir, valacyclovir 등의 항바이러스 제제가 도움이 된다.

(2) 수두와 대상포진

대상포진 바이러스는 소아에서는 수두의 형태로, 면역기능이 저하된 성인에서는 재활성 병변인 대상포진의 형태로 발현한다. 수두는 비말감염이나 직접 접촉으로 전파되고 전염력이 강해 유행성으로 퍼지며, 호발연령은 5~9세이다.[43]

수두의 특징적인 수포는 먼저 가슴, 배, 몸통 부위에 나타났다가 얼굴, 어깨로 번진 후 마지막으로 사지에 나타나며, 같은 시기에 한 부위에서 반점, 구진, 수포, 농포, 가피의 여러 형태를 함께 관찰할 수 있다.

대상포진은 수두를 앓은 후 후근신경절의 신경원 주위 세포에 잠복했다가 수년 후에 면역 기능이 저하됐을 때 재활성화되어 생긴다. 혈액으로 퍼져 전신에 수포성 피부병변을 일으키며 신경을 침범하여 신경이 지배하는 영역에 국소성 수포 발진을 나타내기도 한다. Ramsay-Hunt 증후군은 바이러스가 안면신경 및 청신경, 슬신경절을 침범한 경우로 이통과 함께 편측 안면마비, 안구진탕 등이 나타날 수 있다. 포진 후 동통이 가장 흔하여 약 20%에서 발생한다.

치료는 동통 억제, 바이러스 확산과 세균감염 억제가 목표로, 항바이러스제제, 경구용 스테로이드제와 함께 통증조절 치료가 필요하다.

(3) 전염성 단핵구증(Infectious mononucleosis)

전염성 단핵구증은 EBV (Epstein-Barr 바이러스)에 의해서 유발되는 양성 림프 증식성 질환이다. 주로 사춘기나 청년기에 많이 발생하며 사람에서 사람으로, 특히 키스를 통해 전파된다. 이 질환은 바이러스혈증과 감염된 B림프구의 파괴에 의해 급성 발열반응과 특이한 면역반응을 나타낸다. EBV는 주로 비장과 간을, 드물게는 심장, 폐, 신장, 조혈기관과 중추신경계를 침범한다. 아프리카 Burkitt 림프종, 비인두 악성 종양의 원인으로 작용하기도 한다.

오한, 발열, 병감, 인후통, 동통성 경부림프절 종창 등으로 증상이 시작되며, 약 10~15%에서는 풍진 같은 반점상 피부발진이 생긴다. 인후염이나 편도염이 발생하기도 하고 진행되면 구개에 점상출혈을 일으킬 수 있다.

말초혈액 도말표본에서 세포질 내에 작은 공포를 가지는 이형 림프구 및 이종 항체반응 Paul-Bunnel heterophil antibody test 등을 통해 진단하며 좀 더 특이적인 검사로는 EBV 특이 항원에 대한 항체 검사가 있다. 림프절들은 주로 후경부, 액와, 사타구니 부위에서 중등도로 커져 있다. 현미경으로 보면 림프절 피질 주위에서 T림프구의 증식상과 소포내에서 B세포반응을 보이며 Reed-Sternberg 세포를 관찰할 수도 있다.

대증요법으로 치료가 가능하여 대부분의 경우 완전 회복되지만 때로는 비장 파열, 신경계 합병증, 심근염과 간질성 폐렴 등의 합병증을 일으키기도 한다.

(4) 거대세포 바이러스 감염증(Cytomegalovirus infection; CMV)

거대세포 바이러스는 인간에게만 감염되는 것으로 알려져 있다. 선천성 바이러스 감염과 수혈로 인한 바이러스 감염이 중요한 원인이다.

전파경로에는 선천성 감염, 주산기 감염 형태로 나타나는 수직 전파와 성적 접촉, 가족 내 접촉, 수혈, 장기이식을 통해 전파되는 수평 전파의 두 종류가 있다. 경도의 바이러스성 인두염 증상에서부터 삼출성 인두염 증상까지 나타날 수 있다. 선천성 감염의 경우 대개 임상적으로 불현성이나 5~25%에서 수년 후에 심각한 정신 장애, 청력 장애, 치아 이상 등의 증상이 나타날 수 있으며 후천적인 감염으로는 난청이 생기지 않는다.[3]

CMV 항체 역가가 증가했으나 이종 항체가 없으면 확진한다. 항바이러스 제제와 hyperimmune globulin 제제 등으로 치료한다.

2. 박테리아 질환

1) 포도상구균 감염

포도상구균(staphylococcus)은 그람 양성 구균으로 표재성, 심부 화농성 감염, 전신성 중독, 그리고 요로감염을 일으킨다. 크게 coagulase 양성균과 음성균으로 구분하며 황색포도상구균이 coagulase 양성균의 대표적인 균이다. 포도상구균은 중독과 감염의 증후군을 일으킨다. 중독증은 미생물이 분비한 독소에 기인한 질환이다. 비과 영역에서 흔히접할 수 있는 형태는 독성쇼크증후군(toxic shock syndrome)으로서 포도상구균이 독소(TSST-1)를 분비하여 발열, 발진, 저혈압 등 여러 가지 전신 증상이 나타난다. 따라서 비강 내 팩킹 환자에서는 예방적 항생제요법이 도움이 되며, 조기에 발견하여 적절히 치료해야 쇼크와 사망을 방지할 수 있다.[50] 감염증은 세균의 증식, 침입, 또는 숙주세포의 파괴에 따른 국소적과 전신적 염증반응을 포함한다.

(1) 종기와 종창

종기는 피부나 피하 조직에 고립성 혹은 다발성 형태로 국소적 화농성 염증의 병소이다. 종기는 1개의 모근에서 시작하여 농양을 형성하고 결국 표피 밖으로 터져 나오며, 종창은 보다 심부에 존재하는 화농성 병변으로 피하 근막을 따라 퍼지고 농양을 형성하므로 외과적 배농과 전신적인 항생제치료가 필요하다. 피부 어디에도 발생할 수 있으나 안면부, 경부, 서혜부, 액와부 같이 습하고 모발이 많은 곳에서 호발한다.[30]

(2) 포도상구균성 열상 피부증후군(Staphylococcal scalded skin syndrome)

인후나 피부가 포도상구균에 감염되면 탈피성 독소(exfoliative toxin)로 인해 일광 화상처럼 발진이 나타난 후 염증반응 없이 전신적으로 표피 과립층이 분리되어 수포가 형성되어 일부 혹은 전신적으로 피부가 박탈되는 질환이다. 신생아의 Ritter병과 노인의 독성 상피 괴사증이 이에 속한다.

2) 연쇄구균 감염

연쇄구균(streptococcus)은 그람 양성 구균으로 적혈구를 용혈하는 능력에 따라 α-용혈성(부분적 용혈), β-용혈성(완전용혈), γ-용혈성(용혈이 안 일어남)으로 분류하며, Lancefield군 A, B, C, D, G 등으로 분류하기도 한다. 독성인자로는 화농성 외독소, 용혈소(hemolysin; streptolysin) O, S, streptokinase, hyluronidase 등의 효소가 있다.

성홍열(scarlet fever)은 A군 연쇄구균 감염으로 인해 인후염과 편도염 등의 증상이 동반되어 나타난다. 3~15세에서 빈번하고 임상적으로 점상의 홍반성 발진이 입 주변을 제외한 얼굴, 체부 사지 내측부에 나타난다.

단독(erysipelas)은 특별한 형태의 봉와직염으로 신생아나 노인에게 호발하는데 A군 연쇄구균의 외독소가 원인이다. 얼굴, 체부, 사지에 급히 퍼지는 홍반성 피부 종창이 나타난다.

연쇄구균성 인두염은 모든 연령에서 발생하나 특히 소아에게 흔하여 소아 화농성 인두염의 원인균 중 20~40%를 차지한다. 임상적으로 부종과 점상의 미세농양이 편도부위에 발생하고 심한 경부 림프절 종대와 편도주위 농양 혹은 후인두부 농양을 수반할 수 있다. Penicillin으로 치료하나 erythromycin 등의 항생제 요법이 치료방법이며, 합병증은 사구체 신염, 류마티스 열 등이다.[29,111,105]

3) 묘소병

묘소병(cat scratch disease)은 인간과 동물의 공통 세균으로 자연 치유되는 *Bartonella henselae* 세균 감염증이다. 보통 국소 림프절 종대를 나타낸다. 고양이에게 물린 후 3일 정도 지나서 농포 형태로 나타나며, 진행되면 국소성 선병증을 보인다. 안림프절 증후군 혹은 눈, 턱, 상경부 림프절의 종창을 보이는 Parinad 증후군의 가장 흔한 원인이다.

4) 방선균증

방선균증(actinomycosis)은 구강, 대장, 질에 상재하는 공생세균이며 주로 *Actinomyces israelii*에 의해 일어난다. 중심부의 화농부위가 섬유화 조직으로 싸여 있으며 시간이 지나 진행되면 주변 조직과의 경계를 뚫고 누공이나 sinus tract를 형성한다. 구강, 경부, 안면부에 발생하는 구강경부안변부 방선균증이 가장 흔한 형태이다. 남자가 여자보다 3배 정도 잘 감염되며 호발연령은 15~35세이다.

치은과 주위 연조직에 무통성, 파동성을 나타내는 청색 종창의 형태로 나타나거나 이하선, 악하선,[11] 목 부위에 동통을 동반한 화농성, 육아종성 병변의 형태로 나타나기도 한다. 심한 경우 염증이 피부로 파급되어 천공을 유발하며 다발성 농루를 형성하고 인접한 두개골이나 경추부위의 골막염과 골수염 등 광범위한 골 파괴를 보이는 소견이 동반될 수도 있다. 치료는 장기간 penicillin이나 tetracyclin, cephalosporin 등을 사용하는 것이다.

5) 결핵

결핵(tuberculosis)은 결핵균군(Mycobacterium tuberculosis complex)에 속하는 세균에 의한 감염성 질환으로 주로 폐를 침범하나, 결핵 환자의 1/3 정도는 폐외의 장기에 병변을 일으키기도 한다. 약제 감수성 균에 의한 결핵은 적절히 치료하면 거의 완치되지만, 치료하지 않으면 5년 내 사망률이 50% 이상이다. 전염성 폐결핵 환자가 배출한 비말핵이 섞인 공기를 흡입하면 감염된다.

이비인후과 영역에서는 결핵성 경부 림프절염, 후두결핵, 결핵성 중이염, 비결핵 등을 일으킨다.

(1) 결핵성 경부림프절염

폐외결핵에서 가장 흔하며, 특히 HIV 감염자에게 흔히 발생한다. 소아와 여성에서 많이 발생하고, 일측성의 다발성 통증 없는 단순한 림프절 비대가 나타나는 경우가 많으며 경부와 쇄골 위의 림프절을 주로 침범한다.[78] 초기에는 림프절이 따로 분리되어 있으나 염증이 생기면서 치즈양 물질을 배출하는 누도관을 형성하기도 한다.

(2) 후두결핵(Laryngeal tuberculosis)

애성이 주 증상이고 연하통이 있는 연하곤란이나 천명은 흔하지 않다. HIV 환자에서는 지속적으로 의심해야 한다. 항결핵제가 사용되기 전에는 흔하였으나 현재는 전체의 1%도 되지 않는다. 후두결핵 초기에는 후두에 부종과 발적이 나타나므로 후두암 초기 병변과 구별해야 하고 병이 진행하면 궤양과 연골염을 보이다가 섬유화된다.[12,89]

(3) 결핵성 중이염(Tuberculous otitis media)

폐결핵의 결핵균이 혈액이나 림프관을 따라 중이를 감염시키거나 결핵 환자가 객혈을 할 때 결핵균이 이관을 따라 들어와 중이를 감염시킬 수 있으며, 결핵성 중이염이 있을 때 폐결핵이 동반될 확률은 약 50%이다.[78] 병의 초기에 고막에 다발성 육아종을 형성해 결국 다발성 고막 천공으로 진행하며 중이 점막에 발적과 육아조직이 나타난다. 병이 진행하면 고막의 대부분이 손상되고 이소골이 파괴되어 심한 전음성 난청을 일으키지만 통증은 없다.[106] 병이 진행되면 내이와 안면신경을 침범하고 유양돌기 첨부를 파괴하여 Bezold 농양을 유발하기도 한다.

(4) 비결핵(Nasal tuberculosis)

드문 질환으로 단독으로 올 수도 있으며 폐결핵과 연관되어 올 수도 있다. 비중격이나 비갑개의 전방부를 침범하여 궤양을 일으키거나 비중격 연골부에 천공을 만든다.[90] 환자가 호소하는 증상은 비루, 통증, 비폐색 등이다.

세침흡인 생검을 하거나 항산균 도말이나 배양을 실시해 진단하는데 진단율이 높지는 않으며 조직검사와 동시에 중합효소 연쇄반응 검사를 실시해야 한다.[48] 항결핵제를 사용하여 치료하며 첫 2개월간 isoniazid, rifampin, pyrazinamide를 투여하고, 그 후 4개월간 isoniazid와 rifampin을 사용한다. 약제 내성이 있으면 ethambutol을 추가한다. 이상의 약제를 매일 경구 투여하는 것이 일반적이나 첫 2개월 이후에는 1주 2회만 투여해도 거의 동일한 효과가 나타난다고 알려져 있다.[59]

6) 매독

매독(syphilis)은 *Treponema pallidum*에 의해 유발되는 전신적인 만성 질환으로 선천성과 후천성이 있다.

선천성 매독은 크게 조기와 만기로 나뉜다. 조기 선천성 매독은 출생 시~2세에 생기는 매독으로 매독균 감염 자체로 인해 생긴다. 주요 증상은 비염으로 제일 먼저 나타나고 그 후 피부와 점막의 병변, 골 질환, 간비종대 등이 나타난다. 만기 매독은 생후 2년이 지난 후 감작 반응으로 인해 반흔이 형성되어 증상을 나타낸다. 주요 증상은 Hutchinson 치아, 간질성 각막염, 겸상 경골, 안장코, 경구개 천공, 난청 등이다.

후천성 매독은 크게 3병기로 분류할 수 있다. 제1기는 경성하감(chancre)으로 남자는 주로 음경 귀두에, 여자는 외음부와 자궁경부에 나타나며, 약 10%는 입술, 손가락, 인두, 후두, 직장 등에 나타난다. 제2기는 매독진(syphilid)이 특징적인 병변이다. 구강 점막, 손바닥, 발바닥을 포함한 전신에 적갈색의 피부발진이 광범위하게 나타나며 때로는 모낭성, 농포성, 윤상, 인설상 병변도 동반한다.[101] 제3기에서 특징적인 병변은 고무종(gumma)으로, 중심성 괴사와 폐쇄성 동맥염 소견을 보이는 육아종성 질환이다. 심맥관계의 병변이 80~85%로 가장 흔하며, 중추신경계 병변이 5~10%, 간이나 기타 부위의 병변이 나머지를 차지한다.

매독과 관련된 내이 질환은 2기와 3기에서 볼 수 있다. 2기와 관련된 난청은 돌발성, 양측성, 진행성 경향을 보이는 반면 전정증상은 흔하지 않은 편이며, 3기와 관련된 난청은 대칭성, 변동성을 띠며 이명과 현기증이 동반될 수 있다.[101] Hennebert 징후는 해부학적 이상 없이도 누공검사 결과가 양성으로 나타나는 징후로, 내림프수종으로 인한 등골판(stapes foot plate)과 막성 미로(membraneous labyrinth) 사이의 섬유성 유착이 원인이다.[90] 매독성 내이 질환에서 볼 수 있는 소견 중 하나이다.

암시야 기법, 직접 면역형광항체 검사와 VDRL, FTA-ABS의 혈청학적 검사법으로 진단할 수 있다. Penicillin G가 모든 매독 단계에서 선택적인 치료약제이다. 감각신경성 난청에는 prednisolone 병용요법이 효과가 있으며, 특히 후천성 매독으로 인한 난청 환자의 약 50%에서 청

력이 개선된다.[104]

7) 한센병

한센병(Hansen's disease), leprosy은 *Mycobacterium leprae*에 의해 생기는 만성 질환으로 잠복기가 3~5년이다.

가장 흔한 증상은 지각탈실이다. 비점막에 침윤을 일으켜 만성적인 비충혈과 비출혈이 나타날 수 있으며 비연골을 침범하여 안장코가 발생할 수도 있다.[63] 초기에는 불확정 나병(indeterminate leprosy)의 형태로 보통 하나의 저색소 침착성 반점을 보인다. 진행되면 결핵양 나병(tuberculoid leprosy), 경계형 나병(borderline leprosy), 나종형 나병(lepromatous leprosy)의 형태를 나타내게 된다. 결핵양 나병은 신경침범이 주된 소견으로 안면신경침범, 각막염과 각막궤양을 동반하는 안검마비를 초래할 수 있으며 나종형 나병은 안구 전반부와 상부기도를 침범할 수 있다.

병소 부위에 지각이상이 있고 나균의 존재가 밝혀지면 쉽게 진단할 수 있다. 검사방법으로는 피부도말 검사, lepromin test, 지각 검사, 병리조직 검사가 있다. 엽산길항제인 dapsone(4,4'-diamino-diphenylsulfone, DDS)이 선택적 치료약제이다.[130]

3. 진균성 질환

1) 칸디다증

칸디다증(candidiasis)은 칸디다속의 진균에 의하여 발생하는 급·만성 진균증이다. 진균증의 약 20%를 차지하며 남자에게 흔한데 인체에서 주로 질병을 일으키는 진균은 *Candida albicans*이다.[35] 칸디다증의 세 가지 형태는 ① 표재성 증식을 하여 정상적으로 진균이 집락화하는 장소에서 일어나는 형태, ② 심부에 침입하여 전신적으로 환자의 저항력이 약화될 때 파괴된 조직 표면 병소에서 발생하여 광범위하게 파급되는 형태,[4] ③ 혈류 내로 직접 접종되어 면역기능이 저하된 환자에서 심한 파종성 칸디다증을 일으키는 형태 등이다. 칸디다 감염의 가장 흔한 호발부위는 구강과 질의 점막이다.

아구창은 구강점막 또는 인후를 침입하고,[1] 쇠약한 유아 또는 소아, 면역저하 환자, 항암화학요법, 방사선치료를 받고 있는 사람, HIV 양성 환자에서 많이 볼 수 있다.[33,49,75] 성인에서는 광범위 항생제로 치료할 때 또는 면역결핍 및 면역억제 상태, 특히 T세포 기능이 약화될 때 생긴다. 병소는 점막에 흰 반이 덮인 것처럼 보이며,[49] 조직은 비특이성 급성 또는 아급성 염증소견을 보인다.

2) 아스페르길루스증

아스페르길루스증(aspergillosis)은 한국인 진균증 중 약 18.5%를 차지하며 남녀의 비는 2:1이고 모든 연령층에서 발생할 수 있다. *Aspelgillus fulmigatus* 감염이 가장 많으며 대부분 면역저하 환자에서 일어난다.

알레르기성 아스페르길루스증은 주로 천식의 과거력이 있는 환자에서 기관지 천식 형태로 발병하며 비아토피성인 사람에서는 흡입한 아스페르길루스 포자가 Ⅲ형, Ⅳ형 과민반응을 일으킴으로써 알레르기성 폐포염이 생긴다.

비강에서는 숙주의 면역상태에 따라 아스페르길루스종(aspergilloma), 만성 무통성 아스페르길루스증, 전격성 아스페르길루스증, 알레르기성 부비동 아스페르길루스증 등의 형태로 나타난다. 아스페르길루스종은 숙주의 면역이 정상인 경우 감염을 이겨냄으로써 흔히 상악동 내에 국한된 종괴 양상으로 많이 발견되며, 전격성 아스페르길루스증은 면역억제 상태 또는 병약한 환자에서 기회감염으로 생기며 상피층을 파괴하고 인접 조직으로 침투하여 증상을 유발한다.

외이도에 있는 귀지에서 아스페르길루스가 자라는 경우는 이진균증(otomycosls)라 하며, 안구에 각막 손상이 있는 경우 아스페르길루스 각막염을 일으킬 수 있다.

3) 모균증

모균증(mucormycosis)은 주로 기회 감염의 형태로 나타나며 원인균은 조균속에 속하는 Rhizopus, Rhizomucor, Mucor, Absidia 등이다. 주로 당뇨병성 케토산혈증(diabetic ketoacidosis), 진행된 백혈병, 림프종, 면역결핍증 환자, 장기이식 환자나 광범위 항생제, 스테로이드 또는 세포독성 치료 등을 받는 환자들에서 많이 생긴다. 비강, 폐, 장관이 흔한 발병 장소이다. 비강 내 감염이 있는 경우에는 혈성 삼출액과 함께 비점막에 흑색의 괴사성 가피를 형성하며 진행되는 경우에는 진균이 비강, 안구, 뇌로 퍼져서 비뇌모균증(rhinocerebral mucormycosis)을 일으킬 수도 있다.

4) 콕시디오이데스 진균증

콕시디오이데스 진균증(coccidioidomycosis)은 주 원인균이 *Coccidioides immitis*이며 주로 원발성 진균성 폐질환의 형태로 피부, 림프절, 점막 등을 침범한다. 후두에는 홍반과 부종을 일으키며 구강에는 결절성, 궤양성 병변을 나타낸다.[20]

5) 히스토플라스마증

히스토플라스마증(histolasmosis)은 이형태(dimorphic)의 진균인 *Histoplasma capsulatum*에 의해 급성 혹은 만성 폐질환 또는 전신 진균증의 형태로 증상을 나타낸다.[128] 박쥐나 조류의 배설물에 오염된 토양에서 서식하는 균사로부터 생산된 포자를 흡입함으로써 감염되며 결핵과 유사한 동통성, 결절성 후두 병변을 나타낸다.[127]

6) 블라스토마이세스증

블라스토마이세스증(blastomycosis)의 주 원인균은 *Blastomyces dermatitidis*이다. 후두에서는 부서지기 쉬운 엽상의 종괴 양상으로 나타나 악성 종양으로 오진되는 경우가 많다.[28,79] 구강에서는 흔히 가피로 덮인 궤양성 병변으로 나타나며 하악골을 침범하는 경우에는 골용해성 병변을 나타낸다.

7) 효모균증

효모균증(cryptococcosis)은 혈액성 색전성 파종(hematogenous embolic dissemination)을 통해서 측두골 다발성 병변을 보이며 중추신경을 침범한 후 내이도 내의 신경을 침범하기도 한다.[82]

III 혈액 질환

1. 빈혈

빈혈(anemia)이란 일반적으로 순환혈액 내 적혈구수, 혈색소양이 정상 이하로 감소되었을 때를 말한다. 철분 결핍성 빈혈과 만성 질환으로 인한 빈혈이 가장 흔하며, 노인 빈혈의 15~25%에서는 원인을 찾지 못한다.

진단기준은 나라마다 다르나 일반적으로 세계보건기구 WHO에서 제시한 기준에 따라 생후 6개월에서 6세까지는 혈색소치가 11 g/dL 미만, 6세에서 14세까지는 12 g/dL 미만, 성인 남성은 13 g/dL 미만, 성인 여성은 12 g/dL 미만, 산모는 11 g/dL 미만일 경우 빈혈로 진단하고 있다.[44]

빈혈로 인한 증상은 조직 저산소증과 관련된다. 만성 빈혈 환자에서 증상이 나타나는 헤마토크릿은 빈혈 발생 속도, 환자의 연령, 기저혈관 질환의 존재 등에 영향을 받는다. 빈혈이 서서히 발생하고 심폐 질환이 없으면 헤마토크릿이 25% 혹은 혈색소가 8 g/dL 정도가 되어야 증상을 느낄 수 있다. 급성 실혈로 인해 혈액량이 급격히 감소하면 쇼크를 일으킬 수 있으며, 만성 실혈의 경우에는 피부, 점막, 호흡기계, 순환기계, 신경근육계, 소화기계, 두경부계의 조직에서 산소공급이 감소되어 다양한 임상증상이 나타난다. 특히 두경부계에서는 빈혈 자체로 인한 증상과 빈혈을 일으키는 원인 질환으로 인한 증상이 나타날 수 있는데 비출혈, 난청, 현기증, 이명, 두통, 구강병변 등이 그것이다. 1992년 Sun 등[121]은 14년간 특발성 돌발성 감각신경성 난청을 보인 426명의 환자들을 전향적으로 연구한 결과 42.5%의 환자에서 남자 13.0 g/dL, 여자 12.0 g/dL, 소아 10.5 g/dL 이하의 혈색소치를 보였으며 혈청 철 또한 정상 대조군에 비해 의미 있게 낮았다고 보고하였다. 이 외에도 정상 청력이면서 이명이 있는 악성 빈혈 1예[36]와 돌발성 난청을 보인 재생불량성 빈혈 3예가 보고되었다.[119] 구강 내에서는 홍반성 병변, 구내염, 구각염 등이 나타날 수 있다. 흔히 침범되는 부위는 혀의 배측 점막이며 임상적으로 적색의 위축된 소견을 보인다.

빈혈의 각 유형별 특징과 두경부 임상양상은 다음과 같다.

1) 철결핍성 빈혈

6개월~3세, 11~17세, 임신 및 수유 시에는 수요와 식이 공급 간의 불균형으로 철결핍 빈혈이 초래되기 쉬우나 그 외 연령에서 철결핍의 주 원인은 실혈이다. 전형적인 철결핍성 빈혈은 순환 적혈구의 저색소성 소구성 변화를 일으키고 혈청 철과 페리틴이 감소하며 트란스페린 포화도가 15% 이하로 떨어지고 총철결합능이 증가한다.

2) 만성 질환에서의 빈혈

만성 빈혈로 인한 특이 증상으로 위장병, 이식증, 설유두의 위축, 취비증, 구각염, 숟가락손톱(spoon nail) 등의 상피세포이상과 Plummer-Vinson 증후군 등이 나타난다.

Plummer-Vinson 증후군은 Patterson-Kelly 증후군 혹은 철결핍성 연하곤란증이라고도 불린다. 실유두 위축을 일으키는 위축성 설염과 구각구순염을 일으키고 식도격막(esophageal web)으로 인한 연하곤란과 숟가락손톱 같은 임상증상을 나타낸다. 종종 구강 점막에 과각화성 병변을 일으켜 전암성 병변으로 생각되기도 하며 하인두의 후윤상암과 연관성이 있다고 보고된 경우도 있다.

3) 거대적혈모구 빈혈

거대적혈모구 빈혈(megaloblastic anemia)은 크게 비타민 B12 결핍과 엽산 결핍으로 인해 발생한다. 혀, 협부, 구순점막 등에 통증을 수반하는 위축과 재발성의 아프타 궤양을 일으킨다. 환자는 작열감을 호소하며 홍색 혀가 나타날 수도 있다. 비타민 B12 결핍으로 인한 빈혈일 때는 엽산 결핍이 원인일 때 볼 수 없는 말초 신경염, 뇌 백질의 국소적 수초탈락 같은 신경장애가 나타난다. 이런 환자에게 처음부터 수혈하면 진단이 늦어지고, 다량의 엽산만 투여하면 혈액학적으로는 호전되나 신경계 합병증은 호전되지 않아 계속 진행되어 악화될 수 있으므로 주의해야 한다. 구강병소는 빈혈이 적절히 치료되면 대개 호전된다.

4) 재생불량성 빈혈

재생불량성 빈혈(aplastic anemia)은 골수에서 소세포성, 말초혈액에서 범혈구 감소증을 보이는 상태이다. 약 반수는 특발성이나, 알려진 원인으로는 약물이 가장 흔하다. 원인이 되는 약제는 chloramphenicol, 항간질약, 벤젠, 살충제등이고, 감염으로는 EB virus, B19 parvovirus, HIV가 원인일 수 있다. 서양에서는 고령층이 많으나 국내에서는 연령이 낮아 10~30대에서 호발한다.

5) 용혈 빈혈

용혈 빈혈(hemolytic anemia)에서는 망상적혈구수의 상승 이외에 간접형 빌리루빈 농도 증가, 락트산탈수소 효소(LDH)치 상승, 합토글로빈(haptoglobin) 농도 감소 등이 나타난다. 빈혈이 있으면 적혈구 수가 감소하기 때문에 빈혈에 비례하여 혈청 빌리루빈치가 감소함에 유의해야 한다. 용혈성 빈혈 중 혈관 내 용혈인 경우는 급성 신부전증과 범발성 혈관내 응고증이 합병될 수 있다. 부적절한 수혈, 뱀 교상(snake bite)이 원인인 경우에는 자당용혈 검사(sucrose hemolysis test)와 햄산용혈 검사(Ham's acid hemolysis test)로 진단한다. 혈관 외 용혈 환자의 경우 면역용혈성 빈혈이 의심되면 Coomb's test를 시행한다.

2. 적혈구증가증

적혈구증가증(polycythemia)은 순환하는 적혈구의 비정상적인 증가로 정의된다. 이러한 증가는 진성일 수도 가성일수도 있다. 사춘기 후인 경우 남녀 간에 차이가 있으며 진단기준이 다양한데 그중 혈색소가 16 g/dL 이상이고 총적혈구 질량이 35 mL/kg를 넘으면 다혈증으로 진단할 수 있다. 골수증식성 증후군(myeloproliferative syndrome)의 일부분으로 생기는 일차성인 진성 다혈구증(polycythemia vera)과 골수의 암성 침범, 저산소증, 그리고 간이나 신장의 병변 등에 의해 유발되는 이차성이 있다.

혈액 검사에서 진성 다혈구증일 때 혈액 점성은 정상에 비해 5~8배, 총 적혈구 수는 20~50%, 총 혈액량은 정상에 비해 2~3배씩 증가되어 있다. 이러한 변화는 말초혈액에 영향을 미쳐[47,112] 모세혈관, 세정맥, 세동맥에 충혈을 일으키며, 구강 내에서는 치은과 혀에 붉은 자색의 충혈된 병변을 나타내기도 한다. 이차성 다혈증은 신장의 저산소증, 우좌 단락과 관련된 심혈관계 질환, 적절한 산화를 방해하는 폐질환 등 동맥 산소 포화도의 만성적인 저하를 일으키는 임상 상황에서 적혈구조혈인자(erythropoietin)의 생성 증가로 인해 나타날 수 있다.

3. 포르피린증

포르피린증(porphyria)은 헴(heme) 합성 과정의 유전적 또는 후천적인 장애로 야기되는 질병군으로 헴 부위의 대사성조합부전으로 인해 포르피린이나 그 전구체가 과다 생산되거나 축적되어 증상이 나타난다. 선천성 조혈성 포르피린증은 치은과 치아에 포르피린 침착으로 적색치(erythrodontia)를 유발하는 질환이다. 만성 피부 포르피린증은 이차적 형태의 포르피린증으로 포르피린증 중 가장 흔하다. 산발적으로 가족성으로 일어날 수 있고 만성 간질환이 있는 알코올 중독자, C형 만성 간염 환자[51] 등에서 동반되어 나타났다는 보고가 있다. 두경부에서는 피부와 구강점막에 광과민성 수포가 생긴다.

4. 백혈병

백혈병(leukemia)은 골수와 다른 장기에 비정상적인 백혈구의 암성 증식 및 침윤을 보이는 질환이다. 소아기의 악성 종양 중 가장 빈도가 높고 림프종과 함께 전 소아기 악성 종양의 약 50% 이상을 차지한다. 경과에 따라 급성과 만성으로 분류되며, 형태에 따라 림프구성과 골수구성으로 분류된다. 환경적 요인, 바이러스 감염, 유전적 요인 등으로 발병하며 권태감, 열, 자반, 치은종창 등이 흔히 나타나는 증상이다. 급성 백혈병 환자는 골수 부전 때문에 혈소판감소증과 저섬유소원증 같은 응고장애를 겪으며, 드물지만 급성 림프구성 백혈병이 재생불량성 빈혈이나 호산구과다증을 일으킬 수 있다는 보고도 있다.[93,96]

비점막에는 점상 출혈과 궤양성 병소가 나타나서 비출혈의 원인이 된다. 전반적인 골수 침범으로 인해 혈소판 생성이 감소하고, 간 침범으로 인해 응고 단백 합성이 감소되어 비출혈이 일어난다고 생각된다. 가능하면 팩킹과 소작을 하지 않고 치료해야 한다.

중이 혹은 내이의 백혈병성 침윤은 농을 유발할 수 있다. 내이에 대한 영향은 1884년 Politzer가 처음 보고했는데 백혈병으로 사망하기 1년 전 양측의 고도 난청을 보인 경우였다. 급성인 형태, 특히 급성 림프구성 백혈병에서 이성 합병증이 나타나며, 중이 기능에 영향을 미친다. 백혈병에서 측두골의 변화는 크게 백혈병성 침윤, 출혈, 감염의 세 가지 형태로 분류할 수 있다. 백혈병성 침윤은 중이의 점막골막에서 생겨서 점막 주름을 따라 이소골과 고실 내 근육의 근초로 확장되고, 추체골 첨부의 골수강 내 혹은 이소골 내로 침윤하기도 한다. 내이 내의 침윤이나 출혈은 흔하지 않으며, 측두골 내에서의 출혈은 다른 형태보다 급성 림프구성 백혈병에서 흔히 보인다. 또한 급성 백혈병에서 돌발성 난청과 현기증을 보이는 경우도 보고되었다.

5. 무과립구증

무과립구증(agranulocytosis)은 혈액 중의 호중구 수가 현저히 줄어드는 질환이다. 원인은 골수에서 호중구의 성숙이 전골수구나 골수구의 단계에서 저지되거나, 비장이 호중구의 공급 속도보다 더 빨리 호중구를 제거하여 그 수가 줄어들기 때문이다.

여러 가지 면역 질환과 항암약제인 pyrazolon 유도체, dipyrone, phenothiazine, thiouracil 유도체들에 의해 유발될 수 있다. 미열, 권태감, 두통, 식욕부진 같은 가벼운 증세부터 심한 감염증상에 이르기까지 증상이 다양한데, 구강 및 인후 점막에 괴사성, 궤양성 병변인 무과립구성(agranulocytic angina)을 나타낼 수 있으며, 방추균 스피로헤타에 의한 Vincent's angina에서는 괴사성 치은염이 유발된다.

과립구 집락자극인자(CSF-G)는 항암치료로 유발된 무과립구성(angina)를 치료하는 데 도움이 된다.[25,41]

6. 혈소판감소증

혈소판감소증(thrombocytopenia)은 골수의 혈소판 생성 감소로 발생한다. 또한 결체조직병, 파종성 혈관내응고증, 여러 가지 약제, 일차성 면역 질환 등으로 인해서 이차적으로 혈소판감소증이 발생할 수 있다. 구강 점막과 비점막 등에 출혈성 자반이나 대수포와 점상출혈이 나타난다.

7. 특발성 혈소판감소성 자반증

특발성 혈소판감소성 자반증(idiopathic thrombocytopenic purpura; ITP)은 피부와 점막의 점상출혈이나 반상출혈이 특징이며 비출혈, 결막출혈, 치은출혈이나 다른 장기의 출혈이 발생할 수도 있다.

바이러스에 의한 직접적인 파괴라기보다는 감염으로 인해 바이러스가 혈소판막에 흡착되고 이 혈소판에 대한 항체가 형성되어 비장에서 혈소판이 파괴되는 것으로 알려져 있다.

소아의 경우 대개 급성으로 발병하며 바이러스 감염을 앓고 난 지 1~4주 후에 갑자기 일어나는 것이 일반적이나 성인에서는 대부분 만성적인 경과를 나타낸다. 전신적인 점상 출혈반이 비대칭적으로 나타나며 하지부위에서 제일 심하다. 점막에서는 잇몸이나 입술에 출혈성 수포를 보이기도 하고, 때로는 심한 비출혈이 나타나기도 한다. 가장 중요한 합병증인 중추신경계나 호흡기계에 출혈이 생기면 사망할 수도 있다. 비장은 정상 크기 혹은 약간 종대되어 있으며, 만약 비장이 현저하게 종대되어 있으면 다른 질환을 생각해 보아야 한다.

8. 혈우병

혈우병(hemophilia)은 선천적으로 혈액응고인자가 결핍되어 나타나는 선천성 출혈성 질환이다. 성염색체 열성으로 유전되기 때문에 일부 특수한 경우를 제외하고는 남아에서 나타나며 20~30%에서는 가족력 없이 개체가 돌연변이 하여 발생한다. 선천성 혈액응고 결핍증 중 Ⅷ인자 결핍과 Ⅸ인자 결핍이 전체 결핍증의 95%이상을 차지하며, 두 질환 모두 내인성 경로의 응고기전에 관여하는 응고인자이기 때문에 임상적으로는 쉽게 구별되지 않는다.

구강, 관절, 피부 등의 여러 부위에서 출혈이 있는데 가장 특징적이고 흔한 출혈 현상은 관절강 내 출혈로서 무릎, 팔꿈치, 발목의 관절에 잘 생긴다.[127] 근육 내 출혈은 두 번째로 흔한 증상으로서 전완(forearm)의 굴근부, 비복근, 복강 내 장요근에서 잘 발생한다.

9. von Willebrand병

이환된 환자의 대부분이 상염색체 우성의 유전양상을 보이며, 혈소판 기능장애와 Ⅷ인자 결핍 증상을 특징으로 하는 질환으로 출혈 경향의 정도가 매우 다양하다.

검사 소견으로는 출혈시간 연장, Ⅷ인자의 낮은 pro-coagulant 활성 수치, 면역학적 검사에서 비정상적으로 낮은 Ⅷ인자-von Willebrand 단백 수치, ristocetin에 대한 혈소판 응집반응 감소 등이 있다. 증상으로는 비출혈, 잇몸출혈 등이 잘 발생하며, 멍이 잘 들고, 작은 상처에도 출혈이 잘 멎지 않는다.

병력상 이 질환이 의심되고 수술을 계획한다면 von Willebrand 병의 유형에 대해서 잘 알아야 한다. 어떤 형태의 von Willebrand 병은 desmopressin acetate에 잘 반응하여 혈액성분 투여의 필요성이 적은가 하면 다른 유형의 von Willebrand 병은 desmopressin acetate가 오히려 증상을 악화시킬 수도 있기 때문이다.

10. Chédiak-Higashi 증후군

상염색체 열성으로 유전하고 백혈구 세포질 내에 거대 리소좀 과립이 나타나고, 부분적 안면백색증, 반복되는 세균 감염, 경미한 출혈 경향, 신경병증 등이 주 증상인 질환이다.[32] 처음에는 백혈구 세포질 내에 거대 과립이 나타나는 질환으로 알려졌으나 현재는 과립을 가진 모든 세포에 병변이 일어난다고 알려져 있다. Wright 염색에서 백혈구 내에 크고 푸른색의 리소좀 과립이 관찰된다. 발병원인은 과립구의 리소좀막의 융합과정 이상으로 인한 중성구의 식작용 기능장애로 생각된다.

소아기 초기부터 나타나 눈부심, 안면 백색증, 반복되는 치은염, 구강 점막의 궤양 등이 초기 증상으로 나타나고, 그람 양성균과 그람 음성균에 의한 감염이 주로 피부, 호흡기 점막에서 발생한다. 특히 *Staphylococcus aureus*와 *β-hemolytic streptococci*에 의한 감염이 빈발한다. 성인이 되면 중추와 말초신경 이상증을 포함한 운동신경과 지각신경 장애가 나타나며, 진행되면 비호지킨림프종으로 발전할 수도 있다.

11. Osler-Weber-Rendu 증후군

상염색체 우성으로 유전되며 유전성 출혈성 모세혈관 확장증으로 불리기도 한다. 이환된 환자는 만성적으로 심한 출혈 경향을 보이며 흔히 재발한다. 환자들은 특히 비출혈, 장출혈로 인해 빈혈이 있으며, 소화기계의 혈관벽에 근육조직과 탄성조직이 결여되어 모세혈관이 확장되어 있다. 입술, 혀, 비점막, 조상(nail bed)에는 다수의 작은 푸른빛의 모세혈관 확장이 있을 수 있다. 비중격 피부성형술은 반복된 소작으로 형성된 비중격 천공 부위에 출혈이 심한 경우 효과적인 치료방법이다.

12. Waldenström 마크로글로불린혈증

흔히 노년층에서 나타나며 IgM 단일클론성 마크로글로불린의 과잉 생산으로 인한 형질세포의 악성 종양이다. 이것은 혈액 점도와 혈류의 저항을 증가시켜 순환장애를 일으킨다. 그 결과 마크로글로불린이 Ⅷ인자와 같은 특정한 응고인자와 복합체를 형성하여 출혈 경향을 유발하며 나아가서 혈소판 기능에 장애를 일으키고 골수에 침범하여 혈소판 수를 감소시킨다.

이비인후과 영역에서 흔히 접할 수 있는 증상은 비출혈과 잇몸 출혈이며 드물게 돌발성 난청과 현기증을 일으키기도 한다.

13. 한랭글로불린혈증

한랭글로불린(cryoglobuline)은 추운 환경에서 침전하고 더운 환경에서 녹는 단백질이다. 전신성 홍반성 루푸스 같은 일부 결합조직 병과 다발성 골수종 혹은 마크로글로불린혈증과 연관이 있을 수 있다. 한랭글로볼린의 2/3는 IgM 분자의 복합체이며, 1/4은 G골수종 단백이고, 10% 이하는 마크로글로불린이다. 특징적인 임상증상은 자반, 관절통, 하지의 Raynaud 현상이며, 이 외에 진행성 감각신경성 난청, 이명, 전정증상을 가진 환자의 예도 보고된 바 있다.

14. 기타

유전성(myeloperoxidase) 결핍증에서는 치주염을 동반한 치은염, 구내염, 구강칸디다증이 있을 수 있다. 백혈구 접착결함은 다형핵 백혈구 수는 정상이지만 선천적으로 운동성, 화학주성, 접착능력의 결함으로 생기는 질환으로 치은염, 구강 궤양, 구강 칸디다증이 생길 수 있다. Pyruvate kinase 결핍증은 용혈성 빈혈과 구강 칸디다증을 일으키며 Fanconi 빈혈은 농을 유발한다.

Ⅳ 육아종성 질환

육아종(granuloma)은 면역학적 방어기전의 과정에서 형성되는 병변이다. 혈액에 순환하는 단핵구는 염증성 부스러기들을 제거하는 역할을 하는데 단핵구가 더 이상 식작용을 할 수 없게 되면 불활성화되어 움직일 수 없는 유상피세포(epithelioid cell)가 되고 또한 비교적 기능이 없는 Langerhans 거대세포(Langerhans giant cell)가 된다. 이들 세포를 중심으로 림프구와 형질세포들이 둘러싸고 섬유모세포가 증식하여 육아종을 형성한다. 유상피세포는 대식세포와 같이 단핵구에서 유래된 것으로 식작용보다는 분비작용이 강하고 상피세포와 모양이 비슷한데 육아종성 질환을 진단할 때는 이 유상피세포를 발견하는 것이 중요하다.[7,76]

육아종을 만드는 질환은 다양한데, 원인별로 크게 종양성 질환, 염증성 질환, 자가면역 질환, 이물질 반응, 감염성 질환(세균, 진균, 기생충감염), 외상성 질환 등으로 나눌 수 있다. 육아종성 질환의 원인 중 감염성 질환과 자가면역 질환은 Ⅰ, Ⅱ절에서 다루었다.

1. 종양성 질환

1) Langerhans 세포 조직구증

예전에 histiocytosis X라고도 했으며, 거의 모든 기관에 발생할 수 있는 질병군이다. 호산구성 육아종, Hand-Schuller-Christian병, Letterer-Siwe병 등 세 가지로 아분류하였으나, 조직학적 소견이 동일하여 현재는 Langerhans 세포 조직구증(Langerhans cell histiocytosis)의 병명으로 사용하고 있다. 보통 호산구 육아종은 고립성 골 병변을 말하며, Hand-Schuller-Christian병은 전통적으로 두개골의 병변, 안구 돌출증, 요붕증의 임상적 삼징후를 가진 경우를 말하나, 요즘은 단순히 다기관 Langerhans 세포 조직구증을 가리키는 경우도 있다. Letterer-Siwe병은 또 다른 형태로 3세 이전에 발병하며 열, 림프선 병변, 간비종대, 다발성 골 병변의 특징을 보인다.

연령 분포는 다양하나 20세 이전에 주로 발견되고, 단발성보다 다발성이 2~5배 정도 많다. 척추에서 가장 많이 발생하며, 두개골, 대퇴골, 골반골, 늑골, 하악골에서 자주 발견되며, 장관골의 간부에서도 발견된다.

증상은 골수염과 비슷한 증상으로 휴식 시 통증, 열, 종창, 염증반응 등을 호소하는 경우도 있고 우연히 발견되는 경우도 있다. 측두골을 침범하여 외이도에 유강조직이 생기고 이루가 있으면 만성 중이염과 비슷한 양상을 나타내며 유양돌기를 파괴하고 후이개부로 진행하면 진주종이나 악성 종양과 비슷하여 구별해야 한다. 방사선검사에서 경계가 명확한 골유해성 병변으로 나타나며 확진하려면 조직검사가 필요하다.

치료는 단발성이며, 무증상일 경우 병변이 저절로 소실될 수 있어 특별한 치료는 필요하지 않다. 통증이 있으면 대개 골 소파나 스테로이드 주입 또는 방사선치료를 한다.

2) 섬유성 조직구종

섬유성 조직구종(fibrous histiocytoma)은 무통성의 종물로 나타나는데 태양광선, 외상, 방사선조사, 만성 감염, 허혈 등과 관련된다. 햇빛에 노출되는 피부나 안구에 가장 흔히 발생하나, 두경부 영역에서는 상기도, 타액선, 두피 그리고 안면부의 심부에도 발생한다. 상기도를 침범하게 되면 비폐색, 비출혈, 연하곤란, 호흡곤란 등의 증상이 나타난다. 병리조직학적으로는 섬유아세포와 조직구가 섞여 있고 거기에 수레바퀴 모양으로 배열된 길쭉한 핵을 가진 방추형 세포가 함께 있는 모습을 보인다.

섬유성 조직구종은 대부분 양성이나 전체의 1% 미만이 악성이다. 병리조직학적으로 다형증과 핵분열이 많을 때 악성으로 의심하나 병리조직학적으로 악성을 확진하기는 어렵다. 종양이 빨리 성장하고 원격 전이를 하면 악성으로 진단하기도 한다.

조직학적으로 섬유성 조직구종과 감별해야 할 질환은 신경초종, 신경섬유종, 다형성 횡문근육종, 조직구성 림프종, 혈관주위 세포종 등이다. 치료는 광범위 국소절제술이며 수술을 하더라도 재발률이 10% 정도이다.[22]

3) 소엽성 모세혈관종

소엽성 모세혈관종(lobular capillary hemangioma)은 화농성 육아종(pyogenic granuloma)이라고도 불리며 병변은 약간 융기되거나 유경성 또는 무경성으로 약간 무르다. 악성 종양과 감별해야 한다. 조직학적으로 모세혈관의 소엽성 증식을 보이며 진정한 육아종을 형성하지는 않는다. 입술과 비강에 가장 흔하며, 혀, 구강 점막의 순서로 발생한다.[17] 비강 병변의 60%는 비중격에서 발생하며 간헐적인 비출혈이 있고 통증은 없다. 18세 이전에는 남성에서 호발하나(82%), 18세 이후에는 여성에서 호발한다(86%). 특히 임산부에게 많이 생겨 pregnancy tumor라고도 하며 출산과 함께 현저히 퇴행하는 것으로 보아 호르몬과 관계가 있는 것으로 보인다. 치료는 수술적 제거로 충분하다.[24]

4) 괴사성 타액선 이형성

괴사성 타액선 이형성(necrotizing sialometaplasia)은 주로 흡연자에게 발생한다. 소타액선관의 내강을 이루는 상피 세포가 이형성되는 병변으로 상피세포암과 달리 소엽의 구조는 보존된다. 구강에 호발하며 특히 경구개와 연구개의 접합부에 흔하다. 경계가 명확한 궤양이나 비궤양성 종창으로 나타날 수 있다. 수주 또는 수개월에 걸쳐 자연 완화된다.

2. 염증성 질환

1) 사르코이드증

사르코이드증(sarcoidosis)은 만성 전신성 육아종성 질환으로 체내의 거의 모든 기관을 침범한다. 결핵균, atypical mycobacteria, 바이러스, 먼지, 화분 등이 연관된다고 하나 정확한 원인은 아직 알려져 있지 않다. 두경부에 호발하기 때문에 이비인후과 의사가 관심을 갖는 질환이며, 20~40대에 가장 흔하고 흑인과 여성에 호발한다.

환자의 40%는 무증상을, 나머지 60%는 권태감, 미열, 체중감소 등의 전신증상을 보이며, 증상은 대개 경하나 약 25%에서는 심한 전신 증상이 나타난다.[109]

폐를 침범하여 폐문부의 림프절 종창에서부터 폐부전까지 다양한 임상소견을 보이며 흉부 방사선 검사에서 우연히 사르코이드증이 발견되는 경우가 흔하다. 환자의 90%에서 병의 경과 중 비정상적인 흉부방사선 소견이 나타난다. 림프절 침입이 흔한 편인데 폐문부의 림프절 종창이 환자의 75~90% 정도에서 나타나고 경부나 액와부에도 압통이 없는 림프절 종창이 나타난다.[120]

측두골이나 청신경 또는 뇌간을 육아종성 염증이 직접 침범하거나 뇌막을 침범한 육아종성 염증이 청신경을 압박하여 감각신경성 난청이나 혼합성 난청을 일으키고 안면신경 마비를 일으키기도 한다.[107] 약 20%에서 타액선을 침범하며, 그 외 드물게 구인두, 후두 등을 침범하는데 후두에서는 주로 성문상부를 침범한다.[42]

환자의 임상경과는 자연적으로 회복되는 경우부터 점차 진행하여 사망에 이르는 경우까지 다양하다. 환자의 약

70%가 저절로 회복되나 스테로이드를 사용할 수 있다.[55]

2) 특발성 중심성 파괴성 질환

특발성 중심성 파괴성 질환(idiopathic midline destructive disease)은 과거에 치명성 중심성 육아종(lethal midline granuloma)으로 불리던 것으로 두경부 정중부 구조물의 연조직에 궤양을 유발하며 비강 저부, 비중격, 부비동, 경구개, 안면부 등을 침범하고 비인강, 안구, 후두, 기관으로 확장되는 질환이다.[95,102]

원인은 미상이며 두경부 정중부에 궤양을 보이는 환자에 대해 반복해서 조직검사를 하여 진단한다.[39] 조직검사를 할 때는 병변의 가피를 제거하고 정상적으로 보이는 조직과 함께 넓게 떼어낸다. 조직학적으로 다형핵백혈구의 침착과 궤양이 있는 부분에 육아조직이 보이는 것이 특징이다. 임상적으로 Wegener 육아종증과 유사하나 혈관염이나 신장 침범은 없다. 스테로이드나 수술은 도움이 안되고 보통 방사선치료를 하며, 치료하지 않으면 예외 없이 치명적이다.

3. 이물질 반응

1) 콜레스테롤 육아종

콜레스테롤 육아종(cholesterol granuloma)은 함기화된 신체부위, 즉 부비동, 중이 또는 유돌봉소에 생길 수 있는데 불충분한 환기, 배액 장애, 출혈 등으로 인해 적혈구가 분해되어 콜레스테롤 결정이 침강되고, 이 콜레스테롤이 이물 반응을 일으켜 육아조직을 형성한다.

부비동에 콜레스테롤 육아종이 생기면 압박 괴사로 인해 안구나 뇌로 진행할 수도 있으나 대부분은 골파괴가 없다.

중이에 생길 때 적갈색의 끈끈한 액체가 저류되므로 이경검사에서 고막의 운동성이 감소하고 암청색으로 보인다(blue eardrum). 추체첨을 침범하면 경계가 분명한 낭종성 종괴가 내이도를 압박하여 제7, 8 뇌신경증상이 나타나며 이때는 진주종과 구별하는 게 중요하다. 콜레스테롤 육아종은 CT에서 뇌실질과 비슷한 음영의 경계가 명확한 종괴가 관찰되고 MRI에서 T1WI, T2WI 모두 고신호강도를 보이며 조영증강되지 않는다. 반면 진주종은 CT에서 뇌 실질보다 음영이 낮고 경계가 불분명한 경우가 많으며, MRI T1WI에서 저신호강도, T2WI에서 고신호강도를 보이고 조영증강은 되지 않는다.[79]

부비동에 생긴 콜레스테롤 육아종은 내시경적 부비동 수술을 통하여 효과적으로 배액시키고, 중이나 유돌봉소에 생긴 경우는 고실성형술이나 유양돌기절제술로 치료하며, 추체첨에 생긴 경우는 낭종을 형성하는 데 청력을 고려하여 경미로접근법이나 후미로접근법 등으로 낭종을 배액시키며 낭종 자체를 제거할 필요는 없다.[16]

2) 통풍

통풍(gout)은 hypoxanthine guanine phosphoribosyltransferase 효소의 결핍으로 생기는 대사장애의 하나로 가족력이 있다. 두경부 영역에서의 통풍은 통풍성 관절염이나 통풍결절 침착의 형태를 나타난다. 통풍성 관절염은 발작적으로 단일 관절에 생기는데 윤상피열관절에 호발하고 통증, 연하곤란, 애성, 흡인, 천명과 심하면 기도폐쇄 증상을 유발한다. 통풍결절은 전형적으로 이륜이나 대이륜의 피하조직에 무통성으로 침착되고 수mm에서 수cm까지 다양하다. 혈청 중 요산이 7 mg/dL 이상으로 증가한다. 급성기에는 colchicine 또는 indomethacin을 투여하고, 예방적으로 allopurinol을 사용한다.[115]

3) 코카인 육아종

코카인 육아종(cocaine-induced midline granuloma)은 코카인을 상습적으로 흡입하는 사람에게서 비중격, 연구개, 비인두 등 기도의 정중부 구조물에 궤양을 형성하는 것으로 주로 황색포도상구균이 이차적으로 감염된다. 치료로 코카인의 흡입을 즉시 중지하고 항생제를 사용한다.

4. 외상성 질환

1) 삽관 육아종

기도삽관 후에 오는 삽관 육아종(intubation granuloma)은 거의 예외 없이 피열연골의 성대결절을 침범한다. 성대결절은 점막성 연골막이 연골에 직접 붙고 기관삽관술을 할 때 자극을 많이 받는 부위이기 때문이다. 그 외에 기관 내 튜브나 삽관 시 사용한 탐침에 자극을 받아 성문하부나 후두 전벽에도 생긴다. 처음에는 외상 때문에 접촉성 궤양이 생기고 그 후 육아종이 형성되어 유경성(pedunculated) 용종으로 진행하는데 보통 삽관 후 수일에서 수개월이 지나서 생긴다. 애성이나 이물감이 주 증상이며 심하면 호흡곤란까지 유발한다.

치료는 침묵요법으로 되도록 말을 하지 않도록 하며, 이차 감염을 방지하기 위해 항생제를 사용하고, 환자를 주기적으로 관찰하면서 유경성 용종 형태로 바뀌면 외과적 절제를 해주는데 적절하게 제거하는 것이 아주 중요하다.[23] 만약 너무 적게 제거하면 남은 부분에서 육아조직이 커지고 반대로 너무 많이 제거하여 연골이나 연골막이 노출되면 다시 같은 경로로 육아종이 생기게 된다.

2) 테플론 육아종

테플론 육아종(Teflon granuloma)은 일측성 성대마비를 치료하기 위해 테플론을 성대 내에 주사한 환자의 5% 미만에서 생긴다. 테플론 주입 후 초반에는 음성이 호전되다가 수개월에서 수년 후 발성장애가 나타나고, 심하면 기도가 막힌다. 테플론에 대한 과다한 육아종성 반응이 원인이다. 육아조직을 제거하고 레이저로 테플론을 기화시켜 치료한다.[123]

3) 교정성 육아종

교정성 육아종(reparative granuloma)은 원인이 확실하지는 않으나 아마 국소적 외상으로 인한 자극 때문으로 생각된다.[18] 발치 후 하악에 주로 생기며, 말초성은 하악 앞쪽 치은점막에 점막으로 둘러싸인 검붉은 색의 종물로 나타난다. 중심성은 골 내부로 자라는데, 보통 하악 제1대구치의 앞쪽에 생기고 방사선학적으로 경계가 명확한 골융해성의 음영을 보이며 소파술로 치료한다.

등골절제술 환자의 약 1~2%에서도 교정성 육아종이 생긴다. 수술 후 1~2주에 진행성 감각선경성 난청과 이명, 현기증 등이 나타나며 고실 후부에서 육아종이 보인다. 등골절제술 후 2주 이내에 육아종을 제거하여 감각신경성 난청을 예방해야 한다.

 대사성 질환

1. 당뇨

1) 원인

당뇨(diabetes mellitus)는 인슐린 분비의 절대적 또는 상대적 부족이나 인슐린 표적세포에서 인슐린의 생물학적 효과 감소로 인한 당대사의 장애로 인해 발생하는 질환이다. 일반적인 순음청력검사나 어음청력검사에서는 난청을 발견하지 못할 수 있으나 당뇨병성 망막증이 있는 환자에서는 여과어음검사에서 떨어진 청력이 발견되기도 한다.[83]

2) 이과적 증상

당뇨 환자에서의 난청은 작은 혈관들의 병변으로 인한 내이로의 혈액순환장애(혈관조의 혈관병변),[5] 일차적인 당뇨병성 신경증, 신경의 혈관을 침범하여 생긴 신경병변 및 내이의 당 수치의 변화 때문으로 생각되며, 당뇨병으로 인한 청력장애는 대부분 고음역에서 일어난다.[6] 당뇨와 관련된 질환으로는 Didmoad 증후군(요붕증, 인슐린 의존성 소아당뇨, 진행성 고음소실), Alström 증후군(색소성 망막증, 당뇨, 비만, 난청), Herman 증후군(유전성 신염, 정신지체, 간질, 당뇨, 난청) 등이 있다.

2. 갈색증

갈색증(ochronosis)은 homogentisic acid 대사장애로 인한 유전 질환이다. 축적된 homogentisic acid가 산화되어 연골에 침착하여 연골을 흑색으로 착색한다. 주로 귀, 손가락, 구강 내 점막, 코 부위에 나타난다. 환자의 요는 햇볕에 노출되면 검게 변한다. 20대에 호발한다. Osler 징후, 공막착색(scleral pigmentation)이 흔한 징후이고 상부호흡기와 소화기의 점막에 색소가 침착된다. 치료로 homogentisic acid의 축적을 막기 위해 저단백질 식사를 시행한다.

3. 골형성부전증

골형성부전증(osteogenesis imperfecta)은 상염색체 유전으로 나타나는 질환으로 경한 외상에도 쉽게 골절되는 것이 특징이다. 골의 주요 단백질, 피부, 인대를 형성하는 제I형 교원질 2 chain의 변성이 원인이다. 임상양상, 방사선검사소견, 유전방식에 따라 제I형부터 제V형까지 다섯 가지 형태로 구분한다.[122]

제I형(상염색체 우성)은 골절과 푸른 공막이 나타나고 반수에서 난청이 발생한다. 제II형(상염색체 열성)은 가장 심한 형태로서 임신 중 자궁 내에서 다발성 골절이 나타나 사산한다. 제III형(상염색체 우성 혹은 열성)은 다발성 골절과 회색 공막과 난청이 나타난다. 제IV형(상염색체 우성)은 제I형과 유사하나 회색 공막이 있으며 난청은 제I형보다 적다. 이과 증상으로는 전음성 난청이나 감각신경성 난청(40%)이 올 수 있다. 전음성난청의 경우에는 청색의 공막이 동반되어 나타나고 심한 감각신경성 난청의 경우에는 회색이나 백색의 공막이 나타난다. 전음성 난청의 원인은 침골장각이나 등골판의 병변으로 인한 골절이며, 등골판이 항상 고정되지는 않는다. 수술이나 보청기 등으로 청력을 개선할 수 있다.[19] 제IV형 골형성부전증으로 인한 성장장애에는 성장호르몬이 효과가 있다.

4. 골화석증

골화석증(osteopetrosis)은 상염색체 우성이나 열성으로 나타나는 유전 질환으로 골부에 변형을 초래하며, 파골 기능이 결핍되어 무기질화된 유골과 연골이 침착되어 나타난다. 열성형인 선천성 골화석증이 경과가 빠르고 증상도 더 심하다. 우성형인 만발성 골화석증의 경우 두개골, 하악골이나 장골에 진행성 병변이 나타나고 진행성 신경병변으로 인해 환자는 시신경 위축, 삼차신경의 감각 감퇴, 빈발하는 안면신경 마비, 감각신경성 난청을 호소하게 된다. 열성형인 경우는 우성형의 증상에 간비장 비대, 정신지체 등이 나타나고 대개 10대에 사망한다.

이과적으로 열성형에서는 유아나 소아에서 이낭의 연골 내골층과 이소골이 치밀하게 석회화된 연골로 구성되고,[64] 유양돌기는 함기화되지 않으며 등골은 태생기의 형태를 그대로 유지하고 있는 반면 내이는 정상 소견을 보인다.[125] 안면신경 수평분절의 골결손이 있거나 난원창 위로 빠져나와 있기도 한다. 이런 소아들은 반복되는 급성 중이염, 삼출성 중이염, 전음성 난청 혹은 감각신경성 난청, 일측성 혹은 양측성 안면신경 마비를 일으킨다.

소아보다 양성 경과를 나타내는 성인에서는 측두골의 경화가 심하고 유양돌기의 함기세포가 폐쇄되며 이관과 외이도가 좁아진다. 고실강 주위의 골막성 골이 외장성 증식을 하고 이소골이 강직되고 난원창 및 정원창이 폐쇄되기도 함으로써 전음성 난청이 일어나며 감각신경성 난청이 일어나기도 한다. 측두골 내의 안면신경의 주행을 압박함으로써 안면신경 마비가 반복하여 나타나는데 이는 전안면신경 감압술로 해결할 수 있다.[64]

방사선 소견에 따라 두 가지 형태로 구분한다. 제1형은 두개골이 심하게 경화되고 두개부가 두꺼워지며 삼차신경이 주로 침범되고 전음성 난청이 나타난다. 제2형은 골경화증이 두개저부에 주로 나타나며 안면신경이 주로 침범된다.

5. 변형성 골염

변형성 골염(osteitis deformans, Paget's disease)은 골대사의 만성 질환으로 파골성, 조골성 기능이 비정상적으로 커져 뼈가 비대해지거나 변형된다. 원인은 아직 확실치 않으나 유전적 요인과 더불어, 최근 전자현미경 소견 및 면역조직학적 검사 결과 진행이 느린 바이러스 감염이 원인으로 제시되고 있다.[31,69,84,85] 상염색체 우성 혹은 성염색체로 유전되며, 남녀비는 4:1로 남자에게 호발하고 40세 이전에는 드물며 대부분 50대 이후에 증상이 발현한다.[68]

난청, 이명, 경도의 전정 장애가 나타난다. 난청은 감각신경성 난청이나 드물게는 전음성 난청으로 나타나는데 대부분은 혼합성 난청으로 기도청력은 일반적으로 편평하게 감소되나 골도청력이 감퇴형으로 나타난다. 이는 이소골 고정이나 와우신경의 압박 때문이 아니라[74] 정상 중이와 내이의 소리를 전달하는 청력 전달기전 중 이소골의 골밀도와 질량의 변화 때문으로 생각된다.[88]

난청 외에 이명과 경도의 전정신경 장애가 나타나나 안면신경은 잘 침범되지 않는다. 이 외에도 경부림프절염, 천측두동맥 비대, 혈청(alkaline phosphatase) 증가가 나타난다. 방사선검사에서 두꺼워진 두개, 음영 증가, 감소된 섬유화 양상,[10] 피질미란, 거친 골소주가 보인다. CT에서 관찰되는 와우낭의 mineral density와 고음역의 순음 골도청력 역치 및 기도골도청력은 서로 비례한다.[87]

치료로는 파골 기능을 줄이기 위해 calcitonin과 etitronate를 사용하나 전음성 난청을 교정하기 위한 수술적 치료는 의미가 없다.

6. 뮤코다당체 침착증

뮤코다당질(mucopolysaccharide)의 분해에 필요한 효소들의 결핍으로 인해 분해되지 않은 뮤코다당질이 세포 내에 축적되어 공포를 함유한 세포질을 가진 큰 세포가 나타나는 질환이다. 현재까지 10개의 결핍효소가 발견되어 일곱 가지 질환으로 구분하고 있는데 X-linked로 유전되는 Hunter 증후군(MPS Ⅱ) 외에는 상염색체 열성으로 유전된다.

대표적인 질환으로 alpha-iduronidase의 결핍으로 인한 Hunter 증후군(X-lnked)과 Hurler 증후군(상염색체 열성), N-acetylgalactosamine-6-sulfatase의 결핍으로 인한 Morquio 증후군을 들 수 있다.

난청의 대부분은 이관 장애로 인한 장액성 중이염 때문에 전음성 난청의 형태로 나타나나 드물게는 신경세포 내의 지질대사 이상으로 감각신경성 난청이 나타나기도 한다.[131] 혈청 및 혈장 내의 특수 효소의 분석이나 섬유아세포와 백혈구의 조직배양으로 진단한다.

7. 낭종섬유성 골염

낭종섬유성 골염(osteitis fibrosa cystica, von Recklinghausen's disease)은 부갑상선 호르몬의 과다분비로 인해 파골성 골흡수, 골섬유화, 골낭종 형성, 골통증, 골절을 보이는 질환으로 혈중 칼슘치와 요 칼슘치가 상승한다. 이낭이 다양한 크기와 모양으로 성기게 배열된 골소주와 섬유조직을 함유한 골수로 대치된다.[89] 감각신경성 난청을 보이는데 부갑상선 호르몬의 과다분비를 치료하면 난청도 좋아진다.

Ⅵ 종양 질환

1. 다발성 골수종

다발성 골수종(multiple myeloma)은 B림프구에서 나온 형질세포의 악성 변화로 인한 질환으로 혈액에서 비정상 단일 클론성 단백(monoclonal protein, M-component)이 발견된다. 남자에게서 호발하며 평균 호발연령은

60세이다. 다발성 형질세포종이 원인으로, 심한 골부 동통, 병리적 골절, 신부전, 고칼슘증 등이 생긴다. 혈장과 소변의 전기 영동검사에서 M component가 발견되고 빈혈, 고칼슘혈증, 혈청 내 요소질소의 증가 소견이 보인다.

전형적인 방사선 소견으로 두개골 측면촬영에서 punched-out 모양의 골용해성 병변이 보이며 두개와 측두골에서 둥근 용해성 병변이 보인다. 현미경하 소견으로는 추체골이 골수종 세포로 대치되고, 이낭에 분리된 골용해성 병변이 관찰된다. 합병증에 대한 증상요법과 더불어 alkylating agent와 corticosteroid로 골수종의 진행을 억제한다.[9]

간혹 골수 형질세포의 증식 없이 1개의 형질세포종이 뼈나 연조직에 생긴 경우에는 국소 방사선치료(4,000 cGy)가 효과가 있다.

2. 전이성 악성 종양

측두골에 발생하는 전이성 악성 종양은 주로 혈행상 파종(hematogenous spread) 때문이다. 전이성 악성 종양이 잘 생기는 부위는 유방, 폐, 신장, 위, 후두 순이다.[68,116]

병변은 대개 파괴적이고 골용해성이나, 전립선암이나 유방암에서 전이된 경우에는 골형성성 양상을 띤다. 측두골내 추체첨부와 내이도가 가장 잘 침범되고 이낭은 비교적 침범되지 않는다. 외이도, 중이, 이관을 침범하여 전음성 난청을 유발하고 동통이 생기며 드물게 이낭을 침범하여 감각신경성 난청, 안면신경 마비, 현기증 등을 일으킨다. 수막암일 때는 일측성 혹은 양측성으로 빠르게 진행하는 감각신경성 난청을 유발한다.

Ⅶ 기타 질환

1. 다발성 경화증

다발성 경화증(multiple sclerosis)은 중추신경계의 탈수병변이 나타나는 원인불명의 질환이다. 5%에서 현기증이, 10%에서 난청이 나타난다.[94] 난청은 급성으로 혹은 별 증상 없이 병의 중증 여부와 상관없이 발생한다. 특이한 유형은 없으며 뇌간유발반응검사에서 이상이 발견되기도 한다. 전정기능검사에서 두위안진 양상이 관찰되는데, 측방주시 해리성 안진(dissociated nystagmus) 혹은 진자 고정성 안진(pendular fixation nystagmus)이 특정적인 양상이다. 뇌척수액 검사에서 total IgG의 증가, 면역전기영동검사에서 IgG의 oligoclonal banding의 증가 소견이 보이고 MRI가 진단에 도움이 된다.[38] 특별한 치료약제는 없고 corticosteroid가 관해에 도움이 된다.

2. 섬유성 이형성증

섬유성 이형성증(fibrous dysplasia)은 정상적인 해면골의 섬유조직이 불규칙적인 골소주의 증식으로 대치되는 원인 불명의 질환으로, 두개안면골에서는 주로 상악골이나 하악골에 가장 많이 발생하며 측두골에는 드물다.[14]

이 질환은 세 가지 형태로 구분할 수 있는데 제1형인 단골형, 제2형인 다골형, 제3형으로 다골형이면서 골격계 이외의 증상을 동반하는 McCune-Albright 증후군(다골형 섬유성 이형성증, 성적조숙, 피부색소침착)으로 나눈다.[69]

전신증상은 단골형 섬유성 이형성증의 70%에서 나타나며 주로 소아의 늦은 시기에 발생하고 대개 늑골, 두개골, 대퇴골 기시부, 경골에 나타난다.[37] 사춘기에 이르러서는 진행이 정체된다. 극소수는 육종변이로 진행된다.[108] 다골형 섬유성 이형성증은 좀 더 일찍 나타나고 20, 30대에도 나타난다. McCune-Albright 증후군은 거의 여자에게만 발병하는 질환으로 약 5%에서 내분비장애가 나타나는데 갑상선 기능항진증이 제일 흔한 증상이다.

측두골의 병변은 매우 드물다.[13] 측두골에서는 인상부, 유양돌기, 외이도가 동통 없이 점차 비대해진다. 가장 흔한 증상은 진행성 난청으로, 측두골 비대와 진행성 외이도 폐쇄가 원인이며 외골증(exostosis)과 혼동되기도 한다. 이 외에 외이도가 좁아져 케라틴이 모여 외이도 진주종을 유발하기도 하며,[8] 안면신경 마비, 난청, 시각장애도 일어난다. 전음성 난청은 중이 및 이소골을 침범하거나 이관이 좁아져서 나타나기도 한다. 안면신경관 골부가 침범되어 안면신경 마비가 오거나 이낭이 파괴되어 감각신경성 난청이 초래되기도 한다. 중고실에 단독으로 병발한 경우는 고실정맥구(glomus tympanicum)와 감별진단해야 한다.

다골형 이형성증일 때는 혈청 내 칼슘과 인은 정상이나 alkaline phosphatase치는 증가한다. 특징적인 방사선 소견으로는 부드럽거나 혹은 scalloped edge로 둘러싸여 경계가 분명한 방사선투과성 병변과 무충골과 침상골들이 불규칙하게 나열된 소위 'ground glass' 소견이 보인다. 병리조직학적으로는 정상 해면골이 나선형의 섬유간질로 둘러싸인 소견을 보인다.

치료는 병변의 육안적 수술적 절제와 장애 부위의 기능적·외형적 교정을 해주는 것에 한한다. 방사선치료는 악성화의 가능성이 있으므로 금기이다.

Ⅷ 후천성 면역결핍증

후천성 면역결핍증(acquired immunodeficiency syndrome; AIDS)은 1981년 여름 미국 질병관리센터에서 주폐포자충 폐렴(pneumocystis carinii pneumonia)과 Kaposi 육종(Kaposi sarcoma) 환자를 처음 보고한 이래 계속 증가하고 있다.[35,61,80] WHO 발표에 따르면 2000년 말 전 세계적으로 살아 있는 AIDS 감염자는 3,610만 명이며, AIDS로 사망한 사람은 2,180만 명으로 추정된다. 우리나라에서는 1985년 첫 AIDS 환자가 발견된 후 2002년 12월 말 현재 2,008명이 보고되었으며, 전체 감염자 중 남자가 88.4%를 차지했고 감염 경로가 확인된 1,608명 중 이성간 성접촉이 67.6%를 차지했다. AIDS의 잠복기는 개인 편차가 크지만 평균 10년임을 감안한다면 앞으로 점점 더 큰 문제가 되어 인류를 위협할 것이 분명하다.[54]

1. 병원체

AIDS를 일으키는 병원체는 사람면역결핍바이러스(human immunodeficiency virus; HIV)로서, 인간 레트로바이러스(retrovirus)에 속하는 RNA 바이러스이다. HIV-1과 HIV-2의 두 가지가 알려져 있다. 그중 전 세계적으로 가장 흔한 원인은 HIV-1이다. HIV-2는 서아프리카 지역에 국한하여 발생하며, 병원성이나 전염성이 HIV-1보다 가벼운 편이다.

HIV는 바이러스 표면의 gp120 당단백이 인체 내 표적세포 표면에 있는 수용체와 결합해 인체에 침입한다. 대표적인 세포 표면의 수용체는 CD4 수용체이며, CD4+ 림프구를 비롯하여 단핵구/대식세포, 뇌의 소교세포 등이 대표적인 표적세포이다. 그 밖에 dendritic cell, epidermal Langerhans cell, CD8 cell, 직장 점막세포, 심근 및 신상피세포 등 여러 종류의 세포로부터 HIV가 분리된다.

HIV의 주 감염 경로인 성교로 인한 감염의 경우에는 질의 Langerhans/dendritic cell에 침입한 후 림프절로 이행하고,[34] 거기서 CD4+ 림프구를 감염시켜 증식하는 것으로 생각된다. 바이러스가 이들 세포와 결합하면, HIV의 세포 내 침투, 탈외피, 역전사에 의한 DNA의 합성이 이루어지고, 이 바이러스 DNA는 사람 세포의 염색체 내에 통합된다. 이러한 provirus는 잠복하고 있거나 혹은 활성화되어 복제를 할 수 있다.

2. HIV 감염의 병태생리

CD4+ 림프구의 계속적 감소로 인한 심각한 면역부전이 AIDS 감염증의 기본적 장애이다. CD4+ 림프구는 면역체계에서 중심 역할을 담당하기 때문에, CD4의 수가 일정수준 이하로 떨어지면 면역 기능의 약화로 인하여 기회

감염증과 악성 종양 발생의 위험성이 매우 커지게 된다.

CD4+ 림프구의 감소 및 고갈의 기전으로는 감염 초기에 바이러스의 직접적인 세포독성으로 인한 사멸이 중요하다. 그 밖에도 세포독성 T세포나 자연살해 세포 등 면역반응, 성숙 T림프구의 생산저하, 자가면역, 세포자멸사 apoptosis, 초항원효과 등으로 인한 세포사가 관여하는 것으로 생각된다. CD4+ 림프구의 파괴와 생산 간의 균형은 감염 초기에는 유지되나 결국은 재생 능력의 점진적인 저하로 인하여 림프구 숫자가 계속 감소한다. 이에 비해 CD8+ 림프구는 잠복기에도 상당히 증가되어 있어 HIV에 대한 세포독성 T림프구의 역할을 하는 것으로 생각되나, 말기에는 역시 그 수가 크게 줄어든다.

HIV의 형태는 지질이 이중층으로 이루어진 이십면체로, 외피에 당단백질인 gp120과 gp41이 존재하고 특히 gp120은 숙주세포의 CD4 수용체와 결합할 수 있게 되어 있다. HIV 캡슐 내부에는 P18, P24라는 핵심 단백질 core protein이 있고 핵심 내부에 2개의 RNA와 역전사 효소가 포함되어 있다.

HIV가 숙주세포와 접촉하면 이 바이러스 외피의 당단백질이 숙주세포의 CD4 수용체와 결합하는데 이 CD4 수용체는 보조 T세포(helper T-cell)에 가장 높은 농도로 존재하므로 보조 T세포가 HIV 감염의 영향을 가장 많이 받게 된다. 그러나 단핵구, 대식구, 중추신경의 수지세포도 농도는 낮지만 CD4 수용체가 존재하므로 HIV에 감염될 수 있다.[54] 일단 HIV와 숙주세포가 결합하면 서로 융합하여 바이러스의 핵심이 숙주세포 내로 들어간다. HIV의 역전사 효소의 작용으로 바이러스의 RNA로부터 DNA가 합성되어 이 DNA가 숙주세포의 핵 안으로 들어가 숙주세포 DNA와 통합된다. 이로써 숙주세포는 HIV에 영구 감염되어 숙주세포와 함께 HIV도 번식한다.[117] 숙주세포 DNA와 합쳐진 이 DNA를 provirus라 부른다. Provirus는 잠복기가 지나면 세포 또는 주위환경의 영향으로 활성화되어 숙주세포의 효소를 이용해 새로운 HIV의 합성을 유도하고 숙주세포막을 녹여 HIV를 방출한다. 이것이 다시 다른 CD4 수용체를 가진 세포를 재감염시킨다.

3. HIV에 대한 면역반응

맨 처음 HIV에 감염되어 바이러스가 핏속에 나타나면 사람은 곧 이에 대한 면역반응을 나타내며, 이로써 바이러스 혈증은 소실되고 질병의 증상 발현은 장시간 억제된다. 다만 면역의 중추인 CD4+ 림프구가 동시에 HIV 감염의 표적이 되어 파괴되는 역설적 현상이 일어난다. 면역반응에는 체액성 면역과 세포성 면역이 모두 관여한다. 항체는 급성 AIDS 증후군이 출현한 지 2주 이내에 나타나기 시작하며, 감염 8주째가 되면 대부분에서 나타난다. 항체 가운데 중화항체와 항체 의존성 세포매개 세포독성(ADCC)은 방어 면역 기능을 가지고 있다. HIV에 대한 방어에서는 세포면역이 특히 중요하며, 그중에서도 CD8+ 세포독성 T림프구가 HIV에 감염된 세포를 제거하는 데 중요한 역할을 한다. 그리고 이러한 세포독성 T림프구 면역반응에서는 CE4+ 림프구도 중요하다. 자연살해 세포와 ADCC도 세포면역에 있어서 중요한 역할을 한다.

4. HIV 감염의 검사

AIDS 감염은 항체검사와 바이러스 검사로 진단한다. 항체는 감염 후 약 4~8주째에 나타나는데 보통 효소면역측정법(enzyme-linked immonosorbent test; ELISA)으로 확인한다. 이 검사는 민감도가 99% 이상의 매우 예민한 검사법이다. 그러나 특이도가 98% 이하로 다소 낮다. 특히 우리나라처럼 아직 감염 위험도가 낮은 집단에서는 검사의 특이도가 낮기 때문에 위양성이 많다. 따라서 반드시 Western Blot 검사를 실시해 추가로 확인해야 한다.

말초혈액의 직접 배양은 연구 목적으로 사용되고 있으나, 중합효소연쇄법은 매우 유용한 진단법으로서 혈청학적 방법으로 진단이 불확실할 때에 사용된다.

5. 임상양상

1) 피부증상

Kaposi 육종(Kaposi sarcoma)은 AIDS에 동반되는 가장 흔한 종양으로[58] AIDS 환자의 15%에서 발생하며 그 중 약 95%가 남성 동성애자에게 생긴다. Kaposi 육종은 AIDS가 발견된 초창기에 진단받은 AIDS 환자들에게 많았으나 현재는 그 비율이 감소하고 있는데, 이는 동성애자 외에 다른 위험군에서 AIDS 발생률이 많이 증가했기 때문이다. 임상 소견은 안면부, 경부, 상부체간, 하지, 구강·인두 점막에 나타나는 다발성, 자주색 결절이다.[52] 병리학적으로 Kaposi 육종은 악성이라기보다 세포성장 과정에서 나타나는 cytokine 조절장애의 결과이며 침습적인 경우는 드물다. 치료는 관찰에서부터 방사선치료, 약물요법, 한랭요법, 레이저요법에 이르기까지 다양한데 아직 논란이 많다.

전염성 연속종(molluscum contagiosum)은 AIDS 환자 중 약 10%에서 볼 수 있다. 진주색의 배꼽 모양 구진이 2~5 mm 크기로 나타나며 생식기 주위나 안면부에 흔하고 다른 감염증과 같이 CD4+ 세포수가 혈액 μL당 50개 이하일 때 호발한다. 치료로 한랭요법이나 소파술을 실시한다.[40]

지루성 피부염은 AIDS 말기 환자의 83%에서 나타나는데 안면부, 두피 등에 흔하고 피부의 염증이나 과각화증이 주로 나타난다. 대상포진은 AIDS 환자에서 흔히 볼 수 있으며 AIDS 환자가 대상포진 바이러스에 감염되면 증상이 더 심하다.

2) 이과적 증상

외이도염, 급성 중이염, 감각신경성 난청, 안면신경 마비 등의 이과적 질환은 AIDS 환자에게 흔해서 약 56%에서 증상이 나타난다.[40]

외이도염은 피부염 병변 때문에 피부의 방어벽이 파괴되거나 외이도가 가려워 긁어서 생긴 외상 때문이다. 악성 외이도염은 두개저에 골수염을 일으켜 생명이 위험할 수 있으므로 조기진단과 치료가 중요한데 면역이 저하된 환자에게 이경검사를 해보아 외이도에 육아조직이 있으면 의심한다. 치료로 녹농균에 효과가 있는 3세대 cephalosporin과 aminoglycoside를 함께 사용한다.

AIDS 환자에서 급성 중이염이 있게 되면 원인균으로 *Streptococcus pneumoniae*, *Haemophilus influenzae*, *Moraxella catarrhalis* 외에도 *Staphylococcus aureus*가 관여한다. 3일 정도 통상적인 약물치료를 해도 효과가 없다면 *Pseudomonas aeruginosa*, *Pneumocystis carinii*, *Candida* 등일 소지가 있으므로 고막천자를 하여 세균배양을 실시한다.

감각신경성 난청은 바이러스가 중추신경이나 청신경을 감염시켜 생긴다. 그 원인으로 이매독(otosyphilis), 효모균성뇌막염, 중추신경계 톡소플라스마증, 뇌병증, 중추신경계 림프종, 이독성 약물 등이 있다.

안면신경 마비는 AIDS 환자의 4.1%에서 발생하는데 이는 일반인의 안면신경 마비 발생률인 0.04%보다 월등히 높은 수치이다. 톡소플라스마증(30%), 뇌병증(22%), 중추신경계 림프종(13%), 효모균성 뇌막염(8.7%) 등이 원인이다.[40]

3) 비과적 증상

AIDS 환자의 68%에서 부비동염이 오는데 면역결핍, 점막섬모의 기능부전, 아토피의 증가가 그 원인이다.[95] 발견되는 균주는 *Staphylococcus*, *Streptococcus pneumoniae*, *Haemophilus influenzae*와 그 외 혐기성 균이다. *Pseudomonas aeruginosa*도 약 20%에서 발견되므로 균배양 결과가 나오기 전에 경험적으로 항생제를 선택할 때 반드시 염두에 두어야 한다.[60,118] 세균성 부비동염 외에 진균성 부비동염이 흔한데 항생제에 반응하지 않는 일측성의 비폐색과 안면통이 있는 AIDS 환자 중 최근에 스테로이드나 화학요법을 실시한 적이 있다면 의심해 보아야 한다. 치료로 세균성일 때는 ciprofloxacin, clindamycin을 함께 쓰는 정도가 적당하고 진균성일 때는 amphotericin B를 하루에 1 mg/kg 정맥 주사한다. 초기 단계에서 반응이 좋은 경우를 제외하고 대부분은 병변을 광범위하게 절제해야 한다.

비호지킨 림프종은 부비강, 비인두를 침범하여 비폐색, 구강 종물, 안구돌출, 복시 등의 국소증상을 일으키고 전신증상도 나타낸다. 조직검사를 통하여 진단하고 화학요법으로 치료하지만 예후가 나빠 평균 생존율이 3.5개월이다.

그 외에도 거대 포진성 궤양이 비전정에서 안면부까지 발생할 수 있으며, Kaposi 육종이 발생하여 비폐색을 유발하고 종종 부비동이나 비인두까지 확장될 수 있다.

4) 구강과 인두

HIV 감염 환자의 구강에서 발현되는 질환 중 칸디다증, 즉 아구창이 가장 흔한데, CD4+ 세포 수가 200개/μL 이하일 때 주로 생긴다. 홍반성의 점막 위에 압통을 동반한 흰색의 반점이 생긴다. KOH mount, Gram stain, PAS stain으로 진단하고 치료로 nystatin이나 clotrimazole을 국소적으로 사용하거나 ketoconazole이나 fluconazole을 전신적으로 사용한다.[40]

구강점막에서는 구개, 구순, 협부, 치은점막에 극심한 통증을 수반하는 수포가 형성되고, 그것이 합쳐져 큰 궤양성 병변을 이루고 그 위에 위막이 형성된다. 증상이 약할 때는 치료가 필요 없으나 증상이 심하면 acyclovir (Zovirax)나 스테로이드를 사용한다.

Kaposi 육종이 구강이나 구인두 점막에 생기는 경우는 아주 흔한데, 피부의 Kaposi 육종을 가진 환자의 44%에서 점막에도 병변이 생긴다고 한다. 환자는 심한 연하통, 연하곤란 등을 느끼며 기도가 막혀 응급조치가 필요할 수도 있다. 치료는 피부에 생긴 병변과 같이 치료하면 된다.

비호지킨 림프종은 특히 편도에 잘 생기며, AIDS와 관련된 종양 중 Kaposi 육종 다음으로 흔하다. 치료로 약물요법, 방사선요법 등을 실시한다.

구강 모발양 백반(oral hairy leukoplakia)은 AIDS 환자의 17~25%에서 볼 수 있는 병변으로 EBV의 기회감염 때문에 생기며 악성으로 변하지는 않는다. 혀의 외측에 주로 생기며 감별해야 할 질환은 칸디다증, 편평태선, 악성 종양 등이다.

AIDS 환자는 구강관리를 청결히 하더라도 치은염, 치주질환, 심하면 급성 괴사성 궤양성 치은염(acute necrotizing ulcerative gingivitis; ANUG)이 잘 생긴다. 치은염은 잇몸의 염증으로 쉽게 출혈이 일어나는 질환이고, 치주 질환은 염증이 치주조직까지 깊이 침범하여 치조골을 녹여 치아가 흔들리거나 치통을 유발하는 것이다. 급성 괴사성 궤양성 치은염은 CD4+ 세포 수가 혈액 μL당 50개 이하일 때 치은염이 4주 이내에 급격히 진행하는 것이다. 치료로 치석을 제거하고 10% povidone-iodine과 0.2% chlorhexidine gluconate로 구강세척을 하고 항생제를 사용한다.

5) 후두 증상

후두에는 진균, 바이러스, 미코박테리아 등의 감염 외에 Kaposi 육종이나 비호지킨 림프종이 생길 수 있다. 감염에 의해서 애성이나 후두의 불편감 등이 생길 수 있지만 그런 증상이 오래 지속될 때는 반드시 조직검사와 균배양 검사를 통해 정확한 원인을 밝히고 적절한 치료법을 찾아야 한다.

6) 경부 증상

AIDS 환자 중 경부 종괴를 가진 환자를 이비인후과 의사가 진료하는 경우가 자주 있는데 대부분이 지속적 전반적 림프절병증(persistent generalized lymphadenopathy)에 의한 것이다. 그러나 결핵, 림프종, 전이암으로 인한 경부 림프절 종창과는 구별해야 한다. 지속적 전반적 림프절병증이란 감염이나 종양이 원인이 아니면서 서혜부 이외에 두 군데 이상에서 3개월 이상 지속되는 림프절 종창이 있는 질환으로서, 경부 중 흔한 부위는 후삼각부(85%), 이개전부(51%), 이개후부(47%), 악하부(37%) 등이다. 진단과 치료는 일반적인 경부 종괴에서와 같은 방법으로 한다.[40]

전반적인 이하선 종창은 소아의 경우 실질 내의 림프구 침윤에 의해, 성인의 경우 Kaposi 육종이나 비호지킨 림프종, 림프상피성 낭종 등에 의해 나타난다. 림프상피성 낭종은 주로 이하선의 비압통성 종창을 나타내고 다발성 낭종이 특징이며 흡인, tetracycline 경화요법, 외과적 절제술 등으로 치료한다.[46]

6. AIDS 감염의 치료

1) 일반적인 AIDS 감염자의 치료

언제 치료를 시작하는 것이 가장 좋은가에 대한 결정적인 대답은 아직 없으나 조기치료가 면역학적으로나 임상적으로, 그리고 바이러스를 충분히 억제한다는 측면에서 이점이 있는 것으로 의견이 모아지고 있다. 1997년 이후부터는 CD4+ T세포 수에 관계없이 혈장 HIV RNA가 5,000~10,000 copies/mL 이상인 모든 환자에서 치료를 권장하고 있다.[100]

치료 시작 여부에 관계없이 어떤 환자든 처음에는 완전한 병력 청취와 진찰이 필요하며 말초혈액 검사, 일반화학검사, CD4+ T세포 수, HIV RNA 등을 검사해야 한다. 추가로 매독 혈청 검사(VDRL), 톡소플라스마에 대한 IgG 항체 검사, 결핵 피부반응검사 등을 시행하며 여성의 경우 자궁경부암 검사를 시행한다.

2) 무증상 감염자의 초기치료

HIV 감염이 진행된 환자에서는 항레트로바이러스 치료가 임상적 이점이 있다는 사실이 이미 증명되었다. 그러나 CD4+ T세포 수가 500/mm^3 이상인 환자의 경우 이론적으로는 치료하는 것이 좋을 것으로 생각되나, 아직 장기간치료의 임상적 이점이 증명되지 않았다. 무증상 환자에 대한 조기치료의 장점은 바이러스 증식을 최대한 억제하여 면역 기능을 보존하고 건강을 유지하며, 생명을 연장시킬 수 있다는 것이다. 또한 강력한 치료로 초기에 바이러스를 억제하기 때문에 내성을 감소시킬 수 있고, 좀 더 건강한 상태에서 치료를 시작하므로 약물 독성을

표 7-1. 항AIDS 약물

성분명	상품명	일일 사용량과 복용방법
Zidovudine(AZT)	레트로비어(Retrovir)	200 mg 3회 경구복용
Didanosine(ddl)	바이텍스(Videx)	125~200 mg 2회 공복 시 씹어서 복용
Lamivudine(3TC)	에피비어(Epivir)	150 mg 2회 경구 복용
Stacitabine(d4T)	제리트(Zerit)	40 mg 2회 경구복용
Zalcitabine(ddC)	히비드(Hivid)	0.375~0.75 mg 3회 경구 복용
Abacavir(ABC)	지아겐(Ziagen)	300 mg 2회 경구 복용
Delavirdine	레스크립터(Rescriptor)	400 mg 3회 경구 복용
Efavirenz	서스티바(Sustiva)	600 mg 1 회 취침 전 경구 복용
Nevirapine	비라문(Viramune)	200 mg 2회 경구 복용
Indinavir	크릭시반(Crixivan)	800 mg 3회 공복 시 경구 복용
Ritonavir	노비어(Norvir)	600 mg 2회 식사 시 경구 복용
Saquinavir	인비라제(Invirase)	600 mg 3회 식사 시 경구 복용
Nelfinavir	비라셉트(Viracept)	750 mg 3회 식사 시 경구 복용
Amprenavir	아게네라제(Agenerase)	1,200 mg 2회 경구 복용

감소시킬 수 있으며, 바이러스 전파도 줄일 수 있다.

3) 진행된 환자의 초기치료

진행된 AIDS 감염자는 혈장 HIV RNA 수에 관계없이 항레트로바이러스 치료를 시작해야 한다. AIDS 감염이 상당히 진행된 후 처음으로 감염된 사실을 진단받은 경우에 환자들은 기회감염, 소모증세, 치매, 악성 종양 등을 동반하는 경우가 많아 이것들을 치료함과 동시에 항레트로바이러스 치료를 받아야 한다(표 7-1).

참고문헌

1. 김각, 김희대, 조형호 등. 성대에 발생한 칸디다증 1예. 한이인지 2006;49:666-668.
2. 김경민, 박무균, 정광윤 등. 다발성 경부 종물로 표현된 전신홍반루푸스. 한이인지 2006;49:755-757.
3. 김리석. 바이러스 감염성 난청의 진단과 치료. 임상이비인후과 1990;2:50-54.
4. 김보영, 강병구, 황찬호 등. 침윤성 Candida 감염에 의한 뇌기저 골수염 2예. 한이인지 2006;49:743-746.
5. 김성준, 양인아, 신건우 등. 당뇨병 환자의 청력장애에 대한 임상적 고찰. 한이인지 1994;37:443-448.
6. 남상인, 조재민, 오정용 등. 당뇨병 환자의 청력장애에 관한 임상적 고찰. 한이인지 1993;36:640-650.
7. 대한병리학회편. 병리학, 제3판. 고문사. 1997, p.259-334.
8. 신시옥, 양상권, 유인성. 외이도와 유양동의 진주종을 동반한 다골성 섬유성 이형성증. 한이인지 1998;41:1082-1086.
9. 오경균, 박창국, 이승호 등. 다발성 골수종으로 전환된 골수외 형질세포종 2례. 한이인지 1996;39:543-549.
10. 원유성, 이아론, 조진희 등. Paget씨 병에 동반되어 양측 상악골에서 발견된 거대세포증 1례. 한이인지 1998;41:1087-1090.
11. 이상준, 정필상, 김영생 등. 악하선관 내에 타석을 형성한 방선균증 1예. 한이인지 2006;49:949-951.
12. 임재열, 김광문, 최은창 등. 후두결핵 60예의 분석을 통한 최근 임상적 경향에 대한 연구. 한이인지 2006;49:543-548.
13. 전병훈, 문인회, 장진순. 거대한 콜레스테롤 육아종을 동반한 측두골의 섬유성 이형 성증 1례. 한이인지 1993;36:804-808.
14. 한병상, 박영재, 홍영호 등. 측두골의 섬유성 이형성증 1례. 한이인지 1991;34:347-351.
15. Alcala H, Alarcon-Segovia D. Ulceration and perforation of the nasal septum in systemic lupus erythematosus. New Eng J Med 1969;281:722.
16. Amodee RG, Marks HW, Lyons GD. Cholesterol granuloma of the petrous apex. Am J Otol 1987;8:48-55.
17. Angelopoulos AP. Pyogenic granuloma of oral cavity statistical analysis of its clinical feature. J Oral Surg 1971;29:840.
18. Arda HN, Karakus MF, Ozcan M, et al. Giant cell reparative granuloma originating from the ethmoid sinus. Int J Pediatr Otorhinolaryngol 2003;67:83-87.
19. Armstrong BW. Stapes surgery in patients with osteogenesis imperfecta. Ann Otol Rhinol Laryngol 1984;93:634-635.
20. Arnold MG, Arnold JC, Bloom DC, et al. Head and neck manifestation of disseminated coccidioidomycosis. Laryngoscope 2004;114:747-752.
21. Batsakis JG, Ro JY, Grauenhoffer EE. Bacilla교 angiomatosis Ann Otol Rhinolaryngol 1995;104:668-672.
22. Bielmowicz A. Noncutaneous benign fibrous hisitiocytoma of the head and neck. Otolaryngol Head Neck Surg 1995;113:140-146.
23. Blaestrieri F, Watson CB. Intubation grauloma. Otolaryngol Clin North Am 1982;15:567.
24. Blozis GG, Allen CM. Oral mucosal lesions. In: Cummings CW. Otolarygology: Head and Neck Surgery. St Louis: CV Mosby, 1986, p.1429.
25. Bonillia M, Gillio A, Ruggiero M, et al. In vivo recombinant human granulocyte colony stimulation factor corrects neutropenia in patients with congenital agranulocytosis. Blood 1988;74:110.
26. Bradsher RW, Chapman SW, Pappas PG. Blastomycosis Infect Dis Clin North Am 2003;17:21-40.
27. Brama I, Fainaru M. Inner ear involvement in Behcet's dlisease. Arch Otolaryngol 1980;106:205.
28. Brazin SA. Leprosy (Hansen's disease). Otolaryngol Clin North Am 1982;15:597.
29. Bronze MS, Dale JB. The Reemergence of serious group A streptococcal infections and acute rheumatic fever. Am J Med Sci 1996;311:41-54.
30. Brook I. Acute bacterial suppurative parotitis: microbiology and management. J Craniofac Surg 2003;14:37-40.
31. Brookes GB, Booth JB. Disease of the temporal bone. In: Booth JB, ed. Scott-Brown's Otolaryngology, 6th ed. Oxford: Butter-Heinemann, 1997, p.3/15/1-51.
32. Brown CC, Gallin JI. Chemotactic dlsorders. Hematol Oncol Clin North Am 1988;2:61.
33. Cannon RD, Holmes AR, Mason AB, et al. Oral Candida: Clearance, colonization of candidiasis. J Dent Res 1995;74:1152.
34. CDC. HIV/STD risk in young men who have sex with men who do not dislose their sexual orientation: six US cities, 1994-2000. MMWR 2003;52:81-100.
35. Centers for Disease Control. Pneumocystitis carinii pneumonia

among persons with hemophilia. Ann Intern Med 1983;3:186-284.

36. Cochran JH, Kosmicki PW. Tinnitus as a presentation symptom in pernicious anemia. Annals of Otology, Rhinology and Laryngology 1979;88:297.
37. Cohen A, Rosenwasser H. Fibrous dysplasia of the temporal bone. Arch Otolaryngol 1969;89:447-459.
38. Commins DJ, Chen JM. Multiple sclerosis: A consideration in acute cranial palsies. Am J Otol 1997;18:590-595.
39. Crissman JD, Weiss MA, Gluckman J, et al. Midline granuloma syndrome, Clinico-pathologic study of 13 patients. Am J Surg pathol 1982;6:335.
40. Cummings CW, Fredrickson JM, Harker LA, et al. Otolaryngology: Head and Neck Surgery, 3rd ed. St Louis: Mosby, 1998, p.281-313.
41. Dale DC, Bonilla MA, Davis MW, et al. A randomized controlled phase Ⅲ trial of recombinant human granulocyte colony-stimulation factor (filgrastim) for treatment of severe chronic neutropenia. Blood 1993;81:2496.
42. Dash GI, Kimmelman CP. Head and neck manifestation of sarcoidosis. Laryngoscope 1988;98:50-53.
43. Davis MM, Patel MS, Gebremariam A. Decline in varicella-related hospitalizations and expenditure for children and adults after introduction of varicella vaccine in the United States. Pediatrics 2004;114:786-792.
44. DeMaeyer E, Adiels-Tegman M. The prevalence of anemia in the world. World Health Stat Q 1985;38:302.
45. Doig JA, Waley K, Dick WC, et al. Otolaryngological aspect of Sjögren's syndrome. BMJ 1971;4:460.
46. Echvez MI, Lee KC, Sooy CD, et al. Tetracycline sclerosis for treatment of benign Lymphoepithelial cysts of parotid gland in patients infected with HIV. Laryngoscope 1994;104:1499-1502.
47. Edwards EA, Cooley MH. Peripheral vascular symptoms as the initial manifestation of polycythemia vera. JAMA 1970;214:1463.
48. Eguchi J and others. PCR method is essential for detecting Mycobacterium tuberculosis in oral cavity samples. Oral Microbiol Immunol 2003;18:156-159.
49. Epstein JB. Antifungal therapy in oropharyngeal mycotic infectons. Oral Surg Oral Med Oral Pathol Oral Radiol Endo 1990;69:32.
50. Fairbands DNF. Complications of nasal packing. Otolaryngol Head Neck Surg 1986;94:412-415.
51. Fargion S, Piperno A, Cappellini MD, et al. Hepatitis-c virus and porphyria cutanea tarda evidence of a strong association. Hepatology 1992;16:1322.
52. Farthing CF, Brown SE, Staughton RCD, et al. A Color Atlas of AIDS. Wolffe year book, 1986.
53. Fauci AS, Haynes BF, Katz P, et al. Wegener's granulomatosis, prospective clinical and therapeutic experience with 85 patients for 21 years. Ann Intern Med 1983;98:76.
54. Fauci AS, Lane HC. Human Immunodeficiency Virus disease In: Kurt JI, Eugene B, Jean DW, et al. eds. Harrison's Principles of Internal Medicine. 13th ed. New York: Mcgraw-Hill, 1997, p.1566-1618.
55. Feldman H. Sudden loss of cochlear and vestibular function Advances in Oto-Rhino-Laryngology 1981;27:40-69.
56. Fox RI, Howell FV, Bone RC, et al. Primary Sjögren's syndrome: clinical and immunopathologic features. Semin Arthritis Rheum 1984;14:77.
57. Fox RI. Sjögren's syndrome: evolving therapies. Expert Opin Investig Drugs 2003;12:247-254.
58. Gerberding JL, Hopewell PC, Kaminsky LS, et al. Transmission of hepatitis B without transmission of AIDS by accidental needlestick<Letter>. N Engl J Med 1985;312:56-57.
59. Gilbert DN. The Sanford Guide to Antimicrobial Therapy,34th ed. Hyde Park, VT: Antimicrobial Therapy, Inc., 2004, p.85-92.
60. Godofsky EW, Zinreich J, Armstrong M, et al. Sinusitis in HIV-infected patients: A clinical and radiographic review. Am J Med 1992;93:163-170.
61. Gottlieb MS, Schroff R, Schauker HM, et al. Pneumocystits carinii pneumonia and mucosal candidiasis in previously healthy homosexual men. N Engl J Med 1981;305:1425-1431.
62. Gubbels SP, Barkhuizen A, Hwang PH. Head and neck manifestation of Wegener glanulomatosis. Otolaryngol Clin North Am 2003;36:685-705.
63. Gupta A. Seiden AM. Nasal leprosy: case study. Otolaryngol Head Neck Surg 2003;129:608-610.
64. Hammersma H. Osteopetrosis (marble bone disease) of the temporal bone. Laryngoscope 1969;80;1518-1539.
65. Haynes BF, Kaiser-Kupfer MI, Mason P, et al. Cogan's syndrome: studies in 13 patients, long term follow up and a review of the literature. Medicine 1980;59:426.
66. Hazelman BL. Polymyalgia rheumatica and giant cell arthritis. In: Hochberg MC, ed. Practical Rheumatology. Philadelphia: Mosby, 2004, p.491-502.
67. Heroman WH, McCurley WS. Cat scratch disease. Otolaryngol Clin North Am 1982;15:64-85.
68. Hill BA, Kohut RI. Metastatic adenocarcinoma of the temporal bone. Arch Otolaryngol Head Neck Surg 1976;102:568-571.
69. Ho Yun Lee, C hin S aeng C ho. Idiopathic sudden sensorineural hearing loss with minimal hearing impairment. Clin Exp Otorhinolaryngol. 2015 Dec;8(4):354-358.
70. Huller TE. Lustig LR. Paget's disease and fibrous dysplasia. Otolaryngol Clin North Am 2003;36:707-732.
71. Jin Kim, Jinsei Jung, In Seok Moon, et al. Statistical analysis of pure tone audiometry and caloric test in herpes zoster oticus. Clin Exp Otorhinolaryngol. 2008 Mar;1(1):15-19.

72. Kassan SS, Moutsopoulos HM. Clinical manifestations and early diagnosis of Sjögren syndrome. Arch Intern Med 2004;164:1275-1284.
73. Kent PD, Michet CJ Jr, Luthra HS. Relapsing Polychondritis. Curr Opin Rheumatol 2004;16:56-61.
74. Khetaarpal U, Suhuknecht HF. In search of pathologic correlates of hearing loss and vertigo in Paget's disease: a clinical and histopathologic study of 26 temporal bones. Ann Otol Rhinol Laryngol 1990;(Suppl):1-16.
75. Ling FTK, Wang D, Gerin-Lajoie J. Blastomycosis presentating ad aa locally invasive intranasal mass: case report and literature review. J Otolaryngol 2003;32:405-409.
76. Littlejohn MC, Bailey BJ, Yoo JK, et al. Granulomatous diseases of the head and neck. In: Bailey BJ, Calhoun KH, Deskin RW, et al, eds. Head and Neck Surgery: Otolaryngology, 2nd ed. Philadelphia: Lippincott-Raven, 1998, p.205-218.
77. Lynch DP. Oral candidiasis: History, classification, and clinical presentation. Oral surg Oral Pathol Oral Radiol Endo 1994;78:189.
78. Mandell DL, Wald ER, Micheal MG, et al. Management of nontuberculosis mycobacterial cervical lymphadenitis. Arch Otolaryngol Head Neck Surg 2003;129:341-344.
79. Martin H, Sterkers O, Moonpoint D, et al. Cholesterol granulomas of the middle ear cavities: MR imaging. Radiology 1989;172:521-555.
80. Masar H, Michelis MA, Greene JB, et al. An outbreak of community acuqired Pneumocystitis carinii pneumonia: Initial manifestations of cellular immune dysfunction. N Engl J Med 1981;305:1431-1438.
81. McCaffrey RV, McDonald TJ, Facer GW, et al. Otologic manifestations of Wegeners's granuloatosis. Otolaryngol Head Neck Surg 1986;5:327.
82. McGill TJI. Mycotic infection of the temporal bone. Arch Otolaryngol Head Neck Surg 1978;104:140-144.
83. Miller JJ, Beck L, Davis A, et al. Hearing loss in patients with diabetic retinopathy. Am J Otolaryngol 1983;4:342-346.
84. Mills BG, Singer FR. Nuclear inclusions in Paget's disease of bone. Science 1976;194:201-202.
85. Mirra JM. 'pathogenesis' of Paget's disease based on viral etiology. Clin Orthop 1987;217:162-170.
86. Moffat DA, Ransden RI, Rosenberg JN, et al. Otoadmittance measurement in patients with rheumatoid arthritis. J Laryngol Otol 1977;91:917.
87. Monsell EM, Bone HG, Cody DD, et al. Hearing loss in Paget's disease of bone: the relationship between puretone thresholds and mineral density of the cochlear capsule. Hear Res 1995;83:114-120.
88. Monsell EM. The mechanism of hearing loss in Paget's disease of bone. Laryngoscope 2004;114;598-608.
89. Munch K, Mancipe AH. Mycobacterial infections of the head and neck. Otolalyngol Clin North Am 2003;36:569-576.
90. Nadol JB Jr. Positive "fistula sign" with an intact tympanic membrane. Arch Otolaryngol Heacl Neck Surg 1974;100:273-278.
91. Nadol JB jr. Merchant SN. Systemic disease manifestations in the middle ear and temporal bone. In: Cummings CW, Fredrickson JM, Harker LA, et al. eds. Otolaryngology: Head and Neck Surgery, 3rd ed. St. Louis: Mosby Year book, 1997, p.3088-3097.
92. Nayar RC, Al Kaabi J, Ghorpade K. Primary nasal tuberculosis: a case report. ENT J 2004;83:188-191.
93. Nelken R, Stockman J. The hypereosinophilic syndrome in association with acute lymphoblastic leukemia. J Pediatr 1976;89:771.
94. Noffinger K, Olsen WO, Cafhart R, et al. Auditory and vestibulary aberrations in multiple sclerosis. Acta Otolaryngol 1972;303:7-63.
95. O'Connor JC, Robinsom RA. Review of diseases presenting as midline granuloma. Acta Otolaryngol Suppl (Stockh) 1987;439:1.
96. Ogawa K, Adekile A. Sensorineural hearing loss in children with sickle cell anemia, Annals of Otology, Rhinology and Laryngology 1987;96:258-260.
97. Onerci M, Aslan S, Gumruk F, et al. Audiologic and impedancemetric findings within thalassemic patients. International Journal of Pediatric Otorhinolaryngology 1994;28:167-172.
98. Ozcan M, Larakus MF, Gunduz OH, et al. Hearing loss and middle ear involvement in rheumatoid arthritis. Rheum Int 2002;22:16-19.
99. Paquette DL, Falanga V. Cutaneous concerns of scleroderma patients. J Dermatol 2003;30:438-443.
100. Paredes R, Bonaventura C. New antiretroviral drugs and approaches to HIV treatment. AIDS 2003;17(suppl 4):585-596.
101. Pichichero ME. Group A streptococcal tonsillopharyngitis: Cost-effective diagnosis and treatment. Ann Emerg Med 1995;23:390.
102. Pickens JP, Modira L. Current concepts of the lethal midline granuloma syndrome. Otolaryngol Head Neck Surg 1989;100:623.
103. Platcher SD, Cheung SW. Syphilis and otolaryngology. Otolalyngol Clin North Am 2003;36:595-605.
104. Rothenberg R. Syphilitic hearing loss. South Med J 1979;72:118-120.
105. Ruppert SD. Differential diagnosis of common causes of pediatric pharyngitis. Nurse Pract 1996;21:38.
106. Saunders NC. Tuberculous mastoiditis: when is surgery indicated. Int J Pediatr Otorhinol 2002;65:59-63.
107. Schleuning AJ. Anderson Pe, Morrisey DD. Otologic manifestations of systemic disease. In: Baily BJ, Johnson Jt, Kohut RI, et al. eds. Head and Neck Surgery-Otolaryngology, 2nd ed. Philadelphia: Lippincott Raven, 1998, p.2125-2135.
108. Schwaltz DT, Alpert M. The malignant transformation of fibrous dysplasia. Am J Med sci 1964;247:35-44.
109. Schwartzbauer HR, Tami TA. Ear, nose and throat manifestations of sarcoidosis. Otolalyngol Clin North Am 2003;36:673-684.
110. Shafiei K, Luther E, Archie M, et al. Wegener glanulomatosis: case report and brief literature review. J Am Board Fam Pract 2003;16:555-

559.

111. Shambough GE, Hagens EW, Holderman JW, et al. Statistical studies of the children in the public schools for the deaf. Arch Otolaryngol 1928;7:424.
112. Shapiro BS, Ballas SK, The acute painful episode, Im: Embury SH, Hebbel RP, Mohandas N, et al. eds. Sickle Cell disease: Basic Principles and Clinical Practice. New YorkL Raven Press, 1994.
113. Sivac-Callcott JA, Livesley N, Nugent RA, et al. Localized invasive sinuorbital aspergillosis: characteristic features. Br J Ophthalmol 2004;88:681.
114. Sneller MC. Wegener's granulomatosis. JAMA 1995;273: 1288-1291.
115. Stark TW, Hirokawa RH. Gout and its manifestations in the head and neck. Otolalyngol Clin North Am 1982;15:659.
116. Streitmann MJ, Sismanis A. Metastatic carcinoma of the temporal bone. Am J Otol 1996;17:780-783.
117. Tami TA, Lee KC. Manifestation of the Aquired Immunodeficiency Syndrome. In: Bailey BJ, Calhoun KH, Deskin RW, et al, eds. Head and Neck Surgery: Otolaryngology, 2nd ed. Philadelphia: Lippincott-Raven, 1998, p.305-315.
118. Tami TA. The management of sinusitis in patients infected with the human immunodeficiency virus (HIV). Ear Nose Throat J 1995;74:360-363.
119. Tan Em, Cohen AS, Fries JF, et al. The 1982 revised criteria for the classification of systemic lupus erythematosis. Althritis Rheum 1982;25:1271-1277.
120. Thomas KW, Hunninghake GW. Sarcoidosis. JAMA 2003;289:3300-3303.
121. Upchurch KS, Brettler DB, Levine PH. Hemophilic arthropathy. In: Kelley WN, Harris E, Ruddy S, et al, eds. Textbook of Rheumatology, 4th ed. Philadelphia: WB Saunders, 1993.
122. Van der Rijt AJ, Cremers CW. Stapes surgery in osteogenesis imperfecta: result of a new series. Otol Neurotol 2003;24:717-722.
123. Varvares MA, Montgomery WW, Hillman RE. Teflon granuloma of the larynx: etiology, pathophysiology, and management. Ann Otol Rhinol Laryngol 1995;104:511-515.
124. Vitali C, Bombardieri S, Jonssons R, et al. Classification criteria for Sjögren's syndrome: a revised version of the European criteria proposed by the American-European Consensus Group. Ann Rheum Dis 2002;61:554-558.
125. Wahab Hamed AA, Linthicum FH Jt. Temporal bone osteopetrosis. Otol Neurotol 2004;25:635.
126. Weisman RA, Calcaterra TC. Head and neck manifestations of scleroderma. Ann Otol 1978;87:332.
127. Wells M, Michaels L, Wells DG. Otolaryngological disturbances in Waldenstrom's macroglobulinemia. Clinical Otolaryngology 1977;2:327-338.
128. Wheat LJ, Kauffman CA. Histoplamosis. Infect Dis Clin North Am 2003;17:1-19.
129. Wolf J, Blumberg HM, Leonard MK. Laryngeal histoplamosis. Am J Med Sci 2004;327:160-162.
130. World Health Organization (WHO). Report on third meeting of the WHO technical advisory group on the elimination of leprosy. Geneva: WHO, 2002, WHO/ CDS/CPE/CEE/2002. 29.
131. Zechnet G, Altman F. The temporal bone in Hunter's syndrome (gargoylism). Arch Koin Exp Ohren-Nasen 1968;192:137-144.

청력검사_ 일반청력검사

이비인후과학 Otorhinolaryngology - Head and Neck Surgery

변성완

음의 높낮이와 강약에 대한 것은 소리의 음향물리학과 관련된 장에서 자세히 다루지만, 청력검사와 관련된 내용은 다음과 같다. 음의 고저(pitch)는 음파의 단위 시간(초) 당 진동수 즉, 주파수(frequency) (단위 헤르츠, hertz, Hz, cycle/sec)에 따라 결정되며, 한 옥타브(octave)가 높다는 말은 기준 주파수의 두 배의 주파수를 의미한다. 음의 강도(intensity) (단위 데시벨, decibel, dB)는 음파의 진폭(amplitude)에 따라 결정된다. 기본적으로 dB은 '기준(0 dB)의 몇 배'와 같은 개념이다. 기준을 무엇으로 삼느냐에 따라, dB SPL (sound pressure level), dB HL (hearing level), dB SL (sensation level) 등과 같은 것들이 있다. dB SPL은 단위면적에 가해지는 음압의 절대적인 크기를 표현한 단위이며, 기준이 되는 0 dB SPL은 0.0002 dyne/cm^2, 국제단위계 단위(SI unit)로는 20 μPa(마이크로파스칼, micro-Pascal)의 음압에 해당한다. 임상에서 가장 많이 사용되는 dB HL은 0 dB HL의 음압을 기준으로 음강도를 표현한 단위이다. 0 dB HL은 정상 청년 연령층에서 각 주파수별 가청역치의 평균치를 dB SPL 단위를 사용하여 구한 것이며, 각 주파수에서의 0 dB HL을 청각영점(audiometric zero)이라 한다. dB SL은 개인의 주파수별 가청역치를 기준으로 역치상 음강도를 표시하는 단위로, 자극음 강도에서 개인의 가청역치를 뺀 값이다. 같은 강도의 음을 50 dB HL로도, 20 dB SL(해당 주파수에서의 청력역치가 30 dB HL인 청취자에게)로도 표현할 수 있는 것이다.

청력검사는 청력손실의 유무, 정도, 유형, 병변부위 등을 알아내기 위한 검사로 난청을 동반하는 질환의 상태와 예후 평가, 치료 및 재활의 선택, 치료 효과 판정 등에 중요한 정보를 제공하는 검사이다.[1] 청력검사법은 환자의 적극적 협조가 요구되는 주관적 검사법과 협조 정도에 관계없이 얻어진 결과를 객관적으로 분석할 수 있는 객관적 검사법으로 구분된다. 전자에는 음차검사, 순음청력검사, 어음청력검사, 자기청력검사, 누가현상검사 및 청각피로검사 등이 있고, 후자에는 임피던스 청력검사, 전기와우도, 청성뇌간반응 청력검사, 이음향방사검사 등이 있다.

순음청력검사, 어음청력검사, 임피던스 청력검사가 가

장 기본적인 청력검사법이다. 난청의 병변 부위에 대한 더 많은 정보가 필요한 경우, 검사에 협조하지 못하는 성인과 유소아의 청력을 평가하는 경우에는 추가로 다른 청력검사를 실시한다. 정확한 청력검사를 위해서 보정이 제대로 된 청력검사계기와 방음된 검사장소와 잘 훈련된 청력검사자가 필요하다.[1]

I 음차검사

음차(tuning fork)는 휴대가 간편하고 장소와 시설의 제약을 받지 않으므로 음차검사는 진료실과 병실에서 선별검사로 쉽게 사용할 수 있는 편리한 방법이다. 음차에는 128 Hz, 256 Hz, 512 Hz, 1024 Hz, 2048 Hz의 주파수 순음을 내는 5가지가 있으며, 임상적으로는 512 Hz의 음차가 가장 많이 이용된다. 음차를 엄지손가락이나 손등에 가볍게 두드려 소리를 낸 다음 기도청력(air conduction hearing)과 골도청력(bone conduction hearing)을 각각 또는 함께 검사하여 난청의 유형과 청력장애의 정도를 개괄적으로 추정한다. 기도검사는 음차를 진동시켜 외이도 입구부에 대고 청취 유무 및 청취시간을 알아보는 것이고, 골도검사는 음차를 진동시켜 음차 손잡이 끝을 전두부(forehead) 또는 상절치(upper incisors)에 대고 어느 쪽 귀에서 잘 들리는지를 알아보거나 음차 손잡이 끝을 유양돌기부에 대어 청취 유무와 청취시간을 알아보는 것이다.

1. Weber 검사

일측 난청이 있을 때 난청이 전음성인지 또는 감각신경성인지를 감별하고, 청력손실 정도가 다른 양측 난청일 때 어느 쪽의 청력손실이 심한가를 구별할 수 있는 방법이다. 골전도에 대한 검사법으로 일반적으로 512 Hz 음차를 진동시켜 음차 손잡이 끝을 전두부 또는 상절치에 대고 어느 쪽 귀에서 크게 들리는가(음량(loudness)이 큰가)를 묻는다. 일측이 정상이고, 반대측에 전음성 난청이 있으면 난청측(환측)에서 음이 크게 들리며, 감각신경성 난청이 있으면 정상측에서 크게 들린다. 이와 같이 음이 난청측이나 정상측에서 크게 들리면 난청측으로 또는 정상측으로 편위(lateralize)된다고 말한다. 정상적으로 골전도를 통해 내이로 전달된 음파의 일부분은 외이와 중이의 전음계를 통하여 밖으로 유출된다. 그러나 전음성 난청이 있으면 이러한 음파 유출이 방해를 받아 난청측에서 더 크게 들린다. 한편 감각신경성 난청이 있으면 내이진동은 정상측과 동일한 강도로 일어나지만 내이의 감음역치 상승 또는 후미로 병변으로 인해 난청측이 정상측보다 음이 잘 들리지 않아 정상측으로 편위된다(그림 8-1).

2. Rinne 검사

동측의 기도청력과 골도청력을 비교하여 난청의 유형을 감별하는 검사법이다. 보통 256 Hz 또는 512 Hz의 음차를 사용한다. 유양돌기부에 진동시킨 음차 손잡이 끝을 대어 골도청력을 검사하고, 음이 들리지 않는다고 할 때 즉시 음차를 외이도 입구에서 약 2.5 cm 떨어진 곳에서 기도청력을 검사한다. 정상에서는 기도청력이 골도청력보다 예민하므로 기도청력이 더 크고 오래 들린다(Rinne 양성). 감각신경성 난청이 있어도 기도청력과 골도청력이 같이 떨어져 정상에서와 마찬가지로 기도청력이 더 크고 오래 들린다(Rinne 양성). 전음성 난청이 있으면 기도청력은 공기전도의 장애로 인해 떨어지지만 골도청력은 음파의 유출이 적어 기도청력보다 더 크고 오래 들린다(Rinne 음성)(그림 8-1). 15 dB 이내의 전음성 난청이 있는 경우 대개 Rinne 양성이고, 30 dB 이상의 전음성 난청이 있는 경우 대개 Rinne 음성이다. Rinne 음성은 적어도 20 dB 이상의 전음성 난청이 있음을 의미한다.[20]

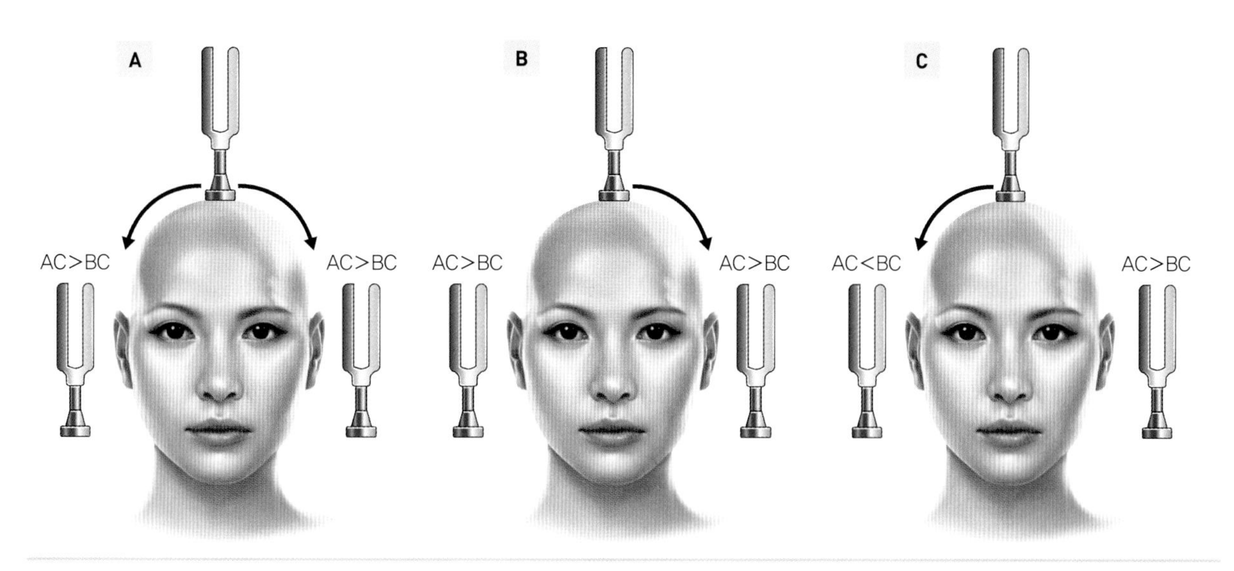

■ **그림 8-1. Weber검사와 Rinne검사의 예.** **A)** 정상, **B)** 우측 감각신경성 난청, **C)** 우측 전음성 난청. AC 기도청력, BC 골도청력

3. Schwabach 검사

검사자(정상 청력)와 피검자의 골도 청취시간을 비교하는 검사이다. 보통 256 Hz의 음차를 진동시켜 음차 손잡이 끝을 피검자의 유양돌기부에 대고 청취 유무를 확인한 뒤 들리지 않는다고 하면 즉시 검사자의 유양돌기부에 음차 손잡이 끝을 대고 청취 유무를 확인한다. 피검자가 전음성 난청인 경우 검사자보다 청취시간이 길고, 감각신경성 난청인 경우 검사자보다 청취시간이 짧다.

4. Gelle 검사

이소골연쇄, 등골운동성과 고막의 신축성 등을 검사하는 방법이다. 음차를 진동시켜 음차 손잡이 끝을 유양돌기부에 대고 골도청력을 검사하면서 Politzer bag이나 통기이경(pneumatic otoscope) 등을 이용하여 외이도에 압력을 가한다. 즉 고막을 통한 압박효과를 유발하여 이소골 연쇄나 등골족판(stapes foot plate)의 움직임을 억제한 상태에서의 골도청력을 비교검사한다. 정상 귀에서는 외이도에 압력을 가하면 음이 작게 들리지만(Gelle 양성), 이경화증(otosclerosis) 등으로 이미 등골의 움직임이 나쁠 때에는 압력을 가하여도 골도청력의 변화가 없다(Gelle 음성).

5. Bing 검사

골도청력검사 중 외이도를 일시적으로 막아 음파의 유출을 차단하는 폐쇄효과(occlusion effect)를 유발하여 난청이 전음성인지 또는 감각신경성인지를 감별하는 검사법이다. 음차를 진동시켜 음차 손잡이 끝을 유양돌기부에 대고 청력검사를 하다가 피검자가 들리지 않는다고 하면 즉시 손가락으로 피검자의 이주(tragus)를 눌러 외이도를 막는다. 이때 다시 들린다고 하면(Bing 양성) 정상 또는 감각신경성 난청이고, 들리지 않는다고 하면(Bing 음성) 전음성 난청이다.

6. 음차 검사의 한계

연구자들에 따라서는 음차 검사를 순음청력검사의 신뢰도를 확인하는데 사용하거나 전음성 난청에 대한 수술 전 확인 검사로 추천하지만, 음차 검사는 부정확하게 시행되는 일이 많고, 민감도와 특이도가 좋은 검사는 아니

므로, 순음청력검사의 대체 검사 또는 보완 검사가 될 수 없다는 한계를 인식하고 있어야 한다.[48]

Rinne 검사는 정상 청력 또는 감각신경성 난청 환자의 5%가 전음성 난청을 가진 것으로 잘못 판정하고, 20 dB의 기도골도차이를 가진 전음성 난청 환자의 50%를 전음성 난청으로 판정하지 못하며, Weber 검사도 마찬가지로, 전음성 난청이 있는 소아 환자의 상당수가 Weber 검사에 부적절한 반응을 보인다는 보고도 있다.[14] 당연히 순음청력검사는 음차 검사가 판별하지 못하는 15 dB 이하의 기도골도차이도 판별해낸다.

II 순음청력검사

순음청력검사(pure tone audiometry)는 순음을 이용하여 각 주파수(Hz)별 청력역치(dB HL)를 측정하는 것을 목적으로 하는 검사이다. 청력역치는 피검자가 반복적으로 주어진 음을 50%의 확률로(현실적으로는 3회 중 2회, 또는 5회 중 3회) 바르게 감지하는 최소 음 강도(dB HL)로 정의한다.

순음청력계기(pure tone audiometer)는 순음을 발생하는 발진기(oscillator), 발생한 음을 증폭하는 증폭기(amplifier), 음의 크기를 조절하는 감쇄기(attenuator), 이어폰(earphone), 골전도 진동기(bone conduction vibrator), 차폐음 발생기(masking noise generator) 등으로 구성되며, 적절한 주파수와 강도의 출력을 유지할 수 있도록 정기적으로 표준화해야(보정, calibration) 한다. 각종 청력검사 계기의 기술적 사양, 각종 이어폰(TDH-39, TDH-49, TDH-50 등)의 상세 보정 자료와 표준도 국제표준에 자세히 기술되어 있다.[27,28]

순음청력검사는 기도청력검사(air conduction audiometry)와 골도청력검사(bone conduction audiometry)로 구분되며, 청력손실의 정도를 정량적으로 평가할 수 있고, 청력손실의 유형과 양상도 알 수 있다.

1. 기도청력검사

기도청력검사는 방음실에서 헤드폰(headphone)이나 삽입형 이어폰으로 음자극을 주어 양측의 각 주파수별 기도청력역치를 측정하는 것이다. 검사 전에 피검자에게 검사에 대해 자세히 설명을 하고 검사음이 들리면 스위치를 누르도록 한다. 일반적으로 헤드폰을 이용하여 검사하며 헤드폰의 출력공이 정확하게 외이도를 향하도록 한다. 헤드폰이나 삽입형 이어폰을 착용 할 수 없는 경우, 방음실의 스피커를 통해 보정된 음자극을 주는 음장청력검사(sound field audiometry)를 시행하기도 한다.

검사는 잘 들리는 귀부터 한쪽씩 시행한다. 1 kHz부터 시작하여 2 kHz, 3 kHz, 4 kHz, 8 kHz의 순으로 고음역을 검사하고, 다시 1 kHz를 검사한 후 500 Hz, 250 Hz, 125 Hz 순으로 저음역을 검사한다. 1 kHz에서 두 번 검사한 결과가 10 dB 이상의 차이를 보이면 검사의 신뢰도가 나쁘므로 재검사해야 한다. 1995년 미국이비인후과학회(AAO-HNS)에서는 언어이해에 중요한 3 kHz를 청력검사 결과에 표시하도록 하였다.[18]

자극음을 주는 방법에는 상승법(ascending method), 하강법(descending method), 혼합법(mixed method)이 있다. 하강법은 뚜렷하게 들을 수 있는 강한 음부터 차차 약한 음으로 강도를 낮추면서 측정하는 방법이고, 상승법은 들리지 않는 약한 음부터 차츰 강한 음으로 강도를 높이면서 측정하는 방법이다. 혼합법은 0 dB HL부터 20 dB 단위로 높여가며 최초 응답을 확인하고, 응답 후부터는 낮출 때 10 dB씩, 높일 때 5 dB씩(up 5 dB - down 10 dB) 조절하여 최소가청역치를 구하는 방법이다. 상승법으로 검사한 결과는 하강법에 비해 5~10 dB 높은 청력역치를 보인다.[17]

2. 골도청력검사

골도청력은 두개골에 주어진 음의 진동이 직접 내이로

전달되어 음을 청취하는 것으로 기도청력과 달리 외이나 중이의 상태에 거의 영향을 받지 않으므로 내이와 그 이상의 청각전달로의 기능을 반영한다.

두개골의 진동이 내이로 전달되는 골전도는 3가지 경로를 통한다.[26,36] 이 경로들 중 가장 큰 부분을 차지하는 것은 압축 골전도이다. 두개골에 주어진 진동은 압축(compression)과 신장(expansion)을 반복하며, 이러한 두 위상의 운동은 내이에서도 동일하게 일어나는데 전정계와 고실계는 림프액량의 차이로 인해 각기 다른 정도로 변화하여 기저막의 움직임을 유발한다(압축 골전도, compressional bone conduction). 두개골이 진동운동을 할 때 난원창, 고막, 중이 골벽에 약하게 부착되어 있는 이소골의 관성으로 인해 공기전도 때와 같이 내이로 전달되는 이소골의 움직임이 발생한다(관성 골전도, inertial bone conduction). 두개골의 진동으로부터 이어진 외이도의 진동은 대부분 외부로 유출되지만, 일부는 고막과 이소골을 통하여 내이로 전달된다(골고막 골전도, osseotympanic bone conduction). 외이도를 폐쇄하면 외부로의 유출이 차단되어 골도청력이 향상된다(폐쇄효과, occlusion effect).

골도청력검사는 골전도 진동기를 통해 자극을 주기 때문에 이를 정확하게 장착하는 것이 매우 중요하다. 골전도 진동기는 대개 유양돌기부에 모발을 피해 고정한다. 유양동삭개술이나 피부병변 등으로 유양돌기부에 장착하기 곤란한 경우에는 전두부에 장착하여 검사한다. 검사하는 귀의 외이도를 차폐용 헤드폰 등으로 폐쇄하지 않도록 주의한다. 전음성 난청이 없는 경우 외이도 폐쇄효과로 골도청력역치가 좋아진다. 골도청력은 250 Hz, 500 Hz, 1 kHz, 2 kHz, 3 kHz, 4 kHz만 검사하며 검사요령은 기도청력검사와 동일하다. 원칙적으로 기도청력이 좋은 쪽 귀부터 검사를 시작한다. 자극음의 최대 강도는 검사계기마다 주파수별로 차이는 있으나 대개 60~75 dB HL 정도이다. 그 이상의 강도에서는 개인차가 있지만 진동 감각을 느끼므로 골도청력으로 착각하지 않도록 주의한다.

3. 차폐

좌우의 청력 차이가 있을 때 검사를 하지 않는 귀에 검사음이 들리지 않도록 잡음을 들려주는 것을 차폐(masking)라 한다. 청력이 나쁜 쪽을 검사할 때 들려 준 자극음은 골전도를 통하여 반대쪽 청력이 좋은 귀로 교차(crossover)하여 들릴 수 있다(교차청취, cross hearing, 또는 음영청취, shadow hearing). 예를 들어 좌측 청력이 전농이고, 우측 청력이 정상인 환자의 1 kHz의 좌측 기도청력을 측정하려는 경우, 70 dB HL의 자극음을 좌측 귀에 주면 소리를 듣지 못해야 되지만, 실제로는 40 dB만큼 이간감약(interaural attenuation)된 30 dB의 골도음으로 우측에 도달하여 즉, 골전도를 통하여 소리를 듣게 된다. 이와 같이 차폐를 하지 않은 상태에서는 검사측 귀가 전농이라 하더라도 비검사측 귀(청력이 좋은 쪽)의 골도 청력 곡선에 각 주파수별로 이간감약치만큼 더해진 가짜 청력 역치 곡선이 검사 결과로 그려진다(음영곡선, shadow curve).

이간감약은 교차손실이라고도 하며, 이는 일측 귀에 주어진 음이 반대측 귀의 와우에 도달할 때 감소되는 음의 강도를 말한다(표 8-1). 기도청력검사에서는 이간감약치가 크지만, 골도청력검사에서는 크지 않다. 기도청력검사 때 헤드폰을 사용한 경우보다 삽입형 이어폰을 사용한 경우에 이간감약이 더 크다. 자극음의 주파수에 따라서도 다소의 차이를 보인다.

청력이 나쁜 쪽의 기도청력검사에서 측정 주파수의 검사측 기도청력역치와 비검사측의 기도 또는 골도청력역치의 차이가 이간감약과 같거나 큰 경우 비검사측(청력이 좋은 쪽)에 차폐를 시행한다. 차폐에는 주로 대역잡음

표 8-1. 기도청력검사 시 주파수별 이간감약

주파수(Hz)	125	250, 500, 1k	2k, 3k	4k, 6k, 8k
이간감약(dB)	35	40	45	50 dB

k: kilo

(narrow band noise)을 사용하며, 차폐음의 강도를 정하는 방법으로는 주로 수평법(plateau method)을 이용한다. 차폐과정과 적정 차폐강도의 결정과정은 다음과 같다. 먼저 위의 조건에 해당되면 비검사측에 차폐 시작 강도에서 5 dB씩 차폐음의 강도를 높여가면서 검사측의 청력역치를 측정한다. 이때 차폐 시작 강도는 비검사측의 기도청력역치에 10~15 dB을 더한 값으로 한다.[40] 차폐음의 강도를 증가시키면서 검사측의 청력역치를 구하면 잡음의 강도에 비례하여 역치가 상승되는데 특정한 차폐음 강도 부근에서는 잡음을 증가시켜도 역치가 변화되지 않다가 다시 상승되는 것을 볼 수 있다. 이와 같이 가청역치가 수평을 이룰 때의 차폐음의 강도가 적정 차폐강도이며, 이때 수평을 이루는 범위는 15~20 dB 이상이어야 한다.[47] 차폐량이 불충분하면 검사측의 실제 청력역치보다 낮은 강도의 음을 비검사측에서 인식한다. 이 경우의 차폐량을 부족차폐(undermasking)라 하며 수평법에서 수평에 이르기 전의 차폐강도를 의미한다. 또한 차폐량이 과다하면 차폐음이 검사측 귀로 교차하여 검사측의 청력역치를 상승시켜 실제보다 역치가 높게 평가된다. 이 경우의 차폐량을 과잉차폐(overmasking)라 하며, 수평법에서 수평에 이른 후의 차폐강도를 의미한다. 양측에 전음성 난청이 심한 경우 즉, 기도골도차가 이간감약을 초과하는 경우 과잉차폐를 일으키기 때문에 정확한 차폐가 불가능하며(차폐난, masking dilemma), 과잉차폐 바로 아래의 차폐량을 주었을 때 중추신경의 작용에 의하여 다소간의 역치 상승이 발생한다(중추성 차폐, central masking). 이로 인한 검사측의 청력역치 상승은 대개 약 5 dB 정도이며, 15 dB을 넘지 않는다. 이는 상올리브핵(superior olivary nucleus) 영역의 원심성 섬유(efferent fiber)가 차폐음으로 인하여 작동되면 검사측 귀의 청신경의 구심성 자극(afferent impulse)을 감소시켜서 검사음의 인식에 필요한 강도보다 더 높은 강도를 필요로 하기 때문으로 추측한다(그림 8-2).[39]

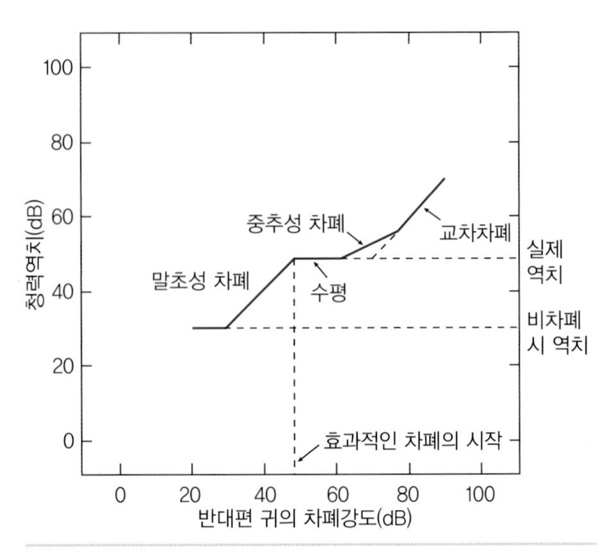

■ **그림 8-2. 수평법에 의한 차폐음 강도의 결정.** 비검사측의 차폐음 강도를 증가시켜도 검사측의 청력역치가 상승하지 않는, 즉 수평을 이루는 부분의 차폐음 강도가 적정한 차폐강도이며, 이때의 청력역치가 검사측의 올바른 역치이다.

골전도의 이간감약은 주파수에 따라 차이가 있으나 대개 10 dB 이하이므로 골도청력검사에서는 항상 차폐하는 것을 원칙으로 한다. 골도청력검사의 시작차폐량은 기도청력검사의 시작차폐량에 폐쇄효과량 만큼 추가한다. 차폐시 외이도 밀폐로 인해 차폐측의 골도청력역치가 낮아지는(골도청력 향상) 폐쇄효과가 발생하므로 그 만큼의 차폐 양을 추가하는 것이다. 250 Hz와 500 Hz의 음은 15 dB, 1 kHz의 음은 10 dB 정도의 폐쇄효과를 유발하며, 2 kHz 이상의 음은 폐쇄효과가 거의 없다.[23] 전음장애가 있는 경우 이러한 폐쇄효과가 없으므로 차폐시 폐쇄효과량을 추가하지 않아도 된다.

4. 순음청력도

가로축은 주파수(Hz)를, 세로축은 강도(dB HL)를 나타내는 도표에 각 주파수에 따른 청력역치를 표시한 것을 순음청력도(pure tone audiogram)라 한다. 주파수 간 간격과 강도간 간격의 관계는 한 옥타브와 20 dB 간격이 같은 길이가 되도록 그려야 하고, 순음청력도는 청력 손실의 정도를 수량으로 나타내는 동시에 청력도의 모양에도

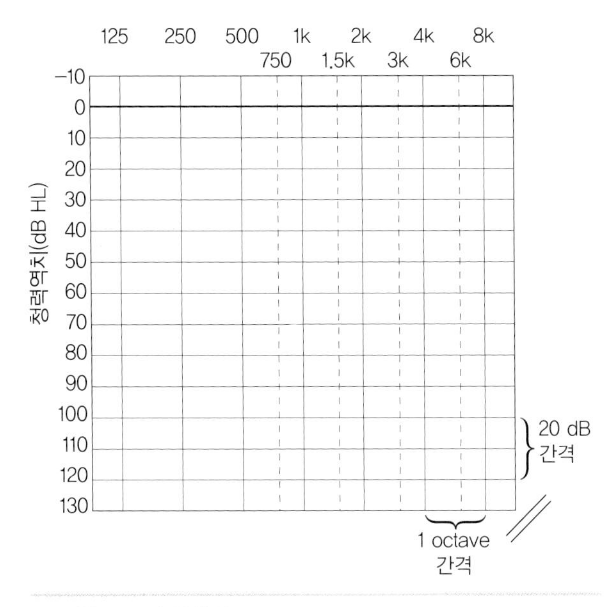

■ 그림 8-3. 순음청력도

큰 의미가 있어 가로축과 세로축의 관계는 항상 일정해야 한다(그림 8-3).

통상 기도청력은 125 Hz에서 8 kHz까지, 골도청력은 250 Hz에서 4 kHz까지 주파수별 청력역치를 표시한다. 강도는 기도청력검사에서는 −10 dB HL에서 시작하여 대개 250 Hz와 8 kHz는 90 dB HL 또는 110 dB HL까지, 나머지 주파수는 110 dB HL 또는 120 dB HL까지 검사하여 표기하며, 골도청력검사는 청력계기에 따라 약간의 차이는 있으나 대개 60~80 dB HL까지 검사하여 표기한다. 기도청력의 경우 비차폐시 우측은 ○표, 좌측은 ×표, 차폐시 우측은 △표, 좌측은 □표를 이용하여 주파수 세로선 위에 바로 기입하며, 이들을 선으로 연결한다. 골도청력의 경우 차폐시 우측은 [표, 좌측은]표, 비차폐시 우측은 〈표, 좌측은 〉표를 이용하여, 우측은 주파수 세로선 바로 좌측에, 좌측은 주파수 세로선 바로 우측에 표시하며 일반적으로 선으로 연결하지 않는다. 방음실 내에서 스피커를 이용한 기도청력역치는 S로 표시하며 세로선 위에 바로 기입한다. 순음청력계기가 발생하는 가장 높은 강도의 음을 들을 수 없을 때에는 측정불능(scale out)으로 각각의 역치 표시에 화살표를 붙인다. 화살표의 방향

종류	반응		무반응	
	우	좌	우	좌
기도(이어폰)				
비차폐	○	×	○↙	×↘
차폐	△	□	△↙	□↘
골도				
비차폐	<	>	<↙	>↘
차폐	[	]	[↙	]↘
기도(스피커)	S		S↓	

■ 그림 8-4. 순음청력도 상 청력역치의 표기방법

은 우측은 좌하방, 좌측은 우하방으로 향하며, 스피커를 이용한 경우 직하방을 향하게 표시한다(그림 8-4).

순음청력도의 양상은 주파수에 따른 청력역치에 따라 수평형(flat type), 상승형(rising type), 하강형(sloping type), 급하강형(falling type), 절흔형(notched type), w 접시형(saucer-shaped type) 등으로 다양하게 나타난다. 전음성 난청은 대개 상승형, 감각신경성 난청은 하강형, 혼합성 난청은 수평형이 많다. 소음성 난청은 주로 4 kHz의 청력역치가 현저히 높은 절흔형이다. 메니에르병은 감각신경성 난청이지만 특징적으로 상승형을 보이는 경우가 있다.

5. 순음청력검사 결과의 판독

1) 청력손실의 정도

주파수별 청력역치가 정상인의 청력역치보다 높은 경우 그 상승 부분을 주파수별 청력손실치라 하며, 이런 경우 청력장애가 있다고 한다. 청력역치는 대개 주파수에 따라 차이를 보이므로 이를 편리한 단일 수치로 표현하기 위해 주파수별 청력역치의 평균값을 구하여 이용하고 있다. 이러한 방법은 전주파수 청력역치의 산술평균법, 회화음역 청력역치의 산술평균법, 특정 주파수에 가중치를 준 가중평균법으로 크게 구분할 수 있다.

표 8-2. 청력장애의 정도

청력역치 dB HL (1951 ASA 기준)	청력역치 dB HL (1964 ISO 기준)	표현법
15 이하	25 이하	정상(normal hearing)
16~29	26~40	경도난청(mild hearing loss)
30~44	41~55	중등도난청(moderate hearing loss)
45~59	56~70	중등고도난청(moderately severe hearing loss)
60~79	71~90	고도난청(severe hearing loss)
80 이상	91 이상	농(profound hearing loss)

청력역치: 500 Hz, 1 kHz, 2 kHz의 청력역치의 산술평균치

전주파수 청력역치의 산술평균법은 전주파수의 청력역치를 산술평균한 값으로 회화음역을 벗어나는 주파수에 한정된 청력손실이 있는 경우 이를 어느 정도 반영할 수 있으나, 언어청취장애 유무의 사회적 측면에서 볼 때 타당성이 다소 떨어진다.

회화음역 청력역치의 산술평균법은 회화음역에 속하는 주파수인 500 Hz, 1 kHz, 2 kHz에서의 청력역치를 산술평균한 것으로(3분법) 사회적 측면의 타당성과 계산의 편리로 널리 이용된다. 이를 기준으로 청력장애의 정도를 표시한 것이 표 8-2이다. 이 표에서 ASA (American Standard Association)와 ISO (International Organization for Standardization)의 기준 사이에는 전반적으로 약 10 dB의 차이를 보인다. 인간의 최소 청력치의 표준이 과거에는(ASA-1951 standard) 1 kHz에서 16.5 dB SPL로 취급되었지만, 현재는(ISO-1964, ANSI-1969 standard) 1 kHz에서 6.5 dB SPL로 취급하면서, 과거 기계로 측정된 청력에 10 dB을 보정하기 때문이다. 현재는 ISO 기준을 사용하므로, 과거의 ASA 표준을 사용하는 청력검사 기계나 병원은 없으나, 일부 보험 약관 등에 남아 있어 참고로 제시한다. 40 dB HL (ISO 기준) 이내의 청력손실은 자각 증상이 없을 때가 많지만, 40 dB HL 이상의 청력손실이 있다면 환자 자신도 장애를 인식하게 된다. 40 dB HL을 정상적인 사회생활을 위해 필요한 최저 청력요구치의 경계로 삼고 이보다 좋은 청력을 사회적응 청력(serviceable hearing)이라 한다.

특정 주파수에 가중치를 준 가중평균법에는 4분법과 6분법이 있다. 4분법은 500 Hz, 1 kHz, 2 kHz에서의 청력역치를 1:2:1의 비율로 가중평균한 것이고(1 kHz에 2배의 가중치), 6분법은 500 Hz, 1 kHz, 2 kHz, 4 kHz에서의 청력역치를 1:2:2:1의 비율로 가중평균한 것이다(1 kHz와 2 kHz에 2배의 가중치).

한편, 1995년 미국이비인후과학회(AAO-HNS)는 청력검사 결과를 보고할 때 언어이해에 중요한 3 kHz의 청력을 포함하여 500 Hz, 1 kHz, 2 kHz, 3 kHz의 청력역치의 산술평균으로 보고하도록 하였다.[18] 이와 같은 다양한 방법으로 산출한 순음청력역치의 평균은 말초성 청력장애에서 대개 어음청취역치와 10 dB 이내의 차이로 일치한다.

2) 청력장애의 유형

청력장애는 전음성 난청(conductive hearing loss; CHL), 감각신경성 난청(sensorineural hearing loss; SNHL), 중추성 난청(central hearing loss), 비기질적 난청(nonorganic hearing loss), 혼합성 난청(mixed hearing loss)의 5가지 유형으로 분류한다. 전음성 난청은 주로 음을 전달하는 기관(외이, 중이)에 병변이 있을 때 발생하고, 감각신경성 난청은 물리적 음향에너지를 전기적 음향에너지로 바꾸고(내이), 이 전기적 신호를 청각중추로에 전달하는 기관(청신경)에 병변이 있을 때 발생한

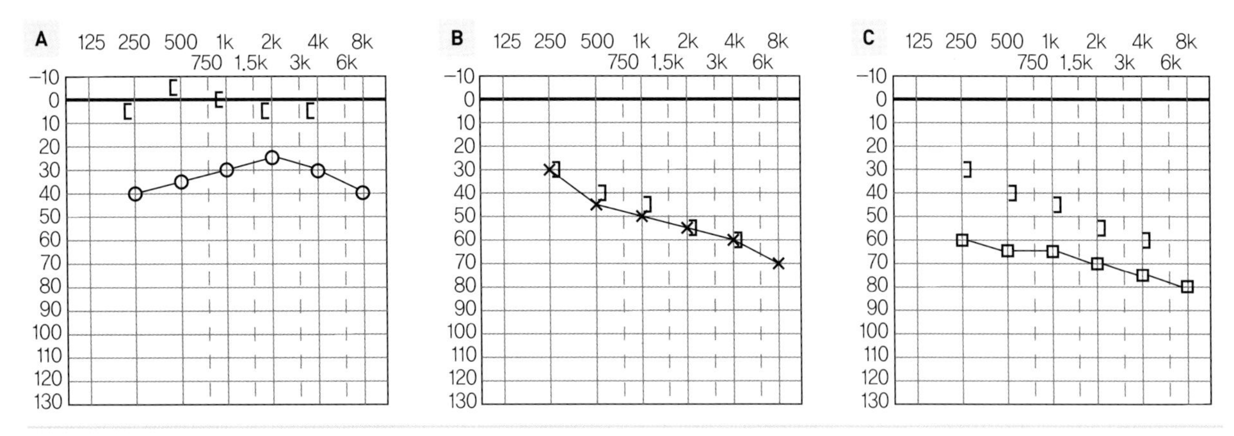

■ 그림 8-5. **청력장애의 유형별 순음청력도.** A) 전음성 난청, B) 감각신경성 난청, C) 혼합성 난청

다. 때로 감각신경성 난청은 그 병변의 부위가 내이에 있는지 또는 그보다 중추 쪽에 있는지에 따라 미로성 난청(cochlear hearing loss)과 후미로성 난청(retrocochlear hearing loss)으로 구분하기도 한다. 중추성 난청은 연수~청각중추의 중추신경계에 장애가 있어 발생하며, 비기질적 난청은 기질적 장애 없이 청력장애가 나타나는 것을 지칭한다. 혼합성난청은 전음성 난청과 감각신경성 난청이 동시에 존재하는 경우이다.

순음청력도상의 기도청력곡선(air conduction curve)은 외이, 중이, 내이, 청신경, 청각중추로 및 청각중추 즉 청각전달로의 모든 기관을 통한 청력의 상태를 나타내는 것이며, 골도청력곡선(bone conduction curve)은 내이와 그 이후의 청각전달로의 상태를 주로 반영하는 것이다. 그러므로 이 두 곡선을 비교함으로써 전음기관의 장애인지 감음기관과 그 이상의 장애인지 또는 양자가 혼합된 것인지를 판단할 수 있다. 기도청력역치와 골도청력역치의 차이 즉, 기도골도 차이(air-bone gap; AB gap)가 전음장애로 인한 청력손실에 해당한다. 간혹 골도청력역치가 기도청력역치보다 높아져 있는 것을 볼 수도 있는데, 이는 본질적으로 있을 수 없으며 검사상의 오차이거나 위난청인 경우이다. 순음청력도에서 골도청력역치는 정상이지만, 기도청력역치가 나빠진 경우 전음성 난청이고, 기도청력역치와 골도청력역치가 같은 정도로 나빠진 경우는 감각신경성 난청이다. 기도와 골도청력역치가 모두 나빠져 있으면서 기도청력역치가 10 dB 이상 더 나쁜 경우 혼합성 난청이다(그림 8-5).

6. 고음역 청력검사

일반적으로 사용되는 순음청력검사계기는 보통 8 kHz까지 측정이 가능하나 사람은 약 20 kHz까지의 고주파수 음을 청취할 수 있다. 이러한 8 kHz 이상의 고음역에 대한 청력역치 평가(고음역 청력검사, high frequency audiometry)는 일반적으로는 임상적인 가치가 크지 않지만, 초기에 고음역의 청력손실을 특징적으로 유발하는 여러 가지 약물로 인한 이독성을 조기에 평가할 수 있는 좋은 방법이며, 와우와 청신경의 병태생리에 대한 연구에 유용하게 이용될 수 있다. 8~18 k Hz 사이의 고음역에 대한 청력역치 측정이 가능한 청력검사계기를 이용할 수 있으며, 고주파수 음의 공명에 효과적인 특별한 이어폰을 사용한다.

Ⅲ 어음청력검사

말의 소리, 즉 어음(語音)은 순음에 비해 매우 구조가 복잡한 복합음으로 주파수의 구성 성분이나 강약이 시간에 따라서 변화하는 특징을 가지고 있다. 정상적인 귀는 이러한 물리적 음성 신호의 복잡한 구조와 변화를 청신경세포의 복잡한 전기적 신경 신호로 변환하는 능력을 갖추고 있다. 감각신경성 병변이 있는 경우, 이러한 변환이 질적으로 불량해진다. 주파수 구성/강약에 대한 주파수 분해능의 감소로 어음을 서로 분별해내는 능력이 떨어지고, 변화를 감지하는 시간 분해능의 감소로 주변 소음에 의한 어음 청취 방해에 취약하게 된다. 거의 비슷한 순음청력도를 보이는 환자들도 언어를 알아듣는 능력과 주변 소음에 대한 취약성에 큰 차이가 있는 임상적인 예를 종종 관찰하게 된다.

보통 회화에서 사용되는 어음에 대한 청취와 이해능력을 순음청력역치로 어느 정도 추정할 수는 있으나, 이는 단순한 순음을 이용한 측정이기 때문에 부정확할 수 있다. 보다 정확한 청취와 이해능력을 측정하기 위하여 자극음으로 어음 자체를 사용하는 것이 어음청력검사(speech audiometry)이다. 이 검사는 다음과 같은 임상적 유용성이 있다. 회화 어음에 대한 청력 역치의 평가, 회화 어음에 대한 이해 능력의 평가, 난청의 감별진단, 청력 증진을 위한 치료방법(수술 등)의 결정과 그 결과의 판정, 청력 재활(보청기)의 참고 지침, 청력 손실 환자의 사회 적응 능력의 평가 및 장애의 평가 수단 등이다. 동일한 순음청력 손실이 있어도 어음청력검사의 결과가 나쁜 경우에 보다 심한 사회적응능력의 장애를 유발한다. 청력재활을 위한 보청기를 사용할 때 어음명료도(speech discrimination)가 나쁘거나 역동범위(dynamic range)가 좁은 경우에는 보청기 증폭의 가용범위가 좁아져 만족할 만한 효과를 기대하기 어렵다.

어음청력검사에 사용되는 자극음으로는 단음절(monosyllabic)과 이음절(bisyllabic)의 단어가 많이 사용되며, 3음절어, 4음절어, 문장은 특별한 경우에 사용된다. 자극음으로 적절한 단음절어, 이음절어의 목록(표)은 다음과 같은 조건을 가진다. 일상생활에 친숙한 단어를 선택해야 하고, 여러 표가 있는 경우 각 표의 난이도가 동일해야 하며, 단어의 각 음소(phoneme)가 각 표마다 동일한 비율로 포함되도록 해야 한다. 단어검사로 검사가 잘 되지 않을 때에는 문장을 사용하며 단어와 같은 조건으로 선택한다. 단음절어표는 음성학적 균형(phonetic balance), 보다 정확한 표현으로는 음소적 균형(phonemical balance)을 이루어야 하며, 이음절표는 발성학적으로 양 음절의 강세가 동일한 양양격 단어(spondee word)로 구성해야 한다.

음성학적 균형이란[12] 청력검사에 사용하는 단어들이 가지는 음소의 빈도가 그 언어의 일상회화에서 나타나는 음소의 빈도가 같음을 의미한다. 예를 들면, 한국어 일상회화에서 초성 [ㄱ]음(초성의 약 13%)은 초성 [ㄲ]음(초성의 1.8%) 보다, 중성 [ㅏ]음(약 22%)은 중성 [ㅑ]음(1.1%) 보다 더 빈번하게 출현한다.[5] 이러한 음소 출현 빈도와 일치하도록 검사어음표를 구성함을 의미한다. 단음절어표의 단어를 각 단어의 발성시 강도가 동일하도록 선택된 발성학적 동일음압단어(phonetically balanced word; PB word)로 설명하고 있는 문헌이나 교과서도 있지만, 'phonetically balanced'는 words(복수) 또는 word list를 수식하는 표현으로서 words 또는 word list가 phonetically balanced란 의미이지, phonetically balanced word가 복수로 있다는 뜻이 아니라고 보아 본 장에서는 전자의 해석을 따른다.[6]

단어 강세(accent)가 뚜렷한 언어인 영어의 경우, baseball, toothbrush, playground 등과 같이 1음절과 2음절에 모두 강세가 있는 양양격 단어(spondee word)로 이음절어표를 구성하므로 단어의 선택에 제약이 크지만, 단어 강세가 뚜렷하지 않은 한국어의 경우에는 이음절어의 선택에 강세는 큰 제약이 되지 않는다.[6]

검사어음은 테이프, 음반, 최근에는 CD, 디지털 파일에 녹음된 것을 사용하거나 검사자가 직접 발성하는 육성으로 검사한다. 육성검사는 융통성이 있어 주의 집중이 어려운 어린이나 노인, 녹음에 익숙하지 못한 특수한 환자를 검사할 때 적절히 대처할 수 있고 시간을 조절하여 편리하게 검사할 수 있다. 그러나 검사자의 발성에 동질성이 없어 동일조건으로 재생할 수 없으며, 발음 자체도 검사자에 따라 차이가 있어 그 결과의 일관성이 떨어진다는 단점도 있다.

어음청력검사의 기본적인 검사는 어음에 대한 청취능력의 측정(어음청취역치검사)과 이해능력의 측정(어음명료도검사)으로 대별된다. 청력이 좋은 귀부터 먼저 검사하며, 차폐가 필요한 경우에는 순음청력검사에 준하지만, 차폐의 검사별 세부사항은 뒤에서 기술한다.

1. 어음청취역치검사

검사어음을 단지 감지만 할 수 있는 가장 낮은 음압을 어음인식역치(speech detection threshold; SDT)라 하고, 검사어음의 50%를 정확하게 알아들을 수 있는 어음의 최소강도를 어음청취역치(speech reception threshold SRT)라고 한다. 검사어음으로는 일상생활에서 많이 사용되는 이음절의 양양격 단어(spondee word)를 사용하며, 많은 나라 들이 표준화된 검사어음표를 제정하여 사용하고 있다. 국내에서도 여러 연구자에 의해 어음청력검사표가 개발되었다.[4,6,7,9-11] 표 8-3은[11] 우리나라에서 가장 널리 사용되고 있는 어음청취역치검사(speech reception threshold test)용 어음표이다.

검사는 어음청력계기의 음량계기(volume unit meter; VU)로 조절된 육성 또는 녹음된 어음을 사용하게 되는데, 검사의 신뢰도를 높이기 위해서는 녹음된 어음표를 사용하는 것이 좋다. 어음의 강도를 상승법 또는 하강법으로 조절하여 50%를 응답할 수 있는 최소어음강도를 찾는데 주로 하강법 즉, 충분히 들을 수 있는 음압에서 점차 강도를 약하게 하여 역치를 구하는 방법을 이용한다. 보통 회화음역의 순음청력 평균역치보다 25 dB 높은 강도에서 10 dB씩 낮추어 검사하면서 역치 근처에서는 5 dB 이하의 간격으로 검사한다. 보통 피검자가 청취한 어음을 복창(talkback)하게 하며, 경우에 따라 피검자로 하여금 받아쓰게 하거나 검사자가 말한 그림이나 물건을 가리키게 할 수도 있다.[45]

표 8-3. 어음청취역치 측정을 위한 한국어 2음절어표(36단어)

육군	꽃병	독약	찰떡	팥죽	까치
석탄	발톱	접시	학생	권투	약국
필통	송곳	빗깔	극장	톱밥	뚜껑
양복	눈물	책상	합격	딱총	전차
목욕	엽서	방석	국수	땅콩	색칠
달걀	폭발	연필	찹쌀	욕심	콩팥

일반적으로 어음청취역치와 순음청력 평균역치는 거의 일치하며 대개 10 dB 이내의 차이를 보인다. 따라서 순음청력 평균역치와 어음청취역치가 15 dB 이상 차이를 보일 때에는 검사 자체에 신뢰도가 없거나, 위난청을 의심할 수 있다. 그러나 급격한 경사를 보이는 순음청력도를 보일 때에는 순음청력역치와 어음청취역치가 달라질 수 있다. 이 경우 환자의 청력역치는 어음청취역치를 사용하는 것이 타당하고, 후미로성 난청에서 어음에 대한 이해 정도가 매우 낮아 어음청취역치를 측정하기 곤란하면 어음인식역치를 측정하여 사용하기도 한다. 어음인식역치는 검사 어음을 이해하지 못하는 소아 또는 외국인에도 적용할 수 있다.

현재 영어에서는 SRT에서의 0 dB HL (0 dB SRT)은 19.5 dB SPL (TDH 39 이어폰) 또는 20 dB SPL (TDH 49 이어폰)로 취급하고 있고, 한국어에서는 아직 명확한 연구 결과가 없어 영어의 기준을 준용하고 있지만,[8] 임상적인 경험상 크게 다르지는 않을 것으로 보고 있다.

2. 어음명료도검사

검사어음을 이해하는 능력을 측정하는 검사이다. 검사어음은 일상생활에서 흔히 사용되는 단음절어 50개로 구성된 여러 개의 표이며, 각 표마다 각 음소의 출현 빈도와 난이도가 균등하고, 음소의 출현 빈도가 일상 회화와도

표 8-4. 어음명료도 측정을 위한 한국어 단음절어표 4개(각 표당 50단어)

표 1	귀힘논맛솔잔국솜닭엽불남숫감윷들잣배침꿀반멋키딸겁 향법산골짐녹끌통삼뽕되폭설뜻명은북점밑싹벼왕색물개
표 2	혀독잠복운갓쉰납문곳숲종답책땀셋망겉알죽밤신널새꽃 금흉뇌역멍쌀범코깃발등질터뜸실곽붓맥일뼈살몸풀봄끈
표 3	눈공길옷밥섬돈장극춤먹솟방적강손막벌끝칼숨낫뒤백꼴 흠귤면농삽무안굿틀떡매엿죄빚담시빰팔샘뚝잎별씨좀활
표 4	글집꿈선목앞넷벽상돌틈겹육말소김박뜰총낯술단쥐굴흙 밭깨연못절광서달젓쌈묵뱀만콩빗쇠땅벗님속품인뿔해곰

비슷해야 한다(표 8-4).[45]

어음명료도검사(speech discrimination; SD test)는 가장 편안하게 느끼는 어음강도, 즉 최적안정역치에서 검사어음을 얼마나 정확히 이해하는가를 측정한다. 대개 어음청취역치보다 35~40 dB 높은 강도로 어음을 청취시키고 이를 복창하게 하거나 받아쓰도록 하여 피검자가 정확히 들은 검사어음의 수를 백분율로 환산한다. 이것을 어음명료도치(speech discrimination score)라 하고 부정확한 반응을 보인 검사어음의 백분율을 어음명료도손실치(speech discrimination loss score)라고 한다. 여러 어음강도에서 측정한 명료도치 중 가장 좋은 값을 최대명료도치(maximum discrimination score; PBmax)라 하며 일반적으로 정상 또는 전음성 난청에서는 어음청취역치보다 35~40 dB 높은 어음강도에서 최대명료도치를 얻을 수 있다.

어음청력도는 가로축에 어음강도(dB HL)를, 세로축에 어음명료도치(%)를 표시하여 명료도치 15%의 길이와 어음강도 10 dB의 길이가 같도록 하여 어음강도에 따른 검사성적을 기입한 것을 말한다. 역치보다 높은 강도에서 10 dB 또는 20 dB 간격으로 명료도치를 구하고 이 점들을 연결하면 어음명료도곡선이 된다. 일반적으로 정상이나 전음성 난청의 경우 어음강도를 높여주면 100%의 명료도치를 보이나, 감각신경성 난청에서는 최대명료도치가 낮으며, 특히 청신경종양과 같은 후미로성 난청에서는 현저히 감소하여 특정 어음강도에서 최대명료도치를 보인 후 어음강도가 이보다 증가할수록 명료도치가 오히려 감소되는데, 이를 말림현상(roll-over phenomenon)이라 한다(그림 8-6).[21]

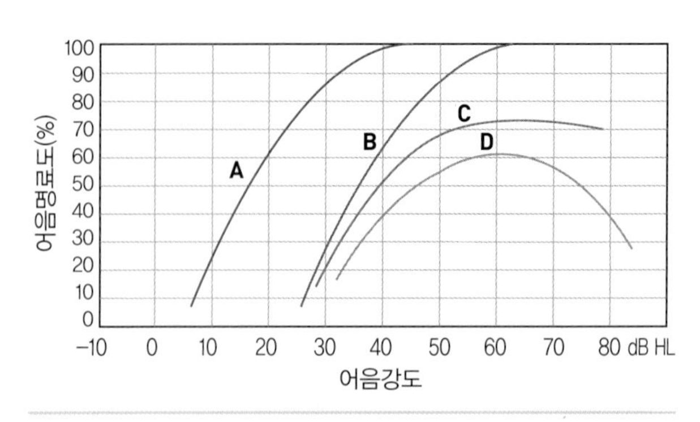

■ **그림 8-6. 정상 및 청력장애의 유형에 따른 어음명료도 곡선.** **A)** 정상, **B)** 전음성 난청, **C)** 미로성 난청, **D)** 후미로성 난청

3. 최적안정역치와 불쾌역치

최적안정역치(most comfortable level of loudness; MCL)는 어음청취역치에서부터 음강도를 높이면서 들려주었을 때 피검자가 가장 편하게 느끼는 강도를 말한다. 주로 어음으로 검사하며, 대개 어음청취역치보다 35~40 dB 높은 강도에서 나타난다. 이는 보청기의 적정이득을 결정하는 기준이 된다.

불쾌역치(uncomfortable level of loudness; UCL)는 최적안정역치에서부터 음강도를 높이면서 들려주었을 때 피검자가 자극음으로 인하여 불쾌감, 압박감, 통증 등의 불편함을 느끼는 강도를 말한다. 어음청취역치보다 75~90 dB 정도 높은 어음강도에서 나타난다.

역동범위(dynamic range)는 어음청취역치와 불쾌역치 사이의 범위를 의미하며, 보청기를 장착할 때는 이 범위 내에서 출력되게 조정해야 한다.

4. 어음청력검사의 차폐

순음청력검사에서 차폐를 하였으면 어음청력검사에서

도 역시 같은 쪽에 차폐를 시행한다. 순음청력검사와 달리 차폐음으로는 백색잡음(white noise)인 회화음역의 대역잡음을 사용하며, 협대역잡음은 비효과적이다.

어음청력검사의 이간감약치는 45 dB이다. 어음청취역치검사에서는 양측 순음청력역치의 차이가 45 dB 이상이거나, 어음청취역치와 반대측 골도 순음청력역치의 차이가 35 dB 이상인 경우에 차폐를 시행한다. 어음명료도 검사에서는 양측 순음청력역치 또는 어음청취역치의 차이가 45 dB 이상인 경우, 또는 검사측에 주는 검사음량과 반대측 골도 순음청력역치의 차이가 35 dB 이상인 경우 차폐를 시행한다.

5. 소음 환경에서의 어음청력검사 HINT

HINT (Hearing in Noise Test)는 일상생활에서의 청력이 대부분 소음 환경에서 기능함에 착안하여, 간단한 회화체 문장의 인지수준을 소음이 없는 상황과 소음이 있는 상황에서 각각 측정하여 정상과 비교하는 검사이다.[44] 상품화된 HINT 시스템은 디지털 자료화된 검사 문장이 운영 프로그램과 함께 제공되므로, 검사가 용이하고 표준화가 가능한 장점이 있다. 한국어 HINT 문장도 개발되어 있다.[3] 노인성 난청이나 소음성 난청 환자와 같은 청력장애자가 일상생활에서 겪는 장애 정도를 정량화할 수 있으며, 보청기나 인공와우의 청각재활 효과, 이소골 성형술의 청력개선 효과를 포괄적으로 평가할 수 있다.[8]

Ⅳ 임피던스 청력검사

임피던스란 주파수 성분이 있는 흐름(교류전류, 음향에너지 등)에 대하여 저항으로 작용하는 여러 가지 요소들을 모두 가리키는 말로 주파수에 따라 변하는 저항이라는 개념으로 이해하면 된다. 중이는 임피던스(impedance)가 낮은 외이에 전달된 음향에너지를 임피던스가 높은 내이로 효율적으로 전달하는 일종의 변압기(impedance transformer) 역할을 하며, 중이에 병변이 생기면 임피던스의 변화가 발생하며, 이 변화를 검사하는 것이 임피던스 청력검사(impedance audiometry audiometry)이다. 이 청력검사에서는, 외이도를 밀폐한 상태에서 외이도 내의 압력을 변화시키면서 특정 주파수와 강도의 음을 줄 때, 고막에서 반사되는(중이의 임피던스에 의하여 내이로 진행하지 못하는) 음향에너지를 측정한다. 즉 반사된 음향에너지를 측정함으로써 중이강의 상태를 간접적으로 평가한다.

임피던스의 물리학적 공식은 다음과 같다.

$$\text{Impedance=F/V=}\sqrt{R^2+(2\pi fM-\frac{S}{2\pi f})^2}$$

(F: force, V: velocity, R: resistance, f: frequency, M: mass, S: stiffness)

정상적인 중이 구조물은 질량효과(mass effect)와 강직효과(stiffness effect)가 적절하게 작용함으로써 소리 전달을 위한 최적의 상태를 유지하고 있고, 이들의 변화는 중이 진행과 반사를 변화시킨다. 질량 효과는 고막, 이소골, 중이강의 질량 등에 영향을 받으며, 강직효과는 고막과 이소골의 견고성(운동성 제한)을 의미하는 것으로 중이 내의 근육과 인대 그리고 이소골 관절의 상태에 영향을 받는다. 중이를 통한 음의 전달은 주파수가 증가함에 따라, 즉 고음일수록 질량의 영향을 많이 받으며, 주파수가 감소함에 따라, 즉 저음일수록 강직성의 영향을 많이 받게 된다. 즉, 질량의 증가는 주로 고음의 전도장애를, 강직성의 증가는 저음의 전도장애를 가져온다.[41]

임피던스 청력검사법에서 기본적인 검사는 고막운동성계측(tympanometry)과 등골반사(등골근반사, 소리반사)(stapedial reflex, acoustic reflex)이며, 임피던스 청력계기를 이용하여 외이도의 부피, 정적 탄성(static compliance), 이관기능, 등골반사 피로(acoustic reflex

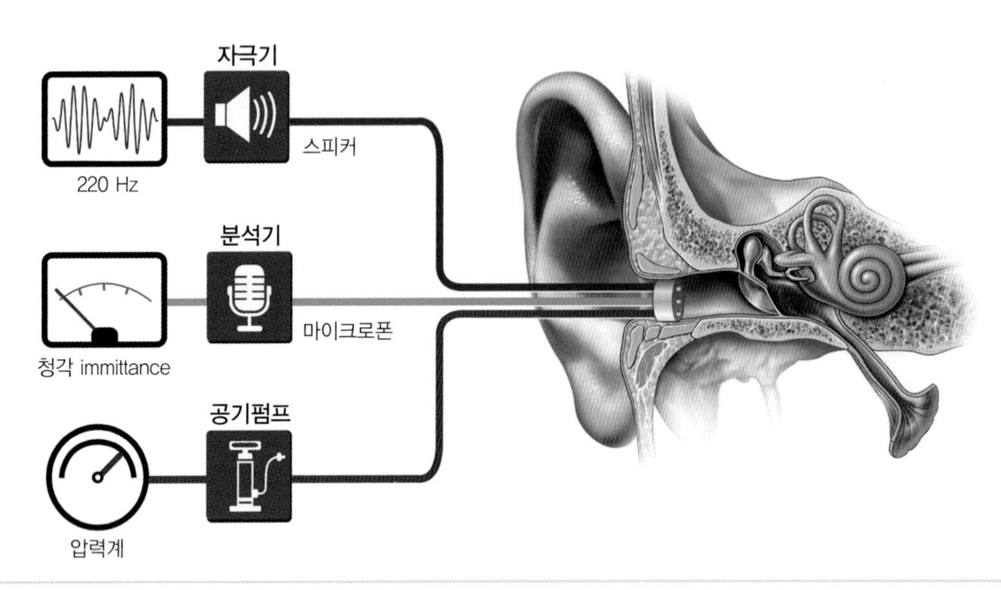

■ **그림 8-7. 임피던스 청력계기.** 자극기(probe system): 확성기, 스피커, 음향변환기(acoustic transducer); 분석기(analysis system): 마이크로폰

decay)의 유무 등을 알 수 있다.

1. 임피던스 청력계기

임피던스 청력계기는 그림 8-7과 같이 구성되어 있다. 외이도를 밀폐(airtight seal)하는 프로브(ear probe)는 스피커(확성기, loud speaker), 마이크로폰(measuring microphone), 공기펌프(air pump)의 압출구를 포함하고 있다. 공기펌프에는 압력계(manometer)가 부착되어 있으며, 외이도 내의 압력을 −400~+200 daPa 범위 내에서 변화시킬 수 있다. 스피커(음향변환기)에는 자극음(probe tone)을 발생시키는 발진기(oscillator)가 연결되어 있어 고막운동성계측 때에는 220 또는 226 Hz/85 dB SPL, 660 또는 668 Hz/80 dB SPL 등의 자극음을 생성하며, 등골반사검사 때에는 250 Hz ~ 6 kHz까지의 순음을 최대 110 dB HL까지 생성한다. 발진기에서 생성된 자극음이 고막에서 반사되었을 때의 음향에너지를 마이크에서 포착하여 평형기(balance meter)에 나타나는 것을 전압으로 표시하는 전압계기가 프로브에 연결되어 있다. 국제단위계(SI unit)에서 압력의 단위는 Pa(파스칼, Pascal)이므로, 과거에 사용하던 압력의 단위인 mmH_2O 등은 점차 daPa(데카파스칼, deca-Pascal)로 바뀌어 쓰이고 있다(1 mmH_2O = 9.80665 Pa = 0.980665 daPa ; 1 daPa = 10 Pa = 1.019716 mmH_2O).

2. 고막운동성계측

외이도 입구를 밀폐하면 외이도 내 공기의 부피는 일정하게 된다. 이때 자극음을 주고 고막에서 반사되는 음향에너지를 외이도 내의 압력변화(−400 ~ +200 daPa)에 따라 측정하는 것이 고막운동성계측(tympanometry)이다. 가로축에 외이도의 압력 변화를, 세로축에 어드미턴스(admittance) 또는 탄성(compliance)의 변화를 연속적으로 도표에 그린 것을 고막운동성계측도 또는 고실도(tympanogram)라고 한다(admittance = 1/impedance, 흐르기 쉬움을 나타내는 양 ; compliance = $\Delta V/\Delta P$, 부피의 변화/압력의 변화). 중이강과 외이도의 압력이 같아지는 지점에서 고막의 탄성(compliance)이 최고가 되며 즉, 가장 고막이 잘 움직이며, 고막운동성계측도의 양상을 통해서 중이강 내의 압력, 고막의 운동성, 이

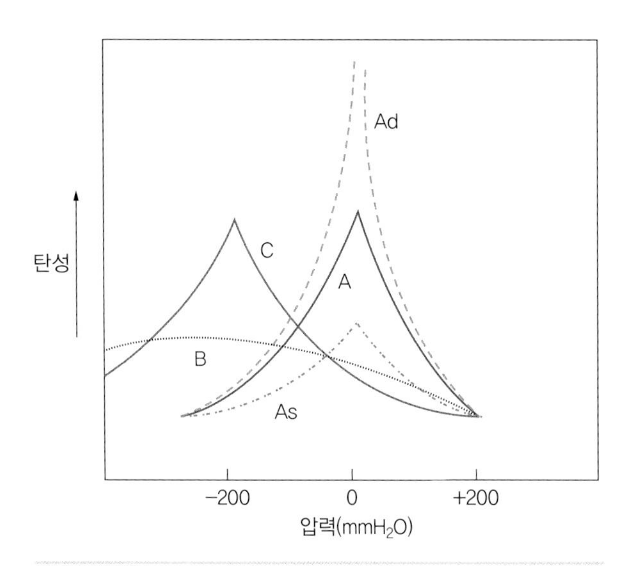

■ 그림 8-8. 고막운동성계측도의 유형

소골연쇄의 상태, 외이도와 중이강의 최대 음향전달공명점 등을 알 수 있다. 220 Hz/85 dB SPL의 자극음을 이용한 고막운동성계측도는 외이도에 가한 압력변화에 따른 동적 탄성(dynamic compliance), 최대 탄성(peak compliance)의 압력점, 정적 탄성(static compliance)을 기준으로 다음과 같이 분류된다(그림 8-8).[29]

- A형 : 최대 탄성의 압력이 −100 ~ +100 daPa 사이에서 관찰되는 것으로 중이강 내의 상태가 정상임을 의미하며, 정상 또는 감각신경성 난청 등에서 볼 수 있다.
- As형 : 최대 탄성의 압력이 A형과 같은 범위에 있으나 탄성의 변화가 적은, 즉 고막의 움직임이 감소된 것으로 중이강의 질량의 증가 또는 강직성의 증가에 의한 것이다. 이소골의 유착, 고실경화증(tympanosclerosis), 이경화증(otosclerosis) 등에서 나타날 수 있다.
- Ad형 : 최대 탄성의 압력이 A형과 같은 범위에 있으나 탄성의 변화가 큰 즉, 고막의 움직임이 증가된 것으로 이소골의 단절(ossicular disruption)이나 치유된 고막 천공(healed perforation) 등에서 나타날 수 있다.
- B형 : 고막운동성계측도에서 최대 탄성을 보이지 않으며 수평 또는 반구형(dome shape)을 보이는 것으로 고막의 비후(thickening), 중이강 내의 액체저류 등에서 나타날 수 있다.
- C형 : 최대 탄성의 압력이 −100 daPa 이하의 음압에 위치하는 것으로 이관폐쇄 등으로 중이강의 압력이 외이도 내의 압력 즉, 대기압보다 낮을 때 관찰된다.
- D형 : 최대 탄성의 압력점이 2개로 M 또는 W 형의 굴곡된 형태를 보인다. 치유된 고막 천공(healed perforation) 등에서 나타날 수 있다.

외이도의 골부가 완전히 성숙하기 이전의 유아에서는 외이도 벽의 탄력성 때문에 고막운동성계측 때 오차가 발생할 수 있다. 이러한 압력 부하에 의한 외이도 자체의 부피 변화는 생후 약 2개월까지는 의미 있는 차이를 보인다. 따라서 생후 2개월이 되어야 외이도벽의 움직임을 배제한 안정된 고막운동성계측도와 외이강의 부피를 구할 수 있다.[25]

고막운동성계측시 외이도에 +200 daPa의 압력으로 고막을 최대한 긴장시켜 고막을 통한 음향에너지의 흡수를 최소로 줄인 상태에서 외이도의 반사에너지를 측정하여, 외이도벽을 통한 음향에너지의 흡수율을 고려함으로써 외이강의 부피를 구한다. 소아에서 0.5~1.0 mL, 성인에서 0.6~2.0 mL 정도의 값을 보이며 프로브 삽입 깊이에 영향을 받는다.[49] 고막이 천공된 경우에는 매우 크게 나타나며, 중이강 및 측두골의 함기도에 따라 값이 달라진다.

3. 등골반사

중이강 내 등골근(stapedius muscle)은 강한 소리가 들어오면 내이를 보호하기 위해 뇌간에 이르는 반사궁(reflex arc)을 통하여 수축하는데, 이를 등골반사(stapedial reflex, acoustic reflex)라 한다(그림 8-9). 등골

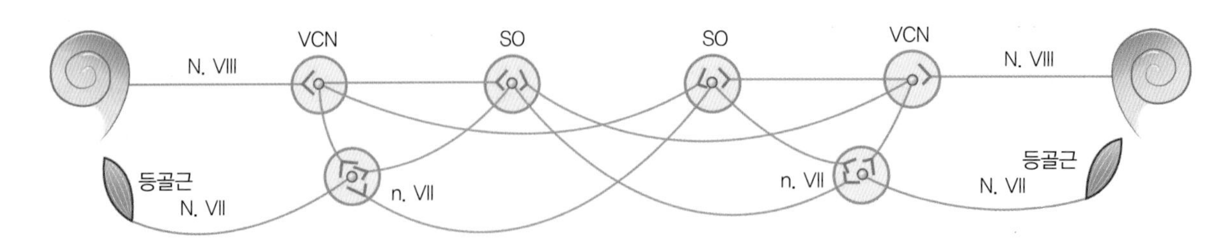

■ **그림 8-9. 음자극에 의한 등골반사의 반사궁.** VCN; 복측와우핵, SO; 상올리브, n.VII; 안면신경뉴런, N.VII; 안면신경, N.VIII; 청신경

근이 수축하면 이소골 연쇄는 강직되고 중이 내의 임피던스는 증가하여 고막의 탄성(compliance)이 감소한다. 이러한 변화는 임피던스 청력계기로 측정할 수 있어서, 반사궁과 관련된 청력손실, 이소골연쇄 등의 중이강 상태, 청신경, 안면신경 및 뇌간하부의 이상 유무를 평가할 수 있다.[34]

피검자의 외이도가 밀폐될 수 있도록 외이도 크기에 알맞은 프로브를 적절한 깊이로 삽입하여 외이도를 일정한 부피를 가지는 외이강으로 만든다. 고막을 최대로 이완시켜 중이강과 외이강의 압력을 동일하게 만들면 탄성의 변화를 보다 명확하게 확인할 수 있다. 등골반사는 중이압의 영향을 받기 때문에, 대부분의 검사계기들은 고막운동성계측 시 최대 탄성을 보이는 압력점을 기억해 두었다가 등골반사검사 때에 자동으로 설정한다. 자극음을 500 Hz, 1 kHz, 2 kHz, 4 kHz로 선택하고 정상인의 유발 역치(70~100 dB HL) 또는 이보다 낮은 음부터 음 강도를 올려주어 탄성의 변화가 외이강 부피의 1%인 0.02 mL 이상 감소를 보이는 최소의 음 강도를 찾는다. 이때의 음 강도를 등골반사 역치(acoustic reflex threshold)라 한다(그림 8-10).

이러한 등골반사 역치는 정상인에서도 자극음의 종류나 자극방향에 따라 다르다. 정상인에서 순음으로 반대측 귀에 자극음을 주면 70~100 dB HL에서 반사가 나타나며, 동측에 자극음을 주면 이보다 2~16 dB 낮은 강도에서 반사가 나타난다.[42] 또한 잡음을 자극음으로 사용하는 경우 순음보다 약 10~20 dB 낮은 역치를 보인다. 누가현상이 있는 감각신경성 난청에서는 정상보다 훨씬 낮은 역치상 강도인 60 dB SL 이하에서 반응역치를 보인다. 일반적으로 청력손실의 정도에 따라 등골반사 역치가 상승되며, 난청의 정도가 심하면 등골반사가 관찰되지 않는다. 청력역치의 상승에 따른 등골반사의 소실률은 난청의 종류 즉, 전음성, 미로성, 후미로성 난청 등에 따라 차이를 보인다(그림 8-11). 감각신경성 난청과는 달리 전음성 난청에서는 병변측에서 반사를 측정할 때와 병변측에 음자극을 주고 반대측에서 반사를 측정할 때에도 차이를 보인다.

등골반사검사는 중이 병변의 탐지에 민감도(70~90%)와 특이도(80%)가 높으며, 고막운동성계측과 병행하면 약 90%의 특이도가 있다.

등골반사검사는 말초성 난청이 심하거나 고막천공이 있을 때는 검사가 불가능하다. 얼굴 근육을 움직이거나 연하운동을 할 때 또는 어린아이가 울 때는 계기의 지시침이 움직이므로 주의를 요한다.

등골반사검사를 표시하는 방법은 검사 계기나 병원마다 차이가 있지만, 핵심적인 내용은 같다. 좌/우, 동측(ipsilateral)/반대측(contralateral)의 명시가 가장 중요한 요소이다. 등골반사검사에서는 반사궁의 구심로(afferent limb)에 자극음을 입력하고(VIII 뇌신경), 원심로(efferent limb)인 등골근(VII 뇌신경의 분지(branch)가 지배)의 반응을 관찰한다. 좌/우는 좌측 음자극인지 우측 음자극인지를 표시하는 것이며, 동측/반대측은 음자극이 등골근의 동측에 주어진 것인지 반대측에 주어진 것인지를 명시한다(표 8-5). 즉, 음자극을 기준으로 생각하면 등골반사 경로의 다양한 병변에 따른 등골반사의 유형을 이해하기 쉽다(표 8-6).

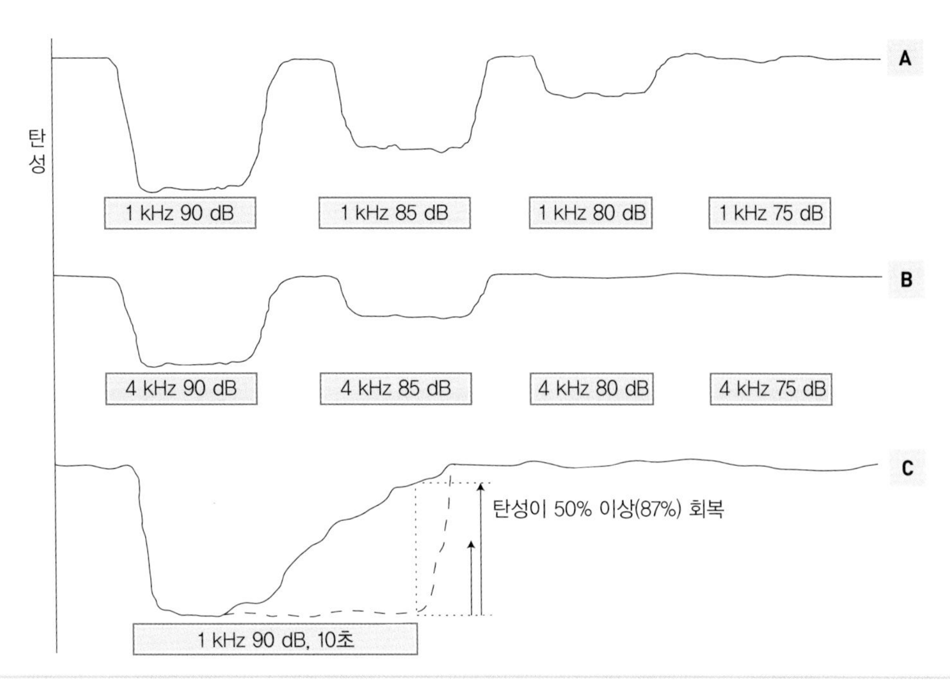

■ 그림 8-10. **등골반사 검사와 등골반사 피로검사의 예.** 등골반사 1 kHz의 역치는 80 dB이고(그래프 **A**), 4 kHz의 역치는 85 dB이다(그래프 **B**). 등골반사 피로검사에서 10초 이내에 감소된 탄성compliance이 50% 이상(그림에서는 87%) 회복되었으므로 피로검사 양성(비정상)이다(그래프 **C**). C의 점선 그래프는 예상되는 정상적인 반응의 경우이다.

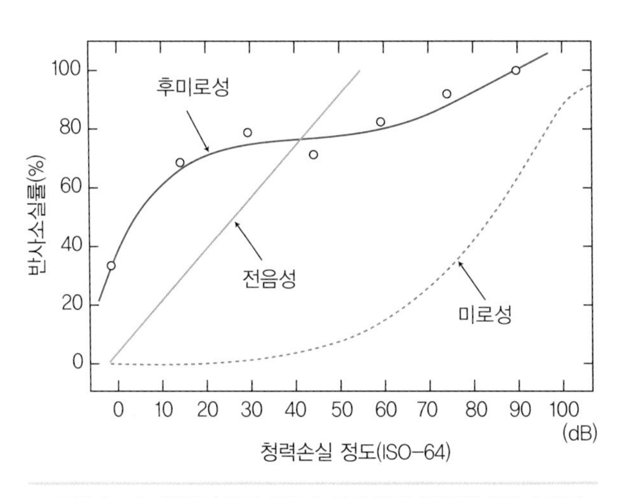

■ 그림 8-11. **병변부위별 청력손실에 따른 등골반사의 소실률**

4. 정적 탄성

고막운동성계측에서 어드미턴스 또는 탄성은 고막으로의 전달에너지뿐 아니라 외이도 자체의 흡수에너지를 포함한다. 정적 탄성(static compliance)은 외이도 자체의 흡수에너지를 제외한 순수한 고막으로의 전달에너지를 의미하며, 고막운동성계측 시 최대 탄성에서 외이도의 탄성을 배제함으로써 구할 수 있다. 외이도의 탄성은 외이도에 최대 압력을 가해 고막의 운동성을 최소화한 상태에서의 탄성으로 볼 수 있으므로 정적 탄성은 최대 탄성(maximal compliance)에서 +200 daPa에서 측정한 탄성을 뺀 값이다. 정적 탄성의 정상치는 보고자에 따라 차이가 큰데 이는 피검자의 영향도 있으나 검사 시 프로브의 삽입 깊이에도 크게 영향을 받는다. 이 검사는 단독으로는 큰 임상적 의미가 없다.

5. 이관기능검사

고막천공이 없을 때의 이관기능검사(eustachian tube function test) 방법은 다음과 같다. 먼저 중이강의 상태를 평가하기 위하여 고막운동성계측도를 측정한 후 외이도에 양압을 가하면서 수차례의 연하운동을 시킨 다음

표 8-5. 좌측/우측 동측/반대측 등골반사

	우측 동측 등골반사	우측 반대측 등골반사	좌측 반대측 등골반사	좌측 동측 등골반사
구심로	우측 음자극	우측 음자극	좌측 음자극	좌측 음자극
원심로	우측 등골 반응	좌측 등골 반응	우측 등골 반응	좌측 등골 반응
표 8-6 표시	우측 → 우측	우측 → 좌측	좌측 → 우측	좌측 → 좌측

구심로afferent limb (자극음 입력, VIII 뇌신경); 원심로efferent limb (등골근의 반응, VII 뇌신경)

표 8-6. 병변에 따른 등골반사의 유형 예

우측 → 우측	우측 → 좌측	좌측 → 우측	좌측 → 좌측	예, 설명
(+)	(+)	(+)	(+)	정상
(+)	(+)	(-)	(-)	좌측 농, 좌측 입력이 손상된 것이므로
(+)	(-)	(+)	(-)	좌측 안면신경마비, 좌측 등골근의 반응이 없으므로
(+)	(-)	(-)	(+)	뇌간 병변, 반대측만 손상된 것이므로
(+)	(-)	(+)	(+)	뇌간 병변, 반대측만 손상된 것이므로
(+)	(-)	비정상	(-)	좌측 전음성 난청*

(+) 정상, (-) 무반응,

*좌측 전음성 난청(고막천공이 없는 좌측 삼출성 중이염, 좌측 이소골 이상 등), 좌측 등골근 반응이 감지되지 않는 것은 좌측 안면신경마비와 비슷하지만, 좌측 난청으로 인하여 우측 반대측 등골반사의 역치 상승(비정상)이 동시에 발생.

고막운동성계측도를 구한다. 외이도의 가해진 양압은 고막을 내측으로 이동시키면서 중이강의 압력을 증가시킨다. 이때 이관기능이 정상이면 연하운동 시 중이강의 공기가 이관을 통하여 빠져나가게 된다. 이 상태에서 외이도의 압력을 다시 대기압과 같게 하면 고막은 외측으로 이동하며 중이강 내에는 일시적으로 최초 압력에 비해 상대적 음압을 보인다. 이때 두 번째 고막운동성계측도를 구하면 탄성의 최고점은 최초 검사 시보다 약간 음압 쪽으로 이동하게 된다. 외이도에 음압을 가하면서 수차례의 연하운동을 시킨 다음 세 번째 고막운동성계측도를 구하면 반대의 원리로 탄성의 최고점은 최초 검사 시보다 약간 양압 쪽으로 이동하게 된다. 반면 이관기능에 장애가 있는 경우에는 위와 같은 탄성의 최고점 이동이 거의 없다.

고막천공이 있을 때는 외이도에 양압이나 음압을 가한 후 피검자로 하여금 침을 5회 정도 삼키게 하여 이관을 통한 압력조절을 유도하여 남아 있는 압력이 얼마나 되는지 검사한다. 정상적인 이관기능이 있는 경우 남아 있는 압력은 0에 가까워야 한다.

6. 등골반사 피로검사

후미로성 난청 시 나타나는 청각피로(tone decay) 현상의 유무를 알 수 있는 검사로 등골반사 역치보다 10 dB 높은 강도의 500 Hz 또는 1 kHz 연속음을 반대측에 10초 동안 자극하면서 탄성의 변화를 관찰한다. 만약 10초 이내에 감소된 탄성이 50% 이상 회복되면(그림 8-10C) 등골반사 피로검사(acoustic reflex decay test) 양성(반사 감퇴, reflex decay)으로 후미로성 난청의 10~30% 정도에서 관찰된다.[1]

 V 자기청력검사

이 검사법에서는 청력검사를 받는 피검자 자신이 직접

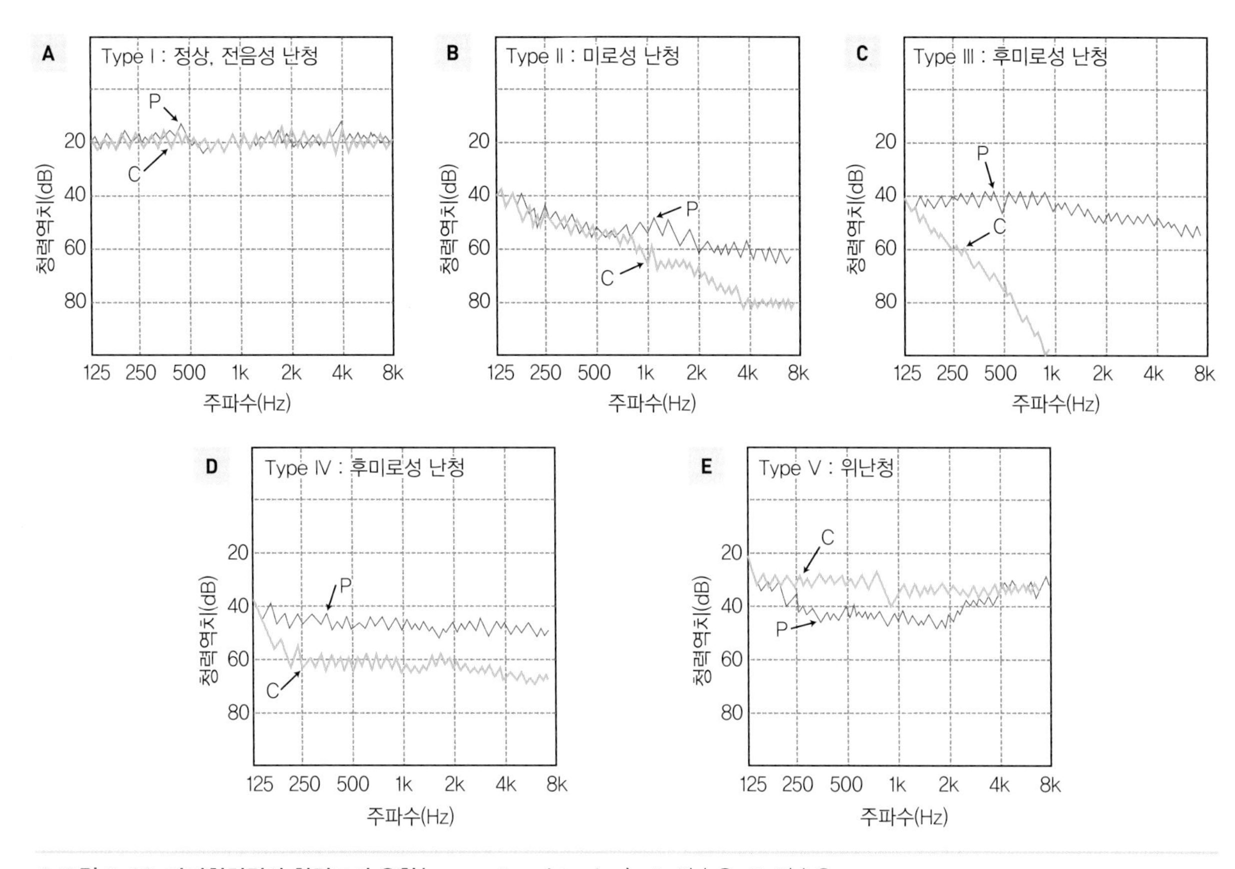

■ 그림 8-12. **자기청력검사 청력도의 유형(conventional tracing).** P: 단속음, C: 연속음

버튼으로 자극음의 강도를 조절하면서 청력역치를 구한다.[13] 보통의 주파수절환식 청력계기에서는 다이얼에 표시된 주파수에 한하여 검사가 이루어지나, 자기청력검사계기에서는 100 Hz~10 kHz 사이의 모든 주파수의 음을 낮은 주파수부터 점차 높은 주파수 쪽으로 또는 그 반대로 연속적으로 주파수를 변화시키면서 음을 발진시켜 검사할 수 있다(conventional tracing). 또한 일정시간 동안 고정된 주파수를 발진시켜 검사할 수도 있다(fixed frequency tracing).

자극음은 연속음(continuous tone)과 단속음(interrupted tone) (6초에 2.5회의 단절)을 사용하며, 이 두 자극음에 대한 청력역치를 비교한다. 이 청력계기의 감쇠기버튼(attenuator button)을 누르면 음이 약해지고, 버튼을 놓으면 음이 점점 강해지므로, 피검자에게 음이 들리는 동안은 버튼을 계속 누르고 있고, 음이 들리지 않으면 즉시 버튼을 놓으라고 지시한다. 그래프에 순음청력검사 시의 상승법과 하강법의 차이가 그려지는 셈이다.

자기청력검사는 청력역치를 측정할 수 있으며 위난청의 진단에도 이용되고, 누가현상(recruitment phenomenon)과 청각피로 현상을 알 수 있어 청력손실의 병변부위를 규명하는 데 도움을 준다. 연속음의 역치 상하폭이 정상 청력과 전음성 난청에서는 5~15 dB이나 누가현상이 있으면 5 dB 이내로 좁아진다.

자기청력검사의 청력도는 그림 8-12와 같이 분류된다.[2]

- I형 연속음과 단속음의 청력역치의 차이가 거의 없고, 역치의 상하폭이 5~15 dB인 형으로 정상 청력, 전음성 난청에서 관찰된다.
- II형 1 kHz이하에서는 I형과 같으나 1 kHz 이상에

서는 연속음의 청력역치가 단속음의 역치보다 20 dB 이내로 나쁘며, 연속음의 역치 상하폭이 5 dB 이내로 좁아지는 형이다. 미로성 난청에서 주로 관찰된다

- III형 저음역부터 연속음의 청력역치가 단속음의 역치보다 떨어지고, 고음역으로 갈수록 심해지는 형이다. 후미로성난청에서 주로 관찰된다.
- IV형 II형과 비슷하나, 1 kHz 이하에서도 차이가 나는 형이다. 후미로성 난청에서 주로 관찰된다.
- V형 단속음의 청력역치가 연속음의 역치보다 나쁜 형이다. 위난청에서 관찰된다.

VI 누가현상검사

일반적으로 음의 세기는 객관적으로 측정되는 물리적 양인 음의 강도(intensity)로 나타내지만, 주관적으로 느끼는 감각적 양인 음량(loudness)으로 나타내기도 한다. 같은 강도의 음이라도 주파수에 따라서 다른 음량으로 느끼기도 하고, 난청이 있는 사람은 같은 강도의 음을 정상 청력인 사람보다 작은 음량으로 느낀다. 대개 음의 강도가 증가함에 따라 비슷한 정도로 주관적으로 느끼는 음량도 커지는 경향이 있다. 음에 대한 누가현상(recruitment) 또는 보충현상이란[22] 자극음의 강도를 일정하게 증가시킴에 따라 환자가 느끼는 음량이 비정상적으로 크게 느껴지는 것(abnormal loudness growth)으로 어음청취역치(들릴 듯 말 듯한 강도)와 불쾌역치(불편할 정도로 큰 강도) 사이의 역동범위(dynamic range)가 축소되어 나타나는 현상이다. 외부 음 강도의 작은 변화도 큰 음량의 변화로 감지하게 된다. 주로 미로성 난청 즉, 와우의 유모세포가 손상된 경우에 와우의 능동적 기전(active mechanism)의 손실로 발생한다고 추정된다. 이 기전은 정상 와우에서는 약한 소리를 증폭하는 역할을 하지만, 강한 소리에 대해서는 별 효과가 없다. 이 기전이 손상되면, 약한 소리는 증폭이 일어나지 않아 잘 듣지 못하지만, 강한 소리에 대한 반응은 정상이라 큰 음량으로 느낀다.[43]

누가현상의 반대되는 현상을 감가현상(decruitment)이라 하며, 이는 후미로성 난청에서 나타날 수 있다. 누가현상검사(tests for recruitment phenomenon)는 임상적으로 감각신경성 난청에서 미로성 난청과 후미로성 난청의 감별진단에 도움이 될 수도 있다.[1]

1. 음량평형검사

음량평형검사(loudness balance test)는 가장 오래된 누가현상 검사법으로 Fowler검사법이라고도 한다. 편측성 난청이 있거나 양측성 난청이면서 청력역치의 차이가 20 dB 이상일 때, 잘 듣는 쪽을 기준귀(reference ear)로 그렇지 않은 쪽을 검사귀(test ear)로 하여 기준귀의 감각음과 같은 음량(loudness)으로 느끼는 검사귀의 자극음의 강도를 찾는다. 즉 양측 귀에서 동일한 음량으로 느끼는 자극음의 강도를 찾아 서로 비교한다(양측 교대 음량평형검사, ABLB test, alternative binaural loudness balance test).

양측성 난청이면서 청력역치차가 20 dB 이내일 때는 한쪽 귀에서 검사를 한다. 한쪽 귀에서 서로 다른 주파수 사이에 20 dB 이상의 청력역치차가 있으면 정상 또는 정상에 가까운 주파수를 기준주파수(reference frequency), 청력손실이 있는 주파수를 검사주파수(test frequency)로 하여 두 주파수 간 음량의 평형검사를 시행한다(편측 음량평형검사, MLB test, monoaural loudness balance test).[32]

양측 교대 음량평형검사 또는 편측 음량평형검사에서 기준이 되는 검사주파수의 청력역치가 정상범위에 있어야 검사결과의 신뢰도가 높다. 검사결과의 분석은 다음과 같이 구분할 수 있다.

- 누가현상 음성(absence of recruitment) : 음의 강도를 증가시키면서 검사하여도 동일한 음량으로 느

끼는 두 음의 역치상 강도(dB SL) 차이가 ±10 dB 이내일 때이다.

- 완전 누가현상(complete recruitment) : 검사 시 최대 강도(90~100 dB HL)에서 두 음을 거의 같은 음량으로 느낄 때이다.
- 불완전 누가현상(partial recruitment) : 동일한 음량으로 느끼는 검사측의 역치상 강도가 기준측의 역치상 강도보다 15 dB 이상 낮으나 최대 강도의 음을 청력손실이 심한 쪽에서 여전히 작은 음량으로 느낄 때이다.
- 과잉 누가현상(overrecruitment) : 최대 강도의 음을 청력손실이 심한 쪽에서 오히려 더 큰 음량으로 느낄 때이다.
- 감가현상(decruitment) : 양측에서 동일한 음량으로 느끼는 음의 역치상 강도가 정상측에 비해 난청측에서 5~10 dB 이상 높을 때이다.[32]

2. 음 강도의 판별력 검사

누가현상이 있는 경우 비교적 근소한 음의 강도 차이를 비정상적으로 크게 느끼게 된다. 즉 음의 강도 차이에 대한 판별력이 좋아져 강도의 판별역치(difference limen)가 낮아져 있는 것이다. 이를 검사하는 방법에는 강약을 교대로 발진하는 즉, 맥음(pulsating sound)을 이용하여 판별역치와 판별역치차를 검사하는 방법과 음 강도의 판별력을 간접적으로 평가할 수 있는 자기청력검사 및 미세증가 민감지수(short increment sensitivity index; SISI) 검사법이 있다.

1) 판별역치검사

1/2~1/6초의 주기로 반복되는 두 음(동일 주파수)의 강약을 변동시켜 그 강약의 차를 점차 줄여가면서 검사하여 강약의 차이를 느끼지 못하는 점에서의 두 음의 최대 강도차를 판별역치라 한다. 누가현상이 없는 난청에서는 원음을 강하게 함에 따라 판별역치가 높아지나, 누가현상이 있는 감각신경성 난청에서는 원음을 강하게 해도 판별역치가 크게 증가하지 않는다. 일반적으로 역치상 10 dB(10 dB SL)에서의 판별역치와 40 dB(40 dB SL)에서의 판별역치를 비교하여 그 차이를 구하는 방법을 많이 쓰며, 이것을 판별역치차(difference limen difference; DLD)라 한다. 누가현상이 있는 미로성 난청에서는 판별역치차가 0.8 dB 이하이고, 누가현상이 없는 난청에서는 1.0 dB 이상이다.[31]

2) 미세증가 민감지수검사

음량평형검사는 양측에 감각신경성 난청이 있을 때에는 검사하기 어려우며, 판별역치검사는 맥음 변동을 감지하는 데 익숙하지 않으면 판단이 곤란하고 정량화하기 어렵다. 미세증가 민감지수검사(short increment sensitivity index; SISI test)는 음의 강도에 대한 판별력 검사의 일종으로 1959년 Jerger 등이[33] 발표한 이래 현재까지 시행되고 있으나 진단적 의의가 큰 것은 아니다. 특정 주파수의 순음을 역치상 20 dB(20 dB SL)의 강도로 주면서 5초 간격으로 200 ms 동안(rise와 decay time이 각각 50 ms) 1 dB 강도를 높인다. 이때 환자가 강도의 증가를 인식하면 응답하게 하며, 강도의 증가를 20회 반복하여 그 중 응답하는 수의 백분율로 표시하는 방법이다. 음 강도의 증가를 처음에는 5 dB, 이후 4 dB, 3 dB, 2 dB, 1 dB로 검사하여 1 dB 증가했을 때의 검사결과를 얻으면 보다 정확도를 높일 수 있다.

응답수의 백분율이 70% 이상이면 SISI 양성, 즉 누가현상이 있는 것으로 판단하며, 미로성 난청을 시사한다. 누가현상이 인정되는 미로성 난청에서도 검사음의 주파수에 따라 SISI 양성률이 차이가 있다. 고주파음을 사용하는 것이 양성률이 높고 위음성 반응을 감소시킬 수 있다고 한다.[30] 일반적으로 1 kHz와 4 kHz로 검사한다.

3) 자기청력검사

자기청력검사로도 누가현상을 추측할 수 있으며(II형) 청력손실의 발병장소를 규명하는 데 도움을 준다. 자기청력검사의 청력도에서 연속음에 대한 역치의 상하폭으로 강도의 판별력에 대한 정보를 얻을 수 있다. 정상 청력 또는 전음성 난청의 경우 대개 상하 폭 5~15 dB이나 누가현상이 있는 감각신경성 난청의 경우 5 dB 이내이다.

Ⅶ 청각피로검사

역치상 강도의 순음을 장시간 듣게 되면 청력역치가 일과성으로 상승한다. 이것은 청신경섬유의 비정상적 순응(abnormal neural adaptation) 또는 청각피로(tone decay)라 불리고, 특히 후미로성 난청에서 현저하며 중요하다.[15] 이러한 청각 피로검사(tone decay test; TD test) 방법에는 청력역치에서 음을 높여가면서 측정하는 역치피로검사(threshold tone decay test; TTD test)와 역치상 순응검사(suprathreshold adaptation test; STAT)가 있다. 그 외에 자기청력검사, 등골근반사 피로검사 등을 통해서도 청각피로 현상을 관찰할 수 있다.

1. 역치피로검사

1957년 Carhart가[16] 보고한 방법이 가장 보편적으로 사용된다. 대개 500 Hz, 1 kHz, 2 kHz, 4 kHz의 주파수에서 시행한다. 먼저 측정 주파수에서 환자의 청력역치를 측정한 후 역치에서부터 지속음을 들려주어 1분간 청취 유무를 확인한다. 그 다음 자극음을 5 dB씩 높여 가면서 1분간 청취 유무를 확인하여 역치상 몇 dB을 올려야 1분 동안 지속해서 들을 수 있는가를 측정한다.

1958년 Rosenberg는[46] 1분간 지속적으로 청취할 수 있는 자극음의 최소 역치상 강도를 기준으로 청각피로의 정도를 다음과 같이 분류하였다. 0~5 dB SL은 정상, 10~15 dB SL은 경도, 20~25 dB SL은 중등도, 그리고 30 dB SL 이상을 현저한 청각피로 현상이라고 하였다. 대부분의 다른 연구자들도 30 dB SL 이상일 때 청각피로 양성으로 판정하고 있으나, 15 dB SL 이상이면 후미로성 난청이 있을 가능성을 염두에 두어 추가 검사를 시행하는 것이 좋다. 자극음의 강도를 아무리 올려도 1분 동안 듣지 못하는 완전청각피로(complete tone decay)가 있는 경우 또는 여러 주파수 특히 저주파수에서 양성을 보이면 후미로성 난청의 가능성이 더욱 높다. 이 검사의 후미로성 난청의 진단에 대한 민감도는 약 70%, 특이도는 약 60% 정도이다.[35]

2. 역치상 순응검사

이 검사는 500 Hz, 1 kHz, 2 kHz의 순음을 110 dB SPL 강도에서 1분간 청취하게 하면서 청각피로 여부를 관찰하는 검사이다. 검사 시 반대측 귀에는 90 dB SPL의 백색 잡음으로 차폐한 후 500 Hz부터 110 dB SPL의 지속음을 들려준다. 순음청력검사계기의 음 강도는 dB HL이므로 110 dB SPL의 강도는 500 Hz와 2 kHz에서는 100 dB HL, 1 kHz에서는 105 dB HL에 해당한다.

1분간 계속 들을 때를 STAT 음성, 1분 이내에 못 듣게 되는 것을 STAT 양성이라 표시하며 후미로성 난청의 가능성이 높다. 후미로성 난청의 진단에 대한 민감도는 약 45%이나 특이도는 약 90% 정도이다.

3. 자기청력검사

연속음과 단속음에 대한 청력역치를 비교할 수 있는 자기청력검사에서 연속음의 청력역치가 현저하게 상승된 경우 청각피로 현상이 있음을 알 수 있다. 연속음과 단속음의 역치차가 25 dB 이상일 때(III형과 IV형) 의미가 크며, 고정주파수 방식이 청각피로를 관찰하는데 더 유리하다.

Ⅷ 유발반응청력검사(Evoked response audiometry)

전기와우도(electrocochleography; ECoG), 청성뇌간반응(auditory brainstem response; ABR), 전기자극 청성뇌간반응(electrically evoked auditory brainstem response; EABR), 청성지속반응(auditory steady-state response; ASSR) 등이 이용되며 다른 장에서 자세히 다룬다.

Ⅸ 이음향방사검사

일과성음 유발 이음향방사(transiently evoked otoacoustic emissions; TEOAE), 주파수반응 이음향방사(stimulus frequency otoacoustic emissions), 변조 이음향방사(distortion product otoacoustic emissions; DPOAE)의 세 가지가 있고, 일과성음 유발 이음향방사와 변조 이음향방사가 임상적으로 이용된다. 역시 다른 장에서 자세히 다룬다.

Ⅹ 유소아 청력검사

언어 습득은 유소아의 언어적, 정서적, 사회적, 지적 발달에 매우 중요한 영향을 미치며, 정상 청력에서 원만하게 이루어질 수 있다. 적절한 치료, 특수 교육 및 교정 교육을 조기에 받아 사회생활에 대비해야 하므로 유소아 난청의 조기 발견은 매우 중요하다. 연령에 따른 해부학적 및 생리학적 변화에 따른 검사방법 및 검사 결과의 차이를 충분히 이해한다면 객관적 검사는 유소아에 적용해도 큰 문제가 없지만, 피검자의 능동적 반응을 필요로 하는 주관적 검사는 한계점이 있다. 유소아의 청력 평가를 위해서는 유소아의 연령, 신체, 정신적 발달상태를 감안하여 주관적 검사와 객관적 검사를 적절하게 시행해야 한다.

1. 행동관찰 청력검사

행동관찰 청력검사(behavioral observation audiometry)는 음자극에 대한 유소아의 행동 변화를 관찰하는 방법이다. 연령에 따라, 자극음에 대한 정상적인 생리반응을 관찰하여 반응을 보이는 역치강도를 통해 청력역치를 개괄적으로 평가할 수 있다. 정상적으로 출생 후 1개월 이내의 신생아는 강한 음자극을 주면 대개 깜짝 놀라는 반응(startling reflex)을 보이며, 심박동수와 호흡의 변화와 함께 Moro반사를 보인다. 출생 후 1~4개월에는 소리를 듣는 것처럼 조용해지는 반응(stilling reflex)을 보이며, 4개월이 가까워지면 친숙한 엄마의 음성에 웃는 반응(smile reflex)을 보이기도 한다. 대략의 주파수로 나누어진 자극음을 주게 되는데 사람의 목소리, 북소리, 호루라기 소리, 장난감 소리 등을 주로 사용한다. 자극음에 대한 유아의 신체적 반응을 보다 객관적으로 평가하기 위해 유아용 침대에 감지기를 부착하여 반응을 분석하는 Crib-o-gram을 이용하기도 한다. 출생 후 4~6개월이 되면 소리가 나는 방향을 찾게 되므로 소리에 대한 행동반응을 보다 쉽게 관찰할 수 있고 보다 낮은 음강도에서도 반응을 보인다.

2. 시각강화 청력검사

출생 후 6개월이 되면 유아는 대부분 수평면 즉, 좌우에서의 음원의 위치를 고개를 돌려 찾을 수 있다. 순음청력계기를 사용하여 방음실 내 피검자의 좌우에 설치된 스피커를 통하여 음자극을 주고 이러한 반응을 관찰하는 주의집중과 산만을 이용한 청력검사법(distraction audiometry)을 이용하여 청력역치에 대한 평가가 가능하다. 1세 이상의 유소아는 반복되는 단순한 소리에 쉽게 싫증을 내므로, 음자극을 주는 스피커에 음자극과 동시에 다양한 빛이나 흥미 있는 화면이 나타나게 하는 보다 효과적인 검사법, 즉 시각강화 청력검사(visual reinforcement audiometry)를 사용하기도 한다.[38] 이 검사법은 주로 출생 후 6~24개월의 유아에게 유용하다.

3. 유희청력검사

2~5세의 어린이는 검사에 집중하기 어려우므로, 흥미 있는 놀이, 그림, 장난감, 악기 등을 결부시켜 청력역치를 평가할 수 있도록 한 것이 유희청력검사(play audiometry, performance testing, conditioning audiometry)이다. 검사자는 어린이와 친밀한 관계를 유지해야 하고, 놀이에 대한 흥미를 지속시켜 어린이가 주의를 집중할 수 있도록 해야 한다. 예를 들어 자극음이 들리면 장난감을 하나씩 고리에 끼우게 하는 등의 놀이를 유도하거나, 자극음을 주었을 때 어린이가 스위치를 작동하면 어린이의 흥미를 끌 수 있는 여러 가지 그림, 장난감, 인형 등을 즐길 수 있게 하지만, 자극음을 주지 않았을 때는 어린이가 스위치를 작동해도 이러한 상황을 볼 수 없도록 하는 방법을 이용한다.

4. 순음청력검사와 어음청력검사

정상적으로 대개 5세가 지나면 꾸준한 반복검사가 가능하다. 검사자와의 친밀감을 유도하면 순음 및 어음청력검사를 할 수 있다. 어린이가 습득한 언어는 연령, 생활환경과 밀접한 관계가 있으며, 특히 난청이 있는 어린이에서 습득언어는 극히 제한되어 있기 때문에 어음청력검사 시 문제점이 많으나, 경우에 따라 매우 유익한 정보를 얻을 수 있다. 어린이는 순음보다 습득언어로 흥미를 유도하기 쉽고 단어를 반복하거나 단어에 따른 그림을 찾도록 함으로써 보다 쉽게 청력역치를 측정할 수 있다. 그러나 심한 청력장애를 가진 경우 검사가 불가능하며, 대개 9세 이전에 완전한 어음청력검사를 시행하기는 쉽지 않다.

5. 객관적 청력검사

1) 임피던스 청력검사

유소아의 임피던스 청력검사 시 가장 문제가 되는 것은 프로브를 삽입하는 데 거부감을 갖지 않도록 하는 것이다. 고막운동성계측(tympanometry)은 고막과 중이내 전음기관의 이상 유무를 판정함으로써 간접적으로 청력손실을 알 수 있는 방법이다. 등골반사(stapedial reflex)는 저음역의 잔류청력 유무를 알 수 있으나, 역치상 강한 자극음에 대한 반사이므로 중등도 이상의 난청에서는 평가가 불가능하다.

유소아 외이도의 부피는 0.4~1.0 mL 정도로, 0.3 mL 이하인 경우 이구에 의한 외이도의 폐쇄 또는 프로브의 부적절한 삽입을 생각해야 한다. 또한 외이도의 골부가 완전히 성숙하기 전이므로 외이도의 탄력성 때문에 생길 수 있는 고막운동성계측의 오차를 염두에 두어야 하며, 등골반사의 역치에도 오차가 생길 수 있다. 이러한 오차는 최소 생후 2개월까지는 큰 의미를 갖는다.

2) 전기와우도검사

고막을 통하여 전극을 갑각에 부착시켜 음자극에 따른 전기적 반응을 기록하는 경고막적 전기와우도는 청력손실의 정도 그리고 와우의 이상 유무 등을 잘 관찰할 수 있다. 신뢰도가 높고 역치의 측정이 용이하나 침습적인 방법이라는 단점이 있어 청력역치 평가에는 사용되지 않는다.

3) 청성뇌간반응검사

유소아의 청력평가를 위해 많이 이용되는 검사로 유소아에서 쉽게 시행할 수 있으나, 검사시간이 오래 걸리고, 신생아에서 음성으로 나올 경우에 특이도가 떨어지는 단점이 있다. 청성뇌간반응의 역치는 순음청력역치보다 약 10~20 dB 높게 나타난다.

4) 유발 이음향방사검사

주로 클릭음 유발 이음향방사가 널리 이용되며, 이 검사의 양성 반응은 정상청력 또는 30~40 dB 이내의 경도 난청을 의미한다. 변조 이음향방사검사의 DP audiogram으로도 난청의 양상을 어느 정도 추정할 수 있다.[37]

5) 청성지속반응

청성지속반응은 주파수 특이적인 청력역치를 알 수 있고, 70 Hz 이상의 높은 변조주파수(modulation frequency; MF)를 이용할 경우 수면에 영향을 받지 않으며, 자동화된 역치 측정 방식으로 비숙련자도 검사하기 용이한 장점이 있어 영유아의 객관적인 청력검사도구로 각광받고 있다. 청성지속반응역치는 순음청력역치와 상관관계가 높고 순음청력역치를 예측하는데 있어 청성지속반응과 청성뇌간반응 두 가지 검사 간에 유의한 차이는 없는 것으로 보고되고 있다.[19]

6. 신생아청각선별검사

가장 많이 이용되는 검사는 청성뇌간반응검사와 이음향방사검사이다. 난청의 조기진단 장에서 자세히 다룬다.

XI 위난청검사

위난청은 청각전달로의 기질적 병변 없이 난청의 소견을 보이거나, 기질적 병변으로 인한 청력손실보다 과도한 청력손실을 보이는 난청을 말한다. 위난청은 비기질적 난청(nonorganic hearing loss) 또는 기능성 난청(functional hearing loss)이란 용어로 불려 왔으나 최근에는 기능성 난청이란 용어는 잘 사용하지 않는다.

위난청의 소견은 여러 가지 상황에서 발생할 수 있다. 불안장애 등으로 인해 무의식적으로 유발되는 심인성 난청(psychogenic hearing loss), 피검자가 목적을 가지고 의도적으로 난청을 가장하는 칭병(꾀병, malingering), 그리고 환자가 검사 과정을 잘 이해하지 못하거나 의욕이 없는 경우에 위난청이 나타날 수 있다. 임상적으로 위난청 검사(tests for pseudohypacusis)의 목적은 주로 위난청을 감별하고 정확한 청력역치를 구하는 것이다. 여러 가지 검사법이 있으나 그 어떤 것도 완전한 검사법이라고 할 수 없기 때문에 여러 가지 검사법을 병용하는 것이 바람직하다.

위난청 환자를 보다 잘 감별하려면 검사 전 위난청의 가능성을 염두에 두고 환자를 관찰해야 한다. 그리고 기본적인 역치청력검사인 순음청력검사와 어음청력검사를 시행할 때 이를 감지하여 환자에게 설명하고 주의를 주어야 하며, 그 후에도 정확한 검사가 이루어지지 않으면 반복검사, 위난청 감별을 위한 특수검사, 다음과 같은 여러 가지 객관적 검사를 위난청의 감별에 이용될 수 있다. 임피던스 청력검사, 전기와우도검사, 청성뇌간반응검사, 청성지속반응검사, 이음향방사검사 등의 각각의 방법 나름대로 장단점을 가지고 있어 정확한 진단을 위해서는 적절한 방법들을 병행하는 것이 좋다.

1. 검사 전 상황

산재사고, 교통사고, 징병신체검사 등으로 청력검사가 의뢰된 경우, 위난청의 가능성을 염두에 두어야 한다. 위난청 환자들은 대부분 검사 전 문진 과정에서 난청에 대해 모순되고 반복적인 태도를 보이며, 잘 안 들린다며 과장되게 행동함으로써 자신의 난청을 나타내려고 하는 경향이 있다.

2. 검사 시 상황

위난청 환자들의 순음청력검사 및 어음청력검사 시 역치는 대개 일정하지 않고 변동하는 경우가 많다. 순음청력검사 시 검사 주파수의 순서를 불규칙하게 시행하면 역치는 보다 큰 변동을 보이며, 반복 검사한 1 kHz의 청력역치 변화폭이 10 dB를 넘으면 위난청을 의심한다. 그리고 어음청력검사 시 위난청 환자들은 응답을 지연하거나 머뭇거리는 등의 태도를 보일 때가 많다. 편측에 심한 청력손실을 보이는 위난청에서는 음영곡선의 유무를 관찰하는 것도 중요하며, 정상적으로는 청력손실이 심한 쪽을 검사할 때 골전도를 통하여 자극음이 반대측 귀로 교차하므로 정상측에 차폐를 하지 않았을 때 난청측에서 정상측과 유사한 모양의 전음성 난청을 보이는 음영곡선을 얻을 수 있다. 그러나 위난청인 경우 대부분 이러한 교차청취를 부정하기 때문에 음영곡선을 관찰할 수 없는 경우가 많다.

3. 순음청력 평균역치와 어음청취역치 간의 불일치

일반적으로 500 Hz, 1 kHz, 2 kHz에서 얻어진 순음청력 평균역치와 어음청취역치는 거의 일치하여 대개 10 dB 이내의 차이를 보인다. 15 dB 이상의 역치차를 보이면 위난청을 의심할 수 있다. 이러한 두 검사 간의 불일치는 위난청 환자가 역치상의 특정 음강도를 기억하려는 시도가 순음과 어음 사이에서 혼란을 일으켜 일어나는 것이다.

4. 반복검사 비교방법

동일 검사자가 동일 계기를 가지고 청력검사를 시행하면 정상적으로는 검사 결과가 유사하게 나오지만 위난청의 경우 현저한 차이가 있다. 반복 시행한 순음청력 평균역치 차이가 10 dB 이상, 어음청취역치 차이가 15 dB 이상 또는 어음명료도 차이가 12% 이상이면 위난청을 의심할 수 있다.[24]

5. 위난청 감별을 위한 특수검사

1) 자기청력검사

자기청력검사에서 단속음의 청력역치가 연속음의 청력역치보다 높은 경우(V형) 위난청을 의심할 수 있다.

2) Lombard 검사

주위 소음을 증가시키면서 피검자에게 글을 읽거나 수를 세도록 하면 음성이 커진다는 것을 이용한 방법이다. 피검자의 양측 귀에 이어폰(ear phone)을 통해 소음을 들려주고, 그 강도를 증가시키면 피검자는 자신의 음성을 청취하기 위한 노력으로 보다 큰 소리로 말하게 된다. 이러한 현상을 Lombard의 음성반사(voice reflex)라 하며 이론적으로 소음이 피검자의 청각역치보다 크지 않으면 음성 강도에 변화는 없다. 이 검사는 편측 또는 양측의 위난청에 이용할 수 있으며, 소음의 강도가 측정된 청력역치보다 낮은 상태에서 피검자의 음성이 커지는 것은 청력역치가 과장된 것임을 의미한다.

3) Stenger 검사

일측성 위난청에 효과적으로 사용되는 검사법이다. 양측의 역치차가 20 dB 이상인 경우 양측성 난청에서도 사용할 수 있다. 동일 주파수의 음을 양측 귀에 동시에 주게 되면 음량(loudness)이 큰 자극음 만을 인식한다는 현상(Tarchanow phenomenon, Stenger effect)에 기본을 두고 있다. 정상 측에 역치보다 10 dB 강한 음을, 난청 측에는 측정된 역치보다 10 dB 약한 음을 동시에 준다. 이 경우 정상 측에 주어진 음보다 난청 측에 주어진 음의 강도(intensity)가 더 강하지만, 난청이 사실이라면 음량(loudness)은 정상측에 주어진 음이 더 강하므로 정상 측에 주어진 자극음에 반응한다. 이 경우를 Stenger 음성이라 하고 위난청이 아니다.

반면에 난청이 사실이 아니라면 난청 측에 주어진 자극음의 음량이 더 강하므로, 정상 측에 주어진 음은 인식하지 못하고 난청 측에 주어진 음만을 인식한다. 피검자는 이를 속이려 하므로 반응을 보이지 않을 것이다. 이 경우를 Stenger 양성이라 하며 난청 측의 역치가 과장된 것임을 알 수 있다. 순음청력검사계기, 어음청력검사, 음차로도 시행할 수 있다.

4) 지연재생 청력검사(delayed auditory feedback test)

피검자가 녹음기를 갖춘 마이크를 통해 주어진 문장을 낭독할 때 약 200 ms의 시간 지연을 두고 낭독음을 재생하여 피검자에게 들려주면, 낭독하는 속도와 강도에 변화가 생길 수 있다. 재생음의 강도를 0 dB HL에서부터 10 dB씩 증가시키면서 낭독 시간의 연장이나 음성의 강도가 증가하는 Lombard 효과가 관찰되면 피검자가 자신의 음성을 듣는 것으로 판단할 수 있다. 양측성 및 편측성 난청의 경우 모두 사용할 수 있으며, 검사 결과의 판정시 정상적으로 생길 수 있는 변화의 폭을 잘 감안해야 한다.

5) 교대문장검사(swinging story test)

일측성 위난청을 검사하는 방법으로 양채널 언어청력검사(twin channel speech audiogram)를 이용한다. 정해진 구절의 각각 다른 이야기를 정상 측에는 어음청취역치보다 10 dB 강한 강도로, 난청 측에는 측정된 어음청취역치보다 10 dB 약한 강도로 양측 귀에 동시에 들려주고 들은 구절을 반복하게 한다. 이때 정상 측 또는 양측으로 전해진 구절을 이야기하면 난청이 사실이나, 난청 측에 들려진 구절을 이야기하게 되면 난청 측 청력역치가 과장된 것임을 의미한다. 양측에 다른 구절을 들려주는 대신, 부분적으로 들려주는 방법 등, 여러 가지 변형이 있지만 잘 사용하지 않는다.

6) 예-아니오 검사(yes-no test)

매우 간편한 검사법으로 피검자에게 소리가 들리면 "예", 들리지 않으면 "아니오"라고 대답하게 하는 검사이다. 청력계기의 가장 낮은 강도에서부터 5 dB씩 높여가면서 검사한다. 위난청 환자는 의도하는 청력역치 이하에서는 "아니오"라고 대답하겠지만, 음자극이 주어지는 때에 꼭 맞추어 "아니오"라고 반응을 보이면 음을 듣고 있는 것으로 간주할 수 있다.

7) 기타

이 외에 변형 Stenger검사, Doerfler Stewart검사, 순음지연 재생청력검사(pure tone delayed auditory feedback) 등 다양한 검사법이 있다.

참고문헌

1. 김리석. 청력검사. 대한이비인후과학회편 이비인후과학 개정판. 2009. 일조각. 485-516.
2. 노관택편 이비인후과학. 일조각. 1995. 69-95.
3. 문성균, 문형아, 정현경 등. 한국어 Hearing in Noise Test (HINT) 문장의 개발. 한이인지. 2005;48:724-728.
4. 박찬일, 한태희. 한국어 언어청력검사 단음절어음표의 규격화에 대한 연구. 한이인지 1985;28:269-278.
5. 변성완. 한국어의 발음 음소별 빈도로 본 한국어PB Word의 타당성. 한이인지 2001;44:485-489.
6. 변성완, 오승하, 채성원 등. 단음절어표의 제작에서 종성과 관련된 음소 빈도의 조정. 한이인지 2007;50:573-578.
7. 이종담. 한국 어음청력검사 어집에 관한 기초적 연구. 한이인지 1976;19:1-15.
8. 채성원. 어음청력검사. 대한청각학회편 청각검사지침. 학지사. 2008. 99-118.
9. 채세용, 노혜일. 청각적, 음소적으로 조화된 한국어 한 음절어 표. 최신의학 2005;4:80-94.
10. 한태희, 박찬일. 한국어 어음청력검사 단음절어표의 규격화에 대한 연구. 한이인지 1981;4:265-272.
11. 함태영. 한국 어음청력검사어표와 명료도검사 성적에 관한 연구. 가톨릭대학 논문집. 1962;5:31-38.
12. Arlinger S. Psychoacoustic audiometry. In: *Gleeson M ed. Scott-Brown's Otorhinolaryngology, Head and Neck Surgery*, 7th ed. London : Hodder Arnold, 2008.
13. Bekesy Gv. A new audiometer. *Acta Otolaryngol* 1947;35:411-422.
14. Browning GG. Is there still a role for tuning-fork tests? *Br J Audiol* 1987;21:161-163.
15. Cacace A. Acoustic neuroma : An audiologic evaluation. *NY state J Med* 1981;81:744-748.
16. Carhart R. Clinical determination of abnormal auditory adaptation. *Arch Otolaryngol* 1957;65:32-39.
17. Carhart R, Jerger JF. Preferred method for clinical determination of pure-tone thresholds. *J Speech Hear Disord* 1959;24:330-345.

18. Committee on hearing and equilibrium. Committee on hearing and equilibrium guidelines for the evaluation of results of treatment of conductive hearing loss. *Otolaryngol Head Neck Surg* 1995;113(3):186-187.
19. Cone-Wesson B, Dowell RC, Tomlin D, et al. The auditory steady-state response: Comparisons with the auditory brainstem response. *J Am Acad Audiol* 2002;13:173-187.
20. Crowley H, Kaufman RS. The Rinne tuning fork test. *Arch Otolaryngol* 1966;84:406-408.
21. Dirks DD, Kamm C, Bower D, et al. Use of performance-intensity functions for diagnosis. *J Speech Hear Disord* 1977;42:408-415.
22. Fowler EP. Marked deafened areas in normal ears. *Arch Otolaryngol* 1928;8:151-155.
23. Goldstein DP, and Hayes CS. The occlusion effect in bone-conduction hearing. *J Speech Hear Res* 1965;8:137-148.
24. Hodgson WR. *Basic Audiologic Evaluation*. Baltimore: Williams & Wilkins ;1980.
25. Holte L, Margolis RH, Cavanaugh RM. Developmental changes in multifrequency tympanograms. *Audiology* 1991;30:1-24.
26. Huizing EH. Bone conduction-the influence of the middle ear. *Acta Otolaryngol Suppl* 1960;155:1-99.
27. IEC 60645-1. Electroacoustics - Audiological equipment. Part 1 - Pure-tone audiometers. Geneva: International Electrotechnical Commission.
28. ISO 8253-1:2010 Acoustics: AudiometricTest Methods. Part 1: Basic Pure-Tone and Bone Conduction Threshold Audiometry.
29. Jerger J. Clinical experience with impedance audiometry. *Arch Otolaryngol* 1970;92:311-324.
30. Jerger J. Diagnostic audiometry. In: *Jerger J, Ed. Modern Developments in Audiology*. 2nd ed. New York : Academic Press, 1973. 75-115.
31. Jerger J. DL difference test : Improved method for clinical measurement of recruitment. *Arch Otolaryngol* 1953;57:490-500.
32. Jerger J. Hearing tests in otologic diagnosis. *ASHA* 1962;4:139-143.
33. Jerger J, Shedd J, Harford E. On the detection of extremely small changes in sound intensity. *Arch Otolaryngol* 1959;69:200-211.
34. JergerS. Diagnostic application of impedance audiometry in central auditory disorders. In: *Jerger JF, Northen JL, editors. Clinical Impedence Audiometry*, 2nd ed. Acton, MA : American Electromedics, 1980.
35. Johnson EW. Confirmed retrocochlear lesions. *Arch Otolaryngol* 1966;84:247-254.
36. Kirikae I. An experimental study on the fundamental mechanism of bone conduction. *Acta Otolaryngol Suppl* 1959;145:1-111.
37. Lafreniere D, Jung MD, Smurzynski J, et al. Distortion-product and click-evoked otoacoustic emissions in healthy newborns. *Arch Otolaryngol Head Neck Surg* 1991;117:1308-1309.
38. Liden G, Kankkunen A. Visual reinforcement audiometry. *Acta Otolaryngol* 1969;67:281-292.
39. Liden G, Nilsson G, Anderson H. Masking in clinical audiometry. *Acta Otolaryngol* 1959;50:125-136.
40. Martin FN. Clinical Audiometry and Masking. Bobbs-Merrill : Indianapolis, 1972.
41. Moller AR. An experimental study of the acoustic impedance of the middle ear and its transmission properties. *Acta Otolarygol (Stockh)* 1965;60:129.
42. Moller AR. Bilateral contraction of tympanic muscles in man. *Ann Otol Rhinol Laryngol* 1961;70:735-745.
43. Moore BCJ, Glasberg BR. A model of loudness perception applied to cochlear hearing loss. *Auditory Neuroscience* 1997;3:289-311.
44. Nilsson M, Soli S, Sullivan J. Development of the Hearing in Noise Test for the measurement of speech reception thresholds in quiet and in noise. *J Acoust Soc Am* 1994;95:1085-1099.
45. Penrod JP. Speech threshold and recognition, discrimination test. In: *Katz J ed. Handbook of Clinical Audiology*, 4rd ed. Baltimore : William & Wilkins Co., 1994.
46. Rosenberg PE. Rapid clinical measurement of tone decay. *Paper presented at the American Speech and Hearing Association Convention*. New York, 1958.
47. Sanders JW. Masking. In: *Katz J, ed. Handbook of Clinical Audiology*, 2nd ed. Baltimore : Williams and Wilkins, 1978, p.124-140.
48. Schlauch RS, Nelson P. Puretone Evaluation. In: *Katz J, ed. Handbook of Clinical Audiology*, 7th ed. Baltimore : Lippincott Williams & Wilkins, 2009.
49. van Camp KJ, Creten WL, van de Heyning PH, et al. A search for the most suitable imminent components and probe tone frequency in tympanometry. *Scand Audiol* 1983;12:27-34.

CHAPTER 09

청력검사_ 이음향방사와 유발반응 청력검사

이비인후과학 Otorhinolaryngology - Head and Neck Surgery

이준호

본 장에서는 난청의 진단 및 난청의 병소 감별진단을 위해 사용되는 이음향 방사(otoacoustic emission)와 청각유발반응(auditory evoked response) 검사에 대하여 기술하고자 한다. 이음향 방사는 내이의 외유모세포에서 발생하는 미세한 방사음을 측정하는 검사이다. 청각유발반응은 음자극 후 내이, 청신경, 청각중추로 등의 청각전달로에서 발생하는 일련의 전기적 변화를 전극을 이용하여 근위기록법(near field recording) 혹은 원위기록법(far field recording)으로 측정하는 것이다. 청각유발반응은 음자극 후 반응이 나타나는 잠복 시간에 따라 초기반응(early response) (0~10 ms), 중기반응(middle response) (10~50 ms), 후기반응(late response) (50~300 ms)의 세 종류로 구분된다.[54]

청성중간반응(auditory middle latency response; MLR)과 청성후기반응(auditory long latency response; ALR)은 마취, 수면, 각성상태 등에 많은 영향을 받으므로 이들의 영향을 비교적 받지 않는 초기반응이 임상에서 흔히 사용된다. 초기반응에는 전기와우도(electrocochleography; ECoG), 청성뇌간반응(auditory brainstem response; ABR), 전기자극 청성뇌간반응(electrically evoked auditory brainstem response; EABR) 등이 있으며, 근래에는 청성지속반응(auditory steady-state response; ASSR)도 널리 이용된다.

I 이음향방사검사

1978년 Kemp는 외이도에 설치된 마이크로폰을 이용하여 이음향방사의 존재를 처음으로 기술하였다. 이음향방사는 와우 외유모세포의 능동적 작용에 의해 발생하여 중이를 거쳐 외이도에 전파되어 나타난다고 알려져 있다. 이음향방사가 발생하는 부위를 외유모세포로 보는 근거는 청신경이 차단되었거나 잘렸을 때도 발현되고, 이독성 약물이나 소음에 큰 영향을 받으며, 30 dB HL 이상의 감각신경성 난청이 있으면 발현율이 현저히 감소한다. 또한 이음향방사의 입출력 기능(input-output function)이 비

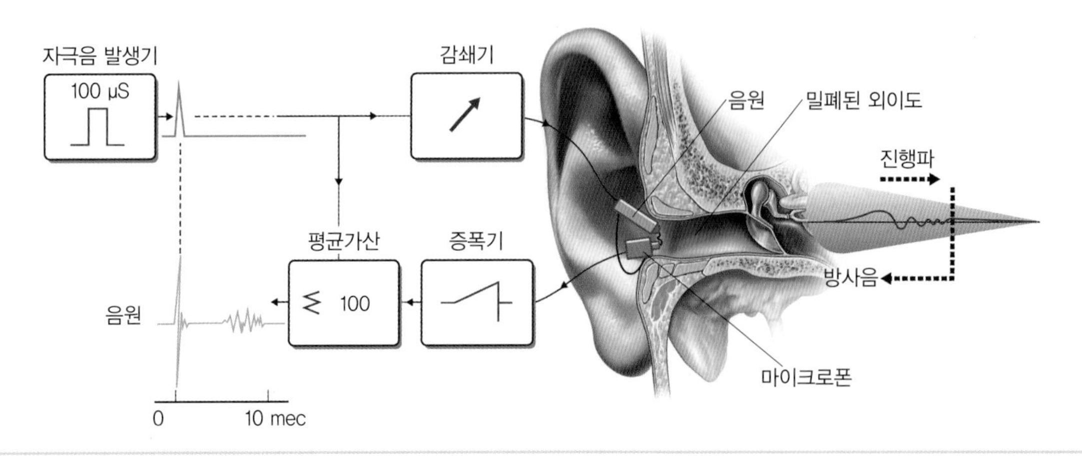

■ 그림 9-1. 유발 이음향방사 검사를 위한 시스템

선형(non-linear) 관계를 가지며, 내유모세포가 없는 돌연변이 쥐에서는 발현되나 외유모세포가 없는 돌연변이 쥐에서는 발현되지 않는다는 사실 등이다.[42,43,44]

미세한 방사음인 이음향방사를 측정하기 위해서는 주변의 잡음을 제거해야 하며, 이를 위해 유발전위 측정에 사용되는 평균가산법을 이용한다. 임피던스 청력검사에서와 같이 외이도를 밀폐하는 이전(ear probe)을 사용하며, 이 밀폐가 이음향방사의 측정에 가장 민감하고 중요한 부분이다. 이전은 도수관을 통하여 소형 이어폰, 마이크로폰과 연결되어 있으며 마이크로폰에는 증폭기와 평균가산 컴퓨터가 연결되어 있다(그림 9-1).

이음향방사검사(otoacoustic emissions test)는 자극음이 없는 상태에서 와우에서 생성되어 외이도로 방사되어 감지되는 자발 이음향방사(spontaneous otoacoustic emissions)(그림 9-2)와 음자극으로 발생되는 유발 이음향방사(evoked otoacoustic emissions)의 두 종류로 대별된다. 자발 이음향방사는 정상 청력을 가진 사람의 60~80%에서 측정이 되고, 남성보다는 여성, 좌측보다는 우측 귀에서 더 잘 측정이 된다.[7,52] 자발 이음향방사와 이명의 존재간에 유의한 상관관계가 존재하지는 않으며 자발 이음향방사의 세기와 주파수는 시간에 따른 변화를 보인다.[10,53] 따라서 자발 이음향방사는 임상적으로 널리 사용되고 있지는 않다. 유발 이음향방사에는 일과성 음자극 후 일정한 잠복

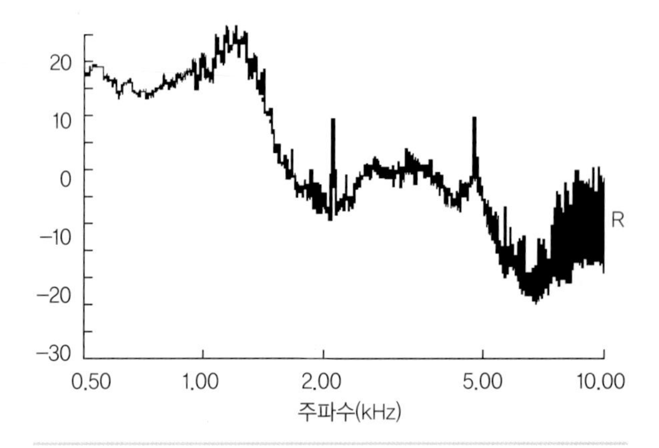

■ 그림 9-2. 정상 신생아에서의 자발 이음향방사. 2 kHz와 5 kHz 주변에서 자발 이음향방사 양성 소견이 보인다.

기를 보이며 측정되는 일과성음 유발 이음향방사(transient evoked otoacoustic emissions; TEOAE), 순음자극과 동시에 측정하는 주파수반응 이음향방사(stimulus frequency otoacoustic emissions), 2개의 서로 다른 주파수의 순음 자극 후 측정하는 변조 이음향방사(distortion product otoacoustic emissions; DPOAE) 이 세 가지가 있다. 이들 중 일과성음 유발 이음향방사와 변조 이음향방사가 임상에서 가장 많이 이용된다.[41,61]

1. 변조이음향방사

청각계통 반응의 특징은 비선형성(nonlinearity)이다.

이것은 음자극에 대하여 와우기저막의 운동, 내유모세포의 수용체 전위강도, 신경세포의 흥분성(firing rate) 등이 자극음의 증가에 따라 제한된 범위 안에서 비직선적인 반응양상으로 증가하는 것을 의미한다. 이러한 비선형의 또 다른 증거가 변조음(distortion product)이다.

변조 이음향방사는 2개의 서로 다른 주파수 f1과 f2(f1 <f2)의 순음을 동시에 자극하였을 때 내이에서 발생하는 여러 주파수(nf1−mf2)의 방사음을 말한다. 2f1−f2 주파수를 가진 변조음이 가장 강하다. DPOAEs의 반응 크기는 두 순음의 상대적, 절대적 강도와 주파수의 비율에 영향을 받는다. DPOAEs는 f1/f2 비가 1.22이고 L1(f1의 강도)이 L2(f2의 강도)보다 10 dB에서 15 dB 정도 강할 때 잘 발현한다.[32,37]

일반적으로 방사음이 평균 배경소음보다 1–2 표준편차 또는 3~4 dB 이상이면 의미 있는 것으로 본다.[47] 청력손실이 15 dB HL을 넘지 않으면 DPOAEs는 대부분 관찰되고 청력손실이 50~60 dB HL을 넘으면 발현하지 않는다.[36,61] 이 사이의 청력손실에서는 자극음 강도를 높여주면 대부분 발현될 수 있다(그림 9-3). 2f1−f2 주파수를 가진 변조음이 강하게 발현된다면 f2 주파수 근처의 외유

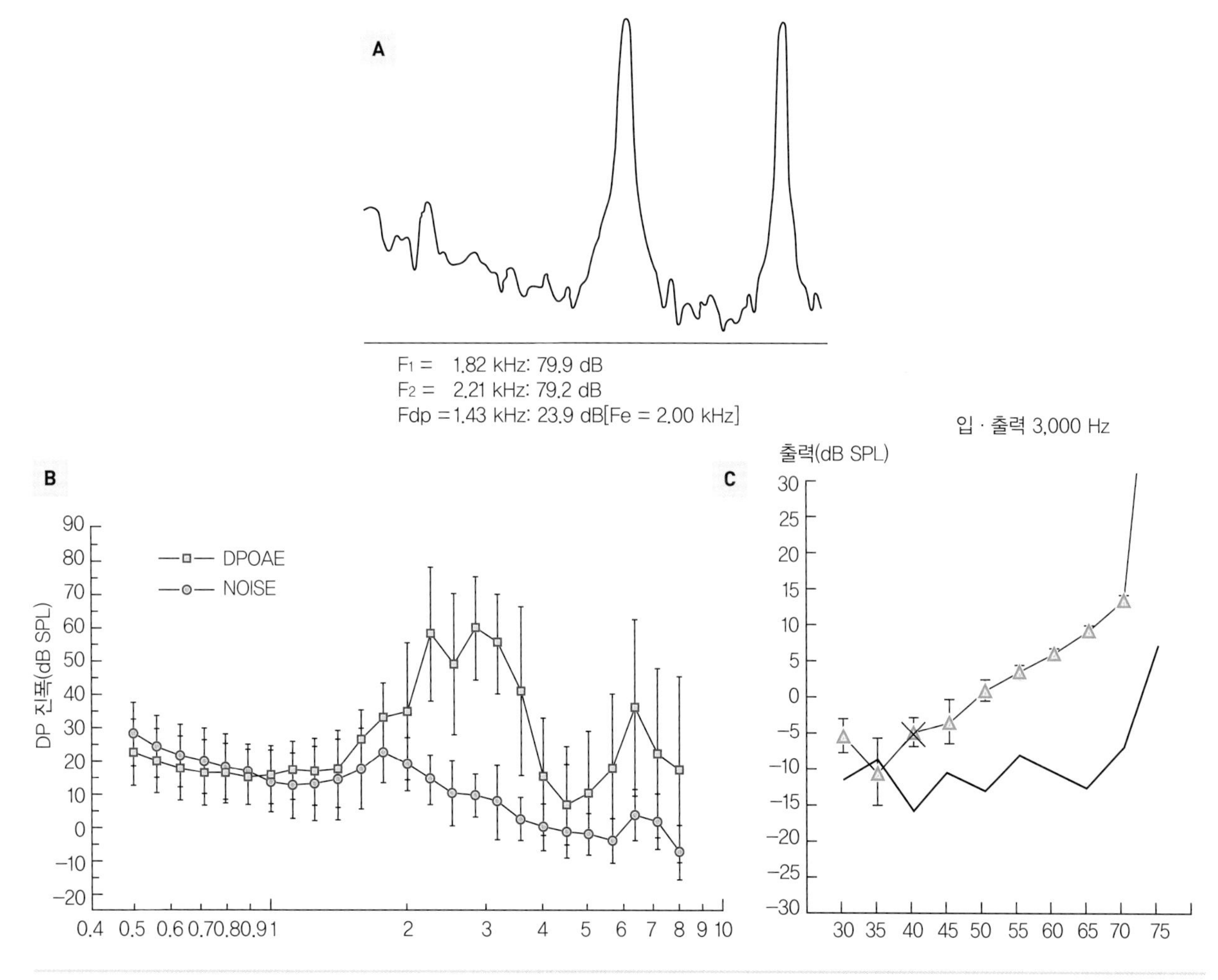

■ **그림 9-3. 정상 신생아에서의 변조 이음향방사. A)** 두 가지 종류의 주파수로 동시에 자극했을 때 내이에서 발생하는 변조음을 fast Fourier transformation으로 산출하였다. **B)** 변조음의 청력도에서 3 kHz와 6 kHz 부근에서 유의한 방사음을 관찰 할 수 있다. **C)** 3 kHz 입출력곡선은 f_1은 2,720 Hz, f_2는 3,300 Hz에서 30 dB씩 증가시켜 75 dB까지 주며 변조산물의 진폭을 측정하였다. 역치(x)가 40 dB SPL 임을 알 수 있다.

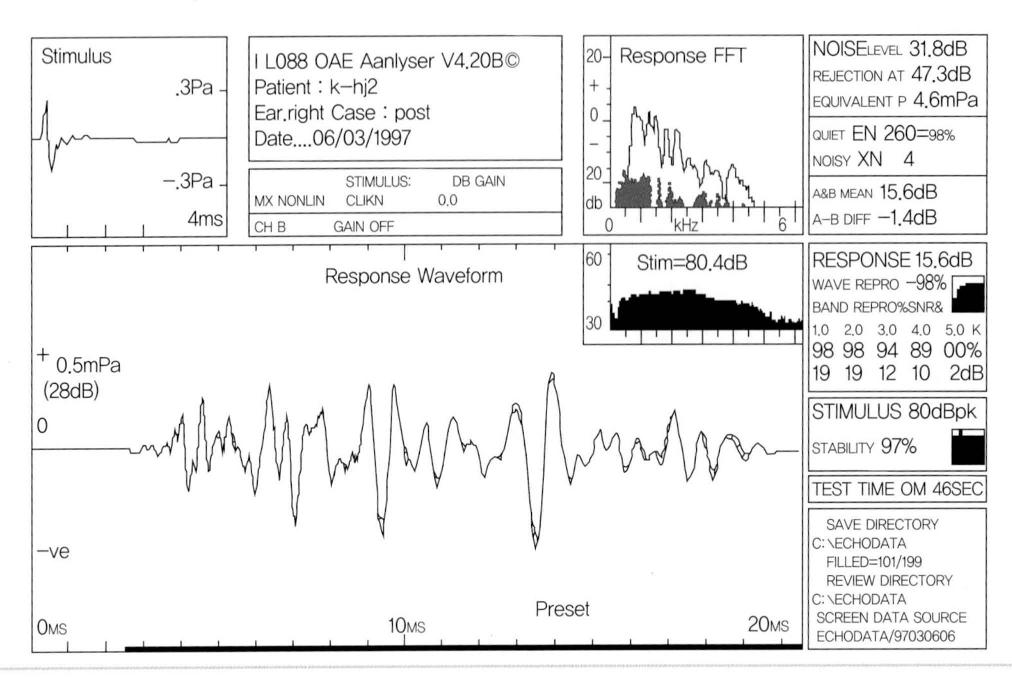

■ 그림 9-4. **정상인에서의 일과성음 유발 이음향방사.** 자극음과 방사음을 가각 시간축에서 주파수를 분석하여 나타냈다. 자극음은 0~6 KHz의 주파수를 포함하며 80 dB SPL의 클릭음이다. 방사음의 평균 자극음강도(echo response)는 15.6 dB SPL이며 재현성은 98%이다.

모세포가 정상적인 기능을 하고 있다는 의미이며, 와우의 특정부위가 손상되면 해당 주파수에 의한 자극 시 변조 이음향방사가 감소 또는 소실되므로 변조 이음향방사는 와우기능검사로서 주파수 특성을 잘 나타낼 수 있다.

2. 일과성음 유발 이음향방사

일반적으로 클릭음을 일과성음 유발 이음향방사의 자극음으로 사용한다. 클릭음은 넓은 주파수대를 포함하므로 와우의 넓은 범위에 분포하는 외유모세포로부터 방사음이 발생하게 된다. 와우 기저부에서 유래하는 고주파수대의 방사음은 와우 첨부에서 발생하는 저주파수대의 방사음보다 일찍 측정된다. 방사음의 잠복기는 1~12 ms에 분포한다. 대개 반응의 분석구간을 2.5~20 ms로 설정하여 측정하고, 자극음의 평균가산은 260회가 적당하다. 유발 이음향방사의 양성 기준은 1991년에 반응강도(echo response) 8 dB SPL, 재현성(reproducibility) 50% 이상을 기준으로 하였으나 이 문제에 대한 일치된 결론은 아직 없고 대개 5 dB SPL, 50% 이상을 기준으로 한다(그림 9-4).[47] 유발 이음향방사는 정상적인 청력을 가진 사람의 거의 100%에서 발현되며 동일한 피검자에서 반응 양상은 시간의 흐름에 관계없이 비교적 일정하다. 파형의 주파수를 분석해보면 1~4 kHz의 광대역 소음(broad band noise)이 나타나고, 그 위에 방사음의 다수의 협대역 정점(multiple narrow band peak)이 나타난다. 가장 높은 정점은 주로 1~2 kHz에서 발견되고 자극음이 커지면 비선형적 형태로 방사음도 커지며 인접 주파수대로 확산된다.[40]

미로성 난청에서 클릭음을 이용한 이음향방사는 회화음역의 청력 역치가 30~40 dB HL을 넘으면 잘 나타나지 않는다. 따라서 청력손실을 정량적으로 평가하지는 못하지만 역치가 30 dB HL이 넘는 외유모세포의 장애로 인한 청력손실 여부를 결정하는데 적절히 사용될 수 있다. Tone burst나 tone pip을 자극음으로 사용하면 와우의 주파수별 반응을 어느 정도 알 수 있다. 클릭음에 의한 유발 이음향방사는 클릭음의 특성이 와우 전체를 자극하므로 주파수 선별력에 대한 검사로는 부적합하다.

3. 임상적 적용

이음향방사의 존재가 알려진 이후 일과성음 유발 이음향방사와 변조 이음향방사가 가장 활발히 연구되어 임상에서 많이 이용되고 있다. 두 유발 이음향방사는 형태나 에너지의 분포, 청력역치와의 관계 등에서 비교적 상관관계가 높다. TEOAEs는 경도 난청의 진단에 있어 DPOAEs보다 민감도가 높은데, 특히 1,000 Hz에서 그러하다. 반대로 DPOAEs는 4,000에서 6,000 Hz에서의 경도 난청 진단에 있어 TEOAEs보다 민감도가 높다.

임상적으로 이음향방사는 몇 가지 장점을 가지고 있다. 즉 이음향방사는 객관적이고, 비침습적이며, 수면이나 진정에 영향을 받지 않고, 검사 시간이 짧고, 비교적 저렴하고, 조작이 간편하며, 내이 특히 외유모세포에 대한 특이적 검사이다. 그러나 내·외부의 소음에 많은 영향을 받고, 중이병변에 민감하게 영향을 받으며, 청력손실의 정량적인 평가가 어렵다는 단점도 있다.

임상적으로 유소아의 청각선별검사, 미로성 난청인 이독성 난청, 소음성 난청, Ménière병 등의 진단, 위난청의 감별, 술중 내이기능의 감시 등에 이용된다. 하지만 이음향방사의 부재가 전농을 의미하지는 않으며, 이음향방사가 존재한다고 하여도 청각 신경이나 중추 청각 신경계에 병변이 있을 수 있어 후미로성 난청의 경우 정상 이음향방사를 보이기도 한다. 하지만, 대부분 와우로의 혈류 감소로 인하여 비정상적인 결과를 나타낸다.[56,62] 그리고 청각신경병증(auditory neuropathy spectrum disorder)의 진단에도 이음향방사가 이용된다. 한편 교차음 자극에 의한 이음향방사의 진폭 감소는 원심성 경로의 일부인 내측 올리브와우신경삭에 의한 외유모세포 억제 효과 때문으로, 청각신경계 기능을 평가하는 도구로 연구되고 있다.

II 전기와우도

전기와우도 검사(electrocochleography; ECoG)는 음자극을 받아 와우에서 발생하는 유발전위를 측정하는 방법으로 와우의 인접한 곳에 위치시킨 전극을 통하여 와우음전기 전위(cochlear microphonic potential; CM), 가중전위(summating potential; SP), 복합활동전위(compound action potential; CAP) 또는 활동전위(action potential; AP)의 세 전위를 측정한다.

세 가지 전위 중 가장 먼저 나타나는 CM은 자극음이 와우에 도달한 즉시 나타나는 자극음과 같은 주파수의 교류 전위로 기저막의 변위를 반영한다.[6] SP는 자극음의 지속시간과 일치하여 계속 나타나는 직류전위로 Corti기(organ of Corti)의 유모세포의 탈분극을 반영한다. AP는 청신경섬유의 집합이 동시에 나타내는 활동전위이며, 클릭click음을 이용하여 얻어진 AP는 주로 와우의 기저부에 분지하고 있는 청신경에서 유래한 것이다. SP와 AP는 자극음의 빈도와 강도, 전극의 위치에 따라 음전위 혹은 양전위를 보이며, 임상에서 흔히 이용되는 고막유도법과 외이도유도법에서는 음전위를 나타낸다(그림 9-5).

1. 전기와우도의 측정방법

전기와우도는 검사 시 전극의 위치에 따라 외이도유도법(extratympanic ECoG), 고막유도법(tympanic membrane ECoG), 경고막유도법(transtympanic ECoG) 등으로 구분할 수 있다. 전극의 위치가 와우에 가까울수록 좋은 활동전위를 얻을 수 있어 경고막유도법이 가장 큰 활동전위를 얻을 수 있으나 고막마취 또는 전신마취 후에 이과적 술기가 필요하다는 단점이 있다. 일반적으로 경고막유도법으로 얻은 전기와우도의 활동전위는 청력역치상 5~10 dB에서 나타나기 시작하여 자극음의 강도가 증가함에 따라 활동전위의 진폭이 커지며, 반대로 잠복기는 짧아지는 변화를 보인다(그림 9-6).[24] 경고막유도

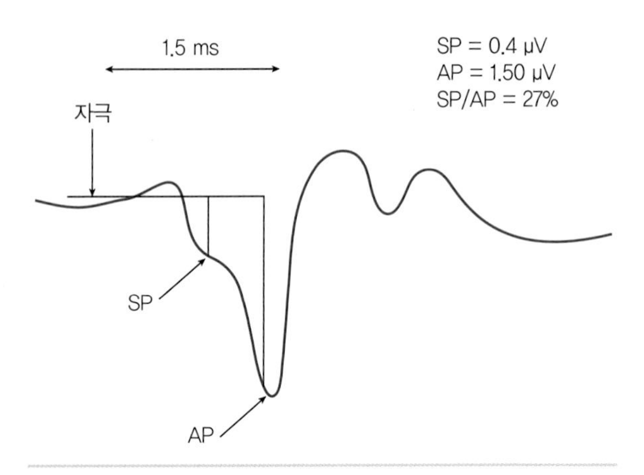

■ 그림 9-5. **정상인의 전기와우도.** SP: summating potential, AP: action potential

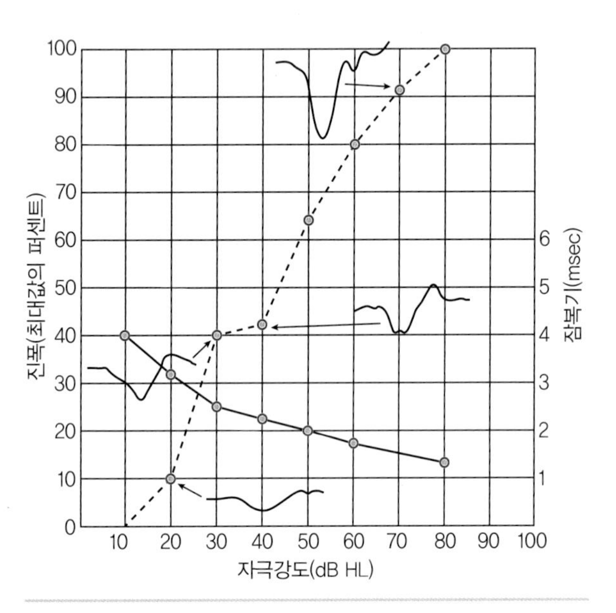

■ 그림 9-6. **자극음 강도에 따른 전기와우도의 잠복기와 진폭의 변화.** 실선은 잠복기의 변화, 점선은 진폭의 변화이다. 파형은 변화도 보인다.

법이나 고막유도법를 이용하여 얻은 전기와우도 역치가 청력역치와 좋은 상관관계를 보임이 알려져 있다.[5,28,58] 하지만 소아의 경우 경고막유도법이나 고막유도법을 견디기 어려워 잘 이용되지 않는다. 반면 외이도유도법은 그 전위가 작아 청력역치 평가의 방법으로는 부족하다. 따라서 전기와우도는 청력역치 평가보다는 Ménière병의 진단에 주로 활용되고 있다.

2. 임상적 적용

Ménière병의 진단에서 전기와우도의 특징적인 소견은 현저한 음전위의 SP이다. SP가 증가하는 기전에 대해서는 확실하지 않지만 내림프압의 증가로 기저막이 고실계 쪽으로 전위되기 때문이라고 생각된다. SP와 AP의 전위는 개체차와 자극음의 종류, 전극의 위치에 따른 검사방법에 따라 차이가 있기 때문에 SP의 진폭 증가에 대한 절대치보다는 SP와 AP의 비(SP/AP ratio)가 가장 믿을 수 있는 측정값이다. Ferraro는 메타분석을 통해 정상 귀에서의 SP와 AP의 비가 0.16~0.31이고, 0.4나 0.5 이상인 경우 Ménière병을 의심할 수 있음을 제시하였다.[63] 따라서 SP와 AP의 비는 임상에서 Ménière병을 진단하는 방법으로 흔히 이용된다. 하지만 전기와우도 검사의 민감도가 높지 않아 SP와 AP의 비가 증가되어 있을 경우 Ménière병 진단의 근거가 될 수 있으나, SP와 AP의 비가 정상인 경우는 제한된 진단적 가치를 가질 수밖에 없다. 이를 보완하기 위해 SP/AP complex의 amplitude와 duration을 모두 고려한다면 Ménière병 진단을 위한 민감도를 높일 수 있다고 보고되었고, condensation versus rarefaction click, 즉 alternating polarity click을 사용하면 정상 측과 Ménière병 측을 비교하였을 때 SP/AP complex 반응의 latency와 반응기간의 차이가 커진다고 보고되었다. 또한 SP와 AP의 비 외에도 Ferraro와 Tibbiks는 Ménière병 진단의 또 다른 지표로 SP와 AP의 면적비(SP/AP area ratio)를 제시하였고, Ménière병 진단에 있어 SP와 AP의 비보다 민감도와 특이도가 높음을 제시하였다.[3,19,29] 이 밖에도 전기와우도는 내림프낭 감압술, 청신경종양의 진단, 수술 시 내이기능의 감시에도 이용될 수 있다.[8,24]

전기와우도는 와우 및 청신경에 대한 많은 정보를 얻을 수 있으며, 검사받지 않는 귀의 차폐가 필요 없고, 의식수준이나 중추신경계가 변화해도 영향을 받지 않아 수면 및 전신마취하에서도 검사가 가능하다. 또한 반응의 재현성과 민감도가 다른 유발반응에 비해 우수하다. 반면 가장 정확한 정보를 얻을 수 있는 경고막유도법은 침습적이며, AP를 이용하는 검사의 경우 저주파수 영역에서는 주파수 특성이 없으며, CM을 측정하는 경우 잡파(artifact)와 감별하기가 어렵다는 단점이 있다.

III 청성뇌간반응

청성뇌간반응(auditory brainstem response; ABR)은 음자극 후 1~10 ms 사이에 청신경 및 뇌간 내 청각전도로에서 일어나는 일련의 전기적 변화를 표면전극을 이용하여 기록하는 검사로 비교적 마취, 수면 등의 영향을 받지 않고 비침습적이어서 임상에서 널리 이용된다.

정상적으로 청성뇌간반응은 5~7개의 파를 보이며, 각 파를 순서대로 로마자로 표기한다. 이들 중 I, III, V파가 잘 나타나고, V파가 가장 크고 안정적으로 기록되며 반응 분석의 기본이 된다.

I파는 청신경의 말단부, II파는 청신경의 근위부에서 발생하는 것으로 추측되며 III~V파는 뇌간의 신경핵에서 발생하는 것으로 추측된다. 각 파형의 발생 부위가 1:1로 지정되어 있는 것은 아니나, III파는 와우핵, IV파는 상올리브핵, V파는 외측 융대에서 주로 유래하는 것으로 추측된다.[39] 청신경의 원위부와 근위부에서 2개의 전위를 보이는 것은 청신경의 경로에 따른 구조적 변화에서 야기된다고 설명하고 있다. 즉 청신경의 Schwann세포, 신경내막(endoneurium)은 내이도의 입구(porus acusticus) 부위에서 신경교질막(neuroglial cover)으로 변하게 되므로 청신경은 2개의 다른 전위를 가지는 활동전위를 보인다고 한다.

1. 청성뇌간반응의 분석

청성뇌간반응은 뚜렷한 파의 정점(positive peak)과 골(negative trough)을 가진 5개의 파형을 보이나, 정상적으로도 II파와 IV파의 소실이 관찰될 수 있다. 그리고 ABR의 초기, 즉 I~II파 혹은 II~III파 사이에 주파형외 파가 나타나거나, 흔히 IV~V 복합파wave IV~V complex가 관찰되는데 이는 정상적인 변이로 판단한다(그림 9-7).

잠복기와 진폭을 분석할 때는 비교적 안정된 파형을 보이는 I, III, V파를 주로 이용한다. 특히 잠복기는 ABR의 판독에 이용되는 가장 중요하고 안정된 요소이다. I, III, V파의 잠복기, I~V, I~III, III~V파간 잠복기, I파와 V파의 진폭 동의 평가요소들을 정상치와 비교하거나 양측을 비교해 평가할 수 있다. 정상 성인에서 역치 수준의 자극(10~20 dB nHL 이내)에서는 V파만 관찰되며 이때 V파의 잠복기는 약 7.5~8.0 ms이다. 25~35 dB nHL의 강도에서 I파와 III파가 관찰되고, I파의 잠복기는 약 3.5~4.0 ms, I~III, III~V파간 잠복기는 약 2.0 ms이다. 충분한 강자극인 60~95 dB nHL에서 I파의 잠복기는 약 1.5~2.0 ms, V파의 잠복기는 약 5.5~6.0 ms, I–V파간

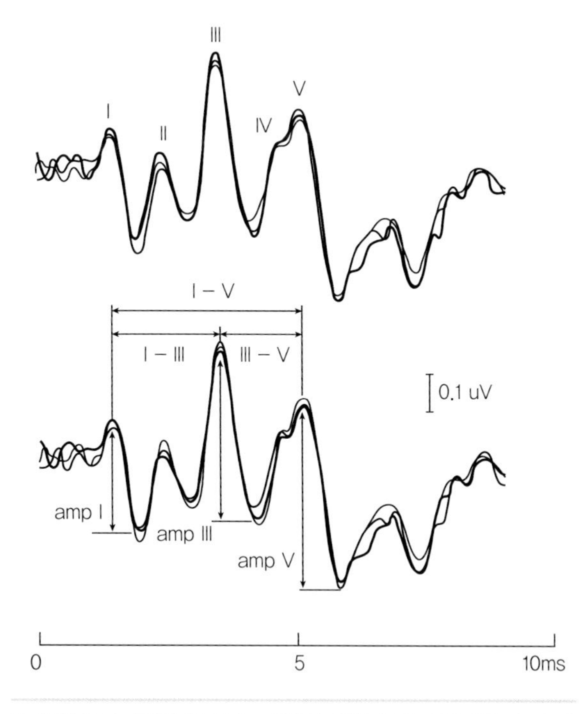

■ 그림 9-7. **청성뇌간반응.** 5개의 파형과 각 파의 진폭과 파 간 잠복기를 나타낸다. amp; 진폭(amplitude)

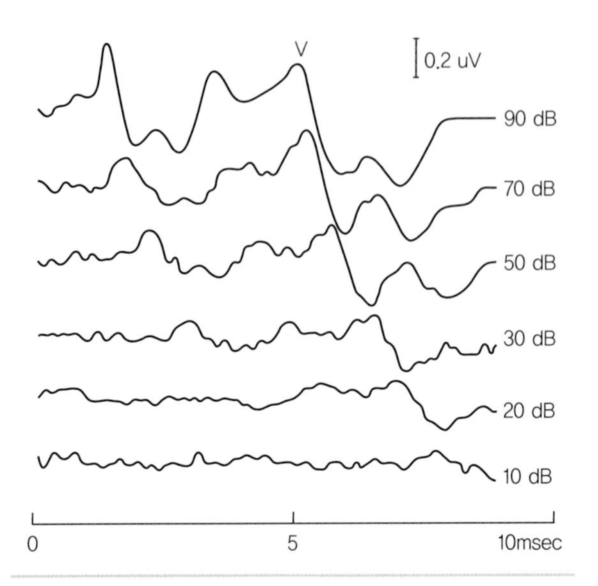

■ 그림 9-8. **정상 청력에서의 청성뇌간반응.** 자극음 강도를 높이면 파의 잠복기가 짧아지고 진폭이 커진다.

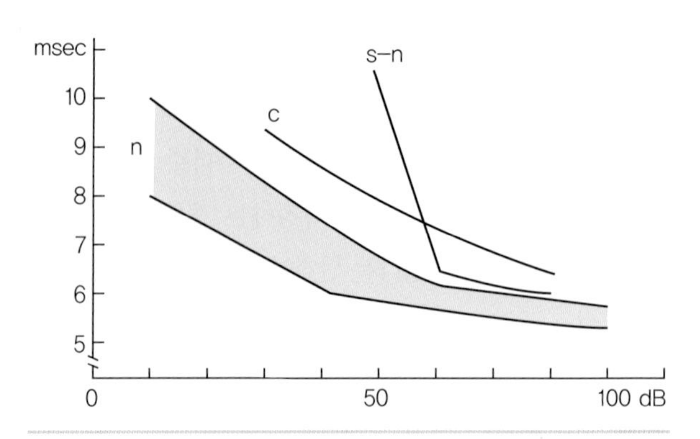

■ 그림 9-9. **제V파의 잠복기-강도 관계.** 횡축은 자극강도(10dB nHL~90dB nHL의 클릭음), 종축은 V파의 잠복기를 나타낸다. n: 정상 범위, c: 전음성 난청, s-n: 감각신경성 난청

잠복기는 약 4.0 ms이다. 정상 성인의 충분한 자극음 강도에서 I파는 대개 0.25~0.35 V, V파는 0.50 V의 진폭을 보이며, V/I파 진폭비wave V/I amplitude ratio는 약 1.5~2.0으로 0.5 이하는 비정상으로 판정한다. 자극음의 강도가 감소하면 각 파의 진폭은 감소하는데 V파에 비해 I파의 진폭이 빨리 감소한다.

V파는 정상 성인에서 10~20 dB nHL 이하의 자극음에 파형을 보이며, V파의 반응역치를ABR의 역치라고 한다(그림 9-8). 자극음의 강도에 따른 V파의 잠복기를 도표로 나타낸 것을 잠복기-강도 상관곡선(latency-intensity curve)이라 하며, 이는 청력손실의 유형을 감별하는 데 도움을 준다(그림 9-9).

2. 청성뇌간반응에 영향을 미치는 요소

연령에 따른 변화로 출생 직후 신생아의 청성뇌간반응에서는 I, III, V파만 기록되고, I파의 진폭은 V파의 진폭과 비슷하거나 더 크다. 그리고 I, III, V파의 잠복기와 I~V, I~III파간 잠복기는 정상 성인의 기준치보다 더 길다. 생후 2년 동안 잠복기와 파간 잠복기는 짧아지고, II, IV 파는 점점 뚜렷해지며 V 파의 진폭도 증가되어 정상 성인의 기준치에 이른다.[34]

성별, 체온 같은 피검자의 비병적 요소도검사에 영향을 미친다. 목과 턱 주위의 근육을 긴장하거나 움직여서 생기는 근전위는 유발전위에서 주된 잡파(artifact)의 원인이 되며 파형을 얻을 수 없게 될 수도 있다.

자극음의 종류에는 클릭음(click), 여과된 클릭음(filtered click), tone pip, tone burst 등이 있다. 이 중 클릭음은 주파수 특성은 없지만 생성시간과 지속시간이 짧고 주로 1,000~4,000 Hz의 고음역 주파수대를 가지고 있어 청신경원(neuron)들을 동시에 효과적으로 흥분시킬 수 있으므로 임상에서 널리 사용되고 있다. Tone pip이나 tone burst 등은 주파수 특이 ABR (frequency specific ABR)의 자극음으로 이용된다. 저주파수대의 자극음은 와우 첨부 부위의 자극을 유발하여 잠복기가 길어지고 뚜렷한 정점을 보이지 않는 넓은 형태의 파형을 보이게 된다.

자극음의 강도로 dB nHL (normal hearing level)이 흔히 사용되는데, 0 dB nHL은 10~15명의 정상 청력을 가진 성인에서 초당 10~20회의 클릭음을 주고 구한 ABR의 최소반응역치 dB HL이다. 자극음 강도를 높이면 파의 잠복기는 짧아지고 진폭은 커지는데, 약 90 dB nHL 정도에 이르면 포화되어 변하지 않는다. 자극 시간, 자극 빈도, 자극음의 극성, 차폐, 변환장치(transducer), 자극 간격 등의 자극조건도 검사 결과에 영향을 준다.

유발전위의 기록시간은 음자극 후 발생한 전위를 기록하는 시간이다. 정상 성인의 경우 충분한 자극음 강도에서 V파는 약 5.5~6.0 ms의 잠복기를 보인다. 신생아, 청력장애, 후미로성 병변, 낮은 자극강도, 삽입형 수화기 사용 등의 경우에는 V파의 잠복기가 길어지기 때문에 충분한 시간(10 ms 이상) 동안 기록해야 한다. 전극의 배치 및 기록위치, 필터, 증폭기, 평균가산 등의 기록조건에 따라 검사 결과가 달라진다.

3. 임상적 적용

청성뇌간반응의 비정상적 소견은 말초성 및 중추성 청각전달로의 다양한 병변뿐 아니라 피검자, 자극, 기록법, 검사자 등의 많은 비병적 요소 때문에 발생할 수도 있다. 그러므로 ABR을 임상에서 효과적으로 활용하기 위해서는 이러한 병적·비병적 요소들로 인한 ABR의 변화 양상을 충분히 이해하고 임상적 응용에 따른 검사법과 판독의 차이를 잘 알고 있어야 한다. 정확한 판독을 위해서는 각 검사실마다 독자적인 표준치를 반드시 가지고 있어야 한다. 또한 임상 평가를 할 때 ABR에만 의존하면 오류를 범하기 쉬우므로 반드시 다른 청각학적 및 이신경학적 검사 소견과 함께 이용해야 한다.

청성뇌간반응검사는 마취나 수면에 영향을 받지 않으며, 표면전극으로 기록되므로 비침습적인 방법이며, 미로·후미로를 평가할 수 있다. 그러나 가장 흔히 사용되는 클릭음을 이용한 ABR은 주로 1~4 kHz 주파수 범위의 고음역에 대한 반응으로, 저음역에 대한 청력평가가 어려울 뿐 아니라 주파수별 와우기능에 대한 상세한 정보를 얻을 수 없다. 그리고 뇌간 상부 이후의 청각전달로에 관한 정보를 얻을 수 없으며 검사 시간이 길다.

1) 청각평가

청성뇌간반응은 V파의 반응역치를 통해 청력역치를 평가할 수 있어 유·소아, 협조가 곤란한 피검자, 위난청자의 청력검사에 임상적으로 널리 이용되고 있으며, 난청의 유형 감별에도 도움이 된다. 청력역치 평가에서 클릭음을 이용한 ABR은 주파수 특이적이지 않다. 클릭음을 이용한 ABR의 역치가 순음청력검사를 통해 얻은 2 kHz와 4 kHz의 역치의 평균과 가장 잘 연관된다는 연구가 있으며, 또 다른 연구에서는 순음청력검사를 통해 얻은 1~4 kHz 역치의 평균과 상관관계가 높다고 보고하였다.[38] 따라서 클릭음을 이용한 ABR은 1~4 kHz의 고음역에 국한된 소견이며, 1 kHz 이하 주파수대의 청력과는 관련이 없다. ABR의 역치는 순음청력검사에서 수평형의 청력도를 보이는 경우 청력역치보다 성인에서 5~10 dB, 소아에서 10~20 dB 정도 높게 나타난다. 고음역의 평균 청력역치와 ABR의 역치 사이의 상관관계는 대개 PTA* = 0.6 X ABR threshold (PTA* = 1 kHz + 2 kHz + 4 kHz/3)와 같다.[39]

청력손실은 ABR의 역치를 상승시킬 뿐 아니라 잠복기와 진폭을 변화시킨다. 난청의 유형에 따라 파형이 각기 다르며, 자극강도에 따른 V파의 잠복기의 변화, 즉 잠복기-강도 상관곡선을 통해 난청의 유형에 대한 보다 정확한 정보를 얻을 수 있다. 전음성 난청은 내이로의 음전도 장애로 인한 것으로 ABR에서 자극음 강도의 감소와 같은 영향을 미쳐 모든 파의 진폭이 작아지고 잠복시간은 연장되나 파간 잠복시간은 정상 범위를 벗어나지 않으며, 이러한 영향은 자극강도를 충분히 높여줌으로써 상쇄된다. 전음성 난청의 경우 잠복기-강도 상관곡선은 정상 곡선과 평행을 유지하는 이동을 보인다.[31] 미로성 난청의 경우 역치상 강자극 시 I파의 잠복기가 연장되고 V파의 잠복기는 미세하게 연장되어 I~V파 간 잠복기는 오히려 단축된다. 그리고 역치 근처에서는 누가현상으로 인해 자극강도의 증가에 비해 V파의 잠복기가 현저하게 짧아져 잠복기-강도 상관곡선에서 L형의 특정적인 모양을 보인다. 후미로성 난청은 파형이 다양하게 나타나며, 각 파를 뚜렷이 구분하기 어려운 경우가 많고 파 간 잠복기의 변화가 크다.

주파수 특이성을 가진 여러 가지 주파수 특이 ABR로 클릭음에 의한 ABR에서는 알 수 없는 1 kHz 이하의 저음역을 포함한 주파수별 청력을 어느 정도 평가할 수 있다. Stappells는 메타 분석을 통해 주파수 특이 ABR 역치와 청력역치 간의 차이를 제시하였는데, 2,000~4,000 Hz tone burst 자극음을 사용하였을 때는 5 dB, 500 Hz tone burst 자극음을 사용하였을 때는 10 dB 정도 차이가 남을 제시하였다. 주파수 특이 ABR은 크게 주파수 특이 자극음(tonal stimulation)을 사용하는 방법, 검사 측 차폐법, 유도반응법(derived response method)으로 분류된다. 골도청성뇌간반응은 차폐, 잡파 등의 여러 가지 한계성이 있어 임상적 가치는 크지 않다. 그러나 정상 신생아에서 반응률이 높아 신생아의 청력 손실 유무 판정에 이용할 수 있다.

2) 신경학적 진단

과거에는 ABR 파형의 소실과 잠복기 변화에 대한 분석이 후미로성 병변의 진단에 주로 이용되었다. 하지만 자기공명영상이 발달함에 따라 후미로성 병변의 진단에 있어 ABR의 사용이 줄어들고 있으며, 진단 시 후미로성 병변의 크기가 줄어들고 있어 후미로성 병변의 진단에 있어 ABR의 민감도는 떨어지고 있다. 후미로성 병변을 진단하는 청성뇌간반응의 진단기준은 연구자 마다 다양하며, 일반적으로 사용되는 기준들은 다음과 같다(표 9-1).[45]

1997년 Don 등은 후미로성 병변 진단에 있어 ABR의 진단적 가치를 높이기 위해 stacked ABR을 개발하였다. Stacked ABR은 클릭음과 차폐소음(masking noise)를 동시에 가하여 5개의 주파수대의 derived-band ABR을 얻은 후, derived-band ABR을 합하여 얻어진다. Don 등은 stacked ABR이 기존의 ABR보다 후미로성 병변 진단에 있어 우수하다고 보고하였다.[21,22] 하지만 stacked ABR을 얻기 위한 소프트웨어가 시판되고 있지 않으며 기존 ABR에 비해 검사 시간이 길어 널리 사용되고 있지는 않다.

표 9-1. 후미로성 변변을 진단하는 청성뇌간반응의 진단기준

청성뇌간반응의 모든 파형 소실	
I	파의 잠복기가 길어져 있으며 이후의 모든 파형이 소실
V	파의 잠복기가 그 검사기관 정상 잠복기 표준편차의 2.5배를 벗어나거나, 절대치가 6.2 ms보다 긴 경우
V	파의 ILD가 0.3 또는 0.4 보다 큰 경우
I-V	파간잠복기가 비정상적으로 연장된 경우(4.5 ms 이상)
I-V	파간잠복기의 양이 간 차이가 0.3 ms 이상 차이가 나는 경우

두개저 수술 중 청각신경을 모니터링하기 위해 ABR이 이용되고 있다. V파의 잠복기나 I~V파 간 잠복기를 연속적으로 모니터링하여 청각신경의 상태를 파악할 수 있다. 하지만 이는 averaging 과정을 거쳐서 측정되므로 청각신경 손상을 즉시 알려줄 수는 없다.

3) 신생아청각선별검사

청성뇌간반응검사는 신생아에서 쉽게 시행할 수 있는 객관적인 검사로 신생아청각선별검사에 널리 이용되고 있다. 1990년 Joint Committee of Infant Hearing에서는 통과(pass) 기준을 40 dB nHL 이하의 자극음에 반응하는 경우로 규정하고 통과하지 못한 신생아는 3~6개월 후 철저한 이과학적 검사를 포함한 재검사를 받아야 한다고 명시하였다.

4. 새로운 시도

ABR을 좀더 효율적으로 얻기 위한 시도들은 현재도 진행 중이다. 그 중 대표적인 것이 chirp음을 자극음으로 사용하는 것이다. Chirp음은 시간이 흐름에 따라 주파수가 증가되거나 감소되는 소리(그림 9-10)로, 시간에 따른 주파수 변화로 인해 생성되는 와우 내 traveling wave delay를 극복하기 위해 주파수가 증가되는 chirp을 사용하여 클릭 음을 이용한 ABR보다 큰 반응을 얻을 수 있다. 적절한 chirp음을 얻으려면 사람 와우의 기계적인 특성을 고

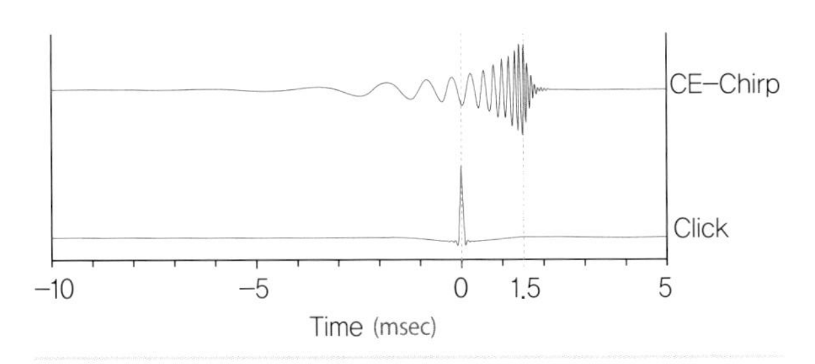

■ 그림 9-10. **시간에 따른click음과 chirp음의 웨이브형태.** Click음(아래)의 짧고 간결한 웨이브에 비해 chirp음(위)은 저주파가 선행하고 고주파가 따라오는 형태의 웨이브를 보인다.

려한 정확한 delay 모델을 찾아야 하며 다음과 같은 모델들이 소개되었다. 선형 기계적 모델(linear mechanical property),[18] tone burst ABR의 잠복기를 이용한 모델,[50] otoacoustic emission의 잠복기를 이용한 모델[59] 마지막으로 high pass filter를 이용하여 click음에서 다섯 가지 octave-band 주파수 영역의 반응을 측정하는 derived band ABR의 잠복기를 이용하는 모델[23] 등이다. 이 중 마지막으로 소개된 derived band ABR 잠복기 모델은 현재 상용되고 있으며(CE-chirp®), 정상 청력에서 CE-chirp®을 이용하였을 때 기존의 click음에 비해 ABR의 반응(amplitude)이 크게 나타나기 때문에,[17,25,26,30] 빠르고 정확한 역치 측정에 도움이 될 것으로 기대하고 있다. 첩의 주파수 영역을 세분화한 narrow band chirp에 대한 평가도 이루어지고 있으며[27,57] 또한 난청 환자들에서 chirp을 이용해 보다 정확한 청력 측정 가능여부 대한 연구가 진행되고 있다.[13,48] Chirp음은 중/저음의 소리자극에는 효율적이지만 고음(큰소리) 자극의 경우 기저막의 상향전파흥분(upward spread of excitation) 때문에 그 효율이 적은 것으로 보고된다. 이를 보완하기 위한 방법으로 각각의 소리 자극 크기 별로 chirp음 길이에 변화를 준(큰 자극 음에서는 짧게, 작은 자극 음에서는 길게) LS (level specific)-chirp도 소개되었고 그 결과 정상인에서 큰 자극 음에서도 기존 click음보다 큰 반응을 얻을 수 있었다.[46]

Ⅳ 청성지속반응(ASSR)

1. 청성지속반응의 분석

청성지속반응(auditory steady-state response; ASSR)은 지속적인 음자극(continuous acoustic stimulus)에 대한 청각전달로의 지속적인 반응으로, 진폭 혹은 주파수가 주기적으로 변조된 순음, 즉 변조음(modulated tone)을 자극음으로 이용하는 청각유발반응이다. 청성지속반응의 자극음인 변조음의 종류에는 특정 carrier frequency (CF)를 가진 순음의 진폭을 변조한 진폭변조음(amplitude modulated tone), 주파수를 변조한 주파수변조음(frequency modulated tone), 그리고 진폭과 주파수를 동시에 변조한 혼합변조음(mixed modulated tone) 등이 있다. 변조음의 변조 빈도를 변조주파수(modulation frequency; MF)라고 한다. 변조음이 내이를 자극하면 청각전달로에서는 자극음의 변조주파수와 동일한 주파수를 가지는 뇌파가 생성되는데 이것을 기록한 것이 청성지속반응이다. 청성지속반응의 발생기원(neural generator)은 자극음의 변조주파수에 따라 달라지는 것으로 알려져 있다. 변조주파수가가 20 Hz 이하일 때는 후기반응에서처럼 일차청각피질과 연합피질이, 20~60 Hz일 때는 청성중간반응에서처럼 중뇌, 시상, 일차청각피질이 60 Hz 이상일 때는 뇌간이 발생기원으로 추정된다.

변조음의 장점은 기록 가능한 유발반응을 생성할 수 있다는 점과 좁은 주파수 범위(frequency spectrum)를 가지는 자극음을 만들어주어 반응의 주파수 특이성에 기여한다는 점이다. 변조음의 실제 주파수 범위는 CF-MF에서 CF+MF까지로 CF에서 가장 큰 에너지를 가진다. 예를 들어 100% 진폭변조된 1,000 Hz의 순음을 초당 80회의 변조 빈도로 자극하면 CF는 1,000 Hz이고, 변조주파수는 80 Hz가 되어 이 변조음의 주파수 범위는 920 Hz에서 1,080 Hz까지로 매우 좁은 범위를 가지는 주파수 특이적인 자극음이 된다. 변조주파수가 낮을수록 더욱 주파수 특이적인 자극음이 생성되겠으나, 변조주파수가 70 Hz 이하가 되면 각성수준이 떨어질 경우 파형이 잘 기록되지 않으므로 70 Hz 이상의 변조주파수를 사용하는 것이 좋다. 70 Hz 이상의 높은 변조주파수를 이용할 경우 수면에 영향을 받지 않는다.[4,14] 변조주파수를 서로 다르게 하여 여러 주파수의 자극음(multiple simultaneous stimuli)으로 자극하면, 각 자극음에 대한 반응을 동시에 기록할 수 있어 검사 시간을 단축할 수 있다.

청성지속반응이 청성뇌간반응검사에 비해 가지는 장점은 주파수 특이적인 청력 역치를 제공하고, 자동화된 역치 측정 방식으로 비숙련자도 쉽게 검사를 시행할 수 있다는 점이다. 하지만 청성지속반응의 진폭은 청성뇌간반응검사보다 작기 때문에 소음을 더 잘 조절하여야 하며 검사 시간이 길어진다는 단점도 존재한다.

2. 청성지속반응의 판독

청성뇌간반응 같은 다른 청각유발반응의 경우 검사자의 주관적 판독에 의하여 반응의 유무가 결정되지만, 상용화된 청성지속반응 검사기기들은 자동화된 판독 알고리즘(automatic detection algorithm)이 반응의 유무를 결정한다. 청성지속반응에 이용되는 자동 판독 알고리즘은 phase coherence, magnitude squared coherence (MSC), F-test 등이다.[11,12,14,15,16] Phase coherence[11,12,14]를 이용하는 방식은 phase(변조음 자극 후 뇌파 반응까지의 시간)들이 일치하면 반응이 있는 것으로, phase들이 일치하지 않으면 반응이 없는 것으로 처리하는 방식이다. MSC 방식은 phase와 진폭을 함께 분석하는 방식이다. 즉 phase가 일치하고 진폭이 클수록 MSC 값은 증가하는데, 반응의 MSC 값이 클수록 반응이 있을 확률은 높아지며 통계처리를 통해 반응의 유무가 결정된다. F-test 방식은 자극음의 변조주파수와 동일한 주파수를 가진 뇌파성분의 진폭이 변조주파수보다 60 Hz 위, 아래 주파수의 뇌파성분의 진폭과 통계적으로 유의한 차이가 있으면 반응이 있는 것으로 처리하는 방식이다.

3. 임상적 적용

청성지속반응은 임상적으로 청력역치 추정(threshold estimation)에 가장 많이 쓰이며, 청성지속반응역치는 순음청력역치와 상관관계가 높고, 순음청력역치를 예측하는데 있어 청성지속반응과 청성뇌간반응 두 가지 검사 간에 유의한 차이는 없다.[1,16,20,55] 그러나 정상 청력이나 경도 난청의 경우 청성지속반응의 역치는 순음청력역치보다 약 20~40 dB 정도 높게 나타날 수 있어, 공식으로 구한 청성지속반응의 순음청력 추정치로 정상이라고 판정할 경우에는 주의를 요한다. 청성지속반응은 유소아의 정확한 청력역치 측정과 보청기 처방에 효과적으로 이용될 수 있고 협조가 곤란한 성인 및 위난청자에서 정확한 청력역치의 측정과 난청 정도의 판정에 많은 도움을 줄 수 있다. 또한 출력 한계가 높아 청성뇌간반응에서 확인할 수 없었던 잔존 청력을 확인할 수도 있다. 이외에도 신생아청각선별검사, 보청기의 이득 측정, 그리고 이신경학적 진단 등의 적용에 관한 연구가 이루어지고 있다.

 전기자극 청성뇌간반응

전기자극 청성뇌간반응(eletrically evoked auditory brainstem response; EABR)은 음자극 대신에 전기자극 후에 기록한 청성뇌간반응을 말한다. 전기자극은 정원창, 와우갑각 등을 전극을 이용하여 자극하는 방법과 인공와우이식술 후 와우에 삽입한 전극을 통하여 자극하는 방법이 있다. 전기자극 청성뇌간반응의 I파는 자극 잡파 때문에 관찰하기 어려운 경우가 많다. 또한 안면신경과 전정신경의 자극에 의한 전위와 근원성 전위가 혼입될 수 있다. V파 잠복시간은 음자극 시보다 1~2 ms 정도 짧으며, 자극 세기에 따른 변화가 거의 없다. 이는 전기 자극을 가하였을 때 와우 내 traveling wave에 의한 시간 지연이 거의 없는 것을 의미하고, 잠복기-자극 세기보다는 반응진폭-자극 세기에 중점을 두고 결과를 해석하여야 한다.

이 검사는 임상에서 고도 이상의 감각신경성 난청 환자에서 청신경과 청각중추로를 평가할 때, 인공와우이식술 대상자를 선정할 때, 인공와우이식술이 결정된 환자에게 적절한 장치를 결정할 때 이용될 수 있으며, 인공와우이식술 후 매핑(mapping)을 할 때 기초자료를 얻기 위해서도 활용된다. 특히 인공와우 수술의 예후를 판단하는 데에 수술전 EABR의 결과가 보조적으로 사용될 수 있다고 보고되었다.[47] 그 외 다양한 이신경과적 수술 시 와우, 청신경과 청각중추로의 기능적 보존을 위한 술중 감시와 중환자 감시에도 청성뇌간반응을 이용한다.

최근에는 eletrically evoked compound action potential (EACP)가 전기적 자극에 의한 신경반응을 평가함에 있어 EABR을 대체하고 있는 추세이다. 그러나 와우이식 후 반응이 없고, ECAP가 관찰되지 않을 경우에는 EABR로 평가할 수 있다. 이는 와우의 형태에 이상이 있거나, 뼈신생에 의한 잡음증가로 인하여 ECAP를 정확히 평가하기 어려운 경우에는, ECAP의 역치와 잘 일치하는 EABR이 전기자극과 반응간의 간격이 길어 유용하게 활용될 수 있다.

Ⅵ 전기자극 복합활동전위

전기자극 복합활동전위(eletrically evoked compound action potential; ECAP)는 전기자극에 의해 청신경섬유에서 발생하는 활동전위이다. ECAP은 1990년에 처음 제시되었고,[9] 1995년 Cochlear (Englewood, CO)에서 ECAP 측정이 가능한 인공와우를 처음으로 출시하였고 뒤를 이어 Advanced Bionics (Valencia, CA)와 MED-EL (Innsbruck, Austria)에서도 ECAP 측정이 가능한 인공와우를 출시하였다.

ECAP은 소리자극이 아닌 전기자극에 의해 발생하는 ECoG 반응으로, 진폭은 2~3 mV이고, 잠복기는 0.3~0.5 ms이다. ECAP은 전기자극을 이용하므로 와우 내 traveling wave로 인한 지연과 유모세포와 뉴론 사이의 synapse에서 발생하는 신호전달 과정이 없으므로 소리자극을 이용하는 ECoG보다 잠복기가 짧다. 그리고 반응을 측정하는 전극이 청신경에 더 인접해 있으며 cross-fiber synchrony가 증가하여 ECoG보다 진폭이 크다.

ECAP은 반응을 측정하는 전극이 청신경에 더 인접해 있어 다른 전기자극 유발반응보다 진폭이 크고 신호대 잡음 비율(signal to noise ratio)이 높다. 또한 근육에 의한 잡음으로부터 영향도 더 적다. 하지만 전기자극이 유발반응에 미치는 영향을 최소화시켜 주어야 하는 단점도 존재한다. 현재 ECAP을 더 쉽고 효율적으로 측정하는 방법이 개발되어 임상에서 사용되고 있다.

지난 20년간 ECAP을 이용한 연구는 인공와우의 언어처리기(speech processor)를 효율적으로 프로그래밍하는데 많은 기여를 해 왔다. ECAP 역치와 인공와우 언어처리기에 사용되는 수치간의 상관관계는 여러 연구에서 보고되었다. ECAP 역치를 통해 불편함 없이 소리를 들을 수 있는 인공와우 자극 세기를 예측할 수 있다. ECAP의 또 다른 활용으로 기기고장(device failure)를 진단에 도움을 줄 수 있다. 그리고 전기자극에 대한 신경반응을 평가하여 시간에 따른 청각계의 변화, 전기자극의 적절성을 판단할 수도 있다. 특히 소리인지를 표현할 수 없는 와우이식 환자에 있어 ECAP은 객관적인 자료를 제공할 수 있다. 하지만 ECAP은 말초 청각계에서 생성되므로 이보다 더 상위에서 일어나는 반응을 반영하지는 못한다.

Ⅶ 전기자극 중기 및 후기반응

중기 및 후기반응도 전기자극으로 유발 가능하다. 전기

자극 중기반응(Electrically evoked middle latency response; EMLR)은 10~50 ms의 잠복기 후에 나타나며 중뇌(midbrain)에서 발생하는 것으로 추측된다. EMLR은 영아에서 측정하기 어렵고 수면이나 진정에 의해 영향을 받기 때문에 임상에서 흔히 사용되지는 않는다. 청각피질반응(cortical auditory evoked potential; CAEP)은 청각피질에서 발생하는 후기 반응으로 P1–N1–P2 복합체로 이루어져 있으며 잠복기는 70~300 ms이다. CAEP 역시 수면이나 진정에 의해 영향을 받는다. CAEP의 잠복기는 와우이식 전 난청기간 등 와우이식 결과에 영향을 미치는 인자에 영향을 받는다. 예를 들어 선청성 난청 환자에서 7세에 와우이식을 시행하였을 경우, 2세에 와우이식을 시행한 환자보다 P1 잠복기가 길다. 또한 P1 반응은 와우이식 후 몇 주 혹은 몇 개월 후 변하는데 이는 뇌가소성을 보여준다. 뿐만 아니라 CAEP는 인공와우 언어처리기 전략 및 보청기의 적절성을 평가하는데 도움을 줄 수 있을 것으로 생각된다. 그리고 CAEP는 음악, 언어 등의 자극에 의해서도 유발되므로 와우이식의 결과를 예측하는 데도 도움을 줄 수 있을 것으로 예상된다.[2]

Ⅷ 전정유발근전위

전정유발근전위(vestibular evoked myogenic potentials; VEMP)는 소리자극에 의해 동측 경부 근육에서 발생하는 반응으로, 반응 경로는 구형낭, 하전정신경, 뇌간, 전정핵, 척수소뇌로(spinocerebellar tract), 동측의 흉쇄유돌근(sternocleidomastoid muscle)이다. 이 반응은 하전정신경과 이석 기관을 평가하기 위한 방법으로 청신경종양의 감별진단 및 발생 신경의 분류, Ménière병의 감별진단 및 경과 관찰 등에 응용되고 있다.

참고문헌

1. 김리석, 정성욱, 허승덕 등. 영유아에서 청성뇌간반응과 청성지속반응의 역치 비교. 한이인지 2004;47:304-310.
2. Abbas PJ, Brown CJ. Assessment of responses to cochlear implant stimulation at different levels of the auditory pathway. Hear Res. 2015 Apr;322:67-76.
3. Al-momani MO, Ferraro JA, Gajewski BJ, et al. Improved sensitivity of electrocochleography in the diagnosis of Meniere's disease. Int J Audiol 2009;48:811-819.
4. Aoyagi M, Suzuki Y, Yokota M, et al. Reliability of 80-Hz amplitude modulation following response detected by phase coherence. Audiol Neurootol 1999;4:28-37.
5. Bellman S, Barnard S, Beagley HA. A nine-year review of 841 children tested by transtympanic electrocochleography. J Laryngol Otol 1984;98:1-9.
6. Berlin CI. Electrocochleography: an historical overview. Semin Hear 1986;7:241-246.
7. Bilger RC, Matthies ML, Hammel DR, Demorest ME. Genetic implications of gender differences in the prevalence of spontaneous otoacoustic emissions. J Speech Hear Res 1990;33:418-432.
8. Brackmann DE, Selters WA. Electrocochleography in Meniere' s disease and acoustic neuromas. In: Ruben RJ, Elberling C, Salomon G, eds. Electrocochleography. Baltimore: University Park Press, 1976. 315-329.
9. Brown CJ, Abbas PJ, Gantz BJ: Electrically evoked whole-nerve action potentials: data from human cochlear implant users. J Acoust Soc Am 1990;88:1385-1391.
10. Burns EM. Long-term stability of spontaneous otoacoustic emissions. J Acoust Soc Am 2009;125:3166-3176.
11. Carhart R, Jerger JF. Preferred method for clinical determination of pure-tone thresholds. J Speech Hear Disord 1959;24:330-345.
12. Chaiklin JB, Ventry IM. Patients errors during spondee and pure tone threshold measurements. J Aud Res 1965;5:219-230.
13. Cho, S.W., et al., Comparison between CE-Chrip and Click evoked ABR in normal and sensorineural hearing loss. poster presentation at XXII IERASG BIENNIAL SYMPOSIUM, 2011, 2011.
14. Cohen LT, Rickards FW, Clark GM. A comparison of steady -state evoked potentials to modulated tones in awake and sleeping humans. J Acoust Soc Am 1991;90:2467-2479.
15. Committee on hearing and equilibrium. Committee on hearing and equilibrium guidelines for the evaluation of results of treatment of conductive hearing loss. Otolaryngol Head Neck Surg 1995;113:186-187.
16. Cone-Wesson B, Dowell RC, Tomlin D, et al. The auditory steady-state response: Comparisons with the auditory brainstem response. J Am Acad Audiol2002;13:173-187.
17. Dau, T., et al., Auditory brainstem responses with optimized chirp

signals compensating basilar-membrane dispersion. J Acoust Soc Am, 2000. 107(3): p. 1530-40.
18. de Boer, E., Short and long waves in the cochlea. Hear Res, 1980. 2(3-4): p. 465-73.
19. Devaiah AK, Dawson KL, Ferraro JA, et al. Utility of area curve ratio electrocochleography in early meniere disease. Arch Otolaryngol Head Neck Surg 2003;129:547-551.
20. Dimitrijevic A, John MS, Van Roon P, et al. Estimating the audiogram using multiple auditory steady-state responses. J Am Acad Audiol 2002;3:205-224.
21. Don M, Kwong B, Tanaka C, et al: The stacked ABR: A sensitive and specific screening tool for detecting small acoustic tumors. Audiology & Neuro-Otology 2005;10:274-290.
22. Don M, Masuda A, Nelson R, et al: Successful detection of small acoustic tumors using the stacked derived-band auditory brain stem response amplitude. Am J Otol 1997;18:608-621.
23. Don, M., et al., The effects of sensory hearing loss on cochlear filter times estimated from auditory brainstem response latencies. J Acoust Soc Am, 1998. 104(4): p. 2280-9.
24. Eggermont JJ. Electrocochleography. In: Keidel WD, Neff WD, eds. Handbook of Sensory Physiology, vol. 5. Berlin Springer-Verlag, 1976
25. Elberling, C. and M. Don, Auditory brainstem responses to a chirp stimulus designed from derived-band latencies in normal-hearing subjects. J Acoust Soc Am, 2008. 124(5): p. 3022-37.
26. Elberling, C., et al., Auditory steady-state responses to chirp stimuli based on cochlear traveling wave delay. J Acoust Soc Am, 2007. 122(5): p. 2772-85.
27. Ferm, I., G. Lightfoot, and J. Stevens, Comparison of ABR response amplitude, test time, and estimation of hearing threshold using frequency specific chirp and tone pip stimuli in newborns. Int J Audiol, 2013. 52(6): p. 419-23.
28. Ferraro JA, Durrant D. Electrocochleography in the evaluation of patients with Ménière's disease/endolymphatic hydrops. J Am Acad Audiol 2006;17:45-68.
29. Ferraro JA, Tibbils RP. SP/AP area ratio in the diagnosis of Ménière's disease. Am J Audiol 1999;8:21-27.
30. Fobel, O. and T. Dau, Searching for the optimal stimulus eliciting auditory brainstem responses in humans. J Acoust Soc Am, 2004. 116(4 Pt 1): p. 2213-22.
31. Fria TJ, Sabo DL. Brainstem auditory responses in children with otitis media with effusion. Ann Otol Rhinol Laryngol Suppl 1980;89:200-206.
32. Gaskill SA, Brown AM. The behavior of the acoustic distortion product, 2f1-f2, from the human ear and its relation to auditory sensitivity. J Acoust Soc Am, 1990:88:821-839.
33. Gorga MP, Johnson TA, Kaminski JR, Beauchaine KL, Garner CA, Neely ST. Using a combination of click- and tone burst-evoked auditory brain stem response measurements to estimate pure-tone thresholds. Ear Hear 2006;27:60-74.
34. Gorga MP, Kaminski JR, Beauchaine KA, Jesteadt W. Auditory brain stem responses to tone bursts in normally hearing subjects. J Speech Hear Res 1988;31:87-97.
35. Guevara N, Hoen M, Truy E, Gallego S. A Cochlear Implant Performance Prognostic Test Based on Electrical Field Interactions Evaluated by eABR (Electrical Auditory Brainstem Responses). PLoS One. 2016 May 5;11(5).
36. Harris FP. Distortion-product otoacoustic emissions in humans with high frequency sensorineural hearing loss. J Speech Hear Res 1990;33:594-600.
37. Hauser R, Probst R. The influence of systematic primary tone level variation L2-L1 on the acoustic distortion product emission 2f1-f2 in normal human ear. J Acoust Soc Am 1991;89:280-286.
38. Hyde ML: The effect of cochlear lesions on the ABR. In Jacobson JT, editor: The auditory brain stem response, San Diego, CA, 1985, College-Hill Press Inc, pp 133-146.
39. Jerger J, Mauldin L. Prediction of sensorineural hearing level from the brainstem evoked response. Arch Otolaryngol 1978;103:181-187.
40. Johnsen NJ, Elberling C. Evoked acoustic emissions from the human ear. II. Normative data in young adults and influence of posture. Scand Audiol. 1982;11:69-77.
41. Kemp DT, Bray P, Alexander L, et al. Acoustic emission cochleography-practical aspects. Scand Audiol Suppl 1986;25:71-83.
42. Kemp DT. Evidence of mechanical nonlinearity and frequency selective wave amplification in cochlea. Arch Otol Rhinol Laryngol 1979;224:37-45.
43. Khanna SM, Leonard DG. Relationship between basilar membrane tuning and hair cell condition. Hear Res 1986;23:55-70.
44. Kiang NY, Moxon EC, Levine RA. Auditory nerve activity in cats with normal and abnormal cochleas. In: Wolstenholm GFW, Knight J, eds. Sensorineural Hearing Loss. Ciba Symposium. London: Churchill-Livingston, 1970. 241-273.
45. Koors PD, Thacker LR, Coelho DH. ABR in the diagnosis of vestibular schwannomas: a meta-analysis. Am J Otolaryngol. 2013 May-Jun;34(3):195-204.
46. Kristensen, S.G. and C. Elberling, Auditory brainstem responses to level-specific chirps in normal-hearing adults. J Am Acad Audiol, 2012. 23(9): p. 712-21.
47. Lonsbury-Martin BL, Whitehead ML, Martin GK. Clinical applications of otoacoustic emission. J Speech Hear Res 1991;34;964-981.
48. Maloff, E.S. and L.J. Hood, A comparison of auditory brain stem responses elicited by click and chirp stimuli in adults with normal hearing and sensory hearing loss. Ear Hear, 2014. 35(2): p. 271-82.
49. Moller AR, Jannetta PJ. Neural generators of the auditory brainstem response. In Jacobson JT, editor: The auditory brain stem response,

San Diego, CA, 1985, College-Hill Press Inc.

50. Neely, S.T., et al., Latency of auditory brain-stem responses and otoacoustic emissions using tone-burst stimuli. J Acoust Soc Am, 1988. 83(2): p. 652-6.
51. Omar, M. Hafizi, Sh-Hussain Salleh, and Ting Chee Ming. "Kalman Filter for ABR Signal Analysis." Progress In Electromagnetics Research Symposium Proceedings, KL, MALAYSIA, 2012.
52. Penner MJ. An estimate of the prevalence of tinnitus caused by spontaneous otoacoustic emissions. Arch Otolaryngol Head Neck Surg 1990;116:418-423.
53. Penner MJ, Zhang T. Prevalence of spontaneous otoacoustic emissions in adults revisited. Hear Res 1997;103:28-34.
54. Picton TW, Hillyard SH, Frauz HJ, et al. Human auditory evoked potentials. 1. Evaluation components. Electroencephalogram. Clin Neurophysiol 1974;36:179-190.
55. Rance G, Rickards FW, Cohen LT, et al. The automated prediction of hearing thresholds in sleeping subjects using auditory steady-state evoked potentials. Ear Hear 1995;16:499-507.
56. Robinette MS. EOAE contributions in the evaluation of cochlear versus retrocochlear disorders. Semin Hear 1999;20:13-28.
57. Rodrigues, G.R., N. Ramos, and D.R. Lewis, Comparing auditory brainstem responses (ABRs) to toneburst and narrow band CE-chirp in young infants. Int J Pediatr Otorhinolaryngol, 2013. 77(9): p. 1555-60.
58. Schoonhoven R, Prijs VF, Grote JJ. Response thresholds in electrocochleography and their relation to the pure tone audiogram. Ear Hear 1996;17:266-275.
59. Shera, C.A. and J.J. Guinan, Jr., Cochlear traveling-wave amplification, suppression, and beamforming probed using noninvasive calibration of intracochlear distortion sources. J Acoust Soc Am, 2007. 121(2): p. 1003-16.
60. Sorensen H. Clinical application of continuous threshold recording. Acta Otolaryngol 1962;54:403-422.
61. Spektor Z, Leonard G, Kim DO, et al. Otoacoustic emissions in normal and hearing impaired children and normal adults. Laryngoscope 1991;101:965-974.
62. Telischi FF, Roth], Stagner BB, et al. Patterns of evoked otoacoustic emissions associated with acoustic neuromas Laryngoscope 1995;105:675-682.
63. Wuyts FL, Van de Heyning PH, Van Spaendonck MP et al. A review of electrocochleography: Instrumentation settings and meta-analysis of criteria for diagnosis of endolymphatic hydrops. Acta Otolaryngol 1997;52:14-20.

CHAPTER 10

전정기능검사_어지럼증 환자의 진찰 및 이신경학적 검사

이비인후과학 Otorhinolaryngology - Head and Neck Surgery

안중호

급성, 또는 만성적인 어지럼을 호소하는 환자의 치료의 첫 단계는 환자의 정확한 병력청취로 시작하여, 다양한 신체검사(bed-side clinical examination)와 필요시 전정기능검사를 시행하게 된다. 병력청취는 어지럼의 시작 시점, 증상의 특징 그리고 어지럼이 개인의 삶에 어떠한 영향을 미치는지를 알려주는 중요한 과정이며, 환자의 어지럼이 중추성 여부와 전정계, 혹은 비전정계 질환(예를 들어 편두통, 공황장애 등)에서 기인하는지 감별하는데 도움을 준다. 신체검사는 어지러움의 원인이 말초성인지 중추성인지 구별하고, 얼마나 심한지, 또한 어지럼이 발생한지 얼마나 시간이 지난 것인지에 대한 정보를 제공하게 된다. 그리고 전정기능 검사는 병변의 정확한 위치, 전정기능 소실의 정도, 중추보상 정도 및 비생리학적인 다른 원인들을 감별하는데 도움을 준다.

I 병력 청취

병력청취는 어지럼 환자를 진단하고 치료하는데 있어서 출발점이자 가장 중요한 요소이다. 환자들은 다양한 증상을 호소하며 이를 청취하는 이비인후과 의사들은 감별해야할 요소들에 유의하여 어지럼의 성상을 분석하고 이를 통해 일차적인 진단과 반드시 시행되어야 할 검사 및 치료방법을 제시할 수 있다. 이러한 병력청취를 하는데 있어서 필요한 요소들은 다음과 같다(표 10-1, 2).

1. 어지럼의 발생시기 및 재발여부(Onset and recurrency)

어지럼의 발생시기는 크게 급성(3일 이내)과 만성(3일 이상)으로 나뉘게 되며 환자들은 갑자기 발생한 급격한

표 10-1. 어지럼 환자의 병력청취에 따른 특징적인 어지럼증 분류

진단명	발생/지속시간	특성
전정 신경염	급성/수 일간 지속	회전성 어지럼, 오심 및 구토, 불균형 및 시각떨림
양성 발작성 체위변환성 현훈	급성/수 초간	머리의 움직임에 따른 회전성 어지럼, 오심
Wallenberg's infarct	급성	머리의 움직임에 따른 회전성 어지럼, 불균형, 머리의 기울어짐 및 운동 실조증, 반대측 감각소실 등
양측 전정소실	만성	걸을 때 머리의 움직임에 의해 유발되는 불균형, 시각떨림을 동반
시각떨림	만성	눈을 뜨고 있을 때 사물이 고정되어 보이지 않음
불안/우울증	만성	경한 실신증상, 흔들거리거나 붕 떠있는 느낌 호소
기립성 저혈압	반복적/수 초	누워있다가 일어설 때 잠깐 어지럼과 경한 실신증상을 느낌
일과성 허혈성 발작	반복적/수 분	주로 노년층에서 반복적인 회전성 어지럼, 불균형, 경한 실신증상
메니에르 병	반복적/수 십분에서 수 시간	회전성 어지럼과 동반되는 이충만감, 이명, 변동성 난청
편두통성 어지럼	반복적/수 분에서 수 시간	편두통 증상과 동반되는 회전성 어지럼
멀미	반복적/수 시간	차량 탑승 등 이동시 발생하는 오심과 구토,. 발한 동반
공황 장애	반복적/수 분	특정 상황에 따른 어지럼, 발한, 두근거림 및 감각이상

표 10-2. 증상에 따른 말초성 어지럼과 중추성 어지럼의 감별

	오심과 구토	불균형	청력장애	시각떨림	신경학 증상	보상기전
말초성	심함	경함	흔하다	경함	드물다	급속히 진행
중추성	웬만함	심함	드물다	심함	흔하다	느리게 진행

어지럼인지, 아니면 서서히 진행하여 불편감을 느끼게 되는 만성적인 어지럼인지를 기술하게 된다. 또한 호소하는 어지럼이 처음으로 발생한 것인지(예. 급성전정신경염), 유사한 어지럼이 이전에도 수차례에 걸쳐 발생했는지(예. 메니에르 병)에 따라 의심하는 질환이 달라질 수 있다.

2. 심한 어지럼의 지속시간(Duration)

급격한 어지럼을 느끼는 시간의 지속시간을 청취하는데 보통 수 초(seconds), 수 분(minutes), 그리고 수 시간(hours)에 걸쳐 진행되는 어지럼의 시간을 청취하게 된다.

3. 어지럼의 특성(Characteristics)

일반적으로 어지럼(dizziness)은 넓은 의미로 쓰이는 용어로 다양한 증상들을 통칭하여 사용되는 용어이다. 따라서 어지럼 환자들을 진료하는 이비인후과 의사들은 환자들이 호소하는 어지럼의 양상을 보다 자세히 기술하여 각각의 감별진단에 용이하도록 하는 것이 중요하다. 환자들이 흔히 호소하는 어지럼의 양상을 다음과 같이 정리할 수 있다.

1) 불균형(Disequilibrium)

불균형은 서있거나 걸을 때 중심을 잡기 힘들거나 불안정한 상태를 의미하며 이의 원인으로는 시야가 흐리거나 이중으로 보일 때, 전정기능소실, 말초 신경병증이나 척추 이상으로 인한 체성감각의 이상, 중추 혹은 말초 신경계의 운동장애, 관절통 등의 이상, 그리고 심리적인 원인 등이 있다.

2) 가벼운 실신증상(Light-headedness)

이러한 증상은 뇌로 가는 혈액공급량의 갑작스러운 변화에 의해서 발생하며 일반적으로 노화에 의해 발생한다. 또는 누워 있다 일어났을 때 급격한 혈압 차로 발생하는 기립성 저혈압(orthostatic hypotension)도 비슷한 증상을 호소하게 된다.

3) 멀미(Motion sickness)

멀미는 자동차를 타거나 놀이기구를 탈 때 발생하며 환자들은 피곤함, 창백, 오심과 구토를 경험하게 된다. 멀미는 시성감각과 전정감각의 부조화(mismatch)에 의해 발생한다고 알려져 있다.[8]

4) 오심과 구토(Nausea and vomiting)

오심과 구토는 연수(medulla)의 고립로핵(solitary nucleus)와 미주핵(vagus nucleus)의 자극에 의해 발생한다고 알려져 있으며 말초 전정계의 병변인 경우 심한 오심과 구토를 호소하지만, 중추 전정계의 이상인 경우 병변의 위치에 따라 증상이 심하게 발생할 수도 있지만 대부분 웬만한 오심과 구토를 보인다.[7]

5) 시각떨림(Oscillopsia)

시각떨림은 가만히 있거나 움직일 때 사물의 고정이 제대로 되지 않아 흔들려 보이는 증상을 의미하며 눈을 뜨고 있을 때에만 증상이 발현되는 점에서 어지럼과는 구분된다. 선천적인 시각떨림이 있는 환자들은 중추신경계에 의해서 불수의적인 안구운동의 피드백에 의해 불편감을 호소하지 않으나, 특히 양측 전정기능소실 환자들은 걸을 때나 고개를 움직일 때 전정-안구 반사의 소실에 의해 안구가 고정되지 않기 때문에 매우 불편감을 호소하게 된다.

6) 두통(Headache)

편두통을 앓고 있는 환자들 중 26~60%에서 멀미증상을 호소한다고 알려져 있으며 편두통 환자의 9~52%에서 어지럼을 호소한다.[5]

가능한 기전으로는 편두통 발생 시 시각실조, 피로감 등이 기존 어지럼을 악화시킬 수 있으며 삼차신경(V1)의 원심성 신경분지가 와우와 전정기관에 capsaicin이나 substance P와 같은 화학물질을 분비하여 어지럼이 발생할 가능성을 들 수 있다.[18]

7) 회전성 어지럼(Vertigo)

회전성 어지럼은 미로-8번신경-전정핵-전정시상-전정피질로 이어지는 전정중추 경로의 갑작스런 이상에 의해 발생하며 어지럼의 방향은 손상된 구조물의 위치에 따라 결정된다. 예를 들어, 수평면의 회전성 어지럼은 수평반고리관의 이상이나 8번신경의 손상에 의해 발생하며, 시계 혹은 반시계 방향의 비틀리는 듯한 어지럼은 수직반고리관의 이상이나 후방 연수의 이상에 의해 발생한다. 한쪽으로 기울어지는 듯한 어지럼은 난형낭의 이상에 의해 발생하며 중추 전정경로의 이상이 있는 경우 회전성의 어지럼을 호소하는 경우는 드물다.

4. 그 밖에 병력청취에 도움이 되는 사항들

1) 어지럼이 환자의 삶에 미치는 영향

신체검사 및 전정기능 검사 결과와는 무관하게 동일한 어지럼으로도 환자들은 다양한 불편감과 고통을 호소할 수 있다. 이를 정확하게 파악하는 것이 중요하며, 특히 어지럼으로 인해 스트레스와 일상생활에의 부적응 등으로 고통을 받는 경우에는 적절한 카운슬링과 적절한 약물처방이 필요하다. 이를 평가하기 위해서 다양한 방식의 설문지가 개발되었으며 DHI (dizziness handicap inventory),[11] ABC (activities-specific balance confidence scale),[13,15] FL (functional level scale of the AAO-HNF),[3] VADL (vestibular disorders activities of daily living scale)[4] 등이 사용되고 있으며 어지럼 환자의 불안장애의 정도를 평가하기 위한 방법으로 BAI (Beck anxiety inventory)[1] 등이 사용되고 있다.

2) 약물 복용력

이비인후과 의사는 어지럼 환자들의 최근 복용한 약물의 종류를 정확히 파악해야 하며, 이들 약물 중에서 어지럼을 일으키거나 악화시킬 가능성이 있는 약물을 감별하고 적절한 처방 및 지도를 해야 한다.

II 이신경학적 검사

신경학적 진찰의 목적은 신경계의 체계적인 진찰을 통해 (1) 환자의 증상을 초래한 병소의 위치, (2) 가능한 병리 현상, (3) 발병 원인, (4) 우선적으로 필요한 치료 및 검사를 결정하기 위한 절차라고 요약할 수 있다. 이러한 4가지 단계 중 가장 중요한 것은 병소의 위치가 어디인지를 결정하는 단계, 즉 국소화 징후화 측향화 징후를 찾음으로서 병소의 위치를 찾는 단계이다. 이신경학적 검사에는 전정계의 정적 및 동적 비대칭을 확인하고 이를 유발하는 검사를 시행하게 되며 환자의 자세 및 보행을 통해서 전정척수반사를 검사한다.

1. 안진의 기술

병적인 안진의 진찰을 위해서는 (1) 시고정 여부, (2) 안구의 위치, 그리고 (3) 머리의 위치의 변화를 관찰하는 것에서부터 출발한다. 때로 안진은 진동이나 두부 충동, 또는 과호흡에 의해서 발생하기도 한다. 안진은 화살표를 이용해서 표기하며 환자를 진찰자가 바라본 관점에서 안진의 방향을 표기한다. 화살표의 방향은 안진의 빠른 성분을 의미하며, 화살표가 굵을수록 안진의 진폭이 크고, 길이가 짧을수록 안진의 빈도가 빠름을 의미한다(그림 10-1).

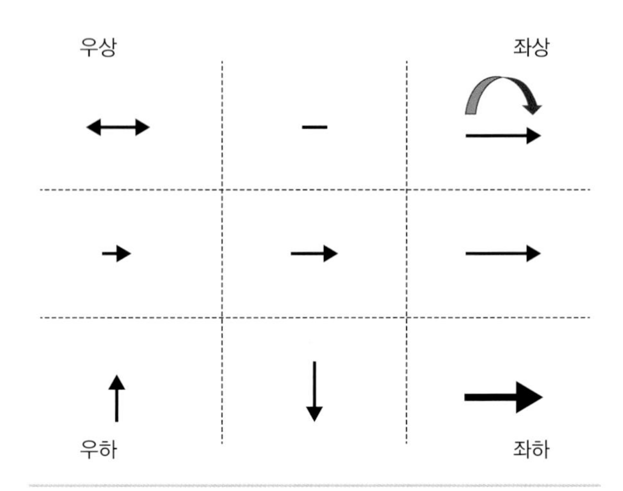

■ 그림 10-1. **안구의 위치와 안진의 강도, 방향의 표기.** 격자는 안구의 위치를, 화살표는 안진의 방향(빠른 성분)을 의미함. 화살표의 굵기는 안진의 크기 혹은 진폭을, 화살표의 길이는 주기를 의미한다. 즉, 화살표의 길이가 짧을수록 빠른 안진을 의미한다.

2. 전정계의 정적 비대칭

1) 자발안진

자발안진은 외부로부터의 유발자극 없이 저절로 나타나는 것으로 자발안진 검사는 전정기의 정적 비대칭을 확인하는 대표적 검사로서 일반적으로 환자로 하여금 특별히 눈의 초점을 맞추지 않고 벽을 쳐다보게 하거나 프렌젤 안경 등을 착용한 상태에서 관찰한다. 일측성 전정신경염 등에서와 같이 양측 말초전정기의 기능의 차이가 발생하는 경우 말초성 자발안진이 나타난다.

말초 전정기의 이상에 의한 자발 안진은 빠른 성분과 느린 성분이 있으며, 1) 시 고정에 의해 억제되며, 2) 주로 수평방향의 안진으로 약간의 회전성 안진을 보이며, 3) 빠른 성분의 방향으로 주시하였을 때 안진의 강도가 증가되는 Alexander 법칙을 따르게 된다. 주시안진 검사를 위해서는 생리적 안진의 일종인 극위(end-point) 안진의 발생을 피하기 위해서 주시 방향을 정면에서 30° 내외 이하로 정하여 시행한다.

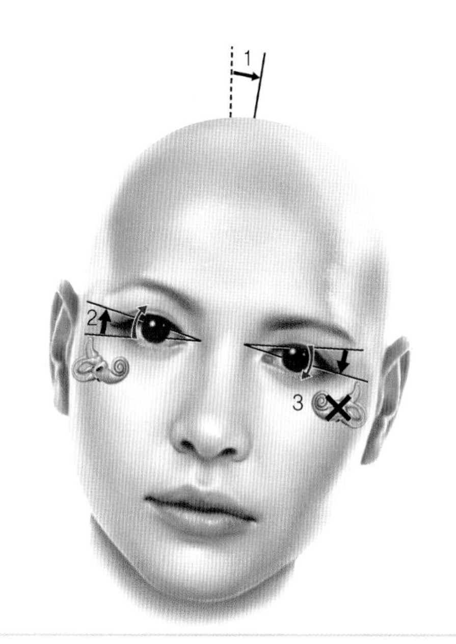

■ 그림 10-2. 좌측 난형낭 기능 저하에 따른 안기울임(ocular tilt reaction) 반응은 (1) 좌측으로 머리가 기울고, (2) 우측 안구는 위로, 좌측 안구는 아래로 벌어지게 되며, (3) 양측 안구의 상극(superior pole)이 환자의 좌측으로 돌아가게 된다.

2) Skew deviation

이석기관인 난형낭과 구형낭의 일측성 병변이 발생할 때 양측 안구의 수직정렬의 차이를 보이는 skew deviation이 발생하며 이는 안구의 회전(ocular torsion), 머리 기울임(head tilt), 안경사(ocular tilt reaction)와 함께 나타나며 말초전정기관의 병변인 경우 초기에만 나타나고 이후 사라진다(그림 10-2).[10,16]

3) 전정척수 반사(Vestibulospinal reflex)

(1) 지시검사(past-pointing)

전정기의 비대칭성으로 인해 사지의 편이가 일어나는 것을 확인하는 검사로 환자로 하여금 앉은 자세에서 눈을 가리고 먼저 집게손가락으로 검사자를 가리키게 하고 위로 들게 한 뒤, 다시 검사자를 가리키게 하여 편이의 정도가 10 cm 이상 초과할 경우 이상으로 판정한다. 급성 말초성 전정장애의 경우에는 환측으로 향하는 편이를 보인다(그림 10-3).

(2) Romberg 검사

환자로 하여금 눈을 감거나 뜬 상태로 양팔을 가슴에 모은 상태에서 양발 끝을 모으고 서 있게 하여 신체의 동요정도를 측정한다. 급성 말초성 전정장애가 있는 환자에서는 환측으로의 동요 및 쓰러짐을 관찰할 수 있다(그림 10-3).

(3) Tandem walking

환자로 하여금 눈을 감거나 뜬 상태로 일직선상에서 한쪽 발의 앞끝을 다른쪽 뒤꿈치에 대면서 걷게 한다. 급성 전정장애가 있는 경우에는 불안정하여 쓰러지게 된다(그림 10-3).

이러한 검사들 외에도 자세의 불안정을 보는 검사로는 사면대 검사, 제자리 걸음 검사, 보행 검사 등이 있으며 이러한 전정척수 반사 검사들은 급성 전정장애가 있는 경우 양성 반응을 보이지만 시간이 지나면서 보상작용이 일어나면 진단적 가치는 떨어지게 된다.

3. 전정계의 동적 비대칭

1) 두부충동 검사(Head thrust test, head impulse test)

환자로 하여금 검사자의 코를 주시하도록 하고, 검사자는 환자의 머리를 좌우 20° 이내로 빠르게 회전시킨다[12]. 전정안 반사가 정상인 경우에는 환자가 지속적으로 주시할 수 있으나, 병변측으로 회전시킬 경우 빠른 단속운동에 의해 회전 후 주시를 하게 된다(catch-up saccade). 머리를 회전하는 면에 따라 모든 반고리관을 검사할 수 있다. 급성 전정병증에서 두부충동 검사에서 각 반고리관의 기능이 정상으로 나오는 경우 전정신경은 정상이나 뇌간이나 소뇌의 병변을 더욱 의심해 볼 수 있다.[12]

2) 두진후 안진검사(Head shaking nystagmus)

전정기의 속도저장기능(velocity storage)의 정상여부를 판정하기 위한 검사법으로 Frenzel 안경을 씌운 상태

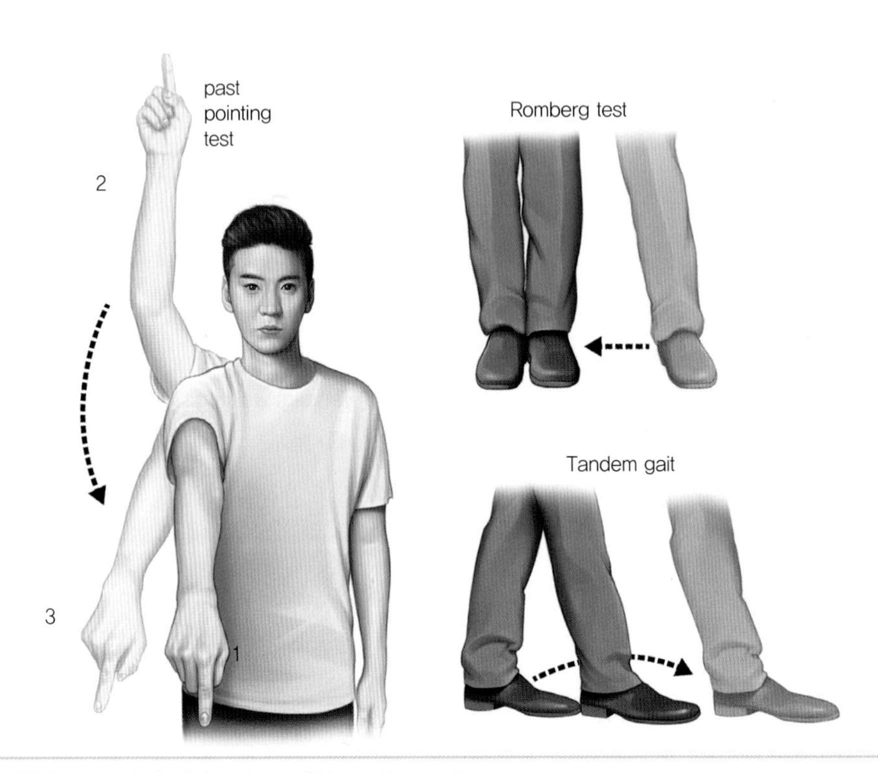

■ 그림 10-3. 지시검사(past-pointing), Romberg 검사, Tandem walking

에서 20초 정도 수평방향으로 고개를 빠른 속도로 회전시킨 후 안구의 움직임을 관찰한다[14]. 일측성 전정장애가 있는 경우에는 머리회전 후에 느린성분의 방향이 병변 쪽으로 움직이는 안진이 관찰된다. 중추성 병변이 있는 경우에는 두진후 안진검사 때에 수직방향의 안진이 관찰된다(cross coupling).[17]

4. 유발반응 검사

1) 두위검사, 두위변환검사(Positional test, positioning test)

양성발작성두위현훈의 진단에 이용되는 검사법으로 이후 이석기능과 자세의 평가(12장)에서 자세히 설명할 예정이다.

2) 과호흡 검사(Hyperventilation induced nystagmus)

과호흡은 특히 불안증이 있는 환자에서 실신에 가까운 어지럼을 유발할 수 있으나 과호흡에 의한 안진은 매우 드물게 관찰된다.[19] 환자로 하여금 60초 이상 과호흡을 시키면서 안진의 발생유무를 확인하게 되는데, 특히 전정신경을 압박하는 병변, 예를 들어 전정신경 초종, 진주종, 혹은 다발성 경화증과 같은 전정신경의 탈수초화가 일어난 경우에 관찰된다.

3) 진동유발 안진(Vibration induced nystagmus)

보상작용이 일어난 일측성 전정장애 환자에서 유양동에 진동을 주면 안진이 관찰된다.[6,14] 전정신경염의 경우에는 느린 성분의 안진이 병변 쪽으로 향하지만 메니에르 병의 경우에는 양측 어디로든 향할 수 있다. 진동은 전정기의 유모세포를 활성화시키지만 정확한 기전은 알려져 있지 않다. 상반고리관 피열증후군의 경우 소리자극과 마찬가지로 진동이 안진을 유발할 수 있다.[2]

참고문헌

1. Beck AT, Epstein N, Brown G, Steer RA. An inventory for measuring clinical anxiety: psychometric properties. Journal of consulting and clinical psychology 1988;56:893-897.
2. Brantberg K, Verrecchia L, Westin M. Enhanced Auditory Sensitivity to BodyVibrations in Superior Canal Dehiscence Syndrome. Audiol Neurootol. 2017 Jan13;21(6):365-371.
3. Cohen H, Ewell LR, Jenkins HA. Disability in Meniere's disease. Archives of otolaryngology--head & neck surgery 1995;121:29-33.
4. Cohen HS, Kimball KT, Adams AS. Application of the vestibular disorders activities of daily living scale. The Laryngoscope 2000;110:1204-1209.
5. Cohen JM, Escasena CA. Headache and Dizziness: How to Differentiate VestibularMigraine from Other Conditions. Curr Pain Headache Rep. 2015 Jul;19(7):31.
6. Dumas G, Perrin P, Schmerber S. Nystagmus induced by high frequency vibrations of the skull in total unilateral peripheral vestibular lesions. Acta oto-laryngologica 2008;128:255-262.
7. Fisher CM. Vomiting out of proportion to dizziness in ischemic brainstem strokes. Neurology 1996;46:267.
8. Golding JF. Motion sickness. Handb Clin Neurol. 2016;137:371-90. doi:10.1016/B978-0-444-63437-5.00027-3.
9. Halmagyi GM, Curthoys IS. A clinical sign of canal paresis. Archives of neurology 1988;45:737-739.
10. Halmagyi GM, Weber KP, Curthoys IS. Vestibular function after acute vestibularneuritis. Restor Neurol Neurosci. 2010;28(1):37-46.
11. Jacobson GP, Newman CW. The development of the Dizziness Handicap Inventory. Archives of otolaryngology--head & neck surgery 1990;116:424-427.
12. McDowell T, Moore F. The Under-Utilization of the Head Impulse Test in the Emergency Department. Can J Neurol Sci. 2016 May;43(3):398-401.
13. Myers AM, Powell LE, Maki BE, Holliday PJ, Brawley LR, Sherk W. Psychological indicators of balance confidence: relationship to actual and perceived abilities. The journals of gerontology. Series A, Biological sciences and medical sciences 1996;51:M37-43.
14. Park HJ, Shin JE, Lim YC, Shin HA. Clinical significance of vibration-induced nystagmus. Audiology & neuro-otology 2008;13:182-186.
15. Powell LE, Myers AM. The Activities-specific Balance Confidence (ABC) Scale. The journals of gerontology. Series A, Biological sciences and medical sciences 1995;50A:M28-34.
16. Safran AB, Vibert D, Issoua D, Hausler R. Skew deviation after vestibular neuritis. American journal of ophthalmology 1994;118:238-45.
17. Strupp M. Perverted head-shaking nystagmus: two possible mechanisms. Journal of neurology 2002;249:118-119.
18. Vass Z, Dai CF, Steyger PS, et al. Co-localization of the vanilloid capsaicin receptor and substance P in sensory nerve fibers innervating cochlear and vertebro-basilar arteries. Neuroscience 2004;124(4):919-927.
19. Ward BK, Gold DR. Tinnitus, Oscillopsia, and Hyperventilation-InducedNystagmus: Vestibular Paroxysmia. Open J Clin Med Case Rep. 2016;2(7).

CHAPTER

11

전정기능검사_ 안구운동과 전정안구반사의 평가

이비인후과학 Otorhinolaryngology - Head and Neck Surgery

정재윤

어지럼으로 병원을 방문하는 환자들은 다양한 증상을 표현하며 지속시간, 유발요인, 반복성 등 임상 양상이 제각각이다. 어지럼의 원인 또한 다양하기 때문에 진단을 위해 보다 자세한 문진, 이학적 검사 및 다양한 전정기능검사의 활용이 필요하다. 전정기능검사에서 가장 핵심이 되는 것은 안구의 움직임을 기록하는 것이다. 전정기관이 받아들이는 외부 정보를 중추신경계에서 분석하여 적절한 반응을 다양한 시스템을 활용하여 보이게 되는데 이 중 가장 대표적이면서 임상의사에게 유용한 정보를 주는 것이 전정안구반사(Vestibular-ocular reflex; VOR) 시스템이다. 전정기관의 자극에 의해 유발되는 반사적인 안구의 움직임으로 정의되는 전정안구반사는 머리가 움직일 때 외부세계의 이미지를 망막에 가능한 정확하게 오랫동안 유지하기 위해 필요하다. 그러므로 우리가 표준화된 방법으로 전정기관을 자극할 수 있고 이때 반사적으로 움직이는 안구의 움직임을 계측할 수 있다면 환자의 전정안구반사가 제대로 작동하고 있는지를 평가할 수 있다. 이것이 많은 전정기능검사의 원리로 사용되게 된다. 여기에서는 안구의 움직임을 객관적으로 기록하기 위한 여러 방법을 이용한 안구운동의 평가 그리고 전정안구반사의 평가방법에 대해 설명하고자 한다.

I 안구운동의 평가

1. 안구 움직임의 기록

1) 전기안진검사(ENG; Electronystagmography)

전기안진검사는 각막-망막 전위(corneoretinal potential)를 이용하여 간접적으로 안구의 회전을 읽어낸다. 안구의 망막과 각막은 마치 건전지의 양극과 음극처럼 전위차를 가지고 있기 때문에 안구가 움직이면 눈 주변에 부착한 전극들을 통하여 전위차의 변화를 감지할 수 있으며 이를 바탕으로 안구의 움직임의 방향과 각도가 기록된다. 검사의 정확성을 높이기 위해서는 검사 시행 전 보정 과정이 필요하다. 검사 준비를 마친 상태에서 환자가 시야

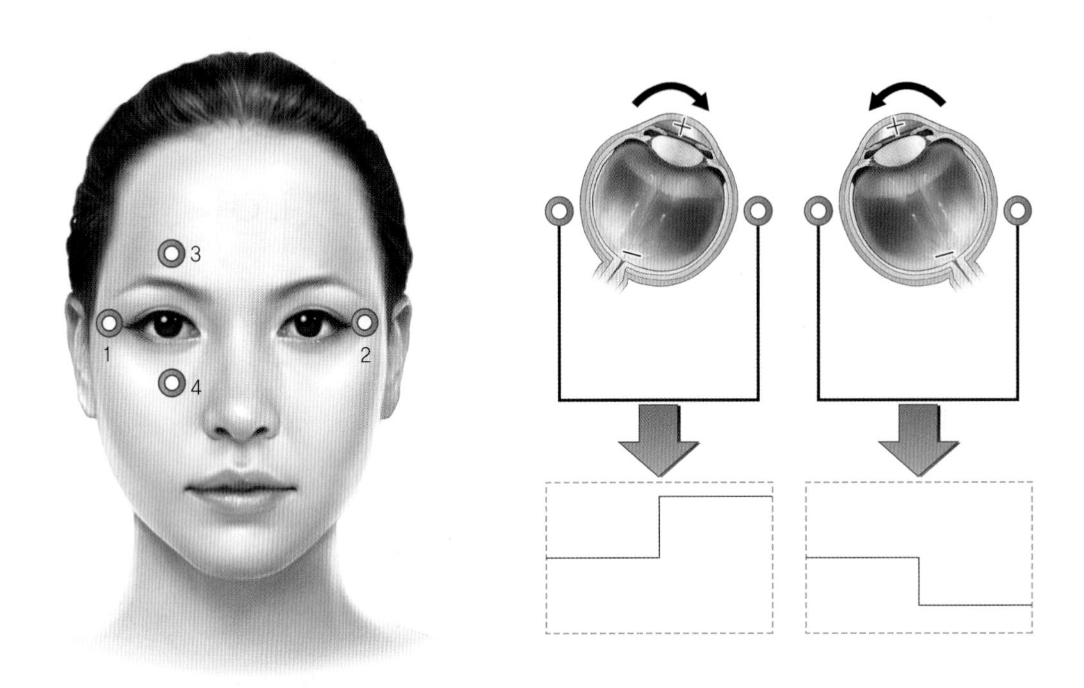

■ 그림 11-1. **전기 안진 검사의 표준 전극 위치.** 1,2: 수평안진측정, 3,4: 수직안진측정. 안구의 우측 회전은 상방이동으로 기록되고 좌측 회전은 하방이동으로 기록된다.

에서 10~15°에 떨어진 점을 주시하도록 하면서 전위차의 변화와 안구의 움직임의 정도를 보정하게 된다. 수평안구운동의 기록을 위해서는 안구의 좌우에 전극을 부착하고 수직안구운동의 기록을 위해서는 안구의 위아래에 부착하게 된다(그림 11-1). 안구의 회전운동은 이론적으로 전위차의 변화를 유발하지 않기 때문에 전기안진검사에서는 측정할 수 없다. 이 방법은 눈꺼풀이 내려와 있는 환자에서나 눈을 감고 있는 동안에도 안정적으로 안구의 움직임을 기록할 수 있지만 눈 깜박임, 안면부 근육의 움직임, 안면부의 땀 등이 검사에 영향을 준다는 단점이 있다.

2) 비디오안진검사(VNG: Videonystagmography)

높은 해상도의 적외선/디지털 비디오 카메라로 안구를 직접 촬영하고 디지털분석을 통하여 안구의 움직임을 분석하는 방법이다. 최근 많은 검사실에서 기존의 전기안진검사를 대신하여 전정기능검사에 사용하고 있다. 카메라로 얻어낸 안구의 움직임(동공의 이동)은 2차원 평면상에서 분석이 이루어진다. 실제 안구의 움직임은 회전이며 구면에서의 입체적인 이동이 되므로 평면상의 거리를 각도로 정확히 전환하기 위해서는 여러 가지 알고리즘을 활용하게 된다. 비디오안진검사에서는 이론적으로는 수직, 수평운동뿐 아니라 홍채의 무늬를 인식하는 방식을 활용하여 회선성분의 운동도 기록할 수 있으나 아직 보편화되지는 않고 있다.

적외선 혹은 디지털 카메라를 측정하고자 하는 안구의 정면에 위치시킨 고글에 착용하거나 혹은 편광유리를 이용하여 안구의 정면을 피하고, 위쪽이나 안구의 바깥쪽에 부착한 개방형 고글에 착용한다. 한쪽 안구의 정면에 카메라를 부착하는 방식은 주로 단안측정만을 시행하게 되는데 안구의 움직임이 공액성(conjugate)이 아닌 경우에는 카메라의 위치를 왼쪽과 오른쪽 안구에 각각 옮겨서 따로 기록하여 분석하여야 한다.

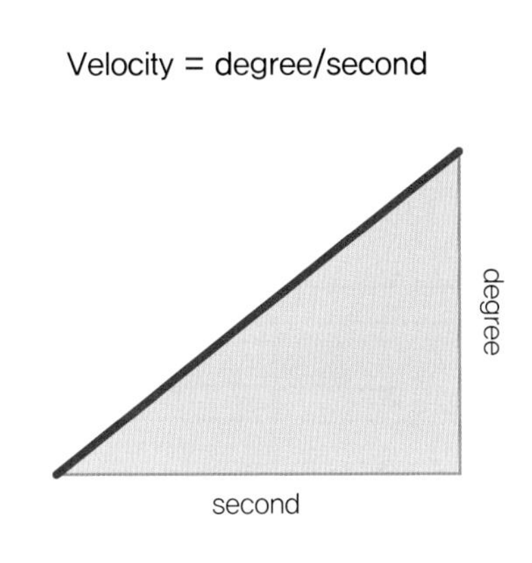

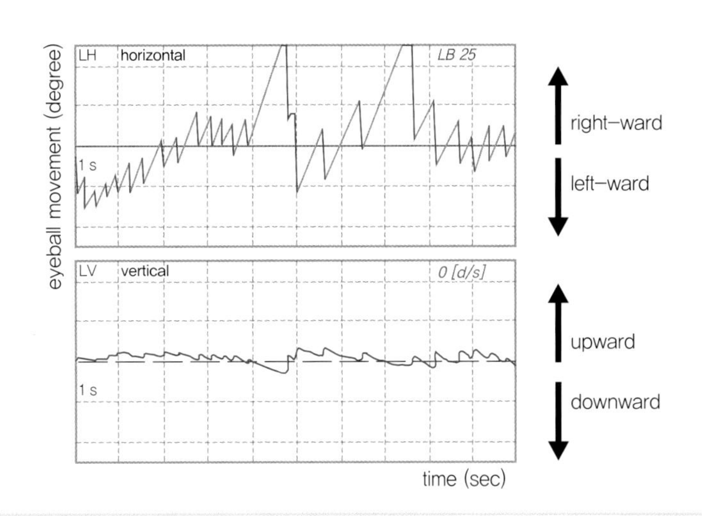

■ 그림 11-2. **안구운동의 기록.** 안구의 움직임은 수평방향에서의 안구의 상방으로의 움직임은 우향, 하방으로의 움직임은 좌향으로 기록되며 수직방향에서는 상방은 상향, 하방은 하향으로 기록된다. 안진의 경우 빠른 성분의 안구 움직임 방향이 안진의 방향이 되는데 아래 그림에서는 좌향안진과 상향안진의 성분이 혼합된 경우이다. 안진의 속도는 느린 성분의 안구움직임의 기울기로 계산하여 나타낸다.

3) 공막자기추적코일(Scleral magnetic search coil)

자기추적코일은 Robinson에 의해 처음 개발된 방식으로[21] 자기장이 존재하는 공간에서 전선의 움직임이 전압의 변화를 유발한다는 원리를 이용하여 안구의 움직임을 기록한다. 미세코일을 원형으로 감아 넣은 실리콘재질의 콘텍트 렌즈모양의 장치(search coil)를 각막에 씌워 환자가 자기장 공간 안에 위치한 채로 검사를 진행한다. 안구의 움직임을 수평, 수직, 회전방향 모두 측정할 수 있으며 눈을 감고 있어도 측정이 가능하며, 높은 해상도(0.01도)와 sampling rate가 장점이다. 하지만 코일을 눈에 부착할 때 국소마취를 사용해야 하는 불편이 따르고 각막의 손상의 위험성이 있어 아직 실제 임상에 사용되는 경우는 드물고 연구 목적으로 주로 사용되고 있다.

2. 안구운동검사(Oculomotor test)

안구의 움직임을 분석할 수 있는 장비를 이용하면서 목표물의 변화에 따른 안구의 움직임을 속도, 정확도, 잠복기 등의 다양한 측면에서 평가를 할 수 있게 되었다. 안구운동의 종류는 크게 시고정, 단속운동, 시추적운동, 시운동성 운동, 전정안구반사, 이향운동으로 분류된다. 시고정은 보고자 하는 목표물이 움직이지 않는 상태에서 지속적으로 망막의 중심와에 상이 맺히게 유지시켜주는 기능이다. 전정안구반사와 관련된 안구운동의 평가는 뒤에서 다뤄질 예정이다. 여기서는 전정기능검사에 포함되어 많이 이루어지는 단속운동, 시추적운동, 시운동성 운동을 평가하는 검사에 대해 알아보고자 한다. 이 검사들은 말초전정기능을 평가하는 검사로서의 역할은 제한적이며 중추성 병변으로 인한 장애를 확인하는데 도움을 준다. 하지만 전정안구반사를 평가하는 검사와 같이 시행하여 안구운동의 장애가 동반되어 있는지를 확인하는 것이 필요하다.

1) 단속운동검사(Saccade test)

환자가 바로 앉은 자세에서 눈앞에 빠른 속도로 움직이는 목표물(레이저 빔, 광막대)을 따라가는 신속한 안구운동이 적절하게 이루어지는지 평가한다. 대부분의 검사실에서는 수평면상 움직임만을 검사하며 규칙적인 일정한

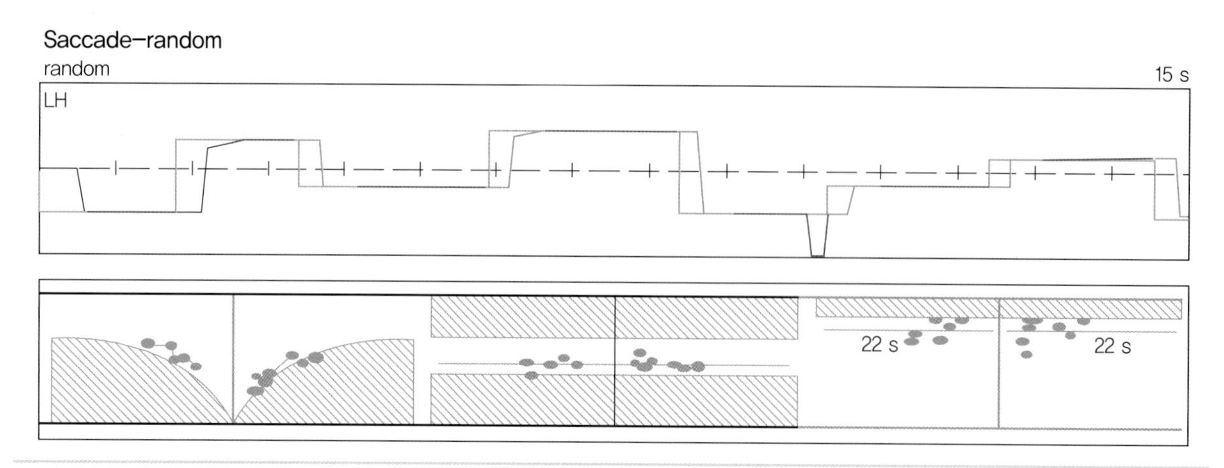

■ 그림 11-3. **단속운동검사**

진폭으로 좌우 교대로 이동시키거나 불규칙적인 방향으로 다양한 진폭을 이동시키는 방식 두 가지를 사용할 수 있다. 목표물의 움직임에 따른 안구운동을 평가하여 단속운동의 정확도, 속도, 잠복기 등을 분석한다(그림 11-3).

목표물이 이동한 거리가 멀수록 단속운동의 속도는 비선형적으로 증가한다. 목표물의 이동거리에 따른 안구의 단속운동에 의한 이동거리가 일치하는지 정확도로 표시한다. 목표물의 이동거리가 20° 이상인 경우에는 정상인에서도 단번에 목표물까지 도달하지 못하여 추가적인 교정성 움직임을 보일 수 잇는데 이를 undershoot (hypometria)이라고 하며 반대로 안구가 목표물을 지나치는 경우를 overshoot (hypermetria)이라고 한다. 정상인에서 이러한 overshoot 형태는 잘 나타나지 않으며 소뇌질환에서 발견될 수 있다.[20] 목표물이 움직인 시점에서 실제 안구가 반응한 시점까지의 시간적 차이가 잠복기가 된다. 정상적으로 잠복기는 180~220 ms 정도로 알려져 있다.[21]

단속운동의 잠복기는 나이, 각성상태, 시각기능 등에 의해 영향을 많이 받기 때문에 검사 결과는 다른 검사 결과와 비교하여 신중히 판단해야 한다

2) 시추적검사(Smooth pursuit test)

이 검사는 눈앞에 설치된 주시 목표물이 느린 속도로 움직이고 이를 따라가는 안구의 운동을 기록하는 검사이다. 대부분의 검사실에서는 수평안구운동을 측정한다. 보통 0.2~0.7 Hz의 주기로 목표물이 좌우로 이동하며 최고속도는 40°/초를 넘지 않도록 한다. 시추적의 정확도는 이득으로 표시한다. 목표물의 이동속도와 이에 따른 안구운동의 속도의 비율이 이득이 되며 정상적으로 검사 주파수와 속도가 증가할수록 이득 값은 감소한다. 중추성 병변이 있을 경우에는 파형의 모습(안구의 움직임)이 부드럽게 목표물을 따라가지 못하고 간헐적으로 끊어지는 불규칙한 파형을 보이는 단속성 시추적(saccadic pursuit)을 보일 수 있다. 하지만 말초성 병변에서 자발안진이 있는 경우에서는 이러한 양상을 보일 수 있으며 특히 병변 반대쪽(자발안진이 뛰는 쪽)으로 목표물을 따라갈 때에 잘 나타난다. 또한 정상인에서도 검사에 집중을 못하거나, 피로할 경우, 고령의 나이일 때는 이상 소견을 보일 수 있어 검사 결과의 판독에 주의를 요한다(그림 11-4).

3) 시운동성안진검사(Optokinetic test)

시야에 반복되는 자극을 통해 환자의 망막전체를 자극하여 시운동성안진을 유발하는 검사이다. 이때 사용되는 자극은 시야 전체를 둘러싸는 반복되는 줄무늬를 주로 사용하며 만일 시야의 일부분에서만 보여지면 망막전체보

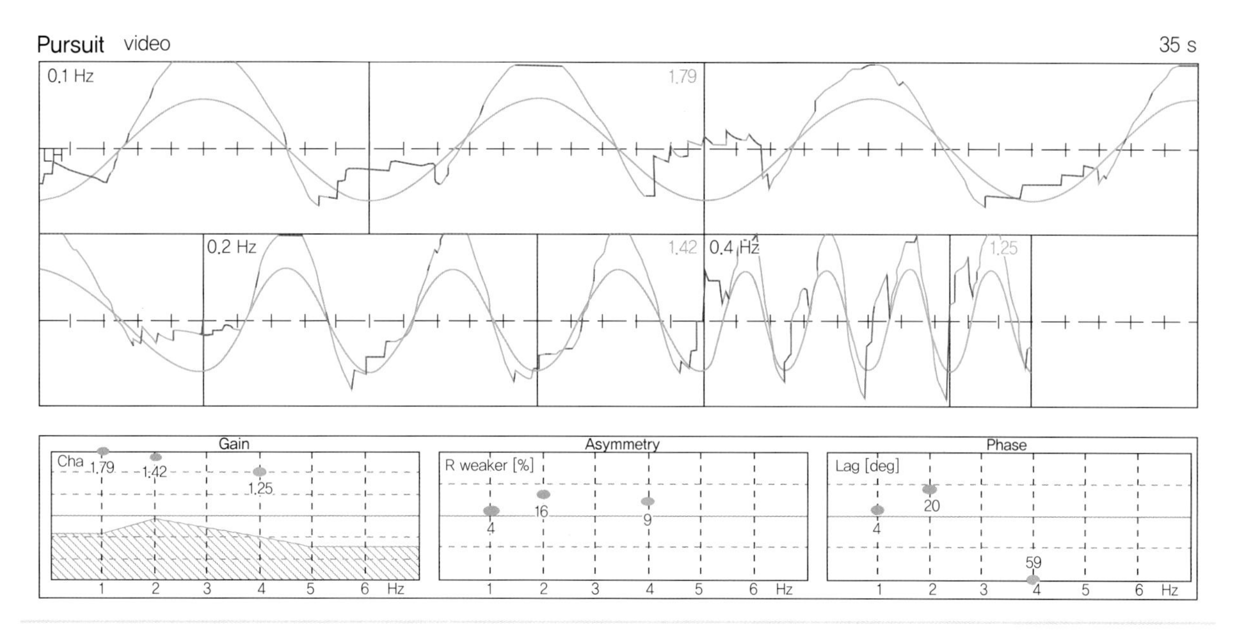

■ 그림 11-4. **시추적검사**

다는 망막의 중심와를 주로 자극하는 시추적계가 관여하게 된다. 검사에서는 30~40°/초의 속도로 시계방향과 시계반대방향으로 움직이는 반복된 수직 막대 이미지를 보여주게 된다. 이때 안구의 움직임을 기록하게 되면 수직 막대모양의 선을 따라가는 느린 성분의 운동과 다시 원위치로 돌아가는 반대방향의 빠른 운동을 반복한다. 이때 반대방향의 빠른 운동은 단속운동과 동일한 안구운동이다. 검사 결과는 시자극의 회전속도에 대한 안구운동의 속도의 비율을 계산하여 이득으로 표시된다. 일반적으로 시운동성안진검사에서의 이상 소견은 중추성 병변을 시사하는 소견이다. 자발안진이 있는 경우 병변반대측의 회전 자극을 주는 경우 느린 성분의 안구운동의 크기가 감소하는 소견을 보이며 병변측의 회전자극에는 느린 성분의 안진이 증가하는 비대칭을 보일 수 있다(그림 11-5).

II 전정안구반사의 평가

전정기관의 감각수용체는 다양한 형태의 선형가속과 각가속을 감지하여 상황에 필요한 안구의 움직임이나 경부 및 사지의 근육의 움직임을 유발하게 된다. 이중에서 전정안구반사는 앞에서 언급한 방법을 이용하여 안구의 움직임을 기록하고 평가할 수 있기 때문에 전정기능의 평가에 가장 많이 활용되고 있다. 여러 방법을 이용하여 전정기관에 자극을 주고 이에 대한 적절한 반응이 이루어지고 있는지 안구의 객관적인 움직임을 수치화하여 평가를 하게 된다. 세 개의 반고리관 중에서도 수평반고리관이 해부학적인 특징(위치) 때문에 가장 자극하기가 용이하다. 따라서 대부분의 전정기능검사는 수평반고리관의 자극을 이용하게 된다. 수평반고리관의 자극을 이용하는 검사방법으로는 온도안진검사, 회전의사검사, 두부충동검사가 대표적이다. 온도안진검사는 한쪽귀의 수평반고리관에만 각가속 자극을 주기 위해 체온과 적절한 온도 차이가 나는 물을 외이도에 주입하는 방법을 사용한다. 환자를 모터가 장착된 의자에 고정시켜 표준화된 속도로 수평회전을 가하여 수평반고리관에 각가속 자극을 주는 방법이 회전의자검사이다. 두부충동검사에서는 검사자가 직접 환자의 머리를 빠른 속도로 회전시키는 방법이 전정기관의

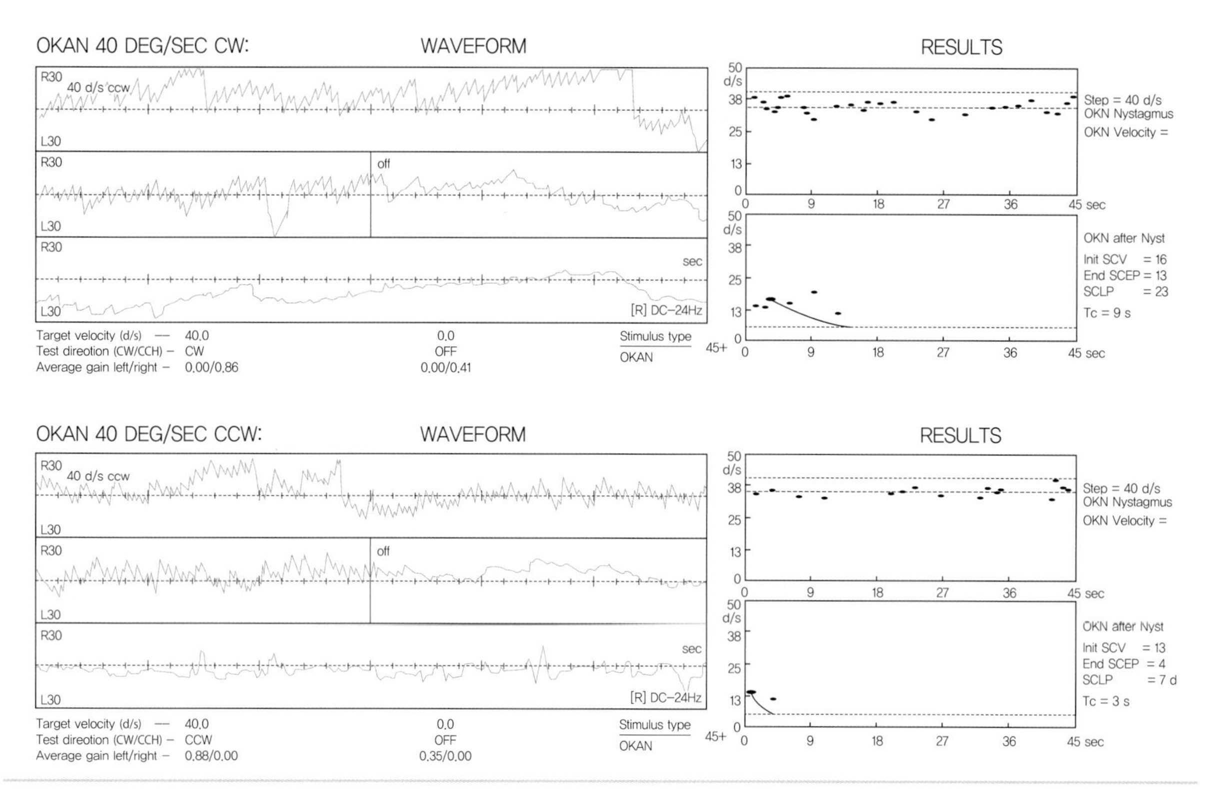

■ **그림 11-5. 시운동성안진검사**

자극을 위해 사용된다. 자극의 방법이 무엇이 되었든지 관계없이 이에 대해 나타나는 안구의 움직임이 기록이 되고 정상적으로 예상되는 반응의 크기, 양상이 나타나는지가 판독의 대상이 된다. 각 검사에서의 방법 및 판독 시 유의사항, 장단점을 살펴보겠다.

1. 온도안진검사(Caloric irrigation test)

외이도에 체온과 온도 차이가 나는 물을 주입하게 되면 머리회전과 유사한 전정자극을 유발하게 된다. 냉수 혹은 온수를 주입하게 되면 온도 차이로 인해 반고리관의 내림파액의 흐름, 부피변화, 유모세포의 직접적인 자극을 통하여 동측의 전정기관의 흥분 또는 억제가 일어난다. 이러한 원리를 바탕으로 1906년 바라니(Robert Barany)가 온도안진검사를 처음으로 개발한 이후 현재까지 전정기능검사의 필수 검사로 활용되고 있다.[9,27,29]

외이도로 주입된 물은 고막까지만 들어가게 되어 온도 차이로 인한 변화가 모든 반고리관에 영향을 미치기는 어렵다. 따라서 해부학적으로 고막에 가장 가까운 수평반고리관이 온도안진검사에서 주로 자극 받는 전정말초기관이라고 볼 수 있다. 최적의 자극을 위해서는 수평반고리관이 지표면과 수직을 이루는 각도를 유지하도록 해야 하며 따라서 환자가 누운 자세에서 머리를 30° 올리고 검사를 시행한다. 이 자세에서 체온보다 낮은 냉수 자극을 주는 경우 측반고리관에 국소적인 온도 감소가 일어나고 밀도가 높아진 내임파액은 중력에 의해 아래부위로 이동하며 팽대부에서 멀어지는 방향(ampullofugal)으로 흐름이 발생하게 된다. 이러한 온도 차에 의한 내임파액의 이동에 의해 냉수를 주입한 귀 쪽으로 완서 성분의 안구운동이 발생하고 반대방향으로의 안진이 발생한다는 Barany의 대류설이 주된 기전으로 이해되고 있다. 하지만 무중력 상태에서도 온도 안진 반응이 나타나는 것으로 대류설 이

외의 기전들이 존재함을 알게 되었고 이후 전정신경에 대한 직접적인 열전달 효과, 온도자극에 의한 내림프액의 체적변화로 인한 효과 등의 기전들이 제시되었다.[21]

온도안진 검사는 좌우 각각의 내이를 독립적으로 따로 자극할 수 있는 유일한 검사다. 온도안진검사는 여러 전정기관 중에서 측반고리관의 기능만을 보여준다. 따라서 전정신경 중에서도 상전정신경의 기능만을 대표한다는 점을 고려해야 할 것이다. 양온교대안진검사의 민감도와 특이도는 84%로 보고되고 있으며 물 대신 온도가 다른 공기(air)를 이용할 경우 82%의 민감도와 특이도를 보인다고 알려져 있다.[19]

검사의 특성상 해부학적 차이(혈류, 중이의 상태, 측두골의 두께 등)로 인한 개체간 변동성과 개체 내 변동성이 크고, 온도 자극에 의해 발생되는 내림프액의 흐름도 일상의 머리운동(0.5~8.0 Hz)에 비해 매우 작은 0.003 Hz 정도의 주파수라는 단점도 존재한다. 또한 환자들이 온도안진검사에 대해 불쾌감을 호소하는 경우가 많아 재검사에 대한 거부감을 표시하기도 한다. 그러나 검사와 결과 판독을 신중하게 하는 경우 많은 정보를 얻을 수 있는 중요한 검사이며 아직은 전정기능 평가를 위한 대표 검사로 여겨지고 있다. 외이도 질환, 고막천공, 중이염의 경우에는 검사 시행에 제한이 있으며 필요시 물보다는 공기를 이용한 방법을 고려하는 것이 좋다.

1) 양온교대안진검사(Alternate binaural bithermal caloric test)

1942년 Fitzerald와 Hallpike이 고안한 이후 온도안진검사의 표준으로 인식되고 가장 많이 사용되는 검사이다. 섭씨 30°의 냉수와 44°의 온수를 양측 외이도에 교대로 30~40초간 250 ml를 관류한다.[15] 이때 한 번의 검사가 끝나고 나면 다음 검사를 위해 외이도에 냉온수를 주입 시 5분 이상의 간격을 두어야 한다. 냉온수 주입 후 발생한 안진의 측정은 2~3분간 하며 보통 관류를 시작하고 60~90초 후에 안진이 가장 크게 관찰된다. 앙와위에서 검사 시에 냉수를 관류하면 반대측으로 안진이 발생하고 온수를 관류하면 동측으로 안진이 발생한다고 하여 COWS (Cold Opposite, Warm Same)라는 암기법을 많이 사용하고 있다. 총 4회의 검사에서 각각 완서상 속도가 최대치를 보이는 10초 구간을 정하여 이 구간에 나타난 안진들의 속도 평균값으로 안진의 크기를 정하게 된다. 온도자극 후에 발생하는 안진의 최고속도는 5°에서 75°까지가 95% 유의수준에서의 정상치에 해당한다.[20] 네 가지 조건의 안진의 합이 12 이하일 때는 양측성 전정기능저하의 소견이며 120 이상일 때는 전정기능의 과민성이나 중추성 병변을 의심해볼 수 있다.

양온교대안진검사의 결과는 Jongkee 공식을[24] 활용하여 반고리관 마비(canal paresis)의 정도를 수치화하여 사용한다.

반고리관 마비는 20~30%를 기준으로 삼으며 일측의 전정기능이 약화되었다는 것을 의미한다. 방향우위(directional preponderance)는 30~40%를 기준으로 정상의 범위를 삼는데, 비정상의 경우 그 임상적 의미는 불명확하며 중추성 원인을 시사하는 경우도 있지만 대개 자발안진이나 두위성안진이 반영되는 경우가 많다. 원칙적으로는 완서 성분이 최대에 이르는 시점에서 눈을 뜨게 하거나 불을 켜서 측정을 하지만 기술적으로 어렵고 보통 이 시점이 지나고 가능하면 빨리 측정하는 것이 좋다. 최대안진 구간이 지나면 환자의 눈을 뜨게 하거나 불을 켜서 정면의 한 점을 바라보게 하는 고정억제검사(fixation suppression test)를 시행한다. 말초성 어지럼 환자에서 완전 암시야(total darkness)에서 관찰되는 안진은 충분한 시고정(strong visual fixation)에 의해 60% 이하로 줄어든다고 알려져 있다.[8] 일반적으로 고정지수(fixation index)가 60% 이하이면 정상적인 시고정이 이루어지고 있다고 평가하고 70% 이상이면 고정억제실패(failure of fixation suppression)라 하며 소뇌 병변을 의심해야 하는 소견을 시사한다(그림 11-6).[11]

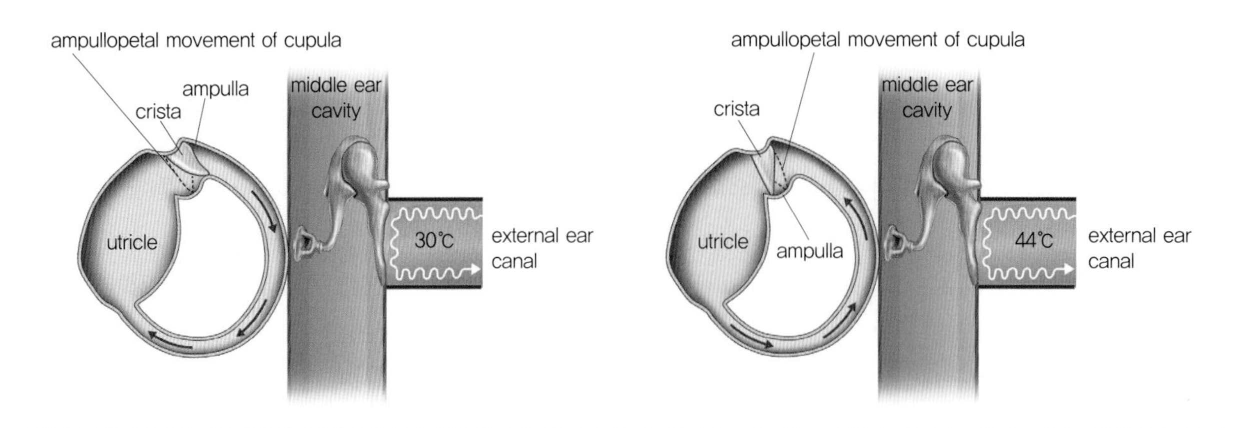

■ 그림 11-6. **온수와 냉수를 외이도에 관류시켰을 때 대류작용에 의한 cupula의 움직임**
(출처: Baloh RW, Honorubia V. Clinical Neurophysiology of the Vestibular System. 2nd ed. Philadelphia: F. A. Davis)

2) 단온안진검사(Monothermal caloric test)

양온교대안진검사를 제대로 시행하려면 최소한 40분 이상의 시간이 소요된다. 이에 반해 단일 온도의 냉수 또는 온수만을 양측 외이도에 번갈아 관류하고 이때 나타나는 좌·우측의 안진을 비교하는 방법은 소요시간이 짧아 환자의 불편함을 줄일 수 있다. 하지만 사용되는 물의 온도와 용량에 대해서는 표준화되어 있지 않으며 정상치에 대한 기준도 여러 연구자에 따라 다양하게 제시되고 있다. 또한 상대적으로 높은 위음성 문제도 단점으로 여겨지고 있다.[7]

3) 빙수안진검사(Ice water test)

양온교대안진검사에서 반응이 나오지 않을 경우 더욱 큰 자극을 주기 위하여 얼음물(4℃, 40 cc)를 관류하여 안진을 관찰하는 방법을 사용하게 된다.[5,6] 말초전정기능의 잔존 유무를 확인하기 위하여 사용된다. 정상 기능을 가진 피험자에서는 심한 현훈을 유발할 수 있어 주의를 요한다.

4) 공기안진검사(Air caloric test)

외이도염이나 고막천공과 같은 외이, 중이 질환의 환자에서는 공기를 이용하여 양온교대안진검사를 시행할 수 있다. 물과 공기의 매질의 차이를 감안하여 보다 높은 온도 차이를 이용하게 되고 보다 많은 양(8리터)을 외이도에 주입하게 된다. 냉자극은 24°, 온자극은 50°의 조합이 가장 많이 이용되고 있다. 냉온수를 이용한 안진검사에 비하여 50°의 공기 자극 시에 점막표면의 기화현상으로 인해 냉자극으로 인한 검사 반대측으로 뛰는 안진이 발생하는 경우도 있어 검사 결과 해석에 주의가 필요하다.

2. 회전의자검사(Rotational chair test)

회전의자검사는 중력이 수직인 상태에서 신체를 회전시켜 수평반고리관을 자극하고 이로 인해 유발되는 안구운동을 평가하여 전정기능을 확인하는 검사이다. 온도안진검사와 달리 전정자극을 위하여 생리적인 신체의 회전을 이용하며 자극의 주파수 영역대도 보다 높은 0.01~1.2 Hz를 사용한다. 온도안진검사에서는 한쪽의 수평반고리관을 선택적으로 자극할 수 있지만 회전의자의 경우 양측의 수평반고리관이 동시에 관여하게 된다. 수평반고리관이 회전면에 최대한 일치하도록 머리를 30° 앞으로 숙인 상태에서 의자에 몸을 붙여서 앉게 한다. 빛과 소리가 차단된 공간에서 환자는 눈을 뜨고 각성상태를 유지하도록 확인하며 검사한다. 회전의자검사는 이러한 자극을 주기 위해 원하는 회전 속도, 가속도를 안정적으로 구현할 수 있는 전동모터시스템을 갖춘 다소 고가의 장비를 필요로 한다.

흔히 임상에서 사용되는 회전의자검사를 통해 얻을 수 있는 중요한 정보들은 다음과 같다.

- 회전자극에 대한 전정기능의 반응 정도(이득)
- 시계 방향 회전자극에 의한 전정안구반사의 반응과 시계 반대 방향의 회전에 의한 반응의 비교(대칭성)
- 머리회전과 안구움직임의 시간적 관계(위상차)
- 등속회전에서 유발된 전정안구반사 반응의 지속 정도(시간상수)
- 주시고정 혹은 시운동성 자극을 동시에 주었을 때 회전자극에 대한 전정기능의 반응

1) 회전자극의 종류

머리의 회전의 주체가 누구냐에 따라 능동회전과 수동회전으로 구분할 수 있다. 또한 양쪽 수평반고리관이 수평면에 있으면서 회전의 축이 수직을 유지하면 회전이 earth-vertical rotation이며, 회전의 축이 기울어진 상태에서 이루어지면 off-vertical rotation이 된다. 회전축의 위치에 따라 신체의 가운데 위치한 축을 중심으로 회전하는 축상회전(on axis rotation)과 중심에서 벗어난 축을 중심으로 회전하는 편심성회전(eccentric rotation)으로 구분된다. 일반적으로 언급되는 회전의자검사는 정축상(on-axis), 수직(earth-vertical), 수동(passive) 회전을 이용한다.

2) 정현파회전검사(Slow harmonic acceleration test)

이 검사는 현대화된 정현파 진동(sinusoidal oscillation)을 회전자극으로 이용하는 검사로 회전검사 중 현재 가장 많이 활용되고 있다. 자극은 여러 주파수에 걸친 정현파 각속도(sinusoidal angular velocity)를 단계별로 사용한다. 주파수는 0.01, 0.02, 0.04, 0.08, 0.16, 0.32, 0.64 Hz로 점점 빨리 자극하며, 최대 회전각속도는 50~60°/sec를 이용한다

전정안구반사의 이득, 위상, 대칭 3가지 척도를 분석하게 된다. 이득은 머리의 최대 회전속도에 대한 안구의 최대 회전속도의 상대적 비율이며 위상은 머리의 움직임이 있고 난 후 이로 인해 유발된 안구움직임의 시간적인 관계를 나타낸다. 만일 반사에 의해 일어나는 안구의 움직임이 머리의 움직임보다 선행할 경우 위상차 선행이 존재하게 된다. 마지막으로 대칭은 머리를 좌측으로 움직였을 때와 우측으로 움직였을 때 나타나는 안진의 최고 속도 비교로 이루어진다. 머리의 최대회전속도와 안구의 최대 회전속도가 똑같으면 이득은 1이 되며 안진이 전혀 생기지 않으면 이득은 0이 된다. 만일 시계방향의 회전에서의 최대 안구속도가 40°/초, 시계반대방향에서의 최대 안구속도가 20°/초인 경우 오른쪽 비대칭이 33%로 우측의 전정기능이 떨어져 있거나 좌측의 전정기능이 항진되어 있는 경우를 시사한다. 검사장비와 검사실마다 차이가 있을 수 있지만 일반적으로 15%까지가 정상적인 비대칭 수치이다.

회전의자검사에서 사용되는 주파수의 자극에서는 전정안구반사의 기능이 불완전하게 작용하게 된다. 이러한 느린 자극에서는 시추적계, 전정경부반사 등이 보완적으로 협조하여 전체적으로 주시를 유지시켜주는 기능을 완벽하게 수행하게 된다. 때문에 정상인에서 정현파회전검사는 저주파의 자극일수록 정상 이득은 낮게 평가되며, 안구의 최대속도를 보이는 시간은 머리의 최대회전속도를 보이는 시점보다 앞서게 되는 위상차 선행을 보이게 된다. 따라서 검사 결과를 해석할 때는 이를 감안하여 이미 표시된 정상범위를 벗어난 경우만을 의미 있는 이득감소와 위상차 선행으로 간주한다. 회전자극에 의해 유발된 안진의 크기가 너무 작으면 위상차, 좌우의 비대칭성을 분석할 수 없기 때문에 안진이 어느 정도 발생한 경우(이득이 0.2이상)에만 나머지 지표가 계산되어 제공된다(그림 11-7).

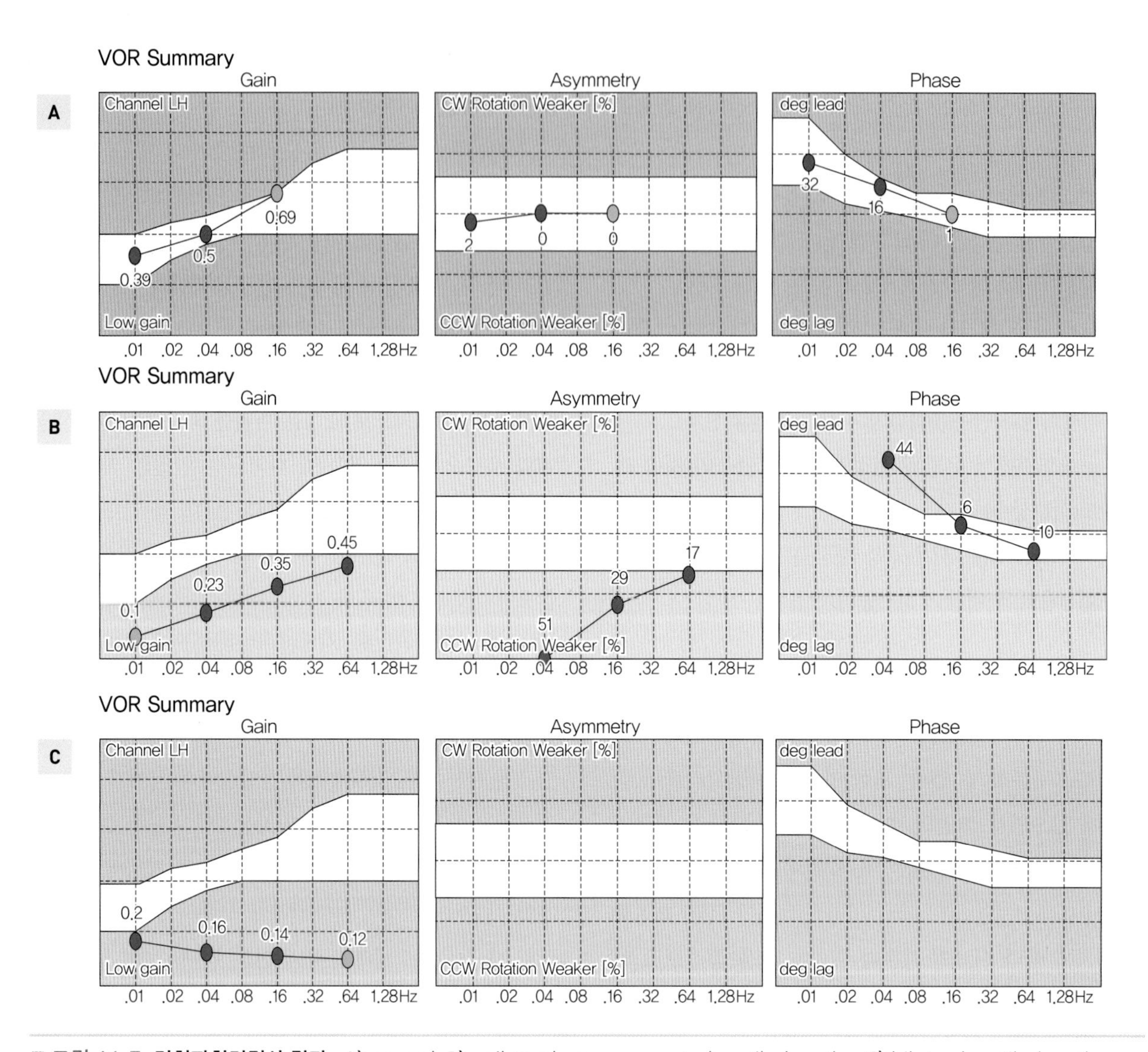

■ 그림 11-7. **정현파회전검사 결과.** **A)** normal, **B)** unilateral uncompensated vestibulopathy, **C)** bilateral vestibulopathy

3) 등속회전검사

정현파회전에서는 회전 시에 지속적으로 속도가 변하는 회전을 통해 자극을 지속적으로 유지하지만 등속회전검사에서는 순간적인 가속도로 1초의 짧은 시간 안에 높은 속도(100 degree/sec)에 도달시킨 후 같은 속도를 계속 유지하는 형태의 회전을 이용한다. 시계 방향 혹은 시계 반대 방향으로 회전시켜 회전 중 안진(per-rotatory nystagmus)을 관찰한 후 급작스럽게 회전을 멈추어 회전 후 안진(post-rotatory nystagmus)을 분석한다.[16] 의자의 회전 방향이 시계방향이면 회전 중 안진은 우측으로, 회전 후 안진은 좌측으로 나타난다. 반시계 방향이면 그 반대의 양상을 보인다. 시계방향회전의 회전 중 안진과 반시계방향의 회전 후안진은 우측 수평반규관의 기능을 나타내며 반시계방향의 회전 중 안진과 시계방향의 회전 후안진은 좌측 수평반규관의 기능을 나타낸다. 좌우측의 이득을 비교 시 비대칭이 심하면 말초성 전정기능의 장애를 의심할 수 있다.

급격한 가속 이후 안진이 나타나기 시작하여 안구운동

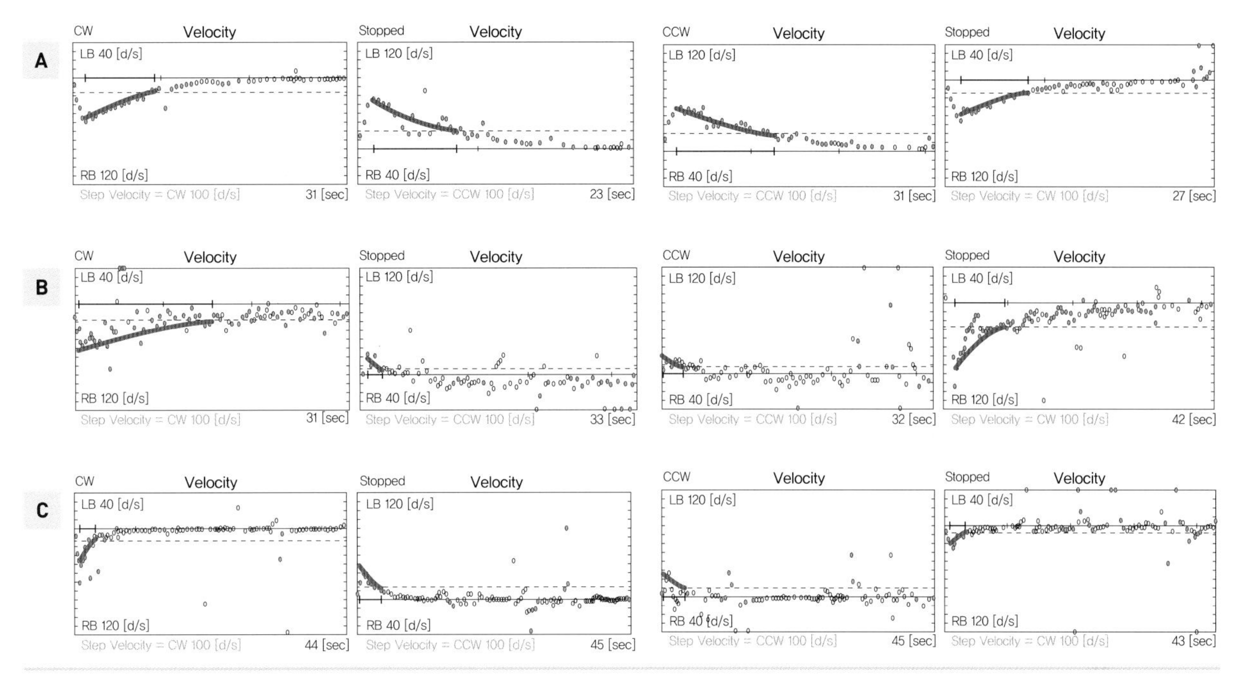

■ 그림 11-8. **등속회전검사 결과. A)** normal, **B)** unilateral uncompensated vestibulopathy, **C)** bilateral vestibulopathy

의 속도는 빨라져서 초기 최대안구속도를 갖는 안구운동이 나타나게 되고 이후 등속운동이 유지되는 동안 수평반고리관에 cupula의 deflection이 서서히 제자리로 돌아가면서 점차 안구운동의 속도는 감소하여 1~2분 전후에 안진은 소실된다.[16] 등속회전이 유지되는 후반부에 안진이 없어진 상태에서 회전의자를 갑자기 멈추면 반대방향으로 향하는 회전 후 안진이 발생한다.

Cupula의 기계적 성질(mechanical properties)을 통해 유추되는 시간상수는 5초 전후로 생각된다. 하지만 정상성인에서 보여주는 시간상수는 이보다 훨씬 긴 10~25초의 값을 보인다. 머리의 회전에 의한 자극으로 전정유모세포의 흥분신호가 지속되는 시간은 이차 전정신경에 가해지는 양성 되먹임 기전으로 인해 더욱 연장되어, 안진의 발생 후 유지되는 시간이 더욱 길어지게 되는데 이러한 시스템을 속도저장계(velocity storage system)라 한다.[30] 등속회전에 의해 나타난 초기 최대안진이 줄어들어 37%로 감소하는데 걸리는 시간을 시간상수(time constant)라고 하며 이 시간은 전정안구반사의 이득과 함께 속도저장계의 기능을 반영하는 수치로 활용한다. 반복검사에 의한 습관화(habituation)을[1,3] 비롯하여 말초성 전정장애,[10,13] 어렸을 때 시력소실[26] 등이 이 시간상수를 줄여주는 역할을 한다(그림 11-8).

4) Off-vertical rotation

머리의 회전은 반고리관뿐만 아니라 이석기관도 자극을 하게 된다. 하지만 earth-vertical rotation에 의한 자극의 경우에는 좌/우 이석기관의 신호가 서로 상쇄되어 안구 반응에 영향을 주지 않는다. 회전축을 일정한 각도로 기울여서 회전의자 검사를 하는 것을 off-vertical axis rotation 혹은 off-vertical rotation (OVAR)이라고 하는데 이 검사에서는 이석 기관에서의 신호가 서로 상쇄하지 않기 때문에 측반고리관과 난형낭/구형낭의 복잡한 상호작용에 의해 나타난 안진을 분석하게 된다.[14] OVAR은 장비가 크고 복잡하며, 환자들에게 심한 오심과 구토를 유발하고, 검사결과의 해석이 불분명하여 임상보다는 연구 단계의 검사 방법이다.

5) Eccentric rotation

회전의자검사의 경우 회전의 축이 머리 중간에 위치하게 된다. Eccentric rotation은 회전의 중심을 일측 귀에 위치하게 하여, 편측 귀에 더 많은 가속도가 작용하도록 하는 검사이다. 이 경우 회전의 중심에 위치하게 되는 귀에서는 원심력이 작용하지 않지만, 반대측 귀에는 원심력이 작용해서 편측 난형낭만을 자극하게 된다. 즉 일측 난형낭의 자극에 의한 안구 반응을 평가할 수 있다. 하지만 이 검사는 난형난만 자극하는 것이 아니고, 측반고리관의 자극도 이루어지므로, 측반고리관의 반응을 제외하여야 한다. 검사 시 회전이 시작하는 초기에는 반고리관과 일측 난형낭이 함께 작용하는 반응을 보이고 이후 회전 속도가 일정해지면 측반고리관의 영향을 사라지므로 순수하게 이석기관만의 반응을 보이게 된다. 그러므로 난형낭만의 기능을 평가하려면 회전 후 약 2분 이후의 반응을 검토하면 된다.[25] Eccentric rotation시의 검사 항목으로는 안구 회전, 주관적 시수직, 주관적 체성감각이 있다.[12] 이 중 안구회전과, 주관적 시수직을 평가하는 것이 보편적이며, 주관적 체성감각의 경우 주로 연구 목적으로 검사된다.

3. Video head impulse test (v-HIT)

두부충동검사는 환자에게 빠른 회전(두부충동; Head Impulse)을 가했을 때의 전정안반사를 측정하는 검사이다. 전정안반사가 정상인 경우 환자는 두부충동 이후 충동전과 같은 점을 주시하게 되지만, 비정상인 경우 주시가 두부회전을 따라가게 되고 후에 교정 단속(corrective saccade)을 통해 다시 정면을 주시하게 된다. 이처럼 교정 단속 안구운동을 보이는 경우를 양성 보이지 않는 경우를 음성으로 판정하며, 양성인 경우 일측 측반고리관의 기능장애를 의미한다. Caloric검사상 일측 마비를 보이는 환자들에게 두부충동검사가 민감도가 높은 검사는 아니다. 즉 선별검사로는 적절하지 않다. 하지만 반대로, 두부충동검사가 양성일 경우 특히 양성 두진후안진검사와 동반될 경우 caloric검사에서 고도 마비를 보이는 경우가 많다.[18]

두부충동검사시 안구의 교정 단속운동을 확인하는 것은 다분히 주관적이며 신뢰도가 떨어진다. 특히, 두부충동검사에서 음성의 결과를 보였다 하더라도 안구가 짧은 은폐성 단속운동(covert saccade)로 움직이게 되면 쉽게 검사자의 눈에 발견되지 않는다. 그리하여 좀 더 객관적인 평가와 기록을 위하여 발전시킨 것이 video head impulse test (v-HIT)이다.[22,28] video head impulse test의 경우 환자에게 꼭 맞는 고글을 씌우고, 보정 후, 벽의 고정 점을 주시한 상태에서 10~20° 좌/우 두부 충동을 가한다. 두부의 회전 속도는 gyroscopc으로 측정하고, 안구의 움직임을 고속 카메라로 찍고 이를 분석한다. 빠른 두부 회전을 가하기 때문에 이검사에서의 전정안반사의 정상적인 이득은 1.0(약 0.8~0.9)에 가깝다(그림 11-7. 우측검사결과). 하지만 비정상적인 귀에서의 반응은 두부의 회전에 의한 적절한 안구회전이 일어나지 못하여(속도가 충분히 빠르지 못하여) 두부회전 직후에 단속운동(현성 단속운동: overt saccade)이 나타나며, 두부 회전 중에도 단속운동(은폐성 단속운동)을 보일 수 있다(그림 11-7. 우측 검사결과).

임상적으로 전정안반사를 이용한 전정기능검사의 대부분은 측반고리관의 기능을 평가하고 있다. Caloric test와 회전의사검사의 특성상 전, 후 반고리관을 자극하는 것이 쉽지 않으며 해당 고리관의 자극을 통해 정상적으로 나타나는 안구의 움직임이 측반고리관의 경우 순수하게 좌우 수평면상에서 발생하므로 대부분의 측정방법으로 쉽게 계측화 할 수 있다. 하지만 나머지 두 개의 반고리관을 자극하게 되면 안구의 기본 위치에서 회전이 포함된 안구의 움직임이 유발되어 이를 읽어내기가 상대적으로 더 어렵다는 이유도 있다. 현재 임상에서 사용되는 vHIT 검사는 측반고리관의 기능뿐 아니라 전, 후 반고리관의 기능을 같이 확인할 수 있다.

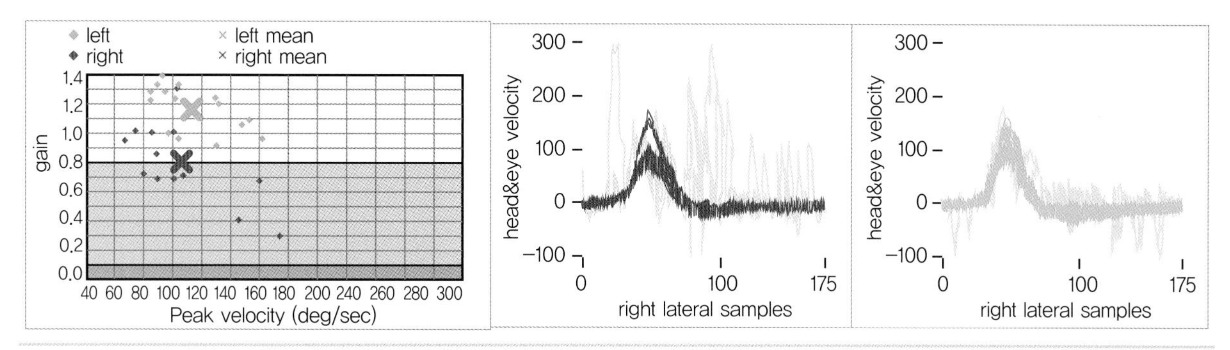

■ 그림 11-9. **오른쪽 전정신경염 환자에서의 vHIT의 결과.** 좌측은 정상적인 전정안반사가 작용하여 충분한 안구속도를 보이고 있으나 우측은 안구속도가 충분하지 않아 이득이 감소하고 교정단속(corrective saccade)를 보이고 있다.

급성현훈이 발생한 경우 두부충동검사는 여러 검사와 더불어 중추성 어지럼증을 감별하는 중요한검사로 여겨진다. 급성현훈 환자에서 자발안진이 관찰되는데도 불구하고 두부충동검사가 음성이거나, 양측으로 방향이 변하는 주시안진 그리고 시편위가 있는 경우 중추성 어지럼증을 의심해야 한다. 모든 중추성 어지럼증에서 두부충동검사가 음성 소견을 보이는 것은 아니다. 전정신경의 뇌간 출입 부와 전정신경다발의 근위부 그리고 전정신경 핵의 병변에서는 양성 결과를 보일 수 있으며, 광범위한 소뇌 병변의 경우도 전정신경 핵 혹은 신경다발을 압박하여 양성 결과를 보일 수 있다(그림 11-9).[23]

참고문헌

1. Ahn SC, Lee CY, Kim DW, Lee MH. Short-term vestibular responses to repeated rotations. J Vestib Res 2000;10:17-23.
2. ANSI. American National Standard Procedures for Testing Basic Vestibular Function. In. Melville, NY: Acoustical Society of America, 1999.
3. Baloh RW, Henn V, Jager J. Habituation of the human vestibulo-ocular reflex with low-frequency harmonic acceleration. Am J Otolaryngol 1982;3:235-241.
4. Baloh RW, Honorubia V. Clinical Neurophysiology of the Vestibular System. 2nd ed. Philadelphia: F. A. Davis.
5. Barber HO, Stockwell CW. Manual of electronystagmography. St Louis, MO: CV Mosby Company, 1980.
6. Batuecas-Caletrio A, Montes-Jovellar L, Boleas-Aguirre MS, Perez-Fernandez N. The ice-water caloric test. Acta Otolaryngol 2009;129:1414-1419.
7. Becker GD. The screening value of monothermal caloric tests. Laryngoscope 1979;89:311-314.
8. Benedicenti S, Pepe IM, Angiero F, Benedicenti A. Intracellular ATP level increases in lymphocytes irradiated with infrared laser light of wavelength 904 nm. Photomed Laser Surg 2008;26:451-453.
9. Bracha A, Tan SY. Robert Barany (1876-1936): the Nobel Prize-winning prisoner of war. Singapore Med J 2015;56:5-6.
10. Brantberg K, Fransson PA, Magnusson M, Johansson R, Bergenius J. Short vestibulo-ocular reflex time-constant in complete unilateral vestibular lesions. Am J Otol 1995;16:787-792.
11. Castano AP, Dai T, Yaroslavsky I, et al. Low-level laser therapy for zymosan-induced arthritis in rats: Importance of illumination time. Lasers Surg Med 2007;39:543-550.
12. Clement G, Deguine O. Perception of tilt and ocular torsion of vestibular patients during eccentric rotation. Neurosci Lett 2010;468:161-165.
13. Fetter M, Dichgans J. Adaptive mechanisms of VOR compensation after unilateral peripheral vestibular lesions in humans. J Vestib Res 1990;1:9-22.
14. Furman JM, Schor RH. Semicircular canal-otolith organ interaction during off-vertical axis rotation in humans. J Assoc Res Otolaryngol 2001;2:22-30.
15. Goh EK. Dynamic posturography. In: Rhee CK, ed. Dizziness. 4th ed, 2015.
16. Hain TC, Patel G. Slow cumulative eye position to quantify optokinetic afternystagmus. Ann Otol Rhinol Laryngol 1992;101:255-260.
17. Hamid MA, Hughes GB, Kinney SE. Specificity and sensitivity of dynamic posturography. A retrospective analysis. Acta Otolaryngol Suppl 1991;481:596-600.
18. Harvey SA, Wood DJ, Feroah TR. Relationship of the head impulse test and head-shake nystagmus in reference to caloric testing. Am J

Otol 1997;18:207-213.
19. Johnson SL, Forge A, Knipper M, Munkner S, Marcotti W. Tonotopic variation in the calcium dependence of neurotransmitter release and vesicle pool replenishment at mammalian auditory ribbon synapses. J Neurosci 2008;28:7670-7678.
20. Johnson SL, Franz C, Kuhn S, et al. Synaptotagmin IV determines the linear Ca2+ dependence of vesicle fusion at auditory ribbon synapses. Nat Neurosci 2010;13:45-52.
21. Kaltenbach JA, Zhang J, Afman CE. Plasticity of spontaneous neural activity in the dorsal cochlear nucleus after intense sound exposure. Hear Res 2000;147:282-292.
22. MacDougall HG, Weber KP, McGarvie LA, Halmagyi GM, Curthoys IS. The video head impulse test: diagnostic accuracy in peripheral vestibulopathy. Neurology 2009;73:1134-1141.
23. Newman-Toker DE, Kattah JC, Alvernia JE, Wang DZ. Normal head impulse test differentiates acute cerebellar strokes from vestibular neuritis. Neurology 2008;70:2378-2385.
24. Roux I, Safieddine S, Nouvian R, et al. Otoferlin, defective in a human deafness form, is essential for exocytosis at the auditory ribbon synapse. Cell 2006;127:277-289.
25. Schonfeld U, Clarke AH. A clinical study of the subjective visual vertical during unilateral centrifugation and static tilt. Acta Otolaryngol 2011;131:1040-1050.
26. Sherman KR, Keller EL. Vestibulo-ocular reflexes of adventitiously and congenitally blind adults. Invest Ophthalmol Vis Sci 1986;27:1154-1159.
27. Sokolovski A. The influence of mental activity and visual fixation upon caloric-induced nystagmus in normal subjects. Acta Otolaryngol 1966;61:209-220.
28. Tjernstrom F, Nystrom A, Magnusson M. How to uncover the covert saccade during the head impulse test. Otol Neurotol 2012;33:1583-1585.
29. Valli P, Buizza A, Botta L, Zucca G, Ghezzi L, Valli S. Convection, buoyancy or endolymph expansion: what is the actual mechanism responsible for the caloric response of semicircular canals? J Vestib Res 2002;12:155-165.
30. Voorhees RL. The role of dynamic posturography in neurotologic diagnosis. Laryngoscope 1989;99:995-1001.

CHAPTER

12

전정기능검사_ 이석기능과 자세의 평가

이비인후과학 Otorhinolaryngology - Head and Neck Surgery

전은주

I 이석기능검사

이석기능검사는 구형낭과 난형낭의 유모세포가 구부러진 형태로 여러 방향에서 힘의 영향을 받으며, 반고리관에 대한 영향 없이 이석기관만을 자극하는 것이 어려워서 검사 장비의 개발 및 활용이 뒤쳐진 면이 있으나, 최근 전정유발근전위의 임상적 활용이 높아지면서 높은 관심을 받고 있다. 이석기능검사는 1) 선형가속검사(linear acceleration test), 2) 주관적 시수직 및 시수평(subjective visual vertical & horizontal; SVV/SVH), 3) 전정유발근전위(vestibular evoked myogenic potential)가 있으며, 이 장에서는 실제 임상에서 주로 사용되고 있는 VEMP와 SVV/SVH를 위주로 설명하고자 한다.

1. 전정유발근전위(VEMP)

VEMP는 강한 소리나 진동 자극에 의해 발생하는 이석기관 기원의 반사로 구형낭에서 기원하여 동측 흉쇄유돌근(sternocleidomastoid muscle; SCM)에서 나타나는 경부전정유발근전위 cervical VEMP와[5] 난형낭에서 기원하여 반대쪽 하사근(inferior oblique muscle; IO)에서 기록되는 안구전정유발근전위 ocular VEMP가 있다.[20,37]

1) 경부전정유발근전위(cVEMP)

소리나 진동 자극 후 잠복기 ~13 ms의 양전위(P1, p13)와 ~23 ms의 음전위(N1, n23)가[14] SCM의 표면전극에서 기록되며(그림 12-1), 이것이 경부전정유발근전위 cVEMP로서 구형낭, 하전정신경, 전정신경핵, 동측의 내측 전정척수로, 11번 뇌신경, SCM에 이르는 구형낭경부반사 sacculocollic reflex에[25] 의해 발생한다.

cVEMP은 눕거나 앉은 자세에서 시행할 수 있으며 활성전극은 흉쇄유돌근의 중앙 지점에, 기준전극은 흉골, 흉쇄접합부나 턱에, 접지전극은 이마에 붙인다(그림 12-2). 소리,[5] 골전도 진동음,[39] 반사망치를 이용한 기계적 자극, 직류자극 검사(galvanic stimulation) 등이[45] cVEMP를 유발시킬 수 있으나 가장 흔하게 사용되는 자극은 소리

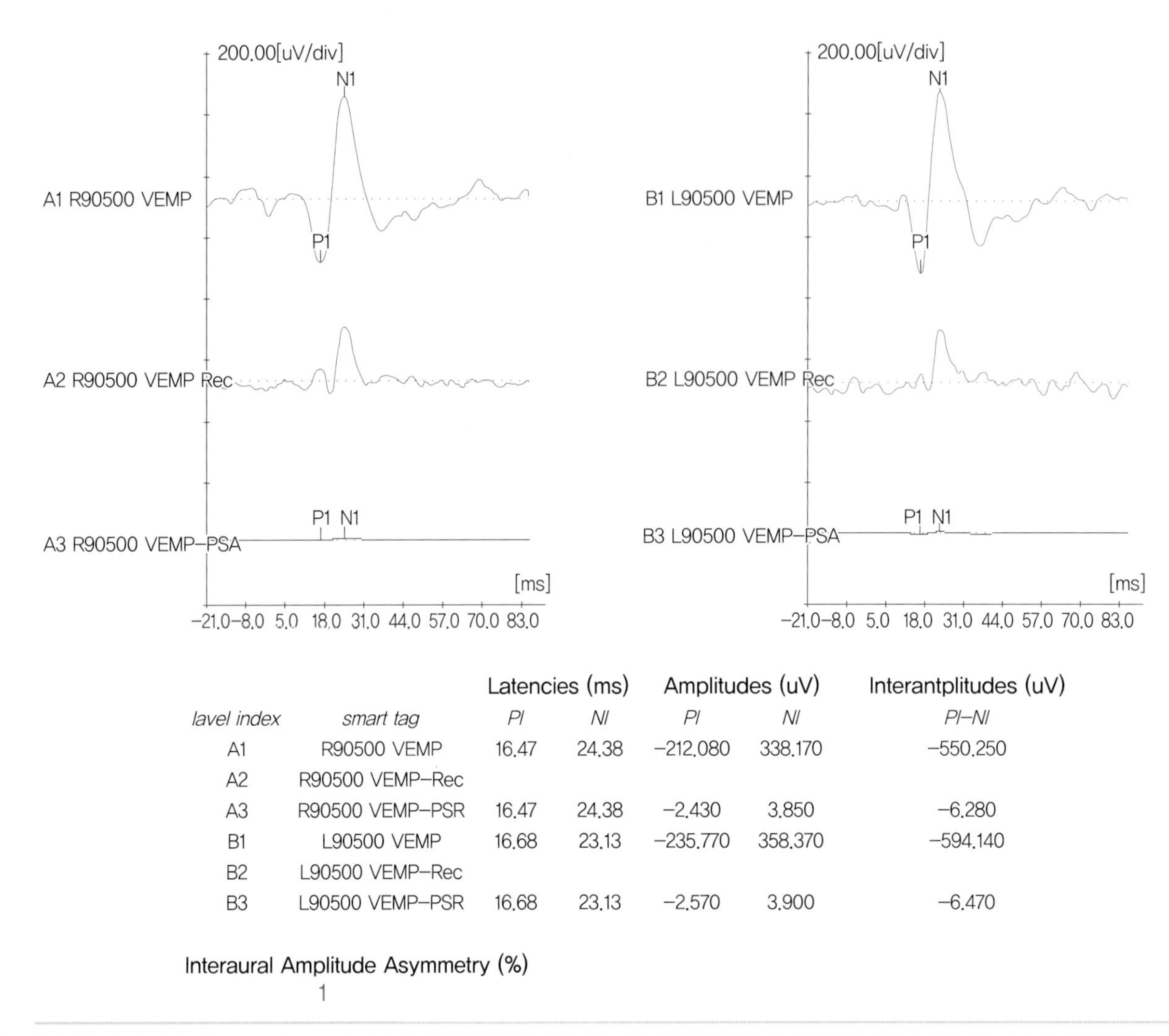

		Latencies (ms)		Amplitudes (uV)		Interantplitudes (uV)
lavel index	*smart tag*	*PI*	*NI*	*PI*	*NI*	*PI–NI*
A1	R90500 VEMP	16.47	24.38	–212.080	338.170	–550.250
A2	R90500 VEMP–Rec					
A3	R90500 VEMP–PSR	16.47	24.38	–2.430	3.850	–6.280
B1	L90500 VEMP	16.68	23.13	–235.770	358.370	–594.140
B2	L90500 VEMP–Rec					
B3	L90500 VEMP–PSR	16.68	23.13	–2.570	3.900	–6.470

Interaural Amplitude Asymmetry (%)
1

■ 그림 12-1. **500 Hz tone burst 음 자극 후 SCM에서 기록된 cVEMP.** 짧은 잠복기 후 양전위(p13)와 음전위(n23)가 나타난다.

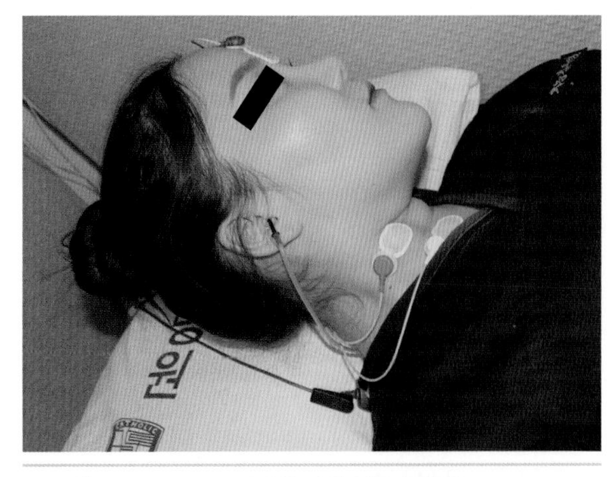

■ 그림 12-2. **cVEMP 기록을 위한 전극의 위치**

자극이다. 클릭음도 cVEMP를 유발시킬 수 있지만, 400~700 Hz 자극음에 가장 큰 반응을 보이므로 500 Hz tone burst가 가장 흔하게 사용된다.[36] 자극 강도는 120 dB pSPL 이상을 사용하며 140 dB pSPL을 초과하지 않도록 주의한다.[34] 골전도 진동음은 전음성 난청 환자에게 유용하게 사용할 수 있으나 강한 자극 수준이 필요하여 전력증폭기나 minishaker #4810 (Bruel and Kjaer, Denmark)와 같은 특수한 장비가 필요하다.[38]

cVEMP는 억제반응으로서[6] SCM이 강하게 수축한 상태일수록 뚜렷한 반응을 얻을 수 있으므로,[5,38] 피검자는 검사하는 동안 고개를 들거나 반대쪽으로 고개를 돌린 상태를 유지하고 있어야 한다. SCM의 근육 수축을 많이 할수록 cVEMP 진폭이 커지므로 일관된 cVEMP 반응을 얻기 위해서 SCM의 수축 상태를 일정하게 하거나(혈압계 커프, LED 불빛 이용),[24,43] 자극전 근전도를 감시하여 근전도 반응을 표준화시키는 정류 rectified 또는 근평균제곱 root mean squared 방법을 사용할 수 있다.[5]

cVEMP 파형 유무를 확인하여 반응이 없는 경우 구형낭경부반사 경로의 이상을 의미한다. 파형이 있는 경우에는 p13-n23 진폭을 양이간 비교하는 비대칭 비율 asymmetry ratio {100(AR−AL)/(AR+AL)}을 계산하여 분석에 사용하며, 정상 범위는 대개 20~45%로 보고되고 있으며,[27,32,41,44] 50% 이상은 확실한 비정상으로 간주한다. 전정신경염, 전정신경초종, 내림프수종과 같은 전정 질환에서 동측 cVEMP의 비정상 소견을 나타낸다. 상반고리관피열증후군(SCDS), 전정도수관확장증, 미로누공, 외림프누공과 같은 "제3창(third window)" 현상을 보이는 질환에서는 일반적인 역치 수준의 자극음에 대해 비정상으로 큰 반응을 보이며, 유발 역치가 낮다.[1,7,48] 정상적인 내이는 단단한 뼈에 둘러싸여 있고 난원창과 정원창 두 곳을 통해서만 외부로 열려 있다. 그러나 위와 같은 다양한 원인으로 내이를 둘러싸는 뼈에 결손이 생겨서 3번째 창이 생기면 압력이나 소리가 비정상적으로 제3 창을 통해 통과하게 되어 압력 및 소리에 의해 다양한 증상 및 징후를 나타내게 된다. 잠복기의 연장은 후미로 병소를 의미하는 소견으로서 전정신경초종이나 다발성 경화증, 뇌간 병변에서 나타날 수 있다.[40]

2) 안구전정유발근전위(Ocular VEMP; oVEMP)

oVEMP는 난형낭, 상전정신경, 전정신경핵, 반대쪽 안쪽세로다발 medial longitudinal fasciculus, 동안신경핵, 동안신경, 하사근에 이르는 경로를 갖는다.[8,19] oVEMP는 소리 자극 ~10 ms 이후 나타나는 음전위(N1, n10)와 ~15 ms에 나타나는 양전위(P1, p15)로 구성된다(그림 12-3).

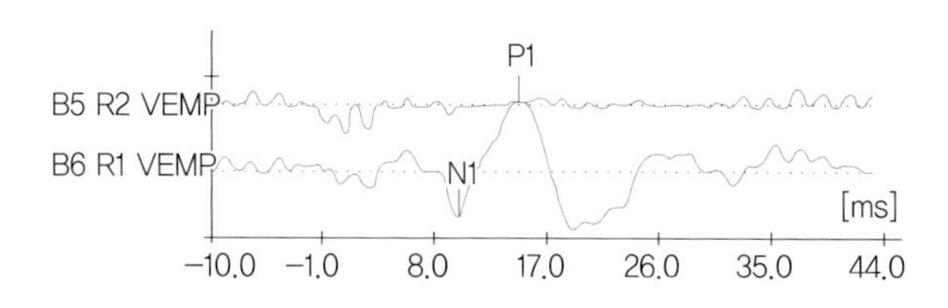

■ **그림 12-3. 500 Hz tone burst 음 자극 후 양쪽 하사근에서 기록된 근전도.** 윗줄은 음 자극을 준 동측 하사근에서 기록한 것으로 반응이 없고, 아랫줄은 반대쪽 하사근의 반응으로 짧은 잠복기 후 음전위(n10)와 양전위(p15)로 구성된 뚜렷한 oVEMP를 관찰할 수 있다.

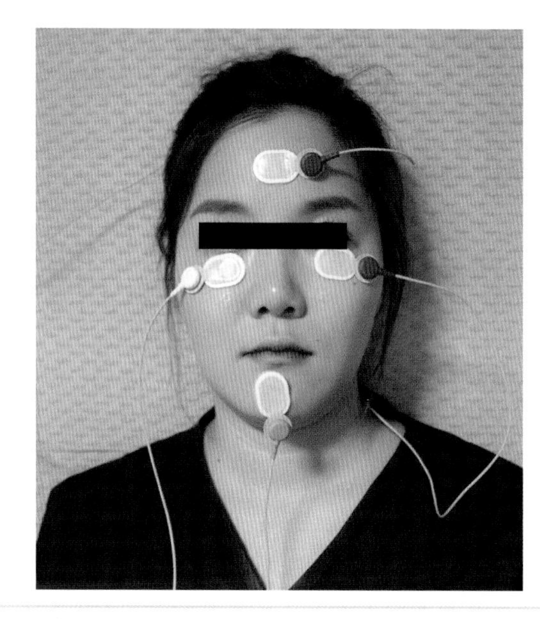

■ **그림 12-4. oVEMP 기록을 위한 전극의 위치**

활성전극은 안와하 중앙 지점에 아래 눈꺼풀에 최대한 가까이 붙이고, 기준전극은 활성전극 바로 밑(안와하연으로부터 2~3cm 지점)이나 턱에, 접지전극은 이마에 붙인다(그림 12-4). 소리 자극은 95 dB nHL 강도의 500 Hz tone burst를, 골전도 진동 자극은 cVEMP와 동일한 장비를 사용한다. oVEMP는 안구의 위치에 영향을 받아서 위를 볼 때 가장 크게 나타나고 앞을 보면 약해지며 밑을 보면 나타나지 않는다. 그러므로 검사하는 동안 윗쪽에 고정된 표적을 응시하고 있도록 한다.[13,16]

cVEMP와 마찬가지로 반응 유무, 진폭의 비대칭비율,

역치, 잠복기가 중요한 요소로서, 전정 질환이 있으면 반대쪽 oVEMP의 파형이 감소하거나 없어진다.[17,23] SCDS에서 확연히 큰 반응이 나타나며 역치가 감소하여 SCDS의 진단에 활용할 수 있다. 다발성 경화증, 뇌간 병변에서 잠복기가 연장된다.[18,21]

3) VEMP 검사에 영향을 미치는 요소

VEMP는 와우와 관련이 없이 발생하므로 감각신경성 난청에 무관하게 발생한다. 그러나 VEMP가 발생하기 위해서는 소리가 구형낭/난형낭으로 정상적으로 전달되는 것이 필수적이므로, 전음성 난청에서는 경도/중등도의 난청에서도 반응이 약하거나 없을 수 있다.[2] 60세 이상의 노인에서는 노화에 따른 전정유모세포의 감소로 정상에서도 반응이 감소되거나 소실될 수 있다.[47] VEMP는 자극음의 종류, 검사 자세 등 자극 시의 조건에 영향을 많이 받으므로 각 검사실마다 정상인을 대상으로 검사 결과를 수집하여 연령 및 성별에 따른 정상 범위를 설정하는 것이 좋다.

VEMP는 어지럼, 구역 등의 불쾌한 반응이 없이 비교적 편안하게 검사할 수 있지만 검사하는 동안 환자가 일정하게 SCM이나 IO를 수축하는 동작이 필요하고 큰 소리 자극을 이용하므로 경부 근골격계질환, 외안근 질환, 청각과민증 환자에서는 시행이 어려울 수 있다.

2. 주관적 시수직 및 시수평 SVV/SVH

수직감은 시각, 촉각, 고유감각, 이석기관의 중력에 대한 감지를 통해 결정되는데 이를 이석기능검사로 이용한 것이 SVV/SVH이다. 수직감에 대한 시각 정보를 차단한 암실에 앉아서 기울어진 발광선을 피검자가 생각하는 정수직/정수평으로 리모컨이나 마우스를 이용하여 맞추고, 실제 정수직/정수평에서 벗어난 값을 기록한다. 각 방향 3회 이상 시행하여 평균값을 구한다. 정상인은 정수직/정수평에 1~2° 이내의 범위로 상당히 정확하게 맞출 수 있다.[11] 급성 한쪽 말초전정 손상이 있는 경우 시수직이 병측으로 기울며[11] 급성기에는 8~10°까지 크게 기울었다가 보상이 진행되면서 몇 주~몇 개월 안에 정상으로 회복된다.[9] 중추전정 손상의 경우 SVV/SVH는 더 크고 오래 기우는 것으로 보고되고 있다.[10] 전정신경핵 병변에서는 병측으로 기울고, 뇌간 상부 병변에서는 반대쪽으로 기운다. 초기에는 SVV/SVH의 기울기가 수직감과 직결된다고 생각했으나 여러 연구를 통해 수직감 자체의 결함보다는 안구의 회선 이동에 의한 것으로 밝혀졌으며,[9] 이석기관뿐 아니라 수직반고리관의 영향도 받는 것으로 생각되고 있다.[22]

II 자세의 평가

어지럼을 호소하는 많은 환자들이 주관적인 어지럼뿐만 아니라 실제 일상생활에서 자세불안, 한쪽으로 몸이 쏠리는 것, 낙상 등의 균형 장애를 겪게 된다. 대부분의 전정기능검사는 주로 전정안운동계를 평가하므로 이와 같은 자세나 균형장애를 파악할 수 있는 또 다른 평가방법이 필요하다. 자세는 정적 상태 즉 움직이지 않고 서 있는 상태에서 신체의 균형 상태를 말하는데, 몸의 무게중심(체중심)(center of gravity; COG)을 지면에 수직으로 내려 그은 지점이 신체 지지면의 중앙에 있을 때가 가장 안정적인 상태이다. 몸을 기울이면 체중심은 점차 지지면의 중앙을 벗어나게 되지만, 체중심이 지지면의 테두리 안에 있는 한 균형을 잃지 않고 버틸 수 있으며, 이를 안정 한계(limits of stability)라고 한다. 정상 성인의 이론적인 안정 한계는 전후 12.5° (전방 8°, 후방 4.5°), 좌우 16° (좌 8°, 우 8°)이다.

안정적인 자세를 유지하기 위해서는 전정, 시각, 체성감각의 평형 관련 감각계를 통해서 주변 환경과 체중심의 동요 상태를 지속적으로 감시하고, 입력된 정보에 따라 다리와 몸통을 움직여서 체중심을 수정하는 과정이 필요하다. 체중심이 안정한계 범위 안에서 움직이면 발목을 축으로 몸을 움직이는 발목관절 전략(ankle strategy)과 고관절을 축으로 하는 고관절 전략(hip strategy)을 이용하여 체중심을 수정한다. 지지면이 고정되어 있거나 체중심 이동이 작은 경우에는 발목관절 전략을 이용하여 균형을 잡고, 지지면이 불안정하거나 빠른 체중심 이동이 필요한 경우에는 고관절 전략이 이용된다.[15] 체중심이 안정한계를 벗어나면 발을 내딛거나 팔을 뻗어 지지물을 잡는 방식을 이용하게 된다.

자세의 평가는 외부 자극 없이 서 있는 자세를 평가하는 정적자세검사(static posturography)와 발판이 움직이거나 시각 자극, 근육 진동 등의 자극을 주며 검사하는 동적자세검사(dynamic posturography)가 있다.

1. Romberg test

피검자에게 발을 모으고 양손은 가슴 앞에서 교차하도록 한 후, 바르게 선 자세에서 눈을 뜨고(개안), 눈을 감고(폐안) 각각 30초씩 유지하도록 한다. 중간에 눈을 뜨거나 발을 내딛거나 손을 뻗으면 '탈락'이며 버틴 시간을 기록한다. 정상은 개안/폐안 모두 30초 이상 유지할 수 있는데 통과/탈락 여부보다 눈을 뜨고 감음에 따라 자세 안정성에 차이가 현저히 나타나는지를 보는 것이 중요하다. 검사의 민감도를 높이기 위한 변형법으로 발을 앞뒤로 일자로 붙이고 서서 지지면을 좁게 하는 방법(sharpened Romberg test)과, 두툼하고 푹신한 패드 위에 서서 체성감각을 혼동시키는 방법이 있다. 체성감각 장애가 있는 경우[33] 몸이 기울면 시각 정보를 이용하여 체중심을 바로 잡게 되는데, 눈을 감으면 시각정보마저 활용할 수 없어서 중심을 잡기 어렵게 되어 검사에서 탈락하며, 이를 Romberg sign 양성이라고 한다.[26] 소뇌 장애에서는 개안/폐안 모두 균형을 유지하기 힘들다. 한쪽 또는 양쪽 전정기능 장애에서는 Romberg sign 음성을 보이지만[3,35] 간혹 전정기능저하 급성기에서 Romberg sign 양성이 나타나기도 한다.

2. 감각통합 및 균형 검사(Clinical test of sensory integration and balance; CTSIB)

체성감각 조건(단단한 바닥/ 푹신한 패드)과 시각 조건(눈을 뜨고/ 눈을 감고/ 눈을 뜨고 고깔을 쓰는)의 6가지 조합에서 자세의 안정성을 검사하며, 이를 통해 환자가 자세를 유지하는데 어떤 감각의 활용에 어려움을 겪는지 찾아내는 검사이다.[42] CTSIB는 동적자세검사의 SOT의 모태가 되는 검사로서, 동적자세검사 장비가 없을 때 간단하게 활용할 수 있다.[46] 현재는 '눈을 뜨고 고깔을 쓰는' 시각 조건을 뺀 4가지 감각 조합(단단한 바닥/ 푹신한 패드, 눈을 뜨고/ 눈을 감고)으로 검사하는 변형된 방법을 일반적으로 사용한다(modified CTSIB, mCTSIB).

3. 전산화동적자세검사(Computerized dynamic posturography; CDP)

CDP는 균형에 필요한 3가지 감각계와 운동계를 통합하여 평가하며, 발판이 여러 방향과 각도로 움직이면서 이에 대한 신체의 반응과 동요 상태를 전산화 장비로 분석하고 평가하기 때문에 전산화 동적자세검사라고 칭한다. 장비는 발판, 주변시야 visual surround, 컴퓨터로 구성된다. 발판은 i) 체중심 이동과 신체 동요 감지, ii) 다양한 방향과 속도로 움직여서 자세 반응 유발, iii) 체성감각의 혼동 등 다양한 역할을 한다. 주변시야는 고정된 시야 또는 시각 혼동으로 사용된다. 이와 같은 장비의 구성으로 균형에 필요한 감각계와 운동계를 평가할 수 있는데, 감각계는 감각구성검사(sensory organization test; SOT)로, 운동계는 운동조절검사(motor control test; MCT), 적응검사(adaptation test; ADT), 및 안정한계검사(limit of stability test; LOS test)로 평가한다.

1) 감각구성검사(SOT)

(1) 장치와 방법

SOT는 시각, 전정, 체성감각을 일상생활에서 겪게 되는 여러 상황과 유사하게 변화를 주어 피검자가 주어진 감각 조건을 효율적으로 활용하여 신체의 균형을 유지할 수 있는지 평가한다. 이를 위해 감각 제공, 감각 차단, 감각 혼동의 3가지 설정이 필요한데, 감각 차단은 시각에서 눈을 감는 것으로 설정할 수 있고 다른 감각에서는 차단이 불가능하며, 감각혼동은 시각과 체성감각에서 동요-참조(sway-referenced) 설정으로 가능하다. 동요-참조 설정이란 발판의 감지기가 체중심의 동요각(sway angle)을 실시간 감지하고, 이 동요각만큼 주변 시야(시각혼동)나 발판(체성감각혼동)이 동시에 움직이게 하는 것이다.[31] 혼동 감각은 신체의 위치 정보에 대한 그릇된 정보이므로, 건강한 사람은 이 정보를 무시하고 다른 신뢰할 수 있는 감각을 활용하여 균형을 유지해야 한다. SOT의 조건 1~3은 발판이 고정된 상태에서 검사하며, 조건 1은 눈을 뜨고, 조건 2는 눈을 감고, 조건 3은 시각혼동 환경에서 눈을 뜨고 검사한다. 조건 4~6은 체성감각혼동 환경에서 조건 1~3의 시각 설정으로 검사한다(그림 12-5). 각 조건당 20초씩, 3회 반복 검사하며, 피검자가 발판의 지정된 부위에 앞을 보고 서 있는 동안, 발판의 감지기가 피검자의 신체 동요와 엇밀린힘(shear force)의 변화를 감지하여 기록한다. 각 검사 결과는 원시 자료(raw data) 창에서 두 줄로 나타나는데, 윗 줄의 연한 선은 체중심의 전후방향 이동 각도이며, 아래의 진한 선은 엇밀린힘의 강도다(그림 12-6). 체중심 자취(COG trace) 기록은 검사 도중 체중심이 움직인 경로를 연결한 것으로써 중앙에 십자로 표시된 부분이 체중심의 정위치다. 신체의 동요는 주로 전후 방향으로 일어나므로 십자 모양을 중심으로 상하 일자형태의 궤적으로 나타난다(그림 12-7).

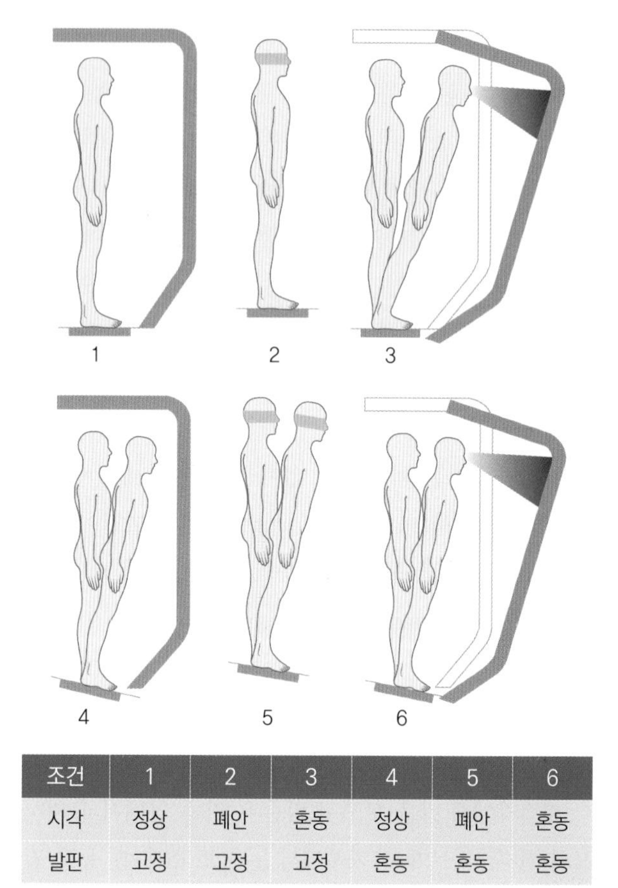

조건	1	2	3	4	5	6
시각	정상	폐안	혼동	정상	폐안	혼동
발판	고정	고정	고정	혼동	혼동	혼동

■ 그림 12-5. **감각구성검사의 여섯 가지 조건**

(2) 결과의 분석

검사 결과는 평형점수(equilibrium score), 총합점수(composite score), 전략분석(strategy analysis), 감각분석(sensory analysis), 체중심정렬(COG alignment)의 5 개의 항목으로 분석된 후, 결과지의 첫 페이지에 도표로 제공된다(그림 12-8).

① **평형점수**(Equilibrium score), **총합점수**(Composite score)

각 조건에서 피검자의 최대 신체 동요 각도를 분석하여 이론적인 전후방 안정 한계인 12.5°에 비교한 백분율 값이 평형점수이다. 즉, 100%는 동요 없이 완전한 균형을 유지하는 상태, 0%는 LOS에 다다를 정도의 신체 동요를 말하며, 피검자가 중심을 잃고 발을 내딛거나 손으로 주위를 짚을 경우에는 검사자가 넘어짐 fall으로 표시하고 0%로 채점한다. 동일 연령 정상군의 평형점수에서 5 percentile

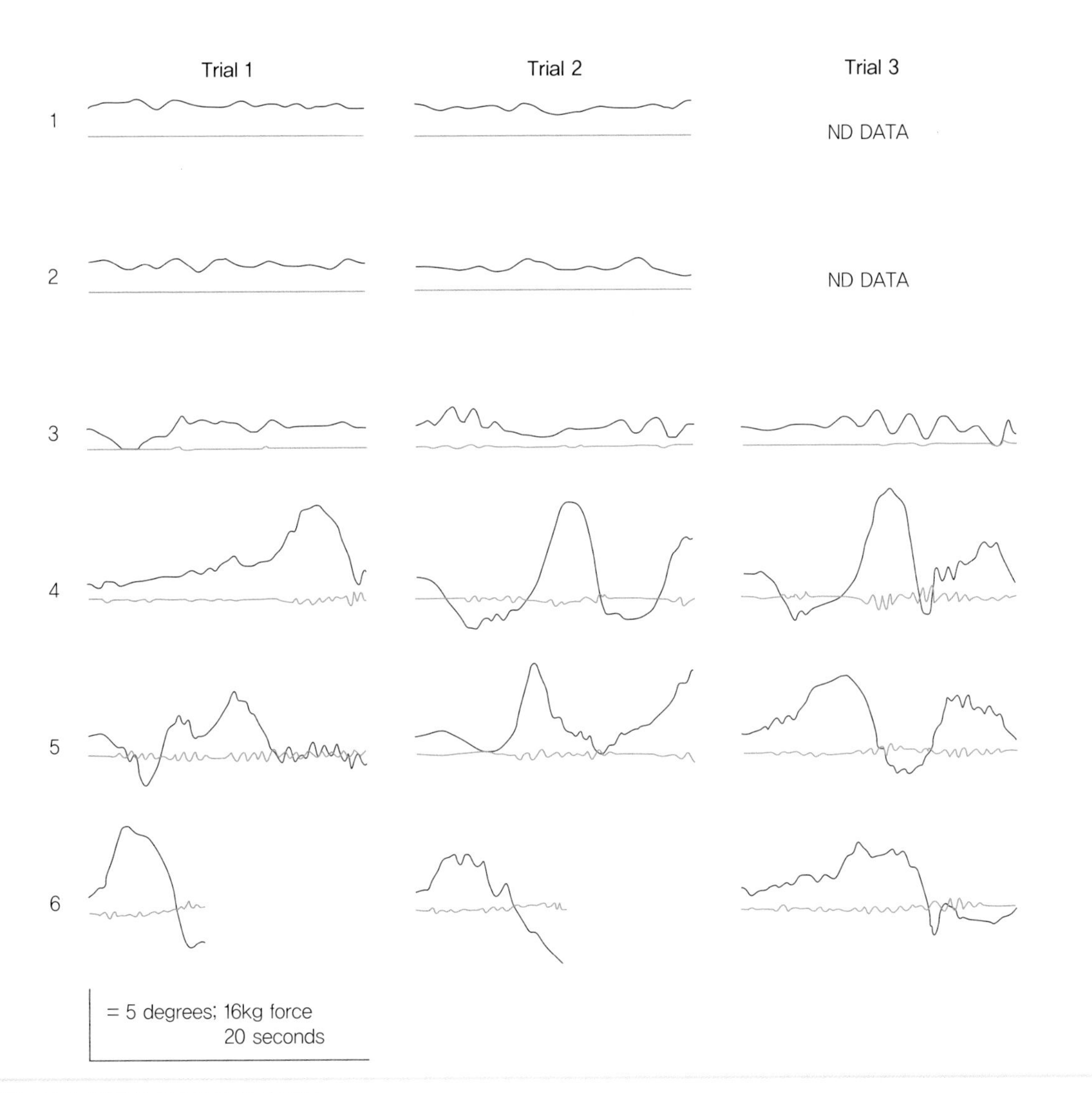

■ 그림 12-6. 감각구성검사의 원시 자료

미만은 비정상이며 회색 영역에 빨간색 막대로 표시된다. 5 percentile 이상은 정상치로서 흰색 영역에 녹색 막대로 표시된다. 총합점수는(조건 1의 평균 +조건 2의 평균+조건 4~조건 6의 모든 검사 수치)÷14로 산출한 값이다.

② 전략분석(Strategy analysis)

전략점수(strategy score)는 발목관절 전략만을 사용할 때를 100%, 고관절 전략만을 사용할 때를 0%로 하여 백분율로 나타낸 점수다. 전략분석 그래프는 x축은 전략점수, y축은 평형점수를 나타내며 각 검사 결과가 각 조건에 부여된 고유의 기호로 표시된다. 대각선 영역은 각 상황에 걸맞는 건강한 전략을 나타내는 영역으로, 평형점수가 낮으면 고관절 전략을, 평형점수가 높으면 발목관절을 사용하는 것이 적절한 전략 활용이다.

③ 체중심정렬(COG alignment)

그래프 중앙의 흰색 직사각형이 안정한계 영역이며, 각 검사를 시작할 때 체중심의 위치가 그래프에 표시된다. 체중심이 흰색 영역의 테두리에 근접해 있다면 안정한계에 다다른 상태이므로, 균형을 잃고 넘어지기 쉬운 상태

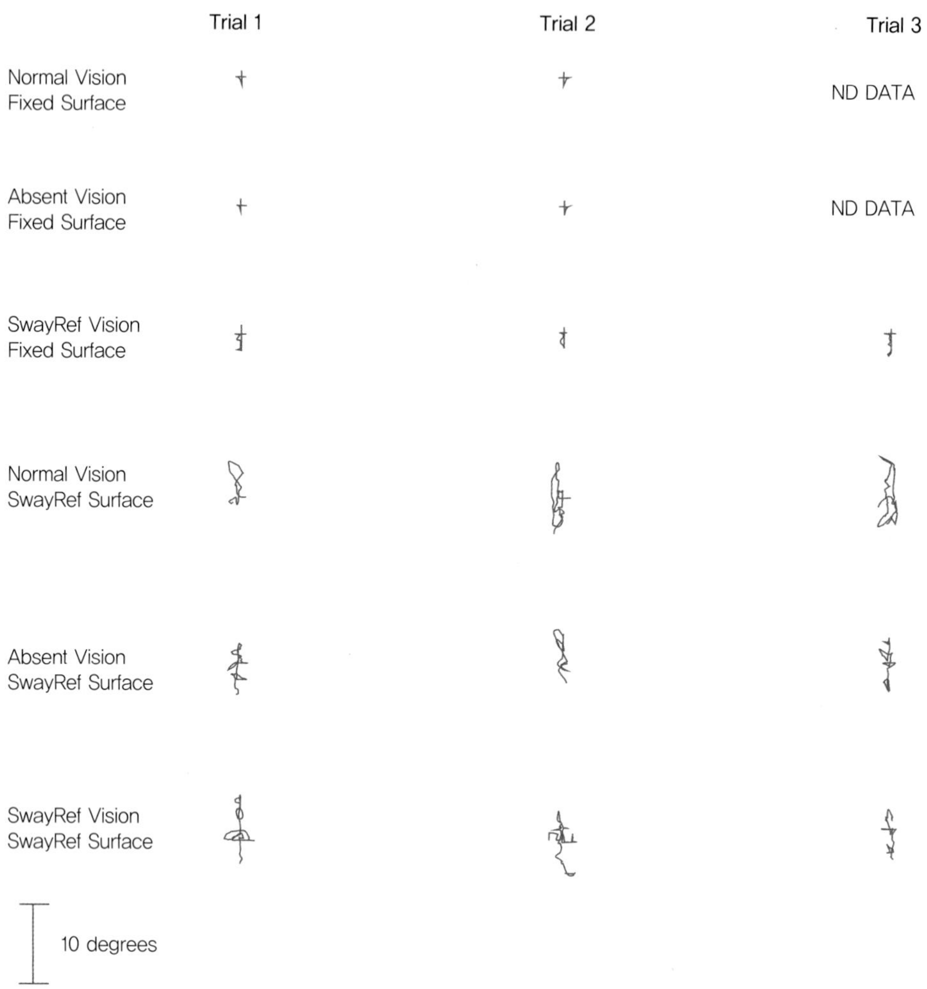

	Trial 1	Trial 2	Trial 3
Normal Vision Fixed Surface			ND DATA
Absent Vision Fixed Surface			ND DATA
SwayRef Vision Fixed Surface			
Normal Vision SwayRef Surface			
Absent Vision SwayRef Surface			
SwayRef Vision SwayRef Surface			

10 degrees

■ 그림 12-7. **감각구성검사의 체중심 자취 기록**

로 볼 수 있다.

④ 감각분석(Sensory analysis)

모든 감각이 제공된 상태인 조건 1의 평형 점수를 기본 점수로 하고 감각 차단 또는 혼동 상태에서의 평형점수를 비교하여 감각비를 계산한다. 체성감각비는 체성 감각이 가장 중요한 감각원으로 작용하는 조건 2의 평형 점수를 조건 1의 평형점수로 나눈 백분율 값이고, 시각비는 시각을 주 감각원으로 사용해야 하는 조건 4의 평형점수를 조건 1에 비교하여 산출한다. 전정비는 시각이 차단되고 체성 감각이 불확실한 상태의 조건 5를 조건 1과 비교한 값으로 낮은 전정비는 전정감각을 효과적으로 활용할 수 없음을 의미한다. 시각선호(visual preference)는 혼동시각 상태인 조건 3, 6의 평형점수의 합을 시각을 차단한 상태인 조건 2, 5와 비교하여 얻는다(표 12-1).

(3) SOT 결과 유형

전형적인 감각구성검사의 유형을 알고 있으면 환자의 문제를 보다 빨리 파악해낼 수 있다. 전정장애 유형은 가장 흔한 유형으로서 조건 5 또는 5와 6의 전정감각만으로 평형을 유지해야 하는 상황에서 균형을 잃는다. 대개 비보상 단계의 일측 전정기능 장애 환자나 양측 전정기능

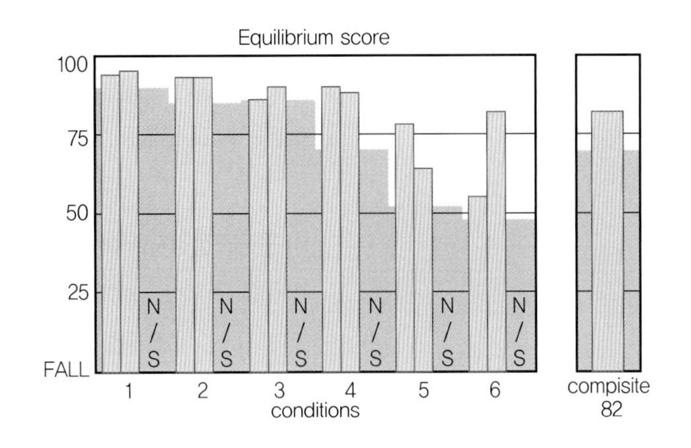

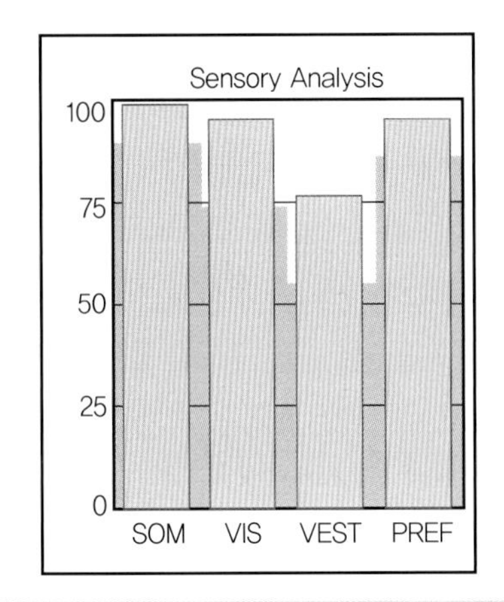

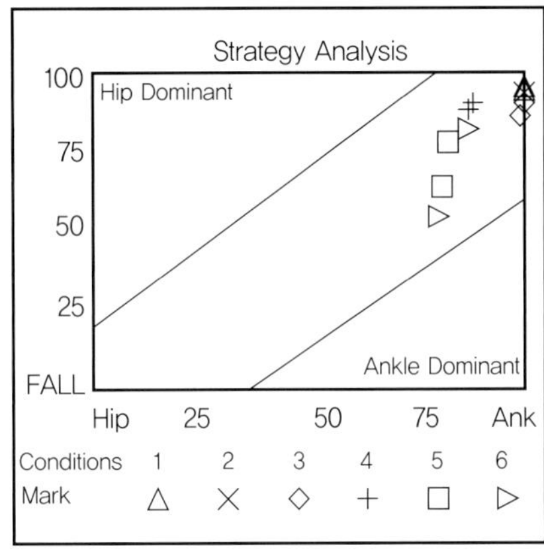

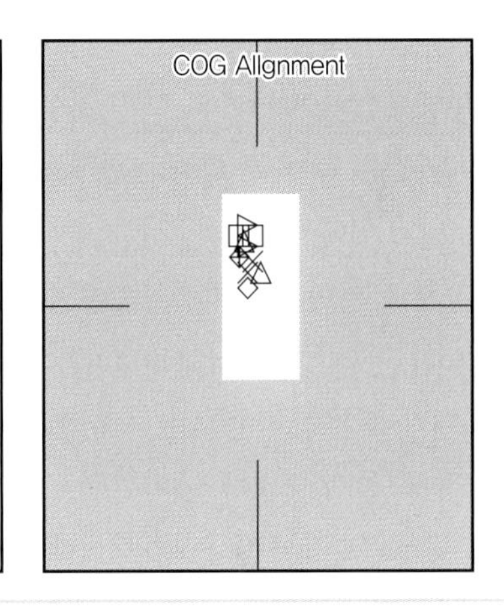

■ 그림 12-8. **감각구성검사 결과 요약지**

표 12-1. SOT의 감각분석과 그 의미

비율명	비율
SOM (somatosensory)	조건 2 / 조건 1
VIS (visual)	조건 4 / 조건 1
VEST (vestibular)	조건 5 / 조건 1
PREF (preference)	조건 3+6 / 조건 2+5

장애 환자에서 나타나는 유형이다.[3] 이 유형은 전정감각 저하 자체를 의미하는 것은 아니며, i) 균형을 유지하는데 전정감각을 효과적으로 활용할 수 없다, ii) 전정감각 이외의 감각(시각, 체성감각)에 과도하게 의존하고 있다는 2가지 가능성을 의미한다. 시각 및 전정감각 장애형(체성감각 의존형)은 조건 4, 5, 6에서 균형을 잃는 경우이다. 마찬가지로 균형을 유지하는 데에 시각과 전정감각을 효과적으로 활용하지 못하고 있거나, 체성감각에 과도하게 의존하고 있는 상태로 해석할 수 있다. 전정감각 및 체성감각 장애형(시각 의존형)은 조건 2, 3, 5, 6에서 균형을 잃으며, 균형을 잡는 데에 과도하게 시각에 의존하고 있거나, 전정기능이나 체성감각 활용을 잘 못하고 있는 상태로 해석할 수 있다. 조건 3, 6에서 낮은 점수를 보이는 시각 선호 유형은 시각에 과도하게 의존하여, 다른 감각정보와 상충되는 그릇된 혼동시각 정보를 여과 없이 이용하는 경향이 있는 것으로 해석할 수 있다.[4] 이런 환자들은 주변 시야가 움직이거나 많은 사람이 움직이는 곳, 각양각색의 물건이 진열된 마트와 같은 곳에서 어지럼과 균형장애를

표 12-2. SOT의 감각분석결과의 전형적 유형

유형	과도한 의존	SOT 이상
전정장애형	시각, 체성감각	5, 6
시각 및 전정감각 장애형	체성감각	4, 5, 6
전정감각 및 체성감각 장애형	시각	2, 3, 5, 6
시각 선호	시각	3, 6

느낄 수 있다(표 12-2).

2) 운동계의 평가

예상치 않게 바닥이 푹 꺼진 곳을 딛거나 울퉁불퉁한 산길을 걷는 등 외부 환경의 갑작스런 변화에도 균형을 잃지 않기 위해서는 무의식적인 자세 반사가 필요하다. 외부 자극에 대한 근골격계의 반응은 늘림반사(stretch reflex), 자동긴고리반사(automated long-loop reflex), 자발적인 움직임(voluntary self-generated motion)의 3가지 운동반응으로 나타난다. 늘림반사는 잠복기 35~40 ms의 가장 빠른 반응으로 척수반사를 통해 근육의 수축력을 조절하며 균형 조절과는 큰 관련이 없다. 두 번째 반응은 자동긴고리반사로서, 무의식적인 자세 조절 및 균형 유지에 가장 중요하다. 종아리와 발목 주변의 근육 및 인대의 뻗침수용기(stretch receptor)에서 감지된 자극이 말초감각신경, 상행척수로를 통해 뇌간 및 피질하 운동계로 전달되고 운동 반응이 하행척수로, 말초운동신경을 통해 다리의 근육 및 인대로 전달되는 긴 경로를 갖는 반사로, 잠복기는 100 ms 정도이다. 자동긴고리반사로 나타나는 자세 반응을 자동자세반응(automated postural response)이라고 한다. 자발적 움직임은 앞의 두 반응과 달리 의식적으로 행하는 움직임으로서 대뇌운동피질에시 생성되며 짐복기가 150 ms 이상으로 길어서 반사적인 자세 조정에는 적절하지 않다. 동적자세검사에서는 늘림반사는 근전도를 이용한 자세유발반사(postural evoked response)로, 자동자세반응은 운동조절검사(motor control test)와 적응검사(adaptation test)로, 자발적 움직임은 안정한계검사(limit of stability)를 이용하여 검사하는데(그림 12-9), 자세유발반사는 임상적으로 잘 사용하지 않으므로 이 장에서는 제외한다.

(1) 운동조절검사(Motor control test; MCT)

발판을 전후방으로 갑작스럽게 움직이면 자동자세반응이 유발되고, 지지면에 작용하는 힘의 중심점(center of force; COF)이 빠르게 변화하게 되는데 운동조절검사에서는 좌우 하지의 COF, 체중심의 이동, 엇밀린힘을 기록하고 분석한다. 발판을 작은 크기(2.8°/sec), 중간 크기(6.0°/sec), 큰 크기(8.0°/sec)의 강도로 전방/후방으로 움직이므로 총 6가지 자극이 가해지며 각 자극을 3번씩 반복한다. 이중 작은 크기의 자극은 역치 수준의 자극이므로 뚜렷한 자세반응은 유발되지 않는데, 새로운 검사를 가볍게 시작하면서 검사에 대한 불안을 낮추고 순응도를 높이는 역할을 한다. 좌우 다리에서 나타나는 반응을 각각 기록하며, 자극을 주기 0.5초 전부터 자극 후 2초간, 총 2.5초 동안의 반응을 기록한다. 자극을 준 시점부터 자극 후 100 ms 구간은 자동자세반응을 나타내며, 자극 전 0.5초 구간과 자극후 100 ms~2초의 구간은 자발적 움직임을 확인하는 구간이다. 기록된 자료는 체중대칭도 (weight symmetry), 잠복기, 진폭척도(amplitude scaling) 3가지 지표로 분석한다.

(2) 적응검사(Adaptation test; ADT)

동일한 지지면의 움직임이 반복되면 자동자세반응의 과도한 부분이 점차 억제되면서 균형을 유지하는 데 필요한 최소 수준의 반응만을 보이게 되는데 이와 같은 현상을 적응이라고 한다. 발판이 20°/sec의 속도로 발등 쪽(toes up)/발바닥 쏙(toes down)으로 각각 5회 회전하여 자극 전 0.5초~자극 후 2.0초간 COF와 체중심 동요를 기록한다. 양방향 모두 첫 회전 자극에는 큰 반응을 보이지만 자극이 반복됨에 따라 적응이 되면서 반응이 작아지는 것이 정상이다.

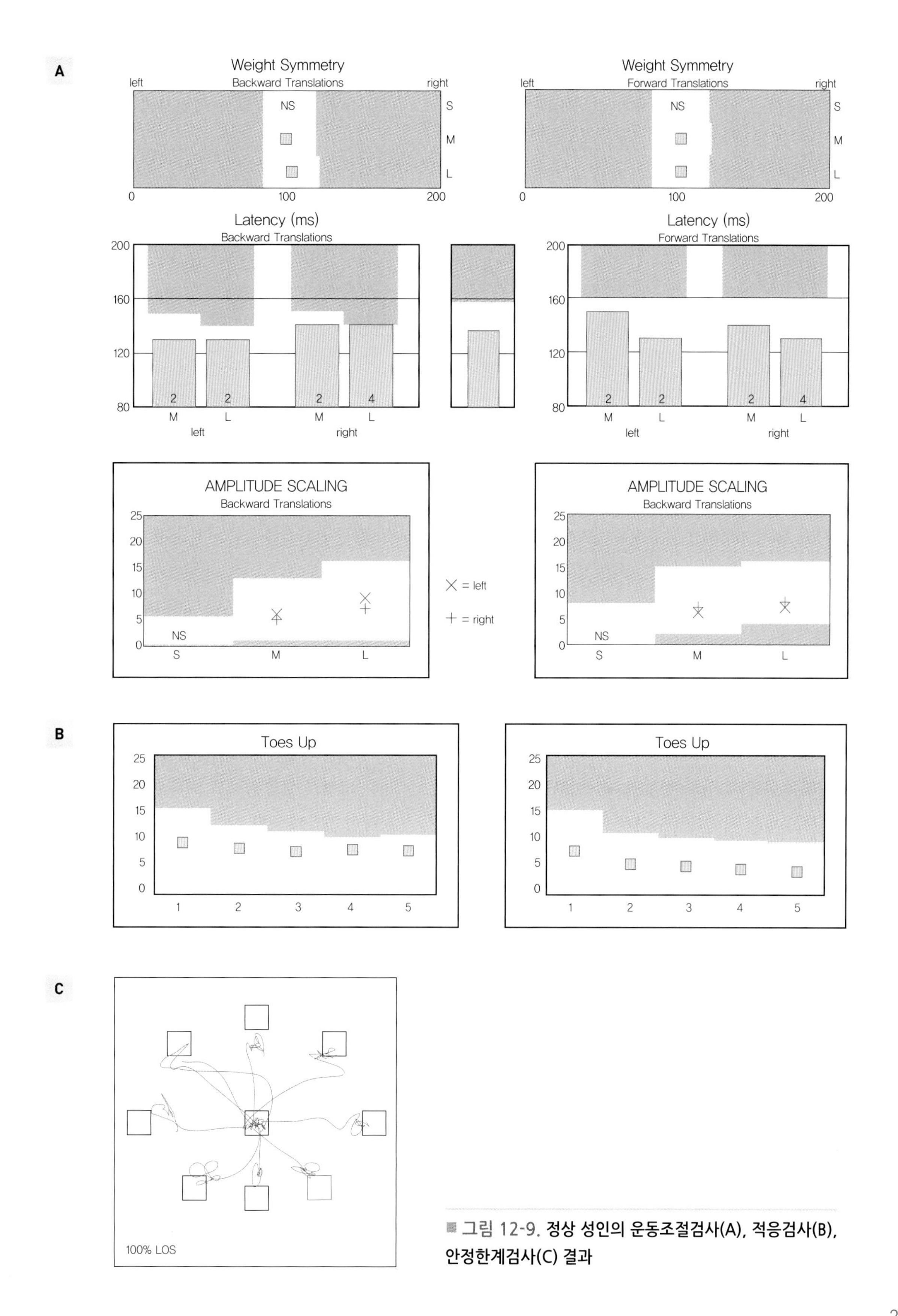

■ 그림 12-9. 정상 성인의 운동조절검사(A), 적응검사(B), 안정한계검사(C) 결과

(3) **안정한계검사**(Limit of stability test; LOS)

의지와 무관하게 일어나는 자동자세반응을 검사하는 MCT나 ADT와 달리 LOS는 자신의 체중심을 의도적으로 원하는 곳으로 이동시키는 능력을 보는 검사이다. 정면의 모니터에 안정한계를 따라 전후좌우 8개 지점 및 안정범위의 중심점에 총 9개의 표적이 표시되며, 피검자의 체중심이 실시간으로 표시되어 나타난다. 표적에 불이 켜지면 해당 표적을 향해 최대한 빨리 몸을 기울여 체중심이 표적에 위치하도록 하고 5초간 그 자세를 유지한다. 표적은 무작위 순서로 불이 켜져서 피검자가 예측을 하지 못하도록 되어 있다.

개인의 통제 하에 자발적으로 체중심을 안정한계 안에서 이동할 수 있는 능력은 물건을 집거나 의자에서 일어서거나, 샤워 등의 일상생활을 안정적이고 독립적으로 수행하는 기초가 되는 능력이므로 LOS를 통해서 일상생활의 기능적인 면을 점검할 수 있고, 낙상 위험도를 추정해 볼 수 있다. 또한 LOS는 운동 조절의 문제 부위를 파악하고 치료 계획을 세우며 치료 효과를 감시하는데 사용될 수 있다.

3) 비생리적 유형(Aphysiologic pattern)[12,28]

비생리적 유형은 일반적인 생리적 반응으로는 나타날 수 없는 결과를 말하는 것으로서, 2차적인 이득을 얻기 위한 의도적인 반응, 검사에 대한 불안감, 검사에 대한 이해의 부족, 무기력한 상태 등에 의해 나타날 수 있다. 일부 검사 결과 만을 보고 판단하지 말고 SOT, MCT, ADT 전반적인 반응 양상을 종합하도록 하고 특히 결과지에 함께 제공되는 원시자료를 함께 분석하는 것이 많은 도움이 되며, 최종 분석은 환자의 전반적인 상태와 검사에 대한 태도를 관찰하고 다른 전정기능검사 결과와의 비교를 통해서 조심스럽게 내려야 한다. 다음은 전형적인 비생리적인 유형들의 예이다(그림 12-10).[25]

(1) SOT

- 동일한 조건의 3회 반복검사의 결과 간에 차이가 크다.
- 쉽게 수행할 수 있는 조건 1, 2의 평형점수가 정상 수치에 크게 못 미친다.
- 더 어려운 5, 6의 점수가 더 쉬운 조건 1, 2의 점수보다 좋다.
- 조건 1, 2에서 첫 번째 검사는 점수가 높다가(검사가 시작된 것을 모르고) 두 번째 검사부터 점수가 급격히 나빠진다(검사가 시작된 것을 알고 나서).
- 환자가 검사실에 들어와서 장비에 올라가서 셋팅하는 동안은 자세와 보행이 안정적이었는데 검사가 시작되면서 조건 1에서도 심한 신체의 동요를 보일 때
- 원시 자료 기록에서 신체 동요 곡선이 규칙적인 사인파 양상이거나 주기적인 동요를 보이는 경우 / 큰 진폭으로 신체 동요가 심하지만 실제 쓰러지지는 않는 경우
- 체중심 추적 그래프에서 좌우 또는 원형의 신체 동요. 신체 동요는 일반적으로 전후 방향으로 일어나며, 특히 발판이 위아래로 기우는 상황에서(조건 4,5,6) 좌우 방향의 신체 동요를 보이는 것은 상당한 균형 감각이 필요한 동작

(2) MCT & ADT

- MCT에서 작은 강도의 자극에서 과도한 신체 동요를 보이는 경우
- 동일한 조건의 3회 반복검사의 결과 간에 차이가 클 때
- 원시 자료 기록의 자극 전 구간과 100 ms을 초과한 구간에서 계속적인 불필요한 신체 동요를 보일 때

4) 임상적 적용

CDP는 균형 유지에 필요한 세 가지 감각계와 운동계를 함께 평가할 수 있고, 신체의 균형 상태를 평가할 수

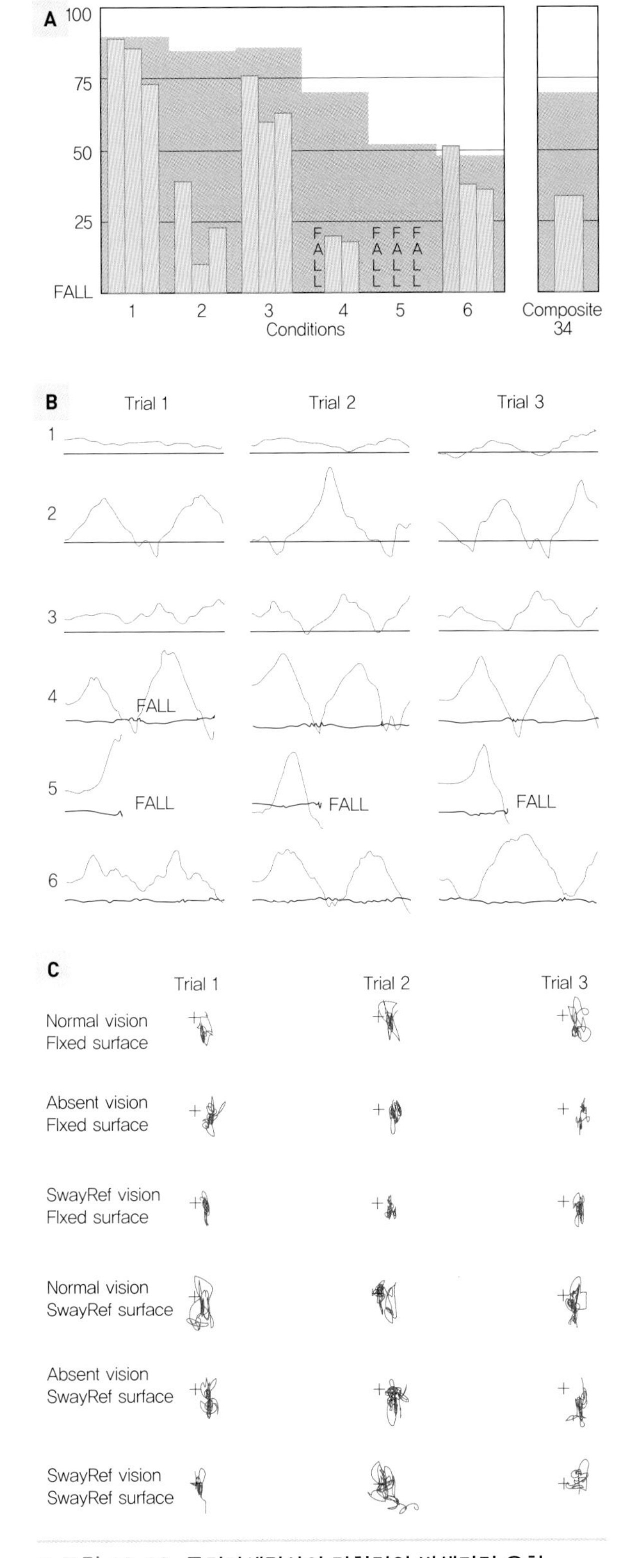

■ 그림 12-10. **동적자세검사의 전형적인 비생리적 유형.**
A) 평형점수, B) 감각구성검사 원시 자료, C) 체중심 추적

있으며, 비생리적 유형에 대한 정보를 얻을 수 있다는 점, 노인에서 낙상 위험도를 평가할 수 있다는 장점이 있다.[12,28,49] 또한 치료면에서는 검사 결과를 이용하여 맞춤형 전정재활치료를 계획할 수 있으며, 그 효과를 객관적인 결과로 감시하고 보관할 수 있으며 기계적인 반복훈련을 통해 노인 환자의 낙상 위험도를 줄일 수 있다.

참고문헌

1. Aw ST, Welgampola MS, Bradshaw AP, et al. Click-evoked vestibulo-ocular reflex distinguishes posterior from superior canal dehiscence. *Neurology* 2010;75:933-935.
2. Bath AP, Harris N, McEwan J, et al. Effect of conductive hearing loss on the vestibulo-collic reflex. *Clin Otolaryngol Allied Sci* 1999;24:181-183.
3. Black FO, Shupert CL, Peterka RJ, et al. Effects of unilateral loss of vestibular function on the vestibulo-ocular reflex and postural control. Ann *Otol Rhinol Laryngol* 1989;98:884-889.
4. Black FO, Wall C, 3rd, Nashner LM. Effects of visual and support surface orientation references upon postural control in vestibular deficient subjects. *Acta Otolaryngol* 1983;95:199-201.
5. Colebatch JG, Halmagyi GM, SkuseNF. Myogenic potentials generated by a click-evoked vestibulocollic reflex. *J Neurol Neurosurg Psychiatry* 1994;57:190-197.
6. Colebatch JG, Rothwell JC. Motor unit excitability changes mediating vestibulocollic reflexes in the sternocleidomastoid muscle. *Clin Neurophysiol* 2004;115:2567-2573.
7. Cremer PD, Migliaccio AA, Pohl DV, et al. Posterior semicircular canal nystagmus is conjugate and its axis is parallel to that of the canal. *Neurology* 2000;54:2016-2020.
8. Curthoys IS. A critical review of the neurophysiological evidence underlying clinical vestibular testing using sound, vibration and galvanic stimuli. *Clin Neurophysiol* 2010;121:132-144.
9. Curthoys IS, Dai MJ, Halmagyi GM. Human ocular torsional position before and after unilateral vestibular neurectomy. *Exp Brain Res* 1991;85:218-225.
10. Dieterich M, Brandt T. Ocular torsion and perceived vertical in oculomotor, trochlear and abducens nerve palsies. *Brain* 1993;116:1095-1104.
11. Friedmann G. The judgement of the visual vertical and horizontal with peripheral and central vestibular lesions. *Brain* 1970;93:313-328.

12. Gianoli G, McWilliams S, Soileau J, et al. Posturographic performance in patients with the potential for secondary gain. *Otolaryngol Head Neck Surg* 2000;122:11-18.
13. Govender S, Rosengren SM, Colebatch JG. The effect of gaze direction on the ocular vestibular evoked myogenic potential produced by air-conducted sound. *Clin Neurophysiol* 2009;120:1386-1391.
14. Halmagyi GM, Yavor RA, Colebatch JG. Tapping the head activates the vestibular system: a new use for the clinical reflex hammer. *Neurology* 1995;45:1927-1929.
15. Horak FB, Nashner LM. Central programming of postural movements: adaptation to altered support-surface configurations. *J Neurophysiol* 1986;55:1369-1381.
16. Hsu YS, Wang SJ, Young YH. Ocular vestibular-evoked myogenic potentials in children using air conducted sound stimulation. *Clin Neurophysiol* 2009;120:1381-1385.
17. Huang CH, Wang SJ, Young YH. Localization and prevalence of hydrops formation in Meniere's disease using a test battery. *Audiol Neurootol* 2011;16:41-48.
18. Ivankovic A, Nesek Madaric V, Starcevic K, et al. Auditory evoked potentials and vestibular evoked myogenic potentials in evaluation of brainstem lesions in multiple sclerosis. *J Neurol Sci* 2013;328:24-27.
19. Iwasaki S, Chihara Y, Smulders YE, et al. The role of the superior vestibular nerve in generating ocular vestibular-evoked myogenic potentials to bone conducted vibration at Fz. *Clin Neurophysiol* 2009;120:588-593.
20. Iwasaki S, McGarvie LA, Halmagyi GM, et al. Head taps evoke a crossed vestibulo-ocular reflex. *Neurology* 2007;68:1227-1229.
21. Iwasaki S, Murofushi T, Chihara Y, et al. Ocular vestibular evoked myogenic potentials to bone-conducted vibration in vestibular schwannomas. *Otol Neurotol* 2010;31:147-152.
22. Jauregui-Renaud K, Faldon ME, Gresty MA, et al. Horizontal ocular vergence and the three-dimensional response to whole-body roll motion. *Exp Brain Res* 2001;136:79-92.
23. Kim JS, Kim HJ. Inferior vestibular neuritis. *J Neurol* 2012;259:1553-1560.
24. Kingma CM, Wit HP. Asymmetric vestibular evoked myogenic potentials in unilateral Meniere patients. *Eur Arch Otorhinolaryngol* 2011;268:57-61.
25. Kushiro K, Zakir M, Ogawa Y, et al. Saccular and utricular inputs to sternocleidomastoid motoneurons of decerebrate cats. *Exp Brain Res* 1999;126:410-416.
26. Lanska DJ. The Romberg sign and early instruments for measuring postural sway. *Semin Neurol* 2002;22:409-418.
27. Lee KJ, Kim MS, Son EJ, et al. The Usefulness of Rectified VEMP. *Clin Exp Otorhinolaryngol* 2008;1:143-147.
28. Mallinson, AI, Longridge, NS. A new set of criteria for evaluating malingering in work-related vestibular injury. *Otol Neurotol* 2005;26:686-690.
29. McCaslin DL, Dundas JA, Jacobson GP. Bedside assessment of the vestibular system. In: Jacobson GP & Shepard NT, editors. Balance function assessment and management. 2nd ed. San Diego: Plural Publishing; 2014. p.137-162.
30. McCaslin DL, Jacobson GP. Vestibular-evoked myogenic potentials (VEMPs). In: Jacobson GP & Shepard NT, editors. Balance function assessment and management. 2nd ed. San Diego: Plural Publishing; 2014. p.533-579.
31. Nashner LM, Black FO, Wall C, 3rd. Adaptation to altered support and visual conditions during stance: patients with vestibular deficits. *J Neurosci* 1982;2:536-544.
32. Nguyen KD, Welgampola MS, Carey JP. Test-retest reliability and age-related characteristics of the ocular and cervical vestibular evoked myogenic potential tests. *Otol Neurotol* 2010;31:793-802.
33. Ohashi N, Nakagawa H, Asai M. Contribution of vision to the stabilization of body sway in patients with spinocerebellar degeneration. *Acta Otolaryngol Suppl* 1993;504:117-119.
34. Papathanasiou ES, Murofushi T, Akin FW, et al. International guidelines for the clinical application of cervical vestibular evoked myogenic potentials: an expert consensus report. *Clin Neurophysiol* 2014;125:658-666.
35. Rogers JH. Romberg and his test. *J Laryngol Otol* 1980;94:1401-1404.
36. Rosengren SM, Govender S, Colebatch JG. The relative effectiveness of different stimulus waveforms in evoking VEMPs: significance of stimulus energy and frequency. *J Vestib Res* 2009; 19:33-40.
37. Rosengren SM, McAngus Todd NP, Colebatch JG. Vestibular-evoked extraocular potentials produced by stimulation with bone-conducted sound. *Clin Neurophysiol* 2005;116:1938-1948.
38. Rosengren SM, Welgampola MS, Colebatch JG. Vestibular evoked myogenic potentials: past, present and future. *Clin Neurophysiol* 2010; 121:636-651.
39. Sheykholeslami K, Murofushi T, Kermany MH, et al. Bone-conducted evoked myogenic potentials from the sternocleidomastoid muscle. *Acta Otolaryngol* 2000;120:731-734.
40. Shimizu K, Murofushi T, Sakurai M, et al. Vestibular evoked myogenic potentials in multiple sclerosis. *J Neurol Neurosurg Psychiatry* 2000;69:276-277.
41. Shin JE, Kim CH, Park HJ. Vestibular abnormality in patients with Meniere's disease and migrainous vertigo. *Acta Otolaryngol* 2013;133:154-158.
42. Shumway-Cook A, Horak FB. Assessing the influence of sensory interaction of balance. Suggestion from the field. *Phys Ther* 1986;66:1548-1550.
43. Vanspauwen R, Wuyts FL, Van De Heyning PH. Validity of a new feedback method for the VEMP test. *Acta Otolaryngol*

2006;126:796-800.

44. Wang CT, Fang KM, Young YH, et al. Vestibular-evoked myogenic potential in the prediction of recovery from acute low-tone sensorineural hearing loss. *Ear Hear* 2010;31:289-295.
45. Watson SR, Colebatch JG. Vestibulocollic reflexes evoked by short-duration galvanic stimulation in man. *J Physiol* 1998;513:587-597.
46. Weber PC, Cass SP. Clinical assessment of postural stability. *Am J Otol* 1993;14:566-569.
47. Welgampola MS, Colebatch JG. Vestibulocollic reflexes: normal values and the effect of age. *Clin Neurophysiol* 2001; 112:1971-1979.
48. Welgampola MS, Myrie OA, Minor LB, et al. Vestibular-evoked myogenic potential thresholds normalize on plugging superior canal dehiscence. *Neurology* 2008;70:464-472.
49. Whitney SL, Marchetti GF, Schade AI. The relationship between falls history and computerized dynamic posturography in persons with balance and vestibular disorders. *Arch Phys Med Rehabil* 2006;87:402-407.

CHAPTER

13

귀 질환의 증상_ 귀 질환의 신체검사

박소영

I 귀 질환의 신체검사

귀 증상을 호소하는 환자에서 외이 및 중이 진찰은 진단과 치료에 있어서 중요한 첫 단계이다. 의사는 단정한 복장을 하고 친절하고 정중한 말투로 철저한 문진을 통하여 환자와 신뢰감을 형성한다. 문진과 검사를 끝마치기 전에 환자에게 성급한 설명이나 진단을 말하지 않는다. 외래진료실은 장비와 기구들이 청결하게 유지되어야 하며 자주 사용하는 기본 세트는 소독하여 정해진 자리에 둔다. 귀진찰을 위하여 외래에 구비되어야 할 도구는 머리반사경(head mirror) 또는 헤드라이트, 이경(otoscope), 수술현미경(operating microscope), 귀내시경(otoendo-scope), 비인강섬유경(fiberoptic nasopharyngoscope), Frenzel 안경, 소리굽쇠(tuning fork) 등이다. 중요한 소견을 놓치지 않고 오진을 막기 위해서는 모든 환자에서 규칙적인 순서와 방법으로 진행하는 통상적인 진단검사법(diagnostic routine)을 습득하여 시행하는 것이 효율적이다.

1. 이경검사(Otoscopy)

이경검사를 시작하기 전에 먼저 귓바퀴와 주변을 시진 및 촉진한다. 특히 두부 외상이나 귀수술을 받은 병력이 있거나 통증, 분비물, 염증 징후를 보이는 환자에서는 주의 깊게 시진하고 귓바퀴를 당기거나 눌러보며 압통을 확인한다.

이경은 전기이경(electric otoscope)을 말하는데 배터리 전압을 이용한 할로겐 또는 LED 광섬유 조명 하에서 개폐가 가능한 확대경을 통하여 외이도와 고막을 관찰할 수 있고 휴대하기 편리하다. 환자의 머리가 의사의 눈높이보다 약간 낮은 위치에 오도록 하고 오른쪽 귀를 검사할 때는 왼손으로 귓바퀴를 후상방 또는 후방으로 당겨서 외이도 연골부를 곧게 펴고 오른손으로 이경을 부드럽게 삽입한다. 왼쪽 귀를 검사할 때는 오른손으로 귓바퀴를 잡고 왼손으로 이경을 보는 것이 편리하다. 귀보개(ear speculum)의 팁 방향을 돌려가며 외이도와 고막 전체를 360° 관찰한다. 작은 확대경이 개방형 구조로 장착되어

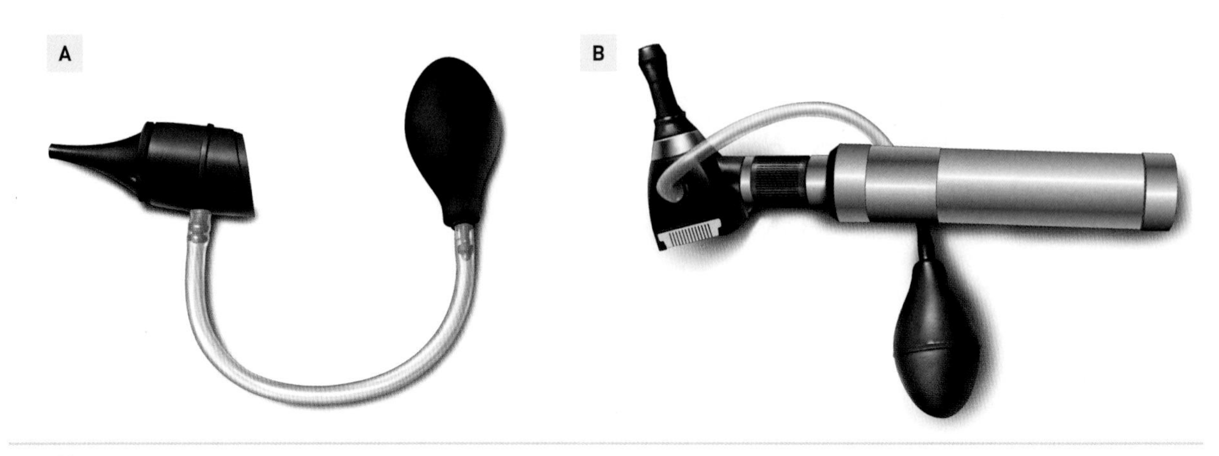

■ 그림 13-1. 공기이경

기구를 사용할 수 있는 치료용 이경(operating otoscope)도 있다. 최근에는 비디오이경(video otoscope)이 나와 간단하게 영상의 디스플레이가 가능해졌다.

2. 공기이경검사(Pneumatic otoscopy)

공기이경검사는 고막운동성계측(tympanometry)으로 대치되어 이전처럼 많이 시행되고 있지는 않으나, 잘 훈련하면 고막, 이소골, 중이강의 상태에 대한 유용한 진단적 정보를 얻을 수 있다. 공기이경(pneumatic otoscope)의 구조는 확대경이 달린 두부(head)에 공기를 주입하는 고무구(rubber bulb)가 튜브로 연결되어 있다. 가장 많이 사용되어 온 것은 Siegle 이경으로(그림 13-1A) 머리반사경이나 헤드라이트를 착용하고 관찰한다. 또한 대부분의 전기이경 본체에는 구멍이 뚫려 있어 여기에 고무구를 연결하여 공기이경검사를 시행할 수 있다(그림 13-1B). 귀보개의 크기를 가능한 한 큰 것으로 선택하여 외이도 입구를 밀폐함으로써 공기가 새지 않도록 한다. 고무구를 눌렀다 떼는 반복 동작으로 외이도의 공기를 압축하거나 방출하여 고막에 양압과 음압을 번갈아 가하면서 고막의 운동성을 관찰한다. 귀보개를 끼운 다음 고무구를 눌러 최초에 양압을 가하면서 고막을 안쪽으로 밀거나, 고무구를 미리 압축시켜 놓고 귀보개를 끼운 다음 팽창시키면서 외이도에 음압을 만들어 고막을 밖으로 당기는 방법이 있는데 후자의 경우 많이 함몰되어 있는 고막에 유용하다.

3. 귀현미경검사(Otomicroscopy)

양안 수술현미경(binocular operating microscope)을 이용한 귀진찰법으로, 클리닉에서 기구를 사용하는 진단과 시술을 정확하고 안전하게 시행할 수 있는 장비이다. 광원은 할로겐이나 제논이며 대물렌즈의 초점거리는 200 mm를 주로 사용한다. 확대배율은 몇 단계로 수동 변경하므로 의사의 필요에 따라 적절한 배율로 맞춘다. 비디오카메라가 통합되어 있거나 외부 비디오 장치를 탑재하면 영상 기록을 할 수 있다. 환자가 불편하지 않은 가장 큰 귀보개를 선택하여 귓바퀴를 뒤로 당기면서 삽입한다. 기구를 사용할 때는 조심스럽게 조작하여 통증을 가하지 않도록 한다. 가벼운 통증이 예상될 때는 환자에게 미리 알려주어야 하며 필요한 경우 즉시 국소마취제를 사용한다. 시야를 방해하는 귀지, 조직파편(debris), 이물질 등은 먼저 제거하고 70% 알콜로 외이도를 청소한 후 환자의 머리를 조금씩 움직여 가며 외이도와 고막 전체를 360° 관찰한다. 귀현미경은 뛰어난 영상을 제공하고 기구 사용이 동시에 가능하지만 외이도에서 고막으로의 접근 방향이 검사자의 시선에 국한되기 때문에 오목한 부분이나 구석은 잘 보이지 않는다.[3] 또한 검사자의 눈으로 빛이 직접 들어오기 때문에 광원의 조도를 높이는데 한계가 있다.

4. 귀내시경검사(Otoendoscopy)

비내시경이 도입되어 코 질환의 진단과 치료에 획기적인 발전을 이루었듯이 최근 귀 질환에도 경직형 내시경(rigid endoscope)이 적극적으로 활용되고 있는 추세이다. 내시경검사를 위해서는 스코프(telescope), 광섬유 케이블, 제논이나 LED 광원, 고화질(high-definition) 카메라, 데이터 수집장치를 장착한 컴퓨터, 모니터, 저장장치, 출력장치 등이 갖추어져야 한다. 내시경은 외이도 돌출부를 피해 고막에 근접할 수 있고 우수한 조도의 광원이 기기의 말단 끝에 위치해 있으며 각진 렌즈도 사용할 수 있어 수술현미경보다 더 넓은 시야각를 제공한다. 따라서 고막 전체를 한눈에 볼 수 있을 뿐만 아니라(그림 13-2, 3) 현미경으로는 보이지 않는 오목(recess)이나 함몰주머니(retraction pocket)의 안쪽까지 관찰할 수 있다. 또한 3칩 카메라와 고화질 비디오시스템의 도입으로 초고해상도 영상을 구현하게 되었고[3] 모니터를 통하여 확대된 외이도와 고막을 관찰하므로 검사자의 자세와 눈이 편안하며 필요한 경우 캡쳐나 녹화를 하여 보관할 수 있다. 기록된 영상은 환자에게 설명하기 좋고 나중에 객관적인 데이터 분석에도 이용할 수 있다. 적절한 직경의 스코프를 선택하면 외이도가 좁은 성인이나 소아에서도 양질의 영상을 얻을 수 있다. 고막천공이나 절개된 고막을 통해 0°나 30°의 가는 스코프로 중이강을 관찰하는 고실내시경검사(tympanoscopy)를 시행할 수 있다. 귀내시경에 다양한 형태의 공기 어댑터(pneumatic adaptor)를 장착하면 비디오 공기이경검사(video pneumatic otoscopy)도 가능하다.[1,2]

귀내시경검사를 할 때 주의할 점은 스코프를 넣을 때 외이도를 직접 들여다 보면서 위치시켜야 하며 몸통(shaft)을 외이도 연골부에 기대어 안정감 있게 고정하여

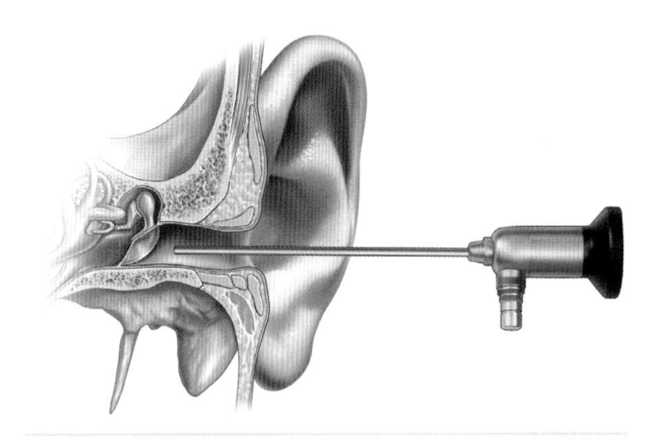

■ 그림 13-2. 귀내시경검사

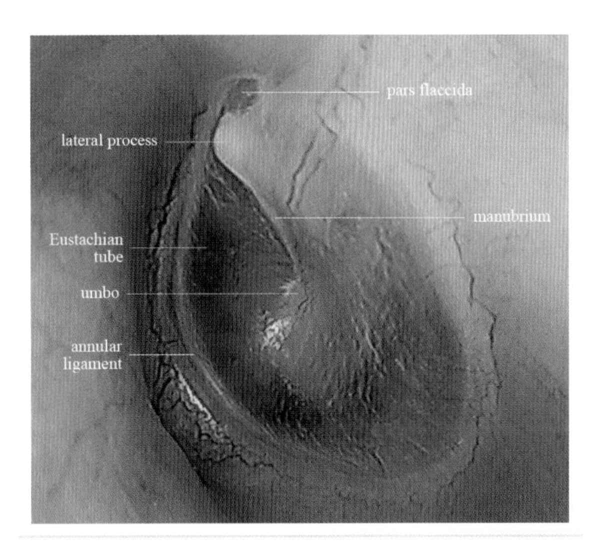

■ 그림 13-3. 귀내시경으로 본 정상 고막

고막이나 외이도 골부가 갑자기 찔리지 않도록 한다. 내시경은 양안시가 아니므로 깊이지각(depth perception)이 떨어질 수 있고 30°나 70° 렌즈를 처음 사용할 때는 방향감각에 혼란이 올 수 있으므로 주의가 필요하다.[5]

5. 외이 및 중이 진찰 소견

1) 귓바퀴 및 외이도

귓바퀴 주변의 흉터, 유양돌기의 압통 및 발적, 피부의 충혈, 각질비늘, 습진, 수포 및 궤양 등을 시진한다. 외이

도를 보기 위해 귀를 잡아당길 때 통증을 호소하면 귓바퀴나 외이도의 감염 질환을 의심한다. 외이도는 피부, 분비물, 귀지의 상태와 육아조직, 종괴 등의 유무를 관찰한다. 귀폴립(aural polyp)은 외이도 자체에서 기원하는 것보다는 중이에서 돌출된 것이 더 흔하므로 이소골이나 안면신경의 손상 위험이 있어 외이도에서 무턱대고 잡아당기면 안된다. 고막이 보이지 않는 경우는 정확한 진단을 위해 폴립의 기저부는 그대로 두고 폴립절제용 와이어나 미세가위로 고막 밖으로 나와 있는 부분을 절제할 수 있다. 또한 고막천공 없이 만성 이루가 있는 경우는 외이도나 고막의 일부분에 감염된 육아조직이 있는지 찾아본다.

2) 고막

고막의 두께, 투명도, 색깔, 고실경화판, 위축, 함몰, 충혈, 수포, 천공 등을 시진한다. 특히 고막이완부를 잘 관찰하여 함몰주머니, 각질 파편, 진주종의 유무를 관찰한다. 고막천공이 있을 때 그 크기와 위치를 기록하고 중이 점막의 상태도 관찰한다. 천공이 고막긴장부에 국한되어 있고 천공을 통하여 중이 점막이 보이며 고막륜이 보존되어 있을 때 중심성 고막천공이라 하고, 천공이 고막륜의 일부를 포함하고 있을 때 변연성 천공이라 한다. 상고실 천공은 고막이완부의 함몰주머니와 감별진단이 필요하다. 정상 고막 안쪽에 종괴가 보일 때 색깔에 따라 선천성 진주종이나 혈관성 종괴를 의심한다.

3) 고막 운동성

공기이경으로 정상 중이압에서 고막의 운동성을 보는 훈련을 많이 해야 정확한 감별진단을 할 수 있다. 불투명한 고막의 움직임이 현저히 떨어지거나 없을 때는 공기이경검사 소견이 중이삼출액의 진단에 도움을 주며, 작은 고막천공과 투명한 위축성 분절을 감별하는데도 유용하다. 고막과 함께 추골병에도 주의를 기울여야 하는데, 고막은 정상 운동성을 보이나 추골병이 움직이지 않으면 추골두부 고정(fixation of malleus head), 추골병이 과도한 이동을 보이면 추골병 골절을 의심할 수 있다.[4] 만약 압력변화와 함께 환자가 어지럼을 호소하거나 안진이 관찰되면 Hennebert 증후를 시사한다.

참고문헌

1. Cho YS, Lee DK, Lee CK, et al. Video pneumatic otoscopy for the diagnosis of otitis media with effusion: a quantitative approach. Eur Arch Otorhinolaryngol 2009;266:967-973.
2. Jones WS. Video otoscopy: bringing otoscopy out of the "black box". Int J Pediatr Otorhinolaryngol 2006;70:1875-1883.
3. Kozin ED, Kiringoda R, Lee DJ. Incorporating endoscopic ear surgery into your clinical practice. Otolaryngol Clin North Am 2016;49:1237-1251.
4. Pau HW, Strenger T. An easy method for fitting conventional endoscopes for pneumatic video otoscopy. Laryngoscope 2010;120:1350-1353.
5. Rehl RM, Oliaei S, Ziai K, Mahboubi H, Djalilian HR. Tympanomastoidectomy with otoendoscopy. Ear Nose Throat J 2012;91:527-532.

CHAPTER

14

귀 질환의 증상_
귀 질환의 증상

우훈영

귀 질환은 난청, 이루, 이통, 이충만감, 이명에서부터 현훈, 안면신경마비 등 신경학적 이상에 이르기까지 다양한 증상을 보인다. 이명과 안면신경마비는 다른 장에서 다루어지므로, 이 장에서는 자세히 언급하지 않고 증상 중심으로 기술하고자 한다.

I 난청(Hearing loss)

난청은 전음성, 감각신경성, 혼합성 난청으로 분류하거나 선천성과 후천성으로 구분하기도 한다.

병력청취 시 편측성인지 양측성인지, 난청의 시작이 돌발적인지 진행성인지 또는 변동성(fluctuation)인지, 동반되는 증상으로 이충만감, 이통, 이루, 현훈, 이명, 안면신경마비나 중추신경계 이상 소견이 있는지, 기왕력으로 심혈관 질환, 당뇨병 등 내분비 질환, 자가면역 질환, 신장 질환, 귀수술 여부, 이독성 물질, 특히 aminoglycoside 사용 여부, 난청의 가족력, 두부외상, 소음노출 등을 문진한다.

1. 급성 편측성 난청

갑자기 한쪽 귀의 청력이 떨어지는 돌발성 난청은 바이러스 감염이나 혈관허혈성 기전 등과 연관된다고 추정되나 소뇌교각부 종양이 원인이 되기도 한다. 유행성 이하선염(mumps), 풍진(rubella), 홍역(rubeola)같은 바이러스 감염도 돌발성 난청을 동반할 수 있다. 한쪽 난청은 급·만성 중이염에 따른 화농성 내이염으로도 생길 수 있으며, 외림프누공이나 측두골 골절 혹은 골절 없이 내이진탕(labyrinthine concussion) 만으로도 발생할 수 있다.

2. 진행성 난청

성인에서 진행되는 감각신경성 난청은 노인성 난청, 소음성 난청, 가족력이 있는 난청이거나 이독성 약물 또는 자가면역기전 때문에 발생할 수 있고, 일측성 난청은 소뇌교각 부위의 종양 때문일 수도 있다. 만성 중이염과 이경화증에서도 난청이 점진적으로 진행하며 전음성이나 혼합성 난청의 양상으로 나타난다. 진행성 난청을 일으킬 수 있는 전신 질환으로는 갑상선기능저하증이나 당뇨병 같은 내분비계 질환과 만성 신부전이나 고지질단백혈증 같은 대사성 질환 등이 있다.

3. 변동성 난청

변동성 난청은 무거운 것을 들거나 두부 외상 후 나타나는 외림프누공, 전신성 홍반성 루프스(systemic lupus erythematous; SLE), 베체트 병(Behçet's disease) 등의 자가면역 질환에서 나타날 수 있다. 메니에르병(Ménière's disease)은 초기에 반복되는 저음역 난청과 현훈을 보인다.

4. 신생아 및 유아난청

신생아 및 유아의 난청 유병률은 1,000명당 1.2~5.7명으로[14,17,19] 난청을 가진 유아는 생후 즉시 또는 늦어도 3개월 이전에는 진단이 되어 6개월 이전에 재활치료를 시작해야한다. 이전에는 난청의 조기발견을 위해 난청의 고위험군만 선별검사할 것을 권장하였으나, 선별검사를 이들 군에만 한정하는 경우 영·유아 난청의 50%는 진단되지 않아 치료 시작의 적기를 놓치게 되므로 Joint Committee in Infant Hearing (1994)에서는 모든 신생아들에게 난청 선별검사를 할 것을 권고하였다.[3] 선청성 감각신경성 난청 환자의 20% 정도는 방사선 검사에서 내이기형 소견을 보이며 내이의 발달 정도에 따라 청력소실의 정도와 전정기능의 이상이 결정된다.

그 외 유전성 난청으로, 신장의 이상을 초래하는 Alport 증후군, 이기형, 새열기형, 신장기형을 나타내는 아가미-귀-콩팥 증후군(branchio-oto-renal syndrome), 색소 이상을 일으키는 Waardenburg 증후군, 망막색소변성(retinitis pigmentosa)과 난청이 있는 Usher 증후군 등이 있다.

Ⅱ 이루(Ear discharge, otorrhea)

이루는 외이도를 통한 액성 분비물로서, 장액성(serous), 점액성(mucoid), 화농성(purulent), 혈성(bloody), 수양성(clear)의 다섯 종류가 있으며, 이 중 둘 이상이 섞여 나타나는 경우가 많다.[14] 이루의 원인 질환은 다양하다(표 14-1).[5] 이루의 존재는 병력청취나 신체검사로 확인하는데, 특히 현미경하에서 조심스럽게 흡입하여 이루의 발생부위를 확인하면 진단에 도움이 된다. 이루에 동반되는 이통은 진단적 가치가 없으나, 이개를 움직이거나 외이에 압력을 가했을 때 통증이 있으면 외이염을 의미한다.

이통이 동반되는 이루가 귀를 후비거나 보청기를 삽입한 후, 목욕이나 수영 등 물과 접촉한 지 24시간 정도 지난 후에 나타나면 외이도염의 가능성이 있으며 이루의 양은 적다. 이통이 동반되지 않고 오래 지속되는 화농성을 이루는 고막천공이 있는 만성 중이염의 급성 감염을 의미한다. 악취가 나면 진주정성 중이염의 가능성이 있고, 이 경우 이루에 각질편(keratin debris)이 섞일 수 있다. 이통을 동반하지 않는 혈성 이루는 만성 중이염에서 이용(ear polyp)으로 인한 출혈이거나 경정맥구 종양(glomus jugular tumor) 때문일 수 있으며 오래 지속된다. 이통을 동반하는 혈성 이루는 급성 중이염이 진행하여 고막이

표 14-1. 이루의 원인

외이	중이
• 급성 외이도염	• 급성 중이염
- 국한성, 미만성	• 만성 중이염
• 만성 외이도염	- 비진주종성
- 세균성, 진균성	- 진주종성
• 수포성 고막염	• 유양돌기염
• 악성 외이도염	• 중이완기관 합병증
• 이성대상포진	• 중이 술후 상태
• 외이 피부염	• 중이종양
• 외이도 종양	• 측두골 골절
• 폐쇄각화증	
• 과립성 고막염	
• 외이도이물	

천공된 경우로 화농성 이루도 섞여 있을 수 있다. 수포성 고막염(bullous myringitis)에서는 외이도와 고막 상피의 상층 수포에 고여 있던 혈성 분비액이 터져 나와 검은 장액혈액성(serosanginous) 분비물이 나온다. 양자 모두 이루가 오래 지속되지는 않는다.

맑은 물 같은 수양성 이루는 뇌척수액일 가능성이 있으며, 이루와 함께 나타나는 현훈은 내이염의 가능성이 있어 완전농이 될 수 있는 위험한 증상이다.

1. 외이

1) 급성 외이도염

(1) 이절(Otofuruncle)

외이도 모낭에 황색포도상구균이 감염되어 발생한다. 이개를 움직이거나 외이도에 압력을 가했을 때 심한 압통이 있다. 외이도의 외측 모근 주위에 피부 농포(pustule)가 있으며, 심한 경우 여러 개의 종기가 보이고, 외이도가 부어 전도성 난청을 일으키며 청력이 감소하며, 주위 조직에 봉소염(cellulitis)을 일으킨다. 후이개 종창으로 이개가 앞으로 밀리기도 하여 급성 유양돌기염과 감별해야 한다.

(2) 범발성 외이도염(Diffuse external otitis)

덥고 습한 여름철에 많이 발생하며, 가장 큰 원인은 국소외상이다. 목욕 등 물에 접촉한 후 귀를 후비다가 외이도에 찰과상을 입어 감염되며, 주요 원인균은 녹농균(*Pseudomonas aeruginosa*)과 황색포도상구균(*Staphylococcus aureus*)이다. 초기에는 귀에 불편함이 있는 정도이고, 턱을 움직일 때 이통이 있으며, 더 진행하면 이통이 심해지고, 외이도 피부의 발적, 종창, 심한 압통이 있다.

2) 만성 외이도염

주 증상은 가려움증이고 이통은 없다. 외이도염과 연관된 아토피성 피부염, 건선, 지루성 피부염 등과의 감별이 중요하다. 외이도 피부가 두꺼워져 외이도가 좁아지고 고막에서 작은 육아종이 보일 수도 있다. 세균성의 경우 가장 흔한 원인균은 녹농균과 황색포도상구균이며, 진균감염으로 인한 만성외이도염은 거의 대부분 외이도 표피에 국한된 감염이다. 진균사(hyphae)가 뭉쳐져 솜덩어리처럼 보이거나 검은 반점들이 붙어 있는 *Aspergillus niger*와 장기간 항생제 점이액 사용 시 잘 나타나는 *Candida albicans*가 흔한 진균이다. 측두골의 침습성 진균감염은 면역기능이 떨어진 노인, 당뇨병 환자, 후천성면역결핍증(AIDS) 환자에게 *Aspergillus flavus*가 침범했을 때 나타나는데, 파괴적인 병 진행으로 사망률이 높다.

3) 수포성 고막염(Bullous myringitis)

고막 소견이 진단에 결정적 도움을 준다. 고막 외측면과 인접 외이도 피부의 상층면에 수포가 있다. 환자는 이통을 호소하고 수포가 터지면 장액·혈액성 이루가 나오며 이통이 사라진다. 바이러스 감염이 원인이라고 추정하나, 수포액에서 바이러스가 검출되지 않고 급성 중이염에서 많이 검출되는 *Hemophillous influenza*가 나타나고 중이 저류액이 동반되는 것으로 보아, 급성 중이염의 한 변형이라고 보는 견해도 있다.[20]

4) 악성 외이도염(Malignant external otitis)

사망률은 높지만 치료될 수 있는 병이므로, 괴사성 외이도염(necrotizing external otitis)이라는 새로운 병명으로 불리고 있으며, 실제로는 측두골의 골수염이다.[4] 두 가지 형태가 있는데, 하나는 Chandler가 보고[6]한 바와 같이 고령의 당뇨병 환자에서 외이도염이 측두골을 침범한 것으로 원인균은 대부분 녹농균이다. 다른 하나는 면역저하 상태인 항암제 치료 중인 환자나 후천성면역결핍증 환자에서 중이염이 측두골을 침범하여 광범위한 두개저 골수염(skull base osteomyelitis)의 양성을 보이는 것으로, 녹농균 이외의 여러 가지 원인균 때문에 발생한다. 심한 이통을 호소하며 전형적인 경우에는 외이도의 골, 연골 연접 부위에서 육아종이 관찰된다. 측두골을 파괴하며 진행하여 안면신경마비를 동반할 수 있고, 두개저로 광범위하게 진행하여 IX, X, XI, XII 뇌신경을 침범하면 연하곤란, 애성, 흡인 등의 증상이 동반될 수 있으며, 사망률이 높다.

5) 외이도 피부염(Dermatitis of external ear)

가려움이 주 증상이고, 피부염 병변이 외이도의 외측 연골 부위에 많이 나타난다. 일반적인 피부 질환인 지루성 피부염(seborrheic dermatitis)이 동반된 경우 머리비듬과 연관되며, 알레르기성인 경우는 neomycin이 포함된 점이액이나 화장품, 비누 등이 원인일 수 있다.

6) 이성대상포진(Herpes zoster oticus)

슬상신경절을 침범한 대상포진에 의하여 외이도 후벽과 이갑개(concha) 부위에 수포와 피부염이 발생한다. 신경염으로 인한 통증이 피부병변보다 외래 지속되며, 안면신경마비, 내이염으로 인한 어지럼증도 동반된다.

7) 폐쇄각화증(Keratosis obturans)

외이도 골부에 탈락된 피부가 모여 이구(cerumen)와 종괴를 형성하여 골성외이도를 파괴하며 확장한다. 증상은 이통, 이루, 청각손실 등이고 고막은 정상인 경우가 많다.

8) 과립성 고막염(Granular myringitis)

고막에서 작은 과립성 육아조직들이 보이며 고막천공은 없고 중이강은 정상이다. 지속적인 이루를 호소한다.

2. 중이

외이가 정상이면 중이나 유양동이 이루의 병소일 수 있다. 급성 중이염, 진주종성 중이염은 화농성이나 점액성 이루를 보인다.

1) 급성 중이염(Acute otitis media)

급성 중이염의 이루는 통증을 동반하는 장액·혈액성 이루로서 고막이 천공된 후에 이루가 나오면 이통은 사라지고 이루도 점차 소실된다.

2) 급성 유양돌기염(Acute mastoiditis)

급성 유양돌기염은 급성 중이염의 합병증으로 이통과 유양돌기 압통, 농성 이루를 일으킨다. 발열이 있으며, 외이도 피부는 부종을 일으키고, 이개후부 종창이나 이개돌출 등 전형적인 증상이 나타날 수 있으나 잠행성은 이런 증상이 없을 수도 있다.

병이 진행되면 합병증으로 골막하농양, 추체염, 안면신경마비, 내이염 등이 발생할 수 있고, 두개내 합병증도 발생할 수 있으므로, 주의 깊게 병력을 청취하고 방사선 검사나 신경계 검사를 실시한다.

3) 만성 중이염(Chronic otitis media)

이루가 나타나지 않는 기간도 있으나, 급성 감염이 동반되면 오래 지속되는 화농성 이루가 이통 없이 나타난다. 진주종성 중이염에서는 자주 반복되는 악취, 무통성 이루로 간혹 각질편이 섞여 있을 수 있다. 청력이 감소하고 병이 진행되면 안면신경마비가 발생할 수 있다. 외측반고리관에 누공이 형성되면 평형장애가 동반되어 특별한 자극없이도 어지러울 수 있으며, 큰 소리를 들을 때 현훈이 나타나는 Tullio 현상이나 이주를 압박하여 현훈이 유발되는 누공검사(fistula test)에 양성 반응인 누공징후(fistula sign)를 보이기도 한다.

결핵성 중이염은 폐결핵에 대한 이차 결핵으로 과거에는 무통성 이루, 안면신경마비, 다발성 고막천공, 골괴사가 특징이나, 이런 특징적 소견을 나타내는 경우는 매우 드물어 수술 전에 진단하기는 매우 어렵고, 대개 수술 후 조직검사때 진단된다. 결핵성 중이염을 의심할 수 있는 경우는 폐결핵이 있거나 결핵의 가족력이 있을 때, 특히 소아에서 일반치료에 반응하지 않고 심한 육아종이 있을 때, 잠행성 무통성으로 진행한 중이염에서 병변에 비해 심한 난청이 있을 때, 중이-유양동의 수술창의 치료가 지연되고 육아종이 생길 때 등이다.[1]

4) 중이환기관 삽입 후 이루 (Posttympanotomy tube otorrhea)

중이환기관유치술 후의 이루는 수술 후 2주를 기준으로 조기 이루와 지연성 이루로 나누며, 수영이나 목욕 후 중이감염, 비인강 분비물의 중이 역류 등으로 인한 급성 중이염이나 환기관 주위의 육아종, biofilm 등이 원인이다. 치료로는 스테로이드가 함유된 점이항생제가 효과적이며 예방적으로 사용되기도 한다.

5) 중이 술후 상태

유양동 수술 후 중이-유양동 병변이 재발하거나 외이도 입구가 좁은 경우, 안면신경릉(high facial ridge)이 높은 경우, 유돌동(mastoid cavity)이 큰 경우에 환기장애로 탈락된 피부나 이구편들이 모여 세균이나 진균에 감염되고 오래 지속되면 육아종이나 점막화된 표피가 생겨 이루를 유발한다.

6) 중이 종양

종양에 의한 이루는 혈성인 경우가 많고, 이경검사에서 궤양이나 종괴를 볼 수 있다. 치료에 반응하지 않는 육아종은 조직검사가 필요하나, 경정맥구 종양이 의심될 경우 출혈의 위험이 있으므로 조직검사는 피해야 한다.

7) 뇌척수액 이루(CSF otorrhea)

수양성 이루의 경우 뇌척수액일 가능성이 있으므로 확인해야 한다. 뇌척수액 이루는 수양성 이루가 계속되거나 환기관 유치 후 맑은 이루가 계속되면 진단하기 쉬우나 Mondini 기형 같은 잠행성 병변의 경우 반복되는 뇌막염으로만 나타날 수도 있다. 뇌척수액의 화학적 분석으로 포도당 수치가 혈장의 50% 이상이거나 뇌척수액과 외림프에만 존재하는 β2-transferrin의 존재로 확진할 수 있다.[11]

Ⅲ 소양증(Itching)

소양증이란 통증을 느끼는 피부 신경이 약하게 자극되었을 때 나타나는 증상이다. 일반적인 피부 질환에서 가장 많이 나타나는 증상이다. 외이 및 외이도 질환에서도 다른 증상들과 함께 매우 흔하게 호소하는 증상이다. 귀 질환과 관련해서는 외이도염에서 이통과 함께 나타나고, 외이 및 외이도에 국한되어 나타날 수 있는 여러 피부 질환(아토피, 건선, 지루성 피부염, 접촉성 피부염 등)에서도 소양증을 나타낸다. 노인에서는 피부의 노인성 변화와 관련해서 건성 피부 질환으로서 소양증을 자주 호소하게 되고, 신경성 피부염의 경우 심리적인 요인과 관련해서 증상을 심하게 호소할 수 있다. 만성 신부전증, 만성 간질환, 당뇨병, 빈혈과 같은 전신 질환이나, 약물, 음식과 관련해서도 소양증을 나타낼 수 있다. 소양증의 치료에 있어서 원인 질환에 대한 정확한 진단이 매우 중요하다.

Ⅳ 이통

이통(otalgia)은 흔히 접하는 증상으로, 귀의 병변이 유발하는 원발성 이통과 귀에 분포한 감각신경의 분지가 다른 부위에서 자극받아 발생하는 이차성 또는 연관통으로 구분된다. 이통의 50% 이상이 연관통이며 이통은 보통 질병의 경중과 비례하지 않지만 귀에 발생하는 암과 같은 심각한 질환을 암시할 수도 있다.

통증의 부위, 지속시간, 시작의 완급, 심한 정도 등이 진단에 도움을 주므로 병력청취가 중요하다. 또한 이통이 중이나 유양동에서 기인한 경우에는 난청이나 이충만감과 같은 중이 증상이 수반되므로 동반 증상의 양상을 확인하는 것도 중요하다.

원발성 이통의 원인으로는 급성 중이염이 가장 흔하며, 특히 유아나 영아에서는 유의해야 한다. 급성 유양돌기염에서는 통증이 이개 후방인 유양돌기 부위에 국한된다. 외이 및 외이도에서 기인하는 이통은 신체검사로 대부분 쉽게 인지되는데, 외이도의 악성 종양은 육안으로 볼 때 정상처럼 보이지만, 적절한 광원하에서 면봉으로 외이도를 눌러보면 통증을 호소하는 경우가 많다. 중이의 만성 염증은 일반적으로 이통을 유발하지 않으며, 만성 중이염 환자나 유양돌기염 환자가 이통을 호소할 때는 중이염의 합병증인 추체첨부염을 의심해야 하며 드물게는 악성 종양으로 인한 증상일 수도 있다.

심한 이통을 호소할 수 있는 외이도염과 급성 유양돌기염은 앞에서 소개했으므로 여기에서는 급성 중이염, 추체염, 연관이통만을 기술한다.

1. 급성 중이염(Acute otitis media)

귀 심부의 압박감으로 시작하여 30분 이상에 걸쳐 점차 심해지는 이통이 나타나고 발열이 있을 수 있으며, 청력감소와 약간의 현기증을 동반하기도 한다. 고막이 팽창되면 귀에서 터지는 듯한 소리가 나면서 피 섞인 농이 분비되고 이통은 사라진다. 고막은 관찰시기에 따라 발적, 팽창, 천공 등을 보이며, 후에 이루가 나타난다.

2. 추체염(Petrositis)

고막천공이 있는 만성 중이염에서는 보통 이통이 없으나, 미로(labyrinth)보다 내측에 있는 함기세포 중의 추체첨부에 염증이 있는 경우 배농이 충분하지 않아 폐쇄공간이 감염된다. 감염이 퍼져 경막외 농양이 형성되고 동측 외전신경(abducens nerve)이 마비되면 측면주시 때 복시(diplopia)가 나타나고 귀 깊숙한 곳에 이통을 호소하는 Gradenigo 증후군을 일으킨다.

3. 연관이통(Referred otalgia)

이통은 귀 질환으로 인한 것도 있지만 귀 이외 부위의 병변으로 인한 연관통도 있다. 이 경우 귀는 정상이나 환자가 이통을 호소한다. 귀의 감각신경 지배에 대한 지식을 가지고 연관이통을 이해하여야 이통만을 호소하는 환자에서 하인두암 등 다른 부위의 병변을 발견할 수 있다.

귀는 V, VII, IX, X 등 네 개의 뇌신경과 C2, C3 등 두 개의 척추신경으로부터 풍부한 감각신경지배를 받는다. 이개는 V, VII, X 그리고 C2, C3, 외이도는 V, VII, X, 고막은 VII, IX, X, 중이는 V, VII, IX 뇌신경의 지배를 받는다.

삼차신경(trigeminal nerve)의 분포부위에 따라 비강, 부비강, 비인강의 수술이나 염증, 종양 등이 있을 때 이통이 있을 수 있다. 연관 이통의 가장 흔한 원인은 치아문제[12]로 소아에서는 이가 날 때, 성인은 사랑니(3rd molar)가 이통의 원인이 될 수 있다. 측두하악관절 기능 이상인(Costen) 증후군에서는 부정교합이 저작근육의 경련을 일으켜 이통이 생길 수 있다. 안면신경(VII)은 슬상신경통(geniculate neuralgia, Bell) 마비, 이성대상포진시 이통을 유발하고, 설인신경(IX)은 인두병변인 구개편도염, 편도선 수술 후, 편도주위농양, 편도종양, 설편도염, 생선가시등의 인두이물, 인두의 궤양성 질환 시 이통을 유발한다. 미주신경(X)은 후두와 식도의 염증, 이물질, 궤양, 종양이 있을 때 이통을 유발할 수 있다(그림 14-1). 그러므로 이통 환자에게는 세심한 병력청취와 귀뿐만 아니라 두경부의 다양한 부위에 대한 신체검사를 해야한다.

V 이충만감(Ear fullness)

이충만감은 귀에 무엇이 차 있거나 막힌 듯한 느낌으로, 청력이 감소하거나 자신의 목소리가 크게 들린다. 다른 증상없이 단독으로 나타날 수도 있지만 질병에 따라서

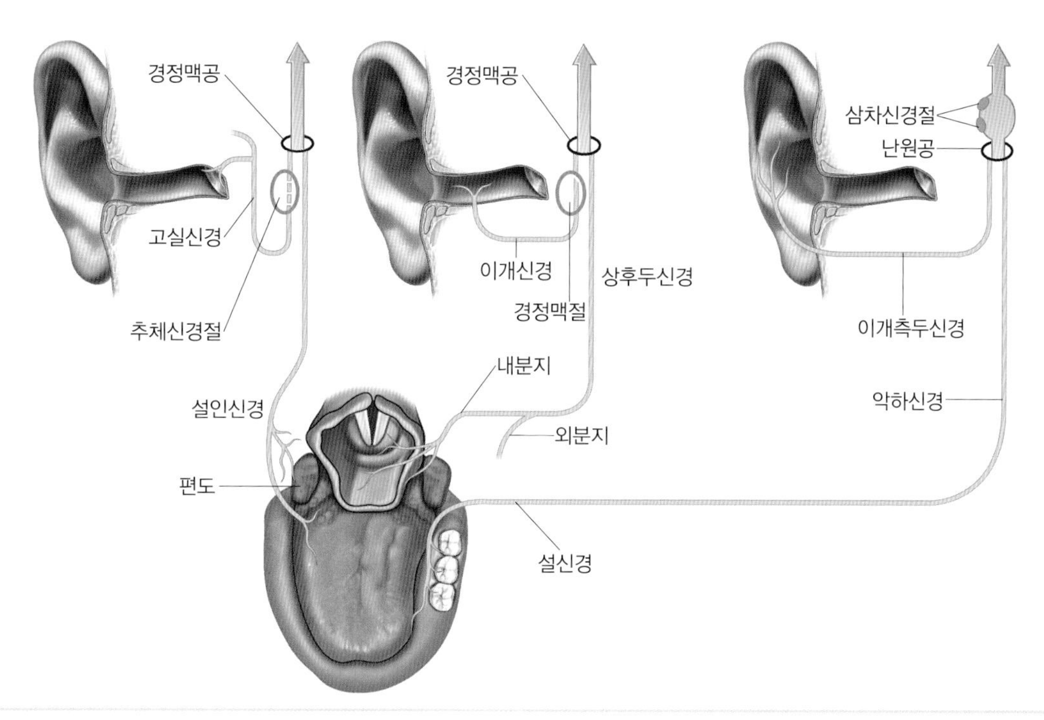

■ 그림 14-1. 연관이통과 관녈된 신경의 분포

는 난청, 이명, 어지럼증, 이통, 이루 등과 동반되기도 한다. 외이도에 이구나 물 등 이물질이 차거나 중이 저류액이 있을 때 이충만감이 있다. 이관이 계속 개방되어 있거나 막혀 있을 때도 이충만감이 나타난다. 이관이 계속 막히면 중이강이 음압이 되고 중이저류액이 생기며 이충만감이 발생한다. 자신의 숨소리도 크게 들리는 개방성 이관(patulous eustachian tube) 환자에게는 체중의 급격한 감소, 임신이나 피임약 사용의 유무, 부신피질호르몬이나 다른 호르몬 사용 여부를 물어야 한다. 현미경이나 이내시경 시야에서 동측의 빠른 비강 호흡이 고막의 움직임을 초래함이 관찰되거나, 환자를 눕히거나 몸을 앞으로 숙여 무릎 사이에 위치하게 하여 이관 입구부 주위를 충혈 시켰을 때 증상이 호전되면 진단할 수 있다. 반고리관 결손 증후군, 외림프누공, 뇌척수액 이루, 메니에르병(Ménière's disease), 급성 저음역 감각신경성 난청, 돌발성 난청, 음향외상, 기압외상도 이충만감을 일으킨다. 그 외 악관절 장애나 심리적 요인도 유발할 수 있다.

Ⅵ 현훈(Vertigo)

현훈의 사전적 정의는 본인이나 주위가 도는 느낌을 의미하나, 1995년 미국 이비인후과학회(AAO-HNS)는 지구 중력하에서 움직임이 없는데 움직임을 느끼는 것이라 정의하여 그 의미가 확대되었다. 자신이 도는 느낌이나 주위가 도는 느낌은 진단적으로는 의미 있는 차이점은 아니며, 도는 느낌이 내이의 전정기능장애를 의미한다.

어지럽다는 표현은 모호한 경우가 많아 신체균형을 유지할 수 없는(dysequilibrium), 비틀거리고 흔들리는(unsteadiness), 머리가 어지러운(light headedness), 눈이 어질어질한(gidness), 주위 또는 본인이 도는 느낌이 있으며 어지러운(vertigo)등이 있으며, 다리에 힘이 없어도 어지럽다고 표현하는 경우도 있으므로 환자와의 의사소통에 유의해야 한다. 전정기능이상 이외에 심혈관계 질환, 신경근육계 질환으로도 어지럼을 호소하므로 자세한 병력 및 문진이 필요하다.

현훈은 내이미로나 후미로의 병변 시에 발생할 수 있으며 중추신경계 질환이나 전신 질환에서도 나타날 수 있다. 내이 이상으로 발생하는 현훈과 중추신경계의 병변으로 인한 현훈은 병력청취 및 환자의 증상으로 구분한다. 주위 혹은 자신이 도는 느낌은 급성 전정기능장애를 시사한다. 중추성 현훈에서는 몸이 뜨는 것 같은 다소 불명확한 증상이 많으며 의식의 변화나 두통 및 신경학적 증상을 동반하는 경우가 많다.

수 주간 지속되는 현훈은 전정기능의 장애로 생각하기 어렵다. 대개 급성 전정기능 장애는 처음에는 심한 현훈으로 시작하지만 중추신경계의 보상으로 증상이 점차 소실된다. 지속시간에 따라 현훈을 구분해 보면, 1분 이내로 지속되는 현훈은 양성발작성두위현훈(benign paroxysmal positional vertigo; BPPV)으로 의심되고, 수분간 지속되는 현훈은 메니에르병(Ménière's disease)을 시사하며, 20분 이상에서 수시간까지 지속되나, 24시간을 넘지는 않는다. 난청 없이 수일간 지속되다 점차 회복되는 현훈은 전정신경염의 특징적인 증상이다.[19]

내이감염으로 인한 현훈은 바이러스 때문으로, Mumps 바이러스, 인플루엔자 바이러스, 아데노 바이러스 등이 청각 및 전정기능의 급성 장애를 유발할 수 있다. 현훈과 안진이 3~5일간 지속된 후 보상기전으로 회복되나, 와우와 전정기능의 장애는 남을 수 있다.

세균에 의한 내이염으로는 급·만성 중이염에서 속발하는 장액성 내이염이 있으며, 진주종에서 골미란으로 형성된 미로누공이 있는 경우에도 화농성 내이염으로 진행할 수 있다. 세균성 뇌막염이 있는 경우에도 세균의 내이 침범으로 내이염이 발생할 수 있다. 측두골 외상의 경우 심한 현훈과 난청이 횡골절에서 많이 발생하나 골절 없이 내이진탕(labyrinthine concussion) 만으로도 현훈이 나타날 수 있다.

외림프누공일때는 돌발성으로 심한 감각신경성 난청과 현훈 및 이명을 호소하며, 이는 시간에 따라 변동하기도 한다. 초기의 보고에서는 난청이 주 증상이었으나 최근에는 현훈이 가장 흔한 증상으로 보고되고 있다.

후미로성 병변으로는 청신경종양이나 수막종(meningioma) 등의 소뇌교각부 종양이 있을 때 평형장애(dysequlibrium)를 나타낼수 있으며, 대개 종양이 서서히 자라므로 중추신경계의 보상으로 증세는 완화된다.

1. 정상 청력은 유지하는 현훈

1) 전정신경염(Vestibular neuritis)

돌발적으로 시작하는 현훈이 서서히 회복되나, 수개월에 걸쳐 현훈(vertigo)이 계속된다. irritatige stage에서는 자발안진이 병변측으로 있으나 paralytic stage가 되면 병변의 반대쪽으로 향한다. Central compensation stage가 되면 자발안진은 사라진다. Dynamic defect는 남아 있어 두진이나 진동기를 이용하면 다시 안진을 관찰할 수 있다.[13] 온도안진검사상 반고리관마비(canal paresis)가 영구적으로 남는다. 일반적으로 급성 전정신경염의 증상 분류법으로 Coats가 정리한 기준[7]을 따르나 이외의 임상양상을 보이는 경우가 많다.

2) 양성발작성두위현훈(Benign paroxysmal positional vertigo; BPPV)

난형낭반(macula uticuli)에서 떨어져 나온 이석(otoconia)이 반고리관의 내림프 내에 떠다니는 것으로 병변측 귀를 밑으로 하는 자세를 취할 때 내림프액보다 비중이 높은 이석이 움직여, 운동감지기인 팽대부릉(crista ampullaris) 이 자극을 받아 환자는 특정 자세에서 안구진탕 및 현훈을 느끼게 된다. 그러나 일측성 난청이나 일측성 전정기능장애가 있는 경우에도 환측 귀를 밑으로 하면 어지럼이 있을 수 있다. 처음에는 후반고리관의 팽대부릉정결석(cupulolithiasis)으로 보고되었으나 후에 반고리관결석(canalolithiasis), 수평반고리관의 병변도 보고되고 2개 이상의 반고리관 병변이 있는 등 다양한 양상으로 나타날 수 있다.[2]

가장 흔한 후반고리관의 경우 특징적으로 앉은 자세에서 병변 쪽으로 두부 현수위를 취할 때(Dix-Hallpike position) 바닥으로 향하는 회전성 안진(geotrophic rotatory nystagmus)이 있게 되며, 다시 앉은 자세를 취하면 안진의 방향이 반대로 바뀐다. 검사 시 나타나는 현훈은 2~5초간의 잠복기 후 30~45초간 지속되며, 피로현상이 있다.[8]

노인이나 두경부 외상, 귀수술 병력이 있는 사람에게 잘 나타난다.

3) 경부현훈(Cervical vertigo)

편타손상(whiplash injury)과 같이 경부외상이나 경부 통증이 있는 환자에서 목을 움직일 때 순간적으로 현훈이 나타나거나 경부통과 함께 비특이적 어지럼증을 호소하는 경우가 있다. 여러가지 원인으로 경부에서 뇌간으로 전달되는 체성감각 신호전달 과정에 문제가 생기거나 경부회전시 추골동맥이 압박되어 나타나는 것으로 생각되나 그 병태생리가 뚜렷이 밝혀지지는 않았다.

4) 편두통성 현훈(Migranous vertigo)

전형적인 편두통 환자의 40% 정도에서 현훈이 동반된다. 진단범위가 확장되어 두통 없이 오는 현훈도 편두통 치료로 증세가 소실되는 경우 편두통성 현훈의 변형(migraine equivalen)[15] 으로 볼 수 있다.

2. 청력감소를 동반하는 현훈

변동하는 감각신경성 난청과 이명을 동반하는 메니에르병(Ménière's disease), 청신경 종양, 이경화증, 외림프누공, 진주종성 중이염 등이 있다.

3. 혈행장애에서 나타나는 현훈

척추뇌저동맥 허혈(vertebro-basilar artery insufficiency; VBI), Wallenberg 증후군, 쇄골하동맥도류증후군(subclavian steal syndrome)과 같이 뇌간과 소뇌의 허혈을 초래하는 혈행장애가 있는 경우 허혈 범위에 따라 청력의 변동 없이 3D 증상인 복시(diplopia), 연하곤란(dysphagia), 구음장애(dysarthria)와 동반되어 현훈이 나타나기도 한다.

4. 중이염이나 중이수술 후 나타나는 현훈

1) 장액성 내이염(Serous labyrinthitis)

경도의 현훈과 난청을 동반하나, 일과성으로 회복되기도 하고 일부 난청이 남는다.

2) 화농성 내이염(Suppurative labyrinthitis)

진주종에 의한 골파괴, 동골절제술, 뇌막염으로 인하여 발생할 수 있으며, 심한 현훈과 난청이 나타난다. 내이는 완전히 파괴되어 기능을 잃는다.

Ⅶ 이명(Tinnitus)과 청각과민증(Hyperacusis)

이명은 외부의 소리자극 없이 소리를 느끼는 것으로, 일생생활 중 흔히 발생하는 이명은 소음에 의한 내이손상, 교통사고 등으로 두부외상 시 내이손상, 아스피린 등 약물투여, 기타 다양한 원인의 난청 등과 관련된다. 대부분 단기간만 지속되다 사라지나 그렇지 않은 경우 치료의 대상이 된다. 이명은 환자에게만 들리는 경우가 대부분이고, 드물지만 관찰자가 들을 수 있는 경우도 있다. 이명은 단순한 소리로 웅웅거리는 소리, 벌레 우는 소리, 높은 마찰음 등 다양하다. 들리는 소리가 사람의 말소리거나 의미있는 소리라면 이명이 아니라 환청이며, 이는 정신 질환 때문이다. 편측성 이명과 함께 난청이 있는 경우 소뇌교각 종양 여부를 확인하는 검사가 필요하다(제28장 이명 참고).

청각과민증은 일상적인 소리자극에 대하여 청각계의 내성저하로 인해 소음뿐만 아니라 정상 크기의 소리를 너무 크게 또는 고통스럽게 인지하는 청각 증상이다. 보통 사람들이 별로 불편해 하지 않는 소리, 예를 들어 설거지 중 그릇 부딪치는 소리 같은 일상적이 소리에도 견디지 못하는 증상을 말한다. 유병율은 2~15.2%[9]에 이르며. 대부분의 청각과민 환자는 이명이 있으며, 이명환자의 30~40%는 청각과민증이 동반된다.[10] 청각과민증은 소리의 종류보다는 크기와 관련이 많다. 원인은 말초성으로 안면마비나 등골 수술 등으로 인한 등골근 기능장애, 메니에르 병, 상반고리관 피열 증후군, 외림프누공, 소음성 난청 등이 있다. 중추성으로는 편두통, 우울증, 두부외상 등이 있으나, 원인 불명인 경우가 가장 많다. 원인에 대한 우선적 확인이 필요하며 과민 반응을 줄여주기 위한 치료가 필요하다.

참고문헌

1. 김형종, 김종선, 노관택 등. 결핵성 중이염. 한이인지 1984;2:525-532.
2. 조성우, 정운교, 박준호 등. 수평반고리관 Cupulolithiasis에서 새로운 이석정복술의 치료효과. 한이인지 2000;43:1047-1057.
3. Anonymous. Joint Committee on Infant Hearing 1994 Position Statement. Int J Pediatr Otorhinolaryngol 1995;32(3):265-274.
4. Anonymous. Diagnosis and treatment of acute otitis externa. An interdisciplinary update. Ann Otol Rhinol Laryngol Suppl. 1999;176:1-23.
5. Bauer CA. Jenkins HA. Otologic symptoms and syndromes. In: Cummings CW, Flint BW, Harker LA, et al, editors. Otolaryngology-Head and Neck Surgery, 6th ed. St. Louis: Mosby Year Book;2015. p.2401-2880.
6. Chandler JR, Grobman L, Quencer R, et al. Osteomyelitis of the base of the skull. Laryngoscope 1986;96(3):245-251.
7. Coats AC. Vestibular neuronitis. Trans Am Acad Ophthalmol Otolaryngol 1969 ;73(3):395-408.
8. Epley JM. The canalith repositioning procedure: for treatment of benign paroxysmal positional vertigo. Otolaryngol Head Neck Surg 1992;107(3):399-404.
9. Fabijanska A, Rogowski M, Bartnik G, et al. Epidemiology of tinnitus and hyperacusis in Poland. In:Hazell J, Editor. Proceedings of the Sixth International Tinnitus Seminar; 1999 September 5-9;Cambride, UK. London:The Tinnitus and Hyperacusis Centre;2002. p.569-571.
10. Hiller W, Goebel G. Factors influencing tinnitus loudness and annoyance. Arch Otolaryngol Head Neck Surg. 2006;132(12):1323-1330.
11. Hoffman RA. CSF leak of temporal bone origin. In:Jackler RK, Brackmann DE, editors. Neurotology. St. Louis: Mosby Year Book;1994. p.919-928.
12. Kreisberg MK, Turner J. Dental causes of referred otalgia. Ear Nose Throat J 1987;66:398-408.
13. Matsuzaki M, Kamei T. Stage-assessment of the progress of continuous vertigo of peripheral origin by means of spontaneous and head-shaking nystagmus findings. Acta Otolaryngol Suppl. 1995;519:188-190.
14. Mauk GW, Behrens TR. Historical, political, and technological context associated with early identification of hearing loss. Semin Hearing 1993;14(01):1-17.
15. Neuhauser H, Lempert T. Vertigo and dizziness related to migraine: a diagnostic challenge. Cephalalgia 2004;24(2):83-91.
16. Paparella MM. Middle ear effusions:definitions and terminology. Ann Otol Rhinol Laryngol 1976;85(2 Suppl 25 Pt 2):8-11.
17. Parving A. Congenital hearing disability--epidemiology and identification: a comparison between two health authority districts. Int J Pediatr Otorhinolaryngol 1993;27(1):29-46.
18. Van de Heyning PH, Wuyts FL, Claes J, et al. Definition, classification and reporting of Meni è re's disease and its symptoms. Acta Otolaryngol Suppl. 1997;526:5-9.
19. Watkin PM, Baldwin M, McEnery G. Neonatal at risk screening and the identification of deafness. Arch Dis Child 1991;66(10 Spec No):1130-1135.
20. Wengraf C. Otalgia. In: Cummings CW, Fredrickson JM, Harker LA, Krause CJ, Shuller DE, editors. Otolaryngology-head & neck surgery. 4th ed. St. Louis: Mosby;2005. p.3100-3101.

CHAPTER

15

외이 질환

최영석

I 이개의 질환

1. 외상

이개는 얇고 섬세한 피부조직과 연골로 구성되기 때문에 수상 후 최상의 재건을 위해서는 폭넓고 다양한 기술과 접근이 요구된다. 특히 외상에 의해 응급실을 방문하는 환자에 있어 적절한 초기 처치는 이개의 골격 및 피부색 유지에 중요한 요인이다. 외이 손상 환자의 처치에 있어 중요한 원칙으로 적극적인 생체 조직의 보전과 감염에 의한 조직 괴사를 최소화하기 위한 적절한 변연절제술(debridement)을 시행하는 것이다. 미세기구, 미세 조작, 무균 조작, 밝은 조명, 철저한 지혈 등이 필요하며 복잡한 외상의 경우나 소아환자의 경우 전신마취가 필요하나 대부분은 국소마취로 처치가 가능하다. 처치 전 상처부위의 머리카락을 제거하고 환부를 소독한다. 외이도를 관찰하여 이상 유무를 조사하고 소독된 면구(cotton ball)로 팩킹을 한다. 이개와 외이도의 혈관분포는 풍부하여 약간의 연결된 피부만 있어도 봉합 후에는 완전히 회복될 수 있다. 이개는 모든 종류의 외상에 쉽게 노출되며, 이개 외상은 기계적 외상(mechanical injury)인 반상출혈(ecchymosis), 혈종(hematoma), 열상(laceration), 골절(fracture), 견열손상(avulsion injuries)등과 열성 외상(thermal injury)으로 구분된다.

2. 이개의 감염과 염증

1) 봉와직염(Cellulitis)

찰과상, 자상이나 귀걸이를 위한 구멍을 뚫은 다음 생긴 외상에 세균이 감염되어 생긴다. 이개에 발적, 부종이 있으면서 통증이 있고 움직이면 통증이 더해진다. 원인균은 *Staphylococcus*, *Streptococcus* 같은 그람양성구균이 흔하며 *Pseudomonas* 감염도 있다. 한편, 외상 없이 생긴 봉와직염은 외이도염의 후유증이나 국소 알레르기 반응이거나 재발성 다발성 연골염(relapsing polychondritis)일 가능성도 있다. 치료는 항생제의 주사나 복용과 국소치료를 병행한다. 특히 group A (*β*)-*hemolytic Streptococcus* 감염으로 인한 봉와직염을 단독(erysipelas)이라고 하며 외이를 포함 안면부에 압통 및 병변부위가 발적되어 있고 단단하게 부풀어져 있으며 정상피부와 뚜렷하게 구분된다. 국소적인 이개의 발적, 동통, 부종과 함께 고열, 오한의 전신증세도 함께 보인다. 치료는 페니실린 G의 주사 또는 복용과 국소치료를 병행한다.

2) 접촉성 알레르기성 피부염(Contact allergic dermatitis)

항원에 노출된 특정한 국소부위의 발적, 부종, 가려움증을 보인다. 임상적으로 neomycin을 함유한 이용액을 쓰는 환자에서 흔히 관찰되며 외이도와 이개의 이용액이 닿은 부위에 발적, 부종을 나타낸다. 한편 특정 금속에 알레르기가 있는 환자가 같은 금속 성분의 귀걸이를 하는 경우 같은 증상을 보인다. 치료는 원인 물질을 피하거나 제거하고 국소 스테로이드 연고를 쓰면서 항히스타민제를 함께 복용한다.

3) 연골막염과 연골염(Perichondritis and chondritis)

대개 봉와직염, 급성 외이도염, 외상을 적절히 치료하지 못하였거나 귀걸이용 구멍을 여러 군데 만들어 연골막을 손상한 경우 세균감염으로 발생한다. 감염부위에는 동통, 발적, 부종과 함께 장액 및 화농성 삼출액이 흐른다(그림 15-1). 연골염 또는 연골막염 주위의 연부조직도 넓게 감염이 파급되며 원인균은 대개 녹농균(*Pseudomonas*)이다.

초기 단계에는 퀴놀론(quinolone)계 항생제 등을 복용하며 국소적인 항생제 용액의 도포 및 괴사조직 제거로 치료한다. 병이 진행되면 주위의 림프절이 커지고 주변의 연부조직으로 감염이 파급되며 이 경우 입원 치료가 필요하다. Ceftazidime 또는 fluoroquinolone 같은 항생제를 정맥주사하고 국소적인 치료를 광범위하게 한다. 병소의 국소절제를 하기 전에 병변을 부분절개하고 카테터를 설치한 다음 항생제 용액으로 국소 세척하는 것을 시도할 수 있다.

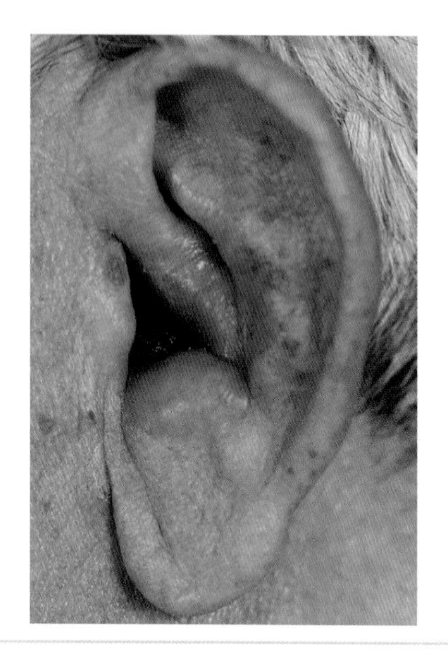

■ 그림 15-1. **연골막염.** 이개의 외상으로 주로 발생하며 부종, 발적, 이루 및 통증이 있다.

4) 재발성 다발성연골염(Relapsing polychondritis)

신체의 여러 부위 연골조직과 결합조직에 발생하는 염증을 특징으로 하는 드문 질환으로 발병 원인은 아직까지 분명하지 않지만 typeII collagen에 대한 항체가 발견되는 면역기능의 장애가 관여한다고 알려져 있다.[43] 이개, 관절, 코, 눈, 호흡기관, 심장 판막, 피부 순으로 침범한다. 이개연골염이 생긴 경우는 동통, 압통 및 홍반성 종창이 생기며, 이수에는 병변이 없는 것이 특징이고, 염증이 지속되거나 반복되면 연골조직이 연화되어 섬유화로 변형된다(그림 15-2). 반복적으로 발병하므로 이개가 변형되며 양측 이개에 동시에 발병하거나 따로 교대로 발병하기도 한다. 코와 후두의 발병은 안장코 변형(saddle nose deformity), 애성(hoarseness), 성문하 협착(subglottic stenosis) 등을 초래한다. 최근 연구들에 따르면 PET/CT가 재발성 다발성 연골염 진단에 도움이 된다고 하여 감염 등 다른 진단과 감별을 필요한 경우 사용하기도 한다.[5]

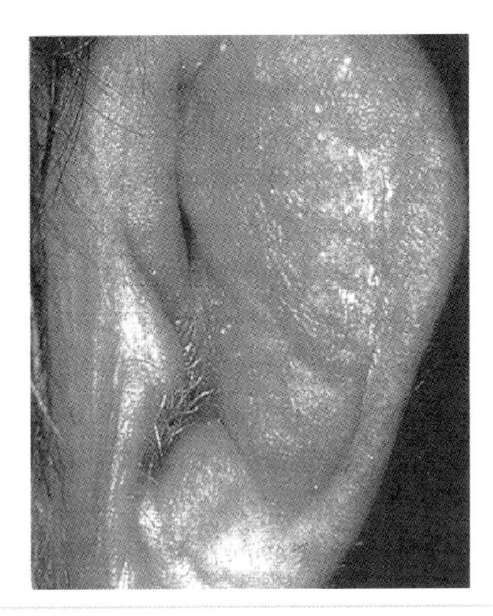

■ 그림 15-2. **재발성 다발성연골염.** 자가면역 질환으로 의심되며 양측성으로 반복적인 연골염을 보인다.

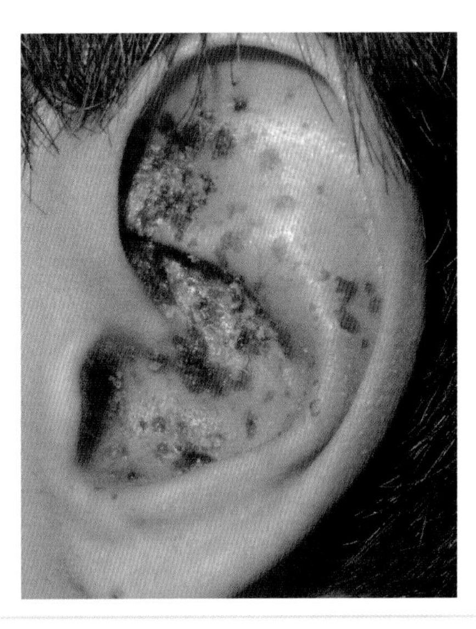

■ 그림 15-3. **이성대상포진.** 이개 및 외이도에 발적 및 수포, 가피형성 등이 나타난다.

치료는 부신피질호르몬이 일차적으로 사용되는데 prednisone을 급성기에는 하루 30~60 mg을 사용하며, 억제 용량으로 하루 5~10 mg을 사용한다. 면역억제제로 cyclophosphamide, azathioprine, 6-mercaptopurine, penicillamine, cycloporin도 사용할 수 있고, dapsone으로도 상당한 효과를 볼 수 있다.

5) 이성대상포진(Herpes Zoster Oticus, Ramsay-Hunt syndrome)

1904년 Koerner가 이개의 수포, 안면신경마비, 내이장애 등으로 구성된 증후군을 Herpes oticus라 명명하였고, 1907년 Hunt의 연구에 의해 대상포진 바이러스(varicella zoster virus; VZV)가 슬상신경절을 침범하여 증상이 나타나는 것으로 알려졌다.[1] 발생빈도는 남자보다 여자에게 많이 발생하고 50대 이후에 증가하며, 어린 소아에서는 그 빈도가 매우 낮은 질환으로서 안면마비를 주소로 내원하는 환자 중의 6~12%가 이 질환으로 알려져 있다.[20]

이성대상포진은 대개 편측의 이통으로 시작되어 고막, 외이도 또는 외이에 국한된 발진과 함께 동측 안면신경의 말초부위에 마비를 일으킨다. 그러나 때때로 안면신경뿐만 아니라 제5, 8, 9, 10 뇌신경과 상경부의 척수신경까지도 감염될 수 있어 안면부 통증 및 후두통, 감각신경성난청, 청각과민 등의 증상이 동반될 수 있으며 목젖, 구개, 혀의 전반부, 귓바퀴, 귀 뒷부분으로 가는 동측의 감각신경를 따라 통증을 동반하는 수포가 생길 수 있다(그림 15-3). Ramsay-Hunt는 임상증상에 따라 ① 외이도, 이개에 대상포진이 있으나 마비증상이 없는 것, ② 안면신경마비와 대상포진이 있는 것, ③ 안면신경마비와 와우증상을 동반하면서 대상포진이 있는 것, ④ 안면신경마비와 와우증상, 전정증상을 동반하면서 대상포진이 있는 것으로 분류하였다.

치료로 acyclovir와 같은 항바이러스제제와 경구 스테로이드의 병합요법이 널리 사용되고 있다.[14] 항바이러스제제인 acyclovir는 바이러스 DNA의 복제를 억제함으로써 대상포진 바이러스의 증식억제 작용을 지니고 있으며 숙주세포에는 독성이 없고, 안전하게 전신 투여할 수 있다. 그러나 가끔 부작용으로 신기능 장애를 들 수 있으며, 주기적으로 혈중 urea nitrogen, creatinine을 측정해야 한다. 스테로이드 치료는 급성 통증, 포진 후 동통, 현훈을 감소시키고 포진의 빠른 치유를 나타내는 것으로 알려져 있고 안면신경의 마비치료에도 도움이 된다.

3. 선천성 이개전부 누공(Congenital preauricular sinus (fistula))

이개를 형성하는 제1, 2 새궁의 구릉(hillock)이 정상적으로 융합되지 못하여 생기는 선천성 기형으로 편측 혹은 양측으로 생기며 이륜의 전각(anterior crus) 피부에 작은 구멍으로 보인다. 이 구멍에서부터 갈라진 도관이 이륜과 이주 사이에서 시작하여 이주의 앞쪽으로 진행한다. 도관은 편평상피세포로 덮여 있고, 악취가 나는 소량의 두부 비지같은 지방성 분비물이 있기도 하고 때로는 낭종을 형성하기도 한다. 환자들은 대개 이런 낭종의 염증 때문에 병원을 찾게 된다.

치료는 누공의 경로를 모두 제거하는 것이다. 불완전하게 제거되면 분비물이 있는 공을 형성하여 제거를 위해 더 어려운 수술을 해야 할 수도 있다. 도관이 여러 갈래일 수도 있어 수술 전 methylene blue와 같은 색소를 누공에 주사해 도관을 염색하면 수술에 도움이 된다.

II 외이도 질환

외이도는 자정능력이 있다. 고막이나 외이도 피부에서 떨어지는 조직파편(debris)을 밖으로 배출시키는 기능이 있으며 이 조직파편이 연골부 외이도에 도달하면 여기에 있는 모발에 의하여 피부에서 분리시키는 작용을 하는 자가청소기능이 있고, 외이도에 있는 이구(cerumen)의 pH는 세균번식을 억제하는 산성(pH 6.0~6.5)이며 살균작용이 있는 라이소자임을 함유하고 있고, 외이도의 상피는 수분에 저항하는 기능으로 피부를 보호하고, 풍부한 혈관과 림프관이 있어 항상 외이도를 세균으로부터 보호하고 있다. 외이도의 상재균총(normal flora)은 포도상구균(*Staphylococcus epidermidis*), 황색포도상구균(*Staphylococcus aureus*), 구균(*Micrococcus corynebacterium*), 고초균(*Bacillus subtillis*) 등이며 그 외 진균포자(fungal spores)가 발견된다. 외이도는 전신피부의 어느 곳보다 세균감염의 경향이 높다. 외이도에 습도와 온도가 증가하면 외이도의 pH가 중성 혹은 알칼리성으로 전환되어 세균번식을 용이하게 하고 피부의 케라틴(keratin)이 수분을 흡수하면 역시 좋은 세균배지의 역할을 하게 된다.

외이 질환의 치료 원칙은 우선 통증을 조절하고, 선행원인을 치료하며, 외이도를 청결히 하는 것이다. 이후 외이도의 산성도를 유지하고 적절한 약제를 사용한다. 각 질환의 성질에 맞는 연고, 용액, 분말(powder) 등과 적절한 용매(vehicle base)를 선택하여야 약물이 효과적으로 전달될 수 있다. 반드시 산성(acid pH)이용제를 사용하여 외이도 피부의 자연적 산도를 유지하도록 하며, 치료제는 충분한 용량으로 병변 부위에 적절히 도달할 수 있게 사용한다. 특히 스테로이드 제제는 항염증 작용으로 치유과정의 진행을 촉진하지만 그 부작용을 염두에 두고 적절히 사용해야 한다. 외이용제의 선택에서 고려해야 할 또 하나의 중요한 사항은, 고막에 천공이 있거나 고막의 상태가 불확실할 경우에는 이독성(ototoxicity)이 없는 약제를 선택해야 한다. 비약물성 치료로는 외이도 조직손상의 치유를 촉진하고 통증완화와 외이도 건조를 목적으로 적외선 온열치료 등을 사용하기도 한다.[40]

1. 급성 국소형 외이도염(Acute localizing otitis externa, acute circumscribed otitis externa)

세균 감염으로 인한 모낭염(folliculitis)에서 시작하여 작은 화농봉소(abscess), 즉 이절(furuncle)로 진행한다. 여러 개의 모낭이 감염된 경우를 옹종 또는 큰종기(carbuncle)라 한다. 원인균은 대개 황색포도상구균(*Staphylococcus aureus*)로, 모낭이 많은 외이도 외방의 연골부 외이도에 국한되어 발생한다. 초기에는 소양감과 압박감이 있고, 국소 소견은 외이도의 국한된 부위에 경도의 종창과 발적이 있다. 수일이 지나면 통증이 심해지고 이개를 움직이면 통증이 더 심해지며, 부종, 청력감소도 나타난다. 화농봉소가 터지면 이루도 출현한다. 이절이 악화되면 종창이 심해지고 외이도 후상방의 산토리니열구(Santorini fissure)를 통하여 염증이 이개 뒷부분으로 파급하여 외이도주위농양을 형성하여 종창으로 인한 이개의 후상방 전위가 생긴다. 이 경우 급성유양돌기염과 감별하여야 한다.

다른 부위에 생긴 화농봉소와 같은 방법으로 치료한다. 초기에는 항생제의 복용 또는 주사만으로 충분하다. 진행된 후에는 저절로 터지기도 하지만 빠른 치유를 위하여 절개 배농하고 항생제를 투여한다. 배농 후에는 외이도를 청결히 하고 초산액으로 외이도를 산성화하고 항생제연고와 스테로이드를 묻힌 면구로 압박치료를 한다.[6] 압박하지 않으면 육아조직이 증식하여 치유 후에 외이도가 좁아지는 수가 있다. 화농이 늦어 장기간 지속하면 국소에 온습포를 하여 화농을 촉진한 후 절개배농하고 항생제 치료를 한다.

2. 범발성 외이도염(Diffuse otitis externa: DOE, swimmer's ear)

정상적인 외이도 피부는 지방층(lipid film)이 있어서 세균이 외이도 피부를 통과하는 것을 막는다. 습도가 높아지거나 외이도가 막히거나 외상, 오염이 되거나 지나치게 외이도를 후비는 경우 지방층이 파괴되어 급성 외이도염을 유발하게 된다.

범발성 외이도염의 선행요인으로는 잦은 수영, 아열대성 습한 기후, 좁고 털이 많은 외이도, 외골종증(exostosis)을 가진 외이도, 외이도 외상 또는 이물, 이구의 이상(impacted or absent cerumen), 보청기 또는 이어폰의 이용, 습진(eczema), 지루성피부염(seborrhea), 건선(psoriasis) 등의 피부 질환, 당뇨병, 면역저하 상태 또는 땀이 많은 체질 등이다. 급성 외이도염의 원인균은 *Pseudomonas aeruginosa, Proteus mirabilis, Staphylococcus aureus* 등이며 반복적인 감염인 경우 외에는 균배양검사는 실시하지 않는다.

증상은 동통, 소양증, 이충만감, 청력감소 등이다. 이학적 검사상 압통, 외이도 협착, 피부의 발적과 부종 등의 소견이 있다. 이루는 맑거나 화농성으로 감염의 정도에 다르다. 급성 외이도염의 전형적인 증후로 이개를 우상방으로 움직이면 통증이 유발된다. 일부 환자의 경우 유양돌기염과 혼동될 수 있으나 급성 외이도염의 경우 증상이 이개에 국한된 점, 유양돌기염에서는 후이개 주름(postauricular fold)이 소실된다는 것이 감별점이다.

범발성 외이도염은 염증전기(preinflammatory stage), 급성 염증기(acute inflammatory stage), 그리고 만성 염증기(chronic inflammatory stage)의 세 단계로 구별된다.[17] 급성 염증기는 증상에 따라 경도(mild), 중등도(moderate), 고도(severe)로 다시 분류된다.

① 염증전기의 급성 외이도염은 외이도 피부표피층을 덮고 있는 정상 지방층의 소실과 함께 시작되어 외이도 피부표피층의 부종을 유발하여 피부소양증, 이충만감 증상을 나타낸다. ② 경도의 급성 외이도염의 단계에서는 피부소양증이 점차 심해지고 통증이 시작되며 외이도 피부의 홍조(erythema)와 부종이 관찰된다. ③ 중등도로 진행하면 소양증보다 통증이 더 심해지며, 외이도강에 부종이 생겨 두꺼워진 피부와 피부괴사물로 인해 좁아지며 삼출성 이루가 시작된다. ④ 급성 외이도염의 고도진행 단계에서는 발적, 부종, 화농성 이루 등에 의해 외이도강이 거의 완전히 폐색된다. 이 단계에서 환자는 심한 통증을 호소하며 특히 음식을 씹을 때나 이개 혹은 이주 연골을 만질 때 극심한 통증을 느낀다. 특히 이 단계에서는 주변의 연부조직으로 염증이 파급되기도 하며 경부 림프절로도 염증이 전달되어 림프절이 커지게 된다. ⑤ 만성 염증기 단계에서는 이개와 외이도의 피부에 부종과 비후가 생겨 외이도를 좁게 하고 외이도의 피부는 표피박탈(desqua-

표 15-1. Ototopical agents

Product Name	Acid	Antiseptic	Antibiotic(s)	Antifungal	Anti-inflammatory
Burrow solution	acetic				
Castellani solution	acetone	ethanol, resordcinol		carbol-fuchin	
Cerumenex			alochol		
Ciprobay otic suspension			cyprofloxacin		hydrocortisone
Colymycin	acetic	alcohol	polymyxin B, neomycin	polysorbate 80	hydrocortisone
Cresylate		M-cresylate			
Tarivid ear solution			ofloxacin		
Tobradex			tobramycin		dexamethasone

mation), 습진(eczema)의 소견을 보이며 건조하고 박탈된 조직파편이 피부를 덮고 있으며 이루는 녹황색으로 피부괴사물이 섞여 악취가 난다.

치료의 원칙은 외이도 청결 유지, 통증의 조절, 증상의 경중에 따른 적절한 약제의 이용, 외이도의 산도 유지지(acidification)와 원인인자의 제거 등이며, 이용액, 연고 등의 국소약제 사용이 경구약제 치료보다 더 효과적이다.[17] 특히 현미경이나 내시경을 이용하여 외이도를 철저히 세정하고 외이도를 건조하게 유지하는 것이 가장 중요하다.

염증전기와 경도의 급성 염증기에는 현미경하에서 철저히 세정하여 치료할 수 있다. 외이도의 산도 유지와 건조 상태를 위하여 gentian violet, castellani 용액 등을 도포한다. 항생제와 스테로이드를 포함한 이점액을 하루 3, 4회 수일간 증상이 완화될 때까지 사용한다. 환자에게는 가능한 한 목욕을 삼가게 하며 면봉이나 귀후비개 등으로 외이도를 자극하지 않게 한다.

중등도의 급성 염증기에는 외이도를 조심스럽게 세정하고 외이도에 산도를 가진 항균, 항생물질을 도포한다. 만일 피부부종으로 외이도강이 심하게 좁아져 있으면 약제를 함유한 면조각을 외이도에 삽입하여 외이도강을 유지한다. 외이도염에 이용하는 점이액은 다양한데 대개 녹농균을 억제하는 항생제와 스테로이드의 복합제제이다(표 15-1). 이 약제들 중에는 산도가 지나쳐서 외이도에 약한 화상을 입히는 것도 있다. 안과용 약제로서 상용화된 Tobradex, ofloxacin 등도 이용제로 이용할 수 있으나 중성이며 점도가 낮아서 외이도 피부에 침투하기에는 부적절한 면이 있다. 함유된 항생제로서 ciprofloxacin, ofloxacin 등의 fluoroquinolone계 항생제가 항균범위가 넓고 비교적 이독성이 낮아서 많이 선택되고 있으며, 특히 neomycin 과민반응을 보이는 환자에게 유용하다.[8,21] 외이에 이용하는 분말형 약제는 부분적으로 높은 농도의 약물을 도포할 때에 유용하다. 통증이 심할 경우 경구용 진통제를 이용할 수 있다. 항생제의 정맥주사는 대개 불필요하며 외이염의 원인인자를 제거하는 것이 중요하다.

고도의 급성 염증기에는 부종과 세포괴사물로 인하여 외이도가 거의 완전 폐색되어 이용액도 외이강에 들어가지 못할 정도가 된다. 이 경우 거즈, 면조각이나 Merocel®등에 이용액을 적셔서 외이강에 부드럽게 밀어 넣어서 외이도를 확보해야 한다. 흔히 2, 3일이 경과하면 외이도가 다시 열리고 외이도를 세정할 수 있게 된다. 감염의 정도가 외이도를 넘어서면 경구용 항생제를 쓰되 녹농균을 억제하는 fluoroquinolone계의 약제를 쓴다. 소아의 경우 ceftazidime 정맥주사를 고려한다.

3. 만성 외이도염(Chronic external otitis)

만성 외이도염(chronic external otitis)은 수개월 또는 수년간 외이도에 경도의 감염과 염증이 반복되는 것으로 피부소양증을 주소로 하며 외이도 피부가 두꺼워진 것이 특징이며 양측에 발생하는 경향이 높다.[22] 외이도 피부의 비후는 염증의 결과로 발생하며 외이도가 점차 좁아진다(postinflammatory stenosis). 박테리아성 혹은 진균성 외이도염이 만성화되어 발생하며 피부병변인 지루성 피부염(seborrheic dermatitis), 건선(psoriasis), 신경피부염(neurodermatitis), 이용액에 대한 감작 때문에도 발생할 수 있다.

치료는 외이도 폐색을 방지하고 외이도의 피부를 정상으로 회복시키는 것으로, 외이도를 자주 검사하고 깨끗하게 해주는 것이 중요하다. 치료 중에는 환자가 외이도를 면봉이나 귀 후비개로 건드리지 않도록 주의 시킨다. 완전히 괴사한 조직을 제거한 다음 피부의 상태에 따라 이용제를 도포할 수 있는데 특히 분비물이 많은 외이도염의 경우 gentian violet와 castellani, 또는 otic powder가 유용하며 가려움증이 특히 심한 경우 항진균제가 함유된 triamcinolone/nystatin cream이 효과적이다. 항생제와 스테로이드가 들어 있는 이용제는 외이도의 부종과 염증을 환화한다. 그러나 항생제 중 neomycin과 이용제 첨가물 중 일부는 외이도 피부에 과민반응을 일으킬 수 있으므로 조심해서 사용한다.

만성 외이도염의 예방법은 외이도 피부를 과도하게 자극하지 않는 것이다. 면봉, 종이, 귀후비개 등을 쓰지 않도록 하며, 추운 곳에서 수영하거나 다이빙을 자주하는 경우 귀마개를 사용하도록 한다.

4. 습진성 외이도염(Eczematous otitis externa)

급성 또는 만성 중이염의 경과 중 이루의 자극에 의하여 외이도 피부에 습진(eczema)이 발생하는 질환으로 아토피피부염(atopic dermatitis)과 접촉성피부염(contact dermatitis)의 형태로 나타난다. 외이도에 장기간 요오드(iodine), 과산화수소(H_2O_2), 장기간의 항생제 물질 등을 사용하거나 알러지 항원의 흡입이나 섭취로 인한 과민반응도 원인이 된다.[10] 경부, 안면, 이개 등 귀 주위에 습진이 있으면 외이도로 침범하거나 동시에 발생할 수 있다. 외이도습진은 소아에 많고 당뇨병, 내분비장애, 신경증 등은 습진을 유발시키는 소인이다.

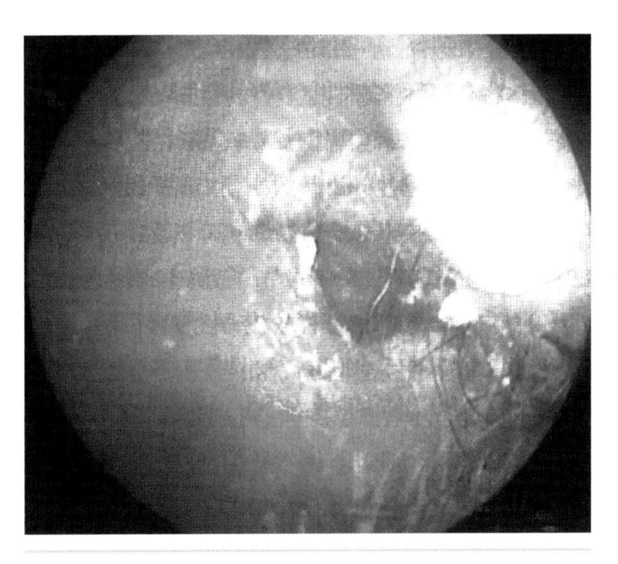

■ **그림 15-4. 습진성 외이도염.** 외이도 입구와 외이도에 적색 종창 및 가피, 낙설, 장액성 이루의 소견을 보인다.

외이도 입구, 이개 부착부, 이개 등의 피부에 적색 종창이 있고 습윤하고 작은 수포와 미란(erosion)이 발생하며 장액성 이루, 가피형성, 표피탈락(desquamation) 등이 보인다(그림 15-4). 소양감, 열감, 동통이 있으며 이개 전후의 림프절의 종창이 보이기도 한다. 가려움 때문에 긁으면 2차 감염이 발생하여 이절, 단독 등이 발병되기도 한다. 유아는 잘 때 무의식적으로 긁으므로 장갑 또는 양말 등으로 손을 감싼다. 4% xylocaine을 국소도포한 후 20% 삼염화초산(trichloric acid)을 도포하면 백색미란이 점점이 보인다.

치료를 위해 원인 인자를 제거한다. 국소치료로 외이도 피부를 자극하지 않도록 주의하며, 피부연화제를 이용하여 부드럽게 닦아내고 스테로이드 연고를 습진의 정도에 맞추어 사용한다. 가피가 있으면 붕산아연화연고(boric zinc oxide ointment)와 스테로이드 연고를 도포하기도 하고 스테로이드, 항생제와 항히스타민제를 섞은 연고를 도포한다. 습진이 심하거나 2차 감염이 있을 때 혹은 장기간 치유되지 않을때는 스테로이드, 항생제, 항히스타민제 등의 약제를 주사하거나 경구 복용시킨다.

5. 악성 외이도염(Malignant (necrotizing) otitis externa)

악성외이도염은 1968년 Chandler가 명명한 질환으로, 외이도가 녹농균(Pseudomonas aeruginosa)에 감염되어 발생하며 사망할 수도 있는 진행성 괴사성 외이도염이다.[9] 주로 고령의 당뇨병 환자에서 잘 발생하고(90% 이상), 그 외 동맥경화증, 악성 종양의 화학요법 후, 스테로이드 장기사용례, 저감마글로불린혈증에 의한 면역 억제 환자에서 발생하는 질환으로, 외이도와 외이도 주변의 연부 조직 그리고 두개저까지 점진적으로 침범한다.

이 질환은 당뇨 환자에게 특징적으로 발생하지만 당뇨 없이 생긴 경우도 보고되었다.[16,37] 중성구 감소증이나 면역 억제 상태, 예를 들면 백혈병이나 골수 억제제로 치료 중인 상태, 후천성면역결핍증(AIDS) 등이 이에 해당한다.

감염은 외이도에서 시작되며, 혼합 감염으로 시작하여 후에는 녹농균의 단독 감염으로 이행된다고 알려져 있다. 녹농균 이외의 다른 원인균주로는 *Staphylococcus aureus, S. epidermidis, Proteus mirabilis, Klebsiella oxytoca* 등이 있다.[4,48]

녹농균에서 발생되는 polypeptide exotoxin A와 여러 종류의 분해효소들이 괴사성 혈관염을 일으켜 국소조직의 파괴를 조장하고 당뇨병으로 인한 말초혈관의 폐쇄로 혈관염이 더욱 심해진다. 외이도에 국한하여 발생한 염증은 봉와직염(cellulitis), 연골염(chondritis), 골염(osteitis)으로 진행하여 결국은 골수염(osteomyelitis)까지 이르게 된다. 이 질환은 Santorini 열(Santorini fissure)이나 고실유돌봉합(tympanomastoid suture)을 통해 연골, 유돌부, 이하선, 악관절 및 두개저까지 침윤하게 된다. 일단 두개저에 침윤하게 되면, 두개저의 치밀골(compact bone)을 점진적으로 육아조직이 대체하게 된다. 경유돌공(stylomastoid foramen)이 침범당하면 안면신경 마비가 생기고, 경정맥공(jugular foramen)이 침범당하면 IX번, X번, XI번 뇌신경 마비가 생긴다. 외이도에서 중이강으로 파급하면 유돌부를 파괴하고 추체첨, 뇌간을 침범하여 뇌막염, 정맥동염을 병발하게 된다. 경정맥(jugular vein)에 혈전증이 생기게 되면 횡정맥동 혈전증(lateral sinus thrombosis)으로 발전하고, 이 경우 심한 두통, 고열, 의식저하 및 사망에 이를 수 있다.

당뇨나 면역억제 상태인 환자에서 외이도염이 생겼을 때에는 악성 외이도염을 반드시 의심해 보아야 한다. 이경검사에서 외이도 바닥의 골-연골 접합 부위 근처에서 육아 조직이 보이는 것이 악성 외이도염의 전형적인 소견이다. 환자들은 대개 심한 이통과 이루를 호소하게 되고, 안면신경 마비나 경정맥공이 침윤된 소견이 보이면 예후가 나쁘다.

외이도에서 나오는 농성 이루를 세균배양 검사를 해보면 대개 녹농균이 검출되므로 항생제 사용 이전에 녹농균에 듣는 모든 항생제에 대한 감수성 검사를 실시한다. ESR은 비특이적이지만 항생제에 대한 반응을 추적검사하는 데 유용한 검사 항목이다.[16] 물론 외이도 악성 종양이나 *Aspergillus*에 의한 두개저 골수염도 악성 외이도염과 임상적으로 유사하므로 이들 질환과 감별하기 위해서 외이도의 육아 조직에 대한 조직 검사를 한다.

영상의학적 검사는 질환의 범위 및 치료 결과 판정에 필요하다. 고해상도 전산화단층촬영(high resolution computerized tomography; HRCT)은 처음 환자를 평가할 때 질환의 범위를 파악하는 데 유용하다[16] 그러나 질환이 호전되는 상태를 판단하기에는 적절치 못하다. 염증이 생긴 측두골이 정상으로 돌아올 때 remineralization이 필요한데 CT는 이러한 소견을 잘 반영하지 못하기 때문이다. MRI는 골 변화를 보는 데는 적절하지 않지만 대신 뇌막의 조영증강 상태나 골성 수질강(osseous medullary cavity)의 변화와 같은 연부 조직의 침범 파악과 추적 관찰에는 우수하다.[15]

Technetium-99 scan (^{99m}Tc scan) 검사는 악성 외이도염의 초기에 골침윤 상태를 파악하는 데 매우 유용하다.[32] 비록 특이성이 다소 떨어지나 CT에서 발견하지 못한 골침윤도 발견할 수 있어 민감성이 높다.[44] 그러나 골수염이 호전된 후에도 ^{99m}Tc scan은 계속 양성으로 남는 경우가 있으므로, 치료 효과를 판정하기에는 적절치 못하다.

Gallium-67 scan (^{67}Ga scan)은 악성 외이도염의 감염 상태를 민감하게 반영한다. 감염이 현재 있으면 연부조직이나 뼈에서의 gallium의 섭취가 증가하고, 염증이 조절되면 gallium의 섭취는 없어진다. 따라서 gallium scan은 악성 외이도염의 치료 경과와 호전 상태를 파악하는 데 가장 좋은 검사이며, 항생제를 사용할 기간을 정하는 데 매우 유용하다.[45,46]

치료 원칙은 ① 악성 외이도염의 치료에는 당뇨의 엄격한 조절이 필수적이므로 입원하여 일차 원인인 당뇨를 조절한다. ② 조기에 외이도의 괴사조직을 국소항생제를 이용하여 적극적으로 치료한다. ③ 병변이 외이도의 범위를 벗어난 경우에는 6주 이상의 장기간 충분한 양의 적절한 항생제를 사용한다. ④ 괴사된 외이도의 주위 조직을 외과적으로 치료하며 경우에 따라 광범위 절제술이 필요하다. 치료 초기에는 제거된 조직파편들에 대해서 세균배양 검사와 항생제 감수성 검사를 시행한다.

치료를 위해 과거에는 병변을 광범위하게 외과적으로 절제했으나 최근에는 집중적인 항생제 치료로 바뀌었으며, 수술적 치료는 약물요법이 실패했을 때 실시한다. 과거에는 gentamicin 같은 aminoglycoside와 semisynthetic penicillin의 병합요법을 사용하였으나 새로운 약제의 개발로 ceftazidime 등 3세대 cephalosprin 계열의 항생제 단독요법을 사용한다. 이는 간편하고 독성도 적으로 동등한 효과가 있는 것으로 알려져 있다. 필요하면 거즈(wick)를 외이도에 넣고 녹농균에 감수성이 있는 이용액을 심지에 스며들게 하는 치료도 시행한다. 경구용 fluoroquinolone계 약물이 나오면서 항생제의 장기간 정맥주사를 대체할 수 있게 되었다.[25,39] 항생제 치료의 기간은 4주 간격으로 시행하는 ^{67}Ga scan의 결과를 보고 결정한다.[43]

악성외이도염의 치료에 반응하는 첫 번째 임상 징후는 통증의 감소이다. 치료에 잘 반응하지 않으면 환자의 통증은 악화된다. 경우에 따라서 안면신경감압술(facial nerve decompression)과 유양돌기절제술(mastoidectomy) 혹은 아전추체절재술(subtotal petrosectomy) 심지어 부분측두골절제술(partial temporal bone resection)이 필요할 수도 있다. 최근에 보조적인 치료료 고압산소요법(hyperbaric oxygen therapy)을 추가하기도 한다.

6. 이진균증(Otomycosis)

외이도의 진균 감염은 지리학적으로 열대 기후나, 습한 기후의 아열대에서 흔히 발견되고, 남성보다 여성에서 소아보다 성인에서 많이 발생한다. 진균감염은 대개 외이도 골부나 고막에 발생한다. 원인균으로는 *Aspergillus* 종이 가장 흔하고 다음으로는 *Candida* 종이 많다. 진균 감염의 80%가 *Aspergillus niger*와 *Aspergillus fumigatus*로, *A. fumigatus*는 건조한 막을 형성하고 대체적으로 흰 가루모양으로 보인다. *A. niger*는 막이나 분비물 형태로 검은색을 띠며, *Candida*는 막을 형성하지 않고 액체 분비물 형태로 나타난다(그림 15-5A, B, C). 병소에서 채취한 검체에 KOH 용액을 떨어뜨린 후 현미경 시야에서 균사나 포자를 찾아 진단하며, Sabouraud 배지에 일주일간 실온 배양을 해서 확진한다. 이진균증은 대개 다양한 국소 혹은 경구 항생제로 치료받은 만성 외이도염 환자에게서 흔히 발생한다. 주 증상은 소양감이며 난청, 이루, 이충만감, 이물감, 불편감 등이 있을 수 있다. 국소적으로 홍반성의 외이도 피부에 검은색 혹은 흰색의 곰팡이가 자라거나 그 파편이 있는 것을 볼 수 있다. 진균덩어리로 외이도 내경이 완전히 막히는 경우도 있다. 진균 감염은 재발의 경향이 높기 때문에 빠른 시기의 치료를 요한다. 치

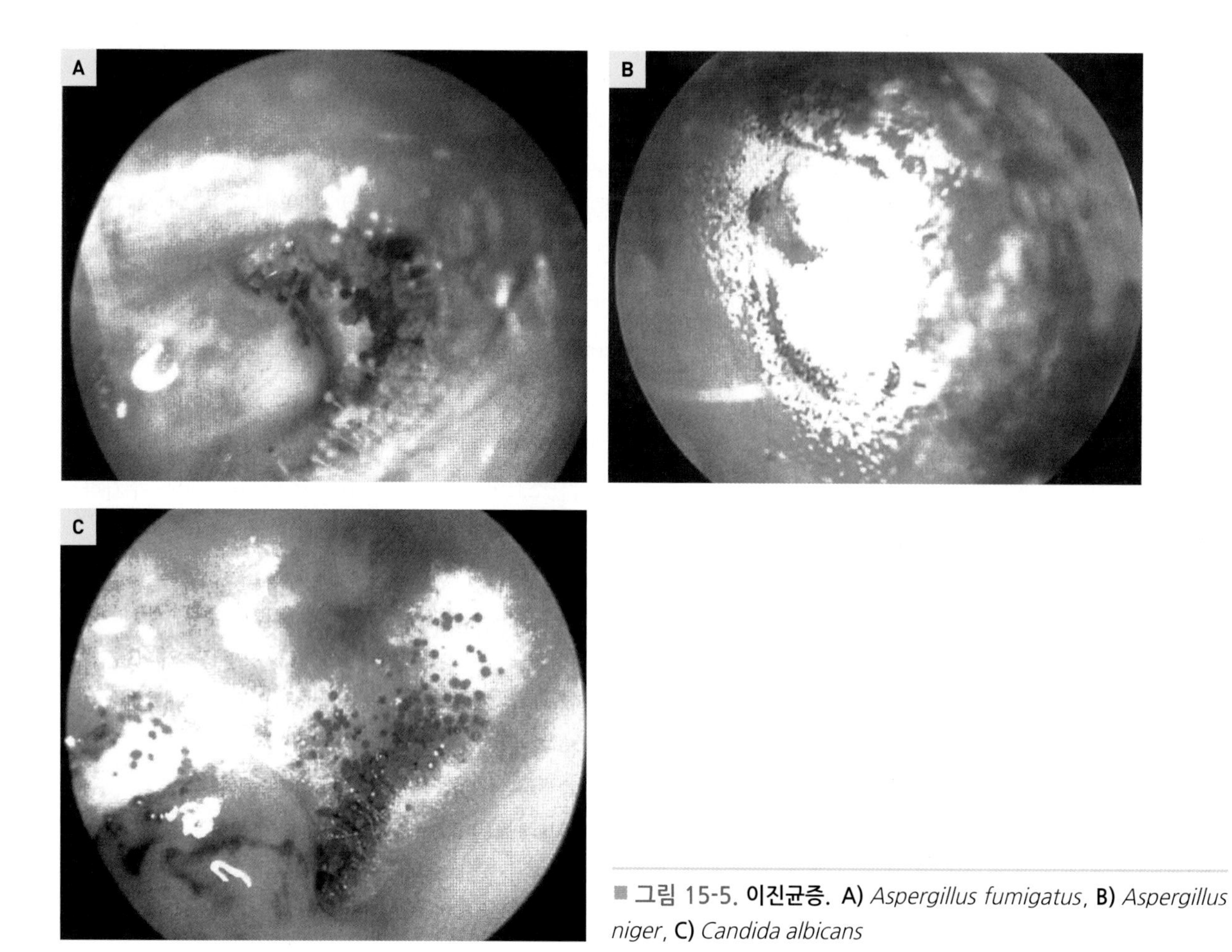

■ 그림 15-5. **이진균증.** **A)** *Aspergillus fumigatus*, **B)** *Aspergillus niger*, **C)** *Candida albicans*

료는 외이도를 자주 세척하고 국소 약제를 도포하는 것이다. 국소 약제로는 gentian violet이나 thimerosal 같이 외이도 내를 산성화하고 건조시키는 약제가 있다. 항진균 국소 도포제는 분말 혹은 크림 형태(mycolog)로 바르면 효과적이다. 경구용 항진균제는 국소 약제로 잘 호전되지 않는 경우에 사용한다. Imidazole계의 clotrimazole, miconazole은 여러 종류의 진균에 작용함과 동시에 일부 그람양성균에도 항균작용을 나타낸다.[23] 이 외에도 (Candida)종의 진균에 효과가 있는 nystatin, amphotericin B, *Aspergillus*종에 효과가 있는 natamycin 등이 있으나 큰 차이는 없다(표 15-2).

7. 이구(Cerumen, Ear wax)

이구는 피지선(sebaceous gland)과 이구선(ceruminous gland (modified apocrine gland))에서 분비되는 지질과 단백질 그리고 외이도 피부 표재층에서 떨어져 나온 각질세포가 합해져서 만들어진다. 약산성(pH 6.0~6.5)이며 라이소자임이 있어 감염에 대한 방어작용이 있다. 이구는 외이도에 존재할 뿐만 아니라 외이도 피부 표층에도 녹아 있어서 이물의 피부 침투를 늦춘다.

이구가 종이같이 건조한 것을 건성(dry type)이라 하고 물엿같이 끈적끈적한 것을 습성(wet type)이라 하는데 인종에 따라 건성, 습성의 발생 비율이 다르다. 이 차이는 면역글로불린과 라이소자임, 아라키돈산의 함량에 따라

표 15-2. 각종 항진균제와 그 효능

	Clotrumazole	Nystatin	Amphotericin B	Miconazole	Natamycin
Fungus & yeast					
A. niger	++	+	+	+	++
C. albicans	++	++	++	++	+
C. parapsilosis	++	++	++	++	+
Penicillium	++	+	+	++	++
Alternaria	++	+	+	−	−
Common bacteria					
S. aureus	+	−	−	+	−
Pseudomonas	−	−	−	−	−
S. epidermidis	+	−	−	+	−
P. mirabilis	−	−	−	−	−
Enterococci	−	−	−	−	−

++ : 매우 효과적, + : 효과적, − : 효능 없음

결정되는데 동양인 즉 황색인종은 건성이 많아 대체적으로 80% 전후가 건성이며, 백인과 흑인의 경우 약 70% 이상이 습성이다.

귀를 자주 후비거나 물속에서 오래 작업하면 외이도 피부 표재층에 녹아든 이구층이 파손되어 항균작용이 감소하게 된다. 이구의 양은 개인에 따라 다르며 양이 많아서 외이도를 폐색하는 경우 임상적으로 문제를 일으킬 수 있다. 노령화되면서 외이도 연골부의 굴곡이 심해지면 자정작용이 떨어져서 이구에 의한 외이도 폐색이 흔히 나타난다. 정신지체자의 경우에도 위생적인 무관심으로 이구에 의한 외이도 폐색이 흔하다. 이구로 인해 외이도가 폐색되면 고막을 관찰하기 어려우며 청력감소, 이물감, 이폐색감을 일으키고 감염 원인이 될 수 있다.

피부를 자극하지 않고 이구를 없애는 방법 중 수분이 가장 효과적이라고 보고되었고, 비누 등의 세제는 의미가 없으며, 산성 액체는 중성이나 염기성에 비해 작용이 느리고, 유기용제인 oleic acid, propylene glycol 등은 이구를 부풀리는 효과가 있다.[42] 이구를 없애기 위하여 두부반사경, 광원, 이경, 솜, 외이 세척기구, 소겸자(alligator) 등의 기구를 준비한다. 먼저 병력청취와 함께 고막천공 여부를 확인한다. 고막천공이 있으며 외이도를 세척할 수 없다. 부드럽고 기름기 많은 이구에는 외이도 세척이 좋은 방법이다. 세척용액으로는 체온에 가까운 용제를 이용하며 물, 등장성 식염수(isotonic saline), 고장성 식염수(hypertonic saline), 2% 초산(acetic acid) 등을 흔히 사용하지만 외이도염을 동반한 이구에는 대개 초산을 많이 쓴다.[26] 차가운 세척제는 현훈, 오심, 구토 등을 유발하므로 피해야 한다. 고막천공이나 급성 감염이 의심되는 경우에 이구를 꼭 제거해야 한다면 소독한 등장성 식염수를 사용할 수 있다. 세척 시 주사기 끝이 외이도 상벽을 향하게 하고 부드럽게 세척액을 주입하여 넘쳐서 흘러나오게 한다. 세척 후에는 면봉 또는 흡입기를 이용하여 외이도를 완전히 건조시킨다. 한국인에서 흔히 보는 마른 이구는 외이도벽을 손상하지 않으면서 기구를 이용하여 제거할 수 있다. 이경, 이내시경, 현미경 등으로 고배율 환경에서 원형 큐렛 도는 소겸자를 이용하여 제거한다. 외이도 전체를 채우고 있는 이구를 이구전색(impacted cerumen)이라고 하며 폐색감, 불쾌감과 전음성 난청을 초래하고 소양감도 동반한다. 이런 경우 이구용해제를 처방하고 3~5일 후 제거한다. 가정에서 사용할 수 있는 자가 용해

제로는 스테로이드 항생제가 들어 있는 점이액, 이구용해제(cerumenex), 과산화수소수 등이 있다. 하루 4회 정도 귀를 위로 향하게 하여 누운 다음 점이액을 넣고, 10여 분간 자세를 유지한 다음 흘러나오는 용액을 닦아준다.

8. 외이도 이물(Foreign bodies)

외이도 이물에는 작은 돌 조각, 모래, 철편, 구슬, 성냥, 완구 등과 여러 가지 종자씨 같은 비동물성 이물과 파리, 바퀴벌레, 나방, 개미 등의 동물성 이물이 있다.

증상은 이물의 종류에 따라 다르다. 콩(대두) 같이 큰 것은 물론 녹두 같은 작은 식물성 이물도 습기를 흡수하여 커지므로 외이도를 폐쇄하여 충만감, 압박감, 전음성 난청을 초래한다. 살아 있는 곤충은 외이도 내에서 움직이기 때문에 잡음이 들리고 날개나 다리로 외이도 피부를 자극하여 심한 통증이 발생할 수 있다. 유소아에서 발생 비율이 높으며 이 경우 이유 없이 울 수 있다.[29] 소아의 경우 대개 응급을 요하는 질환이며 특히 야간에 잘 발생한다.

이물의 제거 원칙은 다음과 같다. 작은 무생물은 외이도 손상을 최소화하면서 간단히 제거한다. 오래된 이물이 분비물이나 육아로 덮여 있으면 수술현미경하에서 깨끗이 외이도를 소독한 다음 이물을 제거하고 항생제 점이액을 투여한다. 경우에 따라서는 외이도 협착을 방지하기 위해 팩킹을 한다. 장난감 총알같이 단단하고 둥근 이물을 적출할 때 숙련된 술자가 아니면 제거 중에 이물이 점점 더 깊이 들어가서 외이도의 골부에 단단히 박히거나 외이도를 손상하여 출혈이나 종창이 생겨 제거에 어려움을 겪는 경우가 많다. 특히 협조가 어려운 소아의 경우에는 외이도 손상을 줄이기 위해서 부분마취나 전신마취하에서 이물을 제거하는 것이 좋다. 콩 같은 식물성 이물이 습기로 불어있으면 알코올로 탈수하여 용적을 줄인 다음, 에피네프린을 주입하여 외이도의 충혈을 감소시킨 후 이물제거용 갈고리나 겸자로 꺼낸다. 이때 글리세린 등을 소량 주입하면 제거하기가 더욱 편리하다. 외이도 이물이 생물인 경우에는 알코올이나 기름을 몇 방울 주입해서 죽인 후 이물 겸자로 적출한다.

9. 외이도의 골절(External auditory canal fracture)

하악골에 가해지는 외상은 하악골의 과상돌기(condyle)를 외이도 내로 밀게 되어 외이도 전벽의 골절을 초래한다. 외이도 골절의 치료는 골편들과 분리된 피부를 원래의 자리로 돌려놓고 제자리에 고정시키기 위하여 항생제를 도포한 거즈를 외이도의 내경을 유지하기 위하여 팩킹하는 것이다.

외이도의 골절은 측두골 골절의 일부이므로 고막, 중이 및 내이의 골절을 평가한 후 함께 치료해야 한다. 측두골의 종골절(longitudinal fracture)은 흔히 경판(scutum)과 고실유양열(tympanomastoid suture)이 만나는 부위의 고실환(tympanic ring)을 통하여 외이도와 연결된다. 측두골 골절이 동반된 외이도 골절이 있으면 외이도로 뇌척수액과 혈액이 배출된다. 이때 외이도를 검사할 때에는 최대한 무균적(aseptic) 방법으로 시행을 하여야 하며 외이도에 고여 있는 혈액을 irrigation하여 제거하는 시도를 하여서는 안된다. 유양동 위의 피부에는 점상출혈(ecchymosis)이 동반되는 Battle 징후가 나타난다. 흔히 외이도의 골절은 저절로 회복되지만 외이도벽에 계단식 변형(stair step deformity)을 남기게 되는데 이는 골편의 정복이 완전하지 않았기 때문이다. 골절이 회복되고 외이도의 내경이 충분히 유지되었을 때 청력검사를 시행하여 이소골의 단절이나 골절 시 밀려들어간 피부로 인해 진주종이 발생했는지를 조사하고 이상이 있으면 수술적 치료를 고려한다.

외이도의 골절로 인한 외이도의 협착은 적절한 조치로 예방할 수 있다. 외이도를 현미경으로 검사하여 열상이 있는 부분은 항생제를 도포한 거즈를 반복하여 팩킹하고 육아조직은 silver nitrate로 소작하고 섬유조직은 잘라

냔 다음 부분층피부이식(split thickness skin graft)을 해야 한다. 외이도 골절의 경우 어긋난 골편은 정복하고 골막이 없는 골편은 제거한다. 외이도의 충분한 내경이 확보될 때까지 적당한 기간 동안 외이도의 팩킹을 유지해야 협착을 예방할 수 있다.

10. 후천성 외이도 협착증 및 폐색증(Acquired external auditory canal stenosis and atresia)

매우 드문 질환으로 만성감염 후, 외상 또는 수술 후, 종양의 의한 경우, 방사선종양치료 후 발생하는 경우로 구분 할 수 있다. 협착증(stenosis)의 경우, 피하조직의 비후로 외이도의 일부 또는 전장에 걸쳐 직경이 좁아지게 되고 지속적인 이루나 전음성 난청이 발생하게 되고 진주종을 형성하기도 한다. 외이도 폐색증(atresia)은 만성 외이도염이나 만성 화농성 중이염 또는 만성 육아성 고막염(granular myringitis)의 후유증으로 발생하는 경우가 대부분이며 이는 Bonding과 Tos가 막성(membraneous) 및 고형성(solid)의 두 가지 형태로 구분하였다.[28] 막성 폐색증(membraneous atresia)의 경우 외이도의 일정 부분에 육아조직이 발생하고 이 부위에 상피화가 되어 외이도를 폐색하는 경우이다. 고형성 폐색증(solid atresia)의 경우 대부분 육아성 고막염이 외이도 외측으로 확장되고 외측면에 상피화가 생겨 발생한다.

심한 협착이나 외이도 폐색은 수술적인 치료가 필요하다. 외이도의 폐색은 청력의 저하와 외이도 분비물의 축적으로 인한 이차적인 외이도 진주종이나 골파괴로 진행 할 수 있다. 외이도를 넓히기 위해 피부이식을 이용한 외이도 성형술을 시행한다.[6,19] 병변이 있는 부위의 피부는 모두 제거하고 골성 외이도를 조심스럽게 수술용 드릴을 이용하여 적당한 크기로 넓힌 후 식피도(dermatome)로 부분층피부이식편(split-thickness skin graft)를 채취하여 외이도에 이식한다. 새로 만들어진 외이도에 nylon strips와 cotton ball을 채운 다음 적어도 2주일 이상 유지시킨다. 협착증의 경우 외이도 피부를 거상한 다음 수술용 드릴을 이용하여 골부 및 연골부 외이도를 확장하고 비후된 외이도의 피하조직을 절제한다. 필요한 경우 외이도 입구 확장술(meatoplasty (Fisch))을 시행할 수 있으며 2주간의 팩킹을 한다.[31]

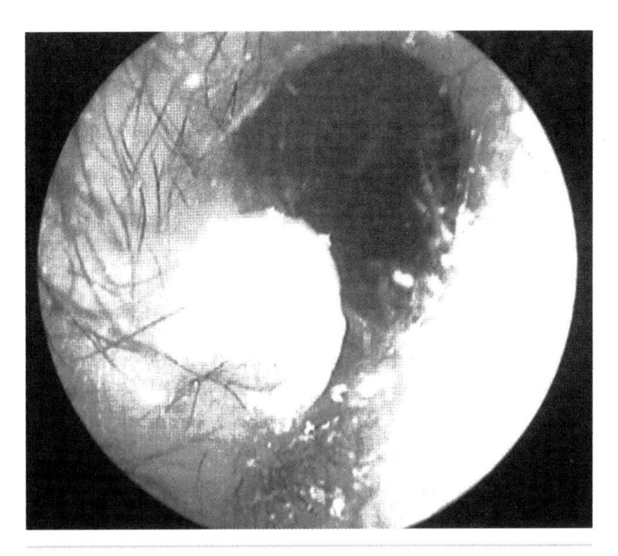

■ **그림 15-6. 외이도 골종.** 외이도 골부에 기저부가 좁은 단일성의 종괴가 보인다.

11. 외이도의 양성 종양(External auditory canal benign tumors)

1) 골종과 외골증(Osteoma and exostosis)

골종과 외골증이 동일 질환이라는 논란이 있었으나 현재는 발생기전이 다른 질환으로 여겨진다.

골종은 외이도 골부의 외측에서 기저부가 좁은 단일성 종괴를 형성한다(그림 15-6). 양성 골종양으로 일측성이고 모양이 다양하며, 이물이나 낭종과 유사해 보이기도 한다. 드릴을 이용하여 제거하고 피부손실이 있는 경우 피부이식을 한다.

외골증은 골막에서 자란 양성의 골조직이 양파껍질 모양(onion skin)으로 보이는 전형적인 조직학적 소견을 보여준다. 외골증은 찬물에서 수영하거나 목욕을 자주 하

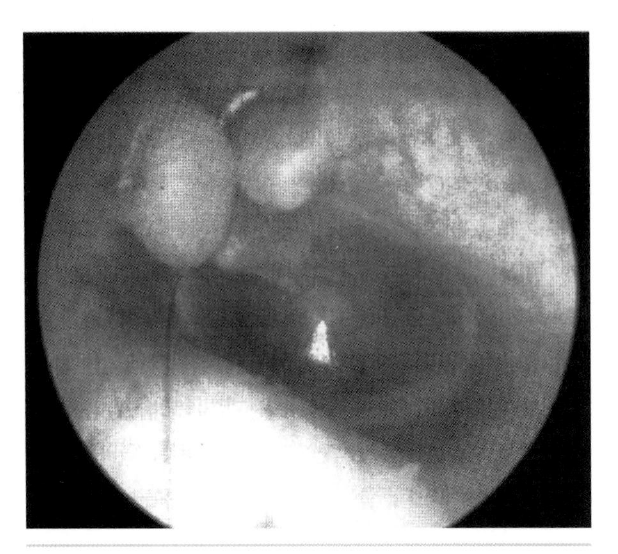

■ 그림 15-7. **외이도 외골증.** 양측성이 많으며 다발성의 부드러운 표면을 가진 종괴가 보인다.

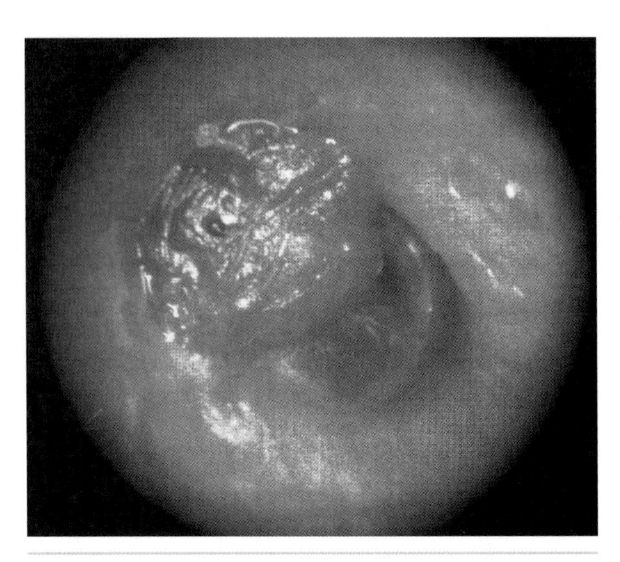

■ 그림 15-8. **외이도 혈관종.** 모세혈관종으로 외이도 후상방에 보인다.

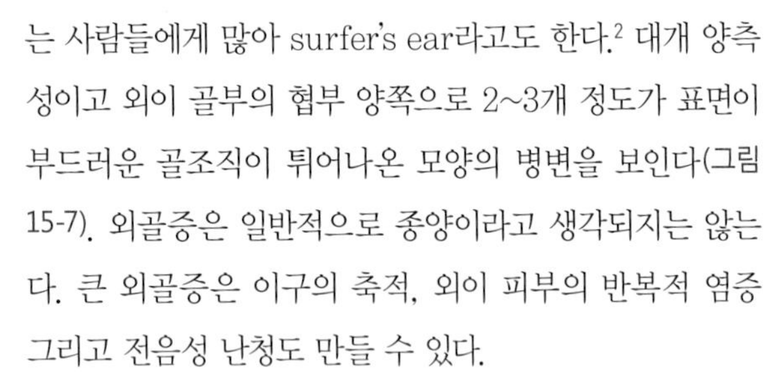

는 사람들에게 많아 surfer's ear라고도 한다.[2] 대개 양측성이고 외이 골부의 협부 양쪽으로 2~3개 정도가 표면이 부드러운 골조직이 튀어나온 모양의 병변을 보인다(그림 15-7). 외골증은 일반적으로 종양이라고 생각되지는 않는다. 큰 외골증은 이구의 축적, 외이 피부의 반복적 염증 그리고 전음성 난청도 만들 수 있다.

이들은 양성이고 외이도를 막거나 세포낙설의 저류로 계속적인 염증을 유발하지 않으면 관찰만 한다. 외골증이 클 때는 외이도성형술을 시행한다.[28] 외골증을 덮은 피부를 거상하여 보전하고 병변을 드릴로 제거한다. 모든 외골증을 제거하고 골부 외이도를 부드럽게 만든 후에 피부판을 제자리에 덮고 항생제 용액을 적신 Gelfoam이나 거즈로 외이도를 팩킹한다. 외골증이 중이 수술을 방해할 경우에는 위의 과정을 고실성형술의 일부로 시행한다.

2) 혈관종(Hemangioma)

혈관종은 선천성 종양으로 소아에서 가장 흔하다. 내개는 이개와 함께 안면과 경부의 다른 부위를 침범한다. 이 종양은 여러 가지 형이 있다. 모세관혈관종(capillary hemangioma)은 모세혈관 크기의 혈관으로 구성되고, 크고 융기가 심하지 않은 종괴이다(그림 15-8). 중심에 혈류를 공급하는 큰 혈관이 있고 이로부터 모세혈관이 분지되어 포도주색모반(port-wine stain)이나 거미모양혈관확장(spider nevus)을 형성한다. 거미모양혈관확장은 크기가 작고, 성장하지 않으므로 큰 문제가 되지 않는다. 치료는 필요할 때 중심혈관을 세침으로 경색시킨다. 포도주색모반은 사춘기까지 점차 커져 안면을 변형하므로 문제가 된다.

해면성 혈관종(cavernous hemangioma)은 혈액으로 차있는 내피세포의 공간으로 구성되어 있는 종괴가 융기되어 있다. 종종 딸기양 종양(strawberry tumor)이라 불리기도 하며, 생후 첫 1년간 빠르게 커지나 그 후 점차 줄어든다. 림프관종(lymphangioma)은 드물고 다발성의 창백하고 경계가 비교적 뚜렷한 병변으로 마치 물고기나 개구리 알이 뭉쳐 있는 것 같은 모양이다.

이런 종양들은 외관상의 문제를 일으킨다. 대개 기다려서 병변이 최대한 줄어든 후에 남은 종양을 치료한다. 냉동치료, 수술적 제거와 피부이식, 방사선 조사, 전기치료, 경색요법, 문신 등의 다양한 방법으로 치료한다.

3) 낭종(Cysts)

피지낭종(sebaceous cysts)은 귀 주위에 흔하다. 대개 이수(ear lobule)의 후면, 유양돌기의 피부, 연골성 외이도의 하측 또는 후측 피부에 잘 생긴다. 부드럽고 압통이 없는 종괴로 나타나나 염증을 수반한 경우에는 이절과 구분하기 힘들다. 치료는 피지낭종을 완전히 절제하는 것이다. 낭종을 완전히 제거하기 위해서는 막이 터지지 않도록 박리해야 한다. 또한 피부의 일부를 같이 제거하여 낭종의 분비관과 외공을 동시에 제거해야 한다.

4) 켈로이드(Keloid)

켈로이드는 과증식된 반흔 조직으로 이루어진 단단한 결정성의 피막이 없는 종괴로, 넓고 불규칙하게 분포된 콜라겐 섬유들로 구성된다. 아직까지 정확한 원인은 밝혀져 있지 않으나 보통 외상, 수술, 화상 혹은 피부 질환 후에 진피와 근접 피하조직에 발생하며, 유전적, 면역학적 소인과도 관계가 있는 것으로 알려져 있다. 켈로이드 형성은 흑인같이 짙은 피부색을 가진 인종에서 흔히 볼 수 있다.[47] 비후성 반흔과 달리 기존의 손상 부위를 넘어서서 과도하게 성장하는 특징이 있으며 시간이 경과해도 크기가 감소하지 않고 동통, 압통, 소양감이 동반될 수 있다. 귀 주위의 켈로이드는 귀걸이를 위해 구멍을 뚫은 후에 이수에 종괴 형태로 나타나고 피부 손상 후 1년 이내에 발생하며 2~4주경 가장 많이 발생한다.[33] 또한 유양돌기절제술이나 외이 절개술 상처에서 생겨 외이도의 모양을 변형시키기도 한다. 치료는 절제술 후에 정기적으로 소량의 스테로이드(triamcinolone)를 수술 부위에 주사하는 방법 또는 부목이나 집게를 이용한 압박요법 등의 병합요법을 시행할 수 있다.[3]

5) Winckler 결절(Winckler' s nodule)

Chondrodermatitis nodularis chronica helices가 정확한 진단명이다. 나이 든 사람에서 이륜의 첨부에 주로 생기는 양성 결절로 표변에 회색의 가피가 있는 단단하고 융기된 작은 혹 같은 병변이다. 크기에 비해 손으로 만질 때 예리한 압통을 느끼는 것이 특징이다. 기저세포암종(basalcell carcinoma)과 감별해야 하며, 자외선에 과다 노출된 연골이 퇴행하여 외부에 노출되거나 동상에 의한 외상, 노화등에 의해 생긴다. 스테로이드를 국소주사하면 통증을 완화할 수 있으며, 연골의 일부와 함께 전층을 절제하여 치료한다.

6) 각화극세포종(Keratoacanthoma)

각화극세포종은 양성 상피성 피부종양으로 편평세포암종과 임상적, 병리학적 유사성을 가져 반드시 감별을 요하나 흔히 일정 기간 동안 성장한 후 저절로 퇴행하는 양상을 보인다. 임상양상은 각종 임상형에 따라 차이가 있지만 전형적인 단발성 각화극세포증의 경우 3단계로 진행한다. 1단계인 성장기에는 육안적으로 꽃봉오리모양 혹은 둥근 지붕 모양을 띠며 피부색과 일치하거나 다소 붉은색의 병소가 솟아오르기 시작하여 2~8주 동안 1~2 cm까지 급속히 성장한다. 완전히 성장한 후 중앙부위에는 두꺼운 각질이 분화구모양을 형성한다. 기저부는 다소 수축하고 주변으로 경결(induration)은 없으며 가동성을 가진다. 2단계인 정지기에는 2~8주 동안 병변의 성장이나 회복 없이 정체된 상태로 유지되다가 3단계인 퇴행기로 접어들어 2~8개월 동안 중앙부위의 각질이 떨어져 함몰된 반흔을 남기며 치유된다. 이 질환은 저절로 낫는 병이지만 악성 종양과 감별진단을 해야 할 경우에는 절제생검을 시행한다. 소파술이나 단순 절제술 및 항암약물요법등의 다양한 치료방법이 시도되어 왔다.

7) 폐쇄성 각화증(Keratosis obturans)

폐쇄성 각화증은 정상적인 외이도 상피 이동의 변화로 외이도 골부에 낙설된 각질(desquamated keratin plug)이 다량으로 축적되는 것이 특징이다. 1850년 Toynbee가 처음으로 기술한 이래 폐쇄성 각화증과 외이도 진주종이 같은 질병으로 서로 다른 경과 중에 나타나는 것으로 알려져 왔으나 현재 임상적·병리적으로 서로 다른 질환으로 취급한다.[35] 폐쇄성 각화증은 급성 이통을 동반한 전음성 난청이 주 증상이며 비교적 젊은 나이에 양측성으로 나타나는 경우가 많고 외이도 진주종은 만성 두통을 동반하나 청력은 정상이고 비교적 중·장년층에서 편측에 다발한다는 보고가 있다.[34,35,41] 폐쇄성 각화증은 대개 증상이 가볍고 외측성이며 전음성 난청으로 검사하다 우연히 발견되는 경우가 많다. 각질을 제거하면 외이도 피부에 전반적으로 발적이 나타난다. 표피하층(subepithelial tissue)에 염증이 심하나 골미란은 거의 없지만 심한 경우에는 골미란을 동반할 수 있다. 하지만 원인은 미상이며 만성적인 기관지 확장증이나 부비동염과 관련이 있다. 치료는 각질(keratin plug)을 제거하는 것이며 재발한 경우에는 정기적으로 세척할 수도 있다.

8) 외이도 진주종(Extemal auditory canal cholesteatoma)

외이도 진주종은 드물게 발견되는 질환으로 여러 가지 다양한 기전으로 발생할 수 있으나, 대부분은 외이도가 막히거나 좁아져서 외이도 내측에 생긴 이구가 적체되거나 외이도 피부 밑에 편평상피가 착상되면서 진주종이 외이도에 발생한다.[49] 외이도 진주종의 원인 및 발생기전에 대해서 Farrior는 ① 선천성 외이도 폐색증 및 외이도협착증 ② 중이 및 유양동 수술 후나 외이도 외상 후 ③ 폐쇄성 각화증 ④ 국소적 골염으로 인한 경우로 구분하였다.[13] Holt는 ① 수술 후 ② 외상 후 ③ 외이도협착 ④ 외이도폐색 ⑤ 자연적 발생으로 구분하였다.[18] 외이도 진주종의 합병증으로는 안면신경마비, 이소골 미란, 전정 누공 등이 있으며, 외이도 진주종이 유양동을 광범위하게 침범했을 때 발생한다.[49]

외이도 진주종과 폐쇄성 각화증은 서로 다른 임상적·병리적 질환이며,[35] 임상적 소견만으로 구분하기 어렵고 드물기에 CT영상이 진단에 도움을 주며 진주종의 병변의 정도를 확인할 수 있다(그림 15-9).[27] 외이도 진주종에서는

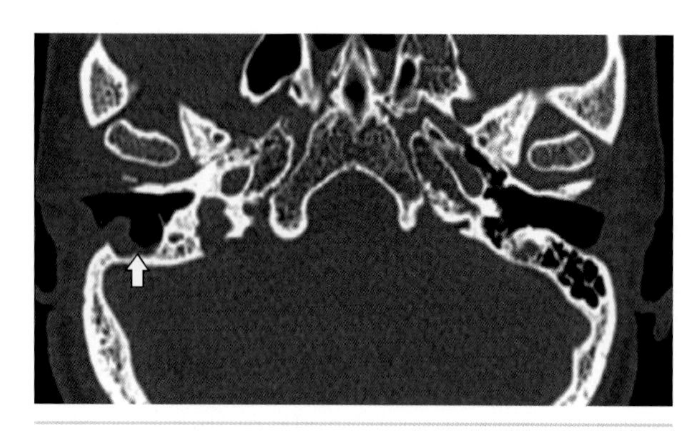

■ **그림 15-9. 외이도 진주종.** 우측 외이도의 골파괴 및 진주종이 보인다(화살표).

편평상피세포에 의한 부분적인 골미란이 있으며, 대개 일측성이고 전신성 질환과 연관이 없고 치료는 정기적인 국소치료와 수술이다.[34]

치료방법을 선택할 때는 질병의 경과나 증상의 경중이 매우 중요한데, 만성 소양감이나 약간의 불편감을 호소하는 환자는 보존적으로 치료하고 전음성 난청이나 반복적 혹은 지속적인 염증을 유발하는 환자는 수술적 치료를 한다. 수술방법은 진주종의 위치와 침범 정도에 따라서 다르며, 유돌봉소를침범하지 않은 외이도 전벽 및 하벽의 진주종은 외이도성형술을 하고, 피부결손이 큰 경우 피부이식술을 해준다. 그러나 외이도 후벽을 침범하여 후벽결손이 크거나 만성 중이염이 동반되었을 때는 개방형 유양동절제술을 시행한다. 경우에 따라 외이도 후벽을 침범하여 후벽 결손이 있으나 이관이나 중이강이 정상인 경우에는 폐쇄성 유양동절제술을 시행하고 외이도의 결손부위를 재건해주는 수술을 한다.[30,50]

Ⅲ 고막의 질환

1. 고막 천공(Tympanic membrane perforation)

고막 천공의 유형은 ① 외상으로 인한 천공 ② 중이염에 의한 천공 ③ 시술이나 수술 후 생긴 천공 등으로 분류

된다. 고막은 외이도와 고실사이에 위치하는 가로 9~10 mm, 세로 8~9 mm의 크기에 두께는 약 0.1 mm의 얇은 막으로, 중이에 대한 방어벽이 되고 청각생리에 있어서 중요한 기능을 하게 된다. 일반적으로 고막은 자연재생 능력이 뛰어나 외상성 천공의 경우 천공 크기가 50% 이하이면 저절로 막히는 경우가 대부분이다. 반면 만성천공의 경우 적극적인 치료 없이는 자연 재생이 어렵다.

외상성 고막 천공의 경우 대부분이 외이도 압력의 급작스러운 변화, 액체나 기구 등에 의한 손상 등 다양한 원인에 의하여 발생한다. 천공을 유발시킬 수 있는 압력은 14~33 lb/inch^2 (195~199 dB)이고, 저주파에서는 고막의 탄력성으로 더 높은 음압이 필요하다고 알려져 있다. 파열성 외상(explosive injury) (손바닥이나 주먹에 의한 구타)인 간접적 외상이 관통외상(penetrating injury) (면봉)과 같은 직접적 외상보다 훨씬 높은 빈도를 보이며 가격이 원인일 경우 오른손에 의한 좌측의 손상이 대부분임을 고려할 때 전체적으로 좌측 고막의 천공이 높은 빈도를 보인다.

천공의 분류는 Griffin의 분류가 많이 이용된다. Grade I은 고막 긴장부의 25% 미만 천공, Grade II는 천공의 크기가 25~50%, Grade II는 50~75% 또는 4사분면 중 세 곳에 천공이 있는 경우, Grade IV는 크기와 관계없이 고막의 이완부나 변연부의 천공이 있는 경우를 말한다. 천공의 크기로 분류할 경우 직경이 3 mm 이하인 경우를 small, 3~5 mm인 경우 medium, 5 mm 이상인 경우를 large perforation이라고 한다.

천공으로 인한 청력장애는 대부분 경도의 전음성 난청을 보이나 반드시 천공의 등급에 따라 청력소실이 비례하지는 않는다는 보고도 있다. 작은 천공에 의한 청력장애는 대부분 저주파의 전음성 난청(low-frequency conductive hearing loss)의 형태로 나타나며[7] 천공의 크기가 클 때에는 저주파와 고주파에서 감소하게 된다.[49]

외상성 천공의 경우 병변이 중이나 내이를 포함하는지 검사하여야 한다. 일단 환자가 어지럽다고 하거나 안구진탕이 있으면 내이의 손상을 의심하여야 하고 반드시 외림프액의 누출을 유발할 수 있는 등골의 탈골이나 손상유무와 정원창부위의 이상을 확인하여야 하며 이상이 있는 경우 수술적 치료가 필요할 수 있다.

외상성 고막 천공의 치료는 ① 이차 감염의 예방이 중요한데 우선 고막의 천공 검사를 실시할 때 가능하면 감염의 기회가 적게 하여야하고 이구나 혈종, 가피(crust)를 모두 제거할 필요는 없다. 손을 덜 댈수록 감염의 기회는 그만큼 적어지게 된다. ② *staphylococcus* 감염을 예방할 수 있는 cephalosporine 계열의 항생제를 며칠간 사용한다. 감염이 있는 경우에는 1주일에서 10일간 항생제를 사용하고 외이도의 건조함을 유지하기 위하여 따로 점이액은 사용 할 필요가 없다. ③ 화농성 이루가 계속된다면 경구용 항생제와 스테로이드가 섞인 점이액을 사용할 수 있고, aminoglycosides와 acidifying agents가 포함된 이용액은 고막 천공이 있을 시 이독성의 위험성이 있기 때문에 피하는 것이 좋다.[38] ④ 외이도에 오염된 물이 들어가서 감염이 되지 않도록 환자에게 충분히 설명한다.

3개월이 지나도 완전치유가 안된 경우 수술적 치료를 고려한다. 고막 이식재료로는 측두근막, 연골, 연골막, 지방 등을 이용할 수 있다.

급성 중이염으로 인한 천공은, 감염된 상태의 중이 저류액으로 인한 중이 내 압력이 높아져서 생기며 대부분은 천공의 크기가 작다. 중이 내 염증이나 감염이 좋아지면 대부분 천공이 저절로 막히는 경우가 많다. 치료는 항생제를 사용하고 필요하면 세균배양을 하여 항생제의 감수성 여부를 확인한다. 감염이 제대로 치료된 경우 몇 주가 지나면 대부분의 천공은 치료가 된다.

만성 중이염으로 인한 고막천공의 경우 반복되는 감염과 크기의 큰 천공 그리고 비정상적인 이관기능으로 인하여 자연 치유되는 경우가 드물어 고막이식과 같은 중이수술을 실시한다.

2. 수포성 고막염(Bullous myringitis)

갑작스러운 발병, 심한 이통 그리고 고막 표면과 그 주위의 외이도에 발생하는 다양한 크기의 수포가 특징인 고막 질환으로, 수포성 고막염, 출혈성 수포성 고막염으로 나뉘며,[12] 상기도 감염과 동반되는 경우가 많고 비교적 겨울에 흔하다. 바이러스, 마이코플라스마, 다른 여러 세균들 그리고 공업용 유기화학용액들이 원인으로 거론되지만 아직 확실한 원인균은 밝혀지지 않았다. 급성 중이염과 감별해야 하며, 수포는 장액성 혹은 혈성의 용액으로 차 있을 수 있다. 2~3일 만에 자연치유되는 경우가 많고 진통제와 함께 국소항생제와 스테로이드 점이액 등을 사용하여 이차 감염을 예방한다. 수포를 주사침으로 천자하거나 고막절개칼로 절개하면 이통이 바로 호전된다.

3. 육아성 고막염

정상 고막의 일부 혹은 전체에 발생하는 육아조직이 특징적인 소견으로, 건드리면 쉽게 출혈하는 만성 질환이다. 고막이 비후되고, 염증이 있으며 악취가 나는 분비물로 젖어 있고 환자는 대개 경한 이통, 이루, 이충만감을 호소한다. 육아조직의 고막 침투모양에 따라 국소성, 미만성, 분절성의 세가지 형태로 나눈다.[11] 원인은 명확하지 않으나 외상이나 감염으로 인한 고막 상피층의 소실로 추정하고 있다.

치료로는 ① *Pseudomonas, Proteus, Staphylococcus* 등의 균주를 치료할 수 있는 경구용 항생제를 투여하고 스테로이드 점이액이나 항균, 항진균작용을 하는 카스텔라니(castellani) 용액을 도포한다.[24] ② 육아조직을 소작하고 상피화를 촉진하는 질산은과 같은 용액으로 고막소작술을 시행한다.[26] 대부분 국소도포로 치료되지만, 염증으로 인해서 고막이 두꺼워져 외이도의 내측이 막히기도 한다. 육아조직이 크거나 돌출된 경우 미세겸자 등을 이용하여 제거하는 고막소파술을 시행할 수 있다. ③ 아주 심한 경우에는 피부이식을 할 수도 있다.

참고문헌

1. 박상유. Herpes Zoster Oticus. 대한이비인후과학회지 (한이인지) 2014;57:78-83.
2. Alexander V, Lau A, Beaumont E, et al. The efffects of surfing behavior on the development of external auditory canal exostosis. Eur Archiv Oto Rhinol Laryngol Head Neck. 2014;272:2950-2955.
3. Andrea TM, Dana IL. Binder clips in the treatment of auricular keloids. J Am Acad Dermatol 2014;71:e243.
4. Bayardelle P, Jolivet-Granger M, Larochelle D: Staphylococcal malignant external otitis. Can Med Assoc J 1982;126:155-156.
5. Bayer G, Diot E, Erra B. Utility of 18F-FDG PET/CT in relapsing polychondritis J Med 2015;108:339-340.
6. Becker BC, Tos M. Postinflammatory acquired atresia of the external auditory canal: Treatment and results of surgery over 27 year. Laryngoscope. 1998;108:903-907.
7. Bigelow DC, Swanson PB, Saunders JC. The effect of tympanic membrane perforation size on umbo velocity in the rat. Laryngoscope 1996;106:71.
8. Brownlee RE, Hulka GF, Prazma J, Pillabury HC 3rd. Ciprofloxacin. Use as a topical otic preparation. Arch Oto-laryngol Head Neck Surg 1992;118:392-396.
9. Chandler JR. Malignant external otitis. Laryngoscope 78; 1968:1257-1294.
10. Derebery J, Berliner KI: Foot and ear disease – the dermatophytid reaction in otology. Laryngoscope 1996;106:181-186.
11. El-Seifi A, Fouad B. Granular myringitis: Is it a surgical problem? Am J Otol 2000;21:462-467.
12. Elzir L, Salib I. Bullous hemorrhagic myringitis. Otolaryngol Head Neck Surg 2013;148(2);347-348.
13. Farrior J. Cholesteatoma of the external canal. Am J Otol 1990;11:113-116.
14. Finsterer J, Bachtiar A, Niedermayr A. Favorable outcome of Ramsay Hung syndrome under dexamethasone. Case Reports Med 2012;10:1155-1158.
15. Grandis JR, Curtin HD, Yu VL. Necrotizing (malignant) external otitis: prospective comparison of CT and MR imaging in diagnosis and follow-up. Radiology 1995;196:499-504.
16. Gordon G, Giddings NA. Invasive otitis externa due to Aspergillus species: case report and review. Clin Infect Dis 1994;19:866-870.
17. Hajioff D, Mackeith S: Otitis externa. Clin Evid (Online) 2010.
18. Holt JJ. Ear canal cholesteatoma. Laryngoscope 1992;102:608-613.

19. Jacobsen N, Mills R. Management of stenosis and acquired atresia of the external auditory meatus. J Laryngol Otol. 2006;120:266-271.
20. Jasukume G, Chibwowa S, Ndlovu M. Full recovery of a 13-year-old boy with pediatirc Ramsay Hunt syndrome using a shorter course of aciclovir and steroid at lower doses: a case report. J Med Case Reports. 2011;5:376-379.
21. Jones RN, Milazzo J, Seidlin M. Ofloxacin otic solution for treatment of otitis externa in children and adults. Arch Otolaryngol Head Neck Surg 1997;123:1193-1200.
22. Kesser BW: Assessment and management of chronic otitis externa. Curr Opin Otolaryngol Head Neck Surg 2011;19:341-347.
23. Khan F, Muhammad R, Khan MR, et al. Efficacy of topical clotrimazole in treatment of otomycosis. J Ayub Med Coll Abbottabad 2013;25:78-80.
24. Kim YH. Clinical characteristics of granular myringitis treated with castellani solution. Eur Archiv Otorhinolarygol Head Neck 2011;268:1500-1512.
25. Levenson MJ, Parisier SC, Dolitsky J, Bindra G. Cipro-floxacin: drug of choice in the treatment of malignant external otitis (MEO). Laryngoscope 1991;101:821-824.
26. Live JR, Ames JA, Gitman L, et al. Clinical characteristics of pediatric granular myringitis. Otolaryngol Head Neck Surg. 2013;148(2):291-296.
27. McCoul ED, Hanson MB. External auditory canal cholesteatoma and keratosis obturans: The role of imaging in preventing facial nerve injury. Ear, Nose & Throat Journal 2011;90(12):E1-7.
28. Moss WJ, Lin HW, Cueva RA. Canaloplasty for exostosis with minimal skin preservation with temporoparietal fascia grafting and use of bone was for skin flap protection: A retrospective case series. Ann Otol Rhinol Larygol. 2015, p.1-9.
29. Ologe FE, Dunmade AD, Afolabe OA. Aural foreign bodies in children. Indian J Ped 2007;74:755-758.
30. Orita Y, Nishizaki K, Fukushima K, Akagi H. Osteoma with cholesteatoma in the external auditory canal. Int J Pediatr Otorhinolaryngol 1998;43:289-293.
31. Paparella MM, Meyhoff WL, Morris et al. Surgery of the external ear. In: Paparella MM, Shumrick DA(eds). Otolaryngology, 3rd ed. Philadelphia, PA:Saunders. 1991;1259-1270.
32. Parisier SC, Lucente FE, Som PM, Hirschman SZ, Arnold LM, Roffman JD. Nuclear scanning in necrotizing progressive malignant external otitis. Laryngoscope 1982;92:1016-1019.
33. Park DJ, Cha YC, Lee SJ. The earlobe keloid treated by compression therapy with earring after shaving excision. Korean J Dermatol 2002;40:1384-1388.
34. Park SO, Jung YH, Oh JH. Clinical Characteristics of keratosis obturans and external auditory canal cholesteatoma Otolaryngol Head Neck Surg 2015;152:326-330.
35. Piepergerdes MC, Kramer BM, Behnke EE. Keratosis obturans and external auditory canal cholesteatoma. Laryngoscope 1980;90:383-391.
36. Propst EJ, George T, Janjua A, et al. Removal of impacted cerumen in children using an aural irrigation system. Int J Ped Otorhinolaryngol 2012;76:1840-1843.
37. Ress BD, Luntz M, Telischi FF, Balkany TJ, Whiteman ML. Necrotizing external otitis in patients with AIDS. Laryngoscope 1997;107:456-460.
38. Roland P, Stewart M, Hannley M, et al: Consensus panel on role of potentially ototoxic antibiotics for topical middle ear use: introduction, methodology, and recommendations. Otolaryngol Head Neck Surg 2004;130:S51-S56.
39. Sade J, Lang R, Goshen S, Kitzes-Cohen R. Ciprofloxacin treatment of malignant external otitis. Am J Med 1989;87 (5A):138S-141S.
40. Sander R. Otitis externa: a practical guide to treatment and prevention. Am Fam Physician 2001;63(5):927-36.
41. Saunders NC, Malhotra R, Biggs N, et al. Complications of keratosis obturans. J Laryngol Otol 2006;120:740-744.
42. Saxby C, Williams R, Hickey S. Finding the most effective ceruminolytis. J Laryngol Otol 2013;127:1067-1070.
43. Sharma A, Law AD, Bambery P et al. Relapsing polychondritis: clinical presentations, disease activity and outcomes Orphanet Journal of Rare Diseases 2014;9:198-201.
44. Slattery WH 3rd, Brackmann DE. Skull base osteomyelitis. Malignant external otitis. Otolaryngol Clin North Am 1996;29:795-806.
45. Stokkel MP, Boot CN, van Eck-Smit BL. SPECT gallium scintigraphy in malignant external otitis: initial staging and follow-up. Case report. Laryngoscope 1996;106:338-340.
46. Stokkel MP, Takes RP, van Eck-Smit BL, Baatenburg de Jong RJ. The value of quantitative gallium-67 single-photon emission tomography in the clinical management of malignant external otitis. Eur J Nucl Med 1997;24:1429-1432.
47. Talmi YP, Orenstein A, Wolf M. Use of mitomycin C for treatment of keloid: A preliminary report . Otolaryngol Head Neck Surg. 2005;132(4):598-601.
48. Tarazi AE, Al-Tawfiq JA, Abdi RF: Fungal malignant otitis externa: pitfalls, diagnosis, and treatment. Otol Neurotol 2012;33:769-773.
49. Voss SE, Rosowski JJ, Merchant SN, et al. Middle-ear function with tympanic-membrane perforations. I. Measurements and mechanisms. J Acoust Soc Am 2001;110:1432.
50. Vrabec JT, Chaljub G. External canal cholesteatoma. Am J Otol 2000;21:608-614.

CHAPTER

16

외이 질환_ 이개의 외상

한규철

I 서론

귓바퀴는 외부로 돌출되어 있기 때문에 안면 외상에서 큰 부분을 차지한다. 급성 외상성 귓바퀴 손상은 다양한 증례로 응급실을 방문하며 초기 처치와 정확한 판단이 최종 귀 모양을 결정하는 중요한 요소이다. 외상성 귓바퀴 손상의 종류는 피부, 연골막, 연골 등의 손상 정도, 수상 위치 범위에 따라 분류되며 표준화된 치료 원칙을 적용하기 어렵다. 귓바퀴는 모양이 오목, 볼록한 면들로 구성되며 얇고 약한 연골이 곡선 모양을 이루기 때문에 일차재건이 쉽지 않을 뿐만 아니라 수술 후에 변형될 가능성이 크다. 따라서 외상으로 인한 귓바퀴 손상을 치료할 때 술자는 반드시 귓바퀴의 해부를 이해하고 적절한 수술기법을 적용할 수 있어야 만족스러운 결과를 얻을 수 있다.

II 귓바퀴 재건에서 고려할 사항

귓귀바퀴의 중요한 해부학적 지표는 이륜(helix), 대이륜(antihelix), 대이륜각(crura of the antihelix), 이주(tragus), 대주(antitragus), 이주간 절흔(intertragal notch), 주상오목(scaphoid fossa), 삼각오목(triangular fossa), 이갑개주(concha cymba), 이개강(concha cavum), 그리고 귓불(lobule)이다(그림 16-1).

귓바퀴는 유연하며 탄력적인 1.0~3.0 mm 두께의 연골이 얇은 피부조직에 둘러싸여 있는데 이 연골은 한 덩어리이며 귓바퀴 상부 2/3에만 존재한다.[26]

귓바퀴 연골의 앞면부와 바깥 부분은 피부와 연골막이 서로 단단히 붙어 있지만 뒷부분과 안쪽 부분은 피부와 연골 사이에 피하지방층이 있다.[47,31] 반면에 귓불은 섬유지방조직과 피부로만 이루어져 있다(그림 16-2).

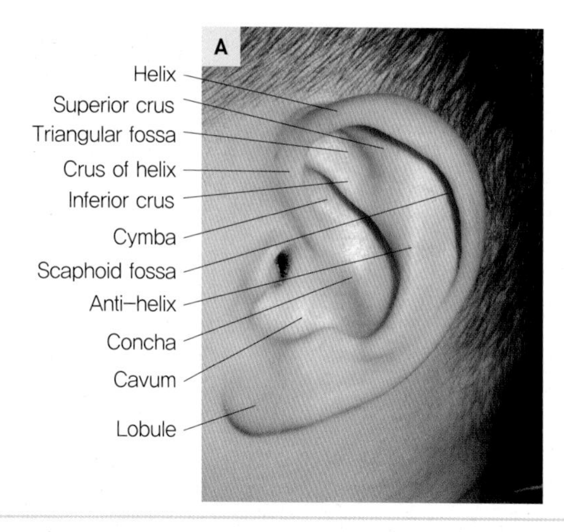

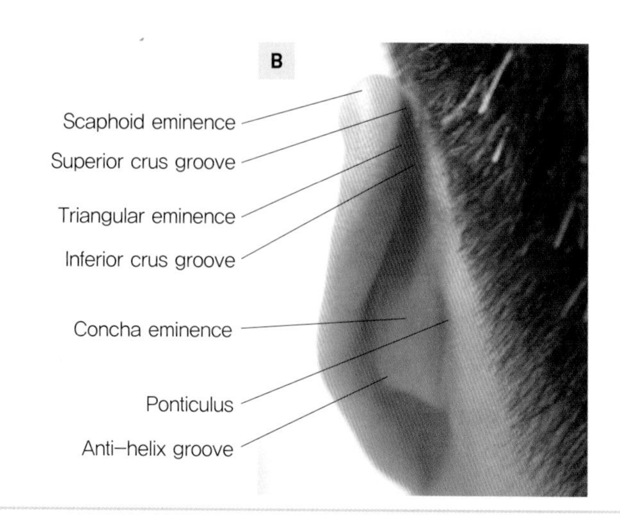

■ 그림 16-1. **정상 귓바퀴의 주요 구조물과 명칭**

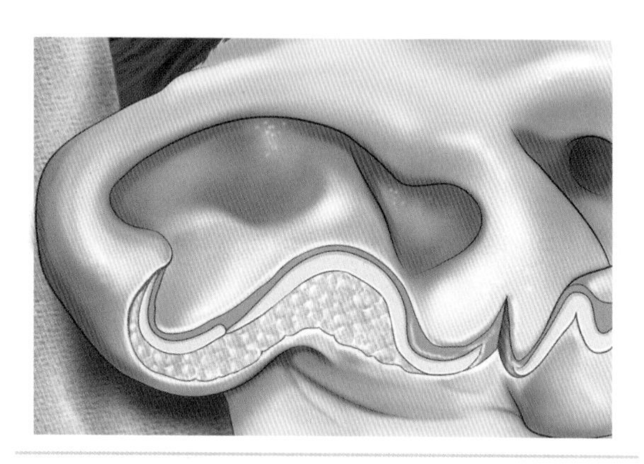

■ 그림 16-2. **귓바퀴 조직단층.** 귓바퀴의 뒷면은 앞면에 비해 피하지방조직층이 풍부함.

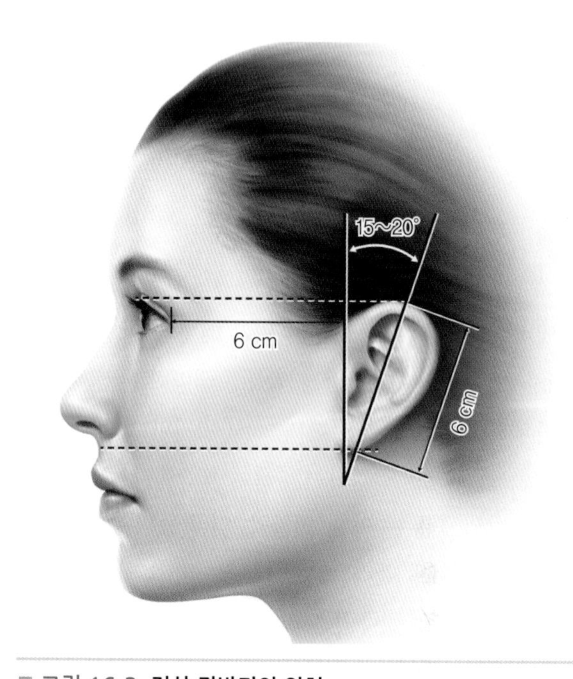

■ 그림 16-3. **정상 귓바퀴의 위치**

정상적인 귓바퀴의 위치, 방향 그리고 모양에 대한 이해는 성공적인 귓바퀴 재건에 필수적이다. 성인 귓바퀴의 크기는 세로 6 cm, 가로 3~4 cm 정도로 가로축의 길이가 세로축의 55% 정도를 차지하고 귓바퀴는 유양돌기에서 15~20 mm 정도 돌출되어 25~30°의 각을 이룬다. 귓바퀴는 Frankfort horizontal line의 수직선에서 15~20° 정도 뒤쪽으로 기울어져 있다.[40] 귓바퀴의 가장 윗부분은 위눈꺼풀주름(superior tarsal crease)에 위치하고 가장 아래부분은 비하점(subnasale)을 기준점으로 삼을 수 있다.[37] 하지만 귓바퀴를 재건할 때 손상이 없는 반대측 귀를 참고로 하여 수술하는 것이 가장 바람직하다(그림 16-3).[11]

III 귓바퀴 외상의 원인과 역학

귓비퀴 손상의 원인으로 자동차 사고나[44] 사람에 의한 자상(human bite)이 흔하다고 알려졌다.[3] 국내 안전보건공단 산업재해 분석에 따르면 넘어짐(21.53%), 끼임(17.11%), 추락(14.23%), 충돌(8.66%), 절단(7.98%), 낙하

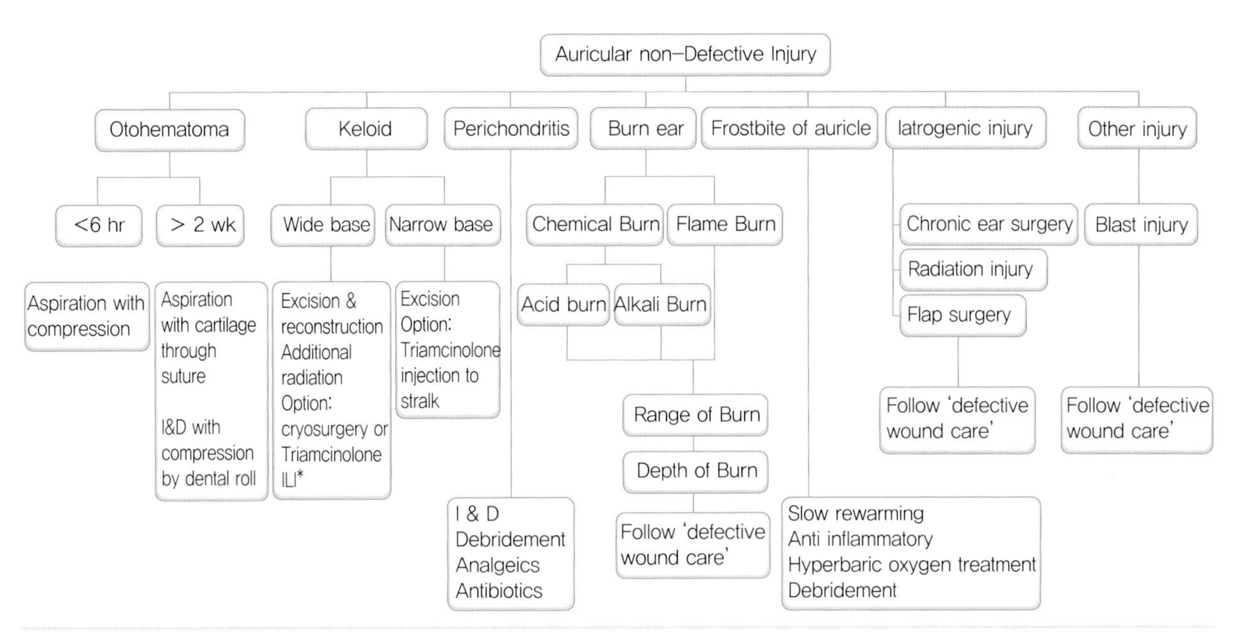

■ 그림 16-4. **비열상성 귓바퀴 손상의 치료와 치료 흐름도**

(7.9%) 등이 주요 작업장 사고로 분류되며 이는 전체 산업재해의 77.41%에 해당하고 이 중 귓바퀴 손상은 동반 손상의 경향을 보인다.

Ⅳ 외상의 분류

귓바퀴는 얼굴-머리에서 돌출되어 있으면서 얇고 단순한 조직구성으로 되어 있어 손상이 흔할 뿐만 아니라 금속성 귀걸이와 같은 장신구로 인한 외상도 자주 발생한다. 귓바퀴 손상이 체계적으로 분류된 바는 없지만 한국표준질병·사인분류(KCD6)에 의하면 '귀의 외상성 절단(S08.1)'과 '귀 손상 NOS (injury of ear, NOS)' 이외의 대부분 손상을 '상세불명의 머리 손상(unspecified injury of head, S09.9)'으로 분류한다. 귓바퀴에 발생한 화상에 대해서는 '머리 및 목의 1도, 2도, 3도 화상(T20.10, T20.20, T20.30)'으로 세분되어 있지만 귓바퀴 동상에 대해서는 특별한 분류 없이 '표재성 동상(T33.0)'과 '조직괴사를 동반한 동상(T34.0)', '다발성 신체 부위를 침범하는 동상 및 상세불명의 동상(T35.2)'으로만 분류된다.

국제적 혹은 국내의 귓바퀴 손상의 분류체계가 갖추어져 있지 않은 관계로 편의상 다음과 같이 분류하는 것을 제안한다(그림 16-4).

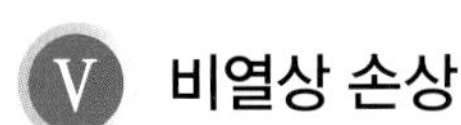

Ⅴ 비열상 손상

1. 이개혈종(Otohematoma)

복싱, 레슬링, 수구(water polo), 럭비 등의 운동 중에 일 회 혹은 반복적인 압박-문지름 손상으로 이개혈종이 흔히 발생한다.[13] 연골막하(subperichondrial space)에 혈액이 고인 경우로서, 연골막 팽윤 때문에 부분적으로 연골막에 혈행공급을 차단되어 연골의 압박괴사 혹은 염증을 유발한다.[20] 연골 재생-치유과정에서 연골모세포(chondroblast)가 수상 2주 후에 활성화 되고 이후 4주 후에 신생 연골과 섬유조직을 발생시켜 양배추귀(cauliflower ear)를 만든다.[22]

치료의 원칙은 조기 발견, 조기 배액, 재발 방지이다. 일차치료는 통증의 조절과 출혈을 중지시키는 압박이며

표 16-1. 이개혈종의 치료법으로써 바늘흡인과 절개배액의 과정

Aspiration	Incision and drainage
1. Anesthetize with 1% lidocaine. 2. Sterilize the area with betadine. 3. Insert an 18-gauge needle attached to a 10-mL syringe into the largest area of the hematoma. 4. Aspirate while milking the hematoma with the finger and index finger. 5. Apply pressure for 3 to 5 minutes to the hematoma. 6. If a blood clot remains, then insert a hemostat in the hematoma after making a small incision and break up the clot. 7. Apply a pressure dressing once the entire clot has been removed. 8. Recheck the ear in 24 hours to evaluate for fluid reaccumulation.	1. Anesthetize with 1% lidocaine. 2. Sterilize the area with betadine. 3. Using a no. 15 blade scalpel, incise the hematoma parallel to the natural skin folds. 4. Completely evacuate the hematoma and irrigate with normal saline. 5. on the opposite side of the incision. The use of buttons may be used to prevent reformation of the hematoma. 6. Then bring the stitch back through the skin, cartilage, and skin again and through a dental roll on the side of the incision. This creates compression of the drained hematoma area. 7. Prescribe an antistaphylococcal antibiotic. 8. Remove the dental rolls in 3–7 days.

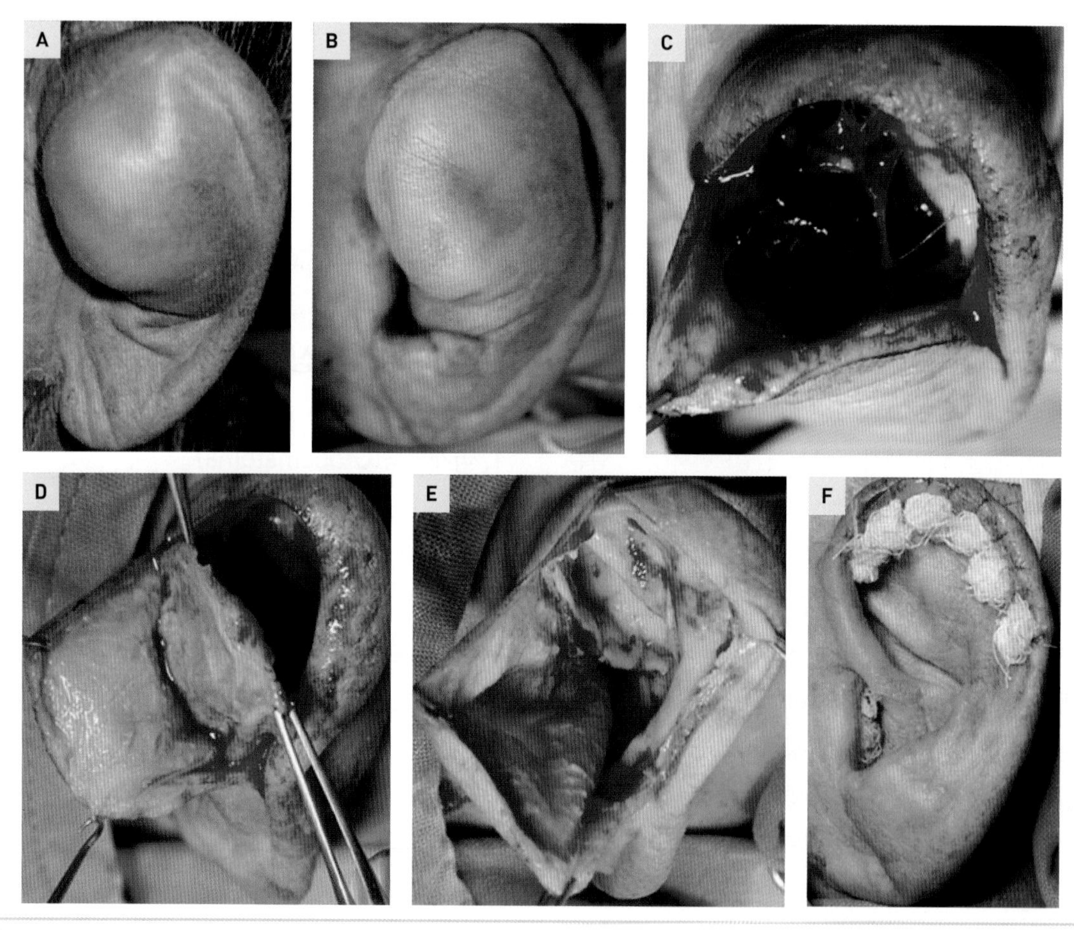

■ 그림 16-5. **거대 이개혈종의 수술과정.** **A)** 거대혈종의 외관, **B)** 절개선, **C)** 연골막하 공간을 채운 혈종, **D)** 연골막의 부종, **E)** 혈종 제거 후 연골의 상태, **F)** 측두근막과 피부로 재건

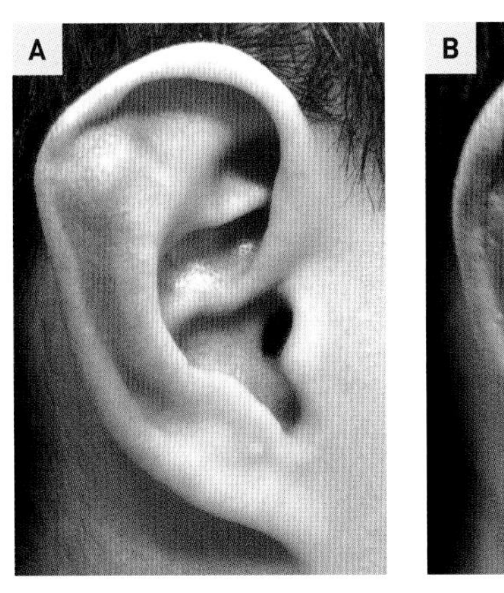
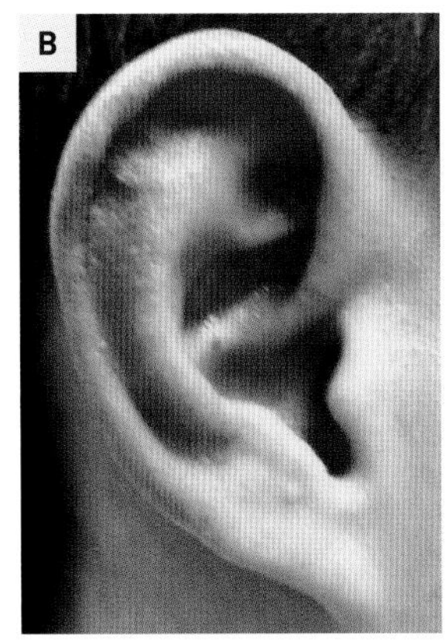

■ 그림 16-6. **작은 이개혈종의 치료 전·후 모습**

수상 직후 얼음 주머니를 상처 부위에 20분 미만으로 적용하기도 한다. 이후 이개혈종이 남아 있으면 염증이 시작되기 전에 소독된 환경 아래서 바늘흡인이나 절개배액을 시켜야 한다(표 16-1).[29] 이개혈종이 6시간 이상 지속되었거나 바늘흡인만으로 없어지지 않거나 이개혈종이 광범위한 경우라면 조기에 절개배액을 선택한다.[13] 절개배액 시 이륜을 따라 절개선을 긋고 subperichondrial space를 세척한다(그림 16-5).[22] 단순한 바늘흡인이나 절개배액에 비해 절개배액후 단기간 부목(bolster)이나 덴탈롤,[2,21] 탐폰을 이용한 압박(tie-through sutures)이나[20] 실리콘 부목이나[8] 열가소성 수지부목(thermoplastic splint)을 이용한 압박은 재발을 방지하는 효과가 있다(그림 16-6).[29]

2. 켈로이드

상처 치유 과정은 염증-새조직의 생성-개조의 단계를 거친다. 이중 수상 후 1개월에서 1년에 걸쳐 이루어지지는 개조단계에서 섬유모세포로부터의 과도한 콜라겐이 축적된 것이 켈로이드이다. 켈로이드가 특별히 자주 발생되는 귓바퀴의 부위는 없고 귀걸이를 한 위치에 잘 발생한다. 가려움과 통증이 있을 수 있지만 미용 목적의 치료를 원하는 경우가 많다(그림 16-7).

아직 켈로이드를 억제하는 기전을 연구할 동물모델이 없다는 점에서 단일 치료법이 확립된 바가 없다. 따라서 불필요한 귓바퀴의 미용시술을 자제하고 수상 후 창상 처치를 잘해야 하며 과도한 장력이 걸리는 봉합을 피하고 가능하다면 피부긴장선과 나란히 봉합하는 것이 예방법이다.[24] 이미 발생한 켈로이드에 대해 트리암시놀론을 이용한 장기간 병변 내 스테로이드주입술(intra lesional injection; IL)이 보편적으로 사용된다. 시술방법은 표피 마취를 하고 리도카인과 에피네프린 국소주사 후에 미세주삿바늘의 벨벳을 위로 하여 콜라겐 생성이 가장 활발한 유두진피층으로 삽입하여 적당량을 주입하며 매 2주에서 3주마다 반복 주사한다(그림 16-8). 시술 후에 켈로이드에 실리콘겔시트로 드레싱을 한다.[48] 스테로이드의 작용기전은 α2-macroglobulin을 억제하여 콜라겐 생성을

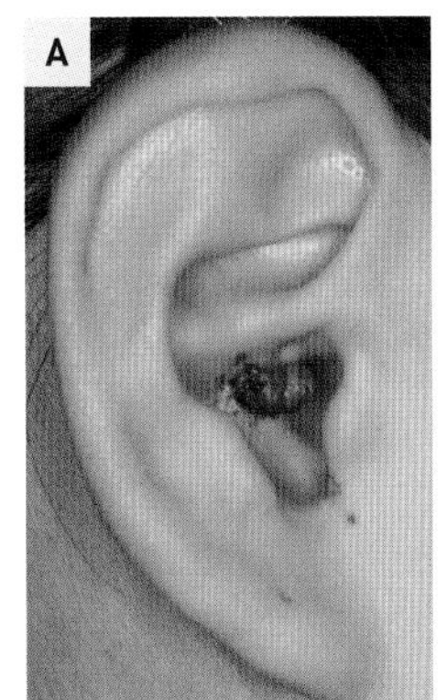
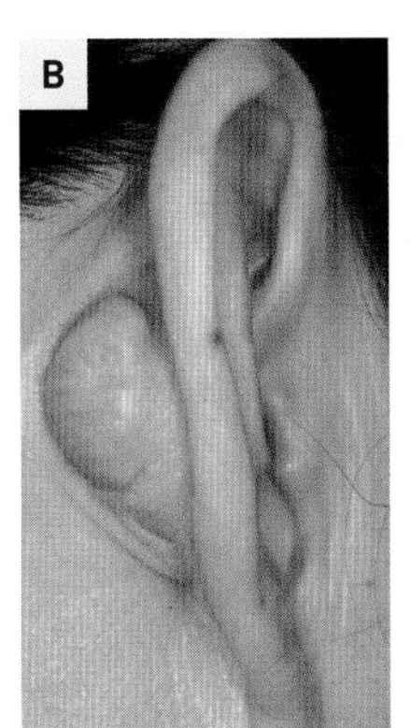
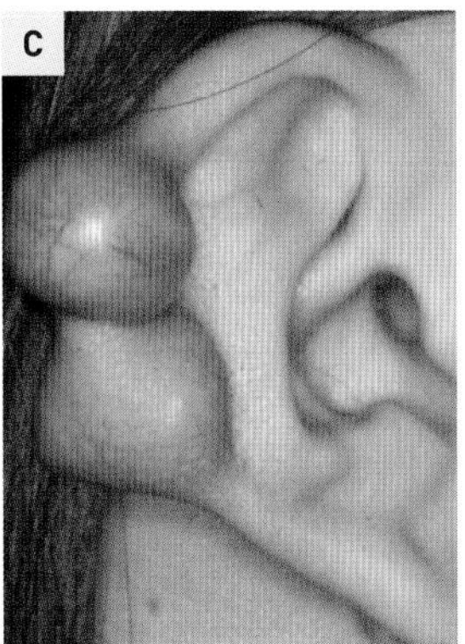
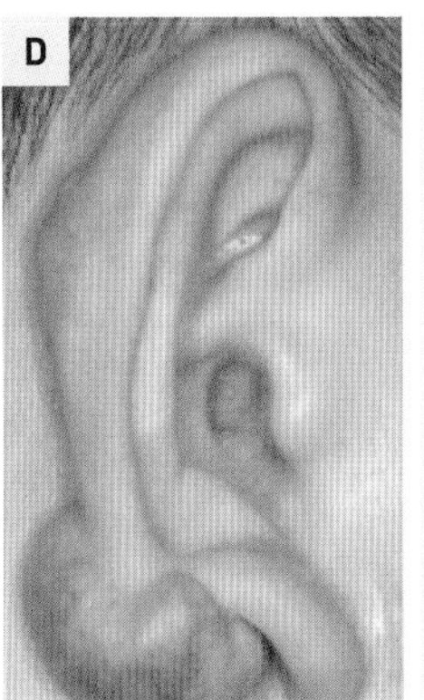
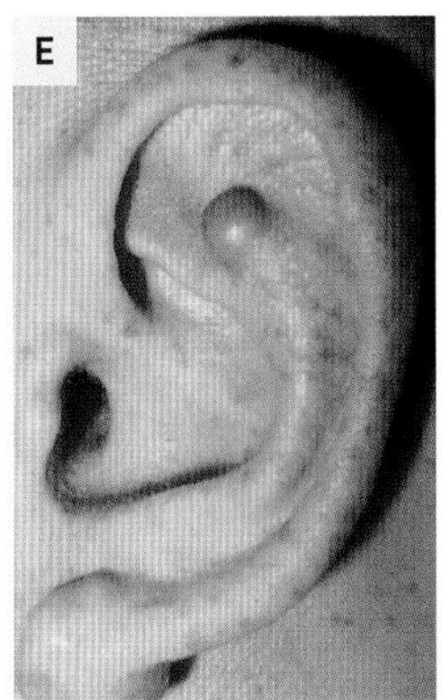

■ 그림 16-7. **다양한 귓바퀴 부위에 발생한 켈로이드**

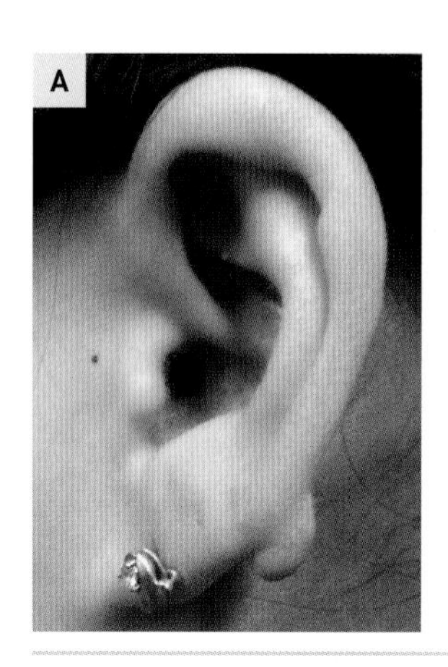
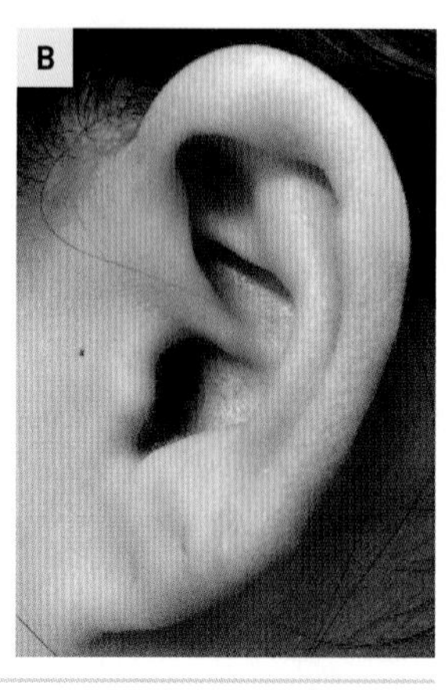

■ 그림 16-8. **장기간 트리암시놀론 병변 내 주사의 결과**

줄이는 것이다. 인터페론 주사는 켈로이드 수술 직후 혹은 1~2주 후에 1 cm당 100만 유닛을 주변 조직에 주사한다. 제1형 혹은 3형 콜라겐의 형성을 억제하는 효과가 있는 것으로 알려졌다. 항암제인 5-fluorouracil은 작은 켈로이드에 트리암시놀론과 함께 사용하며 주 3회 주사하며 총 5~10회 반복 주사한다. Imiquimod은 크림제재로써 국소적으로 인터페론 생성을 증진한다.

내과적 치료에 반응하지 않거나 켈로이드 크기가 너무 크거나 빠른 치료를 원하는 경우에 적출술을 시행할 수 있다.[18] 국소마취 시에 트리암시놀론을 수술 부위에 미리 주사한다. 절개선은 피부긴장선을 따라 긋되 1 cm 미만의 피부결손이 생기거나 켈로이드 크기가 작다면 단순 절제와 일차봉합을 하고, 넓은 피부결손이 예상되거나 켈로이드 크기가 크다면 절제 후 피판술이나 피부이식을 하여 피부긴장을 최대한 줄여 줘야 한다. 봉합은 진피층을 관통하는(intradermal subcuticular suture) 방법으로 최대한 피부긴장을 최소화시켜 줘야 한다(그림 16-9).

이외 냉동수술은 켈로이드를 형성한 세포와 미세 혈관을 괴사시키는 방법으로써 켈로이드를 평편하게 만드는 효과가 있다. 냉동질소를 켈로이드에 분사하는 시간은 20초 미만으로 반복할 수 있으며 트리암시놀론과 동시에 사용할 수 있다. CO_2 레이저치료는 재발률이 높아 트리암시놀론 주사법과 같이 사용하거나 최근에는 Nd:YAG 레이저를 이용하여 섬유모세포 자체를 파괴시키는 방법도 소개되었다. 방사선치료는 단독 혹은 수술과 함께 사용된다. 수술 후 1~2주 이내에 시행해야 좀 더 효과적인 것으로 알려졌으며 조사량은 3 Gy로 3~5일 혹은 수술 당일부터 5 Gy로 3일간 시행하기도 한다. 방사선치료는 골간단에 손상으로 성장에 영향을 줄 수 있으므로 청소년은 피하는 것이 좋다. 이외 테이프, 클립, 자석 등의 소재를 이용한 압박 용품들이 상업적으로 판매되고 있다(표 16-2).

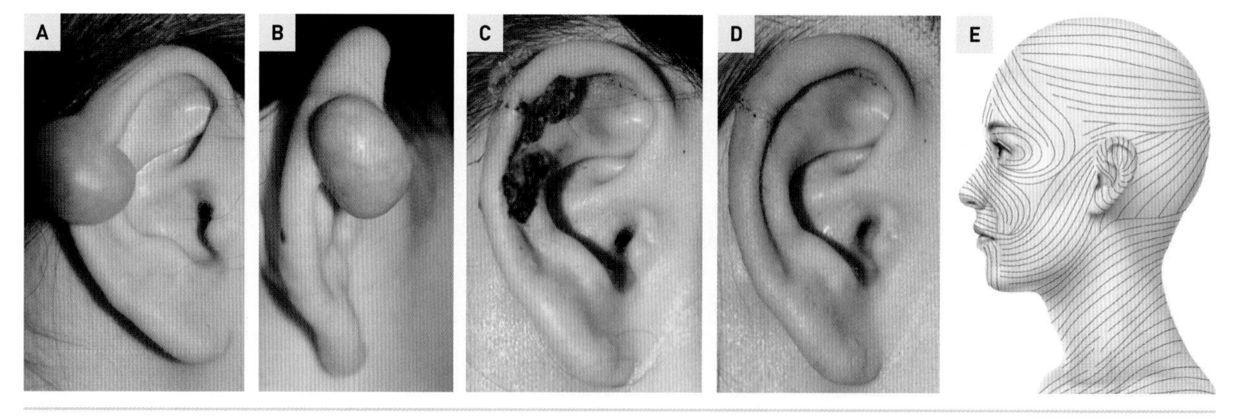

■ 그림 16-9. **이륜에 발생한 켈로이드의 절제.** **A)** 귀걸이 착용 후 발생한 이륜의 켈로이드, **B)** 켈로이드의 측면, **C)** 겔로이드 절제 후 위아래 이륜을 전진시켜 이륜재건, **D)** 최종 결과, **E)** 귓바퀴 주변의 피부긴장선

표 16-2. 귓바퀴에 생긴 켈로이드의 치료법 요약

Treatment modality	
Medical treatement	Steroid injections Interferon therapy 5-fluorouracil therapy Imiquimod therapy Other medical therapies
Surgical therapies	Primary excision Cryosurgery Radiation therapy
Physical modalities	Pressure Ligatures Lasers Silicone gel-sheeting

3. 연골막염(Perichondritis)

연골막염은 외상성 귓바퀴 손상 자체로 뿐만 아니라 귓바퀴 주변 수술적 처치의 합병증으로 발생할 수 있다. 연골막은 귓바퀴 연골의 앞-뒷면에서 많은 관통 혈관가지(perforating branch)로 혈관얼기(plexus)를 형성하여 연골에 혈행을 공급한다. 국소적으로 발생한 연골막염이라도 전체로 퍼져 부종과 혈행 공급방해로 인한 연골괴사로 진행될 수 있다.

귓불에 거는 귀걸이는 일반적이며 안전하다고 여겨지지만,[9] 이륜, 주상오목, 대이륜의 연골을 관통하는 귀걸이는 열상을 제외한 연골막염의 흔한 원인이며 청소년기 이후 증가한다.[28] 더군다나 비위생적인 귀걸이 장착은 상처관리가 되지 않은 경우가 문제가 될 수 있다. 연골막염, 연골의 괴사를 포함한 연골염, 농양, 연조직염으로 발전한 경우는 후유증으로 귓바퀴의 심한 변형을 초래하게 되며 특히 외이도를 포함한 경우는 전도성 난청의 원인이 될 수 있다.

연골막염에 대한 표준치료법은 없다. 발생 초기에 통증, 부종, 열감과 발적이 동반되므로 초기에 발견하여 진행을 억제하는 것이 가장 중요하다.[12] 연골막염의 균주배양에서 녹농균(87.2%)과 methicillin-sensitive Staphylococcus aureus (MSSA)이 흔히 발견된다.[41] 더욱이 연골막염의 치료를 위한 입원 여부와 정맥을 통한 항생제투여와 연골막염의 진행 사이에 통계적 연관성이 없으므로 3세대 혹은 4세대 cephalosporin이나 aminoglycosides, carboxypenicillin, aztreonam, piperacillin/tazobactam, and fluoroquinolones 등의 경구투여를 우선 시행해야 한다.[28]

4. 화상(Burn ear)

얼굴-목에 동반되는 귓바퀴 화상은 연골염의 흔한 원인 중 하나이다.[10,32] 화학물질에 의한 화상과 화염에 의한 경우로 구별할 수 있다. 화학물질에 의한 화상은 산과 알칼리 화상으로 분류된다. 산에 의한 화상은 상대적으로 표재성 손상이며, 알칼리 화상은 좀 더 깊은 손상을 유발한다. 뜨거운 액체나 화염, 가스폭발, 증기 등이 직접적인 화상의 원인이 될 수 있으며 화상의 정도는 통증을 동반한 발적의 범위, 수포의 발생 여부로 화상 깊이에 따라 1도부터 3도로 분류되지만, 기준이 명확하지 않다.

화상은 귓바퀴 완전재건의 이유가 되기도 하지만 선천성 기형에 의한 소이증 재건과 달리 주변 피부나 근막의 잔존 여부에 따라 재건의 범위나 방법을 달리한다.[38]

5. 동상(Frostbite of ear)

귓바퀴는 동상이 발생하기 쉽다. 추위에 노출된 기왕력으로 쉽게 진단되며 통증을 동반한 부종과 발적이 특징이다. 치료는 점진적인 재가온(rewarming), 항염증제 투약, 고압산소요법, 혈관확장제, 수술적 괴사조직제거 등이 일차 처치법이다(그림 16-10).[34] 골화 귓바퀴(auricular ossificans, ectopic ossification of the auricle)는 외상이나 귓바퀴 염증, 전신 질환에 의해 귓바퀴가 딱딱해 지는 드문 질환이지만 추위에 장기간 노출되는 경우 발생할 수 있다.[46]

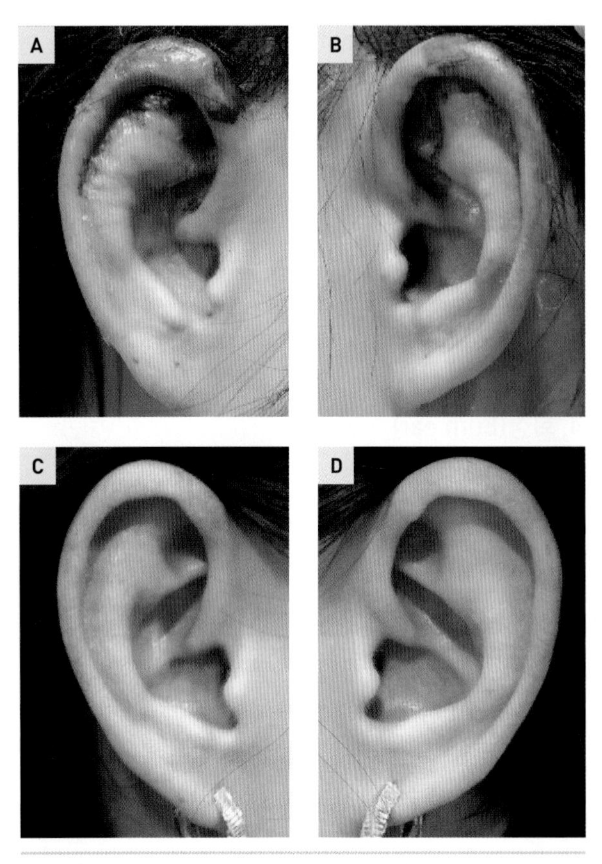

■ 그림 16-10. **동상 치료의 실례. A), B)** 우-좌측 귓바퀴 동상, **C), D)** 동상 치료 후 결과

Ⅶ 귓바퀴 열상 손상

1. 손상의 초기 처치

귓바퀴 손상 환자도 일반적인 외상 환자처럼 기도(airway), 호흡(breathing) 그리고 순환(circulation)을 먼저 확인하고 동반된 손상 여부를 확인한다. 손상 부위와 종류에 따라 생리식염수 혹은 헤파린이 함유된 생리식염수로 압력을 이용한 세척(jet irrigation system) 및 이물 제거와 적당한 괴사조직제거, 파상풍 톡소이드 주사, 그리고 감염 방지를 위한 예방적 항생제를 투여한다. 특히 사람에 의한 물린 상처는 연골이 노출된 경우 감염의 가능성이 커 정맥 항생제 주입이 필요하다.[45] 특히 벗겨진 (avulsed segments) 부분이 존재하는 경우 무리한 세척보다는 10% 포비돈 아이오다인 용액을 이용하여 혈관에 추가손상이 없도록 소독하는 것이 중요하다.[26]

2. 손상의 평가와 재건계획수립

귓바퀴 열상은 수상 후 일차적으로 바로 일차봉합이 불가능하다면 지연성으로 봉합할 수도 있다. 열상 모양이나 정도에 따라 일차 봉합이나 피판을 이용하여 재건하는데, 이때 환자의 상태, 즉 귓바퀴 혈관 손상이나 당뇨 같은 전신 질환, 정신 상태 등도 고려해야 한다.

귓바퀴 손상의 정도는 연골이 보존된 표제성 손상(superficial injury)과 연골의 연속성이 파괴된 복합손상(composite injury)으로 구별이 된다. 복합손상은 다시 부분손상(partial avulsion)과 완전손상(complete avulsion)으로 구별된다(그림 16-11). 부분손상에서 줄기(pedicle)의 넓이가 넓어 말초혈관충만시간(distal capillary refill time)이 충분하다면 손상부위에 따라서 일차봉합만으로도 자연스러운 귀의 굴곡을 재건할 수 있다(그림 16-12).

외이도가 포함된 경우라면 협착을 막기 위해 피부를 복원하는 작업과 함께 피부의 움직임을 최소화하기 위한 심지(wick)의 수일간 삽입이 필요하다. 반면 줄기의 넓이가 좁거나 말초혈관충만시간이 지연되는 부분손상이라면 주변에서 전진피판(local advancement flap), 후이개도서형피판(postauricular island flap), 이륜전진피판(helical advancement flap)을 선택할 수 있다. 완전히 절단되거나 절단에 가까운 완전손상의 경우는 늑골을 이용한 소이증의 재건과 유사하게 지연성 재건을 선택한다.

완전손상의 위치와 크기에 따라 수술방법을 달리할 수 있으므로 다음과 같은 4가지 모양으로 분류한다(그림 16-13).

특히 절단된 조각의 유무는 재건술의 난이도와 그 결과를 좌우할 수 있다. 따라서 절단된 조각은 오염이 되었

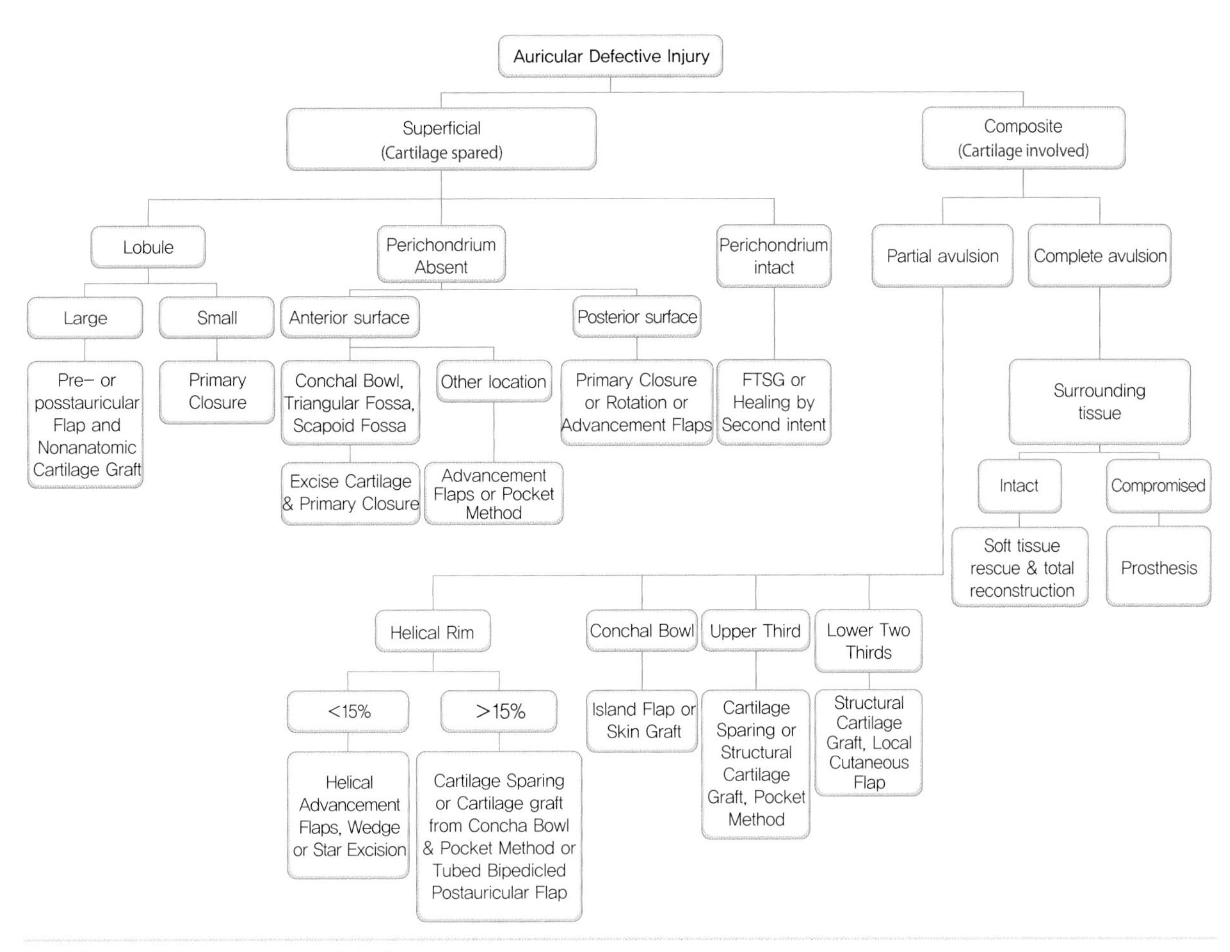

■ 그림 16-11. **열상성 귓바퀴 손상의 치료와 치료 흐름도**

어도 회수하여 사용 가능 여부를 확인하는 것이 좋다. 절단된 조각은 거즈로 싸고 비닐 팩에 넣은 후에 동상이 생기지 않도록 주의하여 얼음 혹은 4℃ 냉수로 감싸 이송하고 이때 절단된 조직과 물이 직접 닿지 않도록 한다. 진피(dermis)는 4℃에서 약 3주간, 연골은 링거 용액에서 약 3주간 감염 없이 보존할 수 있다.

양측 귓바퀴는 일반적으로 10% 정도의 비대칭을 보이며[17] 양측 귓바퀴의 크기가 15% 이상 차이가 나지 않으면 보통 그 비대칭을 인식하지 못한다는 연구 결과가 있듯이[6] 귓바퀴 재건 시 양측을 정확히 같은 모양으로 만들어 줄 필요는 없다. 귓바퀴 재건의 첫 번째 목표는 외이도 및 전체적인 귓바퀴 윤곽 유지이고 두 번째 목표는 세로 장축과 국소적인 하위 구조 재건이다.[5]

3. 귓바퀴 재건을 위한 기초적 일차 수술법

미세혈관봉합(microvascular replant)은 수상 후 약 33시간 이내까지 가능하며 다른 어떤 방법보다도 주변 조직에 영향 없이 가장 좋은 재건의 결과를 만들 수 있다.[27,39,43] 미세혈관봉합술은 절단면과 절단된 조각에서 괴사조직을 제거하면서 봉합 가능한 크기의 동맥혈관 말단을 찾아 봉합재건을 하는 방법이다(그림 16-14).[33] 가능하다면 정맥도 복구하는 것이 이상적이지만 대부분의 경우, 정맥을 잇는 것이 어려운 경우가 많다. 혈관 미세봉합에는 9-0 혹은 10-0 나일론 봉합사가 사용되며, 혈관연축을 막기 위해 항연축제를 예방적으로 투여한다. 혈관봉합 후 나머지 절단된 귀 조각을 원위치하여 재건한다. 수술

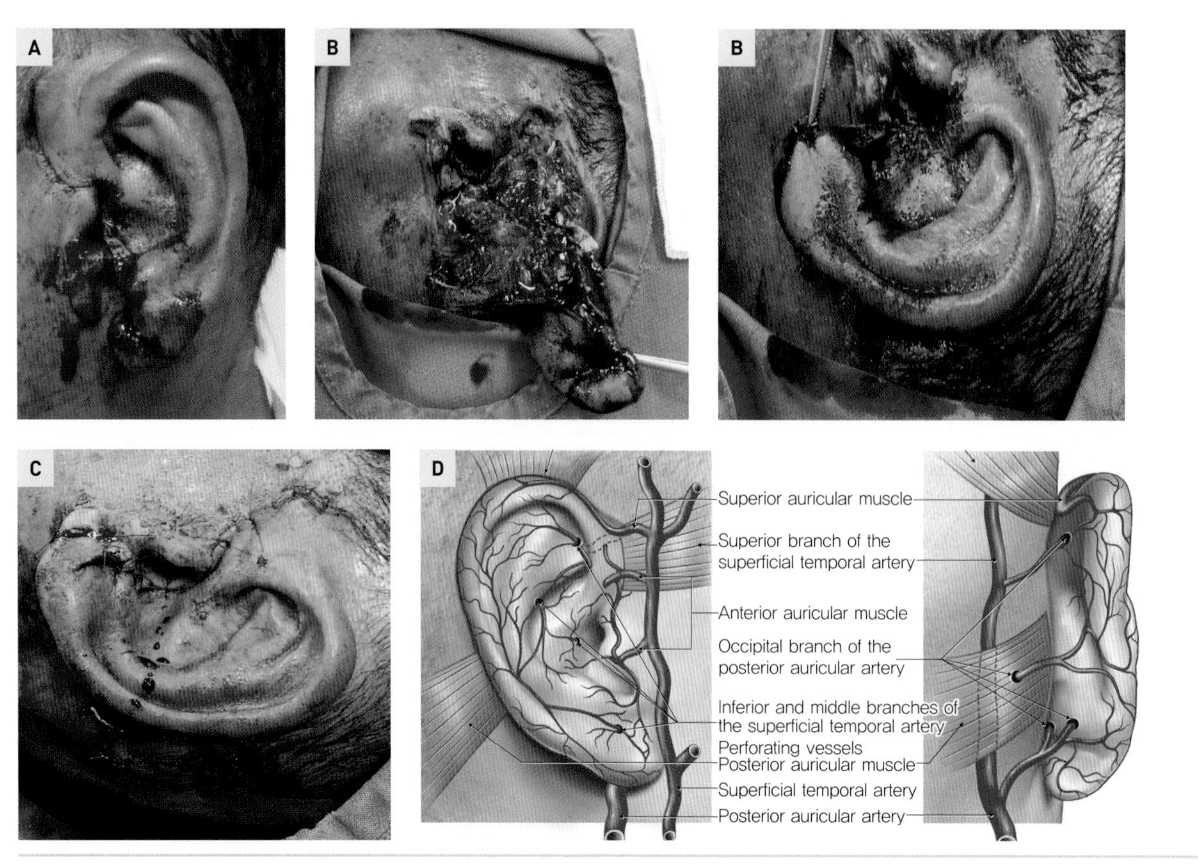

■ 그림 16-12. **말초혈관충만시간측정의 실례.** A) 손상된 귓바퀴, B) 혈관과 신경의 추가손상이 없도록 소독, C) 혈관의 꼬임이 없도록 원위치, D) 국소 압박 후에 창백이 풀리는 시간이나 바늘로 찔러 피가 나는 부위를 파악

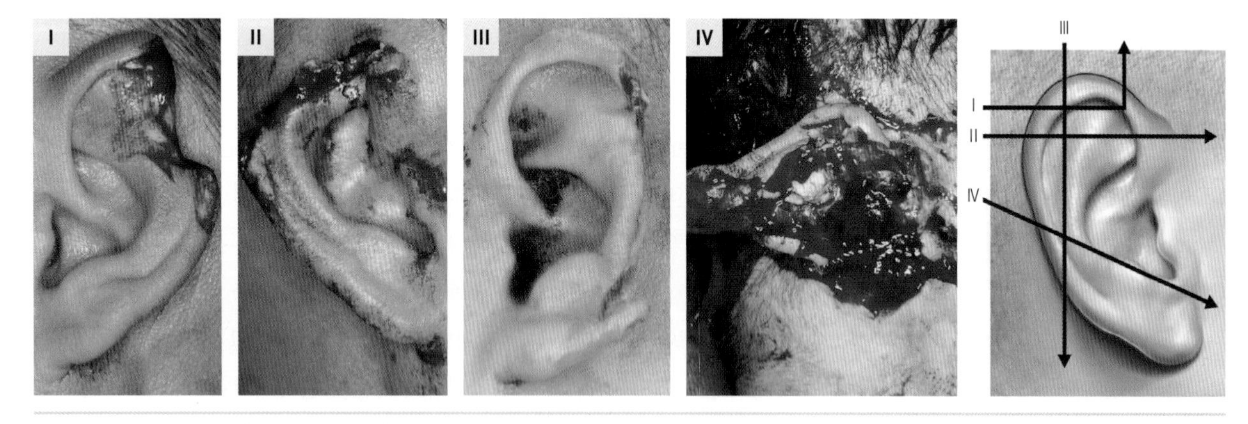

■ 그림 16-13. **귓바퀴 절단 손상의 분류.** 절단된 형태에 따라 I-IV형으로 분류함

이후에는 봉합된 혈관 주변에 혈전 방지를 위해 항혈 전제를 사용하고 정맥울혈을 방지하기 위해 거머리 치료법(leech therapy, therapeutic bleeding)을 사용할 수도 있다.

일차봉합이나 미세혈관봉합이 어렵다고 판단되면 일차 처치방법으로 Mladick 방법[30]이나 Baudet 방법[4] 등의 포

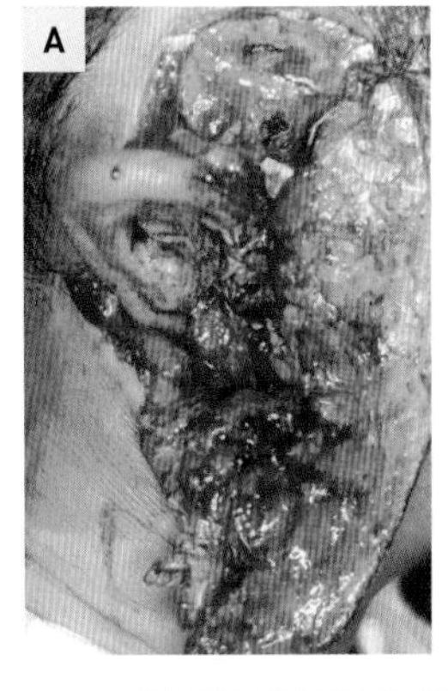

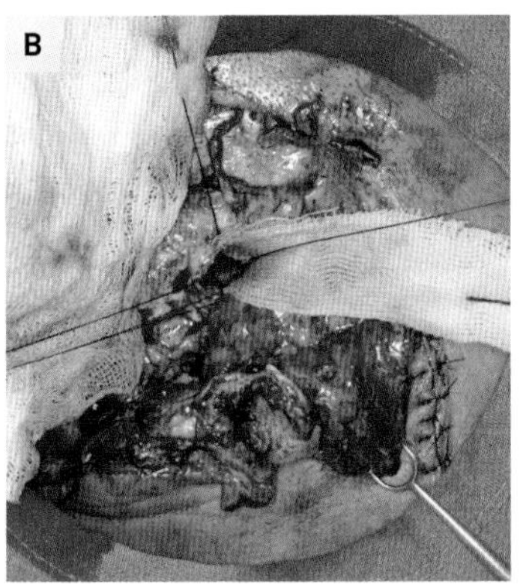

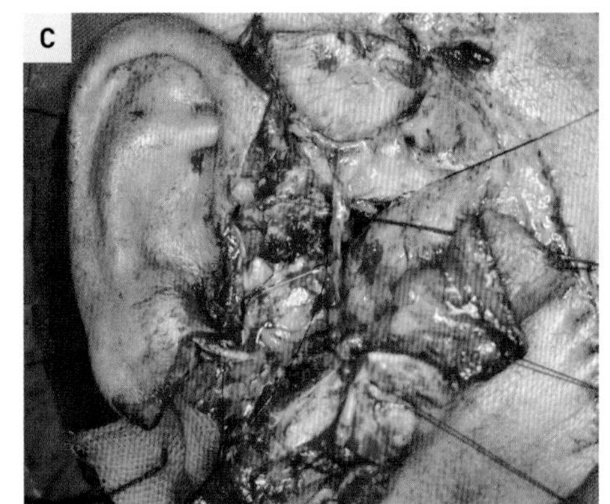

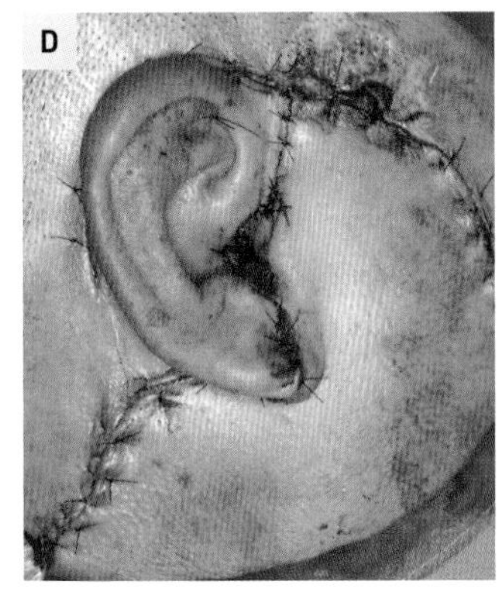

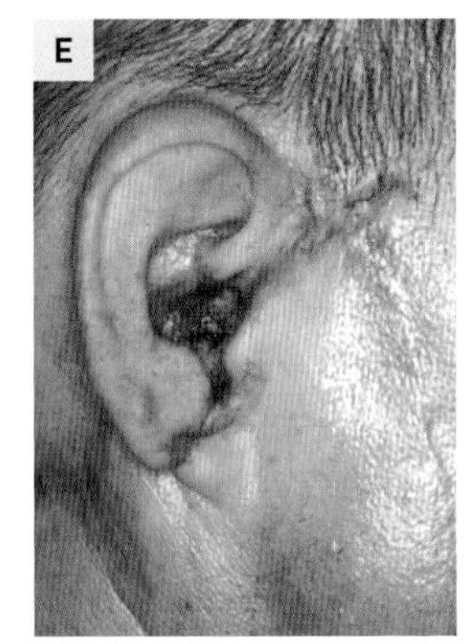

■ 그림 16-14. **완전손상의 미세혈관봉합을 이용한 귓바퀴재건.** **A)** 광범위 완전손상, **B)** 외이도 위치 확인, **C)** 천측두동맥의 미세봉합, **D)** 연골 및 피부봉합, **E)** 치료결과

켓수술법(pocket technique)을 사용한다. Mladick 방법은 절단된 조각 전체에 상피- 미세박피(microderm-abrasion to de-epithelializing)를 한 후 절단면에 맞추어 원위치하여 봉합한다. 후이개 혹은 상이개에 포켓을 만들어 박피된 부분을 넣고 2~4주 후에 포켓으로부터 거상 하여 피부이식 등의 재상피화(re-epithelialization)를 한다. Baudet 방법은 절단조각의 한쪽 면에서만 박피를 하고 연골에 천공(fenestrating)을 만들어 포켓에 심는다(그림 16-15).

포켓법 외에도 전진피판술을 이용하여 절단된 연골 조각을 재건할 수 있다. 절단조각을 박피하여 원위치한 후에 후이개나 이개 상부로 부터로부터 전진피판을 만들어 재건된 연골을 덮어 두었다 2차 재건하는 방법이며 생존율이 매우 높아 오염된 손상이나 광범위한 손상, 초심자의 경우에 이용하기 적당하다(그림 16-16).[25]

Abd-Almoktader 방법은 절단된 연골에서 연골막을 보존한 채 피부층을 전부 제거하고 새로운 혈행을 공급하기 위해 측두근막피판(temporoparietal fascia; TPF)으로 덮어 주고 미리 벗겨냈던 피부를 그 위에 다시 덮어 주는 방법이다.[1]

4. 표피성 귓바퀴 결손

연골을 침범하지 않은 미세 열상은 일차봉합하거나 저절로 상피화가 되도록 기다릴 수도 있다(그림 16-17). 이차 상피화 방법은 전신상태가 수술하기에 적합하지 않은 경우나 주상오목, 삼각오목, 이갑개주, 이개강 그리고 이개 뒷면피부의 일부 결손에서 시도해 볼 수 있다.[26] 1 cm 미만의 피부결손은 한 달이면 완전히 상피화가 된다.[11] 귓바퀴 연골이 상처의 수축을 방지하여 단순 열상에서는 변형이 거의 없지만[36] 이륜의 피부 결손은 절흔을 남기거나 전체 귓바퀴의 윤곽 변형을 일으킬 수 있다.[50] 귓바퀴 피부

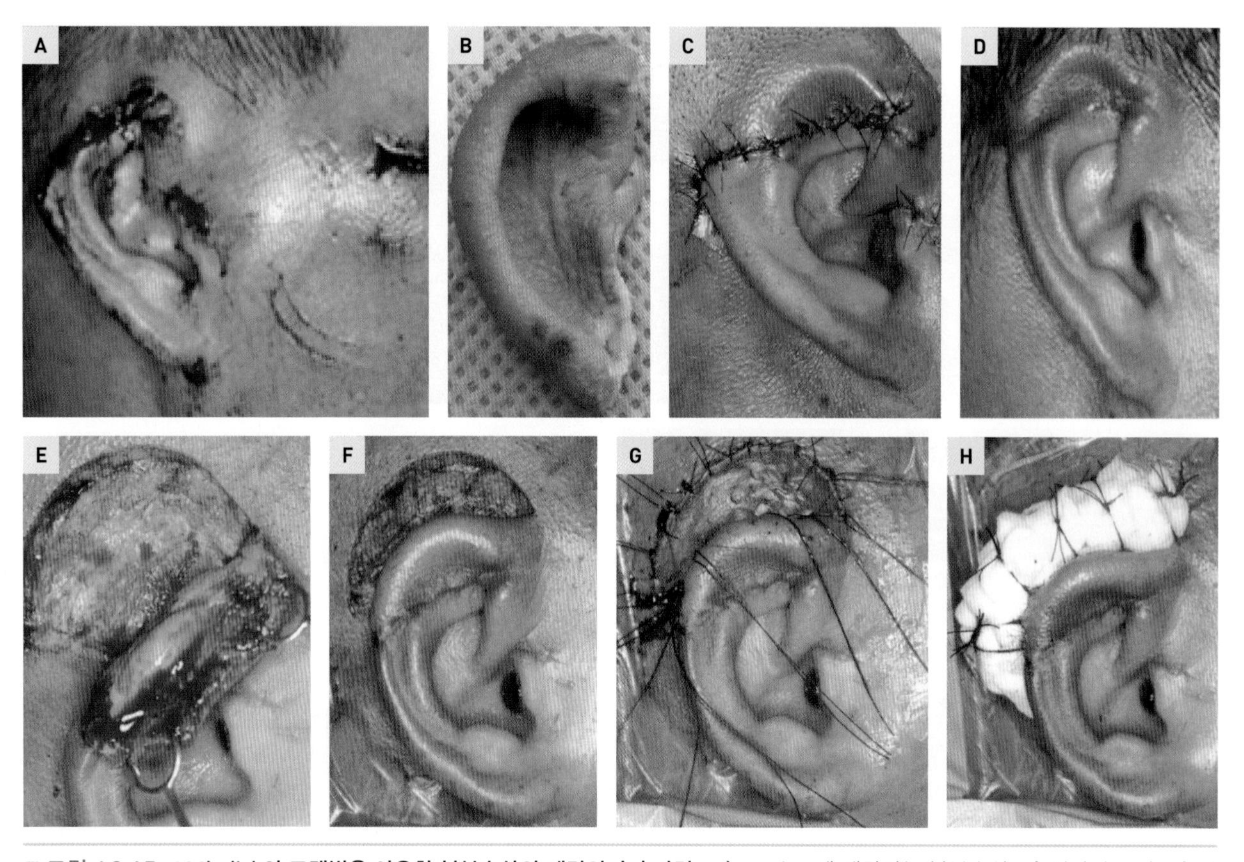

■ 그림 16-15. **AMladick의 포켓법을 이용한 부분손상의 재건의 수술과정.** **A)** grade II에 해당하는 부분손상, **B)** 절단된 조각, **C)** 절단조각을 미세박피하여 절단부에 봉합하여 귓바퀴 위쪽에 만든 포켓에 삽입, **D)** 2주 후에 모습, **E)** 포켓에서 귓바퀴 거상, **F)** 귓바퀴 거상시 피부를 이륜의 일부로 사용, **G)** 전층피부이식, **F)** 봉합고정드레싱(tie-over dressing)

결손이 외이도를 침범한 경우는 외이도 협착을 유발할 수도 있으므로 주의해야 한다.[5]

귓바퀴 피부 결손이 있더라도 연골막이 무사하면 연골막을 통한 피판으로의 혈액공급이 가능하기 때문에 전층피부이식(full thickness skin graft)이 우선 고려된다(그림 16-18).[26] 특히 귓불이나 이륜의 단순 피부결손에서 피부이식이 우선 고려되지 않는다. 즉, 이식된 피부는 지속적인 반흔구축(continued wound contraction)의 원인이 되므로 필요하다면 일차적으로 Z-plasty로 일차봉합을 하거나 전층피부이식을 선택해야 한다.[19] 피부이식은 연골막이 없는 연골 위에 덮는 경우 생착이 되지 않는다. 따라서 피부와 연골막이 파괴된 경우, 두 가지 치료방법을 선택할 수 있다. 첫째는 이개갑주, 이개강, 삼각오목, 주상오목에서는 연골을 제거하고 후면 연골막 위에 직접 피부이식을 할 수 있다. 상-하 대이륜각의 경우는 새살(granulation)이 채워지는 2주 정도 기다려 피부이식을 시행하기도 한다.[35] 피부이식의 단점은 피부 색깔의 불일치, 긴 치유 기간, 공여 부의 이환(morbidity) 등이 있다. 쇄골 위쪽의 피부를 이용하면 피판을 얻기도 쉽고 귓바퀴 피부와 비슷하게 얇은 피부를 얻을 수 있고, 흔히는 같은 수술 범위에 노출된 전이개 혹은 후이개 피부를 이용한다. 두 번째 방법은 두엽전진피판(bilobed advancement flap), 후이개 전진피판(retroauricular skin flap), 내측이개피판(medial auricular skin flaps), 주변회전피판(local rotation flap), 전이개피판(preauricular skin flap)처럼 귀 주변 혈관피판을 이용하는 것이다(그림 16-19).[14-16,23,49]

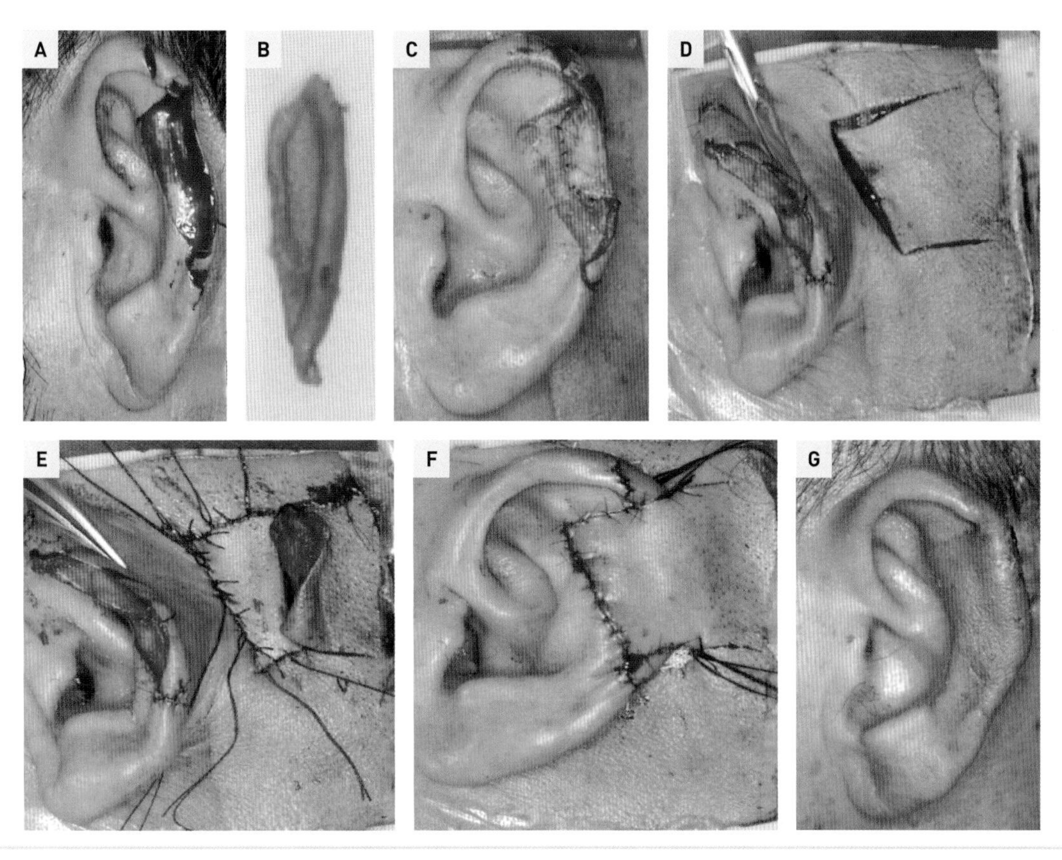

■ 그림 16-16. **후이개 전진피판을 이용한 귓바퀴 부분손상 재건.** **A)** grade II의 귓바퀴 부분손상, **B)** 절단된 조각, **C)** 절단된 조각의 연골 및 연골막을 원래 위치에 봉합, **D)** 후이개 피부에 전진피판 설계, **E)** 절단된 조각으로부터 얻은 피부를 공여부에 이식, **F)** 전진피판의 봉합, **G)** 최종 결과

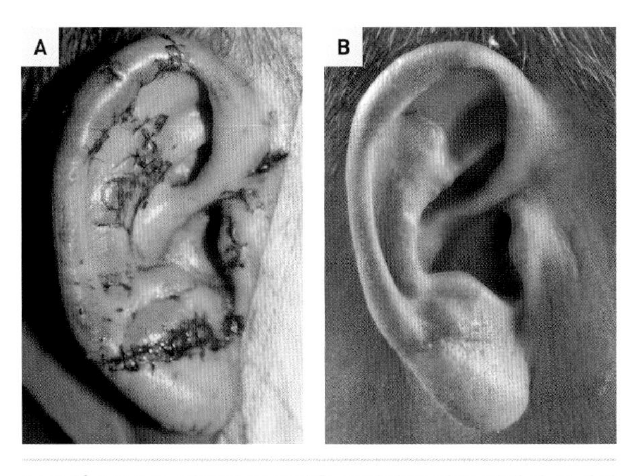

■ 그림 16-17. **연골과 연골막을 침범하지 않은 다발성 표피성 열상의 복구.** **A)** 다발성 표피성 열상의 봉합, **B)** 최종 결과

연골을 침범한 피부 결손은 손상의 정도가 부분절단 혹은 전절단으로 분류하여 부분절단인 경우는 가능하면 연골과 연골막을 최대한 보존하여 본래 외형에 가깝게 재건하고 일차봉합을 시행하되 모자란 피부는 회전피판이나 전진피판을 이용한다. 절전단의 경우는 연골막을 포함한 연골을 복부 등 압력이 가해지는 않는 곳에 이식해서 2차 재건을 준비하도록 한다. 연골막을 포함한 연골의 손상이나 결손은 수상 위치가 앞쪽인지 뒤쪽인지에 따라 달라진다. 이개갑주, 이개강, 삼각오목, 주상오목과 같은 부위의 앞쪽 표피 손상의 경우 결손 부분의 연골을 제거하고 일차봉합을 시행한다. 구조가 오목하여 봉합하기 까다롭지만, 귓바퀴의 구조적 지지에 크게 영향을 주지 않는 부위이기 때문에 수술의 귓바퀴의 변형은 거의 없다. 하지만 이륜각이나 대이륜(antihelix)처럼 연골 결손 시 귓바퀴 모양의 변형을 일으킬 수 있는 곳에 표피 결손

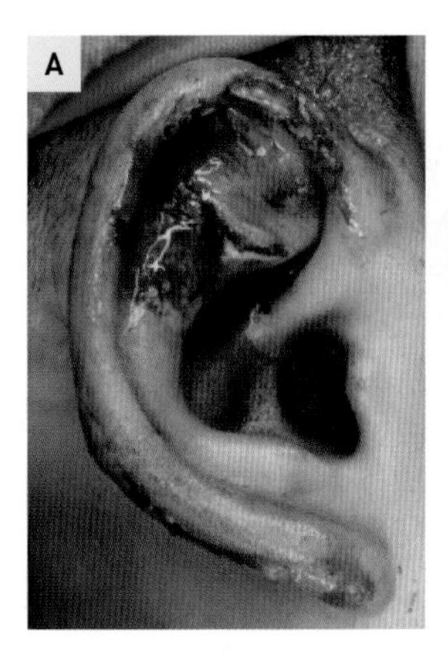

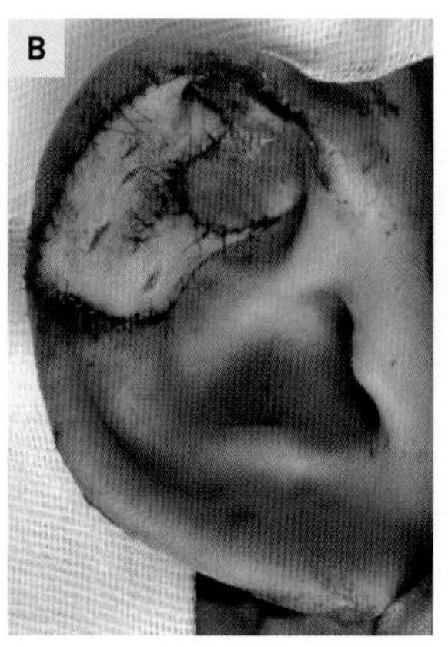

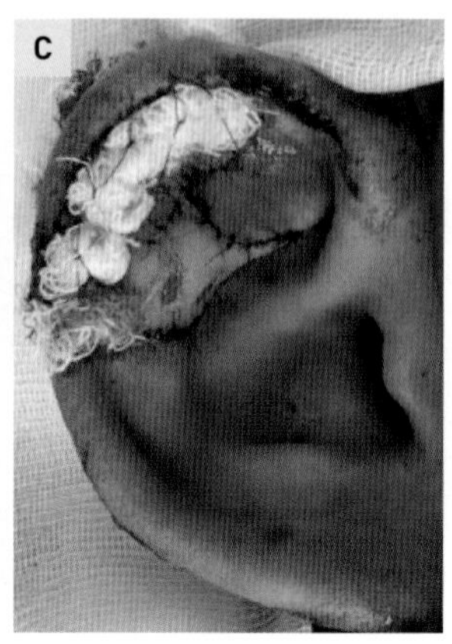

■ 그림 16-18. **귓바퀴 앞면의 피부 결손부에 전층피부이식.** A) 연골막이 온전한 피부결손, B) 서혜부로부터 전층피부이식, C) 봉합고정 드레싱

이 있으면 귓바퀴주위 피부를 이용하여 전진 혹은 회전 피판 이식법으로 재건하거나 결손 부위를 귓바퀴주위 피하에 묻어 피부가 결손 부위에 착상되기를 기다린 후 이차수술에서 결손 부위만큼의 피부를 잘라 귓바퀴 피부에 봉합하고 공여부위에는 피부이식을 하는 포켓법을 시도해 볼 수 있다. 귓바퀴 뒷면의 표피 결손은 일차봉합해주거나 전진 피판을 이용하여 쉽게 재건할 수 있다.

5. 이륜 결손

이륜의 결손은 전체 귓바퀴 윤곽에 큰 영향을 주기 때문에 치료 시 특히 주의해야 한다. 이륜의 결손 정도가 작으면 전진피판을 이용하여 재건할 수 있다. 하지만 이 방법은 모낭이 있는 피부를 이용하면 이식 후 귓바퀴에서 머리카락이 자랄 수 있고 피부색이 다를 수 있으며 공여부위에 피부이식을 해줘야 하고 피판이 착상된 후 피판의 줄기를 자르고 재봉합해야 하는 다단계 수술이 필요하다는 단점이 있다. 이외에도 귓바퀴 결손 부위를 쐐기 모양으로 잘라 이어 봉합하는 방법이 있는데 이 방법은 간단하고 피부색이 서로 같아 자연스러우며 수술을 한 번으로 끝낼 수 있는 장점이 있다. 수술 시 이륜 결손 부위의 길이보다 길게 삼각형의 각 변의 길이를 재단하지 않으면 술잔귀(cup ear)나 늘어진 귀(lop ear) 같은 후유증이 남을 수 있어 주의해야 한다. 그리고 양측 귓바퀴 결손 부위 끝을 Burrow씨 삼각형 모양으로 잘라내고 이륜을 따라 절개를 넣어 결손 부위 양끝의 이륜을 끌어당겨 봉합해주는 방법도 있다. 이 방법 또한 술잔귀나 늘어진 귀 같은 후유증을 남길 수 있는데 이와 같은 후유증을 최소화하기 위한 시도로 위의 두 방법을 합친 별 모양의 절개선을 넣고 이륜을 재건해 줄 수 있다.[48] 이 방법은 수직 지름과 수평 지름을 같이 줄여 주기 때문에 전체적인 크기는 줄어들지만, 긴장이 고루 분포되도록 하여 귓바퀴 윗부분이 구부러지거나 처지는 귓바퀴의 변형을 막을 수 있는 장점이 있다.

이륜의 결손이 큰 경우, 이갑개는 귓바퀴의 구조에 큰 영향을 끼치지 않으므로 결손된 이륜 재건의 좋은 재료가 된다. 또한, 귓바퀴 주변의 피부밑에 귓바퀴 피부결손 부위를 묻어 놓는 다양한 종류의 변형 포켓법들이 사용된다. 이는 전진피판법과 마찬가지로 다단계의 수술이 필요하고 모낭의 처치, 피부색의 불일치 등의 단점이 있지만, 혈행이 좋아 생존율이 높다는 장점이 있다. 이외에도 Steffanoff가 제안한 관 모양의 양측 유경 후이개 피판(tubed bipedicled postauricular flap) 방법이 있다.[42] 이는 3단계의 수술이 필요한데 첫 단계에서 유양동 위의 피부에 위아래로 이륜결손보다 0.5 cm 정도 크게 피판을 재단한 후 둥글게 말아놓고 아래 피하층과 피부를 양쪽에서 접근시켜 봉합한다. 2단계는 약 3주 후 피판 아래 끝을 잘라 이륜 결손부위에 봉합하고 3단계는 피판 위 끝

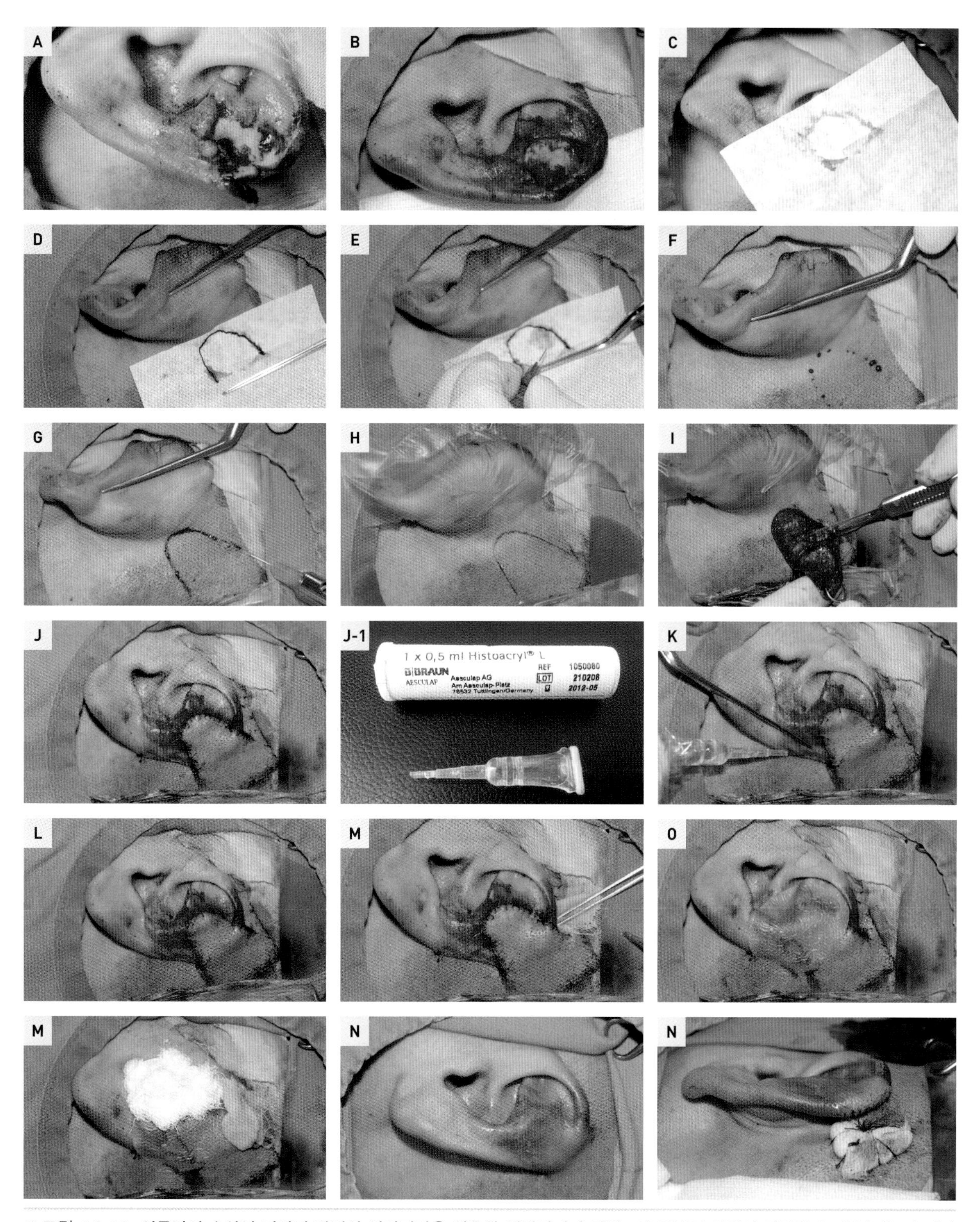

■ 그림 16-19. **연골막이 손상된 귓바퀴 앞면의 전진피판을 이용한 재건의 수술과정.** A) 귓바퀴 앞면의 연골막과 피부손상, B) 괴사조직제거, C)-F) 피판 설계, G)-I) 피판의 거상 및 모근제거 J) 전진피판의 봉합, J-1) 피판고정을 위한 피부접착제, K) 피부접착제를 이용한 귓바퀴고정, L) 귓바퀴 고정을 위한 고정봉합, M)-O) 전진피판의 드레싱, P)-Q) 2주 후 귓바퀴 거상과 공여부 일차봉합

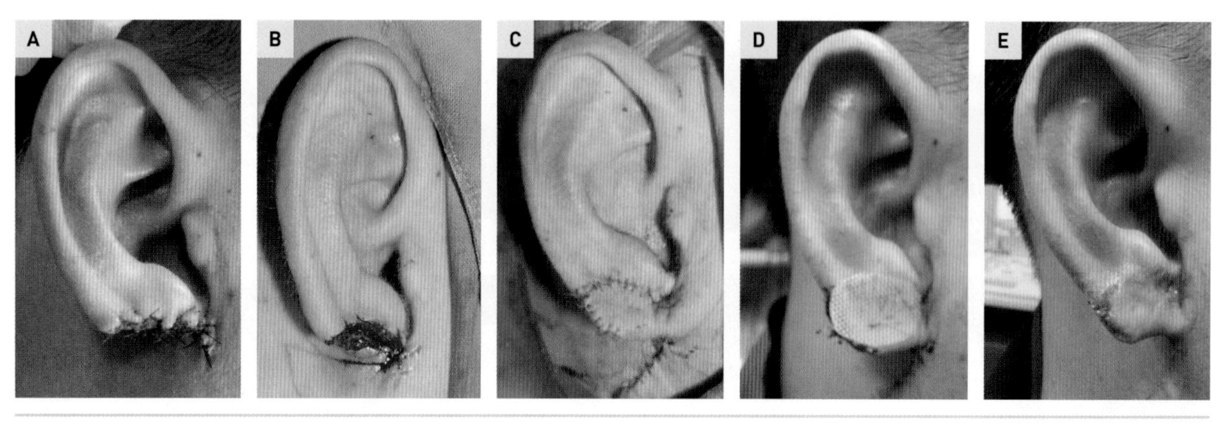

■ 그림 16-20. **이소엽피판을 이용한 귓불의 재건 수술과정.** A) 귓불의 완전손상, B) 절단면 괴사조직 제거, C) 후이개 피부를 이용한 이소엽피판으로 귓불 재건, D) 변형방지용 부목, E) 최종결과

을 잘라 이륜 결손 부위에 봉합해 준다.

6. 이갑개강(Conchal bowl) 결손

이갑개강의 결손을 재건할 수 있지만 이갑개 연골은 제거해도 귓바퀴 구조에 변형을 주지 않으므로 연골막이 남아 있다면 위에 섬피판(island flap)이나 피부이식(skin graft)을 해서 재건할 수 있다. 연골막이 남아 있지 않은 경우에는 연골을 제거하고 후, 연골막 위에 피판이나 피부이식을 하면 된다.

7. 귓불 결손

귓불 부위에는 연골이 없고 섬유지방조직이 풍부하여 유연하므로 일부 조직이 결손 되어도 귓바퀴의 윤곽에 특별한 영향 없이 일차 봉합으로 치료할 수 있는 경우가 많다. 하지만 결손 부위가 큰 경우 귓바퀴 주위의 피부를 이용해서 재건을 해주거나 연골로 지지구조를 만들어 주고 그 위에 피판으로 재건을 해 주어야 한다(그림 16-20). 연골은 이갑개 연골이나 비중격 연골을 이용할 수 있으며 후이개 피판을 이용하여 재건해주면 된다.[7]

Ⅷ 합병증

귓바퀴 손상 후 재건 수술의 합병증은 초기 합병증과 후기 합병증으로 나눌 수 있다. 보고에 따르면 초기 합병증의 빈도는 0~8.4% 정도이고 후기 합병증은 0~47.3% 정도로 후기 합병증이 더 흔한 편이다. 초기 합병증은 혈종, 출혈, 피부 괴사, 상처 벌어짐, 감염 등이다. 혈종이나 출혈은 배액관 삽입이나 귓바퀴 앞-뒷면에 거즈 등을 이용한 압박 봉합, 머리밴드나 부목을 이용한 드레싱으로 예방할 수 있고 감염은 이물질의 제거, 소독, 예방적 항생제로 예방할 수 있다. 피판이 아주 얇거나 압박 봉합이나 드레싱을 너무 세게 한 경우엔 피판 괴사가 생길 수 있으므로 주의해야 한다. 후기 합병증은 과민성, 흉터, 비대칭성, 봉합 부위 돌출, 미용상 불만족 등이다. 피부의 발적이나 부종을 유발하는 과민성은 항히스타민제나 스테로이드 등으로 조절할 수 있고 흉터 방지 연고나 패드를 붙여주면 미용상으로 더 좋은 결과를 얻을 수 있다. 비대칭성이나 미용상 불만족이 심하면 약 3~6개월 후 재수술을 해볼 수 있으나 이때 환자에게 수상 이전 모양으로의 완벽한 재건은 불가능하다고 충분한 설명을 해주어야 한다. 환자의 미용적 불만족 문제나 법적 소송 문제가 발생할 수 있으므로 귓바퀴 수상 후 내원 시 수술 전에 수술

부위의 사진을 찍어두는 것은 필수적이다.

IX 결론

수상 후 발생한 귓바퀴 손상은 해부학적인 위치, 결손 정도에 따라 다양한 처치가 필요하므로 귓바퀴의 해부학에 대한 충분한 이해를 바탕으로 다양한 수술법을 환자별로 적절하게 적용할 줄 알아야 미용상으로 혹은 기능적으로 좋은 결과를 얻을 수 있을 것이다.

참고문헌

1. Abd-Almoktader MA. Nonmicrosurgical single-stage auricular replantation of amputated ear. Ann Plast Surg . 2011;67:40-3.Abd-Almoktader MA. Nonmicrosurgical single-stage auricular replantation of amputated ear. Ann Plast Surg . 2011;67:40-43.
2. Ahmad S. Sbaihat, Wesam J. Khatatbeh. Treatment of Auricular Hematoma Using Dental Rolls Splints. 2011;18:22-25.
3. Bardsley AF. T he i njured e ar: a review of 5 0 c ases. Br J Plast Surg 1983;36:466-469.
4. Baudet J, Tramond P, Goumain A. A new technic for the reimplantation of a completely severed auricle. Ann Chir Plast 1972;17:67-72.
5. Brodland DG. Auricular reconstruction. Dermatol Clin 2005;23:23-41.
6. Bumsted RM, Ceilley RI. Stellate excision of malignancies on the auricles. J Dermatol Surg Oncol 1980;6:33-35.
7. Buonaccorsi S, Terenzi V, Pellacchia V, et al. Reconstruction of an acquired subtotal ear defect with autogenous septal cartilage graft. Plast Reconstr Surg 2007;119:1960-1961.
8. Choung YH, Park K, Choung PH, Oh JH.Simple compressive methodfor treatment of auricular haematoma using dental silicone material. J Laryngol Otol. 2005;119:27-31.
9. Copeland J. Evaluation of the child with deafness or delayed speech. Indian J Pediatr 1988;55:372-378.
10. Crumley RL, Abemayor E. Burn of the auricle. Head Neck. 1992;14:243-246.
11. David C. Shonka Jr., Stephen S. Park. Ear defects. Facial Plast Surg Clin N Am 2009;18:429-43.
12. Davidi E, Paz A, Duchman H, Luntz M, Potasman I. Perichondritis of the auricle: analysis of 114 cases.Isr Med Assoc J. 2011;13:21-24.
13. Eagles K, Fralich L, Stevenson JH. Ear trauma. Clin Sports Med. 2013;32:303-316.
14. Elsahy NI. Ear reconstruction with a flap from the medial surface of the auricle. Ann Plast Surg 1985;14:169-179.
15. Elsahy NI. Reconstruction of the ear after skin and perichondrium loss. Clin Plast Surg 2002;29:187-200.
16. Elsahy NI. Rotation flap repair for small defects of the helix of the ear. Plast Reconstr Surg 1974;53:598-599.
17. Farkas LG. Vertical location of the ear, assessed by the Leiber test, in healthy North American Caucasians 6-19 years of age. Arch Otorhinolaryngol 1978;220:9-13.
18. Froelich K, Staudenmaier R, Kleinsasser N, Hagen R.Therapy of auricular keloids: review of different treatment modalities and proposal for a t herapeut ic a lgor it h m. Eu r A rch Otorh i nola r y ngol. 2007;264:1497-1508.
19. Fukuzumi S, Tai Y, Kubota J, et al. A new method of earlobe reconstruction. J Jpn Plast Surg 1985;28:482-489.
20. Ghanem T, Rasamny JK, Park SS. Rethinking auricular trauma. Laryngoscope 2005;115:1251.
21. Giles WC, Iverson KC, K ing J D, Hill FC, Woody E A, Bouknight AL.Incision and drainage followed by mattress suture repair of auricular hematoma.Laryngoscope. 2007;117:2097-2099.
22. Greywoode JD, Pribitkin EA, Krein H. Management of auricular hematoma and the cauliflower ear.Facial Plast Surg. 2010;26:451-455.
23. Johnson TM, Fader DJ. The staged retroauricular to auricular direct pedicle (interpolation) flap for helical ear reconstruction. J Am Acad Dermatol 1997;37:975-978.
24. Kelly AP. Medical and surgical therapies for keloids. Dermatol Ther. 2004;17:212-218.
25. Kyrmizakis DE, K aratzanis A D, B ourolias C A, Hadjiioannou JK, Velegrakis GA. Nonmicrosurgical reconstruction of the auricle after traumatic amputation due to human bite. Head Face Med . 2006;2:45.
26. Lavasani L, Leventhal D, Constantinides M, Krein H. Management of acute soft tissue injury to the auricle.Facial Plast Surg. 2010;26:445-450.
27. Lin PY, Chiang YC, Hsieh CH, Jeng SF. Microsurgical replantation and salvage procedures in traumatic ear amputation. J Trauma. 2010;69:15-19.
28. Liu ZW, Chokkalingam P. Piercing associated perichondritis of the pinna: are we treating it correctly? J Laryngol Otol. 2013;127:505-508.
29. Macdonald DJ, Calder N, Perrett G, McGuiness RG.Case presentation: a novel way of treating acute caulif lower ear in a professional rugby player.Br J Sports Med. 2005;39:e29.
30. Mladick RA, Horton CE, Adamson JE, Cohen BI.The pocket principle: a new technique for the reattachment of a severed ear part. Plast Reconstr Surg. 1971;48:219-223.
31. Netter FH. Head a nd neck. In: Colacino S, editor. Atlas of human

anatomy. 2nd edition. East Hanover (NJ): Novartis; 1997. p.17-18.
32. NgimRC. The burned ear(II).Aprospective clinical study of 100 patients with 150 ear burns. Ann Acad Med Singapore. 1992;21:605-611.
33. O'Toole G, Bhatti K, Masood S. Replantation of an avulsed ear, using a single arterial anastamosis. J Plast Reconstr Aest het Surg. 2008;61:326-329.
34. Oztürkcan S, Oztürkcan S.Dermatologic diseases of the external ear. Clin Dermatol. 2014;32:141-152.
35. Park SS, Hood RJ. Auricular reconstruction. Otolaryngol Clin North Am 2001;34:713-738.
36. Peled IJ. "Second look" at auricular reconstruction with a postauricular island flap: "flip flop flap". Plast Reconstr Surg 2002;110:1607-1608.
37. Posnick JC, al-Qattan MM, Whitaker LA. Assessment of the preferred vertical position of the ear. Plast Reconstr Surg 1993;91:1198-1203.
38. Ray E, Wu T, Nazarian Mobin SS, Reinisch J, Urata MM. Review of options for burned ear reconstruction. J Craniofac Surg. 2010;21:1165-1169.
39. Shelley OP, Villafane O, Watson SB. Successful partial ear replantation after prolonged ischaemia time. Br J Plast Surg 2000;53:76-77.
40. Skiles MS, Randall P. The aesthetics of ear placement: an experimental study. Plast Reconstr Surg 1983;72:133-140.
41. Sosin M, Weissler JM, Pulcrano M, Rodriguez ED. Transcartilaginous ear piercing and infectious complications: a systematic review and critical analysis of outcomes. Laryngoscope. 2015;125:1827-1834.
42. Steffanoff DN. Auriculomastoid tube pedicle for otoplasty. Plast Reconstr Surg 1948;3:352-360.
43. Steffen A, Katzbach R, Klaiber S. A comparison of ear reattachment methods. Plast Reconstr Surg. 2006;118:1358-1364.
44. Steffen A, Klaiber S, Katzbach R, Nitsch S, Frenzel H, Weerda H. Epidemiology of auricular trauma. Handchir Mikrochir Plast Chir 2007;39:98-102.
45. Stierman KL, Lloyd KM, De Luca-Pytell DM, Phillips LG, Calhoun KH. Treatment and outcome of human bites in the head and neck. Otolaryngol Head Neck Surg 2003;128:795-801.
46. Stites PC, Boyd AS, Zic J.Auricular ossificans (ectopic ossification of the auricle).J Am Acad Dermatol. 2003;49:142-144.
47. Summers A. Managing auricular haematoma to prevent 'cauliflowerear'. Emerg Nurse. 2012;20:28-30.
48. Yigit B, Yazar M, Alyanak A, Guven E. A custom-made silicon mold for pressure therapy to ear keloids. Aesthetic Plast Surg. 2009;33:849-851.
49. Yotsuyanagi T, Watanabe Y, Yamashita K, Urushidate S, Yokoi K, Sawada Y. Retroauricular flap: its clinical application and safety. Br J Plast Surg. 2001;54:12-19.
50. Zitelli JA. Secondary intention healing: an alternative to surgical repair. Clin Dermatol 1984;2:92-106.

CHAPTER 17

외이 질환_ 이개의 선천성 경도 기형

○ 이비인후과학 Otorhinolaryngology - Head and Neck Surgery

오정훈

I 외이의 발생

이개는 태생 4~5주경에 제1, 2 새궁(branchial arch)에 의해 형성되는 6개의 이개융기(hillocks of His)에 의해 발생한다. 태생 6주경 제1 새열(branchial cleft) 기저부 주위의 변화가 시작되어 제1 새열이 융합되면서 제1, 2 새궁의 이개융기들이 편위되어 태생 7주경에는 원시적인 외이가 만들어지며, 성장에 따라 외이의 크기가 커지면서 대이륜과 이륜의 융기가 순차적으로 형성되어 태생 7개월경에는 정상적인 외이의 형태를 갖추게 된다. 6개의 이개융기가 말발굽 모양으로 서로 융합되면서 3,4번 이개융기는 외이의 상부 1/3을, 2번과 5번 이개융기는 외이의 중간 1/3을, 1번과 6번 이개융기는 외이의 하부 1/3의 형성에 관여하는 것으로 알려져 있으며, 1번 이개융기로부터 이주(tragus)가, 2번은 이륜각(helical crus), 3번은 이륜(helix), 4, 5번은 대이륜(antihelix), 6번은 대이주(anti-tragus)를 각각 구성한다고 알려져 있기도 하다(그림 17-1).

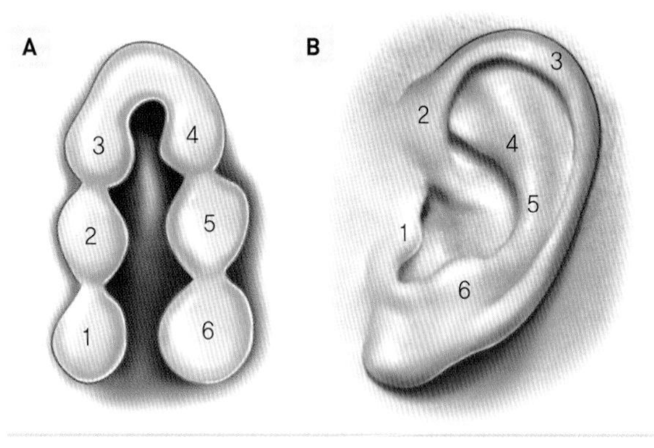

■ 그림 17-1. **이개융기로부터 각 이개구조의 기원. A)** 초기 배아(early fetus), **B)** 출생 후의 귀(normal ear)

II 이개 경도 기형의 분류

외이의 기형에 대한 분류는 여러 연구자에 의해 여러 가지 관점에서 시도되어 왔으나 아직도 통일된 분류법이 없다. 이개 기형은 이개의 크기나 숫자에 따라 소이증(microtia), 대이증(macrotia), 무이증(anotia), 부이(accessory ear) 등으로 나누기도 하며, 기형의 위치 또

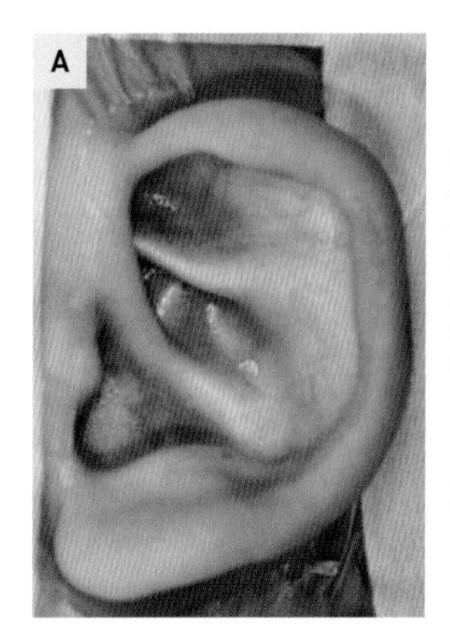

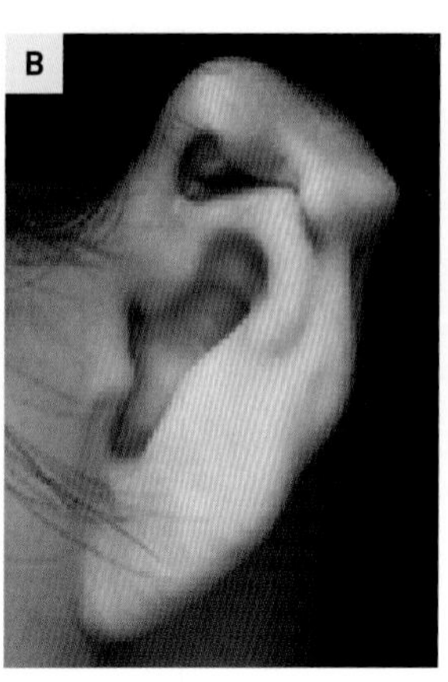

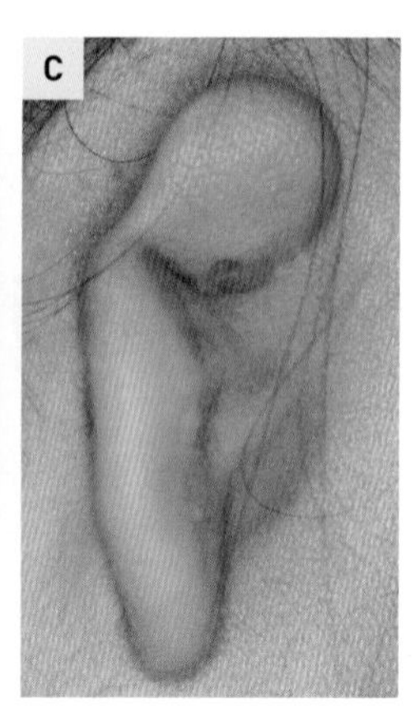

■ 그림 17-2. **이개 기형의 Marx 분류. A)** I형, **B)** II형, **C)** III형

는 형태에 따라 돌출귀(protruding ear), 매몰귀(cryptotia), 수축귀(constricted ear) 등으로 분류하기도 한다. 이들 기형은 6개의 이개융기 중 각 융기의 결손 위치와 정도에 비례하여 나타나므로 이들 모두가 결손되면 무이증이 나타나게 된다.

소이증을 중심으로 한 Marx의 분류는 아직도 가장 널리 이용되고 있다. I형은 이개가 정상보다 작고 형태적 이상을 동반하지만 이개의 주요 구조를 모두 구분할 수 있는 경도의 기형이고, II형은 이개 각 부분의 이상 또는 결손에 의해 이륜의 일부만이 남아 있는 경우이며, III형은 심한 기형에 의해 피부 융기만이 남아 있는 상태이다(그림 17-2).

이개의 경도 기형을 보다 자세히 나눈 분류로서 Tanzer는 외이 기형을 무이증과 이개 상부 1/3 형성부전, 이개 중간 1/3 형성부전, 이개 완전 형성부전으로 나누었는데, 이개의 완전 형성부전을 소이증이라 하고 이를 외이도 폐쇄 여부에 따라 다시 둘로 나누며, 이개 상부 1/3 형성부전을 형태에 따라 수축귀(constricted ear), 토이(lop ear), 배상이(cup ear), 매몰귀(cryptotia), 이개 상부 1/3 완전형성 부전과 돌출귀(protruding ear)로 다시 분류하였다.

Weerda와 Siegert는 치료적 관점에서 이개 기형을 3단계로 나누어 분류하여, 이개 재건을 위해 추가적인 피부이식 또는 연골조직이 필요하지 않은 경우를 I단계, 재건을 위해 피부나 연골조직이 일부 필요한 경우를 II단계, 그리고 전체 재건을 위해 피부 및 연골조직의 이식이 광범위하게 필요한 경우를 III단계로 분류하여 실제 수술시 도움이 되도록 하였다.

이외에도 전이개낭(preauricular sinus)이나 선천성 전이개 누공(preauricular fistula) 역시 이개 기형의 한 종류로 분류할 수 있다.

Ⅲ 이개 구조의 계측학

성인 이개의 크기는 길이 5.5~6.5 cm, 폭 3~4.5 cm 정도로 폭이 길이의 50~60% 정도를 차지한다. 이개의 길이는 키와 나이에 비례하여 15세경까지 증가하며, 6세경에는 성인 크기의 85%에 도달한다.[4,35] 성인기에도 이개의 길이는 연령이 증가함에 따라 서서히 길어지는 추세를 보이는데, 이는 연골 골격의 성장보다는 이수를 포함하는 하부 1/3의 연조직이 늘어나면서 발생한다. 이개의 높이는 상단이 윗눈썹 외측의 높이에 위치하고 하단은 비하점(subnasale)을 기준으로 할 수 있으며, 이륜각의 시작점인 이상기점(otobasion superius)은 측면 안각(lateral canthus)의 높이에 있다(그림 17-3). 외이의 장축은 머리의 수직축에 비해 10~25° 정도 뒤로 기울어 있어서 콧등과 평행을 이루는 것이 이상적이며, 이개의 돌출 정도는 두

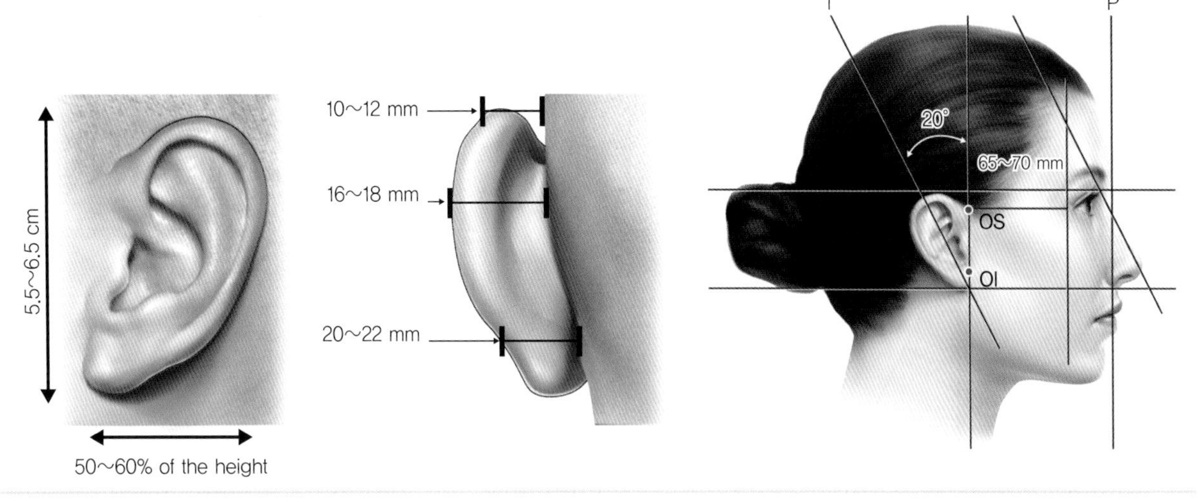

■ 그림 17-3. **이개 계측의 기준점과 정상크기.** OS: 이상기점(otobasion superius), OI: 이하기점(otobasion inferius)

개-이개각(cephaloauricular angle) 혹은 두개-이개 간격(cephaloauricular distance)으로 평가하고 돌출귀의 교정시 매우 중요한 요소가 된다.

귀의 크기와 형태는 인종별로 차이를 보이는 것으로 알려져 있는데, 최근 우리나라 성인을 대상으로 이루어진 다기관 연구와 외국의 자료를 비교해보면 귀의 길이가 인도인이나 아프리카 인종에 비해 길고 서양인과는 유의한 차이를 보이지 않았으며, 중국의 한족과 비교해서는 귀의 전체 길이 및 이수(lobule)의 길이가 모두 더 긴 것으로 알려져 있다.[39] 이수의 형태는 남성에서는 진자형(pendulous type)이, 여성에서는 뾰족형(tapering type)이 가장 많다.

Ⅳ 돌출귀(Protruding Ear)

돌출귀(protruding ear)는 이륜의 방향이 측면이 아닌 정면을 향하여 돌출되어 있는 선천성 기형을 일컫는다. 주로 동양에서보다는 서구권에서 미용적인 수치심을 많이 유발하고 청소년기 심리적 위축감의 원인이 되기도 한다.[15] 발생원인은 대이륜의 미발달로 인해 대이륜각이 소실되고 이로 인해 이륜의 방향이 측부가 아닌 전방을 향하게 되며, 많은 경우에서 이갑개의 비대 또는 측방 돌출을 동반하므로 상부 이륜만의 돌출보다는 이개 전체의 전방 돌출이 일어나는 경우가 많다.[10,36] 돌출귀의 병인은 대이륜의 융기가 적절히 형성되지 못한 경우가 가장 흔하며, 이후 빈도순으로 이갑개 비대로 인해 두개-이갑개각(cephaloconchal angle)이 큰 경우, 이륜의 하부가 돌출되어 주상와-이갑개각(scaphaconchal angle)이 큰 경우, 이수의 비대 또는 돌출이 동반된 경우 등을 들 수 있다.

돌출의 정도를 평가하기 위해서는 두개-이개 간격과 두개-이개각을 측정하는데, 두개-이개 간격의 정상범위는 이륜의 최상부에서 10~12 mm, 이륜 중간부의 최측방에서 16~18 mm, 이주-대이주 높이에서 20~22 mm 이며, 두개-이개각이 25~35° 이내이어야 하고(그림 17-4), 두개-이갑개각(cephaloconchal angle)은 45~90°, 주상와-이갑개각(scaphaconchal angle)은 90°보다 작은 예각이 되어야 한다.[5]

1. 돌출귀의 수술적 치료

돌출귀 교정의 목적은 두개-이개각(cephaloauricular

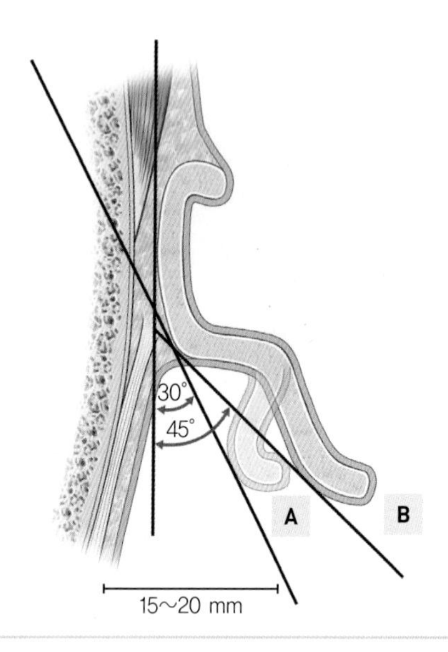

■ 그림 17-4. **정상(A)과 돌출귀(B)에서의 두개-이개각**

angle)의 크기를 정상 범위 이내로 작게 만들어 주는 데에 있다. 이를 위해 McDowell은 다음과 같은 목표를 제시한 바 있다.[25] ① 상부 1/3의 돌출은 반드시 교정하여 한다. ② 정면에서 봤을 때 양측 이륜이 대이륜 너머로 보여야 한다. ③ 이륜의 곡선이 부드럽고 자연스러운 모양을 이루도록 한다. ④ 후이개구가 지나치게 작아지거나 변형되지 않도록 한다. ⑤ 두부-이륜 간격은 상부 1/3에서 10~12 mm, 중간부 1/3에서 16~18 mm, 하부 1/3에서 20~22 mm 를 유지하도록 한다. ⑥ 양측 귀의 각 표지점의 위치는 서로 3 mm 이상 차이가 나지 않도록 한다. 이러한 교정 목표를 달성하기 위해서 매우 다양한 술식들이 보고되어 있지만, 수술방법은 크게 연골을 보존하는 방법(cartilage sparing method)과 연골을 절개하는 방법(cartilage cutting method)의 범주로 나누어 분류할 수 있다.[2] 연골에 절개를 가하는 방법은 비가역적인 방법이므로 미발달 된 대이륜의 융기를 확실하게 만들어 줄 수 있지만 피부 괴사나 반흔으로 인한 연골 형태의 변형 등을 초래할 수 있는 단점이 있는 반면, 연골 보존 술식은 보다 자연스럽고 부드러운 대이륜의 모양을 얻을 수 있으나 재발의 빈도가 더 높고 봉합사 등으로 인한 합병증의 가능

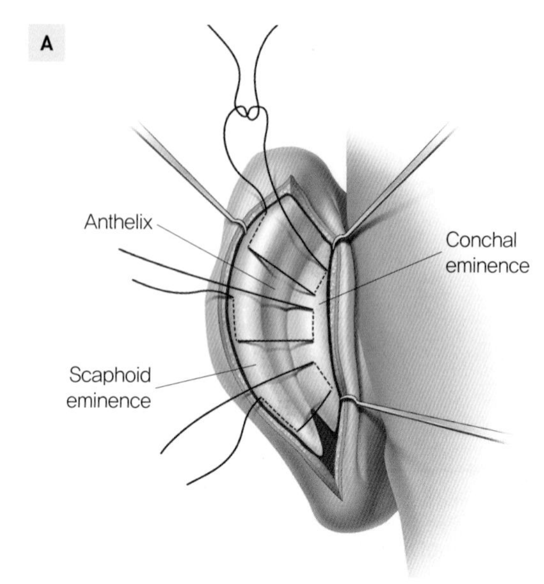

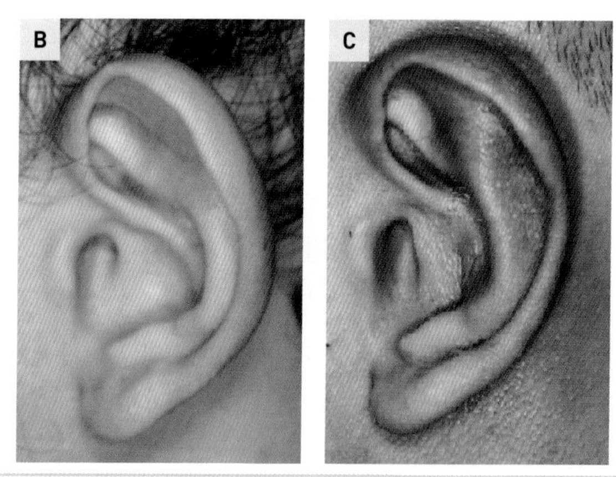

■ 그림 17-5. **Mustarde 술식(A) 및 돌출귀 교정 전(B), 후(C)**

성이 있다. 대이륜을 만들기 위한 수술방법 중 가장 널리 알려진 것은 연골 보존 술식의 하나인 Mustarde 술식으로서(그림 17-5), 연골을 손상시키지 않고 매트리스 봉합만으로 대이륜 융기를 만들기 때문에 부드러운 곡선의 융기를 만들 수 있고 거의 영구적으로 형태를 유지할 수 있는 장점이 있어서 최근 대부분의 돌출귀 수술에서는 이 술식을 포함한다.[28] 그러나 봉합의 적절한 위치와 강도에 의해 자연스러운 대이륜 융기의 형태가 결정되므로 정상귀 또는 반대측의 각도를 고려하여 대칭적이고 완전한 형태를 만들기 위해서는 경험이 필요하다. 최근에는 대이륜 융기를 강조하기 위해 다이아몬드 드릴 또는 줄(rasp)을 이용

하거나 흠집(scoring)을 내기도 한다. 또한 후이개 피부를 절개하지 않고도 연골을 변형할 수 있는 방법으로서 피하로 3~4개의 Mustarde 봉합을 시행하는 incisionless otoplasty의 술식이 있는데, 이 방법에서는 바늘이 나온 구멍으로 정확히 들어감으로써 피부가 안쪽으로 숨지 않도록 하는 것이 중요하다.[13]

이갑개의 돌출이 동반된 경우에는 이갑개강의 측방 높이를 축소하여야 하므로 Furnas의 이갑개-유양동 봉합(conchomastoid suture) 등으로 주상와-이갑개 각의 크기를 줄이고, 돌출된 이갑개 연골의 수직부를 절제하여 높이를 낮춰주는 술기를 함께 시행한다(그림 17-6).[14] 교정 후에는 후이개 절개부위의 남는 피부를 절제하는 경우가 많은데, 과도한 절제로 인해 합병증이 발생하지 않도록 주의하여야 한다. 또한 대이륜 융기가 형성되지 않았는데도 이륜부의 크기가 비대하지 않은 경우는 위축귀(constricted ear)가 동반되어 있는 경우가 많으므로 수술 후 이륜의 크기가 축소되는 것을 고려하여 수술계획을 세워야 한다.

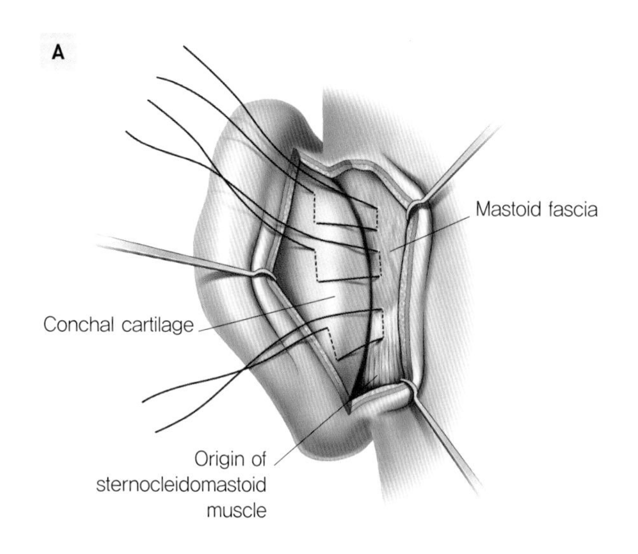

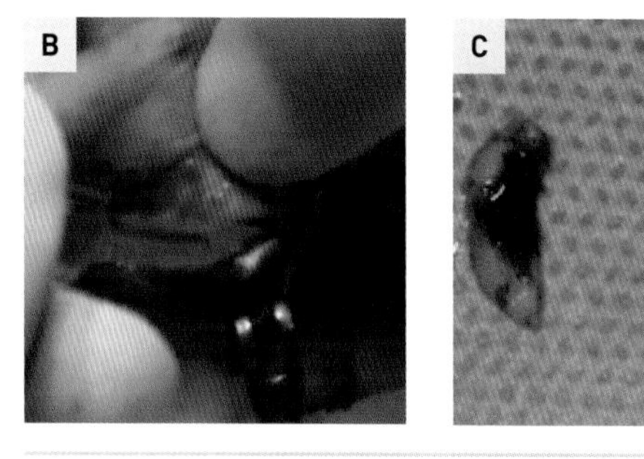

■ 그림 17-6. **Furnas의 이갑개-유양동 봉합(A)과 이갑개 수직부 절제(B)**

2. 돌출귀 수술의 합병증

혈종 또는 감염 및 피부괴사와 같은 즉각적인 합병증의 발생은 드문 편이다. 장기적으로 봉합에 사용된 비흡수성 봉합사의 노출 또는 육아종 등이 나타날 수 있으며, 연골 절개 술식을 사용하는 경우 반흔 형성이 미용적 결과에 영향을 미칠 수 있다.[26] 연골 보존 술식에 의해서 가장 흔히 볼 수 있는 문제는 돌출이 충분히 교정되지 않거나 재돌출이 발생하는 등의 불충분한 교정과 관련되어 나타나게 된다.[23] 따라서 수술 시에 두부-이개각을 정상보다 약간 작게 과다 교정하는 것이 미용적으로 자연스러운 결과를 얻을 수 있지만 이때에는 양측의 대칭성을 저해하지 않도록 주의한다.

수화기형 기형(telephone ear deformity)은 이개 중간 부위의 대이륜을 과도하게 당겨 봉합하거나 후이개 피부를 과도하게 절제하여 이륜과 이수가 상대적으로 돌출되어 보이는 합병증이다.[16] 이것을 방지하기 위해서는 후이개부의 피부 절제를 아령 모양으로 하여 이갑개 높이에서의 피부 절제를 최소화한다.[28]

V 매몰귀(Cryptotia)

매몰귀는 이개의 상부, 즉 이륜(helix)이 측두부 피부 아래로 매몰되어 있는 상태를 말하며, 다른 지역에 비해 동아시아에서 더 많이 발생하는 이개기형 중 하나이다. 매몰된 연골부가 유착되어 있는 것이 아니기 때문에 매몰 부위를 손으로 잡아당기면 정상처럼 당겨지지만, 놓으면

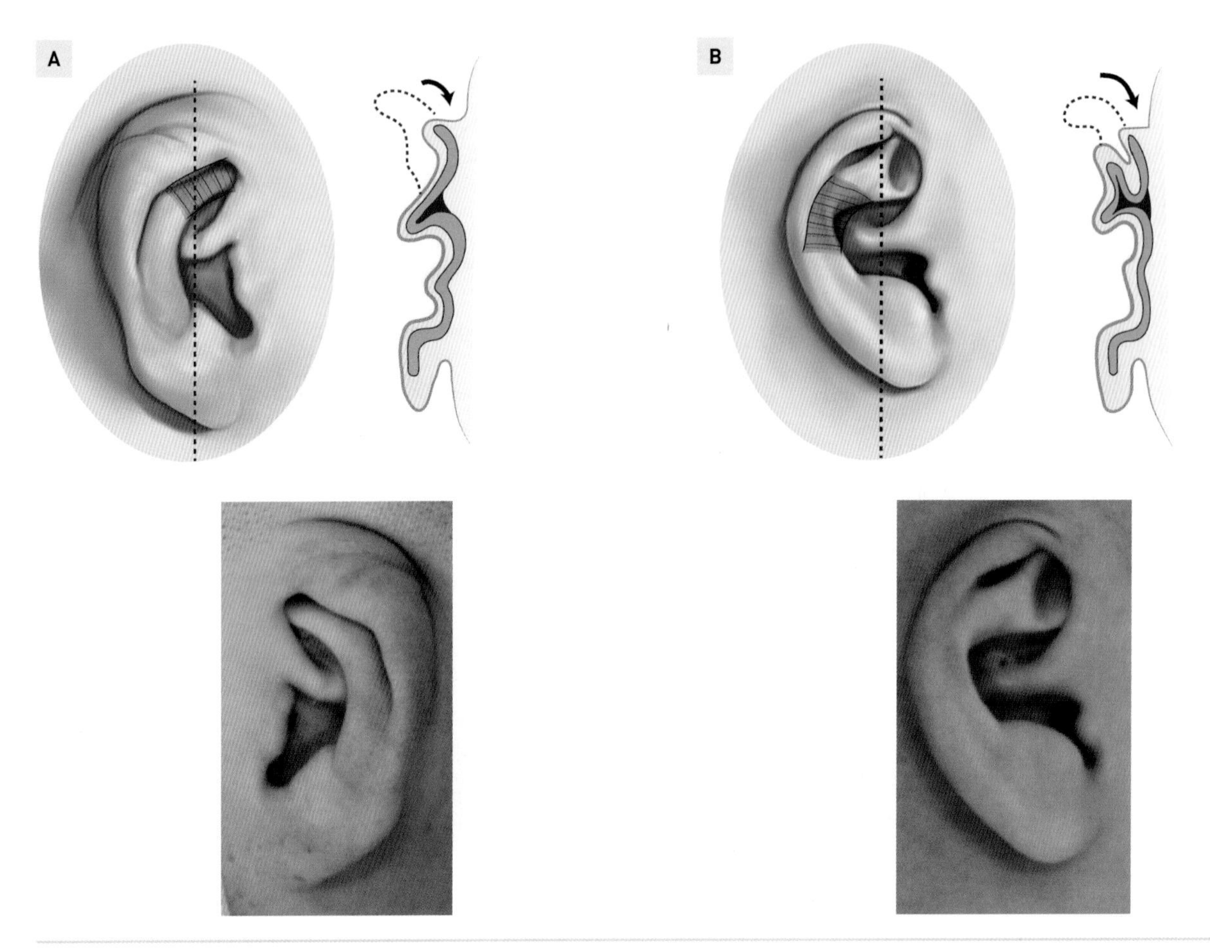

■ 그림 17-7. **매몰귀의 분류.** **A)** 횡근형, **B)** 사근형

다시 피부 밑으로 매몰된다. 많은 경우에서 이개 연골부의 기형이 동반되며, 주상와(scapha)의 형성부전, 직각으로 꺾인 대이륜각(antihelical crus) 등이 동반되기도 한다. 편측으로 더 자주 발생하고 남자에서 더 많이 발생하는 경향을 보이며, 안경이나 마스크를 착용하기 어렵고 심리적, 미용적 위축의 원인이 된다. 발생원인은 미상이지만 발생학적 이상 이외에도 자궁내 압박, 이개 근육의 발달부전 등의 가설이 제기되었는데, 최근에는 상이개근의 비정상적 주행과 함께 이개의 내재횡근(intrinsic transverse muscle)의 단축에 의해 주로 발생하는 것으로 알려져 있다.

Hirose는 매몰귀를 내재근(intrinsic muscle)의 비정상적 발달로 인한 대이륜 연골의 변형 형태에 따라 두 가지로 분류하였는데, 이 분류에 따르면 첫번째 횡근형(transverse muscle type)은 넓어진 횡근(transverse muscle)으로 인해 상부 대이륜각이 소실되면서 대이륜이 휘어지는 경우이며, 두 번째 사근형(oblique muscle type)은 사근(oblique muscle)이 하부 대이륜각에 접합됨으로 인해 하부 대이륜각이 전방으로 예리하게 꺾이고 대이륜의 수축이 야기되는 경우이다(그림 17-7).[18]

1. 매몰귀의 수술적 치료

매몰귀에 대한 수술적 치료의 기본 원칙은 잘못 부착된 상이개근의 유착을 교정하고, 동반된 연골기형을 교정한 후 결손된 이개 후면의 피부를 재건하는 것이다. 이를

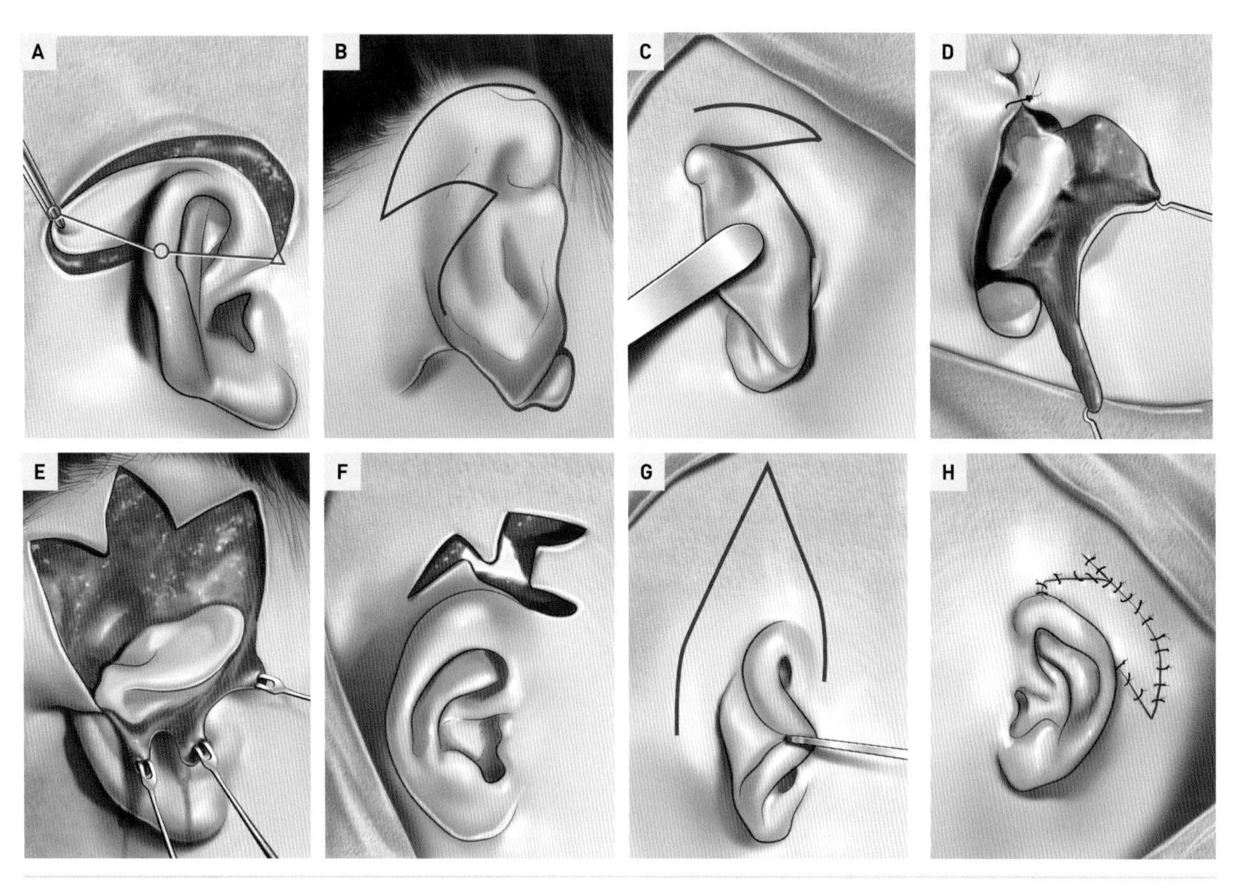

■ 그림 17-8. **매몰귀의 치료를 위한 여러가지 피판 도안**

위해서는 매몰되어 있던 연골을 완전히 감싸주고 후이개구(postauricular sulcus)를 깊게 형성할 수 있는 충분한 피부조직을 확보하는 것이 필수적이며, 가급적 쉽고 간단한 수술방법을 택하여 전면 또는 측면으로 수술 반흔이 드러나지 않도록 하는 것이 이상적이다.

국소 피판의 사용은 이개 후방 또는 상부의 피부를 이용하여 이개 후면의 피부를 재건함으로써 후이개구를 깊게 만들 수 있다. 많은 종류의 국소 피판술(V-Y 피판, V-Y-Z 피판, 회전 피판, 삼지창 피판, transposition flap, subcutaneous pedicled flap 및 Z 피판 등)이 제안되어 있으며(그림 17-8),[1,9,24] 수술 시 연골기형의 교정이 함께 필요한 경우에는 단순한 삼각 피판만으로 충분하지 않으므로 피판의 형태를 여러 가지로 변형하여 사용하게 된다.[20] V-Y 피판의 경우에는 이개 상부의 측두골 두피 위에 삼각 피판을 크게 도안하여 표층 측두근막(superficial temporal fascia) 위로 거상시킨다. 피판의 전연부는 매몰되어 있는 이수의 전방 끝부분까지 이어지도록 하며, 이때 피판의 전방선이 매몰된 이륜의 피부 앞으로 나오지 않도록 주의하여야 한다. 피판의 후연부는 후이개구의 2~3 cm 뒤쪽으로 이개의 중간 높이까지 이어지도록 하여 이개 후면의 결손을 충분히 덮을 수 있도록 도안한다. 연골부를 완전히 노출시키고 주변의 유착된 근육 및 섬유조직들을 분리시킨 후 피판을 이개연골의 후면에 봉합하는데, 후이개구의 모양을 더 깊게 강조하기 위해 흡수성 봉합사를 이용하여 두피의 근막에도 몇 군데 고정시킨다.

장 등에 의해 고안된 V-Y swing 피판의 경우에는 이륜부를 따라 이주(tragus)와 이륜의 전하부를 연결하는

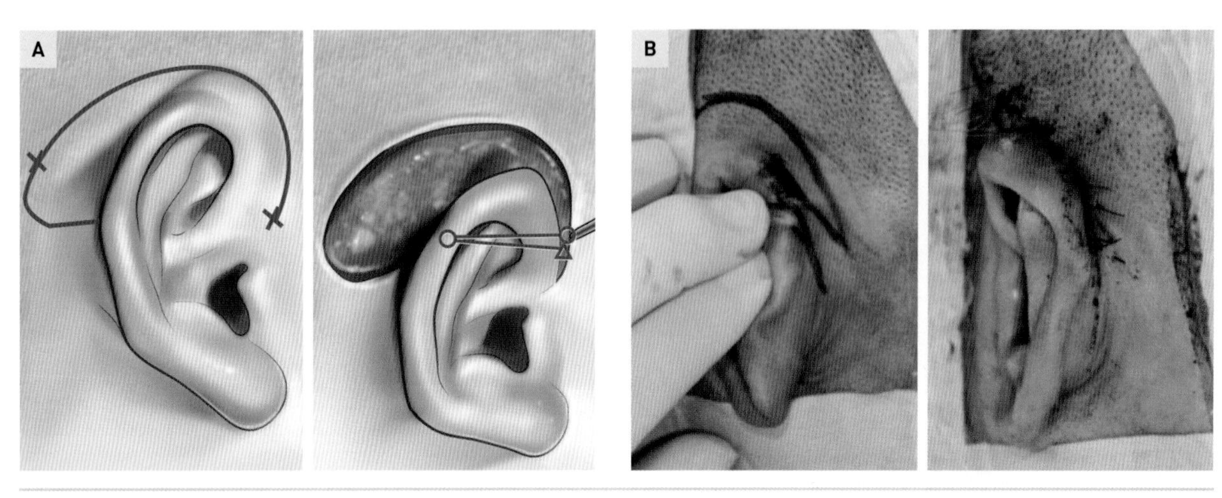

■ 그림 17-9. 매몰귀 교정을 위한 V-Y swing flap (A)과 large Z-plasty (B).

가상선으로부터 7 mm 정도 앞을 지나는 절개선을 도안하며, 이 피판은 다른 V-Y 피판과 달리 절개선이 모낭이 있는 두피를 지나가지 않으므로 이식된 부위에서 모발이 자랄 위험이 없다는 장점이 있다(그림 17-9A).[8] Z-피판은 V-Y swing flap에서와 유사하게 모발선을 따라 절개선을 도안하지만, 후방에서 60° 정도 꺾어지면서 절개선이 후이개구를 지나가게 된다.[40] 크게 도안된 두피측 피판이 이개의 후면을 덮게 되고, 작게 도안된 하방 피판이 측두골 두피에 봉합된다(그림 17-9B). Z-피판은 절개선의 대부분이 이개 후방에 위치하므로 전면에서 보았을 때 반흔이 눈에 띄지 않는다는 장점이 있다.[40] 국소 피판을 사용하는 경우에는 대부분 피판 하단의 크기가 5~6 cm 이상이 되도록 크게 도안을 하기 때문에 공여부의 봉합을 위해서는 피판에 가해지는 장력을 줄이기 위해 측두부 두피를 넓게 잠공(undermining)하는 것이 필요하다. 또한 피판의 전단부와 이개의 전단부가 만나는 부위에 견이(dog ear)가 쉽게 발생할 수 있기 때문에 수술 시 또는 이차적으로 이를 교정해주어야 하는 경우가 있다.

이개 후면 피부의 재건 외에도 대부분의 경우에서 이개 연골 기형이 동반되므로 함께 교정하여야 한다.[19] 매몰되어 있던 연골부를 모두 노출시킨 후 대이륜 주변의 근육과 섬유조직을 절개하여 대이륜이 펴질 수 있도록 하여

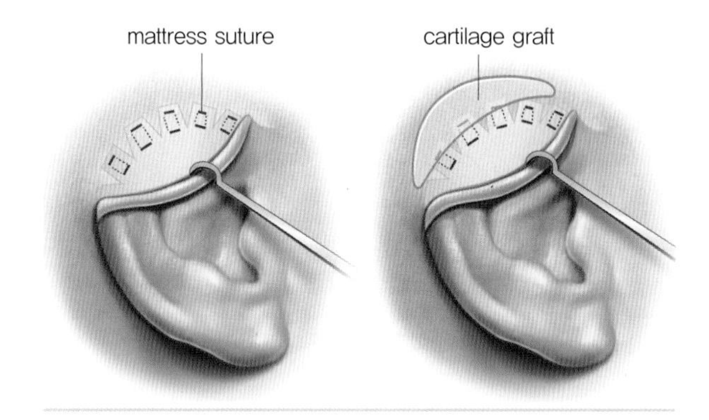

■ 그림 17-10. **위축된 이륜 연골의 확장을 위한 연골 보강**

야 하며, 위축된 이륜 연골의 교정이 필요한 경우에는 이중 깃발 피판(double banner flap)을 도안하거나 방사상 절개(radiating incision)와 매트리스 봉합을 통해 연골이 후상방으로 펼쳐질 수 있도록 한다. 펼친 연골 사이의 틈은 이개강 연골절편을 이용하여 보강한다(그림 17-10).

수술 후 관리에 있어서는 재건된 후이개구가 잘 유지되도록 주의를 기울여야 하는데, 술자에 따라서는 2~3일 정도 후이개구를 따라 볼스터 고정을 하기도 한다.

2. 합병증

이개 후면을 덮기 위한 국소 피판을 크게 도안할 경우,

가장 흔히 마주치는 문제는 모발이 자라는 부위의 피부가 아래쪽으로 이동함으로 인해 생기는 문제점이다.[30] 이개 후면의 피판 이식부위에서 모발이 자라는 경우 레이저 등을 이용한 제모술을 시행할 수 있지만 기본적으로 모발낭이 있는 피부를 피판으로 사용하지 않는 것이 필요하다. 또한 절개선이나 피부이식 등으로 인한 반흔 형성 및 피부색 변성 등이 미용적 문제를 야기할 수 있으며, 수술 시에 연골 기형의 교정이 충분치 않은 경우 수술 후 꺼내어진 이개 연골의 형태가 만족스럽지 않을 수도 있다. 이개 근육의 절개가 충분치 않은 경우에는 수술부위가 재매몰되어 재수술이 필요해지기도 한다.

Ⅵ 위축귀(Constricted ear)

이개의 상부 1/3에 국한된 이륜 연골의 기형은 3,4번 이개융기의 기형에 의해 발생되며, 위축귀(constricted ear)로 지칭한다. 위축귀는 배상이(cup ear) 또는 토이(lop ear)라고 부르기도 하는데, 이륜이 위축되어 컵처럼 보이게 되며 종종 이갑개 비대에 의한 돌출귀 기형을 함께 동반하여 위축된 이륜의 크기가 실제보다 커 보이기도 하므로 교정 시에는 이를 반드시 고려하여야 한다.[29] 위축귀는 Tanzer 등에 의해 기형의 정도에 따라 3단계로 분류되어 있는데,[38] 1형 기형은 가장 경도의 기형으로서 이륜이 아래쪽으로 돌출(overhang)되어 있고 이개의 나머지 부분은 정상인 상태로서, 이륜부가 약간 접힘으로 인해 상부 1/3에서 약간의 길이 단축이 있기는 하지만 대이륜과 대이륜각이 정상적으로 존재한다. 이의 교정은 돌출된 이륜을 절제해 주는 것만으로 충분하기도 하며, 이륜의 높이를 올려서 이개의 길이를 늘이기 위한 방법으로서 절제한 연골편이나 이갑개 연골을 주상와 부위에 보강하여 주기도 한다.

중등도 기형인 2형 기형은 이륜과 주상와가 접히고 대이륜과 대이륜각이 미발달되어 편평해지는 경우이며, 이륜의 위축이 심하고, 이갑개의 깊이(conchal depth)가 증가되어 이개의 방향이 외측을 향하기보다 전방으로 향하는 돌출귀의 경향을 보인다. 이의 교정은 돌출귀의 교정을 함께 고려하여 이갑개를 부분 절제하고 이 중 깃발 피판이나 Elsahy 술식, 또는 V–Y 전진 피판 등에 의한 이륜 확장(helical expansion)을 시행한다(그림 17-11).[12,27] 이륜의 위축이 매우 심한 경우 이륜 확장만으로는 이를 덮을 피부가 부족해지므로 국소 피판 등을 통하여 이개의 크기를 늘려주거나 피부이식이 필요하다. 3형 기형은 가장 심한 형태의 기형으로서 II형 소이증에서와 유사한 형태를 보이며 늑골을 이용한 이개 전 재건(total auricular reconstruction)이 필요한 경우가 많다.

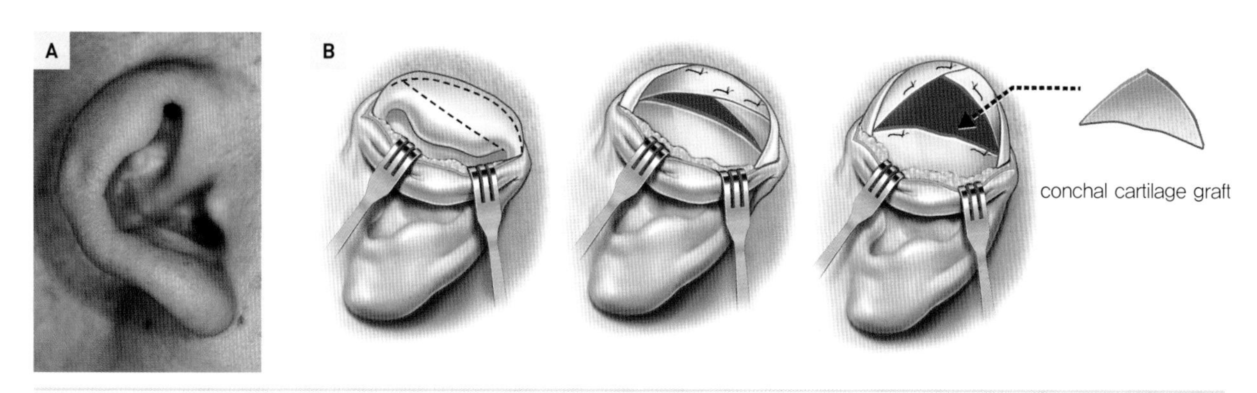

■ 그림 17-11. IIa형 위축귀(A)와 이륜 확장을 위한 double banner flap(B)

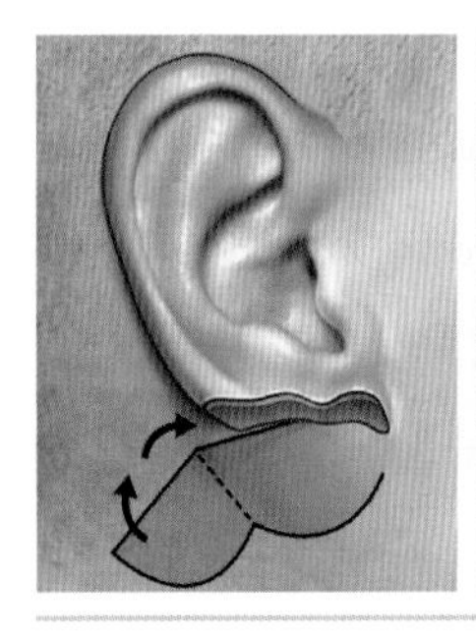
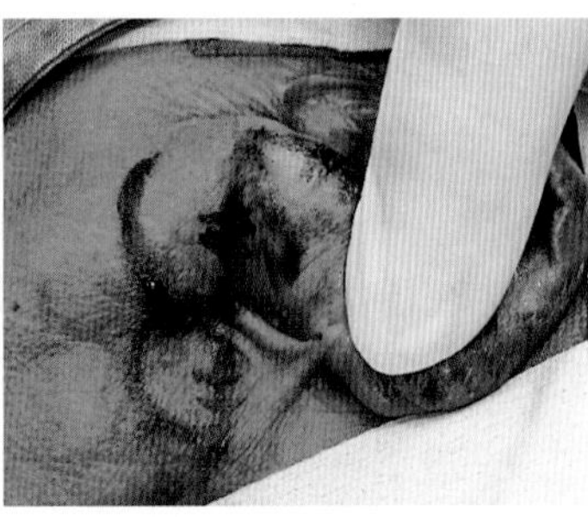

■ 그림 17-12. 이수 기형 치료를 위한 Gabello 피판

Ⅶ 이수의 선천성 기형

이수의 선천성 기형으로는 무형성증(aplasia), 저형성증(hypoplasia), 이수열(cleft ear lobule), 2열 이수(bifid ear lobule) 등이 있다. 무형성증이나 저형성증은 다른 이개 기형과 동반되어 있는 경우가 대부분이며, 이수의 앞, 뒤, 아래쪽 피부를 이용하거나 이갑개(concha)의 연골을 사용한 국소 피판을 이용하여 이수를 재건한다. Gavello의 방법과 Alanis의 방법이 많이 사용되는데, Gavello의 방법은 이수 뒤쪽의 피부를 이용하여 이엽 피판(bilobed flap)을 만들고 이를 반으로 접어 이수의 앞뒷면을 함께 만들어 주는 방법이다(그림 17-12). 피판 공여부는 피부이식을 하거나 일차 봉합을 한다. 이 방법은 공여부가 눈에 잘 띄지 않으며, 피부색의 차이가 적다는 장점이 있지만 장기적으로 피판의 위축이 올 수 있으며, 피판의 길이로 인해 혈류 순환이 나빠질 수 있다는 단점이 있다. Alanis의 방법은 피판을 이수의 아래쪽으로 도안하여 피판의 아래 부분이 뒷면으로 가도록 하므로 공여부의 반흔이 이수 아래쪽에 생기게 된다.[3] 이외에도 많은 종류의 피판이 도안되어 있으며, 피판의 위축으로 인한 변형을 막기 위해서 피판에 연골을 삽입하는 방법 역시 많이 쓰이고 있다.[33]

이수열은 전방형(anterior form)과 후방형(posterior form)으로 나눌 수 있다. 전방형은 이수와 안면부의 부착부위가 벌어진 것으로서 치료는 양측 접합부위의 피부를 제거하고 필요시 피하지방의 일부도 함께 제거한 후 내측으로 당겨서 전층을 봉합하며, 후방형은 이수의 중간이나 이개 연골과의 사이의 연조직에 벌어진 틈이 생기는 경우를 말한다.[6,11]

Ⅷ 전이개강(Preauricular sinus)

전이개강(preauricular sinus)은 이개 전부 연조직의 선천성 기형의 하나이며, 전이개누공(preauricular fistula)이라고 일컬어 지기도 한다. 비교적 흔히 볼 수 있는 외이 기형의 하나로서 국내에서는 1.91%의 유병률이 보고되고 있으며, 대만에서는 2.5%, 미국내에서는 0.1~0.9%의 유병률이 보고됨으로써 인종간의 유병률 차이가 있을 가능성을 시사한다.[22] 전이개강의 발생병인에 대해서는 여러 이론이 있지만, 발생 시 6번 이개융기의 불완전한 병합에 의해 발생하는 것으로 알려져 있으며, 반수 이상에서 편측, 특히 우측에 호발하고 양측성으로 발생하는 경우는 유전성으로 발생하는 경우가 많다.[31,34]

대부분의 전이개강은 작은 구멍이 외이 근처, 특히 이륜 근부(root of helix)의 전단부에 위치하며, 이륜의 후상부나 이주, 이수 등에서 발견되는 경우도 있다. 병변은 단순히 얕은 구멍의 형태로만 존재하기도 하지만 다양한 길이의 강(sinus) 형태로 존재하는 경우가 많으므로 수술시에 확인하여 모두 제거하여야 한다. 전이개강에 의해 형성되는 피하낭은 이주 연골이나 이륜 근부의 연골막까지 이어지며 대개의 경우 안면신경 분지의 외측에 위치한다.[37] 때때로 탈락된 각질이나 감염에 의해 피하낭의 염증이 발생하여 발적, 종창, 압통과 분비물 등의 증상이 나타나기도 하며, 이때에는 적절한 항생제 투여가 필요하고 농양이 형성된 경우에는 절개 배농을 해야 한다. 반복적으로 감염되거나 지속적인 분비물이 있는 경우에는 염증이 없는 시기에 수술적 절제가 필요한데, 피하낭을 완전히 제거하기 위한 다양한 술기들이 있으나 전형적인 전이개 낭종의 수술기법은 전이개강 입구의 피부를 타원형으로 절

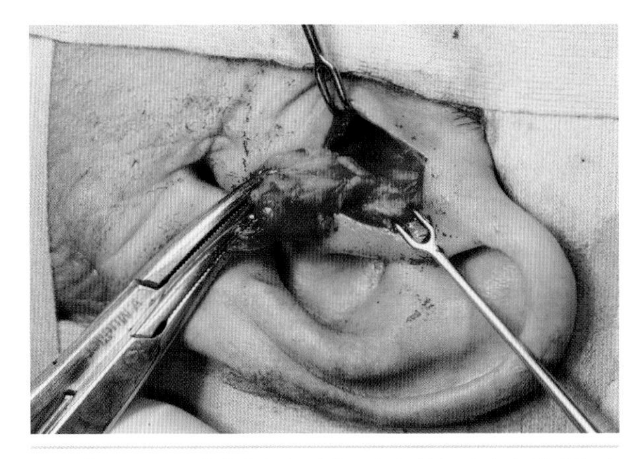

■ 그림 17-13. **전이개강의 절제.** 피하낭을 완전히 절제할 수 있도록 이륜 근부의 연골 또는 연골막 일부를 함께 절제한다.

개하여 강(sinus)을 따라 박리해 들어가는 방법이 일반적이며, 재발 위험을 줄이기 위해서는 측두근막까지 박리한 후 낭과 연결된 이륜 연골 또는 연골막의 일부를 함께 제거하여야 한다(그림 17-13).[17] 이의 절제를 확실히 하기 위한 방법으로서 절개선을 이륜 상부로 확장하는 상이개 접근법을 이용하면 0~42%에 달하는 재발률의 빈도를 낮출 수 있다는 보고가 있다.[7,32] 이외에도 수술 후 잔존 조직에 의한 재발을 줄이기 위해 술전 초음파, 강내 조영술, 술중 현미경의 이용 및 메틸렌블루 주사 등 여러 방법들이 이용되고 있지만 확실하게 효과가 증명되어 있지는 않다.[7,21,37]

참고문헌

1. Adams MT, Cushing S, Sie K. Cryptotia repair: a modern update to the trefoil flap. Arch Facial Plast Surg 2011;13:355-358.
2. Adamson PA, Litner JA. Otoplasty technique. Otolaryngol Clin North Am 2007;40:305-318.
3. Alanis SZ. A new method for earlobe reconstruction. Plast Reconstr Surg 1970;45:254-257.
4. Alexander KS, Stott DJ, Sivakumar B, Kang N. A morphometric study of the human ear. J Plast Reconstr Aesthet Surg 2011;64:41-47.
5. Becker DG, Lai SS, Wise JB, Steiger JD. Analysis in otoplasty. Facial Plast Surg Clin North Am 2006;14:63-71.
6. Blanco-Davila F, Vasconez HC. The cleft earlobe: a review of methods of treatment. Ann Plast Surg 1994;33:677-680.
7. Bruijnzeel H, van den Aardweg MT, Grolman W, Stegeman I, van der Veen EL. A systematic review on the surgical outcome of preauricular sinus excision techniques. Laryngoscope 2016;126:1535-1544.
8. Chang SO, Suh MW, Choi BY, Park MH, Ha Oh S, Kim CS. A new technique for correcting cryptotia: V-Y swing flap. Plast Reconstr Surg 2007;120:437-441.
9. Cho BC, Han KH. Surgical correction of cryptotia with V-Y advancement of a temporal triangular flap. Plast Reconstr Surg 2005;115:1570-1581.
10. Driessen JP, Borgstein JA, Vuyk HD. Defining the protruding ear. J Craniofac Surg 2011;22:2102-2108.
11. El Kollali R. Earlobe morphology: a simple classification of normal earlobes. J Plast Reconstr Aesthet Surg 2009;62:277-280.
12. Elsahy NI. Technique for correction of lop ear. Plast Reconstr Surg 1990;85:615-620.
13. Fritsch MH. Incisionless otoplasty. Otolaryngol Clin North Am 2009;42:1199-1208.
14. Furnas DW. Correction of prominent ears by conchamastoid sutures. Plast Reconstr Surg 1968;42:189-193.
15. Furnas DW. Otoplasty for prominent ears. Clin Plast Surg 2002;29:273-288.
16. Goode RL, Proffitt SD, Rafaty FM. Complications of otoplasty. Arch Otolaryngol 1970;91:352-355.
17. Gur E, Yeung A, Al-Azzawi M, Thomson H. The excised preauricular sinus in 14 years of experience: is there a problem? Plast Reconstr Surg 1998;102:1405-1408.
18. Hirose T, Tomono T, Matsuo K, Katohda S, Takahashi N, Iwasawa M, et al. Cryptotia: our classification and treatment. Br J Plast Surg 1985;38:352-360.
19. Kim SK, Yoon CM, Kim MH, Kim MS, Lee KC. Considerations for the management of cryptotia based on the experience of 34 patients. Arch Plast Surg 2012;39:601-605.
20. Kim YS. Correction of cryptotia with upper auricular deformity: double V-y advancement flap and cartilage strut graft techniques. Ann Plast Surg 2013;71:361-364.
21. Lau JT. Towards better delineation and complete excision of preauricular sinus. Aust N Z J Surg 1983;53:267-269.
22. Lee KY, Woo SY, Kim SW, Yang JE, Cho YS. The prevalence of preauricular sinus and associated factors in a nationwide population-based survey of South Korea. Otol Neurotol 2014;35:1835-1838.
23. Limandjaja GC, Breugem CC, Mink van der Molen AB, Kon M. Complications of otoplasty: a literature review. J Plast Reconstr Aesthet Surg 2009;62:19-27.
24. Marsh D, Sabbagh W, Gault D. Cryptotia correction--the post-auricular transposition flap. J Plast Reconstr Aesthet Surg 2011;64:1444-

1447.

25. McDowell AJ. Goals in otoplasty for protruding ears. Plast Reconstr Surg 1968;41:17-27.
26. Messner AH, Crysdale WS. Otoplasty. Clinical protocol and long-term results. Arch Otolaryngol Head Neck Surg 1996;122:773-777.
27. Millard DR, McCafferty LR, Prado A. A simple, direct correction of the constricted ear. Br J Plast Surg 1988;41:619-623.
28. Nuara MJ, Mobley SR. Nuances of otoplasty: a comprehensive review of the past 20 years. Facial Plast Surg Clin North Am 2006;14):89-102.
29. Paredes AA, Jr., Williams JK, Elsahy NI. The constricted ear. Clin Plast Surg 2002;29:289-299.
30. Paredes AA, Jr., Williams JK, Elsahy NI. Cryptotia: principles and management. Clin Plast Surg 2002;29:317-326.
31. Paulozzi LJ, Lary JM. Laterality patterns in infants with external birth defects. Teratology 1999;60:265-271.
32. Prasad S, Grundfast K, Milmoe G. Management of congenital preauricular pit and sinus tract in children. Laryngoscope 1990;100:320-321.
33. Samolitis NJ, Florell SR, Mobley SR, Bowen GM. Use of a conchal bowl flap for repair of the earlobe. Arch Dermatol 2005;141:947-949.
34. Scheinfeld NS, Silverberg NB, Weinberg JM, Nozad V. The preauricular sinus: a review of its clinical presentation, treatment, and associations. Pediatr Dermatol 2004;21:191-196.
35. Sforza C, Grandi G, Binelli M, Tommasi DG, Rosati R, Ferrario VF. Age- and sex-related changes in the normal human ear. Forensic Sci Int 2009;187:110 e1-7.
36. Spira M. Otoplasty: what I do now--a 30-year perspective. Plast Reconstr Surg 1999;104:834-840.
37. Tan T, Constantinides H, Mitchell TE. The preauricular sinus: A review of its aetiology, clinical presentation and management. Int J Pediatr Otorhinolaryngol 2005;69:1469-1474.
38. Tanzer RC. The constricted (cup and lop) ear. Plast Reconstr Surg 1975;55:406-415.
39. Wang B, Dong Y, Zhao Y, Bai S, Wu G. Computed tomography measurement of the auricle in Han population of north China. J Plast Reconstr Aesthet Surg 2011;64:34-40.
40. Yotsuyanagi T, Yamashita K, Shinmyo Y, Yokoi K, Sawada Y. A new operative method of correcting cryptotia using large Z-plasty. Br J Plast Surg 2001;54:20-24.

CHAPTER

18

소이증 및 선천성 중이기형

이비인후과학 Otorhinolaryngology - Head and Neck Surgery

김성헌

I 소이증의 정의 및 분류

소이증은 발생학적 문제로 인한 선천적으로 비정상적인 작은 이개의 형태를 뜻하며, Weerda의 분류에서 2~3단계의 기형에 속한다('이개의 선천성 경도기형' 중 '이개 경도 기형의 분류' 참고).[27] Nagata는 소이증을 이개강형(concha type), 소이개강형(small concha type), 이수형(lobule type)의 세 가지 형태로 분류하였다(그림 18-1A-C).[21] 이개강형 소이증은 이개의 일부 상부구조와 이수, 이개강, 이주, 주간 절흔(intertragic incisure) 및 외이도가 존재하는 제일 경한 기형의 형태이고, 소이개강형은 일부 상부구조와 이수 및 작은 이개강만 있는 경우, 그리고 이수형은 상부구조가 거의 형태만 남아 있고 정상에 가까운 이수가 존재하는 경우로 세 분류 중 가장 심한 기형이다.

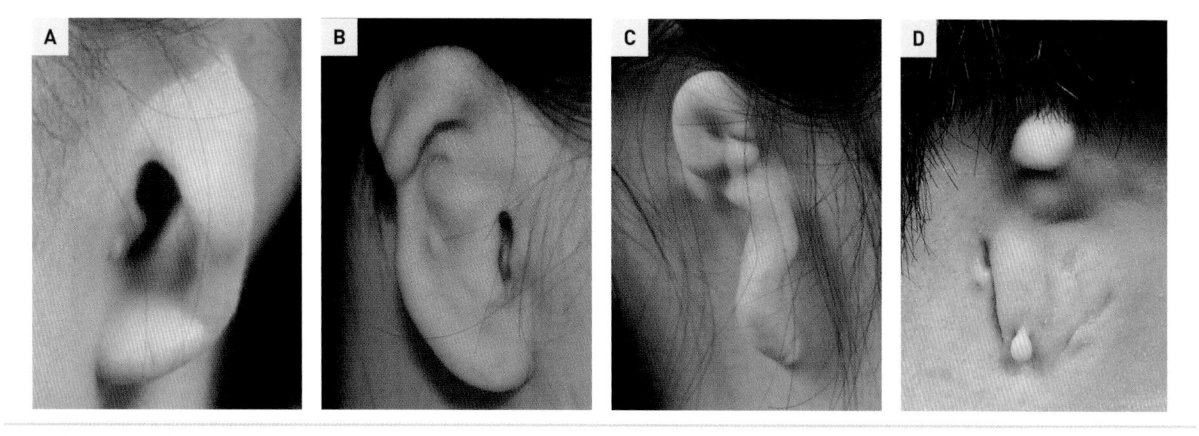

■ 그림 18-1. **소이증의 종류.** **A)** 이개형(concha type), **B)** 소이개강형(small concha type), **C)** 이수형(lobule type), **D)** 무이증(anotia).

이 외에도 귀의 형태가 전혀 없이 낮은 두발선(low hair-line)을 동반한 무이증(anotia)이 있다(그림 18-1D).

Ⅱ 외이도 기형의 분류

외이와 중이는 발생학적으로 서로 연관성이 있어 소이증과 같이 이개의 기형이 심한 경우는 항상 외이도 및 중이의 기형이 동반되어 나타나며, 내이의 기형이 동반되는 경우는 드물다(11~30%).[3] 외이도 기형의 분류는 외이도 폐쇄 정도와 중이의 기형에 따라 여러 가지 분류법이 제안되어 왔다(표 18-1, 그림 18-2). Altman은 외이도 기형을 3가지로 분류하였으며(표 18-1), 1형(type 1)은 외이도가 부분적으로 형성되어 있으면서, 작은 외이, 측두골 및 고막의 형성 부전, 정상 혹은 작은 중이강, 정상 혹은 형성 부전 이소골이 있을 때로 정의하였고, 2형(type 2)은 외이도가 없고 폐쇄판이 존재하며, 작은 중이강 및 추골과 침골의 고정과 기형이 있을 때, 3형(type 3)은 외이도가 없고 중이강이 작거나 거의 없는 형태로 정의하였다.[2] De la Cruz는 외이도가 없는 외이도 폐쇄증을 경증(minor)

표 18-1. 외이도 폐쇄증의 분류

저자	분류형	특징
Altman F.	Type 1	작은 이개, 측두골 및 고막의 형성 부전, 정상 혹은 작은 중이강, 정상 혹은 이소골 형성 부전, 부분적 외이도의 존재
	Type 2	외이도의 부재, 폐쇄판의 존재, 작은 중이강, 추골과 침골의 고정 및 기형
	Type 3	외이도의 부재, 거의 없는 중이강
De la Cruz A.	Minor	정상 유양돌기 함기화, 정상 난원창, 정상 내이, 안면신경과 난원창의 양호한 해부학적 위치 관계
	Major	불량한 유양돌기 함기화, 난원창의 기형 혹은 부재, 내이기형, 비정상 안면신경 고실분절의 주행경로

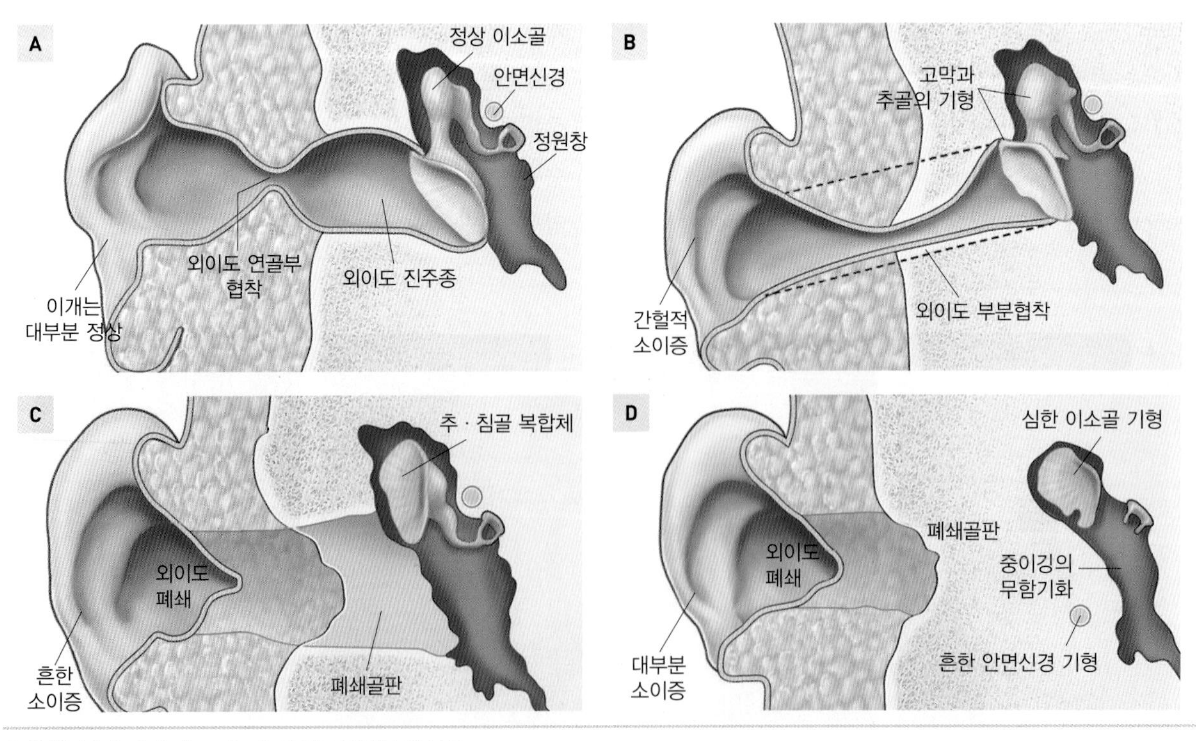

■ 그림 18-2. Schuknecht의 외이도 폐쇄증의 분류

과 중증(major)으로 분류하였고(표 18-1), 경증은 유양돌기의 함기화와 난원창(oval window) 및 내이가 정상이면서 안면신경과 난원창의 해부학적 위치관계가 양호한 경우이며, 중증은 유양돌기의 함기화가 불량하고 난원창이 없거나 기형이 있으며, 내이기형이 있고 안면신경의 고실분절의 주행경로가 비정상적인 경우이다.[8] Schuknecht는 외이도의 기형을 A–D의 네 가지 형태로 분류하였으며, 임상적으로 적용하기가 용이하고, 수술소견에 기초를 두어 현재 가장 널리 이용되고 있다(그림 18-2).[25] A형은 외이도 연골부의 협착 혹은 부분 폐쇄로 외이도 진주종을 동반하고 이소골, 안면신경 및 난원창은 정상인 경우이고, B형은 외이도 연골부와 골부에 굴곡과 부분폐쇄 및 고막과 추골(malleus)의 기형을 동반한 경우이며, C형은 외이도가 전체적으로 폐쇄되어 있고 추골과 침골(incus)이 융합되어 있지만 등골(stapes)은 가동성이 있는 경우, D형은 외이도 폐쇄와 유양동 및 중이의 함기화가 불량하고 이소골의 심한 기형과 심한 안면신경 고실분절의 주행이상을 동반한 경우이다.

Ⅲ 역학

이개의 기형은 주로 발생 4~8주 사이에 이개 형성 및 분화가 내적, 외적 요인에 의해 적절히 이루어지지 못할 경우에 생긴다.[27] 내적 요인으로는 염색체 이상이 대표적이며, 그 예로 Fanceschetti 증후군, Goldenhar 증후군, Treacher Collins 증후군 등이 있다. 이개 기형은 20% 가량에서 유전적으로 나타나며, 10%에서 증후군 형태로 나타나는 것으로 알려져 있다.[13,27] 10%가량에서 외적 요인으로 인하여 발생하며, 그 요인으로는 약물복용, 알코올 중독, 풍진(rubella) 등과 같은 바이러스 감염 등이 알려져 있다.[13,27] 이개 기형은 6,000명당 한 명 정도의 빈도로 발생하며, 심한 이개 기형은 10,000~20,000명당 한 명 정도의 발생 빈도를 보인다. 일측성이 양측성보다 흔하고 (양측성: 25~30%), 여자보다는 남자에게서 조금 더 흔하게 발생한다(남:여 = 58:42).[1,16]

외이도 폐쇄증도 대개 외이의 기형과 동반되어 나타나므로, 이개기형과 비슷한 발생율을 보이고(10,000~20,000명 당 1명), 이개기형과 마찬가지로 남성에서 더 흔하고(2.5배), 일측성의 경우가 많다.[16]

이개 및 외이도의 기형은 안면비대칭, 안면신경마비, 구순구개열, 요로기형, 심혈관계기형, 골격계 기형이 동반된 증후군의 형태로 나타나는 경우가 있으므로, 이에 대한 세밀한 신체검사, 협진 및 상담이 필요하다.

Ⅳ 진찰 및 검사

1. 문진 및 신체검사

소이증은 이개의 기형이 심한 형태이므로, 출생과 동시에 진단이 된다. 소이증은 대개 외이도 및 중이의 기형이 함께 동반이 되므로, 진찰 시 이개뿐 아니라 귓구멍이 존재하는 경우 외이도 및 고막의 모양 등도 자세히 살펴보아야 한다. 또한, 다른 안면기형과 신체 부위의 기형을 동반하는 여러 선천적 증후군이 있을 수 있으므로, 자세한 가족력과 과거력에 대한 문진이 필요하며, 이개 및 외이도의 기형 외에도 전이개 누공, 이개 앞 부위의 피부돌출(auricular appendage), 안면왜소증, 안면신경 마비 등의 외이 주변부의 기형여부가 동반되었는지 확인하고, 심장, 신장, 기관–식도 및 경추의 이상 등에 대한 자세한 문진과 검사 및 협진을 통하여 Treacher Collins 증후군, VATER (vertebral, anal, tracheal, esophagus, and renal anomalies) 증후군, CHARGE (coloboma, hearing deficit, choanal atresia, retardation of growth, genital defects, and endocardial cushion defects) 증후군, Pierre Robin 증후군, Goldenhar 증후군, Klippel–Feil 증후군 등을 감별하여야 한다.

2. 청력검사

소이증과 동반된 외이도의 부분 혹은 전체 폐쇄는 난청을 동반하며, 이 중 11~30%에서는 내이의 기형을 동반하는 경우도 있으므로, 청력검사를 반드시 시행한다. 출생 시에 뇌간유발반응검사를 시행하며, 전도성 난청을 확인하기 위해서는 골전도 뇌간유발반응검사를 함께 시행하면 도움이 된다. 이후 6~12개월 경에는 행동관찰 청력검사를 시행하며, 이후에 환자의 나이에 따라 유희순음검사, 순음청력검사, 어음검사 등을 시행하여 정확한 청력을 평가한다. 대개 이개 및 외이도 기형이 있는 측은 골도-기도 차가 동반되며, 45~70 dB 정도의 청력 역치를 보이는 경우가 많다[9].

3. 영상학적 검사

고해상도 측두골 CT 촬영(high resolution temporal bone CT scan)은 측두골의 해부학적 상태를 정확히 평가하고 치료 계획을 세우는데 가장 유용한 검사이다('측두골과 두개저 질환의 영상진단' 그림 18-5 참고). CT 촬영은 대개 5세 전후에 시행하는데, 유소아의 경우 유양동의 함기화가 완전히 이루어지지 않고, 진주종도 2~3세 이후에 어느 정도 형성되므로, 너무 이른 시기의 검사는 재활방법 및 수술의 결정에 별로 도움이 되지 않으며, 오히려 수술 전 재촬영을 해야하는 경우가 많아 반복적으로 환자를 방사선에 노출시켜야 한다는 단점이 있다. 하지만 양측성 외이도 기형 혹은 양측성 난청이 있는 경우에는 2세경에 CT를 촬영하여 기형의 정도 및 부위에 따라 조기에 외이도 성형술, 이식형 골도보청기 시술, 인공와우 이식술 등의 적절한 청각재활방법을 선택하는데 도움을 받을 수 있다.

Jahrsdoerfer는 외이도 기형에서 외이도 재건술 후 청력개선의 예후를 예측할 수 있는 점수 체계를 고해상도 측두골 CT 촬영 소견을 기초로 하여 분류하였는데[14], 점수의 계산에는 외이도의 존재 여부, 중이강과 유양돌기의 함기화 정도, 이소골의 연결 및 기형 정도, 난원창과 정원창의 개방 정도, 안면신경의 수평 및 수직 분절 주행의 이상 유무 등의 항목이 포함되어 있으며(표 18-2), 각각의 점수의 합을 계산하여 8점 이상이면 예후가 좋고 5점 이하이면 예후가 불량할 가능성이 높다. 내이기형이나 감각신경성 난청을 동반하지 않은 경우 편측성 외이도 기형은 8점 이상, 양측성 외이도 기형은 5점 이상이면 외이도 성형술의 적응증이 된다.

표 18-2. 측두골 전산화단층촬영(TBCT) 소견에 의한 Jahrsdoerfer 점수체계

TBCT 소견	점수
외이의 존재	1
함기화된 중이강	1
함기화된 유양동	1
추골-침골 복합체의 존재	1
침골과 등골의 연결	1
등골의 존재	2
개방된 난원창	1
개방된 정원창	1
정상에 가까운 안면신경 주행	1

V 치료

1. 치료 계획의 수립 및 수술 전 보존적 치료

소이증과 외이도 기형의 수술적 치료는 항상 적절한 이개의 형태 및 위치와 같은 미적인 측면과 청력의 재활과 같은 기능적 측면을 동시에 고려하여 그 계획을 수립하여야 한다(그림 18-3). 치료 계획을 수립할 때 제일 먼저 고려하여야 할 것이 소이증 및 외이도 기형의 양측성 여부이다. 소이증과 외이도 기형이 일측성인 경우는 반대측 청력이 정상이면, 대개는 정상적인 언어발달에 지장이 없으므

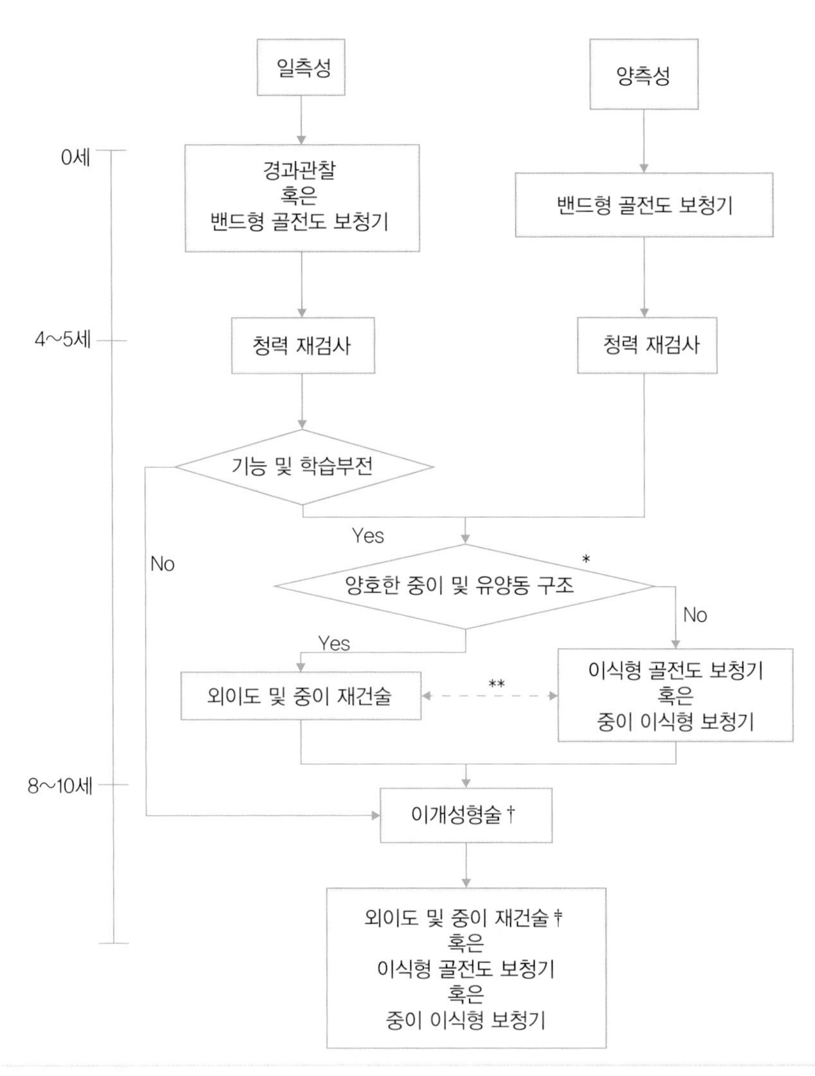

■ 그림 18-3. **소이증 및 외이도 폐쇄증의 치료 흐름.** *: 양호한 중이 및 유양동 구조는 측두골 전산화단층촬영에서 Jahrsdoerfer 점수로 계산함. **: 외이도 및 중이재건술과 이식형 골전도 보청기 혹은 중이 이식형 보청기는 충분한 상담 후 환자와 보호자의 선호도와 국내 요양급여를 고려하여 결정함. †: 이개성형술은 메드포어 Medpor®와 같은 인공물질을 선택할 경우 4~5세부터 가능함. ‡: 이개성형술 전 외이도 및 중이 재건술, 이식형 골전도 보청기 혹은 중이 이식형 보청기 시술을 받지 않은 경우. 본 술식은 편측성 소이증의 경우 이개성형술 이후에 시행하는 것이 일반적임.

로 이에 대해 보호자에게 잘 설명하고 추후 소이증과 외이도 기형의 교정 수술 전까지 특별한 청력 보조구 없이 경과를 관찰할 수도 있다. 하지만 최근에는 양이청의 장점을 일찍부터 살려주기 위해 편측성 소이증과 외이기형인 경우에도 골도 보청기를 착용 시키기도 하며(외이도의 부분 협착만 있을 경우에는 기도 보청기를 착용할 수 있음),[12] 이후 소이증 및 청력개선을 위한 수술을 시행할 수 있는 적절한 나이인 8~10세가 되었을 때 적절한 청력 개선을 위한 수술을 시행한다. 양측성 소이증과 외이도 기형 및 난청이 동반되었을 때는 정상적인 언어발달을 위하여 가급적 조기에 골도 보청기를 착용시킨다. 이러한 경우 환아의 나이가 4~5세가 되어 정확한 청력검사가 가능하고, 유양동의 함기화가 어느 정도 완성되며, 수술 후 치료과정에도 적절한 협조가 이루어 질 수 있을 때 적절한 청력개선 수술을 시행한다. 이때 시행하는 청력개선을 위한 수술은 중이 및 내이의 해부학적 구조가 양호할 경우는 외이도 성형술을 시행할 수 있으며, 해당 해부학적 구조의 발달이 양호하지 않거나, 환자 및 보호자가 외이도 재건을 원하지 않을 경우 그 선호도에 따라 이식형 보청기 수술을 시행할 수 있다. 양측성 소이증 및 외이도 기형에서 청력개선을 위한 외이도 성형술 혹은 이식형 보청기 수술을 이개의 재건술보다 먼저 시행할 경우에는 추후 전이개 재건술을 위한 해부학적 구조물과 평면을 다치지 않도록 유의하여야 한다. 외이도의 협착이 존재할 경우에는 외이도 진주종이 발생할 위험성이 큰데, 외이도 진주종이 있을 경우에는 청력 및 영상학적 검사소견과 관련 없이 수술을 시행하여, 진주종으로 인한 합병증을 치료 및 예방하여 준다. 하지만 이때에도 추후 전이개 재건술에 지장을 주지 않도록 재건팀과 충분히 상의하여 적절한 수술 방법을 이용하여 수술을 시행한다.

소이증의 재건수술은 수술 재료에 따라 그 시기가 유동적이긴 하지만 메드포어(Medpor®) (porus polyethylene)와 같은 인공재료를 이용하는 경우는 대개 4세 이후에 수술을 시행할 수 있으며, 자가늑골연골을 이용하는 경우에는 늑골연골이 이개골조를 제작할 만큼 충분히 성장하고, 이개의 크기가 성인의 크기에 가깝게 되는 8~10세 이후에 수술을 시행한다. 소이증의 재건술과 외이도 성형술의 수술 순서는 술자에 따라 논란의 여지가 있지만, 양측성 소이증과 외이도기형이 동반된 경우 등의 특별한 경우가 아니면, 일반적으로 이개재건술을 먼저 시행하고 이후 외이도 성형술을 시행을 한다. 그 이유는 외이도 성형술을 먼저 시행하는 경우 외이에 혈류를 공급하는 주요혈관의 손상으로 추후 외이성형 시 피부피판의 괴사를 초래할 수 있을 뿐만 아니라, 전이개재건술을 시행할 해부학적 평면의 유착으로 외이성형 술식이 복잡해지고 수술 결과가 불량할 수 있기 때문이다.

2. 소이증의 수술

1) 수술의 목적

소이증에서 이개 재건술의 목적은 자연스럽고 거부감 없으며, 향후 안경이나 필요한 경우 적절한 보청기를 사용할 수 있는 외이와 외이도를 형성시켜 주는 것이다. 무엇보다 환자 본인의 재건에 대한 욕구가 중요하며, 이 때문에 너무 이른 시기에 수술을 시행하는 것 보다는 환자가 적절히 수술에 대한 의사를 표현하고 결정을 할 수 있는 나이가 되었을 때(8~10세 이상) 수술을 시행하는 것이 좋다. 비록 보호자가 수술을 강력히 원할지라도 환자 본인이 필요성을 느끼지 못하고 반대하는 경우에는 재건을 시행하지 않는 것이 바람직하다.

2) 소이증 재건을 위한 재료의 선택

이개구조의 재료로는 자가늑연골, 인공삽입물, 인공보철물 등이 이용되며(그림 18-4), 선택되는 재료에 따라 수술방법이 다양하다. 자가늑골연골은 가장 오랜 기간 동안 널리 사용된 재료로 다듬기가 쉽고, 이물반응이 적으며, 경우에 따라 재건 시 측두-두정근막(temporoparietal fascia flap)으로 감싸지 않아도 되어 피부의 절개가 작아도 되는 등의 장점이 있으며, 무엇보다 장기적인 안정성이 입증이 되었다는데 제일 큰 장점이 있다. 하지만 늑골연골의 채취로 인한 흉부의 상처와 결손이 영구적으로 남을 수 있으며, 연골을 조각하기 때문에 술식이 어렵고 술자에 따라 결과가 다양하게 나타날 수 있다는 단점이 있다. 대표적 인공삽입물인 메드포어는 자가늑골연골을 채취하는 번거로움을 피할 수 있고, 이미 모양이 만들어져 있는 인공물로 이개의 모양을 다듬는 시간이 크게 절약되며, 흉부에 영구적인 흉터 및 결손이 남지 않는다는 장점이 있지만, 이식 후 이물반응을 줄이기 위해 측두-두정피판(temporoparietal facia flap)으로 이식물을 감싸야 하기 때문에 두피에 큰 절개가 들어가야 하고, 수술 후에 이물반응 및 외부로 노출될 가능성이 자가늑골연골에 비해

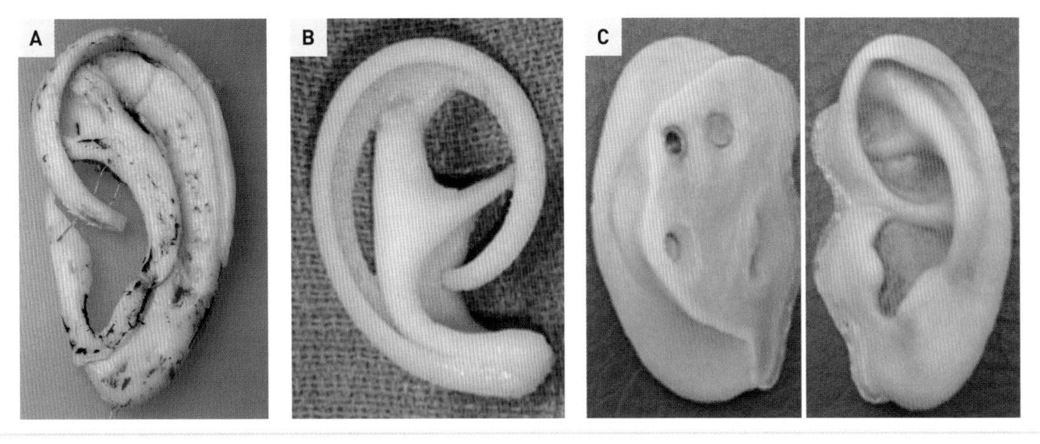

■ 그림 18-4. **이개재건의 재료.** **A)** 자가늑골연골을 이용한 이개기틀의 제작, **B)** 메드포어(Medpor®), **C)** 인공보철물(epithese)

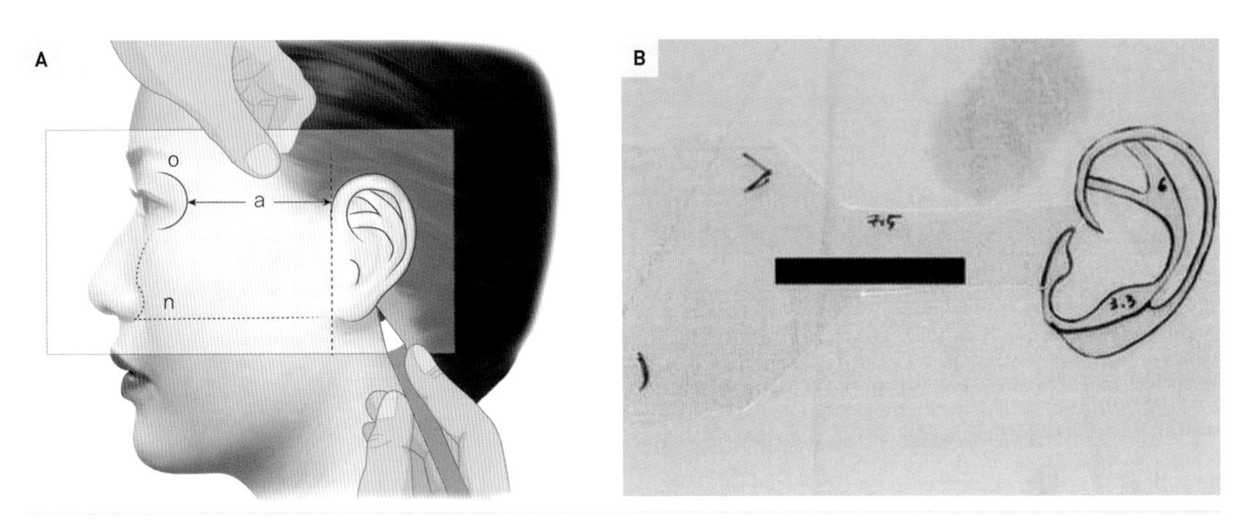

■ 그림 18-5. **이개성형술 전 이개형판 template의 제작.** **A)** 정상귀 측을 바탕으로 외안각(lateral canthus), 외안와연(lateral orbital rim) (o), 비익연(alar groove) (n)을 함께 표시하고, 이개에서의 거리(a)를 미리 측정하여 표시함. **B)** 제작된 이개형판의 예

높으며, 외상에 더 취약하다는 단점이 있다. 화상이나 외상에 의한 조직의 변형이 심하여 수술 시 적절한 피부피판을 사용할 수 없는 경우는 티타늄 보철물을 측두골에 삽입하여 귀 모양의 인공보철물(epithese)을 이에 부착하는 방법을 사용할 수 있다.

3) 수술 전 준비

편측성 소이증의 경우 수술 전 환자의 외래 방문 시 투명한 필름을 이용하여 정상측을 기준으로 이개기틀(auricular framework)을 제작하는데 사용할 형판(template)을 제작한다(그림 18-5). 이때에는 수술 시 적절한 귀의 위치를 잡기 위하여 형판에 기준점이 될 수 있는 외안각(lateral canthus) 혹은 외안와연(lateral orbital rim) 및 비익연(alar groove) 등의 위치를 미리 표시하여 둔다. 양측성 소이증의 경우 일반적으로 이상적인 귀의 형태를 이용하여 제작한 표준 형판을 사용할 수 있다. 술 전, 술 후 형상을 비교하고 문서화할 수 있는 전면, 측면, 측사면 및 후면의 사진 촬영도 필수 사항이다.

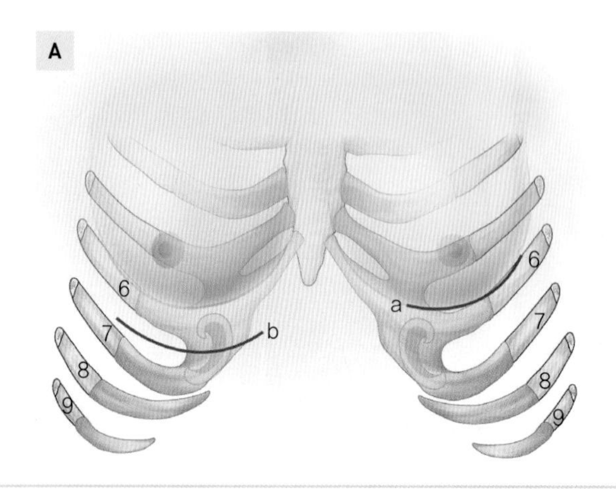

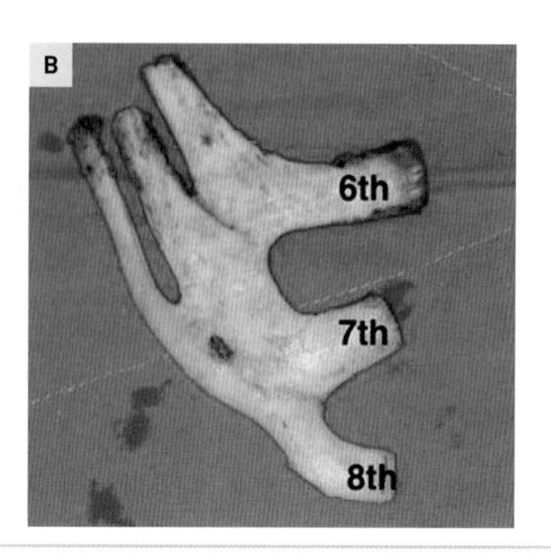

■ 그림 18-6. **늑골연골의 채취. A)** 늑골의 형태와 늑골 채취를 위한 절개선. 여자의 경우 유방 하 주름(a)에 절개를 하여 술 후 흉터를 감출 수 있으며, 남자의 경우 6~7번 (b) 혹은 7~8번 늑골 연골 사이에 절개를 한다. **B)** 채취한 늑골연골(6~8번). 경우에 따라 9번을 함께 채취함

4) 수술방법

(1) 자가늑골연골을 이용한 재건

자가늑골연골은 술자의 선호도에 따라 수술측 혹은 반대측에서 채취하며, 6~9번 늑골연골을 수술에 사용할 수 있다(그림 18-6). 늑골연골 채취 시에는 연골의 후면에 붙어있는 연골막은 박리하여 흉강쪽에 붙여 놓은 상태로 안전하게 연골을 채취함으로써 기흉 및 혈흉 등의 합병증을 예방할 수 있다[22]. 늑골연골은 6~8번은 붙어 있으며, 대개 6~7번 혹은 7~8번 연골을 이용하여 이개의 본체를 제작하고, 8번 혹은 9번으로 이륜을 제작하여 이개의 본체에 철사(wire)를 이용하여 고정한다. 나머지 연골로는 대이륜, 대이주, 이주 등을 제작하여 본체에 고정할 수 있다. 자가늑골연골을 이용한 수술은 대개 1~4단계에 걸쳐 다단계로 진행하게 되며, 이는 술자마다 다른 방법을 사용한다. 각 수술의 단계는 자가늑골연골을 이용하여 이개기틀을 제작하여 피하에 삽입하는 것은 공통적이나, 이후 주변 연부조직을 이용하여 이수, 이갑개, 이주 등을 만드는 과정의 차이에 따라 각 단계가 구분된다.

① Brent 술식

Brent는 4단계의 이개성형술을 보고하였으며, 1단계에서는 늑골연골을 이용하여 이개기틀을 피하에 삽입하고, 2단계에서 이수를 후방으로 전위시켜주었으며, 3단계에서 이개를 거상시키고, 4단계에서 이개강을 더욱 깊게 형성시키고 이주를 삽입한다(그림 18-7).[6] 1단계 수술 시 6, 7번 자가늑골연골을 이용하여 본체를 제작하고, 여기에 8번 혹은 9번 연골로 이륜을 제작하여 본체에 4-0 나일론 봉합사를 이용하여 접합시켜 이개기틀을 제작한다(그림 18-7A-D). 제작한 이개기틀은 이개의 위치에 피하를 박리하여 기틀이 삽입될 주머니를 만들어 삽입하게 되는데(그림 18-7E, F), 피하박리는 진피하 혈관망이 잘 보존되는 범위 내에서 가능한 얇게 만들고, 박리의 범위는 기틀의 크기보다 상방 후방으로 1 cm 정도 크게 만들어 주어, 기틀의 세부적인 윤곽에 따라 피부피판이 여유롭게 밀착되어 그 윤곽이 잘 드러날 수 있도록 한다. 이개기틀을 삽입한 후 피부를 봉합하고 흡입배액관(vacuum drain)을 삽입한다(그림 18-7G, H). 1단계 수술 후 약 8주 후에 2단계 수술을 시행하는데, 이때에는 이수부위를 전방부착 피판으로 디자인하여 절개 후에 후방으로 전위시켜준다(그림 18-8). 이후 수개월 후에 3단계 수술을 시행하는데 이개의 상방과 후방으로 이륜부의 경계를 따라서 절개 후 이개기틀 후면을 박리하여 이개를 거상한 뒤 이개후면에 피부이

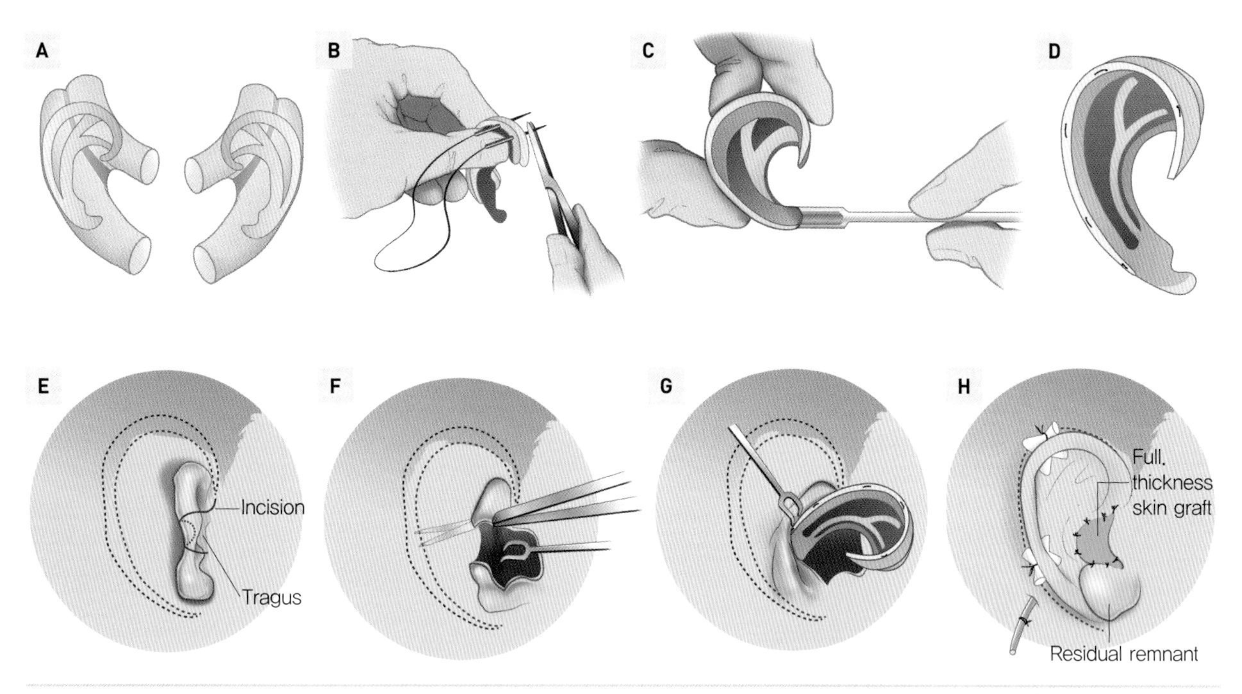

■ 그림 18-7. **Brent의 이개성형술 1단계.** **A)** 자가늑골연골 6-7번을 이용한 본체의 제작. **B)** 8번 혹은 9번 늑골연골을 이용하여 제작한 이륜과 본체의 연결. **C)** 대이륜, 주상와, 대이륜 상,하각 및 삼각와의 조각. **D)** 완성된 이개기틀. **E)** 이개기틀 삽입을 위한 피부절개. **F)** 이개기틀 삽입을 위한 피하 주머니의 생성. **G)** 이개기틀의 삽입. **H)** 이개강의 형성, 피부이식 및 봉합

식을 시행한다(그림 18-9). 4단계에서는 반대측 이개강 연골을 채취하여 이주를 만들어 삽입하고 모자라는 피부는 이개강측에 피부이식을 시행함으로써 이개강을 깊게 형성시켜준다(그림 18-10). 최근에는 Brent도 Nagata 술식과 유사하게(② Nagata 술식 참조) 이개를 거상시킬 때, 늑골연골편을 이개후면에 이식하고 Weerda와 Firman이 주로 사용하는 이개후면의 전방부착 후두부 근막 피판(occipitalis fasica "book flap")을 이용하여 이를 감싼 뒤 피부이식을 시행하고, 이주도 처음 이개기틀을 제작할 때 본체에 붙여서 제작하여 수술 단계를 줄이는 방식을 사용하고 있다.

② Nagata 술식

Nagata는 Brent의 4단계 술식을 2단계로 간소화하였는데, 1단계에서 이개기틀을 제작할 때 이주까지 붙여서 제작하고, 이를 피하에 삽입함과 동시에 이수를 후방으로

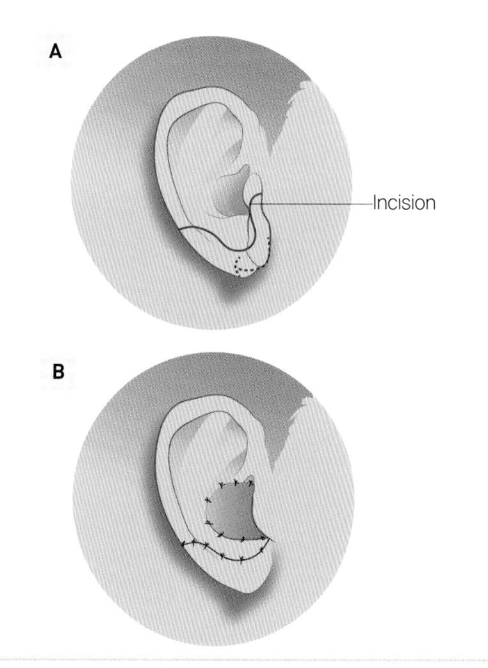

■ 그림 18-8. **Brent의 이개성형술 2단계.** **A)** 이수의 후방전위를 위한 피부절개, **B)** 이수의 전위 및 봉합

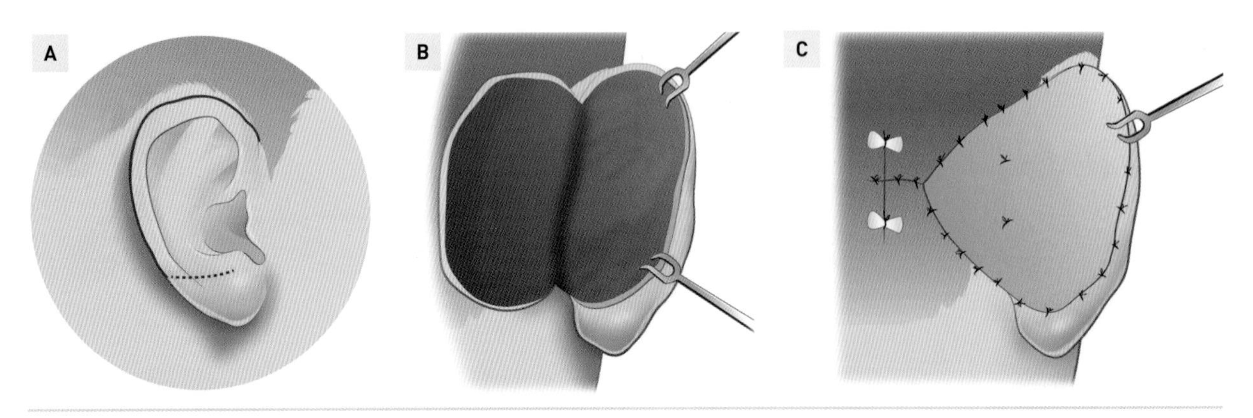

■ 그림 18-9. **Brent의 이개성형술 3 단계. A)** 이개의 거상을 위한 피부절개, **B)** 이개의 거상, **C)** 이개후면의 피부이식

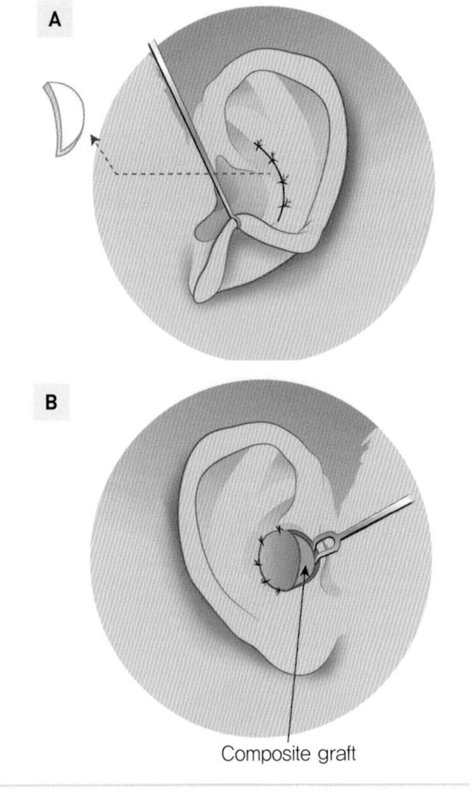

■ 그림 18-10. **Brent의 이개성형술 4단계. A)** 정상측 이개에서 이개강 연골의 채취, **B)** 채취한 이개강 연골을 이용한 이주(tragus)의 생성 및 이개강 부위 피부이식

전위시키고, 2단계에서는 이개를 거상시키는 방법을 이용하였다(그림 18-11, 12).[21] 1단계 수술에서 이개기틀의 제작 시에 Nagata는 7, 8번 늑골연골을 이용하여 본체를 조각하고, 남는 연골을 이용하여 별도로 대이륜, 대이주, 이주 등을 추가로 제작하여 본체에 고정하며, 9번 연골을 이용하여 이륜을 제작한다(그림 18-11A). 이개기틀을 삽입할 피하 주머니의 형성 시 피판으로의 혈액공급을 보다 원활하게 하기 위해서 피하박리 시에 피부피판과 피하조직간을 일부 연결하는 지방유경(fat pedicle)을 남길 것을 제안하였다(그림 18-11C, D). 이후 이수를 전위시킬 때는 이수의 전방 부착 부위는 가급적 넓게 남겨 놓아야 괴사를 방지할 수 있고, 후방으로 전위시키는 부위는 피판의 길이가 짧게 디자인하는 것이 좋다. 이후에 피하에 지방유경을 중심으로 이개기틀을 회전하여 삽입하고, 피부피판을 적절히 디자인하여 전위된 이수부위와 맞춰 봉합하고 진공배액관을 삽입한다(그림 18-11E-G). 1단계 수술에서는 2단계 이개의 거상에 사용하기 위해 적절한 크기의 사용하고 남은 늑골연골편(높이 8~10, 길이 35~40, 넓이 8~10 mm)을 흉부 상처 봉합 시 흉부에 묻어둔다. 2단계 수술에서는 이륜 상방 1 cm 정도에서 모발의 모낭을 보존하기 위해 모낭 윗층의 피부피판을 거상하고 이륜 경계면부터는 이개기틀의 후면을 거상한 뒤(그림 18-12A-C), 1단계에서 흉부에 묻어 놓았던 연골편을 꺼내어 이개후면에 이식 후 얕은측두동맥(superficial temporal artery)을 유경(pedicle)으로 한 측두-두정근막 피판을 거상하여 이를 덮어 주고 후면에 피부이식을 시행한다(그림 18-12D-J).

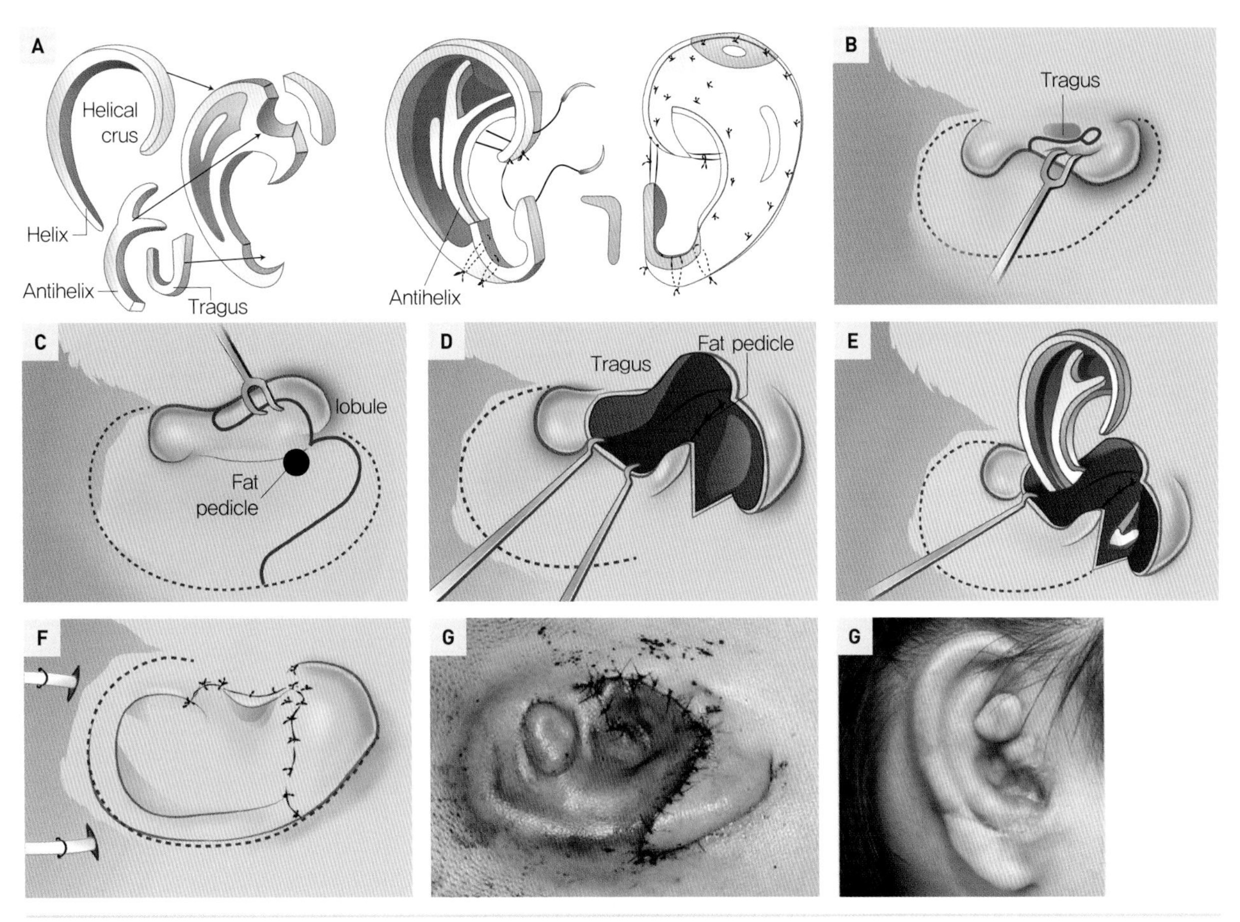

■ 그림 18-11. **Nagata의 이개성형술 1단계.** **A)** 자가늑골연골을 이용한 이개기틀의 제작. 이륜, 대이륜, 대이륜 상,하각, 대이주 및 이주를 따로 제작하여 본체에 연결함. **B)** 이개기틀 삽입을 위한 피부절개(전면). **C)** 이개기틀 삽입을 위한 피부절개(후면). **D)** 피부절개 후 피하 주머니의 형성. **E)** 이개기틀의 삽입. 지방유경을 기준으로 회전하여 삽입함. **F)** 흡입배액관의 삽입과 피부봉합. **G)** 봉합 후 모습 (수술 직후). **H)** 수술 후 3개월 사진

Nagata의 술식은 이후 Weerda, Siegert, Firman과 같은 여러 술자들에 의해 이개기틀의 제작방법, 피부피판의 디자인 및 이개거상 방법이 조금씩 변형되어 이용되었으며, Weerda와 Firman은 2단계 수술에서 측두-두정피판을 이용하는 대신 후두부 근막 피판을 이용하여 이개 후면에 이식한 연골편을 덮어 주는 방법을 선택하였다(그림 18-13).[11,23]

(2) 메드포어를 이용한 재건

메드포어는 이개의 전면과 후면이 입체적으로 형태가 이미 만들어져 나오므로 대개 1단계로만 시행된다. 메드포어는 인공물질이기 때문에 피부가 바로 생착을 할 수 없으며, 피부피판으로 바로 덮을 경우에는 추후 돌출되므로, 측두-두정근막 피판을 거상하여(그림 18-14) 메드포어 전체를 감싼 후 피부피판을 그 위에 덮어 주어야 한다.[4] 이후 이개 후면의 모자라는 피부는 피부이식을 시행한다.

(3) 피부확장기를 이용한 방법

피부확장기는 술식에 따라 1단계, 2단계 수술에 적용할 수 있으며, 이개기틀 이식부위에 심한 흉터나 이개의 형태가 거의 없는 무이증 같은 경우에도 사용할 수 있다. 피하 박리 후 피부확장기를 삽입하여 확장기에 두 달가량

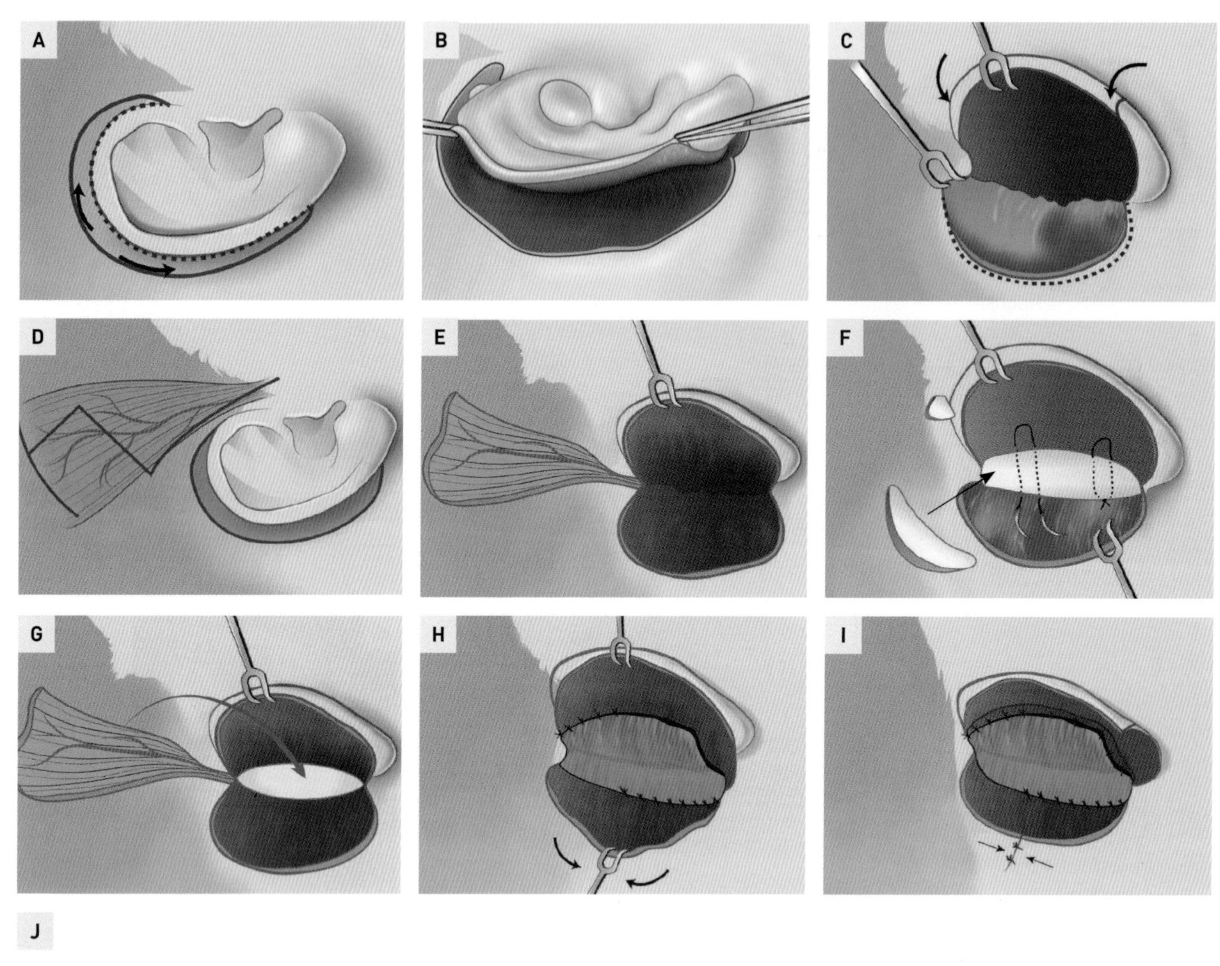

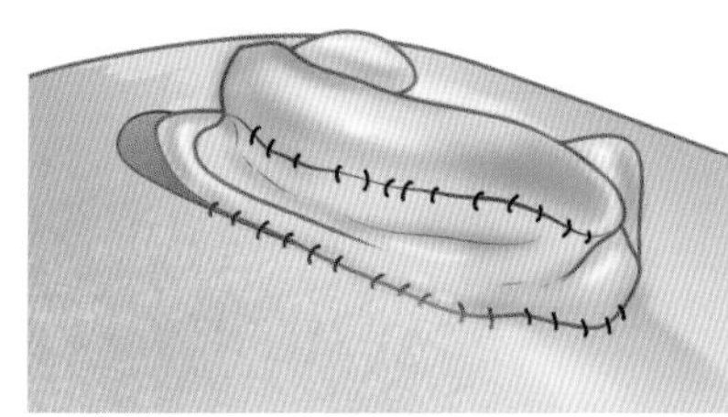

■ 그림 18-12. **Nagata의 이개성형술 2단계.** **A)** 이개거상을 위한 피부절개. **B)** 이개 상, 후방의 전층피부피판의 거상. **C)** 이개 후면의 거상. **D)** 측두-두정근막 피판 temporoparietal fascia flap의 거상을 위한 피부절개. **E)** 하방에 기저부를 둔 측두-두정근막 피판의 거상. **F)** 이개 후면에의 늑골연골편의 삽입 및 봉합. **G)** 측두-두정근막 피판의 하방전위를 통한 늑골연골편의 커버. **H-I)** Burrow trangle을 이용한 측두근 노출면적의 최소화 **J)** 이개후면 피부이식

에 걸쳐 서서히 생리식염수를 주입하여 피부를 확장시켜 이후 확장기를 제거하고 이개기틀을 삽입하여 재건에 이용한다. 하지만 피부확장기를 이용할 경우 확장된 피부의 괴사, 피부확장기의 노출 및 괴사된 부위로의 염증, 감염 등의 합병증의 위험성이 있어 술자별로 선호도가 다르고, 일반적인 소이증의 재건에 흔히 이용되지 않는다.

(3) 인공보형물(Epithese)을 이용한 방법

화상이나 외상 및 종양수술 등으로 인하여 이개를 재건할 부위의 피부의 유착이 심하고, 주변 혈관의 손상이 심한 경우 기존의 방법으로 이개의 재건이 어려워 인공부착물인 epithese를 이용할 수 있다. 보통 BAHA 술식과 유사하게 티타늄 고정핀(titanium fixture)과 교대(abutment)를 측두골 및 유양돌기에 수술로 삽입 고정하고 추후 실리콘으로 된 이개 모양의 보형물을 핀이나 고리 및

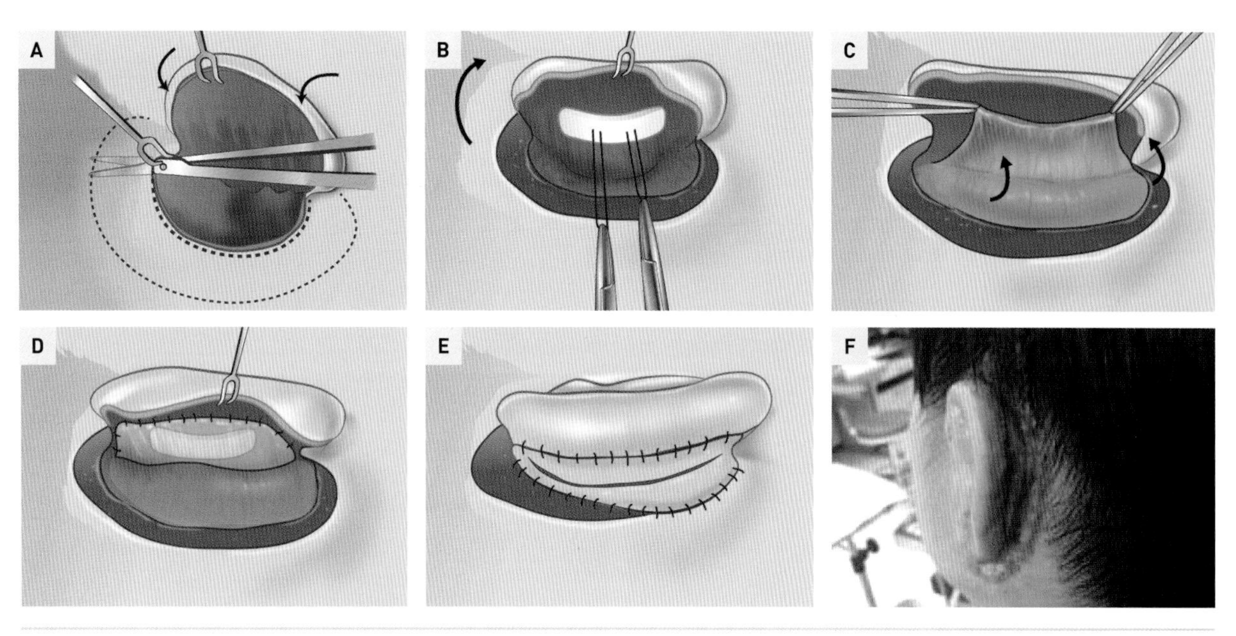

■ 그림 18-13. **후두부 근막피판을 이용한 2단계 수술.** **A)** 후두부 근막 피판을 거상하기 위한 피하박리. **B)** 늑골연골편의 이개 후면부 삽입 및 봉합. **C)** 후두부 근막 피판의 거상. **D)** 전방에 기저부를 둔 후두부 근막을 이용한 늑골연골편의 커버. **E)** 이개후면의 피부이식. **F)** 수술 후 2개월 뒤 이개후면부의 사진

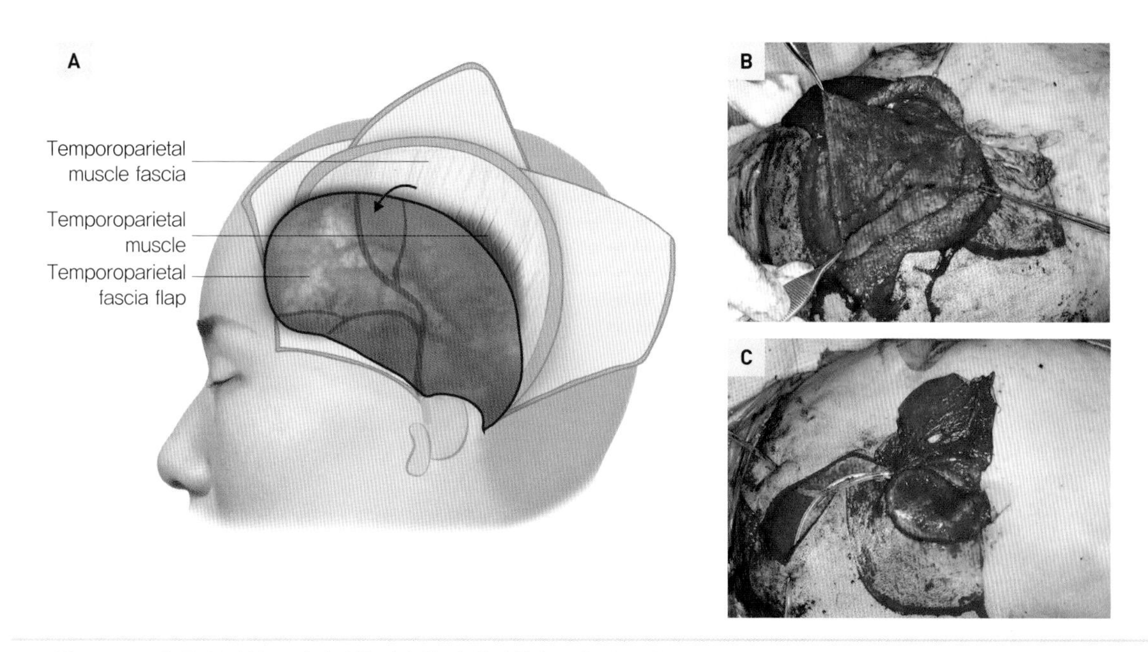

■ 그림 18-14. **측두-두정부 근막피판을 이용한 이개 성형술.** **A)** 얕은 측두동맥(superficial temporal artery)를 유경으로 한 측두-두정부 근막 피판. **B)** 측두-두정부 근막피판의 거상. **C)** 측두-두정부 근막피판으로 이개 기틀을 감싼 모습

자석 등을 이용하여 고정하여 준다(그림 18-15). Epithese는 수술방법이 간단하고, 이개의 모양이 자가늑골연골이나 메드포어를 이용한 경우보다 자연스럽고 유연하나, 이 물질로 수면 시에는 탈착을 해야하고, 안면 피부의 색조

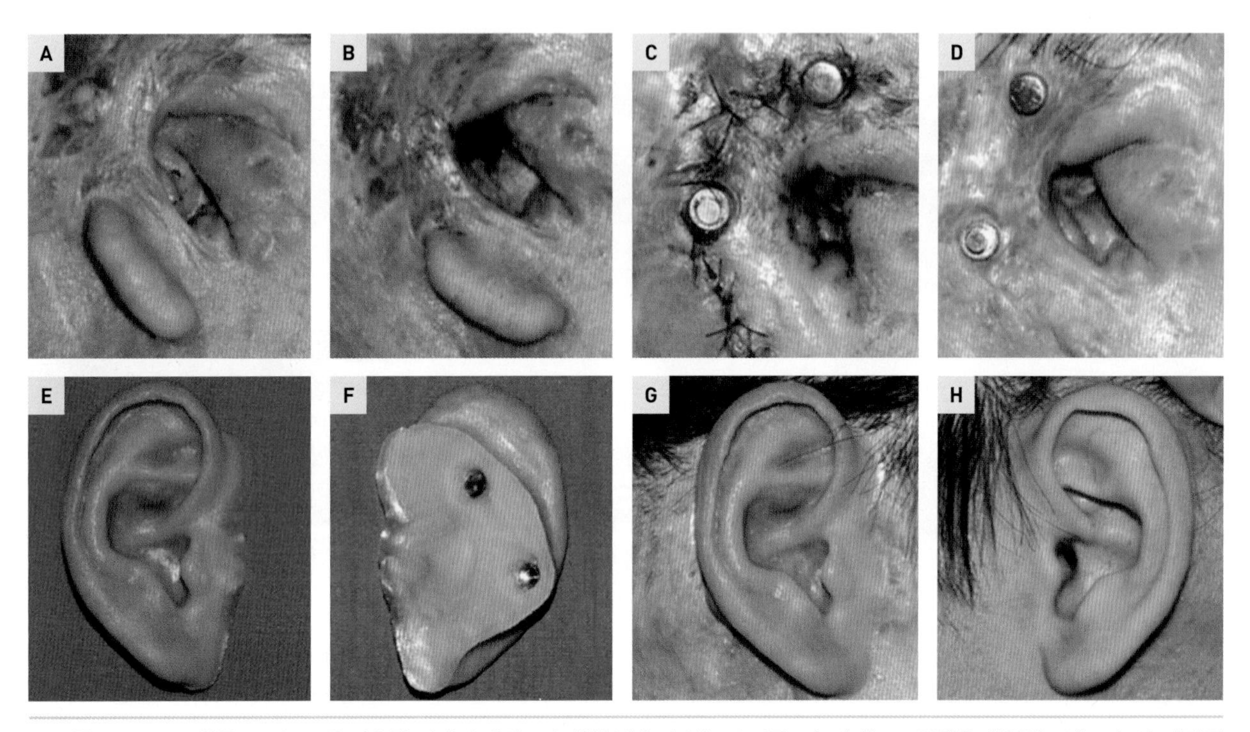

■ 그림 18-15. **보형물 epithese을 이용한 이개의 재건.** A) 심한 반흔이 있는 소이증. B) 티타늄 고정물을 삽입한 모습. C)-D) 제작된 이개 보형물의 전면(C)과 후면(D). E)-F) 이개 보형물을 부착한 모습(E)과 정상귀(F)

가 변할 경우 색이 맞지 않거나, 시간이 지나면서 탈색이 되어 재도색 및 재제작이 필요하다는 단점이 있다.

5) 수술 후 처치 및 합병증

수술 후에는 포비돈(povidone) 연고나 항생제 연고를 도포한 거즈를 이용하여 재건된 이개를 감싸고 드레싱용 테이프를 이용하여 테이핑(taping)을 시행하여 모양을 잡을 수 있도록 약하게 압박한 뒤 귀가 눌리지 않도록 스폰지나 종이틀을 이용한 보호구를 착용한다. 특히 2단계 수술 이후에는 이개후면의 피부이식편이 잘 부착될 수 있도록 포비돈 연고나 항생제를 도포한 거즈를 이용하여 이개후면을 잘 감싸서 압박해 주어야 한다. 드레싱은 대개 수술 1주 후 제거하며, 봉합사도 이때 제거한다. 수술 후에는 수술 측이 눌리는 쪽으로 수면자세를 취하지 않도록 유의하며, 재건한 부위가 모자나 헬멧 등에 눌리지 않도록 이의 착용을 자제하도록 하고, 외상에 유의하도록 한다.

수술 후 합병증으로는 피부괴사, 감염, 이개기틀의 흡수 및 괴사, 혈종, 이개기틀의 제작 시 이용한 와이어 및 봉합사의 노출, 피부반흔, 이개윤곽의 상실, 재건된 이개의 부적절한 위치 등이 있을 수 있다.

3. 외이도 기형의 수술

1) 수술의 목적

외이도 성형술의 목적은 청력의 향상과 미관적으로 정상적인 외이도의 형상을 유지시켜주고, 청력의 불완전한 향상 시 보청기를 착용할 수 있도록 하는 것이다. 양측성 외이도 폐쇄증이 아니라면 대개 수술은 이개 성형술을 시행한 후에 시행하며, 양측성 외이도 폐쇄증인 경우 4~5세경에 시행할 수 있으나, 수술 시 이개 성형술을 위한 해부학적 구조를 보존하도록 주의하여야 한다.

2) 수술 전 준비

외이도 성형술은 술전 청력검사와 측두골 전산화 단층

A

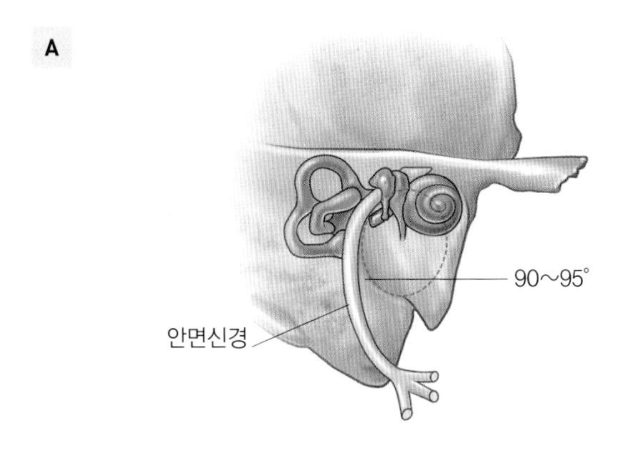

B

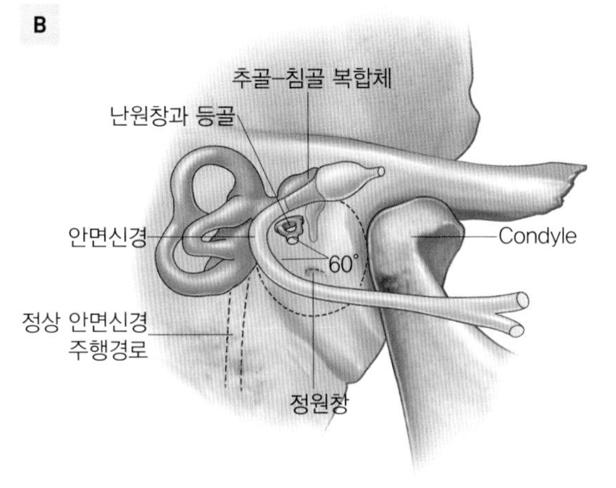

■ 그림 18-16. **외이도 폐쇄증에서의 기형적 안면신경 주행경로. A)** 정상 안면신경 주행. **B)** 외이도 폐쇄증에서 외측 전방으로 전위된 안면신경 주행

촬영을 시행하여, 전음성 혹은 혼합성 난청, 그리고 중이 및 유양동의 해부학적 구조물의 존재 및 기형정도가 수술에 적합할 때 시행한다(V. 진찰 및 검사 참조). 외이도 폐쇄증에서는 안면신경의 주행경로가 외측 전방으로 향하는 기형이 많으므로(그림 18-16), 수술 전 안면신경 모니터링을 시행한다.

3) 수술방법

외이도 성형술은 이과분야의 수술 중 가장 어려운 술기 중의 하나이다. 수술방법에는 전방접근법(anterior approach)과 후방접근법(posterior approach)이 있는데 후방접근법은 개방형 유양돌기 절제술(canal wall down mastoidectomy)과 유사하게 시행하며, 전방접근법은 폐쇄골판(atretic plate)을 통해 중이로 바로 접근하게 되므로, 후방접근법에 비해 유양동 봉소의 노출이 훨씬 적고, 수술 후 공동문제(cavity problem)이 없으며, 안면신경 유양분절을 손상시킬 위험성이 적고, 수술 후 피부이식 결과와 청력 개선의 결과가 더 우수하며, 창상치유기간이 더 짧은 장점이 있다.[15,19] 하지만 전방접근법은 술기가 더 어렵고, 폐쇄판을 지나 중이로 접근 시에 내이의 손상가능성이 있다는 단점이 있다. 최근에는 후방접근법에 비해 전방접근법이 더 많은 장점이 있어 대개 전방접근법을 이용하여 수술을 시행한다.

수술은 이개 성형술이 시행된 후나 이개 성형술이 필요없는 경우는 이개 후방의 절개를 통하여 접근하며(그림 18-17A), 이개 성형술 전에 수술을 시행하는 경우는 추후 이개 성형술에 영향을 최소화할 수 있도록 피부피판을 적절히 디자인하여야 한다(그림 18-17B, C). 피부절개 후 피부피판을 적절히 전위시킨 뒤 유돌부를 노출시키고, 하악와를 찾는데(그림 18-17D), 이때 하악와를 지나치게 앞쪽으로 견인할 경우 안면신경의 기형이 심한 경우에는 신경이 전방으로 전위되어 하악와 가까이에서 나오는 안면신경이 손상 받을 수 있으므로 주의한다. 유돌부의 골막과 근육은 후에 형성된 외이도 안쪽으로 전위시켜 피부이식편 아래에 위치할 수 있도록 하방 혹은 후하방에 기저부를 둔 피판을 만들어 거상한다(그림 18-17D). 이후 외이도를 만들기 위한 드릴링(drilling)을 시작하는데, 상방의 경계는 중두개와의 뇌경막이고 전방의 경계는 하악와를 기준으로 하며, 이 경계면 사이에서 드릴을 시행하여 가능한 상방과 전방 경계의 골을 얇게 남기며 전상방쪽에서 내측으로 진행하여 고실과 중이강을 바로 찾아 들어간다(그림 18-17E). 드릴링을 시행할 때는 가급적 유양동 봉소의 노출을 최소화하여야 수술 후 점액 등의 분비물이 지속적으로 배출되는 것을 방지할 수 있으며, 후방 드릴링 시에는 전방 전위된 안면신경을 만나는 경우도 있으므로 유의하여야 한다. 지속적으로 드릴링을 시행하면 단단한 폐쇄판을 만나게 되는데(그림 18-17E), 이 폐쇄판 바로 밑에 이

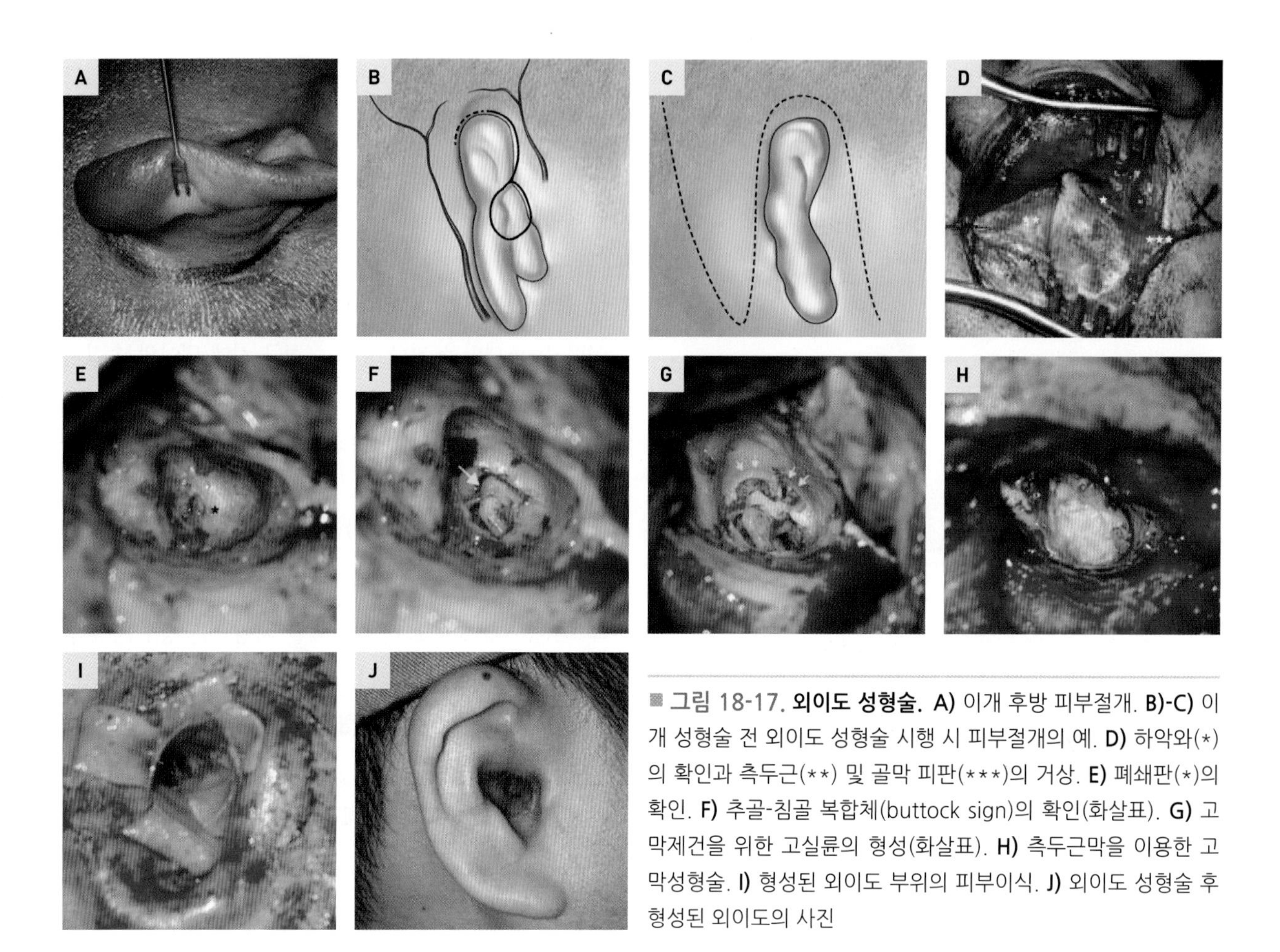

■ 그림 18-17. **외이도 성형술.** **A)** 이개 후방 피부절개. **B)-C)** 이개 성형술 전 외이도 성형술 시행 시 피부절개의 예. **D)** 하악와(*)의 확인과 측두근(**) 및 골막 피판(***)의 거상. **E)** 폐쇄판(*)의 확인. **F)** 추골-침골 복합체(buttock sign)의 확인(화살표). **G)** 고막제건을 위한 고실륜의 형성(화살표). **H)** 측두근막을 이용한 고막성형술. **I)** 형성된 외이도 부위의 피부이식. **J)** 외이도 성형술 후 형성된 외이도의 사진

소골 복합체가 존재한다. 폐쇄판을 제거하다가 이소골의 손상과 이로 인한 내이의 손상을 초래할 수 있으므로, 폐쇄판은 다이아몬드 버(diamond burr)를 이용하여 최대한 얇게 만든 후 큐렛(curette)과 같은 기구를 이용하여 조심스럽게 제거한다. 이를 제거하고 나면 추골-침골 복합체를 만나게 되는데, 수술시야에서 그 모양이 신생아의 엉덩이를 닮았다고 해서 buttock sign이라고 한다(그림 18-17F). 추골-침골 복합체를 중심으로 주변으로 형성될 외이도를 넓혀 중이강을 노출하는데, 이소골 복합체 일부는 폐쇄판의 골이나 골막과의 융합이 있는 경우가 있어, 이를 적절히 제거하여야 한다. 새로 형성되는 외이도는 정상 외이도에 비해 2배 정도 크게 만들어야 수술 후 재협착이 발생하는 것을 예방할 수 있으며, 고막이 이식될 부위는 골벽 주위에 홈을 파서 고실륜(tympanic annulus)을 만든다(그림 18-17G). 고삭신경(chorda tympani nerve)은 대개의 경우 발견하기 힘들지만 발견되더라도 외이도 및 중이의 재건을 위해서 희생되어야 하는 경우가 많다. 이후 적절히 이소골을 재건하고(이소골 재건술 chapter 참고) 측두근막을 채취하여 넓게 디자인하여 만들어진 고실륜 외측으로 외측이식을 시행하여 고막을 재건한다(그림 18-17H). 이후 외이도 폐쇄부의 피부를 적절히 디자인하여 절개하고, 이개강 부위의 연골을 제거하여 넓게 외이도 입구를 형성시킨 후, 미리 디자인된 골막 피판과 외이도 입구부의 피부피판을 외이도 내측으로 전위시킨다. 이후에 고막과 외이도의 피부가 없는 부위에는 피부이식을 시행하게 되는데, 피부이식편은 허벅지, 둔부, 아

랫배, 상완 혹은 두피부위에서 크기 5×7 cm, 두께 0.01~0.006 inch 정도로 채취하여 외이도 내에 전체적으로 삽입하고 입구부에 봉합을 하거나, 부분적으로 길게 절편을 만들어 여러 개를 겹쳐서 삽입한다(그림 18-17I). 피부이식이 완료된 후 고막크기 정도로 실리콘 편(silicone sheet)을 둥글게 잘라서 삽입하면 고막의 외측화와 둔화를 예방하는데 도움이 된다[13]. 이후 외이도 내부에 나일론 거즈 등을 두른 뒤 단단히 팩킹을 시행한다.

4) 치료의 경과 및 예후

수술 후 팩킹의 제거는 피부이식편이 안착되고, 외이도가 다시 좁아지는 것을 방지하기 위해서 가급적 천천히 제거한다(4주 이상 팩킹을 유지). 팩킹을 완전히 제거한 이후에는 외이도 내에 몰드(mold)를 제작하여 장기간 거치하여 주면 외이도의 재협착을 방지하는데 도움이 된다[20]. 술 후 청력의 개선은 보고한 술자마다 차이가 많으며, 대개는 어느 정도의 골도-기도차가 남게 되는 경우가 많은데, 전반적으로 15~25 dB 정도로 골도-기도차가 줄어들게 되고, 기도청력이 30 dB 이내인 경우는 보통 50~80%이고, 20 dB 이내인 경우는 15~50% 정도이다. 하지만, 장기적으로 추적관찰을 하였을 때에는 골도-기도차가 30 dB 이내로 유지되는 환자 중 10~20%가량에서는 골도-기도차가 더 증가하게 된다.

5) 합병증과 예방

술 후 가장 흔한 합병증으로는 외이도 피부, 연부조직 및 골부에 재협착이 발생하는 것으로 약 5~30%에서 발생한다고 알려져 있다.[10,17] 이의 예방을 위해서는 수술 시 외이도를 정상 외이도에 비해 2배 이상 충분히 크게 만들어야 하며, 이개의 외이도 주변 연부조직을 충분히 제거하여 주고, 외이도 골부에 적절한 피부 및 골막피판을 위치시키고[7], 충분한 기간 동안 팩킹을 유지하여 피부이식편이 안정화될 수 있도록 하여야 한다. 또한, 팩킹제거 후 외이도 몰드를 장기간 착용하는 것이 도움이 될 수 있다.[20] 고막의 외측화(lateralization) 및 둔화(blunting)가 3~20%가량에서 발생할 수 있으며[17], 이는 술 후 골도-기도차가 좁혀지지 않는 원인이 된다. 고막의 외측화 및 둔화는 측두근막을 이용하여 고막성형술 시에 고실륜 부위에 홈을 만들어 끼워넣거나 외이도 크기의 실리콘 편을 피부이식 후 고막 측에 위치시켜줌으로써 어느 정도 예방할 수 있다.[9,13] 또한 심한 골도-기도 차의 원인으로 이소골의 고정이 있을 수 있으며, 이러한 경우 수술 시 이소골이 폐쇄판과 부착된 골편이 남아 있거나 재유착된 경우, 수술 시 골분(bone dust)을 잘 세척하지 않아 남아서 골화가 된 경우, 등골 족판의 선천적 고정 등을 생각하여야 한다. 안면신경 주행경로의 이상 때문에 수술 시 손상으로 0.5~5%에서 안면신경마비가 발생할 수 있는데[17], 이는 술 전에 안면신경주행 경로를 측두골 전산화단층촬영을 통하여 충분히 검토하고, 수술 시 안면신경 모니터링을 시행함으로써 어느 정도 예방할 수 있다. 술 후 지속되는 이루는 수술 부위 감염이나 수술 시 유양동 봉소를 노출시킨 뒤 제대로 막아주지 않아 발생할 수 있다. 또한 수술 시 중이로 접근 시 외측 반고리관을 손상시키거나 이소골을 과도하게 조작하는 경우 감각신경성 난청이 초래될 수 있으므로 유의하여야 한다.

4. 이식형 보청기를 이용한 청력의 재활

외이도 성형술 후에 대부분의 경우 어느 정도 골도-기도차가 남게 되는데, 이러한 점을 극복하기 위해 최근에는 골도이식형 보청기 및 중이 이식형 보청기 수술을 시행하여 청력을 정상으로 유지하는 것을 제안하는 술자도 증가하고 있다.[5,12,18,24,26] 특히 중이이 기형이 심하고, 유양동이 거의 함기화 되어 있지 않은 양측성 외이도 폐쇄증의 경우 골도 이식형 보청기는 좋은 적응증이 될 수 있다. 해당 이식형 보청기 시술을 시행하는 경우에는, 이개 성형술을 시행하는데 지장을 주지 않는 위치에 시행하여야 하므로, 수술 전 이에 대한 면밀한 검토가 필요하다. 이식형 보청기를 통한 청력의 재활은 해당 단원 내용을 참고하기 바란다.

참고문헌

1. 이지은, 이상흔, 박진형 등. 대구 경북지역에서의 외이 기형의 발생빈도. 대한이비인후과학회지 1999;42:1234-37.
2. Altmann F. Malformations of the auricle and the external auditory meatus. A critical review. Arch Otolaryngol 1951;54:115-39.
3. Bartel-Friedrich S. Congenital Auricular Malformations: Description of Anomalies and Syndromes. Facial Plast Surg 2015;31(6):567-80.
4. Berghaus A, Stelter K, Naumann A, Hempel JM. Ear reconstruction with porous polyethylene implants. Adv Otorhinolaryngol. 2010;68:53-64.
5. Bouhabel S, Arcand P, Saliba I. Congenital aural atresia: bone-anchored hearing aid vs. external auditory canal reconstruction. Int J Pediatr Otorhinolaryngol. 2012 Feb;76(2):272-7.
6. Brent B. Microtia repair with rib cartilage grafts: a review of personal experience with 1000 cases. Clin Plast Surg. 2002;29(2):257-71.
7. Chang SO, Lee JH, Choi BY, Song JJ. Long term results of postoperative canal stenosis in congenital aural atresia surgery. Acta Otolaryngol Suppl. 2007;(558):15-21.
8. De la Cruz A, Linthicum FH Jr. Luxford WM. Congenital atresia of external auditory canal. Laryngoscope 1985;95:421-7.
9. De la Cruz A, Teufert KB. Congenital aural atresia surgery: Long-term results. Otolaryngol Head Neck Surg 2003;129:121-7.
10. El-Begermy MA, Mansour OI, El-Makhzangy AM et al. Congenital auditory meatal atresia: a numerical review. Eur Arch Otorhinolaryngol. 2009;266(4):501-6.
11. Firmin F. State-of-the-art autogenous ear reconstruction in cases of microtia. Adv Otorhinolaryngol. 2010;68:25-52.
12. Frenzel H, Schonweiler R, Hanke F et al. The Lubeck flow chart for functional and aesthetic rehabilitation of aural atresia and microtia. Otol Neurotol 2012;33(8):1363-7.
13. Gottschalk S, Petersen D, Jahrsdoerfer R et al. Diagnosis and auxillary therapy. In: Weerda H. editor. Surgery of the auricle. 1st ed. Stuttgart, Germany: Georg Thieme Verlag; 2007. p. 234-82.
14. Jahrsdoerfer RA, Yeakley JW, Aguilar EA et al. Grading system for the selection of patients with congenital aural atresia. Am J Otol. 1992;13(1):6-12.
15. Jahrsdoerfer RA. Congenital atresia of the ear. Laryngoscope 1978;88(suppl 13):1-48.
16. Kelley PE, Scholes MA. Microtia and congenital aural atresia. Otolaryngol Clin North Am. 2007;40(1):61-80.
17. Li CL, Dai PD, Yang L, Zhang TY. A meta-analysis of the long-term hearing outcomes and complications associated with atresiaplasty. Int J Pediatr Otorhinolaryngol. 2015;79(6):793-7.
18. Lo JF, Tsang WS, Yu JY et al. Contemporary hearing rehabilitation options in patients with aural atresia. Biomed Res Int. 2014;2014:761579.
19. Mattox DE, Fisch U. Surgical correction of congenital atresia of the ear. Otolaryngol Head Neck Surg 1986;94:574-7.
20. Moon IJ, Cho YS, Park J et al. Long-term stent use can prevent postoperative canal stenosis in patients with congenital aural atresia. Otolaryngol Head Neck Surg. 2012;146(4):614-20.
21. Nagata S. A New method of total reconstruction of the auricle for microtia. Plast Reconstr Surg 1993;92(2):187-201.
22. Siegert R, Magritz R. Reducing the morbidity involved in harvesting autogenous rib cartilage. Facial Plast Surg. 2009;25(3):169-74.
23. Siegert R, Weerda H, Magritz R. Basic techniques in autogenous microtia repair. Facial Plast Surg. 2009;25(3):149-57.
24. Siegert R, Kanderske J. A new semi-implantable transcutaneous bone conduction device: clinical, surgical, and audiologic outcomes in patients with congenital ear canal atresia. Otol Neurotol. 2013;34(5):927-34.
25. Schuknecht HF. Congenital Aural Atresia. Laryngoscope 1989;99:908-17.
26. Verhaert N, Fuchsmann C, Tringali S et al. Strategies of active middle ear implants for hearing rehabilitation in congenital aural atresia. Otol Neurotol. 2011;32(4):639-45.
27. Weerda H, Katzbach P, Klaiber S et al. Abnormalities. In: Weerda H. editor. Surgery of the auricle. 1st ed. Stuttgart, Germany: Georg Thieme Verlag; 2007. p. 106-233.

CHAPTER 19

급성 중이염

여승근

중이염은 이비인후과 영역에서 아직까지 완전히 해결하지 못한 유소아의 귀 질환 중 하나이다. 대부분의 급성 중이염은 후유증 없이 치유되지만, 경우에 따라서는 염증이 재발하거나 지속되는 재발성 중이염이나 삼출성 중이염의 양상을 보이며, 이후에도 중이강의 염증이 완전하게 치료되지 않아 만성 중이염 형태로 나타나기도 한다. 중이와 유양동 내의 급성 감염이 어떠한 요인에 의하여 만성 염증으로 발전하는지에 대해서는 아직 정확히 밝혀지지 않고 있다.

I 중이염의 정의

중이염은 중이에 발생하는 모든 염증 현상을 지칭하는 질환명이다.[18] 중이염은 원인, 임상경과, 병리기전에 따라 여러 가지 방법으로 분류된다. 발병 후 경과 기간에 따라 3주 이내이면 급성 중이염, 3주 이상에서 3개월 이내이면 아급성 중이염, 발병 후 3개월 이상 지속되면 만성 중이염으로 나뉘어지고, 고막 천공 유무와 분비물의 양상에 따라 고막에 천공이 없으면서 중이강 내에 염증성 액체가 고이는 삼출성 중이염, 고막에 천공이 있으면서 화농성 분비물이 나오는 화농성 중이염으로 불린다. 삼출성 중이염에서 삼출물은 장액성, 점액성, 화농성으로 존재할 수 있다. 만성 중이염은 진주종이 동반된 진주종성 중이염과 진주종이 없는 비진주종성 중이염으로 분류한다. 그리고 중이염이 자주 재발하면서 만성화되거나 이관기능장애로 고막이 안으로 함몰되어 고막이 중이 내로 유착되는 유착성 중이염, 결핵에 의해 중이의 염증이 발생한 경우 결핵성 중이염이라 하며, 반복성 급성 중이염(otitis-prone)은 6개월 내에 급성 중이염이 3회 이상 발병하였거나 1년에 4회 이상 발병하였을 경우를 말한다.

II 유병률

급성 중이염은 나이에 따라 발병빈도가 다르며 3세 이

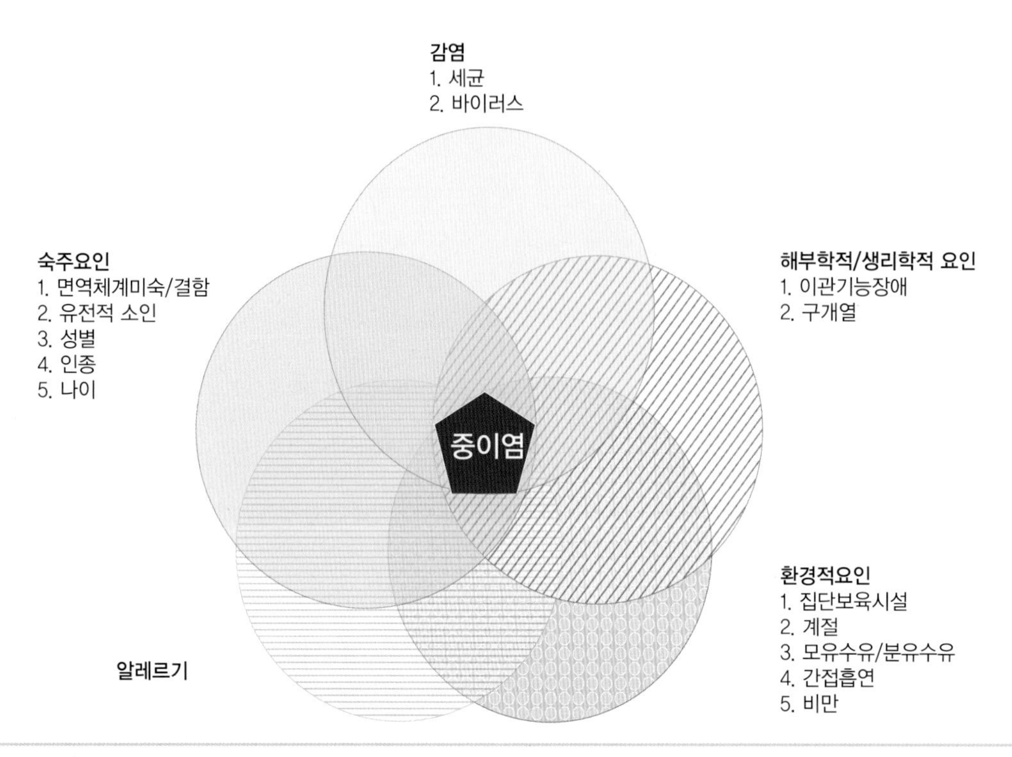

■ 그림 19-1. 중이염의 원인과 발병기전에 관여하는 요소

하에서 3명 중 2명 비율로 1회 이상 앓게 되고, 3명 중 1명의 비율로 3회 이상 앓는 매우 흔한 질환이다.[6] 급성 중이염에 대한 발병률은 나라마다 다양하여 외국의 경우 첫 급성 중이염이 생후 1세경에는 19~62%, 3세경에는 50~84% 발생하고, 이 중 6~12개월경에 가장 많이 발생하게 된다.[42] 급성 중이염의 재발률은 2번 이상의 급성 중이염은 6개월경에는 20%, 3번 이상의 급성 중이염은 1세까지 10~19%, 3세까지 50%, 5세까지 65%, 7세까지 75%, 6번 이상의 발병률은 7세까지 39%가 보고되고 있다.[41]

우리나라에서의 급성 중이염의 발병률은 지역적인 연구는 몇 차례 있었으나 연구자와 연구지역에 따라 결과가 매우 달랐다. 1991년 국내에서는 중이염의 발병률에 대한 전국 규모의 연구에서 15세 미만 대상군에서 급성 중이염은 0.08%의 유병률이 보고된 바 있지만 최근 들어 전향적으로 전국 규모의 모집단에서 연구된 바는 없다.[32]

Ⅲ 발병에 영향을 미치는 요인들

발병 원인은 매우 다양하여 바이러스나 세균 등의 감염, 이관의 기능부전, 알레르기, 중이 내의 해부·생리·병리·면역학적 요인 그리고 환경과 유전학적 요소가 상호 복합적으로 작용하여 중이염이 발병한다고 알려져 있다(그림 19-1).

1. 숙주관련요인(Host-Related Factors)

1) 나이

6~12개월경에 가장 많이 발생하며, 첫 발병 시기가 생후 6개월 혹은 12개월 이전인 환아는 이후인 환아에 비해 반복적으로 급성 중이염에 걸릴 확률이 더 높다.[36]

급성 중이염이 성인에 비해 유소아에서 훨씬 흔하게 발생하는 이유로는, 면역기능이 미숙하고, 이관이 해부생리학적으로 발달이 미숙하며, 비인강 내의 아데노이드 비대나 잦은 상기도염으로 인한 아데노이드 같은 림프조직에 염증과 부종이 생겨 이관기능의 장애가 빈번하게 발생하기 때문이다.

2) 성별

일부 연구에서는 여아보다는 남아에게서 더 자주 발병하고 재발률도 높다고 보고되었다.[31]

3) 인종

에스키모인이나 미국 인디언이 백인보다, 백인이 흑인보다 발병률이 높고, 한국인의 경우 인종적으로 유사한 에스키모인이나 인디언처럼 높을 것으로 생각된다. 하지만 이런 인종적 차이는 가정의 경제상태와 의료기관의 접근성에 대한 용이도가 영향을 미칠 수 있어 최근의 연구에서는 인종적 차이는 없을 것으로 보고 있다.[43]

4) 미숙아

저체중 출생아의 경우보다는 미숙아의 경우 생후 18개월 이내에 일회성 급성 중이염과 재발성 급성 중이염에 걸릴 가능성이 높다.[15]

5) 알레르기

알레르기가 중이염 발생에 영향을 미치는 기전은 중이강내의 점막이 알레르기 표적기관으로의 작용, 알레르기 비염에 의한 이관의 기능장애, 국소 알레르기 반응으로 염증매개물질의 증가로 인하여 이관의 폐쇄, 중이점막의 투과력 증가, 세균이 함유된 비인두의 알레르기 분비물이 중이강 내로 흡인, 이관 내 표면활성물질의 희석으로 인한 이관의 점액섬모 청소작용의 장애 등이 있다. 하지만 아직까지 중이염의 병인에 알레르기의 역할에 대하여서는 논쟁의 여지가 있다.[33]

6) 면역체계 미숙 혹은 결함

재발성 중이염뿐만 아니라 다른 재발성 감염증을 가진 소아의 경우 포식세포의 기능, 체액면역, 국소면역 및 기타 면역반응 등의 면역체계에 미숙 혹은 결함이 있을 수 있다.[16]

7) 구개열/두개안면이상

중이염은 구개열이 있는 2세 미만의 유아에 보편적으로 발생하게 된다. 구개열에 대한 수술 이후에는 10대까지 중이질환에 대한 문제가 있기는 하지만 중이염의 발생이 감소하게 된다. 다운증후군 혹은 두개안면부 이상을 동반한 소아의 경우 이관기능의 해부학적 혹은 기능적 이상으로 중이염이 흔하게 발생할 수 있다.[27]

8) 유전적 소인

일회성 중이염의 발생 빈도는 유전적 소인이 높지는 않지만 재발성 중이염과는 연관이 있을 수 있다.[36]

2. 환경적 요인들(Environmental Factors)

1) 상기도감염과 계절

역학적 조사와 임상연구 결과에 의하면 중이염은 상기도감염의 합병증으로 자주 발생하게 된다. 중이염은 상기도 감염의 발생률과 마찬가지로 가을과 겨울에 가장 많이 발생하고 봄과 여름에 가장 적게 발생하여 상기도 감염이 중이염의 병인에 중요한 역할을 하게 됨을 시사한다.[21]

세포융합 바이러스, 인플루엔자 바이러스, 아데노 바이러스가 동반된 상기도 감염은 급성 중이염에 선행되기도 하며, 리노 바이러스(rhinovirus), 호흡기 세포융합 바이러스(respiratory syncytial virus), 아데노 바이러스(adenovirus)와 코로나 바이러스(coronavirus) 등이 급성 중이염의 중이저류에서 검출되기도 한다.[29]

2) 어린이집/유치원/형제

어린이집이나 유치원에 다니는 소아가 발병률이 매우 높다. 형제자매간에도 중이염 발생에 차이가 있어 첫 번째 태어난 아이들의 경우 생후 2세까지 급성 중이염의 발

병률이 낮으며, 한 명 이상의 형제가 있는 경우 중이염이 조기에 발생할 가능성이 높다.[40]

3) 담배/음주/마약

환경적으로 담배를 피우는 가족이 있는 가정이나, 임신 중 흡연이나 음주 또는 마약을 과다 투약한 여성의 자녀에서 중이염의 발병률이 높다. 정확한 병인을 알기 위해서는 이들 물질에 대한 노출 기간과 강도에 대한 향후 연구가 필요하다.[9]

4) 모유와 분유

분유를 먹이는 아이들은 모유를 먹이는 아이들에 비해 발병률이 높은데, 모유에는 락토페린(lactoferrin), 라이소자임(lysozyme), 면역글로불린(IgA), 올리고당류(oligosaccharides), 사이토카인(cytokines), 대식세포, 백혈구 같은 많은 방어인자를 함유하고 있어 여러 가지 감염에 덜 걸리기 때문이다.[5]

5) 가정의 경제상태

가정의 사회·경제적 상태는 중이염의 발생에 영향을 미칠 수 있는 인자이다. 일반적으로 중이염은 환경위생이 불량하거나 밀집된 환경과 같이 저소득층 가정의 소아들에서 흔한 것으로 알려져 있다.[39]

6) 비만

소아 비만의 증가는 전세계적인 추세로 세계보건기구는 소아비만을 국제 질병 분류 중 하나로 규정하여 적극적으로 관리 및 치료해야 할 질병으로 규정하고 있다. 비만과 관련된 질환으로는 고혈압, 관상동맥 질환, 뇌졸중, 심장병, 고지혈증, 제2형 당뇨병, 골관질염, 대사증후군, 통풍, 호흡곤란증, 수면무호흡증, 수면장애, 식이장애, 정서장애, 통풍, 요통, 담낭 질환, 암, 돌연사 등 다양하며, 중이염과의 연관성으로는 과체중과 비만인 아이들의 경우 재발성 중이염의 발생도 높다.[34]

이외에도 급성 중이염의 발병률과 유병률에 영향을 미치는 요소들이 더 많을 수 있으며, 이들간의 복합적인 영향도 연구해야 할 과제이다.[2,42]

Ⅳ 병태생리 및 병인론

급성 중이염의 발병 원인은 다양하고, 중이강에 영향을 미치는 여러 가지 요인들이 상호작용을 일으켜 발병한다.

1. 이관의 기능

정상적인 이관은 환기, 보호, 그리고 배출의 3가지 기능이 있다. 환기기능은 대기의 압력과 중이강의 압력 사이에 평형을 유지하기 위한 기능이고, 보호기능은 비인강으로부터 중이강 쪽으로 오염된 물질이나 비정상적인 압력이 역류되는 것을 막아주는 기능이며, 그리고 배출기능은 중이나 유돌봉소의 점막으로부터 분비되는 분비물을 비인강으로 내보내는 기능이다. 이런 기능에 문제가 발생하면 급성 중이염의 발생이 쉽게 일어나게 된다.

유소아의 이관 구조는 성인의 이관에 비하여 상대적으로 더 넓고, 짧으며, 수평에 가까워 이관을 통해 비강이나 비인두의 역류 감염이 쉽게 일어날 수 있다. 또한 이관의 개폐에 관여하는 이관연골이나 연구개의 긴장과 이완작용을 하는 근육의 발달이 미숙하다.[8,33] 이와 같이 중이의 기능을 유지하기 위한 이관의 해부학적·생리학적 기능에 문제가 있을 경우 중이염이 발병할 수 있어 급성 중이염이 성인보다 유소아에서 훨씬 흔하게 발생하게 된다. 하지만 7세경이 되면 이관은 성인의 모양과 기능을 갖추면서 중이염의 빈도도 줄어들게 된다.

이관의 3가지 기능 중 환기기능이 가장 중요한데, 중이의 압력은 삼킴, 턱운동, 그리고 하품에 의해 구개범장근(tensor veli palatini muscle)이 수축하게 되면 이관이 능동적으로 열리게 되어 대기의 압력과 평형을 이루게 된

다. 이런 능동적인 기능에 문제가 발생할 경우 중이의 압력이 떨어지고 고막은 함몰된다.[16]

정상의 고막을 가진 성인과 소아의 이관기능을 비교해 보면, 중이에 음압이 발생하게 되면 성인의 경우 5%가, 소아의 경우는 35.8%가 압력조절에 문제가 생기고, 소아의 경우라도 나이가 어릴수록 이관기능이 나빠서, 이과질환이 없는 정상 소아라 하더라도 성인보다 이관기능이 좋지 않다.[19]

이관기능의 장애는 이관이 열리는데 문제가 있는 내인성, 외인성, 그리고 기능성 폐쇄와 이관이 닫히는데 문제가 있는 개방성 이관장애가 있다. 이관의 내인성 폐쇄는 이관 내 점막의 감염, 알레르기로 인한 염증이나 외상 후의 협착 때문에 발생하고, 외인성 폐쇄는 종양이나 증식된 아데노이드가 이관외부에서 이관을 압박하여 나타나며, 기능성 폐쇄는 이관의 개폐에 관여하는 구개범장근(tensor veli palatini muscle)이나 구개거근(levator veli palatini muscle) 또는 이관연골의 발육부진 등으로 인해 이관의 개폐장애가 발생하기 때문이다.

2. 미생물의 감염

이관의 기능이 정상적이라면 이관을 통해 감염되기가 매우 어려우나, 이관기능에 문제가 있으면 미생물의 감염이 쉬워진다. 주된 미생물은 세균과 바이러스로 천공된 고막이나 혈행성으로도 중이를 감염시킬 수 있으나 주 감염경로는 이관이다.

1) 세균

급성 중이염의 16~30%에서는 중이저류액에서 세균이 검출되지 않는다. 검출되는 원인 세균으로 폐구균 백신이 도입된 2000년 이전에는 *Streptococcus pneumoniae*가 가장 빈번하고 그 다음으로 *Haemophilus influenzae*, *Moraxella catarrhalis*의 순이었다. 이외에 *Group A ß-hemolytic streptococcus*, *α-Streptococcus*, *Staphylococcus aureus*, *Pseudomonas aeruginosa*가 드물게 발견되었다. 하지만 폐구균 백신이 도입된 2000년 이후에는 *S. pneumoniae*의 비율은 감소하고 *H. influenzae*와 *M. catarrhalis*의 비율은 증가하는 양상을 보이고 있다.[20]

Penicillin에 저항성을 보이는 균주들이 점차 늘고 있는데, 보고 지역에 따라 중이저류액에서 검출되는 *S. pneumoniae*의 약 8~34%가, *H. influenzae*는 25~30%가, *M. catarrhalis*는 80%가 penicillin에 저항력을 가지고 있으며, 이러한 항생제 내성은 점차 증가하고 있다.[13] 급성 중이염, 급성 편도염, 급성 부비동염과 같은 상기도 감염에서 얻은 *H. influenzae* 균 중 49.7%가 항생제인 amoxicillin에 내성을 보이면서 ß-lactamase를 분비하지 않는 ß-lactamase non-producing ampicillin resistant *H. influenzae*도 보고되었다. 우리나라에서도 ampicillin에 저항성을 띤 균주가 많이 발견되고 있으며, 최근에는 methicillin에 내성을 보이는 균주가 늘어나고 있어서 임상적으로 큰 문제가 되고 있다.

이런 자료들은 급성 중이염의 원인 균주가 변화되고 있음을 보여주고 있어 향후 지속적인 조사가 필요한 실정이다.

2) 바이러스 감염

중합효소연쇄반응(*polymerase chain reaction*)의 도입 전까지 바이러스 분리에 기술적 어려움이 있어 중이 내에서 바이러스를 확인하는데 어려움이 있어 중이염의 주요 요인으로 간주되지 않았다. 하지만 임상적으로 바이러스에 의한 상기도염이 수일 후에 중이염을 일으키는 경우가 흔하며, 급성 중이염이 있는 환자의 비인강이나 중이 삼출액 내에서 바이러스가 검출되는 경우가 많다.[14]

중이염을 유발하는 바이러스는 *respiratory syncytial virus*, *rhinovirus*, *influenza virus*, *adenovirus*, *rhinovirus*, *parainfluenza virus* 등이며, 이밖에 *enterovirus*, *cytomegalovirus*, *mumps virus*, *measles virus*, *herpes simplex virus*도 관련이 있다. 이 중 상기

도 감염시 *rhinovirus*와 *adenovirus*가 가장 많이 검출되고, *rhinovirus*는 *corona virus*, *respiratory syncytial virus*, *adenovirus* 등 다른 바이러스에 비해 급성중이염이 동반된 상기도 감염에서 검출률이 낮다.[24]

3) 생물막(Biofilms)

생물막은 미생물 또는 생물에 의하여 형성된 막 모양의 구조로, 세균들이 생물학적 활성 또는 비활성화된 표면에 부착하여 고유의 기질(matrix)을 형성하면서 미생물 군집(microbial communities)을 형성하게 된다. 군집의 모양은 주변 환경에 따라 버섯 모양에서부터 물방울 모양까지 다양하게 존재한다. 생물막은 엑소폴리사카라이드(exo-polysaccharides)라는 기질로 보호막이 덮여 있어서 항체와 보체(complement)의 접근을 방지함으로써 숙주의 방어기전과 식균작용으로부터 보호를 해 준다. 세균군집에서는 주변 미생물의 밀도를 각 세균들이 분비하는 신호물질을 통해 인지하는 현상인 쿼럼센싱(Quorum-sensing)을 통해 세균들은 궁극적으로 특정 유전자의 발현을 조절함으로써 효율적인 생장 및 적응을 도모하게 된다.

이런 미생물들이 생물막을 형성하게 되면 항생제에 내성을 보이는데 몇 가지 이유들이 있다. 첫째, 생물막의 각 부위에 따라 각기 다른 pH 차이, 산소 분압, 세포 산물 농도, 영양 농도 때문에 항생물질이 효과적으로 작용할 수가 없다. 둘째, 생물막의 표면에는 대사가 활발히 일어나고, 중심부는 거의 대사를 하지 않는 세포들로 이루어져 있다. 항생물질은 주로 활발한 대사를 나타내는 미생물에 작용을 하기 때문에 생물막 내에 존재하는 미생물들은 분열하지 않는 상태 또는 비활성 대사 상태로 오랜 기간 동안 유지하여 항생제의 공격에서 벗어날 수 있게 된다. 셋째, 생물막 내에서 특정 항생제에 대한 유전자 내성 발현을 유도한다. 넷째, 세포외다당류기질(extracellular polysaccharide matrix)은 특정 항생제에 대하여 생물막 내로 확산되는 것을 막는 역할을 한다. 또한 몇몇 세균의 세포외다당류기질에서는 β-lactamase와 같은 효소가 발견되어 β-lactam 항생제 내성에 기여하는 것이 알려져 있다. 다섯째, 생물막 내에는 다양한 서로 다른 종류의 미생물들이 존재하여 하나의 항생물질에 모두 감수성을 나타내지 않을 수 있다. 여섯째, 부유형태에서 부착형태로 변환 중 특정 유전자의 과다 발현과 과소 발현이 항생제 내성에 영향을 주게 된다. 일곱째, 생물막형성 균주의 세포벽 단백은 부유형태 세포의 세포벽 단백과 달라서 세포벽 합성저해 항생물질에 내성을 보이게 된다.[7]

인체 내 점막에서 생물막이 발견되면서 다양한 질병과의 연관성에 대하여 활발한 연구가 진행 중에 있다. 정상 대조군에서는 발견이 안되는 생물막이 만성 중이염과 재발성 중이염 점막의 92%에서 생물막이 확인되면서 생물막은 중이 질환과 관련이 있을 뿐만 아니라, 중이염이 동반된 소아의 비인두에서 생물막은 항생제에 내성을 갖게 되는 병원균의 저장소 역할과 관련이 있음이 보고되었다.[26]

V 병리경과에 따른 분류

급성 중이염의 병변은 감염과 염증의 정도에 따라 다양한 경과를 취하게 된다.[28]

1. 발적기(Stage of hyperemia)

가장 초기의 병변으로 미생물이 중이 내 침입으로 이관, 고실, 유양돌기동과 함기세포(pneumatic cells) 점막의 충혈과 부종이 나타나는 시기이다. 이관이 막히게 되면 고실 내가 음압이 되고 중이강 내에 장액 혹은 장액점액성 삼출액이 고인다. 고막은 해부학적 구조물들이 없어질 정도로 두꺼워지지는 않지만, 전체적으로 발적되어 있고, 광추(cone of light)가 소실되며, 추골병(handle of malleus)의 윤곽이 불명확해진다. 열이 날 수 있고, 이관이 급속히 막히면 환자가 이통과 함께 이 충만감을 호소하게 되며, 청력은 전음성 난청소견으로 병의 진행정도, 고실내 압력의 증가와 감소 여부에 따라 다소 변동이 있을 수 있다.

2. 삼출기(Stage of exudation)

충혈된 고실강, 유양동, 유양돌기 세포들의 점막은 종창되고, 모세혈관의 삼투성이 높아지며 상피에 점액을 생성하는 배상세포들이 많아진다. 따라서 점막의 상피하조직에 섬유소, 적혈구, 다형핵 백혈구(polymorphonuclear leukocyte) 등의 침윤으로 중이강 내에 농성 혹은 점액농성 삼출액이 차면서 압력이 높아지게 된다. 고막소견은 발적되면서 두꺼워져 있고 팽창되어 있다. 삼출액이 유양돌기의 함기세포에 차면 압력이 높아져서 유양돌기 부위에 압통이 있을 수 있다. 고막이 팽창하면서 이통이 심해지고, 염증독소의 흡수로 고열 등의 전신증상이 나타나며, 발적된 고막이 비후되거나 고실내 삼출액의 압력으로 인해 주로 고막 후상부가 팽륜(bulging)되는 소견을 보인다. 영아의 경우 심한 고열로 인해 구토, 경련, 수막자극증(meningismus)이 동반될 수 있다. 중이 내 삼출물의 증가로 인해 전음성 난청은 뚜렷해진다.

3. 화농기(Stage of suppuration)

중이의 점막과 골막에 많은 모세혈관과 섬유조직들이 새로 형성되고 림프구, 형질세포, 다형핵 백혈구들의 침윤으로 점막층은 육아조직처럼 매우 두꺼워지게 된다. 중이강 내 삼출액의 압력이 증가하여 고막이 자연 천공되면 농성 및 점액농성의 이루가 나타나면서 심한 이통은 없어진다. 또한 두꺼워진 점막과 골막에 압력과 염증이 경감되고 항체생산으로 독성물질의 흡수가 적어지게 된다. 초기에는 천공 부위가 작아 쉽게 관찰하기 힘들 수도 있으나, 이루를 완전히 제거하면 박동성의 이루를 관찰할 수 있다. 고막의 천공으로 삼출액이 나오게 되면 심한 이통과 발열은 소실되고, 유양돌기 부위의 압통도 경감되면서 전신상태는 호전되나 전음성 난청은 더욱 심해진다.

4. 융해기(Stage of coalescence)

급성 중이염은 대부분 초기 단계에서 낫게 되나 치료받지 않은 1~5%에서는 배농이 되지 않고 지속적으로 병이 진행하게 된다. 감염 미생물의 독성과 종류 그리고 환아의 저항력에 따라 차이가 있지만, 감염이 2주 이상 지속되고 심해지면, 중이의 점막과 골막이 두꺼워지면서 충혈되어 점액화농성 분비물의 배출이 막히게 된다. 화농이 계속되면 여러 염증세포의 침윤과 새로운 혈관 형성, 탈석회화(decalcification), 섬유소성 조직의 증식 등으로 골점막에 장애가 생겨 골파괴흡수(osteoclastic resorption)가 발생하여 함기봉소의 골이 파괴되어 커다란 농양강이 형성된다. 농양강 속에 육아조직과 농이 차서 압력이 높아지면, 중이에 국한되지 않고, 주변 골에 골미란(osteoclastic erosion)을 일으켜 경막, 측정맥동 주변 또는 골막하에 농양이 형성된다. 이렇게 되면 농성 이루가 계속되고 유양돌기부에 통증이 있으며, 이루와 통증은 밤에 더 심해진다. 이루는 감염이 좋아지게 되면 점액성이 약해지고, 감염이 지속되면 화농성을 띄게된다. 미열과 경도의 유양돌기 압통이 있고 백혈구도 증가하며 심한 난청이 생긴다.

5. 합병증기(Stage of complication)

연쇄상구균이나 폐렴구균의 혈전성 정맥염에 의한 염증이 중이나 유양돌기 밖으로 퍼져나가 합병증을 일으키는 시기로 합병증은 급성 중이염의 병기에 따라 다르게 나타난다. 초기단계인 1기~3기에는 중이의 점막과 골막의 모세정맥의 혈전성 정맥염이 진행되어 퍼지고, 후기단계인 4기에는 융합유양돌기염의 골미란으로 합병증이 발생하게 된다. 가장 흔한 합병증은 골막하 농양, 정맥동주위 농양, 뇌막외 농양이고, 드물게 경뇌막염, 뇌농양, 정맥동혈전, 화농성 미로염, 추제염, 안면신경마비 등이 발생할 수 있다. 최근에는 항생제가 발달하여 제3기에 이르기 전에 치유되는 경우가 많다.

Ⅵ 증상과 징후

급성 중이염은 염증과 병의 진행정도에 다양한 증상과 증후들이 서서히 또는 급격히 나타난다.[10]

1. 발열

대부분 38℃ 전후이며 일반적으로 40℃를 넘지는 않는다. 고막의 천공으로 배농이 일어나면 열도 떨어진다. 발열이 지속되거나 고막의 천공 후에도 열이 떨어지지 않으면 다른 질환이 동반되었는지, 합병증이 유발되었는지에 대한 검토가 필요하다.

2. 이통

이폐색감과 압박감 등이 선행하고 맥박과 일치하는 박동성의 통증이 나타난다. 박동성 이통은 인두나 눈으로 통증이 퍼지는 방사 통증(radiating pain)으로 나타나기도 한다. 유소아의 경우 이통을 호소하지 못하고 보채고 울거나 귀를 잡아당기는 모습으로 이통을 표현할 수 있어 보호자로부터 자세한 문진이 필요하다. 고막의 천공으로 배농이 되면 이통이 감소하거나 없어진다.

3. 난청

중이점막에 종창이 심하거나 중이 내의 삼출물, 고막 천공이나 이루 등으로 인해 전음성 난청이 나타나지만, 드물게는 정원창을 통해 염증이 내이로 파급되어 감각신경성 난청이 동반되기도 한다.

4. 이명

초기에 저음의 박동성 이명이 일시적으로 나타날 수 있으며, 지속적인 경우도 있다.

5. 이루

처음에는 다량의 장액성 혹은 장액혈성 이루가 나타나나, 이는 점차 장액농성이나 농성 또는 점액성 이루로 변해간다. 이루는 오래 지속되지 않아 대부분 3~4일 또는 1~2주 동안 지속되다가 급성 중이염이 좋아지면서 분비물도 점액성으로 바뀌고 투명해지면서 양도 줄어들고 천공도 차츰 작아져 막히게 된다. 그러나 3개월 이상 농성 이루가 지속되면 단순한 중이강 염증뿐 아니라 합병증이나 만성 중이염으로 이행되고 있는지 의심해야 한다.

6. 기타

수면장애, 두통, 구토, 설사, 소화불량, 식욕부진, 무기력감, 불안, 초조감, 어지럼증, 안면신경마비, 이개후부 종창 등이 나타날 수 있다.

Ⅶ 진단

유소아 급성 중이염의 진단은 주관적 증상과 객관적 징후로 알 수 있다.[6] 주관적 증상은 갑자기 발생한 급성 염증에 의하여 중이의 국소 증상 또는 관련된 전신증상이 있는 것을 의미하며, 국소증상은 이통 또는 이루 등을 의미하고, 전신증상은 귀를 만지면서 울고 보채거나 발열 등 귀와 관련이 있는 신체 증상을 의미한다.

객관적 징후는 (1) 고막의 팽륜, 수포형성, 발적, 이루를 동반한 고막천공과 중이삼출액의 고막소견과 (2) 고막운동성계측검사 결과상 B형 또는 C형이 관찰되거나, 고실천자상 중이삼출액이 확인된 것을 말한다. '확진'은 주관적 증상이 있고 객관적 징후가 하나 이상 있는 경우이며, '의증'은 주관적 증상은 있으나 객관적 징후는 분명치 않은 경우이다. '중증' 급성 중이염의 기준은 심한 이통 또는 보챔이 있거나 38.5℃ 이상의 고열을 동반하는 경우로

정의된다.[6]

하지만, 유소아의 경우 외이도가 좁고 고막의 경사도가 심하며 진찰 시 협조를 얻을 수 없어 진단하기 어려울 때가 있다. 고막의 관찰은 이경, 현미경, 내시경을 통해 고막의 윤곽, 색깔, 투과성, 운동성에 대한 4가지 사항에 대하여 직접적인 관찰이 필요하다. 고막의 윤곽은 정상, 함몰(retracted), 충만(full), 팽륜(bulging)의 4가지 소견, 고막의 색깔은 회색, 황색, 핑크색, 호박색, 흰색, 적색, 청색의 7가지 색깔, 고막의 투과성은 투명, 반투명, 불투명의 3가지, 고막의 운동성은 정상, 증가, 감소, 움직임 없음의 4가지로 평가된다.[35]

이경검사 시에는 밝은 조명과 확대경으로 관찰해야 하며 통기이경(pneumatic otoscope)으로 고막의 운동성을 관찰하는 것도 도움이 된다.

중이염에 의한 의한 고막발적은 고열이나 환아의 울음에 의한 홍조와 구별되어야 하며 고막의 운동성이나 색보다는 고막팽륜이 급성 중이염을 진단하는데 더 신뢰할 만한 소견이다. 고막천공에 의한 외이도 분비물로 검사를 하게 되면, 외이도의 분비물은 혼합감염의 가능성이 있고, 인두에서의 세균배양도 원인균을 중이염의 균주로 단정하기도 곤란한 점이 있어, 급성 중이염에 대한 원인균에 대한 정확한 검사는 급성 중이염 발병 2~3일 내, 고막이 천공되기 전에 고실을 천자해 균을 검사하는 것이 바람직하다.

Ⅷ 치료와 예방

급성 중이염이 발생하여도 중이의 골점막은 자연 치유되는 힘이 강해서 정상으로 회복되는 수가 많고 항생제의 발달로 인해 대부분 완전 치유가 가능하다. 하지만 경우에 따라 삼출성 중이염이나 만성 중이염으로 이행할 수 있고, 드물지만 두개내 합병증을 일으킬 수 있으므로 병의 진행을 방지하고 합병증을 막기 위해서는 예방과 함께 병의 초기에 정확한 진단과 적절한 치료가 필요하다.[2,9]

1. 경과관찰

항생제 투여없는 대증치료를 하면서 자연 호전되기를 기다린다.

2014년 개정판 국내 유소아중이염 진료지침에 따르면 항생제 투여없는 대증치료는 (1) 중증이 아닌 경우 (2) 연령과 진단의 확실성을 고려하여 연령이 6개월 이상이면서 경증인 경우나 6개월에서 24개월 미만에서 의증인 경우 (3) 최근 항생제 복용이 없는 경우, 동반된 다른 질환이 없는 경우, 2~3일 후에 추적관찰이 가능한 경우를 고려하여 초기치료로서 시행한다. 중증 급성 중이염의 기준은 의사가 환아를 관찰한 시점을 기준으로 후향적으로 24시간 이내 관찰된 (1) 심한 이통 또는 보챔이나 (2) 38.5°C 이상의 고열(미국 진료 지침에 따르면 39°C) 중 한 가지 항목 이상인 경우에 해당한다. 항생제 투여없는 대증치료를 2~3일간 시행하고, 경한 이통과 발열에 대해서는 아세트아미노펜(acetaminophen)이나 이부프로펜(ibuprofen)을 사용한다.[6]

2. 항생제

초기에 충분한 양의 적절한 항생제를 쓰는 것은 급성 중이염을 급속히 치유하고 유양돌기염이나 그 밖의 합병증을 방지하는 데 도움이 된다. 중증 급성 중이염인 경우, 연령이 6개월 미만이면서 급성 중이염으로 확진한 경우, 연령이 6개월에서 24개월 미만이면서 급성 중이염으로 확진한 경우, 급성 고막천공 혹은 이루가 발생한 경우, 동반 질환에서 항생제가 필요한 경우, 최근 이미 항생제를 복용한 경우, 2~3일 후 추적 관찰이 불가능한 경우, 이미 타병원에서 경과관찰을 시행한 경우에는 초기 처치로서 항생제를 사용하게 된다. 급성 중이염의 대다수가 폐렴구균(*S.pneumoniae*), 인플루엔자균(*H.influenzae*), 모락셀라 카타랄리스균(*M.catarrhalis*)에 의한 감염이므로 페니실린(penicillin)이나 에리트로마이신(erythromycin) 계통이 유효하다. Amoxicillin 80~90 mg/kg/day 고용량 경구투여가 효과적인 1차 선택 항생제이다. 연령이 24개월 이상이면서 최근에 항생제를 투여 받은 병력이 없고 보육시설에 다니지 않은 경우는 아목시실린(Amoxicillin) 표준용량 40~50 mg/kg/day 용법이 가능하다. 중증인 경우 베타락타마아제(β-lactamase)를 생산하는 인플루엔자균(*H.influenzae*)와 모락셀라 카타랄리스균(*M.catarrhalis*)이 원인일 가능성과 페니실린 고도 내성 폐구균이 원인일 가능성 모두를 고려하여 아목시실린과 클라불라네이트(amoxicillin/clavulanate) (14:1) 80~90/6.4 mg/kg/day를 1차 선택 항생제로 투여한다.[8]

1차 선택 항생제로 수일간 치료를 해도 효과가 없으면, 2차 선택 항생제로 amoxicillin-clavulanate (Augmentin)이나 cefaclor 등의 2차 선택 항생제로 바꾸어야 한다. Amoxicillin-clavulanate 14:1 제형의 경우는 80~90/6.4 mg/kg/day, 7:1 제형인 경우에는 amoxicillin/clavulanate 40~50/6.4 mg/kg/day 용량과 amoxicillin 40 mg/kg/day 병용처방, amoxicillin/clavulanate 4:1 제형인 경우에는 amoxicillin/clavulanate 23~26/5.7~6.4 mg/kg/day 용량과 amoxicillin 57~64 mg/kg/day을 병용 처방하도록 한다. 2차 선택 항생제로 치료가 실패한 경우는 3차 선택 항생제 세프트리악손(ceftriaxone) 50 mg/kg/day의 용량으로 3일간 주사요법을 사용한다. 단, 항생제감수성 결과가 있으면 어느 시점에서도 직접 적절한 항생제을 선택할 수 있고, 중증 급성 중이염일 경우 바로 2차 선택 항생제를 사용하기도 한다.

페니실린(penicillin)에 과민반응이 있는 경우에는 1차 선택 항생제로 에리트로마이신(erythromycin), 설폰아마이드(sulfonamide) 등도 효과적으로 사용할 수 있으며, 교차반응이 예상되는 항생제를 제외한 세팔로스포린계의 항생제를 사용할 수 있다. 1차 선택 항생제로 치료가 실패한 페니실린에 과민반응이 있는 경우, 2차 선택 항생제로 클린다마이신(clindamycin) 또는 클린다마이신과 3세대 세팔로스포린계 항생제 병합요법 또는 세프트리악손을 사용한다(표 19-1).[6,8] 퀴놀론(Quinolone)계 약제의 급성 중이염에 대한 효과에 대해 중이염의 원인균 중 폐렴구균의 치료약으로서 유용성이 있지만, 18세 이하의 소아에게는 안정성이 입증되어 있지 않아 사용되지 않고 있다. 항생제는 통상 5~10일 정도 투여하며, 처방 후 항생제의 반응 정도와 병의 경과를 관찰한다. 항생제 치료의 실패는 항생제 투여 48~72시간 후에도 이통, 발열, 이루 등의 증상이 호전되지 않는 것을 의미한다. 부적절한 항생제를 선택하거나 부적당한 양을 사용한 경우, 투여기간이 너무 짧은 경우 약한 염증이 잔존해서 삼출성 중이염으로 이행하거나 유양돌기염을 일으킬 수 있다. 항생제를 사용해 고막 소견이 좋아지고 치유되는 듯하다가 갑자기 합병증이 나타날 수도 있으므로 주의해야 하며, 중이에 농이 괴어있는 경우 필요에 따라 농을 배출하는 적절한 방법을 고려해야 할 수도 있다. 또한 두개내 합병증이 의심되거나 두개내 합병증을 예방하려면 혈액뇌장벽(blood-brain-barrier)을 통과하는 항생제의 사용을 반드시 염두에 두어야 한다.

3. 국소 이용액

고막천공으로 이루가 있을 때는 항생제 투여와 함께 국소적으로 이용액(ear drops)을 사용하면 도움이 된다. 국소 이용액의 장점으로는 고농도로 국소 감염부위에 직접 투여할 수 있고, 전신 항생제에 비해 내성 발현이 적으며, 부작용이 적고, 가격이 고가가 아니라는 점들이 있다.

4. 소염진통제와 비점막 수축제

소염 진통제(analgesics)와 비점막 수축제(nasal decongestant)를 초기에 사용하는 것이 직접적인 치료 효과는 없다고 하나, 자주 동반되는 상기도염 증상을 완화하는데는 도움이 된다. 항생제 없는 대증요법을 시행하는 기간에라도 이통이 있는 경우 진통제를 처방해야 한다. 점막 수축제는 비강 내에 분무하거나 경구적으로 사

표 19-1. 유소아 급성 중이염에서 항생제 선택[6]

1차 선택 항생제		고용량 Amoxicillin, 80-90 mg/kg/day 표준용량 Amoxicillin, 40-50 mg//kg/day*
	Penicillin allergy가 있는 경우	세팔로스포린계 항생제
2차 선택 항생제**		Amoxicillin/clavulanate(14:1) 80-90/6.4 mg/kg/day Amoxicillin/clavulanate(7:1) 40-50/6.4 mg/kg/day + amoxicillin 40 mg/kg/day Amoxicillin/clavulanate(4:1) 23-26/5.7-6.4 mg/kg/day + amoxicillin 57-64 mg/kg/day
	Penicillin allergy가 있는 경우	Clindamycin 또는 Clindamycin과 3세대 세팔로스포린계 항생제 병합요법 또는 Ceftriaxone
3차 선택 항생제		Ceftriaxone 50 mg/kg/day x 3 days, parenteral

▶ 원인균에 대한 세균배양검사 및 항생제 감수성 검사에 따른 항생제 처방 또는 변경은 어느 단계에서도 시행가능하며 항생제 투여 전에 실시하는 것이 세균동정에 도움이 된다.

▶ 치료 단계: 경과관찰/대증요법 → 1차 선택 항생제 → 2차 선택 항생제 → 3차 선택 항생제 (단, 중증인 경우 바로 2차 선택 항생제 → 3차 선택 항생제)

* : 24개월 이상 연령이면서 항생제를 사용한 적이 없고 유아/유치원에 다니지 않는 경우

** : 중증 급성 중이염일 경우 바로 2차 선택 항생제를 사용

용하여 비강 호흡을 돕고, 이관 인두구를 청결히 하여 이관의 배출 기능이 원활하도록 도와준다.

5. 항히스타민제

항히스타민제는 초기치료, 증상완화, 수술이나 합병증 예방에 효과가 없다.[36]

6. 고막절개(Myringotomy) 또는 고막천자(Tympanocentesis)

고막절개의 목적은 배농의 촉진과 이통의 경감이다. 고막절개술은 협조가 가능한 경우 심한 이통의 경감을 위해 시행할 수 있으며 이 경우 중이삼출액에 대한 세균배양 및 항생제 감수성 검사를 시행하면 초기치료 실패 시 사용할 항생제 선택에 도움을 받을 수 있다. 또한 고막의 발적, 팽륜이 있고 계속해서 심한 이통이나 두통, 고열이 있을 때, 유아가 경련발작을 할 때 고막 절개를 하면 증상을 급속히 호전시킬 수 있다. 따라서 전신 상태가 극히 불량한 경우, 항생제치료에 반응이 없을 때, 두개내 합병증이 있을 때, 신생아나 면역결핍 상태일 때는 반드시 고막절개나 고막천자를 통해 세균배양검사와 항생제 감수성검사를 시행하여 적절한 항생제를 선택하여 치료하는 것이 필수적이다.[17] 고막절개로 인한 천공은 자연 천공보다 빨리 폐쇄된다. 최근에는 고막절개술보다 항생제에 의존하는 경향이 있으나, 이는 중이염을 만성화하거나 삼출성 중이염으로 이행시키는 원인이 될 수도 있어서 적응증인 경우에는 조기에 고막절개를 시행하는 것이 좋다. 때로는 고막절개를 반복 시행해야 할 수도 있다. 고막절개에 의한 배농과 배액은 병소의 치유 촉진에 유효하기는 하지만, 고막절개만으로는 급성 중이염의 치료에 탁월하다는 보고는 많지 않아 고막절개는 급성 중이염의 중증도에 따라 선택사항으로 시행해야 한다.

7. 재발성 급성 중이염의 치료

반복적인 급성 중이염의 원인 질환에 대한 치료로서 발병에 영향을 미치는 요인과 원인을 파악하여 제거하고,

적극적으로 치료해 재발을 예방해야 한다. 또한 치료경과 중 지속적으로 추적관찰하여 고막이나 기타 검사소견이 정상인지를 확인하여 급성 중이염이 삼출성 중이염이나 만성 중이염으로 이행되거나 합병증이 발병하는 것을 예방해야 한다.

1) 항생제 예방요법

반복적인 급성 중이염을 앓는 환아들에게 항생제를 하루 용량의 절반을 예방적으로 처방하는 것은 급성 중이염을 예방하는데 어느 정도 효과가 있다는 연구결과들이 있지만, 항생제 저항성을 가진 균주의 출현이나 소화계나 알레르기 증상을 유발시킬 수 있어 권고되지 않는다.

2) 수술적 치료

(1) 고막절개/고막천자

급성 중이염일 때 고막절개나 고막천자는 통증을 경감시키고 적절한 항생제 선택을 위한 균배양검사를 위해 유용하다.[30]

(2) 고막절개 및 환기관삽입

약물치료에 실패 하였을 경우와 중이 내 삼출액이 동반된 경우 재발방지를 위해 환기관 삽입을 고려할 수 있다.

(3) 아데노이드절제술

호흡장애가 있지 않는 한 1차 치료법으로 권고되지 않지만, 아데노이드 절제술은 재발성 급성 중이염 환아에 게 도움이 될 수 있고, 재발성 삼출성 중이염에 대한 2차 환기관 삽입술을 시도할 경우 함께 시행하도록 권고되고 있다.

8. 예방요법

1) 원인제거

환아 개개인별로 급성 중이염 발병에 영향을 끼치는 원인요인들을 파악하여 미리 제거하거나 방지하는 방법으로 보호자에게 급성 중이염의 위험인자를 교육함으로써 반복성 급성 중이염을 예방할 수 있도록 해야 한다.[1] 반복성 급성 중이염을 유발하는 고위험군으로는 집단 보육시설에 다니는 경우, 2세 미만인 경우, 모유 수유를 적게 한 경우, 누워서 우유병을 먹이거나 공갈젖꼭지를 사용하는 경우, 악안면기형이 있거나 간접흡연에 노출된 경우 등이다. 이러한 위험인자를 감소시키기 위해 보호자를 교육함으로써 반복성 급성 중이염을 예방할 수 있다. 예방 가능한 위험인자들, 예를 들면 어린이 집이나 유치원 등에서 전염되는 상기도 감염을 줄이고, 6개월까지 모유 수유를 권장하고, 누워서 우유병을 빨지 않도록 하고, 생후 6~12개월에서 공갈젖꼭지를 사용하지 않도록 하고, 가족의 흡연을 금하도록 보호자를 교육하는 것이 중요하다.[8]

2) 면역예방법(Immunoprevention)

백신을 주사하는 방법이다. 폐렴구균 단백결합백신의 접종은 폐렴, 균혈증, 수막염, 급성 중이염의 유병률을 낮출 수 있어 급성 중이염 예방을 위한 폐렴구균 단백결합백신 접종은 생후 2개월에서 5세 미만 모든 소아를 대상으로 표준예방접종 일정에 맞추어 접종하는 것을 권고하며, 폐렴구균다당질백신은 2세 이상에서는 인공와우 시행 또는 예정이거나 선천성 내이 기형 등 급성 중이염에 속발한 수막염 발생의 위험이 높은 경우에 백신 접종을 적극 권고하고 있다. 인플루엔자백신의 접종은 급성 중이염을 예방하는데 있어 30~50%의 효능이 있는 것으로 알려져 있어 급성 중이염 예방을 위한 인플루엔자 백신은 6개월 이상의 모든 소아에서 매년 접종하는 것을 권고하고 있다.[6,10,22,23]

Ⅸ 후유증과 합병증

항생제의 개발로 중이염의 치료에는 많은 발전이 있어 과거에 비하면 치명적인 합병증은 줄었으나 발생빈도는 줄지 않았고 드물게 심각한 합병증이 발생하기도 한다.

중이염 환자의 약 10%에서는 만성화하는 것을 볼 수 있으며, 합병증으로 난청, 어지럼증, 이명, 고막천공, 이루, 고실경화증, 유착성 중이염, 만성 중이염, 이소골의 고정이나 단절, 미로염, 안면신경마비, 추체염, 내이염, 이개후농양, Bezold 농양, 뇌수막염, 측정맥동 혈전정맥염, 경막외/경막하 농양, 뇌농양, 이성 수두증 등의 문제를 일으킬 수 있다.

대부분의 급성 중이염은 2~4주 내에 완치되나, 고막천공, 석회침착, 전음성 또는 감음성 난청 등의 후유증을 남길 수 있고, 만성 중이염으로 이행하기도 한다. 합병증으로는 급성 유양돌기염, 안면신경마비, 추체염, 화농성 미로염 등의 측두골내(intratemporal) 합병증과 이개후농양, Bezold 농양 등의 측두골외 합병증, 수막염, 경막외농양, 정맥동염, 뇌농양 등의 두개내(intracranial) 합병증이 드물게 올 수 있다(표 19-2).

1. 두개외 합병증/측두골내 합병증

측두골내 후유증과 합병증으로 청력저하, 고막천공, 유양돌기염, 추체염, 미로염, 안면마비, 만성화농성중이염, 중이 내 무기화, 유착성중이염, 진주종, 콜레스테롤육아종, 고실경화증, 이소골 연쇄단절과 고정 등이 발생할 수 있다.

1) 청력저하

중이 내 삼출액이 있는 대부분의 소아에서 변동성 혹은 지속적인 청력 저하를 호소한다. 평균 20~30 dB 정도의 경도 난청의 소견을 보이지만, 일부에서는 중등도의 전음성 난청이 생긴다. 드물지만, 정원창(round window)이나 난원창(oval window)을 통해 염증이 퍼져 영구적인 감각신경성 난청이 생기기도 한다.

표 19-2. 중이염의 합병증

두개외 합병증(extracranial complication)
측두골내 합병증(intratemporal complication)
• 난청(hearing loss) (전음성(conductive)/감음성(sensorineural))
• 고막천공(tympanic membrane perforation) (급성(acute)/만성(chronic))
• 만성화농성중이염(± 진주종)(chronic suppurative otitis media(± cholesteatoma))
• 내함낭/무기증(retraction pocket/atelectasis)
• 유착성중이염(adhesive otitis media)
• 고실경화증(tympanosclerosis)
• 이소골연쇄단절/고정(ossicular discontinuity/fixation)
• 유양돌기염/추체염(mastoiditis/petrositis)
• 내이염(labyrinthitis)
• 안면신경마비(facial nerve paralysis)
• 콜레스테롤육아종(cholesterol granuloma)
• 감염성 습진모양 피부염(infectious eczematoid dermatitis)
측두골외 합병증(extratemporal complication)
• 후이개 농양(postauricular abscess)
• Bezold 농양(Bezold's abscess)
• 협골 농양(zygomatic abscess)
두개내 합병증(intracranical complication)
• 측정맥동 혈전정맥염(lateral sinus thrombophlebitis)
• 뇌수막염(meninigitis)
• 경막외 농양(extradural abscess)
• 경막하 농양(subdural abscess)
• 뇌농양(brain abscess)
• 이성 수두증(otitic hydrocephalus)

2) 고막천공

고막천공은 급성 중이염 환자의 약 7%에서 일어난다. 대부분 1~2주 내 완전한 치유를 보이지만 고실경화증(tympanosclerosis)이나 만성 고막천공을 남기기도 한다.[30]

3) 급성 유양돌기염(Acute mastoiditis)

유양돌기염은 급성 유양돌기염, 융합성 유양돌기염, 만성 유양돌기염, 잠복 유양돌기염(masked mastoiditis) 등이 있다.

급성 유양돌기염은 급성 중이염이 치료되지 않았을 때 발생하며 발생빈도는 소아 100,000명당 1.88~11.1명이고, 항생제가 개발되기 이전에는 급성 화농성 중이염의 가장 흔한 합병증 이었으나 광범위 항생제를 사용한 이후 급격히 줄어들어 수술적 치료가 필요한 경우는 0.02~0.15%로 드물다. 하지만 2000년대 들어서면서 항생제 내성균이 많아짐으로 인해 발생률은 다시 증가하는 추세이며, 치료를 하지 않았거나 부적절한 경우 두개내·외 합병증을 초래할 수 있어 조기에 정확한 진단과 치료가 필요한 질환이다.[17,45]

(1) 병태생리

대표적 원인균은 *S. pneumoniae*이며, 그 외 *Streptococcus pyogenes*, *Staphylococcus aureus*, *Haemophilus influenzae*, *E. coli*, *Proteus species*, *Diphtheroids*, *P. aeruginosa*, *Mycobacterium avium* 로 인해 감염이 발생한다.[16] 유돌동의 감염으로 봉소점막의 충혈과 부종이 나타나면 봉소 내에 분비물이 축적되어 화농이 일어난다. 농양의 파급 경로에 따라 골막하 농양, Bezold 농양, 추체염, Citelli 농양이 발생할 수 있으며, 그 외에 미로염 및 안면 신경 마비, 두개내 합병증이 발생할 수 있다.[41]

(2) 증상과 증후

급성 중이염으로 인한 가장 흔하고 심한 합병증으로, 대부분 급성 중이염의 병력을 갖고있어, 고막의 팽륜과 발적, 이통, 전음성 난청, 발열, 이개 후방부 부종, 유양돌기 부위의 압통, 농성 이루 등이 있다. 이통의 경우 개인에 따라 일정치 않으나 유양돌기부의 동통과 심부 종창이 서서히 악화된다.[16,43]

염증이 유양동으로부터 하행하여 유양돌기첨단의 봉소에 이르러 엷은 골벽을 뚫고 외부로 파급되어 이개하부에 종창을 초래하는 Bezold 농양이 생기거나 유양돌기 표면의 피부를 뚫고 누공이 생겨 농성 분비물이 나올 수 있다. 만약 염증이 하행하지 않고 유양돌기 피질 중에서 저항이 약한 Macewen's triangle을 뚫고 누공을 형성하면 골막하 농양(subperiosteal abscess)이 되어 이개를 외측 전하방으로 전위시킨다.

중이의 염증이 넓거나 심하지 않아도 중이와 유양동의 연결통로가 부종이나 육아조직 등으로 완전히 막히게되면 유양봉소 내에 농양이 형성되어 중이강이 아닌 다른 방향으로 파급되어 골막하농양, 안면신경마비, 내이염, 추체염, Bezold 농양 같은 두개외 합병증 또는 뇌막염, 뇌농양, 횡정맥동 혈전성 정맥염 등의 두개내 합병증과 패혈증 등을 일으킬 수 있다.

(3) 진단

환자의 병력과 증상 청취, 이경 소견, 유양돌기 주변 피부의 부종이나 발적과 압통 여부 확인, 컴퓨터 단층촬영과 자기공명영상 검사를 한다. 초기에는 유양동부위에 발적과 압통이 발생하여 부종과 골막하 농양으로 이개의 전하방으로의 전위와 후이개 피부 주름선이 사라진다. 컴퓨터단층촬영 소견상 유양동 내 혼탁한 소견이 보이며, 염증이 진행되면 유양골의 파괴와 함께 골염이 나타난다. 두개내 합병증이 의심되면 조영증강 자기공명영상 검사를 시행한다. 1/4에서 고막천공이 발생할 수 있고, 2/3에서 고막발적과 팽륜이 동반된다.

(4) 치료

골막염 동반 유무와 상관없이 유양돌기염은 약물치료와 고막절개나 환기관 삽입술에 대개 반응을 잘하지만, 정맥 내 항생제 치료에도 불구하고 합병증 없이 입원했던 환자의 8%에서 합병증이 발생할 수 있으며, 1/3 환자에서는 입원 당시 두개내 혹은 두개외 합병증으로 인해 수술적 치료를 필요로 하기도 한다.

약물치료로 균배양검사와 항생제 내성검사의 결과에 따라 알맞은 항생제를 사용한다. 검사를 시행하지 않았거나 검사결과를 기다리는 동안에는, 일반적으로 급성 중이염의 원인균과 같은 경우가 많으므로 중증 감염에 쓰는 양의 암피실린(ampicillin)을 혈관으로 투여하고, 페니실린 내성 포도상구균이나 그람음성간균의 감염이 예상되는 경우 옥사실린(oxacillin)이나 메티실린(methicllin)을 아미노글라이코사이드(aminoglycoside)와 함께 투여하며, 혐기성 세균에 의한 감염이 의심되는 경우 clindamycin을 복합적으로 사용하고, 페니실린 내성 포도상 구균이나 그람음성간균의 감염이 예상되는 경우 처음부터 oxacillin이나 methicillin을 아미노글라이코사이드(aminoglycoside)와 함께 투여한다. 두개내 합병증에 대비하여 혈액뇌장벽(blood-brain barrier)을 통과하는 항생제를 선택하는 것이 좋다.

수술적 치료로는 화농성 삼출액이 중이에 차 있는 경우에는 고막절개술을 시행하고, 필요하면 환기관 삽관술을 동시에 시행한다. 적절한 치료를 했음에도 불구하고 3~5일 이상 경과가 호전되지 않거나, 측두골 컴퓨터단층촬영에서 유돌동의 골염이 확실하고 화농이 유양돌기 밖으로 파급되었거나 측두골내에 또는 두개내에 합병증이 있는 경우에는 유양돌기절제술을 시행한다.[16]

4) 융합성 유양돌기염(Coalescent mastoiditis)

급성 중이염의 합병증으로 주로 소아에서 발생하는 질환으로 급성 융합성 유양돌기염은 항생제의 개발 이전에는 모든 예에서 수술이 필요하다고 하여 외과적 유양돌기염(surgical mastoiditis) 이라고 불렸으나 1930년 후반에 항생제의 개발로 인하여 발생률이 현저히 감소하였다. 그러나 최근 들어서는 페니실린에 내성을 가진 세균의 증가로 인하여 급성 융합성 유양돌기염의 발생과 그에 따른 합병증이 증가하고 있는 실정이다.

급성 중이염과 유양돌기염이 2~4주간 지속되면 융합성유양돌기염이 생긴다. 급성으로 진행하는 염증으로 균의 병원성과 환자의 면역력저하 등이 원인이 된다.[12]

(1) 병태생리

급성 중이염으로 인하여 급성 융합성유양돌기염 및 골막하 농양이 형성되는 기전은 중이강 내의 점막 및 골막에 염증성 변화로 부종과 증식이 생기면 유양동구(aditus ad antrum)가 막히면서 주변 골의 탈무기질화(demineralization)가 일어나고, 유양돌기의 배액이 불가능해지면서 염증이 유양돌기의 도출정맥(emissary vein)을 통해 점막골막(mucoperiosteum)을 따라 퍼진 후 골염으로 발전하여 유양봉소 격벽을 녹이고 단백성 기질의 파괴가 일어나 인접 유양봉소간의 융합이 일어나면서 농양동(abscess cavity)이 형성된다.[1] 유양동 내 압력이 올라가면 유양동을 넘어 주위조직으로 염증이 퍼지며, 가장 흔하게 퍼지는 길은 귀 후방의 외측피질골이며, 경부상부의 연부조직, 이개의 전상방, 침식된 골을 통해 혈전염으로 직접 전파된다.

(2) 진단

2주 이상 지속되는 이루, 지속적인 이통, 그리고 유양돌기 부위의 부종을 보이면 의심할 수 있고, 이개 후부에 농양이 존재하거나 유양돌기 부위의 압통, 외이도 후상방의 처짐, 측두골 컴퓨터단층촬영상 측두골 봉소의 골격벽 및 유양골 피질의 파괴, 유돌봉소들의 융합소견을 보이면 확진을 내릴 수 있다(그림 19-2, 3)[9]. 특히 유돌동과 중이강의 연결통로인 유돌동구와 상고실이 완전히 막혀 유돌동의 염증이 중이강으로 퍼지지 않고 유돌동 내에 농양이 생겨 병변이 지속되는 융합성 유양돌기염은 측두골 컴퓨터단층촬영이 꼭 필요하다. 골주사(bone scan)를 추가할 수 있고, 합병증 유무를 좀 더 확실히 감별하기 위해서는

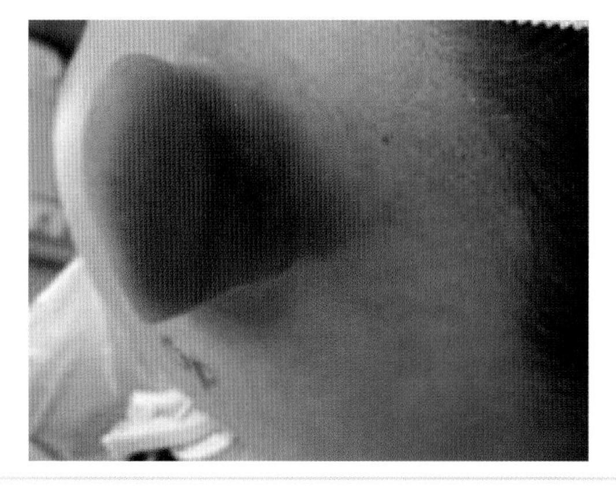

■ 그림 19-2. 좌측 급성 유양돌기염이 진행해 생긴 골막하농양의 이개 주위 피부양상

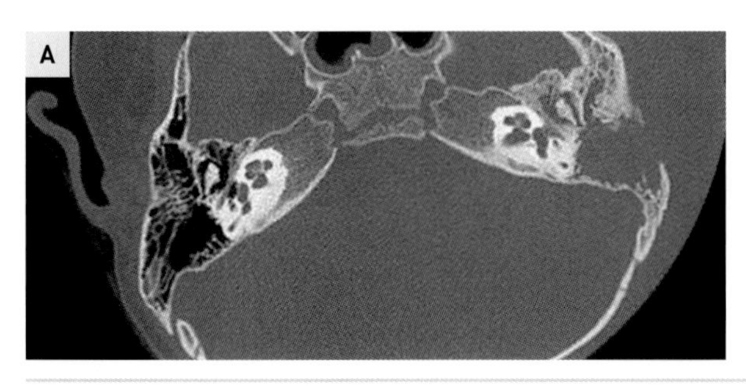

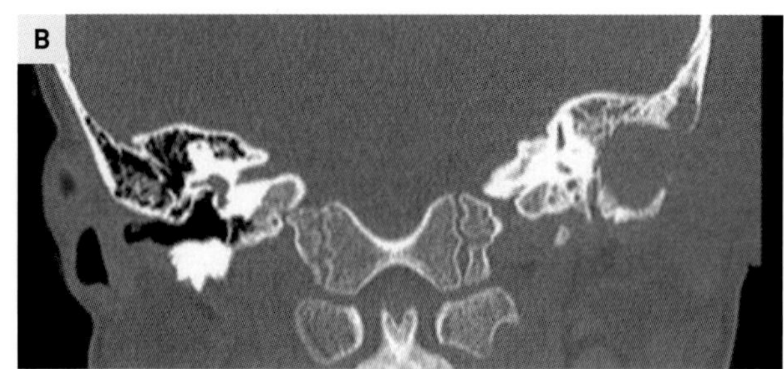

■ 그림 19-3. **진행된 좌측 급성 유양돌기염으로 인한 유양동피질 파괴 및 피하종창 소견**

자기공명영상 검사를 시행한다.

(3) 치료

적절한 항생제 치료와 고막절개술을 포함한 환기관삽입술, 유양동삭개술로 대부분 해결이 가능하다. 수술 시 2세 이하의 소아는 유양동 함기화가 덜 되어 있어, 수술 시 안면신경 손상의 위험이 있으므로 주의해야 한다.

5) 추체염(Petrous apicitis)

중이감염이 함기화봉소로를 따라 추체첨부에 직접 파급된 후 연결통로 부위가 폐쇄되어 추체봉소로 염증이 파급되어 발생한다. 과거에는 급성 중이염 후에 주로 나타났으나 요즘은 만성 중이염이나 유양동의 수술 치료가 불완전할 때도 발생하는 것으로 보고되고 있다. 삼차신경의 안와분지(ophthalmic branch of the trigeminal nerve)의 자극이나 압박으로 인한 안와 후방의(retro-orbital) 혹은 심부의 동통이 가장 흔한 증상이고, 외전신경의 마비로 안외직근 마비에 의한 복시, 그리고 지속적인 이루의 세 가지 증상이 있을 때 Gradenigo 증후군이라고 한다. 하지만 이런 전형적인 증상이 모두 나타나는 경우는 흔하지 않다. 진단은 임상양상과 함께 CT와 MRI가 필요하다. 치료는 항생제 투여와 함께 수술적 치료를 시행하는데, 유양돌기절제술에 추가하여 추체첨부의 병변을 제거하고 배농한다.[2]

6) 미로염(Labyrinthitis)

급성 중이염으로 인한 미로염은 주로 정원창을 통하여 전파된다.

(1) 장액성 미로염(Serous labyrinthitis)

내이에 직접적인 염증 세포나 세균의 침입 없이 염증성 물질의 독성으로 인한 염증으로 발생한다. 임상 양상으로는 오심, 구토를 동반한 어지럼증과 함께 가역성인 중등고도 이하의 감각신경성 난청과 병변측으로 향하는 안진이 관찰되는 경우 의심해 볼 수 있다. 보존적 치료로써 대부분 회복된다.

(2) 화농성 미로염(Suppurative labyrinthitis)

미로의 세균성 감염은 청각과 전정기능의 완전 상실을 가져올 수 있다. 염증의 파급경로로는 중이 내 정원창이나 난원창막을 통해 직접 전파되거나, 세균성 뇌수막염에서 내이도나 와우도수관(cochlear aqueduct)을 통해 거꾸로 전파되는 경우, 전신적 패혈증으로 인해 혈행성으로 전파될 수 있다. 급성 중이염이나 유양돌기염에서는 중이의 정원창, 난원창, 골성 누공을 따라서 발생한다. 증상으로는 오심과 구토를 동반한 심한 어지럼과 함께 병변측의 고도의 비가역적인 감각신경성 난청이 나타나고, 병변의 반대 방향으로 향하는 안진이 관찰된다고 알려져 있다. 발병 첫 몇 시간 후 자발안진은 소실되기 시작하고 수일동안 증상이 경감된다. 2~3주 동안 중추 보상 작용이 이루어져 전정기능은 회복되고, 이명도 경감되지만, 청력은 잃게 된다. 급성 화농성 미로염의 치료에서는 염증이 내이에서 두개강 내로 염증이 파급될 수 있기 때문에 예방이 매우 중요하다. 따라서 뇌-혈관장벽을 통과할 수 있는 항생제를 사용한다. 급성 화농기의 심한 전정증상은 대증요법으로 완화시켜주고, 미로염에서 뇌수막염으로 진행되는 것을 예방하기 위하여 적합한 항생제를 10~14일간 투여한다.

7) 안면신경마비(Facial nerve paralysis)

최근 항생제의 발달로 인하여 급성 중이염에 의한 안면마비의 발생 빈도는 0.5~0.005%로 현저히 감소되고 있다.[38] 소아들에 있어 급성 중이염 이후 속발된 안면신경마비는 선천적인 등골(stapes) 주변의 안면신경관(fallopian canal)의 결손(dehiscence) 부분을 통해 일어나고, 정맥울혈, 조직부종, 직접적인 신경독성으로 인한 손상 등이 마비를 초래한다. 대개 불완전 마비로 만족할 만한 회복률을 보인다. 급성 중이염 때문에 발생한 안면신경마비의 치료는 최대한 빨리 충분한 용량의 항생제를 투여하고 고막절개배농을 함으로써 중이의 염증을 제거하는 것이다. 고막 절개 후 환기관 삽입술을 하는 경우도 있다. 화농성 염증이 2주 이상 지속되거나 신경변성의 소견을 보이지 않는다면 수술적 치료는 필요 없다.[2]

2. 두개외 합병증/측두골외 합병증

1) 골막하농양(Subperiosteal abscess)

(1) 후이개 농양(Postauricular abscess)

가장 흔한 골막하농양으로 어린 소아들에게 흔하다. 유양돌기 외측 피질의 침식이나 작은 혈관을 통한 감염으로 골막하로 직접 전파되어 발생한다. 이개후부의 종창과 이개의 외측 전하방으로의 전위, 유양돌기부위 피부의 발적과 파동이 생기며, 고막 후상부의 하수(sagging)가 생길 수 있다. 치료는 신속한 절개배농을 포함한 보존적 치료로써 대개 완치가 가능하다.[2] 고막절개 후 중이환기관을 삽입할 수 있다. 성인의 경우는 유양돌기절제술을 병행하여 치료한다.

(2) Bezold 농양(Bezold' s abscess)

유양돌기첨 내측의 이복근구(digastric groove)의 골피질을 뚫고 이복근(digastic muscle) 또는 흉쇄유돌근(sternocleidomastoid muscle)의 근막면을 따라 심부경부농양을 형성한다. 유양돌기끝의 함기화가 잘 안된 소아 또는 성인에서 호발하고, 유소아에서는 매우 드물다. 치료는 유양돌기절제술을 시행하여 병변을 제거하고, 경부농양은 절개배농 시킨다.[2]

3. 두개내 합병증

중이와 유돌봉소는 두개 내 공간과 매우 가까이 있어 중이 내 염증이 두개 내로 퍼질 수 있다. 급성 중이염에 의한 두개내 합병증은 뇌수막염(meningitis), 경막외농양(epidural abscess), 경막하농흉(subdural empyema), 뇌농양(brain abscess), S상정맥동혈전(sigmoid sinus thrombosis), 측정맥동 혈전정맥염(lateral sinus thrombophlebitis), 이성수두증(otic hydrocephalus) 등이 있다. 모든 두개내 합병증은 신경외과 의사와 이비인후과 의사가 협업해야 하며 조기에 치료를 시작하는 것이 예후가 좋다.[31]

1) 뇌수막염(Meningitis)

뇌수막염은 중이염으로 인한 두개내 합병증 중 가장 흔하다. 중이염에 의한 뇌수막염은 다른 합병증을 동반하는 경우가 많지 않고, 발병률은 *H. influenza*와 *S. pneumoniae*와 같은 원인균주의 백신의 개발로 현저하게 감소하는 추세이다. 급성 중이염에서 뇌막염으로의 진행은 기존의 교통로를 통한 전파, 직접적 골미란에 의한 전파, 혈액에 의한 전파에 의하여 발병한다고 알려져 있다. 이외에 선천성 등골고정, Mondini 기형, 거대전정도수관과 같은 기형이 있는 소아에서 중이 내 염증이 뇌척수액으로 전파되기도 한다. 가장 중요한 임상증상은 심한 두통이며, 이외에 고열, 오심, 구토, 경부강직, Kernig 징후, Brudzinski 징후 및 심부건반사의 증가 등을 보일 수 있다. 뇌척수액검사에서 단백이 증가하고 당이 감소하는 것을 볼 수 있다. 영상의학검사로 CT와 MRI를 모두 할 수 있지만 뇌수막염 진단에는 조영증강 MRI가 더 우수하다. 급성 중이염으로 인한 뇌수막염의 경우 항생제 정맥투여와 고막절개술이 기본적 치료방법이고, 신경학적 합병증을 줄이는 스테로이드제를 함께 사용할 수 있다.[2,3]

2) 경막외 농양(Epidural abscess)/ 경막하 농양(Subdural abscess)

경막외 공간은 경막과 두개골 사이의 잠재적인 공간으로서 경막외 농양은 골 파괴에 의한 직접전파가 될 뿐만 아니라 두개내와 두개외를 연결하는 혈전성 정맥염으로 간접적으로 파급되기도 하고 소아의 경우 추체인상봉합(petrosquamous suture)이 골화되지 않아 중이 감염이 중두개와의 경막으로 직접 파급되기도 한다. 대부분 융합성 유양돌기염 또는 진주종을 가진 만성 중이염으로 인해 발생한다. 치료는 유양돌기삭개술과 같은 수술적 치료가 항생제 사용과 함께 시행되어야 한다.[11]

경막하 농양은 경질막(dura)과 연수막(pia arachnoid) 사이에 발생하는 화농성 염증으로 중이염에 의한 농양은 흔치 않다. 진단되면 즉시 신경외과적 수술이 필요한 초응급 질환 중 하나로 발견 즉시 신경외과적인 경막하 농양의 배농이 필요하고, 적절한 항생제를 쓰면서 이 질환의 원인인 중이염을 치료한다. 급성 중이염이 있는 경우에는 고막절개술을 시행한다.[2]

3) 뇌농양(Brain abscess)

급성 또는 만성 중이 내 염증 혹은 측정맥동 혈전정맥염, 추체염, 뇌막염과 같은 인접부위의 감염 때문에 발생한다. 뇌 농양을 일으키는 균은 호기성 균주로 *Streptococcus*, *Staphylococcus*, *Proteus*가 흔하고 혐기성 균으로 *Peptococcus*, *Peptostreptococci*, *Bacteroides fragilis* 등이 알려져 있다. 이성 뇌농양 환자의 증상은 농양의 부위와 중이염의 병리 소견에 따라 다양한 것으로 알려져 있으나 가장 흔한 초기 증상은 두통이며 다른 증상으로 고열, 현훈, 구토, 이통, 이루 등이 있을 수 있으며 심할 경우 의식장애가 발생하기도 한다. 이성 뇌농양의 발생 부위는 크게 측두엽 농양과 소뇌 농양으로 구분할 수 있으며 측두엽 농양이 소뇌 농양보다 2배 정도 흔하게 발생하지만 소뇌 농양의 사망률이 더 높고 다발성인 경우가 더 많으며 대부분의 소뇌 농양은 귀 질환의 합병증으로 발생한다. 전파기전은 다양하나 측두엽 농양은 경막외 농양에 의한 골파괴로 직접전파를 하고, 소뇌농양의 경우 골파괴 또는 기존통로에 의한 전파보다는 혈전성 정맥염 또는 정맥주위염에 의한 경로로 감염된다.[12] 뇌농양으로 인한 국소 증상과 소견은 일정하지 않지만, 소뇌농양에서는 측두엽 농양에서보다 두개내압 상승으로 인한 증상과 소견이 일관되고 분명하게 나타나는 경향이 있다. 진단은 임상적 증상과 징후, 뇌파검사, 뇌척수액검사, 그리고 조영증강 CT나 diffusion weighted MRI와 같은 영상의학적 방법으로 이루어진다. 치료는 항생제의 정맥내 투여가 주된 치료이다. 항생제 치료에도 불구하고 현저한 신경학적 변화를 보이는 환자에게는 신경외과적 수술이 필요하다.[2]

4) 측정맥동 혈전정맥염(Lateral sinus thrombophlebitis)

측정맥동은 유양동과 가까이 있어 유양골의 진주종이나 육아조직 또는 융합성 유양돌기염이 있을 때 염증성 골판의 미란 과정을 통해서 정맥동 내로 직접 염증이 전파되어 혈전이 생기거나 유양돌기 도출정맥(emissary vein)을 통해 정맥동에 염증을 초래하는 질환이다. 항생제 사용 이전의 측정맥동 혈전정맥염은 대부분 소아에서 급성 중이염의 합병증으로 발생하였고 용혈성 연쇄구균(hemolytic streptococcus)에 의한 패혈증형 발열을 보이는 것이 전형적인 증상이었다. 그러나 항생제 사용 이후에는 만성 중이염으로 인한 발생률이 높아졌다. 증상은 복잡한 양상을 띠기도 하지만, 패혈증의 증상과 뇌 정맥혈의 폐쇄로 인한 증상이 나타난다. 40℃를 넘는 고열, 특히 간헐적 고열(picket-fence fever)이 가장 특징적이고, 두통과 유양돌기 부위의 발적과 압통 그리고 흉쇄유돌근을 따라 경부통증을 보인다. 임상적으로 측정동맥동 혈전정맥염이 의심되면 방사선 검사를 해서 조기진단하고 치료해야 한다. MRI와 자기공명혈관조영술(magnetic resonance angiography; MRA)이 측정맥동 혈전정맥염을 확인하기 위한 가장 좋은 진단방법으로 혈전의 위치나 범위를 알 수 있을 뿐 아니라 다른 합병증의 존재 여부도 확인 할 수 있다.

수술은 48시간의 집중적 항생제 치료로써 증상이 호전되지 않을 때 시행하며, 가장 기본적인 원인 병소의 치료는 유양돌기절제술이다. 유양돌기절제술을 완전히 시행하여 정맥동 주위의 농양과 육아조직을 모두 깨끗이 제거해야 하며 정맥동과 결질막 주위의 골판을 제거하고 나서 S상정맥동을 20게이지(gauge) 바늘로 측정맥동을 천자흡입하여 혈액이 흡입되면 더 이상의 조치는 필요 없으며, 혈액의 역류가 없으면 정맥동을 열어 농양과 감염된 혈전을 제거해준다. 항응고제는 혈전이 점점 확장되어 해면정맥동으로 퍼지는 소견이 있을 때 사용할 수 있고, 내경정맥 결찰은 색전증의 소견이 보일 때 시행한다.[2,3]

5. 이성 수두증(Otic hydrocephalus)

이성수두증은 급성 또는 만성 중이염의 드문 합병증으로 뇌수막염이나 뇌농양의 증거 없이 두개내 압력이 증가되는 상태를 말한다. 뇌수막염의 후유증으로 뇌척수액 흡수기능이 손상되어 생기거나 S상정맥동이나 측정맥동의 폐쇄로 인해 정맥유출이 감소하면서 뇌압이 상승하고, 뇌부종이 일어나 급성 두개강 내 고혈압의 증상과 유사한 증상을 나타낸다. 두개내압 상승으로 두통, 구역질, 유두부종, 복시, 시야혼탁 등을 보일 수 있다. 두통이 가장 흔한 증상이고, 300 mmH_2O 이상의 뇌척수액압 상승이 특징적인 소견이며, 급성 중이염을 앓은 지 수주 후에 증상이 나타나며, 주로 소아나 청소년 환자에서 발생한다.

측부정맥유출(collateral venous drainage)이 충분치 않거나, 두개강 내 압력이 지속적으로 높을 경우, 망막정맥폐쇄로 시야가 혼탁해지고 의식수준이 저하되거나 사망에 이를 수 있다. 치료로 적합한 항생제와 수술로 측두골 병변을 제거한다. 두개압을 낮추기 위하여, 코르티코스테로이드(corticosteroid), 아세타졸아마이드(acetazolamide), 푸로세미드(furosemide), 만니톨(mannitol) 등을 사용하고 필요하면 뇌척수액을 배액해 준다. 시신경압박으로 시신경위축을 초래하여 시력을 상실하기도 하기 때문에 시력과 시야를 계속 관찰해야 한다. 합병증을 예방하기 위하여 안과, 신경과, 신경외과 의사와 함께 장기간의 관찰과 처치가 필요하다.[2,3]

참고문헌

1. 김동주, 안성기, 김진평 등. 급성 융합성 유양돌기염:10 증례의 임상적 고찰. 한이인지 2003;46:21-26.
2. 김형종. 중이염의 합병증. 대한이비인후과학회 편. 개정판 이비인후과학-두경부외과학, 1권. 일조각, 2009. p.624-645.
3. 박찬일. 중이염의 합병증. 대한이비인후과학회 편. 이비인후과학-두경부외과학, 1권. 일조각, 2002. p.571-585.
4. 성종화, 김진평, 김동중. 급성 중이염에 합병된 급성 융합성 유양돌기염과 이성 소뇌농양 1례. 한이인지 2000;43:883-886.
5. 안효섭 편. 소아의 영양. 홍창의 소아과학, 제10판. 미래엔, 2012. p.74-107.
6. 유소아 중이염 진료지침. 대한이과학회. 2014.
7. 이선규, 여승근. Microbiology, Biofilms, and Cytokines in Otitis Media With Effusion Current Opinion on Otitis Media with Effusion. 군자출판사, 2012. p.107-135.
8. 이효정, 김지희, 박수경 등. 유소아중이염의 진단및 치료. J Korean Med Assoc 2015;58:635-644.
9. 정명현. 급성 중이염과 삼출성 중이염. 대한이비인후과학회 편. 개정판 이비인후과학-두경부외과학, 1권. 일조각, 2009. p.583-591.
10. 질병관리본부. 대한의사협회. 예방접종 대상 전염병의 역학과 관리. 2013.
11. 홍승노, 김영호, 김종선. 경막외 농양이 합병된 급성 유양돌기염 1예.

한이인지 2013;56:516-521.

12. Antonelli PJ, Dhanani N, Giannoni CM, et al. Impact of resistant pneumococcus on rates of acute mastoiditis. Otolaryngol Head Neck Surg 1999;121(3):190-194.
13. Appelbaum PC. Epidemiology and in vitro susceptibility of drug-resistant Streptococcus pneumoniae. Pediatr Infect Dis J 1996;15:932-934.
14. Arola M, Ziegler T, Ruuskanen O. Respiratory virus infection as a cause of prolonged symptoms in acute otitis media. J Pediatr 1990;116:697-701.
15. Bentdal YE, Haberg SE, Karevold G, et al: Birth characteristics and acute otitis media in early life. Int J Pediatr Otorhinolaryngol 74:168, 2010.
16. Bluestone CD, Klein JO: Otitis media in infants and children, ed 4, Hamilton, Ontario, 2007, BC Decker.
17. Bluestone CD, Klein JO. Otitis Media in Infants and Children, 3rd ed. Philadelphia: WB Saunders, 2001.
18. Bluestone CD, Klein JO. Otitis media and eustachian tube dysfunction. In: Bluestone CD, Stool SE, Alper CM, et al, eds. Pediatric Otolaryngology, 4th ed. Philadelphia: Saunders, 2003, p.474-685.
19. Bylander A, Ivarsson A, Tjernstrom O: Eustachian tube function in normal children and adults. Acta Otolaryngol (Stockh) 92:481, 1981.
20. Casey JR, Pichichero ME. Changes in frequency and pathogens causing acute otitis media in 1995-2003. Pediatr Infect Dis J 2004;23(9):824-828.
21. Casselbrant ML, Brostoff LM, Cantekin EI, et al: Otitis media with effusion in preschool children. Laryngoscope 95(4):428, 1985.
22. Centers for Disease Control and Prevention (CDC). Licensure of a 13-valent pneumococcal conjugate vaccine (PCV13) and recommendations for use among children—Advisory Committee on Immunization Practices (ACIP), 2010. MMWR Morb Mortal Wkly Rep. 2010;59:258-961.
23. Centers for Disease Control and Prevention (CDC). Prevention and control of Influenza with Vaccines: Recommendations of the Advisory Committee on Immunization Practices (ACIP) —United States, 2012-13 Influenza Season. MMWR 2012;61(32):613-618.
24. Chonmaitree T, Revai K, Grady JJ, et al: Viral upper respiratory tract infection and otitis media complication in young children. Clin Infect Dis 46:815, 2009.
25. Chung H, Song JJ, Choi BY. Acute Mastoiditis Cases Mandating Simple Mastoidectomy. Audiology & Otology. 2011;15:44-47.
26. Coticchia J, Zuliani G, Coleman C, et al: Biofilm surface area in the pediatric nasopharynx: chronic rhinosinusitis vs obstructive sleep apnea. Arch Otolaryngol Head Neck Surg 133(2):110, 2007.
27. Doyle WJ, Reilly JS, Jardini L, et al: Effect of palatoplasty on the function of the eustachian tube in children with cleft palate. Cleft Palate J 23(1):63, 1986.
28. Glasscock ME, Shambaugh GE. Surgery of the Ear, 4th ed. Philadelphia: WB Saunders, 1990, p.171-178.
29. Heikkinen T, Chonmaitree T: Importance of respiratory viruses in acute otitis media. Clin Microbiol Rev 16(2):230, 2003.
30. Helen A. Acute otitis media. Postgrad Med 2015;127(4):386-390.
31. Kenna MA. Otitis media with effusion. In:Bailey BJ,Calhoun KH,Kohut RI, et al,eds. Head and Neck Surgery: Otolaryngology, 2nd ed. Philadelphia: Lippincott-Raven, 1998, p.1997-2008.
32. Kim CS, Jung HW, Yoo KY. Prevalence otitis media and allied diseases in Korea. J Korean Med Assoc 1993;8:34-40.
33. Kwon C, Lee HY, Kim MG, Boo SH, Yeo SG. Allergic diseases in children with otitis media with effusion. Int J Pediatr Otorhinolaryngol. 2013;77(2):158-161.
34. Kuhle S, Kirk SFL, Ohinmaa A, et al: The association between childhood overweight and obesity and otitis media. Pediatr Obes 7(2):151, 2012.
35. Lieberthal AS, Carroll AE, Chonmaitree T, Ganiats TG, Hoberman A, Jackson MA, Joffe MD, Miller DT, Rosenfeld RM, Sevilla XD, Schwartz RH, Thomas PA, Tunkel DE. The diagnosis and management of acute otitis media. Pediatrics. 2013;131(3):e964-99.
36. Margaretha LC, Ellen MM. Acute otitis media and otitis media with effusion. In: Paul WF, Bruce HH, Valerie JL, et al. eds. Cummings Otolaryngology. 6th ed. 2015, p. 3019-3037.
37. Michal Luntz, Alexander Brodsky, Simi Nusem, Jona Kronenberg et al. Acute mastoiditis - antibiotic era : a multicenter study. International Journal of Pediatric Otorhinolaryngology 57,2001,1-9.
38. Osma U, Cureoglu S, Hosoglu S. The complications of chronic otitis media: report of 93 cases. J Laryngol Otol 2000;114(2):97-100.
39. Paradise JL, Dollaghan CA, Campbell TF, et al: Otitis media and tympanostomy tube insertion during the first three years of life: developmental outcomes at the age of four years. Pediatrics 112(2):265, 2003.
40. Pukander JS, Karma PH: Persistence of middle-ear effusion and its risk factors after an acute attack of otitis media with effusion. In Lim DJ, Bluestone CD, Klein JO, et al, editors: Recent advances in otitis media: proceedings of the fourth international symposium, Toronto, 1988, BC Decker, p. 8.
41. Subcommittee of Clinical practice Guideline for diagnosis and Management of Acute Otitis Media in children (Japan Otological Society, Japan Society for Pediatric Otorhinolaryngology, Japan Society for Infectious Diseases in Otolaryngology). Clinical practice guidelines for the diagnosis and management of acute otitis media (AOM) in children in Japan. Auris Nasus Larynx 2012;39(1):1-8.
42. Teele DW, Klein JO, Rosner B, et al. Epidemiology of otitis media during the first seven years of life in children in greater Boston: A prospective cohort study. J Infect Dis 1989;160:83-94.
43. Vakharia KT, Shapiro NL, Bhattacharyya N,: Demographic dispari-

ties among children with frequent ear infections in the United States. Laryngoscope 120:1667, 2010.

44. Zachi Grossman, MD, Yoav Zehavi, MD, Eugene Leibovitz, MD. Severe acute mastoiditis admission is not related to delayed antibiotics treatment for antecedent acute otitis media. Pediatr Infect Dis J 2016;35:162-165.

CHAPTER

20

삼출성중이염

김보형

I 삼출성중이염

1. 정의 및 특성

삼출성 중이염은 고막의 천공이나 급성 염증 증상 및 증후 없이 중이강 내에 여러 형태의 점성도를 가진 저류액이 침착되는 질환으로 유소아 난청의 가장 큰 원인으로 알려져 있다.[11] 호발 연령대는 대체로 생후 7개월에서 6세 사이의 유소아 시기이며 겨울철에 많이 발생하는 것으로 보고되고 있다.[36] 삼출성 중이염의 원인에 대해서는 아직 잘 알려져 있지는 않지만 가능성이 높은 원인으로는 이관의 기능 장애, 아데노이드 증식증, 알러지, 비부비동염, 상기도 감염 등을 들 수 있으며 원인 중에 널리 알려진 아데노이드 증식증에 의한 이관의 막힘 현상으로 중이강의 환기기능 저하로 삼출성 중이염이 야기된다는 병인론은 최근의 많은 연구에 의해서 단순한 구조적 증식에 의한 것 보다는 상기도 감염에 의한 아데노이드의 생물막(bio-film)의 활성도에 의해 면역 매개체의 증식을 야기시켜 중

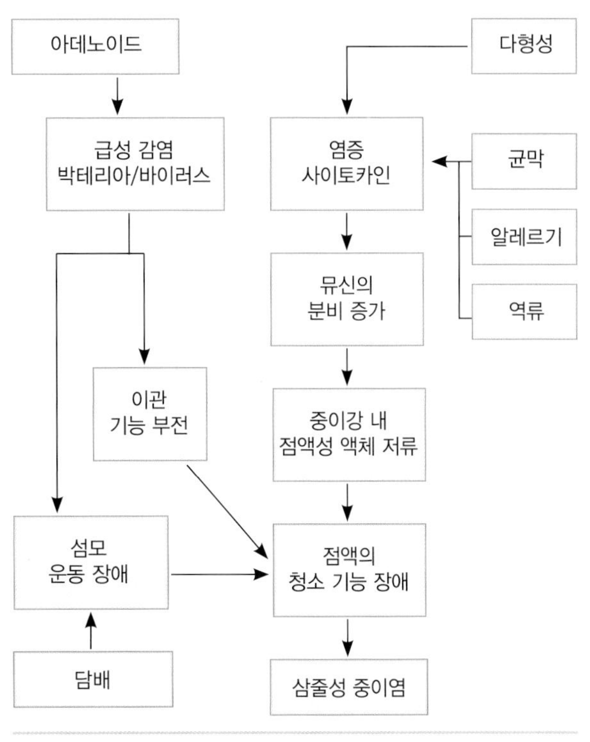

■ 그림 20-1. **삼출성 중이염의 발병 기전**

이강 점막의 뮤신 유전자(mucin gene)의 조절 작용의 이

상 및 염증화에 의해 점막섬모 기능의 감소와 정화 작용의 장애에 의해 발병되는 것으로 보고되고 있다(표 20-1).[11]

임상적 증상으로는 이충만감과 난청을 주로 호소하게 되지만 유소아의 경우 표현력의 제한에 의해 상기도 감염 증세로 병원을 방문할 때 고막 상태를 유심히 관찰할 필요가 있으리라 본다. 대표적인 증상이 난청이므로 이 시기에 진단과 치료가 적절히 시행되지 않으면 언어 습득과 언어 구사능력의 저하와 행동장애 그리고 학습장애를 초래할 수 있다.

국내외적으로 삼출성 중이염 환자의 60% 정도에서 수술적 치료가 시행되고 있지만 다른 상기도 질환과 마찬가지로 대부분은 관찰과 추적을 통하여 약물 및 수술 요법 없이 자연 치유되는 것으로 알려져 있다.[46]

2. 병태 생리

1) 발병기전(Classical pathogenesis)

일반적으로 중이강 내 삼출액의 저류로 야기되는 삼출성 중이염은 이관의 기능 저하로 발생되는 것으로 알려져 있는데, 이관의 정상적인 기능적인 면을 살펴보면 (1) 중이강 내의 저류액의 정화 (2) 환기 (3) 비인강 내의 역류물질로부터의 보호 등을 들 수 있다.[7,9]

중이의 배액 체계는 일찍이 Bluestone의 뒤집은 플라스크 모델로 주로 설명되어 왔는데 플라스크의 몸통 부위를 중이, 좁은 부위를 이관으로 묘사하였다. 중이강 내의 분비물은 주로 점액섬모운동에 의해 중이강에서 비인강으로 이관을 통하여 향하게 되는데 상기도 감염이나 알러지, 비강 내의 점막 병변을 유발하는 조건들 그리고 이관의 비인강 내 입구(목의 입구 부위)의 폐쇄 등에 의해 중이강 내(몸통)의 저류액이 정체되는 과정을 통하여 삼출성 중이염이 발생된다고 발병 과정을 설명하고 있다.[9] 즉 삼출성 중이염은 이관의 기계적 폐쇄와 점액섬모(mucocilliary) 운동의 이상에 의해 중이강 내에 저류액의 축적에 의해 초래한다고 본다.[20]

이관이 열려 있을 때는 중이강과 비인강의 압력은 동일하게 나타나는데 이 과정은 인위적인 Valsalva법이나 구개범장근(tensor veli palatini)에 의한 구개상승운동(palatal elevation)에 의해서도 나타난다.[31] 중이강 내의 가스 교환 비율은 1 ml/24 hr로 알려져 있는데 hydrops ex vacuo theory에 의하면 중이강이 음압 상태로 지속되면 점막 내의 점액이 분비되면서 중이강 내에 저류액의 형태로 고이게 된다. 이 과정이 삼출성 중이염의 주 발생 과정이라고 알려져 있다.[18]

2) 유소아 이관의 특징

유소아 시기의 이관은 어른에 비해 발육이 완전히 이루어지지 않아서 짧고 수평적으로 위치하며 비인강 부위의 개구 시간이 상대적으로 짧은 것으로 알려져 있으며, 상기도 감염 등에 의해 호흡기 점막의 부종 변화에 따라 이관의 개구부가 쉽게 막히게 되며 그리고 수평적 이관의 위치로 인하여 쉽게 호흡기 감염인자들이 중이강으로 흘러들어 갈 수 있다. 또한 중이강 내에 축적된 저류액은 이관을 통하여 쉽게 정화와 배출이 되지 못하는 것으로 알려져 있다.[11]

3) 유병률

우리나라의 최근 유병률은 유소아 시기 기준으로 10% 정도를 상회한다고 하며, 이는 의료환경, 사회경제적환경 요인과 밀접한 관련이 있다고 한다.[12] 이 시기는 대개 이관의 구조적, 기능적 성숙도와 밀접한 관련이 있으며 한번 발병하게 되면 치유와 재발의 반복 과정을 지니는 특성이 있다고 한다. 그리고 불완전 치유를 통해 학습이나 언어 습득력과 구사력의 지장을 초래하여 환자 및 가족 내의 삶의 질에도 영향을 미치는 것을 알 수 있다.

3. 원인

원인에 대한 다양한 연구가 진행되고 있지만 현재까지

의 흐름은 감염성으로는 생물막, 면역학적으로는 알러지에 대한 연구보고가 국내외적으로 많이 보고되고 있으며 과거와 달리 많이 받아들여지고 있는 추세이다.

1) 해부 생리학적 발병의 기전과 원인(Modern Pathophysiogenesis)

삼출성 중이염의 대표적인 원인으로 알려진 이관 기능의 부전에 대한 병인론과 구조적 그리고 체계적 기전에 대해서는 아직 정확하게 밝혀지지 않은 상태이다.[29] 과거 연구에서는 삼출액은 무균성이라고 알려졌지만 무증상 삼출액에서 세균의 양성 동정으로 현재 원인 병원체에 대한 연구가 활발히 진행되고 있다.[24]

그리고 과거 아데노이드 증식증만으로 이관의 부전을 야기하는 대표적인 구조적 원인으로 알려진 사실은 현재 역설적으로 변하고 있다. 즉 아데노이드 증식증의 모두가 삼출성 중이염으로 진행되지 않으며, 삼출성 중이염 환자의 모두가 아데노이드 증식증을 가지고 있는 것도 아니다.[22,23]

급성 중이염과 마찬가지로 삼출성 중이염은 감염성 질환으로 현재 간주되고 있는데 원인 감염 경로로는 역시 이관을 통해서 감염원이 정상고막 내의 중이강으로 전달되는 것으로 알려져 있다.[11]

삼출성 중이염의 경우 급성 중이염과 달리 무증상의 시기가 오래가는 것은 그만큼 특별한 단독 원인에 의한 것보다는 복합적 요소에 의해 점진적으로 발병하는 것을 특징으로 하는 것으로, 최근의 연구에서는 발병 원인으로 생물막이 크게 부각되고 있으며 그 외 중이강 내의 환기 부전, 알러지, 환경 유전적 요인, 위식도 역류증 등을 들 수 있다.[17,19,22,25,39]

고막절개술을 시행한 삼출성 중이염 환자의 저류액 내에서 전체 1/3에서 세균이 동정되었는데 이러한 병원균은 대개 비인강 내의 생물막과 일치하는 것으로 알려져 있다.

아데노이드는 그 크기에 따라서 부비동과 호흡기의 급성, 재발성 그리고 만성 질환의 원인으로 알려져 있는데 비인강의 비후와 이관의 이차적 폐쇄 그리고 재발성 감염에 의한 내성균의 저장소로 작용하기도 한다.[19] 아데노이드 표면과 심층 조직의 세균검사에서 대표적으로 동정되는 균주로는 *Streptococcus pneumoniae*, *nontypable Hemophillus influenzae*와 *Moraxella catarrhalis*가 대표적이며 삼출성 중이염의 저류액과 아데노이드 조직의 균배양검사에서도 동일 결과가 많이 보고됨에 따라 아데노이드 생물막이 삼출성 중이염의 발병의 큰 원인 요소로 작용한다고 본다.[2,44]

2) 생물막(Biofilm)의 역할 및 기전

생물막의 병인론적 발병 과정을 알아보면 생물막은 세포의 다형중합체형질(extracellular polymeric substance; EPS)이 풍부한 세균이 대사과정 중 휴식기인 형태로 조직의 기질 내에 박혀 있는 형태로 존재하며 초기에는 생체 조직 표면에 고착화 과정을 통하여 성장과 증식을 지속하게 된다. 생물막 내의 세균의 균주 수는 제한된 영양물질 환경에 의해 그 개체 수가 증가할 수는 없지만 독특한 전사체를 가지고 있다. 그리고 유전물질의 교류를 통해서 기존의 면역체계에 저항력을 지니며 특히 항생제에 내성을 지니는 경우가 많으며 항생제뿐만 아니라 외과적 제거, 방사선이나 열 등에 쉽게 제거되지 않는 것으로 알려져 있다.[45] 항균제의 작용은 생물막의 표면에 부유적 운동성(planktonic)을 가진 세균에만 작용하며 중심부에 고착화된 형태에 존재하는 세균에는 항균력이 미치지 못하게 되며 반복된 진화 과정을 통하여 염증반응을 더 악화시키는 것으로 알려져 있다. 그리고 중심부에서 이탈된 부유성 세균은 다른 곳으로 이동하여 새로운 표적에 염증과 새로운 생물막을 형성한다. 이러한 세균들의 변이성 변화를 통하여 일반적으로 알려진 원인균에 대한 치료에 새로운 지침이 생겨나고 있으며 일반적 세균배양검사에서 삼출성 중이염의 진단과 치료에 과거 기준에 근거한 치료가 많이 수정되고 있는 상태이다. 생물막 내에 있는 세균은 부유상태에 비하여 항생제 내성이 1,000

배 정도 높은 것으로 알려져 있다.[27]

이러한 생물막의 특징을 요약해 보면 (1) 항생제의 투과력이 떨어져 내성이 크며 (2) 산소와 영양분의 요구가 적고 (3) 저항 유전자(resistance gene)의 발현력이 우수하며 (4) 생명력(cell-to-cell signaling)이 뛰어나다고 할 수 있다.

최근 연구 결과 아데노이드가 생물막의 비축소 역할을 한다고 알려져 아데노이드 적출술에 대한 새로운 근거를 제시하고 있는데 대부분 완전 제거술과 소작술을 동시에 시행하는 것을 추천하고 있다.[23]

3) 원인균 분석

저류액 균배양검사에서 20~40%에서 균이 동정되며 대표적인 균으로는 *Streptococcus pneumoniae*, *Haemophilus influenzae*, *Moraxella catarrhalis*이다. 나머지 40~60%에서 균동정검사 음성으로 판정되는데 이 경우 저성장 세균, mycoplasm과 바이러스나 혐기성세균에서 추출된 세포간물질(intracellular organisms) 그리고 생물막으로 알려져 있다.[23]

저류액의 점성도에 따른 균 동정 보고에 따르면 점액성과 화농성 저류액에서 균이 많이 동정되며 저류액의 점성도가 증가할수록 재발률과 지속율에 영향을 주는 것으로 알려져 있다.[13] 그리고 약물치료에 의해 점성도는 점차 장액성으로 대다수 치환되지만 그렇다고 합병증의 발생률에 영향을 미치지는 않는 것으로 알려지고 있다.[5] 바이러스의 경우 rhinovirus가 비인강뿐만 아니라 삼출성 중이염의 저류액에서 제일 많이 검출되는 것으로 보고되고 있다.[43] 상기도 질환을 유발하는 바이러스는 대개 이차적인 세균성 감염과 많이 관련되는데 Influenza A는 *Streptococcus pneumoniae*와, *Respiraratory syncitial virus*는 *Haemophillus influenza*와 상호 감염을 잘 일으키는 것으로 알려져 있다.[25,29,43]

4) 아데노이드 생물막

아데노이드 크기 자체는 삼출성 중이염을 유발하는 결정적 요인은 되지 못하며 아데노이드에서 발현되는 세균의 군체 형성의 정도가 중요한 병인으로 작용한다. 그리고 아데노이드 자체는 이관 폐쇄를 유발하는 구조적 요인보다는 만성 삼출성 중이염의 염증성 기전의 저장소 역할을 하는 것으로 이 또한 아데노이드 생물막의 병인론에 영향을 미친다고 볼 수 있다.[25]

저류액과 생물막에서 공통적으로 발현되는 대표적인 균주로는 *Streptococcus pneumoniae*, *Haemophilus influenzae*, *Moraxella catarrhalis*이며 이들 균주는 각각의 발현 정도가 삼출성 중이염의 만성화에 영향을 미치는 것으로 알려져 있다.[21]

5) 알러지와의 관계

(1) 배경

기존 항생제와 보존적 요법에 잘 치료 되지 않는 삼출성 중이염에 대해서 그 발생 원인에 알러지가 관여하리라는 보고가 많았으며 특히 이러한 환자에게서 항알러지 약물 병용 치료를 통하여 만족할 만한 치료 효과를 보았다는 보고가 증가하고 있다.

최근에는 구조적으로 중이강은 비인강과 이관으로 구성된 하나의 공기 통로의 요소로 보고 있으며, 특히 비강의 알러지 반응으로 이관의 부종과 막힘을 초래하여 중이강 내의 음압 반응에 의하여 환기 작용의 장애를 일으킨다고 한다. 이러한 과정으로 일시적인 이관의 개방을 통하여 비인강 내의 병원체가 포함된 체액의 중이강 내로의 유입현상이 나타난다고 한다.[36]

그러므로 알러지성 비염에 의해서 야기된 이관기능장애는 중이강 내의 점막에 병변을 야기시키고 점점 진행되어 이관의 막힘이 지속됨을 알 수 있다. 이러한 기전을 통하여 저류액내의 병원소들에 의한 점막의 염증 반응이 지속되어 이관 점막의 표면활성 물질(surfactant)의 희석화와 점액섬모운동의 저하로 급성기와 만성기로 진행될 수 있음을 알수 있다.

(2) 저류액 양상

알러지 또는 천식을 동반하고 있는 삼출성 중이염 환자의 저류액의 대부분은 장액성으로 나타나며 점액성 및 화농성의 경우 세균 감염에 의해 나타나는 것이 상대적으로 많은 것으로 보고되고 있는데 장액성 저류액에서 알러지 반응의 부산물인 ECP의 양이 증가함을 알 수 있어 알러지와의 관계에 대한 연구가 활발히 진행되고 있다.[48]

(3) 점막의 염증 반응에 관련된 사이토카인(Cytokines)

비인강 점막의 염증성 변화에 의해 이관의 기능장애가 발생되면 초기에는 중이강 내에 전염증성 사이토카인(proinflammatory cytokines)을 발현시키는 것으로 알려져 있다.[4] 과거부터 오랜 기간 동안 알러지는 이관 점막의 부종 변화를 초래하여 중이강 내의 점막 내벽의 손상으로 삼출성 중이염이 발생하는 것으로 알려져 있는데 이 과정에서 중이강 내에 중성구(neutrophil)의 증식을 초래하여 염증 반응을 지속시킨다고 한다.[26]

아토피성 질환을 지닌 삼출성 중이염 환자의 점막과 저류액 내의 사이토카인과 세포 요소들은 알러지 반응과 밀접한 관련이 있으며 이러한 알러지성 사이토카인은 중이강 내에 저류액의 생성을 방해하기도 하는 것으로 알려지고 있다.[33]

알러지뿐만 아니라 기존의 병원균성 삼출성 중이염에 관련된 사이토카인의 연구에서 대표적인 것으로는 TNF-α로 이것은 주로 병원균에 반응하여 활성화된 대식세포(macrophage)에서 생성되며 중이강 내벽의 혈관의 투과성을 증가시키는 것으로 알려졌다. 그리고 TNF-α는 중이강 내의 점막세포의 형질변성(metaplasia), 과증식(hyperplasia)을 초래하여 삼출성 중이염 발병 기간 동안 과도한 점액(mucus)의 형성에도 관여한다고 한다.[28]

세균의 내독소는 정상 면역세포의 파괴와 사이토카인의 조절작용을 방해하여 과도한 염증 반응과 조직 괴사에 관여한다고 한다.[31] 그 외 삼출성 중이염에 관련된 사이토카인으로 IL-β는 염증의 정도에 따라 가장 대표적으로 증가하여 점막 내벽에 염증성 부종 변화를 초래하며, IL-6는 섬유아세포(fibroblast), 골아세포(osteoblast)의 증식을 유발하여 중이강 내의 골조직의 부식과 고실경화성 변성과 만성화에 관여하며, IL-8은 중성구의 증식과 조직 파괴, 혈관조직재생에 관여 한다고 알려졌다.[26] 따라서 IL-6, IL-8은 만성 삼출성 중이염의 발병에 관여하며, TNF-α와 IL-β는 세균의 증식과도 밀접한 관련이 있음을 알 수 있다.

4. 중이, 내이에 미치는 영향

1) 저류액의 구성

저류액은 대개 점액성, 화농성 그리고 장액성의 형태로 점성도(viscosity)가 증가할수록 병의 재발률과 만성화에 영향을 주는 것으로 알려지고 있다.[12] 기존의 약물치료에 의해 저류액의 점성도는 장액성으로 대부분 전환되지만 합병증의 발생률에는 영향을 미치지 않는 것으로 알려진다.[5]

중이 삼출액의 구성은 매우 다양하지만 주성분은 뮤신(mucin) 점성물질이다. 뮤신은 당단백계이며 중이강에서 이관을 통한 비인강으로의 점액 섬모운동과 정화작용에 중요한 성분이다.[32] 그리고 삼출액에는 분비성(IgA secretory IgA), 염증성 사이토카인(inflammatory cytokines), 리소자임(lysozyme) 등이 포함되어 있다.[14] 그리고 감염 같은 비정상적인 상황에서 뮤신은 세균의 막에 부착되어 뮤신 대사작용의 변성으로 삼출성 중이염을 유발하여 점액섬모청소(mucociliary clearance)에 장애를 준다고 한다.

정상 중이의 뮤신은 주로 MUC5B이며 만성 질환이나 점액성(mucoid) 삼출성 중이염 상태에서는 염증세포에 의해 MUC4와 함께 과증식된다고 하며 glycoprotein의 함량도 증가되어 점성도가 짙어져 점액섬모청소에 지장을 초래한다고 한다.[32,41] 대개의 경우 환기관 삽입술에 의해 치유되지만 재발성이 높을 경우 고식적 수술치료, 편도 및 아데노이드절제술도 같이 시행하는 경우가 많다.[47]

2) 유양동에 미치는 영향

삼출성 중이염의 경과에 따라 유소아의 유양동mastoid cavity의 발육에 영향을 미치는 것으로 알려지고 있다.[7] 유양동은 중이강 내의 압력에 완충작용을 하는 것으로 발육 저하가 발생되면 중이강 내의 공기 흐름에 영향을 미쳐 삼출성 중이염 발생의 가능성을 증가시키며 중이강 내의 염증변화를 일으켜 계속적인 중이강 내의 질병 발생 등을 유발하는 악순환의 고리를 제공한다고 한다.[39] 그러므로 4세 이하의 유소아에서 발생되는 삼출성 중이염의 경우 가급적 2개월 이내 치료가 이루어지도록 하는 것이 좋으며 6개월 이상 치료가 되지 않는 경우 유양동 발육에 문제를 일으켜 만성적 중이 질환을 일으키는 기회를 제공하는 것으로 생각된다.

3) 내이에 미치는 영향

중이강 내의 염증성 변화가 지속되면 정원창을 통하여 이독성 물질이 통과하여 내이에 독성변화를 유발한다고 한다.[15] 중이 저류액의 세균자체뿐만 아니라 대사 부산물들이 정원창를 통해 내이에 침투하여 와우 내의 청신경세포와 측벽의 손상을 주는 것으로 특히 이 과정에서는 염증성 사이토카인이 주 매개체가 되는데 대표적인 사이토카인으로는 IFN-γ, IL-1β, 그리고 IL-2 등이 알려져 있다.[7,31,33,48]

최근에는 세균보다는 바이러스에 기인한 중이 내 염증변화에 의해 내이의 독성변화가 많이 초래된다고 하는데 그 기진으로는 바이러스성 상기도 감염에 의해 이관의 점막 내에서 바이러스의 자가복제를 통해 세포 독성효과를 보이는 사이토카인이 분비되어 점막의 분비물 증가와 부종변화, 점액 및 점액 섬모운동의 부조화와 손상으로 중이강 내의 압력을 저하시키며 이차적인 세균성 감염의 기회를 증폭시킨다고 한다.[15]

이러한 반응에 의해 상기도 감염 후 3~4주 후 내이 내의 독성변화의 결과로 돌발성 난청과 비슷한 감각신경성 난청이 발생할 수 있으며 이 경우의 측두골 단층 촬영 소견은 특징적으로 반고리관 주변의 측두골 함기화가 특별히 감소된 경우가 많은 것으로 관찰되고 있다.[37]

5. 진단

환자의 연령이 너무 어릴 때는 협조 부족과 두려움 등으로 울음을 터뜨릴 때 고막의 발적 현상으로 진단의 어려움이 있지만, 이경검사를 통하여 고막의 형태는 꼭 확인하는 것이 제일 중요한 진단적 수단임을 알아야 한다.

이경검사를 통한 고막의 운동성 및 색깔 그리고 기포(air-bubble), 팽윤 양상 및 함몰 정도 등을 관찰하여 정상고막과 다름을 주지하여 보호자에게 병의 정도를 인지시켜 주는 것이 꼭 필요할 것으로 본다.[18]

고실 계측 검사(tympanometry)는 삼출성 중이염 진단 및 치료 효과판정에서 중요한 진단 검사로 대개 B type으로 측정되는데 이는 평균 25 dB 이하의 청력 감소 소견과 유의하며, 75% 이상의 특이성을 지니게 된다. 하지만 양측 청력이 25 dB 이상 떨어진 환자의 검사에서는 2% 이상에서 B type이 관찰되지 않으므로 주의를 요한다.[46]

삼출성 중이염과 관련되어 주의 깊게 관찰하여야 할 주의 그룹으로는 1) 삼출성 중이염과 별개의 감각신경성 난청을 가지고 있는 환자 2) 교정되지 않은 시야이상 환자 3) 다운증후군과 구개안면이형성증 4) 구개열 5) 자폐증, 전반적 발달장애 동반자 6) 말과 언어사용 지체 7) 인지장애 등이다.[18]

6. 주요 증상

삼출성 중이염은 급성 감염의 증상과 증후 없이 다양

표 20-1. 삼출성 중이염에 권장되는 약물요법

Agents	Comments	Pediatric Dose	Dosage interval	β-lactamase Resistance
1. Prophylactic antibiotics				
1) Amoxicillin (Amoxil)	Requires refrigeration, every 2 weeks	20 mg/kg/d	Daily	None
2) Sulfisoxazole (Gantrisin)		50~75 mg/kg/d	Daily	Good
2. 1st-line antibiotic therapy				
1) Amoxicillin (Amoxil)	If penicillin tolerant	40 mg/kg/d	8h	None
2) TMP-SMZ (Bactrim; Septra)	If penicillin allergic	1tsp each 10lb	12h	Good
3. 2nd-line antibiotic therapy				
1) Amoxicillin-clavulanate (Augmentin)	15~20% GI upset based on AMX	40 mg/kg/d based on AMX	8h	Excellent
2) Cefaclor	Serum sickness	40 mg/kg/d	8~12h	Fair
3) Cefprozil (Cefzil)		15 mg/kg/d	12h	Good
4) Cefexime (Suprax)	20~30% GI upset	8 mg/kg/d	Daily	Excellent
5) Cefpodoxime (Vantin)	Well tolerated Broad spectrum	10 mg/kg/d	12h	Excellent
6) EM-sulfisoxazole (Pediazole)	Inconvenient dosage schedule	50 mg/kg/d based on EM	6h	Good
7) Loracarbef (Lorabid)	Give 1hour before or 2hours after meal	30 mg/kg/d	12h	Good
4. Oral steroids				
1) Prednisolone (Pediapred, Prelone)	Together with antibiotics	1 mg/kg/d for 5d; 0.5 mg/kg/d for 5d	Daily	-
2) Prednisone (Luquid Pred)	Together with antibiotics	Same as Prednisolone	Daily	-

TMP-SMZ=Trimethoprim-sulfamethoxazole; AMX=Amoxicillin; EM=Erythromycin

한 형태의 전도성난청 소견을 보인다. 특히 상기도 감염 환아의 경우, 이경검사, 비강검사 그리고 구인두검사를 종합하여 보면, 이경검사에서의 이상 소견 비율이 다른 부위 검사보다 더 높으며 기간도 오래감을 알 수 있다.[38] 그러므로 중이강 내의 저류액의 점성도가 증가하는 소견과 이관기능의 부전이 한 달 이상 지속되며 고막운동 검사에서 계속해서 B형이 나올 경우, 난청 예방을 위해서 꼭 환기관 삽입술을 고려하여야 된다고 본다.

7. 치료(표 20-1)

삼출성 중이염의 초기 치료는 항생제, 항히스타민제, 진해거담제 그리고 비충혈완화제 등의 약물치료를 시행하며, 수개월 이상 지속될 경우는 고막절개와 환기관 삽입술 등의 수술적 치료를 시행하기도 한다.[11]

항생제는 급성 중이염 시기에 부적당한 양을 투여했거나 조기 중단하여 저류액이 생긴 경우, 점액성 또는 농성 저류액이 있을 때 유효하다. 항생제로는 amoxicillin, erythromycin, erythromycin/sulfisoxazole, trimethoprim/sulfamethoxazole, sulfisoxazole, cefaclor, 그리고 amoxicillin/clavulanate 등을 사용할 수 있다. 현재 β-lactamase를 생성하는 H. influenzae나 M. catarrhalis, 페니실린 저항성 폐렴구균 등의 항생제에 대한 저항성이 증가하고 있다. 환자의 성별, 연령, 중이염의 경중, 이환 기간의 정도, 재발 정도, 계절 등과 같은 위험인자들을 고려하여 각 환자에게 적절한 항생제를 선택해야 한다. 일반적으로 널리 사용되고 있는 일차 약물로 대표적인 Amoxicillin은 안전하고 경제적이며, 삼출성 중이염의 흔한 원인균들에 대하여 효과적일 뿐 아니라 80~90 mg/kg/day의 대용량을 투여할 경우 일부 페니실린 저항성 폐렴구균에도 효과적이다. 최근 4주 이내에 amoxicillin을 투여하였으나 효과가 없는 경우, amoxicillin/clavulanate나 2세대 또는 3세대 cephalosporine 제제 같은 β-lactamase에 안정적인 제제를 투여할 수 있다. 이 외에 β-lactamase 생성균주에 효과적으로 쓸 수 있는 약제는 azithromycin, loracarbef, clarithromycin 등이다(표 20-1).[1]

항생제의 투여기간은 현재 잘 정립되어 있지 않지만, 대부분의 약물은 10일 정도 투여하는 것이 바람직하다. 국내외적으로 삼출성 중이염 환자의 60% 정도에서 수술적 치료가 시행되고 있지만, 다른 질환과 마찬가지로 삼출성 중이염의 대부분은 관찰과 추적을 통하여 약물 및 수술요법 없이 치유되는 것으로 알려져 있다.

1) 치료 가이드라인(General concept)

무증상의 삼출성 중이염의 치료에 대해서는 아직 논란의 여지가 많은 것으로 알려지고 있다. 하지만 다음과 같은 가이드라인을 기준으로 진단과 치료를 시행하는 것이 널리 추천되고 있다.[6]

소아 삼출성 중이염의 병력과 이학적 검사를 토대로 작성하여 보면, 초기 진단 시 통기성 이경검사가 시행되어야 하며 급성 중이염과 구분이 되어야 한다.[6] 즉, 급성 중이염의 증상과 증후 없이 고막의 이경소견으로 물거품 현상(air-bubble), 공기액체층(air-fluid level)이나 거품 현상이 고막 내측에 관찰되어야 하며 고막은 대체적으로 탁한 형태이거나 불투명한 색상을 지니며, 운동성이 저하된 소견으로 관찰되어야 한다. 고실계측검사(Tymopanometry)는 삼출성 중이염의 확진 검사로 사용될 수 있다. 이는 4개월 이상된 영유아부터 사용 가능하다고 본다(226 Hz probe tone).

대개의 삼출성 중이염은 자연 치유되는 확률이 높지만, 다음과 같은 그룹은 적절한 관찰을 요하는 위험군으로 분류된다. 고위험군으로는 (1) 여름이나 가을에 발생한 삼출성 중이염 (2) 건측과 비교 30 dB 이상 난청이 관찰되는 경우 (3) 아데노이드 절제술을 시행하지 않은 경우 (4) 과거 환기관 삽입술의 경험이 있는 경우 (5) 중이 저류액이 이미 몇 개월 이상 지속된 경우이며 수술적 치료(환기관 삽입술)가 요구되는 조건으로는 난청이나 고막함몰 같은 이상 소견을 동반하는 4개월 이상 지속된 삼출성 중이염 환자이거나 균형장애(imbalance), 이상수면장애, 이통 그리고 짜증을 많이 내는 환자의 경우는 4개월 이내에 수술적 치료가 적극 추천된다.[6]

우리나라의 경우도 환기관 삽입술이 가장 흔한 수술적 치료방법이며 만일 적응증이 된다면 편도와 아데노이드 수술을 동시에 시행하는 경우가 많은 것으로 알려졌지만, 최근에는 환기관 삽입술을 반복적으로 시행하여야 할 경우에 동시 시행하는 것을 권고하고 있다.[10,18]

2) 환기관 삽입술에 대한 가이드라인

삼출성 중이염 치료에서 수술적 치료(환기관 삽입술)가 고려되는 경우는 (1) 4개월 이상 지속되는 삼출성 중이염, (2) 난청이 계속 지속되는 경우 (3) 다른 증상과 증후가 동반되는 경우 (4) 재발 (5) 난청과 삼출성 중이염과 관계없는 고위험군의 경우 (6) 고막과 중이강 내의 구조적 변화가 관찰되는 경우로 들 수 있다.[8]

삼출성 중이염 환자의 첫 수술치료에서 아데노이드절제술은 아데노이드에 의한 자체 염증과, 후비강 폐쇄증 그리고 부비동염의 발생이 동반되지 않으면 시행하지 않는 것이 추천되고 있다.

환기관 삽입술을 처음 시행받은 환자의 20~50%에서 환기관 자연이탈 이후 삼출성 중이염이 재발되며 재수술을 하는 경우는 아데노이드절제술을 같이 시행하는 것으로 한다.[8] 아데노이드절제술은 2세 이후 효과가 있으며 아데노이드 크기와는 무관한 것으로 알려지고 있다. 따라서 고막절개 및 아데노이드절제술은 4세 이후의 환자에게서 시행하는 것을 권고하며, 중이강 내의 염증으로 인해 저류액의 소멸이 미미해 보일 경우는 환기관 삽입을 시행하는 것이 좋을 것으로 추천한다.[7,9] 그리고 재발성 및 만성으로 진행된 삼출성 중이염의 경우는 고막절개 단독보다는 환기관 삽입술과 아데노이드절제술을 같이 시행하는 것이 좋다고 한다.[9]

3) 환기관 삽입술에 따른 합병증

대표적인 합병증으로는 (1) 지속적인 이루 (2) 고막천공 (3) 위축성 반흔 형성 (4) 고실 또는 고막경화증 (5) 육아종 (6) 진주종 (7) 감각신경성 난청 등이 알려져 있으며 이러한 합병증은 치료하지 않은 삼출성 중이염의 합병증으로도 발생할 수 있다.[1,10]

진주종 발생 가능성의 기전으로는 변형된 고막의 상피조직의 고실내 전이(epithelical migration)를 통하여 발생하며 이 과정은 이관 부전이 심할수록 더 쉽게 나타나며 삼출성 중이염의 경과 과정이나 환기관 삽입의 후유증으로 발생할 수 있다.[1]

지속적인 이루의 예방과 치료를 위해서는 Quinolone계의 이용액(eardrop)의 사용을 추천하는데 이는 삽입술 시행 전과 후, 병변 부위에 사용하여 이루의 발생율을 현저히 감소시킬 수 있으며, 필요 이상의 경구 항생제의 남용을 피할 수 있다.[27]

4) 예방적 백신 요법

현재 널리 사용되고 있는 백신으로는 PCV7 (seven-valent pneumococeal conjugate vaccine)과 PHiD-CV10 (10-valet pneumocccal Hemophilus influenzae protein D vaccine)이며 사용 시기는 삼출성 중이염, 급성 중이염의 유병률이 높은 시기보다는 일찍 사용하는 것이 좋다고 하며, 43% 정도 발병률의 저하를 보인다고 보고되고 있다.[40]

II 이관기능 장애 (Eustachian tube dysfunction)

이관은 중이 내의 가스 교환, 분비물의 정화, 환기 그리고 비인강으로부터 흡입되는 역류 물질과 소리에 대해 보호 역할을 한다.[8,20] 이관은 대개 평상시에는 닫혀 있으며, 삼키거나, 하품 시 그리고 기타 자발적이거나 비자발적 활동에 의해 열리게 된다. 개구시간은 보통 0.5초 정도로 알려져 있다.[2,20] 성인 이관의 길이는 35~38 mm이며 26 mm 정도는 연골섬유조직(fibrocartilage tissue)으로 구성되어 있다.[21]

이관의 닫힘 역할은 서로 다른 위치의 점막과 점막하조직의 밸브작용과 지방조직(Ostmann's fat pad), 근육 그리고 연골에 의해 이루어진다. 이관의 밸브의 길이는 약 5 mm이며 비인강 개구부 즉, 귀인두관융기(torus tubarius)에서 10 mm 거리에 있는 이관의 연골부에 위치한다.[20]

1. 개방성 이관(Patulous eustachian tube)

이관기능장애의 대표적인 질환으로 불안정한 이관의 열림 상태의 지속으로 자성강청(autophony)을 유발한다.[20] 이 경우 대개 환자들은 터널 내에서와 같은 바람 소리 그리고 울림, 자기 발성 소리와 숨소리 등이 크게 울려 들린다고 호소한다. 이 현상은 자발적으로도 발생할 수 있지만, 심한 운동 즉, 말을 많이 하거나 비강 혹은 구강

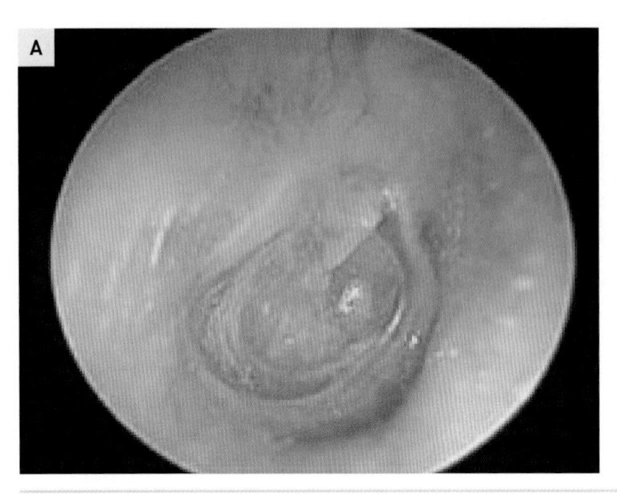

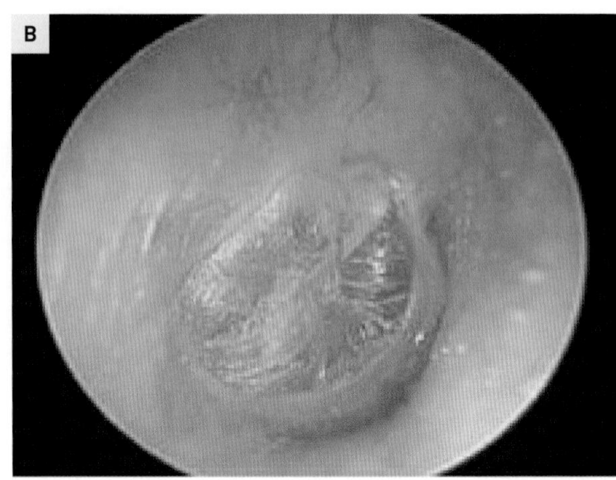

■ 그림 20-2. **고막의 과운동성을 유발하는 개방성 이관**

용 비충혈제를 사용시 나타날 수 있으며 증상에 따라 심한 정신적 고통을 호소하기도 한다.

1) 원인과 진단

주 증상은 주로 누워 있을 때 보다는 서 있을 때 발생하게 되며 코를 훌쩍거리거나, 동측의 내경정맥을 누르거나, 상기도 감염 그리고 알러지에 의해 일시적으로 증상이 소실되는 경우도 있다. 개방성 이관의 주 병인은 이관 주변의 지방층 조직 내 부피 감소와 주변 근육들(구개범장근(tensor veli palatini), 구개범거근(levator veli palatini), 이관인두근(salpingopharyngeus)의 비정상 운동 그리고 익상정맥총(pterygoid venus plexus)의 부전에 의해 닫힘 운동의 부실에 의해 발생한다고 주로 알려져 있다.[21]

진단은 앉은 자세로 환자에게 비호흡을 시켰을 때 고막의 움직임이 관찰될 때 확진할 수 있으며 이때 고막은 탄력성이 약해 보이는 것이 대부분이다(그림 20-2).[30] 누워 있을 경우 정맥의 울혈현상으로 이관이 닫혀지게 된다.[42]

정상적인 이관의 닫힘 현상을 비내시경으로 관찰하면, 밸브 주위의 전측방 부위의 상부에서 길게 오목히 들어간 부위가 관찰되며, 개구시는 내측 중앙으로 길게 들어간 형태로 관찰된다(그림 20-3, 4).[16]

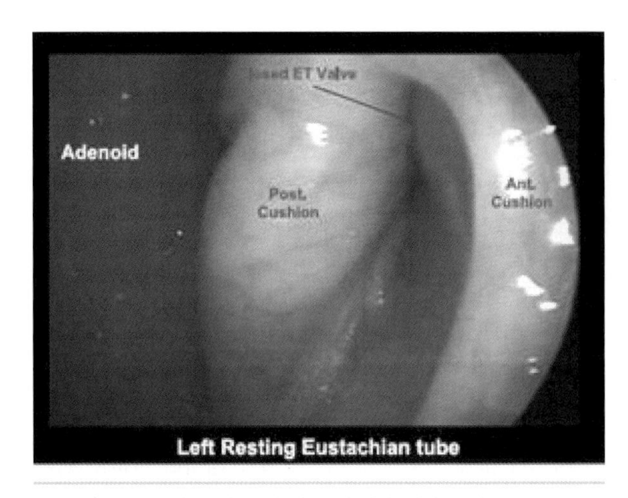

■ 그림 20-3. **안정 시 닫혀 있는 상태의 정상 이관**

고실계측검사(tympanometry) 시에는 환자에게 숨을 쉬게 하고, 숨을 멈추게 하면서 시행하며, 고막은 대개 음압 형태이거나 과운동 형태로 나타난다.[18]

병리소견으로는 연골부위 조직의 부피 감소에 의해 야기된다고 하는데, 이는 급작스런 체중 감소에 의해 나타나는 경우가 대표적인 것으로 알려져 있다. 그 외의 원인으로는 호르몬 치료 특히 에스트로겐 계열 약물 투여, 아데노이드절제술 후, 방사선치료, 소아마비, 다발성 경화증(multiple sclerosis), 신경근육계 질환, 뇌졸중, 악관절 이상, 부정교합, 두개안면 이상 및 손상, 구개부 경련증

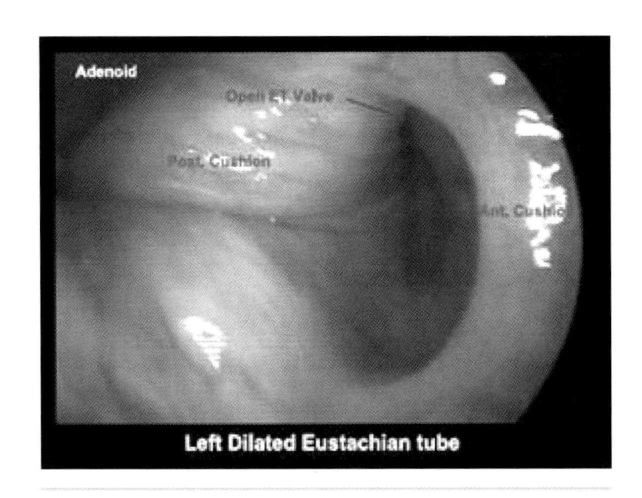

■ 그림 20-4. **이완시 열려 있는 상태의 정상 이관**

등에 의해 나타나기도 한다.[4]

최근에는 상반고리관피열증후군(Superior semicircular canal dehiscence syndrome)이 개방성 이관의 감별진단으로 많이 부각되고 있는데, 개방성 이관와 비슷한 증상을 보이지만, 이 경우는 누워 있어도 증상의 소실이 없으며 고해상도 CT scan을 통하여 상반고리관 골결손부위를 관찰하여 진단한다.[22]

2) 치료

대개의 환자는 심리적으로 불안해 하기 때문에 무엇보다도 심리적 안정을 취하는 것이 필요하며 영양 상태나 체중에 따라서 식이 섭취량의 증량을 추천하기도 한다. 비충혈 완화제와 비강용 스테로이도 분무기의 사용을 금지하여야 하며, 점막비후제, 특히 국소 에스트로겐 드롭이나 비강자극제 흡입 등을 주로 이용하여 점막의 부종을 야기시켜 증상을 일시적으로 소멸시키기도 한다.[20] 환기관 삽입술은 호흡 시 발생하는 증상완화에 도움이 된다.[34] 수술적 치료는 이관개구부의 전기조작술, 연골 부위의 축소술 등이 시행되며 골왁스(bone wax)나 fat material, alloderm 등의 acellular material의 주입술 등도 시행되기도 한다.[18]

2. 이관협착증

이관협착증은 기능적인 경우와 기계적인 경우가 있다. 기능적 이관협착(functional obstruction of eustachian tube)은 이관의 능동적 개폐기능에 이상이 있거나 저항이 커져 이관이 닫힌 상태로 유지되는 경우를 말한다. 주로 유소아에 많으며 이관을 구성하는 연골이나 이관의 개폐에 관여하는 근육의 발육이 사춘기 이후나 성인에 비해 미숙하기 때문에 발생한다.

기능적 이관협착증은 성장과 관계가 있고 양측성인 경우가 대부분이므로 동시에 양측에 중이염이 생길 가능성이 매우 높다. 발육과 관계가 깊어 주로 9세 이후, 늦어도 사춘기 이후에는 대부분 저절로 개선된다.

기계적 이관협착(mechanical obstruction of eustachian tube)은 이관의 외부 또는 내부의 병변으로 이관이 막혀서 기능하지 못하는 경우이다. 외적 병변(extrinsic obstruction)은 비후된 아데노이드나 이관 인접부의 종양이나 외상으로 인하여 이관 밖으로부터 이관이 눌려 막힌 경우를 말하고, 내적 병변(intrinsic obstruction)은 감염이나 알레르기 등으로 인한 이관점막의 염증 때문에 이관의 통로가 막히는 경우를 말한다. 기계적 이관협착은 편측성이 많으며 주로 성인에서 볼 수 있다.

기능적 이관협착으로 이관의 기능이 나쁜 경우, 중이강 내에 존재하던 공기가 점막을 통해 흡수되고 압력이 낮아져 중이강에 강한 음압이 생기게 되면 비인강 내의 오염된 분비물이 이관을 통해 중이강 내로 역류해 빨려 들어가 중이염을 일으키게 된다. 만약 이때 중이강의 환기가 전혀 일어나지 않으면 중이강에 무기화(atelectasis)가 생긴다. 이 상태가 오랫동안 유지되면 중이 조직에 부종이 생기고 모세혈관의 투과성이 높아져 혈액이 중이강 내로 삼출되어, 감염이 없어도 삼출성 중이염이 발병하게 된다. 이와 같은 기전을 삼출성 중이염의 'vaccum theory'라 한다.

기계적 이관협착증 중 외적 요인으로 인한 경우에는

아데노이드 절제술, 종양 제거, 외상 치료 등의 방법으로 협착의 원인을 제거한다. 내적 요인으로 인한 경우에는 감염이 있으면 염증을 없애기 위한 약물치료를 하고, 만성적인 경우에는 원인을 찾아 제거하고 고막 절개술이나 환기관 삽입술을 하여 증세를 없애고 치유를 도모한다.

알레르기는 이관의 기능에 영향을 미쳐 중이염을 유발한다고 알려져 있으며 특히 알레르기 비염 환자는 정상인보다 중이염의 발병률이 높다. 그 이론적 근거는 다음과 같다. 첫째, 중이점막이 알레르기 반응이 일어나는 표적 장기가 될 수 있다. 둘째, 알레르기로 인한 염증으로 이관의 점막이 붓거나 아데노이드가 증식해 이관의 기능이 나빠져 기계적 이관협착 상태가 될 수 있다. 셋째, 비강의 폐쇄나 알레르기로 인해 증가한 콧물이 오염되어 중이강으로 역류하는 경우 중이염을 유발할 수 있다.

비폐쇄가 있는 비염이나 부비동염 또는 아데노이드 비대증이 있는 경우 중이염에 잘 걸리는 것으로 알려져 있다. 어떠한 원인이든 코가 막혔을 때 연하운동을 하게 되면 연하 초기에 연구개의 수축과 상승으로 비인강의 압력이 일시적으로 양압이 되었다가 곧바로 연구개가 이완되며 음압으로 바뀌게 된다. 비인강의 압력이 양압이 되는 경우 오염된 분비물이 쉽게 이관을 역류해 중이 안으로 들어갈 수 있다. 특히 이관의 기능부전으로 중이강의 압력이 낮아져 있던 경우에는 더 쉽게 이러한 현상이 일어난다. 또한 비인강이 음압이 되는 경우 이관의 기능적 폐쇄는 더욱 심해진다. 이를 Toynbee 현상이라고 한다.

구개파열이나 점막하 구개파열을 가진 환자에서는 연구개를 구성하여 이관의 개폐에 관계하는 구개범장근과 구개거근의 기능부전으로 인하여 이관이 기능적 폐쇄 상태가 되므로 중이강에 음압이 생겨 중이염의 발병률이 매우 높을 뿐 이니라 재발률도 매우 높다. 또한 구개파열이 심한 경우, 파열된 부위를 통해 구강 안의 오염된 물질이 이관의 개구부를 통해 역류할 가능성도 높다. 구개파열을 교정해주는 경우 중이염의 발병률이나 재발률이 낮아지기는 하나 항상 그런 것은 아니다. 구개파열의 교정에도 불구하고 구개인두부전증(velopharyngeal insufficiency)이 남는 경우에는 이관의 기능적 폐쇄가 개선되지 못하고 남아있을 수 있다. 이런 경우는 환기관 삽입의 적응증이다.[1]

3. 기압성 중이염

기압의 변화로 인한 기압성 중이염(otitic barotrauma), barotitis은 이관의 기능이 불량한 사람이 비행기로 급히 하강하거나 깊이 잠수할 때 또는 높은 산을 등반할 때와 같이 주로 기압이 낮은 곳에서 높은 곳으로 빠르게 이동해서 대기와 비인강 내의 공기 압력이 중이강 내의 공기압력보다 높아질 때 생길 수 있다. 이와 같은 경우 이관의 능동적 개폐로 인해 압력이 높은 외부의 공기가 이관을 통해 중이강 내로 들어가 두 부위의 압력이 같아지는 것이 정상이다. 중이강 내 공기 압력이 비인강보다 높을 때는 이관의 개폐 시 중이강의 높은 압력이 수동적으로 쉽게 비인강쪽으로 빠져나간다. 그러나 이관기능부전이 있는 사람에서는 이관의 능동적 개폐로도 비인강 쪽의 높은 기압이 중이강 내로 들어가지 못하여 대기의 압력에 비해 낮은 중이강 내의 압력 때문에 고막이 안쪽으로 함몰되고 중이강의 임피던스가 증가하여 일시적이나마 경도의 전음성 난청이나 이통이 발생한다. 중이강 안에 음압이 장기간 지속되면 중이 점막과 점막하층의 부종과 모세혈관의 팽창으로 인하여 중이강 내로 혈장 삼출이나 출혈이 일어나게 된다. 고막은 삼출성 중이염이 있을 때와 같게 보이며, 출혈이 있으면 진보라빛으로 보인다.

이미 삼출성 중이염이 있는 경우 비행기를 탈 때 특별한 조치는 필요 없으나, 재발성 삼출성 중이염의 과거력이 있거나 이관기능부전의 증세가 있는 경우 예방 조치를 취한다.[8,9]

기압의 차이가 급속히 크게 변하는 환경에 있는 경우, 자주 Valsalva법을 하거나 코가 막히지 않도록 비점막수축제를 복용하거나 비강 내에 분무하고, 껌을 씹어 침을 자주 삼켜 이관의 환기를 돕는다.

치료에서 무엇보다 가장 중요한 것은 중이강의 음압을 신속히 비인강의 기압과 같도록 하여 이관의 환기와 배출 기능을 정상화하는 것이다. Valsalva법이나 Politzer법을 시행해도 호전되지 않는 경우 스테로이드를 처방하거나, 고실천자 또는 고막절개를 하고 심한 경우 환기관 삽입도 할 수 있다.[1]

참고문헌

1. 정명현. 급성 중이염과 삼출성중이염. 대한이비인후과학회 편. 이비인후과학-두경부외과학. 2권. 일조각. 2009. p.583-601.
2. Almac A, Elicora SS, Yumuk Z, et al. The relationship between chronic otitis media with effusion and surface and deep flora of hypertrophic adenoids. Int J Pediatr Otorhinolaryngol 2009;73:1438-1440.
3. American Academy of Family Physicians; American Academy of Otolaryngology-Head and Neck Surgery; American Academy of Pediatrics Subcommittee on Otitis Media with Effusion. Otitis media with effusion. Pediatrics 2004;113:1412-1429.
4. Amin K, Hurst DS, Roomans GM, et al. Eosinophils and neutrophils in biopsies from the middle ear of atopic children with otitis media with effusion. Inflamm Res 1999;48:626-631.
5. Ashhurst-Smith C, Hall ST, Stuart J, et al. Alloiococcus otitidis: an emerging pathogen in otitis media. J Infect 2012;64:233-235.
6. Block SL. Causative pathogens, antibiotic resistance and therapeutic consideration in acute otitis media. Pediatr Infect Dis J 1997;16:449-456.
7. Bluestone CD, Hebda PA, Alper CM, et al. Recent advances in otitis media. 2. Eustachian tube, middle ear, and mastoid anatomy; physiology, pathophysiology, and pathogenesis. Ann Otol Rhinol Laryngol Suppl 2005;194:16-30.
8. Bluestone CD, Klein JO. Otitis media, atelectasis, and eustachian tube dysfunction. In: Bluestone CD, Stool SE, Kenna MA, eds. Pediatric Otolaryngology. 3rd ed. Philadelphia, PA: WB Saunders, 1996.
9. BluestoneCD, KleinJO. Otitis Media in Infants and Children. Philadelphia: Saunders, 1988.
10. Browning GG, Rovers MM, Williamson I, et al. Grommets (ventilation tubes) for hearing loss associated with otitis media with effusion in children. Cochrane Database Syst Rev 2010; CD001801.
11. Chang CW, Yang YW, Fu CY, et al. Differences between children and adults with otitis media with effusion treated with CO2 laser myringotomy. J Chin Med Assoc 2012;75:29-35.
12. Chang KH, Park SN, Kim HJ, et al. A prevalence study of otitis media with effusion in kindergarten children in Puchun. Korean J Otolaryngol-Head Neck Surg 1997;40:374-81.
13. Chon KM, Yoon BN, Park SH, et al. Microbiologic study of the ear canal in Koreans. Korean Journal of Otolaryngology-Head and Neck Surg 2005;48:8-12.
14. Chung MH, Choi JY, Lee WS, et al. Compositional difference in middle ear effusion: mucous versus serous. Laryngoscope 2002;112:152-155.
15. Cureoglu S, Schachern PA, Rinaldo A, et al. Round window membrane and labyrinthine pathological changes: an overview. Acta Otolaryngol 2005;125:9-15.
16. Dennis SP. Diagnosis and management of the patulous eustachian tube. Otol neurotol 2007;668-677.
17. Dodson KM, Cohen RS, Rubin BK. Middle ear fluid characteristics in pediatric otitis media with effusion. Int J Pediatr Otorhinolaryngol 2012;76(12):1806-1809.
18. Doherty JK, Slattery WH. Autologous fat grafting for the refractory patulous eustachian tube. Otolaryngol Head Neck Surg 2003;128:88-91.
19. Ehrlich GD, Veeh R, Wang X, et al. Mucosal biofilm formation on middle-ear mucosa in the chinchilla model of otitis media. JAMA 2002;287(13):1710-1715.
20. Ghadiali SN, Banks J, Swarts JD. Effect of surface tension and surfactant administration on Eustachian tube mechanics. J Appl Physiol 2002;93:1007-1014.
21. Giebink GS. The microbiology of otitis media. Pediatr Infect Dis J 1989;8(1Suppl):S18-S20.
22. Gok U, Bulut Y, Keles E, et al. Bacteriological and PCR analysis of clinical material aspirated from otitis media with effusions. Int J Pediatr Otorhinolaryngol 2001;60(1):49-54.
23. Groenen P, Crul T, Maassen B, et al. Perception of voicing cues by children with early otitis media with and without language impairment. J Speech Hear Res 1996;39:43-54.
24. Hall-Stoodley L, Hu FZ, Gieseke A, et al. Direct detection of bacterial biofilms on the middle-ear mucosa of children with chronic otitis media. JAMA 2006;296(2):202-211.
25. Hoa M, Tomovic S, Nistico L, et al. Identification of adenoid biofilms with middle ear pathogens in otitis-prone children utilizing SEM and FISH. Int J Pediatr Otorhinolaryngol 2009;73:1242-1248.
26. Hurst DS, Venge P. The impact of atopy on neutrophil activity in middle ear effusion from children and adults with chronic otitis media. Arch Otolaryngol Head Neck Surg 2002;128(5):561-566.
27. Kaji C, Watanabe K, Apicella MA, et al. Antimicrobial effect of fluoroquinolones for the eradication of nontypeable Haemophilus influ-

enzae isolates within biofilms. Tohoku J Exp Med 2008;214:121-128.

28. Kawano H, Haruta A, Tsuboi Y, et al. Induction of mucous cell metaplasia by tumor necrosis factor alpha in rat middle ear: the pathological basis for mucin hyperproduction in mucoid otitis media. Ann Otol Rhinol Laryngol 2002;111:415-422.
29. Kubba H, Pearson JP, Birchall JP. The aetiology of otitis media with effusion: a review. Clin Otolaryngol Allied Sci 2000;25(3):181-194.
30. Kuo CY, Wang CH. Patulous eustachian tube causing hypermobile eardrums. N engl J Med 2014;371:25:e37.
31. Lee HY, Chung JH, Lee SK, et al. Toll-like receptors, cytokines and nitric oxide synthase in patients with otitis media with effusion. Indian J Med Res 2013;138:523-530.
32. Lin J, Tsuprun V, Kawano H, et al. Characterization of mucins in human middle ear and Eustachian tube. Am J Physiol Lung Cell Mol Physiol 2001;280:1157-1167.
33. Luong A, Roland PS. The link between allergic rhinitis and chronic otitis media with effusion in atopic patients. Otolaryngol Clin North Am 2008;41:311-323.
34. Luxford WM, Sheehy JL. Myringotomy and ventilation tubes: a report of 1568 ears. Laryngoscope 1982;92:1293-1297.
35. Malaty J, Antonelli PJ. Effect of blood and mucus on tympanostomy tube biofilm formation. Laryngoscope 2008;118:867-870.
36. Martines F, Bentivegna D. Audiological investigation of otitis media in children with atopy. Curr Allergy Asthma Rep 2011;11:513-520.
37. Michel O. The revised version of the German guidelines "Sudden idiopathic sensorineural hearing loss". Laryngo Rhino Otol 2011;90:290-293.
38. Midgley EJ, Dewey C, Pryce K, et al. The frequency of otitis media with effusion in British pre-school children: a guide for treatment. ALSPAC Study Team. Clin Otolaryngol Allied Sci 2000;25(6):485-491.
39. Miura MS, Mascaro M, Rosenfeld RM. Association between otitis media and gastroesophageal reflux: a systematic review. Otolaryngol Head Neck Surg 2012;146(3):345-352.
40. Pichichero ME. Otitis media. Pediatr Clin North Am 2013;60(2):391-407.
41. Preciado D, Goyal S, Rahimi M, et al. MUC5B is the predominant mucin glycoprotein in chronic otitis media fluid. Pediatr Res 2010;68:231-236.
42. Pulec JL, Kamio T, Graham MD. Eustachian tube lymphatics. Ann Otol 1975;84:483-492.
43. Rezes S, Soderlund-Venermo M, Roivainen M, et al., Human bocavirus and rhino-enteroviruses in childhood otitis media with effusion J Clin Virol 2009;46(3):234-237.
44. Saafan ME, Ibrahim WS, Tomoum MO. Role of adenoid biofilm in chronic otitis media with effusion in children. Eur Arch Otorhinolaryngol 2013;270(9):2417-2425.
45. Slinger R, Chan F, Ferris W, et al. Multiple combination antibiotic susceptibility testing of nontypeable Haemophilus influenzae biofilms. Diagn Microbiol Infect Dis 2006;56:247-253.
46. SoHAIL Ahmad Malik, Raza Muhamad, Muhamad Yousaf, et al. Effectiveness of conservative treatment in the management of secretory otitis media. J Ayub Med Coll Abbottabad 2014;26(3):337-340.
47. Yaman H, Yilmaz S, Guclu E, et al. Otitis media with effusion: recurrence after tympanostomy tube extrusion. Int J Pediatr Otorhinolaryngol 2010;74:271-274.
48. Yeo SG, Park DC, Eun YG, et al. The role of allergic rhinitis in the development of otitis media with effusion: effect on eustachian tube function. Am J Otolaryngol 2007;28:148-152.

CHAPTER 21

만성 화농성 중이염

백무진

중이염은 중이강 내에 일어나는 모든 염증성 변화를 총칭하는 것으로 중이점막, 점막하 조직 및 골조직의 염증성 변화를 동반한다. 만성 중이염으로 이환된 경우는 비가역적 변화가 초래된다. 발병과 만성화에는 내·외인적인 다양한 인자들이 관여하고 이들에 대한 많은 연구들이 진행 중에 있으며 치료적인 면에서도 다양한 방법들이 소개되고 있다.

급성 중이염 상태에서 치료가 적절히 되지 않으면 만성 중이염으로 진행할 수 있다.[9] 따라서 급성 중이염을 조기 진단하고, 적절한 항생제를 사용하는 것이 만성 화농성 중이염의 발생을 예방할 수 있는 방법이다. 급성 중이염 증상으로 적절한 시기에 항생제를 투여 받았으나 일부 중이염 발생 고위험군에서는 고막이 천공되는 경우가 있고 천공이 치유되지 않고 지속되어 반복적 염증이 생기는 경우 만성화농성 중이염이 될 수 있다. 치유가 부적절한 경우 감염성 혹은 비감염성 합병증이 발생할 수 있고 중이와 내이를 포함한 인접 구조물로 파급되어 난청의 원인이 되기도 하고 두개내로 파급되는 경우 생명을 위협하는 심각한 질환을 초래할 수 있다.[9,37] 따라서 만성 중이염의 치료는 염증의 제거, 청력 보존, 그리고 합병증의 예방이라는 목적에 맞는 치료 전략을 세우는 것이 필요하다.

I 정의 및 분류 (Definition and Classification)

1. 정의

만성 화농성 중이염은 중이강 내(이관, 중이, 유양동)에 비가역적 만성 염증을 동반한 고막 천공과 이루가 존재하는 상태를 의미한다. 만성을 정의하는 기간에 대해서는 여러 의견이 있다. WHO 정의는 이루가 최소 2주 이상인 경우이고 또 다른 기준은 6주에서 3개월 이상의 이루를 만성으로 정의하고 있으나[40] 기간에 대한 일치된 것이 없고 임상에서도 정확한 기간을 정하기가 어려운 경우가 많다.

만성 중이염(chronic otitis media)은 만성 화농성 중

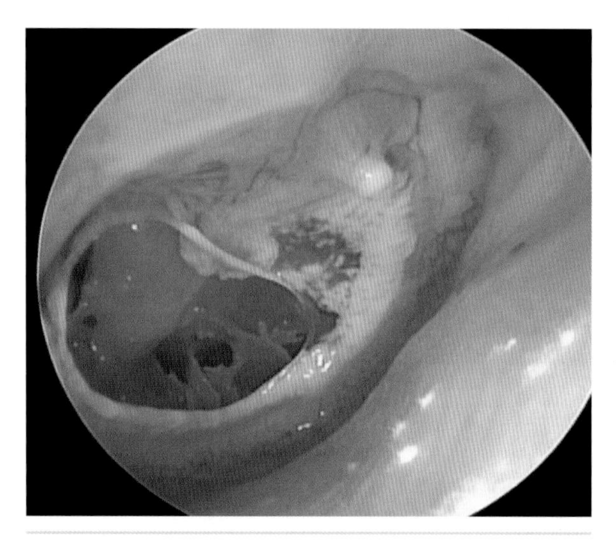

■ 그림 21-1. **우측 만성 고막천공.** 고막이 만성적으로 천공되어 있고 잔존 고막은 매우 얇으면서 고막경화증 소견도 관찰되지만 이루의 증상이 전혀 없고 중이강 내 점막, 이소골, 유양동의 염증 소견이 없는 상태이다.

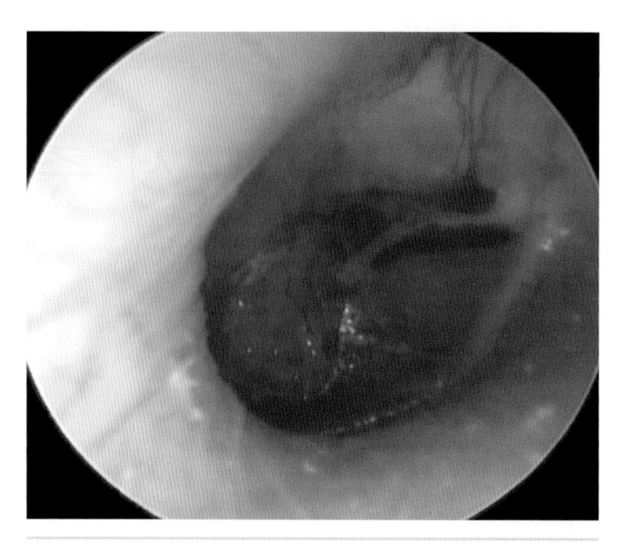

■ 그림 21-3. **우측 외상성 고막천공.** 하부에 삼각형의 천공과 천공연 및 이소골 주위 고막에 출혈의 소견이 관찰되며 중이강의 특별한 이상소견은 보이지 않는다.

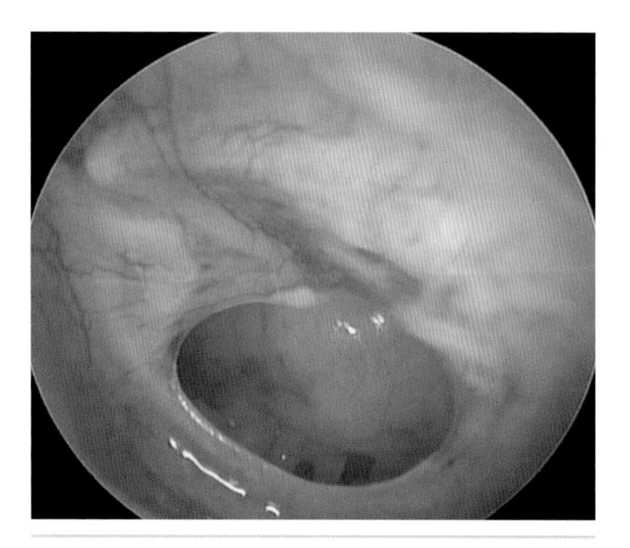

■ 그림 21-2. **좌측 만성 화농성 중이염.** 전방으로 약 반 정도 크기의 천공이 관찰되며 잔존 고막은 두꺼워져 있고, 중이 점막 비후 및 약간의 이루 소견도 관찰된다.

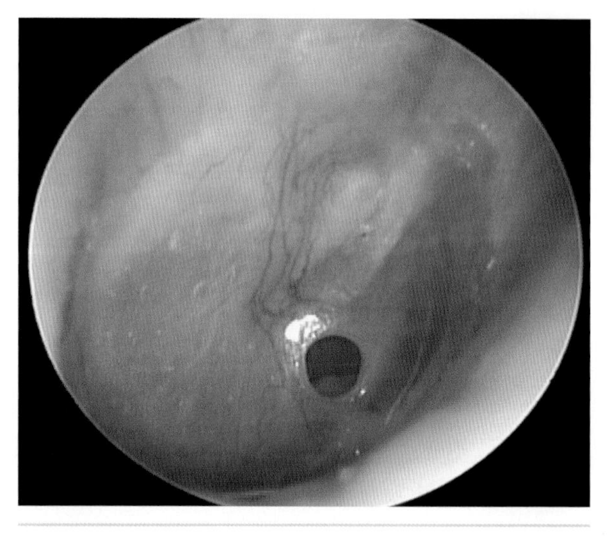

■ 그림 21-4. **우측 만성 화농성 중이염.** 우측 환기관 제거 후 치유되지 않은 고막 소견으로 간헐적 이루를 동반하고 있는 소견이다.

이염과 동일한 의미로 사용하지만 만성 중이염이 화농성 분비물이 고여서 발생하는 것이 아니므로 화농성 중이염이란 용어보다 만성 중이염이 더 적합한 용어일 수 있다.[18] 중이강 내 염증 없이 만성적으로 고막 천공만 동반된 경우를 만성 천공(chronic perforation)이란 용어를 사용하기도 한다(그림 21-1).[9] 고막의 천공은 만성 중이염, 외상, 환기관 탈출 등에 의해 발생할 수 있으며(그림 21-2, 3, 4, 5) 이전에 이루가 전혀 없었거나 처음 이루가 발생한 경우는

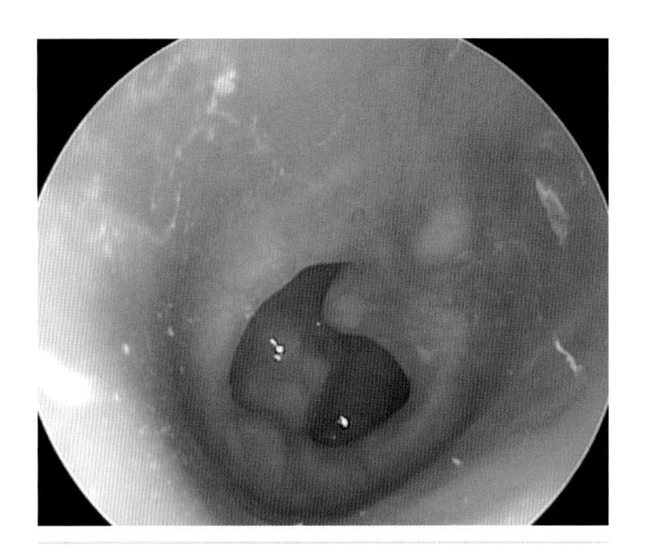

■ 그림 21-5. **우측 만성 화농성 중이염.** 약 반 정도 크기의 천공이 관찰되고 잔존 고막은 매우 두꺼워져 있으며, 중이강 점막 또한 부종이 있음. 용종을 형성하고 있는 병변이 비가역적인 변화를 초래한 상태이고, 측두골 단층 촬영에서 유양동에도 염증 소견이 관찰된다.

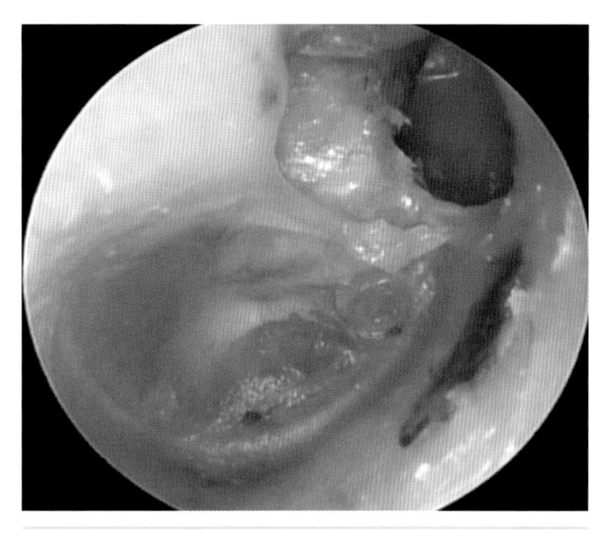

■ 그림 21-6. **우측 진주종성 중이염.** 상고실 함몰부위를 가득 채운 가피와 케라틴 조직을 제거한 상태임. 고막 긴장부는 약간 함몰된 소견이고, 고막 이완부 및 상고실 뼈가 광범위하게 파괴되어 추골의 두부가 노출되고 주위로 상피조직이 자라 들어가서 함몰낭을 형성하고 있는 상태이다.

만성으로 정의하지 않는다. 그러나 이런 엄격한 정의에도 불구하고 만성 화농성 중이염과 만성 천공을 동일하게 사용하는 경우가 많다. 만성천공에 염증이 동반된 경우는 활동성(active)으로 분류하고, 없는 경우를 비활동성(inactive)으로 분류하기도 한다.[9] 대부분의 급성 고막천공은 외상보다는 급성 중이염 후 이차적으로 발생하지만 만성 삼출성 중이염에서도 발생할 수 있다.[44] 고막 천공은 중이의 급성 염증으로 발생하는데 적절한 항생제를 사용하지 않았을 때 혹은 사용한 경우에도 발생할 수 있다. 즉 고막 천공이 중이염의 자연 경과의 과정일수도 있으며 이러한 천공은 과도하게 형성된 중이강 내의 화농성 분비물을 천공을 통해 외이도로 배출되게 하여 측두골 내 혹은 두개내로 파급되는 것을 막아 주기 때문이다.

2. 분류

중이염은 현재 이용할 수 있는 진단 기기들과 치료방법을 바탕으로 분류되어 왔다. 진단과 치료방법의 개선에 따라 이전에 관찰할 수 없었던 부분까지 확인이 가능해졌고 또한 밝혀진 병변에 대한 수술적 접근법이 개선되면서 분류하는 방법도 다양해지고 있다.

일반적으로 임상에서는 발병 시기에 따라서 급성, 아급성, 만성 중이염으로 분류한다. 그러나 실험적으로 유발된 중이염에서는 정확한 시간적 분류가 가능하나 실제 임상에서는 환자의 병의 시기에 관한 것은 첫 발생 때부터 관찰하지 않으면 언제 발병했는지, 얼마나 경과했는지, 회복이 된 후 재발한 것인지 등에 관한 것은 정확히 알수 없다. 중이염은 임상 소견에 따라 급성 중이염, 삼출성 중이염, 만성 중이염으로 분류하고 만성 중이염은 진주종이 형성되어 있는 진주종성 중이염과 비진주종성 중이염으로도 분류한다(그림 21-2, 6).

Ⅱ 유병률(Prevalence)

유병률은 매년 각국에서 조사하여 발표하고 있고 계속

감소하는 추세이다. 사회 경제적 여건의 개선과 항생제의 광범위한 사용, 영양 상태, 위생 상태, 의료기관 이용 증가 등이 감소의 요인으로 생각된다. 우리나라는 동아시아(3.67%) 국가의 유병률과 비슷하다. 발생 빈도는 유전적, 종족별, 성별, 연령별 요소가 포함되는 내인적 요인과 환경적, 사회적, 문화적 요소가 포함되는 외인적 요인에 따라 차이가 난다. 인종적 차이를 보면 우리나라는 발생 빈도가 낮은 국가에 해당한다.[9,29,32]

국내 중이염의 유병률은 1981년 전체 중이염의 유병률은 4.8%, 만성 중이염의 유병률은 3.48%로 조사되었으나,[27] 1991년 전체 중이염의 유병률은 2.85%였고, 만성 중이염의 유병률은 2.19%로 감소한 것으로 보고되었다.[28] 2010부터 2012까지 시행한 조사에서는 만성 중이염 유병률은 3.8%로 1991년 조사 때보다 높았다. 이전 검사가 직접 집을 방문하여 이경으로 검사했던 것과는 달리 병원을 방문한 환자를 대상으로 검사를 시행함으로써 만성 화농성 중이염의 진단율이 높았을 것으로 보고되었다. 한국인의 만성 화농성 중이염 위험인자는 고혈압, 당뇨, 폐결핵, 만성 비부비동염, 청력저하, 이명 등이 있고, hepatitis B, 알레르기성 비염 등은 만성 중이염의 발생과 연관이 적은 요소들이다. 연령별 유병률에서 20대는 1.1%로 가장 낮았으며, 70대가 6.7%, 70대 이상이 8.5%로 연령이 증가할수록 높았고, 만성 화농성 중이염의 평균 나이도 증가하였다. 중이염 발생 빈도가 매우 낮은 영국의 경우 유병률의 성별 차이는 없었으며 41~80세 군이 18~40세 군에 비해 2배 정도 높은 결과가 보고되었다.[36] 또한 고령의 환자들은 당뇨, 고혈압 등 동반하는 만성 질환이 많아서 만성 중이염으로 인한 합병증의 빈도가 다른 연령층에 비해 높을 수 있다. 따라서 전체적인 만성 중이염의 유병률은 감소하고 있으나 고령 환자의 빈도가 높아 만성 중이염으로 인한 합병증의 빈도는 많이 감소하지 않았다.[20]

III 원인 및 병인 (Etiology and Pathogenesis)

만성 화농성 중이염의 원인과 병인에는 여러 가지 인자들이 복합적으로 관여한다. 대부분의 만성 중이염은 급성 중이염으로부터 시작되는 경우가 많다. 따라서 만성 중이염의 발병에는 급성 중이염과 연관된 인자들, 즉 세균 혹은 바이러스에 의한 감염, 이관기능장애와 같은 해부학적 요인, 숙주요인(어린나이, 면역계통의 미성숙 등), 알레르기, 가족력, 남성, 인종, 수유방법 등의 환경적 요인 및 사회적 요인 등이 관여한다. 이들 중 이관기능장애와 미생물에 의한 감염이 가장 중요한 요소이다. 일차적으로 이관기능장애나 미생물 감염으로 인해 중이강 내에 염증성 병변이 생기고, 시간이 지나면 개인마다 다른 여러 가지 환경적 조건이나 면역반응, 생화학적 인자 등 내인적 요인들이 상호 복합적으로 관여하여 병변의 양상이 다양하게 나타난다 이러한 작용이 중이염의 재발과 만성화에 중요한 역할을 한다.[9,20,44]

중이염의 병인을 규명하기 위한 연구들에서, 여러 형태의 중이염에서 관찰되는 병리조직, 생화학 및 면역학적 소견이 서로 밀접한 상호관계를 맺고 있는데 이는 한 종류의 중이염이 다른 종류의 중이염으로 이행하는 것으로 설명이 된다. 결국 여러 형태의 중이염은 원인은 같으나 발병 시기에 따라서 증상이나 이학적 소견이 다르게 나타난다고 볼 수 있다.

1. 병원균

만성 화농성 중이염에서 합병증과 재발을 줄이고 적절한 치료를 위해서는 효과적인 항생제를 사용하는 것이 필수적이다. 항생 물질의 개발과 함께 이에 대한 내성균이 연이어 출현하고 세균총의 변화도 계속해서 일어나고 있다. 그래서 변화하는 세균총에 대한 정보와 세균검사가 적절한 항생제를 선택하는 데 필수적이다. 세균검사의 시기는 광범위 항생제를 우선 사용한 후에 반응이 없는 경우에 검사를 시행하는 것이 효과적이지만,[26] 메치실린 내성 황색포도상구균(*Methicillin Resistant Staphylococcus Aureus; MRSA*)과 시프로플록사신 내성 녹농균(*Ciprofloxacin Resistant Pseudomonas; CRP*)의 비율이 높은 이루가 있다면 초진 때 세균배양검사를 시행하는 것이 바람직하다. 만성 중이염 환자에서 가장 흔히 검출되는 호기성 세균은 녹농균이었고, 황색포도상구균(*Staphylcoccus aureus*), 폐렴간균(*Klebsiella pneumoniae*)순이었으며 가장 흔한 혐기성 균은 박테로이드(*Bacterioides*) 종이었다. 호기성 세균 단독감염이 39%이고, 혐기성 세균 단독감염이 11%였으며 복합감염이 50%로 가장 많았다. 그러나 국내에서 보고된 균주와 외국에서 보고된 균주의 차이점은 진주종성 중이염과 비진주종성 중이염 모두에서 황색포도상구균이 가장 많았고, 다음으로 녹농균, *Coagulase(-) staphylococcus; CNS, Proteus, Providentia* 등의 순으로 검출된다는 것이다.[2] 만성 중이염에서 비진주종성 중이염과 진주종성 중이염 간에 배양된 세균의 빈도에는 큰 차이가 없었다. 그러나 실제 발견되는 균종의 빈도가 만성 중이염에서 바이오필름의 형성으로 인해 실제보다 작게 보고될 가능성도 있다.

2001년에서 2010년까지 약 10년간의 균주 변화에 관한 국내 보고에 따르면, 만성 중이염 환자의 균주는(*Methicilline sensitive staphylococcys aureus; MSSA*)(28.5%)가 가장 많았고, 녹농균(20.4%), *MRSA*(8.5%), *Coagulase(-) staphylococcus*(7.2%) 순이었고, 진주종성 중이염의 경우는 *MSSA*(23.9%)가 가장 많았고, 그 다음으로 녹농균(18.3%), *CNS*(11.2%), *MRSA*(6.2%)순이었다. 가장 많이 검출되는 3가지 균주인 *MSSA*, *MRSA*, 녹농균의 균 동정의 변화는 *MSSA*는 2001에서 2005년까지 증가하여 2005년 34.2%였고, 이후 감소하여 2008년에는 23.5%로 보고되고 있다. *MRSA*의 연도별 빈도는 1979년 0.8%, 1987년 4.7%, 1995년 17.9%, 1997년 18.8%, 2001년 15.6%, 2003년 18.9%로 증가하는 추세에서 2010년 3.2%로 다시 감소하였다.[31,35] 그러나 최근 *MRSA*의 감염에 사용되는 glycopeptide계 항생제(vancomycin, teicoplanin)에 대한 *Vancomycin resistant staphylococcus aureus; VRSA*도 보고되고 있다. 녹농균은 1979년에는 18.4%로 2001년까지 증가하여 2005년에서 2007년까지 약 15~23%의 발견율을 보였고, 이후 약 15%의 빈도를 보이고 있다. 현재 전체 중이염의 종류 및 나이에 관계없이 가장 많이 발견되는 균은 MSSA이다. 주목할 점은 20년 전에 비해 *Staphylococcus aureus (MSSA, MRSA, CNS)* 중에서 MRSA의 비율이 2~3배 정도 증가한 60~70%를 차지한다는 점이다. 또한 연구보고에 따르면, 동정된 황색포도상구균와 녹농균에서 *MRSA*와 *CRP*의 빈도는 각각 61%와 25%로 보고되있고, 전체 동정된 균의 약 37%는 흔히 처방되는 경구 광범위 항생제에 내성을 갖는다고 보고되었다.[2]

유양동에서 시행한 균동정에 대한 연구는 많지 않다.[4,43,64] 술전 중이강에서 동정된 균주와 술중 유양동에서 배양된 균주가 일치했다는 보고도 있으며,[4,64] 약 50%에서 서로 일치하지 않아 수술 중 유양동의 균동정이 술후 항생제 선택을 위해 필요하다는 주장도 있다.[43] 수술 전후 세균배양검사를 비교한 연구에서는 술후 이루가 지속되는 환자들의 약 44.4%에서 술전 배양된 균주와 동일한 균이 배양되었으며 흔히 검출되는 균과 큰 차이가 없었다.

최근 항생제 치료에 잘 반응하지 않는 만성 감염성 질환들이 증가하고 있는데 이에 대한 원인으로 내성균의 출현(*MRSA, VRE, VRSA, CRP* 등)과 바이오필름(Bioflim)이 관여하는 것으로 보고되고 있다. 바이오필름은 세균들이 숙주의 점막이나 이물 등의 표면에 부착되어 세포외 중합물질(extracellular polymeric substances; EPS)을 분비하여, 이 속에 군집을 이루는 세균들이 서로 협동하는 방식으로 공존해가는 유기적 집합체(complex organization)이다. 이러한 상태에서 숙주의 면역반응이나 항생제에 대한 반응이 저하 혹은 차단되어 만성적인 감염상태가 유지된다. 이후 성장과 성숙과정을 거치면서 다시 부유형 박테리아 *planktonic bacteia*로 유리되어 주위 조직이나 다른 부위에도 감염을 유발할 수 있다.[12,45]

최근 이비인후과 영역의 만성 감염성 질환에서도 바이오필름의 존재가 확인되었는데 주로 만성 비부동염에서 다양한 바이오필름의 존재가 밝혀졌고, 편도선 조직, 고막 환기관, 인공와우 이식기, 기관절개관 등에서도 보고된 바가 있다. 중이염과의 연관성은 *H. influenza*, 녹농균와 같은 균으로 실험적으로 유발한 중이염과 진주종에서도 바이오필름의 형성을 확인하였다. 삼출성 중이염과 재발성 중이염을 가진 소아와 동물모델의 중이 점막에서 바이오필름의 존재가 증명되었다.[19,38] 많은 항생제가 바이오필름을 통과할 수 있음에도 불구하고 항생제 내성을 갖게 되는 기전은 명확하게 밝혀지지 않았다.[38,39] 2009년 국내에서 시행한 만성 중이염 및 진주종성 중이염 환자에서 바이오필름의 형성 여부조사에서 만성 화농성 중이염 환자의 중이에서 육아종의 경우 약 33%, 중이 진주종 환자의 진주종 조직의 약 64%에서 바이오필름의 증거가 확인되었고 활동성인 경우가 바이오필름의 형성이 많았다.[1] 만성 중이염에서 바이오필름의 존재를 알기 위해 쉽게 관찰하거나 진단하는 방법은 거의 없고, 수술 후 조직검사에서 확인할 수 있는 실정이다. 따라서 충분한 항생제 치료에도 불구하고 반응하지 않는 만성 이루를 보이는 만성 중이염에서는 바이오필름의 형성 가능성을 고려하여 치료 방침을 세워야 한다.

2. 측두골의 함기화

측두골 함기화의 역할은 온도에 민감한 내이를 외부로부터 보호하는 기능과 중이강에 대한 공기 저장소로 알려져 있다. 함기화 정도가 공기 저장소로서의 능력과 연관이 있어 중이염 발생에 중요한 역할을 한다.

측두골의 함기화는 태생기 3~7개월에 고실을 채우고 있던 간엽조직이 점차 흡수된 후 생후 태아가 폐호흡을 시작하면서 공기가 이관을 통하여 고실로 들어감으로써 시작된다. 유양봉소의 함기화는 생후 33주경부터 시작하여 남자는 15세경, 여자는 10세경까지 진행된다. 유돌봉소의 함기화는 발달 정도에 따라 함기형(pneumatic), 판간형(diploic, a few pneumatized cells), 경화형(sclerotic, no grossly visible air cells)으로 구분한다. 정상 성인은 대부분 함기세포가 잘 발달된 함기형 측두골을 보이나 만성 중이염이 있을 때에는 유돌봉소의 함기화가 불량하여 중간형이나 경화형 측두골이 많이 관찰된다.[3] 개체 간 유양돌기 함기화 정도의 차이를 설명하는 가설로 유전설(genetic theory)과 환경적 요인설(environmental theory)이 있다. 유전설은 유돌봉소의 함기화가 유전적으로 결정되며 유전적으로 함기화가 불량한 경우 중이염과 같은 중이 질환에 기본적인 병인으로 작용한다는 것이다. 반면 환경적 요인설은 지속적인 이관기능의 폐쇄나 중이강 내의 염증으로 인하여 함기화가 진행되는 과정이 억제되어 함기화의 저하가 일어난다는 가설로 유양돌기 발육과정 초기에 유발된 중이강의 염증이 측두골의 함기화의 저하를 일으키는 중요한 요인임이 동물실험을 통하여 입증되었다.

3. 급성 중이염과 삼출성 중이염

급성 중이염과 삼출성 중이염은 고막에 구조적 변화를 초래할 수 있으며, 조직학적으로 고막 중간층(lamina propria)의 내/외 섬유층(inner and outer fibrous layer)에서 일어난다.[41] 고막의 탄력성에 영향을 주어 고막의 함몰이나 천공이 생길 수 있는 상태를 만든다. 성인이 되어 발생하는 만성 중이염도 급성 중이염증이 발생한 결과일 수 있다. 급성 중이염이 만성 중이염으로 전환되는 이유는 아직 명확하게 밝혀지지 않았지만 급성 중이염이나 삼출성 중이염의 발생 위험인자가 만성화의 위험 인자로 작용할 수 있다.[16]

중이의 급성 염증이 발생하게 되면 병리학적으로 중이

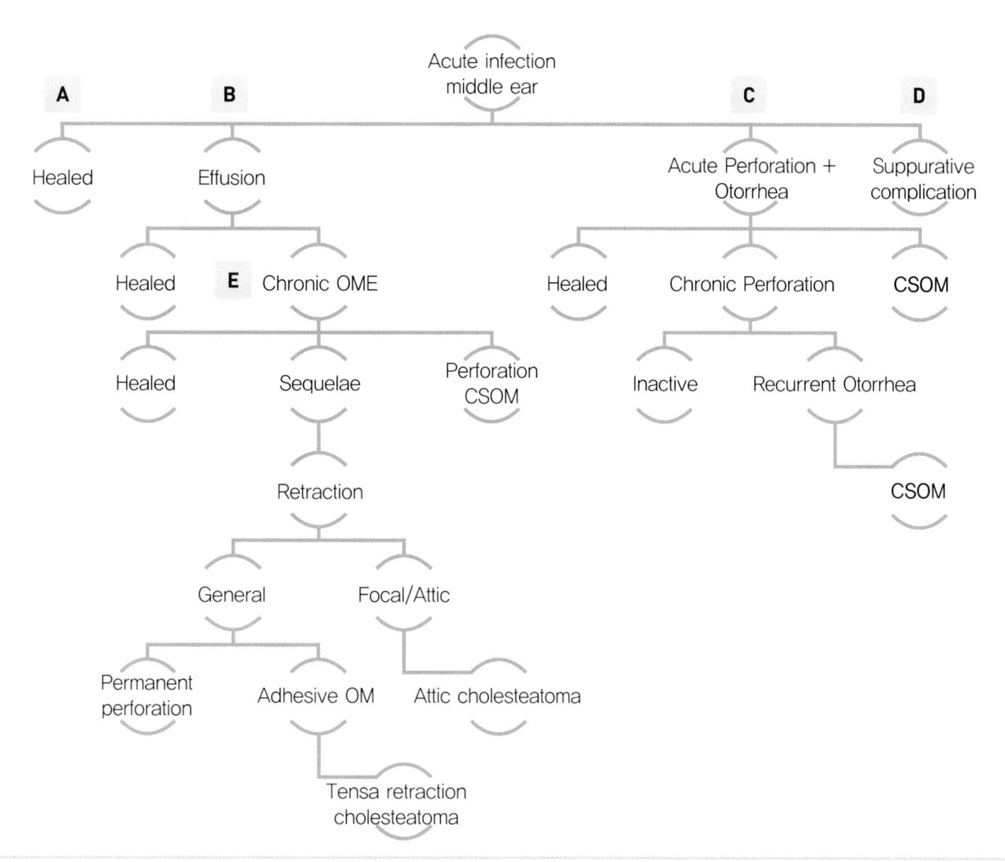

■ **그림 21-7. 중이의 급성 염증 발병 후 만성 화농성 중이염으로 발병하는 기전.** **A)** 중이강의 급성 염증이 발생하면 대부분 잘 치유가 되나, **B)** 치료가 부적절한 경우 삼출액이 저류되는 삼출성 중이염으로 진행하기도 하며, **C)** 지속적인 염증과 천공으로 인하여 만성 화농성 중이염으로 이환되며, **D)** 치유가 잘 안된 경우는 고막 천공으로 인한 이루가 지속되기도 하며 염증성 합병증도 유발하기도 한다. **E)** 만성화 되면 고막이 얇아지고 탄력을 잃음으로서 고막 전체 혹은 부분적 함몰이나 천공이 발생하기 쉬운 고막의 구조적 이상 혹은 변화가 초래되어 만성 화농성 중이염이나 진주종성 중이염이 발생할 수 있는 경과를 설명한 것이다. 이 같은 변화에서 회복이 안되고 만성으로 변화하는 요인은 정확히는 밝혀지지는 않았지만 숙주의 반응이나 환경적 요인이 큰 역할을 할 것으로 보고 있다.

점막의 변형(transformation)과 과형성(hyperplasia)이 초래된다. 중이 점막의 과형성과 다양한 염증세포의 점막 내 유입은 대부분 가역적이어서 중이염과 연관된 자극이 없어진 후 점막은 탈분화과정(de-differentiation)을 거쳐 정상적인 모습으로 회복된다. 하지만 중이 점막의 과형성, 과증식 반응으로 인한 중이 삼출액, 무기화(atelectasis), 유착, 고실 경화증, 중이 진주종 같은 병리 상태가 반복적으로 발생하여 만성화되면 중이강 내에 비가역적인 구조의 변화를 초래한다. 따라서 대부분의 급성 중이염은 후유증이 없이 치유되지만, 경우에 따라서는 다시 염증이 재발하거나 염증이 지속되는 재발성 중이염 혹은 삼출성 중이염으로 이환되기도 하며 만성 중이염의 형태로 진행되기도 한다(그림 21-7).

4. 이관기능 및 환기장애

이관기능 장애는 만성 중이염의 발병 원인 중의 하나로 알려져 있으며, 정상인보다 만성 중이염 환자에서 이관기능의 부전이 더욱 흔하다.[48] 이관은 중이와 유양동으로 공기가 유입되는 입구부로 기능적으로 호흡기의 후두와 유사한 부분이며 가스 교환이 일어나는 중이 및 유양동은 폐에 해당한다고 볼 수 있다. 이관기능이 저하되면 중

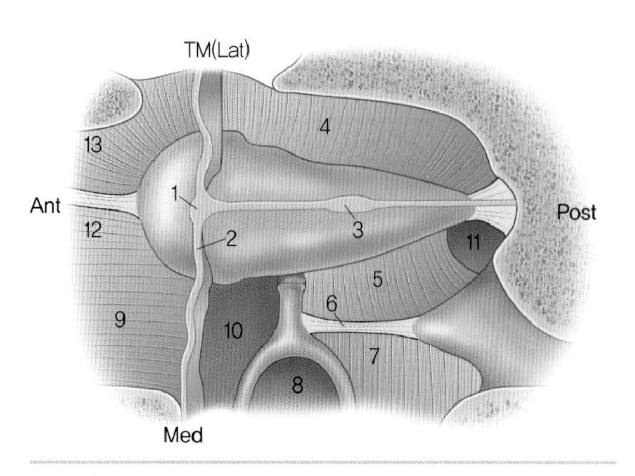

■ 그림 21-8. **상고실을 상방에서 바라본 장면.** 상고실과 중고실은 이소골들과 점막 주름에 의해 거의 완전 분리된다. 이들 사이의 연결 통로는 전고실협부와 후고실협부이다. 1; 상추골인대(Superior malleolar ligament), 2; 상추골주름(Superior malleolar fold), 3; 상침골주름(Superior incudal fold), 4; 외측침골주름(Lateral incudal fold), 5; 내측침골주름 (Medial incudal fold), 6; 등골건(Stapedius tendon), 7; Plica stapedis, 8; Obturatoria stapedis, 9; Incisura tensoris, 10; 전고실협부Isthmus tympani anticus, 11; 후고실협부(Isthmus tympani posticus), 12; 고막장근주름(Tensor tympani fold), 13; 전추골주름(Anterior malleolar, Anterior fold of van Troeltsch) fold

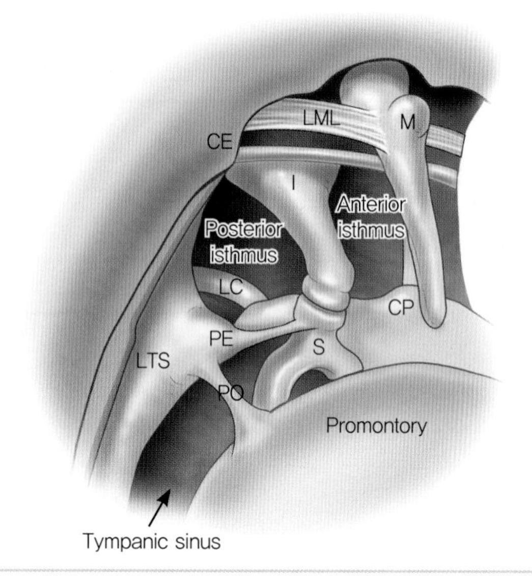

■ 그림 21-9. **중고실을 하방에서 본 장면.** 중고실과 상고실의 내측은 전고실협부(고막장근인대(tendon of tensor tympani muscle)과 침골의 장각(long process of incus)사이 공간)와 후고실협부(침골의 장각과 추체융기(pyramidal eminance) 사이 공간)로 연결된다. 중고실과 상고실의 외측(lateral attic)은 고삭신경(chorda tympani) 위로 교통한다. 고삭신경 위에는 외측추골인대(lateral malleolar ligament; LML)와 골고실륜(bony annulus)이 위치한다. LTS; lateral tympanic sinus, LC; lateral semicircular canal, FS; facial sinus, PE; pyramidal eminence, S; stapes, PO; ponticulus, CE; chordal eminence, CP; cochleariform process

이 점막이 고실의 가스를 흡수하여 음압이 형성되고 지속 시 중이염이 발생하게 된다. 실제로 수술을 통해 이관을 막거나 구개긴장근의 기능을 차단하는 경우 이관기능이 저하되어 고실내 음압이 형성되고 삼출액이 형성된다.[6] 중이강 내 지속적인 염증은 점막의 부종성/육아종성 변화 초래하고 이로 인하여 상고실 및 유양동구(aditus ad antrum)를 막으면 환기장애가 생겨 유양동의 함기화에 지장을 초래한다. 중이가 이관 이외에도 중이 및 유양동 점막을 통한 가스교환으로 환기가 이루어진다는 사실에서,[42] 중이의 기능을 유지하고 중이염 발생을 예방하기 위해서는 이관 기능뿐만 아니라 함기화가 잘된 유양동이 필요하다.

이관을 통하여 유양봉소로 공기가 유입되기 위해서는 중고실, 상고실, 유양동의 정상적인 환기 통로가 필요하며 이는 중이의 정상적인 기능을 유지하는데 중요한 요인이다. 중고실은 고실횡경막(tympanic diaphragm)에 의해 상고실이나 유양동으로 분리되며 연결통로인 전고실협부(anterior tympanic isthmus)와 후고실협부(posterior tympanic isthmus)를 통하여 환기가 일어난다. 전고실협부의 해부학적 경계는 외측으로 침골체부, 내측으로 안면신경관과 난원창, 전방으로 고막장근인대, 후방으로 등골로 이루어지며, 후고실협부는 전고실협부보다 좁으며 전방으로 내침골주름(medial incudal fold), 후방으로 후침골인대(posterior incudal ligament)와 침골와(incudal buttress), 내측으로 추체융기(pyramidal eminence)가 경계가 된다(그림 21-8, 9). 급성 염증이나 일시적인 이관장애는 중고실, 상고실 또는 유양동의 점막에 일시적으로 부종과 염증을 일으킬 수 있으나, 적절히 치료하면 정상적인 점막 상태를 회복한다. 그러나 중이의 염증이 재발하거나 이관이 지속적으로 폐쇄되면 고실협부와 상고실, 유돌동구 및 유양동 점막에 만성 육아조직이 형성되고, 이로 인하여 고실협부와 유돌동구의 지속적인 폐쇄를 초래할 수 있으며, 결국은 상고실, 유양동, 유양봉소의 점막과 주변의 골에 비가역적인 변화를 일으키며 만성 중이염에서 흔히 관찰되는 소견이다.[3] 따라서 지속적인 이관기능장애로 인한 환기장애가 중이강과 유양동에 염증의 지속과 병변의 악화를 유발하여 만성 중이염과 유양돌기염을 초래할 수 있는 중요한 요인이다.

5. 위식도 역류

최근 후두염, 인두염, 비부비동염, 삼출성 중이염과 같은 이비인후과 질환과 위식도역류증(gastroesophageal reflex disease; GERD)의 관련성에 대한 관심이 높다. 약물에 반응하지 않는 삼출성 중이염 환자의 중이 삼출액에서 중합효소연쇄반응(polymerase chain reaction; PCR)을 통해 *Helicobacter pylori* (*H. pylori*) 양성 소견이 보고되었고, 중이 점막 조직에서 H. pylori의 배양이 보고되었다. 또한 만성 중이염 환자의 중이와 유양동의 조직에서 PCR을 통해 *H. pylori* 양성 소견이 보고되었다.[30] 하지만 아직까지는 *H. pylori*가 삼출성 중이염이나 만성 중이염을 일으키는 병원균일 수 있다는 가능성을 제기하는 단계이며, 더 많은 연구가 필요하다.

6. 자가면역성 질환

만성 중이염의 선행 인자인지는 확실치 않으나 Wegener's granulomatosis, systemic lupus erythematosus; SLE, Rheumatoid arthritis에서 중이염이 동반이 되며, Ankylosing spondylitis 환자의 29%에서 만성 중이염이 보고된 바 있다.

7. 유전 및 인종

만성 중이염은 에스키모, 미국 원주민, 뉴질랜드 마로리족, 호주 aborigine에서 빈도가 높지만 질환 발생 선행요인으로서 인종의 역할은 점차 줄어들고 있다. 만성 중이염의 유전적인 영향을 단정할 수 없지만 만성 중이염의 발생이 높은 유전자를 가진 그룹에서 많은 것으로 알려져 있다. 미국 원주민이 발생 빈도가 높고 원주민이라도 부족에 따라 빈도의 차이가 있다는 것은 유전적 영향이 있다는 것을 보여 준다. 그러나 사회경제적 여건이 낮은 것 같은 환경적인 요인들이 복합적인 요인으로 작용할 수 있다.[16]

만성 고막 천공 혹은 만성 화농성 중이염의 발생 고위험 군에는 감염에 취약한 이관을 가진 경우가 많다. 그러나 이 가설을 증명할 증거들이 몇몇의 연구 결과로 국한되어 있다. 에스키모, 미국 원주민, Caucasian, Negro의 두개안면 골구조에서 이관의 골부에 해부학적인 차이가 있었다. 인종에 따라 길이, 폭, 이관 각도의 차이는 중이염이 특정 인종에서 많은 빈도로 발생하는 것을 설명해 준다. 또한 인종에 따라 이관의 저항이 다르고, 넓이도 차이가 난다. 이 경우 이관의 구조 및 기능은 바꿀 수가 없기 때문에 만성 화농성 중이염의 고위험군에서는 건강을 유지하고 환경을 개선하는데 노력을 해야 한다.

8. 환경

사회경제적 수준이 낮을 경우 만성 중이염의 발생 빈도가 높게 보고되며, 모유 수유의 영향은 적었다. 특히 뉴질랜드 마오리 족의 만성 중이염의 빈도가 1978년에서 1987년까지 감소하였는데 이는 건강과 주거 여건의 개선으로 인한 환경적 요인의 개선으로 인한 것으로 보고하였다.

Ⅳ 병리조직 소견(Pathologic finding in the temporal bone with CSOM)

만성 중이염에서는 중이와 유양동에 다양한 병리조직학적 변화가 일어난다. 일부는 감염의 직접적인 결과로 나타나기도 하며 일부는 숙주의 면역 반응으로 일어난다. 이러한 변화들이 만성 중이염의 증상을 유발하게 되며 수술을 시행할 때 결과에 중요한 요인들이 된다. 따라서 만성 중이염에서 유발되는 병리조직학적 변화에 대해 잘 관찰을 하면 수술시 청력의 회복 및 적절한 질병의 치료를 위한 가장 적합한 방법을 선택하는데 많은 도움을 줄 수 있다.

진주종을 동반하지 않은 만성 중이염은 중이강이나 유양동에서 지속적인 염증 반응의 결과로 점막, 점막하 조직 및 주위 골조직의 변화를 야기한다. 천공이 동반된 만성 중이염의 중요한 병리조직 소견으로는 육아조직의 형성(97.4%), 골변화(90.5%), 고실경화증(19.8%), 콜레스테롤 육아종(12.1%), 진주종(4.5%), 섬유화였다. 고막 천공이 없었던 경우는 육아조직의 형성(96.4%), 골변화(96.4%), 고실경화증(42.9%), 콜레스테롤 육아종(21.4%), 진주종(35.7%)순이었고 이는 비가역적인 변화이다.[14] 육아조직은 혈관과 세포 성분이 풍부한 미성숙 형태와 세포 성분은 적고 섬유조직이 풍부한 성숙한 형태로 구분된다. 만성 중이염이 활동성일 때 육아조직이 많이 발견되며, 이 때 세포 성분이나 혈관 조직이 많이 포함되어 있다.[14] 골 변화는 이소골의 고정이나 침식의 형태로 나타나는데 만성 중이염이 이루를 동반하는 활동성 형태인 경우 이루를 동반하지 않은 비활동성에 비해 이소골 병변의 발생 빈도가 높고, 비진주종성 중이염보다 진주종성 중이염에서 발생 빈도가 높다. 이소골의 파괴는 침골-등골 관절에서 가장 많이 일어나고 이소골 중에서는 침골, 등골, 추골의 순으로 잘 침범된다.[5] 그러나 만성 중이염의 형태나 유형에 따라 골 파괴를 보이는 이소골의 부위가 달라질 수 있다. 침골이 가장 많이 침범한다는 것은 공통된 사실이나 추골과 등골 중 어떤 것이 더 흔하게 침범하느냐는 상반된 견해도 있다.

고실경화증은 고막과 중이강 내에 칼슘 결정체가 형성되어 발생한다. 콜레스테롤 육아종은 거대 세포가 만성 염증, 섬유화 그리고 혈관 증식과 함께 콜레스테롤 결절로 변하는 것이며, 이 결절은 섬유결체 조직에 파묻혀 있다.[36] 콜레스테롤 육아종의 발생에는 환기장애, 배출장애, 출혈의 세 가지가 중요하게 작용한다.[4,33] 중이강과 측두골에서 콜레스테롤 육아종은 만성 중이염에 동반하여, 혹은 만성 중이염 없이 나타나기도 한다. 고막천공을 동반한 만성 중이염에서 약 21%까지 발견되며,[10] 만성 중이염이 없이 삼출성 중이염이나 특발성 혈고실과 동반해 발견되거나 외이도의 육아종 또는 추체골의 낭종 형태로 발견되기도 한다.[31]

Ⅴ 증상(Symptoms)

천공된 고막을 통한 간헐적 이루가 주증상이다. 이루는 중이강과 유양봉소의 병적인 점막에서 발생하며 대부분 통증이 동반되지 않으나 주위 골침범이 있으면 통증과 악취성 이루가 나타난다. 급성 감염이 동반되는 경우 지속적인 활동성 이루가 나타나기도 한다. 진주종성 중이염에서 이루의 양은 비진주종성 중이염보다 적은 경우가 많으며 특히 상고실 함몰의 초기에는 환자가 거의 느끼지 못할 정도로 미미하다. 진주종에서 많은 양의 이루가 나타난다면 이차 세균감염이 동반되었을 가능성이 높다.

청력장애는 대부분 전음성 난청이며, 와우 내 병변이 초래되면 혼합성 혹은 감각신경성 난청이 나타난다. 난청의 정도는 고막천공의 크기와 위치, 이소골 연쇄의 상태 등에 의해 결정된다. 단순히 고막 천공만 있는 경우 크기에 따라 다르지만 일반적으로 30 dB 이내의 청력 손실이 있으며 천공의 크기가 작은 경우는 저음역 난청이, 천공의 크기가 큰 경우는 고음역까지 난청이 발생한다. 고막의 천공과 이소골 연결의 단절이 동반되면 38 dB 이상의 청

표 21-1. 만성 화농성 중이염에서의 고막 및 이소골 상태에 따른 청력손실의 정도

고막 이소골상태	순음청력 손실
1. 고막천공	30dB
2. 고막천공과 이소골의 연결 단절	38dB
3. 고막과 이소골의 전체 결손	50dB
4. 고막천공 없이 이소골의 연결 단절	55~60dB

청력손실의 기전; 고막 및 이소골이 상태가 중이 음압 증강 작용에 미치는 영향
1. 고막 천공으로 인한 Areal ratio, Catenary lever 효과 소실
2. 1+Hydraulic lever and ratio 효과 소실
3. 2+ Phase cancellation
4. 3+ reflection of sound energy away from middle ear at the TM

력 손실이 있고, 고막과 이소골의 전결손이 있으면 역위상 소실(phase cancellation)이 생겨 50 dB 이상의 청력 손실이 있다. 고막 천공이 없고 이소골의 연결이 단절된 경우에는 고막의 진동이 이소골에 전달이 안되고 오히려 소리의 진동을 차단하는 효과로 인하여 55~60 dB의 청력 손실이 있다(표 21-1). 고막의 함몰로 인한 진주종의 초반기에는 이소골 연쇄에 큰 결함이 없어 청력은 정상이거나 청력 손실이 아주 적다. 그러나 환자가 갑작스런 청력 소실을 호소하면 이소골의 파괴나 내이의 침범 가능성을 고려해야 한다. 염증이나 진주종의 범위가 넓고 이소골의 연쇄가 심하게 파괴된 경우에도 청력의 소실이 경미할 수 있는데 이는 육아조직이나 진주종 조직이 난원창으로 음을 전도하기 때문이다.

만성 중이염으로 인한 감각신경성 난청은 주로 고음역에서 관찰되며[33,34] 감각신경성 난청의 심한 정도는 만성 중이염 병변의 심한 정도와 병변의 지속시간과 연관성이 있고 염증으로 인한 독성 물질(toxic substance)이 정원창을 통해 내이로 전달되어 발생한다고 보고되지만 아직 정확한 원인은 밝혀지지 않은 상태이다. 이들 물질이 내이에서 외·내 유모세포, 혈관조(stria vascularis), 나선 인대(strial ligament), 나선 신경절 세포(spiral ganglion cell) 등의 파괴 혹은 손상을 일으키는데 특히 내이 기저회전부(basal turn of cochlea)에서 세포수가 감소하는 것이 주 원인임을 보고한 연구들이 있지만 이들 구조물들의 이상 없이 음 전달 기전의 변화로 인한 것이라는 보고도 있다.[8,13,24]

만성 중이염 환자의 이통은 흔치 않은 증상이나, 우선적으로 외이도염의 동반을 의심해 보아야 하고, 지속적인 심한 통증은 골염이나 골수염의 가능성이 있어 주의해야 한다. 중이강을 가득 채운 육아종이나 부종으로 분비물이 배출되지 못하면서 압력이 증가하여 통증이 유발될 수 있으므로 측두골 혹은 두개내 합병증이 발생할 가능성에 주의한다. 특히 심한 두통을 동반하는 경우 경막외 농양을 형성했는지를 감별해야 한다. 어지럼을 호소하면 골성 미로에 누공이 발생했을 가능성이 많으며, 진주종으로 인한 수평반고리관 미란이 가장 흔한 원인이다. 누공 없이 독성 물질로 인한 미로염이 있는 환자도 심한 어지럼을 호소할 수 있다.

Ⅵ 진단(Diagnosis)

최근 다양하게 발전하고 있는 진단 기기들이 중이염의 진단에 많은 도움을 주고 있지만 정확한 진단을 위하여 체계적인 문진과 세밀한 이학적 검사가 반드시 필요하다. 문진을 통해 이루, 청력소실, 이통, 현기증, 안면마비 등의 이과적 증상과 과거 중이수술의 병력 등 만성 중이염을 일으킬 수 있는 전신 질환의 유무도 알아보아야 한다. 이학적 검사는 이경, 현미경 또는 이내시경을 이용하여 외이도, 고막, 중이점막의 상태를 검사한다. 고막의 위축, 함몰, 무기화(atelectasis), 유착성 중이염 등이 고막 천공과 구별이 어려울 때도 있어 주위해서 관찰해야 한다. 이루가 있으면 먼저 세균배양과 항생제 감수성검사를 시행하고 면봉과 흡입기를 이용해 이구, 이루, 각질 등을 제거한 후 검사한다. 진주종의 존재를 확인하기 위해서 상고실, 고막 후상방을 자세히 관찰한다. 만성 중이염의 고막천공은 대개 중심부에 위치하나, 상부나 변연부에 천공이 있으

면 진주종일 가능성이 높다. 천공 혹은 함몰부에서 육아 조직, 가피, 케라틴 덩어리가 관찰되면 되기도 하고 용종 형태로 외이도로 돌출하기도 한다. 용종은 대개 내부의 진주종과 연결되므로 잡아당겨서는 안되며 일부를 절단해 조직검사를 하여 종양을 감별한다. 고막을 관찰하면서 Valsalva법을 통해 이관통기도를 검사할 수 있고 누공검사를 통해 내이누공의 유무를 조사한다. 고막의 천공부위를 막아 기도 청력이 개선되는지 확인하는 첩포검사(patch test)를 시행하여 이소골 연쇄의 상태를 간접적으로 추정할 수 있다.

순음청력검사를 통해 기도 및 골도 청력을 정확하게 파악하고 어음청력검사도 함께 시행하는 것이 좋다. 이를 통해 만성 중이염으로 인한 청력장애의 정도와 유형을 파악하고 향후 청력 개선을 위한 치료 혹은 재활에 필요한 자료를 정확한 검사를 통해 확보한다. 내이침범의 증상이 있는 환자는 골도 청력이 수일 이내에 변할 수 있으므로 수술 직전에 청력검사를 다시 시행할 필요가 있다. 현기증, 안진 등 전정 증상이 있는 경우 안진검사와 누공검사 및 경우에 따라 전정기능검사를 시행할 수 있다. 누공검사 결과 양성 반응을 보이면 내이 누공이 있고 잔류내이기능이 있음을 의미하지만, 음성이라도 누공의 존재를 완전히 배제할 수 없으므로 측두골 단층촬영 및 수술 시에 누공의 유무를 확인해야 한다.

측두골 단순 방사선검사인 Law's view, Towne's view, Stenver's view는 유양동과 추체부의 함기화 정도와 골파괴의 유무 정도만을 알 수 있으나 최근 잘 사용하지는 않는다. 진주종성 중이염, 재발성 만성 중이염, 그리고 만성 중이염으로 인한 측두골내 또는 두개내 합병증이 의심되면 측두골 CT가 필요하다. 측두골 CT는 중이와 내이의 모든 구조물을 정확하게 보여주므로 염증이나 진주종의 범위, 이소골 및 주변 골조직인 scutum, 안면신경관, 골성미로, 고실개(tegmen) 등의 파괴, 그리고 유양동과 S상정맥동의 크기와 위치 등에 대한 정보를 얻는 데 도움이 된다. 측두골 CT의 이소골 병변에 대한 진단 예측도는 등골에서 가장 낮다. 등골은 CT에서 일정하게 관찰되지 않으며 난원창 부위의 연조직 음영으로만 나타날 수 있으므로 등골 병변을 예측하는 데 한계가 있다. 또한 측두골 CT는 이소골 두부의 많은 부분이 파괴되었거나 비교적 명확한 골파괴가 있는 경우에는 예측률이 높으나, 침골의 당돌기와 두상돌기나 등골에 국한된 미란이나 초기의 국소적인 병변을 예측하는 데는 한계가 있다.

Ⅶ 치료(Treatment)

만성 중이염의 치료 목적은 염증 제거, 재발 방지, 청력 회복, 그리고 합병증의 예방이다. 이러한 목적을 이루기 위하여 비수술적 치료와 수술적 치료를 적절히 선택해야 한다. 비수술적 치료는 수술적 치료를 시행하기 전에 보존적 요법으로 시행할 수도 있다. 전신 상태가 불량하거나 고령자 또는 한쪽 청력만 존재하는 귀 등으로 수술로 인한 위험이 크기 때문에 내과적 치료를 우선 고려해 볼 수 있다. 염증이 심해 이루가 있는 경우 내과적 치료를 우선하여 염증을 줄이고 점막 상태를 개선한 후 수술을 진행하는 것이 예후가 좋다.

국소치료는 외이 및 중이강 내의 분비물, 육아종, 가피 등을 제거하고 귀를 청결히 하여 국소 도포 항생제를 외이도를 통하여 사용하는 방법이다. 대부분 국소 항생제치료에 잘 반응 하는데 염증이 만성적 혹은 재발하는 경우는 세균 배양 검사를 시행하여 적절한 항생제를 선택하는 것이 바람직하다. 국소 치료로서 외이도와 중이강의 청결은 가장 먼저 시행해야 할 중요한 요소이다. 동시에 세균검사를 통하여 규명된 원인균에 대하여 국소 항생제를 도포하고 상태에 따라 전신적 항생제를 투여한다.

1. 국소치료

국소치료에서 중이 청소술(aural toilet)로 외이도와 중이강의 청결을 위해 우선 가피를 제거한 후 분비물을 흡인하여 깨끗하고 건조한 상태를 유지해야 한다. 모든 과정을 현미경하에서 조심스럽게 시행하며, 외래에서 이를 적절히 수행하기 위해서는 미세기구를 이용한 흡인(microsuction) 등 다양한 종류의 미세 현미경용 기구가 필요하다. 육아조직이 관찰되면 가능한 한 충분히 제거한 후 지혈을 잘 한 다음 알보칠(albothyl) 용액이나 농도 10% 이하의 질산은($AgNO_3$) 같은 약물로 소작술을 시행하는데 질산은 용액을 병변에 도포한 경우는 생리식염수(normal saline)로 중화시킨다. 내함낭에 케라틴이 차 있으면 직접 흡인하거나 관류하여 제거한다. 이때 골파괴가 있는 경우 심한 어지럼을 호소하므로 조심한다.

국소항생제는 점이액(ototopical drops), 분말제(ototopical powder), 연고제(ototopical ointment) 등의 제제를 사용할 수 있다. 국소 도포 항생제를 사용할 때 분비물과 육아조직 등이 가로막아서 약제가 작용부위까지 도달하지 못할 수 있으므로, 외이도와 중이의 분비물을 제거한 후 즉시 국소 도포제를 투여하여 작용부위까지 고르게 분포하도록 한다.

분말 형태로 투여하는 제제는 투여 시 자극이 거의 없기 때문에 점이액제의 단점인 자극에 의한 환자 순응도가 떨어지는 것을 보완할 수 있다. 외이도를 통한 분무 시 점이액처럼 흘러내리지 않아 고개를 젖힌 상태를 유지하거나 외이도 입구를 막을 필요도 없다. 또한 이루로 인한 외이도 및 중이강의 습한 환경에서 액체 성분인 점이액이 습한 환경을 더욱 조장되는 것을 막을 수 있고, 즉시 분비물을 건조시키는 효과도 있다. 그러나 외이도나 중이강 내에 분말이 지속적으로 존재 할 경우 지저분한 형태로 가피가 형성되는 단점도 있다.

국소 점이액은 대개 항생제, 스테로이드제, 산화용액, 항진균제를 조합해서 조제한다. 점이액내 항생제의 중이내 농도가 경구용 항생제에 비해 100~1,000배 정도 더 높게 유지할 수 있고 전신적으로 작용하지 않기 때문에 정상 세균총이 변하지 않으면서 고농도로 작용함으로써 항생제 내성균의 발현을 억제한다. 점이액을 외이도에 넣고 점적 후 이개를 후방으로 견인하면서 이주를 가볍게 수차례 눌러(tragal pumping) 외이도 압력을 증가시키면 점이액이 중이 안으로 효과적으로 도달할 수 있도록 한다.[11] 이 방법은 환기관을 삽입하고 있는 환자에서 점이액을 사용할 때도 적용된다. 초기 점이 항생제는 sulfathiazole ascorbate와 sodium penicillin-sulfathiazole, chloramphenicol, streptomycin, aminoglycoside가 사용되었다. 1960년대에는 neomycin, polymyxin B, hydrocortisone이 포함된 점이 항생제가 개발되어 치료에 우선적으로 사용되었다. 이 약제의 구성 성분인 neomycin은 알레르기 반응으로 인한 접촉성 피부염이 발생할 수 있고 동물실험에서 이독성이 보고되었다. 그러나 사람에서는 이독성이 거의 보고된 적이 없는데 이는 내이로 약물 침투 경로인 난원창의 두께가 염증 상황에서는 많이 두꺼워지기 때문인 것으로 생각된다. Polymyxin B는 알레르기 과민반응은 없으나 포도상 구균에 대한 효과는 적고, aminoglycoside계는 국소 자극이 덜하나 이독성이 발생할 수 있다. 최근 10년 동안 fluoroquinolone 제재 점이액이 개발되어 많이 사용하고 있는데 *S. pneumonia*, *H. influenza*, *M. catarrhalis*, *Staphylococci*, *Pseudomonas sp.*에 효과적이며 이독성이 없는 것으로 알려져 있어[7,17] 최근 가장 널리 사용되는 점이액이다. 하지만 현재 이에 대한 내성균주가 보고되고 있고 증가하는 추세이다. 이들 제제 중에는 ofloxacin이 처음으로 시판되었고 ciprofloxacin 제제에 스테로이드가 포함된 제제가 더욱 효과가 좋아졌다. 최근 많이 사용되는 3가지 종류의 약제는 ciprofloxacin 0.3%/dexamethasone 0.1%(Ciprodex Sterile Otic Suspension), ciprofloxacin HCl 0.2%/hydrocortisone 1%(CiproHC Otic Suspension), ofloxacin 0.3%/dexamethasone 0.1%(Floxin) 등으로[46] 국내 및 국외에서 가장 많이 동정되는 균주인 황색포도상구균과 녹농균에 효과적이다.[25,47]

국소 점이액들은 사용하기에 편하고 효과도 좋으며 부

작용이 적은 것으로 알려져 있지만 이독성이 문제가 된다. 이는 중이로 들어간 어떤 물질도 정원창을 통해 내이로 들어갈 수 있기 때문이다. 따라서 고막 천공이 있을 때는 이독성이 없는 fluoroquinolone 제제가 좋고, 이독성의 가능성이 있는 경우는 염증이 있을 때만 사용하고 염증이 사라지면 즉시 사용을 중단하고 환자에게는 가능성을 설명하고 사용하는 것이 좋다.[21] 단 고막이 존재하는 경우는 이러한 이독성의 위험성은 배제하고 사용하여도 상관없다.

국소항생제 연고제는 액체로 된 점이액이 국소 부위에 작용할 수 있는 시간이 길지 않은데 비해 연고제는 도포 후 서서히 녹으면서 국소 부위에 작용하기 때문에 작용시간이 긴 장점이 있다. 일차적으로 외이도염이 동반된 경우 사용할 수 있다. *MRSA* 감염에서 Fucidic acid ointment를 이용한 치료에서 만족할 만한 결과를 보고한 경우도 있었으며[22] 최근 광범위 항균력을 가진 Mupirocin calcium ointment를 비강의 황색포도상구균을 97%에서 줄이는 효과가 보고된 후 MRSA가 확인된 만성 중이염환자의 잔존 고막 및 인접 외이도와 천공된 고막을 통한 갑각(promontary) 주위에 연고를 도포한 결과 점이액 투여한 군에 비해 청력의 손실 없이 높은 치유 효과를 보고하고 있어[15] 국소 연고제를 균종에 따라 적절히 사용하는 것이 치료에 도움을 줄 수 있다.

2. 전신적 항생제 투여

항생제의 전신투여 요법은 일차적 국소치료제에 반응이 없을 때 사용할 수 있다. 전신투여 요법을 시행하는 경우는 만성 중이염으로 인한 합병증이나 전신적 질환이나 침습성의 증상 혹은 증후가 있을 경우와 두개안면기형, Down 증후군, 면역저하 질환 등이 있는 경우이다.[3] 항생제를 투여하는 기간이나 용법 등에 논란은 있으나 먼저 치료의 광범위 항생제를 우선 선택하여 치료하고 세균 검사결과에 따라 적절한 항생제의 선택하는 것이 원칙이다.[5,44] 또한 6주 이상 만성 염증이 계속 지속되는 경우는 장기간(6~8주) 전신 정맥항생제 투여를 고려해야 한다. 이 경우 철저한 국소 치료가 선행되어야 하며 균배양검사에 바탕을 둔 항생제 치료를 시행한다. 녹농균에 감수성이 있는 항생제로는 ceftazidime, piperacillin, tobramycin 등이 있으며 ticarcillin과 gentamycine도 효과적이라 알려져 있다. 황색포도상구균에 대해서는 ciprofloxacin, ofloxacin, trimethoprim-sulfamethoxazole이 효과적이다. 균 배양검사 결과가 의심스럽거나 검사 자체를 시행하기 어려운 경우에는 azlocillin, mezlocillin, ticarcillin/sulbactam 등이 중이 및 외이도에서 원인균을 효과적으로 치료할 수 있다.[23] Ciprofloxacin의 전신적 사용에 있어서 유소아에서는 피하는 것이 좋은데 이는 현재까지 유소아에서 골, 연골에 대한 이론적인 독성 효과가 알려져 있기 때문이다.

참고문헌

1. 박용호, 김응협, 서성태 등. 만성 중이염 및 진주종성 중이염 환자에서 biofilm의 형성. 한이인지 2009;52:124-128.
2. 유영인, 차창일, 이인영 등. 최근 만성 화농성 중이염의 세균학적 고찰. 한이인지 2004;47:607-611.
3. 윤태현, 유승주, 정태기 등. 만성 중이염시 중이강내 폐쇄병변과 측두골 함기도 저하의 상관관계. 한이인지 1994;37:910-916.
4. Albert RR, Job A, Kuruvilla G, et al. Outcome of bacterial culture from mastoid granulations: is it relevant in chronic ear disease?. J Laryngol Otol 2005;188:774-778.
5. A. Julianna Gulya, Lloyd B. Minor, Dennis S. Poe. Surgery of the ear. 6th ed. Connecticut: People's Medical Publishing House;2010. p.427-433.
6. Alper CM, Tabari R, Seroky JT, et al. Magnetic resonance imaging of the development of otitis media with effusion caused by functional obstruction of the Eustachian tube. Ann Otol Rhinol Laryngol 1997;106:422-431.
7. Argo AS, Garner FT, Wright JW, et al. Clinical trial of ototopical ofloxacin for treatment of chronic suppurative otitis media. Clin Ther 1998;20:744-758.
8. Azevedo AF, Pinto DCG, Souza NJA, et al. Sensorineural hearing loss in chronic suppurative otitis media with and without cholesteato-

ma. Rev Bras Otorhinolaryngol 2007;73(5):671-674.

9. Bluestone CD. Epidemiology and pathogenesis of chronic suppurative otitis media: implications for prevention and treatment. International journal of pediatric otorhinolaryngology 1998;42(3):207-223.
10. Byrd MC, Hughes GB, Ruggieri PM, et al. Cystic lesions of the petrous apex. In: Hughes GB, pensak ML, editors. Clinic Otology. 3rd ed. New York: Thieme Medical Publishers;2007. p.339-346.
11. Boyd NH, Gottschall JA. Assessment of the efficacy of tragal pumping: a randomized control trial. Otolaryngol Head Neck Surg. 2011;144(6):891-893.
12. Costerton JW, Stewart PS, Greenberg EP. Bacterial biofilm: a common cause of persistent infection. Science 1999;284(5418):1318-1322.
13. Cureoglu S, Schachern PA, Paparella MM, et al. Cochlear changes in chronic otitis media. Laryngoscope 2004;114:622-626.
14. Douglas Gnepp. Diagnostic Surgical Pathology of the Head and Neck. 2nd ed. Saunders;2008.
15. Furukawa M, Minekawa A, Haruyama T, et al. Clinical effectiveness of ototopical application of mupirocin ointment in methicillin resisitent staphylococcus aureus otorrhea. Otol Neurotol 2008;26:676-678.
16. Gleeson M, Browning GG, Burton MJ, et al. Scott-Brown's Otorhinolaryngology, Head and Neck surgery. 7th ed. vol 3. London: Hodder Arnold;2007. p.3395-3452.
17. Gates GA. Safety of ofloxacin and other ototopical treatments in animal models and humans. Pediatr Infect Dis J 2001;20:104-107.
18. Gleeson M, Browning GG, Burton MJ, et al. Scott-Brown's Otorhinolaryngology, Head and Neck surgery. 7th ed. vol 3. London: Hodder Arnold;2007. p.3395-3452.
19. Hall-Stoodley L, Hu FZ, Gieseke A, et al. Direct detection of bacterial biofilms on the middle-ear mucosa of children with chronic otitis media. JAMA 2006;296:202-211.
20. Hoffman HJ, Daly KA, Bainbridge KE, et al. Panel 1: Epidemiology, natural history, and risk factors. Otolaryngol Head Neck Surg 2013;4:148:E1-25.
21. Haynes DS, Rutka J, Hawke M, et al. Ototoxicity of ototopical dropan update. Otolaryngol Clin N Am 2007;40:669-683.
22. Hwang JH, Tsai HY, Lui TC. Community aquired methicillin resisitent staphylococcus aureus infections in discharging ear. Acta Otolaryngol 2002;122:827-830.
23. Hannley M, Denneny JC, Holzer SS. Use of ototopical antibiotics in treating 3 common ear disease. Otolaryngol Head Neck Sur. 2000;122(6):934-940.
24. Joglekar S, Morita N, Cureoglu S, et al. Cochlear pathology in human temporal bones with otitis media. Acta oto-laryngologica 2010;130(4):472-476.
25. Kutz JW, Roland PS, Lee KH. Ciprofloxacin 0.3% + dexamethasone 0.1% for the treatment for otitis media. 2013;14(17):2399-2405.
26. Khanna V, Chander J, Nagarkar NM, et al. Clinicomicrobiologic evaluation of active tubotympanic type chronic suppurative otitis media. J Otolaryngol 2000;29:148-153.
27. Kim CS, Chang SO, Park HS. A Statistical study of otitis media in Korea. The Korean Journal of Otol 1981;24:505-513.
28. Kim CS, Jung HW, Yoo KY. Prevalence of otitis media and allied diseases in Korea—results of a nation-wide survey 1991. J Korean Med Sci. 1993;8(1):34-40.
29. Kim CS, Jung HW, Yoo KY. Prevalence and risk factors of chronic otitis media in Korea: Results of nation-wide survey. Acta Otolaryngol (Stockh) 1993;113:369-375.
30. Kutluhan A, Yurttas V, Akaraca US, et al. Possible role of Helicobacter pylori in the etiopathogenesis of chronic otitis media. Otol Neurotol 2005;26:1125-1127.
31. Lee JS, Kim MG, Hong SM, et al. Changing patterns of bacterial strains in adults and children with otitis media in korean tertiary care centers.Clin Exp Otorhinolaryngol 2014;7(2):79-86.
32. Lin YS, Lin LC, Lee FP, et al. The prevalence of chronic otitis media and its complication rates in teenagers and adult patients. Otolaryngol Head Neck Surg 2009;140(2):165-170.
33. Margolis RH, Sally GL, Hunter LL. High frequency hearing loss and wideband middle ear impedance in children with otitis media histories. Ear Hear 2000;21:206-211.
34. MacAndie C, O'Reilly BF. Sensorineural hearing loss in chronic otitis media. Clin Otolarygol Allied Sci 1999;24:220-222.
35. Park MK, Jung MH, Kang HJ, et al. The changes of MRSA infections in chronic suppurative otitis media. Otolaryngol Head Neck Surg 2008;139(3):395-398.
36. Park M, Lee JS, Lee JH, et al. Prevalence and Risk Factors of Chronic Otitis Media: The Korean National Health and Nutrition Examination Survey 2010-2012. PLoS One. 2015;10(5):e0125905.
37. Paul W. Flint, Bruce H. Haughey, Valerie J. Lund, et al. Cummings otolaryngology head and neck surgery. 6th ed. Philadelphia: Saunders;2015. p.2139-2155.
38. Post JC. Direct evidence of bacterial biofilms in otitis media. Laryngoscope 2001;111:2083-2094.
39. Post JC, Stoodley P, Hall-Stoodley L, et al. The role of biofilms in otolaryngologic infections. Curr Opin Otolaryngol Head Neck Surg 2004;12:185-190.
40. Roland PS. Chronic suppuratiave otitis media:a clinical review. Ear Nose Throat J. 2002;81:8-10.
41. Schilder AG. Assessment of complicatons of the condition and the treatment of otitis media with effusion. International J of Pediatric Otorhinolaryngology. 1999;49:S247-251.
42. Takahashi H, Honjo I, Naito Y, et al. Gas exchange function through the mastoid mucosa in ears after surgery. Laryngoscope 1997;107:1117-1121.
43. Vaamonde P, Castro C, Garcia-Soto N, et al. Tuberculous otitis me-

dia: a significant diagnostic challenge. Otolaryngol Head Neck Surg 2004;130:759-766.

44. Verhoeff M, van der Veen EL, Rovers MM, et al. Chronic suppurative otitis media: a review. International journal of pediatric otorhinolaryngology 2006;70(1):1-12.
45. Vlastarakos PV, Nikolopoulos TP, Maragoudakis P, et al. Biofilm in ear, nose and throat infectins: how important are they?. Laryngoscope 2007;117(4):668-673.
46. Wall GM, Strom DW, Roland PS, et al. Ciprofloxacin 0.3%/Dexaemthasone 0.1% sterile otic suspension for the topical treatment of ear infection: a review of the literature. Pediatric Infect Dis J. 2009;28(2):141-144.
47. Yong Ki Kim, Gyung Il Kim, Wan Su Kim, et al. A Bacteriologic Study of Chronic Otitis Media after Surgery. Korean J Otolaryngol 1996;39(5):769-775.
48. Yuceturk AV, Unlu HH, Okumus M, et al. The evaluation of eustachian tube function in patient with COM. Clinical Otolaryngology. 1997;22:449-452.

CHAPTER

22

진주종성 중이염

이비인후과학 Otorhinolaryngology - Head and Neck Surgery

김형종

I 서론

진주종성 중이염은 진주종을 동반한 만성 중이염을 뜻하며 줄여서 진주종으로 쓰기도 하고, 중이에 호발하기 때문에 중이진주종이라고도 사용된다. 진주종은 1829년 프랑스의 Cruveilheir가 처음으로 진주종의 병리적인 특성을 측두골에 생긴 'tumeur perleé (pearly tumor)'로 기술하였다. 1838년 독일의 Johannes Müller가 진주모양의 중층상피로 쌓여 있는 지방종이나 담도계 지방(콜레스테린(cholesterin))이 있어 다른 지방종과 구별된다고 소개하면서 처음으로 'cholesteatoma'란 용어를 사용하였다.[3] 하지만 이 병변은 신생물 종양(-oma)도 아니고, 콜레스테린(-chol-)이나 지방(-stea-)을 포함하고 있지 않으므로 'cholesteatoma'는 병리학적으로 잘못된 명칭이다. 대신 진주종은 축적된 각질을 둘러싸고 있는 편평상피의 matrix와 이것을 다시 둘러싸는 염증성 육아조직의 perimatrix로 구성되어 있어 keratoma라고 명명되기도 하고,[52] skin in the wrong place로 기술되기도 한다.[49] 각질을 함유하고 있다는 점에서 볼 때 나중에 제안된 keratoma라는 병리학적 용어가 보다 더 정확하지만, 임상의들은 아직도 keratoma보다 진주종이라고 흔히 사용하고 있다.

진주종은 탈락된 각질덩어리를 중층편평상피세포가 둘러싸고 있는 낭종과 그 주변의 염증육아조직으로 이루어지며 점점 크기가 커지면서 측두골 내 주위 골조직을 파괴하는 특징을 가진 병변이다.[12] 진주종은 선천성 또는 후천성으로 생기고, 선천성은 입구가 없는 낭종 형태로 흔히 생기고, 후천성은 입구가 있는 내함낭(retraction pocket) 형태로 흔히 발생한다. 낭종 또는 내함낭 안에 각질이 많이 축적되면 진주종 기질의 표면을 이루는 편평상피가 기저막 방향으로 발육하고, 감염이 함께 동반되면 육아조직으로부터 결합조직 분해효소인 콜라게나제 등이 분비되어 인접해 있는 해부학적 구조물의 파괴를 초래한다. 진주종은 대부분 중이 및 유양동에서 발생하지만, 드물게 추체부나 외이도에서 원발성으로 생기기도 한다. 임상적으로는 이루, 난청, 안면신경마비, 내이누공의 측두골

내 합병증뿐 아니라 심하면 뇌수막염, 경막외농양, 경막하농양, 뇌농양, 정맥동혈전증과 같은 심각한 측두골 외 두개내 합병증이 초래될 수 있고, 아직까지 진주종의 골 파괴를 내과적으로 치료하거나 예방할 수 있는 방법이 개발되지 않아서 진주종이 진단되면 임상에서는 보통 수술적 제거를 권유한다.

한편 진주종은 수술 후 재발이 흔한 질환으로 잘 알려져왔다. 이관기능이 비정상인 후천성 진주종 환자에서는 진주종을 수술로 완전히 제거했더라도 이관기능부전 때문에 고막내함이나 중이음압형태로 남아 있다가 진주종이 다시 재발되기도 한다. 완전 제거 후 진주종 상피가 다시 자라 들어가 재발한 경우를 재발성이라고 하고, 불완전 제거 후에 남은 진주종 기질에서 재발된 경우 잔류성 진주종으로 용어를 구별하여 사용하고 있다.[18]

정리하면 진주종은 골조직 파괴와 술 후 재발성향을 특징으로 하는 질환으로서 이 장에서는 발생에 관련된 병리기전과 임상양상을 중심으로 기술하고, 치료와 합병증은 다른 장에서 따로 정리할 것이다.

II 진주종의 발생과 성장

1. 중이강의 형성과 공간[3]

대부분의 진주종은 발생 부위와 주변의 해부학적 구조에 따라 체계적인 과정을 거쳐 성장하므로 진주종의 발생을 이해하기 위해서는 중이의 발생해부학적 지식이 필요하다. 중이는 중고실(mesotympanum), 상고실(epitympanum), 하고실(hypotympanum)로 크게 3개의 구획으로 나눈다. 중고실은 고막긴장부의 맨 위와 아래의 경계에서 그은 가상의 수평선 안에 위치한 공간이며, 상고실은 추골의 장각보다 위쪽에 위치한 공간을 말하며 추골두부, 침골체부 등을 포함한다. 하고실은 골성 외이도의 하벽보다 아래에 있는 부분이다. 진주종의 위치는 후상고실, 후중고실, 전상고실 순서로 흔하게 발생하며 주위의 점막추벽(mucosal fold), 이소골의 지지인대(suspensory ligament), 이소골를 경계로 만들어지는 통로를 통하여 진주종이 자라 들어가고, 비교적 일정한 순서와 위치에 따라 침범하게 된다. 이 경로는 귀의 발생 과정에서 형성된 구조물에 의한 것으로 태생 3~7개월에 이관에서부터 확장된 제1 새와(1st branchial pouch)로부터 유래한 4개의 내배엽세포로 이루어진 낭(sac)이 중이강을 형성할 때 서로 맞닿은 부위가 점막추벽, 지지인대가 되고, 이에 따라 다양한 와(pouch), 강(space), 및 구획(compartment)들이 만들어진다.

내낭(saccus medius)은 전낭(saccus anticus)과 함께 진주종이 흔히 발생하는 전상고실을 형성한다. 내낭은 세 개의 더 작은 낭으로 나누어지며, 가장 내측이 후천성 진주종의 가장 흔한 전파통로인 Prussak 공간을 형성한다. Prussak 공간은 고막이완부와 추골의 경부 사이의 공간을 말하며, von Tröltsch 전와(anterior pouch of von Tröltsch)는 전추골 추벽과 고막 사이에 위치한 공간이며, von Tröltsch 후와(posterior pouch of von Tröltsch)는 고막과 후추골추벽(posterior mallear fold) 사이에 위치한 공간이다. 내낭의 중간은 추골 두부와 침골 체부의 외측 상부에 위치하는 상침골강 형성에 관여하고, 내낭의 후측 낭은 침골장각의 내측을 통해서 유양동의 추체부를 함기화시킨다. 내낭의 전측은 상고실의 전구획(anterior compartment)을 형성하게 되는데 상고실의 전구획과 후구획(posterior compartment)이 합쳐지며 고막장근 추벽에 의해 중고실의 전방부와 구분되는 하나의 커다란 공간을 형성한다.

전낭(saccus anticus)은 중이의 앞쪽에서 발달하며, 위쪽으로 고막장근과 고막장근 추벽이 경계가 된다. 내낭의 성장이 상대적으로 늦으면 전낭이 전상고실을 형성하게 되고 고막장근 추벽이 불완전하게 형성된다. 이 경우 상추골 추벽(superior incudal fold)이 상고실을 수직으로 나누어 전구획과 후구획으로 구분한다. 전구획은 전고

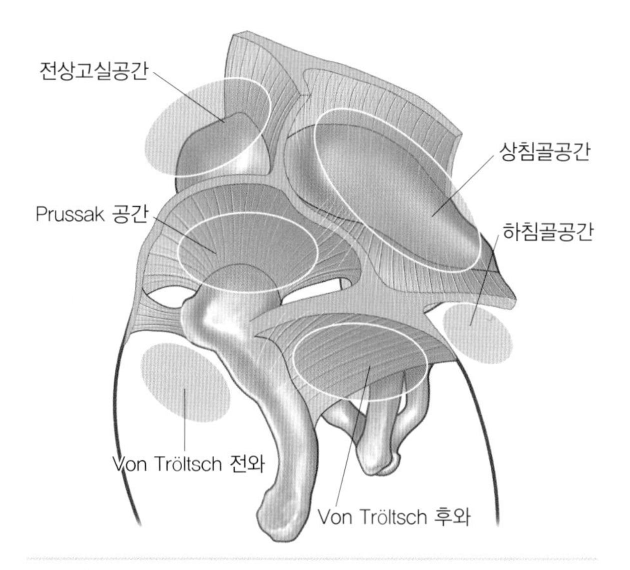

■ 그림 22-1. **진주종과 상고실의 공간과 낭.** 인대와 주름에 의해 중이의 여러 공간과 낭이 구분된다.

실(protympanum)과 이관으로 직접 소통하고, 후구획은 고실협부(tympanic isthmus), 유양동구(aditus ad antrum)와 소통한다.

상낭(saccus superior)은 추골병과 침골장각 사이로 자라 들어가서 침골체부의 바로 아래에 놓이는 하침골강(inferior incudal space)을 형성하며 측두골의 인상부(squamous portion)를 함기화시킨다. 상낭과 내낭의 경계가 골판으로 뚜렷하게 나타날 수 있는데 이를 추체인상격벽(petrosquamous septum), Körner's septum이라고 하며 유돌절제술 시 유양동을 찾을 때 혼동될 수 있어 false bottom이라고도 한다.

후낭(saccus posticus)은 중이의 뒤쪽과 하고실(hypotympanum)을 형성한다. 안면신경와(facial recess), 고실동(sinus tympani), 정원창, 난원창 등이 대부분 후낭에서 형성된다(그림 22-1).

2. 발생기전

1) 선천성 진주종

선천성 중이진주종의 발병기전은 아직 명확하지 않으며 여러 가지 가설이 있다(표 22-1). 그 중 가장 폭넓게 받아들여지는 첫 번째 가설은 표피양 형성설(epidermoid formation theory; epithelial rest theory)이다. 표피양 형성은 태생기 고실강의 측벽에 태생 10주에 나타나 33주에 소실되는 편평상피세포의 잔존물(rests of squamous epithelial cells)로서 일부에서는 이들이 태생 33주 이후에도 퇴화하지 않고 남아 증식하여 진주종이 발생한다는 설이다.[37] 고실의 전상부 이외에 발생하는 진주종을 설명하기에는 부족하다는 견해도 있으나, 최근 태생 6주에서 산후(postpartum) 8개월까지의 측두골연구에 의하면 고실의 전상부에서는 대부분에서 표피양 형성이 관찰되며 고실강 측벽의 후하부, 전하부, 후상부에서도 일부에서 표피양 형성이 관찰되어 표피양 형성설로서 전상부 이외의 선천성 진주종의 생성기전의 설명이 가능하다.[44] 두 번째 가설은 상피이동설(epithelial migration theory) 또는, 고실륜 결손설(lacks of tympanic ring theory)로서 태생기의 외배엽세포가 중이강으로 이동하는 것을 방지하는 역할을 하는 고실륜(tympanic ring)이 없어서 전진하는 외배엽세포가 고실륜의 정지신호(stop signal)를 받는데 실패하여 진주종이 발생한다는 설이다.[7] 세 번째 가설은 반복되는 고막의 내함과 유착에 의해서 생후에 발생한다는 가설이고,[55] 네 번째 가설은 상피화생설(squa-

표 22-1. 진주종의 발병기전

선천성 진주종
표피양 형성설(epidermond formation)
상피이동설(고실륜 결손설, lack of tympanic ring)
고막내함 및 유착설(repeated retraction and adhesion)
상피화생설(squamous metaplasia)
후천성 진주종
내함설(invagination), primary acquired cholesteatoma
상피침입설(epithelial ingrowth), secondary acquired cholesteatoma
기저세포 과증식설(basal cell hyperplasia)
상피화생설(squamous metaplasia)

mous metaplasia theory)로서 중이 점막이 각질편평상피로 화생한다는 설이다.[51] 그러나 아직까지 어느 한 가지 가설만을 사용하여 선천성 진주종의 발병기전을 완벽하게 설명하기는 어렵다.

2) 후천성 진주종

후천성 진주종의 발병기전은 한 세기 이상 논란 중인 주제로 크게 다음의 4가지 기본 가설이 제기되고 있다(표 22-1).[50] 첫 번째 가설은 고막의 내함(retraction)이 진행되어 내함낭을 형성하여 진주종이 발병한다는 내함설(invagination theory), 두 번째는 고막의 천공을 통하여 외이도 상피가 이동하여 진주종이 발생한다는 상피침입설(epithelial ingrowth, migration theory), 세 번째는 편평상피의 기저층 세포가 기저막을 뚫고 과증식한다는 기저세포 과증식설(basal cell hyperplasia theory), 네 번째는 중이 점막이 각질화 편평상피로 화생화한다는 상피화생설(squamous metaplasia theory)이다.

내함설은 상고실 진주종(attic cholesteatoma) 형성에 관여하는 주요 기전 중의 하나로 생각된다.[46] 고막의 내함은 이관의 기능부전으로 인한 중이 내의 음압으로 발생하며 섬유조직이 적고 지지하는 힘이 적은 고막의 이완부에서 주로 발생하며, 고막 긴장부의 후상부에서도 발생할 수 있다. 반복되는 염증으로 고막 함입낭이 형성되고 깊어진다. 내함낭의 주머니 안에서 상피세포의 이동이 저하되고 탈락 상피가 빠져 나오지 못하게 되면, 계속 케라틴이 축적되면서 내함낭이 폐쇄된 공간 속으로 점차 자라 들어가 진주종 낭종을 형성하게 된다. 이러한 형태의 진주종은 일차성 후천성 진주종(primary acquired cholesteatoma)이다.

상피세포 침입설은 고막 표면의 각질편평상피가 천공된 고막을 통하여 중이 내로 침범한다는 이론으로 임상에서 자주 관찰할 수 있으며 이렇게 형성된 진주종은 이차성 후천성 진주종(secondary acquired cholesteatoma)이다.[41] 이 가설은 진주종이 피부 기원임을 시사하며, 염증이 고막 내측 점막을 손상시키고 고막 천공을 통해 외부의 각화상피세포가 자라 들어가 발생한다는 설이다. 측두골 손상 후 각질화 상피세포가 골절된 외이도를 통하여 유양동쪽으로 자라 들어가 발생하는 진주종에서도 이 기전을 확인할 수 있다.[38]

기저세포 과증식설은 고막 이완부의 기저층 세포가 기저막(basement membrane)을 파괴하고 고막의 상피하 결합조직을 침범하며 과증식한다는 가설이다.[50] 인체의 진주종에서 기저막이 파괴된다는 사실이 이러한 가설을 뒷받침하며, 실험적으로 중이강 내에 *propylene glycol*을 고농도로 *chinchilla*의 중이강에 투여한 후에 염증반응이 발생하고 고막의 상피세포가 안쪽으로 자라 들어가는 것이 밝혀졌다.[24] 기저막의 파괴로 상피가 상피하 조직 속으로 자라 들어가 미세 진주종을 형성하게 되며, 미세 진주종이 커져서 이차적으로 고막을 천공시키고 특징적인 상고실형의 진주종이 되기도 하며 고막천공 없이 발생하는 진주종은 이 기전에 의해 발생한다는 주장이 있다.[53]

상피화생설은 중이강의 단순편평(simple squamous) 또는 입방(cuboidal) 상피세포가 염증의 자극으로 인해 각화형(keratinizing) 상피세포로 변화할 것이라는 가설이다.[45] 염증에 의해 자극받은 중이점막이 각화형 중층상피세포로 화생되어 케라틴이 축적되고 반복적인 감염과 염증에 의해 고막의 천공이 생기게 된다. 중이점막이 화생(metaplasia)되고 각화된다는 것을 지지하는 연구 결과로 심한 비타민 A 결핍증을 유발한 쥐의 중이와 이관에 각화상피세포가 발생하는 것이 증명되었으나[10] 화생기전에 의해 임상에서 흔히 보는 각질축적을 함께 동반한 진주종이 형성된다는 실험연구 결과는 아직 없다.

3) 실험적 진주종

병리기전의 규명을 위하여 실험적 진주종 동물모델을 이용한 연구가 발표되어 왔다. Ruedi는 talc와 fibrin 혼합물을 기니픽에서 중이측의 고막면에 적용함으로써 진주종을 유발하였고 Friedmann은 기니픽의 중이에 세균을 주입한 후 고막천공을 통해 외이도 편평상피가 중이 내로 이동함을 관찰하였다. Abramson 등과 Jackson과 Lim은 중이강에 피부편을 이식함으로써 진주종이 형성되는 것을 관찰하였고, Steinbach는 토끼에서 gelfoam 및 Histoacryl glue을 고막에 바르는 방법과 외이도를 결찰하는 방법을 사용하여 진주종을 유발하였다.[1] Chole 등[9]은 몽고저빌(mongolian gerbil)에서 자연발생한 귀의 진주종을 우연히 발견한 후 같은 동물에서 외이도 결찰 시 거의 모든 동물에서 진주종이 유발되었음을 보고했고, Wright 등[58]은 친칠라의 중이에 propylene glycol을 주입한 모델을 소개하였으며 Wolfman과 Chole[57]은 다시 몽고저빌에서 이관을 전기소작한 후 고막내함낭에 의한 진주종유발을 관찰하였다. 몽고저빌에서 여러 유형의 진주종 동물모델을 만들어 서로 비교한 연구[1,29]에 의하면 자연발생형의 동물모델이 인위적 조작을 하지 않았다는 면에서 사람의 중이진주종과 가장 유사하나 병변의 발생을 예측하기 어려운 점이 있고, 외이도형은 외이도결찰 후 매우 높은 발생률을 보이고 골파괴(bone resorption)를 동반한 병변이 형성되어 진주종에 의한 골파괴 기전연구에 적합하며 이관폐쇄형은 사람에서 가장 흔히 보는 중이진주종에 가깝지만 이관폐쇄의 정도를 조절하기 어렵고, 각질형성이 많지 않은 단점이 있다. 염증유발형은 상피기저세포 과증식설을 뒷받침하는 연구에 적합하고 각질형성도 잘 되어 사람의 병변과 유사한 반면 유발 후 발생률이 높지 않은 문제점이 있으며 피부이식형은 contact guidance 및 contact inhibition 기전에 의해서 각질화 편평상피가 중이점막상피와 공존하는 기전을 연구할 수 있는 방법이지만 임상적인 진주종 발생과는 차이가 있다고 하며 향후의 연구에서는 서로 다른 유형의 동물모델을 조합하여 사용함으로써 보다 정확한 기전을 규명할 수 있을 것이라고 제안하였다.[1]

4) 병리조직학적 소견

진주종은 점막상피로 덮여 있는 중이강 내에 각질화 편평상피가 침입하여 각질(keratin)을 축적하면서 주위의 골조직을 파괴하는 질환이다. 진주종은 중이강, 유돌봉소, 추체첨으로 각질화 편평상피가 자라 들어가는 병변이고, 표피탈락(desquamation)과 함께 각질이 축적되어 주위조직의 골파괴를 유발한다. 특히, 진주종이나 육아조직은 만성 중이염에서 골파괴를 유발하여 임상적으로 난청, 현기증, 안면신경 마비와 두개내 합병증을 유발하는 중요한 원인이 된다.

골파괴 현상은 진주종 덩어리에 의한 압력의 효과와[40] 염증반응에 의하여 생긴 육아조직에서 분비되는 collagenase,[5] acid phosphatase,[54] acid protease 등[8]의 여러 가지 효소의 화학작용이 관여한다. 최근에는 염증세포에서 분비되는 여러 종류의 cytokine[14]도 작용하는 것으로 알려졌다. 이러한 여러 가지 기전들이 상호 관계하여 국소적인 파골세포(osteoclast)를 활성화시켜 골파괴 현상이 일어나는 것으로 설명하고 있다.[11] 골파괴 현상의 하나인 이소골의 병변이 발견되는 빈도는 측두골의 조직검사에서 90% 이상의 높은 비율로 나타났으나,[15] 임상에서 환자를 수술현미경하에서 관찰할 때에는 이보다 낮은 빈도로 나타나고, 이소골 병변은 만성 중이염의 형태나 이루의 유무에 따라 발생빈도가 다르게 나타날 수 있다. 즉, 만성 중이염이 이루를 동반하는 활동성 유형인 경우 이루를 동반하지 않는 비활동성 유형에 비해 이소골 병변이 높은 빈도로 관찰되고, 비진주종성 중이염보다 진주종성 중이염에서 높은 빈도로 관찰된다.[35] 이소골 중에서는 일반적으로 침골이 가장 흔하게 침범되고 다음으로 등골 및 추골의순으로 병변이 나타나며, 특히 침골의 두상돌기(lenticular process)의 파괴가 가장 흔하게 나타나고, 골파괴가 이소골 전체에 있는 경우도 약 37%에 이른다고 보고된다.[35] 그러나 만성 중이염의 형태나 진주종성 중이염의 유형에 따라 먼저 골파괴를 보이는 이소골과 부위에 차이를 보인다. 즉 만성 천공성 중이염에서는 천공 주위에 염증소견이 흔히 존재해서 침골의 두상돌기의 파괴가 먼저 관찰된다. 그러나 진주종성 중이염의 이완부형에서는 추골의 두부(head)와 경부(neck)의 파괴가 가장 먼저 일어나고, 긴장부형에서는 침골의 두상돌기와 등골의 두부의 파괴가 먼저 관찰된다.

5) 진주종의 발생 경로(그림 22-2)[3]

진주종의 성장은 발생 위치에 따라 다르게 나타나고, 후천성 일차성 진주종은 처음 발생한 고막의 부위에 따라 상고실(이완부형) 진주종과 중고실(긴장부형) 진주종으로 구분한다.

상고실 진주종은 상고실 함요(Prussak's space)에서 기원하여 상고실후방 진주종(posterior epitympanic cholesteatoma)과 상고실전방 진주종(anterior epitympanic cholesteatoma)으로 구분할 수 있고 각각 다른 경로로 자라 들어간다. 상고실 후방 진주종은 상고실 함요에서 후방으로 통과하여 태생기 내낭(saccus medius)의 발생학적 경로를 따른다. 즉, 침골 체부 외측과 외

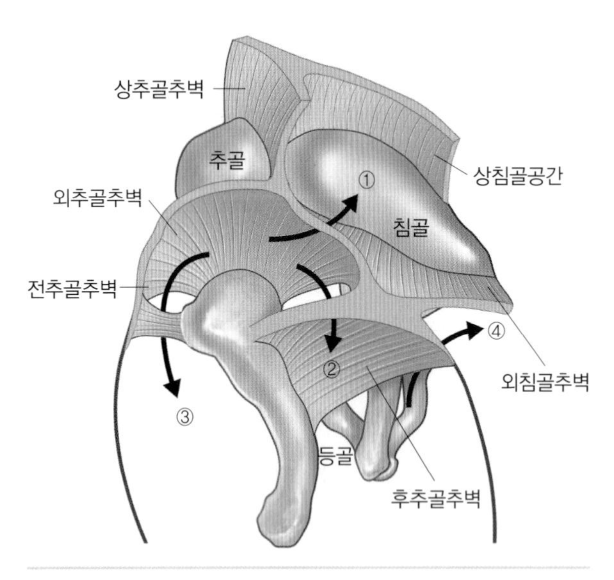

■ 그림 22-2. **진주종의 파급 경로.** ① 상고실후방 진주종이 후방의 상침골공간으로 통과 ② 상고실후방 진주종이 아래쪽의 von Tröltsch 후와로 통과 ③ 상고실전방 진주종이 아래쪽의 von Tröltsch 전와로 통과 ④ 중고실 진주종이 후상방의 하침골공간으로 통과 (참고: 윤태현. 만성 중이염과 진주종. In: 대한이비인후과학회 편. 이비인후과학-두경부외과학 2판, 서울, 대한민국: 일조각; 2009. 1권 p.602-23.)

침골추벽(lateral incudal fold)의 상부인 상침골강(superior incudal space)을 통과해 유양동구를 통하여 유양동에 이른다. 그러나 보통 상고실함요의 후하부로 내려가서 고막과 후추골추벽(posterior mallear fold) 사이에 놓인 *von Tröltsch*의 후와(posterior pouch)를 통하여 중고실의 후방에 도달하여 등골, 정원창, 고실동(sinus tympani), 안면신경와(facial recess)를 침입하기도 한다. 상고실 전방 진주종은 추골 두부의 전방에 내함과 낭이 형성된 후 태생기 전낭(saccus anticus)이나 내낭의 전소낭(anterior saccule)의 발생학적 진로를 따라 파급된다. 상고실의 전방에 있는 안면신경의 수평부위와 슬신경절 부위를 침입하여 안면신경의 기능장애를 유발할 수 있고, 더 아래로 파급되는 경우는 고막과 전추골추벽(anterior mallear fold) 사이에 놓인 *von Tröltsch*의 전와(anterior pouch)를 통해 중고실로 침입한다. 상고실 전방 진주종은 추골 두부의 전방을 충분히 노출하지 않으면 수술 중에 흔히 간과될 수 있는 부위이다.

중고실 진주종은 고막 긴장부의 후방이 내함되어 내함낭을 형성한 후 태생기 후낭(saccus posticus)과 상낭(saccus superior)의 발생학적인 진로를 따른다. 즉, 고실동과 안면신경와를 주로 침입하고, 후고실 협부(posterior tympanic isthmus)와 하침골강(inferior incudal space)을 통해 유양동으로 파급할 수 있다. 중고실 진주종은 상고실후방 진주종과는 달리 추골과 침골의 내측을 통과하여 유양동으로 파급한다. 중고실후방 진주종(posterior mesotympanic cholesteatoma)이 고실동을 침입하는 경우에는 제거하기 어려워 잔류성 진주종이 흔하다.

요약하면 후천성 진주종이 발생하여 자라 들어가는 경로는 상고실 후방이 가장 흔하고, 중고실의 후방과 상고실의 전방의 순이다.[36] 대부분의 진주종은 이러한 특징적인 경로를 통하여 파급되나, 다발성의 진주종은 두 가지 이상의 경로로 파급되기도 하며, 중이강의 구조물에 해부학적인 변형이 있을 때에는 간혹 비특이적인 양상으로 진주

표 22-2. 진주종의 분류

선천성 진주종
후천성 진주종
일차성 진주종(primary acquired cholesteatoma)
이차성 진주종(secondary acquired cholesteatoma)
재발잔류성 진주종(recidivistic cholesteatoma)
재발성 진주종(recurrent cholesteatoma)
잔류성 진주종(residual cholesteatoma)
기타 진주종
외이도 진주종
원발성 고막 진주종
원발성 유돌부 진주종
추체부 진주종

종이 자라기도 한다.

Ⅲ 진주종의 분류

진주종의 임상적인 분류는 진주종이 어떻게 기원했는가에 따라서 선천성(congenital) 진주종, 후천성(acquired) 진주종 그리고 수술 후 재발하거나 잔존하는 재발잔류성(recidivistic) 진주종으로 크게 나눌 수 있다. 후천성 진주종은 일반적으로 후천성 일차성(primary) 진주종과 후천성 이차성(secondary) 진주종이라 세분하고, recidivistic 진주종은 재발성(recurrent) 진주종과 잔류(residual) 진주종으로 세분한다. 그 외에 측두골 내에서 외이도, 고막, 유양동 및 추체부를 원발부위로 어느 곳에서나 발생할 수 있다(표 22-2).

1. 선천성 진주종

정의에 관련되어 1965년 Derlacki와 Clemis는[16] 선천성 중이진주종의 진단기준을 제시하여 후천성 진주종과 구별하였다. 선천성 진주종으로 진단하려면 고막 천공 없이 고실내에 백색의 종괴를 보이면서 이루나 고막 천공, 이과수술의 과거력이 없어야 하는데, 특히 급성 중이염의 병력이 있다면 진단에서 배제하였다. 약 20년 후인 1986년 Levenson 등[33]에 의해 Derlacki의 진단기준 중 소아에게 매우 흔한 중이염 병력은 진단기준에서 제외되어야 한다고 제안되었고, 그 이후로 이 정의가 널리 사용되고 있다. 그 기준에 따르면 선천성 중이진주종은 정상적인 고막의 내측에 존재하는 백색의 종물로, 고막의 이완부와 긴장부는 정상 소견을 보이며, 이루, 천공, 이과적 수술의 과거력이 없어야 하나 중이염의 병력은 진단에 영향을 주지 않는다. 그러나 외이도 폐쇄증이 동반되었거나 고막내(intramembranous) 진주종, 거대 진주종인 경우에는 진단에서 제외하였다. 병변 초기의 유소아에서는 진단기준에 부합한 진단을 쉽게 할 수 있지만, 적절한 치료가 이루어지지 않고, 병변이 진행된 경우 후천성 진주종과 감별이 어렵게 된다. 가령, 진주종낭이 고막 바깥으로 터져서 고막천공이 일어나거나 또는 진주종 덩어리에 의해 환기 통로가 막혀서 심한 고막유착이 되거나 이완부 고막의 내함이 깊어지는 경우, 또는 유양동으로 확장된 진주종에 의해서 외이도 후벽이 파괴된 진행 병변의 경우에는 후천성 진주종과 구별이 어렵고, 기존의 정의에 의한 진단을 내릴 수 없다.

선천성 진주종의 분류와 관련되어 Potsic 등[47]은 병변의 범위에 따라 병기를 제안하였는데 고실을 전상, 전하, 후상, 후하로 4분하였을 때, 한 곳만을 침범한 경우 병기 I, 여러 곳을 침범하였지만 이소골이나 유양동을 침범하지 않은 경우 병기 II, 이소골을 침범한 경우 병기 III, 유양동을 침범한 경우 병기 IV로 나누어 술전 병기에 따라 술후 예후가 다르다고 하였다. 또한, McGill 등[34]은 중이강 내의 선천성 진주종을 병리조직학적으로 폐쇄형(closed type)과 개방형(open type)으로 나누고, 폐쇄형은 케라틴 낭(keratotic cyst)을 형성하여 쉽게 제거가 가능한 반면에 개방형은 침윤형(infiltrative type)으로 진주종의 기질이 중이점막과 직접 연결되어 있어 수술적 제

표 22-3. 질병의 정도와 수술접근법에 따른 선천성 중이진주종의 병기

저자	병기	질병의 정도	수술접근법
Nelson et al[61]	I	Confined to middle ear with no ossicular involvement	Extended tympanotomy
	II	Involves ossicular chain, posterior mesotympanum and/ or superior quadrant of the attic	Extended tympanotomy or Possible atticotomy
	III	Middle ear and mastoid obliteration with ossicular erosion	Tympanomastoidectomy
Potsic et al[70]	I	Involves one middle ear quadrant	Not Provided
	II	Involves two or more ear quadrants without ossicular invasion or mastoid extension	Not Provided
	III	Ossicular erosion but no mastoid extension	Not provided
	IV	Mastoid infiltration	Tympanomastoidectomy
Kim[2]	A	Anterior quadrants	Exploratory tympanotomy or Atticotomy
	P	Posterior quadrants with or without ossicular involvement. No mastoid involvement	Exploratory tympanotomy with Atticotomy, or Canal up mastoidectomy with exploratory tympanotomy
	M	Mastoid involvement	Canal up mastoidectomy with /without exploratory tympanotomy
	R	Recurred cases	Managed as primary cases, and Canal down mastoidectomy, if necessary

참고: 김형종. 선천성 진주종의 진단 및 치료. 한이인지 2013;56:1-8.

거가 어려워 재발률이 높다고 하였다. 김은 100여례의 선천성 중이진주종 수술 경험을 근거로 Potsic의 병기를 수정한 전고실(Anterior quadrants; A), 후고실(Posterior quadrants; P), 유돌부(Mastoid involvement; M) 및 재발성(Recurred; R)의 4단계 새로운 APMR 병기를 제안하여[2] 이 병기에서는 이소골침범 유무 여부와 술후 예후에 상관이 작은 Potsic II 및 III 병기를 P 병기로 합치고, 재발성 진주종의 경우 선천성 중이진주종의 진단기준에는 맞지 않지만, 임상소견이 선천성 진주종과 비슷하여 R 병기를 만들어 여기에 포함하였다(표 22-3)(그림 22-3).

2. 후천성 진주종

후천성 진주종은 진주종 형성과정에 감염이 관여되었는지 여부에 따라 관여되지 않은 일차성(primary acquired) 진주종과 관여된 이차성(secondary acquired) 진주종으로 크게 둘로 분류된다.

일차성 진주종은 가장 흔하게 나타나는 형태이고, 그 발생기전은 고막의 내함, 기저세포 과증식, 삼출성 중이염, 또는, 고막의 천공을 통한 상피침입설 등으로 설명한다.[36] 고막이완부의 내함은 신생아-유아기 중이염의 후유증으로 생긴 상고실의 섬유화가 상고실내 환기 통로를 막음으로써 발생하고, 이것은 이관의 중이환기로써 해소되지 않고, 내함이 진행됨으로써 각질이 축적된다는 가설이다. 한편, 지속적 삼출성 중이염이나 재발성 급성 중이염에 의해서 고막상피의 기저세포층이 기저막을 뚫고 상피하조직으로 과증식되면서 내함이 진행된다는 가설도 있고, 작은 천공과 상피세포 침입이 원인이라는 가설도 있다. 결과적으로 고막의 상부 또는 후방부가 상고실이나 고실개(scutum)의 내측으로 내함되면서 내함낭을 형성하고

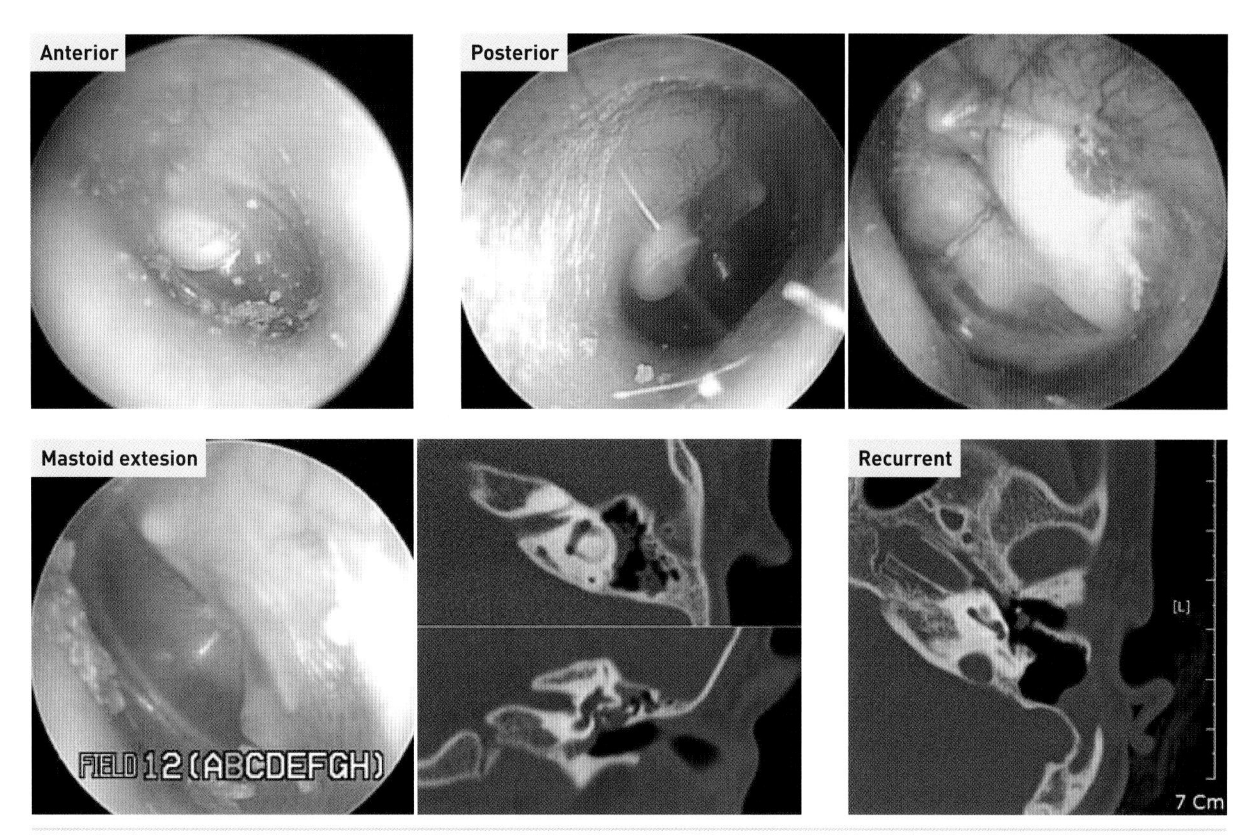

■ 그림 22-3. **김이 제안한 선천성 중이진주종의 APMR 병기.** (참고: 김형종. 선천성 진주종의 진단 및 치료. 한이인지 2013;56:1-8.)

그 안에 케라틴이 축적됨으로써 발생한다.[41] 일차성 진주종을 단순 내함낭과 구별할 수 있는 명확한 방법은 아직 없으나 Parisier 등은 저류된 각질 조각이 제거할 수 없는 부위에 존재하고, 골파괴의 증거가 있거나 내함낭의 부위에서 재발하는 육아조직이 형성되거나 이루가 있으면 진주종으로 진단할 수 있다고 하였다.[42]

이차성(secondary acquired) 진주종의 발생기전은 상피침입설, 이식설, 화생설 등으로 설명하고, 가장 흔한 상피침입설의 예는 이미 존재하는 고막의 결손부위를 통하여 외이도의 피부가 중이강으로 자라 들어가서 발생하는 진주종으로 고막의 변연성 천공이 있을 때 흔하게 볼 수 있다.[21] 이식설의 예는 중이수술 후 발생하는 잔류 진주종이나 외이도골절 후 발생하는 외이도진주종을 들 수 있고, 화생설은 기관지염에서 중이와 같은 호흡상피인 기관지상피의 화생을 예를 들 수 있으나 사람의 중이상피의 화생은 흔히 관찰되지는 않는다.[56]

그 외에 외이도의 진주종은 외이도협착, 외이도골절, 또는 귀이개에 의한 반복적 외상 후에 발생할 수 있으며[17] 그 발생기전은 외이도에서 상피이동의 저해 때문에 생긴 각질축적으로 설명한다. 외이도 진주종과 비슷한 임상상을 보이는 질환으로 폐쇄각화증(keratosis obturans)이 있으며 외이도 진주종은 보통 수술적 제거가 필요한데 비해 폐쇄각화증은 빈번한 청결소독으로써 치료할 수 있는 점이 다르다.[38] 그 외에 드물게 진단되는 원발성의 고막진주종, 유양돌기 진주종 및 추체부 진주종 등은 위의 방법으로 분류되지 않는 진주종에 속한다.

3. 재발 잔류성 진주종

진주종을 근절하기 위한 일차적 수술 후에 다시 자라

나는 형태로 발생한 진주종을 recidivistic 진주종이라 한다.[43] 병리조직 소견에 따라 기원이 다르게 생각되는 잔류 진주종과 재발성 진주종으로 나누나 실제로 임상에서 쉽게 구별하기는 힘들다. 잔류 진주종은 질병부위로부터 각질화 상피세포를 완전하게 제거하지 못하였을 때 남겨진 상피세포가 시간이 경과함에 따라 다시 자라나는 것으로 정의하며 호발 부위로는 수술시야가 좋지 않은 전상고실(anterior epitympanum), 고실동(sinus tympani), 난원창 소와(oval window niche) 등이다. 재발성 진주종은 외이도 후벽을 보존하는 수술 후에 많이 나타나며, 수술 시 진주종의 상피세포를 완전하게 제거해도 수술 후 이관의 기능장애로 인한 중이강 내의 환기장애로 음압이 발생하면서 고막의 내함으로 진주종이 재발될 수 있으며, 불완전하게 상고실을 재건하였거나 이식된 연골조각이 전위되었을 때도 상피세포가 침입(epithelial migration)하여 발생할 수 있다.

Ⅳ 진주종의 임상소견

1. 역학조사

진주종의 유병률에 대한 정확한 보고는 없으나 Tos에 의하면 일 년에 인구 십만 명 중에서 소아는 셋 그리고 성인은 12.6명에서 진주종이 발생하고 Harker에 의하면 인구 10만 명 중 여섯 명에서 진주종이 발생하며 Ruben에 의하면 인구 10만 명 중 13.8명이 비진주종성 중이염으로 퇴원한 반면 4.2명이 진주종성 중이염으로 퇴원하고,[13] 우리나라의 역학조사[28]에 의하면 만성 중이염의 유병률 2.2% 중 약 1/4인 진주종은 0.5%을 차지한다. 한편, 에스키모의 연구에서 중이염의 유병률은 매우 높은 반면 진주종의 유병률은 낮아 인종간의 차이를 시사하고 개발된 지역에서 화농성 감염 질환은 감소하는 경향이 있으나 진주종 발생률은 큰 변화가 없다고 한다.[13]

사체연구에 의하면 고막천공이 있는 측두골 중 36%에서 진주종이 있는 반면 고막천공이 없는 경우 4%에서 진주종이 관찰되고,[15] 다른 연구에서는 만성 중이염의 10%에서 후천성 진주종이 관찰되고, 소아연령에서 5세에서 선천성진주종이 호발하고, 10세에서 후천성 진주종이 호발되고, 남자에 약간 더 호발한다.[39]

2. 선천성 진주종

1) 임상증상

선천성 진주종(congenital cholesteatoma)은 일반적으로 정상고막 내측에 백색의 종물로 다양하게 나타난다(그림 22-4). 소아 진주종의 4~24%를 차지하고, 전체 진주종의 2~5%를 차지하며 양측에 발생하는 빈도는 1.7~4%로 보고되었다.[27] 선천성 중이진주종은 남자에서 호발하는 경향이 있으며, 평균 발견 연령은 4~7세이고, 남녀 비율은 3:1로 남아에 호발한다.[33] 이는 일차진료의나 이비인후과 의사의 선천성 진주종에 대한 인식의 증가와 진단도구의 발달에 기인하는 것으로 생각된다.[27]

선천성 진주종의 발생 위치는 조기에 진단된다면 고막을 4분하여 분류할 수 있다. 가장 흔하게 발생하는 부위는 중고실의 전상부로 31~65%를 차지하며, 후상부는 5~15%를 차지한다. 전하부에 국한된 진주종은 2.5% 정도로 드물다. 전상부 진주종은 고막에 붙어 있지 않으며 추골 경부의 내측과 추골병 부근, 고막장근의 인대, 와우상돌기가 있는 영역에 위치한다.[33] 중고실 후상부 진주종은 침골장각이나 등골의 골파괴를 일으킬 수 있으며 고실협부를 통해 상고실로 진행할 수 있다.

대부분의 선천성 진주종은 중고실 전상부에서 발생하므로 전방인 이관 쪽으로 자라면 이관폐쇄에 의해 이차적인 삼출성 중이염이 나타날 수 있다. 추골병이 있는 후방으로 자라면 추골병과 고막 아래로 윤곽이 형성된다. 추골병을 넘어 침등골 관절과 등골상부 구조 외에도 침추골 관절, 침골주변, 상고실로 자랄 수 있다. 후방 성장과 함

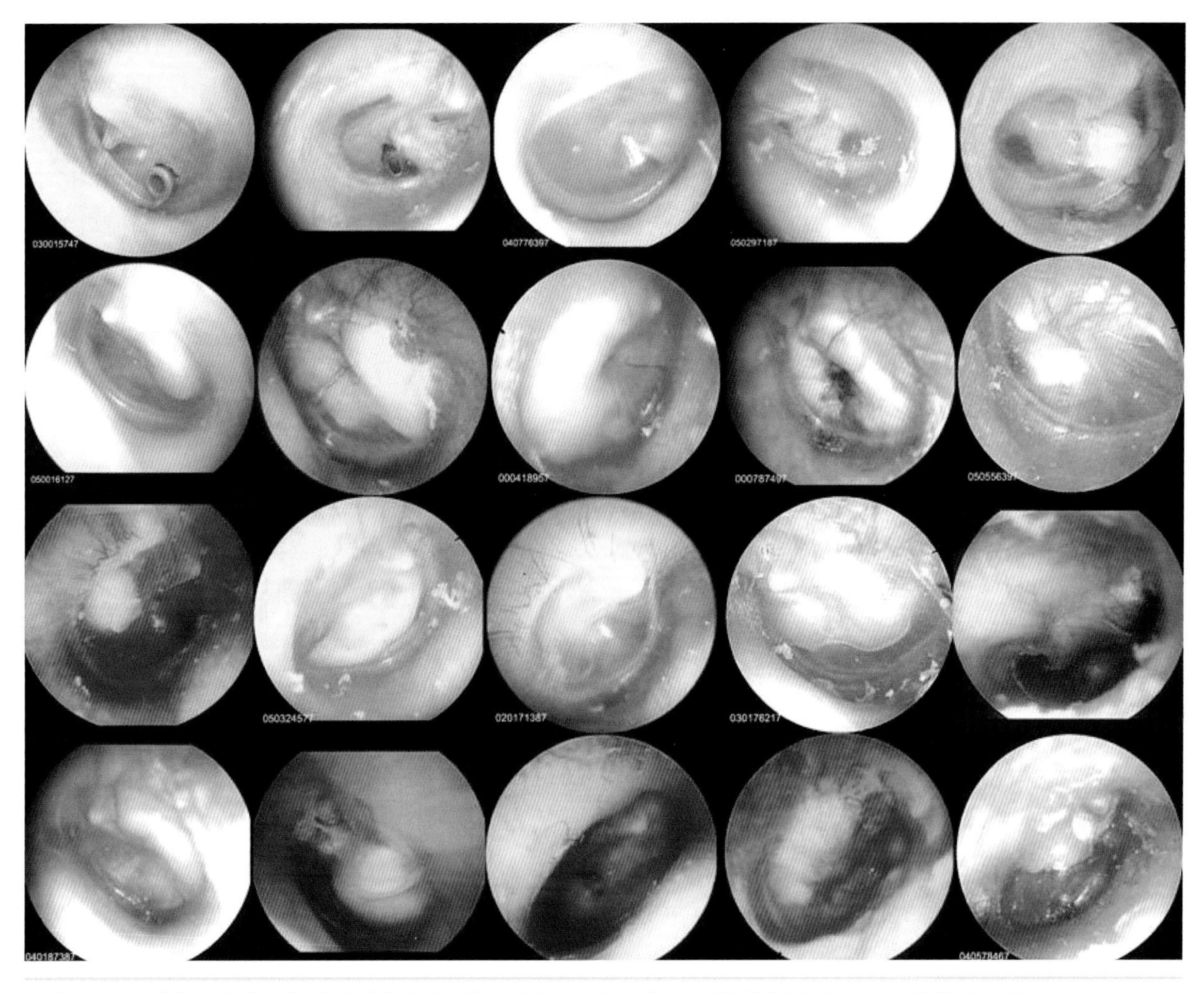

■ 그림 22-4. **선천성 중이진주종의 다양한 고막소견.** (참고: 김형종. 선천성 진주종의 진단 및 치료. 한이인지 2013;56:1-8.)

께 위쪽으로 자라면 전상고실, 추골두부 전방으로 자랄 수 있다. 뒤쪽으로 더 진행하면 상고실에서 유양동구와 유양동으로 자라 들어간다. 이론적으로 고막천공이 발생할 수 있으나 이 경우 후천성 진주종과 구별할 수 있는 방법은 없다.[32]

임상증상은 병변의 발생부위와 진주종의 진행 정도에 따라 다양하게 나타난다. 초기에는 아무런 임상증상이 없을 수 있으나, 일반적으로 일측성 전음성 난청이 가장 흔하다. 특히 중고실의 전상부에 발병하는 경우는 임상 증상없이 우연히 발견되는 경우가 많으며, 삼출성 중이염을 의심하여 고막절개를 시행할 때 발견되기도 한다. 중고실의 후상부에 발병하면 이소골이 쉽게 침범되어 난청을 보이고, 그 외 이충만감, 이명, 현기증, 안면신경마비, 삼차신경장애를 나타내기도 한다.

2) 진단

진단에는 위에 기술한 특징적인 고막소견과 임상증상이 중요하고, 영상검사 및 내시경검사가 치료방침을 정하는데 도움이 된다.

측두골 CT에서는 유양동의 함기화는 정상이나 저음영의 종괴가 중고실과 상고실에 국한되어 나타나며, 주위 이소골 파괴가 있을 경우 쉽게 알 수 있다. 선천성 진주종은 측두골의 함기화가 잘 되어있는 경우가 많아 흔히 진주종 병변의 침습이 광범위하게 일어나고, 수술 후에도 재발하는 경우가 드물지 않기 때문에 수술 계획을 세울 때 진주종의 위치, 범위와 심한 정도와 더불어 측두골 함기화도 정확하게 파악하는 것이 필수적이다. 고해상 CT scan검사는 진주종 병변과 염증성 육아종의 감별이 어려운 제한점은 있지만, 측두골 내 작은 병변의 발견이 가능하고, 반고리관, 안면신경, 중, 후두개와 뇌경막, S상 정맥동 및 경정맥구 등 중요한 구조물로의 침습 여부를 진단함에 있어서 필수적 검사이고, 술후 진주종의 재발여부를 판정함에 있어서도 가장 흔히 쓰이는 검사방법이다. 특히, 소아 선천성 진주종에서 병변의 범위와 더불어 이소골 및 내이기형에 대한 정보도 함께 얻을 수 있어 술전 계획을 세울 때 도움이 된다.[19]

CT 검사가 진주종 진단의 가장 중요한 도구이지만, 재발된 진주종의 진단에서 술 후 육아조직과 진주종을 감별할 때 특히, 함기화가 나쁜 중이-유돌강이거나 육아조직에 파묻혀 있는 작은 진주종의 영상인 경우 기존의 CT 검사로는 유용한 정보를 얻지 못한다. 측두골 MRI 검사에서 진주종은 육아조직과 달리 T2영상에서 중등도의 신호 세기(intensity)와 T1영상에서 주변 조영 증강과 내부 무신호의 조합으로 감별이 가능하고, 특별한 신호순서(sequence)의 확산(diffusion) 영상을 이용하면 2 mm 크기의 진주종 병변도 측정이 가능하였다고 한다.[30] 최근 연구에서는 위치정보가 나쁜 확산 영상과 CT 검사를 융합하는 기술을 통해 조기에 진단이 가능하고, 특히, 재발된 소아의 진주종에서 술전 계획을 세울 때 유용한 정보를 제공할 수 있다.[30]

귀 내시경을 이용한 진단 기술은 광원과 내시경 fiber 기술의 눈부신 발전에 힘입어 점차 소형화되고, 정밀하고 입체적 영상이 가능하게 되어 헤드미러를 사용하지 않는 의료인들도 손쉽게 귀 질환을 진단할 수 있게 되었다. 과거엔 이비인후과의 전유물이던 몇몇 질환들을 누구나 손쉽게 진단할 수 있게 되자 이 질환들의 진단 빈도가 급격하게 증가하는 결과를 초래하게 되었고, 증가된 진단빈도와 함께 수술적 제거수술을 받는 예도 많아져 결과적으로 불완전한 제거수술 후에 재발된 진주종의 빈도도 함께 증가하는 추세에 있다. 내시경을 이용한 진주종 제거수술은 최소침습수술의 일부로서 발전되어 왔고, 최근의 보고에 의하면 내시경 사용 시 수술현미경만 사용한 수술에서보다 진주종 재발률에는 차이가 없었으나 수술의 범위가 현저하게 줄어들고, 술후 추적에서 재수술 여부를 판단할 때 술중 내시경 소견이 도움이 될 수 있다.[48]

3) 외과적 치료

선천성 진주종의 치료 목표는 후천성 진주종과 다르지 않다. 첫째, 모든 병변을 제거하여 염증 없고 합병증 위험이 없는 귀를 만드는 것이고, 둘째, 재발이 예방되어야 하며, 셋째, 청력을 보존 또는 복구해야 하는 것이고, 이 목표는 수술적 방법에 의해서만 성취될 수 있다. 수술적 접근법은 후이도경유(transmeatal)법 또는 내이절개(end-aural)법 고실성형술, 외이도보존 술식(canal wall up) 또는 외이도파괴 술식(canal wall down) 유돌절제술 및 동반 고실성형술 등이 있고, 병변의 위치와 범위에 따라서 최적의 접근법을 선택해야 한다. 선천성 중이진주종과 후천성 중이진주종의 다른 점은 선천성 병변에서는 진주종 외 주위 염증이 동반되지 않는 경우가 흔히 있다는 점이고, 이관기능이 정상인 경우가 많다는 점이다. 이런 점을 고려할 때 첫째 목표인 모든 병변을 제거한다는 점에서 크게 다르지 않지만, 선천성에서는 수술 시 가능하면 침범되지 않은 구조물은 다치지 않음으로써 기능을 최대한 보존해야 한다. 예를 들면 고실전방부 국한 병변에서는 고실성형술 접근법으로 병변의 전적출이 가능하고, 보조적으로 귀 내시경을 사용하거나 고막륜을 포함한 전상부 고실벽을 일부 제거하여 수술시야를 확보할 수 있다. 고실후방부의 병변의 경우 이소골 침범이 있는 경우가 많으므로 시야를 확보하기 위해서 후상고실벽을 일부 제거하거나 외이도보존 술식 유돌절제술 및 후고실(posterior tympanotomy) 접근법을 선택해야 한다. CT 검사상 유양동을 침범한 경우는 유돌절제술 접근법이 필요하나 소아 선천성 중이진주종의 경우 대부분 외이도보존 술식 접근법이 선호된다. 단, 외이도 후벽 손상이 심한 경우, 반규관누공, 아주 작은 경화성 유돌부, 유일청 귀 등에서 경우에 따라서는 외이도파괴 술식 접근법이 필요하다.

술후 재발률은 병변의 범위와 치료방법에 따라 다양하게 보고되고 있다. 진주종이 조그만 낭종 형태로 완전제거가 가능하거나 고실 전상부에 위치한 경우 또는 작은 진주종으로서 진단되는 3세 이하의 소아에서는 술 후 재발률이 비교적 낮고, 고실 후상부에 위치하며 이소골을 침범한 경우 술후 잔여병변의 확률이 매우 높다고, 알려졌다. Potsic 등[47]은 병변의 범위에 따라 분류법을 제안하였는데 고실을 4분하였을 때 한 곳만을 침범한 경우, 여러 곳을 침범하였지만 이소골이나 유양동을 침범하지 않은 경우, 이소골을 침범한 경우, 유양동을 침범한 경우에 따라 재발률은 각각 14%, 33%, 41%, 67%로 보고된다. 또한, 중이강 내 선천성 진주종을 폐쇄형과 개방형으로 나누었을 때 폐쇄형은 각질낭을 형성하여 쉽게 제거가 가능한 반면 개방형은 침윤형(infiltrative type)으로 진주종 기질이 중이점막과 직접 연결되어 있어 수술적 제거가 어렵고 술 후 재발을 잘한다. 선천성 진주종 제거를 위한 첫 수술 후 전례의 80% 이상에서 2차(second stage) 계획수술을 한 연구들에서 27~45%의 잔여병변을 보고하므로 계획수술을 시행치 않는 예에서는 반드시 고해상 CT 검사 등을 이용한 추적관찰이 필요하다.[26]

선천성 진주종은 후천성 진주종에 비해 재발률이 낮다거나 예후가 좋다고 할 수 없으며 술전 병변의 범위와 술자의 기술 또는 경험이 술후 잔여병변 여부를 결정하는 가장 중요한 요인이라고 할 수 있다. 이관기능이 미성숙한 소아에서 급성 중이염이 우연히 동반되는 경우가 있고, 이때 화농성 염증에 의해 진주종낭이 터지게 되면 진주종의 완전 제거가 힘들어져 술 후 잔여병변의 가능성이 높아질 수 있으니 주의가 필요하다. 한편, 병소의 완전제거 후 이관기능부전 등에 의해 재발되는 진주종은 드문 것으로 알려졌고, 이러한 재발성 진주종의 경우 후천성 진주종과 구별이 어렵다.

4) 선천성 중이진주종을 위한 체계적 치료 계획

이 질환의 보다 나은 수술 결과를 위하여 여러 연구자에 의해 진단병기나 체계적 치료 계획이 고안되고 발표되었다.[32,39,47] 최근 김[2]은 100례 이상의 수술 경험을 바탕으로 기존의 Potsic의 병기를 수정한 APMR 병기를 제안하고 이에 따른 체계적 치료 계획을 제시하였다. A 병기에서는 이관입구 침범 여부에 따라 전상부고실 측벽 골부를 제거하는 술식을 추가할 수 있고, P 병기에서는 이소골파괴 여부에 따라 폐쇄형 유돌절제술을 추가할 수 있으며, M 병기에서는 이소골파괴 여부에 따라 이소골이 정상인 경우는 유돌절제술과 고실개방술을 함께 하고, 이소골이 파괴된 경우에 침골을 제거한 수술시야에서 특히 후상방에 국한된 진주종이 완전제거 할 수 있는 경우 고막외이도 피판을 들어 올리지 않음으로써 보다 안정된 이소골성형술을 시행할 수 있다. R 병기에서는 APM 병기 일차수술과 동일한 치료 계획을 따르되 외이도 후벽 손상이 심한 경우, 반규관누공, 협소한 경화성 유양돌기, 또는 유일청 귀 에서는 개방형 유돌절제술 접근법을 사용할 수 있다(표 22-3).

3. 후천성 진주종

1) 임상증상

병력의 문진을 통해 이루, 청력소실, 이통, 현기증, 안면마비 등의 증상과 과거 중이수술의 병력을 알아보는 것이 중요하다.

진주종성 중이염에서 이루의 양은 비진주종성 중이염보다 적은 경우가 흔하며 특히 상고실 내함의 초기상태에서는 환자가 거의 느끼지 못할 정도로 미약하다. 진주종에서 많은 양의 이루가 나타난다면 이차적인 세균 감염이 동반된 것을 의미한다. 이루의 양상은 염증의 정도에 따라 다르게 나타난다. 점액성으로 악취가 나면서 적은 양의 지저분한 이루는 진주종이나 골파괴가 있는 경우에 관찰된다. 감별진단으로는 만성 화농성 중이염 이외에 무통성의 묽은 이루가 있을 때에는 결핵성 중이염을 의심해 볼 수 있고, 악취를 동반하면서 묽은 혈성의 이루를 보일 때는 악성 종양의 가능성도 고려해야 한다.

청력장애는 대부분 전음성 난청이며, 합병증으로 미로염이 동반되면 혼합성 난청이나 경우에 따라서 감각신경성 난청이 나타난다. 청력장애의 정도는 이소골 연쇄의 상태와 운동성 이외에도 진주종의 위치 등이 복합적으로 작용해 결정된다. 단순한 고막의 천공만 존재하면 약 30 dB 이내의 청력손실이 있고, 천공 크기에 따라 정도가 다르게 나타날 수 있다.[10] 고막의 내함으로 인한 진주종의 초반기에는 이소골 연쇄에 큰 결함이 없어 청력은 정상이거나 아주 적은 청력손실을 보이는 경우가 흔하다. 그러나 갑작스런 청력소실을 호소하면 이소골의 파괴나 내이의 침범 가능성을 고려한다. 염증이나 진주종의 범위가 넓고 이소골의 연쇄가 심하게 침범된 경우에도 청력소실이 경미할 수 있는데 이는 육아조직이나 진주종 조직이 난원창으로 음을 전도하기 때문이다.

감염이 동반되지 않은 진주종 환자에서 이통은 드물게 나타나는 증상이므로 통증을 호소하는 경우는 육아종이나 폴립 등으로 분비물의 배출이 막혀서 고여 있는 상태를 의미하고, 이 경우 측두골내 혹은 두개내의 합병증이 발생할 가능성이 있다는 점을 명심해야 한다. 특히 두통을 동반하면 경막외 농양을 형성한 것인지 감별해야 한다.

현기증을 호소하면 골미로에 누공이 발생했을 가능성이 많으며, 진주종으로 인한 수평반규관 미란이 가장 흔한 원인이다. 누공이 없이 독성 물질로 인한 미로염이 있는 환자도 현기증을 호소할 수 있다.

2) 진단

진단에는 위에 기술한 임상증상과 고막 소견이 중요하고, 청력검사, 세균학적검사, 영상검사 및 내시경검사는 치료방침을 정하는데 도움이 된다.

표 22-4. 감염동반 진주종의 세균학적 소견

감염동반 진주종의 세균학적 소견	No. of cases
Aerobes	
Pseudomonas aeruginosa	11
Pseudomonas fluorescens	2
Streptococcus sp.	8
Proteus sp.	4
Escherichia coli	4
Klebsiella-Enterobacter-Serratia sp.	4
Alcaligenes and Achromabacter sp.	3
Staphylococcus epidermidis	2
Staphylococcus aureus	1
CBC group F	
Anaerobes	
Bacteroides sp.	13
Peptococcus and Peptostreptococcus sp.	11
Propionibacterium acnes	8
Fusobacterium sp.	4
Bifidobacterium sp.	3
Clostridium sp.	3
Eubacterium sp.	2

참고: 1. Harker LA, Koontz PP. The bacteriology of cholesteatomas. In: McCabe BF, Sade J, Abramson M (eds) Cholesteatoma: first international conference, New York: Aesculapius Publishers; 1977

진주종은 측두골의 밀폐된 공간에 각질덩어리를 포함하기 때문에 감염의 재발이 쉽게 일어나고, 배양되는 세균은 급성 중이염이나 삼출성중이염의 그것과 차이가 있으며 혐기성 세균이 비교적 흔하다. 가장 흔한 호기성세균은 *Pseudomonas aeruginosa*이고 가장 흔한 혐기성세균은 *Bacteroides species*이다(표 22-4).[23]

이경, 현미경, 또는 이내시경을 통해 외이도, 고막, 중이점막의 상태를 검사한다. 이루가 있으면 먼저 세균배양과 항생제 감수성검사를 시행하고 면봉과 흡입기를 이용해 이구, 이루, 각질 등을 제거한 후 검사한다. 진주종의 존재를 확인하기 위해서 상고실, 고막 후상방을 자세히 관찰해야 하며 이를 위해 현미경이나 이내시경을 이용하는 것이 좋다. 비진주종성 중이염의 고막 천공은 대개 중심부에 위치하나, 상부나 변연부에 천공이 있으면 진주종이 있음을 시사한다. 천공부위를 채우는 육아조직이 관찰되기도 하고 용종의 형태로 외이도로 돌출되기도 한다. 용종은 대개 내부의 진주종과 연결되어 있으므로 잡아당겨서는 안 되며 일부를 절단하여 조직검사를 하여 종양을 감별한다. 고막을 관찰하면서 *Valsalva*법을 통해 이관통기도를 검사할 수 있고 누공검사를 통해 내이누공의 유무를 조사한다. 고막의 천공 부위를 막아 기도청력이 개선되는지 확인하는 첩포검사(patch test)를 시행하여 이소골 연쇄의 상태를 간접적으로 추정할 수 있다.

청력검사로서 음차를 이용하여 좌우의 청력 상태를 가늠해 볼 수 있으나 차폐를 이용하는 순음청력검사를 통해 기도 및 골도 청력을 정확하게 파악하고 언어청력검사도 함께 하는 것이 좋다. 내이침범의 증상이 있는 환자는 골도 청력이 수일 이내에 변화할 수 있으므로 수술 직전에 청력검사를 다시 시행할 필요가 있다. 진주종성 중이염 환자는 농성 이루가 시작될 때까지 일측성 난청이 진행된 사실을 모르는 경우가 많아 청력소실의 기간을 정확히 파악하는 것이 중요하다.

현기증이 있거나 의심스런 소견을 보이면 이경을 통해 음압과 양압을 가해 안진과 현기증을 유발하는 누공검사를 실시한다. 누공검사 결과 양성 반응을 보이면 내이 누공이 있고 잔류 내이기능이 있다는 것을 의미하지만, 음성이라도 누공의 존재를 완전히 배제할 수 없으며 방사선검사와 수술시에 누공의 유무를 확인해야 한다. 필요에 따라 전정기능검사를 시행한다.

측두골 단순 방사선검사인 Law's view, Towne's view, Stenver's view는 유양동과 추체부의 함기화 정도와 골파괴의 유무 정도만을 알 수 있으므로, 진주종이 아닌 천공성 중이염이 있는 경우에만 도움이 되고, 진주종성 중이염, 재발성인 만성 중이염, 그리고 만성 중이염으로 인한 측두골 내 또는 두개내 합병증이 의심되면 측두골 전산화단층촬영이 필요하다. 측두골 CT는 중이와 내이의 모든 구조물을 정확하게 보여주므로 염증이나 진주종의 범위, 이소골 및 주변 골조직인 scutum, 안면신경관, 골미로, 고실개(tegmen) 등의 파괴, 그리고 유양동과 S상 정맥동의 크기와 위치 등에 대한 정보를 얻는 데 도움이 된다. 측두골 CT에 의한 이소골 병변에 대한 진단적 예측도는 등골에서 가장 낮다. 등골은 CT에서 일정하게 관찰되지 않으며 난원창 부위의 연부조직 음영으로만 나타날 수 있으므로 등골 병변을 예측하는 데 한계가 있다. 또한 측두골 CT는 이소골 두부의 많은 부분이 파괴되었거나 비교적 명확한 골파괴가 있는 경우에는 예측률이 높으나, 침골의 장각과 두상돌기나 등골에 국한된 미란이나 초기의 국소적인 병변을 예측하는 데는 한계가 있다.[19]

3) 내과적 치료

중이진주종 치료의 목적은 염증의 제거와 재발의 방지, 청력의 회복, 그리고 합병증의 예방이다. 진주종이 진단되면 우선 수술적 제거를 권유하지만, 내과적 치료는 근본적인 수술적 치료가 시행되기 전에 보존적인 요법으로 시행될 수 있으며, 환자의 전신적인 상태가 불량하거나, 고령자 또는 한쪽 청력만 존재하는 귀 등으로 수술의 위험성이 있을 때에는 우선적으로 시행해야 하는 치료이다.

내과적 치료로서 배농과 점막을 건조시키는 이루의 치료가 가장 중요하며 이때 외이도와 중이강의 청결은 가장 먼저 시행해야 할 중요한 요소이다. 동시에 세균검사를 통하여 규명된 원인균에 대하여 국소 항생제를 도포하고 전신적 항생제를 투여한다. 외이도와 중이강의 청결을 위해 우선 가피를 제거한 후 분비물을 흡인하여 깨끗하고 건조한 상태를 유지해야 한다. 모든 과정을 현미경하에서 조심스럽게 시행해야 하며, 외래에서 이를 적절히 수행하기 위해서는 다양한 종류의 기구가 필요하다. 육아조직이 관찰되면 가능한 한 충분히 제거한 후 albothyl 용액이나 농도 10%이하의 질산은 같은 약물을 이용하여 소작술을 시행할 수 있다. 내함낭에 케라틴이 차있으면 직접 흡인하거나 관류하여 제거한다. 이용(ear polyp)이 있는 경우에는 이소골과 연쇄되고 밀착해 있을 가능성을 고려하여 외측으로 잡아당겨 제거하는 것은 피하고 조심스럽게 절단하여 제거해야 한다. 국소 항생제 도포는 만성적 이루의 치료에 효과적인 방법으로 점이액, 분말, 연고 등의 제제를 사용한다. 국소 도포 항생제를 사용할 때 분비물과 육아조직 등이 가로막아서 약제가 작용부위까지 도달하지 못할 때가 있으므로, 외이도와 중이의 분비물을 제거한 후 즉시 국소 도포제를 투여하여 병변에 고르게 분포하도록 한다.

점이액은 대개 항생제, 스테로이드, 산화용액, 항진균제를 조합해서 만든다. 가장 널리 사용되고 있는 점이액은 neomycin-polymyxin-hydrocortisone 복합제제인데, neomycin은 *S. aureus*와 *Proteus sp.*에 효과적이나 *Pseudomonas*, *Streptococci* 혐기성균에는 듣지 않는다. Polymyxin은 *Pseudomonas*에 효과적이다. Fluoroquinolone 점이액은 *S. pneumoniae*, *H. influenzae*, *M. catarrhalis*, *Staphylococci*, *Pseudomonas sp.*에 효과적이며 이독성이 없는 것으로 알려져 있다.[6,24,25] 최근 메타분석에서 Ofloxacin 점이항생제는 많이 사용되는 neomycin-polymyxin-hydrocortisone이고 amoxicillin-clavulanic acid와 같은 다른 점이항생제나 경구 항생제와 비교할 때 완치율, 이루의 감소, 이통의 완화에 있어서 통계적으로 유의하게 효과적인 것으로 조사되었다.[4] Ofloxacin은 전신항생제에 비해 중이에 1,000배 이상의 약물 농도를 유지할 수 있어서 *in vitro*와 *in vivo* 모두에서 *S. aureus*나 *P. aeruginosa*에 효과가 있다.[20] 항생제 분말은 보다 넓은 공간에 도포하기가 용이하여 개방형 유양동이 있는 환자들에 사용하기에 적절하고, 항생제 연고는 외이도염을 동반하는 경우에 사용하며 진주종의 내함 입구가 충분히 넓은 경우 각질제거 후에 소독된 물과 식초 또는 70% 이소프로필 알코올과 식초를 1:1로 혼합한 용액으로 세정하는 소독치료는 항염증 건조 효과가 있다[13]

표 22-5. 진주종 수술 전 고려 사항과 대표적 수술의 종류

수술전 고려 사항
질병의 범위
합병증 유무
양측 귀의 청력상태
이관기능
유양돌기 함기화
환자의 전신상태, 연령, 직업, 신뢰도
의사의 수술경험 및 술기
진주종 제거를 위한 대표적 수술 접근법
경외이도 접근법(Atticotomy)
Simple Mastoidectomy
Canal Wall Up procedure c/s facial recess approach
Canal Wall Down procedure; radical or modified radical mastoidectomy, Bondy procedure

참고: Chole RA, Sudhoff HH. Chronic otitis media, mastoiditis and petrositis. In Cummings CW, Fredrickson JM, Harker LA et al (eds). Otolaryngology-Head and Neck surgery, 4th ed. St. Louis, Mosby Year Book, 2005, p.2988-3012.

전신적 항생제의 투여시에는 우선적으로 세균배양 검사 결과에 따라 적합한 약제를 선택하는 것이 기본이다. 일반적으로 합병증이나 전신 질환의 증거가 있는 경우와 보청기를 착용하는 소아, 두개안면기형, 다운증후군, 면역저하질환, 습진성(eczematous) 외이도염이 있는 경우에 전신적 항생제를 투여한다.[22]

4) 수술적 치료

진주종 제거를 위한 수술적 치료를 시행하기 전 고려해야 할 사항과 대표적인 수술의 종류를 요약하면 표 22-5과 같다.

5) 합병증

진주종의 합병증은 대부분 주변 골조직의 파괴에 기인하는 병변이며 크게 이소골, 골미로, 안면신경관, s-상정맥판 및 두개저판의 손상으로 구분되고, 간단히 요약하면

표 22-6. 진주종의 합병증

난청: 전음성, 감각신경성, 혼합성
내이누공: 측반규관누공, 드물게 와우누공
안면마비: 급성, 만성
두개내 감염: 정맥동혈전증, 추체염, 뇌수막염, 경막외/경막하 농양, 뇌농양
뇌탈출증 hernia, 뇌척수액 누출

참고: Chole RA, Sudhoff HH. Chronic otitis media, mastoiditis and petrositis. In Cummings CW, Fredrickson JM, Harker LA et al (eds). Otolaryngology-Head and Neck surgery, 4th ed. St. Louis, Mosby Year Book, 2005, p.2988-3012.

표 22-6과 같다.

6) 예방

후천성 진주종은 보통 이관기능부전을 동반하고, 발병 전에 대부분 고막내함의 소견을 보인다. 그러므로 고막 또는 상고실내함이 있는 경우 내함낭에 축적된 각질을 자주 제거해주고, 조기에 중이환기관 삽입을 실시하여 고막내함이 진행되는 것을 예방하는 것이 필요하다. 그러나 고막내함이 지속되어 일단 이소골에 유착되게 되거나 장기간의 중이저류액으로 인해 고막의 탄성을 잃게 되면 중이환기를 시켜주어도 고막이 제 위치로 환원되지 않는 경우가 많다. 발살바법을 시행하거나 전신마취 마스크로 양압을 주었을 때 고막내함이 펴지면 중이환기관 삽입술 술후 예후가 좋고, 펴지지 않는 경우에는 상고실, 고실동 쪽의 유착을 의심해야 하며 이 경우 실험적 고실개방술을 통해 유착된 상피조직을 제거하는 것이 진주종 조기예방의 한 방법이다.

참고문헌

1. 김형종, 전영명. 중이진주종의 병태생리 - 동물실험. In: 김희남, 장선오, 이원상(편집). Cholesteatoma, basic and clinical management. 대한이과연구회; 1996. p.10-24.
2. 김형종. 선천성 진주종의 진단 및 치료. 한이인지 2013;56:1-8.
3. 윤태현. 만성 중이염과 진주종. In: 대한이비인후과학회 편. 이비인후과학-두경부외과학 2판. 서울. 대한민국: 일조각; 2009. 1권 p.602-23.
4. Abes G, Espallardo N, Tong M, et al. A systematic review of the effectiveness of ofloxaxin otic solution for the treatment of suppurative otitis media. ORL J.
5. Abramson M, Cross J. Further studies on collagenase in middle ear cholesteatoma. Ann Otol Rhinol Laryngol 1971;80:177-85.
6. Agro AS, Garner ET, Wright JW, et al. Clinical trial of ototopical ofloxacin for treatment of chronic suppurative otitis media. Clin Ther 1998;20:744-58.
7. Aimi K. Role of tympanic ring in the pathogenesis of congenital cholesteatoma. Laryngoscope 1983;93:1140-1147.
8. Blair HG. Isolated osteoclasts resorbs the organic and inorganic components of bone. J Cell Biol 1986;102:1164-1172.
9. Chole RA, Henry KR, McGinn MD. Cholesteatoma: Spontaneous occurrence in the Mongolian gerbil, *Meriones unguiculatus*. Am J Otol 1981;2:204-210.
10. Chole RA, Fursh DP. Quantitative studies of eustachian tube epithelium during experimental vitamin A deprivation and reversal. In Sade J ed. Cholesteatoma and mastoid surgery. Amsterdam, 1982, p.321-328.
11. Chole RA. Cellular and subcellular events of bone resorption in human and experimental cholesteatoma: the role of osteoclasts. Laryngoscope 1985;94:76-95.
12. Chole RA, Sudhoff HH. Chronic otitis media, mastoiditis and petrositis. In Cummings CW, Fredrickson JM, Harker LA et al (eds). Otolaryngology-Head and Neck surgery, 4th ed. St. Louis, Mosby Year Book, 2005, p.2988-3012.
13. Chole RA, Nason R. Chronic otitis media with cholesteatoma. In Snow JB Jr, Wackym PA (eds) Ballenger's Otorhinolaryngology-Head and Neck surgery, centennial ed. Shelton: BC Decker Inc; 2009. p.217-228.
14. Chung JW, Yoon TH. Different production of interleukin-1α, interleukin-1 and interleukin-8 from cholesteatoma and normal epithelium. Acta Otolaryngol 1998;118:386-391.
15. da Costa SS, Paparella MM, Schachern PA, et al. Temporal bone histopathology in chronically infected ears with intact and perforated tympanic membranes. Laryngoscope 1992;102:1229-1236.
16. Derlacki EL, Clemis JD. Congenital cholesteatoma of the middle ear and mastoid. Ann Otol Rhinol Laryngol 1965;74;706-727.
17. Dubach P, Hausler R. External auditory canal cholesteatoma: reassessment and amendments to its categorization, pathogenesis, and treatment in 34 patients. Otol Neurotol 2008;29:941-948.
18. Edelstein DR, Parisier SC. Surgical techniques and recidivism in cholesteatoma. Otolaryngol Clin North Am. 1989;22(5):1029-40. Review.
19. Garber LZ, Dort JC. Cholesteatoma: diagnosis and staging by CT scan. J Otolaryngol 1994;23:121-124.

20. Gates GA. Safety of ofloxacin and other ototopical treatments in animal models and in humans. Pediatr InfectDis J 2001;20:104-107.
21. Glasscock ME. Pathology and clinical course of inflammatory disease of the middle ear. In: Shambaugh G, Glasscock ME, eds. Surgery of the ear. Philadelphia: WB Saunders; 1990. p.178.
22. Hannley MT, Denneny JC 3rd, Holzer SS. Use of ototopical antibiotics in treating 3 common ear diseases. Otolaryngol Head Neck Surg 2000;122:934-940.
23. Harker LA, Koontz PP. The bacteriology of cholesteatomas. In: McCabe BF, Sade J, Abramson M (eds) Cholesteatoma: first international conference, New York: Aesculapius Publishers; 1977.
24. Huang CC, SHi GS, Yi ZX. Experimental induction of middle ear cholesteatoma in rats. Am J Otolaryngol 1988;9:165-172.
25. Ikeda K, Takasaka T. In vitro activity of ototopical drops against middle ear pathogens. Am J Otol 1993;146:170-171.
26. James AL, Papsin BC. Some considerations in congenital cholesteatoma. Curr Opin Otolaryngol Head Neck Surg. 2013;21(5):431-9. Review.
27. Kazahaya K, Potsic WP. Congenital cholesteatoma. Curr Opin Otolaryngol Head Neck Surg 2004;12:398-403.
28. Kim CS, Jung HW, Yoo KY. Prevalence and risk factors of chronic otitis media in Korea: Results of nation-wide survey. Acta Otolaryngol (Stockh) 1993;113:369-375.
29. Kim HJ, Chole RA. Experimental models of aural cholesteatomas in mongolian gerbils. Ann Otol Rhinol Laryngol 1998;107(2):129-134.
30. Kirsch CF. Advances in magnetic resonance imaging of the skull base. Int Arch Otorhinolaryngol. 2014;18(Suppl 2):S127-135.
31. Klein JO. In vitro and in vivo antimicrobial activity of topical ofloxacin and other ototopical agents. Pediatr Infect Dis J 2001;20:102-103.
32. Koltai PJ, Nelson M, Castellon RJ, et al. The natural history of congenital cholesteatoma. Arch Otolaryngol Head Neck Surg 2002;128:804-809.
33. Levenson MJ, Michales L, Parisier S. Congenital cholesteatoma of the middle in children: Origin and management. Otolaryngol Clin North Am 1989;22:941-954.
34. McGill TJ, Merchant S, Healy GB, et al. Congenital cholesteatoma of the middle ear in children: a clinical and histopathological report. Laryngoscope 1991;101:606-613.
35. Meyerhoff WL, Kim CS, Paparella MM. Pathology of chronic otitis media. Ann Otol Rhin Laryngol 1978;87:749-760.
36. Meyer TA, Strunk Jr CL, Lambert PR. Cholesteatoma. In: Johnson JT, Rosen CA (eds) Bailey's Head and Neck surgery-Otolaryngology, 5th ed. Baltimore, Philadelphia: Lippincort-Williams & Wilkins, Walter Kluwer business; 2014. p.2433-2446.
37. Michales L. An epidermoid formation in the developing middle ear: possible source of of cholesteatoma. J Otolaryngology 1986;15:169-174.
38. Naim R, Linthicum F Jr, Shen T, et al. Classification of the external auditory canal cholesteatoma. Laryngoscope 2005;115:455-460.
39. Olszewska E, Wagner M, Bernal-Spekelsen M, et al. Etiopathogenesis of cholesteatoma. Eur Arch Otorhinolaryngol 2004;261:6-24.
40. Orisek BS, Chole RA. Pressure exerted by experimental cholesteatoma. Arch Otolaryngol 1987;113:386-391.
41. Palva T, Karma P, Makinen J. The invasion theory. In: Sade J ed. Cholesteatoma and mastoid surgery. Amsterdam: 1982. p.249-264.
42. Parisier SC, Weiss MH. Recidivism in congenital cholesteatoma surgery. Ear Nose Throat J 1991;70:362-364.
43. Parisier SC, Cohen AJ, Selkin BA, et al. Acquired cholesteatoma. In: Lalwani AK, Grundfast KM (eds). Pediatric Otology and Neurotology. Philadelphia: Lippincott-Raven Publishers, 1998, p.295-310.
44. Persaud RA, Hajioff D, Thevasagayam MS, et al. Keratosis obturans and external ear canal cholesteatoma: How and Why we should distinguish between these conditions. Clin Otolaryngol Allied sci 2004;29:577-581.
45. Persaud R, Liang J, Upile T, et al. Epidermoid formation: the potential precursor of congenital cholesteatomas. Am J Otolaryngol 2006;27(1):71-72.
46. Portman M. The invagination theory for the pathogenesis of cholesteatoma. In: Sade J ed. Cholestatoma and mastoid surgery. Amsterdam: 1982. p.265-266.
47. Potsic WP, Samadi DS, Marsh, et al. A staging system for congenital cholesteatoma. Arch Otolaryngol Head Neck Surg 2002;128:1009-1012.
48. Presutti L, Nogueira JF, Alicandri-Ciufelli M, et al. Beyond the middle ear: endoscopic surgical anatomy and approaches to inner ear and lateral skull base. Otolaryngol Clin North Am. 2013;46(2):189-200. Review.
49. Robinson JM. Cholesteatoma: skin in the wrong place. J R Soc Med. 1997;90(2):93-96.
50. Ruedi L. Pathogenesis and surgical treatment of middle ear cholesteatoma. Acta Otolaryngol Suppl 1978;361:1-45.
51. Sade J, Babiacki A, Pinkus G. The metaplastic and congenital origin of cholesteatoma. Acta Otolaryngol 1983;96:119-129.
52. Schuknecht HF. Infectious disease. In: Schuknecht HF (ed) Pathology of the ear, 2nd ed., Philadelphia: Lea & Febiger; 1993. p.204.
53. Sudhoff H, Tos M. Pathogenesis of attic cholesteatoma: clinical and immunohistochemical support for combination of retraction theory and proliferation theory. Am J Otol. 2000;21(6):786-792.
54. Thomsen J, Jorgensen B, Breatau P, et al. Bone resorption in chronic otitis media. Histological and ultrastructural study II. Cholesteatoma. J Laryngol Otol 1974;88:983-992.
55. Tos M. A new pathogenesis of mesotympanic (congenital) cholesteatoma. Laryngoscope 2000;110:1890-1897.
56. Vennix PP, Kuijpers W, Tonnaer EL, et al. Cytokeratin in induced

epiermoid formation and cholesteatoma lesions. Arch Otolaryngol Head Neck Surg 1990;116:560-565.
57. Wolfman DE, Chole RA. Experinmental retraction pocket cholesteatoma. Ann Otol Rhinol Laryngol 1986;95(6):639-644.
58. Wright CG, Meyerhoff WL, Burns DK: Middle ear cholesteatoma: an animal model. Am J Otolaryngol 1985;6:327-341.

CHAPTER

23

만성중이염의 합병증

조용범, 권중근

만성중이염의 합병증이란 측두골 안의 함기화된 공간과 그 부속 점막 외부로 염증이 확산되는 것이다. 합병증은 크게 측두골 내(intratemporal) 합병증과 두개내(intracranial) 합병증으로 구분된다. 측두골내 합병증으로는 유돌염(mastoiditis), 골막하농양(subperiosteal abscess), 안면신경마비(facial nerve paralysis), 미로염(labyrinthitis), 미로누공(labyrinthine fistula), 추체염(petrositis) 등이 있고 두개내 합병증으로는 수막염(meningitis), 경막외농양(extradural abscess), 뇌농양(brain abscess), 경막하농양(subdural abscess), 외측동혈전정맥염(lateral sinus thrombophlebitis), 이성수두증(otitic hydrocephalus) 등이 있다(표 23-1). 급성중이염의 합병증과 거의 비슷하므로 급성중이염 편의 합병증과 비교해 보는 것도 도움이 될 것이다.

표 23-1. 만성중이염 합병증의 분류

측두골내 합병증(intratemporal complications)
만성유돌염(chronic mastoiditis)
잠복유돌염(masked mastoiditis)
골막하농양(subperiosteal abscess)
안면신경마비(facial nerve paralysis)
미로염(labyrinthitis)
미로누공(labyrinthine fistula)
추체염(petrositis)
두개내 합병증(intracranial complications)
수막염(meningitis)
경막외농양(extradural abscess)
뇌농양(brain abscess)
경막하농양(subdural abscess)
외측동혈전정맥염(lateral sinus thrombophlebitis)
이성수두증(otitic hydrocephalus)

오늘날 만성중이염의 합병증은 매우 드물게 발생하지만 의료선진국에서도 여전히 저개발국가만큼 높은 비율로 발생할 수 있다.[13] 두개내 합병증의 발생률은 항생제 사용과 더불어 현저히 줄었으며 사망률도 1930년대 76.4%에서 2000년대 이후 0~29%로 감소하였다.[3,11,31,33,34] 항생제 발달로 인해 합병증의 특징적인 증상이 모호해지고 합

표 23-2. 최근 보고된 만성중이염 합병증의 빈도

	OSMA[a]	DUBEY[b]	VIKRAM[c]	YORGAC-ILAR[d]	BAYSAL[e]	TOTAL
합병증	*n*	*n*	*n*	*n*	*n*	*n*
두개내						216
수막염	41	14	8	14	1	78
뇌농양	10	9	10	10	5	44
경막외농양	4	4	2	28	2	41
경막하축농		1				
외측동혈전정맥염	1	10	9	30	2	52
뇌염	1					1
측두골내						289
유돌염/유돌농양	25	26	39	44	22	156
미로염/미로누공	5	2	6	14	18	45
안면신경마비	5	10	9	13	27	64
골막하농양	4	5	6	2	5	22
추체염		2				2
환자수	93	70	62	121	82	428 / 505

Data from

[a] Osma U, Cureoglu S, Hosgoglu S. The complications of chronic otitis media: report of 93 cases. J Laryngol Otol 2000;114:97-100.

[b] Dubey SP, Larawin V. Complications of chronic suppurative otitis media and their management. Laryngoscope 2007;117:264-7.

[c] Vikram BK, Khaja N, Udayashakar SG, et al. Clinico-epidemiological study of complicated and uncomplicated chronic suppurative otitis media. J Laryngol Otol 2008;122:442-6.

[d] Yorganc ı lar E, Yildirim M, Gun R, et al. Complications of chronic suppurative otitis media: a retrospective review. Eur Arch Otorhinolaryngol. 2013 Jan;270(1):69-76.

[e] Baysal E, Erkutlu I, Mete A, et al. Complications and treatment of chronic otitis media..J Craniofac Surg. 2013 Mar;24(2):464-7.

병증을 경험하지 못한 이비인후과 의사들이 많아지므로 초기 진단이 늦어지고 사망률이 높아질 우려가 있다.

I 병태생리

2000년대 이후의 보고들에 따르면 중이 질환으로 진단된 환자 중 1.97~2.6%에서 합병증이 발생하였다.[31,41] 측두골내 합병증이 두개내 합병증보다 빈번하며 합병증 증례의 약 18%에서는 다발성으로 발생하였다(표 23-2). 두개내 합병증의 발생빈도는 수막염과 외측동혈전정맥염 순으로 나타났고 측두골내 합병증의 경우 유돌염이나 유돌농양이 가장 빈번하게 보고되었다(표 23-2). 이 합병증들은 모든 연령대에서 발생 가능하지만 30세 이전에 주로 발생하였다(표 23-3).

연령 이외에 합병증 발생에 영향을 주는 요인으로는 남성, 사회경제적 상태, 개인의 면역상태 등을 들 수 있다. 이성뇌농양(otogenic brain abscess)은 의료시설이 부족하고 의료접근성이 낮은 저개발국가에서 주로 발생하고 선진국에서는 합병증의 발생빈도가 낮다.[31]

합병증을 유발하는 주요인자는 세균감염의 확산전파이다. 주된 전파 경로는 직접적인 전파, 정맥 구조물을 통

표 23-3. 최근 보고된 만성중이염 합병증의 연령 분포

연령	DUBEY[a]	YORGANCILAR[b]	BAYSAL[c]	백분율(%)
0~10	22	20	6	19.3
11~20	17	32	17	26.5
21~30	21	19	14	21.7
31~40	5	13	17	14.1
41~50	2	8		
51~60	1	3	28	18.5
> 60		4		
합계	68	99	82	

Data from

[a] Dubey SP, Larawin V. Complications of chronic suppurative otitis media and their management. Laryngoscope 2007;117:264-7.

[b] Yorganc ı lar E, Yildirim M, Gun R, et al. Complications of chronic suppurative otitis media: a retrospective review. Eur Arch Otorhinolaryngol. 2013 Jan;270(1):69-76.

[c] Baysal E, Erkutlu I, Mete A, et al. Complications and treatment of chronic otitis media..J Craniofac Surg. 2013 Mar;24(2):464-7.

한 전파, 혈성 전파 등이 있다. 직접적인 전파 경로의 주된 경로는 골파괴로 진주종이나, 육아조직이 인접한 뼈를 파괴시키면 염증이 내이 및 경막으로 직접 전파될 수 있다. 골파괴는 압력괴사, 효소분해, 화농 및 혈액순환 감소에 따른 골괴사 등에 의해 발생할 것으로 추정된다. 유돌절제술(mastoidectomy), 측두골절의 과거력, 뇌경막을 둘러싼 뼈의 선천적인 결손이 있는 환자는 골흡수 과정 없이도 세균 전파가 가능하다.

만성중이염에서 합병증을 유발하는 흔한 세균들은 녹농균(*Pseudomonas aeruginosa*), 엔테로박터(*Entero-bacteriaceae*), 황색포도상구균(*S. aureus*)과 혐기균이다.[5] 진주종의 과반수에서 혐기균이나 산소성균(*aerobe*) 또는 둘 다 검출되며 복수 세균 감염도 흔하다.[15] 혐기균이 검출되는 경우 합병증의 위험이 현저히 높으며,[4,32,39] 세균 독성이 높은 인플루엔자균(*Hemophilus influenza*)과 혐기균의 상호작용은 합병증을 유발하는 중요 인자이다.[28] 따라서 악취성 이루가 있거나 세균배양검사에서 인플루엔자균이나 혐기균이 검출되는 경우엔 합병증 발생 여부를 주의 깊게 관찰해야 한다. 최근 만성중이염에서 MRSA (methicillin-resistant *S. aureus*)가 점점 더 많이 검출된다는 사실도 항생제 선택 시 염두에 두어야 한다.[40]

합병증을 유발하는 다른 인자는 세균감염에 대한 인체 면역 반응이다. 인체 면역 반응에 의한 조직 부종이나 육아 조직이 환기 및 농 배출을 방해하여 이차적으로 혐기균(*anaerobe*)에 의한 합병증을 유발할 수 있다. 만성중이염과 진주종의 경우 유양돌기동입구(aditus ad antrum)의 점막부종으로 인해 정상적인 환기가 안되고 혈관분포가 떨어지며, 균막(biofilm) 형성빈도가 높아 항생제 단독치료에 대한 반응이 나쁜 경우가 많다.[21]

이관 기능 부전이나 안면신경관, 중두개와(middle cranial fossa), 후두개와(posterior cranial fossa)의 뼈 결손 등 구조적인 문제도 합병증 발생에 영향을 줄 수 있다.

Ⅱ 합병증의 진행

중이염의 합병증으로는 항상 유돌염이 먼저 발생하며 이차적으로 추체염 등으로 진행한다. 미로누공은 거의 대부분 진주종에 의해 발생하며 외측동 주변의 육아조직은 골미란을 통해 혈전정맥염으로 진행할 수 있다. 외측동이 혈전에 의해 막히면 이성수두증이 발생할 수 있다.[2] 혈전정맥염이 두개내로 역행하면 뇌농양으로 진행할 수도 있다.

Ⅲ 진단 방법

1. 병력청취

중이염의 과거력과 치료병력, 시간 경과에 따른 증상의 양상과 정도를 파악하는 것이 중요하다. 합병증을 시사하는 소견은 지속적인 발열이나 두통, 이통, 어지럼, 이루 증가 및 수막염을 시사하는 경부강직과 구토 등이다. 수막염, 뇌농양, 경막하농양 등 두개내 합병증은 의식장애를 유발할 수 있다. 수막염은 수 시간에서 수일 사이 증상이 나빠지며 뇌농양은 수 주일에 걸쳐 의식이 나빠질 수 있고, 경막하 농양은 전격성으로 혼수상태에 빠질 수 있다. 의식장애나 신경마비 등 심각한 증상이 없더라도, 발열이나 두통을 지속적으로 호소한다면 환자의 증상을 가볍게 보지말고 합병증에 대한 검사를 적극 시행해야한다.

2. 신체검사

기본적인 활력징후 중 체온은 중요한 지표가 되므로 반드시 기록하여야 한다. 항생제나 해열제 사용이 빈번하여 발열이 없을 수 있으나 체온변화는 진단과 치료에 매우 중요한 정보가 된다.

신경학적으로는 전신상태와 의식수준, 전반적인 감각저하, 자극에 대한 반응소실 여부를 확인해야 한다. 시각, 외안근운동, 안면운동, 안면감각을 포함하는 전체 뇌신경검사가 필요하다. 안진, 눈겨냥이상(dysmetria), 상반운동반복장애(dysdiadochokinesia), 단속운동(saccade) 및 원활추적운동(smooth pursuit) 등 안구운동검사와 소뇌검사도 필수적이다. 경부강직이 있는 경우 Kernig 징후와 Brudzinski 징후를 확인해야 하며 요추천자 전에는 안과를 통해 유두부종(papilledema) 유무로 뇌압상승 여부를 판단해야 한다.

귀를 진찰할 때는 이개의 색깔이나 크기, 모양과 위치를 반대편 귀와 비교하여 검사해야 한다. 이개의 홍반(erythema), 압통, 농성 분비물이 없는지도 확인한다.

고막은 중이 상태만을 반영하여 정상으로 보일 수 있으므로 합병증이 의심되면 측두골CT를 통해 유양돌기동 입구 폐쇄여부를 확인할 필요가 있다. 농성분비물이 관찰되면 세균배양검사를 시행해야 하나 이루에서 검출된 균이 합병증을 유발하는 균과 같은 균이라고 단정해서는 안된다. 가장 정확한 방법은 합병증이 발생한 부위에서 채취한 조직과 검체로 세균배양검사를 하는 것이다.

3. 영상의학검사

만성중이염의 합병증이 의심될 때 필수적인 검사는 CT로 의식이 나쁘거나 혼수상태인 경우 CT를 MRI보다 우선적으로 시행해야 한다. 조영제 없이 촬영한 CT도 뇌농양이나 수두증을 감별하는데 도움이 되므로 의식저하 환자들에게 요추천자 전에 확인해야 한다. 뼈알고리듬(bone algorithm) CT에서 중두개와, 후두개와, 구불정맥동(sigmoid sinus)을 둘러싸고 있는 골판 결손이 관찰되면 측두골 MRI를 찍어 두개내 합병증 유무를 확인하는 것이 바람직하다.[39] CT 검사는 치료의 반응을 평가할 때도 도움이 되므로 치료 전 기준영상으로 사용될 수 있다.

MRI는 CT에 비해 검사 시간이 오래 걸리지만 Gadolinium-DTPA 같은 조영제는 뇌염이나 뇌농양부위에서 혈액뇌장벽(blood-brain barrier)을 통과하므로 두개내 합병증 진단에 필수적이다. 특히, 수막염일 경우 CT에서 안 보이던 수막의 조영증강이 MRI에서는 잘 보이고 T2-가중(T2-weighted) MRI에서는 뇌실질부종이 잘 관찰된다.[4] MRI는 추체첨부 염증유무를 판별할 때 도움이 되고[26] 지주막하공간 및 뇌실로 염증이 진행되었는지 확인할 때도 정확한 정보를 준다.[30] 요즘에는 이러한 검사 장비들이 많이 보급되어 두개내 합병증이 의심되는 경우 CT와 MRI를 함께 촬영하면 상호 보완적인 정보를 얻을 수 있다. 단, 과거의 중이염이나 유돌절제술로 인해 유양돌기내 섬유조직이 남아있으면 MRI에서 조영 증강된 소견을 보이므로 병력과 임상소견을 참조해 MRI소견만으로 유돌염으로 오인하지 않도록 주의해야 한다.

4. 요추천자검사

수막염 진단을 위해 시행하며 요추천자 시작과 종료시 뇌척수압을 측정해야 한다. 세균도말검사, 포도당, 염소(chloride), 단백질 농도를 측정하여 혈청 수치와 비교한다. 전형적인 수막염의 경우 단백질 농도가 증가하고 포도당 농도는 감소하며 그람염색에서 세균이 관찰된다. 이성수두증의 경우 정상범위의 단백질 및 포도당 농도를 보이고 그람염색에서 세균이 관찰되지 않으나 개방압(opening pressure)이 증가된다. 소뇌편도탈출(tonsillar herniation)의 위험을 피하기 위해 요추천자 시행 전 반드시 검안경검사(fuduscopy)를 시행하여 유두부종을 확인하고 CT에서 뇌압상승의 뚜렷한 소견이 없는지 확인해야 한다.

Ⅳ 치료

입원치료를 원칙으로 하며 만성중이염과 합병증을 초래한 원인균을 각각 확인한 후 그에 적합한 항생제를 투여하여야 한다. 이루에서 검출된 균이 합병증을 유발하는 균과 같은 균이라고 단정해서는 안되며 합병증 발생 병소에서 균을 확인하는 것이 가장 정확한 세균검사법이다. 구체적인 치료는 원인균의 박멸, 염증성 육아조직과 진주종 제거, 염증성 분비물의 외부 배농이다

약물치료는 산소성균과 혐기균에 모두 효과적인 광범위 항생제를 사용하여야 한다. 만성중이염의 경우 인플루엔자균과 MRSA에 대한 약물감수성을 고려해야 하고 두개내 합병증이 있는 경우 혈액뇌장벽을 통과해 감염병소에 도달할 수 있는 항생제를 선택해야 한다. 감염세균의 내성이 시간과 부위에 따라 변할 수 있으므로 반복적인 세균감수성검사가 필요하다.

수술적 치료는 두개내 합병증이 발생할 경우 일반적으로 신경외과에서 먼저 배농수술을 시행하고 환자 상태가 안정되면 차후에 유돌절제술을 시행한다. 환자 상태가 나쁘지 않으면 유돌절제술을 동시에 시행할 수도 있다. 수술 후 추적관찰이 필수적이며 환자가 완벽히 치료되더라도 치료 종결 시 CT를 찍어 유양돌기 상태를 확인해야 재발이나 새로운 두개내 합병증의 위험을 줄일 수 있다. 외측동혈전정맥염이나 경막외농양, 경막하농양, 뇌농양 환자들은 치료 후 2~4주 사이 조영증강MRI를 다시 시행해야 한다.

Ⅴ 측두골내 합병증

유돌염이 의심되어 수술하는 경우 수술 전과 수술 도중 경막외 육아조직이 있는지 확인해야 한다. 만성중이염 수술 도중 육아조직이 너무 많을 경우 합병증이 존재하거나 곧 생길 징후로 보아야 한다.[32]

1. 만성유돌염(Chronic mastoiditis)

만성유돌염은 가장 흔한 합병증으로 유양돌기의 뼈와 주위 구조물을 침범하는 침습적이거나 지속적인 감염을 일컫는다. 유양돌기 내의 점막병변과 육아조직으로 인해 항생제 치료에도 불구하고 이루가 지속되는 특징이 있다. CT나 MRI에서 발견되는 단순한 유양돌기내 혼탁이나 T2-가중영상의 신호증가는 합병증에 해당하지 않는다. 진주종의 경우 장기간 무균상태로 남기도 하지만 세균감염이 반복되면 육아형성과 골파괴가 진행된다. 장기간 이루가 지속되면 유돌절제술 및 진주종 제거가 필요하다.

2. 잠복유돌염(Masked mastoiditis)

고막은 정상이거나 정상에 가까운 소견을 보이나 유양돌기 내 육아조직과 골미란이 있는 만성 염증을 잠복유돌염(masked mastoiditis)이라고 한다. 서서히 진행하며 간혹 아무런 증상 없이 있다가 두개내 합병증으로 발현될 수 있다. 심하지 않은 만성 이개통이나 이개후방 통증을 호소하며 유양돌기부에 약한 압통이 있을 수 있다. 측두골CT에서 유양돌기, 특히 구불정맥동을 둘러싸는 골판의

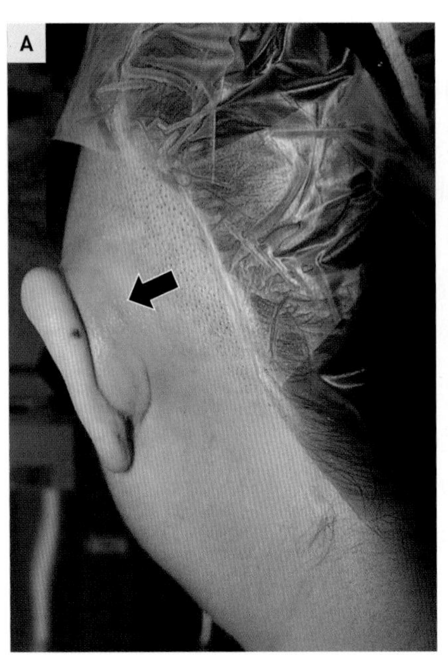

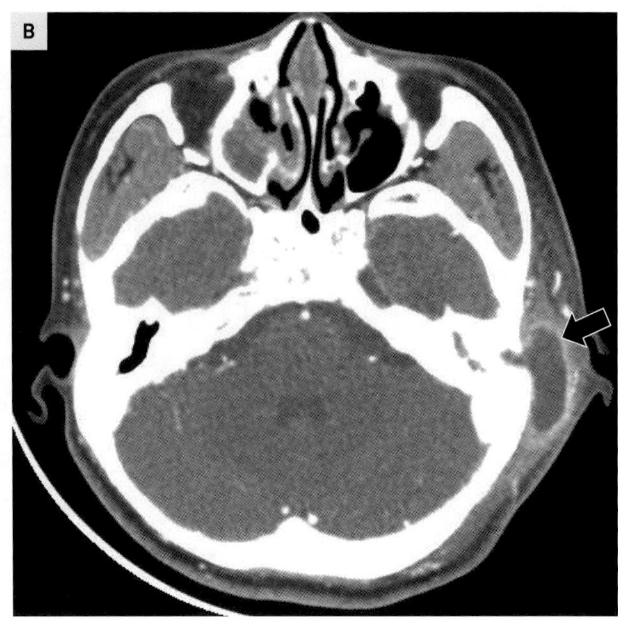

■ 그림 23-1. **골막하농양 이학적 및 CT 소견. A)** 좌측 후이개 피부발적과 종창을 보이고 있다(화살표). **B)** 조영증강 측두골CT. 상측두골에 연접하면서 이개를 외측으로 전이시키고 있는 골막하농양이 관찰된다(화살표).

미란 소견이 보이면 고막 상태에 관계없이 수술해야 한다. 수술소견에서 유양돌기와 유양돌기동(mastoid antrum)을 채우는 육아조직을 관찰할 수 있다.

3. 골막하농양(Subperiosteal abscess)

주로 급성중이염의 합병증으로 발생하나 만성중이염으로 인해 생길 수도 있다. 염증성 육아조직이나 진주종에 의해 유양돌기동 입구가 막히면서 유양돌기의 농성 분비물이 중이 쪽으로 배출되지 못하고 계속 축적되다가 결국 골막 바깥쪽으로 뚫고 나온 것이다. 이개후부(Macewen 삼각), 이개하부(Bezold 농양), 또는 상고실의 관골부(zygomatic region)나 턱관절(temporomandibular joint) 쪽으로 농양이 형성된다. 농양 위치에 따른 설명은 급성중이염 편에 자세히 기술되어 있다.

진단을 하려면 천자 흡인을 하여 농양 유무를 확인하고, CT검사를 통해 정확한 범위를 파악한다. CT에서 대부분 유양돌기 골피질의 미란과 농양의 형성을 관찰할 수 있으나(그림 23-1) 음성 결과를 보이는 경우도 있다. 절개배농, 정맥주사 항생제와 함께 유돌절제술이 필요하다.

4. 안면신경마비(Facial nerve paralysis)

육아조직이나 진주종이 안면신경관을 침범하면 화농성생리적신경차단(suppurative neuropraxia)에 의해 안면신경마비가 생길 수 있다. 염증에 의한 부종이 지속될 경우 축삭절단(axonotmesis)으로 진행할 수도 있다. 발견 즉시 이학적 진찰 소견, 신경전기생리검사 및 CT를 통해 병변의 범위를 충분히 파악하고 마비 1주일 내 수술을 시행해야 좋은 결과를 얻을 수 있다. 만성중이염의 경우 등골 후방 고실분절이 주로 손상되고[16](그림 23-2) 진주종의 경우 고실분절이나 유돌분절의 안면신경관에 골미란이 자주 발생한다. 진주종에 의한 안면신경 마비인 경우 외측반고리관누공(lateral semicircular canal fistula)이 함께 존재할 가능성이 높다.

급성중이염의 합병증으로 발생한 안면신경마비의 경우

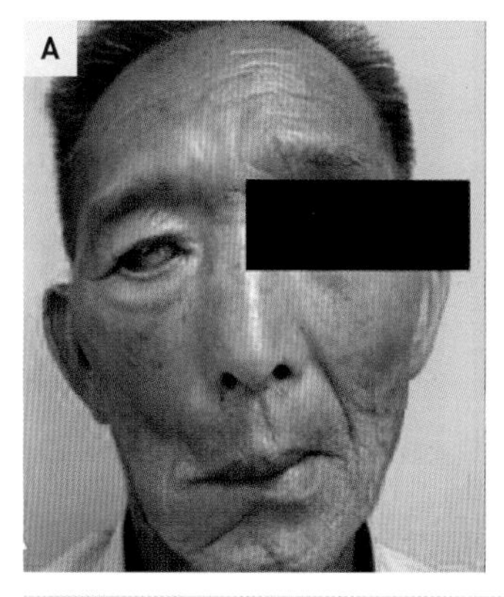

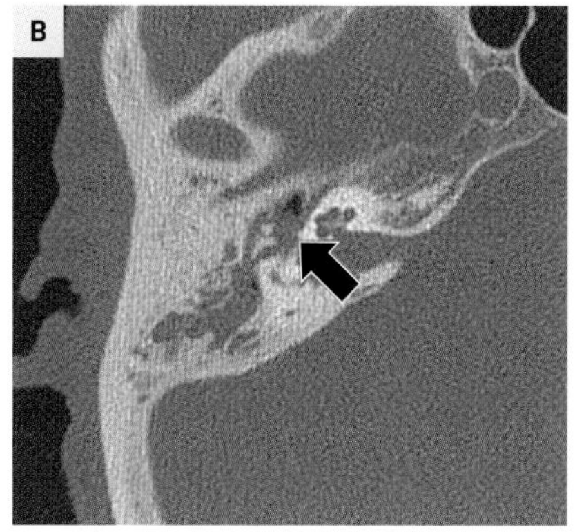

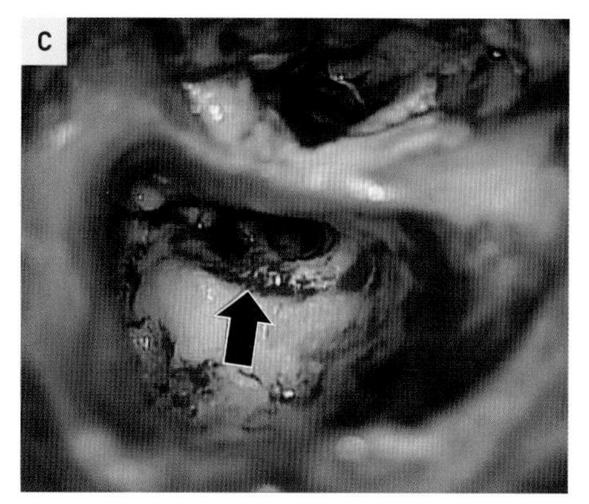

■ 그림 23-2. **중이염에 의한 안면신경마비.** **A)** 우측의 안면신경마비 소견을 보이고 있다. **B)** 측두골 전산화 단층촬영에서 우측 안면신경 고실분절의 안면신경관이 파괴되어 있고 육아종으로 덮혀 있다. **C)** 우측 안면신경 고실분절과 두번째 무릎 부위(2nd genu)에 부종과 육아종이 관찰되고 있다.

는 고막절개배농 및 비경구용항생제로 치료하는 반면, 만성중이염의 합병증인 경우 유돌절제술이 필요하며 안면신경관 주위의 침습성 육아조직을 제거해야 한다. 안면신경관감압술은 필요 없으며 오히려 급성 염증이 존재할 때는 금기사항이다. 침습성 육아조직이 발견되면 미세겸자(microforcep)로 잡아당기지 말고 손상 부위의 근, 원위부로 안면신경관을 충분히 개방하고 미세 흡인기로 들어올리면서 미세신경박리 기구로 조심스럽게 제거해야 한다. 안면신경초 안쪽으로 침범한 육아조직은 절대로 제거하지 말아야 신경절단을 방지할 수 있다. 전신적인 스테로이드 사용이 도움될 수도 있다.

5. 미로염(Labyrinthitis)

1) 장액성미로염(Serous labyrinthitis)

장액성미로염은 내이에 염증세포나 세균의 침범 없이 염증성 독성물질이 정원창, 난원창륜 또는 미로누공을 통하여 침입한 상태로 다양한 정도의 어지럼과 감각성 난청소견을 보인다. 이런 내이 기능 장애는 대부분 가역적이며 영구적인 장애를 초래하지는 않는다. 난청이 회복될 때까지는 화농성미로염과 구분할 수 없다. 항생제 및 스테로이드가 도움이 될 수 있으며 보존적 치료로써 대부분 회복된다.

2) 화농성미로염(Suppurative labyrinthitis)

세균이 외림프(perilymph)로 직접 파급되어 발생하며 진주종에 의한 미로누공이 주요 침범 통로가 된다. 임상증상은 급성중이염 편에 기술되어 있으며 장액성미로염과 유사한 임상증상으로 가지나 청력이 영구적으로 완전 소실되는 차이가 있다. 와우바닥(fundus)이나 와우수도관(cochlear aqueduct)를 통해 지주막하 공간과 연결되므로 수막염으로 진행할 수도 있다.

치료는 미로감염을 없애고 수막염으로 진행하는 것을 막기 위해 입원하여 적절한 항생제를 정맥 투여한다. 수술적 치료를 시행하여 추가적인 합병증을 예방한다.

6. 미로누공(Labyrinthine fistula)

미로누공은 골미로의 연골내뼈(endochondral bone)에 미란이 생긴 것으로 외림프 공간은 노출된 채 진주종에 의해 덮혀 있는 상태가 된다. 거의 예외 없이 진주종에서 발생하며 전체 진주종의 8.2%에서 미로누공이 발견된다.[1] 미로누공이 있는 환자의 60%에서 안면신경관 손상도 동반되므로 미로누공에 부착된 진주종 제거 시 안면신경이 노출되어 있을 가능성을 항상 염두에 두어야 한다.[24] 외측반고리관에 누공이 생기는 경우가 90% 이상이며 수

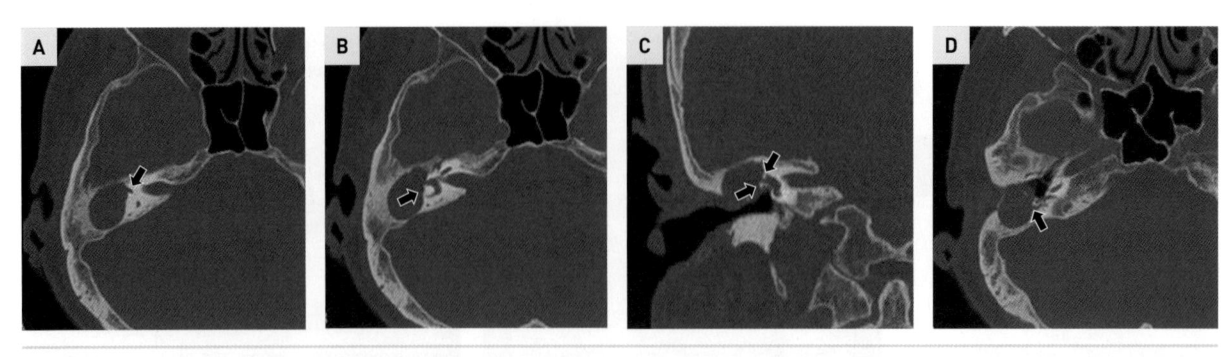

■ 그림 23-3. **진주종과 동반된 다발성 반고리뼈관누공 CT 소견.** **A)** 상반고리뼈관팽대부누공(화살표), **B)** 외측반고리뼈관 누공(화살표), **C)** 상반고리뼈관 및 외측반고리뼈관의 누공이 함께 보이는 관상영상(화살표), **D)** 안면신경관 유돌분절의 골미란 소견(화살표)도 함께 관찰된다.

직반고리관이나 전정, 와우(cochlea)에 누공이 발생할 수도 있다(그림 23-3). 압력에 의해 골내막(endosteum) 및 외림프, 내림프(endolymph)의 흐름이 순차적으로 발생하여 전정계나 청각계 증상을 야기한다. 임상적인 증상은 대개 전정기능 이상이며 순간적인 불균형(imbalance), 평형이상(disequilibrium), 현기증(vertigo) 등을 호소하나 대개는 정상 평형감각을 유지한다. 외이도에 압력을 가하거나 큰 소음에 노출되어도 순간적인 불균형을 느낄 수 있다(Tullio현상). 이런 증상을 호소하면 우선 누공검사(fistula test)를 시행한다.

환자의 이주를 누르거나 공기이경(pneumatic otoscope)으로 외이도에 양압을 가하면 골내막이 압박되어 팽대부향성 내림프흐름(ampullopetal endolymphatic flow)이 유발된다. 그 결과 안구의 동향편위(conjugate deviation)가 병변 반대편으로 생긴다. 누공검사는 외측반고리관 누공환자의 55~70% 정도에서 양성을 보이며[35] 외측반고리관 이외의 누공일 경우 양성반응이 나타나는 경우는 드물다.[1] 외측반고리관누공검사보다는 CT가 미로누공 확인에 도움이 되며 1.0 mm 절편두께로 촬영하면 진단률이 92.9%에 이른다.[22] 진주종 제거를 위한 유돌절제술시에는 항상 미로누공의 가능성을 염두에 두어야 한다.

수술적 치료가 필요하며 술자의 선호도에 따라 개방공동술식(open cavity technique)이나 폐쇄공동술식(closed cavity technique)을 사용한다. 수술시야 확보의 편의성과 낮은 재발률 때문에 개방공동술식이 더 권유되는 추세이다. 진주종기질을 완전 제거하거나 제거하지 않고 외부로 노출시키는 방법 모두 청력 보존은 87~95%로 큰 차이가 없지만[22] 기질이 심하게 과증식(hyperplasia) 되어 있거나 염증이 심한 경우 심각한 합병증을 예방하기 위해 제거하는 것이 좋다. 진주종기질을 제거할 경우 일괄 절제를 시도하지 말고 진주종낭의 외벽을 절개하여 내용물을 제거하고 진주종 기질의 내측벽을 관찰하여 골미로가 침식되었는지 확인한다. 진주종 기질 밑의 미로누공 부위를 찾을 때는 현미경을 고배율로 확대한 뒤 등골이나 등골족판을 미세기구로 가볍게 건드리면 외림프를 통한 압력이 미로누공으로 전달되므로 어느 부위에 누공이 있는지 확인하는데 도움이 된다. 다른 부위의 수술을 모두 마친 뒤 마지막 단계에서 누공부위 진주종 기질을 제거해야 하며 절대 외림프를 흡인하지 않도록 주의한다. 이때 흡인기 대신 마른 솜덩이(cotton ball)를 사용하면 더욱 안전하다. 진주종 기질을 제거한 후 누공부위는 근막이나 연골막, 골반죽(bone paste) 등으로 즉시 꼼꼼하게 덮어두고 섬유소아교(fibrin glue)나 기타 충전제로 보강한다. 만약 골내막이 손상되거나 막성미로에 기질이 붙어 있다면 제거하지 말고 그대로 둔다. 진주종 기질의 유착이 심하거나, 누공 크기가 2 mm 이상인 경우 술 후 청력이 떨어질 가능성이 높아 진주종 기질을 보존하는 방법이 권장되나[1] 기질을 완전 제거하더라도 누공 크기와 청력 보전률에는 큰 차이가 없다고 보고되기도 한다.[25] 반대편 귀보다 청력이 좋거나 유일청(only hearing)귀에서도 누공부의 진주종 기질을 제거하지 않는 것이 좋다. 이 경우 치유가 끝난 뒤 이차수술로 제거하거나 기질을 그대로 두고 공동개방술(open cavity technique)을 시행한다. 미로누공 부위 진주종기질을 제거하기 10분 전에 덱사메타손을 정맥내주사하는 것이 청력을 보존하는데 도움이 된다.[17] 수술 후 청력이 악화될 위험이 늘 있으며 광범위한 미로누공의 경우 수술방법에 관계없이 심각한 청력 장애를 초래할 수 있다.

감각신경성 난청이 있는 환자의 경우 와우누공의 가능성을 염두에 두어야 하며 CT로 미리 꼼꼼히 확인하여야 한다. 와우누공은 아무리 조심스럽게 제거하더라도 전농에 이르게 되므로 제거하지 않고 개방공동술식을 한 뒤 기질위에 근막으로 덮어둔다.

7. 추체염(Petrositis)

추체염은 중이-유양돌기 감염이 함기화된 유돌벌집(mastoid air cell)을 따라 추체첨부에 직접 파급된 것으로 추체부에 정상적으로 골수가 존재하고 있어 골수염이 동반될 수도 있다. 추체의 함기화는 정상인의 약 30%에서만 나타나는데[27] 추체염은 추체첨부의 벌집세포가 발달된 측두골에서만 발생하고 함기화가 안된 측두골에서는 발생하지 않는다. 주로 급성중이염의 합병증으로 나타나나 만성중이염의 합병증이나 유돌절제술이 불완전한 경우도 발생할 수 있다. 병변은 육아조직이 골미란을 일으켜 발생하며 드물게 진주종이 직접 전파되어 발생하기도 한다. 인접한 위치관계로 해면정맥동혈전정맥염(cavernous sinus thrombophlebitis)으로 진행할 수도 있고 안면신경마비나 미로염의 증상이 동반되기도 한다.

추체염에서 특징적인 Gradenigo 세 증후는 지속적인 이루, 동측의 심부 안와후방통증, 외전신경마비로 알려져 있으나 요즘은 전체 증상이 발현되는 경우는 매우 드물다. 추체첨부의 압력증가로 안와후방통증이 발생하며 추체염이 의심스러우면 심부 두통이 있는지 적극 문진하여야 한다.

진단을 위해서는 CT와 MRI가 필요하다. CT는 벌집세포중격(septa) 상태를 관찰할 수 있고 MRI는 농성분비물과 정상 골수를 구별할 수 있다. 추체첨부는 좌우 양쪽의 함기화나 골수함량이 비대칭적인 경우가 많아 염증 감별을 위해서는 CT와 MRI 모두가 필수적이다(그림 23-4).

추체첨부는 미로와 경동맥을 지나야 접근할 수 있으므로 근치적 치료가 어렵고 골괴사가 확인되면 배농술과 장기간 항생제를 사용하는 것이 필요하다. 가능하다면 부분적으로라도 추체첨부 벌집세포를 제거하는 것이 항생제치료에 도움이 된다. 기본적으로 고막제거와 함께 근치적 혹은 변형근치유돌절제술을 시행하고 추체첨부로 이어지는 벌집세포 발달 상황에 따라 접근법을 결정한다. 미로위길(supralabyrinthine portion of perilabyrinthine tract), 안면신경 뒤 미로아래길(retrofacial infralabyrinthine tract), 와우아래길(infracochlear tract), 이관주위길(peritubal cell tract), 상반고리뼈관 내부의 활꼴동맥(arcuate artery)을 따라 접근하는 경로 등 여러 접근법이 있다.[13] 만약 추체첨부 농양이나 골염의 증거가 뚜렷한데 기존 벌집길을 따라 접근이 어렵다면 중두개와접근법을 통해 감염을 제거하고 세균배양과 세척을 시행한다.

VI 두개내 합병증

1. 수막염(Meningitis)

급성중이염에 의한 수막염은 주로 혈행성으로 발생하는데 반해 만성중이염에서 생기는 수막염은 대개 직접적인 전파에 의해 생긴다. 세균성 염증에 의해 골미란과 경막(dura mater)결손이 생기고 이 부위로 경막외농양이 뇌척수액으로 흘러들어 수막염이 생기는 경우가 많다(그

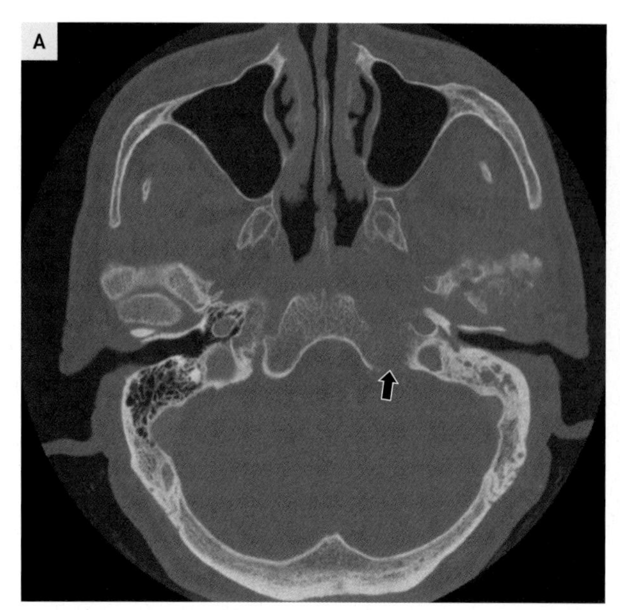

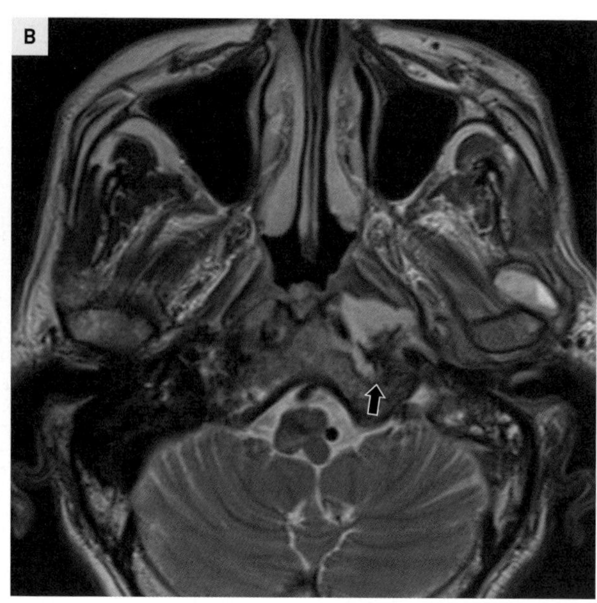

■ **그림 23-4. 진주종에 동반된 추체염 CT 및 MRI소견. A)** 측두골 CT상 좌측 유양돌기동 내부에 연부조직음영과 측두골 추체부에 골미란(화살표) 소견이 보인다. **B)** 측두 MRI T2 강조 영상에서 저신호강도와 고신호강도가 혼합된 병변(화살표)이 관찰된다.

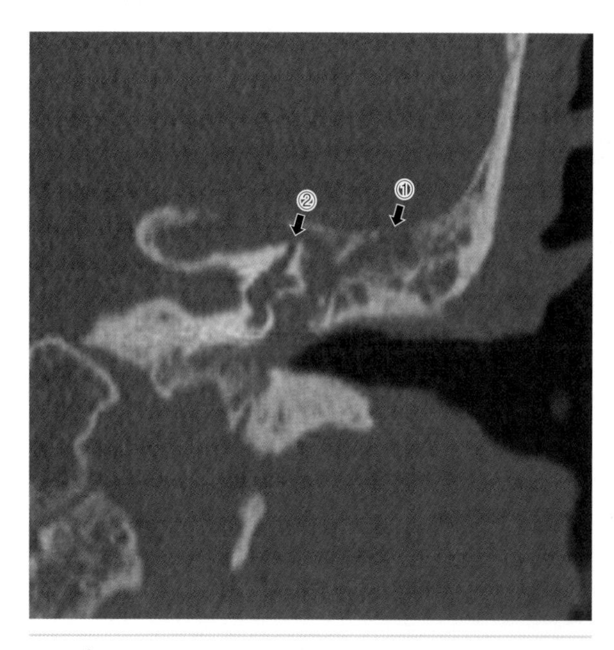

■ **그림 23-5.** 잠복유돌염에 합병된 수막염 환자의 CT 소견. 좌측 중두개와 골미란(화살표 ①)과 상반고리뼈관누공 소견(화살표 ②)이 관찰된다. 골미란에 의한 중두개와 결손 부위를 통해 수막염이 발생한 경우이다.

림 23-5). 그 외에도 선천적으로 혹은 측두골 골절에 의해 경막을 둘러싸고 있는 뼈의 결손이 있는 경우 수막염이 잘 생길 수 있다. 안면마비, 외측동혈전정맥염 등 다른 합병증을 동반하는 경우도 많다. 합병증 중 매우 고위험군에 속하며 급성중이염에 의한 경우보다 만성중이염에 병발한 경우 치사율이 더 높다.

가장 중요한 임상 소견은 두통, 목경축(nuchal rigidity), 눈부심(photophobia) 등 수막자극 징후이며 의식수준은 정상에서 의식혼탁, 무반응까지 다양하게 나타난다. 목경축은 목근육의 경축이 발생해 목을 전굴(flexion)시킬 수 없는 증상이다. Kernig징후는 고관절과 무릎을 90°로 구부린 상태에서 무릎을 신전시킬 때 무릎이 펴지지 않으면서 통증이 생기는 것으로 넙다리뒤근육연축(hamstring muscle spasm) 때문에 발생한다. Brudzinski징후는 침대에서 환자의 머리를 들어 올리면 양쪽 넓적다리와 하지가 불수의적으로 전굴되어 올라가는 것이다.[36]

검안경검사와 CT를 통해 뇌척수압이 상승한 소견이 없는 것을 확인한 뒤 요추천자를 시행해야 한다. 뇌척수액검사에서 단백질이 증가하고 포도당이 감소한 소견을 보이며 세균은 병이 많이 진행되어야 검출된다. CT와 요추천자를 했더라도 다른 두개내 합병증을 확인하기 위해 조영증강MRI가 필요하다

치료는 산소성균과 혐기균을 대상으로 하는 광범위 항생제를 정맥주사하고 폐렴구균(*pneumococcus*)에 의한 수막염일 경우 항생제와 덱사메타손을 함께 사용하면 도움이 된다.[6,8] 신경학적 증상이 안정되는 대로 반드시 유돌절제술을 시행한다. 유돌절제술 시 모든 경막을 확인해야 하며 병적인 뇌경막이 확인되면 염증과 농양을 모두 제거한다. 경막 결손이 관찰되면 근막을 결손부 안팎으로 마개충전(plugging)을 하거나 경막과 함께 봉합해야 한다.

2. 경막외농양(Epidural abscess)

경막외농양은 경막과 두개골 내판 사이에 형성된 농양으로 만성유돌염의 합병증이나 외측동혈전정맥염과 함께 발생하는 경우가 흔하다. 진주종이나 육아조직에 의한 골미란에 이차적으로 발생하며 농양보다는 육아조직이 더 흔히 발견된다. 발생 위치는 구불정맥동 주위나 후두개와 경막에 흔히 발생하고 진주종이 있는 경우 중두개와에서 발견되기도 한다.

증상으로 유양돌기 부위의 심부 통증을 호소하지만 무증상인 경우가 많고 만성중이염수술 도중 우연히 발견되는 경우가 많다. 농양이 큰 경우 조영증강 CT에서 렌즈(lenticular) 모양 병변으로 관찰될 수 있다. MRI 소견은 T1-가중영상에서는 뇌척수액(cerebrospinal fluid; CSF)보다 약간 고강도로, T2-가중영상에서는 CSF와 비슷한 강도의 신호를 보이게 된다.

치료는 개방공동술식(open cavity technique)이나 안면신경오목(facial recess)을 넓게 개방해 배농이 잘 되게 해야 한다. 유돌절제술 시에는 고실천장(tegmen tympani), 유돌천장(tegmen mastoideum), 구불정맥동, 후두개와를 싸고 있는 부위를 모두 꼼꼼히 확인하여야 한다. 병변을 제거할 때는 외측에서 내측으로, 병변이 적은 쪽부터 심한 쪽으로 벌집세포를 제거한다. 얇게 남은 골판 아래로 농양이 관찰되면 건강한 경막이 나올 때까지 골판을 충분히 제거한 뒤 배농한다. 육아조직 등 경막에 붙은 병변은 편평하고 날카롭지 않은 기구로 박리하고 경막천공의 위험이 예상되면 모든 육아조직을 반드시 제거할 필요는 없다.

3. 뇌농양(Brain abscess)

주로 사회경제상태가 떨어지는 지역의 남성에서 발생한다. 중이염은 선천성 심장 질환, 두부 손상이나 신경외과적 수술 다음으로 세 번째 흔한 뇌농양의 원인이다.[39] 방향성은 중이염을 앓고 있는 쪽의 뇌농양으로 주로 나타나나 유양돌기에는 인접하지 않은 경우가 대부분이다. 측두엽농양이 더 흔하지만 소뇌농양의 경우 사망률이 더 높고 다발성인 경우가 많다(그림 23-6). 주로 고실천장의 골염에 의해서 생긴 경막외농양이 뇌농양으로 악화되거나 유양돌기에 인접한 정맥통로(vein channel)를 통해 뇌실질로 전파된다. 유돌염의 경우 발생 초기에 뇌농양 유무를 확인해야 하며 치료 3~4주 후 뇌농양 유무를 재확인해야 한다.

처음(초기 뇌염기)에는 경도 발열, 권태(malaise), 집중력 부족, 두통 등 가벼운 증상을 보이다가 염증이 국소화되며 조직괴사 및 부종이 일어나는 시기(잠복기)에는 증상이 사라진다. 농양이 점점 커지며(팽창기) 두통, 고열, 의식소실, 신경학적 증상이 발생하고, 농양 피막이 터지면서(농양파열기) 급격히 진행되어 사망에 이르게 된다.[10]

CT나 MRI로 확진해야 하며 2/3에서 다른 두개내 합병증이 생기므로 함께 확인해야 한다.[20]

산소성균과 혐기균을 치료하는 광범위 항생제를 사용하고 덱사메타손 정맥주사를 병용한다. 입원 24시간 이내 신경외과에서 배농 혹은 농양절제술을 시행하며 환자 상태가 호전되면 별개의 수술 접근법을 통해 유돌절제술을 하는 것이 원칙이다. 최근에는 유돌절제술과 측두골경유

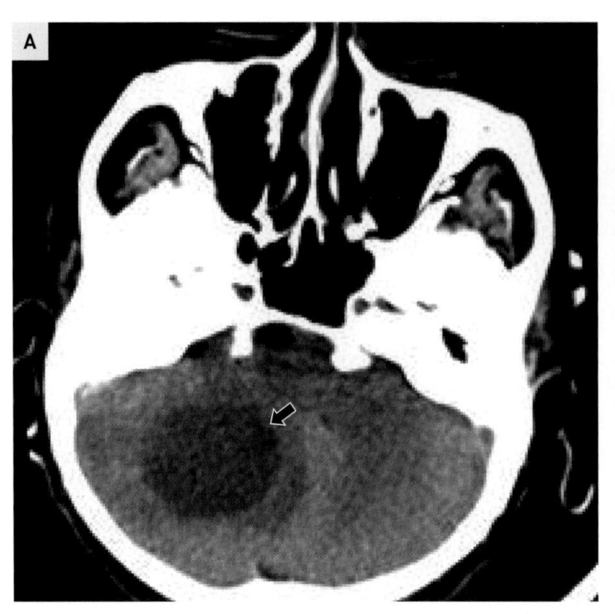

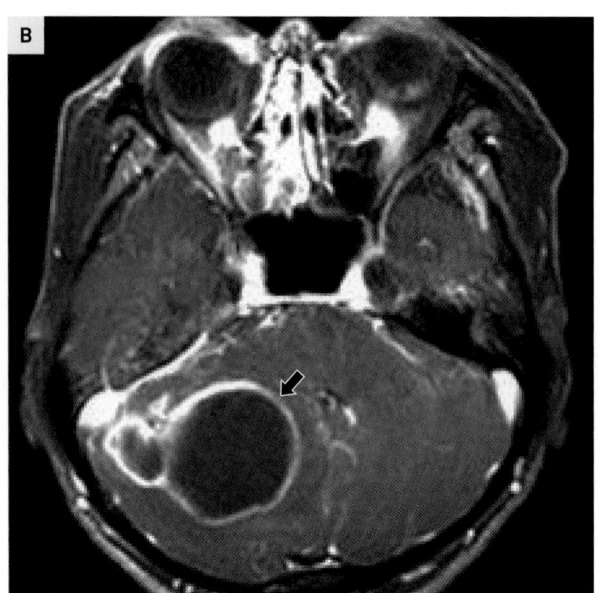

■ 그림 23-6. **우측 진주종성 중이염에 의한 소뇌 농양. A)** CT(화살표), **B)** MRI(화살표)

(transtemporal) 농양흡인을 동시에 하거나[26] 개두술(craniotomy)과 유돌절제술을 동시에 시행하여 입원 횟수와 기간을 줄일 수 있다는 보고도 있다.[20]

4. 경막하농양(Subdural abscess)

경막하농양은 전격성 감염으로 경막과 연질지주막(pia arachnoid membrane) 사이에 발생하는 매우 치명적인 화농성 감염이다. 두개내 합병증 중 가장 드문 것으로 중이염보다는 외상이나 신경외과 수술에 따른 감염 등이 원인이 되는 경우가 많다. 남자와 10대의 젊은 연령층에 많다.

인접한 골감염에서 직접 전파되거나 역행성 혈전정맥염에 의해 발생한다. 경막하농양이 생기면 대뇌피질정맥의 혈전정맥염이 생기고 대뇌피질의 부종, 괴사, 경색이 생길 수 있다. 경막하농양 두께가 매우 얇아도 뇌압상승이나 신경학적 이상, 발작(seizure) 등의 심각한 문제를 유발한다.

심한 두통이 초기부터 지속적으로 나타나며 농양이 진행할수록 급격한 발열, 전신쇠약, 기면(drowsiness), 발작, 반신마비, 실어증(aphasia), 혼수(coma) 등 심각한 신경학적 증상이 나타난다. 소뇌 경막하농양의 경우 국소 신경학적 증상은 잘 보이지 않으나 경부강직과 유두부종이 항상 나타난다. 일련의 증상들은 수 시간에서 열흘 사이에 진행되고 적절한 조기 치료가 시행되지 않으면 치사율이 20~40%에 이른다.[23]

크기가 큰 농양은 CT에서 초승달 모양의 저음영으로 관찰된다. 크기가 작은 농양은 CT에서 정상으로 보일 수 있으므로 조영증강MRI를 시행하거나 적당한 시기에 CT를 재촬영하면 관찰될 수 있다. 뇌압상승의 위험이 있으므로 요추천자는 금기이나 신경학적 증상이 없고 CT가 정상 소견이면 수막염과 감별하기 위해 고려해볼 수 있다.

신경외과적인 응급수술 및 항생제가 필요하며 수술 당시 의식상태가 좋을수록 생존율이 높다.[27] 환자가 안정되는 정도에 따라 동시 수술이나 차후에 유돌절제술을 시행하며[19] 경막외농양 및 육아조직, 외측동혈전정맥염을 함께 제거하는 것이 매우 중요하다.

5. 외측동혈전정맥염(Lateral sinus thrombophlebitis)

외측동혈전정맥염 또는 구불정맥동혈전정맥염(sigmoid sinus thrombophebitis)이라고 한다. 외측동은 돌출구조로 중이염에 상대적으로 취약한 부위가 된다. 진주종이나 육아조직에 의한 정맥동 주변 농양이 정맥동 외측벽에 압박괴사를 만들어 혈관내벽(endothelium)을 침범하게 된다. 손상된 혈관내벽에 섬유소(fibrin), 혈소판, 혈구 등이 모여서 혈전을 형성한다. 혈전이 커지면 정맥동을 막기도 하고 근위부로 역행하여 횡정맥동(transverse sinus), 정맥동융합부(confluence of sinuses), 상시상정맥동(superior sagittal sinus), 상·하 추체정맥동(superior / inferior petrosal sinus)을 거쳐 해면정맥동(cavernous sinus)까지 혈전정맥염을 유발할 수 있다. 혈전이 원위부로 전파되면 경정맥팽대(jugular bulb)를 지나 내경정맥(internal jugular vein) 혈전정맥염으로 진행할 수 있다.

정맥동은 소뇌경막과 연결되어 있어 대부분 다른 두개내 합병증이 함께 존재한다. 임상증상은 두통, 이통, 반복되는 간헐적 고열(picket-fence fever), 경부통증, 오심 등이다. "picket-fence"열은 최근 항생제 사용으로 잘 나타나지 않지만 일중변동(diurnal variation) 양상으로 발현되는 40℃ 이상의 고열이 특징이며 한 번이라도 고열이 발생했다면 외측동혈전정맥염을 염두에 두어야 한다. 유돌돌기의 부종과 압통(tenderness)을 질병 특유의 Griesinger 징후라고 하며 꼭지도출정맥(mastoid emissary vein)의 혈전염을 반영하는 소견이다. 내경정맥의 혈전염은 흉쇄유돌근(sternocleidomastoid muscle)을 따라 압통 종물로 발현되기도 한다.[18] 뇌정맥혈류가 막혀 뇌압이 상승하면 심한 두통이 발생하거나 악화되는데 이는 위험한 징후이다. 상시상정맥동이나 해면정맥동까지 막히면 대뇌부종이 발생하고 이때는 의식둔화가 생기고 치사율이 높아진다.

귀의 분비물과 혈액세균배양 검사를 시행하고 의식둔화가 있으면 감별진단을 위해 영상의학적 검사와 요추천자를 시행한다. CT에서 구불정맥동벽에 조영증강이 보이면 진단이 가능하고 MRI 및 MRA (magnetic resonance angiography) 정맥순환기 영상을 얻으면 혈전의 위치나 범위를 알 수 있을 뿐 아니라 다른 두개내 합병증의 존재 여부도 확인할 수 있다(그림 23-7).

즉각적인 유돌절제술로 외측정맥동 주변의 육아조직과 농양을 완전히 제거하는 것이 원칙이다. 추가적인 정맥동 개방이나 혈전제거가 예후에 도움이 되는가에 대해서는 논란이 있다. 간헐적인 고열과 오한이 있다면 정맥동의 완전폐색을 염두에 두고 정맥동을 조심스럽게 개방한다. 농양 및 육아조직을 모두 깨끗이 제거하고 구불정맥동이 노출되면 18- 혹은 20-게이지 바늘로 천자 흡인한다. 정맥동내에서 깨끗한 선혈이나 이미 섬유화된 혈전이 나오면 정맥동을 더 이상 열지 않는다. 만약 농양이 나오면 정맥동을 길게 절개해서 농양과 감염혈전을 제거해야 한다. 정맥동 개방 중 출혈이 생기면 정맥동 외부에 Surgicel® 등으로 지혈하고 추가로 근막을 덮어두기도 한다.

정맥동 개방 외에도 혈전치료를 위해서는 항응고제, 경부 경정맥결찰 등의 치료방법도 있다. 일반적으로 항응고제는 혈전으로 막힌 외측동의 혈류 흐름을 원상복구시키지 못하며 패혈색전증(septic embolism)과 출혈성 합병증의 위험이 있어 쓰지 않는다.[9,29] 다만 혈전이 횡정맥동이나 해면정맥동으로 퍼지고 수두증이 발생하면 항응고제나 혈전용해제를 정맥 내 주사하거나 정맥동 내 직접 주입하는 것이 도움이 된다.[19] 내경정맥 결찰은 보통 필요 없지만 유돌절제술과 항생제 치료에도 불구하고 전신패혈증이나 폐합병증이 지속될 때, 내경정맥의 혈전염이 발견될 때 시행한다.[37]

6. 이성수두증(Otitic hydrocephalus)

중이염 환자에서 뇌실확장이나 수막염, 뇌농양 없이 뇌압이 상승한 상태이다. 거의 대부분 외측동혈전정맥염

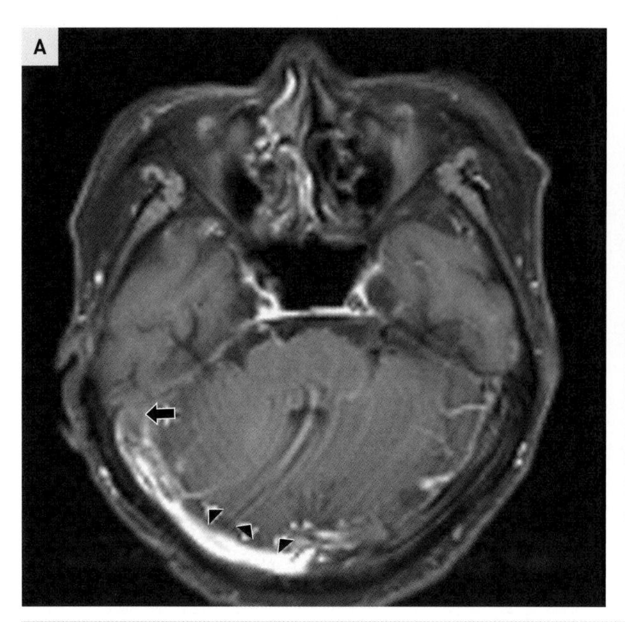

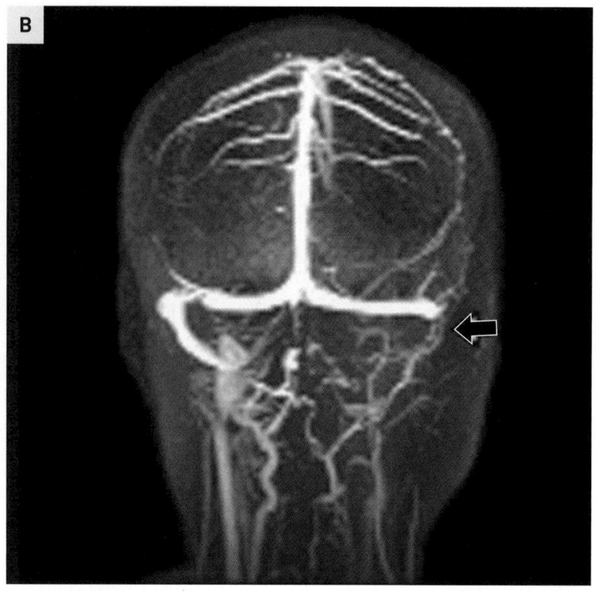

■ 그림 23-7. **외측동혈전정맥염 MRI 소견. A)** 우측 외측동혈전정맥염(화살표)이 역행하여 동측 횡정맥동혈전정맥염(화살표머리)으로 진행하였다. **B)** 좌측 외측동혈전정맥염이 발생한 다른 환자의 자기공명영상정맥조영도(MRI venogram)에서 병변부위(화살표) 원위부의 혈류가 보이지 않는다.

에 이차적으로 발생하며 두개내 정맥혈 배출 장애가 뇌압 상승의 원인일 것으로 추정된다.[10]

두통, 구역, 유두부종, 외전신경 마비에 의한 복시 등이 생기며 두개내 압력이 지속적으로 상승하면 감각저하, 망막정맥 폐쇄에 따른 시력저하, 혼수, 사망이 발생할 수 있다. MRI 정맥조영사진(venogram)에서 외측동이 혈전으로 완전폐색된 소견을 보이며 요추천자 결과에서는 백혈구나 단백질 농도의 증가 없이 뇌척수압이 상승한 소견을 보인다.

치료는 유돌절제술을 통해 경막외 육아조직, 외측동혈전정맥염을 치료해야 한다.[7] 안과를 통해 시력측정을 규칙적으로 하고 신경과를 통해 장기간 뇌압관리를 해야 한다. 대개의 이성수두증은 수개월에 걸쳐 치유 가능하며 요추복강션트(lumboperitoneal shunt)는 시력 악화나 박동성 이명이 매우 심한 환자에게만 시행한다.[11,37] Acetazolamide와 furosemide 혹은 전신 스테로이드 치료에 잘 반응한다.

참고문헌

1. 김종선, 최병윤, 황찬호, et al. 만성 진주종성 중이염에서 미로누공의 진단과 치료. 대한이비인후과학회지 2002;45:1039-1045.
2. Agarwal A, Lowry P, Isaacson G. Natural history of sigmoid sinus thrombosis. Ann Otol Rhinol Laryngol 2003;112:191-194.
3. Baysal E, Erkutlu I, Mete A, et al. Complications and treatment of chronic otitis media. J Craniofac Surg 2013;24:464-467.
4. Brook I. Brain abscess in children: microbiology and management. J Child Neurol 1995;10:283-288.
5. Brook I. The role of anaerobic bacteria in acute and chronic mastoiditis. Anaerobe 2005;11:252-257.
6. Brouwer MC, Heckenberg SG, de Gans J, Spanjaard L, Reitsma JB, van de Beek D. Nationwide implementation of adjunctive dexamethasone therapy for pneumococcal meningitis. Neurology 2010;75:1533-1539.
7. Commins DJ, Koay B, Milford CA, Renowden S. Otitic hydrocephalus. J Otolaryngol 1997;26:210-212.
8. de Gans J, van de Beek D. Dexamethasone in adults with bacterial meningitis. N Engl J Med 2002;347:1549-1556.
9. de Oliveira Penido N, Testa JR, Inoue DP, Cruz OL. Presentation, treatment, and clinical course of otogenic lateral sinus thrombosis. Acta Otolaryngol 2009;129:729-734.
10. Doyle KJ, Brackmann DE, House JR, 3rd. Pathogenesis of otitic hydrocephalus: clinical evidence in support of Symonds' (1937) theory. Otolaryngol Head Neck Surg 1994;111:323-327.

11. Dubey SP, Larawin V. Complications of chronic suppurative otitis media and their management. Laryngoscope 2007;117:264-267.
12. Friedman DI, Jacobson DM. Idiopathic intracranial hypertension. J Neuroophthalmol 2004;24:138-145.
13. Greenberg JS, Manolidis S. High incidence of complications encountered in chronic otitis media surgery in a U.S. metropolitan public hospital. Otolaryngol Head Neck Surg 2001;125:623-627.
14. Gulya AJ, Schuknecht HF. 4. Pneumatiziation; the petrous apex region. New York: Parthenon, 1995.
15. Harker LA, Koontz FP. Bacteriology of cholesteatoma: clinical significance. Trans Sect Otolaryngol Am Acad Ophthalmol Otolaryngol 1977;84:Orl-683-686.
16. Harker LA, Pignatari SS. Facial nerve paralysis secondary to chronic otitis media without cholesteatoma. Am J Otol 1992;13:372-374.
17. Jang CH, Jo SY, Cho YB. Matrix removal of labyrinthine fistulae by non-suction technique with intraoperative dexamethasone injection. Acta Otolaryngol 2013;133:910-915.
18. Kale US, Wight RG. Primary presentation of spontaneous jugular vein thrombosis to the otolaryngologist--in three different pathologies. J Laryngol Otol 1998;112:888-890.
19. Kermode AG, Ives FJ, Taylor B, Davis SJ, Carroll WM. Progressive dural venous sinus thrombosis treated with local streptokinase infusion. Journal of Neurology, Neurosurgery, and Psychiatry 1995;58:107-108.
20. Kurien M, Job A, Mathew J, Chandy M. Otogenic intracranial abscess: Concurrent craniotomy and mastoidectomy—changing trends in a developing country. Archives of Otolaryngology - Head & Neck Surgery 1998;124:1353-1356.
21. Lampikoski H, Aarnisalo AA, Jero J, Kinnari TJ. Mastoid biofilm in chronic otitis media. Otol Neurotol 2012;33:785-788.
22. Lim J, Gangal A, Gluth MB. Surgery for Cholesteatomatous Labyrinthine Fistula. Ann Otol Rhinol Laryngol 2017;126:205-215.
23. Ludman H. Complications of suppurative otitis media. In: Booth JB, ed. Scott-Brown's Otolaryngology. 6th ed, 1997.
24. Manolidis S. Complications associated with labyrinthine fistula in surgery for chronic otitis media. Otolaryngol Head Neck Surg 2000;123:733-737.
25. Moon IS, Kwon MO, Park CY, et al. Surgical management of labyrinthine fistula in chronic otitis media with cholesteatoma. Auris Nasus Larynx 2012;39:261-264.
26. Murakami T, Tsubaki J, Tahara Y, Nagashima T. Gradenigo's syndrome: CT and MRI findings. Pediatr Radiol 1996;26:684-685.
27. Neely J. Complications of temporal bone infection. In: Cummings C, ed. Otolaryngology-Head and Neck Surgery. 2nd ed. StLouis: Mosby Year Book, 1993.
28. Neely J, Arts H. Intratemporal and intracranial complications of otitis In: Bailey B, Johnson J, Newlands S, eds. Head and Neck Surgery - Otolaryngology. 4th ed. Philadelphia: Lippincott illiams & Wilkins, 2006, p.2041-2056.
29. Neilan RE, Isaacson B, Kutz JW, Jr., Lee KH, Roland PS. Pediatric otogenic lateral sinus thrombosis recanalization. Int J Pediatr Otorhinolaryngol 2011;75:850-853.
30. Nissen AJ, Bui H. Complications of chronic otitis media. Ear Nose Throat J 1996;75:284-292.
31. Osma U, Cureoglu S, Hosoglu S. The complications of chronic otitis media: report of 93 cases. J Laryngol Otol 2000;114:97-100.
32. Panda NK, Sreedharan S, Mann SB, Sharma SC. Prognostic factors in complicated and uncomplicated chronic otitis media. Am J Otolaryngol 1996;17:391-396.
33. Penido Nde O, Borin A, Iha LC, et al. Intracranial complications of otitis media: 15 years of experience in 33 patients. Otolaryngol Head Neck Surg 2005;132:37-42.
34. Sennaroglu L, Sozeri B. Otogenic brain abscess: review of 41 cases. Otolaryngol Head Neck Surg 2000;123:751-755.
35. Soda-Merhy A, Betancourt-Suarez MA. Surgical treatment of labyrinthine fistula caused by cholesteatoma. Otolaryngol Head Neck Surg 2000;122:739-742.
36. Thomas KE, Hasbun R, Jekel J, Quagliarello VJ. The diagnostic accuracy of Kernig's sign, Brudzinski's sign, and nuchal rigidity in adults with suspected meningitis. Clin Infect Dis 2002;35:46-52.
37. Viswanatha B, Thriveni CN, Naseeruddin K. Nonseptic and septic lateral sinus thrombosis: a review. Indian J Otolaryngol Head Neck Surg 2014;66:10-15.
38. Wilberger JE, Cantella D. High-dose barbiturates for intracranial pressure control. New Horiz 1995;3:469-473.
39. Yen PT, Chan ST, Huang TS. Brain abscess: with special reference to otolaryngologic sources of infection. Otolaryngol Head Neck Surg 1995;113:15-22.
40. Yeo SG, Park DC, Hong SM, Cha CI, Kim MG. Bacteriology of chronic suppurative otitis media--a multicenter study. Acta Otolaryngol 2007;127:1062-1067.
41. Yorgancilar E, Yildirim M, Gun R, et al. Complications of chronic suppurative otitis media: a retrospective review. Eur Arch Otorhinolaryngol 2013;270:69-76.

CHAPTER

24

고실성형술과 이소골성형술

이비인후과학 Otorhinolaryngology - Head and Neck Surgery

박철원, 조형호

I 고실성형술(Tympanoplasty)

고실성형술(tympanoplasty)는 중이강 내의 비가역적 병변을 제거한 후 중이의 기능을 복원하는 수술방법으로 외이도성형술(canaloplasty)과 고막성형술(myringo-plasty), 이소골성형술(ossiculoplasty)을 포함한 개념이다.[18] Wullstein은 1950년대에 고실성형술을 처음으로 소개하면서 (1) 중이의 모든 병변을 제거한 후의 중이 내에 남아 있는 구조물과 (2) 정원창이 보호되어 있는 상황에서 어떠한 방식으로 소리가 난원창에 전달되는가를 기준으로 그 형식을 분류하였다.[49] 이 분류방법의 기본 원리는 현재까지도 통용되고 있으며, 다만 중이 수술 장비 및 중이 이식 재료, 수술방법의 발달과 더불어 변형되어 왔다. 현재까지 다양한 종류의 고실성형술이 소개되고 있는데, 중이수술을 할 때에 한 가지 방식을 고집하기보다는 중이 병변에 따라 적절하게 술식을 변형하여 적용하는 것이 필요하다.

이 장에서는 다양한 종류의 고실성형술 방법과 이소골 재건술을 소개하고자 한다. 또한, 최근 들어 그 활용도가 증가되고 있는 내시경을 이용한 중이수술에 대하여도 소개하고자 한다. 고실성형술은 병변의 정도에 따라 유양돌기절제술(mastoidectomy)과 함께 시행되기도 하는데, 유양돌기절제술은 다음 장에서 다루도록 하겠다.

1. 적응증과 금기사항

고실성형술의 적응증에는 단순 만성 중이염이나 만성 유착성 중이염, 진주종성 중이염 등이 포함된다. 그 외 만성 중이염의 비가역성 병변인 중이점막의 상피세포화생, 고실경화증, 육아종, 콜레스테롤 육아종, 중이 용종 등이 적응증이다.[1]

청각기능이 없거나, 외이나 중이의 악성 종양으로 종양 제거가 선행되어야 할 때, 당뇨병이 있으면서 외이나 중이에 녹농균으로 인한 두개저 골수염이 있을 때 등에서는 고실성형술을 시행하지 않는 것이 좋다. 다만, 청각기능이 없는 경우라도 인공와우 이식(cochlear implantation)을 시행해야하는 경우에는 중이 내 병변을 제거하고 고막을 만드는 것이 필요할 수 있다.

상대적 금기사항으로 만성 중이염의 급성 활성화, 알레르기성 이관 고실염에 의한 다량의 점액성 이루가 있을 때, 녹농균이나 진균에 의한 만성 외이도염, 이관 기능장애 등이 있다. 또한, 반대측이 전농인 유일청이(only hearing ear)이거나 또는 청력이 반대측에 비해 좋은 양청이(better hearing ear)일 때에는 중이수술 후 발생할 수 있는 비가역성 감각신경성 난청을 우려하여 수술의 상대적 금기로 생각하고 반대측 귀에 우선 보청기를 사용하여 청력이 회복되는 경우에 고실성형술을 고려한다.[1] 최근 들어, 수술 장비 및 방법의 발달과 인공와우 이식장치나 중이 이식장치(middle ear implant) 등의 발달로 보청기 착용에 의한 반대측 귀의 청력회복이 없이도 수술을 시행하기도 하지만, 이때에는 수술을 신중하게 고려하여야 한다.

고령 자체는 고실성형술의 금기가 아니나 당뇨병이나 기타 심각한 전신 질환이 있는 경우에는 수술로 얻는 이득과 수술로 인한 위험성 등을 고려하여야 한다. 소아의 경우에는 이관이 성인 구조로 성장해가는 과정 중에 있으므로 술 후 치료에도 협조할 수 있고, 또 중이염의 호발 연령인 5~6세가 지난 후인 약 7세 이후부터 고실성형술을 시행하는 것이 적절하다.[9]

소아에서 진주종에 의한 염증이 심하여 주위 조직의 파괴나 합병증이 우려된다면 연령에 관계없이 유양돌기절제술과 고실성형술을 할 수 있다. 그러나 소아 진주종에서 염증소견이나 청력손실이 심하지 않고 합병증의 우려가 없다면 수술 시기를 늦출 수도 있지만, 이때는 합병증의 발생 유무 및 진주종 크기의 증가를 보다 세세하게 관찰하여야 한다.

2. 수술방법의 선택에 관련된 임상적 요소

만성 중이염의 수술을 결정하기 전 유의해야 할 여러 가지 임상적 요소들에는 환자의 병력, 양측 고막소견과 청력 등이 있다. 그 외에 이관기능, 비부비동의 지속적인 염증이나 알레르기 질환의 유무 등을 충분히 확인해야 하며, 연령과 직업도 고려해야 한다. 중이염의 이환기간이 짧고 고막소견이 비교적 양호한 양상을 보이며 청력손실도 심하지 않을 때에는 이내피부절개(endaural incision)나 내시경(endoscope)을 이용하여 외이도를 통해 고실 수술만 해도 치유가 가능하다. 그러나 병력이 길고 심한 이루를 동반한 진주종이 있고 합병증도 의심되면 이개후 피부절개(postauricular incision)로 중이강과 유양돌기를 개방하는 수술이 필요하다. 귀수술 후에는 난청이나 현기증 또는 드물게 안면마비 등의 합병증이 발생할 수 있으므로 수술 전에 환자의 직업을 확인하고 수술 후 발생할 수 있는 합병증에 대해 충분히 설명해야 한다.[1]

1) 수술 전 증상의 평가

대부분의 만성 중이염 환자들은 난청이나 이루를 주소로 내원하지만 간혹 병변이 진행되어 합병증으로 인한 증상인 이통이나 현기증 또는 안면신경마비를 호소하는 환자도 있다. 이러한 수술 전의 증상이나 소견에 대한 적절한 평가를 통하여 수술 후 합병증의 발생가능성을 예측할 수 있고, 수술의 필요성이나 수술 시기, 수술방법 등을 결정할 수 있다. 또한 환자나 보호자에게 수술의 예후에 대한 정보를 충분히 제공함으로써 수술로 발생할 수 있는 여러 가지 문제점을 이해할 수 있도록 하여 상호 신뢰관계를 형성하여야 한다.

2) 이과적 검사

수술현미경과 이내시경(oto-endoscope)을 사용하여 외이도와 고막천공의 상태 등을 관찰하고 수술과 관계되는 검사를 실시한다.

(1) 이루

농성 이루는 활동성 염증이 있음을 의미하며, 세균 배

양검사를 시행하여 그 결과에 따라 적절한 항생제를 전신적 또는 국소적으로 사용한다. 악취가 심한 농이 있으면 진주종으로 인한 조직괴사를 의심할 수 있다. 점액성 이루는 점막의 염증을 의미하며, 국소치료로 쉽게 치료되기도 한다.[1]

(2) 고막천공

고막천공은 중심천공(central perforation)과 변연천공(marginal perforation)으로 구별된다. 중심천공은 고막긴장부의 천공이 있으면서 모든 변연부에서 고막이 남아 있는 상태를 말하며, 변연천공은 일부 고막의 천공이 고실륜(tympanic annulus)까지 확장되어 있는 상태를 지칭한다. 특히, 고막의 이완부에 천공이 발생한 경우를 상고실천공(attic perforation)이라고 명명하며, 흔히 진주종을 형성한다.[40] 상고실천공의 초기에는 청력손실이나 이소골 파괴가 거의 없으나 진행되면 이완부의 고막상피가 함몰하여 이소골의 외측을 통하여 유돌동까지 침입할 수 있다. 초기에는 각질형성이나 농성 이루 없이 함몰만 되어 있는 전기 진주종(precholesteatoma) 상태이나 후기에는 각질이 탈락하고 악취성 이루가 나오는 활동성 진주종(active cholesteatoma)으로 진행한다. 고막 후상부의 변연천공은 후추골인대(posterior malleal ligament) 하부를 통하여 고실의 후상부에 진주종을 형성하여 침골이나 등골을 파괴하고, 심한 난청을 일으키기도 한다.[1]

일시적으로 천공된 고막을 젖은 Gelfilm 등을 이용하여 일시적으로 막고 청력 개선 결과를 확인하면 이소골의 상태나 정원창 및 난원창의 상태를 가늠해 볼 수 있다.[18] 고막 천공에 의한 청력감소는 천공의 크기에 비례하고, 저주파수 영역에서의 청력소실이 더 많이 발생한다.[34] 고막천공의 위치와 청력소실 정도와의 관계에 있어서, 예전부터 고막의 후하방 천공이 정원창의 위상 말소(phase cancellation)의 증가로 인하여 더 많은 청력소실이 발생할 것으로 알려져 있지만, 최근 연구에서는 천공의 위치와 청력소실의 정도가 일치하지 않는다고 보고되고 있다.[34,48]

단순히 고막천공이 있다고 하여 무조건 수술을 해야 하는 것은 아니다. 청력소실이 심하지 않고, 이루가 없다면 중심부의 작은 천공은 그냥 지켜보아도 되며, 이관기능이 좋지 않은 경우에도 작은 천공이 중이의 기압을 유지하는 환기관 역할을 할 수 있으므로 그냥 두는 것이 좋을 수 있다. 반대로, 현저한 전음성 난청이 없더라도 수영을 해야 하거나 보청기를 사용해야 하는 경우에는 이루나 감염을 억제하기 위하여 고실성형술을 시행하기도 한다.[5]

(3) 중이소견

중이강에서는 점막의 변화, 이소골의 상태, 고실경화증(tympanosclerosis)의 유무 등을 관찰해야 한다. 간혹, 중이강 내 갑각부(promontory)의 점막이 피부로 덮이는 상피화(epithelization)가 진행되면 수술로써 완전히 제거해야 한다. 이소골의 괴사는 침골에서 가장 흔히 일어나며, 등골이 진주종으로 인해 파괴되었을 때에는 일차적인 청력회복의 가능성이 적다. 등골 주위에서 고실경화증이 심하면 내이손상을 예방하기 위하여 청력개선 수술을 이차 수술로 미루는 것도 하나의 방법이다.

(4) 누공검사(Fistula test)

누공검사는 현훈(vertigo)을 호소하거나 진주종이 있는 만성 중이염 환자에서는 항상 시행하여야 한다. 외이도에 공기이경검사기(pneumatic otoscope)나 Politzer bag을 삽입하고 음압과 양압을 가하여 안진이 발생하거나 환자가 현기증을 느끼는지를 관찰한다. 미로누공이 있으면 누공검사가 양성으로 나타나는 경우가 많으나, 누공으로 미로가 파괴되었거나 누공 주위가 육아조직이나 진주종으로 막히는 경우 항상 양성 반응이 나타나지는 않으므로, 누공검사 결과가 음성이더라도 누공이 없다고 단언할 수는 없다. 만성 진주종성 중이염의 약 10%에는 미로누공이 있으므로 진주종성 중이염을 수술할 때에는 미로누공을 항상 염두에 두고 수술하는 것이 바람직하다.[2]

(5) 청각검사

수술 전 순음 및 어음청력검사 결과로 수술 후의 청력 결과를 예견할 수 있다.

미국 이비인후과학회에서 1995년에 제시한 전음성 난청의 치료 결과 판정을 위한 청각과 평형에 대한 지침과 대한이과학회에서 2006년에 제시한 만성 중이염 수술의 분류와 결과 보고의 표준지침에 따르면, 순음청력검사에서는 0.5, 1, 2, 3 kHz의 4개의 순음에 대한 골도와 기도 순음청력을 검사하여 평균을 내고, 기도-골도차(air-bone gap)를 0~10 dB (Best results), 11~20 dB (Good results), 21~30 dB (No improvement)과 31 dB 이상 (Poor results)로 표시하여 보고하도록 하였다.[3,37]

(6) 이관검사

이관기능의 상태는 수술 후 결과에 가장 큰 영향을 미치는 인자이나, 아직까지 이를 명확히 판단할 수 있는 검사법은 없다.

이관기능 검사법에는 Valsalva법, Politzer 통기법, 카테터 통기법 등이 있으나 어느 방법도 생리적인 상태에서 이관이 열리는 압력으로 통기가 될 수 있는지를 알 수 없다. 반대측 귀의 환기(aeration) 정도와 소아에서 나이의 증가, 이루의 발생이 거의 없는 경우, 중이점막의 정상 소견 등은 병변 측 이관기능이 어느 정도 유지되고 있음을 의미한다. 하지만, 많은 경우에 있어서 수술 자체가 궁극적인 검사방법이 될 수 있으며, 수술을 통하여 외이도에서 들어오는 오염에 의한 반복적인 감염을 억제하면 이관기능이 좋아질 수 있다.[5]

현재까지 1963년에 Flisberg가 고안한 압력계(manometer)를 이용한 가압-감압검사(inflation-deflation test)가 가장 생리적이며 신빙성 있는 검사방법으로 알려져 있다.

수술 중 이관이 심하게 막혀 있으면 직경 1.0 mm의 작은 폴리에틸렌관을 고실 입구부를 통하여 삽입하여 이관 폐쇄 여부를 확인할 수 있으나, 이 방법은 이관점막의 손상을 초래할 가능성이 있어 항상 사용하지는 않는다. 결론적으로 현재까지 술 후 결과를 정확히 예측할 수 있는 이관기능 검사법은 없다.

(7) 영상의학적 검사

단순한 만성 중이염일 때에는 수술 전에 단순 유양돌기 방사선 영상으로 함기상태나 S상정맥동판(sigmoid sinus plate) 등의 위치를 파악할 수 있다. 최근 들어 수술이 필요한 만성 중이염 환자의 평가에 고해상도 측두골 CT 촬영이 많이 사용되고 있으며, 특히 만성 진주종성 중이염에서 상고실 파괴가 심하거나 미로누공, 안면마비 등의 합병증이 의심되면 측두골 CT 촬영을 반드시 시행한다. 또한, 두개내 합병증이 의심되면 뇌 CT와 MRI 등을 추가하여 실시한다. 이러한 영상학적 검사를 통하여 수술 중 발생 가능한 합병증에 대비할 수 있으며, 수술 후의 결과나 수술 후 발생할 수 있는 합병증 등을 환자에게 설명할 수 있다.[4,19]

3) 수술의 위험성과 합병증[1]

수술 전에 수술의 결과나 위험성, 합병증 등을 충분히 알려주어야 환자와 보호자가 수술 후 치료에 적극 협조할 수 있다. 이 장에서는 고실성형술 및 이소골성형술과 관련된 합병증을 소개하고자 한다.

(1) 염증

수술 후에도 귓속의 염증이 계속되어 이루, 이통이 지속 될 수 있다. 수술 후에 발생한 염증으로 인해 치료 기간이 연장될 수 있으며, 간혹 염증을 치료하기 위하여 재수술이 필요할 수 있다.

(2) 난청

전음성 난청이 있는 만성 중이염의 경우 많은 경우에 있어서 청력이 개선된다. 하지만, 수술 후에도 염증 자체나 합병증으로 인해 청력이 더욱 악화되어 회복되지 않을 수 있다. 첫 번째 수술로 염증을 제거하고 고막만 재생하는 수술을 하고, 중이 내 점막의 치유가 되는 6개월~1년 후에 이차적으로 청력개선술을 시행할 수도 있다.

(3) 이명

대부분의 이명은 수술로써 회복되지 않지만, 만성 중이염에 의한 전음성 난청이 있는 경우 수술 후 청력이 개선되면 이명이 감소할 수 있다.[31] 또한, 수술 후 청력이 감퇴되면 이명이 악화될 수도 있다.

(4) 현기증

수술 중이나 수술 후 내이 자극으로 현기증이 생길 수 있다. 대개 1주일 정도 지속되며 간혹 현기증이 더 오래 지속될 수도 있다.

(5) 미각장애

수술 후 미각장애나 구강건조가 수주간 지속될 수 있으며 약 5% 정도에서는 1년 이상 지속되기도 한다.

(6) 안면마비

고실성형술 및 이소골성형술 후에 발생하는 안면마비의 대부분은 신경손상 없이도 수술할 때 사용한 국소마취제 주사로 인해 발생하여 마취 효과가 없어지면서 회복되므로 수술 후 수시간을 기다려 회복 여부를 파악해야 한다.[11] 수술 수일 후에 발생하는 지연성 안면마비는 안면신경의 부종에 기인하며 대부분은 수일~수 주일 후에 정상으로 회복된다. 수술 직후 발생한 안면마비에서 병변의 정도를 확실히 알 수 없을 때에는 가능한 한 신속히 수술창을 개방해 신경손상 정도를 확인하고 적절한 처치를 해야 한다. 안면신경 마비가 회복될 때까지는 각막이나 치아의 손상에 유의해야 한다.

4) 수술 전 처치

(1) 이루가 있는 귀(Draining ears)

중이 내 염증으로 인하여 중이 내에 이루가 있으면 세균검사와 항생제 감수성검사를 시행한다. 그 후 외이도와 중이 내의 농을 흡인하여 고실과 외이도를 청결하게 하고, 이때 점이액(otic drop)이나 생리식염수를 이용하여 고실 내를 세척하기도 한다. 수술 전까지 고막이 건조될 수 있도록 항생제를 경구 투여하며 스테로이드와 항생제가 포함된 점이액을 1일 2회 정도 국소 투여한다. 진균증이 있으면 이루 및 진균을 흡인한 후에 항진균 연고를 외이도에 도포한다. 만약 3~4주간의 치료에도 고막이 건조되지 않는다면 이루가 있더라도 수술을 시행하는 것이 좋다.[18]

(2) 수술 전 준비

고실성형술 시 이개후 접근법을 사용하기 위해서는 수술하는 귀의 뒤와 윗부분 머리카락을 약 3 cm 정도 면도한다. 만약 이내 접근법을 사용하는 경우라면 머리카락을 면도할 필요가 없다. 수술 전에 외이도는 청결하게 하고, 고막 천공이 있을 때에는 소독제가 중이 내로 들어가지 않도록 주의하여야 한다.

5) 마취

귀수술은 국소마취나 전신마취 모두 가능하다. 국소마취는 광범위한 골절제술을 함께하지 않는 고실성형술을 시행하는 환자에서 수술에 협조가 가능한 경우에 시행할 수 있다. 국소마취는 출혈이 적고, 수술 중 청력의 평가가 가능하며, 전신 마취의 부작용이 없고, 수술 후 조기 활동이 가능하며, 치료비가 저렴한 장점이 있다. 국소마취 시에는 전처치로 valium이나 midazolam을 경구 또는 근육주사로 투여한다. 이개후부를 국소마취 할 때에는 1% lidocaine 20 mL에 1:1,000 epinephrine 2방울을 섞어 1:200,000의 epinephrine 용액을 만들어 주사한다. 외이도내를 국소마취 할 때에는 치과용 주사기를 사용하여 1:100,000 epinephrine이 섞인 2% lidocaine 용액을 주 외이도의 후방과 전방의 각각 두 부위에 주사하여 외이도 주위를 지배하는 신경이 충분히 마취되도록 한다(그림 24-1). 외이도 내에 국소마취제를 주입 시에는 주입한

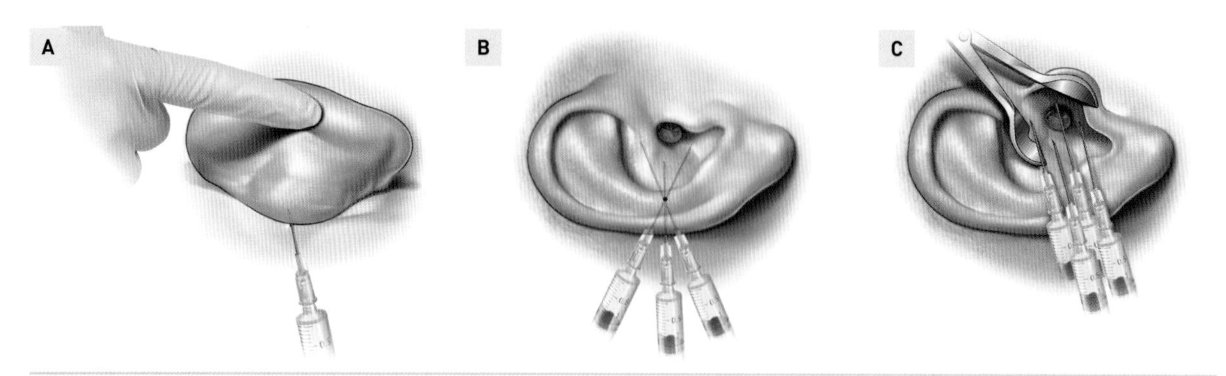

■ 그림 24-1. **귀수술을 위한 국소마취 방법.** **A)** 후이개부위 마취. 후이개접근법을 시행할 경우에는 후이개 주름 부위에 마취를 시행한다. **B)** 이개후부를 통한 외이도 마취. 이개후부를 통하여 외이도의 상부와 후부 하부를 마취한다. **C)** 이내주입을 통한 외이도 마취. 외이도를 통하여 외이도를 시계방향으로 4군데 마취를 시행한다.

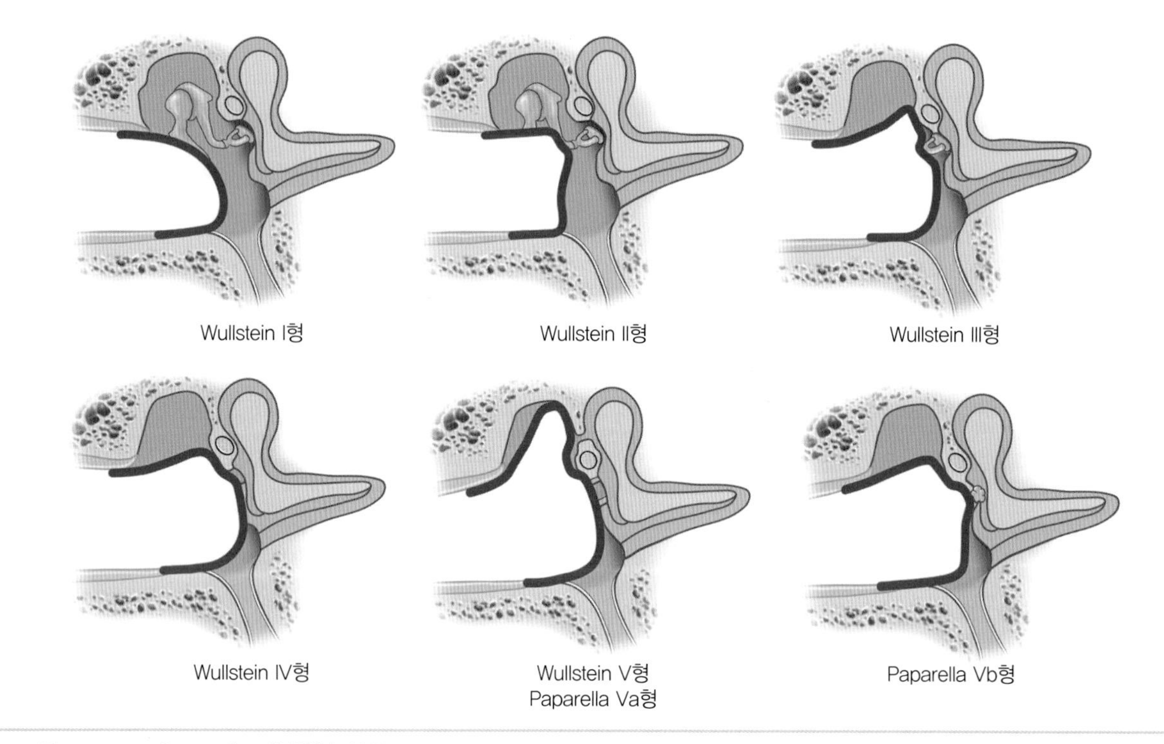

■ 그림 24-2. **Wullstein의 고실성형술 분류**

마취제에 의하여 외이도 내에 수포가 생기지 않도록 주의를 기울여야 한다. 보통 수포는 큰 주사기를 이용하여 빠르게 마취제를 주입할 때 발생한다.

3. 고실성형술의 분류 및 술식

1) 고실성형술의 분류

1950년대 Wullstein에 의해 처음으로 고실성형술이 I 형에서 V형까지 분류되었고, 이후 Paparella가 1971년에 제V형 고실성형술을 Va와 Vb로 재분류하였다(그림 24-2).[38,49]

(1) 고실성형술 I형

고막천공이 있으나 이소골은 모두 정상일 때 천공된 고막만 재생하는 방법. 이식편을 추골병(malleus handle)의 내측이나 외측에 이식하는 술식.

(2) 고실성형술 II형

고막천공이 있고 추골병이 없거나 상고실개방술을 시행하여 침골체부(incus body)가 노출되어 있을 때 이식편을 침골의 외측에 이식하여 천공을 폐쇄하는 술식.

(3) 고실성형술 III형

고막천공과 추골과 침골의 결손이 있으나 등골이 정상이고 가동성일 때 이식편을 등골 두부(stapes head)에 이식하는 술식.

(4) 고실성형술 IV형

고막천공과 전 이소골의 결손이 있으나 등골족판(stapes footplate)은 가동성일 때 이식편을 등골족판에 이식하여 정원창을 음압으로부터 보호하는 술식.

(5) 고실성형술 Va형(Wullstein V형, Parparella Va형)

고막천공과 전 이소골 결손이 있으면서 등골족판이 고정되어 있는 경우 외반고리관에 누공을 형성한 후 이식편을 누공 부위에 이식하여 음압이 누공을 통하여 내이로 전달되고 동시에 정원창을 음압으로부터 보호하는 술식.

(6) 고실성형술 Vb형(Parpaprella Vb형)

고막천공과 전 이소골 결손이 있으면서 등골족판이 고정되어 있는 경우 등골절제술(stapedectomy)을 시행하고 이식편을 개방된 난원창에 이식하여 음압이 난원창을 통하여 내이로 전달되고 정원창을 음압으로부터 보호하는 술식이다.

1971년 Farrior는 병변을 모두 제거하고 청력재건을 한 형태에 따라 고실성형술을 분류하여 이소골 재건술(ossicular reconstruction) 분류방법의 기초를 이루었다.[17] 즉, 병변 제거 후 등골과 고막이나 추골 사이에 침골간치술(incus interposition)이나 다른 이소골 대체 물질을 삽입한 경우 고실성형술 III형의 아형으로 분류하고, 병변 제거 후 등골족판만 남았을 때 가동성인 족판 위에 빼낸 침골이나 연골, 골, 이소골 대체물질을 세운 후 고막이식을 하게 되면 고실성형술 IV형의 아형으로 분류하였다.

2) 고막이식 재료

천공된 고막을 치료하기 위하여 피부이식편이나, 외이도 피부, 정맥, 측두근막, 연골막, 연골편, 지방 등이 고막이식 재료로 사용되어 왔다. 이중에서 현재까지 가장 널리 사용되는 재료로는 측두근막과 연골막 연골편 등이 있다(그림 24-3).

(1) 측두근막

측두근막은 1960년대 초반에 독일의 Heermann[24]에 의해 처음으로 소개된 이후로 고막천공의 치료에 현재까지 가장 흔하게 이용되고 있다. 측두근막은 귀수술 부위 주위에서 쉽게 채취할 수 있고, 쉽게 조작할 수 있으며, 충분한 크기를 얻을 수 있는 장점이 있으며 경외이도수술법(transcanal approach)을 시행하는 경우에는 외이의 후상방 머리카락이 있는 부위에 작은 절개를 가하고 채취하고, 이내수술법(endaural)이나 후이개수술법(postauricular approach)을 시행하는 경우에는 절개된 부위의 위쪽부분에서 측두근막을 채취한다.

(2) 연골막

연골막은 1967년 Goodhill에 의해서 소개되었다.[21] 연골막은 측두근막보다 더 강한 조직으로 이식 결과는 측두근막과 같은 정도이나 충분한 양을 얻을 수 없어 제한적으로 이용되고 있다. 연골막을 사용하는 경우는 반복적인 수술로 인하여 측두근막의 획득이 어렵거나 이관기능 부전이 있는 경우 연골막을 포함한 연골을 함께 이식하여

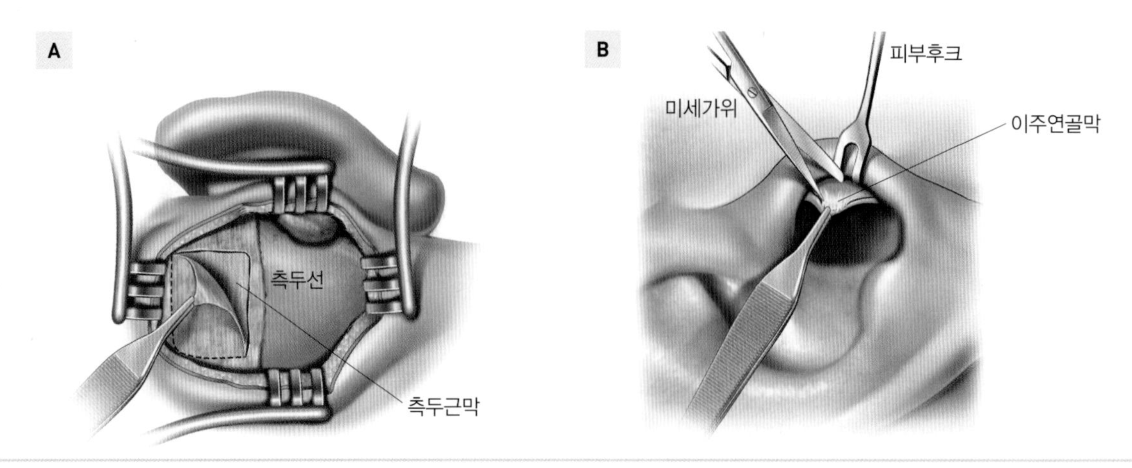

■ 그림 24-3. **고막이식재료의 채취.** A) 측두근막의 채취, B) 이주 연골막의 채취

이식된 고막의 함몰이나 유착을 방지할 때, 경외이도 수술법을 시행하면서 고막천공이 작을 경우 등에 사용할 수 있다. 보통 이주 연골에서는 1×1 cm 정도 크기의 연골막을 얻을 수 있어 고막의 전결손이 아닌 경우 고막이식재료로 충분히 사용할 수 있다.

(3) 알로덤(AlloDerm®, LifeCell Corporation, Branchburg, NJ)

알로덤은 무세포 동결건조 진피조직으로서 화상, 성형재건 등에 광범위하게 사용되고 있으며, 반복되는 재수술로 측두근막의 획득이 어려울 때나 성형 목적상 피부절개를 원하지 않을 때에 고막 이식 재료로 사용할 수 있다.

알로덤을 사용함으로써 외부피부절개를 피하고, 수술시간을 경감하면서 유의할 만한 성공률이 있음이 보고되었다.[47]

3) 고실성형술의 술식

(1) 고실성형술의 접근법과 피부절개

고실성형술에서 흔히 사용되는 세 가지 접근법으로 경외이도 접근법(transcanal approach), 이내 접근법(endaural approach), 이개후 접근법(postauricular approach)가 있으며, 고막천공의 크기 및 외이도의 형태, 수술 술자의 선호도에 따라 접근방법이 결정된다.

① **경외이도 접근법**(Transcanal approach)

이 방법은 외이도가 넓고 고막의 후방에 천공이 있을 때, 고막 천공이 작아서 외이도를 통하여 고막 천공이 충분히 노출될 때 사용할 수 있는 방법이다. 수술에 협조가 가능한 환자라면 국소마취로 수술이 가능하며, 수술 현미경하에서 외이도를 통하여 이경(ear speculum)을 외이도에 삽입하여 외이도를 통하여 고막을 관찰하면서 천공 주변의 상피 조직을 날카로운 pick을 이용하여 제거하고 천공 내면의 점막은 Plester 후크 등을 이용하여 긁어 이식편이 잘 부착되도록 한다. 골외이도의 내측 피부에 고실륜의 6시 및 12시 방향에서 시작하는 고실외이도 피판(tympanomeatal flap)을 삼각형 모양이나 사각형 모양으로 만들어 골부 외이도에서 내측으로 분리하면서 고실륜에 접근한 후 고실륜을 고막틀고랑(tympanic sulcus)에서 분리하여 고실을 개방한다. 고실륜을 고막틀고랑에서 분리할 때에는 직시하에서 중이 내 구조물을 관찰하여 노출되어 있을 수도 있는 경정맥의 손상을 최소화하여야 하며, 고실끈 신경(chorda tympani nerve)의 손상에 주의하여야 한다. 개방된 고실을 통하여 이소골의 이상유무를 관찰한 후에 천공보다 주위가 2.0mm 정도 큰 건조된 연골막이나 측두근막을 천공된 고막에 내면이식(underlay graft)한 후 중이강에 Gelfoam을 넣어 이식편을 지지한다. 박리한 고실외이도피판은 골외이도에 원위치시키고, 레이온편이나 Gelfoam을 이용하여 밖에서 고막을 지지하고 외이도를 팩킹한다.

경우에 따라서는 최소 접근법으로 고실외이도 피판을 들지 않고 천공을 폐쇄할 수 있다. 특히, 고실 내 주입술 등을 시행 후 발생한 1~2 mm 직경의 작고 깨끗한 고막천공은 천공 주변의 상피를 화학적으로 소작하거나 조심스럽게 제거한 후에 천공 크기보다 큰 지방조직을 귓볼에서 채취하여 천공을 폐쇄할 수 있다. 또한, 외상성 고막천공의 경우에도 고실외이도 피판을 들지 않고 천공되어 접혀진 고막을 원래위치에 재위치 시킨 후에 Gelfoam이나 Gelfilm, 담배 용지 등을 이용하여 천공된 고막이 재생 될 수 있도록 지지한다.

② 이내 접근법(Endaural approach)

이 방법은 고막의 천공이 전방에 치우쳐 있지 않고 외이도 전벽의 돌출이 없어서 외이도를 통하여 천공된 고막의 전연(anterior margin)이 잘 보일 때 외이도를 통하여 시술하는 방법이다. 수술방법은 경외이도 수술법과 같이 국소침윤 마취나 전신 마취하에 천공된 고막 주변의 상피조직을 날카로운 pick을 이용하여 제거하고 천공 내면의 점막은 Plester 후크 등을 이용하여 긁어 이식편이 잘 부착되도록 한다. 수술용 칼을 이용하여 골외이도 중간의 12시 방향부터 시작하여 이주와 이륜각 사이의 연골이 없는 이분계절흔(incisura terminalis auris)을 통하여 이개부착 부위의 중간까지 절개를 가한다. 양극 전기소작기로 지혈한 후 견인기를 이용하여 절개된 외이도를 벌리고 고막을 노출시킨다. 절개 부위를 깊게 하여 측두근의 하부를 노출시키면 측두 근막을 획득할 수 있어 고막천공의 이식 재료로 사용할 수 있다. 계획된 수술방법에 따라, 고실외이도 피판을 만들고 이내 절개와 연결한 후 내측의 피부를 박리하고 고실을 개방한다. 개방된 고실을 통하여 이소골의 이상 유무를 관찰한 후에 천공보다 주위가 2.0 mm 정도 큰 건조된 연골막이나 측두근막을 천공된 고막에 내면이식(underlay graft)한 후 중이강에 Gelfoam을 넣어 이식편을 지지한다(그림 24-4). 박리한 고실외이도 피판은 경외이도 접근법과 같이 골외이도에 원위치시키고, 레이온편이나 Gelfoam을 이용하여 밖에서 고막을 지지하고 외이도를 팩킹한 후 이내절개 부위의 외부 피부를 봉합한다. 이 방법은 경외이도 접근법보다 고막전방이 더 넓게 노출되지만 외이도 전벽이나 하벽의 골돌출(bony overhang)이 심하면서 천공이 전방에 가까이 있으면 전방 노출이 부족하여 이개후 접근법을 사용하여야 한다.

③ 이개후 접근법
(Postauriculr, retroauricular approach)

이 접근법은 고실성형술에서 고막천공이 전방에 있을 때, 외이도의 전골벽 돌출이 심해 천공의 앞부분이 노출되지 않을 때, 유양돌기 절제술을 함께 시행해야 할 때 적용되는 술식으로 중이염수술에서 가장 흔히 사용되는 접근법이다. 국소 마취나 전신마취 모두 가능하며 유양돌기 절제술을 함께 시행하여야 하는 경우에는 전신마취로 시행하는 것이 좋다. 보통 유양돌기 첨부(mastoid tip)에서 이개 연골의 부착부위 위까지 이개후 주름(postauricular crease)에서 약 5~10 mm 정도 뒷부분에 절개를 가한다. 단, 2세 이하의 소아에서는 유돌첨부로 향하는 후이개 절개선을 성인에서의 절개선보다 더 뒤쪽에 하여 안면신경의 손상 가능성을 줄여야 한다(그림 24-5).[10]

외이도 전벽 돌출의 유무와 고막천공의 위치와 크기에 따라 고실외이도 피판의 형태를 결정한 후 박리하고 고실을 개방한다. 고막 후방에 천공이 있거나 외이도가 좁지 않으면 골외이도 후벽의 중간부위에 고실륜과 평행하는 외이도 피부절개를 하여 고막을 노출시키고 천공된 고막의 가장자리를 다듬어 이식된 고막이 잘 생착하도록 만든다. 이후 절개된 외이도 피부의 양끝으로부터 고실륜의 12시와 6시 사이의 적절한 부위까지 절개하여 내측의 외이도 피부피판을 만들고 이를 박리하여 고실을 개방하고 이식편을 이식한다. 외이도가 좁고 골전벽에 돌출이 있고 전방 천공이 있어 천공의 전연이 보이지 않으면 외이도 전

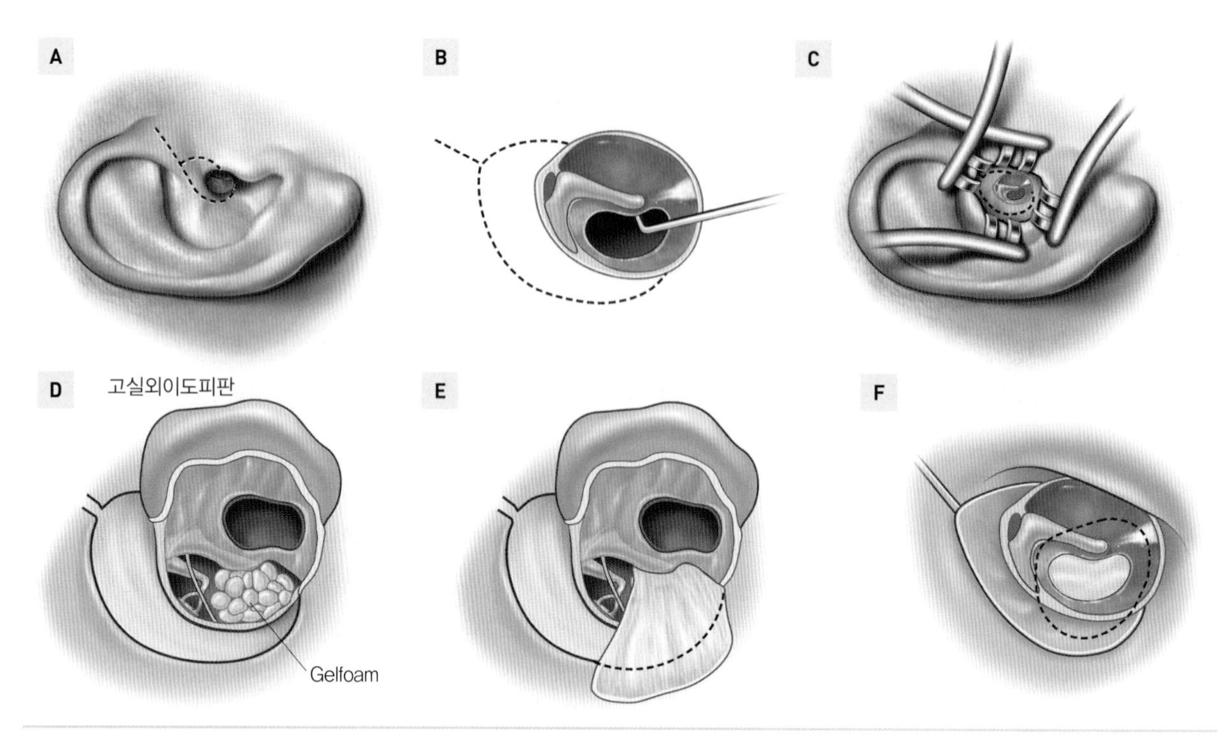

■ 그림 24-4. **이내 접근법.** **A)** 이내 절개선. **B)** 이내절개선을 확대한 모습, 천공된 고막의 주변 상피를 제거한다. **C)** 견인기로 외이도를 노출시킨다. **D)** 고실외이도 피판을 들고 중이 내 병변을 제거하고 Gelfoam을 삽입한다. E-**F)** 이식편을 내면이식한 후 고실 외이도 피판을 원위치에 위치시킨다.

한다. 간혹 외이도 전체의 피부를 함께 박리하여 외이도 피부의 유리피판을 만들어 생리식염수에 보관하였다가 고막이식술이 끝난 후 최종 단계에 피부를 다시 외이도에 이식할 수도 있다.

(2) 고막이식 방법

고막이식 방법에는 이식 재료를 잔여 고막과 전방의 고실륜에 삽입하는 위치에 따라 내면이식법(underlay, medial graft technique)과 외면이식법(overlay, lateral graft technique)으로 나눌 수 있다. 고막이식 방법에 따른 수술의 성공률은 고막이식 방법 자체보다는 술자가 각각의 방법을 어떻게 잘 시술하는지에 달려 있다. 결론적으로 특정 상황에서는 특정 술기를 써야 한다는 절대적인 기준은 없다. 단지, 외면이식법은 이식편에 혈액공급을 좋게 하여 이식편의 치유나 상피화를 촉진하는 경향이 있어 큰 천공이나 전방 고막 천공, 남아 있는 고막의 상태가 좋

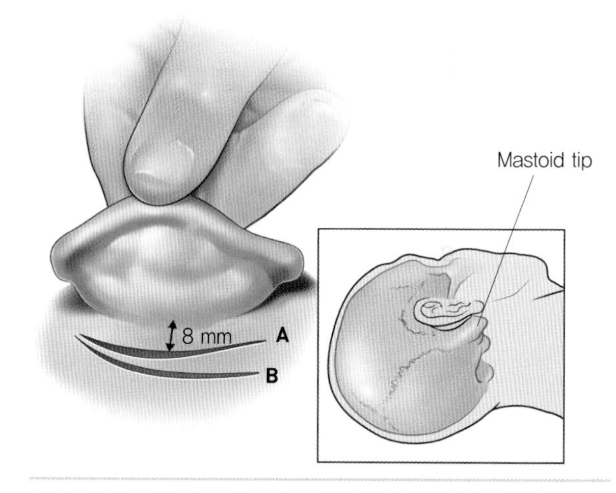

■ 그림 24-5. **후이개 절개방법.** **A)** 이개후 주름에서 약 5~10 mm 정도 뒷부분에 절개를 가한다. **B)** 2세 이하의 소아에서는 유돌첨부로 향하는 후이개 절개선을 성인에서의 절개선보다 더 뒤쪽에 하여 안면신경의 손상 가능성을 줄여야 한다.

경험이 있는 술자가 시술한다면 큰 고막 천공이나 재수술의 경우에도 사용할 수 있다(표 24-1).[5]

표 24-1. 내면이식법과 외면이식법의 비교

	내면이식법	외면이식법
술 기	잔여 고막의 내면에 이식편을 이식	잔여 고막의 편평상피를 모두 제거하고 고막의 외측에 이식편을 이식
장 점	수기가 간단 성공률이 높음 고막의 외측화, 변연 둔화가 적음	전방 노출이 좋아 전방천공에서의 성공률이 높음 이식편의 착생률이 높음 좁은 외이도에서도 시행 가능
단 점	노출이 좋지 않음 전방천공시 수술이 어려움 좁은 외이도에 부적합함	많은 박리가 필요하여 치유기간이 김 고도의 술기가 필요 상피진주종의 발생 가능성이 있음 고막의 외측화나 변연의 둔화가 잘 발생

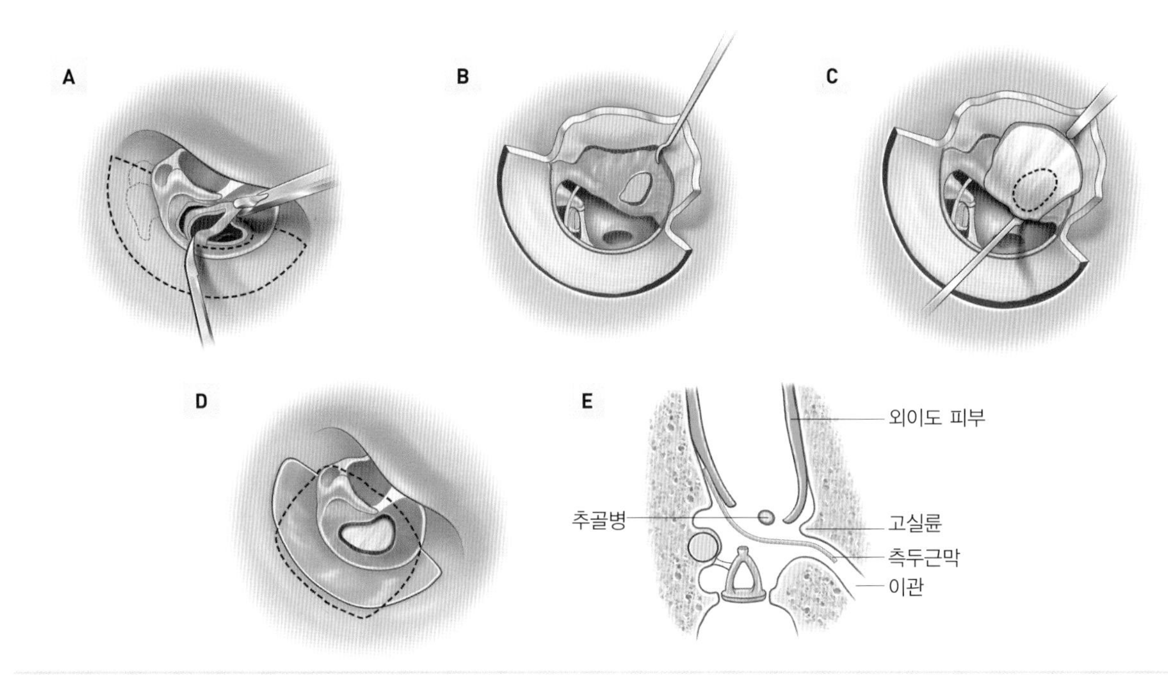

■ 그림 24-6. **이식편의 내면이식방법.** **A)** 천공 주변의 상피를 제거한다. **B)** 고실외이도피판을 들어올리고 중이 내 병변을 제거한다. **C)** 근막을 천공된 고막 아래에 삽입한다. **D)** 중이 내 packing을 통하여 이식된 근막을 지지하고, 고실외이도피판을 제자리에 위치시킨다. **E)** 내면이식시 근막의 위치.

① **내면이식법(Underlay graft technique)**

내면이식법은 가장 흔하게 사용되는 고막이식방법으로 천공의 크기나 위치에 관계없이 적용될 수 있다. 이 방법은 잔여 고막이 있을 때 이의 내면에 이식편을 이식하는 방법으로 천공된 고막의 전방이나 전방의 고실륜 아래에 이식편을 삽입하고 항생제를 적신 Gelfoam을 넣어서 이식편을 지지한 후 고막 및 이식편의 외측에서 다시 팩킹을 시행하여 이식편을 고정하는 방법이다(그림 24-6).

이 술식의 장점은 간단하고, 쉽게 실행할 수 있으며 성공률이 높다는 것이다. 하지만, 노출이 부족하여 전방천공이나 좁은 외이도에서 시행하는데 어려움이 있다. 전방천공이 있는 경우에는 고실외이도 피판이 추골(malleus)에 붙어 있어서 시야를 가리게 된다. 이를 극복하기 위한 방법으로는 고막천공 외측부분 고실외이도 피판을 잘라서 책을 여는 것처럼 펼치면 쉽게 이식편을 이식할 수 있다. 다른 방법으로는 추골 뒷부분의 골막에 절개를 가하여 남아 있는 고막을 추골에서 분리하면 고막이 앞쪽으로 박리되면서 전방 외이도 쪽으로 접힐 수 있다. 이 방법을 사용하면 중이를 완전히 노출시킬 수 있어 고막의 완전 천공에서도 이식편을 전방 고실륜의 내측에 위치시키는 것이 용이하게 된다. 좁은 외이도에서는 외이도 성형술을 병행하면 시야가 좋아져 이식편을 삽입하기 쉽다. 병변의 제거를 위하여 중이 점막을 제거한 경우에는 유착을 방지하기 위하여 Gelfilm 판을 삽입하기도 한다.

내면이식법으로 고실성형술을 시행할 때 가장 흔한 실패의 원인은 부적절한 중이 내 팩킹과 관련이 있다. 만약 전방 고실륜 주변의 고정이 부적당하다면 이식편이 중이 내측으로 움직이는 것을 막지 못하여 천공 가장자리에서 이식편이 떨어지게 된다. 특히, 이관개구부 주변 전상방 천공이나 완전 고막천공에서 발생하기 쉽다. 이를 극복하기 위하여 전상방 부위의 고막 천공의 경우 이식편 일부를 앞쪽 외이도 위에 위치시키고 나머지 이식편은 고막의 하방에 위치시키는 내면이식법과 외면이식법의 병행방법을 사용할 수 있다.[28,39]

② **외면이식법**(Overlay graft technique)

이 방법은 잔여 고막의 편평상피를 모두 제거하고 고막의 외측에 이식편을 이식하는 방법으로 고막 전방의 노출이 충분히 필요하여 이개 후 접근법을 사용하여 시행한다. 모든 종류의 고막 천공에 사용할 수 있지만, 주로 전방에 잔여 고막이나 섬유륜이 부족하거나, 고막의 전체 천공이 있는 경우에 유용하다.[7] 이 방법은 고막의 내면이식법에서 문제로 지적되는 전방 고실륜 주변의 부적절한 중이 팩킹으로 인한 수술 실패가 상대적으로 적은 장점이 있다. 수술방법은 잔여고막이 있을 때에는 고막 외측의 편평상피를 박리하여 모두 제거하고 고막의 섬유층(fibrous layer) 외면에 이식편을 이식한다. 고막 천공이 크고 섬유륜이 거의 없을 때에는 전고실륜(anterior tympanic annulus) 부위를 따라 피부절개를 가하고 외이도 피부를 외측으로 걷어올리거나, 전방 외이도 외측의 골연골 경계부에 윤상절개를 가하고 외이도 피부를 내측으로 박리한 후 잔여 고막의 상피층과 함께 유리피판(free graft)으로 제거하여 보관한 후 이식편을 삽입하고 걷어올린 피부 피판이나 보관중인 유리피판을 이식편 위에 위치시킨 후 이를 고정시키기 위하여 팩킹한다. 이식편을 삽입할 때 추골병이 남아 있다면 고막의 외측화를 방지하기 위하여 이식편을 추골병 하방으로 삽입한다(그림 24-7).

적절하게 이식편을 위치시키기 위해서는 전방 고실륜이 잘 보여야 하는데 이를 위해서 대부분의 외면이식법은 외이도성형술과 함께 시행하는 경우가 많다. 적절한 외이도성형술을 시행하여 외이도전방과 고막이 약 90°의 각을 이루게 하면 술자가 전체 고실륜을 수술현미경의 움직임 없이도 관찰할 수 있게 되어 수술이 용이하게 된다.

만약 잔여 고막이 이식편을 지지하기에 충분하다면 중이 내에 Gelfoam을 넣어서 이식편을 지지할 필요가 없지만, 고막천공이 큰 경우에는 Gelfoam을 중이 내에 삽입하여 이식편을 지지하여야 한다. 이식편은 전체 고막을 덮을 수 있을 정도로 넓어야 하고, 후방외이도까지 걸칠 수 있도록 길어야 한다. 이식편을 삽입할 때 이식편이 전방 외이도 부위에서 겹치지 않도록 주의를 하여야 하며, 고막 전연이 둔화(blunting)되지 않도록 주의하여야 한다.

고막 전연의 둔화는 이식편이 고실륜에 위치하지 않고 전방 외이도에 이식되거나, 전방의 고막외이도 각(tympanomeatal angle)이 90°를 이루지 못할 때 전방의 이식편과 고실륜 사이의 무용공간(dead space)이 섬유 조직으로 채워지게 되어 발생한다. 고막 전연의 둔화는 소리에 진동할 수 있는 고막의 면적을 감소시켜 전음성 난청을 유발하게 된다.

외면이식법의 장점은 충분한 노출이 가능하고 모든 종류의 천공에 사용할 수 있다는 점이다. 하지만, 단점으로 많은 박리가 필요하여 치유 기간이 길고, 고도의 술기가 필요하여 배우기 어려우며, 편평상피의 불완전 제거에 의하여 상피진주종의 발생 가능성이 있으며, 고막의 외측회나 변연의 둔화가 잘 발생하는 경향이 있다는 점이다.

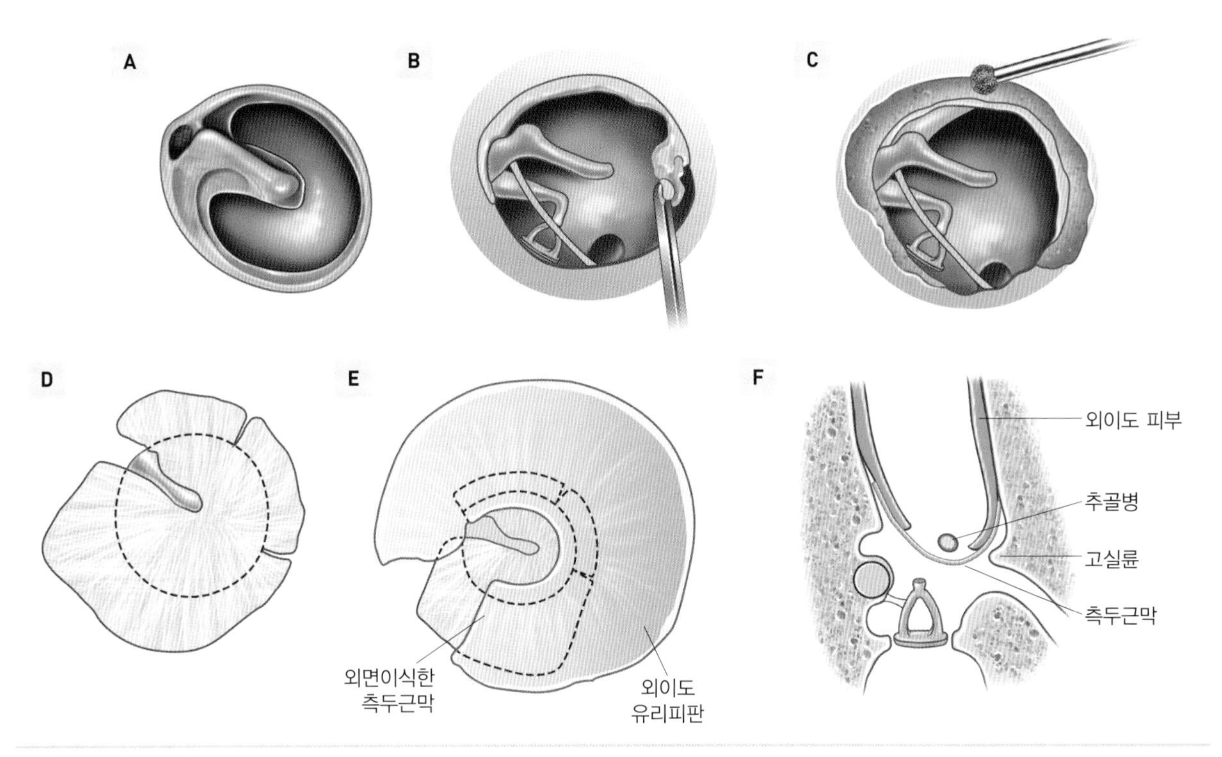

■ 그림 24-7. **이식편의 외면이식방법.** **A)** 고막의 전체 천공이 있는 경우 **B)** 잔여 고막의 내면과 외면의 조직을 겸자로 제거한다. **C)** 새로운 골구를 형성한다. **D)** 근막의 외면이식 **E)** 외면이식한 근막외층에 외이도 유리피판을 덮어준다. **F)** 외면이식시 근막의 위치

(3) 외이도성형술(Canalplasty)

고실성형술에 흔히 포함되는 술기로서, 골외이도의 전벽과 하벽의 골벽돌출(bony overhang)로 인하여 고막의 노출이 충분하지 않을 때 골돌출 부위를 절제하여 외이도를 확장하는 술식이다. 수술방법으로 고실륜 가까이에서 피부절개를 하여 외이도 전벽의 피부피판을 외측으로 박리하거나 전방 외이도 외측의 골연골 경계부에 윤상절개를 가하고 외이도 피부를 내측으로 박리한 후 외이도 피부를 유리피판으로 제거해 생리식염수에 보관했다가 돌출부를 절제한 후 다시 피부이식을 시행하는 방법이다. 특히, 외이도 전벽을 제거할 때에는 악관절과 접해 있으므로 상당한 주의가 필요하다(그림 24-8).

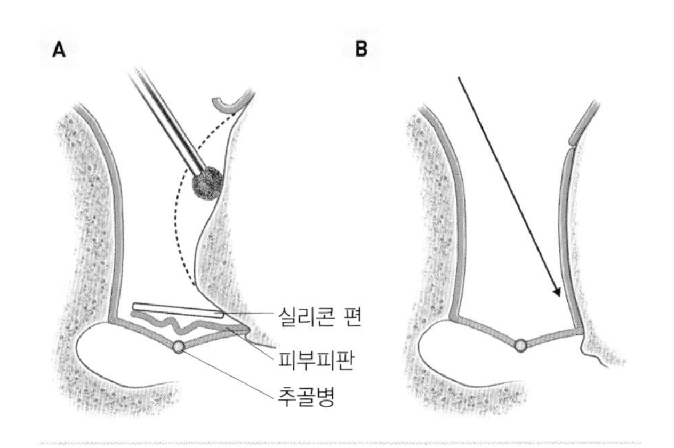

■ 그림 24-8. **외이도 성형술.** **A)** 외이도 전벽의 피부를 외이도 외측에서 절개하고 내측으로 박리하여 실리콘 편으로 보호한 후 다이아몬드 burr를 이용하여 돌출부를 절제한다. **B)** 외이도가 충분히 넓어졌으면 피부를 재위치시킨다.

(4) 고실경화증(Tympanosclerosis)

잔여 고막에 종종 고막경화증(myringosclerosis)이 있는 경우가 있어 고막 천공의 치유를 방해하는 경우가 있다. 고막 경화증의 크기가 작고 청력에 영향을 주지 않는다면 그대로 두고 고실성형술을 시행할 수 있으나, 고막 전반에 걸쳐 고실경화증이 있다면 제거하고 이식편으로

대체하여야 한다.[5]

(5) 무함기화 고막(Atelectatic tympanic membrane)

무함기화 고막은 보통 내면이식 방법으로 연골을 고막 밑에 삽이하여 지지해주거나, 고막을 대체해 주는 것이 필요하다. 무함기화가 일부분에 국한되어 있고, 이소골 성형술이 필요하지 않다면, 이관기능을 좋게 하는 보존적 치료나 환기관 삽입술을 시행하는 것으로 충분하다. 하지만, 이러한 보존적 치료나 환기관 삽입술이 실패한 경우나 이소골 성형술이 필요할 때, 함입 낭(retraction pocket)이 완전히 보이지 않아 진주종의 발생 위험성이 있을 때에는 고실성형술이 필요하다. 오래 지속된 심한 함입은 정상으로 돌리기 어렵고, 오히려 고실동이나 후고실, 이소골 부위에서 유착된 고막을 완전히 제거하기가 어려울 수 있다. 일부에서는 유착된 고막을 다 제거하지 못하여 진주종이 발생할 수 있기 때문에 청력이 괜찮고 진주종의 형성 가능성이 없다면, 주의 깊게 관찰하는 것을 선호하기도 한다.

(6) 연골을 이용한 고실성형술(Cartilage tympanoplasty)

측두근막이나 연골막이 고실성형술에서 좋은 이식편 재료이지만, 무함기화가 진행되어 유착성 중이염이 있는 경우나, 수술의 실패 가능성이 높은 경우(재수술, 50% 이상의 천공, 수술 시 이루가 있는 경우, 양측 고막의 천공)에는 연골을 이용한 고실성형술을 시행할 수 있다.[6,13,14] 연골을 이용하면 수술 후 고막함몰을 방지할 수 있어 무함기화가 진행되는 환자의 중이 재건수술에 근막이나 연골막을 대체하여 사용할 수 있다. 이주연골이나 이개연골에서 연골을 채취하여 0.5 mm 정도 두께로 재단하여 고막의 아래에 내면이식 방법으로 이식한다. 고막의 전결손에서 연골판을 넓게 사용하면 연골판이 굴곡될 수 있으므로 연골을 길게 절단하여 추골과 평행하게 겹쳐서 붙이는 방책형 연골 고실성형술(palisade cartilage tympanoplasty)을 할 수 있다.[25,45]

연골 사용의 장점으로는 이관기능이 불안정할 때 술 후 고막 함몰을 최소화할 수 있고 술 중 고실내 충전이 필요 없어 즉각적인 청력 호전을 얻을 수 있다. 그러나 연골을 고막으로 사용하면 술 후 고실내 병변이 있을 때 관찰이 불가능하고 재수술 시 이소골 연쇄를 확인할 때 더욱 세심한 주의가 필요하다.

II 이소골 성형술(Ossiculoplasty)

이소골 성형술은 중이의 소리 전달 기전을 재건하는 술식이며, 대부분의 중이 수술에서 잠재적으로 시행될 수 있다. Wullstein과 Zollner가 1950년대 중이 재건의 현대적 개념을 정립하였으며, 이를 기본 원리로 하여, 전음성 난청의 치료에 다양한 방법의 이소골 성형술이 적용되고 있다.[49]

이소골 성형술은 새로운 재료 개발 및 수술 기술의 발전을 바탕으로 현재까지 다양한 방법으로 시행되고 있다.

1. 재료

이소골 성형술의 이상적인 재료는 생체 적합성이 있어야 하고, 강도가 충분하여야 하며, 주변 조직에 흡수되거나 고정되지 않아 소리 에너지 전달의 효율이 높아야 하며, 사용이 쉬워야 한다. 재료는 크게 자가이식편, 동종이식편, 이형이식편으로 나눌 수 있다.

1) 자가이식편(Autograft)

1957년 Hall과 Rytzner 등은 자가이식편을 이용한 이소골 성형술을 시행하였다.[22,23,41] 자가이식편으로는 중이 수술 중 쉽게 채취할 수 있는 이소골, 연골, 연골막, 골막 등이 있다. 이소골의 경우 침골과 추골 두부를 가장 많이 이용한다. 연골과 연골막은 주로 이개(auricle)와 이주(tragus)에서 채취한다. 연골은 흔히 지주(columellization)의 형태로 재단하여 사용하며, 이형 이식편을 이용한 이소골 성형술시 보형물의 탈출(extrusion)을 방지하기 위해 고막과 보형물 사이에 간치(interposition)하는 목적으로 연골편을 사용한다. 자가이식편의 장점은 가격이 저렴하고, 수술 중 바로 조작 및 사용이 가능하며, 생체적합성에 대해 고려할 필요가 없다는 점이다.

반면 진주종이 있는 환자의 경우 질환이 재발할 가능성이 있으며, 주변 구조물에 고정되거나 흡수될 수 있다는 단점이 있다. 자가 이식편으로의 혈류 부족에 의한 여러가지 문제들이 제기되었으나, 여러 연구들에서 자가이식편의 장기 생존력에 대해 입증하였다.

2) 동종이식편(Homograft)

1966년 House 등이 이소골 성형술의 재료 동종이식편의 사용을 제안하였으며, 이후 방사선 조사된 뼈, 연골 등을 사용하였다. 동종이식편의 경우, 항원성, 채취와 보관의 문제 및 공여자의 질환(HIV, 간염, Creutzfeldt-Jacob병) 전파 가능성, 주변 조직으로의 흡수, 고정 등 여러가지 문제로 인해 최근에는 사용빈도가 감소하고 있다.[26,46]

3) 인공/합성 이식물(Artificial material)

1970년대 플라스티포어(plastipore)가 소개되면서 이형이식편에 대한 관심이 높아졌다. 이들은 재료에 따라 폴리머(polymer), 도재(ceramic), 금속으로 분류된다. 폴리머의 경우 버어(burr)를 이용한 보형물 재단이 불필요하며 원하는 길이나 모양으로 재단이 쉽다는 장점이 있다. 과거에는 폴리에틸렌(polyethylene), 테플론(teflon), 실리콘, 고무 등이 사용되었으나, 최근에는 플리스티포어나 고열처리한 폴리셀(polycel)과 같은 고밀도 폴리에틸렌 스폰지(high density polyethylene sponge; HDPS)를 주로 사용한다. HDPS는 조직반응이 적고, 다공성이어서 조직이 보형물 안으로 증식해 들어갈 수 있다. 폴리머의 경우, 고막과 직접 접촉 시 탈출률이 높은 것으로 보고되어 고막과 보형물 사이에 연골 간치술이 필요하다.

도재(ceramic)는 생물학적 불활성 물질이며, glass ceramic과 hydroxyapatite로 나눌 수 있다. glass ceramic은 재단이 어렵고 장기적으로 주변조직으로 흡수가 일어나는 단점이 있다. Hydroxyapatite는 생체 골조직 내의 무기질로서 생체에 삽입하면 주변 골조직과 완전히 융합되며, 고막 함몰이 없는 한 탈출의 우려가 없는 것이 큰 장점이나 버어를 이용해서 재단해야 하는 단점이 있다. 최근에는 칼로도 쉽게 재단이 가능한 hydroxyapatite와 폴리에틸렌을 결합한 복합 이소골 대체물이 개발되어 사용 중이다.

금속재료는 스테인리스 철, 금, 백금, 티타늄 등이 있다. 금속 재료는 잘 고정되었을 때에는 장기적인 청력 결과가 양호 한 것으로 알려져 있다. 특히 티타늄은 가볍고, 충분한 장력을 가지고 있어 소리 전달 효율이 높다. 또한 부분이소골 대치 보형물(partial ossicular replacement prosthesis; PORP)이나 전이소골 대치 보형물(total ossicular replacement prosthesis; TORP)의 지주를 가늘게 만들 수 있으며, 상판에는 구멍을 뚫을 수 있어 수술 시 시야 확보에도 용이하다.[15] 최근의 연구 결과에서 티타늄을 이용한 이소골 성형술이 hydroxyapatite나 폴리에틸렌을 사용한 경우보다 특히 고주파에서 청력 개선 효과가 우수한 것으로 알려져 있다(그림 24-9).[12,20,30,33,50]

2. 수술방법

만성 중이염 수술을 진행하는 도중 특히 진주종을 동반한 경우, 진주종 제거와 이소골 성형술을 동시에 시행할지 또는 단계별 수술(stage operation)을 통해 우선 진주종을 제거하고 몇 달 후 이소골 성형술을 시행할지를 결정한다.[29] 중이의 해부적 관계가 안정적으로 유지될 것으로 예측되는 경우에는 진주종 제거와 이소골 성형술을 동시에 시행하는 것이 합리적이다. 하지만 해부학적 관계가 변할 수 있는 경우는 단계별 수술을 시행하는 것이 바

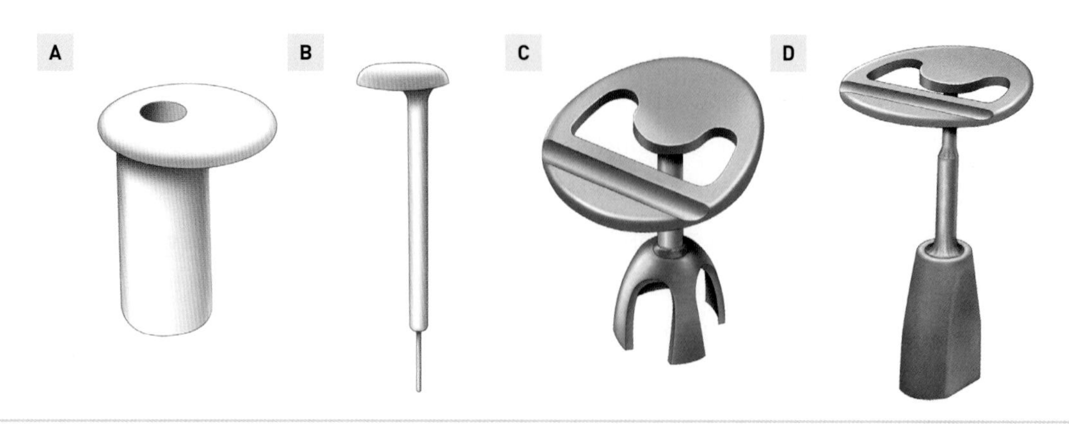

■ 그림 24-9. **인공 이식물의 종류. A)** 부분 이소골 대치 보형물(Hydroxyapatitie), **B)** 전 이소골 대치 보형물(Polycel), **C)** 부분 이소골 대치 보형물(Titanium), **D)** 전 이소골 대치 보형물(Titanium)

람직하다. 단계별 수술을 결정할 때 1) 중이의 점막의 상태 2) 출혈양 3) 진주종 잔존/재발 확인을 위한 재수술의 타당성 4) 환측 및 반대측 이관의 기능 등을 면밀히 고려하여야 한다.

비정상적인 중이 점막은 섬유조직으로 치유되면서 이식된 보형물의 위치를 변화시킬 수 있으며, 중이 출혈은 시야를 방해하고 수술을 어렵게 할 뿐만 아니라 고실 내 섬유화의 위험을 높인다.[36] 단계별 수술을 시행하는 경우, 고실내 섬유화를 방지하기 위해 첫 번째 수술에서 와우갑각(promontory)과 이식된 고막 사이에 gelfilm, silastic, epidisc 등을 넣어두고, 중이 점막이 정상으로 치유된 뒤 이소골 성형술을 시행한다. 보통 성인 환자의 경우 잔존 진주종과 이소골 성형을 위해 9~12개월 뒤 수술을 진행하고, 소아의 경우 6개월을 넘기지 않는다.

이소골 성형술 후 청력 개선을 위해서는 적절한 길이의 보형물을 삽입해야 한다. 보형물의 길이가 짧을 경우는 불완전한 에너지 전달로 청력 개선효과가 떨어질 수 있으며, 보형물의 길이가 길 경우는 탈출의 위험이 높아지며, 등골 다리(crura) 골절, 등골 탈구, 등골 족판(stapes footplate)의 함몰, 외림프누공(perilymph fistula) 등이 생길 수 있다. 보형물의 길이는 유양동삭개술 시 외이도 후벽(porterior external auditory canal wall)의 유지 여부, 추골병(handle of malleus) 존재 여부, 등골 상부 구조 존재 여부, 보형물 위에 연골 간치 여부, 등골 족판 위에 근막 보강 여부 등 다양한 요인을 고려하여 결정해야 한다. 정상 중이 점막에서 이소골 성형술을 시행하면 사용할 보형물의 길이를 결정하고, 이식물을 고정하는데 유리하다.

이소골 성형술 전에 반드시 등골 족판의 가동성을 확인해야 한다. 이는 침골을 가볍게 움직여 정원창(round window)에서 보이는 빛 반사(light reflex)로 등골과의 연속성의 여부를 알 수 있다. 빛 반사가 나타나지 않는다면 추침 관절(incudostapedical joint)이나 등골의 상부 구조에서 이소골이 소실된 것으로 파악하고 적절한 방법으로 이소골성형술을 시행할 수 있다.

1) 침골 렌즈돌기 소실(Missing lenticular process of incus)

침골 렌즈돌기만 소실되고 침골 긴 돌기(long process of incus)의 상당량이 남아 있다면, 이소골의 남은 부분을 보존하면서 hydroxyapatite 성분으로 된 뼈 시멘트(bone cement)로 침골 긴 돌기와 등골 두부 사이의 공간을 연결하여 이소골의 연속성을 재건할 수 있다. 최소한의 조작으로 가장 자연스럽게 추침 관절을 재건할 수 있다는 장점이 있는 반면, 골 소실 부위에 진행형의 골괴사 등이 있는 경우 안정성에 확신이 없다는 것과 추침 관절

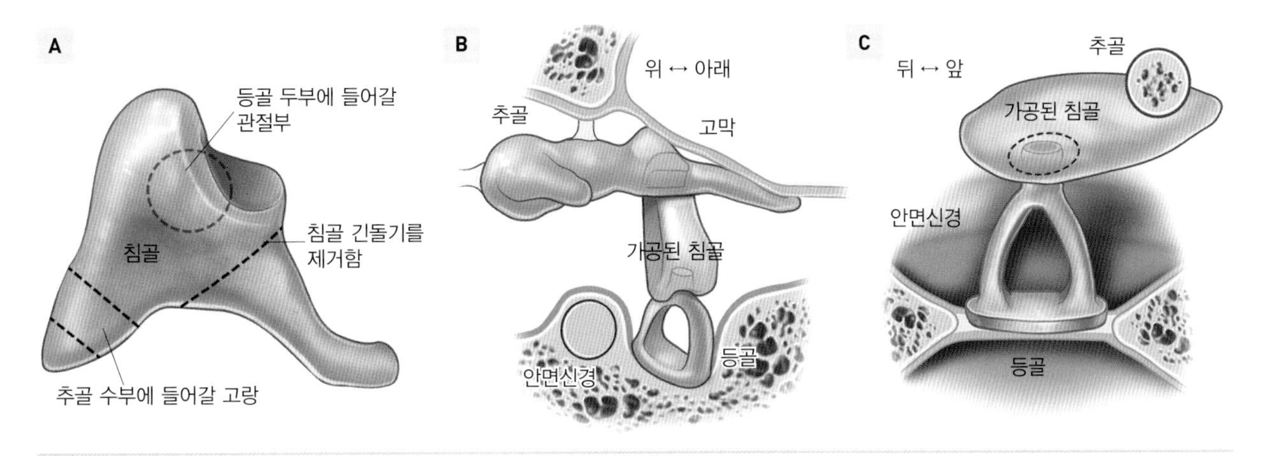

■ 그림 24-10. **침골 변위술(Incus reposition).** 침골 긴 돌기를 절단하고 침골의 체부에 1 mm 드릴 공을 만들어 등골두부에 끼워 넣고 침골 짧은돌기를 추골 수부 내측에 삽입한다.

을 물리적으로 고정시키는 것이라 추후 피로골절이 발생할 수 있는 단점이 있다.

2) 침골 소실(Missing incus)

자가이식편을 이용하는 수술방법으로는 침골변위술(incus reposition)과 침골간치술(incus interposition)이 있다. 침골변위술은 수술 중 얻어진 침골에서 긴 돌기를 제거하고 몸체(body)를 얇게 만들어 편평한 면을 1.5 mm 다이아몬드 버어로 등골 두부에 들어갈 관절부를 만들고, 이와 반대편에 짧은 돌기의 원위부를 다이이몬드 버어로 조작하여 추골병에 전위시키는 방법이다. 수술결과가 좋지않아 최근에는 거의 사용하지 않는다(그림 24-10).

침골간치술은 추골 두부(head of malleus)나 침골 몸체(body of incus)를 등골 두부(head of stapes)와 추골병 사이에 간치하는 방법으로, 침골 관절면(articular facet)을 1 mm 다이아몬드 버어로 홈을 만들어 등골 수부에 위치시키고, 침골 짧은 돌기(short process of incus)를 0.8 mm 다이아몬드 버어로 관골구(socket)를 만들어 등골 두부에 위치시키는 방법으로 흔히 사용하는 방법이다(그림 24-11). 추골병의 심한 전방변위가 있는 경우는 등골 두부로부터의 거리가 멀어 침골간치술을 적용하기 힘들 수 있으며, 이식된 침골이 지속적으로 괴사될 가능성, 자가 이소골 이식편이 주변 이소골이나 구조물에 고정될 수 있다는 단점이 있다.

등골 두부(head of stapes)가 보존된 경우 PORP를 이용하며, 추골병과 등골(stapes) 사이에 넣기 적절한 형태로 재단된 보형물을 사용한다. 등골 두부와 추골병까지의 거리를 측정하여 이에 맞는 길이의 보형물을 삽입하고, 보형물의 지주와 등골이 이루는 각이 45° 이내가 되도록 조정하는 것이 소리 전달에 도움이 된다. 이때 추골병이 와우 갑각(promontary)에 닿지 않도록 하고, 보형물은 추골과 등골을 제외한 어떤 골 구조물과도 닿지 않도록 해야 한다. 이들 구조물이 와우갑각이나 다른 골 구조물과 닿으면 이를 통해 소리 에너지가 분산되어 술 후 충분한 청력개선이 이루어지지 않을 수 있다(그림 24-12A).[8,27]

3) 추골, 침골소실, 등골 보존(Missing malleus, incus & preservation of stapes)

침골과 추골이 소실된 경우에도 침골소실의 경우와 마찬가지로 PORP를 사용하지만 연골막이나 이주 등에서 채취한 연골을 얇게 재단하여 고막과 보형물 사이에 위치하게 하여 보형물의 탈출을 방지한다.

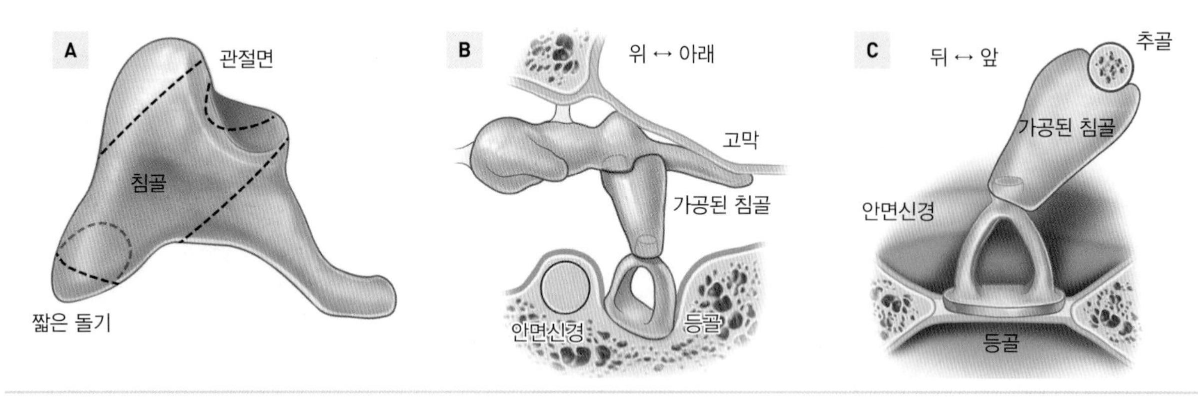

■ 그림 24-11. **침골 간치술(Incus interposition).** 침골에 드릴로 홈을 만들어 추골 수부와 등골 두부 사이에 끼워준다 .

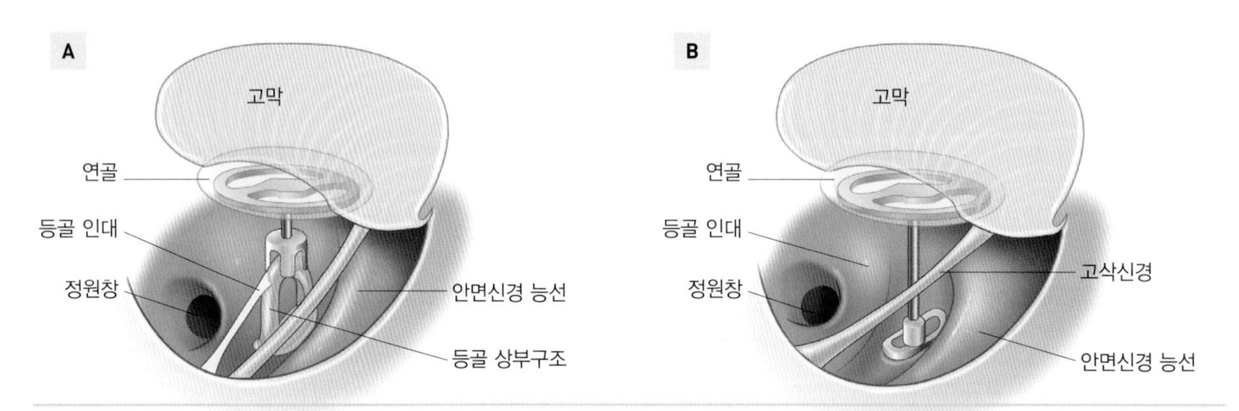

■ 그림 24-12. **인공 금속 보형물을 이용한 이소골 성형술. A)** 부분 이소골 대치 보형물(Partial ossicular replacement prosthesis); 등골의 상부구조가 정상적으로 존재하는 경우는 PORP를 이용해 고막과 등골 두부를 연결해 준다. 이때 고막과 보형물 사이에 얇은 연골을 넣어 주어 보형물의 탈출을 방지한다. **B)** 전 이소골 대치 보형물(Total ossicular replacement prosthesis); 등골 상부구조가 소실된 경우 TORP를 사용하여 재건한다. 이때 보형물이 고막과 직각이 되도록 한다.

4) 침골과 등골 상부구조소실(Missing incus and stapes superstructure)

등골의 상부구조까지 소실된 경우 TORP를 사용한다. (그림 24-12B) 이때 보형물이 등골 족판의 중앙에 위치할 수 있게 하고, 등골 족판에서 고막까지 보형물이 직각이 되도록 위치시켜야 안정성이 유지되며, 이를 위해 수술 중 gelfoam을 사용하여 보형물이 처음에 고정한 위치에서 움직이지 않도록 도움을 준다. 또한 보형물이 직접 고막과 닿으면 탈출의 위험이 높아지므로 연골막이나 얇은 연골로 고막과 보형물 사이에 간치술을 시행한다. TORP을 사용한 경우는 PORP를 했을 때보다 술 후 청력 결과가 좋지 않은 것이 일반적이다. 이는 PORP를 사용하는 경우 등골 두부가 보형물과 안정적인 결합을 하는 반면, TORP는 등골 족판에 보형물을 위치시키는 것으로 상대적으로 안정성이 떨어지기 때문이다.

3. 이소골 성형술의 합병증

가장 흔한 합병증은 보형물의 탈출이며 이 밖에도 보형물의 변위, 흡수, 주변 구조물과의 고정 등이 발생할 수 있다. 수술 중 보형물의 길이가 너무 길게 삽입된 된 경우가 탈출의 가장 흔한 원인이며 이를 방지하기 위해 보형물의 길이를 잘 조절해야 한다. 또한, 연골이나 연골막을 이용하여 보형물이 고막과 직접 닿지 않도록 간치 하거나 보형물과 고막 사이에 고실끈 신경(chorda tympani nerve)을 위치하도록 하는 방법을 이용하여 보형물의 안정성을 높일 수 있다. 또한 이관 기능의 저하로 인한 고막의 함입으로 보형물이 탈출할 수 있기 때문에 수술 전 이관기능의 평가가 중요하다.

Ⅲ 내시경을 이용한 중이 수술(Endoscopic middle ear surgery)

중이 수술에 내시경을 이용하게 되면 수술현미경을 이용한 방법에 비하여 병변 부위를 광시야하에서 보다 자세히 관찰할 수 있고, 수술현미경을 이용한 중이 수술방법보다 덜 침습적으로 병변의 제거 및 중이의 재건이 가능하다(그림 24-13).

초창기에는 진주종의 수술에서 수술현미경을 이용하여 진주종을 제거하면서 잔존 진주종의 확인에 내시경이 사용되거나, 고막성형술 등에 제한적으로 내시경이 사용되었다.[16,44] 이후 내시경 장비의 발전과 수술기법이 점차 발전하면서 내시경을 이용하여 고실성형술이나 진주종수술, 등골 수술 및 인공와우 이식 등에도 사용됨이 보고되었다.[32,42,43]

내시경을 이용한 중이 수술방법은 수술현미경을 이용한 중이 수술방법과 비슷하지만, 중이내 및 병변 부위의 접근 방법은 차이가 있다. 사용하는 기구도 수술현미경을 이용한 중이수술 시 사용하는 기본적인 중이수술기구를 사용하지만, 내시경의 장점을 활용하여 중이 내 주변부위를 관찰하고 병변을 제거하기 위해서는 특수한 박리기(dissector)나 겸자(forceps)가 필요하기도 한다.

내시경을 이용한 중이수술의 가장 큰 문제점은 한 손은 내시경을 잡고, 다른 한손으로 수술을 진행하여야 한다는 점이다. 이 방법은 처음에는 어렵고 이상해 보이지만, 술자가 이에 적응을 하게 되면 크게 문제가 되지는 않는다.

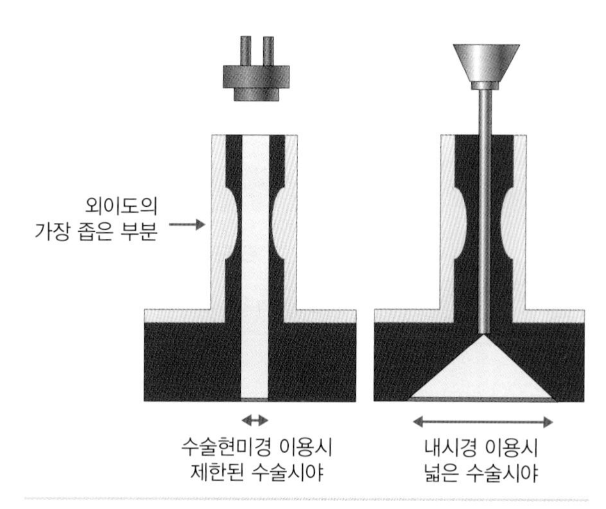

■ 그림 24-13. **수술현미경 및 내시경 이용 시 수술시야 비교.** 내시경을 이용 시 수술현미경에 비하여 넓은 수술시야의 확보가 가능하다.

1. 내시경의 선택

중이수술에서는 코수술에 사용하는 내시경 보다 더 얇고, 짧은 것을 사용하게 되는데 보통 2.7~3 mm 직경에 14~17 cm 정도의 길이의 내시경을 사용한다. 각도는 0° 내시경을 기본으로 사용하며, 필요에 따라서 30°나 45° 내시경을 사용하기도 한다(그림 24-14). 내시경은 카메라 시스템과 연결하여 사용하게 되는데 카메라는 3 CCD를 사용하는 것이 좋다.

2. 수술기구의 배치

수술장에서 수술기구의 배치는 보통의 중이수술 방법과 비슷하다. 다만, 내시경 카메라 모니터를 수술현미경 위치에 위치시키는 것이 다르고, 간혹 수술현미경을 사용하여야 할 경우를 대비하여 수술현미경을 환자의 머리 쪽에 위치시켜 놓으면 좋다(그림 24-15).

3. 환자의 준비 및 수술 과정

환자의 준비는 보통 중이수술과 비슷하게 준비하는데,

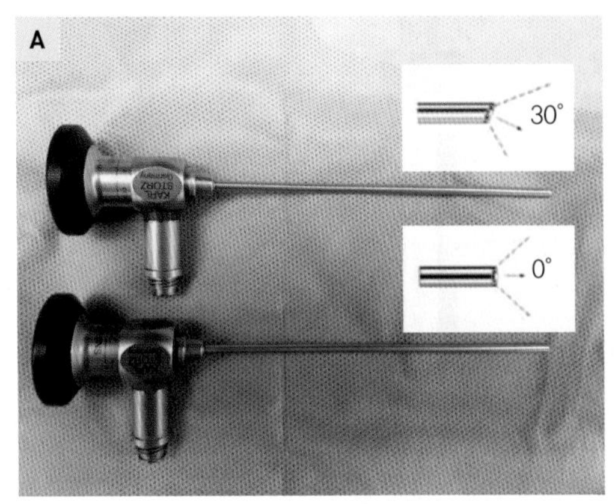

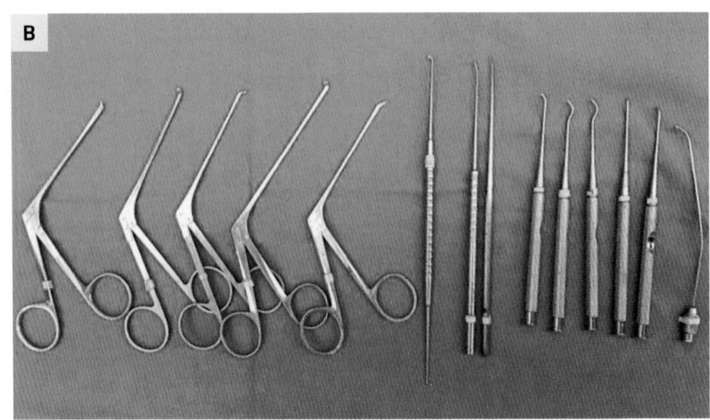

■ 그림 24-14. **내시경을 이용한 중이수술에 사용되는 내시경 및 수술 기구.** **A)** 2.7 mm 직경의 14 cm 길이 30°, 0° 내시경. **B)** 일반적인 중이수술 기구를 사용하고, 때로는 특별히 고안된 dissector를 사용할 수 있다.

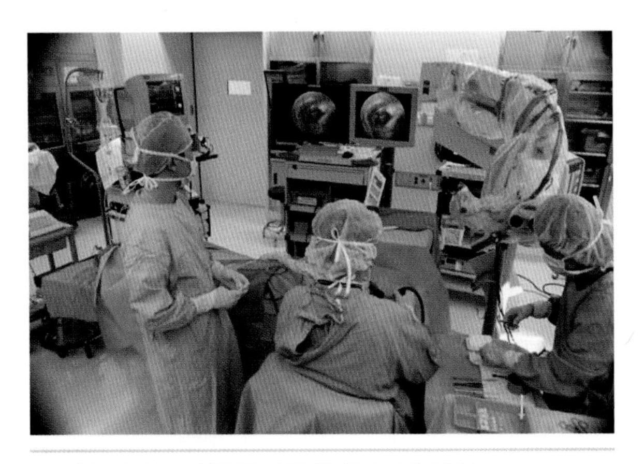

■ 그림 24-15. **내시경을 이용한 중이 수술 장면**

환자가 국소 마취를 견딜 수 있는 어른이라면 국소 마취로도 충분히 수술을 시행할 수 있다. 국소 마취제와 혈관수축제의 외이도내 주입이 중요한데 혈관수축제의 사용으로 고실외이도 피판을 올릴 때의 출혈을 상당부분 줄일 수 있다. 수술 중 출혈을 조절하는 방법으로는 epinephrine을 적신 작은 Cottonoid 거즈를 출혈부위에 위치시켜서 지혈을 하면서 수술을 진행할 수 있으며, 출혈이 많아 내시경 끝부분이 혈액에 자꾸 접하게 될 때에는 식염수 세척을 통하여 깨끗한 수술시야를 얻을 수 있다. 또한, 출혈이 지속될 때에는 Cottonoid 거즈로 출혈 부위를 압박하고 5분 정도 기다리면 충분한 지혈 효과를 얻을 수 있다. 그 외에 내시경을 이용한 중이 수술은 한 손을 사용한다는 것을 제외하고는 보통의 중이 수술과 방법이 비슷하다.

4. 내시경을 이용한 중이 수술의 장점 및 단점

내시경을 이용하여 중이 수술을 하게 되면 수술 현미경을 이용하여 수술을 시행할 때보다 훨씬 넓은 시야를 확보할 수 있어 잘 보이지 않는 중이 내부의 확인이나 병변의 제거에 도움을 받을 수 있고, 연조직을 절제하는 것이 적어 수술 시간을 절약할 수 있으며 환자가 수술로 인하여 겪는 불편함이 적은 장점이 있다. 단점으로는 한손을 사용하여 수술을 진행하여야 되므로 수술 술기를 익히는 데까지 시간이 상당히 소요되며, 유양동 내에 병변이 있으면 내시경만을 가지고 수술을 시행하기 어렵다. 또한, 내시경에서 발생하는 열로 인한 내이 손상의 가능성이 있으며, 환자가 갑자기 움직일 경우 내시경으로 인한 중이 구조물의 손상 가능성이 있다(표 24-2).

표 24-2. 내시경을 이용한 중이 수술과 수술현미경을 위한 중이 수술의 비교

	내시경 중이수술	수술현미경 중이수술
수술시야	넓음	좁음
수술 기구 조작	한손 조작	양손 조작
출혈시 대처	어려움	비교적 용이
연조직 절제	적음	많음
동시 유양동 수술	어려움	가능함

참고문헌

1. 김종선. 만성 중이염의 수술. In: 대한이비인후과학회 편. 이비인후과학 두경부외과학. 개정판. 서울:일조각;2009. p.646-691.
2. 김종선, 장선오, 이승신 등. 성인 진주종성 중이염에서 폐쇄공동술식과 개방공동술식의 청력결과와 합병증의 비교. 한이인지 2001;44:1043-1047.
3. 김형종. 만성 중이염 수술의 분류와 결과보고의 표준지침. 한이인지 2006;49:2-6.
4. 정하원, 박민현, 강제구 등. 내이미로누공에서 고해상도 전산화 단층촬영의 진단적 유용성. 한이인지. 2001;44:37-40.
5. Adams ME, El-Kashlan HK. Tymapnoplasty and Ossiculoplasty. In: Flint PW, Haughey BH, Lund VJ, Niparko JK, Richardson MA, Robbins KT, Thomas JR, editors. Cummings Otolaryngology: Head and Neck Surgery. 6th ed. Philadelphia: Elsevier Saunders;2015. p.2177-2188.
6. Andersen J, Caye-Thomasen P, Tos M. Cartilage palisade tympanoplasty in sinus and tensa retraction cholesteatoma. Otol Neurotol. 2002;23(6):825-831.
7. Angeli SI, Kulak JL, Guzman J. Lateral tympanoplasty for total or near-total perforation: prognostic factors. Laryngoscope. 2006;116(9):1594-1599.
8. Bared A, Angeli SI. Malleus handle: determinant of success in ossiculoplasty. Am J Otolaryngol 2010;31:235-240.
9. Bluestone CD, Kleiin JO. Definition, terminology and classification. Otitis Media In infants and Children, 3rd ed. Philadelphia: WB Saunders; 2001. p.1-15.
10. Chole RA, Brodie HA. Surgery of the mastoid and petrosa. In: Bailey BJ, Calhoun KH, Healy GB, Pillsbury III HC, Johnson JT, Tardy Jr ME, Jackler RK, editors. Head and Neck Surgery-Otolaryngology. 3rd ed. Philadelphia: Lippincott Williams & Wilkins;2001. p.1799-1800.
11. Chole RA, Brodie HA. Surgery of the mastoid and petrosa. In: Bailey BJ, Calhoun KH, Healy GB, Pillsbury III HC, Johnson JT, Tardy Jr ME, Jackler RK, editors. Head and Neck Surgery-Otolaryngology. 3rd ed. Philadelphia: Lippincott Williams & Wilkins;2001. p.1814-1815.
12. Dalchow CV, Grun D, Stupp HF. Reconstruction of the ossicular chain with titanium implants. Otolaryngol Head Neck Surg 2001; 125:628-630.
13. Dornhoffer J. Cartilage tympanoplasty: indications, techniques, and outcomes in a 1,000-patient series. Laryngoscope. 2003;113(11): 1844-1856.
14. Dornhoffer JL. Cartilage tympanoplasty. Otolaryngol Clin North Am. 2006 ;39(6):1161-1176.
15. Downs BW, Pearson JM, Zdanski CJ, et al. Revision ossicular reconstruction with the titanium Kurz prosthesis. Laryngoscope 2002; 112:1335-1337.
16. El-Gundy A. Endoscopic transcanal myringoplasty. J Laryngol Otol. 1992;106(6):493-495.
17. Farrior JB. Classification of tympanoplasty. Arch Otolaryngol. 1971;93:548-550.
18. Fisch U, May J. Tympanoplasty, Mastoidectomy and Stapes Surgery. Stuttgart: Thieme, 1994, p.2-7.
19. Fuse T, Tada Y, Aoyagi M, et al. CT detection of facial canal dehiscence and semicircular canal fistula: comparison with surgical findings. J Comput Assist Tomogr. 1996 Mar-Apr;20(2):221-224.
20. Gardner EK, Jackson CG, Kaylie DM. Results with titanium ossicular reconstruction prostheses. Laryngoscope 2004; 114:65-70.
21. Goodhill V. Tragal perichondrim and cartilage in tympanoplasty. Arch Otolaryngol 1967;85:480-491.
22. Guilford FR. Repositioning of the incus. Laryngoscope 1965; 75:236-241.
23. Hall A, Rytzner C. Stapedectomy and autotransplantation of ossicles. Acta Otolaryngol 1957; 47:318-324.
24. Heermann H. Tympanoplasty with fascial tissue taken from the temporal muscle after straightening the anterior wall of the auditory meatus. Has Nas Ohren 1961;9:136-137.
25. Heermann J Jr, Heermann H, Kopstein E. Fascia and cartilage palisade tympanoplasty. Nine years' experience. Arch Otolaryngol. 1970;91(3):228-241.
26. House WF, Glasscock ME, 3rd, Sheehy JL. Homograft transplants of the middle ear. Trans Am Acad Ophthalmol Otolaryngol 1969; 73:836-841.
27. Iurato S, Marioni G, Onofri M. Hearing results of ossiculoplasty in Austin-Kartush group A patients. Otol Neurotol 2001; 22:140-144.
28. Jung TT, Park SK. Mediolateral graft tympanoplasty for anterior or subtotal tympanic membrane perforation. Otolaryngol Head Neck Surg. 2005 ;132(4):532-536.
29. Kim HH, Battista RA, Kumar A, Wiet RJ. Should ossicular reconstruction be staged following tympanomastoidectomy. Laryngoscope

2006; 116:47-51.

30. Krueger WW, Feghali JG, Shelton C, et al. Preliminary ossiculoplasty results using the Kurz titanium prostheses. Otol Neurotol 2002; 23:836-839.
31. Lima Ada S, Sanchez TG, Bonadia Moraes MF, et al. The effect of timpanoplasty on tinnitus in patients with conductive hearing loss: a six month follow-up. Braz J Otorhinolaryngol. 2007;73(3):384-389.
32. Marchioni D, Grammatica A, Alicandri-Ciufelli M, et al. Endoscopic cochlear implant procedure. Eur Arch Otorhinolaryngol. 2014;271(5):959-966.
33. Martin AD, Harner SG. Ossicular reconstruction with titanium prosthesis. Laryngoscope 2004; 114:61-64.
34. Mehta RP, Rosowski JJ, Voss SE, et al. Determinants of hearing loss in perforations of the tympanic membrane. Otol Neurotol. 2006;27(2):136-143.
35. Merchant SN, Nadol JB, Jr. Histopathology of ossicular implants. Otolaryngol Clin North Am 1994; 27:813-833.
36. Meredith E. Adams HKE. Cummings otolaryngology head and neck surgery. Tympanoplasty and ossiculoplasty. Volume II; 2015. p.2185.
37. Monsell EM. New and revised reporting guidelines from the committe on hearing and equlibrium. Otolaryngol Head Neck Surg 1995;113:176-178.
38. Paparella MM. Atlas of Ear Surgery. 2nd ed. St. Louis: CV Mosby, 1977
39. Schraff S, Dash N, Strasnick B. "Window shade" tympanoplasty for anterior marginal perforations. Laryngoscope. 2005;115(9):1655-1659.
40. Schuknecht HF. Pathology of the Ear, 2nd ed. Philadelphia: Lea & Febiger; 1993. p.194-196.
41. Sheehy JL. Ossicular problems in tympanoplasty. Arch Otolaryngol 1965; 81:115-122.
42. Tarabichi M. Endoscopic middle ear surgery. Ann Otol Rhinol Laryngol. 1999;108(1):39-46.
43. Tarabichi M. Endoscopic management of cholesteatoma: long-term results. Otolaryngol Head Neck Surg. 2000;122(6):874-881.
44. Thomassin J, Korchia D, Doris J. Endoscopic-guided otosurgery in the prevention of residual cholesteatomas. Laryngoscope. 1993;103(8):939-943.
45. Tos M. Cartilage tympanoplasty methods: proposal of a classification. Otolaryngol Head Neck Surg. 2008;139(6):747-758.
46. Van Rompaey V, Farr MR, Hamans E, et al. Allograft tympanoplasty: a historical perspective. Otol Neurotol 2013; 34:180-188.
47. Vos JD, Latev MD, Labadie RF, et al. Use of AlloDerm in type I tympanoplasty: a comparison with native tissue grafts. Laryngoscope. 2005;115(9):1599-1602.
48. Voss SE, Rosowski JJ, Merchant SN, et al. Non-ossicular signal transmission in human middle ears: Experimental assessment of the "acoustic route" with perforated tympanic membranes. J Acoust Soc Am. 2007;122:2135-2153.
49. Wullstein H. Theory and practice of tympanoplasty. Laryngoscope. 1956 Aug;66(8):1076-1093.
50. Zenner HP, Stegmaier A, Lehner R, et al. Open Tubingen titanium prostheses for ossiculoplasty: a prospective clinical trial. Otol Neurotol 2001; 22:582-589.

CHAPTER

25

유양돌기절제술

채성원, 이동희

I 유양돌기수술의 역사

만성 중이염이나 유양돌기염에서 유양돌기수술법에 대한 언급은 1600년대로 거슬러 올라가는데, 16세기 Ambroise Paré와 1649년 Riolan the Younger가 유양돌기절제술과 유사한 수술 사례를 보고하였고 1774년에는 John Luis Petit가 유양돌기 천공술을 소개하였는데, 이 시기에는 천공기(trepan)를 사용하여 유양동에 천공술을 시행하였다(18세기 Era of trepan).[7,19] 1860년 Amédée Forget는 유양동 천공술에 정(gouge)과 망치를 처음 사용하였고, 1873년 Hermann Schwartze과 Adolf Eysell에 의하여 끌(chisel) 및 정(gouge)과 망치를 이용한 유양돌기에 대한 수술방법이 체계화된다.[19] 그들은 끌, 정과 망치를 이용하여 유양돌기 함기세포를 부분적으로 제거하는 피질 유양돌기절제술(cortical mastoidectomy)을 시행하였는데, 항생제가 발달되지 않았던 당시에 흔하던 급성 및 융합성 유양돌기염이나 골막하 농양에 효과적인 수술법이었다. 이후 드릴이 도입되기 전까지 끌, 정과 망치는 유양돌기수술의 도구로 사용된다(19세기 초 Era of chisel & gouge).

만성 중이염이나 진주종을 치료 목적으로 유양돌기수술을 하기 시작한 것은 그로부터 20년이 지나서인데, 1890년 Emanual Zaufal이 근치 유양돌기절제술(radical mastoidectomy)을 보고하였고, 이 술식은 유양돌기 병변을 포함하여 중이강까지 제거하므로 술 후 청력개선을 고려하지 않았다.[6] 이 수술방법은 이후에 Gustav Bondy에 의하여 상고실에 국한된 병소에 한하여 청력을 보존할 수 있는 술식으로 변형되어 1910년에 변형 근치유양돌기절제술(modified radical mastoidectomy) 혹은 Bondy 수술로서 보고되었다.[27]

이과 수술영역에서 치과용 드릴(drill)이 도입된 것은 1893년 William Macewen에 의해서였고, Julius Lempert에 의하여 1920년대부터 유양돌기수술에서 본격적으로 드릴이 이용된다(20세기 Era of electrical drill).[19] 수술현미경이 1920~1930년대에 이과 수술영역으로 도입되면서 수술현미경하 드릴을 이용한 수술은 보다 세밀한 유

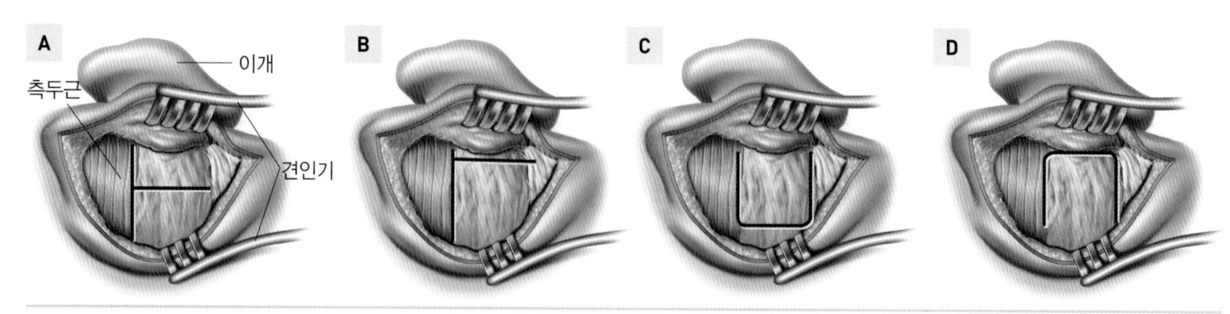

■ 그림 25-1. **유양돌기절제술을 위한 골막절개의 도안.** **A)** T형, **B)** 역 L형, **C)** 전방기저의 trap-door형, **D)** 후방기저의 trap-door형

양돌기수술을 가능케 하였다. 또한 von Helmholtz의 중이 전음기전에 기초하여 청력 보존이나 개선에 중점을 둔 중이수술법에 관심을 갖기 시작하면서, 1950년대 초반에 Wullstein[33] 및 Zollner[35]가 고실성형술의 개념을 도입하였고, 이 개념을 유양돌기절제술까지 연장하여 1960년대에 Jansen[14]과 Sheehy 및 Patterson 등[29]이 오늘날의 폐쇄동 고실유양돌기절제술(tympanomastoidectomy)로 발전시켰다.

Ⅱ 유양돌기수술의 준비

기본적인 수술의 준비는 고실성형술, 이소골재건술과 같은 중이수술과 동일하다. 다만 유양돌기절제술을 시행할 때에는 술 중 신경감시기(intraoperative nerve monitor)를 사용하여 안면신경의 손상을 예방하는 것이 좋다.[11] 안면신경에 대한 술 중 감시를 할 때에는 반드시 마취의사와의 협조가 중요한데, 통상적인 농도의 마취제가 근전도를 기반으로 하는 술 중 감시에 영향을 주지 않는 것과 달리 근육이완제는 안면신경에 대한 술 중 감시를 방해하기 때문이다.[3]

Ⅲ 유양돌기수술을 위한 피부절개

유양돌기절제술의 경우 보통 이개후(postauricular) 피부절개를 통하여 시행하며, 경우에 따라서 이내(endaural) 피부절개로도 가능하다. 이개 후 피부절개는 이내 피부절개보다 유양돌기 노출이 훌륭하고 유양돌기 첨단에 대한 접근이 가능하다는 장점이 있다.

Ⅳ 유양돌기수술을 위한 골막절개 및 거상

골막절개선을 가할 때에는 측두선(temporal line)을 따라 수평으로 골막에 절개선을 가하고, 여기에 수직으로 가하는 골막절개선은 T형이나 역 L형으로 만든다. 경우에 따라서는 C형으로 골막절개를 할 수 있으나, 개방동 고실유양돌기절제술의 경우에는 anteriorly based trap-door 방식으로, 폐쇄동 고실유양돌기절제술의 경우에는 posteriorly based trap-door 방식으로 고안한다(그림 25-1).

Lempert 골막거상기를 이용하여 골막을 거상할 때에는 전방은 외이도 상방의 관골궁(zygomatic arch)의 시작부까지 노출하고 하방은 유양돌기 첨단까지 거상하는데, 하방으로 거상할 때에는 경유돌공에서 나오는 안면신경의 위치를 확인하고 흉쇄유돌근(sternocleidomastoid muscle)의 부착부가 손상되지 않도록 주의한다.[7]

Ⅴ 유양돌기수술에서 삭개(Drilling)의 기본 술기

버어(burr)를 쓸 때 손잡이는 연필 쥐듯이 잡고, 4, 5번째 손가락을 지지대로 쓰는 것이 안정적이다. 그리고 버어의 크기를 선택할 때에는 수술시야를 가리지 않는 범위에서 가능하면 큰 직경의 버어를 쓰는 것이 안전하다. 절단형 버어(cutting burr) 혹은 다이아몬드 버어(diamond burr)를 적절하게 선택하여 사용하는 것이 중요한데, 처음에 피질골을 삭개하고 중요 수술지표가 되는 구조물을 확인할 때까지는 절단형 버어를, 이후 경막, S자 정맥동이나 안면신경 위의 얇은 뼈에서는 다이아몬드 버어를 쓰는 것이 좋다.

지속적인 압력(continuous pressure)보다 간헐적으로 가벼운 압력(intermittent, light pressure)으로 버어를 유양돌기에 대고 삭개하는 것이 좋은데, 절단형 버어로 삭개할 때에는 버어의 옆면을 이용하여야 한다. 중요한 구조물과는 평행하게 버어를 움직여 삭개하는 것이 안전하고, 가능하면 버어는 중요한 구조물과 수직이 되도록 잡는다(그림 25-2A). Macewen씨 삼각(Macewen's triangle)으로부터 직접 유양동으로 들어가는 "make a hole"이나 "work in a hole"을 하지 말고 가능하면 주변의 중요 구조물을 확인하면서 넓게 갈아야 하는데, 만약 "work in a hole"을 해야 할 상황에서는 큐렛(curet or curette)을 이용하는 것이 더 안전하다(그림 25-2B).

좁은 부위를 삭개할 때에는 버어의 뒷면이 다른 구조물에 닿지 않도록 주의해야 하고, 깊은 곳을 삭개할 때에는 burr shaft가 인근 구조물에 닿지 않도록 주의해야 한다. 또한 버어는 삭개하고자 하는 구조물 근처에서 회전을 시작하고 멈추어야 하고, 버어가 회전하는 동안에 수술 부위로 넣고 빼지 않는 것이 안전한 방법이다. 안면신경과 같은 중요한 구조물 근처를 삭개할 때에는 버어의 회전방향은 항상 중요한 구조물로부터 멀어지는 방향으로 돌아야 한다. 흡인관류기(suction tip)를 중요 구조물과 버어 사이에 두면 의도치 않은 갑작스런 버어의 움직임으로부터 중요 구조물을 보호할 수 있다.

큐렛(curet or curette)을 쓸 때에는 가능한 큰 크기의 것을 선택하여 cutting edge가 잘 보이도록 손으로 잡고 큐렛의 옆면을 이용하여 중요 구조물과 평행한 방향으로 뼈를 제거한다(그림 25-3).

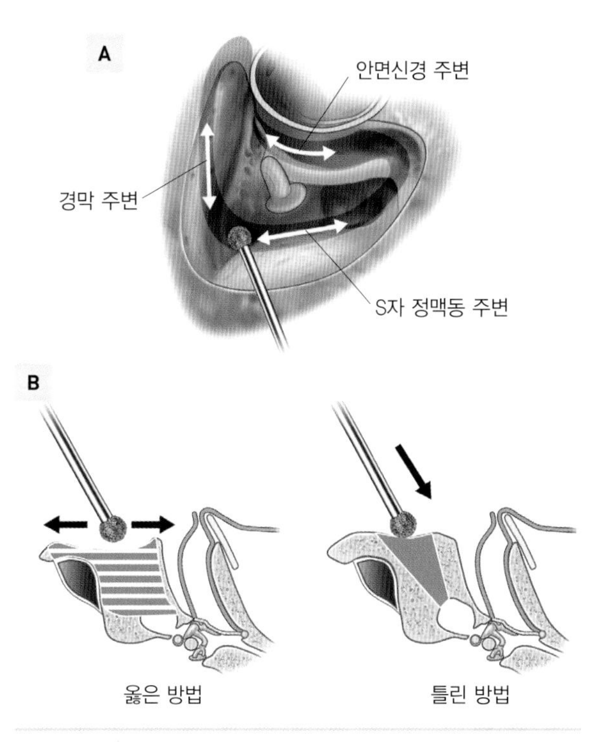

■ 그림 25-2. **유양돌기 삭개의 방법. A)** 버어의 옆면을 이용하여 삭개하는데, 중요한 구조물과는 평행하게 버어를 움직여서 삭개한다. **B)** "make a hole"이나 "work in a hole"보다 주변의 중요 구조물 (특히 중두개와 경막, S형 정맥동)을 확인하면서 넓게 삭개한다.

삭개를 할 때 지속적이고 충분한 세척은 매우 중요한데, 그 목적은 뼈 가루를 제거하여 수술시야를 확보하고, 버어의 마찰열로 인한 손상을 예방하며, 버어의 삭개면을 깨끗하게 유지하는 것이다.

유양돌기를 삭개할 때 뼈에서의 출혈은 다이아몬드 버어 혹은 골납(bone wax)으로 지혈하고, 경막이나 S자 정맥동의 출혈은 전기소작을 하되 단극(monopolar)을 쓰지 말고 양극(bipolar)을 사용한다. 안면신경 주변의 출혈은 에피네프린을 적신 코튼노이드(cottonoid)나 충분한 세척하의 다이아몬드 버어로 지혈하되, 전기소작을 할 경우에는 열이 나지 않도록 세척을 하면서 양극 전기소작기로 지혈하는 것이 좋다.

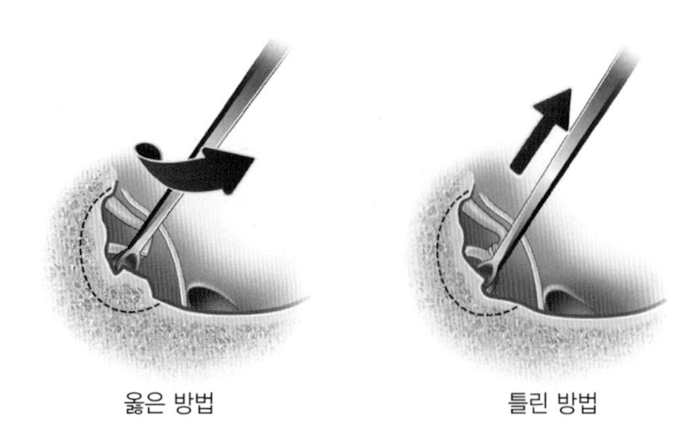

■ 그림 25-3. **큐렛의 사용법.** 큐렛의 옆면을 이용하여 중요 구조물과 평행한 방향으로 긁어서 제거한다.

VI 유양돌기수술방법

1. 단순 유양돌기절제술(Simple or cortical mastoidectomy)

단순 유양돌기절제술은 transmastoid antrostomy로도 불리는데, 유양돌기의 피질골을 제거하고 유양동 외측의 함기세포를 제거하면서 유양동으로 들어가는 술식으로 병소가 없는 나머지 유양돌기 함기세포는 제거하지 않는다.[1] 본 술식은 융합성 유양돌기염(coalescent mastoiditis) 때 발생한 부골(sequestrated bone)을 제거하거나 골막하 농양(subperiosteal abscess) 때 배농을 위하여 흔히 시행되었다.

보통 이개후 피부절개를 가하고 골막절개 및 거상하여 유양돌기 피질(mastoid cortex)을 노출시키고 유돌와(mastoid fossa)부터 삭개하여 유양동을 열고 들어가서 융합성 유양돌기염의 부골을 삭개하고 농양을 배액한다.

2. 근치 유양돌기절제술(Radical mastoidectomy)

근치 유양돌기절제술은 중이강과 유양돌기 내의 모든 함기세포와 병변을 제거하는데, 중이 청각재건을 고려하지 않는 술식으로 이관을 폐쇄하고 유양돌기 및 중이강의 모든 점막을 제거하고 추골과 침골뿐만 아니라 잔여 고막도 제거한다.[1] 이 술식의 고전적 적응증은 (1) 이관이나 추체첨을 침범한 진주종, (2) 와우갑각의 와우 누공이 합병된 진주종, (3) 완전 제거가 어렵고 정기적 추적관찰이 어려운 진주종, (4) 측두골 종양 등이다.[16]

보통 내외방식(inside-out or transmeatal technique)으로 개방동 유양돌기절제술을 시행하고, 등골만 남기고 침골과 추골을 모두 제거한다. 이 술식에서는 고실동(tympanic sinus)이나 정원창와(round window niche)와 같은 함몰된 부위 내 점막이나 하고실(hypotympanum), 경정맥구(jugular bulb)와 경동맥관(carotid canal) 주변의 함기세포가 남아 있지 않도록 완전하게 유양돌기절제술을 하는 것이 중요하다. 이관을 그냥 두면 비인강 역류로 인하여 이루가 발생하므로 이관 입구부의 점막을 제거하고 근막편, 근육편, 골편 혹은 골납 등으로 단단히 폐쇄한다.

유돌첨을 제거할 때에는 유돌첨의 흉쇄유돌근 부착부를 박리하고 모든 유돌첨의 함기세포를 경유돌공으로부터 이복근능(digastric ridge) 방향으로 삭개한 후 이복근능에서 이복근을 확인한다. 안면신경이 경유돌공에서 손상되지 않도록 주의하면서 유돌첨을 골겸자(rongeur)로 잡아당겨 골절시키고, 근육 부착부를 Mayo 가위로 절제하여 유돌첨을 제거한다. 이렇게 유돌첨을 제거하면 술 후 유양동 용적이 약 절반으로 감소된다.[1]

중이강과 유양돌기 내부가 모두 정리된 후 이도성형술(meatoplasty)로 외이도 연골부를 확장시켜서 환기와 관찰을 용이하게 한다. 확장된 유양동은 유양돌기폐쇄술을 시행하여 수술 후 유양동의 용적을 최소화한다.

3. 변형 근치 유양돌기절제술(Modified radical mastoidectomy)

1910년 Bondy는 고막 이완부의 천공만 있는 상고실 진주종 환자에서 유양돌기 근치수술의 변형을 보고하였다.[5] 이전까지 유양돌기의 만성 병소에 대한 수술로서 시행되어 오던 근치 유양돌기절제술이 술 전 잔청을 보전하거나 술 후 청력개선을 할 수 없는 수술법이기 때문에 병변이 상고실이나 유양돌기에 국한된 환자에서 원래의 청력을 그대로 보존하고자 이 술식이 고안되었다. 즉, 변형 근치 유양돌기절제술은 고실 및 고막 긴장부, 이소골의 조작 없이 골부 외이도의 상벽과 후벽을 제거하여 상고실과 유양동의 진주종을 노출한 후 기질낭(matrix sac)의 외측만 제거하고 내측 기질낭은 보존하는 조대술(marsupialization)을 시행하여 청력을 유지시키고 수술창을 외이도로 통하게 하는 수술이다.

Bondy가 이 술식을 고안한 지 반 세기 이후에 개발된 외이도 후벽을 제거하고 고실성형술을 같이 하는 개방동 또는 외이도후벽제거 고실유양돌기절제술(open cavity or canal wall down tympanomastoidectomy)을 본 술식과 혼동하여 소위 변형 근치유양돌기절제술로 칭하기도 하였다. 하지만 본 술식은 고실 및 고막 긴장부, 이소골의 조작이 없다는 점에서 개방동 고실유양돌기절제술과는 엄연히 다르다.[1]

보통 내외방식(inside-out or transmeatal technique)으로 유양동을 삭개하여 골부 외이도 후상방으로부터 유양동과 상고실 방향으로 절단형 버어를 사용하여 유양돌기절제술과 상고실절개술을 실시하여 모든 함기세포를 제거한다. 상고실이나 유양동 내의 진주종 기질낭의 외측을 박리하여 미세가위(microscissors)로 절단하고 내부의 각질(keratin)과 함께 제거한다. 유양동이나 상고실의 내측을 덮고 있는 기질낭을 보존해도 되는데, 특히 미로누공이 있는 부위의 기질은 남겨 놓는다. 상고실 진주종에 대한 조대술 후 남은 기질낭 아래쪽으로 측두근막을 삽입하여 술 후 치유 과정에서 잔존 고막 및 외이도 피판의 상피와 남은 진주종 기질낭의 상피가 잘 연결될 수 있도록 한다.

4. 고실유양돌기절제술(Tympanoplasty with mastoidectomy, tympanomastoidectomy)

수술현미경과 드릴을 이용한 수술이 도입된 1950~1960년대 이후 개발된 술식으로 이전의 앞에서 기술한 세 가지 수술법과 달리, 유양돌기와 중이강을 같이 수술하는 방식이다. 중이강의 만성 염증성 질환에서는 염증이 상고실과 유양돌기로 파급되므로 중이강이나 유양돌기 또는 양측 모두에 대한 수술이 필요하다. 또한 상고실 진주종이 유양동이나 중이강 후상부로 파급이 된 경우에도 유양동과 중이강에 대한 수술이 필수적이다. 이와 같이 만성 중이염에서 중이 및 유양돌기 모두의 병변을 제거하기 위하여 유양돌기절제술과 함께 고실성형술을 동시에 하는 술식을 고실유양돌기절제술이라고 한다.

항생제가 충분히 보급되기 전 중이 수술의 초기에는 이루가 있는 만성 중이염의 수술 목적은 생명의 위협으로부터 안전하고 이루가 없는 귀(safe and dry ear)를 만드는 것이었고, 청각과 같은 기능적인 재활은 고려하지 않았는데, 이러한 목적을 위하여 탄생한 수술법이 근치 유양돌기절제술이었다. 그러나 수술현미경의 도입과 더불어 중이 전음기전에 기반한 고실성형술의 발달 이후 현대의 고실유양돌기절제술의 중요한 목표는 안전하고 이루가 없는 귀를 만들고 최대한 청력을 보존하거나 재건하는 것으로 귀결되는데, 이를 위하여 중이 및 유양돌기의 병변 제거, 병변의 잔류나 재발 방지, 고실내 함기상태 유지, 청결한 외이도나 유양동의 유지, 중이 전음기전의 재건 등을 위하여 고실유양돌기절제술을 실시한다.

이 수술은 두 가지로 대별된다. 첫째, 폐쇄동 고실유양돌기절제술(closed cavity tympanomastoidectomy)은 골부 외이도를 보존하는 술식으로 외이도후벽보존 고실유양돌기절제술(canal wall up or intact canal wall tympanomastoidectomy)이라고도 불린다. 또 다른 방법인 개방동 고실유양돌기절제술(open cavity tympanomastoidectomy)은 외이도 후상벽을 절제하여 외이도와

표 25-1. 폐쇄동 혹은 개방동 유양돌기절제술의 비교

	폐쇄동 유양돌기절제술	개방동 유양돌기절제술
적응증	만성 비진주종성 중이염으로 이관기능장애의 소견이 없고, 고실-유양돌기의 함기상태가 양호할 때, 진주종에 의한 침범이 광범위하지 않을 때	고실-유양돌기가 심한 경화상을 보이며, 진주종에 의한 골파괴 정도가 광범위하고, 외이도 후벽의 골결손이 심하여 외이도를 재건할 수 없고, 이관기능이 불량한 경우, 유일청이의 진주종, 종양에 의한 병변이 있을 때, 수술 후 주기적인 추적관찰을 지속할 수 없을 때
장점	외이도 및 고막의 생리학적 구조와 기능를 유지할 수 있다. 중이 및 유양동의 기능성을 유지할 수 있다. 중이강이 깊다. 공동 문제(cavity problem)가 없다. 창상 치유기간이 짧다. 술후 water precaution이 불필요하다. 보청기 착용이 용이하다.	잔존 혹은 재발 진주종이 적다. 재발 진주종의 조기 발견이 가능하다. 안면신경와의 완전한 노출이 가능하다. 외이도가 매우 좁거나 S형 정맥동의 아주 심한 전방 도치가 있는 환자에서 충분한 수술시야를 확보할 수 있다.
단점	잔존 혹은 재발 진주종이 상대적으로 많다. 안면신경와의 불충분한 노출이 가능하다. 외이도 후벽의 지연성 붕괴가 생길 수 있다. Staged operation이나 second-look operation이 필요할 수 있다.	외이도의 생리학적 구조를 유지할 수 없다. 이개의 모양이나 위치가 변할 수 있다. 중이강이 얕다. 공동 문제(cavity problem)가 생길 수 있다. 창상 치유 기간이 길다. 술후 water precaution이 필요하다. 보청기 착용 시 피드백 등의 어려움이 많다.

상고실과 유양동을 하나의 공동으로 만드는 술식으로 외이도후벽제거 고실유양돌기절제술(canal wall down tympanomastoidectomy)이라고도 불린다.[11,32]

1) 술식의 선택: 폐쇄동 혹은 개방동

고실유양돌기절제술에서 폐쇄동이나 개방동 술식을 선택할 때 가장 고려할 사항은 병변의 진행 정도, 잔청(residual hearing)의 정도, 유양돌기의 함기화(pneumatization) 정도, 술 후 지속적 관찰 가능성, 이관기능의 상태 등이다. 수술방법을 선택하는 술 전 요인으로 양측성 병변인지, 재수술 여부, 잔청의 유무, 유일청이 여부, 유양돌기의 함기화 정도가 있고, 술 중 요인으로는 병소로의 수술적 접근의 용이성, 진주종의 파급 정도, 안면신경마비나 미로누공과 같은 합병증 유무 등이 있다.[7]

상기 요인 중에서 특히 이관기능의 상태는 술 후 중이강이나 유양돌기 내의 함기상태 유지나 이에 따른 고막함몰이나 그로 인한 진주종 재발에도 영향을 미치고 술 후 중이 전음기전의 유지에도 중요한 역할을 하여 술 후 청력 개선 정도를 결정하므로 중이 및 유양돌기수술의 가장 중요한 예후인자가 된다. 그러나 이관기능을 술전에 정확히 평가할 방법이 없다는 점이 계속 문제점으로 남아 있다.[1] 따라서 수술 전 자세한 병력 청취와 검사가 중요한데, 반대측 귀의 함기화 상태, 이루 병력, 고막 천공을 통하여 관찰한 중이 점막의 상태, 유양돌기의 함기화 정도가 중요한 단서가 된다.

폐쇄동과 개방동 유양돌기절제술의 적응증, 장단점은 표 25-1에 기술되어 있다. 폐쇄동 유양돌기절제술은 후고실에 비가역적 병변이 심한 경우 폐쇄동 술식으로는 충분한 병변 제거가 어려우므로 후고실개방술(posterior tympanotomy)이 필수적이지만, 그래도 개방동 술식보다는 수술시야가 제한적이다. 이에 반하여 일차수술에서 폐쇄동 유양돌기절제술을 시행한 후 진주종의 재발이 있었던 경우에는 이차수술 시 개방동 수술을 권하며, 진주종이 광범위하게 침범되었을 때 잔류 진주종의 위험성을 줄이기 위하여 개방동 수술을 시행한다. 이관기능이 정상치에 미치지 못하고 경계부에 해당하는 귀에서 폐쇄동 유양돌기절제술을 시행하였을 때 수술 후 이관기능부전이 악화되면 고막 함몰과 진주종이 재발할 수 있으므로 수술 후 지속적으로 관찰하다가 필요하면 즉시 중이 내 환기관(ventilation tube)을 삽입해야 한다. 그러나 수술 전이나 수술 중에 폐쇄동 수술의 결과가 의심스러우면 곧 개방동 수술로 변형하는 것이 고막의 유착이나 진주종 재발의 우려가 매우 낮고 환기가 잘 되는 수술창을 유지할 수 있다. 수술 후 이차수술을 받기 어려운 예, 또는 지리적으로나 경제적으로 주기적 관찰이 어려운 예에 대하여는 개방동 술식이 더욱 효과적일 수 있다.

2) 소아 진주종성 중이염에서 수술방법의 선택

과거에는 소아 진주종성 중이염의 경우 성인보다 술후 진주종의 재발 혹은 잔존이 더 많다고 하였고, 아직까지도 이 부분에 대해서 논란이 있으나 일반적으로 받아들여지고 있다. 그 배경으로는 진주종이 있는 소아의 유양돌기는 경화상 유양돌기를 가진 성인과 달리 함기화가 더 잘되어 있어서 진주종의 침습이 광범위하고 완전 제거가 어렵고, 유소아기 때 이관기능부전으로 인하여 고막 함몰과 그로 인한 진주종의 재발이 호발하며, 상피조직의 성장 능력 및 성장인자들이 소아에서 더 높은 점을 들고 있다.[12,13,16] 또한 소아 진주종성 중이염의 술 후 재발률은 보고마다 달라서 5~71%로 다양한데, 일반적으로 성인보다 소아에서, 소아의 경우 개방동수술보다 폐쇄동수술에서 더 많이 재발한다는 보고가 많았다. 특히 Palva 등은 65명 소아 진주종성 중이염의 22%, 65명 성인 진주종성 중이염의 6%로 재발률을 보고하였고, Dodson 등은 개방동 수술인 경우 12%, 폐쇄동 수술인 경우 41%로 소아 진주종성 중이염의 술 후 재발을 보고하면서 폐쇄동 수술 후 계획된 이차수술(planned second look operation)의 필요성을 강조하였다.

따라서 위의 1980~1990년대 보고들을 근거로 과거에는 소아의 진주종성 중이염의 경우 개방동 고실유양돌기절제술을 선호하는 경향이 있었으나, 최근에는 소아의 진주종성 중이염에서 개방동수술과 폐쇄동수술 간에 재발률의 차이가 없다는 보고가 많아지고 있다.[30] 비록 개방동 수술이 폐쇄동 수술에 비하여 재발률은 낮으나, 외이도 입구가 넓어지고, 자주 외이도 청소를 해야 하고, 보청기를 끼기 어려울 수 있으며, 수영 등의 수상운동이 잦은 소아에서 불편을 자주 야기하고, 소아의 유양돌기가 성장하면서 추가적인 유양돌기 함기세포의 삭개가 필요할 수 있고, 환기가 안되면 화농성 염증이 부분적으로 발생할 수 있다는 점을 술식 선택할 때 중요하게 고려해야 한다.[28]

결론적으로 소아의 진주종성 중이염은 무조건 개방동 수술을 선호할 것이 아니고 가급적이면 폐쇄동 수술을 선택하되, 앞서 언급한 요소들을 종합적으로 고려하여 결정해야 한다. 특히 폐쇄동 고실유양돌기절제술과 함께 계획된 이차수술로도 개방동 수술과 유사하게 충분히 좋은 결과를 얻을 수 있다는 점을 명심해야 한다. 다만 상고실이나 중이강을 광범위하게 침범한 경우 혹은 유일청이인 경우에는 개방동 수술을 고려한다. 폐쇄동 수술 이후 실시하는 이차수술은 첫 수술 후 6개월 때 하는 것을 권고하는데, 보통 첫 수술 후 12개월 때 이차수술을 하는 성인보다 빨리 하는 이유는 소아 진주종이 더 공격적이라는 것을 감안한 것이다. 이차수술에서 잔존 진주종이 발견되면 추가로 6개월 후에 다시 수술한다.[4,12,13,26,28]

3) 술식

(1) 폐쇄동 또는 외이도후벽보존 고실유양돌기절제술 (Closed cavity, canal wall up or intact canal wall tympanomastoidectomy)

① 수술 개념

이 방법은 외이도의 형태와 기능을 유지하면서 경유양돌기접근(transmastoid approach)으로 시행한 후고실개방술(posterior tympanotomy)과 함께 경외이도접근(transcanal approach)을 이용한 합동접근법(combined approach)으로 유양동, 고실, 상고실, 안면신경와(facial recess)의 병변을 제거하는 술식이다.[1] 하지만 이 술식으

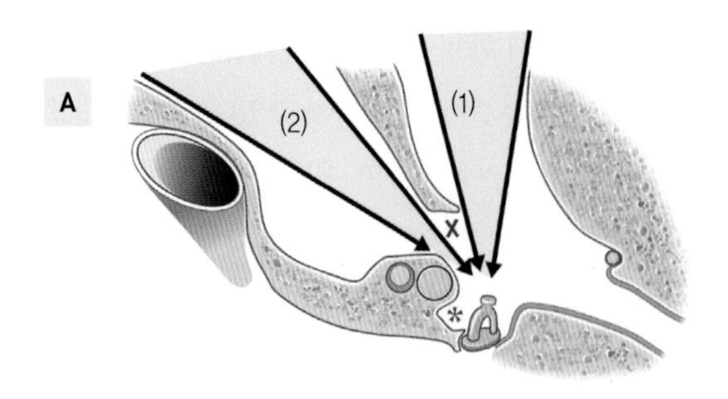

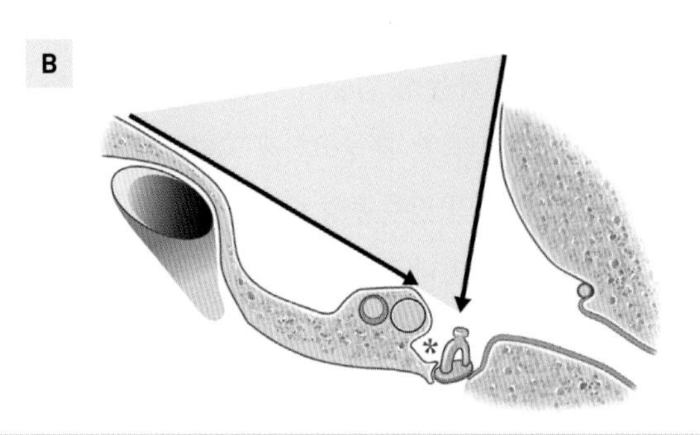

■ 그림 25-4. **A)** 폐쇄동 유양돌기절제술을 해서 (1) 외이도(경외이도접근)와 (2) 유양돌기(안면신경와접근의 후고실개방술) 양측을 통한 시야(하늘색 부분)를 확보하여도 고실동(*)은 완전한 확인이 어렵고, 남은 외이도 후벽이 일부 시야를 가린다(X). **B)** 개방동 수술을 하여도 고실동(*) 속의 병소는 외측의 안면신경관에 의하여 가려져 완전한 제거가 어려울 때도 있다.

로 외이도(경외이도접근)와 유양돌기(경유양돌기접근의 후고실개방술) 양측을 통하여 후고실에 접근을 시도하여도, 고실동(tympanic sinus) 속의 진주종기질은 외측의 안면신경관(fallopian canal)에 의하여 가려져 완전한 제거가 어려울 때도 있다(그림 25-4).

② 술식

본 장에서는 이개후 접근법으로 시행하는 폐쇄동 유양돌기절제술을 기준으로 기술하였다. 보통 다음과 같은 순서로 진행된다.

1. 이개후 피부절개와 골막 피판의 준비
2. 고막이식편(측두근막 혹은 연골, 연골막)의 채취
3. 외이도와 유양돌기의 노출
4. 고실외이도 피판(tympanomeatal skin flap)의 준비
5. (필요시) 외이도성형술(canaloplasty)
6. 고실개방술과 중이 검색(exploration)
7. 유양돌기절개술(mastoidotomy) 및 유양돌기절제술(mastoidectomy)
8. (필요시) 상고실절개술(epitympanotomy) 및 상고실절제술(epitympanectomy)
9. (필요시) 후고실개방술(posterior tympanotomy)을 통한 안면신경와 접근법(facial recess approach)
10. 중이 병변 제거, 특히 등골 주위와 난원창와의 진주종 기질의 제거
11. 고실성형술 혹은 이소골재건술
12. 팩킹 및 피부봉합

외이도 피부절개(canal incision)는 경외이도접근으로 할 경우, 고실륜(tympanic ring)으로부터 약 1 cm 외측인 골부 외이도의 중간 부위에 고실륜과 평행하게 12시 방향부터 6시 방향까지 반원형으로 각진 외이도전도를 이용하여 절개를 하고, 필요하면 이 절개선의 양단으로부터 외이도 입구의 약 3 mm 내측까지 외측방향으로 직선절개를 하여 짧은 Körner 피판(Körner flap)을 만든 후 이 외측 피판을 박리하여 외측으로 거상한다.[1] 후방접근으로 할 경우에는 이개후 피부절개를 한 후 Henle의 외이도상극(suprameatal spine of Henle)보다 약간 내측에 11번 칼날을 이용하여 이개 후방에서 외이도를 향하여 절개를 하는데, 피부에 직각으로 하는 것보다는 어슷하게 가하는 것이 좋다.

유양돌기의 골막절개를 할 때에는 측두선에 수평 골막절개선을 가하고 수직 골막절개선은 Henle의 외이도상극보다 후방에 가하여 유양돌기절제술 후 얇아진 골부 외이도의 후벽을 덮을 수 있도록 해야 하고, 골막판(periosteal flap)을 거상하여 유양돌기 견인기(adjustable mastoid retractor)로 젖혀두는데 나중에 봉합되어 삭개된 유양동을 watertight하게 덮을 수 있도록 준비한다.

Macewen씨 삼각에서 유양동을 찾기 위하여 절단형 버어로 삭개할 때 외이도 후벽을 Henle의 외이도상극보다

낮추면 치유 과정에서 외이도피부가 삭개된 유양동 내로 함몰되어 이도-유양동 누공(meatomastoid fistula)이 발생하거나 외이도나 유양동 내 진주종이 생길 수 있다.[1] 따라서 Henle의 외이도상극을 보존하고 Körner 피판을 충분히 길게 만들어야 한다.

침골와의 침골단각, 외반고리관, 후반고리관, 경유돌공(stylomastoid foramen), 이복근능, 고실유양돌기 봉합선 등을 유돌분절의 수술적 지표로 사용하여 안면신경을 확인할 때에는 버어의 과열로 인한 열손상을 방지하기 위하여 지속적으로 세척해야 하며, 술 중 신경감시기를 사용하면 안면신경의 주행을 더욱 안전하고 정확히 확인할 수 있다.

경외이도 접근법의 전방 상고실절개술(anterior epitympanotomy)을 할 때에는 외이도 상벽에 해당하는 상고실 측벽인 고실개(scutum)를 절제하고 상고실을 개방한다. 경유양돌기 접근법으로 후방 상고실절개술(posterior epitympanotomy)을 할 때에는 외이도 상벽과 중두개와 사이의 피질골을 전방의 협골근 방향으로 삭개하고, 내측으로는 상고실의 후방으로부터 전방 방향으로 골벽을 절제하여 상고실을 넓게 개방하여 추골 두부가 노출되도록 한다. 진주종이 상고실을 통해 유양동까지 침범하였으면 진주종의 기질낭과 함께 추골 두부, 침골을 제거하는데 이를 상고실절제술(epitympanectomy)이라고 한다.[1]

후방 상고실절개술을 할 때 유양동의 전상부의 유양동구(aditus ad antrum)의 외측 골벽을 삭개하여 내측에서 외측으로 넓히면서 침골을 확인하는데, 골도 청력이 좋고 침등골관절이 연결된 경우 이소골을 통하여 전달된 버어의 진동으로 인한 내이 손상을 방지하기 위하여 얇아진 침골 위의 골은 버어보다 큐렛으로 제거하는 것이 안전하다(그림 25-5).

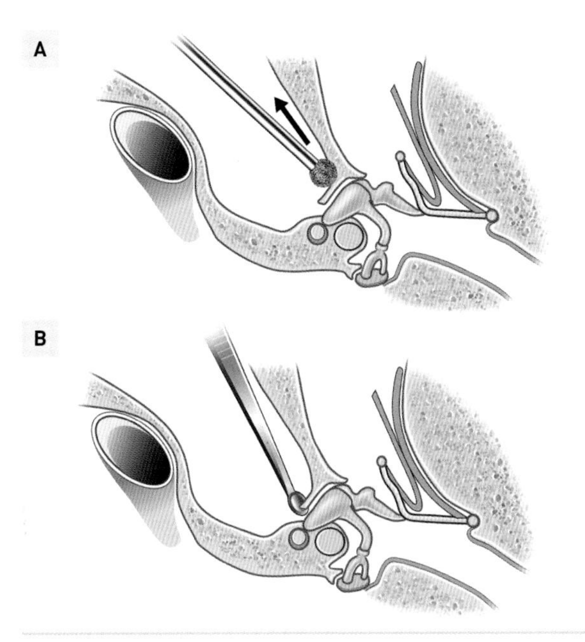

■ 그림 25-5. **A)** 후방 상고실절개술을 시행할 때 침골단각이 보일 때까지 내측에서 외측 방향으로 버어로 세밀히 골벽을 제거한다. **B)** 얇아진 침골 위의 골은 버어보다 큐렛으로 제거하는 것이 안전하다.

후고실개방술로 안면신경와를 개방하는 목적은 후방의 유양동으로부터 중이강, 특히 안면신경와와 침등골관절 주변의 병소를 확인하고 제거할 수 있고, 유양동구 이외의 추가적인 유양동과 중이의 함기 통로를 만들 수 있기 때문이다. 그 외에도 고실분절의 수술시야를 확보하거나 인공와우이식술을 할 때 수술창을 만들 목적으로 후고실개방술을 한다. 후고실개방술 때에는 안면신경의 손상을 방지하기 위하여 지속적으로 흡인관류기를 사용하고, 술 중 안면신경감시기를 사용하며, 안면신경의 경로를 육안으로 확인하면서 실시한다. 후고실개방술을 안전하게 하는 방법의 첫 번째 단계는 외이도 후벽을 얇게 삭개하는 것이다. 다만 지나치게 얇게 갈면 지연성 위축으로 외이도 후벽의 결손이 발생할 수 있음을 조심해야 한다. 두 번째 단계가 안면신경을 찾는 것인데, 상고실을 개방하여 침골와에서 침골단각와 그 후방의 외반규관을 먼저 확인하면 안면신경와의 함기세포와 안면신경의 제2 슬부를 찾을 수 있다. 안면신경와를 개방할 때 고삭안면신경각(chordofacial angle) 부위를 삭개하면서 내부로 들어갈 과정에서 고삭신경이나 고실륜의 손상을 피하여야 한다.[13] 안면신경 직경보다 두꺼운 3~4 mm 정도의 다이아몬드 버어로 상부의 침골와 직하부로부터 하부의 경유돌공까지 수평으로 삭개하면서 분홍색의 안면신경관을 확인할 수 있는데, 굳이 안면신경을 노출할 필요는 없다. 이때 확인된 유돌분절의 전연을 따라 후고실 개방 부위를 상하방향으로 삭개하면서 유돌분절의 아래 1/3 지점에서 나타나는 고삭신경을 확인한다. 후고실개방술이 끝나면 후내방의 안면신경, 전외측의 고삭신경, 상부의 침골부벽(incudal buttress)이 이루는 삼각형의 수술창이 만들어진다. 침등골관절이 연결되어있는 경우에는 침골부벽(incudal buttress)을 보존하여 버어로부터 침골의 손상을 방지하고 후침골인대(posterior incudal ligament)를 보존하여 침골의 안정성을 보존한다. 하지만 침골이나 등골의 미란이 있어 침등골관절이 단절되어 있으면 침골과 함께 침골부벽을 제거하여 더 넓은 수술창을 얻을 수 있다. 고삭안면신경각이 매우 좁으면 후고실개방술 때 고삭신경이 손상을 입거나 후고실개방이 불충분해지므로 이때에는 고삭신경을 골관으로부터 감압시키며 외측으로 약 1 mm 정도 외번시키다. 안면신경와 접근법으로 후고실개방술을 시행하면 노출되는 구조로는 안면신경의 고실분절, 추골병, 침골장각, 침등골관절, 등골두부, 등골건, 정원창이 보이고, 전방으로 시야각을 돌리면 시상돌기(cochleariform process)와 이관입구부, 하방에서는 하고실과 경정맥구가 보인다. 그러나 고실동(tympanic sinus)이나 전상고실와는 이 방법으로도 관찰되지 않는다. 경우에 따라서는 후고실개방술을 위아래로 확장하는데, 상방으로는 침골부벽을 제거하면 고실 전체와 이관 부위를 관찰할 수 있는 넓은 부위를 개방할 수 있고, 하방으로 확장하면 하고실과 경정맥구를 충분히 노출할 수 있다.

(2) 개방동 또는 외이도후벽제거 고실유양돌기절제술(Open cavity or canal wall down tympanomastoidectomy)

① 수술 개념

골부 외이도 후벽을 제거하고 연골부 외이도에 대한 이도성형술을 시행하여 외이도와 상고실, 유양동 부위를 하나의 공동으로 만들어 안전하고 청결한 수술창을 만드는 방법이다. 이 술식은 안면신경능을 안면신경관까지 낮춘 후 고막이식 및 이도성형술(meatoplasty)을 하여 수술 후 넓어진 공동 내를 잘 관찰할 수 있도록 한다. 폐쇄동 수술법과 마찬가지로 고실동은 외측의 안면신경관에 의해 가려져 완전히 노출할 수 없으나, 폐쇄동 수술에서보다는 병소를 더 철저히 제거할 수 있다는 장점이 있다. 이 술식은 청력회복도 가능하고 진주종 기질의 보다 완전한 제거가 가능하며 폐쇄동 수술 후 재발하는 고막 함몰과 그로 인한 진주종의 재발을 피할 수 있는 방법이지만, 개방동 수술 후 발생하는 공동 문제가 생길 수 있고 넓어진 외이도의 미용적 문제, 넓어진 공동에 대한 관리 등의 단점이 있다.

② 술식

보통 다음과 같은 순서로 진행된다.

1. 이개 후 피부절개와 골막 피판의 준비
2. 고막이식편(측두근막 혹은 연골, 연골막)의 채취
3. 하부기저의 근피하조직 피판 혹은 Palva 피판의 분리
4. 외이도와 유양돌기의 노출
5. 고실외이도 피판의 준비
6. (필요시) 외이도성형술
7. 고실개방술과 중이 검색
8. 유양돌기절개술 및 유양돌기절제술
9. 외이도 후벽의 제거
10. 중이 병변 제거, 특히 등골 주위와 난원창와의 진주종 기질의 제거
11. 고실성형술 혹은 이소골재건술
12. 이도성형술
13. 유양돌기폐쇄술
14. 팩킹 및 피부봉합

이개후 피부절개부터 골막절개 및 거상하여 외이도 및 유양돌기를 노출할 때까지는 폐쇄동 수술과 동일하다. 다만, 하부기저의 근피하조직 피판(inferiorly-based

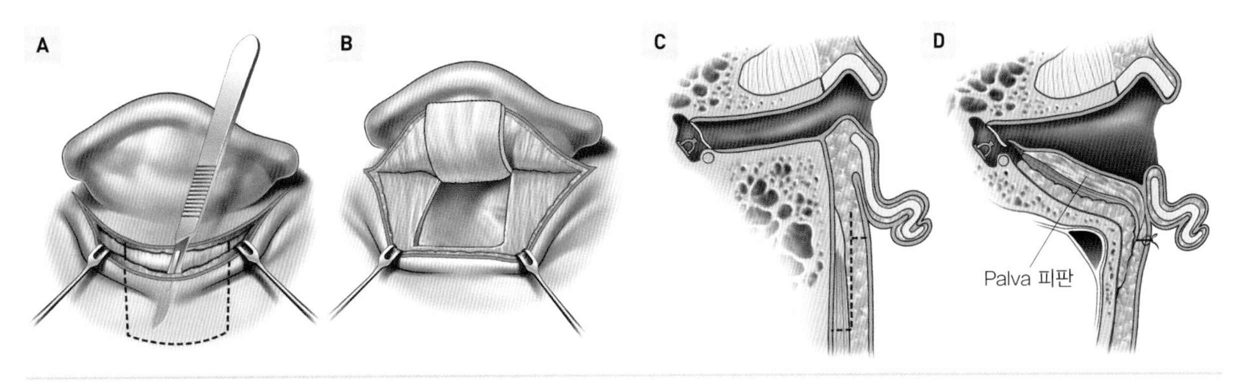

■ 그림 25-6. **Palva 피판.** **A)** 이개 후 피부절개선보다 뒤쪽까지 피하조직을 박리한다. **B)** 그 아래 근육, 골막을 포함하여 전방기전 피판으로 만든다. **C)** 도안된 Palva 피판의 모식도. **D)** 개방동 유양돌기절제술 및 이도성형술을 시행한 후 준비해둔 Palva 피판을 앞으로 젖혀서 유양동에 위치시킨 모식도

musculosubcutaneous flap)을 분리하여 수술 종료 시 넓어진 공동 폐쇄에 사용하는데, 피판의 괴사를 막기 위하여 하부 기저부와 조직판 길이의 비율을 1:2 정도로 하고 이 피판에 혈액공급을 하는 이개후동맥의 손상을 피하도록 한다.[1] 혹은 Palva의 근골막 피판(musculoperiosteal flap)을 사용할 수도 있는데, 이개 후방의 피부절개선 뒷쪽으로 피부하조직을 박리하고 그 아래 근육, 골막을 포함하여 전방기저 피판으로 만드는데 그 기저부는 외이도의 외측에 위치시킨다(그림 25-6).[8]

변형 근치 혹은 개방동 수술에서 외이도 후벽을 낮추면서 유양돌기절개술을 하는 방식은 두 가지가 있다. 첫째, 내외방식(inside-out or transmeatal technique)은 골부 외이도 후상방으로부터 유양동과 상고실 방향으로 삭개하는 방식이다. 두 번째는 외내방식(outside-in or transcortical technique)은 유양돌기 피질을 삭개하여 유양동을 먼저 찾고 그로부터 전방 외이도 쪽으로 삭개하는 방식이다(그림 25-7).

개방동 수술을 위한 유양돌기절제술에서 중요한 것은 안면신경능을 완전히 낮추어 개방동 유양돌기절제술 후 후방의 넓어진 유양동에서 외이도 입구로 각질 이동 및 환기가 잘 되어 건조한 수술창을 유지할 수 있고 관찰도 용이하도록 해주어야 한다는 점이다.

본 술식의 마지막 단계로 이도성형술을 시행하여 연골부 외이도를 확장한다. 이개를 전방으로 견인하고, 이개의 뒷면으로부터 이개 후 절개를 가해 이개강(cavum conchae)의 후면을 노출하거나 이내절개로 외이도 방향에서 직접 이개강의 연골을 노출하는데, 이개강의 연골편을 초승달 모양으로 충분히 크게 절제한다(그림 25-8). 이개강의

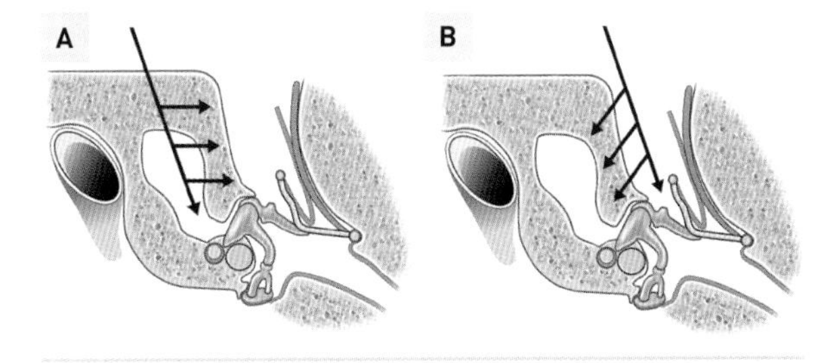

■ 그림 25-7. **변형근치 또는 개방동 유양돌기절개술을 하는 두 가지 방식.** **A)** 외내방식 outside-in or transcortical technique. **B)** 내외방식 inside-out or transmeatal technique

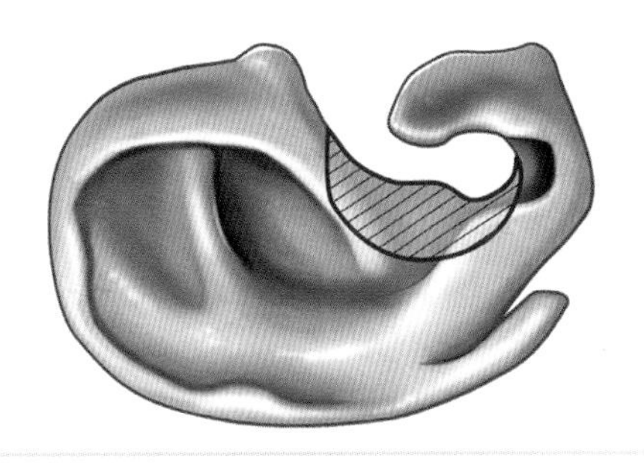

■ 그림 25-8. 이도성형술을 할 때 이개강의 연골편을 초승달 모양(빗금친 부분)으로 충분히 크게 절제한다.

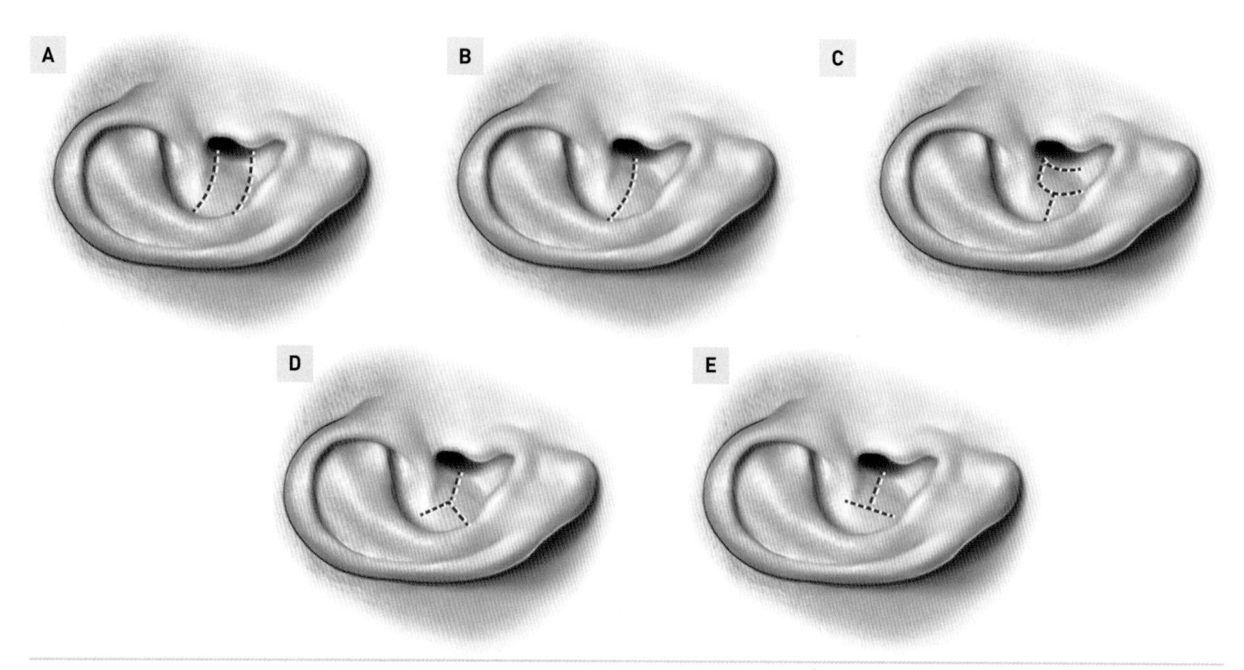

■ 그림 25-9. **이도성형술의 다양한 방법들.** **A)** Körner 방법, **B)** Fisch 방법, **C)** Yanagisawa 방법, **D)** Sieberman 방법, **E)** Portmann 방법

피부에도 절개선을 가하여 이도성형술을 하는데, 여러 가지 방법들이 보고되고 있다(그림 25-9). 연골 절개 부위의 외이도 피부는 유양동 내면으로 밀어넣고 내면에 봉합한 후 팩킹하는데, 가급적이면 외이도 피부로 연골을 완전히 덮어 준다. 이도성형술은 개방동 수술에서는 필수적으로 시행해야 하는데, 술 후 유양동을 잘 관찰할 수 있고 유양동 내 청소가 잘 되도록 충분히 크게 만들어준다. 개방동 수술 이후 최종적인 공동의 크기는 이도성형술의 크기, 술후 육아조직의 성장, Palva 피판 등에 의하여 결정된다. 충분한 크기의 이도성형술을 하기 위해서는 이개강 연골을 충분히 크게 절제하고, 삭개한 유양동의 크기에 비례해서 집도의의 엄지손가락이 드나들 정도로 충분히 크게 만들어야 하며, Palva 피판과 분리하여 외이도 후방 피부가 쉽게 밖으로 나올 수 있게 만들어야 외이도 후방의 입구부를 형성할 때 외이도 후방 피부를 내전하여 유양동 쪽으로 위치시킬 때 예각을 만들지 않고 자연스럽게 된다.

5. 교각보존 유양돌기절제술 (Intact bridge mastoidectomy)

1983년 Paparella가 제시한 교각보존 유양돌기절제술은 개방동 유양돌기절제술에서와 같이 외이도 후벽을 제거하여 시야를 넓게 하여 병변을 충분히 제거할 수 있게 하되, 상고실 부위의 교각을 보존하여 술 후 고실의 깊이를 충분히 유지시켜 고실성형술과 이소골성형술을 용이하게 하는 술식이다. 본 술식의 장점으로는 병변을 충분히 제거할 수 있는 넓은 시야, 교각의 유지로 인한 깊은 고실강의 확보, 이로 인하여 유리한 고실성형술이나 이소골재건술, 고실과 유양동간의 분리로 인하여 유리한 유양동폐쇄술 등이 있다.[1]

술식의 대부분이 개방동 수술과 동일하게 진행하되, 외이도 후벽의 제거 및 유양돌기절제술을 할 때 교각을 보전하면서 외이도 후벽과 상벽을 낮추는 것이 개방동 수술과 가장 큰 차이점이다. 교각에 연결된 안면신경벽(facial buttress)을 보존하여 후고실의 깊이를 유지해서 이후 고

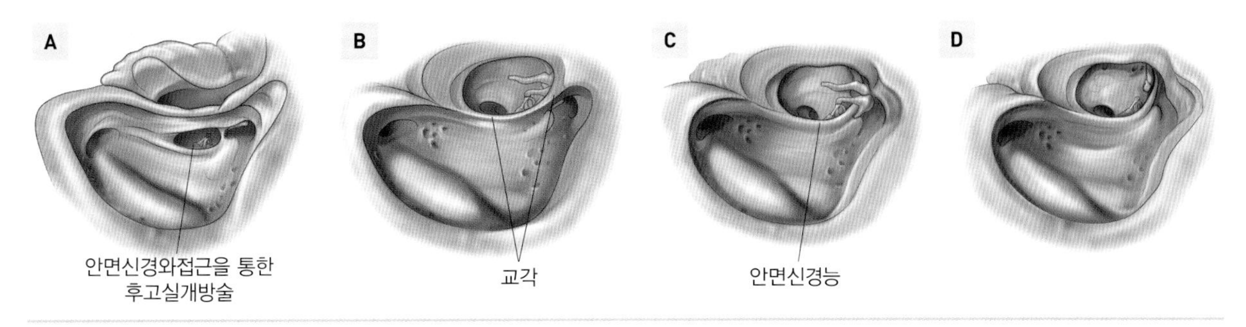

■ 그림 25-10. **4가지 유양돌기절제술의 술식 비교.** **A)** 폐쇄동 유양돌기절제술, **B)** 교각보존 유양돌기절제술, **C)** 개방동 유양돌기절제술, **D)** 근치 유양돌기절제술

실성형술, 이소골재건술이 용이하도록 만든다(그림 25-10).[1]

6. 유양돌기폐쇄술(Mastoid obliteration operation)

과거의 유양돌기폐쇄술은 외이도를 맹낭(blind sac) 방식으로 폐색하고 골, 골분(bone pate), 연골, 지방, 피판 등으로 중이, 유양동 및 외이도를 막는 술식이었으나, 현재 개념의 유양돌기폐쇄술은 개방동 유양돌기절제술 후 여러 가지 재료를 이용하여 지나치게 큰 유양동의 크기를 줄여주는 술식을 포함하는데, 이는 술 후 공동 문제를 예방하는 데 도움이 된다.

유양돌기폐쇄술은 개방동 유양돌기절제술 후 지나치게 넓은 공동이 생긴 경우, 이전의 개방동 수술 이후에도 배출과 환기가 안되어 이루가 지속되는 경우에 실시한다. 그 외 적응증으로는 경미로접근으로 청신경종양 적출술을 한 후, 경막의 결손이 광범위한 경우, 특히 뇌척수액 누출이 있는 경우, 측두골 적출술(temporal bone resection) 후 등에 사용된다.

유양돌기폐쇄술에 이용되는 재료로는 골, 골분, 연골, 복부 지방, 피판, 하이드록시아파타이트(hydroxyapatite) 등이 있고, 유양돌기폐쇄술에 이용되는 피판으로는 Palva의 내측 기저의 근골막 피판, 전방 또는 하부기저의 골막두개골막 피판, 상부기저의 근골막 피판, 측두근 피판, 측두두정 근막 피판 등이 있다.[10,21,24,31,34]

7. 추체아전절제술(Subtotal petrosectomy)

추체아전절제술은 측두골의 모든 함기세포를 완전히 제거하는 수술로서 중이염수술의 최종 단계이면서 두개저 수술의 기본이 되는 광범위한 술식이다.[1] 중이강과 유양돌기 및 추체첨 부위의 함기세포뿐만 아니라 S상 정맥동후(retrosigmoid), 안면신경후(retrofacial), 미로후(retrolabyrinthine), 미로상(supralabyrinthine), 미로하(infralabyrinthine), 이관상(supratubal), 경동맥주변(pericarotid) 함기세포와 점막을 이소골과 외이도 및 고막의 피부와 함께 제거하고 외이도와 이관을 폐쇄한 후 넓은 수술창을 복부 지방으로 폐쇄하는 술식이다.[1]

추체아전절제술은 외상이나 수술 후 발생한 뇌척수액 이루, 상미로와 하미로의 진주종과 종양이 있는 경우, 청력재건이 불가하거나 전농 상태의 만성 화농성 중이염 등에 적응된다. 또한 이 수술은 경미로접근법(tranlabyrinthine approach), 경이낭접근법(transotic approach), 경와우접근법(transcochlear approach), 측두하와접근법(infratemporal fossa approach) 등의 두개저 수술의 첫 단계로 이용된다.[1]

8. 고실유양돌기절제술과 외이도 후벽 재건술 (Canal wall reconstruction)

이상적인 유양돌기수술은 병소를 완전히 제거하고 재

발을 방지하면서, 중이 청각기전이 잘 작동하는 함기화된 중이강과 자가 정화기능을 갖춘 외이도를 유지하는 것이다. 특히 진주종의 경우 병변 위치와 범위, 유양돌기의 함기화 정도, 이관기능, 난청의 정도 등을 감안하여 폐쇄동 혹은 개방동 고실유양돌기절제술을 시행하고 있다. 개방동 수술은 고실과 유양동 전체의 수술시야를 확보함으로써 병변을 충분히 제거할 수 있어서 재발률을 낮출 수 있으나, 오랜 치유 기간, 외이도 후벽의 제거와 그로 인한 큰 유양동으로 인한 이구의 자연배출 장애, 환기 장애와 반복 감염으로 인한 이루, 이로 인한 정기적인 청소의 필요성, 반고리관 노출로 인한 어지럼, 넓은 외이도로 인한 보청기 착용 제한 등의 문제로 인하여 환자의 삶의 질을 저하시킨다.[11] 따라서 상기 개방동 수술의 단점을 극복하고자 많은 시도가 이루어졌는데, 그 방법 중 하나로 개방동 술식과 함께 시행하는 유양동폐쇄술은 술 후 유양동의 크기를 줄일 수는 있지만 폐쇄동 술식보다는 치유 기간이 길고, 일부 재료는 술 후 위축이나 흡수로 인하여 공동이 다시 커지고, 정상적인 외이도를 유지할 수 없다. 또 다른 방법으로 제시되는 술식이 개방동 술식 후에 외이도 후벽을 다시 재건하는 방법이다.

외이도 후벽 재건술은 폐쇄동 유양돌절제술을 시행한 후 외이도 후벽을 잘라내어 보관하였다가 모든 병변을 제거한 후에 떼어둔 외이도 후벽을 원위치에 복원하는 술식과 개방동 술식을 한 후 여러 가지 재료를 이용하여 외이도를 다시 만들어주는 술식이 있다. 외이도 재건술은 잔존 진주종이 있는 경우에는 금기이고, 심한 감염이 있는 유양동에서도 신중하게 선택해야 한다.

외이도 후벽을 재건하는 재료로는 피판, 이개강 연골, 골분, 피질골, 하이드록시아파타이트, 티타늄, 실리콘 등이 있다. 여러 연구 결과를 종합하면, 연골, 골편, 골분 등은 시간이 지나면서 흡수나 위축이 나타날 수 있고, 이개강 연골의 경우 충분한 양을 얻기가 어렵고, 인공 재질의 경우 인체적합성 불량, 감염 취약, 취급의 불편함 등 여러 가지 문제가 있을 수 있다.[11,25]

외이도 후벽을 잘라내었다가 수술 마지막 부분에서 원위치에 고정하는 술식에서 유양돌기절제술까지의 술식은 폐쇄동 수술과 동일하다. 유양돌기절제술을 할 때에는 골부 외이도의 외측을 보존해야 하고 외이도 후벽을 너무 얇게 만들면 안된다. 안면신경와접근법을 이용하여 후고실개방술을 실시하는데 외이도의 하방 수준까지 개방한다. 고실륜을 들고 고실개방술을 하고 침골을 제거한다. 미세 톱(microsaggital saw)을 사용하여 외이도 후벽의 상부와 하부를 세밀하게 절개하여 외이도 후벽을 들어낸다. 적출된 외이도 후벽에 남아 있는 상피조직은 다이아몬드 버어나 거즈로 모두 제거한다. 모든 병소를 제거한 이후 측두근막을 위치시키고 떼어둔 외이도 후벽을 원위치로 위치시킨다. 경우에 따라서는 술 후 함몰의 재발을 방지하기 위하여 피질골의 일부를 떼어 고실개나 안면신경와 부분에 덧대어 준다. 유양돌기를 삭개할 때 모아둔 골분을 이용하여 유양동폐쇄술을 같이 할 수도 있는데, 골분을 모을 때에는 점막이나 진주종이 나타나기 전까지의 골분만 모은다.[11]

Ⅶ 유양돌기수술에서의 이내시경 활용

양안 수술현미경의 도입은 현대 중이 및 유양돌기수술의 획기적인 전환점이었다. 하지만 최근 귀 수술 분야에 도입된 이내시경은 아직 만족스러운 내시경 고정장치가 없어서 한 손 수술(one-handed surgery)을 해야 한다는 단점이 있기는 하지만, 피부절개나 접근을 최소화하면서 좋은 수술시야를 확보할 수 있다는 장점으로 인하여 중이수술뿐만 아니라 유양돌기수술에서도 그 활용도를 넓히고 있는 중이다.[7,22,23,32]

내시경을 이용한 유양돌기수술은 일차수술뿐만 아니라 폐쇄동 수술 후 계획된 이차수술에서도 유용한데, 경고막접근으로 중이강이나 상고실을 탐색하거나 최소한의 이개후 피부절개로 삽입한 내시경으로 일차수술 때 삭개한 폐쇄동 유양동을 탐색할 수 있다. 만약 내시경을 통한 탐색술을 통하여 잔존 혹은 재발 병소가 없으면 그냥 수술을 끝내고, 작고 국한된 병변의 경우에는 내시경하 제거를 하고, 진행된 경우에는 절개 수술을 하면 된다. 또한 등골수술에서 내시경의 활용도가 매우 높다. 최근에는 인공와우이식술에서도 내시경이 활용되고 있다.[9,17,18]

내시경을 이용한 중이 및 유양돌기수술에서 주의할 점은 열 손상인데, 특히 노출된 고삭신경이나 안면신경이 직접적인 열 손상을 입거나 열로 인하여 건조되지 않도록 주의해야만 한다.[2] Kozin 등[15]은 빛 밝기를 줄일 것, 자주 내시경의 위치를 바꿀 것, 자주 수술 부위를 식힐 것 등을 권고하였고, 온도를 식히기 위한 흡인관류기의 유용성을 보고하였다. 또한 Nomura 등[20]이 내시경과 함께 사용하는 antifog의 이독성 가능성을 동물실험에서 보고하였으므로 antifog의 사용을 최소화해야 한다.

VIII 유양돌기수술 중 의인성 손상 및 합병증 (Iatrogenic injury and complication)

유양동 수술 중에 발생하는 의인성 합병증은 수술현미경, 이과드릴, 안면신경감시기의 도입으로 많이 감소하였다. 합병증 예방을 위해서는 해부학적 지표에 대한 3차원적 이해가 필요하며 선천성 기형과 병변 또는 이전 수술에 의한 해부학적 지표의 변화에 대하여서도 지식과 이해가 필수적이다. 유양동 수술에서 발생할 수 있는 의인성 합병증은 크게 안면신경 손상, 미로 손상, 혈관 손상, 경막 손상이 있다.

1. 안면신경 손상(Facial nerve injury)

유양동 수술에서 발생하는 안면신경마비는 불충분한 유양동절제술 상태에서 주로 발생하며, 수술 완료 이후에 인지되는 경우가 수술 도중에 확인되는 경우보다 많았다. 손상 부위는 고실분절이 가장 많았고, 유양분절이 다음을 차지했다. 안면신경손상을 방지하기 위해서는 안면신경릉을 충분히 낮추어야 하는데, 이를 통해 안면신경 위치를 확인할 수 있는 해부학적 지표들을 확인할 수 있기 때문이다. 고실분절 안면신경을 확인하기 위한 지표로는 난원창, 코그(cog), 시상돌기, 외반고리관, 이복근능, 침골 단각 등이 있다.

바이러스감염 또는 신경부종에 의하여 지연성 안면신경마비는 수술 후 10일까지도 발생할 수 있다. 스테로이드제를 투여하며 보존적으로 치료하는데, 부분마비는 신경이 절단되었을 때가 아니라 신경부종 또는 열손상이 원인이며 대개 보존적 치료만으로 회복된다. 수술 중에 안면신경 손상이 확인된 경우 손상의 정도를 확인해야 한다. 신경섬유 손상이 있으면 절단면을 접합시키는 단단문합술(end to end anastomosis)을 시행하는 것이 가장 이상적이다. 단단문합술이 불가능한 경우 대이개신경(greater auricular nerve) 또는 비복신경(sural nerve)을 이용하여 신경이식(nerve interposition graft)을 절단된 안면신경 사이에 시행하는데 이식 부위의 긴장을 피하기 위해 약 20% 정도 여유를 두어 신경이식을 한다. 가능하면 절단된 신경의 종말부를 5 mm 정도 노출시키고, 신경단면을 경사지게 절단하여 접합면적을 넓게 하여 봉합하며, 봉합이 불가능한 경우에는 섬유소접착제(fibrin glue)를 사용하나, 신경이식술의 결과로서 가장 좋은 안면신경 마비 정도는 House-Brackmann 3단계이다.

2. 미로 손상(Labyrinthine injury)

미로 손상은 반고리관 또는 와우가 수술 중 개방되거나, 등골 조작으로 미로가 손상되는 경우로 함기화 정도가 작은 유양동이나 신생골이 형성되어 해부학적 지표가 불분명한 유양동 수술 중에 많이 발생한다.

외반고리관 손상이 가장 흔하며, 유양동 수술 중에서 가장 많이 손상 받는 부위이며, 안면신경 제2 슬부와 근접하므로 안면신경 손상과 함께 발생하는 경우가 많다. 미로 손상으로 감각신경성난청이 발생하는데, 술 중 막미로가 손상되면 전농, 진동 또는 이소골의 무리한 조작으로는 고음역난청이 주로 발생한다. 누공이 반고리관 팽대부위 근처에 발생하면 누공을 막아도 청력이 소실될 가능성이 높다.

예측하지 못하게 발생하는 미로 누공은 흡인기 등을 피하면서 골납, 근육편과 섬유소접착제로 누공 부위를 막아서 막미로를 보존해야 한다. 이후 섬유소접착제를 섞은 골분 또는 연골 조각으로 보강하고 근막으로 덮어 주어 누공을 막아야 한다. 등골족판이 골절된 경우에는 우선 내이를 근막, 연골막으로 덮어 내이를 보존해야 하는데, 전위되지 않는 경우에는 이를 제거하지 않으나, 골절편이 전정 속에 빠져 들어가면 제거하고 누공을 폐쇄해야 한다.

3. 혈관 손상(Vascular injury)

유양동 수술 중에 혈관 손상은 일반적으로 정맥동 손상이나 추체 내부에 위치한 내경동맥에서도 발생할 수 있으나, 대부분 S자형 정맥동에서 발생한다.

S자형 정맥동은 상추체정맥동(superior petrosal sinus)이 유입되는 상부부터 전하방 내측으로 주행하며 수직부의 하방에서 급격히 전장으로 구부러져서 수평부를 이루고, 매우 짧게 전상방으로 향한 이후 경정맥구(jugular bulb)에서 내경정맥과 연결된다. S자형 정맥동에서 출혈이 발생하는 경우 골벽이 남아 있는 경우 물 세척 없이 다이아몬드 버어로 갈거나, 골납을 이용하여 지혈을 시도할 수 있다. 골벽 없이 S자형 정맥동이 노출된 경우에는 양극소작기를 이용한 지혈, 충전제(oxidized cellulose (Surgicel®))로 충전하여 지혈한다. 개방형 유양동절제술을 시행한 경우에는 충전 부위를 근막 등으로 덮어서 보강해야 한다. 단극소작기를 이용한 지혈은 손상부위를 크게 만들 수 있어 권장되지 않는다. S자형 정맥동 내부가 완전 노출된 경우에는 정맥동 내강을 충전하는 경우 색전의 위험성이 있어 권장되지 않고, 손상된 부위 상부, 하부에 골벽이 남아 있다면 S자형 정맥동과 골벽 사이에 충전제(Surgicel®)를 충전하여 지혈할 수 있다. 상, 하추체정맥동 출혈은 유양동 수술에서 자주 발생하지 않으나, 정맥동경막각을 노출할 때 상추체정맥동 출혈이 있을 수 있다. 그 외에 S자형 정맥동의 상부 1/3의 후면 또는 외측면에서 유입되는 유돌동 도출정맥(mastoid emissary vein)이 유양동절제술 동안에 손상되어 출혈이 발생할 수 있다. 원위부 출혈은 골납(bone wax) 또는 단극소작기로, S자형 정맥동 유입부는 양극소작기 또는 충전제로 지혈이 가능하다.

경정맥구(jugular bulb)는 S자형 정맥동과 내경정맥이 만나면서 경정맥공에 위치한다. 상위경정맥구(high jugular bulb)는 경정맥구 상부가 하부 고실륜까지 올라오거나, 내이도(internal auditory canal)의 2 mm 이내까지 침범한 경우를 말하는데, 경정맥구가 하고실에 골벽 없이 노출되는 경우 중이 수술 시 천공될 위험성이 있다. 출혈 시 Surgicel® 등의 충전제로 수 분간 압박하면 지혈이 가능하나, 지속되는 경우 피판을 원위치하고 외이도를 충전해야 한다. 유양동 절제술 시 경정맥구에서 출혈하는 경우 다른 정맥동 지혈방법을 이용하면 되나, 인근에 IX, X, XI번 뇌신경이 주행하므로 신경 손상에 유의해야 한다.

내경동맥은 경동맥구와 경동맥릉(carotid ridge)으로 경계되어 중이강의 전내방으로 주행하고, 이관의 고실 개구부의 하내측에 위치한다. 고실부에서는 매우 얇은 골판으로 덮혀있고, 내경동맥의 외막은 경부에 비하여 얇고 약해 쉽게 손상될 수 있다. 경미한 출혈은 동맥벽의 맥관벽혈관(vasa vasorum)에 의한 것으로 양극소작기에 의해 처치가 가능하나, 내경동맥 손상에 의한 출혈은 내경동맥폐쇄술이 필요하고 일부에서는 합병증이 발생할 수 있다. 이에 고실 이관 개구부의 내측을 수술 시 주의가 필요하다.

경막출혈은 절단형의 버어를 사용하는 경우에 많이 발생한다. 출혈량이 적으면 생리식염수를 관류하면서 양극

소작기로 지혈이 가능하나, 골편과 경막 사이에서 출혈하는 경우 골벽을 넓게 제거한 뒤 근막 또는 충전제(Surgicel®)를 사용하여 지혈하고, 섬유소접착제를 사용할 수 있다. 비교적 큰 부위 경막이 노출되고 출혈하는 경우 아프로티닌, 콜라겐과 혈액응고제가 포함된 스폰지(Tachocomb®)를 접착하여 보강 사용할 수 있다.

4. 경막 손상(Dura injury)

작은 경막 노출은 특별한 치료가 필요하지 않다. 큰 경막 결손은 측두근막을 이용하여 보강하는 것으로 충분하나, 경막과 뇌조직이 유양동으로 돌출되어 뇌수막류(brain hernia)가 발생할 위험성이 있다면 중두개와 결손된 골판 내측으로 연골판을 넣고, 이후 근막으로 덮고 근피판으로 유양동을 폐쇄하나, 연골판 이후 혈액응고제가 포함된 스폰지(Tachocomb®)를 이용하여 뇌수막류를 방지할 수도 있다.

경막손상에 의하여 뇌척수액루가 발생하는 경우 뇌척수액유출로 인한 감염으로 반드시 처치해야 한다. 특히 노인의 경우 중뇌 경막이 얇아 잘 손상된다. 중두개저 경막은 거미막조직(arachnoid tissue)이 풍부하고 측두엽이 닿아있어 경막 결손의 처치가 용이하나, 후두개저 경막은 거미막조직이 없고, 소뇌교각의 뇌척수액만 차 있어서 경막손상 부위에 근피판 등을 이식하고 보강해야 하나, 뇌척수액 유출이 많으면 중이강을 폐쇄하여 처리해야 한다.

참고문헌

1. 김종선. 만성 중이염의 수술. In: 대한이비인후과학회, ed. 이비인후과학 두경부외과학. 2nd edition ed. 서울, 대한민국: 일조각, 2009.
2. Aksoy F, Dogan R, Ozturan O, Eren SB, Veyseller B, Gedik O. Thermal effects of cold light sources used in otologic surgery. Eur Arch Otorhinolaryngol 2015;272:2679-2687.
3. Ashram YA, Yingling CD. Intraoperative Monitoring of Cranial Nerves in Neurotologic Surgery. In: Flint PW, Haughey BH, Lund VJ, et al., eds. Cummings Otolaryngology - Head and Neck Surgery. 6th edition ed. Philadelphia, PA: Elsevier, 2015.
4. Bluestone CD. Mastoidectomy and Cholesteatoma. In: Bluestone CD, ed. Surgical Atlas of Pediatric Otolaryngology. Shelton, CT: PMPH-USA, Ltd., 2002.
5. Bondy G. Totalufmeisselung mit Erhaltung von Trommelfell und Gehorknochelchen. Monatsschr Ohrenh 1910;44:15-23.
6. Brackmann DE. Tympanoplasty with mastoidectomy: canal wall up procedures. Am J Otol 1993;14:380-382.
7. Chole RA, Brodie HA, Jacob A. Surgery of the Mastoid and Petrosa. In: Johnson JT, Rosen CA, eds. Bailey's Head and Neck Surgery-Otolaryngology. 5th edition ed. Philadelphia, PA: Lippincott Williams&. WJ.lkins, 2014.
8. Coker NJ, Jenkins HA. Atlas of Otologic surgery. Philadelphia, PA: W.B. Saunders Company, 2001.
9. Dia A, Nogueira JF, O'Grady KM, Redleaf M. Report of endoscopic cochlear implantation. Otol Neurotol 2014;35:1755-1758.
10. Fagan PA, Rodrigues SJ. Middle temporal artery flap in mastoid surgery. Otol Neurotol 2004;25:242-244.
11. Gantz BJ, Gubbels SP, Wilkinson EP. Canal Wall Reconstruction Tympanomastoidectomy. In: Brackmann DE, Shelton C, Arriaga MA, eds. Otologic surgery. 3rd edition ed. Philadelphia, PA: Saunders-Elsevier, 2010.
12. Haynes DS, Wittkopf J. Canal-Wall-Up Mastoidectomy. In: Gulya AJ, Minor LB, Poe DS, eds. Glasscock-Shambaugh's Surgery of the Ear. 6th edition ed. Shelton, CT: PMPH-USA, Ltd., 2010.
13. Hildmann H, Sudhoff H, Jahnke K. Principles of an Individualized Approach to Cholesteatoma Surgery. In: Jahnke K, ed. Middle Ear Surgery. New York, NY: Thieme New York, 2004.
14. Jansen C. The combined approach for tympanoplasty (report on 10 years' experience). J Laryngol Otol 1968;82:779-793.
15. Kozin ED, Lehmann A, Carter M, et al. Thermal effects of endoscopy in a human temporal bone model: implications for endoscopic ear surgery. Laryngoscope 2014;124:E332-339.
16. Kveton JF. Open Cavity Mastoid Operations. In: Gulya AJ, Minor LB, Poe DS, eds. Glasscock-Shambaugh's Surgery of the Ear. 6th edition ed. Shelton, CT: PMPH-USA, Ltd., 2010.
17. Marchioni D, Grammatica A, Alicandri-Ciufelli M, Genovese E, Presutti L. Endoscopic cochlear implant procedure. Eur Arch Otorhinolaryngol 2014;271:959-966.
18. Migirov L, Shapira Y, Wolf M. The feasibility of endoscopic transcanal approach for insertion of various cochlear electrodes: a pilot study. Eur Arch Otorhinolaryngol 2015;272:1637-1641.
19. Mudry A. History of instruments used for mastoidectomy. Journal of Laryngology and Otology 2009;123:583-589.
19. O'Sullivan PG, Atlas MD. Use of soft tissue vascular flaps for mastoid cavity obliteration. Laryngoscope 2004;114:957-959.

20. Poe DS. Endoscope-Assisted Middle Ear Surgery. In: Gulya AJ, Minor LB, Poe DS, eds. Glasscock-Shambaugh's Surgery of the Ear. 6th edition ed. Shelton, CT: PMPH-USA, Ltd., 2010.
20. Nomura K, Oshima H, Yamauchi D, Hidaka H, Kawase T, Katori Y. Ototoxic effect of Ultrastop antifog solution applied to the guinea pig middle ear. Otolaryngol Head Neck Surg 2014;151:840-844.
21. Ramsey MJ, Merchant SN, McKenna MJ. Postauricular periosteal-pericranial flap for mastoid obliteration and canal wall down tympanomastoidectomy. Otol Neurotol 2004;25:873-878.
23. Poe DS. Endoscopic Middle Ear and Mastoid Surgery. In: Haberman RS, ed. Middle Ear and Mastoid Surgery. New York, NY: Thieme New York, 2003.
25. Roland PS, Leach JL. Reconstruction of the Posterior Ear Canal. In: Haberman RS, ed. Middle Ear and Mastoid Surgery. New York, NY: Thieme New York, 2003.
26. Sanna M, Sunose H, Mancini F, Russo A, Taibah A. Middle Ear and Mastoid Microsurgery. New York, NY: Thieme New York, 2003.
27. Shambaugh GE, Glasscock ME. Surgery of the Ear. Philadelphia, PA: Saunders, 1980.
28. Shao W, Rimell F. Pediatric Tympanomastoidectomy. In: Haberman RS, ed. Middle Ear and Mastoid Surgery. New York, NY: Thieme New York, 2003.
29. Sheehy JL, Patterson ME. Intact canal wall tympanoplasty with mastoidectomy. A review of eight years' experience. Laryngoscope 1967;77:1502-1542.
30. Shirazi MA, Muzaffar K, Leonetti JP, Marzo S. Surgical treatment of pediatric cholesteatomas. Laryngoscope 2006;116:1603-1607.
31. Singh V, Atlas M. Obliteration of the persistently discharging mastoid cavity using the middle temporal artery flap. Otolaryngol Head Neck Surg 2007;137:433-438.
32. Stevens SM, Lambert PR. Mastoidectomy: Surgical Techniques. In: Flint PW, Haughey BH, Lund VJ, et al., eds. Cummings Otolaryngology: Head and Neck Surgery. 6th edition ed. Philadelphia, PA: Elsevier, 2015.
33. Wullstein H. Funktionelle Operationen im Mittelohr mit Hilfe des freien Spaltlappen-Transplantates. Arch Ohren Nasenu Kehlkopfh 1952;161:422-435.
34. Yung M, Smith P. Mid-temporal pericranial and inferiorly based periosteal flaps in mastoid obliteration. Otolaryngol Head Neck Surg 2007;137:906-912.
35. Zollner F. Die Radikal-Operation mit besonderem Bezug auf die Horfunktion. Ztschr Laryngol Rhinol Otol 1951;30:104.

CHAPTER

26

이경화증

정연훈

이경화증(otosclerosis)은 이낭(otic capsule)에서 국소적으로 발생하는 원발성 질환으로 상염색체 우성 유전양식을 지닌다. 1704년 Valsalva는 윤상인대(annular ligament)의 골화로 인한 등골의 강직(ankylosis)에 대하여 처음으로 설명한 바 있으며, Toynbee는 1860년에 등골의 고정(fixation)으로 인하여 청력손실이 야기된다고 기술하였다. 또한, Politzer는 이 질환의 조직학적 특성을 알렸으며 이경화증(otosclerosis)이라는 이름을 덧붙였다. 1912년 Siebenmann은 초기 활동기 단계에서 일어나는 골의 해면화를 현미경적 소견으로 기술하여 이를 이해면화증(otospongiosis)이라고 명명하였다.[10,14]

이경화증은 인종에 따라 발생 빈도의 차이를 보인다. 백인의 경우 사후 측두골 병리조직에서 증상이 없는 조직학적 이경화증(histological otosclerosis) 소견이 8~11%에서 관찰되었고, 증상이 있는 임상적 이경화증(clinical otosclerosis)의 경우는 0.3~0.4%에 해당하였다. 이경화증은 전체 난청을 일으키는 원인의 5~9%를 차지하고 있으며, 전음성 난청의 원인 중에서는 약 18~22%를 차지한다. 그에 반해 동양인과 흑인에서는 증상이 있는 이경화증의 발병율은 0.003~0.1%로 극히 드문 것으로 알려져 있다.[12,22]

서서히 진행하는 양상의 난청을 일으키는 이경화증은 대개는 양측성으로 나타난다. 대부분 10대 후반이나 20대 초반에 증상이 발현하나, 30대 이후부터도 발병할 수 있다. 남녀 비율은 2:1로 여성에서 많이 나타나며, 이는 호르몬과도 관계되어 있음을 시사하는 것으로, 실제 에스테로겐과 프로게스테론의 증가가 질환의 진행에 영향을 미치는 것으로 알려져 있다.[10,18]

I 발병 부위

이낭은 태생 8주부터 연골의 형태를 갖추며, 15주경부터 21주경까지 골화가 일어난다. 이낭은 조직학적으로 크게 세층으로 나뉘어졌으며, 제일 외측의 골막외층(outer periosteal layer), 가운데의 내연골층(middle endochondral layer), 그리고 내측의 골내막층(inner endosteal layer)으로 구성되어 있고, 이 중 이경화증은 내연골층을 가장 많이 침범한다.[1] 위치별로는 난원창의 전상연에 위치하는 전창소열(fissula ante fenestram)에서 가장 흔하게 나타나며, 그 다음으로 정원창(30~50%), 와우첨부(12%), 난원창 후부(11%), 내이도 후벽(5%)의 순서로 침범하게 된다. 이경화증은 발병 부위에 따라 fenestral type과 retrofenestral type으로 구분할 수 있다. Fenestral type의 경우 난원창과 정원창, 갑각, 고실분절 부위의 안면신경관 등을 침범한 경우를 말하며, retrofenestral type은 와우, 전정기관, 반고리관, 와우도수관, 내이도 등을 침범한 경우를 포함한다.[1]

Fenestral type 중 난원창 전상연에 발생하는 이경화증은 등골의 윤상인대와 등골뿐만 아니라 난원창와(oval window niche)까지 침윤하는 폐색성 이경화증(obliterative otosclerosis)과 윤상인대의 침범 없이 등골 족판에만 골화가 되는 biscuit footplate 형태가 있다. 폐색성 이경화증의 경우에는 등골 개창술 전에 두꺼워진 등골족판을 얇게 만들어야 한다. 이에 반하여, biscuit footplate의 경우에는 등골이 윤상인대에 고정(fixation)이 되어 있지 않아 수술 중 주의하지 않으면 부유족판(floating footplate)이 발생할 수 있다.[4]

Ⅱ 병태생리

이경화증의 발병 원인에 대해서는 아직도 명백하게 밝혀진 바는 없으나, 현재까지의 연구에 의하면 자가면역, 염증반응, 유전적 배경, 바이러스 감염, 호르몬 및 내분비적 요인 등 여러 가지 요인들의 복합적인 질환으로 생각되어지고 있다.[12,22]

이경화증은 다형성 골이형성증의 하나로 진행의 순서에 따라 초기의 해면화(spongiosis)와 후기의 경화(sclerosis) 단계로 나눌 수 있다. 초기의 해면화 단계에서는 혈관 주위 골조직이 흡수되어 혈관 주위 공간이 확장되고, 파골세포에 의해 골조직의 흡수가 진행된다. 또한, 조골세포에 의해 혈관조직과 결합조직이 풍부하고 교원질이 부족한 미성숙골로 치환되는 특징을 보인다. 이후 경화단계에서는 기존의 골조직의 흡수가 일어난 부위에서 경화골이 침착되며 이러한 단계들은 동시 다발적으로 발생할 수 있다. 이경화증은 내연골층에서 시작되지만 병변의 진행에 따라 골막외층과 골내막층까지 침범이 가능하며 아주 드물게 막성미로까지 진행될 수 있다.[1,10,15]

이경화증에 의한 전음성 난청의 정도는 0~50 dB로 난청의 정도가 다양하게 나타나며, 등골의 고정 정도에 따라서 점차 진행하는 것으로 보고되고 있다. 섬유화 고정(fibrous fixation)의 시작 단계에서는 일반적으로 30 dB 이내이며, 점차 골화가 진행되어 등골의 전방부가 고정되면 약 30~40 dB, 윤상인대까지 전체적으로 고정되면 40 dB 이상의 전음성 난청을 보이게 된다.[1,10]

Ⅲ 진단

1. 병력

이경화증의 진단에 있어 병력 청취는 매우 중요하다. 대부분의 경우 염증 또는 외상 등의 전음성 난청을 일으킬만한 과거력이 없이 서서히 진행된 청력손실을 호소한다. 환자의 약 70%에서 양측성 청력저하를 보이며, 증상의 발현 시기는 대개 20~40세이다. 이경화증의 약 50~60% 정도에서 가족력이 발견되며, 이 질환으로 인해 수술적 치료를 시행한 가족력을 나타내기도 한다. 또한, 여성에서 남성보다 약 2배 흔히 발병하며, 이경화증을 가진 여성 환자 중 약 30~60%가 임신 중이나 출산 직후에 증상이 발현되거나 악화된다고 한다.

이경화증의 환자들은 특히 시끄러운 곳에서 소리가 더 울 잘 들리는 Willis 착청 Dipiacusis Willisii 현상을 보이기도 하는데, 이는 전음성 난청에 따른 효과로 알려져 있다.[8,13] 또한, 환자의 75%에서 이명을 호소하며 이는 와우의 침윤 또는 비특이적인 소음성 난청 등과 연관된 것으로 생각된다. 이경화증 환자의 25%에서 전정기능 이상을 호소하며 어지러움의 양상은 다양하게 나타날 수 있고, 드물게 병변이 내림프관(endolymphatic duct)과 관련이 있을 시에는 메니에르병의 임상 증상을 나타낼 수 있다. 메니에르병의 진단은 이경화증의 수술적 치료의 절대적 금기증으로 이를 감별하는 것이 중요하다.[10,15]

2. 신체검사

이경(ear speculum)이나 수술현미경을 이용하여 고막을 관찰하면 대부분 정상 소견을 보인다. 그러나 드물게 고막을 통해 와우 갑각부나 난원창 전방부의 발적을 볼 수 있는 Schwartze 징후가 나타나게 되는데, 이는 초기 해면화 시기에 일어나는 혈관 확장에 의한 소견이다(그림 26-1). 신체검사에서 통기이경(pneumatic otoscope)으로 장액성 중이염이나 작은 천공, 이소골 단절 등 기타 전음성 난청의 가능성을 세밀하게 관찰하고, 추골의 가동성을 확인함으로써 이경화증과 감별하는 것이 중요하다.

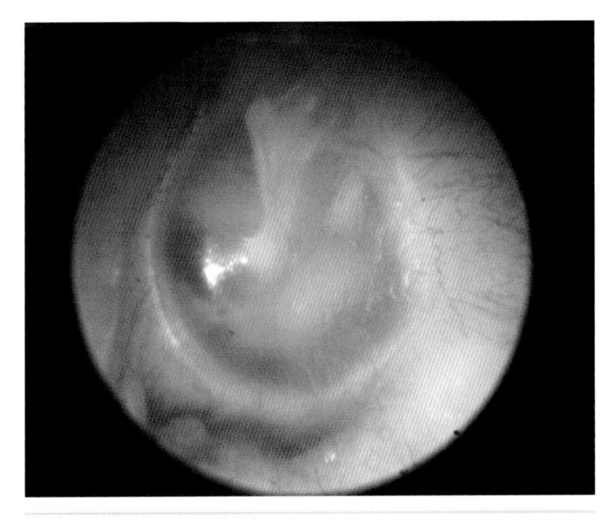

■ 그림 26-1. **이경화증의 Schwartze 징후.** 수술현미경을 통하여 와우 갑각부의 발적을 확인할 수 있다.

512 Hz나 1,024 Hz의 음차를 이용하여 Weber 검사와 Rinne 검사를 시행하는 것이 진단에 도움이 될 수 있다. Weber 검사에서는 난청이 있거나 심한 쪽으로 편위되는 것을 확인할 수 있으며, 이는 5 dB 정도의 차이만 있어도 양성이다. Rinne 음차 검사에서도 병변이 있는 쪽의 기도청력과 골도청력의 차이가 15~20 dB 이상이면 512 Hz 음차에서 음성으로 나타나게 되는데, 이는 수술의 적응증에 해당하게 된다. 한편, 외이도에 압력을 가해도 골도청력의 변화가 없는 Gelle 검사에서는 음성 반응이 나타난다.[10,16]

3. 청력검사

이경화증이 의심되는 모든 환자는 청력검사를 시행하게 되며 주로 골도청력, 기도청력, 어음청력 검사 등을 실시한다.

청력검사 결과는 등골 강직(stapedial ankylosis)의 정도와 와우 및 와우 주위로의 침범 정도에 따라 다양하게 나타날 수 있으나, 대부분의 경우 전음성 난청이 나타난다. 이경화증의 초기에는 이소골 연쇄의 강직인자(stiffness factor)에 의해 특징적으로 저음에서 기도-골도차가 나타나게 되며, 병변이 진행함에 따라 등골의 완전 고정이 일어나면 고음에도 영향을 받아 기도청력이 수평형을 보인다. 이경화증에 의한 골도청력은 병변의 진행 정도에 따라 양상이 다양한데, 최대 기도-골도차는 50~60 dB 사이이다.[1,15]

병변 초기에 등골의 고정에 의하여 2 kHz 골도청력에서 20~30 dB의 청력손실을 보이게 되는데, 이는 이경화증의 대표적인 특징적 소견으로 Carhart 절(notch)이라 한다. 수술적 치료 이후에 등골의 관성 회복으로 골도청력이 개선되면 Carhart절은 사라질 수 있어 이를 청력검사의 mechanical artifact라고도 부른다. 환자의 대부분에서 정상적인 어음명료도를 보이며, 감각신경성 난청의 정도가 심하면 감소하나 일반적인 감각신경성 난청에서의 어음명료치보다는 결과가 좋다.

임피던스 청력검사는 필수적인 검사는 아니지만 진단에 도움을 줄 수 있다. 이경화증의 경우 고실도(tympanogram)는 정상 또는 As형으로 나타나지만, 그 외의 소견이 보이는 경우는 고실경화증, 고막손상 후 반흔 등의 다른 질환의 동반 여부를 확인하여야 한다. 음향 반사(acoustic reflex)는 초기에 이상성(diphasic) 양상을 보일 수 있으나, 이경화증이 진행됨에 따라 점점 반응이 사라지며 반대편 음향 반사도 사라지게 된다. 음향 반사를 통하여 상반고리관 피열증후군(superior semicircular canal dehiscence)과의 감별 또한 가능하다.[10,16]

4. 방사선검사 소견

방사선검사는 이경화증의 진단뿐만 아니라, 질환의 이환정도와 부위별 침범여부를 확인하여 수술 가능 여부 등의 치료를 계획하고 예후 및 합병증을 예측하는 데에 도움을 줄 수 있다. 방사선검사 중 고해상도 전산화 단층촬영(HRCT)이 가장 널리 사용되고 있으며, 특징적인 소견으로는 골성미로의 광물질 소실로 인해 증가된 방사선 투과성이다. 이는 전창소열에서 가장 흔하게 관찰되며, 와우 주변으로 나타나게 되면 double ring sign을 확인할 수 있다(그림 26-2, 3). HRCT는 fenestral type에서 90% 이상의 민감도와 100%의 특이도를 보이나, 병변이 1 mm 미만의 미세병변인 경우이거나 활동기(이해면화기)가 아닐 때에는 확인하기가 어려울 수 있다.[26,27]

MRI는 CT에 비하여 잘 사용되지는 않는다. 이는 막성미로의 관찰에는 도움이 되나, 이낭과 중이의 공기음영을 구분하는데 신호소실(signal void)로 인한 어려움이 있기 때문이다. 최근에는 약물치료 전후의 이경화증의 활동도를 확인하여 치료효과를 파악하는 데 도움이 된다고 보고된 바 있다.[17]

그 외에 단일 광자 방출 컴퓨터 단층촬영(single photon emission computed tomography; SPECT), 고실와우 신티그램(tympanocochlear scintigraphy), Cone beam형 전산화 단층 촬영(cone beam computed tomography; CBCT) 등이 진단에 도움을 줄 수 있다고 한다.[26,27]

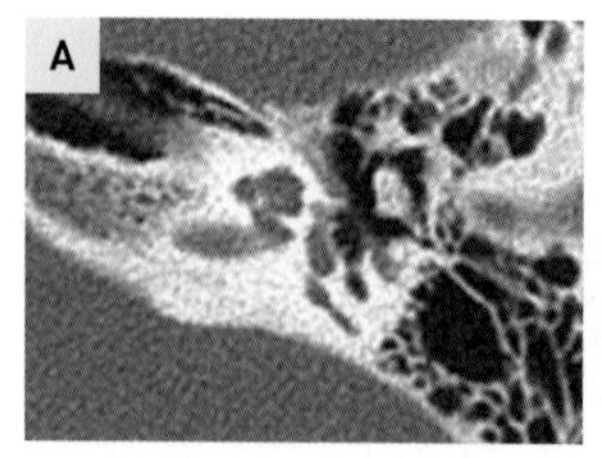

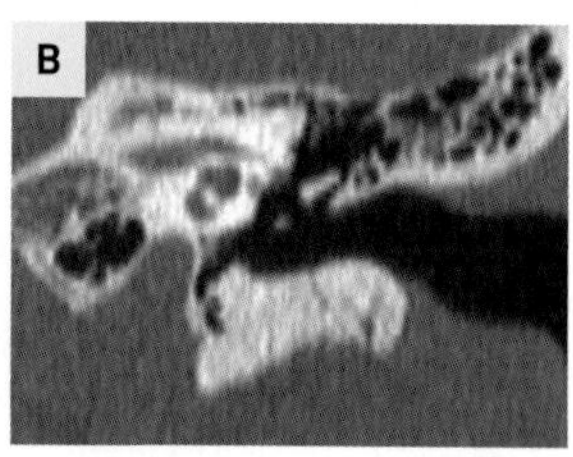

■ 그림 26-2. **Fenestral type 이경화증 환자의 HRCT 소견.** 전창소열에서 방사선 투과성의 소견을 관찰할 수 있다.

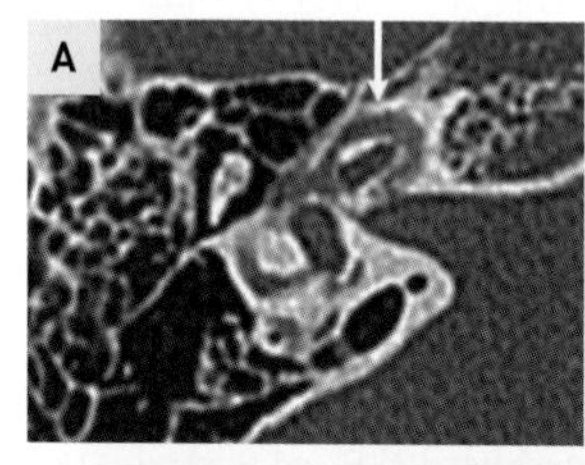

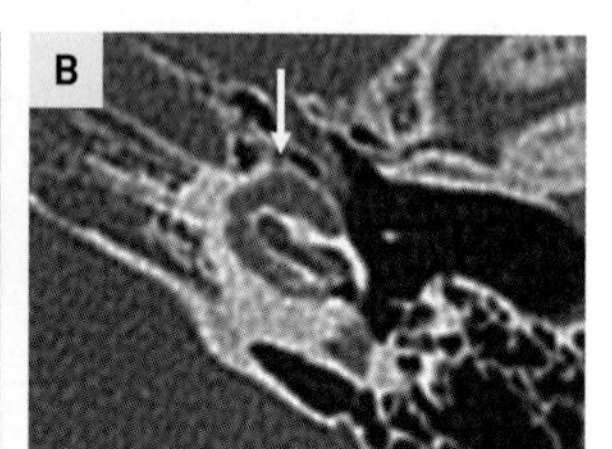

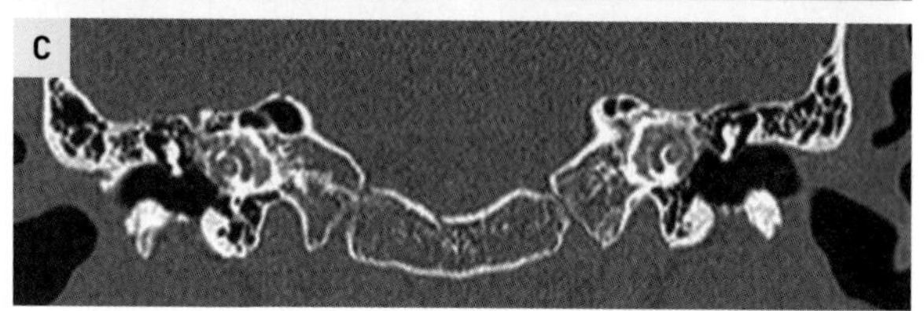

■ 그림 26-3. **양측 와우 이경화증(retrofenestral type) 환자의 HRCT 소견.** 와우 주변으로 저음영의 이해면화증을 확인할 수 있으며 축방향에서 double ring sign이 보인다(화살표).

Ⅳ 치료

1. 보청기

이경화증에 따른 청력저하의 기본 치료는 수술이지만, 경우에 따라서는 수술 대신 보청기로 청력재활을 할 수 있다. 보청기를 사용하게 되는 경우는 환자가 수술을 원하지 않거나 전신상태가 좋지 않을 때, 그리고 수술 후에도 골도 청력이 크게 떨어질 때이다. 최근 수술 후 30년 동안 정기적 추적 관찰을 한 연구 결과, 수술적 치료 이후에도 이경화증의 진행으로 약 66%의 환자에서 중고도에서 고도 난청의 소견이 보여 수술 후에도 보청기의 사용이 필요하다고 보고하기도 하였다.[20]

이경화증 환자에서 보청기를 사용하기 어렵거나 수술을 원하지 않을 경우 중이 이식형 보청기(implantable hearing aids) 또는 골도 이식형 보청기를 권유해 볼 수 있다.[2]

2. 약물치료

불소가 이경화증의 진행에 영향을 미칠 수 있다고 보고가 된 후 1960년대에 이와 관련된 임상연구가 진행되었다. 이경화증에서 감각신경성 난청이 발생하는 원인은 단백질 분해효소의 분비 및 외림프액으로의 흡수에 의한 것이라고 생각되어진다. 그러나 불소를 사용하게 되면 골의 흡수가 감소되고 석회화가 증가됨으로써 활동기의 이해면화증 상태에서 안정적인 이경화증의 상태로 바뀌어 효소의 분비를 멈출 수 있고 청력손실을 막을 수 있다. 불소는 수술의 절대적 금기증에 속하거나 감각신경성 난청 또는 전정기능 장애를 나타날 때 사용해 볼 수 있다. 또한 이해면화증에서 나타나는 Schwartz's 징후나 CT상에서 해면화 소견을 보이는 환자에서 수술 전 복용할 수 있다. 용량은 대개 2~20 mg의 저용량에서도 효과가 있다고 보고가 되고 있으며, 드물게 치아의 불소 침착증이 발생할 수 있어 6세 미만의 나이에서는 피하는 것이 좋다. 더 높은 용량을 사용하게 되면 오심, 구토, 속쓰림, 복통 등이 나타날 수 있으며 드물게 발진 및 근육통 등의 증상을 호소할 수 있다. 일반적으로 Florical®(불화나트륨(sodium flouride)과 탄산칼슘(calcium carbonate)) 8 mg을 하루 3회 복용하며, 적절한 불소의 사용 기간에 대해서는 아직도 논란 있다.[11] 최근의 보고에 따르면 불소와 탄산칼슘을 함께 사용할 시 이경화증의 전음성 및 감각신경성 난청의 진행의 속도를 줄일 수 있다고 알려져 있다.[5,10]

3. 수술적 치료

이경화증의 수술적 치료는 병변으로 인하여 굳어진 이소골 연쇄의 움직임을 재건하여 소리를 전달하는 데에 그 목적이 있다. 수술방법은 다양하나 현재는 마이크로드릴(microdrill)이나 레이저(laser)를 사용하여 시행하는 등골절개술이 가장 널리 사용되고 있다.

1) 내이개창술

내이개창술(fenestration)은 19세기 말 소개된 술식으로 현재는 거의 사용되지 않는다. 1896년 Passow에 의해 처음으로 고실갑각의 개창술이 소개되었으며, 1923년 Holmgren은 외반고리관에 개창을 만들고 등골을 우회하여 소리 전달 시 내림프액을 자극시키는 수술을 시행하였다. 또한, 1937년에 Sourdille는 개창술 케이스들을 모아 발표를 한 적이 있으며, 이후 1938년에 Lempert가 치과용 드릴을 사용하여 외반고리관에 개창을 만들고 고실외이도피판(tympanomeatal skin flap)으로 덮어 주는 단회 수술방법을 소개한 바 있다. Lempert의 이러한 수술방법은 당시 널리 사용되어 표준 치료법으로 간주되었으나, 현재는 이경화증의 수술적 치료로는 일반적으로 사용되지 않으며, 등골제거술을 시행할 수 없는 선천성 난원창 결손 환자의 경우에 가끔 사용된다.[3]

2) 등골가동술

19세기 후반 여러 술자들이 등골을 움직이게 하면서 이경화증의 수술적 치료가 처음 시도되었으며, 1952년 Rosen에 의해 등골 가동술(stapes mobilization)이 소개 되었다. Rosen은 내이개창술을 하던 도중 우연히 고정된 등골을 움직인 후 청력의 개선을 확인하였다. 등골가동술은 침골의 두상돌기(lenticular process)나 등골족판을 움직여 등골의 가동성을 얻는 방법으로, 술식이 비교적 간단하고 합병증이 적으면서 수술 직후에는 청력의 개선 또한 우수하지만, 등골 고정의 재발률이 높아 현재는 잘 사용하지 않는 술식이다.[3]

3) 등골절제술(그림 26-4)

이경화증의 등골절제술은 1956년 Shea에 의해 처음 소개되었으며, 등골족판을 완전히 제거하고 정맥편과 폴리에틸렌 지주를 사용하여 침골과 연결을 시켜주는 것이었다. 등골절제술이 소개된 이후 내이개창술과 등골가동술대신 이 술식이 이경화증의 수술적 치료로 널리 사용되었으며, 현재에도 등골수술의 기본 개념으로 간주되고 있다.[16] 술식은 등골절개술과 비슷하나 다른 점은 등골족판의 일부분 또는 전체를 제거하게 된다는 것이다. 등골족판 전체를 제거할 경우 마이크로 픽(micro-pick) 또는 마이크로드릴 등을 사용하여 후방 부위를 먼저 제거한 후 전방을 제거해야 하며, 이 과정에서 전정내로 들어가는 골파편이나 혈액 등에 대한 처치를 하면 안된다. 등골족판을 제거한 후에는 결체조직, 지방질, 정맥편 등의 조직이나 젤폼(gelfoam) 등을 스틸 와이어(steel wire) 또는 백금선 등의 지주에 묶어 침골과 열려진 난원창 사이에 연결한다.

4) 등골절개술

등골절제술과 비교해 보았을 때, 등골절개술은 내이에 손상이 적고, 보철물의 위치이탈의 가능성이 낮으며, 난원창 막의 불필요한 외측이동(lateral displacement)이 적기 때문에 최근에는 대부분 등골절개술을 시행하고 있다.

(1) 수술 전 고려사항

수술 전 환자와 보호자에게 이경화증에 대한 설명과 더불어 치료방법에 대하여 충분한 정보를 주는 것이 좋다. 또한, 수술과 관련해서는 수술의 위험성 및 부작용에 대한 설명을 자세하게 해주어야 한다. 수술 후에도 청력개선이 되지 않거나, 전도성 난청이 남아 있을 수 있다는 것을 주지시키고, 드물지만 감각신경성 난청의 발생, 이명의 증가, 어지럼증, 고막 천공, 안면신경 이상, 미각 변화, 외림프누공, 지연성 합병증 등의 발생 가능성이 있음을 설명해야 한다. 술자는 수술을 계획하기 전 여러 가지 사항을 고려하여 시행하는 것이 중요하다(표 26-1).[3]

표 26-1. 수술 전 고려사항(Brackmann, Otologic Surgery 4th ed)

I. 수술적응증 1) 환자의 전신상태가 양호하여야 한다.(특히, 전신마취하수술시) 2) 청력이 불량한 쪽을 먼저 수술한다. 3) 최소 기도-골도청력치가15dB이상인 전음성난청이여야 한다. 4) 양측성 전음성 난청일 경우 청력이 불량한 쪽을 먼저 시행하고 6개월 이후에 반대측을 시행하되, 반대측의 청력이 수술을 시행한 쪽보다 불량한 것을 확인한 후 시행한다.
II. 수술 금기증 1) 전신상태가 불량한 경우 2) 기도-골도청력치가 적은 경우나 512Hz의 음차를 사용하여 시행한 Rinne검사상에서 양성인 경우 3) 메니에르병또는 상고리관피열증후군 등의 전정기능장애가 존재하는 경우 4) 반대측 귀가 전농인 경우 5) 와우이경화증인 경우
III. 일시적 금기증 1) 고막의 천공이 있는 경우 2) 외이도염이나 중이염이 있는 경우 3) 나이에 제한은 없으나 5세 이상에서 수술을 시행하는 것이 안전하다.

먼저 환자의 전신 상태가 양호한 것을 확인하여 수술의 가능 여부를 판단하고 청력이 불량한 쪽을 우선 수술한다. 양측 청력이 비슷하면 이명이 있는 귀를 먼저 수술하거나, 한쪽 귀에 보청기를 사용하고 있다면 착용하지 않는 귀를 선택한다. 이명 등 양측의 병변 정도가 비슷하면 환자에게 선택하도록 한다. 수술의 가장 좋은 적응증은 기도-골도차가 20 dB 이상인 양측 전음성 난청이지만, 골도청력 역치 측정이 불가능한 고도 청력손실 환자의 경우에도 등골수술 시행 후 보청기의 도움을 받으면 청력재활의 정도가 비교적 좋기 때문에 이런 환자를 대상으로도 수술을 고려할 수 있다.[3,16]

전신상태가 불량하거나 기도-골도차가 적은 경우에는

수술을 피하는 것이 좋다. 또한 한쪽 귀가 이경화증 상태이며 반대 귀가 전농 상태일 때는 수술을 피해야 한다. 그 외에도 와우 이경화증의 경우이거나 메니에르병 또는 상고리관 피열증후군 등의 전정기능 장애가 존재하는 경우도 수술의 금기증이 된다.[3,16]

이경화증수술은 복잡한 술식으로 가능한 술전 고막과 외이도 상태가 정상적인 경우가 편리하다. 따라서, 수술하기 전에 외이도 및 중이강의 상태를 미리 파악하는 것이 중요하다. 외이도염이 있는 경우에는 이에 대한 치료를 먼저 완료하고 수술해야 하며, 고막 천공의 경우에는 고막성형술을 먼저 시행하여 이경화증수술 후 발생 가능한 중이강 감염 가능성을 없애는 것이 좋다. 일반적으로는 고막수술 3~6개월 후 이경화증 수술하는 것을 권유한다. 또한, 이경화증 수술에 대한 나이 제한은 없으나, 소아는 기본적으로 중이염의 발생빈도가 감소하는 5세 이후부터 수술하는 것이 좋다.[3,6,28]

(2) **수술**(그림 26-4, 5, 6)

수술은 일반적으로 국소마취하에 시행하나, 필요에 따라 전신마취도 할 수 있다. 국소마취는 전신마취하에 시행하는 방법보다 수술 회복이 더 빠르며, 수술에 따른 청력개선의 정도 및 내이 자극으로 인한 현기증 등의 합병증을 수술 중에 빨리 감지할 수 있는 장점이 있다. 전신마취는 소아나 자세 유지가 힘든 성인의 경우, 또는 수술에 따른 공포감이 큰 환자의 경우에 시행할 수 있다.

국소마취를 하는 경우에, 환자의 진정을 위하여 필요한 경우에 미다졸람(midazolam) (0.5~2.0 mg) 등의 진정제를 투여할 수도 있다. 국소마취를 위하여 1:100,000 에프네프린(epinephrine)이 포함된 1~2% 리도카인(lidocaine)을 외이도 내에 주사하는데, 혈관대(vascular strip)와 외이도의 후하방을 포함하는 것이 중요하며, 외이도 피부에 수포가 생기지 않도록 골막하 주입이 되도록 해야 한다. 이때, 외이도의 창백반응(blanching)을 확인하는 것이 수술 중 발생하는 출혈을 감소시킬 수 있고, 알맞은 크기의 이경을 사용하여 외이도에 공급하는 혈관을 적절하게 압박하는 것 또한 출혈을 예방하는데 도움을 줄 수 있다.

수술은 경외이도법(transcanal approach) 또는 이내수술법(endaural approach)으로 시행할 수 있다. 먼저 골외이도 내측 피부에 고실륜의 6시와 12시 방향부터 골외이도 후벽의 외측으로 약 8 mm 정도까지 타원형의 고실외이도피판 절개를 하고 고실외이도피판(tympanomeatal flap)을 round knife나 Sheehy weapon을 이용하여 조심스럽게 들어올린다(그림 26-4A). 피판을 거상할 때에는 weapon이 외이도골에 지속적으로 닿아야 하며 흡인(suction)은 weapon 뒤에서 사용하여 피부피판을 건드리지 않도록 한다. 고실륜에 도달했을 때 고삭신경의 손상을 피하기 위해서 고막 후하방 아래에서부터 조심스럽게 피판을 들어올려 고삭신경의 주행을 확인해야 한다. 피판은 정원창이 보이는 위치까지 하방으로 거상하고 추골의 경부가 보이는 위치까지 상방으로 거상하며, 이때 침골을 건드리지 않도록 주의한다. 전방으로는 추골의 단돌기(short process)까지 노출하며, 상방으로 안면신경의 고실부분이 보여야 한다. 후방으로는 등골근건(stapedial tendon)과 추체융기(pyramidal eminence)가 보이도록 노출해야 하는데, 대개 후방 골고실륜이 가로막고 있어서 외이도의 후벽을 큐렛(curette)이나 마이크로드릴로 조심스럽게 제거해야 한다(그림 26-6A). 외이도 후벽을 제거할 때에는 고실륜의 후방에서 시작해야 침골의 손상을 막을 수 있다.

시야가 확보되면 이소골의 유동성을 확인한 후 측정자(measuring rod)를 사용하여 침골에서 등골족판까지의 거리를 확인한다(그림 26-6B). 측정자를 사용할 때에 술자에 선호도에 따라 침골장돌기(incus long process)의 최저점, 중간점, 최고점 등에서 시작할 수 있으나, 일관적으로 하나의 위치를 정하여 침골-등골 거리를 결정하는 것이 중요하다. 피스톤(piston)의 전체 길이는 ① wire 두께, ② 피스톤 고리를 고정(crimping)하는 위치의 침골장돌기의 두께, ③ 침골 최저점부터 등골족판까지의 거리,

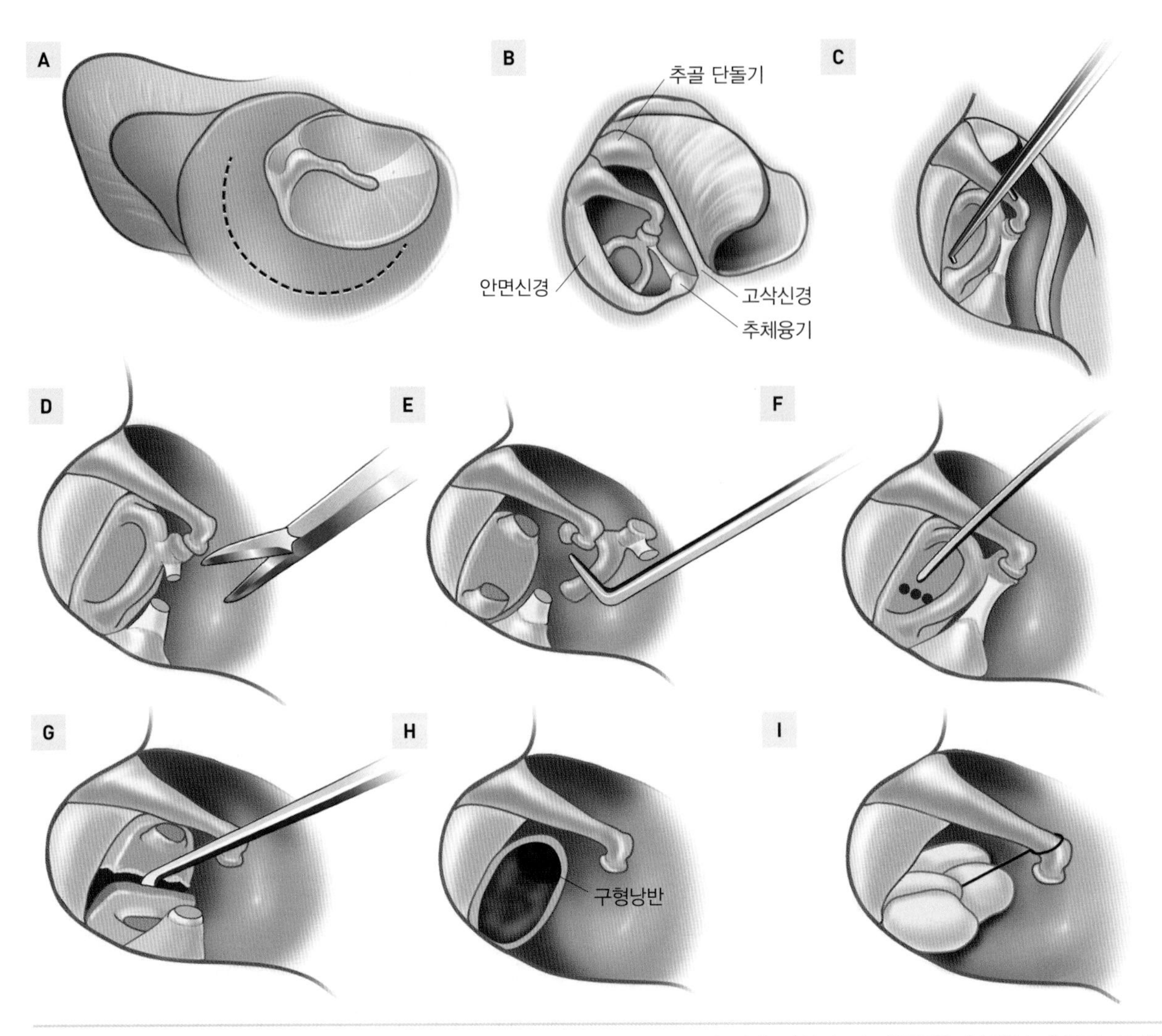

■ 그림 26-4. **등골 절제술의 순서.** **A)** 고실외이도피판(tympanomeatal skin flap)을 만든다. **B)** 난원창을 충분히 노출한다. **C)** 침골과 등골족판 사이의 길이를 측정한다. **D)** 침골-등골 관절을 분리한 후 등골건을 자른다. **E)** 등골각을 안면신경의 반대쪽으로 부러뜨려서 제거한다. **F)** 등골판의 중앙에 작은 구멍을 여러 개 뚫는다. **G)** 등골족판의 구멍을 넓힌 다음 뒤쪽 절반을 먼저 제거하고 나서 앞쪽 절반을 제거한다. **H)** 등골족판을 완전히 제거하고 나면 앞쪽으로 구형낭반이 보인다. **I)** Steel wire에 연조직을 묶어서 침골과 난원창 사이를 연결하고 연조직이나 혈액을 놓아 정원창을 막는다.

④ 등골족판의 두께, ⑤ 피스톤이 전정내로 들어가는 길이를 모두 합한 값으로 약 5.2 mm가 된다. 이 술식에서 실제로 언급되는 '삽입물 길이(prosthesis length)'는 침골장돌기에 고정하는 부위를 제외한 피스톤의 길이로서, 침골장돌기 최저점에서부터 피스톤이 전정 내로 들어가는 거리까지를 말하며 그림 26-5의 ③+④+⑤에 해당하는 것으로 약 4.25 mm이다. 피스톤의 고리가 걸리는 침골장돌기의 위치는 침골장돌기 끝에서 1.4(±0.28) mm이고, 그 위치의 두께는 0.66(±0.05)~0.81(±0.1)mm로서 다양하다.[11] 등골족판의 두께는 약 0.25 mm이며, 등골족판을 통하여 전정 내로 들어가는 피스톤의 길이는 약 0.1~0.25 mm이다.[2,19] 피스톤의 길이가 너무 길어 0.25 mm를 넘어서 전정내로 들어가면, 내골막(endosteal membrane)이 피스톤 하방으로 자라가지 못해 피스톤 주

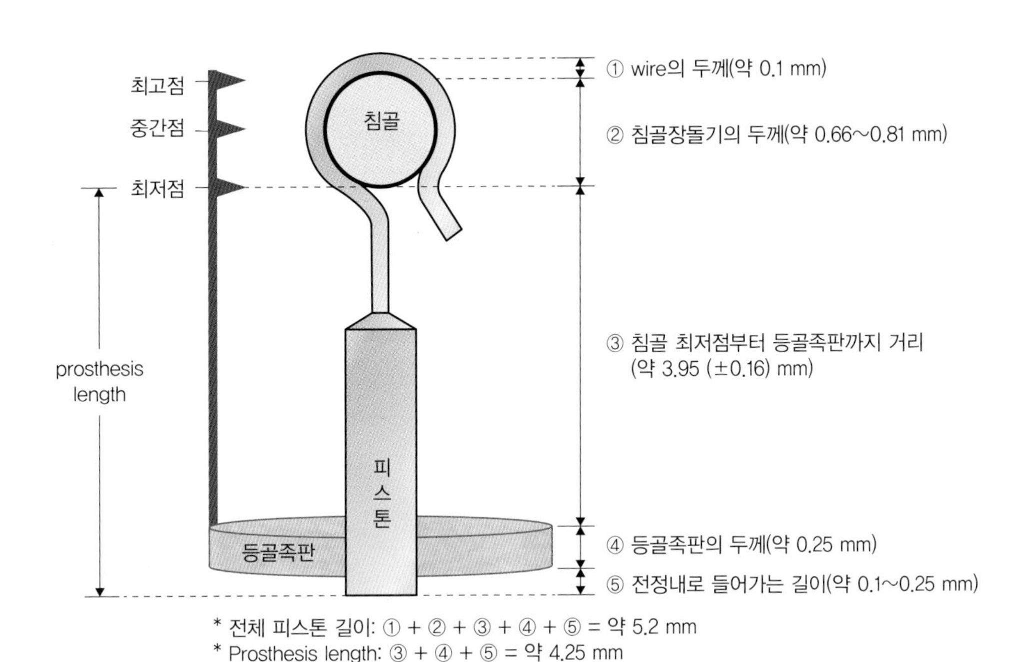

그림 26-5. 전체 피스톤의 길이는 ① wire 두께, ② 피스톤 고리가 crimping하는 위치의 침골장돌기의 두께, ③ 침골 최저점부터 등골족판까지의 거리, ④ 등골족판의 두께, ⑤ 피스톤이 전정내로 들어가는 길이를 모두 합한 값으로 약 5.2 mm가 된다. 실제로 수술에서 중요한 '삽입물 길이(prothesis length)'는 침골 최저점에서부터 피스톤이 전정내로 들어가는 거리까지를 말하며 ③+④+⑤=약 4.25 mm이다.[2,5,7,8,18,20,21]

위의 빈틈을 밀봉하지 못하게 된다. 또한 등골족판의 내면과 난원창과 정원창까지의 최소 안전거리가 1 mm로, 피스톤의 길이가 길어서 막성미로를 자극하게 되면 어지럼을 유발하게 되고, 이로 인해 정원창, 난원창막을 천공하게 되면 감각신경선난청과 심한 어지럼을 유발하므로 주의하여야 한다(그림 26-5).[3,7,9,10,21,23,24]

① 마이크로드릴을 사용한 등골절개술

수술 부위가 충분히 노출이 되고 침골과 등골 사이의 길이를 측정 한 후 침골-등골 관절을 분리한다(그림 26-6C). 이후 미세가위(microscissor)를 이용하여 등골건을 자르고(그림 26-6D) 등골 상부구조의 후각부터 분리하는데 이때 마이크로드릴을 사용할 수 있다(그림 26-6E, F). 등골족판의 창을 만들기 전 먼저 perforator 등으로 작은 구멍을 만들고(그림 26-6G), burr의 구경은 피스톤보다 약 0.1 mm 더 큰 것(0.6~0.7 mm 다이아몬드 마이크로드릴(diamond microdrill) 또는 skeeter drill)을 이용하여 등골족판의 창을 만든다(그림 26-6H, I). 개창 부위는 막성미로에서 더 멀리 떨어져 있는 등골족판의 후방 1/2~1/3이 적절하며, 드릴링(drilling)시에는 최대한 압력을 가하지 않은 채로 사용하여 내이 손상을 피하는 것이 좋다. 마이크로드릴이 전정에 가깝게 도달하게 되면 드릴링시 손끝에 저항이 미세하게 감소되는 것을 감지할 수 있으며, 드릴링한 부위 아래 푸르스름한 색의 전정을 확인할 수 있다. 드릴링을 마친 후 burr를 끄집어낼 때 마찰을 느낀다며 가볍게 드릴링을 재시행하여 남아 있는 족판의 골돌출(bony overhangs)을 제거한 후 burr를 조심스럽게 빼낸다. 개창 부위 주위로 출혈이 지속되면 먼저 생리식염수를 적신 젤폼이나 cottonoid로 지혈을 시도하고, 흡인(suction)을 개창 부위에 직접 사용하게 되면 감각신경성난청을 유발할 수 있으므로 가장 작은 크기를 선택하여 개창 주위로만 가볍게 이용해야 한다.

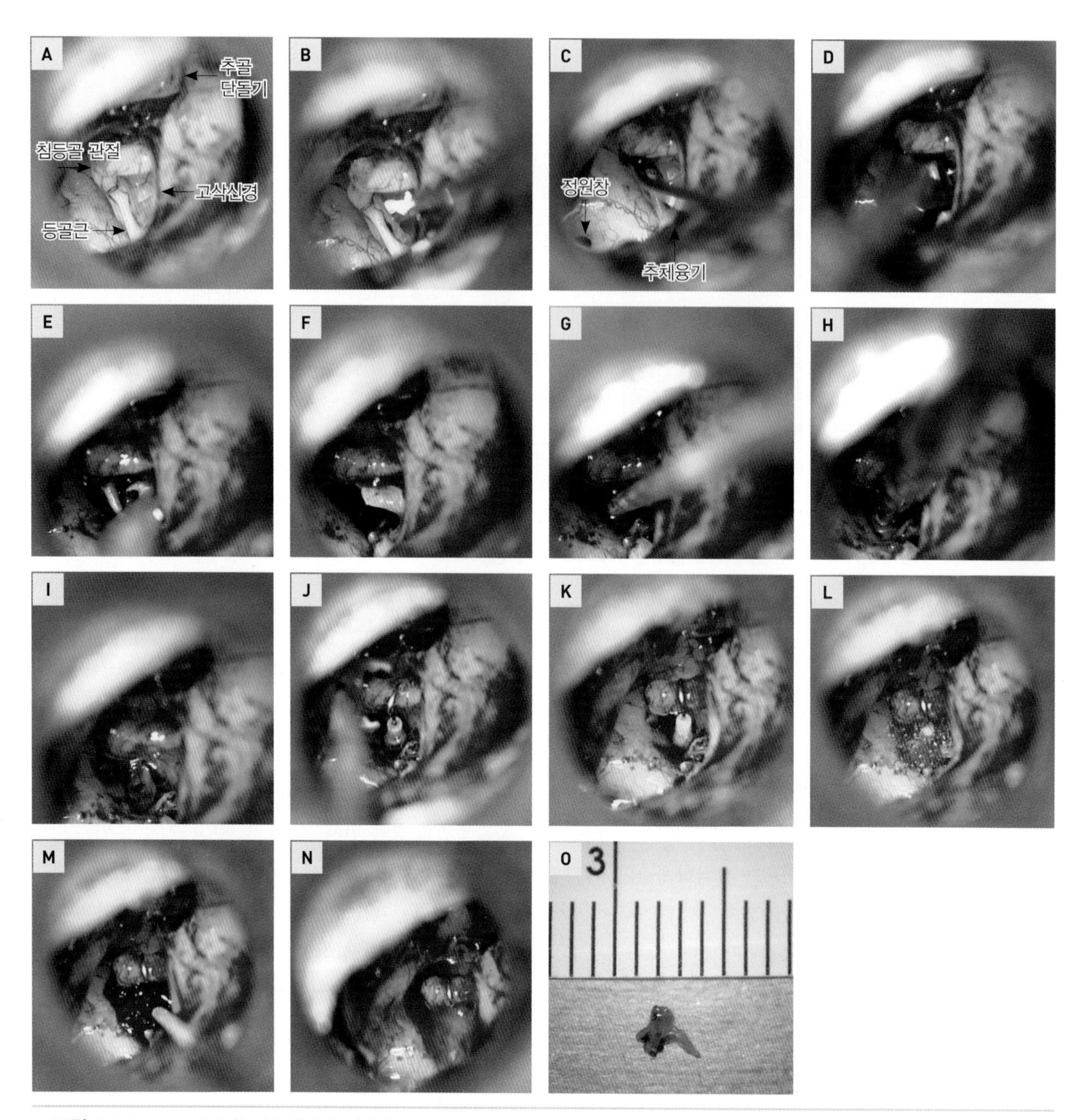

■ **그림 26-6. Microdrill을 이용한 등골절개술.** **A)** 난원창을 충분히 노출시킨다. **B)** 측정자를 사용하여 침골과 등골 사이의 길이를 측정한다. **C)** 침골-등골 관절을 분리한다. **D)** 등골건을 자른다. **E)** 등골의 후각을 자른다. **F)** 등골각을 와우갑각 쪽으로 부러뜨려서 제거한다. **G)** 등골판에 작은 구멍을 뚫는다. **H)** 마이크로드릴(microdrill)로 등골족판에 창을 만든다. **I)** 만들어진 창 사이로 외림프액을 확인할 수 있다. **J)** 피스톤 와이어(piston wire)를 침골에 걸치고 족판 창에 삽입한다. **K)** Forcep 등을 이용하여 wire를 침골에 고정시킨다. **L, M, N)** 젤폼(gelfoam), 연조직, 혈액, glue 등을 사용하여 난원창을 덮고 피스톤을 지지한다. **O)** 제거된 등골 상부구조물이다.

등골의 상부구조를 완전히 제거하기 위해서 먼저 침골-등골 인대를 분리하고 등골건을 자른다. 등골의 상부구조를 와우갑각 쪽으로 아래로 재빠르게 밀어서 등골의 전각을 골절시킨다(그림 26-6O). 등골 상부구조의 제거는 술자의 선호도에 따라 피스톤 삽입 이전이나 이후 모두 가능하다. 피스톤을 삽입할 때에는 피스톤 와이어(piston wire)가 침골의 장돌기에 걸쳐질 수 있도록 하며, 이때 와이어(wire)와 침골이 최대한 직각이 될 수 있도록 위치시킨다. 침골에 걸쳐있는 와이어는 forceps 등을 사용하여 적절하게 고정시키는 것이 중요하다(그림 26-6J, K). 와이어가 느슨하게 고정될 경우 기도-골도 차가 줄어들지 않을 수 있으며, 너무 강하게 고정된 경우에는 침골의 미란 또는 골절이 발생할 수 있어 주의를 요한다. 또한 대치물의 길이가 너무 길면 환자는 어지럼증을 호소할 수 있는데 이때는 피스톤 길이를 다시 조정하여 수술을 진행한다. 마지막으로 이소골 연쇄의 가동성을 확인하고 환자에게 청력의 상태를 물어본 후 수술 종료 여부를 판단하게 된다. 청력호전이 확인이 되면 난원창 주위로 젤폼이나 환자의 말초 혈액, glue 등을 사용하여 난원창을 덮는다(그림 26-6L, M, N). 끝으로 고실외이도피판을 재위치로 고정시키고 외이도에 젤폼을 팩킹한 후 수술을 종료한다.[3,10,16]

② Laser를 사용한 등골절개술

등골개창술 시 perforator, 마이크로드릴(microdrill), 픽(pick) 등 여러 가지 도구를 사용할 수 있으나, 최근에는 레이저를 이용한 등골개창술이 주목받고 있다. 레이저를 사용할 경우 기존의 방법과 비교해 보았을 때 부유족판, 출혈, 기계적 손상 등의 수술 중 발생 가능한 합병증을 줄일 수 있으며, 최근 메타분석을 시행한 연구에서도 레이저를 이용한 등골 개창술의 청력 호전의 정도(기도와 골도 청력의 차이 〈 10 dB)가 기존의 도구를 사용한 등골 개창술보다 결과가 좋았다고 보고한 바 있다.[8]

레이저를 이용하여 등골개창술을 시행할 경우 눈에 보이는 argon이나 potassium-titanyl-phosphate (KTP-532)를 사용할 수 있다. 이는 헤모글로빈 등 적색소에 흡수되고 광섬유를 통해 전달이 가능하므로 사용하기가 용이하고 미세한 수술을 하기에 적합하다. 그러나 골이나 콜라겐에 흡수되지 않으므로 전정기관 내로 열이 전달될 위험성이 있다. CO_2 레이저는 골이나 콜라겐에 흡수되므로 열이 전정기관 내로 전달될 가능성이 낮다. 이전에는 현미경에 부착된 거울을 이용하여 작동하였으며 이로 인해 미세수술에 사용하기가 까다로운 면이 있었으나, 최근에는 CO_2 레이저 휴대용 도구(hand-held instrument)가 소개되면서 사용하기가 더욱 편리해졌다. 레이저의 장점은 수술 시 출혈을 줄일 수 있고, 등골 상부구조의 후각을 증발시켜 제거할 수 있기 때문에 부유족판(floating footplate)의 합병증을 줄일 수 있다. 또한 지나치게 족판이나 내이의 손상을 가하지 않고 적절한 창을 만들 수 있어 청력 손상의 가능성을 줄일 수 있다. 부유족판의 경우에도 전정내로 족판을 함입하지 않고 창을 만들 수 있다.

먼저 침골-등골 인대를 분리하고 레이저를 사용하여 등골건을 자르고 등골 상부구조의 후각을 증발(vaporization)시킨다(그림 26-7A, B). 까맣게 탄(charred) 후각은 제거한 후 등골의 상부구조를 골절시켜 제거한다(그림 26-7C). 등골족판의 창을 만들 때 레이저를 사용하여 골에 처리하면 까맣게 처리가 되는 것을 확인할 수 있으며(그림 26-6E), 이러한 골처리 부위가 중첩될 수 있도록 여러 차례 시행하여 로제트 모양(rosette of chars)을 만들어 개창을 형성한다(그림 26-7F). 레이저로 처리된 등골족판 사이로 외림프액이 누출될 수 있으며, 레이저를 사용하여 개창을 만들 때에는 기존 창의 크기보다 조금 더 넓게 만드는 것이 좋다.[3,10,16]

(3) 수술 후 처치

수술 직후에는 외림프액의 유출 가능성을 줄이기 위해 머리를 30°가량 올려줌으로써 외림프의 압력을 낮추는 것이 좋다. 통원수술의 형태로 진행하는 경우 환자는 회복실에서 약 3~4시간의 안정을 취하고 나서, 어지럽지 않으면 귀가가 가능하다. 입원수술의 경우에도 특이 소견이 없을 시에는 수술 다음 날 퇴원할 수 있다. 외래에서 1주 간격으로 3주간 소독과 정기적 관찰을 실시하고 3~4주

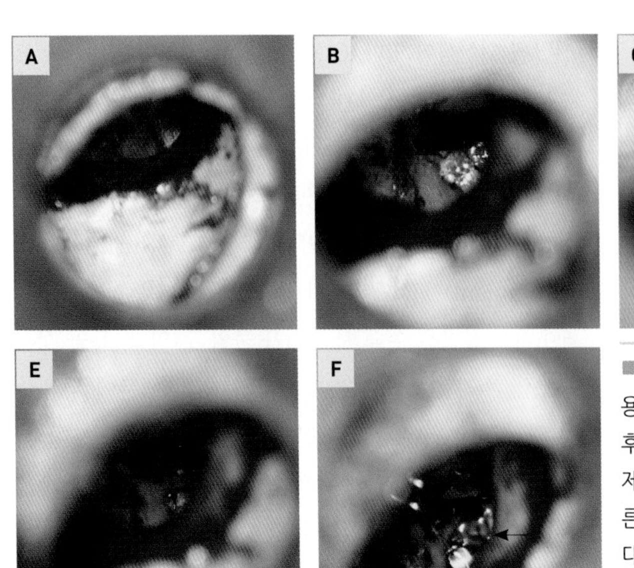

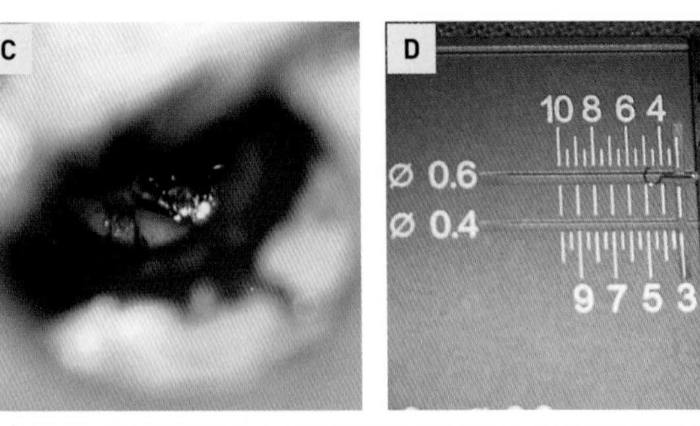

■ **그림 26-7. CO_2 laser를 사용한 등골절개술. A)** 레이저를 사용하여 등골건을 자른다. **B)** 레이저를 사용하여 등골 상부구조의 후각을 증발시킨다. **C)** 탄 후각구조를 micropick 등을 사용하여 제거한다. **D)** Cutting block을 사용하여 piston 길이를 알맞게 자른다. 좌측의 눈금은 피스톤의 직경을 나타내며, 위아래의 눈금은 대치물 길이를 말해준다. **E)** 레이저를 이용하여 등골족판 개창 부위를 만든다. **F)** 레이저를 사용하여 여러 개의 구멍을 중첩하여 개창부위를 형성하게 된다(화살표).

째 청력검사를 실시한다. 환자가 수술 후 심한 현훈이나 청력 감소를 느꼈을 때에는 바로 병원에 내원하는 것을 권유하는 것이 좋다. 문헌마다 견해가 조금씩 다르지만 대개 수술 이후 3주까지는 수술 귀에 물이 들어가거나 코 풀기, 무거운 짐 들기, 비행기 여행을 삼가도록 권한다. 스쿠버 다이빙이나 스카이 다이빙 등 기압외상(barotrauma)을 일으키는 스포츠의 시행 가능 여부에 대해서는 아직도 논란되고 있다.[10,16,19]

(4) 수술 중에 발견되는 문제점[3,10,16]

① 안면신경 노출

안면신경의 노출은 고실분절에서 발견되는 경우가 종종 있으나 대부분 밑면에 국소적으로 발생하여 문제가 되는 경우는 드물다. 하지만 안면신경의 노출이 광범위하여 등골 족판을 50% 이상 가로막고 있을 경우에는 안면신경을 조심스럽게 위로 밀어 올려 수술을 진행해 볼 수 있다. 또한, 수술 시 올린 피스톤은 안면신경과 맞닿아 있어도 안면신경에 큰 영향을 끼치지 않는 것으로 알려져 있다. 드물게는 지연성으로 안면마비가 나타날 수 있으며 이는 수술 5일 후부터 수주까지 지속될 수 있다. 대부분은 스테로이드 경구 투여에 반응하며 완전 회복의 가능성이 높다.

② 추골고정

추골이 주위 벽에 고정되는 경우는 드물기는 하지만 항상 가능성이 있으므로 수술 시작 시 항상 추골의 가동성을 확인하여야 한다. 추골 고정의 원인이 되는 부위로는 추골의 단돌기, 전추골인대, 추골의 두부, 상추골인대 등이 있으며, 고정 부위는 레이저를 사용하여 가동성을 가능하게 한 후 등골수술을 이어서 진행할 수 있다.[22] 만약 추골 고정 처치만으로도 등골이 잘 움직일 경우에는 등골수술이 아닌, 침골 대치 보철물(incus replacement prosthesis)이나 TORP, 이주연골(tragal cartilage) 등을 이용한 이소골 재건술을 시행하면 된다.

③ 등골족판의 폐쇄

등골족판 폐쇄(obliterated footplate)는 등골족판이 두꺼워져 있어 침골과 등골족판의 길이가 짧을 경우에 의

심해 볼 수 있다. 이런 경우 등골절제술에서는 문제가 되지만 마이크로드릴이나 레이저를 이용한 등골절개술에서는 그다지 문제가 되지 않는다. 등골족판 폐쇄에서 등골절개술을 시행할 경우 레이저 단독보다는 처음에 레이저를 사용하여 char를 만든 후 마이크로드릴로 개창 부위를 만드는 것이 더 용이하다.

④ 부유족판

최근에는 레이저나 microdrill을 이용하여 등골절개술을 시행하므로 부유족판(floating footplate)은 비교적 드물게 관찰된다. 그러나 가끔 상부구조를 골절시켜 제거하는 과정에서 발생할 수 있다. 만약 부유족판이 발생한 경우 등골족판의 아래쪽을 드릴하여 구멍을 뚫거나 절흔(notch)을 만든 후 후크 등을 사용하여 끌어올려야 한다. 심하게 전정내로 들어간 족판을 무리하게 꺼내려다 감각신경성 난청을 유발할 수 있으므로 무리하지 않도록 한다. 들어올려진 부유족판은 다시 제자리에 고정시켜 합병증을 최소화하고, 조직을 이용하여 난원창을 밀봉한 후 피스톤을 다시 세우거나 나중에 다시 수술을 시도하게 된다. 등골족판을 완전히 제거한 경우에는 등골절제술로 수술을 진행하게 되며, 피스톤을 세운 후 결체조직, 지방질, 정맥편 등을 사용하여 난원창을 덮어 준다.[2,8]

⑤ 외림프누공

등골절개술이 도입된 이후 외림프누공의 발생은 많이 감소하였다. 증상은 주로 혼합성 난청이며, 현기증도 종종 발생한다. 외림프누공이 발생한 경우에는 가능한 수술을 완료하고 난원창 주위에 연조직을 올려 보철물을 위치시키고 필요한 경우 수술 이후 요추 배액을 실시한다.

(5) 부작용과 합병증

① 감각신경성 난청

수술 후 가장 심각한 합병증으로 수술 후 조기 또는 지연성으로 나타날 수 있으며, 수술 환자의 1% 이하에서 관찰된다. 이에 대한 원인은 명확하지 않으나 조기에 발생한 경우 수술 중 외상으로 여겨지며, 4 KHz 이상에서 나타나는 난청은 등골족판 또는 삽입물의 지나친 조작으로 발생할 가능성이 있다. 발견 즉시 스테로이드 치료를 실시하고 열흘간에 걸쳐 용량을 줄이면서 복용할 수 있도록 한다.

② 현기증

가벼운 현기증은 수술 중이나 술 후 조기에 발병할 수 있으며, 발생빈도는 20명당 1명꼴로 흔하다. 대부분의 경우 몇 시간 지속되다가 회복되기 때문에 보존적 치료로 조절된다. 수술 중 전정내로 공기나 혈액이 들어가거나 난형낭으로의 기계적 손상을 가한 경우 발생할 수 있다.

③ 지연성 안면마비

아주 드물게 수술하고 나서 며칠 후 지연성 안면신경마비가 발생할 수 있는데, 대부분 수술시 얼굴신경의 가벼운 외상에 의해 발생한다. 지연성 안면마비는 스테로이드 치료에 잘 반응하므로 며칠 내로 호전된다.

④ 미각 이상

전체 환자의 약 9%에서 발생하는데, 이는 고삭신경이 끊어진 경우보다는 당겨졌을 때 발생한다. 대부분 미각이상은 3~4개월이 지나면 소실된다.

⑤ 기타

회복성 육아종(reparative granuloma)은 등골절제술 시행 후 감각신경성 난청을 일으키는 원인으로 알려져 있다. 수술 직후 청력이 호전되었다가 특이 소견이 없다가 1주에서 6주 사이에 청력감소를 호소하며 현훈이 동반될 수 있다. 수술 시행 반대 방향으로 안진이 발생하거나 이학적 검사에서 고막의 후상방에 발적이 확인되면 의심해 볼 수 있다. 육아종의 형성은 젤폼이나 지방 등의 삽입물에 의해 발생되며, 이러한 경우에는 전신마취하에 수술 부위를 다시 열어 삽입물과 육아조직을 제거하고 창을 조직으로 덮어준다.

 결론

이경화증은 점차 진행하는 양측 전음성 난청의 소견을 보이며, 대부분 20대에 시작하여 병이 진행함에 따라 다양한 청력저하 및 감각신경성 난청이 동반된다. 우선 fenestral type과 retrofenestral type의 구분이 중요하며, 수술적 치료는 간단하고 부작용이 비교적 적으나 숙련된 술자가 시행하는 것이 중요하다. 수술이 불가능한 경우 약물 또는 보청기 등이 도움이 되기도 한다.

참고문헌

1. 김종선, 장선오, 오승하 등. 한국인에서 발견된 이경화증의 병리학적 소견. 대한이비인후과학회지(한이인지) 2002;45(6):557-560.
2. Batson L, Rizzolo D. Otosclerosis: An update on diagnosis and treatment. JAAPA. 2017 Feb;30(2):17-22.
3. Brackmann DE, Shelton C, Arriaga MA. Otologic surgery, 4th ed. p.212-271.
4. Brandon Isaacson, Joe Walter Kutz Jr, Peter S. Roland. Otosclerosis. Bailey's Head and Neck Surgery: Otolaryngology. Philadelphia: JB Lippincott, 5th ed. p.2487-2502.
5. Cruise AS, Singh A, Quiney RE. Sodium fluoride in otosclerosis treatment: review. J Laryngol Otol. 2010 Jun;124(6):583-586.
6. De la Cruz A, Angeli S, Slattery WH. Stapedectomy in children. Otolaryngol Head Neck Surg. 1999 Apr;120(4):487-492.
7. Eftekhariana A, Roozbahanyb NA, Shomalia S. The distance between stapedial footplate and incus in otosclerosis surgery. Journal of Otology 10 (2015). p.18-20.
8. Fang L, Lin H, Zhang TY, Tan J. Laser versus non-laser stapedotomy in otosclerosis: a systematic review and meta-analysis. Auris Nasus Larynx. 2014 Aug;41(4):337-342.
9. Fisch U. Stapedotomy versus stapedectomy. Otol Neurotol. 2009 Dec;30(8):1166-1167.
10. Flint PW, Haughey BH, Lund VJ et al. Cummings Otolaryngology: Head and Neck Surgery, 6thed. p.2211-2219.
11. Hentsche MA, Huizinga P, van der Velden DL et al. Limited evidence for the effect of sodium fluoride on deterioration of hearing loss in patients with otosclerosis: a systematic review of the literature. Otol Neurotol. 2014 Jul;35(6):1052-1057.
12. Karosi T, Sziklai I. Etiopathogenesis of otosclerosis. Eur Arch Otorhinolaryngol. 2010 Sep;267(9):1337-1349.
13. Kwok P, Fisch U, Gleich O, et al. Stapes surgery: the diameter of the long process of the incus. Otol Neurotol. 2006 Jun;27(4):469-477.
14. Markou K, Goudakos J. An overview of the etiology of otosclerosis. Eur Arch Otorhinolaryngol. 2009 Jan;266(1):25-35
15. Michaels L, Soucek S. Origin and growth of otosclerosis. Acta Otolaryngol. 2011 May;131(5):460-468.
16. Myles LP, Choo DI. Clinical Otology, 4th ed. p.241-256.
17. Oliveira VA, Chandrasekhar SS, Yamashita HK et al. Magnetic resonance imaging in the evaluation of clinical treatment of otospongiosis: a pilot study. Otolaryngol Head Neck Surg. 2015 Jun;152(6):1119-1126.
18. Purohit B, Hermans R, Op de Beeck K. Imaging in otosclerosis: A pictorial review. Insights Imaging. 2014 Apr;5(2):245-252.
19. Rajguru R. Post stapedotomy aviation: A changing scenario. Indian J Occup Environ Med. 2014 Sep-Dec;18(3):105-108.
20. Redfors, Ylva Dahlin, Johan Hellgren, and Claes Möller. Hearing-aid use and benefit: A long-term follow-up in patients undergoing surgery for otosclerosis. Int J Audiol. 2013 Mar;52(3):194-199.
21. Rousset J, Garetier M1, Gentric JC2 Biometry of the normal stapes using stapes axial plane, high-resolution computed tomography. J Laryngol Otol. 2014 May;128(5):425-430.
22. Rudic M, Keogh I, Wagner R, et al. The pathophysiology of otosclerosis: Review of current research. Hear Res. 2015 Aug: S0378-5955(15)00154-159.
23. Saha Asok Kumar. Otology & Middle Ear Surgery. p.187-207.
24. Sanna M, Sunose H, Mancini F et al. Middle ear and mastoid microsurgery 2nd ed. p.460-533.
25. Seidman MD, Babu S. A new approach for malleus/incus fixation: no prosthesis necessary. Otol Neurotol. 2004 Sep;25(5):669-673.
26. Vicente O, Yamashita HK, Albernaz PL et al. Computed tomography in the diagnosis of otosclerosis. Otolaryngol Head Neck Surg. 2006 Apr;134(4):685-692.
27. Virk JS, Singh A, Lingam RK. The role of imaging in the diagnosis and management of otosclerosis. Otol Neurotol. 2013 Sep;34(7):e55-60.
28. Yellon RF, Thottam PJ. When should stapes surgery be performed in children? Laryngoscope. 2015 Dec;125(12):2631-2632.

CHAPTER

27

측두골 외상

박용호

I 서론

측두골 외상은 두부 외상에서 흔히 동반되어 발생하며 그 빈도는 두부 외상의 약 30~75%로 알려져 있다.[27,43] 대부분의 두부 및 측두골 외상은 다른 여러 장기의 다발성 손상과 동반되어 있는 경우가 많으며 그에 따라 수상 이후 조기에 적절한 진단이 되지 않는 경우가 많다.[8,27,28] 측두골 내에는 이소골, 와우 등의 청각기관, 반고리관, 전정 등의 전정기관 그리고 안면신경이 위치하게 되어 손상 시 청력소실, 어지럼증 및 안면마비 등이 발생할 수 있다. 또한 측두골은 뇌의 기저부인 중두개와(middle cranial fossa)와 후두개와(posterior cranial fossa)를 이루고 있는 구조물로 인접한 다양한 신경과 혈관의 손상을 동반할 수 있으며 뇌척수액 유출, 뇌수막염(meningitis) 및 뇌류(encephalocele) 등의 두개내 합병증도 유발할 수 있다.[4,5,9,13,14,27,37,49] 따라서 외상의 초기에 반드시 적극적인 진단과 검사가 시행되어야 하며 이에 따라서 비가역적인 후유증을 예방하고 기능적 회복을 얻을 수 있다.

II 병태생리

측두골은 두개저의 피라미드 모양의 구조물로 골절이 발생하기 위해서는 상당히 큰 힘이 필요한데 골절의 발생은 두부에 약 300~800 kg 정도의 충격이 가해졌을 때 발생할 수 있는 것으로 알려져 있다. 두부 외상에서 모두 골절이 발생하는 것은 아니지만 골절을 동반하는 두부외상의 약 14~22%에서 측두골의 골절을 동반하는 것으로 알려져 있으며 측두골 골절은 교통사고, 낙상 등 다양한 원인에 의해서 발생하며 모든 연령에서 발생하나 전체 골절의 70% 정도에서 활동성이 왕성한 10~30대에서 발생하며 남자에서 더 많은 것으로 보고되고 있다.[27]

측두골은 해부학적으로 네 부분으로 나누게 되는데 인상부(squamous), 추체부(petrous), 유돌부(mastoid) 그리고 고실부(tympanic)로 분류하며 내부와 주변으로 뇌신경 V, VI, VII, VIII, IX, X, XI이 밀접하게 관계를 이루고 있으며 혈관은 상추체 정맥동(superior petrosal sinus), 하추체 정맥동(inf. petrosal sinus), S상 정맥동

(sigmoid sinus), 경정맥공(jugular bulb), 내경동맥(int. carotid artery) 그리고 중 뇌막동맥(mid. meningeal artery) 등에 인접해 있다. 또한 내부에 고막, 이소골, 와우, 전정, 반고리관 등의 구조물을 포함하며 앞쪽으로는 측두-하악 관절(temporomandibular joint)을 이루고 위쪽과 뒤쪽으로는 각각 중두개와와 후두개와의 경계가 되며 안쪽으로는 후두골(occipital bone) 및 접형골(sphenoid bone)과 인접하고 있다. 이러한 해부학적 복잡성으로 다양한 뇌신경 및 혈관의 손상을 동반할 수 있으며 난청, 이명, 어지럼증 등의 이신경학적 증상과 주변의 구조물에 연관된 뇌신경학적 다양한 후유증 및 합병증을 초래할 수 있다.[5,13,15,37,49]

Ⅲ 측두골 외상의 분류

고식적으로 측두골 골절은 측두골의 장축에 따라 종골절(longitudinal)과 횡골절(transverse), 그리고 혼합골절(mixed)로 분류해 왔는데, 최근에는 이러한 분류보다는 예후에 중요한 측두골 내의 이낭(otic capsule)을 기준으로 하여 이낭보존골절(otic capsule sparing fracture)과 이낭손상골절(otic capsule disrupting fracture)로 분류하고 있다(그림 27-1, 2).[29,37,41]

이낭보존골절은 대부분 측두골의 인상부(squamosal portion)와 외이도의 후상벽을 침범하며 유양동의 함기세포와 중이를 지나 유양동개(tegmen mastoideum)와 고실개(tegmen tympani)를 지나게 된다. 골절은 주로 이낭의 전측면으로 지나게 되며 안면 열공(facial hiatus) 부위의 개(tegmen)를 침범한다. 대부분의 이낭보존골절은 측두두정(temporoparietal) 부위의 충격으로 발생한다.[29,41]

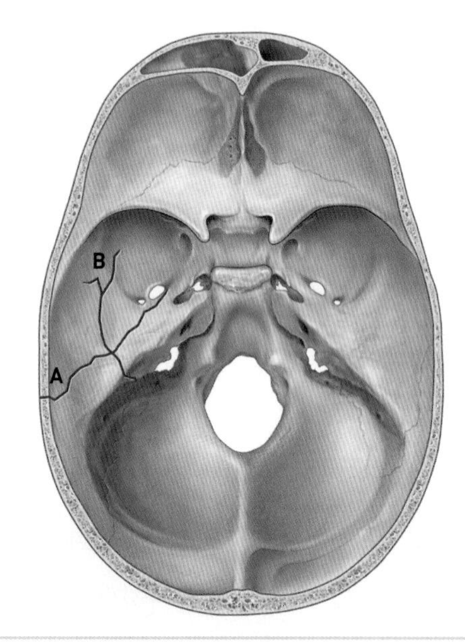

■ 그림 27-1. **측두골의 종골절(longitudinal fracture)과 횡골절(transverse fracture).** 측두골의 추체축과 평행한 종골절(**A**)과 추체축과 수직인 횡골절(**B**)로 분류한다.

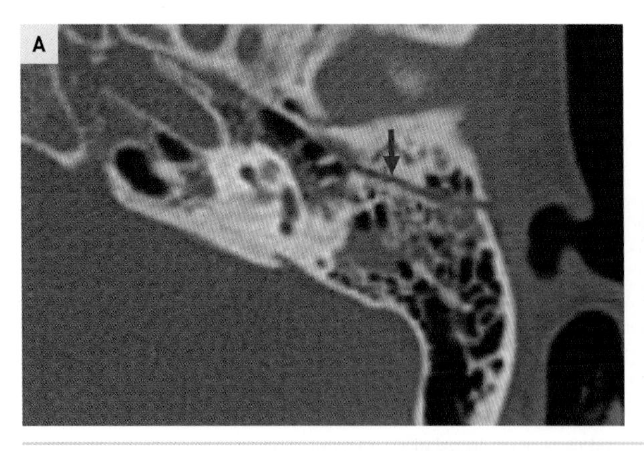

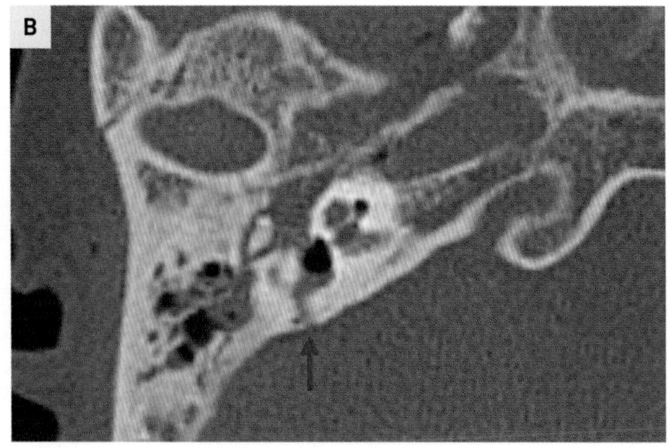

■ 그림 27-2. **측두골의 이낭보존골절(otic capsule sparing)과 이낭손상골절(otic capsule disrupting).** 이낭의 손상 및 침범 유무를 기준으로 이낭보존골절(**A**)과 이낭손상골절(**B**)로 분류한다.

이낭손상골절은 이낭을 통과하는 골절로 주로 대공(foramen magnum)으로부터 이낭을 침범하며 추체부를 침범한다. 골절선은 종종 경정맥공(jugular foramen), 내이도(int. auditory canal)와 열공(foramen lacerum)을 종종 침범하며 대부분의 골절은 후두(occipital) 부위의 충격으로 발생한다.[29,41]

일반적으로 이낭손상골절에서 안면신경 마비와 뇌척수액 유출이 더 다빈도로 발생하는 것으로 보고되며 두개내 손상의 비율도 높은 것으로 알려져 있다.[29,30,41] 난청의 경우 이낭손상골절에서는 감각신경성 난청이 주를 이루게 되고 이낭보존골절에서는 전음성 혹은 혼합성 난청이 발생하는 양상을 보인다. 최근의 연구에서 이낭손상골절은 이낭보존골절에 비하여 약 5배의 안면신경손상과 25배의 감각신경성 난청 그리고 약 8배의 뇌척수액 유출이 발생하는 것으로 보고되고 있다.[24] 이러한 이낭손상의 여부에 따른 분류법은 기존의 분류법보다 이신경학적 그리고 동반된 합병증의 발생을 잘 반영하며 수술 등의 적응을 더 효율적으로 제시하는데 유용하다.[29,30,34,41]

골절이 없는 충격과 기압 손상의 경우에도 내이의 막(inner ear membrane)과 유모세포(hair cell) 등의 손상으로 감각신경성 난청, 이명 및 어지럼증이 발생할 수 있으므로 유념해 두어야 한다.[10,17,20]

Ⅳ 진단 및 검사

측두골 단독의 손상은 드물기 때문에 생명을 위협하는 사항에 대한 응급처치가 필요하며 기도 확보, 지혈, 신경학적인 검사와 의식의 정도를 먼저 확인하여야 하고 특히 응급상황에서 근이완제를 사용하기 전에 안면신경의 손상여부를 조기에 확인하는 것이 필요하다. 이후 귀의 검사는 이개부터 외이도 고막, 중이 등을 면밀히 검사하여야 한다.

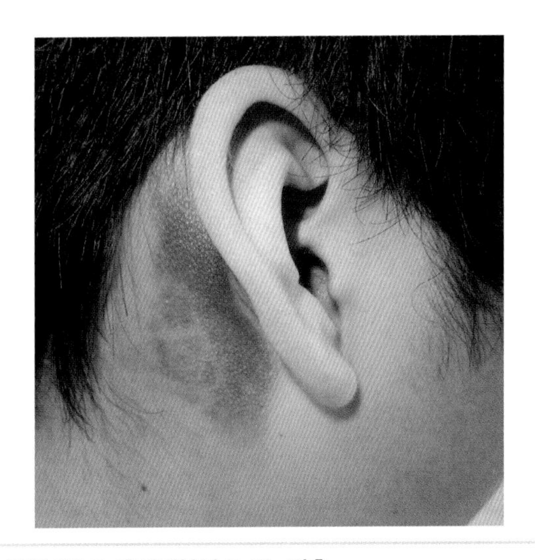

■ 그림 27-3. **후이개부의 Battle 징후**

1. 임상증상 및 징후 관찰

이개는 열상(laceration) 혹은 혈종(hematoma)이 있는지 관찰해야 하고 나중에 연골손상으로 인한 꽃양배추귀(cauliflower ear) 등이 발생하지 않도록 적절한 처치가 필요하다. Battle 징후는 유양동 도출정맥(emissary vein)의 출혈로 유양돌기 부분에 피부의 반상출혈(ecchymosis)로 발생하는데 이는 초기에 혹은 후기에 나타날 수 있으며 측두골 골절과 두개저 골절에서 관찰된다(그림 27-3). 외이도는 골절선의 여부와 뇌척수액 이루, 출혈의 정도 등을 관찰해야 하며, 가능한 소독된 기구를 사용해야 한다. 혈괴(blood clot)나 귀지(cerumen)는 감염의 위험이 있으므로 세척하여 제거해서는 안된다. 골절은 많은 경우에서 순판(scutum)으로부터 외이도 후상벽으로 관찰이 되며(그림 27-4) 출혈이 있을 경우에는 조심스럽게 팩킹을 하고 상태가 안정된 뒤에 혈고실(hemotympanum) (그림 27-5) 혹은 천공이 있는지 고막의 상태를 관찰한다. 대부분의 혈고실은 4~6주 정도 관찰하면 소실되고 고막의 천공도 회복되므로 조기 처치는 불필요하다.[13,15]

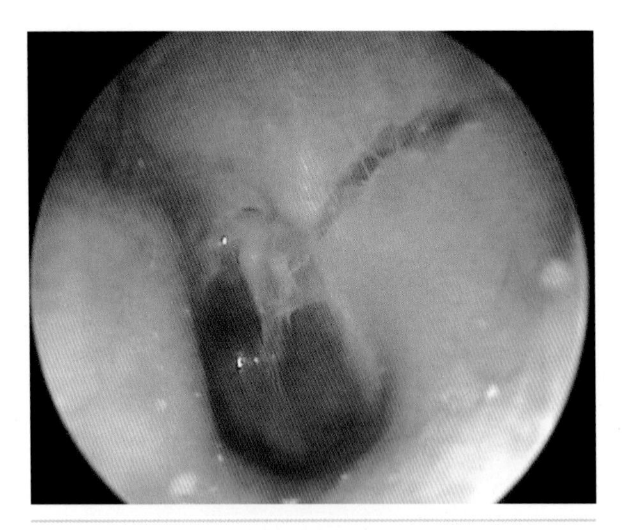

■ 그림 27-4. **외이도 골절의 이내시경 소견.** 측두골 골절에서 좌측 외이도 후벽의 골절선이 관찰된다.

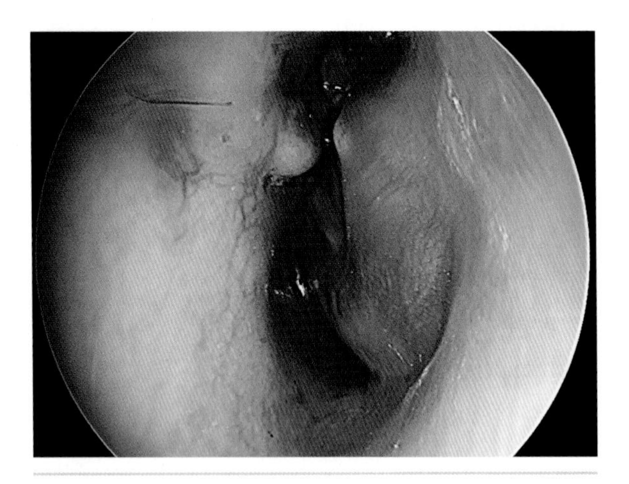

■ 그림 27-5. **혈고실(hemotympanum)의 이내시경 소견.** 중이강 내에 혈액이 차 있는 청색 고막(blue drum)이 관찰된다.

2. 청력검사 및 전정기능검사

환자의 상태가 안정화될 때까지 침상에서는 정확한 청력검사를 하기는 어려우나 음차막대(tunning fork)를 이용하여 전음성 및 감각신경성 난청을 진단할 수 있다. 전정기능 검사 또한 안진의 양상을 관찰하여 중추성과 말초성 어지럼증을 감별하고 통기이경(pneumatic otoscopy)으로 양압과 음압을 주어서 외림프누공 등이 있는지 검사를 조심스럽게 할 수 있으나 지속되는 뇌척수액 이루나 중이의 감염이 있으면 내이에 염증을 유발할 수 있으므로 시행하여서는 안된다. 두부 외상 후 어지럼증의 가장 흔한 원인은 양성 돌발성 체위변환성 어지럼증(benign paroxysmal positional vertigo)이며 다양한 방법으로 손쉽게 치료될 수 있다.[3,10,13,17,27,29] 지속되는 안진이 있다면 외림프누공을 의심하여야 하며 안면마비 혹은 외림프누공 등으로 응급수술이 필요한 경우 가능한 범위에서 청력검사를 시행하는 것이 필요하다. 하지만 이러한 검사들은 감염이나 손상을 줄 위험이 있으면 급성기에는 시행하지 않는 것이 좋다.[5,10,40]

3. 영상의학적 검사

대부분의 측두골 골절은 전산화 단층촬영(computed tomography; CT)으로 진단이 가능하며 두개 내 출혈이나 다른 두개 내 손상을 보는데도 유리하다. 골절 자체를 확인하기 위해서는 조영제의 사용은 불필요하며 특히 측두골 골절이 의심되면 고해상도(high resolution CT; HRCT)를 촬영하여 내이의 구조물을 잘 확인하는 것이 필요하다.[19,30,32,34]

HRCT로는 이소골의 연쇄와 안면신경관의 변형 등을 관찰할 수 있으며 만일 골편이 안면신경이나 안면신경관(fallopian canal)을 직접 누르거나 침범하고 있다면 신경학적 검사와 같이 고려하여 수술의 적응증이 된다. 골절선과 더불어 이낭의 침범여부를 쉽게 확인할 수 있는 장점이 있다. 이소골의 손상은 침골의 탈구(dislocation)와 추골-침골의 불완전 탈구(subluxation)가 흔히 관찰되며 상고실(epitympanum)에서 침골이 추골 두부(malleus head) 외측에 위치할 수 있고 이것이 CT의 관상면(coronal scan)에서 Y 모양(Y sign)으로 관찰되기도 한다(그림 27-6). 또한 정상적인 추골-침골 복합체의 ice cream cone 모양이 분리되어 있는 양상을 관찰할 수 있다(그림 27-7). 침골-등골의 연쇄나 등골의 골절 등은 관찰하기가

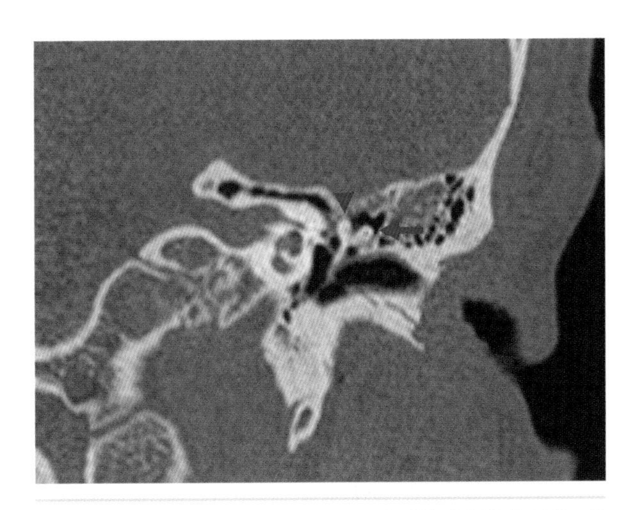

■ 그림 27-6. **관상(coronal) 측두골 전산화 단층촬영 영상.** 침골의 탈골 전위로 추골과 같은 평면에서 Y-sign을 볼 수 있다(화살표 머리: 추골 두부, 화살표: 침골).

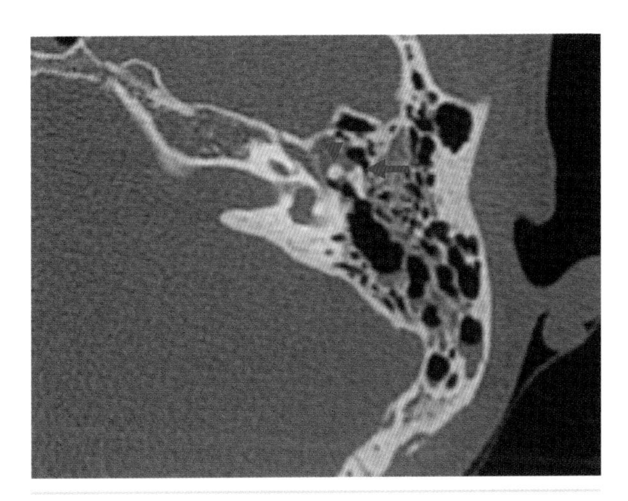

■ 그림 27-7. **축상(axial) 측두골 전산화 단층촬영 영상.** 추골-침골 복합체가 분리되어 정상적으로 관찰되는 ice cream cone 모양의 분리가 관찰된다(화살표 머리: 추골 두부, 화살표: 침골).

쉽지 않으나, HRCT의 발달로 어느 정도는 예측이 가능하다. 감각신경성난청은 이낭손상골절과 연관성이 확실히 있으나 골절이 없는 환자에서도 발생 가능하며 이러한 경우는 와우의 막성미로(membranous labyrinth) 손상 혹은 미로진탕(labyrinthine concussion)으로 생각되고 일부의 경우에서 MRI T1 영상에서 와우 내 출혈을 관찰할 수 있다는 보고도 있다. 외림프누공은 이낭손상골절, 등

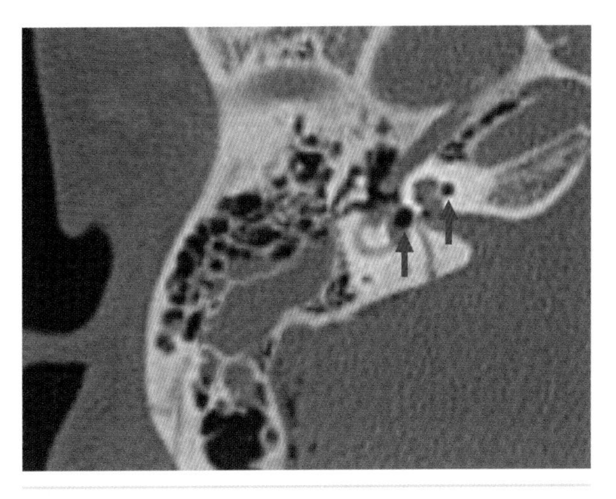

■ 그림 27-8. **함기미로(pnuemolabyrinth)의 축상(axial) 측두골 전산화 단층촬영 영상.** 이낭손상골절과 함께 전정 혹은 와우에 공기음영(air shadow)이 관찰된다(화살표: 공기음영).

골골절 혹은 함기미로(pneumolabyrinth)가 있고 지속적인 어지럼증과 변동성의 청력의 변화가 있다면 의심해 볼 수 있다(그림 27-8). MR은 동반된 뇌의 병변을 관찰하는데 유리하며 뇌수막염이나 뇌류 등이 있을 때 유용한 검사이다(그림 27-9). 내경동맥과 S상정맥의 손상은 HRCT로 의심은 할 수 있으나 의심이 된다면 혈관조영술(angiography)을 같이 하는 것이 유리하다. 측두골 혹은 두개저 골절에서 일반적인 두부의 X-ray는 실제로 큰 도움이 되지 않으며 CT에서 정상적으로 발견되는 골간 봉합선(suture line)과의 감별을 해야 한다.[5,6,11,19,27,30,32,34]

4. 뇌척수액 유출에 대한 검사

뇌척수액 유출은 외이도나 코로부터 맑은 물 같은 분비물이 나올 때 의심되는데 뇌척수액 비루는 목뒤로 넘어가서 관찰이 잘 되지 않을 때도 있다. 종종 출혈과 같이 관찰되며 측두골 골절의 약 17%에서 발견된다.[40,42] 이낭보존골절에서는 중두개와의 바닥을 통하여 발생하여 중이로 유출되면 고막의 손상이나 외이도의 골절을 통하여 발생가능 하며, 이낭손상골절에서는 후두개와에서 손상된 이낭을 통하여 중이 내로 발생하게 된다. 급성기의 유출

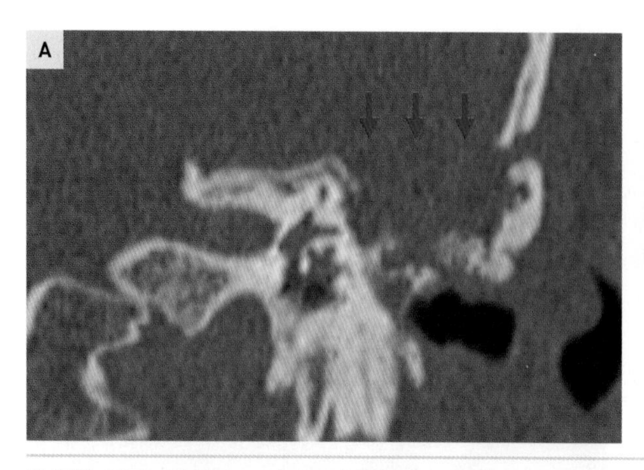
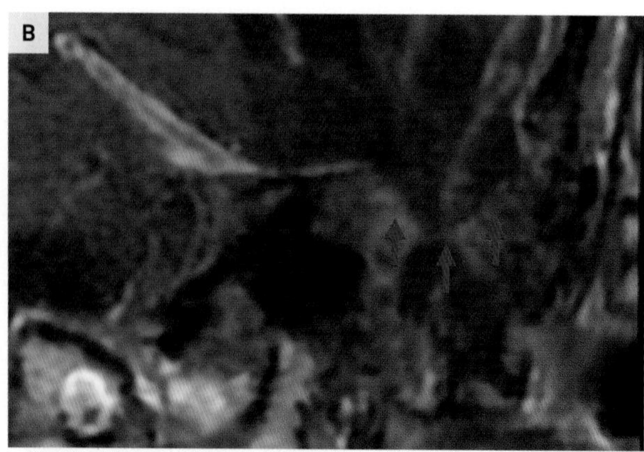

■ 그림 27-9. **뇌류(encephalocele)의 영상의학적 소견.** 관상(coronal) 전산화 단층촬영 영상에서 광범위한 중두개와의 손상이 관찰되며**(A)**, MR T1 강조 영상에서 뇌류가 관찰된다**(B)** (화살표).

은 손상 인접부위의 경막(dura)의 손상으로 발생하고 후기에 발생하는 유출은 뇌막류 혹은 뇌수막류가 발생한 이후에 후기에 조직이 위축이 되거나 골절부분을 막고 있던 혈괴가 해소되면서 발생하는 것으로 생각된다.[8,33,35,37,40,46]

고식적으로는 뇌척수액과 혈액이 섞여 있는 경우에 handkerchief test를 이용하면 혈액 응고 여부를 관찰하고 주변에 응고가 되지 않는 후광징후(halo sign)를 관찰할 수 있다.[16,46] 화학적 분석방법으로는 비액, 누액 혹은 삼출액 등과 구분하기 위하여 당의 증가, 단백질과 K^+ 이온의 감소 등을 관찰하고 이를 정량적으로 분석하는 것이 도움이 된다.[25] 하지만 충분한 양을 얻기가 쉽지 않고 혈액과 혼합되어 있으면 판단하기가 어렵다. β-2 transferrin isoform은 철분 수송에 관여하는 단백질로 뇌척수액, 외림프(perilymph) 그리고 방수(aqueous humor)에서 관찰되며 혈장(serum), 비액, 침, 눈물 등에서 발견되는 β-1 isoform과 구분이 되며 50 μl 정도의 소량으로도 진단이 가능한 것으로 알려져 있다.[38,44] 최근에는 β trace protein 혹은 prostaglandin D synthase 등을 분석에 사용하기도 한다.[18,35] HRCT로는 종종 뇌척수액 유출부위를 찾을 수 있으나 어려운 경우는 경막내 조영제 혹은 방사성 조영제를 이용한 CT cisternography가 도움이 될 수 있다.[23] 뇌척수액 유출이 있는 경우는 빈도는 다양하게 보고되지만 뇌수막염의 동반 여부 및 가능성을 항상 염두에 두어야 한다.[8,27]

5. 안면신경의 검사

안면마비의 검사는 예후에 중요하므로 가능한 조기에 이루어져야 한다. 안면신경의 손상은 즉시성(immediate onset)과 지연성(delayed onset)으로 발생할 수 있다.[27,48] 의식의 저하와 다발성 손상을 종종 동반하므로 손상이 있더라도 조기진단이 어려운 경우가 많이 있으며 특히 지연성 손상(delayed onset)과 지연성 진단(delayed diagnosis)을 잘 구분해야 한다.[31] 신경손상의 정도는 불완전 혹은 완전마비로 분류하거나 신경손상 5단계로 구분하여 1단계 신경무전도증(neuropraxia), 2단계 축삭절단증(axonotmesis), 3단계 신경내막절단증(endoneurotmesis), 4단계 신경주위막절단증(perineurotmesis), 5단계 신경절단증(neurotmesis)으로 나눌 수 있으며[45] 검사방법으로는 신체 검사에서 마비 혹은 손상의 정도를 확인하고 영상의학적 검사와 전기생리학적 진단방법이 있다.

고식적으로는 병소를 확인하기 위한 국소신단검사(topognostic test)로 누액배출검사(lacrimination test), 등골반사검사(stapedial reflex test), 미각검사(taste

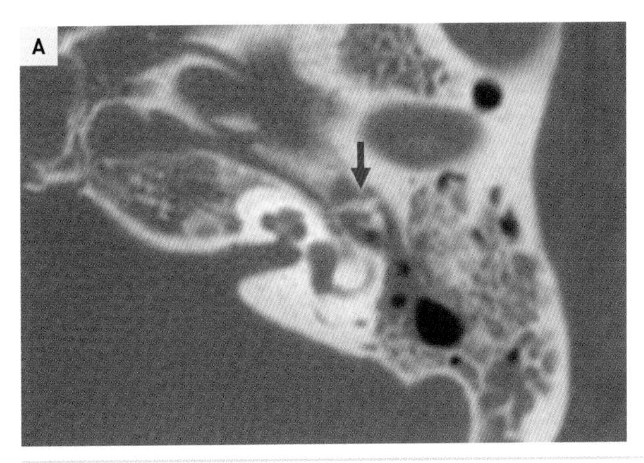

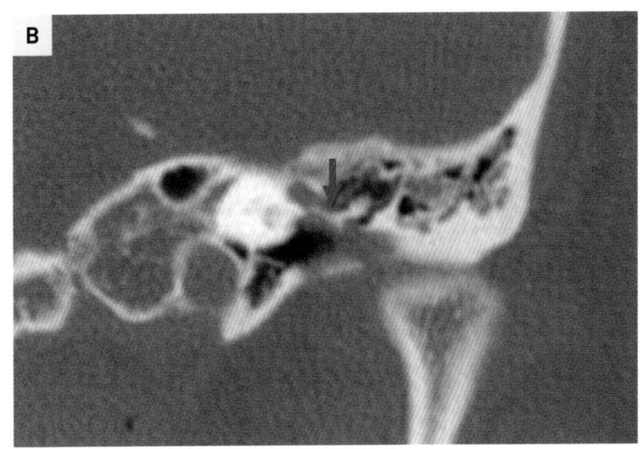

■ 그림 27-10. **측두골 전산화 단층촬영 영상.** 추골의 탈골 전위로 안면신경관을 직접 누르고 있는 소견이 각각 축상면**(A)**과 관상면 **(B)**에서 관찰된다.

test), 타액유량검사(salivary flow test) 등이 사용되었으나 병변의 다양성과 검사의 객관성이 떨어지므로 그 유용성은 그리 높지 않은 것으로 알려져 있다.[7]

병변의 부위를 관찰하는 데는 주로 HRCT 등 영상의학적 검사가 주로 유용하게 사용되는데 HRCT로는 골절선과 더불어 안면신경관의 보전 여부와 골편 등이 신경을 누르거나 손상을 주고 있는지를 관찰할 수 있다(그림 27-10).[1,19,15,30,32] MRI로는 안면신경에 변성이 있으면 조영증강이 관찰되나 외상에 있어서는 HRCT에 비하여 큰 장점이 없는 것으로 생각된다.[22]

전기신경학적 검사법으로는 최소 신경흥분성검사(minimal nerve excitability test; NET), 최대자극검사(maximal stimulation test; MST), 신경전도검사(elctroneuronography; ENoG), 근전도검사(electromyography; EMG) 등 다양한 방법이 있는데 NET에서 자극은 안면 수축(facial twitching)이 일어날 때까지 역치(threshold)를 올려서 건측과 환측이 3.5 mA 이상의 차이를 보이면 심각한 신경변성(nerve degeneration)을 시사하여 수술의 적응으로 삼기도 한다.[27,31,47,50] MST는 NET와 비슷한 방법으로 검사하는데 자극의 강도를 최대로 주는 방법으로 정상측의 최대반응을 유발하는 자극을 환측에 주어 양측의 안면수축(facial contraction) 정도를 주관적으로 평가하여 비교하는 방법이다. 양측 수축의 차이는 동일(equal), 약간 감소(mildly decreased), 저명한 감소(markedly decreased), 무반응(no response) 등으로 분류한다. 저명한 감소와 무반응을 보이는 경우에는 예후가 좋지 않다. ENoG는 유발된 복합 근 활동전위(evoked compound muscle action potential; CAP)를 측정하는 방법으로 유발 근전도검사(evoked electromyography; EEMG)라고도 지칭된다. 자극전극(stimulating electrode)은 경유돌공(stylomastoid foramen) 근처에 위치하고 측정전극(recording electrode)은 비구순구(nasolabial crease)에 위치한다. 환측의 반응 크기를 건측에 비하여 백분율로 표시하며 수상 이후 6일 이내에 90% 이상 혹은 2주 이내에 95% 이상의 변성을 보인다면 불량한 예후를 보이며 수술의 적응으로 삼기도 한다.[14,24] 보고와 연구에 따라 이견이 일부 있지만 NET, MST 그리고 ENoG와 같은 신경검사는 수상 이후 탈신경(denervation)이 발생하는 2~3일에서 2~3주 정도까지만 유용하다. 이는 신경손상이 근위부(proximal portion)로부터 원위부(distal portion)로 확산되는 데 2~3일이 걸리며 마비 이후 2주 이상의 시간이 지나면 이미 근위부에서 재생과정이 시작되고 측부신경(collateral nerve)이 발달하여 손상된 신경에 대한 판단이 어렵기 때문이다.[36,47]

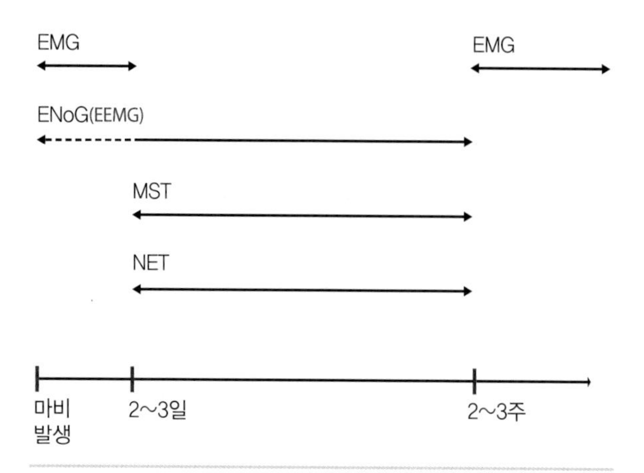

■ **그림 27-11. 안면신경의 전기신경학적 검사.** 최소 신경흥분성 검사(NET)와 최대자극 검사(MST) 그리고 신경전도 검사(ENoG or EEMG)는 마비 발생 후 2~3일에서 2~3주 정도에 유용하며, 근전도 검사(EMG)는 수상 직후나 수상 2~3주 이후에 예후를 판정하는데 유용하다.

급성 안면신경마비에서 EMG의 유용성은 논란의 여지가 있는데 수의 활성도(voluntary activity)와 섬유자발전위(fibrillation potential) 등이 얻어질 수 있으며 수의 활동도가 발견되면 비교적 회복의 좋은 예후로 여겨지고 섬유자발전위는 수상후 2~3주가 지나서 근육으로부터 탈신경(denervation)이 되어 발생하는 것으로 알려져 있다.[36,47] 다상성 신경지배 활동전위(polyphasic nerve reinnervation action potential)는 회복을 예견하는 것으로 생각된다. EMG는 전기자극 없이 근육에 직접 전극을 삽입하여 근육의 활성도를 측정하므로 수상 직후나 수상 2~3주 이후에 예후를 판단하는데 유용한 검사이다(그림 27-11).[14,47] 자세한 검사방법들은 안면신경의 해부 및 평가 부분에서 다루어 질 것이다.

V 치료

1. 안면신경 손상

안면신경 마비는 측두골 골절의 6~7% 정도에서 발생하는 것으로 알려져 있으며 이중 약 1/4은 완전마비이다.[40,41] 안면신경 마비는 약 27% 정도에서 즉시성이며 나머지 73% 정도는 지연성으로 발생한다.[2,4] 지연성인 경우가 즉시성에 비해 예후가 좋은 것으로 알려져 있으며 손상의 정도 그리고 동반된 염증의 유무가 예후에 중요하다. 많은 수의 환자에서 수술 없이 steroid 등의 보존적 치료로 혹은 자연회복이 되므로 수술의 시기와 적응증을 정하는 것은 논란의 여지가 많다.[2,16,17,40] 하지만 신경의 절단(severed or transected), 압궤(crushed), 혹은 골편이 신경을 누르고 있을 때(compressed)와 전기 신경검사에서 즉시성 완전 마비일 때 주로 적응이 된다. 측두골 골절에서 안면손상의 부위는 80~93% 정도에서 슬신경절 주위(perigeniculate region)를 지나게 되고 다음으로는 유돌분절(mastoid segment)이 흔하다.[21,29,32,41,46,50] 수술의 접근법은 안면신경의 손상범위와 청력소실의 정도를 고려하여 결정하게 되며 경유양동(transmastoid) 접근법으로는 슬신경절(geniculate ganglion)과 미로분절(labyrinthine segment)의 노출이 불충분한 경우가 많으므로 중두개와(middle cranial fossa) 접근법 혹은 상미로(supralabyrinthine) 접근법을 동시에 시행하는 경우가 필요할 수 있다. 심도의 난청(profound hearing loss)을 동반하는 환자에서 신경의 직접문합(direct anastomosis) 혹은 신경이식술(cable graft) 등이 필요할 때는 경미로(translabyrinthine) 접근법으로 넓은 시야를 확보할 수 있다. 수술의 시기에 대하여도 논란의 여지가 많으나 일반적으로 적응증이 되면 가능한 빠른 시기 내에 시행하는 것을 추천한다.[2,16,40,41,49] 일반적인 급성안면마비의 수술적 치료의 방침 결정은 그림 27-12과 같으며 자세한 수술과 재활의 방법은 안면신경마비의 수술적 치료와 재활의 부분에서 다루어질 것이다.

2. 난청

측두골 골절에서 난청은 전음성, 감각신경성 그리고 혼

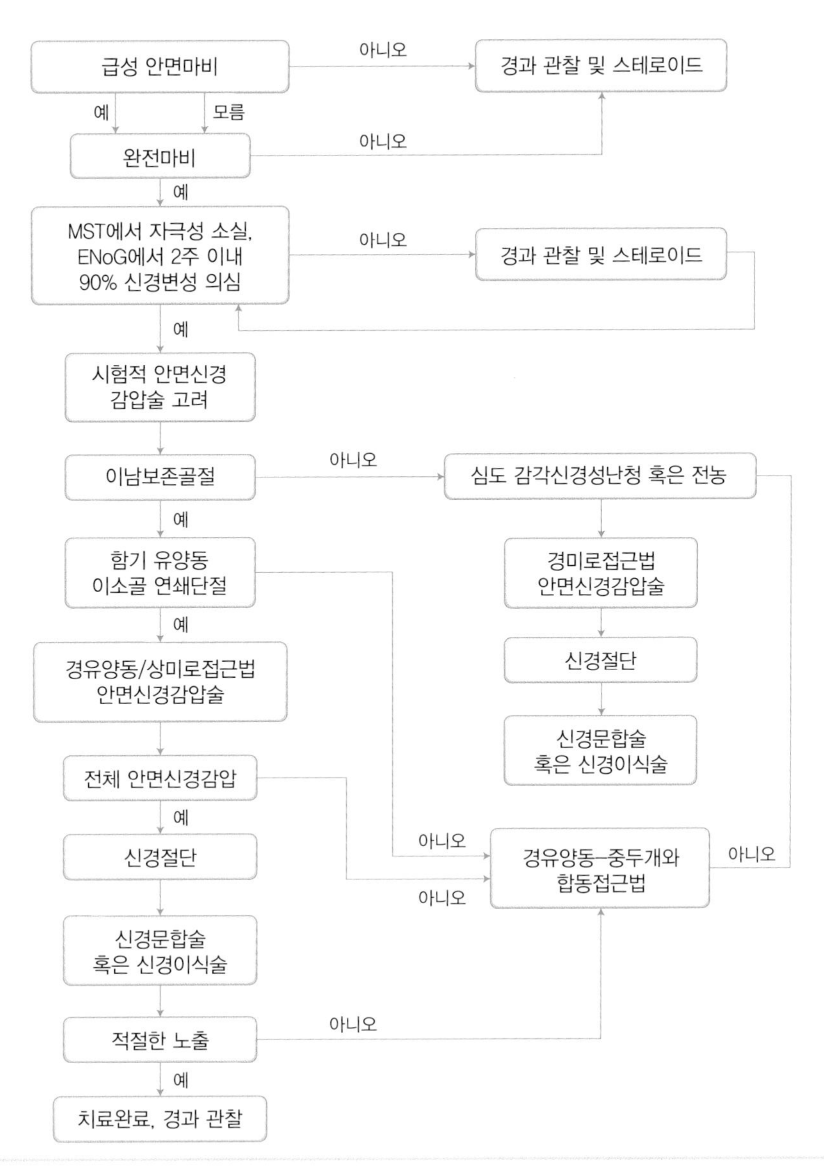

■ 그림 27-12. **급성 외상성 안면마비의 치료 방침**

합성 등 다양하게 나타날 수 있는데 이낭보존골절에서 골절선은 외이도의 천정에서 종종 Rivinus notch 부분의 고막 손상을 이루고, 고실개(tegmen tympani)를 지나 약 20%에서 이소골 연쇄의 단절을 동반한다. 이소골의 손상은 추침관절(incudostapedial joint)의 아탈골 subluxation(82%), 침골의 탈구 dislocation(57%) 그리고 침골의 탈구와 동반된 등골 각(crura)의 골절(30%) 등이 흔하며, 상고실내 이소골 고정(25%), 추골 골절(11%) 등이 관찰된다. 약 1/3에서 복합되어 있는 경우가 발견된다.[2,8,27,34,43] 이는 추골의 경우 고막, 고막 긴장근(tensor tympani tendon), 상고실 인대(epitympanic ligaments) 등에 의해서 구조적 지지를 받고, 침골의 경우는 등골근(stapedial tendon)과 윤상근(annular ligament) 등에 의해 지지 받는 데 비하여 침골은 추골과 침골의 사이에서 관절을 이루며 비교적 힘이 약한 인대에 의하여 지지되기 때문이다. 혈고실(hemotympanum)도 전음성 난청과 관계가 있는데 수일에서 수주 이후 혈고실이 소실된 후에도 전음성 난청이 남아 있다면 동반된 이소골 손상을 시사하며 수술적인 치료의 적응증이 된다. 대부분은 수상 후 2개월 이상 30 dB 이상의 전음성 난청이 지속될 때 시험적 고실개방술의 적응이 된다.[8,9,13,27] 단순 아탈골의 경우 적절한 재위치(repositioning)와 hydroxyapatite bone cement로 관절의 안정화(stabilization)를 이룰 수 있으며, 전음성 난청의 다양한 수술적 접근은 이소골의 상태에 따라 매우 광범위 하고 다양하여 이소골 성형술 부분에서 다루어질 것이다. 이낭손상골절에서는 대부분 전농 혹은 심도의 감각신경성 난청을 이루게 되는데 이는 막미로, 와우신경 손상과 와우의 혈류장애 및 와우내 출혈, 외림프누공 등으로 인해 발생한다. 침골의 탈구가 있는 경우 약 50% 환자가 2~4 kHz 영역에서 적어도 약 10 dB의 감각신경성 난청을 동반하며 약 18%는 30 dB 이상의 감각신경성 난청을 동반하는 것으로 알려져 있다.[13,27,39] 또한 측두골 혹은 이낭의 골절 없이 와우진탕(cochlear concussion) 그리고 음향외상(acoustic trauma)에 의하여도 감각신경성 난청이 발생할 수 있으며 이러한 손상은 주로 약 4 kHz 영역에서 발생하는 것으로 알려져 있다.[10,20,39,43]

3. 뇌척수액 유출, 뇌수막염 및 뇌류

뇌척수액 유출이 있는 경우 뇌수막염이 동반될 수 있으므로 여러 가지 보고가 있지만 예방적인 항생제를 사용하는 것이 도움이 될 수 있다. 수상 이후 지속되는 발열, 두통, 수막증(meningismus), Kernig 증상, Brudzinski 증상이 있다면 뇌수막염을 의심할 수 있다. 뇌수막염의 원인균으로는 *Streptococcus pneumoniae*, *Haemophilus influenzae*가 주로 발견이 되며 뇌척수액 유출은 50~85%에서 1주일 이내에 보존적인 치료로 멈추는 것으로 알려져 있다.[42] 보존적인 지료로는 항생제의 사용과 더불어 환자의 절대안정과 뇌압이 올라가지 않도록 두위를 올려 주고 대변 연화제(stool softener)를 사용하며 코를 풀지 않게 하고 재채기를 주의하는 등의 방법이 필요하다. 뇌척수액 유출이 지속된다면 반복적으로 요추 천자(lumbar puncture)를 하는 것도 도움이 된다. 만일 1주일에서 10일 이상 뇌척수액 유출이 지속된다면 수술적인 치료가 필요하다. 수술적 접근방법은 청력의 상태와 뇌탈출증(brain herniation)의 유무 그리고 유출의 부위에 따라서 결정해야 한다. 일반적인 수술적 접근 및 치료 방침은 그림 27-13과 같다. 이낭손상골절에서 심도의 난청을 동반하는 뇌척수액 유출의 경우 유양동 삭개술 이후 이관, 외이도를 폐쇄하는 추체아전절제술(subtotal petrosectomy)이 추천된다. 이낭보존골절에서는 유출부위는 대부분 중두개와 혹은 상고실 개(tegmen)에 유치하므로 경유양동 접근법으로 측두골 골막등을 이용하여 뇌척수액 유출부와 뇌류의 복원이 가능하고 필요에 따라 중두개와 접근법을 사용할 수 있다.[8,27,33,37,40,42]

4. 기뇌(Pneumocephalus) 및 기미로(Pneumolabyrinth)

기뇌는 공기가 두개강(cranial vault) 내로 들어가는 현상으로 뇌막의 손상이 있음을 의미하고 뇌척수액 유출 및 뇌류, 뇌탈출증 등을 동반할 수 있다.[5,11,19,40] 대부분의 기뇌는 시간이 경과하면서 소실되며 지속적으로 동반된 뇌척수액 유출이 있는 경우 수술의 적응이 되고 또한 긴장성 기뇌(tension pneumocephalus)는 응급 중재술(intervention)이 필요하다. 미로 내에 공기 음영이 관찰되는 기미로의 경우도 매우 드물게 이낭손상골절에서 관찰되며 주로 전정(vestibule) 부위에 관찰되고 드물게는 와우(cochlea)와 반고리관에서 관찰되기도 한다(그림 27-7).[12]

5. 어지럼증

두부외상 이후 발생하는 어지럼증의 원인은 양성 돌발성 체위변환성 어지럼증이 가장 흔하며 대부분의 경우,

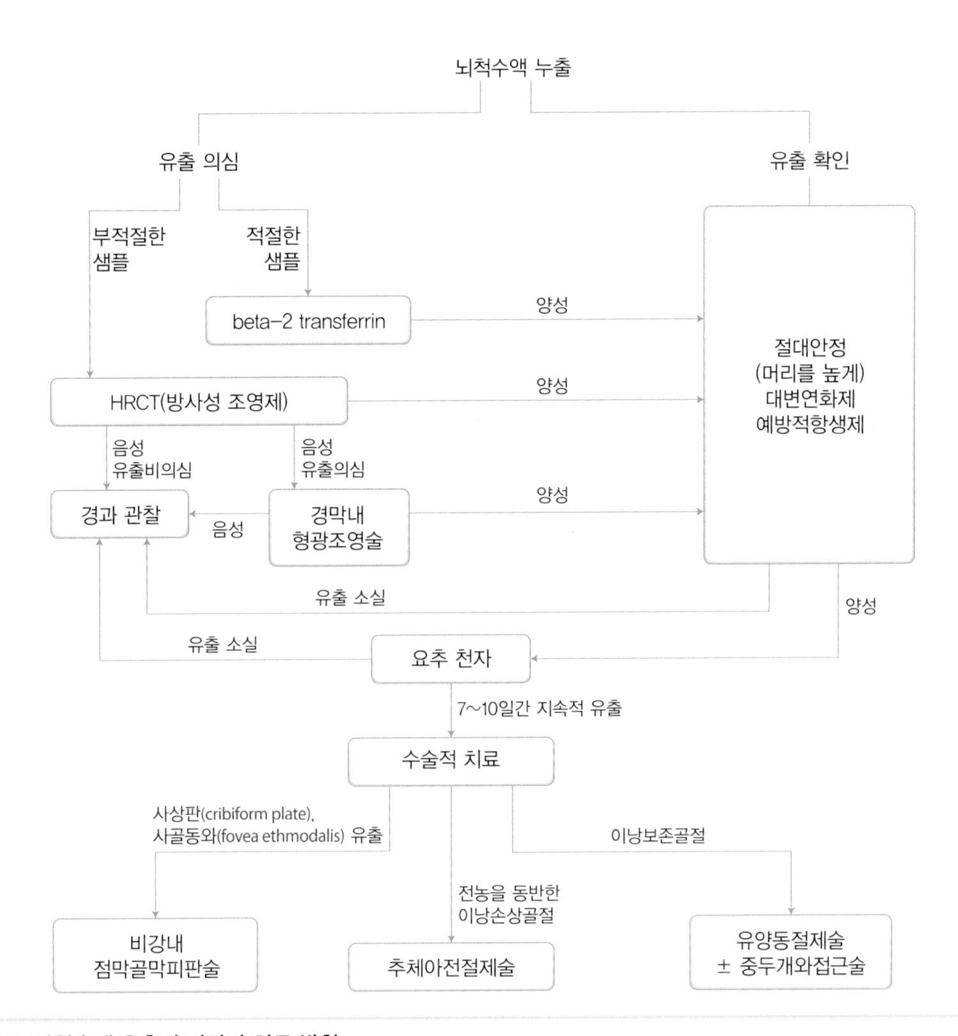

■ 그림 27-13. **뇌척수액 유출의 진단과 치료 방침**

다양한 이석 치환술로 혹은 수개월 이내에 증상이 소실된다. 또한 지연성 내림프 수종의 가능성도 보고되고 있다.[10,17] 수술적인 치료는 드물게 적용이 된다. 외림프누공이 의심되는 경우는 진단을 통하여 수술적인 개방술과 누공의 폐쇄가 필요하다. 자세한 설명은 어지럼증과 외림프누공의 부분에서 다루어 질 것이다.

6. 진주종 및 외이도 협착

외이도의 손상이 심한 경우 지연성으로 진주종 혹은 외이도 협착이 발생할 가능성이 있다. 진주종은 외이도의 골절선에 편평상피(squamous epithelium)가 매복되거나 상피가 외이도의 골절선 혹은 고막의 천공된 틈으로 자라 들어갈 수 있고 고막자체가 중이 내로 들어갈 수도 있으며 외이도 협착이 발생하는 경우 협착의 안쪽으로 발생할 수 있다.[21,27] 외이도 협착의 가능성이 있으면 조기에 외이도에 팩킹을 하여서 협착의 방지해야 한다. 다양한 종류의 팩킹을 사용할 수 있고 필요시 오랫동안 mold를 유지할 수 있다. 일단 협착이 발생하면 외이도 성형술(canal-plasty)을 시행하여야 하고 진주종은 발생 부위에 따라서 다양한 수술적 방법으로 제거해야 한다.

7. 측두-하악관절 손상 (Temporomandibular joint trauma)

측두골의 고실부(tympanic), 추체부(petrous), 인상부(squamous)는 하악와(glenoid fossa)의 뒤쪽을 이루게 되는데 외상으로 인하여 하악관절돌기(mandibular condyle)의 후방전위는 외이도의 골절을 유발할 수 있으며 상방으로 중두개와로 전위될 수도 있다.[9,13,49] 또한 측두골의 골절이 하악와까지 이어지는 경우 측두-하악관절의 기능장애를 유발 할 수도 있다. 대부분 외이도 성형술 및 재건과 수술적 복원을 필요로 한다.

8. 혈관손상

측두골내의 혈관손상은 두개 내 출혈과 함께 생명을 위협하는 합병증을 초래할 수 있다. 내경동맥 주변의 골절은 내경동맥관(carotid canal) 보다는 파열공(foramen lacerum) 주변의 섬유연골부를 침범하는 경우가 많다.[13,27] 혈성이루(bloody otorrhea)가 가장 흔하며 심각한 출혈이 의심된다면 즉시 수술실로 이송하거나 혹은 풍선 혈관조영 폐쇄술(angiography for balloon occlusion) 등을 고려해야 한다. 즉시성 혹은 지연성으로 경동맥-해면정맥동(carotid-cavernous) 누공(fistula)이 생길 수 있으며 박동성 안구 돌출증(proptosis)와 이명, 결막부종(chemosis), 안검 부종(lid edema), 안구 잡음(orbital bruit), 안근 마비(ophthalmoplegia), 녹내장(glaucoma), 시력 감소 등의 증상이 나타날 수 있다. 대부분의 경우 즉시 CT angiography 혹은 MR angiography가 필요하고 진단과 동시에 치료적인 중재술이 필요하다.[6,15,30,32]

참고문헌

1. 김아영, 박용호. 두부외상 후 비통상적으로 전위된 추골병에 의한 안면마비. 대한청각학회지 2010;14:37-39.
2. 박기현, 전영명, 이동훈, 신상준. 두부외상 후 발생한 이소골 탈구 유형에 관한 연구. 대한이비인후과학회지(한이인지) 1998;41:436-443.
3. 박현민, 정상용, 이정구. 어지럼증을 호소하는 두경부 외상 환자들의 전정기능 분석. 대한이비인후과학회지(한이인지) 1998;41:301-306.
4. 이주형 백주영. 측두골 외상의 진단과 치료. 대한이비인후과학회지(한이인지) 2014;57:433-441.
5. Achache M, Sanjuan Puchol M, Santini L, et al. Late pneumolabyrinth after undiagnosed post-traumatic perilymphatic fistula. Case report illustrating the importance of systematic emergency management. Eur Ann Otorhinolaryngol Head Neck Dis 2013;130:283-287.
6. Ahmed KA, Alison D, Whatley WS, Chandra RK. The role of angiography in managing patients with temporal bone fractures: a retrospective study of 64 cases. Ear Nose Throat J 2009;88:922-925.
7. Babin RW. Topognostic and prognostic evaluation of traumatic facial nerve injuries. Otolaryngol Head Neck Surg 1982;90:610-611.
8. Brodie HA, Thompson TC. Management of complications from 820 temporal bone fractures. Am J Otol 1997;18:188-197.
9. Burchhardt DM, David J, Eckert R, Robinette NL, Carron MA, Zuliani GF. Trauma patterns, symptoms, and complications associated with external auditory canal fractures. Laryngoscope 2015;125:1579-1582.
10. Chiaramonte R, Bonfiglio M, D'Amore A, Viglianesi A, Cavallaro T, Chiaramonte I. Traumatic labyrinthine concussion in a patient with sensorineural hearing loss. Neuroradiol J 2013;26:52-55.
11. Choi HG, Lee HJ, Lee JS, et al. The Rates and Clinical Characteristics of Pneumolabyrinth in Temporal Bone Fracture. Otol Neurotol 2015;36:1048-1053.
12. Choi JW, Lyu AR, Ryu KA, Kim D, Park YH. Detection of pneumolabyrinth after temporal bone trauma using computed tomography. Acta Otolaryngol 2016;136:682-686.
13. Cvorovic L, Jovanovic MB, Markovic M, Milutinovic Z, Strbac M. Management of complication from temporal bone fractures. Eur Arch Otorhinolaryngol 2012;269:399-403.
14. Darrouzet V, Duclos JY, Liguoro D, Truilhe Y, De Bonfils C, Bebear JP. Management of facial paralysis resulting from temporal bone fractures: Our experience in 115 cases. Otolaryngol Head Neck Surg 2001;125:77-84.
15. Dempewolf R, Gubbels S, Hansen MR. Acute radiographic workup of blunt temporal bone trauma: maxillofacial versus temporal bone CT. Laryngoscope 2009;119:442-448.

16. Dula DJ, Fales W. The 'ring sign': is it a reliable indicator for cerebral spinal fluid? Ann Emerg Med 1993;22:718-720.
17. Friedman JM. Post-traumatic vertigo. Med Health R I 2004;87:296-300.
18. Petereit HF, Bachmann G, Nekic M, Althaus H, Pukrop R. A new nephelometric assay for beta-trace protein (prostaglanid D synthase) as an indicator of liquorrhoea. J Neurol Neurosurg Psychiatry 2001;71.
19. Hiroual M, Zougarhi A, El Ganouni NC, et al. [High-resolution CT of temporal bone trauma: review of 38 cases]. J Radiol 2010;91:53-58.
20. Hunchaisri N. Bilateral sudden sensorineural hearing loss following unilateral temporal bone fracture. J Med Assoc Thai 2009;92 Suppl 3:S76-79.
21. Abrunhosa J, Gonçalves P, dos Santos JG, Moreira F, Resende M, dos Santos AG. Traumatic porencephalic cyst and cholesteatoma of the ear. J Laryngol Otol 2000;114:864-866.
22. Jager L, Reiser M. CT and MR imaging of the normal and pathologic conditions of the facial nerve. Eur J Radiol 2001;40:133-146.
23. Stone JA, Castillo M, Neelon B, Mukherji SK. Evaluation of CSF leaks: high-resolution CT compared with contrast-enhanced CT and radionuclide cisternography. AJNR Am J Neuroradiol 1999;20.
24. Chang CY, Cass SP. Management of facial nerve injury due to temporal bone trauma. Am J Otol 1999;20.
25. Kosoy J, Trieff NM, Winkelmann P, Bailey BJ. Glucose in nasal secretion: diagnostic significance. Arch Otolaryngol 1972;95.
26. Nash JJ, Friedland DR, Boorsma KJ, Rhee JS. Management and outcomes of facial paralysis from intratemporal blunt trauma: a systematic review. Laryngoscope 2010;120:1397.
27. Johnson F, Semaan MT, Megerian CA. Temporal bone fracture: evaluation and management in the modern era. Otolaryngol Clin North Am 2008;41:597-618, x.
28. Kahn JB, Stewart MG, Diaz-Marchan PJ. Acute temporal bone trauma: utility of high-resolution computed tomography. Am J Otol 2000;21:743-752.
29. Kang HM, Kim MG, Boo SH, et al. Comparison of the clinical relevance of traditional and new classification systems of temporal bone fractures. Eur Arch Otorhinolaryngol 2012;269:1893-1899.
30. Kennedy TA, Avey GD, Gentry LR. Imaging of temporal bone trauma. Neuroimaging Clin N Am 2014;24:467-486, viii.
31. Kumar R, Mittal RS. Post Traumatic Delayed Bilateral Facial Nerve Palsy (FNP): Diagnostic Dilemma of Expressionless Face. J Clin Diagn Res 2015;9:Pd15-16.
32. Kwong Y, Yu D, Shah J. Fracture mimics on temporal bone CT: a guide for the radiologist. AJR Am J Roentgenol 2012;199:428-434.
33. Lin DT, Lin AC. Surgical treatment of traumatic injuries of the cranial base. Otolaryngol Clin North Am 2013;46:749-757.
34. Little SC, Kesser BW. Radiographic classification of temporal bone fractures: clinical predictability using a new system. Arch Otolaryngol Head Neck Surg 2006;132:1300-1304.
35. Sampaio MH, de Barros-Mazon S, Sakano E, Chone CT. Predictability of quantification of beta-trace protein for diagnosis of cerebrospinal fluid leak: cutoff determination in nasal fluids with two control groups. Am J Rhinol Allergy 2009;23.
36. May M, Blumenthal F, Klein SR. Acute Bell's palsy: prognostic value of evoked electromyography, maximal stimulation, and other electrical tests. Am J Otol 1983;5.
37. Nishiike S, Miyao Y, Gouda S, et al. Brain herniation into the middle ear following temporal bone fracture. Acta Otolaryngol 2005;125:902-905.
38. Meurman OH, Irjala K, Suonpää J, Laurent B. A new method for the identification of cerebrospinal fluid leakage. Acta Otolaryngol 1979;87
39. Bergemalm PO. Progressive hearing loss after dosed head injury: a predictable outcome? Acta Otolaryngol 2003;123:836-845.
40. Prisman E, Ramsden JD, Blaser S, Papsin B. Traumatic perilymphatic fistula with pneumolabyrinth: diagnosis and management. Laryngoscope 2011;121:856-859.
41. Rafferty MA, Mc Conn Walsh R, Walsh MA. A comparison of temporal bone fracture classification systems. Clin Otolaryngol 2006;31:287-291.
42. Savva A, Taylor MJ, Beatty CW. Management of cerebrospinal fluid leaks involving the temporal bone: report on 92 patients. Laryngoscope 2003;113:50-56.
43. Singh G, Singh B, Singh D. Prospective study of 'otological injury secondary to head trauma'. Indian J Otolaryngol Head Neck Surg 2013;65:498-504.
44. Sloman, RH AK. Transferrin allelic variants may cause false positives in the detection of cerebrospinal fluid fistulae. Clin.
45. Sunderland S. Some anatomical and pathophysiological data relevant to facial nerve injury and repair. In Fisch U, editor. Facial Nerve Surgery. New York 1977:47－61 Cher 1993;39:1444-1445.
46. Sunder R, Tyler K. Basal skull fracture and the halo sign. Cmaj 2013;185:416.
47. Fisch U. Prognostic value of electrical tests in acute facial paralysis. Am J Otol 1984;5.
48. Vincent Darrouzet, Jean-Yves Duclos, Dominique Liguoro, Yves Truilhe, Camille De Bonfils, Jean-Pierre Bebear. Management of facial paralysis resulting from temporal bone fractures: our experience in 115 cases. Otolaryngol Head Neck Surg 2001;125.
49. Wood CP, Hunt CH, Bergen DC, et al. Tympanic plate fractures in temporal bone trauma: prevalence and associated injuries. AJNR Am J Neuroradiol 2014;35:186-190.
50. Yanagihara N, Murakami S, Nishihara S. Temporal bone fractures inducing facial nerve paralysis: a new classification and its clinical significance. Ear Nose Throat J 1997;76:79-80, 83-76.

CHAPTER 28

외림프누공

이승환

외림프누공(perilymph fistula)은 내이의 외림프강(perilymphatic space)과 중이강(middle ear cavity) 사이에 비정상적인 통로가 생겨 외림프액이 중이강 내로 유출 되는 경우를 말한다.[2] 외림프누공은 외상, 내이 기형, 염증 등 다양한 원인으로 발생할 수 있으며, 특발적(idiopathic)으로도 발생한다.[19] 외림프액이 유출 되면서 난청, 이충만감, 어지럼증 등의 증상이 유발되며, 영구적인 난청의 위험이 있어 조기에 발견하여 치료해야 한다.

역사적으로 1896년 Escat가 선천성 뇌척수액 누공을 처음 발표한 후,[13] 자발성(spontaneous) 혹은 외상성(traumatic) 뇌척수액 이루에 대한 보고가 있었고, 1962년 수술과 관련된 외림프누공이 처음 보고되었다.[49] 수술과 관련 없는 외림프누공은 1968년 Fee에 의해 처음 보고되었으며,[14] 1978년 Singleton에 의해 진단기준이 발표된 후 진단을 위한 다양한 검사법 등이 소개되었다.[8,32,45] 1996년 Kohut는 명칭에 있어 자발성이라는 표현을 피하고, 원인이 규명되지 않은 경우 특발성 외림프누공이라고 칭하였다.[27] 국내에서는 김 등,[1] 이 등[3] 등의 보고와 전국적인 조사를 한 박[2]의 연구가 있었다.

외림프누공은 매우 드물어 내이 질환의 5% 정도로 어느 연령층이나 발생 가능하지만 20~40대에 주로 발생하며, 소아는 선천성 내이기형과 동반되는 수가 많다.[3,41,47] 성별의 차이나 좌우 차이는 없고, 대부분 일측으로 발생하나 선천성 기형 혹은 특발성으로 발생한 소아에서는 양측에 발생하는 경우가 많다.[38]

발생기전과 원인

외림프누공의 병인은 선천성 요인, 후천성 요인, 특발성 요인으로 나눌 수 있다.[20] Mondini 이형성(dysplasia)과 같은 내이미로의 기형이 있는 환자에서는 선천성 내림프 누공이 발생할 수 있으며, 등골 절제술, 인공와우 이식술과 같은 침습적인 수술의 합병증으로 발생하는 의인성(iatrogenic) 요인으로도 발생할 수 있다. 두부 손상, 복부 손상, 갑작스런 압력 변화와 같은 외상성(trauma) 요인으로도 누공이 발생한다.[13,14,19] 진주종성 중이염을 포함한 급, 만성 중이염, 만성 육아종성 질환으로 인한 내이 미란(erosion)으로 인해서도 외림프누공이 생길 수 있다.

특발성 외림프누공은 전창 소열(fissula ante fenestram), 난원창소와 와 후반고리관 팽대부 사이의 틈, 등골족판, 안면신경열공(facial hiatus), Hyrtl 열공과 같은 잠재적인 통로를 통해 외림프액의 유출이 발생한다고 알려져 있다.[27,36]

특발성 외림프누공의 기전은 외향폭발설과 내향폭발설로 설명 할 수 있다. 외향폭발설(explosive route)은 두개내압의 상승에 따른 뇌척수액의 압력이 와우도수관이나 내이도를 통해 내이의 외림프강으로 전달되어 난원창의 파열이나 등골 윤상인대 탈구를 일으킨다는 것이다. 생리학적으로 뇌척수액과 외림프액 사이의 압력관계는 외림프누공 발생에 중요하며 뇌척수액압의 상승으로 외림프압이 증가하는 것으로 밝혀졌다.[26] 내림프와 외림프사이의 압력의 균형은 내림프낭(endolymphatic sac)에 의해 유지되며, 이러한 평형이 깨지는 경우 외림프누공 또는 내림프수종(endolymphatic hydrops)이 발생할 수 있다. 와우도수관(cochlear aqueduct)은 두개강 내의 지주막하 공간과 외림프강을 연결하는 중요한 구조물이며, 이를 통해 두개내압이 외림프로 전달이 되어 난원창/구형창막이 파열될 수 있다. 또한 와우의 cribriform area 역시 두개내압이 외림프강으로 전달될 수 있는 중요한 경로이다.[11] 이는 일반적으로는 폐쇄되어 있으나, Mondini 이형성과 같은 기형이 있는 경우는 열려 있어 뇌척수액 분출의 경로가 된다.

내향폭발설(implosive route)은 갑작스런 Valsalva법의 시도, 재채기, 기침, 다이빙 및 과도한 진력(physical exertion) 등으로 유발된 기압의 급격한 변화가 외이도나 이관을 통해 중이로 전달되어 정원창막을 내이측으로 파열시키거나 등골족판이 내이 안쪽으로 밀려 탈구된다는 가설이다.[20]

발생된 누공의 크기에 따라 대누공과 소누공으로 구분할 수 있는데, 대누공은 선천적인 것이 많아 Mondini 이형성, 내이도저(fundus)의 결손, Hyrtl 열공의 결손 등과 같은 골부의 기형이 대부분이고 주로 유소아에 나타나며, 소누공은 외상으로 인한 것이 많아 등골 수술 후, 압력 또는 진력으로 인한 손상으로 기인하며, 주로 난원창이나 정원창에 발생한다.[3]

II 임상 증상

난청을 동반한 어지럼증이 갑자기 발생하는 것이 외림프 누공의 전형적인 증상이다. 외상 이후 이러한 증상이 발생하면 외림프 누공을 의심할 수 있다. 난청의 정도는 변동성을 보이는 경우가 있으며 이명이나 이충만감을 호소하기도 한다. 어지럼증은 경미한 어지럼증에서부터 발작성 혹은 체위성 어지럼증 등 다양한 형태로 나타난다. 누공이 작은 경우는 주로 청각 및 전정 증상이 나타나지만 누공이 큰 경우는 반복적인 뇌막염 등의 신경학적 증상이 동반될 수 있다.[15,30]

III 진단과 검사 소견

병력, 증상, 청력검사와 전정기능검사 등을 종합하여 외림프누공을 진단할 수 있으나, 증상이 다양하여 진단에 어려움이 많다. 임상적으로 누공이 의심되는 경우 확진을 위해서 시험적 고실 개방술 등을 통한 누공을 확인하여야 한다.

1. 병력, 증상 및 신체검사

원인 불명의 돌발성 난청 환자 중 현기증을 동반한 경우나, 등골수술을 비롯한 중이수술, 압력 외상, 두부 외상, 진력 등의 병력이 있으면서 급속히 진행되는 난청과 두위 변환시 현기증이 있는 경우 외림프누공을 의심할 수 있다. 다른 급성 내이 질환에 비해 청력 손실 정도가 더 심해 감각신경성 난청이 돌발적으로 나타나거나 급속히 진행되고, 서서히 진행하던 감각신경성 난청이 급격히 진행하거나 변동성이면서 차차 진행되는 양상을 보이면 외림프누공을 의심할 수 있다.[27] 대개 난청과 전정 증상이 동반되나 다양한 임상 양상을 진단에 고려해야 한다.[21,43].

2. 청각학적 검사

순음청력검사상 감각신경 난청을 보인다. 많은 경우 난청은 초기는 저음역에서 시작하여 점차 고음역으로 확대되는 양상이며, 청력 역치가 변동하는 경우도 많다. 하지만 청력이 정상인 경우도 있어 순음청력검사상 특이적인 패턴은 없다.[45] 중이 내 외림프액 저류가 많아 혼합성 난청을 보이는 경우도 있다. 어음청력검사에서는 순음청력 역치로 예측되는 정도에 비해 어음 역치가 높고 어음명료도가 낮은 경향이 있다.[45]

누공이 의심되는 귀를 위로 향한 채 누워 30분 정도 유지한 후 순음청력검사를 시행하는 체위청력검사(postural audiometry) 시 초기 순음청력검사에 비해 2개 이상의 주파수에서 10 dB 이상의 청력 증진이 있는 경우 진단적 가치가 크다.[17] 또 glycerol test상 양성을 보이는 경우 누공을 예견하는 데 도움이 될 수 있으나, 외림프누공과 내림프수종을 감별진단하기는 어렵다.[28]

전기와우도 검사(electrocochleography)상 비정상적인 SP/AP 율은 내이액의 불균형 상태를 반영하여 내림프수종뿐만 아니라 외림프누공의 진단에 도움을 줄 수 있다. 하지만 SP/AP 율 증가로 내림프수종과 외림프누공을 구별하기 어렵고 감각신경성 난청이 심한 경우에는 전기와우도 검사에서 SP/AP 율 증가가 나타나지 않는 경우도 많아 전기와우검사가 외림프누공의 진단에 특이적인 검사로 보기는 어렵다.[6,32]

3. 전정기능검사

자발안진 또는 체위성 안진이 나타날 수 있으나 다른 내이 질환에서의 안진과 뚜렷하게 구분이 되지 않아 진단에 큰 의미가 없다.[26] 두위 및 두위변환 안진검사는 신뢰도가 높은 검사로 특히 환측 귀를 아래로 할 때 심한 경우 더 의미가 있다. 외림프누공 시 관찰되는 두위안진은 양성 발작성 체위성 현기증(benign paroxysmal positional vertigo)과 비교하여 잠복기가 없거나 짧고, 약한 안진을 나타내며 지속시간이 길고, 안진의 피로현상이 적거나 없으며, 머리를 다시 세웠을 때 안진의 방향이 변하지 않는다.[43,45]

온도 안진 검사상 50~75%의 환자에서 환측 반고리관 마비 소견이 나타날 수 있으나 특이한 진단적 의미는 없다.[48] 직립검사와 편의검사에서 양성인 경우가 많아, Singleton은 눈을 감은 채 팔을 앞으로 내밀 때 환측으로 팔이 전위되는 현상을 검사하는 Quix test상 외림프누공에서 60%의 양성률을 보인다고 하였다.[44] 보행검사를 응용한 검사법인 폐안 회전검사법(eye-close turning test)은 눈을 감은 채 일직선으로 걷게 한 후 어느 지점에서 갑자기 좌측 또는 우측으로 180° 급회전시킨 후 Romberg 자세로 멈추게 하여 전도 또는 불안정 여부를 검사하는 방법으로 외림프누공 환자에서 80% 이상에서 환측으로 전도되어 누공 측을 결정하는 데 많은 도움이 된다.[43]

누공검사(fistula test)(그림 28-1)는 외이도에 압력을 가하거나 감하여 공동안구운동(conjugate eye movement), 안진, 현기증 또는 불안정감 등을 유발하는 검사로, 이주압박(tragal compression)이나 기압이경(pneumatic otoscope), Politzer bag 등의 기구를 사용하는 단순 누공검사와 고실계(tympanometer)를 이용한 고실압력계 누공검사가 있다. 누공검사의 양성률은 보고에 따라 매우 다양하며 위음성이나 위양성이 있는 경우가 있어 단일 진단 검사로는 부족하다.[10]

상 반고리관 피열 증후군(superior semicircular

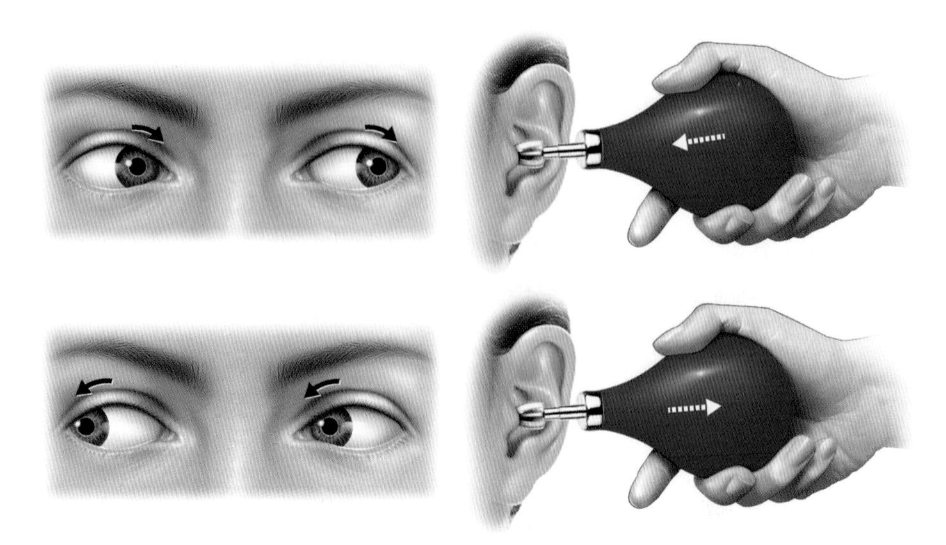

■ 그림 28-1. **좌측귀의 누공검사 시 양압과 음압을 이용한 안진 검사 결과.** 가압을 하면 반대쪽으로 안구가 편위되었다가 검사 측으로 향하는 안진을 보이며, 감압을 하면 반대가 된다(화살표는 안진의 방향).

canal dehiscence syndrome)처럼 외림프누공에서도 내이의 이미턴스(immittance)가 높아져 전정유발 근전위(vestibular evoked myogenic potentials; VEMPs) 역치가 낮게 나타날 수 있다.[34] 한편 외이도에 압력을 변화시키면서 동적 자세 검사(dynamic postulography)를 시행하여 누공이 의심되는 환자의 술 전·후 체위반사를 시행한 결과 97%의 민감도를 보여 진단 및 치료 효과 판정에 매우 유효한 검사로 이용될 수 있다.[9]

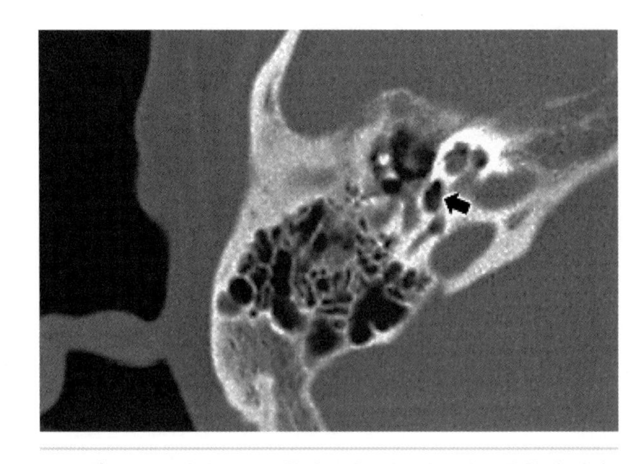

■ 그림 28-2. **외림프누공 환자의 측두골 전산화 단층촬영 영상.** 와우 및 전정내에 공기방울이 관찰된다.

4. 영상의학적검사

단순 유양동 영상검사로는 뚜렷한 정보를 얻을 수 없고, 측두골 전산화 단층촬영은 내이기형이나 비정상 통로를 확인하는 데 도움을 주며, 기타 내이 및 중이 질환들을 감별진단하는데 유용하다.[12] 드물지만 측두골 전산화 단층촬영에서 내이에 공기방울이 관찰되는 기전정(pneumolabyrinth) 소견이 발견되면 외림프누공을 진단할 수 있다(그림 28-2).[12] 앞서 말한 증상들과 함께 측두골 골절, Mondini 이형성, 전정도수관 확장, 와우도수관 확장 등의 소견이 관찰될 경우 외림프누공을 의심해야 한다. 조영제를 이용한 측두골 전산화 단층촬영이 누공 유무와 뇌척수액의 유출 등을 진단하는 데 도움을 주기도 하며, 방사선 동위원소나 radioactive iodine serum albumin을 이용한 cistern scanning을 이용하여 뇌척수액의 유출을 진단하기도 한다. 최근에는 T2-weighted MRI를 이용하여 뇌척수액 누출을 진단할 수 있다는 보고도 있으나 방사선 검사는 외림프 누공 진단의 단일 검사로서는 부족하다.[27]

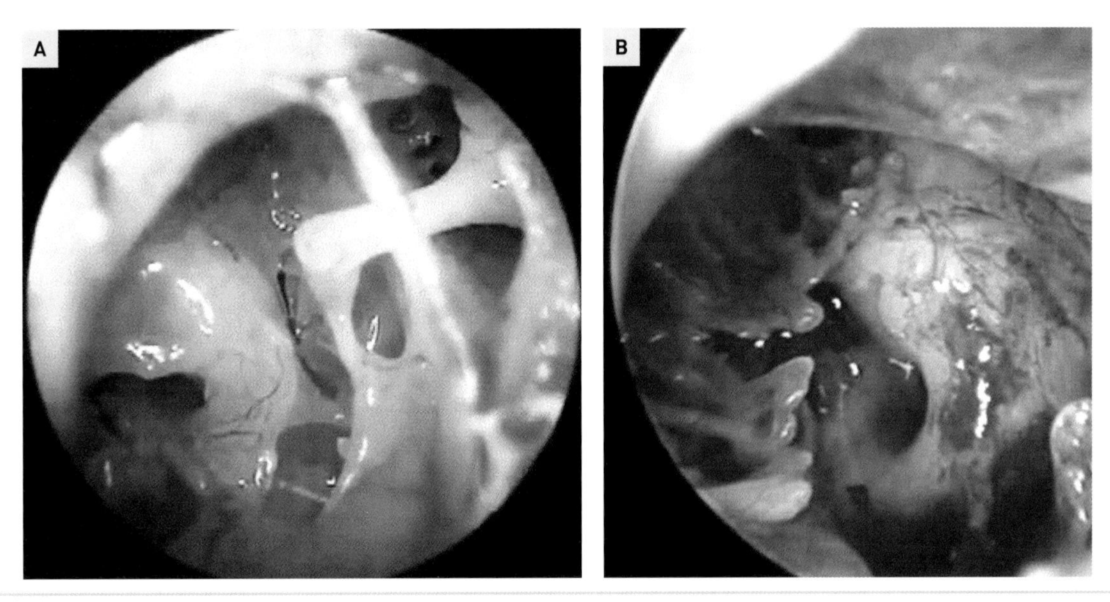

■ 그림 28-3. **외림프누공의 내시경 진단.** **A)** 등골 족판과 와우 사이에 열공이 관찰된다. **B)** 정원창 부위에 내 림프액이 고이는 것을 확인할 수 있다.

5. 중이 천자와 시험적 고실 개방술

외림프누공의 확진은 중이 천자를 시행하여 뇌척수액의 존재를 확인하거나 시험적 고실 개방술을 시행하여 외림프의 유출을 확인해야 한다(그림 28-3). 시험적 고실 개방술 등을 통한 누공의 확인율은 24~60% 정도로[40,41] 누공이 작거나 외림프액의 지속적인 누출이 없는 경우는 수술적 방법으로도 진단이 어려울 수 있다. 또한 시험적 고실 개방술을 하였을 때 정원창이나 난원창에 액체가 고이게 되는데 액이 외림프 액인지 아니면 국소마취제 혹은 중이 점막에서 나온 장액성 분비물인지 구별하기 어렵다. 이에 외림프의 누출을 확진하기 위해 형광물질이나 방사성 활성물질을 척수강내 주사 후 중이 내에서 확인할 수도 있으며, 표면마취를 이용해 중이 천자를 하고 이내시경으로 외림프액의 유출 여부를 확인하는 방법도 사용되고 있다.[3,39] 장액에는 존재하지 않고 외림프액이나 뇌척수액에만 존재하는 외림프액 marker를 사용할 수 있다. Weber 등은 고실을 천자하여 채취한 액체로 rapid protein test를 하여 외림프나 뇌척수액에 존재하는 β 2-transferrin을 검출하고 감별진단으로 사용하려는 시도를 하였다.[50] 또한 비슷한 기전으로 비인강으로 흘러나오는 액을 채취하여 β-trace protein의 유무를 검출하는 방법도 소개되었으며, Cochlin-tomoprotein와 함께 외림프액 여부의 확인에 특이도가 높아 외림프누공의 진단에 도움이 된다.[7,25]

Ⅳ 감별진단

Ménière병은 외림프누공과 증상이 유사하여 단순한 청력검사, glycerol test, 누공검사로는 감별하기 어려우나, 첫 발작이 갑자기 나타나고 현기증이 더욱 심하며 지속시간이 짧고 난청은 경미하고 어음분별능력이 우수하며 온도안진검사상 초기부터 반응저하를 보이는 예는 드물다.[5] 그러나 단순히 변동성 감각신경성 난청만 있거나 난청을 동반하지 않은 반복되는 현기증만 있는 경우 감별이 매우 어렵다. 외림프누공과 Ménière병이 따로 분리된 질환이 아니라 외림프누공 후에 이차적으로 내림프 수종

이 나타날 수 있다는 동물실험 결과를 바탕으로 두 질환이 서로 연관되어 있다는 주장도 있다.[16]

특별한 이유 없이 나타나는 돌발성 감각신경성 난청의 원인은 바이러스 감염, 혈액공급 장애, 와우 내막 파열 등인데, 임상적으로 외림프누공이 의심되면 위의 원인들을 감별해야 한다.[24] 난청이 발생하기 전에 바이러스 감염의 병력이 있는 경우나 혈관장애가 의심되는 경우를 제외하고는 누공과 감별하기가 매우 어렵다. 돌발성 난청이 순음청력도상 상승형이거나, 현기증이 없거나, 혈구침강속도가 정상인 경우는 완전 혹은 양호한 회복을 보이는 경우가 많으므로 누공이 의심되어도 초기에는 수술보다 충분한 안정 및 진정요법 등의 보존적 요법을 시행하는 것이 바람직하다.[1,3,31,42]

외림프누공은 Mondini 이형성과 같은 내이기형과 동반되는 경우가 많고, 이유 없이 반복성 뇌막염을 일으키는 소아에서는 내이의 선천성 기형을 측두골 전산화 단층촬영 등으로 확인해야 한다.

외림프누공에서도 두위변환 안진이 나타나므로 양성 자세 현훈과 감별해야 한다. 감별점으로 전형적인 양성 체위 현훈의 안진과는 달리 외림프 누공환자에서의 체위성 안진 잠복기가 짧거나 없고, 안진 지속시간이 길며, 가역성과 피로현상이 나타나지 않는 특징이 있다.[45]

전정신경염은 청력이 정상이고 급성기에 건측으로 향하는 수평 회전성 자발안진이 나타나며 두위 또는 두위변환에 의해 영향을 받지 않고, 현기증 발작 후 수 시간에서 수일간 지속되는 자발안진을 보인다는 점에서 감별할 수 있다.[4]

중이 저류액이 관찰되는 경우 중이 저류액으로 당 검사나 halo test를 시행하거나, 조영제를 이용한 측두골 전산화 단층촬영으로 조영제가 중이강내에 저류됨을 확인하여 누공과 장액성 중이염을 감별할 수 있다.

상 반고리관 피열 증후군은 큰 소리자극에 의해 어지럼증(Tulio phenomenon)과 동요시(oscillopsia)가 생기거나, 외이도를 통해 중이에 압력을 줌으로써 어지럼증이 생기는 Hennebert 징후가 나타나며[33] 고해상도 CT를 통해 상 반고리관 골성 미로의 피열(dehiscence)을 확인함으로써 진단할 수 있다. 그 외 중추성 전정 질환의 경우 증상이 유사한 경우가 많으므로 동반되는 다른 신경학적 이상 소견 여부를 확인하여야 한다.

 치료와 예후

치료 목적은 파열된 부위의 자발적 치유 혹은 수술적 폐쇄를 통해 청각 및 전정 증상을 회복시키고, 뇌막염을 예방하는 데 있다. 누공이 의심되는 경우 즉시 수술로 확인하여야 한다는 주장과, 자연히 치유되는 경우가 있으므로 일정기간 기다리면서 회복 여부를 관찰 후 수술에 임해도 늦지 않다는 주장 등 논란이 있어 왔다. 일반적인 보존적 치료의 원칙은 초기 5~7일간 머리를 30° 상승시킨 상태로 절대 안정시키면서 안정제, 현기증 억제제, 항구토제 및 변비약 등을 투여하고, 안정을 위하여 이관 통기법, Valsalva법, 냉온검사법은 피한다. 1주 정도 안정 후 청력이 회복되거나 두위안진 검사상 안진이 없어지면 2주 더 안정하며 과격한 운동은 2개월간 금하는 것이 좋다. 비수술적 치료로는 약 30~40% 정도에서 전정 증상이 호전된다.[27] 등골절제술 후 발생한 외림프누공 환자에서도 18~24시간 정도의 절대안정과 2주 정도 과격한 운동을 금한 이후 외림프누공 증상이 호전됨을 보고한 경우가 있으나 1차 수술 소견 및 증상을 고려하여 조기수술 여부를 결정하는 것이 중요하다.[49]

보존적 치료로 증상의 호전이 없거나 전정 증상이 2주에서 1개월 이상 지속되거나 청력손실이 점점 심해지는 경우와 급격한 청력소실 후 회복되지 않을 경우 등에서 수술적 치료를 고려해야 한다.[15] 하지만 관통된 외상 후 외림프누공이 의심되는 증상이 지속되는 경우, 잔존 청력을 보존하기 위하여 조기에 수술적 치료가 필요할 수 있다.

수술의 접근방법으로는 주로 외이도를 통한 고실 개방

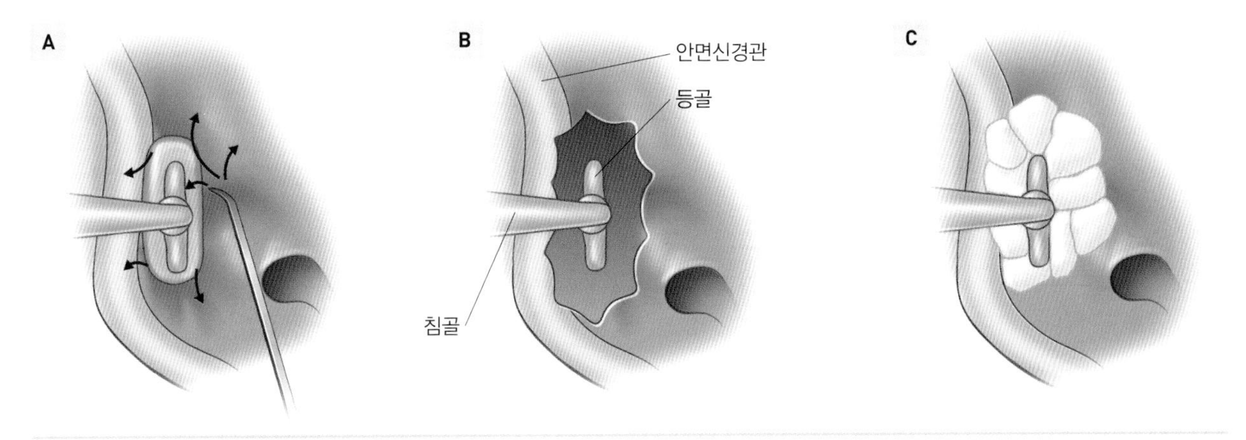

■ 그림 28-4. **등골 족판 외림프누공의 외과적 치료.** **A)** 난원창와, 등골 족판, 갑각과 안면신경관의 점막을 벗겨낸다. **B)** 점막을 벗겨낸 영역. **C)** 이식편을 이용하여 난원창와를 폐쇄한다.

술을 이용하고, 선천성 기형을 동반한 뇌척수액 이루에는 고실-유양동 접근법이나 두개 내 접근법을 사용할 수도 있으며, 두부외상 등의 측두골 골절 후 발생했을 때는 경유양동 접근법을 이용하기도 한다. 고실 개방술은 수술 중 파열여부와 위치를 확인하기 위해 Valsalva법을 시행할 수 있으므로 가능한 한 국소마취하에 시행하며 출혈을 최소화하여야 한다.

수술방법은 국소 마취하에 현미경하 혹은 내시경하 고실 개방술을 통해 중이로 접근하여 중이 내에 고인 저류액을 주의하여 흡인한 후 난원창과 정원창 부위를 주의깊게 관찰한다. 열구(fissure)나 동공(hole) 모양의 누공을 확인하거나, 외림프액의 누출을 직접 확인할 수 있고, 누공이 뚜렷하게 확인되지 않아도 난원창이나 정원창 부위에 맑은 액체가 반복적으로 고이는 것으로 의심할 수 있다. 수술 중 Trendelenburg 체위, Valsalva법, 경정맥 압박, 이소골연쇄의 조작 등을 시행하여 외림프액의 누출 증가시키면 누공 유무 또는 누공부위의 확인에 도움을 줄 수 있다.[46] 정원창막을 관찰하기 위해서는 정원창와 상부 뼈의 돌출을 제거하여 정원창막 전체를 노출한다. 외림프의 분출이 적거나 간헐적인 경우 외림프누공의 진단을 놓칠 수 있고, 중이강내 저류액이나 국소 마취액을 분출된 외림프액으로 착각할 수 있기 때문에, 외림프누공 진단에 유의해야 한다. 작은 gelfoam 조각을 저류액에 적신 후 소변검사용 스틱을 이용하여 포도당의 농도를 측정 한 뒤 농도가 100 mg/dL이면 저류액이 내림프액일 가능성이 매우 높다.[46]

누공은 대개 난원창, 정원창, Hyrtl 열공, 고실개, 후두개와의 결손 부위 등의 순서로 호발한다.[19,40,43] 누공폐쇄 재료로는 지방조직, 연골막, 근막, 근육, 정맥편 등이 사용되며, 이 중 연골막이나 근막이 다른 재료보다 예후가 양호하여 Singleton은 난원창 부위의 윤상인대 큰 파열, 등골판의 중앙천공, 정원창막의 파열 등에는 연골막의 사용이 가장 좋고, 윤상인대의 작은 파열에는 피하지방조직이 좋다고 하였다.[43] 누공이 확인되면 난원창 혹은 정원창 부위를 넓게 노출시켜 주위의 점막을 박리한 후 이식편을 이용하여 막는 것이 좋다(그림 28-4).

선천성 내이기형으로 인한 대누공의 경우는 이식편을 이용한 단순 폐쇄로는 뇌척수압을 이겨낼 수 없기 때문에 등골절제술 후 전정(vestibule)을 근육이나 근막으로 채우는 전정폐쇄술(vestibular obliteration)을 시행해야 하며, 이관과 외이도를 막아주는 측두골 아전 절제술(subtotal petrosectomy)이 필요한 경우도 있다. 심한 경우 경미로접근법, 후두개접근법을 통하여 내이도나 와우도수관을 막아야 할 경우도 있다.[35,45]

누공의 폐쇄율은 정원창막 부위는 거의 100% 폐쇄되지만, 난원창의 큰 누공은 80% 정도에서, 직접 확인되지 못한 작은 전방부나 전상방부의 난원창 누공은 50% 이하의 성공률을 보인다.[43] 수술 후 1주 정도는 안정을 요하고, 이후 점진적으로 활동을 늘려나간다.[27]

수술 결과는 수술 시기, 누공의 확인 여부, 누공폐쇄 재료 등에 따라 다양하다. 청력의 회복은 16~62% 정도로 예측이 어렵고 전정 증상은 청력 회복에 비해 좋은 결과를 보여 72~100% 호전을 보인다.[18,22,23,45] 누공을 확인하고 이를 적절히 막은 경우 수술 후 즉시 전정 증상이 소실되는 경우가 많고, 누공을 확인하지 못하여도 의심되는 부위에 연골막 등의 이식편으로 막으면 청력 회복은 낮으나 전정 증상은 대부분 호전된다.[37] 증상 호전 후 6주 정도가 지나 전정 증상이 재발한 경우 누공의 재발을 의심하는데 수술 후 누공의 재발률은 10~47%이며, 이식편에 따른 결과는 연골막, gelfoam patch, 측두근막, 자가지방조직의 순으로 성공률이 높아 연골막이 가장 좋은 이식편 재료로 알려져 있다.[45] 재발한 경우에는 다시 난원창이나 정원창막 부위를 이식편으로 막으면 대부분 호전되나, 심한 경우 대누공에서와 마찬가지로 등골절제술 후 난원창을 폐쇄하거나, 측두골아전절제술, 미로절제술이 필요하다.[27,37] 위와 같은 수술적 치료로도 치유되지 않는 소위 난치성 외림프누공(refractory perilymphatic fistula)의 경우에는 누공 폐쇄술과 함께 뇌실 복막 션트(ventriculoperitoneal shunt; VP shunt)를 시행하기도 한다.[29]

수술 후에는 적어도 5일간의 침상안정이 필요하며, 수면 시에는 머리를 20~30 cm 정도 높인다. 침상에서 일어날 때에는 복부 근육을 사용하면 복압이 상승하므로 팔을 이용해서 일어날 수 있도록 교육하여야 하며, 2주간은 변비약을 사용하는 것이 좋다. 5일간의 침상 안정 이후 2주간은 무거운 물건을 들거나 근력운동을 피해야 한다. 또한 재채기는 입을 벌린 상태에서 하도록 교육해야 하며, 2주간 코를 풀지 않도록 주의해야 한다.[46]

참고문헌

1. 김종선, 장선오, 유영삼. 돌발성 청력손실과 외림프누공. 한이인지 1988;31:387-394.
2. 박철원. 외림프누공. 서울 심포지움 1993;4:43-68.
3. 이광선, 유영설, 이흥만, 황순재, 추광철. 난원창 누공에 의한 돌발성 난청 치험. 한이인지 1986;29:86-91.
4. 차창일. 전정신경염의 임상상. 서울 심포지움 1989;3:85-107.
5. Allen GW. Endolymphatic sac and cochlear aqueduct. Their role in the regulation of labyrinthine pressures. Arch Otolaryngol 1964;79:322-327.
6. Arenberg IK, Ackley RS, Ferraro J, Muchnik C. ECoG results in perilymphatic fistula: clinical and experimental studies. Otolaryngol Head Neck Surg 1988;99:435-443.
7. Bachmann-Harildstad G, Stenklev NC, Myrvoll E, Jablonski G, Klingenberg O. beta-trace protein as a diagnostic marker for perilymphatic fluid fistula: a prospective controlled pilot study to test a sample collection technique. Otol Neurotol 2011;32:7-10.
8. Black FO, Lilly DJ, Nashner LM, Peterka RJ, Pesznecker SC. Quantitative diagnostic test for perilymph fistulas. Otolaryngol Head Neck Surg 1987;96:125-134.
9. Black FO, Lilly DJ, Peterka RJ, Shupert C, Hemenway WG, Pesznecker SC. The dynamic posturographic pressure test for the presumptive diagnosis of perilymph fistulas. Neurol Clin 1990;8:361-374.
10. Chu H, Chung WH. Images in clinical medicine. Perilymph fistula test. N Engl J Med 2012;366:e8.
11. Ciuman RR. Communication routes between intracranial spaces and inner ear: function, pathophysiologic importance and relations with inner ear diseases. Am J Otolaryngol 2009;30:193-202.
12. Ehmer DR, Jr., Booth T, Kutz JW, Jr., Roland PS. Radiographic diagnosis of trans-stapedial cerebrospinal fluid fistula. Otolaryngol Head Neck Surg 2010;142:694-698.
13. Escat E. Ecoulement spontane de liquide cephalorachidien par le conduit auditif externe; fistulae congenitale probable. Arch Int Laryngol 1897;10:653-659.
14. Fee GA. Traumatic perilymphatic fistulas. Arch Otolaryngol 1968;88:477-480.
15. Ferguson BJ, Wilkins RH, Hudson W, Farmer J, Jr. Spontaneous CSF otorrhea from tegmen and posterior fossa defects. Laryngoscope 1986;96:635-644.
16. Fitzgerald DC. Perilymphatic fistula and Meniere's disease. Clinical series and literature review. Ann Otol Rhinol Laryngol 2001;110:430-436.
17. Flood LM, Fraser JG, Hazell JW, Rothera MP. Perilymph fistula. Four year experience with a new audiometric test. J Laryngol Otol 1985;99:671-676.
18. Gacek RR, Leipzig B. Congenital cerebrospinal otorrhea. Ann Otol Rhinol Laryngol 1979;88:358-365.

19. Glasscock ME, 3rd, McKennan KX, Levine SC. Persistent traumatic perilymph fistulas. Laryngoscope 1987;97:860-864.
20. Goodhill V. Sudden deafness and round window rupture. Laryngoscope 1971;81:1462-1474.
21. Grundfast KM, Bluestone CD. Sudden or fluctuating hearing loss and vertigo in children due to perilymph fistula. Ann Otol Rhinol Laryngol 1978;87:761-771.
22. Halvey A, Sade J. The perilymphatic fistula. Am J Otol 1983;5:109-112.
23. Healy GB, Friedman JM, Strong MS. Vestibular and auditory findings of perilymphatic fistula: a review of 40 cases. Trans Sect Otolaryngol Am Acad Ophthalmol Otolaryngol 1976;82:Orl44-149.
24. Hoch S, Vomhof T, Teymoortash A. Critical evaluation of round window membrane sealing in the treatment of idiopathic sudden unilateral hearing loss. Clin Exp Otorhinolaryngol 2015;8:20-25.
25. Ikezono T, Shindo S, Sekiguchi S, et al. The performance of Cochlin-tomoprotein detection test in the diagnosis of perilymphatic fistula. Audiol Neurootol 2010;15:168-174.
26. Kerth JD, Allen GW. Comparison of the perilymphatic and cerebrospinal fluid pressures. Arch Otolaryngol 1963;77:581-585.
27. Kohut RI, Hinojosa R, Ryu JH. Update on idiopathic perilymphatic fistulas. Otolaryngol Clin North Am 1996;29:343-352.
28. Lehrer JF, Poole DC, Sigal B. Use of the glycerin test in the diagnosis of post-traumatic perilymphatic fistulas. Am J Otolaryngol 1980;1:207-210.
29. Lollis SS, Weider DJ, Phillips JM, Roberts DW. Ventriculoperitoneal shunt insertion for the treatment of refractory perilymphatic fistula. J Neurosurg 2006;105:1-5.
30. Love JT, Jr., Waguespack RW. Perilymphatic fistulas. Laryngoscope 1981;91:1118-1128.
31. Mattox DE, Simmons FB. Natural history of sudden sensorineural hearing loss. Ann Otol Rhinol Laryngol 1977;86:463-480.
32. Meyerhoff WL, Yellin MW. Summating potential/action potential ratio in perilymph fistula. Otolaryngol Head Neck Surg 1990;102:678-682.
33. Minor LB. Labyrinthine fistulae: pathobiology and management. Curr Opin Otolaryngol Head Neck Surg 2003;11:340-346.
34. Modugno GC, Magnani G, Brandolini C, Savastio G, Pirodda A. Could vestibular evoked myogenic potentials (VEMPs) also be useful in the diagnosis of perilymphatic fistula? Eur Arch Otorhinolaryngol 2006;263:552-555.
35. Ohlms LA, Edwards MS, Mason EO, Igarashi M, Alford BR, Smith RJ. Recurrent meningitis and Mondini dysplasia. Arch Otolaryngol Head Neck Surg 1990;116:608-612.
36. Okano Y, Myers EN, Dickson DR. Microfissure between the round window niche and posterior canal ampulla. Ann Otol Rhinol Laryngol 1977;86:49-57.
37. Parell GJ, Becker GD. Results of surgical repair of inapparent perilymph fistulas. Otolaryngol Head Neck Surg 1986;95:344-346.
38. Parnes LS, McCabe BF. Perilymph fistula: an important cause of deafness and dizziness in children. Pediatrics 1987;80:524-528.
39. Poe DS, Bottrill ID. Comparison of endoscopic and surgical explorations for perilymphatic fistulas. Am J Otol 1994;15:735-738.
40. Seltzer S, McCabe BF. Perilymph fistula: the Iowa experience. Laryngoscope 1986;96:37-49.
41. Shelton C, Simmons FB. Perilymph fistula: the Stanford experience. Ann Otol Rhinol Laryngol 1988;97:105-108.
42. Simmons FB. Perilymph fistula: some diagnostic problems. Adv Otorhinolaryngol 1982;28:68-72.
43. Singleton GT. Diagnosis and treatment of perilymph fistulas without hearing loss. Otolaryngol Head Neck Surg 1986;94:426-429.
44. Singleton GT. Perilymph fistulas. Adv Otorhinolaryngol Head and Neck Surgery 1988;2:26-38.
45. Singleton GT, Post KN, Karlan MS, Bock DG. Perilymph fistulas. Diagnostic criteria and therapy. Ann Otol Rhinol Laryngol 1978;87:797-803.
46. Singleton GT, Teresa ML. Perilymphatic Fistula. In: Brackmann D, Shelton C, Arriaga MA, eds. Otologic Surgery. 3rd ed. Philadelphia: Saunders, 2010, pp. 323-333.
47. Supance JS, Bluestone CD. Perilymph fistulas in infants and children. Otolaryngol Head Neck Surg 1983;91:663-671.
48. Thompson JN, Kohut KI. Perilymph fistulae: variability of symptoms and results of surgery. Otolaryngol Head Neck Surg (1979) 1979;87:898-903.
49. Wall C, 3rd, Rauch SD. Perilymphatic fistula. In Disorders of vestibular system. New York: Oxford University Press, 1966, p.396-406
50. Weber PC, Kelly RH, Bluestone CD, Bassiouny M. Beta 2-transferrin confirms perilymphatic fistula in children. Otolaryngol Head Neck Surg 1994;110:381-386.

CHAPTER

29

감각신경성 난청의 감별진단

이비인후과학 Otorhinolaryngology - Head and Neck Surgery

신시옥, 심현준

난청은 이과 영역에서 가장 흔한 증상으로, 이의 원인을 찾는 과정에서 전음성 난청인지 또는 감각신경성 난청인지를 감별하게 된다. 일반적으로 의사들은 전음성 난청의 경우 원인 질환을 추적하고 치료방법을 찾아내어 이를 해결하려는 열의를 가진 반면, 감각신경성 난청의 경우 정도에 따라 보청기 처방을 할 뿐 원인을 규명하려는 노력을 더 이상 하지 않는 경향이 있다. 그러나 전음성 난청이 최종 진단명이 될 수 없듯이 감각신경성 난청의 경우에도 이의 원인 질환을 추적하려는 노력이 반드시 필요하다.[1]

특히 유소아의 감각신경성 난청은 진찰시 특별한 이상을 발견하지 못하는 경우가 많고, 또 정확한 청력역치를 측정하기 어려운 경우가 많기 때문에 방치하기 쉽다. 그 결과 언어발달과 사회생활에 심각한 장애가 생기고 소리자극의 감소나 소실은 중추청각 경로의 발달과 성숙을 저해하여 진단이 늦어질수록 장애를 교정하기가 더욱 어려워진다. 따라서 유소아 난청의 조기 발견과 조기 재활은 이비인후과 의사들의 사명 중 하나이다. 어른의 경우 감각신경성 난청을 발견하기가 어렵지 않아 원인을 찾아내 더 이상의 진행을 예방할 수도 있다. 경우에 따라서는 치료가 필요하거나 치료할 수 있는 질환을 발견할 수 있다.

감각신경성 난청을 일으키는 원인들은 무수히 많으며 와우와 청각경로의 다양한 질환들이 원인이 될 수 있다. 이 장에서는 이들의 분류, 임상적 평가법, 내이 병리조직 소견과 유전성 질환, 감염성 질환 등을 비롯하여 기타 감각신경성 난청을 초래할 수 있는 질환들에 대하여 감별진단적 차원에서 간단히 언급하고자 한다.

I 감각신경성 난청의 분류

감각신경성 난청의 분류는 다양하나 가장 일반적인 분류는, 난청이 발현된 시기에 따라 출생 때부터 이미 나타나는 선천성(congenital)과 출생 후에 나타나는 후천성(acquired, postnatal)으로 구분하고, 이를 각각 유전성(genetic, hereditary)과 비유전성(nongenetic)으로 분류하는 것이다. 여기에서 선천성과 유전성을 혼동하지 말

표 29-1. 발생시기에 따른 감각신경성 난청의 분류

	선천성	후천성, 지연성
유전성	• 비증후군성 - DFNA - DFNB • 증후군성 - Waardenburg 증후군 - Usher 증후군 - Pendred 증후군 - 백피증(albinism) - 손발톱이영양증(anychodystrophy) - Jervell 증후군 - Trisomy(13, 15, 18, 21)	• 비증후군성 • 증후군성 - Alport 증후군 - Lysosomal storage disease (Hurler 병, Hunter 병, Fabry 병) - Klippel-Feil 증후군 - Alstrom 병 - Refsum 병 - 신경섬유종증(neurofibromatosis) - Grouzon 병 - Cockayne 증후군
비유전성	• 산전 감염 - 바이러스성(예: 모성 풍진) - 세균성 • 이독성 약물 • 기형유발 약물(thalidomide) • 대사이상(cretinism) • 주산기 외상, 저산소증 • 방사능 피폭 • 미숙아	• 염증성 질환 - 세균성(예: 미로염, 수막염) - 바이러스성(예: 유행성이하선염, 미로염) - spirochetal(예: 매독) • 이독성 약물 • 외상(예: 소음, 측두골 골절) • 노인성 난청* • Meniere병* • 돌발성 난청* • 대사이상(예: 갑상선 기능저하) • 허혈성 질환(예: 백혈병) • 신경학적 이상(예: 다발성 경화증) • 면역이상 • 종양(예: 청신경 종양) • 골 질환

*특발성 또는 다인자성

아야 한다. 예를 들면 산전 모성의 풍진(rubella) 감염으로 인한 감각신경성 난청은 선천성 비유전성 감각신경성 난청에 들어간다. 또한 후천성(acquired) 대신 지연성(delayed)이란 용어를 쓰고 있는데 예를 들면 Alport 증후군의 경우 난청은 보통 10대에 나타나지만 그 원인은 유전성으로 후천성은 아니다.

그리고 유전성은 다른 장기의 기형이나 이상을 동반하는 증후군형(syndromic)과 감각신경성 난청만 독립적으로 나타나는 비증후군형(nonsyndromic)으로 분류되며 비유전성은 염증성(inflammatory), 외상성(traumatic), 독성(toxic), 대사성(metabolic), 그리고 종양성(neoplastic) 등 다양한 원인으로 분류할 수 있다(표 29-1). 또 병변의 해부학적 위치에 따라 감각성 난청, 신경성 난청, 중추성 난청으로 분류하기도 하며 각각의 대표적인 원인과 감별진단 및 청각특성은 표 29-2에 나와 있다.

II 감각신경성 난청 환자의 임상평가

1. 병력

감각신경성 난청 환자의 진단에서 가장 중요한 과정은 자세한 병력을 청취하는 것이다. 난청의 발현시기와 양측성 난청 유무, 난청의 정도와 진행 형태, 즉 돌발성인지

표 29-2. 병변의 위치에 따른 감각신경성 난청의 분류

	감각성 난청	신경성 난청	중추성 난청
원인	유모세포를 포함한 와우 손상	청신경 병변	청각중추신경계 병변
감별진단	소음성 난청 이독성 난청 미로염 미로진탕 Meniere 병	청신경 종양 기타소뇌교각 종양 청각신경병증	뇌졸중 다발성경화증 중추청각 정보처리 장애
청각특성	청력역치 상승 소리의 주파수분별력 약화 소리에 대한 누가현상 발생	감각성 난청의 특성과 유사 음인지력tone perception에 비해 어음인지력이 떨어짐	음인지력tone perception은 정상일 수 있음 빠른 말소리나 소음환경하에서 말소리를 이해하는데 어려움

급속히 또는 서서히 악화되는지, 변동성인지 정지형인지 등을 문의한다. 특히 진행성의 감각신경성 난청은 치료가 필요하거나 더 이상의 진행을 예방할 수 있는 경우가 있으므로 유의해야 한다.

영유아기에 언어발달 이상으로 내원하여 발견된 난청은 선천성 난청으로 의심하며, 이때 부모에게 가족력, 임신 중 감염이나 약물 복용, 출산 시 외상 등이 있었는지 물어본다. 신생아 1,000명당 1명이 양측 고도 이상의 감각신경성 난청을 가지고 있으며 그 중 반 이상이 유전적 요인 때문이라는 점에서 특히 자세한 가족력의 청취는 필수적이다.[11] 또한 다른 장기의 이상을 동반하고 있는지를 물어 증후군형인지를 감별한다. 미국의 The Joint Committee on Infant Hearing (JCIH)의 Position Statement(1994, 2000, 2007)에 적시된 위험지표(risk indicators)는 유소아 난청의 가능성이 높은 고위험군의 목록일 뿐만 아니라 난청 환자를 진찰할 때 청취해야 할 병력의 목록이기도 하다.[65] 난청의 고위험군 목록에는 (1) 보호자가 아동의 청각 및 언어발달에 대해 염려하는 경우 (2) 유전성 소아난청의 가족력 (3) 5일 이상 신생아 집중치료실에 입원한 경우, 또는 5일 이내 입원하였더라도 체외막형산소섭취(ECMO), 인공호흡기, 교환수혈, 이뇨제,이독성 약제 등을 사용한 경우 (4) TORCHES 등의 태아 자궁내 감염 (5) 이개와 외이도 기형을 동반한 두개안면부 기형 (6) 난청을 포함한증후군을 의심할 만한 이학적 소견 (7) 감각신경성 난청이나 전음성 난청을 포함하는 증후군 (8) Hunter 증후군 같은 신경퇴행성 질환 (9) 뇌막염을 포함한 산후 감염 (10) 두부외상 (11) 항암제 치료의 기왕력 등이 있다.

난청 외의 귀의 증상들, 즉 이루, 현기증, 이명, 이통, 이충만감, 두통, 안면신경 마비 등이 있거나 있었는지를 물어 봄으로써 감별진단에 중요한 단서를 얻을 수 있다. 그리고 귀 이외의 질환, 특히 심혈관, 신경, 내분비, 신장계 질환이 감각신경성 난청의 원인을 제공할 수 있으므로 이에 관한 병력을 물어야 한다.

내이 손상을 야기할 수 있는 대표적인 외부요인은 이독성 약물과 소음이므로 이들에 노출되었는지가 중요하다. 이독성 약물의 경우 종류, 투여량과 기간, 다른 약물과의 병용 여부, 난청의 진행양상 등을 묻는다. 소음의 경우 소음의 종류, 강도, 폭로기간, 난청의 진행양상 등을 묻는다.

2. 신체검사 소견

난청 환자의 이과적 진찰은 전음성 난청을 감별하는데 필수적이나 감각신경성 난청 환자는 특이한 이상을 보이지 않는 경우가 많다. 그러나 선천성 또는 유전성 질환, 특히 증후군형의 난청은 전신 진찰로써 진단할 수 있다.

두개안면부 기형은 다른 부위의 기형에 비해 전음성,

감각신경성 또는 혼합성 난청을 잘 동반하므로 선별검사가 필요한 난청의 고위험인자에 들어가며 자세한 이과적 청각학적 검사가 필요하다. 외이에 이개전부와(preauricular pit), 수이(lob ear), 소이증(microtia), 폐쇄증(atresia) 등의 기형은 중이기형뿐 아니라 내이기형도 동반할 수 있다. 선천성 이폐쇄증(congenital atresia)은 12%에서 방사선검사에서 내이기형을 동반한다.[39] 구순열(cleft lip)과 구개열(cleft palate)은 난청과 가장 흔히 동반되는 기형으로 대부분 삼출성 중이염으로 인한 전음성 난청을 보이나 혼합성 난청을 보이는 경우도 있다. 난청을 동반하는 안과적 유전성 질환들이 20종 이상 알려져 있는데 그 대부분이 감각신경성 난청을 동반한다.[33] 대표적인 질환은 Usher 증후군과 Waardenburg 증후군이다.

그 외 경부, 골근육계, 피부, 신경계 등의 기형들도 감각신경성 난청을 동반할 수 있는데 대표적 소견과 질환들이 표 29-3에 나와 있다.

표 29-3. 감각신경성 난청의 주요 이학적 소견

이상소견	질환명
귀	
전이개 함몰	-
이개 부속물	-
이개 기형(예: atresia, lop ear, cup ear)	-
눈	
망막색소변성(retinitis pigmentosa)	Usher 증후군
안각이소증(dystopia canthorum)	Waardenburg 증후군
홍채이색(heterochromia irides)	Waardenburg 증후군
안조직 결손(ocular coloboma)	CHARGE 연관
백내장(cataract)	선천성 풍진
각막염(keratitis)	Cogan 증후군
목	
갑상선종	Pendred 증후군
새열누공	Branchio-oto-renal 증후군
근골격계	
경추척추 융합	Klippel-Feil 증후군
소인증	연골발육부전증(achondroplasia)
피부와 부속기	
전두백발(white forelock)	Waardenburg 증후군
저색소증	백피증(albinism)
외배엽 이형성(ectodermal dysplasia)	어린선
신경학적	
운동실조증(ataxia)	-
저능아	-

3. 청력검사

전형적인 기본 청력검사 단위인 순음, 어음, 임피던스 청력검사는 가장 기본적인 난청 진단도구이다. 또한 최근 활발히 이용되고 있는 청성뇌간반응 검사(ABR)와 이음향방사(OAE)도 난청의 진단에 유용한 검사들이다.

1) 순음청력 검사

전음성 난청과 감각신경성 난청을 감별하는 데 필수적일 뿐 아니라 난청의 정도와 경과를 관찰하는 데 있어 가장 기본적인 검사이다. 경우에 따라 감각신경성 난청에서 주파수에 따른 청력도의 양상으로 난청의 원인에 대한 단서를 얻기도 한다. 예를 들면 소음성 난청의 경우 초기에 3~6 kHz에서 소위 4 kHz notch 또는 C5 dip이 나타나고, 이독성 약물로 인한 난청의 경우 6~8 kHz (10 kHz 이상 측정 가능한 고주파수 청력계기라면 그 고주파수들)에서 난청이 시작되나, 이들 질환이 진행함에 따라 하강형의 감각신경성 난청으로 나타나 두부손상이나 노인성 난청에서 보는 청력상과 비슷해진다. 변동성의 감각신경성 난청을 보이는 경우는 Ménière병, 면역내이 질환, 외림프 누공 등에서 볼 수 있다. 특히 메니에르병의 경우 2 kHz 이하의 저음역의 변동성 난청으로 시작하고 경우에 따라 비변동성의 고음역 난청을 함께 보이며, 진행됨에 따라 수평형으로 변해 간다.

2) 어음청력 검사

언어청취 인지능력을 검사하며, 감각신경성 난청의 병변부위(미로성 또는 후미로성)를 짐작할 수 있고 보청기 적용 가능성과 적용 후 언어 인지능력의 향상 정도를 알 수 있게 해 준다. 순음청력 검사는 적어도 4세 이상에서 측정 가능한 데 비해 어음청력 검사는 피검자의 언어발달 정도에 맞는 단어를 고른다면 유아에서도 어음청취 역치(speech reception threshold; SRT)가 측정 가능하며 보기가 주어진 그림지적 검사(closed-set, picture-pointing format)를 하면 18~24개월의 유아에서도 측정 가능하다. 어음명료도치(discrimination score)의 해석에서 주의할 점은 양 극단(즉 100% 또는 0%)으로 갈수록 점수의 가변성이 줄어드는 반면 중간치는 가변성이 크다는 것이다. 즉, 50개의 단어로 검사할 경우 48%의 결과는 30~66%와 크게 다르지 않다. 25개의 검사어를 이용하면 가변성은 더욱 커진다.

3) 임피던스 검사

임피던스 검사 중 고막운동성 계측(tympanometry)은 중이 질환을 감별하기 위하여 반드시 시행한다. 검사 시에는 결과가 Liden 등의 분류와 다른 양상이 있을 수 있고, 고막운동성 계측과 중이 기능장애의 관계가 대단히 복잡하다는 점을 염두에 둔다. 특히 6~7개월 내의 영아는 높은 위음성(false negative) 결과를 보이는데 이는 압력의 변화에 따른 외이도벽의 움직임 때문으로 생각된다. 따라서 고막운동성 계측 결과는 반드시 임상적인 소견과 함께 해석해야 한다.

등골근반사 검사는 청신경, 안면신경 그리고 반사경로상의 하부 뇌간(lower brainstem)에 대한 진단 정보를 제공하는 검사법이다. 정상청력의 경우 500~2,000 Hz에서 70~100 dB HL의 순음자극에서 반사 역치가 나타난다. 4,000 Hz에서의 반사 유무는 임상적으로 의미가 없다. 전음성 난청은 경도난청이라 하더라도 소식자(probe)가 병측에 위치할 때 반사가 없는 경우가 대부분이다. 감음성 난청은 난청의 정도에 따라 다르지만 75 dB 이상의 난청이 있을 경우 90% 이상에서 아무리 큰 자극음에도 반사가 나타나지 않는다.[60] 이는 청력손실이 의심되나 청력역치 검사가 어려운 경우에도 등골근 반사가 있을 때는 적어도 역치 75 dB보다 나은 잔존청력이 있을 가능성이 많다는 것을 의미한다.

이러한 기본 청력검사들은 감각신경성 난청이 미로성인지 후미로성인지를 감별하는 데 도움을 주는데, 일측이 더 심한 난청을 보이는 비대칭적 난청이면서 청력역치에 비하여 어음명료도가 많이 떨어져 있을 때, 어음명료도 곡선에서 rollover 현상(phenomenon)을 보일 때, 등골근 반사이상 등이 발견될 때 후미로성 병변을 의심하게 된다. 기본검사들 외에 누가현상(recruit phenomenon)이나 청각피로를 측정하는 검사들을 추가하여 도움을 받을 수 있다.

4) 청성뇌간반응 검사(ABR)

이 검사의 개발로 유소아와 정신지체자 등 전통적 청력검사가 어려운 환자에게도 청력 측정이 가능하게 되었다. ABR 검사는 청력손실의 선별검사나 역치검사로 유용할 뿐 아니라 청신경종양 등을 감별할 수 있다. 선별검사의 경우 광대역 클릭음(broad band click)을, 주파수별 역치검사로는 주파수 특성 자극음을 사용한다. ABR 검사의 결과를 해석할 때 주의해야 할 점은 난청의 종류에 따라 실제 역치와 검사 역치가 달라진다는 점이다. 청력역치 측정시 정상 또는 전음성 난청의 경우 배경잡음(background noise)을 극복해야 하므로 청력역치는 실제 역치에 비해 성인은 5~10 dB, 소아는 10~20 dB 정도 높게 나타난다. 반면 감각신경성 난청의 경우 클릭음과 같은 duration이 짧은 자극음으로 검사할 때 순음과 같은 긴 자극음에 비하여 청력역치가 올라가는 현상인 순간통합(temporal integration)이 정상에 비해 현저하게 감소하고 누가현상으로 주위 소음의 영향도 덜 받으므로 오히려 실제 청력역치에 비해 5~10 dB 낮게 역치가 측정될 수도 있다.

주파수특성 자극음의 경우 큰 강도의 자극음은 와우에서 목표 부위보다 기저부의 기저막(basilar membrane)도 진동시키므로 원하는 주파수보다 고주파 영역도 흥분시켜 주파수 특성이 떨어진다. 그 결과 저주파수대의 난청이 있을 경우 역치가 과소평가될 수 있다.

전음성 난청과 감각신경성 난청의 감별은 잠복기-강도기능(latency-intensity function)을 분석하여 전음성 난청은 모든 자극강도에서 잠복기가 균일하게 늘어나 잠복기-강도 곡선이 정상 곡선과 평행하게 그려지는 반면에, 감각신경성 난청은 역치 부근의 낮은 강도 자극음에서는 잠복기가 현저하게 연장되나 높은 강도 자극음에서는 정상범위에 접근한다. 즉 경사가 더 가파른 곡선을 보이며 이는 특히 고음역의 감각신경성 난청에서 잘 나타난다. 또한 전음성 난청은 wave Ⅰ과 wave Ⅴ의 잠복기가 균일하게 연장되어 파간 잠복기(interpeak latency)가 정상이나, 감각신경성 난청은 wave Ⅰ에 비하여 wave Ⅴ의 연장이 미약하여 파간 잠복기가 단축되는 경향이 있다. 더 직접적으로는 수화기(ear phone) 대신에 골전도 발진기(bone conduction oscillator)를 사용하여 직접 골도청력역치를 구하여 수화기로 측정한 기도역치와 비교하면 난청형태를 구분할 수 있으나 큰 자극으로 인한 인공산물(artifact)과 복잡한 차폐문제를 극복해야 하는 과제가 남아 있다.

5) 이음향방사

외유모세포에서 발생한다고 알려져 있으므로 와우손상의 직접적인 증거가 될 수 있다. 30~40 dB 이상의 난청이 있을 때 일과성 유발이음향방사(transient evoked otoacoustic emissions; TEOAE)가 나타나지 않으므로 이를 이용하여 난청 선별검사 목적으로 많이 사용되고 있다. 또한 변조이음향방사(distortion product otoacoustic emission; DPOAE)를 통하여 주파수별 정보를 얻을 수 있으나 난청의 역치 검사도구로는 부적절하다.

현재는 이독성 약물, 소음성 난청, 이명, 메니에르병 등에서 와우손상을 관찰하기 위한 연구 목적으로 이를 이용하고 있으나 임상적 적용이 늘어날 것으로 기대된다. 특히 이음향방사의 이상 소견은 와우손상을 의미한다는 점에서 후미로성 병변과의 감별진단에 이용될 수 있다. 그러나 청신경종양의 경우에도 많은 환자에서 이음향방사의 소실이나 감소를 보이는데 이는 종양이 와우로의 혈관을 압박하여 나타난 와우손상에 의한 것으로 생각된다.[12,43] 최근 이음향방사검사가 가능해진 후 유소아 난청에서 정상 와우기능을 가지면서 청신경이나 뇌간의 기능장애가 의심되는 난청이 발견되고 있다. 이들은 청각신경병증(auditory neuropathy)으로 명명되었는데 일반적으로 생각하는 것보다 발생률이 높다고 한다.[4,36] 또한 유전성 난청의 연구가 진행됨에 따라 변조이음향방사가 열성 유전성 난청(recessive hereditary hearing loss)의 이형접합체(carrier)를 찾기 위한 도구로서 연구되고 있다.[24]

4. 전정기능 검사

감각신경성 난청 환자는 원인 질환에 따라 전정기의 이상을 동반할 가능성이 높으므로 이에 대한 평가는 진단에 도움을 준다. 특히 현기증, 자세불안정 또는 운동장애 등이 동반될 경우 전정기능 검사가 필수적이며 이 검사로써 중추성 병변을 감별진단해야 한다. 즉, 선천성 난청은 전정기능 감소를 흔히 동반하는데, 머리를 가누는 자세나 운동기능 발달의 지연을 일으켜 흔히 뇌손상이나 정신지체 등으로 오진되는 경우가 있다.

5. 영상학적 검사

경우에 따라 방사선 검사로 난청의 원인 질환을 확인할 수 있다. 특히 후미로성 난청이 의심될 경우 gadolinium 증강 MRI가 필수적이나, 난청환자에서 외이기형이 있거나 내이 및 중이 기형, 미로 누공, 측두골 골절, 선천성 진주종 등이 의심될 경우 HRCT를 시행한다. 선천성 감각신경성 난청의 약 20%에서 방사선 검사에서 내이 이상이 발견된다고 하며, 이 중 65%는 양측성이다. 그러나 실제 유전성 난청의 80%가 골미로의 기형 없이 막미로의 이상에 기인한다고 하므로,[38] 이때는 방사선 검사로 확인할 수 있는 가능성은 낮다. 골미로의 이상이 있을 경우 HRCT 또는 MRI로 이를 확인할 수 있는데 내이 기형을 발견하기 위하여 관찰하여야 할 부위는 와우, 전정, 세반고리관, 전정도수관(vestibular aqueduct), 와우도수관(cochlear aqueduct), 내이도(internal auditory canal) 등이며 이들의 이상 소견이 단독으로 또는 복합적으로 나타날 수 있다(그림 29-1, 2, 3).[51]

6. 임상병리 검사

감각신경성 난청 환자에서 기본 검사실검사로 원인을 알 수 있는 경우는 드물고 또한 시행해야 할 기본 검사항목들이 확립되어 있지도 않다. 일반혈액 검사, 혈청화학 검사, 소변 검사, 갑상선기능 검사, FTA-ABS 등을 시행하여 전신적 질환, 대사성 질환과의 연관관계를 예측할 수 있으나 선별검사로서의 가치는 없다.

7. 감별진단

성인에서 발생하는 감각신경성 난청의 경우 병력과 청력검사 그리고 전정기능 검사의 결과로 감별진단이 가능한 경우가 많다. 그러나 확진을 위하여 추가적인 방사선 검사나 임상 병리 검사 또는 시험적 고실개방술이 필요한 경우도 있다. 우선 청력도상 난청이 양측성인지 일측성인지를 감별하는 것이 중요한데 양측성이라고 하더라고 비대칭형 청력을 보이는 경우 나쁜 청력을 가진 쪽에 일측성 난청을 유발하는 원인이 있는지 확인하여야 한다. 양측성 난청을 보이는 경우 고음역에서 시작되는 점진적 진행형 난청을 보이면 노인성 난청, 4 kHz에 notch를 보이는 점진적 진행형 난청을 보이면 소음성 난청, 수주에 걸친 급속한 진행형 난청을 보이거나 변동성 진행형 난청을 보인다면 자가면역성 난청일 가능성이 높다. 양측 돌발성 난청을 보인다면 뇌수막염 등 심각한 기저 질환이 동반될 수 있어 원인을 찾기 위한 전신적인 검사를 요한다.[21,42,49] 양측성 난청을 보이면서 이독성 약물의 투여나 각종 염증성 질환의 병력 등이 있다면 그 것이 원인일 가능성이 높다. 일측성 난청을 보이는 경우 저음역에서 시작되는 변동성 진행형 난청을 보인다면 내림프 수종, 고음역에서 시작되는 점진적 진행형 난청과 낮은 어음분별력을 보인다면 청신경초종, 압력이나 외상 후 어지러움과 함께 난청이 발생하였다면 외림프누공이 원인일 가능성이 높다. 그러나 특별한 병력 없이 갑자기 발생하는 일측성 난청은 그 원인을 찾지 못하고 돌발성 난청이란 진단명으로 분류하게 되는 경우가 많다.

III 내이 기형

감각신경성 난청의 내이소견은 다양하고 원인 질환의 각 장에서 다루어질 것이므로 여기서는 선천성 내이기형에 의한 감각신경성 난청의 내이 해부병리 소견을 다루고자 한다.

과거 이들을 내이의 완전 형성부전인 Michel이형성증, 골미로와 막미로의 부분적 형성부전인 Mondini이형성증(그림 29-1), 와우-구형낭의 형성부전인 Scheibe이형성증, 기저회전의 막미로 형성부전인 Alexander이형성증 등으로 구분하였으나, 현재는 골미로는 정상이며 막미로의 발육부전이 있는 막미로 이형성증(membranous dysplasia)과 골미로의 발육부전이 있는 골미로 이형성증(bony dysplasia)으로 나누는 것이 일반적이며,[46,56] 막미로 이형성증이 80%, 골미로 이형성증이 20% 정도를 차지한다.[29] 상기한 발육부전들 중 막미로 이형성증인 Scheibe이형성증과 골미로 이형성증인 Mondini이형성증 외의 다른 이

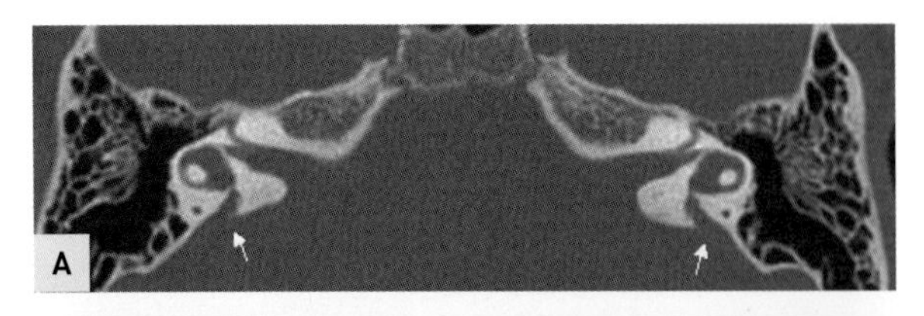

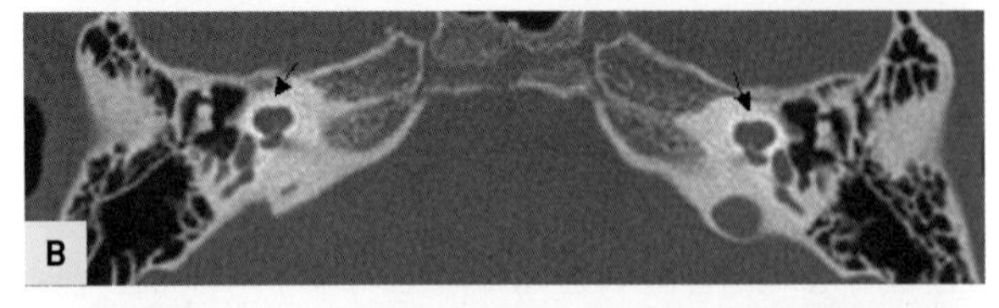

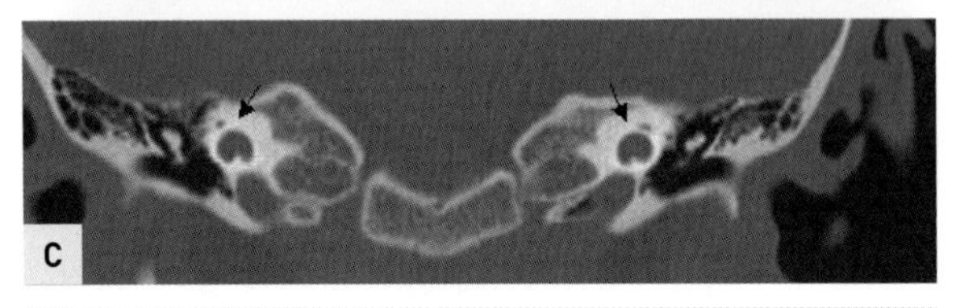

■ **그림 29-1. Mondini 이형성증.** 양측에 불완전한 와우회전을 보이며 기저 회전은 정상이나 중간 및 첨부 회전이 융합되어 낭포형 공동을 보이고 있다(검은 화실표). 확장된 전정도수관(흰 화살표)과 넓어져 있는 전정을 동시에 확인할 수 있다. **A), B)** 축상 스캔, **C)** 관상 스캔

형성증은 드물다.

이러한 이형성증들을 감각신경성 난청의 원인 분류에 포함시킨 경우도 있으나,[49] 이들은 독립적인 병명이라기보다 내이기형을 일으키는 질환들에서 보이는 내이의 병리조직 소견으로 이해하는 것이 타당할 것이다.

1. 막미로 이형성증

골부 구조는 정상 형태를 보이나 막미로의 형성 부전에 의한 막미로 이형성증은 CT, MRI 등에서 영상의학적인 이상 소견은 보이지 않는다. 이의 대표적인 소견이 Scheibe이형성증으로 와우구형낭 형성장애(cochleo-saccular dysplasia)라고도 한다. 골미로와 상부구조(pars superior)인 난형낭(utricle)과 세반고리관은 정상적으로 발달하지만, 하부구조(pars inferior)인 구형낭(saccule)과 와우관(cochlear duct)은 선천적인 발육부전을 보인다. 이는 유전성 난청에서 가장 흔히 볼 수 있는 내이의 병리조직 소견으로 유전성 난청의 약 70%가 이 소견을 보인다. Corti기 내의 유모세포들의 소실, 지지세포들의 변성, 개막(tectorial membrane)의 변형, 혈관선조(stria vascularis)의 형성부전과 부분적 과형성, Reissner막과 구형낭의 허탈(collapse) 등을 볼 수 있으며 상염색체 열성 비증후군(autosomal recessive non-syndromic)형의 유전성 난청에 흔하다.[8,27] 동물실험에 의하면 때로는 유모세포들이 일단 발육하였다가 후에 변성이 시작되는 와우구형낭 변성(cochleosaccular degeneration)[62]으로도 출현할 수 있어 지연성 유전성 난청을 설명할 수 있을 것으로 생각된다. 증후군에서는 Jervell, Lange-Nielsen, Refsum, Usher, Waardenburg증후군 등에서 나타나고 선천성 풍진에서도 관찰된다. 일반적으로 심한 난청을 나타내나 저음역에서 잔청(residual heaing)이 있을 수 있다.

2. 골미로 이형성증

골미로 이형성증은 영상의학적인 방법으로 쉽게 발견이 되며, 최근 인공와우 시술 시 등의 필요성에 의하여 이를 세분화하는 경향이다. Jackler 등은 내이기형을 1) 내이의 완전 형성부전(complete labyrinthine aplasia, Michel이형성증), 2) 전정은 기형이 있더라도 형성이 되나 와우는 완전 형성부전을 보이는 cochlear aplasia, 3) 와우의 불완전한 형성을 보이는 cochlear hypoplasia, 4) 와우의 incomplete partition, 5) 와우와 전정이 나누어지지 않고 하나의 낭포형 공동으로 나타나는 common cavity(그림 29-2), 6) 전정 및 삼반규관 기형, 7) 확장 전정도수관(enlarged vestibular aqueduct) 등으로 분류하였다.[25,29] 이후 Sennaroglu 등은 와우 incomplete partition을 와우가 와우축(modiulus)과 계간 격막(inter-scalar septa) 없이 하나의 낭으로 형성된 type I, 와우의 기저회전은 정상이나 중간회전과 첨부회전이 융합되어 있는 type II로 분류하기도 하는데,[57] incomplete partition

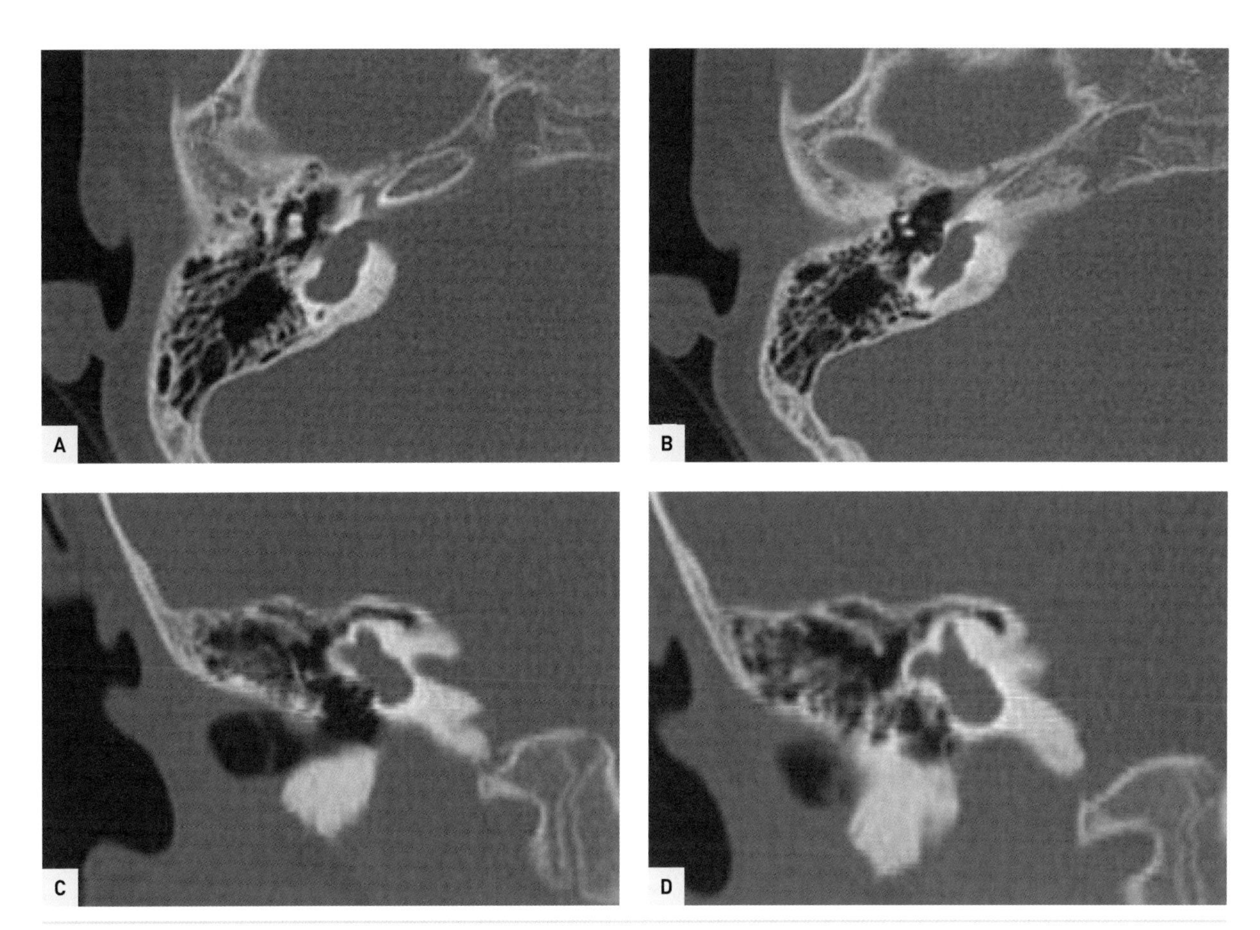

■ **그림 29-2. Common cavity.** 하나의 낭포형 공동이 전정과 와우를 대신하고 있고 더 이상의 분화를 보이지 않고 있다. A, **B)** 축상 스캔. C, **D)** 관상 스캔

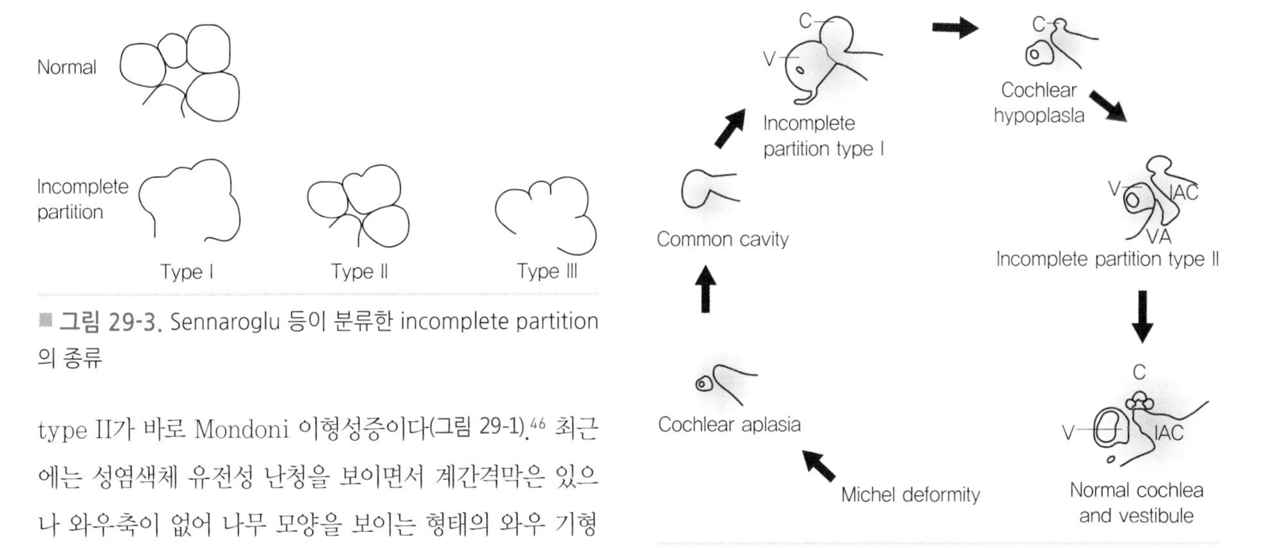

■ **그림 29-3.** Sennaroglu 등이 분류한 incomplete partition의 종류

■ **그림 29-4.** 내이의 발달 정도를 기준으로 분류한 골미로 이형성증(C: 와우, V: 전정, VA: 전정도수관, IAC: 내이도)

type II가 바로 Mondoni 이형성증이다(그림 29-1).[46] 최근에는 성염색체 유전성 난청을 보이면서 계간격막은 있으나 와우축이 없어 나무 모양을 보이는 형태의 와우 기형을 type III라고 명명하였다(그림 29-3).[58] 이러한 분류를 내이의 발달 정도를 기준으로 도식적으로 그려보면 그림

29-4와 같다. Common cavity, incomplete partition type I, type III와 같이 와우축 결손을 동반하는 기형은 대부분 내이도와 와우 사이를 구분 짓는 기저부(fundus)가 열려 있는 경우가 많아 인공와우 수술 시 뇌척수액 분출(gusher)의 위험이 있다.[50,59]

Mondini이형성증은 골미로 형성장애 중에서 가장 흔히 발견되며 와우가 정상 2.5 회전에 이르지 못하고 1.5 회전에 그치며 기저 회전은 정상이나 그 위 회전은 와우축과 계간 격막이 없이 공동계(scala communis)의 형태를 취하여 한 개의 넓은 공동을 이룬다. 막성미로의 형성장애를 동반하는 것이 보통이고 전정(vestibule)과 전정도수관(vestibular aqueduct)이 넓어져 있는 경우가 많다(그림 29-1). 이 기형은 와우 발달이 태생 6주에 정지되어 생기는 것으로 생각되고 있다. 유전성의 경우 상염색체 우성(autosomal dominant)으로 전해지는 경우가 많고, 증후군으로는 Pendred, Klippel-Feil, Treacher Collins, Waardenburg, trisomy, Wildervaank, DiGeorge, Down 증후군 등에서 볼 수 있으며 선천성 거대세포바이러스(CMV) 감염에서도 볼 수 있다. 난청의 정도는 정상에서부터 전농에 이르기까지 다양하다.

전정도수관(vestibular aqueduct)의 확장과 함께 하강형의 감각신경성 난청 또는 혼합성 난청을 보이는 경우를 전정도수관확장 증후군(enlarged vestibular aqueduct syndrome;EVAS)이라고 한다.[63] HRCT에서 확장된 전정도수관을 관찰할 수 있고 MRI에서는 내림프낭(endolymphatic sac)의 확장을 확인할 수 있다. Pendred 증후군 등에서 볼 수 있으며 난청은 유소아기에 발견되며 변동성 또는 진행성일 수 있고 스테로이드 치료에 호전을 보이는 경우도 있다. 좁은 내이도(narrow internla auditory canal)를 보이는 경우 그 폭이 2.5~3 mm 이하일 경우 청신경 형성 부전이 있을 가능성이 있으므로 인공와우 수술 전 MRI로 청신경을 확인할 필요가 있다.

Ⅳ 유전성 감각신경성 난청(Hereditary sensorineural hearing loss)

감각신경성 난청을 가진 학령기 아동에서 난청 원인의 약 50%가 유전적 요인으로 발생하고, 약 20~25%가 임신, 출생 또는 출생 후의 환경적 요인으로 인해, 그리고 나머지가 원인 불명으로 판단되고 있으나 주산기 감염의 감소 등 환경적 요인들이 줄고 유전성 난청에 대한 연구가 진행됨에 따라 유전적 요인의 비율이 높아지고 있다.

유전성 난청은 증후군형과 비증후군형으로 분류할 수 있는데 현재까지 적어도 400가지 이상의 증후군들이 발표되어 있다. 그러나 대부분의 유전성 난청(70%)이 비증후군형으로 나타나는데 이들의 75% 이상이 상염색체 열성형 유전이며, 12~24%가 상염색체 우성형, 1~3%가 X 염색체형으로, 그리고 일부는 미토콘드리아(mitochondrial) 방식으로 유전된다고 한다.[13,31] 유전성 난청은 다른 장에서 다루므로 여기서는 비증후군의 일반적 특성과 증후군형 중 대표적인 질환들을 소개한다.

1. 비증후군형

대부분의 유전성 감각신경성 난청들은 다른 장기의 유전성 질환을 동반하지 않는다. 이들은 상염색체 우성, 상염색체 열성, X 염색체형 등으로 유전되며, 유전자의 좌위(locus)는 각각 DFNA, DFNB, DFN으로 명명되어 있다. 상염색체 우성(DFNA) 유전형은 가족력을 쉽게 밝힐 수 있으며 난청은 지연성 진행형으로 나타나는 경우가 흔하고 난청의 발생 시기나 진행 정도는 다양하게 나타나나 결국은 고도의 감각신경성 난청을 초래하는 경우가 많다. 대부분의 유전성 감각신경성 난청이 상염색체 열성(DFNB) 유전형인데 선천성 난청으로 나타나는 경우가 많고 역시 중고도 난청을 보인다. 선천성 난청 환자에서 임신 중 약물 복용, 주산기 감염, 출생시 손상 등 환경적 요인을 발견할 수 없을 때는 반드시 유전성 난청을 의심하고 가족력을 추적한다.

2. 증후군형

1) Waardenburg 증후군

상염색체 우성으로 유전되며, 내측 안각의 외측 전이인 안각이소증(dystopia canthorum), 광비근(nasal root), 눈썹 내측부의 합류, 부분적이나 전체적인 홍채이색증(heterochromia iridis), 전두백발(white forelock)과 감각신경성 난청이 특징이다. 안각 이소증이 있을 때 Ⅰ형, 없을 때 Ⅱ형이라 하고, Ⅰ형의 20%와 Ⅱ형의 50% 이상에서 일측 또는 양측에 다양한 정도의 선천성 감각신경성 난청이 나타난다.

2) Alport 증후군

혈뇨, 단백뇨 등을 동반하는 간질성 신염(interstitial nephritis)과 감각신경성 난청이 특징인 질환으로 보통 10대에 난청이 시작되는데 고음역의 진행형 난청으로 나타난다. 여성에게 더 호발하나 증상은 남성에서 더 심하게 나타난다. 이 증후군은 6종류로 나뉘며 상염색체 우성, 열성 또는 X염색체 우성형 등 유전성 이질성(genetic heterogeneity)을 보인다.

3) Pendred 증후군

갑상선종(goiter)과 감각신경성 난청을 특징으로 한다. 갑상선 비대는 보통 사춘기 이후에 나타나는 데 비하여 감각신경성 난청은 선천성이며 고도난청으로 나타난다. 내이는 전정도수관 확장증의 소견을 보이며 Mondini 이형성증을 동반하기도 한다. 상염색체 열성형으로 유전된다.

4) Usher 증후군

색소성 망막염(retinitis pigmentosa)과 감각신경성 난청을 특징으로 하며 상염색체 열성형으로 유전된다. 85%가 Ⅰ형에 해당하는데 선천성 고도난청과 전정기능의 소실을 보이며 색소성 망막염이 10세 정도에 나타난다. Ⅱ형은 10% 정도로 선천성 중고도 난청을 보이나 전정기능은 정상이며 10대 후반에 색소성 망막염이 나타난다. Ⅲ형은 5% 정도로 소아 또는 청년기에 시작하는 진행형 난청으로 나타나며 색소성 망막염의 시작은 일정하지 않으나 대체로 사춘기에 나타난다.

5) Down 증후군

21번 염색체 이상(trisomy 21)으로 인한 이 질환 환자들의 60%는 높은 빈도의 삼출성 중이염과 외이 또는 중이기형의 동반으로 인하여 전음성 난청을 동반한다. 그러나 10%에서 감각신경성 난청을 동반하고 때로는 정상보다 짧은 와우를 가지고 있으므로,[6] Down 증후군 환자가 난청을 동반할 때는 감각신경성 난청의 가능성을 염두에 두어야 한다.

6) 신경섬유종증(Neurofibromatosis) type II

신경섬유종과 양측성 청신경종이 특징으로 백내장(cartaract) 등 안구 질환이 동반될 수 있다. 상염색체 우성으로 유전한다. 감각신경성 난청은 청신경에 대한 압박에 기인하며 이 증후군의 첫 증상으로 나타날 수 있는데 보통 10대나 20대 초반에 나타난다.

7) Crouzon 증후군

안면중간부 발육부전(midfacial hypoplasia), 안구돌출(proptosis) 등이 특징이며 구순열, 구개열, 거대설(macroglossia) 등이 동반될 수 있다. 1/3~1/2에서 난청을 동반하는데 대부분 전음성이지만 간혹 감각신경성 난청이 있을 수 있다.

8) 점액다당체침착증(Mucopolysaccharidoses; MPS)

Hurler (MPS-Ⅰ)증후군, Hunter (MPS-Ⅱ)증후군이 이 질환군에 속한다. 점액다당질(mucopolysaccharides)

을 분해하는 lysosomal 효소의 결핍으로 이 물질이 축적되어 나타나는 질환이다. 두개안면부 이상, 간·비장 비대, 골근육계 이상, 정신박약, 안과적 이상, 심장 질환 등 여러 장기에서 만성적이며 진행형의 이상이 나타난다. 보통 혼합성 난청을 보이는 경우가 많다. Hunter 증후군(X염색체 열성 유전)을 제외한 모든 MPS는 상염색체 열성으로 유전된다.

9) 불완전골생성증(Osteogenesis imperfecta)

뼈가 쉽게 자주 골절되는 것이 특징인 이 질환군은 청색공막(blue sclera), 광범위한 골다공증, 짧은 사지, 대두증(macrocephaly), 얇은 피부 등의 소견을 보인다. 난청은 보통 전음성이나 때로는 감각신경성 또는 혼합성으로 나타날 수 있다. 상염색체 우성형으로 유전된다.

 감염성 질환

소아의 감각신경성 난청을 초래하는 가장 흔한 원인은 감염성 질환이다. 성인에서도 빈도는 낮으나 여전히 감각신경성 난청의 주요 원인 질환으로 남아 있다.

1. 선천성 또는 신생아 감염

산전, 주산기 또는 산후 감염은 출생아의 10% 정도에서 일어나는데 대부분 특별한 증상을 일으키지 않으나 경우에 따라 선천성 또는 후천성 난청의 원인이 될 수 있다. 현재 감각신경성 난청을 동반하는 선천성 또는 신생아 감염의 원인으로 toxoplasmosis, 풍진(rubella), 거대세포바이러스(cytomegalovirus; CMV), 단순포진(herpes simplex), 매독(syphillis) 등이 있으며 앞 글자를 따서 'TORCHES'라고 한다. 유행성이하선염(mumps)은 과거 백신이 개발되기 전 후천성 난청의 흔한 원인이었는데 거의 언제나 심한 일측성 난청이 나타난다. 이에 비하여 홍역(measles)에서는 흔히 양측성 난청이 나타난다. 백신 개발 이후 유행성이하선염, 홍역, 풍진 등에 의한 난청 출현은 매우 드물어졌다.

CMV 감염은 현재 가장 주목받고 있으며 미국에서 신생아 난청의 20%를 차지하여 유소아 감각신경성난청의 가장 흔한 단독 원인으로 알려져 있다. 미국에서는 신생아의 0.5~1.5% 정도가 선천성 CMV 감염을 가지고 태어나는데 이 중 10%가 중추신경계와 세망내피계(reticulo-endothelial system)를 침범하여 정신박약, 간·비장 비대, 점상출혈(petechiae), 황달, 소두증(microcephaly), 자궁내 성장지연 등 거대세포 봉입체 질환(cytomegalic inclusion disease)의 증상을 나타내며, 90%는 증상이 없는 무증상군이다. 증상군의 50%에서 그리고 무증상군의 10%에서 감각신경성 난청이 수반되는데 그 중 1/3 정도는 지연성 난청으로 출생후 수개월에서 수년 후 발생하고 진행형으로 나타날 수도 있다. 따라서 선천성 CMV 감염이 있을 경우에 신생아 선별검사를 통과하더라도 이후 6개월에 한번씩 5~6년간 주기적인 청력검사가 필수적이다. 산모나 태아의 혈청, 양수, 소변 등에서 바이러스를 분리함으로써 진단을 내릴 수 있다. 백신의 개발로 선천성 풍진으로 인한 감각신경성 난청이 드물어지면서 선천성 CMV 감염으로 인한 난청이 비유전성 선천성 난청의 가장 흔한 원인이 되었다(NIDCD workshop, 2002). 최근 한 연구는 중추신경계 증상을 보이는 선천성 CMV 감염에 대하여 IV gancicolvir를 투여한 결과 6개월째 84%에서 청력이 호전되거나 정상청력이 유지되고 악화되는 경우는 없었던 반면 비치료군은 41%에서 청력 악화를 보여 청력과 관련된 항바이러스제 효과를 있음을 증명하였다.[15] 또한 무증상군으로 태어나 지연성 난청을 일으킨 경우에도 즉시 IV gancicolvir/oral valganciclovir를 투여하여 난청귀의 83%에서 청력 호전을 보였다는 보고가 있어 신생아 난청에서 CMV 감염에 대한 적극적인 진단의 중요성이 커지고 있다.[16]

선천성 풍진은 특히 임신 3개월에 태아의 90%가 모성 감염되어 이들 대부분이 장애를 가지게 되는데 감각신경성 난청이 가장 흔한 장애이다. 이때 가장 흔한 청각상은 500~2,000 Hz의 중간 주파수대에 난청이 심한 소위 cookie-bite 형이다. 생후 첫 주에 소변에서 풍진 바이러스를 분리하거나 신생아 혈청에서 풍진에 대한 IgM 항체를 발견하는 법, 또는 생후 처음 수개월 동안 풍진 바이러스에 대해 항체 역가가 증가되어 있는 것으로 선천성 풍진을 진단할 수 있다.[17]

또 단순포진바이러스(herpes simplex virus), toxoplasmosis, 매독 등이 감각신경성 난청을 야기하는 선천성 감염의 원인이 될 수 있다.

2. 세균성 뇌막염

세균성 뇌막염은 소아에서 나타나는 후천성 감각신경성 난청의 가장 흔한 원인이다. 감염 후 감각신경성 난청의 발생률은 3~40%로 다양하게 보고되고 있으나 소아를 대상으로 시행한 한 전향적 연구에 의하면 10%에서 영구적 난청이 발생했고 일측성과 양측성이 각 5%였다.[20] 또한 균의 종류에 따라 난청 발생률이 달랐는데 폐렴구균(*Streptococcus pneumoniae*)으로 인한 뇌막염의 경우 감각신경성 난청의 발생률이 높다고 발표되었다.[20] 와우도수관(cochlear aqueduct)이 지주막하공간(subarachnoid space)에서 내이로 통하는 일반적인 감염 경로이다.[10] 소아가 어른에 비하여 와우도수관이 열려 있는 경우가 많으므로,[45] 뇌막염 후 난청이 소아에서 더 흔하게 발생한다. 난청은 대부분 뇌막염의 경과 중 초기에 나타나기 때문에 입원 당시 이미 난청을 보이는 경우가 많다. 난청은 일측성 또는 양측성으로 나타나지만 다른 원인에 비하면 양측성 난청의 비율이 높으며, 대체로 전음역에서 난청이 나타난다. 영구적 난청을 보이나 간혹 초기 난청이 부분적일 때 회복되는 소견을 보이기도 한다.

세균성 뇌막염으로 인한 난청은 와우 내 고실계(scala tympani) 기저부로부터 심한 화골화가 발생하여 폐쇄성 내이염을 일으키므로 증례에 따라서는 초기 청각 재활을 위하여 1세 미만에게도 와우이식을 시행한다.

3. 매독

선천성 매독은 임신 4개월 이후에 태반을 통하여 감염되는데 1차 매독의 태아감염률이 높다. 증상은 출생하면서부터 나타날 수도 있고 40대까지 잠복할 수도 있으나, 대체로 2세 정도에 2차 매독의 형태로 또는 8~20세경에 3차 매독의 형태로 나타나며 후자의 경우가 더 흔하다. 선천성 매독의 특징적인 증상은 2세 이후에 나타나는 감각신경성 난청, 간질성 각막염(interstitial keratitis), Hutchinson 치아(notched incisor), 비중격 천공, 안장코(saddle nose) 등이다. 난청은 안 증상이 나타난 지 상당한 기간이 지난 후 발생할 수 있으며, 돌발성 또는 급속진행형으로 나타날 수 있다. 흔히 보이는 청력상은 양측성의 수평형 난청이며 항상 일측에서 먼저 나타나고 후에 반대측에서 난청이 발생한다.

후천성 매독은 신경매독기(neurosyphilis)에 귀의 증상을 잘 동반하는데 메니에르병과 증상이 유사하여 변동성 난청, 이명, 이충만감, 발작적 현기증 등을 보이게 된다. 누공검사(fistula test)를 하면 중이 질환 없이 양성반응이 나타나는 Hennebert 징후(sign)나 큰 음으로 자극하면 현기증이나 안진이 나타나는 Tullio 현상(phenomenon)은 귀에 매독이 있을 때 나타나는 특징적 소견이다.

4. 중이염과 내이염(Otitis media and labyrinthitis)

급성 중이염과 만성 중이염은 매우 흔한 질환임에도 불구하고 감각신경성 난청의 동반율이 높지 않은 것으로 보아 정원창과 난원창이 세균이나 그 독소에 대해 방어막 기능을 하는 것으로 판단된다. 또한 중이염이 있을 때에는 점막의 부종이나 육아조직 등이 이들 내이창들을 통해 원하지 않는 물질이 투과하는 것을 방해한다고 알려져 있다. 그러나 중이염에 반복적으로 감염되는 아동(otitis-prone children)의 경우 일반 아동보다 감각신경성 난청의 동반율이 높고 특히 고주파수 영역에서 난청이 심한 것으로 보아[35,48,49] 중이 감염 시에 내이창들, 특히 정원창을 통한 독소 또는 국소투여된 이독성 약물의 투과가 의심된다. 만성 중이염의 경우 혼합성 난청 소견을 종종 볼 수 있는데 최근 연구에 의하면 만성 중이염의 42%에서 15 dB 이상, 16%에서 30 dB 이상의 골도 난청이 동반된다고 한다.[48] 이러한 감각신경성 난청이 감염 자체에 의한 것인지 또는 국소투여 약물 등 다른 요인에 의한 것인지에 대한 이론이 있다.

내이염은 장액성(serous) 내이염과 화농성(suppurative) 내이염으로 구분되며 장액성 내이염은 급·만성 중이염에서 세균 독소의 내이 침범으로 인해, 화농성 내이염은 세균 자체의 내이 침범으로 인해 야기될 수 있다. 장액성 내이염은 정원창이나 난원창이, 화농성 내이염은 내이와 중이 사이의 누공이 침입 경로이며 와우도수관이나 내이도를 통한 뇌막성 내이염이 원인이 될 수도 있다.[37,47] 내이염은 내림프수종을 일으키며 급·만성 중이염의 경과 중 돌발성의 감각신경성 난청과 현기증이 나타날 때 이를 의심한다. 장액성 내이염에서는 난청이 경하고 가역적일 수 있으나 화농성 내이염은 심한 비가역적 난청을 초래한다.

Ⅵ 청각신경병증(Auditory Neuropathy Spectrum Disorder (ANSD), auditory neuropathy/auditory dyssynchrony)

1980년대 이후 많은 저자들에 의해 순음청력검사에서는 정상 내지 경도 난청을 보이나 청성뇌간반응은 나타나지 않는 환자들이 보고되었으며, 이음향방사검사가 임상에서 널리 사용되면서 일부 감각신경성난청 환자에서 이음향방사는 나타나지만 청성뇌간반응은 나타나지 않는 경우가 보고되었다. 즉 이러한 현상은 외유모세포의 기능은 정상이면서 청각전달경로상의 이상에 기인하는 것을 시사하는 것으로 청각신경병증(auditory neuropathy)으로 명명되었으며 최근에는 내유모세포와 내유모세포 시냅스 병변까지 포함하여 auditory neuropathy spectrum disorder (ANSD)로 총칭하고 있다.[4,36] 청각신경병증의 유병률은 유소아 감각신경성 난청의 약 10~15%까지 보고되고 있으며 10세 이전, 특히 2세 이전에 나타나며 양측 귀를 동시에 침범하는 경우가 대부분이지만 드물게 특별한 불편감 없이 지내다가 성인이 되어 발견되는 경우도 있다.[9] 환자의 순음청력역치는 청성뇌간반응 또는 청각신호처리 능력과 심한 부조화를 보이게 되는데, 청성뇌간반응은 잘 나타나지 않고 언어 인지능력은 떨어지지만 청력역치는 이에 비례하지 않고 정상에서 고도 난청까지 다양하게 나타날 수 있다. 이러한 현상은 청성뇌간반응이나 언어인지능력과 달리 청력역치는 일부의 청신경전달로만 남아 있어도 유지될 수 있기 때문으로 생각된다. 청력의 자연경과는 시간이 지나면서 호전되는 경우도 있고 악화되는 경우도 있으며 변동성을 보이는 경우도 있는 등 다양하게 나타난다.[28]

청각신경병증의 병태생리는 아직 확실히 밝혀져 있지는 않으며 병변의 위치는 내유모세포, 내유모세포와 dendrite를 연결하는 신경접합부, 나선 신경절, 청신경섬유 중 어느 한 곳 또는 여러 부위일 수 있고, 신경전달물질과 관련된 이상일 수도 있는데, 이 중 청신경 자체에 병변이 있을 가능성이 가장 높게 제기되고 있다. 청각신경병증은 다양한 원인이 의해 발생하는 질환군으로 추정되는데 그 원인으로 밝혀진 것은 Charcot-Marie-Tooth disease, Friedreich's ataxia와 같은 유전성 질환, otoferlin gene, pejakin gene의 돌연변이 등이 있다. 또한 고빌리루빈혈증, 저산소증, 이독성 약물, 패혈증, 저체중 출생 등이 청각신경병증의 고위험인자로 공통적인 발생기전으로 cochlear hypoxia 등이 제시되고 있다.[28] 따라서 병력에서 이러한 위험인자들을 가지고 있는 영아나 유소아의 경우 청력검사시 청성뇌간반응이 나타나지 않을 경우 이음향방사 검사를 동시에 시행하여 볼 필요가 있다. 또한 청각신경병증의 가능성 때문에 신생아 중환자실의 입원 병력이 있을 경우의 청력 선별검사는 청성뇌간반응 검사를 기본으로 한다.

정상적인 이음향방사(TEOAE, DPOAE)를 보이면서 청성뇌간반응은 나타나지 않거나 매우 비정상적인 파형을 보이는 경우에 청각신경병증을 진단할 수 있으며, 일부 환자의 경우 시간 경과에 따라 이음향방사도 사라질 수 있다고 하는데 이 경우에도 cochlear microphonic (CM)은 계속 나타나므로 진단에 유용하게 쓰일 수 있다.[53] 순음 및 어음 청력검사가 가능한 경우 순음청력역치로 기대되는 정도보다 훨씬 낮은 어음명료도를 보이는 특징을 가진다. 등골근 반사가 나타나지 않는 것도 한 특징이다. 청신경종양과 같은 후미로성 병변의 경우에도 청각신경병증과 같은 청력검사 결과를 보일 수 있으나 대부분 고령에 일측성으로 발생하고 난청 외에 이명, 어지럼증 등의 증상을 흔히 동반하며 자기공명영상 등의 영상의학적 방법으로 감별할 수 있다.

청각 재활을 위해서는 다른 난청의 경우와 마찬가지로 우선 보청기를 시도하게 되지만 병변의 위치가 후미로이므로 그 결과는 좋지 않은 편이다[53] 인공와우이식의 결정을 위해서 여러 가지 고려할 부분이 많은데 청력이 변동될 수 있고 소수에서는 시간이 지나면서 청력이 호전되는 경우가 있으며 청력역치가 인공와우 적응증에 해당하지 않지만 언어발달이 매우 저조한 경우도 있다는 점 등이다. 인공와우이식의 결과는 청각신경병증이 없는 인공와우 이용자와 비교하였을 때 비슷하다는 보고 있지만 떨어진다는 보고도 있으며,[52] 와우형성부전이나 와우신경부전을 동반하는지 하지 않는지에 따라 차이를 보인다.[14]

Ⅶ 감각신경성 난청을 초래할 수 있는 기타 질환들

여러 다양한 질환들로 인해 감각신경성 난청이 발생한다. 특히 흔한 원인 질환인 소음성 난청, 이독성 난청, 노인성 난청, 돌발성 난청, 메니에르병, 이경화증, 외림프 누공, 내이면역 질환으로 인한 난청 등은 각각의 독립된 장에서 자세히 다루고 있으므로 여기서는 비교적 드물지만 감각신경성 난청의 감별진단에서 고려해야 할 질환들을 간단히 언급하고자 한다.

1. 저산소증, 고빌리루빈혈증, 저체중 출생아

이들은 모두 감각신경성 난청의 고위험인자에 속하는 요인들이나 보통 다른 여러 위험인자들과 같이 나타나므로 각각의 요인들이 감각신경성 난청에 얼마나 영향을 미치는지는 불확실하다. 이들 중 감각신경성 난청 발생의 가장 유의한 예측인자는 신생아기에 무호흡이 있었던 경우이다.[3] 저산소증은 뇌간의 망상체(reticular formation)와 와우핵을 손상할 수 있으며, 실제 지속적인 태아순환으로 인한 만성 저산소증을 가진 신생아의 20%가 중고도 난청을 보였다고 한다. 고빌리루빈혈증은 혈뇌장벽(blood brain barrier; BBB)을 넘어 특히 복측와우신경핵(ventral cochlear nucleus)에 침착됨으로써 감각신경성 난청 등 후유장애가 올 수 있다. 또한 고빌리루빈혈증이나 저산소증은 청각신경병증의 형태로 감각신경성 난청을 야기할 수도 있다. 조산아나 미숙아는 정상아에 비하여 감각신경성 난청의 발생률이 매우 높으며 저체중 출생아의 발생률은 약 9%로 보고되어 있다.[19]

2. 두부 외상(Head trauma)

두부의 충격으로 인한 내이 손상이 감각신경성 난청을 야기할 수 있는데 측두골 골절에 따른 직접적인 내이 골절 때문일 수도 있고 내이 진탕(concussion)으로 인해 간접적으로도 발생한다. 종골절(longitudinal fracture)에서는 전음성 난청이 흔하나 감각신경성 난청을 동반할 수도 있으며 4 kHz에서 난청이 심하며 주로 고음역에서 난청이 나타나는 소음성 난청과 유사한 청력상을 보인다(자세한 내용은 제2편 11장을 참조). 측두골 골절 없이 내이 진탕만으로도 이와 유사한 청력상의 감각신경성 난청을 보일 수 있다. 횡골절(transverse fracture)에서는 골절선이 내이를 지나므로 청각이 완전 소실되는 경우가 많다. 드물지만 외이도를 통한 면봉이나 이물질이 고막을 관통하여 손상을 줄 수 있는데 현기증과 함께 변동성, 진행성 감각신경성 난청이 나타나면 등골이 내이로 탈구되어 나타나는 외림프누공을 의심한다.

3. 신경학적 질환

1) 다발성 경화증(Multiple sclerosis)

보통 20대나 30대에 시작하여 중추신경계에 다발성으로 탈수초화(demyelination)와 염증을 일으키는 질환으로 임상 경과는 무증상군부터 심한 신경학적 장애를 일으키는 군까지 다양하게 나타난다. 초기에는 호전과 재발을 반복하는 경향을 보인다. 이들 중 4~10%에서 감각신경성 난청을 보이며,[26,40] 진행형, 양측성으로 나타날 수 있고 흔히 돌발성 또는 일측성으로도 나타나며 수일 또는 수주 후 회복되기도 한다. 순음청력도에서 어떤 특징적 형태를 보이지는 않으나 순음역치에 비하여 어음분별치는 양호할 수 있고 ABR 검사에서 wave V의 잠복기와 wave I-V의 파간 잠복기가 연장되고 파형의 이상이나 소실을 보이므로 이 질환을 조기 발견할 수 있는 수단이 될 수 있다. MRI에서 다발성 경화증의 특징적 소견을 발견할 수 있다.

2) 양성 두개내압 항진증 (Benign intracranial hypertension)

대뇌 가성종양(pseudotumor cerebri)이라고도 한다. 두개 내에 특별한 병변이나 국소적인 신경학적 증상 없이 두개내압이 상승되는 질환으로 병인은 잘 알려져 있지 않다. 비대한 젊은 여성에서 호발하며 두통, 진행성 시력상실과 함께 박동성 이명, 감각신경성 난청, 현기증 등의 귀 증상을 동반할 수 있다.[61] 일측성 또는 양측성의 변동성 저주파수대의 난청이 나타난다. 안저검사에서 유두부종(papilledema)과 뇌척수압의 상승으로 진단되며 ABR에서도 이상 소견을 보일 수 있다.

4. 혈관 질환

1) 편두통(Migraine)

편두통의 분류 중 뇌저(basilar) 편두통은 구음장애, 복시 등과 함께 체위성 안진을 동반한 발작성 현기증, 감각신경성 난청, 이명, 이충만감 등 귀 증상을 동반한다. 이들 환자에서 일측성 또는 양측성 저주파수대 난청을 동반하며 난청은 흔히 변동성이다.[44] 편두통을 가진 환자들에서 돌발성 난청이 동반되는 예도 보고되고 있는데 부검소견에서 내이 허혈 소견이 관찰되어 편두통의 원인이 되는 혈관경련(vasospasm)이 난청의 원인이 될 것으로 추정된다.[34,64]

2) 척추뇌저동맥 폐색 (Vertebrobasilar arterial occlusion)

척추뇌저동맥부전(vertebrobasilar insufficiency; VBI)은 대체로 동맥경화로 인해 발생하고 노인의 현기증의 주요 원인 질환이다. 특히 전하소뇌동맥(anterior inferior cerebellar artery; AICA)의 폐색은 이 동맥의 공급 영역에 경색을 야기하여 측뇌교연수증후군(lateral pontomedullary syndrome) 증상을 일으킨다. 미로동맥(labyrinthine artery)이 이 혈관에서 기시되므로 현기증, 돌발성 감각신경성 난청, 이명 등의 귀 증상이 초기의 주요 증상으로 나타날 수 있다. 그 외 동측 안면신경마비, 동측 주시마비, 동측 안면과 반대측 몸통의 감삭마비, 동측의 Horner 증후군 등의 증상이 나타날 수 있다. 귀의 증상은 뇌간의 와우핵과 전정핵이나 내이 자체의 허혈성 손상에 기인한다.[55]

5. 혈액 질환(Hematologic disorders)

백혈병은 출혈, 암세포 침윤, 감염, 혈관 폐색 등으로 인해 내이를 손상시켜 감각신경성 난청을 일으킬 수 있다. 그 외에 겸상적혈구성 빈혈(sickle cell anemia), 한랭글로불린혈증(cryoglobulinemia)에서도 감각신경성 난청이 동반될 수 있으며 난청은 진행형 또는 돌발성으로 나타난다.

6. 종양성 질환(Neoplastic disorder)

비대칭적이고 진행형 감각신경성 난청이 있으면 종양으로 인한 난청의 가능성을 염두에 두어야 한다. 그 병소는 대체로 내이도나 소뇌교각(cerebellopontine angle)에 위치하는 경우가 많다. 청신경은 뇌신경 중 종양이 가장 호발하는 신경이다. 특히 청신경종양(acoustic neuroma)은 감각신경성 난청을 초래할 수 있는 가장 흔한 종양으로 두개내종양의 6%, 소뇌교각종양의 80%를 차지한다. 이명을 동반한 일측성 진행형의 난청을 보이고 초기에는 고주파수대의 난청으로 시작된다. 10%에서는 돌발성 난청의 형태로 나타나기도 한다. 신경섬유종증(neurofibromatosis type Ⅱ; NFⅡ)에서는 양측성 청신경종을 볼 수 있다. 소뇌교각종양의 약 15%를 차지하는 수막종(meningioma)은 청신경종과 유사한 증상을 보이나 같은 크기의 청신경종에 비하여 청각에 미치는 영향은 적다.

7. 대사성 질환

1) 갑상선기능저하증(Hypothyroidism)

선천성 갑상선기능저하증(endemic cretinism) (지방유행성 cretin병)은 혼합성 난청을 동반할 수 있는데 이 질환은 iodine 결핍 때문으로 알려져 있다. 성인에서 발생한 후천적 갑상선기능저하증이 난청을 일으킨다는 보고는 거의 없다.

2) 신장 질환

Alport 증후군을 포함하여 많은 유전적 질환들이 신장 질환과 함께 감각신경성 난청을 나타낸다. 후천성 신장 질환들은 질환 자체도 난청의 발생과 연관이 있는 것으로 보이나 특히 신부전으로 신장이식이나 투석치료를 한 경우에 난청이 흔히 발생한다. 약 15%에서 감각신경성 난청이 발생하였으며 치료의 횟수와 난청의 정도가 상관관계를 가진다는 보고가 있다.[41] 난청은 돌발성 또는 진행형이며 변동성으로 나타날 수도 있다.

3) 당뇨병

2형 당뇨병과 감각신경성 난청의 발생은 과거 문헌에서는 큰 관련이 없는 것으로 보고 되었으나 교란변수들을 세밀하게 통제한 2000년 이후 최근 문헌들에서는 2형 당뇨병이 감각신경성 난청의 위험을 높이는 것으로 보고하는 경우가 많다. 미세혈관병변, 당뇨병성 신경병증diabetic neuropathy, 그리고 활성산소의 과분비등이 원인으로 추정된다.[23] 최근 메타분석에 의하면 2형 당뇨병의 경우 난청 유병율이 당뇨가 없는 경우의 유병율에 비하여 높은 것으로 나타났고 그 위험비(odds ratio)는 1.91배로 측정되었다.[5] 난청의 정도는 경미하며 전 주파수에 걸쳐 영향을 미치나 6~8 kHz에서 보다 현저하게 나타난다고 한다.

 예방과 치료가 필요한 감각신경성 난청

현재 거의 모든 전음성 난청이 수술적으로 교정이 가능해지면서 감각신경성 난청의 해결이 더욱 큰 과제가 되고 있다. 감각신경성 난청도 원인에 따라 예방이 가능하며 치료를 함으로써 난청을 예방하거나 더 이상의 진행을 막고 때로는 청력의 개선을 기대할 수 있다. 특히, 보청기로도 재활이 불가능할 정도의 감각신경성 난청은 와우이식을 하면 청력 회복이나 재활 교육에 도움을 줄 수 있다.[2]

1. 예방 가능한 감각신경성 난청

선천성 비유전성 난청 중 풍진과 같은 바이러스나 매독 등 선청성 난청을 일으키는 모성 감염을 예방 및 치료하고 출생 시 외상을 피하며 조산아나 미숙아를 잘 처치함으로써 예방할 수 있다. 선천성 유전성 난청은 대부분 열성으로 유전되고 정상 부모에게서 태어나므로 유전 상담(genetic counseling)으로 예방하기는 힘들다. 그러나 첫 아이가 농아로 태어나면 유전 상담은 필수적이다.

후천성 난청에는 예방 가능한 여러 원인 질환들이 있다. 유행성이하선염과 같이 난청을 잘 동반하는 바이러스 질환에는 예방접종이 필수적이다. 이독성 약물을 사용해야 하는 경우 투여량과 투여 기간을 신중히 결정하고 이독성 약물의 중복 투여를 피하며 투여 중 혈청 내 농도나 환자의 증상을 철저히 추적한다. 신장 질환자나 고령자 등 고위험군에서는 특히 주의한다. 소음성 난청이 있으면 큰 소음에 노출되는 환경을 피하며, 85 dBA 이상 소음을 발생하는 사업장에서는 효과적인 청각 보호장구를 착용하고, 정기적인 청력검사를 해서 난청의 발생이 의심될 때 환경이나 부서를 교체하는 방법으로 예방할 수 있다. 특히 순음청력검사는 이미 비가역적인 청력 손실이 온 후에야 발견할 수 있는 데 비해 이음향방사는 난청의 증상이 나타나기 전에 발견할 수 있어 주목받고 있다.

2. 치료가 필요한 감각신경성 난청

세균성 뇌막염으로 인한 감각신경성 난청에는 항생제가 난청의 예방이나 치료에 효과가 없는 것으로 판단된다. 스테로이드를 병용 투여할 경우 난청의 발생률이 낮아진다는 보고가 있으나,[7,18] 이의 효과에 관해서는 논란이 있다. 글리세롤의 복용이 난청의 발생을 줄였고 스테로이드보다 효과적이었다는 연구도 있다.[30] 매독의 경우 신경매독기에 이르기 전에 치료하면 난청을 예방할 수 있다. 메니에르병의 경우 현기증을 치료하기 위한 많은 내과적 또는 외과적 치료법들이 개발되어 있으나 이 치료법들이 장기적으로 볼 때 청력을 호전 또는 보전한다는 증거는 없다.[32] 돌발성 난청은 특히 중등도의 난청에서 치료로 청력의 회복을 기대할 수 있다. 외림프누공은 치료로 질병의 진행을 막고 경우에 따라서는 청력을 회복시킬 수 있다.

이와 같이 감각신경성 난청을 일으키는 원인 질환에 따라 난청의 예방 또는 치료가 필요한 경우가 있으므로 감각신경성 난청 환자를 진찰할 때 항상 그 원인을 추적하여 해결하고자 노력해야 한다.

참고문헌

1. 이종담. 감각신경성 난청에 관한 고찰. 서울심포지움 제1권 1985. p.95-106.
2. 김종선, 김수영. Speech perception abilities in prelingually deafened children using multichannel cochlear implants. 말-언어 장애연구 1996;1:126-138.
3. Abramovich SS, Gregory S, Slemick M, et al. Hearing loss in very low birth-weight infants treated with neonatal intensive care. *Arch Dis Child* 1979;54:421-426.
4. Amatuzzi MG, Northrop C, Liberman MC, et al. Selective inner hair cell loss in premature infants and cochlea pathological patterns from neonatal intensive care unit autopsies. Arch Otolaryngol Head Neck Surg 2001;127:629-636.
5. Akinpelu OV, Mujica-Mota M, Daniel SJ et al. Is type 2 diabetes mellitus associated with alterations in hearing? A systematic review and meta-analysis *Laryngoscope* 2013:124;767-776.
6. Balkany TJ, Downs MP, Jafek BW, et al. Hearing loss in Down? syndrome. *Clin Pediatr* 1979;18:116-118.
7. Belsey MA, Hoffpauir CW, Smith MH. Dexamethasone in the treatment of acute bacterial meningitis: effect of study design on the intpretation of results. *Pediatrics* 1969;44:503-513.
8. Bergstron LaVB. Pathology of congenital deafness: Present status and future priorities. *Ann Otol Rhinol Laryngol* 1980;89(suppl 74):31-42.
9. Berlin CI, Hood LJ, Morlet T, et al. Multi-site diagnosis and management of 260 patients with auditory neuropathy/dys-synchrony (auditory neuropathy spectrum disorder). *Int J Audiol* 2010;49:30-43.
10. Bhatt SM, Lauretano A, Cabellos C, et al. Progression of hearing loss in experimental pneumococcal meningitis: correlation with the cerebrospinal fluid cytochemistry. *J Infec Dis* 1993;167:675-683.
11. Bodurtha JN, Nance WE. Genetics of hearing loss. In: Alberti PW,

Ruben RJ. *Otologic medicine and Surgery*, vol 1. New York:Churchill Livingstone, 1988, p.831-851.
12. Bonfils P, Uziel A. Evoked otoacousic emissions in patients with acoustic neuromas. *Am J Otol* 1988;9:412-41.
13. Brown KA, Janjua AH, Karbani G, et al. Linkage studies of non-syndromic recessive deafness (NSRD) in a family ori-ginating from the Mirpur region of Pakistan maps DFNB1 centromeric to D13S175. *Hum Mol Genet* 1996;5:169-173.
14. Budenz CL, Starr K, Arnedt C, et al. Outcomes of cochlear implantation in children with isolated auditory neuropathy versus cochlear hearing loss, Otol. Neurotol 2013;34:477-478.
15. Kimberlin DW, LinCY, Sanchez PJ, et al. Effect of ganciclovir therapy on hearing in symptomatic congenital cytomegalovirus disease involving the central nervous system: a randomized, controlled tial. *J Pediatr* 2003;143:16-25.
16. Amir J, Attias J, Pardo J. Treatment of late-onset hearing loss in infants with congenital cytomegalovirus infection. *Clin Pediatr (Phila)* 2014;53:444-448.
17. Davis LE, Johnson LG. Viral infections of inner ear: Clinical viologic and pathologic studies in humans and animals. *Am J Otolaryngol* 1983;4:347-362.
18. DeLemos RA, Haggerty RJ. Corticosteroids as an adjunt to treatment in bacterial meningitis: a controlled clinical trial. *Pediatrics* 1969;44:30-34.
19. Dimitrius A, Petmezakis J, Papazissis G, et al. Hearing loss in low birth weight infants. *Am J Dis Child* 1982;136:602-604.
20. Dodge PR, Davis H, Feigin RD, et al. Prospective evaluation of hearing impairment as sequela of acute bacterial meningitis. *N Eng J Med* 1984;311:869-874.
21. Fetterman BL, Luxford WM, Saunders JE. Sudden bilateral sensorineural hearing loss. Laryngoscope 1996;106:1347-1350.
22. Harner SG. Hearing in adult-onset diabetes mellitus. *Otolaryngol Head Neck Surg* 1981;89:322-327.
23. Hong O, Buss J, Thomas E. Type 2 diabetes and hearing loss Disease-a-month 2013:59;139-146.
24. Huang J, Berlin CI, Keats BJ, et al. The application of distortion product otoacoustic emissions to identify carriers of recessive hereditary deafness. In: Berlin CI. *Otoacoustic emissions: basic science and clinical applications*. San Diego: Singular Publishing Group, 1998, p.127-136.
25. Graham JM, Phelpus PD, Michaels L. Congenital malformations of the ear and cochlear implantation in children: review and temporal bone report of common cavity. J *Laryngol Otol* 2000;114(Suppl25):1-14.
26. Grenman R. Involvement of the audiovestibular system in multiple sclerosis: An otoneurologic and audiologic study. *Acta Otolaryngol (Stockh)* 1985;420:1-35.
27. Gulya AJ, Juhlin NR. Histopathology of deafness. *Ear Nose Throat J* 1992;71:494-502.
28. Harrison RV, Gordon KA, Papsin BC, et al. Auditory neuropathy spectrum disorder (ANSD) and cochlear implantation. *Int J Pediatr Otorhinolaryngol* 2015;79:1980-1987.
29. Jackler RK, Luxford WM, House WF. Congenital malformations of the inner ear: a classification based on embryogenesis. *Laryngoscope* 1987;97:2-14.
30. Kilpi T, Peltola H, Jauhiainen T, et al. Oral glycerol and in-travenous dexamethasone in preventing neurologic and audiologic sequelae of childhood bacterial meningitis: the Finnish Study Group. *Pediatr Infec Dis J* 1995;14:270-278.
31. Kimberlingn WJ. Current program in finding genes involved in hearing impairment. *Adv Genet Deafness* 1995;1:1-14.
32. Kinney SE, Sandridge SA, Newman CW. Long-term effects of Meniere? disease on hearing and quality of life. *Am J Otol* 1997;18:67-73
33. Konigsmark BW, Gorlin RJ. *Genetic and Metabolic deafness*. Philadelphia: WB Saunders;1976, p.74-134.
34. Lee H. Lopez I, Ishiyama A. et al. Can migraine damage the inner ear?. Archives of neurology 2000;57:1631-1634.
35. Margolis RH, Hunter LL, Rykken JR, et al. Effects of otitis media on extended high frequency hearing in children. *Ann Otol Rhinol Laryngol* 1993;102:1-5.
36. McMahon CM, Patuzzi RB, Gibson WP, et al. Frequency specific electrocochleography indicates that presynaptic and postsynaptic mechanisms of auditory neuropathy exist. Ear Hear 2008;29:314-325.
37. Meyerhoff W, Paparella MM, Kim CS. Pathology of chronic otits media. *Ann Otol Rhinol Laryngol* 1978;87:749-759.
38. Mhatre AN, Lalwani AK. Molecular genetics of deafness. *Otolaryngol Clin North Am* 1996;29:421-435.
39. Naunton RF, Valvassori GE. Inner ear anomalies: their association with atresia. *Laryngoscope* 1968;78:1041-1049.
40. Noffsinger D, Olsen WO, Carhart R, et al. Auditory and vestibular aberrations in multiple sclerosis. *Acta Otolaryngol (Stockh)* 1972:Suppl 303:1-63.
41. Oda M, Preciado M, Quick CA, et al. Labyrinthine pathology of chronic renal failure patients treated with hemo-dialysis and kidney transplantation. *Laryngoscope* 1974;84:1489-1506.
42. Oh JH, Park KH, Lee SJ, et al.. The Clinical Characteristics and Treatment Results of Bilateral Sudden Sensorineural Hearing Loss. *Korean J Otolaryngol* 2005;48:848-853.
43. Ohlms LA, Lonsbury-Martin BL, Martin GK. Acoustic-distorsion products: separation of sensory from neural dysfunction in sensorineural hearing loss in humans and rabbits. *Arch Otolaryngol* 1991;104:159-174.
44. Olsson JE. Neurotologic findings in basilar migraine. *Laryngoscope* 1991;101(Suppl 52):1-41.

45. Palva T, Dammert K. Human cochlear aqueduct. *Acta Otolaryngol (Stockh)* 1969;Suppl 246:1.
46. Paparella MM. Mondini? deafness: a review of histopathology. *Ann Otol Rhinol Laryngol* 1980;89(suppl 67):1-10.
47. Paparella MM, Kim CS, Goycoolea MV, Giebink S. Pathogenesis of otitis media. *Ann Otol Rhinol Laryngol* 1977;86(4):1-12.
48. Paparella MM, Morizond T, Le CT, et al. Sensorineural hearing loss in otitis media. *Ann Otol Rhinol Laryngol* 1984; 93:623-629.
49. Paparella MM, Schachern PA. Sensorineural hearing loss in children-nongenetic. *Otolaryngology* 1992;2:1561-1599.
50. Papsin BC. Cochlear implantation in children with anomalous cochleovestibular anatomy. Laryngoscope 2005;115:1-26.
51. Pappas DG, Simpson LC, McKenzie RA, et al. High-resolution computed tomography:determination of the cause of pediatric sensorineural hearing loss. *Laryngoscope* 1990;100: 564-569.
52. Rance G, Barker EJ. Speech perception in children with auditory neuropathy/ dyssynchrony managed with either hearing aids or cochlear implants. Otol. Neurotol 2008;29:179-182.
53. Raveh E, Buller N, Badrana O, et al. Auditory neuropathy: clinical characteristics and therapeutic approach. *Am J Otolaryngol* 2007;28:302-308.
54. Sara SA, Teh BM, Friedland P. Bilateral sudden sensorineural hearing loss: review. J Laryngol Otol 2014;128(Suppl 1):S8-15.
55. Schuknecht HF. *Pathology of the ear*. 2nd ed. Philadelphia: Lea and Febiger; 1993, p.136-141.
56. Schuknecht HF. Mondini dysplasia: a clinical and pathological study. *Ann Otol Rhinol Laryngol* 1980;89(suppl 65):3-23.
57. Sennaroglu L, Saatci I. A new classification for cochleovestibular malformations. *Laryngoscope* 2002;112:2230-2241.
58. Sennaroglu L, Sarac S, Ergin T. Surgical results of cochlear implantation in malformed cochlea. Otol Neurotol. 2006;27:615-623.
59. Sennaroglu L. Cochlear Implantation in Inner Ear Malformations — A Review Article. Cochlear Implants Int. 2009;11:4-41.
60. Silman S, Gelfand SA. The relationship between magnitude of hearing loss and acoustic reflex threshold levels. *J speech hear Disord* 1981;46:312-316.
61. Sismanis A. Otologic manifestations of benign intracranial hypertension syndrome: diagnosis and management. *Laryngoscope* 1987;97(Suppl 42):1-17.
62. Steel KP, Barkway C, Bock GR. Strial dysfunction in mice with cochleo-saccular abnormalities. *Hear Res* 1987;27:11-26.
63. Valvassori Clemis JD. The large vestibular aqueduct syndrome. *Laryngoscope* 1978;88:723-728.
64. Viirre ES, Baloh RW Migraine as a cause of sudden hearing loss. Headache 1996;36:24-28.
65. Year 2007 Position Statement: Principles and Guidelines for Early Hearing Detection and Intervention Programs, Joint Committee on Infant Hearing, Pediatrics 2007;120:898-921.

유전성 난청

최병윤

난청은 선진국의 경우, 최소한 500명 중의 1명 이상에서 발생을 하여, 선천성 감각기관의 장애 중 가장 높은 발생율을 보인다.[86] 이는 다운 증후군(down syndrome)이나 서구에서 특히 흔한 낭성섬유증(cystic fibrosis)보다도 3배나 흔한 수치이다.[95,129] 난청은 청각 경로에 영향을 미치는 유전적 요인과 환경적 요인의 상호 작용으로 일어나는데, 환경적 요인중 대표적인 것은 선천성 거대 세포 바이러스(congenital cytomegalovirus)와 항생제로 인한 이독성(ototoxicity) 등이다.[129] 요사이 감염질환의 감소와 이독성 난청의 예방으로 상대적으로 유전적 요인으로 인한 난청의 비율이 증가하여 고도 혹은 심도 난청의 최소한 절반 이상이 유전적 요인에 의해서 언어습득기전(prelingual)에 발생하는 것으로 받아들여지는데[102] 이는 구체적인 수치로 얘기하면 1,000명의 출생 신생아 중 1명(0.1%)의 비율 이상이다. 최근에는 고도나 심도 난청 이외에 선천성 경도 혹은 중등도 난청의 경우에도 절반 가까이에서 난청 유전자의 돌연변이가 발견되고 있다.[63] 뿐만 아니라, 출생 초기에는 뚜렷하지 않다가 유년기나, 청소년기 혹은 성인기에 비로서 뚜렷해지는 산발성(sporadic) 난청에 있어서도, 선천성 열성 난청 유전자의 변이에 의한 경우가 드물지 않게 보고가 되고 있다.[58,60,149] 이렇듯 유전자 변이의 발견이 가속화된 데에는 1990년부터 시작되어 2003년에 끝난 인간게놈프로젝트(Human genome project)의 영향이 크며, 2004년도에 세상에 첫 선을 보인 이후 유전체 시장에 엄청난 변화를 가져온 차세대 염기서열 분석(next-generation sequencing; NGS)의 여파가 크다고 하겠다. 이러한 염기서열분석 방법의 발전에 힘입어서 예전에는 주로 환경요인의 영향을 받는다고 여겨졌던 소음성 난청이나 노화성 난청에도 이러한 난청 유전자가 환경적 요인 없이 단독으로 혹은 함께 깊은 관여를 한다는 것이 알려지면서, 유전성 난청의 범위는 감각신경성 난청의 전방위적으로 확대되고 있다. 최근 들어서 원인 유전자에 대한 정보를 청각재활의 중요한 수단 중의 하나인 인공와우수술(cochlear implantation) 후 예후와 관련지어서 보고하는 연구도 늘어나면서[39,93,147] 유전자 정보는 비단 난청의 원인을 파악하는 것을 넘어서서 난청 환자들의 청각

재활에 있어서 정밀의료(precision medicine)를 시행하는 데 중요한 근거로 자리매김할 것으로 기대된다. 특히 이러한 난청 유전자 변이 스펙트럼은 인종별 차이가 매우 커서 외국의 연구 결과를 그대로 가져와서 적용하는 것은 매우 위험하며, 실제로 외국과 비교하여 동아시안이나 국내에 비교적 특징적인 돌연변이가 많이 발견되고 있다.[29,68]

I 유전자와 돌연변이

염기서열은 DNA deoxyribonucleic acid의 기본 단위인 뉴클레오티드(nucleotide) 중 하나인 염기(base)들을 순서대로 나열해 놓은 것을 일컫는데, 인간은 약 30억(3 $\times 10^{9}$) 개의 염기서열이 전체 게놈(genome)을 형성하고 있다. 이러한 염기서열은 46개의 염색체(chromosome)에 분포되어 있는데, 46개의 염색체는 22쌍의 상염색체와 1쌍의 성염색체로 구성되며, 이들 염색체는 세포 내에서 세포핵에 저장된다. 염색체 내에는 적어도 하나 이상의 mRNA를 전사(transcription)하여 번역(translation)의 과정을 거쳐, 단백질을 코딩할 수 있는 염기서열들이 분포되어 있는데, 이 부분을 유전자(gene)라고 한다. 인간은 20,000~25,000개의 유전자를 가지고 있는 것으로 여겨지며, 아직 절반에 가까운 유전자의 정확한 기능은 알려지지 않고 있다. 이 유전자들은 미토콘드리아를 제외하고는 모두 염색체에 선상으로 정렬되어 있다. 유전자의 이러한 염색체상에서의 선상 정렬로 인하여 유전자 혹은 유전체 지도를 작성할 수 있었으며, 특정 표현형과 특정 유전자를 연관 짓는 매핑이 가능해졌다.

모든 정상적인 사람들은 예외 없이 부모로부터 각각 23개씩의 염색체를 받아 총 46개의 염색체를 갖게 되는데, 염색체 내에서 서로 짝이 되는 유전자를 대립유전자(allele)라고 한다. 이러한 allele의 염기서열의 조합을 유전자형(genotype)이라고 하는데, 두 allele 모두 정상 염기서열을 가지고 있으면 야생형 혹은 정상(wildtype) 이라고 한다. 그런데 이러한 세포의 DNA를 구성하는 뉴클레오타이드 즉 염기서열이 바뀌는 현상이 존재하는데 이것을 돌연변이(mutation)라고 한다. 돌연변이는 크게 점돌연변이(point mutation)와 염색체 수준의 돌연변이로 구분할 수 있으며, 점돌연변이는 다시 치환 돌연변이(substitution mutation)와 삽입 및 결실 돌연변이(indel mutation)로 나눌 수 있다. 치환 돌연변이는 치환의 결과로 나타나는 아미노산의 변화에 따라 missense 돌연변이, nonsense 돌연변이, 그리고 silence 돌연변이로 나뉘어지게 된다. 삽입 및 결실 돌연변이는 대개 격자이동(frameshift)를 유발하여 변이 이후의 모든 아미노산 서열이 달라지게 되어서 그 유전자에 치명적이다. 하지만 3배수의 염기서열이 삽입 및 결실이 되면 이러한 격자 이동이 일어나지 않아서 상대적으로 덜 치명적인 돌연변이가 발생한다.

두 allele 중 하나에 이러한 돌연변이 염기서열을 가지면 단일 이형접합체(single heterozygote)로 부른다. 또한 두 allele 모두 돌연변이 염기서열을 가질 수 있는데, 두 돌연변이가 동일한 것이면 동형접합체(homozygote)라고 하며, 서로 다르면 복합이형접합체(compound heterozygote)라 표시한다(그림 30-1). 이러한 유전자형의 차이로 나타나는 결과가 표현형(phenotype)인데, 유전자형과 표현형 간의 관계가 어떻게 되느냐에 따라 열성(recessive)와 우성(dominant)의 유전방식이 결정된다. 즉 두 allele 모두 돌연변이를 가지고 있는 경우에 한하여 질환이 발생하는 방식을 열성이라고 하고, 반면 두 allele 중 하나의 allele만 돌연변이를 가지고 있어도 질환이 발생하게 되면 이를 우성 유전이라고 한다. 열성 유전의 경우, 유전형은 동형접합체(homozygote)일 수도 있고 복합이형접합체(compound heterozygote)일 수도 있다. 질환의 원인이 되는 유전자가 어디에 위치 하느냐에 따라 따라 상염색체(autosomal chromosome)에 위치하면 상염색체 유전(autosomal inheritance), X 염색체(X chromosome)에 존재하면 성염색체 유전(sex-linked

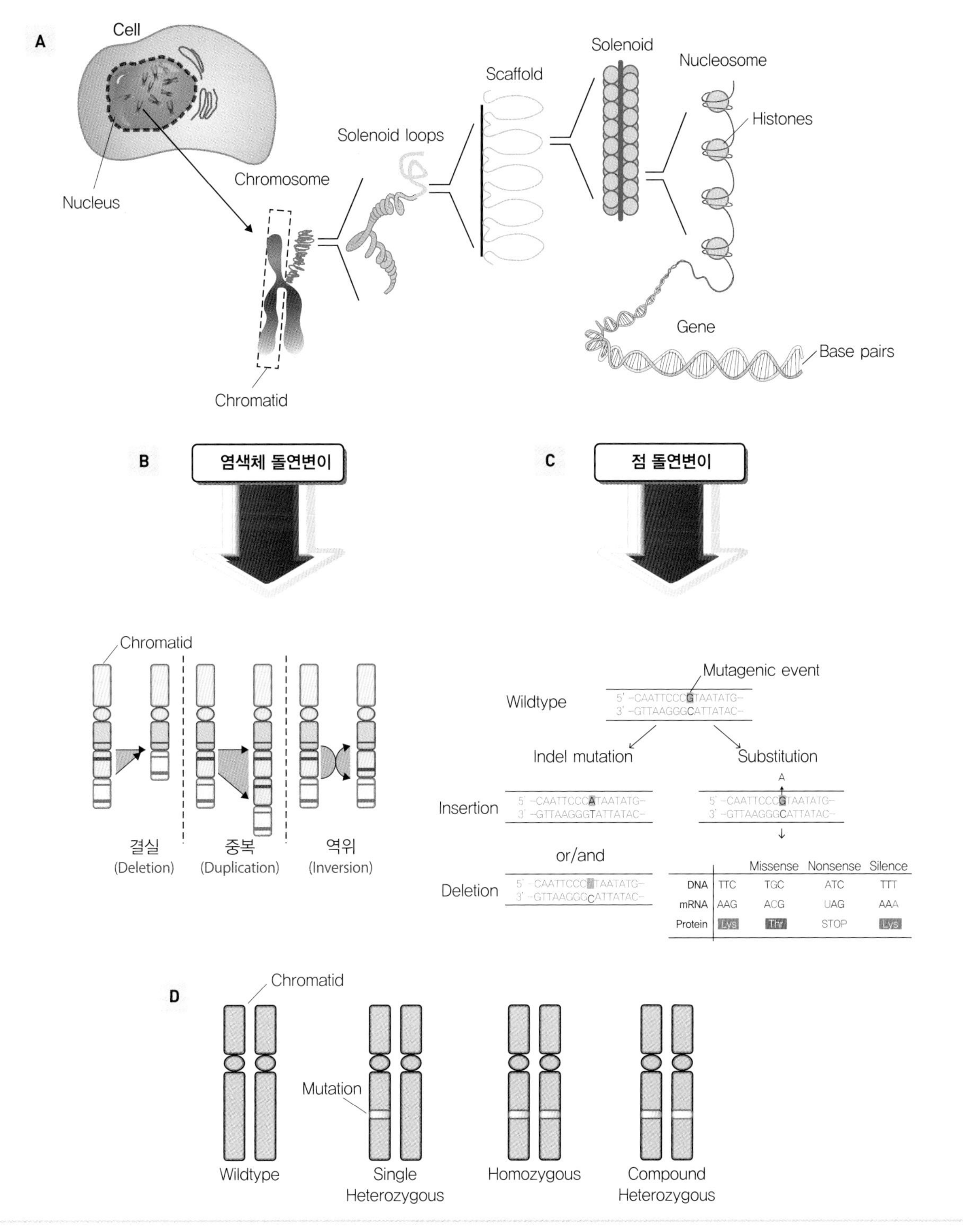

■ 그림 30-1. **염색체의 구조와 그 돌연변이.** **A)** 염색체의 구조, **B)** 염색체 돌연변이(chromosome mutation), **C)** 점 돌연변이(point mutation), **D)** 유전형(genotype)의 종류

inheritance), 그리고 미토콘드리아 DNA에 위치하면 미토콘드리아 유전(mitochondrial inheritance)으로 분류할 수 있는데, 최근 들어 또한 microRNA (miRNAs)에 위치한 돌연변이도 질환을 일으키는 사례들이 많이 보고되고 있으며, 난청 역시 예외가 아니다.[83,100,113]

II 유전성 난청 환자의 분류

1. 분류 기준

유전성 난청 환자군을 분류할 때 다른 유전 질환과 비슷하게 1) 우선 가계도와 가족력에 의거하여 우성 유전난청인지 열성 유전난청인지 구분을 하게 되며, 가계 내에서 난청의 특징적인 발현 양상에 따라 성염색체 유전이나 미토콘드리아 유전을 의심해볼 수 있게 된다. 2) 한편 동반된 다른 전신적일 질환 유무에 따라 증후군성(syndromic) 난청과 비증후군성(nonsyndromic)난청으로 구분할 수 있는데, 통상 2/3의 환자군이 비증후군성 난청으로 분류된다. 3) 또한 언어를 배우는 시기와 난청의 발생 시기의 관계에 따라 언어습득전 난청(prelingual)과 언어습득후 난청(postlingual)으로 나누게 된다.

상염색체 우성 유전성 난청과 상염색체 열성 유전성 난청의 유전자좌(locus)를 각각 DFNA와 DFNB, 그리고 성염색체 유전성 난청의 locus는 DFNX로 표시하여 보고하는데, locus가 발견된 순서에 따라서 DFNA, DFNB, DFNX 뒤에 숫자를 붙인다. 예를 들면 DFNA1은 상염색체 우성 유전성 난청의 locus 중 첫 번째로 발견된 locus이며, DFNB3는 세 번째로 발견된 상염색체 열성 유전성 난청의 locus이다. 다음 장에서 언급하겠지만 유전성 난청의 원인 locus는 연관분석(linkage analysis)을 통하여 정해지고, 대부분의 경우 일단 locus가 정의되고 난 후에, 원인 유전자가 추후 연구를 통해 시간차를 두고 밝혀졌다. 최근까지 공개된 각종 유전성 난청의 locus와 그 locus 내의 원인 유전자에 대해서는 http://hereditary-hearingloss.org/에 상세히 업데이트가 된다. 2017년 6월 현재까지, 총 88개의 겹치지 않는 비증후군성 상염색체 열성 locus가 발견되었으며, 상염색체 우성 locus와 성염색체 유전성 난청 locus는 각각 59, 7개가 보고 되었으며, 그 중 현재까지 비증후군성 상염색체 열성 유전자, 상염색체 우성 유전자, 성염색체 유전자가 각각 66, 36, 5개가 보고되었다.

2. 비증후군성 상염색체 열성유전 난청

위의 분류에 의하면, 비증후군성 상염색체 열성유전 난청(nonsyndromic autosomal recessive hearing loss)은 유전성 난청의 80%를 차지하는 가장 중요한 유형이며, 근친결혼(consanguineous marriage)이 아니면 환자로부터 그 자손에게 난청이 전파가 되는 경우가 드물고, 난청의 빈도에 성별 차이는 없어서 수평적 가계도(horizontal pedigree)를 주로 보인다(그림 30-2). 단일 이형접합체를 가지고 있지만 표현형이 정상인 부모에서 태어난 열성유전에 의한 난청 환아가 다시 난청을 가진 형제나 자매를 가지게 될 확률은 25%이다. 하지만 현대에 대가족이 드물고 대부분 핵가족화 되어 있으므로, 이러한 열성유전 형태는 뚜렷이 나타나지 않고, 많은 경우에 가족력이 없이 산발적 발현의 형태를 띠게 된다. 보통 선천성 고도난청으로 태어나는 언어습득 전 난청의 대다수가 이 유형에 속하게 되는데, 따라서 이 유형의 난청은 빨리 진단하여 보청기나 인공와우이식술 등 적절한 청각 재활을 통하여 언어발달지연을 지체를 최소화하는 것이 필수적이다(표 30-1).

3. 비증후군성 상염색체 우성유전 난청

반면 그 다음으로 흔한 유형은 전체 유전성 난청의 18%를 차지하는 비증후군성 상염색체 우성유전 난청

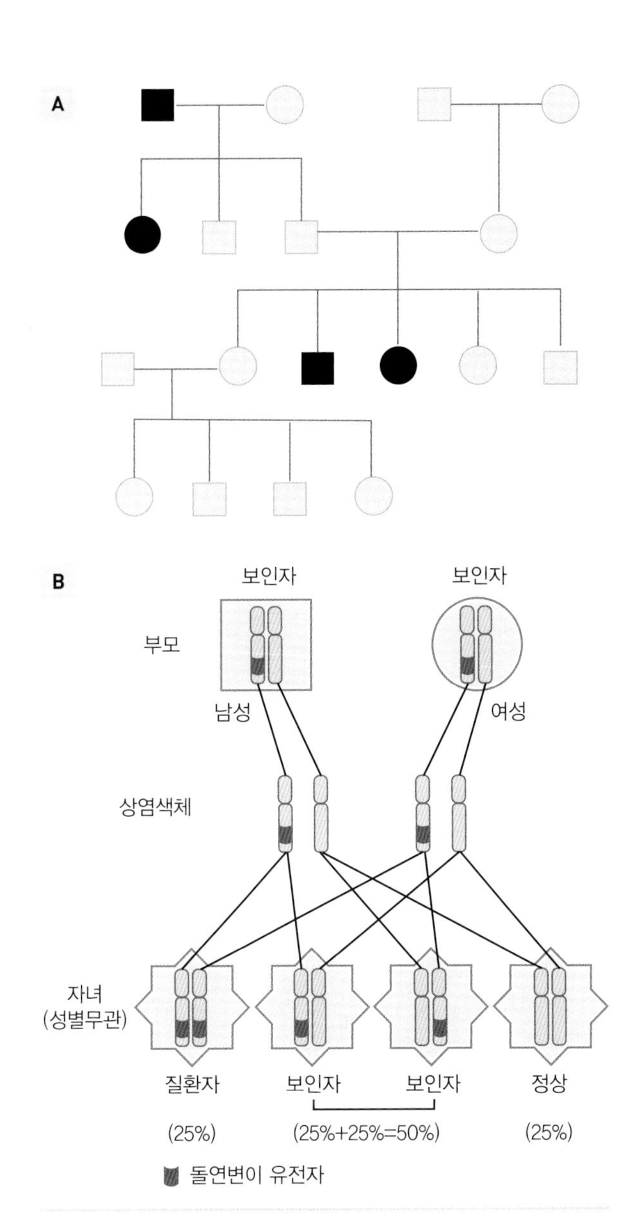

■ 그림 30-2. **A) 상염색체 열성유전의 가계도.** 남녀비가 비슷하며 표현형의 수직전이가 드묾. **B) 상염색체 열성유전.** 표현형이 나타나기 위해서는 동형 유전자가 필요함

(nonsyndromic autosomal dominant hearing loss)인데, 이 유형은 매 세대마다 성별의 차이 없이 자손에게 50%의 확률로 표현형이 나타나는 수직형 가계도(vertical pedigree)를 보인다(그림 30-3)(표 30-2).

난청의 양상을 보면 양호한 청력을 가진 아이로 태어나 언어습득 기간 중 혹은 그 후에 후천적으로 점차 진행하는 청력감소를 보이는 경우가 흔하다. 이러한 경우 난청의 정도에 따라 적합한 재활방법을 이용하는 것이 중요하다. 하지만 상염색체 우성이 아닌 열성 난청 유전자라 할지라도 언어습득 후 난청을 일으킬 수 있으며, 같은 유전자가 여러 유전 방식에 의해 난청을 일으킬 수 있다. 즉 *TMPRSS3* 같은 상염색체 열성 난청 유전자의 경우, 돌연변이의 종류와 그 정도에 따라 언어습득 전 난청이나 언어습득후 난청을 모두 일으킬 수 있으며,[46,106] *TMC1*, *TECTA*, *MYO7A* 같은 유전자들은 상염색체 우성유전과 열성유전을 모두 일으키기도 한다(http://hereditary-hearingloss.org/).

4. 성염색체 유전성 난청

X-염색체에 난청 원인 유전자가 있는 경우에도, 열성과 우성 유전 방식 모두 질환이 나타날 수 있다. 성염색체 유전의 경우, 남성의 경우 X-염색체가 하나밖에 없기 때문에 성염색체 열성이나 성염색체 우성 질환 모두에서 하나의 allele에 돌연변이가 있어도 질환을 나타내게 된다. 여성의 경우는 X-염색체가 두 개가 존재하므로, 성염색체 우성 유전 질환의 경우 남성보다 2배의 확률로 질환을 더 많이 가지게 되며, 성염색체 열성 유전의 경우, 하나의 allele에만 변이가 있는 단일 이형접합체(single heterozygote)인 경우에 보인자(carrier)가 되며, 이런 경우 아들의 절반에서 난청을 보이게 되며, 딸의 절반은 보인자가 된다(그림 30-4).

이비인후과 의사에게 가장 잘 알려진 비증후군성 성염색체 열성 유전은 *POU3F4* 유전자의 변이에 의한 DFNX2 (X-linked deafness with perilymphatic gusher)이며 이전에는 DFN3로 불리웠다. 임상적으로 incomplete partition type III의 내이 기형과 third window효과가 반영되어 혼합성 난청 형태의 심고도 난청을 나타낸다.[34] 측두골 단층촬영에서 내이도가 팽륜되어 있고, fundus가 열려 있으며, 내림프 volume이 매우 증가되어 있다. 이외에 역시 X 염색체에 위치하는 *AIFM1* 유전자의 경우, 돌연변

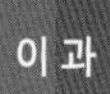

표 30-1. 비증후군성 상염색체 열성 난청 locus 및 유전자

Locus Name	Location	Gene Symbol	Phenotype
DFNB1A	13q12.11	*GJB2*	언어습득 전, 비진행형
DFNB1B	13q12.11	*GJB6*	언어습득 전, 전정기능장애
DFNB2	11q13.5	*MYO7A*	언어습득 전후
DFNB3	17p11.2	*MYO15A*	언어습득 전, 비진행형
DFNB4	7q22.3	*SLC26A4*	언어습득 전후, 진행형, 전정수도관확장
DFNB6	3p21.31	*TMIE*	언어습득 전, 비진행형
DFNB7/11	9q21.13	*TMC1*	언어습득 전, 비진행형
DFNB8/10	21q22.3	*TMPRSS3*	언어습득 전후
DFNB9	2p23.3	*OTOF*	언어습득 전, 비진행형
DFNB12	10q22.1	*CDH23*	언어습득 전, 비진행형
DFNB15/72/95	19p13.3	*GIPC3**	언어습득 전, 비진행형
DFNB16	15q15.3	*STRC*	언어습득 전, 고주파수대, 비진행형
DFNB18	11p15.1	*USH1C*	언어습득 전, 비진행형
DFNB18B	11p15.1	*OTOG*	언어습득 전, 비진행형
DFNB21	11q23.3	*TECTA*	언어습득 전, 고도에서 심도난청
DFNB22	16p12.2	*OTOA*	언어습득 전, 중증도에서 고도난청
DFNB23	10p21.1	*PCDH15*	언어습득 전, 고도에서 심도난청
DFNB24	11q22.3	*RDX*	언어습득 전, 심도난청
DFNB25	4q13	*GRXCR1*	언어습득 전, 고도에서 심도난청
DFNB28	22p13.1	*TRIOBP*	언어습득 전, 고도에서 심도난청
DFNB29	21q22.3	*CLDN14*	언어습득 전, 심도난청
DFNB30	10p11.1	*MYO3A*	진행형, 전주파수대
DFNB31	9q32	*WHRN*	언어습득 전, 심도난청
DFNB35	14q24.3	*ESRRB*	언어습득 전, 심도난청
DFNB36	1p36.31	*ESPN*	언어습득 전
DFNB37	6q13	*MYO6*	언어습득 전
DFNB39	7q21.11	*HGF*	언어습득 전, 고도에서 심도난청
DFNB42	3q13.33	*ILDR1*	언어습득 전, 중간에서 고주파수대
DFNB44	7p12.3	*ADCY1*	언어습득 전, 심도난청
DFNB48	15q25.1	*CIB2*	언어습득 전, 심도난청
DFNB49	5q13.2	*MARVELD2*	언어습득 전, 중증도에서 심도난청
DFNB49	5q13.2	*BDP1*	언어습득 후, 중도에서 고도난청
DFNB53	6p21.32	*COL11A2*	언어습득 후, 중간주파수대
DFNB59	7q22.1	*PJVK*	언어습득 전, 고도에서 심도 청각신경병증
DFNB60	5q31.1	*SLC22A4*	언어습득 전, 심도난청
DFNB61	7q22.1	*SLC26A5*	언어습득 전, 고도에서 심도난청
DFNB63	11q13.4	*LRTOMT/COMT2*	언어습득 전, 심도난청
DFNB66	6p22.3	*DCDC2*	언어습득 전, 심도난청

표 30-1. 비증후군성 상염색체 열성 난청 locus 및 유전자〈계속〉

Locus Name	Location	Gene Symbol	Phenotype
DFNB66/67	6p21.3	*LHFPL5*	언어습득 전, 심도난청
DFNB68	19p13.2	*S1PR2*	고도에서 심도난청
DFNB70	2p16.1	*PNPT1*	언어습득 전, 고도난청
DFNB73	1p32.3	*BSND*	전주파수대, 고도난청
DFNB74	12q14.3	*MSRB3*	언어습득 전, 심도난청
DFNB76	19q13.12	*SYNE4*	진행형, 고주파수대
DFNB77	18q21.1	*LOXHD1*	언어습득 전, 중간에서 고주파수대, 진행형
DFNB79	9q34.3	*TPRN*	언어습득 전, 고도에서 심도난청
DFNB82	1p13.3	*GPSM2*	언어습득 전, 심도난청, 비진행형
DFNB84	12q21.31	*PTPRQ*	언어습득 전, 고도에서 심도난청
DFNB84	12q21.31	*OTOGL*	중도난청, 비진행형
DFNB86	16p13.3	*TBC1D24*	언어습득 전, 전주파수대, 심도난청
DFNB88	2p11.2	*ELMOD3*	언어습득 전, 고도에서 심도난청
DFNB89	16q23.1	*KARS*	언어습득 전, 전주파수대, 중도에서 고도난청
DFNB91	6p25.2	*SERPINB6*	언어습득 후, 중도에서 고도난청, 진행형
DFNB93	11q13.2	*CABP2*	언어습득 전, 전주파수대, 중도에서 고도난청, 비진행형
DFNB94	11q14.1	*NARS2*	언어습득 전, 심도난청
DFNB97	7q31.2	*MET*	언어습득 전, 고도난청
DFNB98	21q22.3	*TSPEAR*	언어습득 전, 심도난청
DFNB99	17q12	*TMEM132E*	
DFNB101	5q32	*GRXCR2*	중도에서 고도난청
DFNB102	12p12.3	*EPS8*	언어습득 전, 전주파수대, 심도난청
DFNB103	6p21.1	*CLIC5*	전주파수대, 심도난청, 전정기능장애, 전정무반사, 진행형
DFNB105	1p21.1	*CDC14A*	언어습득 전, 고도에서 심도난청
DFNB104	6p22.3	*FAM65B*	언어습득 전, 심도난청
	11p15.1	*EPS8L2*	언어습득 전, 진행형
	17q25.1	*WBP2*	언어습득 전, 고도에서 심도난청
	1p31.3	*ROR1***	청각신경병증

*GIPC3 is responsible for progressive sensorineural hearing loss that can be associated with audiogenic seizures

**ROR1 is responsible for autosomal recessive hearing loss associated with common cavity inner ear malformations and auditory neuropathy

이가 발생할 경우 산발 혹은 가족성 청각신경병증의 원인이 된다(DFNX5).[157]

증후군성 성염색체 유전성 난청의 대표적인 질환은 Alport 증후군이며, 출혈성 신염, 난청 질환이다. 10대 이후 점진적으로 진행하는 감각신경성 난청과 신장염이 특징이다. 제4형 collagen 유전자인 *COL4A5*의 변이에 의해서 달팽이관과 신장의 기저막의 이상이 초래되어 발병한다. 대부분 X-linked 유전을 하는데(~80%) 일부에서는 상염색체 열성 혹은 우성 유전을 하기도 한다.[32] 신장이식환자의 상당수가 Alport 증후군으로 확인되며[52] 다음

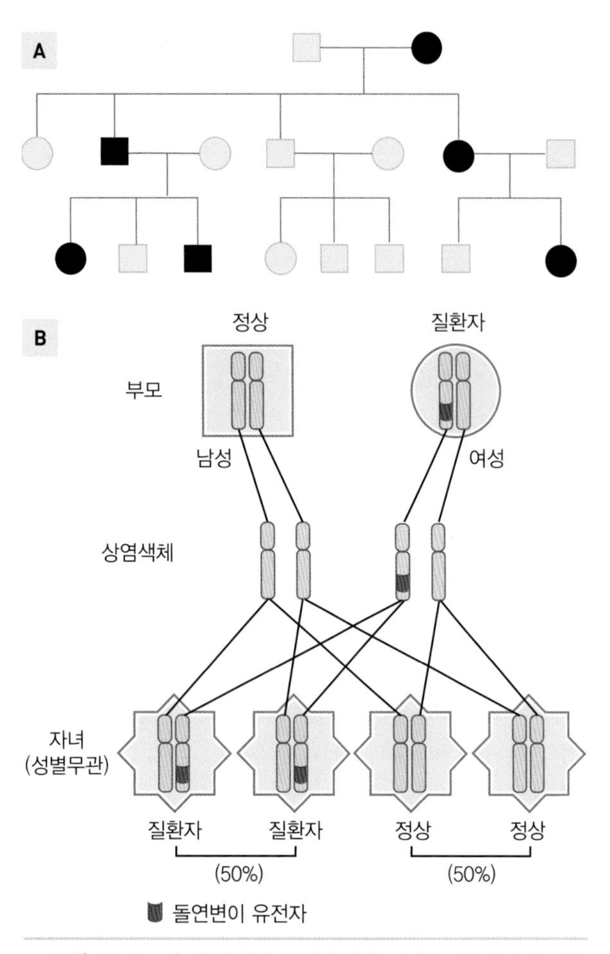

■ 그림 30-3. **A) 상염색체 우성유전의 가계도.** 남녀비가 비슷하며 표현형이 수직으로 전이됨. **B) 상염색체 우성유전.** 50%의 확률로 질환 형질이 승계됨

4가지 특성 중 3가지를 가지고 있을 때 Alport 증후군으로 진단내린다. 1) 만성신부전을 동반하거나 동반하지 않는 혈뇨의 가족력, 2) 진행성 고음역대 감각신경성 난청, 3) 특징적인 안구 병변(구형 수정체 anterior lenticonus 혹은 황반 반점 macular flecks), 4) 신장의 사구체 기저막의 조직학적 변화이다.[104]

Norrie 증후군도 X 염색체에 위치한 *NDP* 유전자의 변이에 의해서 발생하는 드문 증후군으로, 시각장애, 소안증(micropthalmia), 가망막종(pseudotumor of retina), 정신장애가 동반되고 약 30%에서 진행성 감각신경성 난청을 보이는 증후군이다. 돌연변이의 종류에 따라 임상 증상의 중증도가 결정된다(표 30-3).[13,22]

5. 미토콘드리아 유전성 난청

미토콘드리아는 세포 내에 존재하는 에너지 발생기관이다. 핵 내의 염색체에 존재하지 않는 유일한 DNA가 바로 이 미토콘드리아에 존재하는 DNA로서, 각각의 세포들은 일반적으로 동일한 수백 copy의 미토콘드리아를 가지게 된다. 이 미토콘드리아 DNA에 돌연변이가 발생할 때, 세포 내의 모든 미토콘드리아 DNA가 동일한 변이를

표 30-2. 비증후군성 상염색체 우성 난청 locus 및 유전자

Locus Name	Location	Gene Symbol	Phenotype
DFNA1	5q31	*DIAPH1*	언어습득 후, 저주파수대, 진행형
DFNA2A	1p34	*KCNQ4*	언어습득 후, 고주파수대, 진행형
DFNA2B	1p35.1	*GJB3*	언어습득 후, 고주파수대, 진행형
DFNA2C	1p36.11	*IFNLR1*	언어습득 후, 고주파수대, 진행형
DFNA3A	13q11-q12	*GJB2*	언어습득 후, 중간/고주파수대, 진행형
DFNA3B	13q12	*GJB6*	언어습득 후, 중간/고주파수대, 진행형
DFNA4A	19q13	*MYH14*	언어습득 후, 편평형/부드러운 하강형 진행
DFNA4B	19q13.32	*CEACAM16*	언어습득 후, 편평형/부드러운 하강형 진행
DFNA5	7p15	*GSDME*	언어습득 후, 고주파수대, 진행형
DFNA6/14/38	4p16.3	*WFS1*	언어습득 전, 저주파수대, 진행형
DFNA7	1q21-q23	*LMX1A*	언어습득 후, 고주파수대, 진행형
DFNA8/12	11q22-24	*TECTA*	언어습득 전, 중간주파수대, 비진행형

표 30-2. 비증후군성 상염색체 우성 난청 locus 및 유전자〈계속〉

Locus Name	Location	Gene Symbol	Phenotype
DFNA9	14q12-q13	*COCH*	언어습득 후, 고주파수대, 진행형
DFNA10	6q22-q23	*EYA4*	언어습득 후, 편평형/부드러운 하강형
DFNA11	11q12.3-q21	*MYO7A*	언어습득 후
DFNA13	6p21	*COL11A2*	언어습득 후, 중간주파수대
DFNA15	5q31	*POU4F3*	언어습득 후, 고주파수대, 진행형
DFNA17	22q	*MYH9*	언어습득 후, 전주파수대, 진행형
DFNA20/26	17q25	*ACTG1*	언어습득 후, 전주파수대, 진행형
DFNA22	6q13	*MYO6*	언어습득 후, 전주파수대, 진행형
DFNA23	14q21-q22	*SIX1*	언어습득 전, 전주파수대, 비진행형
DFNA25	12q21-24	*SLC17A8*	언어습득 후, 고주파수대
DFNA27	4q12	*REST*	언어습득 후, 진행형
DFNA28	8q22	*GRHL2*	언어습득 후, 편평형/부드러운 하강진행형
DFNA34	1q44	*NLRP3*	언어습득 후, 부드러운 진행형
DFNA36	9q13-q21	*TMC1*	언어습득 후, 전주파수대, 진행형
DFNA39	4q21.3	*DSPP*	언어습득 후, 고주파수대, 진행형
DFNA40	16p12.2	*CRYM*	언어습득 후, 전주파수대, 비진행형
DFNA41	12q24-qter	*P2RX2*	언어습득 후, 전주파수대, 진행형
DFNA44	3q28-29	*CCDC50*	언어습득 후, 전주파수대
DFNA48	12q13-q14	*MYO1A**	언어습득 후
DFNA50	7q32.2	*MIRN96*	언어습득 후, 중간/고주파수대, 진행형
DFNA51	9q21	*TJP2*	언어습득 후, 고주파수대
DFNA56	9q31.3-q34.3	*TNC*	언어습득 후, 고주파수대, 진행형
DFNA64	12q24.31-q24.32	*SMAC/DIABLO*	언어습득 후
DFNA65	16p13.3	*TBC1D24*	언어습득 후, 고주파수대
DFNA66	6q15-21	*CD164*	언어습득 전, 전주파수대, 진행형
DFNA67	20q13.33	*OSBPL2*	언어습득 후, 고주파수대, 진행형
DFNA68	15q25.2	*HOMER2*	언어습득 후, 고주파수대, 진행형
DFNA69	12q21.32-q23.1	*KITLG*	언어습득 후, 전주파수대
DFNA70	3q21.3	*MCM2*	언어습득 후, 전주파수대, 진행형
DFNA73	12q21.31	*PTPRQ*	언어습득 전, 고주파수대, 진행형

* 원인유전자가 아닐 가능성이 있다.

가지는 경우(homoplasmy)도 많지만, 어떤 돌연변이는 세포 내의 일부 미토콘드리아 DNA에만 존재하는 경우도 있는데, 이를 heteroplasmy라고 말한다. 미토콘드리아에 돌연변이가 생겨 발생하는 난청은 전체 유전성 난청의 1% 정도로 매우 드물며, 미토콘드리아 자체가 난자의 세포질 내에만 있고 정자에는 없으므로 오직 난자를 통해서만 유전정보가 전달되는 전형적인 모계유전을 보인다. 따라서, homoplasmy를 보이는 미토콘드리아 DNA돌연변이에 의해서 난청이 발생한 경우, 이환된 어머니로부터 출생한 모든 자녀는 난청을 보이게 되며, 아버지를 통한 난청의 전파는 결코 일어나지 않게 된다.

아미노글리코사이드에 의한 이독성 감수성은 미토콘

드리아의 *MTRNR1* 유전자의 c.1555A>G, *MTTS1*유전자의 c.7445A>G 변이 등에 의해 발생하는데 대표적인 미토콘드리아 유전의 예라 할 수 있다. 기본적으로 미토콘드리아와 관련된 질병은 내이, 망막, 뇌간, 췌장, 그리고 근육과 같이 많은 에너지가 필요한 조직에서 발현된다. 따라서 필연적으로 증후군성 질환이 많이 발생하는데, 미토콘드리아와 관련된 증후군은 다양한 기관을 침범하며 이 중 70%의 환자에서 난청이 동반된다.[38] 대표적인 질환으로는 MELAS (mitochondrial encephalopathy, lactic acidosis, strokelike episodes) 증후군, MERRF (myclonic epilepsy with red ragged fibers) 증후군, Kearns-Sayre 증후군, MIDD (maternally inherited diabetes and deafness) 등이 있다.

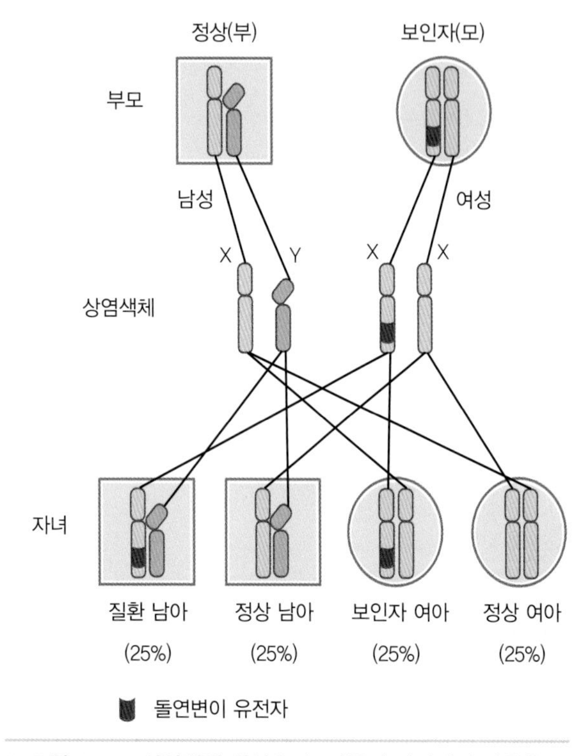

■ 그림 30-4. **성염색체 열성유전.** 아들의 절반에서 난청을 보이고, 딸의 절반은 보인자가 됨

최근 들어 노화성 난청(presbycusis)의 유전적 원인을 미토콘드리아 DNA에서 찾으려는 시도가 많아졌다. 실제로 노화된 달팽이관의 미토콘드리아 DNA에서 돌연변이의 수가 더 많이 발견된 것이 보고되어 이를 뒷받침한다(표 30-4).[37,51]

6. 상염색체 증후군성 난청

증후군성 난청은 비증후군성 난청에 비해 훨씬 드물다. 하지만 증후군의 특징적인 소견으로 비교적 쉽게 구별되어 원인 유전자를 찾는 작업이 일찍 이루어졌다. 지금까지 감각신경성 난청이 발생하는 증후군이 400개 이상 밝혀져 있어서, 본문에서는 이비인후과 의사 입장에서 임상

표 30-3. 성염색체 유전성 난청 locus 및 유전자

Locus Name	Location	Gene Symbol	Phenotype
비증후군성 난청			
DFNX1 (DFN2)	Xq22.3	*PRPS1*	고도에서 심도난청, 진행형
DFNX2 (DFN3)	Xq21.1	*POU3F4*	심도난청, 진행형
DFNX4 (DFN6)	Xp22.12	*SMPX*	언어습득 후, 고주파수대
DFNX5	Xq26.1	*AIFM1*	청각신경병증, 진행형
DFNX6	Xq22.3	*COL4A6*	언어습득 전, 고도난청
증후군성 난청			
Alport syndrome	Xq22	*COL4A5*	
Mohr-Tranebjaerg syndrome	Xq22	*TIMM8A*	
Norrie disease	Xq11.3	*NDP*	

표 30-4. 미토콘드리아 유전성 난청 locus 및 유전자

Gene Symbol	Mutation	Phenotype
비증후군성 난청		
MTRNR1	961 (different mutations)	Aminoglycoside induced/worsened
	1494C>T	
	1555A>G	
MTTS1	7445A>G	Palmoplantar keratoderma
		Variably severe hearing loss with highly variable penetrance
	7472insC	Neurological dysfunction, including ataxia, dysarthria and myoclonus
	7510T>C	No additional symptoms reported
	7511T>C	
증후군성 난청		
MTTL1	3243A>G	MELAS and MIDD
MTTK	8296A>G	MIDD
	8344A>G	MERRF
	8356T>C	MERRF
MTTS1	7512T>C	Progressive myoclonic epilepsy, ataxia and hearing impairment
Several	Large deletions	KSS
Several	Large deletion/duplication	MIDD
MTTE	14709T>C	MIDD

MELAS; mitochondrial encephalopathy, lactic acidosis, strokelike episodes syndrome, MIDD; maternally inherited diabetes and deafness, MERRF; myclonic epilepsy with red ragged fibers syndrome, KSS; Kearns-Sayre syndrome

적 유용성이 큰 상염색체 증후군성 난청 만을 다루도록 하겠다. 각 증후군의 아형과 원인 유전자는 표로 정리하였다(표 30-5). 성염색체 및 미토콘드리아 관련 증후군성 난청은 위에서 설명하였다.

1) Pendred 증후군

가장 흔한 증후군성 난청으로 Pendred가 1896년 보고하였다.[131] *SLC26A4* 유전자의 상염색체 열성 변이에 의해서 발생하며, 가장 특징적인 증상은 전정수도관확장증(enlarged vestibular aqueduct)과 진행성을 보이는 양측 감각신경성 난청, 그리고 iodine organification의 이상 소견이다. *SLC26A4* 유전자에 의해 코딩되는 pendrin 단백질의 잔여 활성도에 따라 표현형이 Pendred 증후군이나 상염색체 열성유전난청인 DFNB4의 형태로 구분된다. 이 증후군에 대해서는 후에 *SLC26A4* 유전자에 대해서 소개하는 장에서 자세히 기술하도록 하겠다.

2) Usher 증후군

이 증후군은 Pendred 증후군과 더불어서 가장 흔하여, 10만 명당 약 4명 꼴로 발생하며, 선천성 난청 환자의 3~6%를 이 질환이 차지한다.[17] 상염색체 열성 유전 방식을 보이며, 난청과 망막색소변성증(retinitis pigmentosa) 그리고, 전정기능장애를 특징으로 한다. 임상적으로는 3가지 유형이 있다. 1형 USH1은 양측의 선천성 심고도 난청과 전정기능의 소실을 보이며, 망막색소변성증을 어린 시절부터 동반한다.[54] 반면 2형 USH2은 소아에서 발견되는 비진행성의 중등도의 난청과 정상적인 전정기능을 보이고, 20~30대에 망막색소변성증이 발생한다. 3형 USH3은 진행성 난청이 관찰되고 전정기능의 이상이 동반되는 경우도 있고 그렇지 않은 경우도 있으며, 망막색소

표 30-5. 상염색체 증후군성 난청과 원인 유전자

Syndrome	Gene	Location
상염색체 우성		
Branchio-oto-renal syndrome		
BOR1	*EYA1*	8q13.3
BOR2	*SIX5*	19q13.3
	Unknown	1q31
BOR3	*SIX1*	14q21.3-q24.3
Waardenburg syndrome		
WS1	*PAX3*	2q35
WS2	*MITF*	3p14.1-p12.3
	SNAI2	
WS3 (Klein-Waardenburg syndrome)	*PAX3*	2q35
WS4	*EDNRB*	13q22
Shah-Waardenburg or Waardenburg syndrome-Hirschsprung disease	*EDN3*	20q13.2-q13.3
	SOX10	22q13
CHARGE syndrome	*CDH7*	8q12.2
Stickler syndrome		
SS1	*COL2A1*	12q13.11-q13.2
SS2	*COL11A1*	1p21
SS3	*COL11A2*	6p21.3
	COL9A1	6q13
	COL9A2	1p34.2
Neurofibromatosis		
NF2	*NF2*	22q12
Treacher Collins syndrome		
TCOF1	*TCOF1*	5q32-q33.1
상염색체 열성		
Pendred syndrome		
PDS	*SLC26A4/PDS*	7q21-q34
PDS	*FOXI1**	5q35.1
Usher syndrome		
USH1A	*Unknown*	14q32
USHIB	*MYO7A*	11q13.5
USH1C	*USH1C*	11p15.1
USH1D	*CDH23*	10q22.1
USH1E	*Unknown*	21q21
USH1F	*PCDH15*	10q21-q22

표 30-5. 상염색체 증후군성 난청과 원인 유전자〈계속〉

Syndrome	Gene	Location
USH1G	*SANS*	17q24-q25
USH1H	*Unknown*	15q22-q23
USH2A	*USH2A*	1q41
USH2B	*Unknown*	3p23-p24.2
USH2C	*VLGR1*	5q14.3-q21.3
USH2D	*WHRN*	9q32
USH3	*USH3A*	3q21-q25
	PDZD7	10q24.31
Jervell and Lange-Nielsen syndrome		
JLNS1	*KCNQ1*	11p15.5
JLNS2	*KCNE1*	21q22.1-q22.2
Biotinidase deficiency	*BTD*	3p25
Refsum disease	*PAHX*	10pter-p11.2
	PEX7	6q22-q24
Alport syndrome	*COL4A3/COL4A4*	2q36-2q37

* FOXI1 과 SLC26A4의 한 변이 동반. Digenic inheritance는 현재 확실히 받아들여지지는 않고 있어, 해석에 주의를 요함.

변성증이 발생하는 시기도 다양하게 나타난다.

Usher 증후군은 원인 유전자가 매우 다양하다. Usher 증후군에 관여하는 주요 유전자들은 부동모의 길이 조절과 대사에 관여하는 *MYO7A*이나 *WHRN*, 그리고 tip link의 구성성분인 *CDH23*과 *PCDH15*, 그리고 부동모 간의 결합 중 ankle link에 관여하는 *PDZD7*, *WHRN*, *GPR98* 그리고 *USH2A* 등이다. 이와 같이 Usher 증후군의 각 아형 내에서도 유전적으로 다양한 원인을 보이는데, 이 중 1B형 USH1B과 2A형 USH2A이 전체 Usher 증후군의 75~80%를 차지하여 가장 흔하다.[101] 현재 USH1형에서 8가지, USH2형에서 4가지, 그리고 USH3에서 한 가지 원인 유전자가 발견되었는데, USH2A는 Usher 증후군 중 가장 흔한 형태로 알려져 있으며, 증상이 경미한 관계로 USH1에 비하여 상대적으로 유병률이 덜 집계될 수 있어 실제로는 더 흔할 개연성이 있다. USH2A는 usherin이라는 1,551개의 아미노산으로 이루어진 단백을 코딩하는 *USH2A* 유전자의 돌연변이에 의해 발생한다.[41] 상염색체 열성 혹은 산발성 중등도 감각신경성 난청 소아에서 이 USH2A 질환을 염두에 두어야 하며, 안과적 진찰도 필요하다. USH1B는 USH1의 75%를 차지하고 *MYO7A*의 돌연변이에 의해 발생한다.[146]

3) Waardenburg 증후군

유병률 10,000명 중 1~2명의 비율로 발생하는 질환으로 유전성 난청의 1~7%를 차지하며 상대적으로 흔한 증후군성 난청이다. 임상양상에 따라 4가지 아형으로 나누어진다.[90] 대부분 상염색체 우성 유전 방식을 보인다. WS1형은 편측 혹은 양측의 감각신경성 난청과 더불어 색소이상으로 전두백발(white forelock), 홍채이색증(heterochromia irides), 백반(vitiligo) 등이 나타나고 두개안면부 기형으로 내안각이소증(dystopia canthorum), 비근형성부전(alae nasi hypoplasia), 광비근(broad nasal root), 눈썹총생(synophrys) 등의 표현형을 나타낸다. WS1형은 DNA-binding transcription factor인 *PAX3*

유전자의 돌연변이에 의해 발생하는데 *PAX3* 유전자는 초기 발달시에 신경능선세포(neural crest cell)에서 발현되고 돌연변이가 있는 사람에서는 멜라닌세포가 결여된다.[135] WS2형은 내안각이소증이 없다는 점에서 WS1형과 구분된다. WS2형의 15%는 멜라닌세포 발달에 관여하는 transcription factor인 *MITF* 변이에 의해 발생한다.[134] Zinc-finger transcription factor인 *SNAI2*의 변이도 WS2형의 원인으로 알려져 있다.[119] WS3형은 Klein-Waardenburg 증후군이라고도 불리며, WS1형에 상지 골격계 기형이 동반되고 *PAX3*가 원인 유전자로 알려져 있다.[48] WS4는 Shah-Waardenbrug syndrome으로 불리며, 거대결장(megacolon) 소견을 보이는 Hirschsprung 병이 특징적으로 동반된다*(EDN3, EDNRB, SOX10).* 세 유전자가 관련된 것으로 알려져 있으며 WS1~WS3형과는 달리 상염색체열성으로 유전된다.[5,103]

순음청력도 상에서는 대개 양측성 심도 난청을 보이지만 일측성 난청도 종종 발견되며, 난청의 진행은 뚜렷하지 않으며, 저음역대 난청이 흔하다. 측두골 영상은 정상 소견을 보이는 경우가 더 많지만 특히 WS4의 경우에 와우 형성부전이나 청신경 저형성증, 수평 반고리관의 기형을 보이는 경우도 있다.[90] 유소아에서 특히 가족성 일측성 난청의 감별진단에 Waardenburg 증후군과 같은 멜라닌 색소이상 질환이 원인의 하나로 보고되었다.[64]

4) CHARGE 증후군

CHARGE 증후군은 이 질환이 나타내는 여러 임상 징후들의 앞자를 따서 명명되었는데, coloboma, heart abnormality, atresia choanae, retardation of growth, genital abnormality, ear abnormality 등이 흔히 발견되는 징후들이다. Coloboma와 atresia choanae, 그리고 각종 뇌신경 이상 등이 주 증상(major characteristics)으로, heart abnormality, retardation of growth와 genital abnormality 등은 부증상(minor characteristics)으로 분류한다.[45] 각 종 뇌신경 이상 중에 청신경 이상, 그리고 중이와 내이의 이상 등이 이 환자들의 난청의 원인이 된다. 8,500~10,000명 중의 1명의 빈도로 발생하여 역시 비교적 흔한 증후군성 난청에 속한다.

이 증후군은 *CHD7* 유전자의 변이에 의하여 발생하며, 이 유전자에 변이가 발생하면 chromatin remodeling과 태아 발생기에 각종 유전자들의 발현 조절에 이상이 생기게 되어서 여러 증상 및 징후들이 나타나게 된다.[80] 대개 60~80%의 CHARGE 증후군 환자에서 *CHD7* 유전자의 변이가 발견되며, 일부 환자들에서는 해당 유전자의 변이가 발견되지 않는다. 이론적으로 *CHD7* 유전자에 의한 질환은 상염색체 우성 유전 방식을 따르지만, 실제로 대부분의 환아들은 부모 중 한 명으로부터 그 변이를 물려받는 것이 아니라, 가족력이 없는 상태에서 *CHD7* 유전자의 *de novo* 변이를 가지게 된다. 임상적으로는 측두골단층촬영에서 외반고리관의 이형성증이 특징적이며, 중이 내 안면신경의 주행 이상과 청신경 형성부전도 흔히 있어어 CHARGE 증후군으로 인한 심고도난청 재활을 위한 인공와우상담과 수술 시에 주의를 요한다.

5) Branchiootorenal (BOR) 증후군

상염색체 우성 유전을 보이며, 90%의 환자에서 난청을 동반하며, 감각신경성, 전음성 혹은 혼합성난청과 더불어 전이개누공, 전이개부속물, 그리고 경부누공 등의 새열기형과 신장의 이상을 동반할 수 있다. 다양한 난청 종류에 부합되게 외이, 중이, 내이의 이상을 모두 보일 수 있는데, 외이의 이상으로는 전이개누공(82%)이 압도적으로 흔하며, 전이개부속물, 소이증, 및 외이도협착 등을 보일 수 있고, 다양한 중이 기형과 와우 형성부전과 이형성과 같은 내이 기형을 보일 수 있다. 전정수도관(vestibular aqueduct)이나 와우수도관(cochlear aqueduct)의 확대나 수평 반고리관의 형성부전을 보이기도 한다.

BOR 증후군의 대표적인 원인 유전자는 *EYA1*으로, BOR 증후군 환자의 25%에서 *EYA1*의 돌연변이가 확인된다.[1] *EYA1* 유전자는 559개의 아미노산을 코딩하는 16개의 엑손(exon)을 포함한다. 최근에 BOR 증후군의 다른 원인으로 *SIX1*과 *SIX5*유전자의 돌연변이가 발견된 바 있다.[47,115] 투과도(penetrance)는 100%에 달하며 약 40,000명의 신생아 당 1명에서 발생하는 것으로 추정된다.[130]

6) 제2형 신경섬유종증(Neurofibromatosis Type 2)

제2형 신경섬유종증은 1/40,000~90,000의 유병률을 갖는 질환으로[53] 고주파 감각신경성 난청이 발견되며 현훈, 이명, 안면신경 마비 등을 보일 수 있다. (1) 대개 10대에 발생하게 되는 양측성 전정신경초종이 있거나 혹은 (2) 직계 가족 중에 신경섬유종증 제2형의 가족력이 있으면서 30세 이전에 발생한 일측성 전정신경초종을 갖고 있거나, 혹은 수막종, 교종, 신경초종, 연소형 후피막하 수정체 혼탁 중 2가지 이상의 질환을 갖고 있는 경우에 진단할 수 있다.

제2형 신경섬유종증은 중추성 신경섬유종증으로 22번 상염색체에 위치한 *NF2* 유전자의 변이로 인해 발생한다고 알려져 있다.[111] *NF2* 유전자에 의해서 코딩되는 merlin은 actin cytoskeleton을 조절하여 종양억제의 기능을 한다고 알려져 있으나 작용기전은 명확히 알려져 있지 않다.[8,53] 임상적으로는 양측성 청신경종양이 특징이며 난청은 대개 20~30대에 시작하여 10년 내에 심고도 난청에 도달하는 경우가 많다. 제2형 신경섬유종증에서의 전정신경초종에 대해서는 주로 수술적 치료가 권장되어 왔으나, 요사이 제한적인 경우에 gamma knife치료가 시술되기도 한다. 제2형 신경섬유종증에 의한 난청의 재활을 위해서 궁극적으로 뇌간이식 auditory brainstem implant가 시술되나[49] 단기적으로 인공와우수술이 시행된 보고도 있다.[50]

7) Jervell, Lange-Nielsen 증후군

1957년에 Jervell과 Lange-Nielsen은 선천성 난청과 QT간격이 증가하고 실신이 동반되는 상염색체 열성 증후군을 발표하였다.[72] 이는 Jervell and Lange-Nielsen 증후군으로 알려지고 있으며, 원인 유전자로는 내이에서 혈관선조의 변연세포 apical 세포막에 위치하여, 흡수된 K^+을 내림프로 배출하는 *KCNQ1*와 *KCNE1*가 있다.[91,125,137] 본 질환의 유병률 자체는 높지 않지만, 심장 질환이 동반되므로 진단을 정확히 내리는 것이 중요하다.[96] QT 간격 증가로 인해 심실 부정맥과 실신, 급사 등이 나타날 수 있으므로, 소아에서 원인이 확실치 않은 난청이 있으며 실신이나 급사의 가족력이 있는 경우는 특히 심전도를 시행하여 T wave와 QT 간격의 증가 여부를 확인해야 한다.[96] 심전도 증상이 있는 경우는 베타차단제(propranolol)를 사용해야 한다.

III 원인 유전자 검사방법

1. 새로운 난청 유전자를 찾는 방법

1) 기존의 Genetic mapping 방법: Linkage analysis

특징적인 표현형을 가진 증후군성 환자들의 경우 동일한 표현형을 가진 환자들을 모아서 상대적으로 원인 유전자를 찾기가 용이하였다. 하지만 난청을 제외하고는 특징적인 증상이나 징후가 없는 비증후군성 환자들에서는 원인 유전자 탐색이 쉽지 않다. 과거에는 이러한 유전성 난청의 원인 유전자를 찾기 위해서 연관분석(linkage analysis)이라는 분석방법을 널리 이용하였는데, 이 방법은 주로 많은 수의 환자가 존재하는 대가족을 대상으로 하여 멘델리안 유전방식을 보이는 유전 질환에서 미지의 원인 유전자의 위치를 특정하여 확인하는 분석방법이다.

이 linkage analysis 방법은 원인이 되는 유전자나 단백질에 대한 기능에 대해 아무런 지식이 없는 상황에서 순수히 원인 유전자좌(locus)와 원인 유전자를 탐색/확인하는데 유용하였는데, 우선 그 가족의 구성원들의 DNA를 대상으로 이미 위치가 정립되어 있는 많은 유전표식자(genetic marker)에 대한 유전형 분석을 시행하여서, 해당 가계 유전 질환의 원인 locus가 어느 genetic marker

에 가장 연관되어 있는지를 통계적으로 분석하게 된다. 분석에 이용하게 되는 genetic marker는 염색체 내에서의 위치가 이미 잘 확립되어 있으면서 개인마다 그 염기서열이 다양하거나 아니면 염기서열의 반복 횟수가 다양하여 개인 간 식별에 사용이 가능한 표지자를 일컫는다. 동일 염색체 내에 위치한 두 genetic marker가 멀리 떨어져 있으면 감수분열(meiosis) 시에 염색체 간의 crossover에 의해서 각기 다른 상동 염색체(homologous chromosome)로 분리될 가능성이 높아지고 이에 따라 두 genetic marker 사이에 유전자재결합(genetic recombination)이 발생할 확률이 높아진다. 반면에 두 genetic marker가 근접해 있으면 이렇게 분리될 가능성이 희박해지고 따라서 유전자재결합이 발생할 확률도 낮아진다. 즉 두 marker 사이의 거리가 가까와짐에 따라 유전자재결합이 발생할 확률은 낮아지며, 두 marker는 유전적으로 연관이 강하다(tight genetic linkage)고 얘기한다. 100번의 감수분열에서 1번의 비율로 이러한 유전자재결합이 발행하게 되는 두 marker 사이의 거리를 1 centimorgan (cM)으로 정의한다. 통상 일백만 염기서열(Mb)이 1cM에 해당한다. 이런 원리를 이용하여, 특정 가계에서 해당 유전 질환과 특정 genetic marker의 유전형이 함께 전파(cosegregation) 될 확률을 모든 marker마다 계산하게 되는데, 이를 LOD (logarithm of odds) score로 정의하고, 통상 의미있는 LOD score 값이라고 받아들여지는 3 이상의 수치는 1000:1 이상의 확률로 원인 유전자가 그 marker와 연관되어 있음을 의미한다(그림 30-5). 연관분석에서는 3이 넘으면서 가장 높은 LOD score를 보이는 marker들로 구성된 locus에 원인 유전자가 존재할 것으로 판단한다.

특히 근친결혼(consanguineous marriage)이 흔한 중동 지역의 대가족이나 지역적으로 고립된 지역에서 열성 유전자의 homozygous 변이에 의해서 난청이 나타나는 경우에는 환자들에서 homozygosity를 보이는 marker들로 이루어진 locus에 원인 유전자가 위치할 가능성이 높으므로 이러한 유전자좌를 찾는 방법(homozygosity mapping)을 써서 효율적으로 원인 locus를 찾을 수 있다.

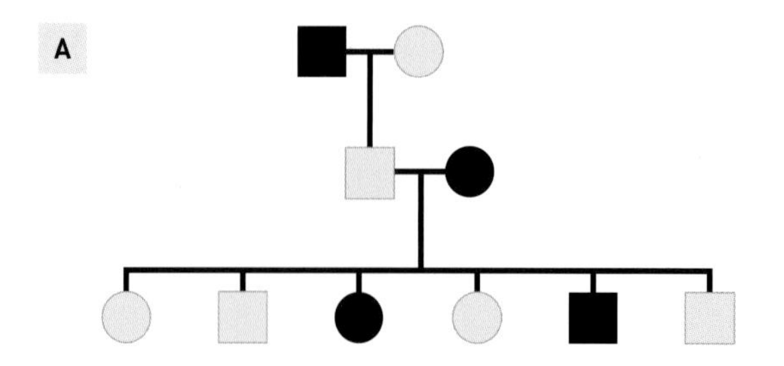

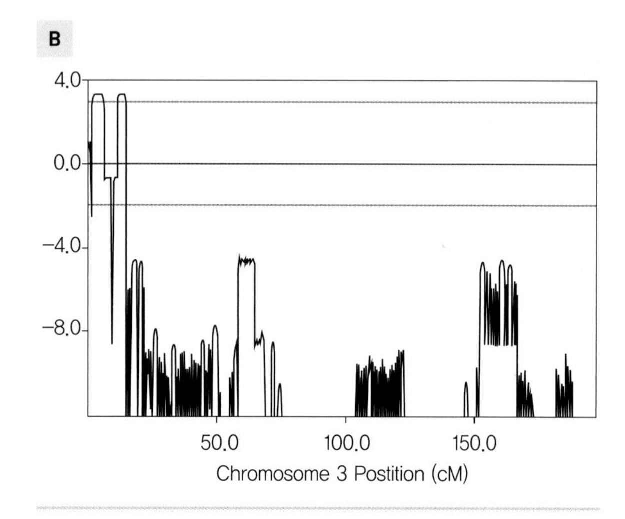

■ 그림 30-5. **상염색체 우성 질환에서의 연관분석과 LOD score.** **A)** 상염색체 우성 질환을 가진 가계도. **B)** 연관분석을 통한 chromosome 3 에서 3 이상의 LOD scores를 보이는 locus 발굴

위에 언급된 genetic mapping 방식으로 그간 수많은 난청 locus가 보고되었다(http://hereditaryhearingloss.org/). 일단 난청 locus가 정해지면 locus 내의 후보 유전자를 그 가능성의 정도에 따라 Sanger sequencing으로 하나씩 염기서열 분석을 하는 것이 예전의 방식이었으나, 최근 개인의 모든 유전체 염기서열을 분석할 수 있는 차세대 염기서열 분석(next-generation sequencing, NGS) 기술의 발전으로 보다 쉽고 빠르게 질병의 원인 유전자를 찾을 수 있게 되었다.

2) 차세대염기서열분석(Next Generation Sequencing; NGS)

NGS는 1992년 Brenner 등에 의해 처음 제시된 개념으로, 대용량 염기서열 분석법을 의미한다. NGS 분석은 하나의 유전체를 여러 조각으로 분해한 후 각 조각을 동시에 해독한다. 그리고 이 결과를 분석하여 유전체 정보를 알아내는 방법이다. NGS 개념이 처음 제시되었을 때는 기술적 한계로 인해 상용화되지 못하고 2004년에 454 염기서열 분석기로 인해 처음으로 상용화되었다.[18,82] 그 후 전자, 화학, 광학 등의 기반 기술의 발달로 NGS는 최근 여러 분야에서 활용되고 있다.

NGS를 이용하여 질병의 원인 유전자를 찾는 방법은 유전체 전장(whole genome)을 sequencing하는 방법(whole genome sequencing; WGS)과 엑솜만 sequencing하는 엑솜 염기서열 분석(whole exome sequencing; WES)으로 나눌 수 있다. 단백질을 코딩하는 엑손, 즉 엑솜은 인간의 유전체에서 약 1.5%를 차지하고 있지만, 원인 유전자가 알려진 단일유전자 질환의 경우 원인 유전자 변이는 대부분 엑솜 부위에 위치한다. 그리고 질병의 원인 유전자 변이의 약 85%는 엑솜에 위치할 것으로 예측된다.[27] 따라서 단일유전자 질환의 경우 엑솜 염기서열 분석만으로도 대부분의 원인 유전자 변이를 찾을 수 있을 것으로 예상되며, 대부분의 유전성 난청이 이 범주에 속할 것으로 예상된다. 실제로 2010년도에서 2014년도까지만 살펴보아도 이 NGS 기술이 단독으로 사용되거나 위에서 언급한 linkage analysis나 homozygosity mapping과 함께 사용되어서 새롭게 발견된 난청 유전자가 무려 21개에 달하며,[143] 향후 이 숫자는 더 많은 폭으로 증가할 것으로 보인다.

엑솜 염기서열 분석 과정은 크게 엑솜 분리, 차세대 염기서열 분석, 염기서열 데이터 분석, 세 가지로 나눌 수 있다. 엑솜 분리의 첫 과정으로, genomic DNA 시료를 특정 크기의 genomic DNA로 자른다. 그리고 엑솜 부위만을 선별적으로 분리하기 위해, biotin으로 표지되어 있는 DNA 또는 RNA probe를 엑솜 부위에 결합시킨다. 이 후 streptavidin으로 코팅되어 있는 bead를 이용하여 probe가 결합되어 있는 엑솜만을 분리해 낸다. 이렇게 분리해낸 엑솜에서 차세대 염기서열 분석기를 이용하여 대용량 염기서열 분석을 시행한다. 이후 분석된 염기서열은 인간 표준 염기서열(reference genome sequence)과 비교하여 원인 유전자 변이를 찾게 된다. NCBI bulid 36.3 (UCSC hg18)이나 최근 개정된 NCBI build 37.1 (UCSC hg19)를 표준 염기서열로 사용하게 되며, 이 과정을 매핑(mapping)이라고 한다. 다음으로 매핑을 통해 알아내 표준 염기서열과의 차이 중, 신뢰할 수 있는 염기서열 변이 정보만 추출하는데 이를 variant calling이라고 한다. Variant calling을 위해 여러 가지 소프트웨어가 사용되고 있는데, 그 중 SAMtools가 가장 흔히 사용되고 있다.[79] SAMtools를 사용하여 단일염기서열변이(Single Nucleotide Variation; SNV)와 짧은 삽입/결실(Short InDel) 정보를 얻을 수 있다. 이렇게 얻은 염기서열 변이 정보를 기존 데이터베이스(dbSNP)와 비교하여 기존에 알려진 변이인지, 새롭게 발견된 변이인지, 아미노산 및 단백질 구조에 변화를 유발하는 변이인지 예측하게 된다. 이 과정은 PolyPhen,[107] SIFT[92] 등의 웹브라우저를 이용하여 진행할 수도 있다. 전체 유전자의 엑솜을 분석하지 않고 알려진 난청 유전자의 엑솜만을 선별한 패널(targeted gene panel)을 분석하는 것도 유용한 방법인데 이에 대해서는 다음 장에서 기술하겠다. 하지만 이미 알려진 난청 유전자 이외에 새로운 유전자에 원인 돌연변이가 존재할 가능성이 있는 경우에는 엑솜 염기서열 분석이 필수적이다.

2. 이미 알려진 난청 유전자를 염기서열분석하는 방법

1) 표현형에 기반한 유력 후보유전자 염기서열분석(Phenotype-driven candidate deafness gene sequencing)

비증후군성 난청이라 하더라도 비교적 특징적인 청각 및 영상학적 표현형 혹은 유전방식을 보이는 경우에는 특

표 30-6. 한국인 유소아 심고도 난청에서 phenotype-driven candidate deafness gene sequencing의 주요 후보 유전자

Gene	Phenotype	Detection rate (n/N (%))	
Radiologic marker			
SLC26A4 [66,67]	AR, Enlarged vestibular aqueducts with or without Mondini deformity	13/13	(100%)
CHD7 [68]	AD, Charge syndrome (Mostly de novo)	7/9	(77.7%)
POU3F4 [69,70]	XR, Incomplete partition type III	5/5	(100%)
FGF3 [71]	AR, Complete labyrinthine aplasia or cochlear hypoplasia	0/2	(0%)
Audiologic marker			
OTOF [72-74], *PEJVAKIN* [75]	AR, Auditory neuropathy spectrum disorder	1/5	(20%)
TMPRSS3 [76,77]	AR, Ski slope type high frequency hearing loss	3/7	(42.8%)
Other characteristic marker			
KCNQ1 & *KCNE1* [78-80]	AR, Long QT syndrome	1/1	(100%)
Total		30/42	(71.4%)
To be identified		12	(28.6%)

정 표현형에 해당하는 난청 유전자들을 우선적으로 Sanger sequencing 해 볼 수 있다. 이에 해당하는 대표적인 유전자가 영상학적으로 쉽게 진단이 가능한 전정수도관확장증(enlarged vestibular aqueduct; EVA)과 연관된 *SLC26A4*이다. 다른 특징적인 내이 기형인 incomplete partition type III 기형과 연관된 *POU3F4* 유전자나 청각학적으로 소아에서 ski-slope 형태의 열성 난청에서 *TMPRSS3* 유전자, 그리고 선천성 청각신경병증 환아에서 해부학적으로 청신경에 문제가 없는 경우에 *OTOF* 유전자 등이 이에 해당한다.[99] 한편 모계 유전 방식이 명확한 난청에서는 미토콘드리아 DNA를 분석하는 것이 필요하다. 이러한 방식은 한국인 유소아 심고도 난청에 있어서, 특징적인 청각 및 영상학적 표현형을 가지고 있는 경우에 한하여 70%가 넘는 진단율을 보고한 바 있는데(표 30-6),[99] 한국인에서는 특히 위의 주요 유전자들에 hotspot이나 founder 돌연변이들이 존재하는 경우가 많아 그 부분만을 선별하여 염기서열분석을 시행할 경우, 특히 효율적일 수 있다. 한편 위의 특징적인 표현형이 없는 한국인 유소아 심고도 난청에서는, 10%가 넘는 *GJB2* 변이의 유병률을 감안하면 *GJB2*에 대한 염기서열 분석을 해보는 것이 가장 효율적이다.

2) 패널 sequencing (Targeted gene panel sequencing, targeted exome sequencing)

전체 유전자의 엑솜을 분석하지 않고 알려진 난청 유전자들의 엑솜만을 선별한 패널을 분석하는 패널 sequencing은 2017년 현재 가장 뜨거운 관심을 받고 있는 난청 유전자 검사법이라 하겠다. 엑솜 염기서열 분석(WES)과 비교해 볼 때, 적은 DNA 양, 분석 시간, 노력, 비용으로도 훨씬 높은 depth로 해당 유전자들의 염기서열을 분석할 수 있고, 난청과 상관 없는 유전자들에 대한 정보를 원치 않게 알게 되는데서 파생되는 윤리적 문제로부터도 자유로워 향후 임상에서 난청 유전자 분자유전진단의 기본 검사법으로 정착될 가능성이 매우 높다. 현재 세계적으로는 대부분의 비증후군성 난청, Pendred 증후군, 그리고 Usher 증후군의 원인이 되는 유전자들 총 152개를 분석힐 수 있는 OtoSCOPE® 패널[126]과 총 129개의 유전자를 분석할 수 있는 Otogenetics corporation에서 제작한 패널[133]이 널리 쓰이고 있다. 실제로 국내에서도 위의 패널 등을 이용한 한국인 난청 환자의 유전진단의 효용성에 대해서 꾸준히 보고가 되어왔는데, 특히 가족력이 있는 비증후군성 우성 유전을 보이는 난청에서 60%가 넘는 높은 진단율을 보이는 것에서부터 시작하여[7,25] 가족력이 뚜렷하지 않은 언어습득기 전 유소아 심고도 난청에서도 50%가 넘는 진단율을 보여, 기존에 알려진 난청 유전자로 구성된 패널로도 충분히 효율적인 분자유전진단이 가능함이 입증되었다.[46,99] 뿐만 아니라 이러한 분자유전진단기술에 발맞추어서 유전성 난청에 대한 NGS 기반 유전자 패널 sequencing이 2017년도 1월 보건복지부 고시로 급여대상으로 지정되었다. 급여로 인정받기 위한 유전선 난청 패널의 구성은 *GJB2*, *POU3F4*, *SLC26A4*, 그리고 *TECTA*로, 이 네 필수 유전자를 반드시 포함해야 하고, 승인된 요양기관에서만 실시해야 한다. 최근에 새로이 발견된 난청 유전자들을 모두 포함한 새로운 난청 유전자 패널들이 국내에서도 제작되었거나(예: OtoSCAN®™) 혹은 제작 중이다. 다만 난청의 원인 유전자가 이전에 보고되지 않은 새로운 유전자일 경우 유전진단을 할 수 없다는 것이 이 검사법의 한계이며 그런 경우에는 엑솜 염기서열 분석이 불가피하다.

3. 이미 알려진 난청 변이만을 선택적으로 스크리닝 하는 방법

인종별로 특정 난청 유전자 변이들의 분포가 비교적 뚜렷한 경우에는 발견 빈도가 특히 높은 특정 난청 유전자 변이들을 모아서 동시에 검사할 수 있는 방법들을 모색해 왔다. 이들 방법들은 상대적으로 저렴한 비용과 짧은 시간을 투입하고도 유병률이 흔한 난청 유전자 변이들을 동시에 스크리닝 할 수 있는 장점이 있어서, 적절히 이용할 경우 임상적인 유용성이 크다. 각 나라에서 각 인종별 특성에 맞게 개발된 난청 유전자 변이 스크리닝 kit를 표 30-7에 정리하여 보았다. 국내에서도 2009년에 3개 유전자(*GJB2*, *SLC26A4*, 그리고 미토콘드리아 12S rRNA 유전자)에서 주로 발견되는 7개 변이에 대해서 microarray 기술에 기반하여 스크리닝 할 수 있는 DNA chip을 개발한 바 있고,[28] 최근에 한국인 난청 환자에의 유병률에 기반하여 선정된 5개 유전자의 11개 변이에 대해서 real-time PCR 기반하에 임상 일선에서 first line 스크리닝으로 쓰일 수 있는 진단 키트가 개발되어 건강보험심사평가원에서 급여가 승인되었다(표 30-7).[46]

Ⅳ 내이의 구조와 청각 기능 그리고 이와 관련된 난청 유전자

소리는 중이, 내이를 거치며 물리적 에너지에서 전기에너지로 전환되어 와우신경으로 전달되어 대뇌피질로 전달되어 인지된다. 따라서 이 과정 중 어느 하나라도 이상이 발생하게 되면 난청이 발생하게 된다. 태생기 9주까지 와우는 완전히 발달되어 2와 3/4회전을 한다. 해당 유전자가 태아에서 내이의 발생 과정에 중요한 역할을 하는 것이라면, 돌연변이 발생 시 내이 세포들의 여러 구조 단백질(structural protein)의 결손이나 내이 기형 등으로 인한 여러 가지 선천성 난청을 초래하게 될 것이며, 반면에 내이의 항상성 유지에 주로 기여하는 유전자라면 선천성 혹은 진행성 난청을 유발할 것이다. 최근에 분자 진단 기술의 발달로 많은 난청 유전자들이 밝혀졌으며, 이 장에서는 이들 난청 유전자들을 내이의 해부학적 기형과 청각 시스템 내에서의 각 단백질의 기능과 연관지어서 기술하도록 하겠다.

1. 내이의 기형과 원인 유전자

일부 내이 기형은 특정 유전자와의 인과 관계가 매우 크다고 알려져 있으므로 표현형에 의거하여 우선 검사할 candidate 유전자를 선택하는데 유용한 참고 사항이 된다(표 30-8). 모든 내이 기형에서 확실한 원인 유전자가 보고되지는 않았지만 점차 밝혀지고 있는 추세이다. 하지만

표 30-7. 흔한 난청 유전자 변이 여러 종을 동시에 스크리닝 할 수 있는 진단 키트들

Kit	국가	인종	사용기법	유전자	변이	국가보험급여	Ref
Capital Bio Miami OtoArray	USA	European	Magnetic bead-based DNA microarray analysis, Sanger sequencing	*GJB2, GJB6, SLC26A4, MT-RNR1, MTTS*	35delG, 132G>C, 269T>C, 167delT (GJB2); 309kb deletion (GJB6); 707T>C, 1246 A>C(SLC26A4); 1555A>G, 7444G>A (MTRNR1)	-	PLoS One. 2017 Mar 8;12;(3):e0169219
Genetic hearing loss DNA chip	Korea	Korean	A genotyping microarray, based on the allele-specific primer extension (ASPE) method	*GJB2, MTRNR1, SLC26A4*	109G>A, 427C>T, 235delC (GJB2); IVS7-2A>G, IVS9+3A>G, 2168A>G (SLC26A4); 1555A>G (MTRNR1)	-	Clin Exp Otorhinolaryngol. 2009 Mar;2(1):44-7
The ASPUA universal array	China	Chinese	Multiplex allele-specific PCR-based universal array (ASPUA)	*GJB2, GJB3, SLC26A4, MTRNR1*	35delG, 167delT, 176_191del16, 235delC, 299_300delAT (GJB2); 538C>T, 547G>A (GJB3); 707T>C, 2168A>G, 919-2A>G (SLC26A4); 1555A>G (MTRNR1)	-	Hum Mutat. 2008 Feb;29(2):306-14
Invader assay	Japan	Japanese	High-throughput method for SNP genotyping	*GJB2, SLC26A4, TECTA, EYA1, KCNQ4, COCH, CRYM, mitochondrial 12s ribosomal RNA, mitochondrial tRNALeu* [UUR]	235delC, 109G>A, 134G>A, 408C>A, 176-191del, 427C>T, 299-300del, 368C>A, 257C>G, 570T>C, 212T>C, 146C>T, 35delG (GJB2); 2168A>G, 919-2A>G, 2162C>T, 1001+G>A, 1115C>T, 439A>G, 601-1G>A, 1105A>G, 1652insT, 1693G>A, 1997C>T, 2111ins5bp, 322delC, 367C>T, 1174A>T, 1829C>A, 1970G>A (SLC26A4); 1187A>G, 790C>T, 579C>G (EYA1); 441G>A(COCH); 827G>C(KCNQ4); 5318C>T, 6063G>A(TECTA); 1555A>G(mitochondrial 12s ribosomal RNA); 3243A>G(Mitochondrial tRNALeu (UUR)); 941A>C, 945 A>T(CRYM)	Yes	Genet Test. 2007 Fall;11(3):333-40
U-TOP™HL Genotyping Kit	Korea	Korean	Real-time PCR-based method using the MeltingArray technique	*GJB2, SLC26A4, MTRNR1, TMPRSS3, CDH23*	109G>A, 235delC, 299delAT, 427C>T(GJB2); 2168A>G, IVS7-2A>G, 1229C>T, 2027T>A(SLC26A4); 1555A>G(MTRNR1); 916G>A(TMPRSS3); 719C>T(CDH23)	Yes	PLoS One. 2016 Sep 1;11(9):e0161756

표 30-8. 내이 기형과 알려진 원인 유전자

Inner ear anomaly	Comment
Michel's aplasia (Complete labyrinthine aplasia)	완전히 내이가 없는 기형
	태생기 3주 이내에 내이 발달의 정체
	원인 유전자: LAMM 증후군(Complete labyrinthine aplasia + microtia + microdontia)에서 FGF3 열성 돌연변이가 발견됨
Cochlear aplasia	와우가 형성되지 않은 기형으로 전정과 반고리관만 존재
	Cochlear bud 발달 이전에 문제가 발생
	원인 유전자: 아직 보고된 바가 없음
Common cavity	와우와 전정이 공통강 형성
	원인 유전자: *ROR1* 열성 돌연변이가 최근에 일부 환자에서 보고됨 [16]
Incomplete partition type I (Cystic cochleovestibular malformation)	와우와 전정의 내부구조가 형성되지 않음
	와우 측이 없으며 전정 또한 확장되어 있음
	원인 유전자: 아직 보고된 바가 없음
Cochleovestibular hypoplasia	Incomplete partition type II보다 덜 분화된 형태의 기형
	와우와 전정구조의 구분이 가능함
	원인 유전자: 아직 보고된 바가 없음
Incomplete partition type II (Mondini malformation)	태생기 6주경 문제가 발생
	와우의 기저부만 발달하고 첨부는 불완전 발달
	Pendred 증후군, Waardenburg 증후군, Treacher-Collins 증후군, Wildervaank 증후군에서 동반됨
	원인 유전자: Enlarged vestibular aqueduct가 동반시에는 *SLC26A4* 열성 돌연변이
Incomplete partition type III	와우의 부분적 형성부전
	내이도 외측 말단 부위의 확장 및 내이도와 와우의 기저 회전 사이에 뼈의 결함이나 결손을 보임
	원인 유전자: *POU3F4* 성염색체 열성 돌연변이(우리 나라에서는 거의 100%에서 발견됨)
Enlarged vestibular aqueduct	Incomplete partition type II (Mondini malformation)과 자주 동반됨
	유아기부터 시작하여 점차 나이가 들면서 진행하는 양상의 난청으로 보임
	Pendred 증후군, 비증후군성 상염색체 열성 유전 난청(DFNB4)에서 나타남
	원인 유전자: *SLC26A4*의 열성 돌연변이(우리 나라에서는 80% 이상에서 발견됨)

태아기에 거대세포바이러스(CMV) 감염과 같은 감염 질환, 독성물질이나 약물 등 환경적 요인에 의해서 발달이 저해되는 경우에도 내이기형과 난청이 발생할 수 있다.

2. 청각기능과 관련된 유전자들

1990년대 중후반부터 cochlear transduction에 핵심적인 역할을 수행하는 수많은 유전자와 단백질에 대한 정보가 쏟아져 나오기 시작하였다. 많은 경우에 있어서 인간의 난청 후보 유전자가 발견이 되었을 때, 마우스를 비롯한 다른 동물모델에서 소위 이종상동성(orthologous) 유전자의 결실이나 돌연변이가 난청을 일으키는 지를 확인하는 과정을 거치게 된다. 그 후에, 그 유전자와 돌연변이에 대한 세포생물학적 연구를 수행함으로써 내이 청각경로에서 그 유전자가 어떤 부위에서 어떤 기능을 수행하는지를 확인하게 된다. 이런 과정을 통해서 알려진 와우의 미세구조와 청각 관련 기능, 그리고 이에 관련하여 밝혀진 주요 유전자들을 조금 더 살펴보도록 하겠다.

1) 덮개막(Tectorial membrane)과 관련된 유전자

덮개막(tectorial membrane)은 코르티 기관을 덮고 있는, 세포가 없는 구조물로서, 젤라틴 성분의 세포외기질(extracellular matrix)로 이루어져 있다. 코르티 기관에는 내유모세포(inner hair cell)와 외유모세포(outer hair cell)의 두 종류의 유모세포가 존재하는데, 음의 진동으로 기저막(basilar membrane)이 움직이면 덮개막이 이러한 기저막의 움직임을 원심성의 전단력(shearing force)으로 전환시켜 외유모세포의 첨부에 위치한 부동모(stereocilia)에 전달하게 된다. 기저막이 최고 속도로 움직일때, 전정계(scala vestibuli) 쪽으로 움직이게 되면 외유모세포의 부동모(stereocilia)는 흥분하는 방향으로 즉 더 큰 부동모가 있는 방향으로 굴곡하게 되는데, 이는 유모세포의 탈분극(depolarization)을 일으킨다.

이러한 덮개막의 주요 구성성분인 세포외기질은 콜라겐과 비콜라겐성 단백질로 이루어져 있는데, 이들 물질을 만들어내는 유전자에 변이가 생기면 난청이 생기며, 예외가 있지만 많은 경우에 경도 및 중등도 난청을 일으키게 된다. 대표적인 유전자는 *TECTA* (DFNA8/DFNA12/DFNB21), *COL11A2* (DFNA13), *OTOG* (DFNB18B), *OTOGL* (DFNB84), 그리고 *OTOA* (DFNB22) 등이다(그림 30-6). *TECTA* 유전자 산물인 α-tectorin은 β-tectorin과 함께 덮개막의 주요 구성성분인 비교원성기질(non-collagenous matrix)을 형성하는 대표적인 당단백질이다. 이 유전자의 변이는 열성 유전과 우성 유전의 다양한 유전 형태를 보이며 외국뿐만 아니라 우리나라의 여러 가계에서도 발견 되었다.[23,57,117,118] 이 유전자의 변이는 변이의 위치에 따라서 중주간파수 혹은 고주파수대를 특징적으로 침범하는데, DFNA8이나 DFNA12의 우성 유전 난청에서는 선천성이며 비진행성인 소견을 주로 보이며, 다른 주파수에 비하여 주로 중주파수에 보다 두드러진 중고도 난청 경향을 보이는 반면,[140] 열성 유전인 DFNB21 환자는 고도나 심도의 난청을 보이게 된다.[88] 또 다른 주요한 비교원성기질 당단백질, otogelin, otogelin-like, 그리고 otoancorin을 각각 코딩하는 유전자는 *OTOG* (DFNB18B), *OTOGL* (DFNB84), 그리고 *OTOA* (DFNB22)이다. *OTOG*, *OTOGL*, 그리고 *OTOA*이 세 유전자의 돌연변이의 경우에 α-tectorin과 β-tectorin의 돌연변이와는 다르게 항상 열성 유전의 난청을 일으키며, 비진행성의 중등도 난청을 일으킨다.[123,153] 흥미롭게도 *OTOA*에 의해서 코딩되는 otoancorin 단백질은 덮개막을 spiral limbus에 고정시키는 역할을 하는데, otoancorin 단백질이 완전 결실되면 덮개막이 떨어져 나오게 된다(그림 30-6).

교원질(collagen) 역시 매우 다양한 유전자로 만들어진다. 내이에는 다양한 교원질이 있으며 교원질을 만드는 유전자 중 난청을 일으키는 대표적인 유전자는 *COL11A2*로서 제11형 collagen의 2 subunit를 구성하는 유전자이며 이 유전자 변이는 덮개막 내의 교원질 원섬유(collagen fibril) 형성부전을 유발하며, 중간 주파수에 발생하는 상염색체 우성 비증후군성 난청(DFNA13)을 유발한다.

2) 유모세포 및 부동모와 관련된 유전자

기저막의 움직임이 덮개막에 의해서 원심성의 전단력(shearing force)으로 전환되어 외유모세포의 첨부에 위치한 부동모(stereocilia)에 전달되는데, 유모세포의 첨부 쪽에 위치하고 있는 부동모는 내유모세포와 외유모세포 1개당 각각 50~70개 그리고 150개 정도 존재하며, 사람에서 달팽이관 첨부로 갈수록 외유모세포의 부동모의 갯수는 줄어들게 된다. 이러한 부동모의 배열은 대개 3열로 이루어지게 되는데 내유모세포의 경우는 비교적 일자의 형태를 취하는 반면에 외유모세포의 경우는 W나 V자 모양을 보인다(그림 30-7). 같은 열에 위치한 부동모의 길이는 대개 같지만 세 열 간의 부동모의 길이는 다른데, 나선인대(spiral ligament) 쪽에 가까운 열의 부동모들이 가장 길고 반대쪽으로 갈수록 순차적으로 짧아져서 방향에 따

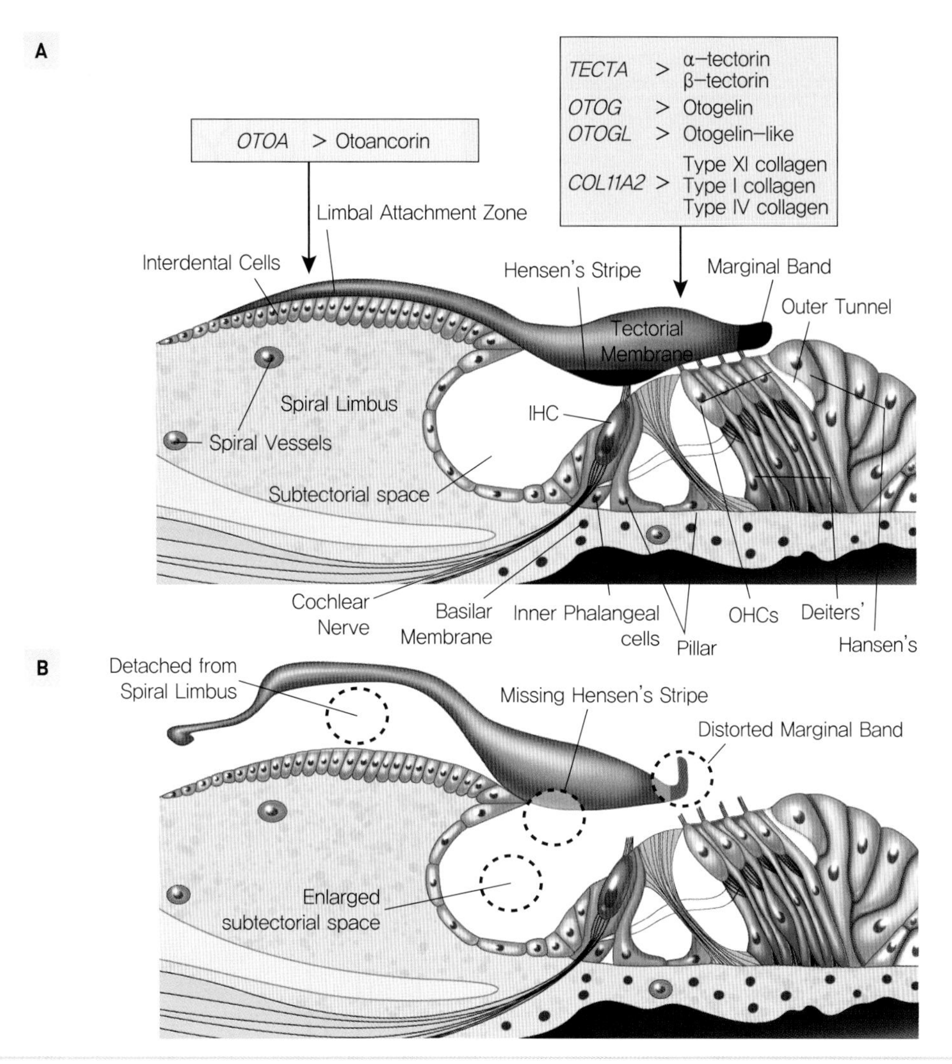

■ **그림 30-6. 덮개막에서 발현되는 유전자들. A)** Wild Type. 정상 상태에서의 덮개막의 형태 및 구조, 그리고 덮개막에서 발현되는 유전자들. **B)** Otoancorin 결핍. Otoa Knockout 마우스 소견에 의거한, otoancorin 결핍시에 예상되는 덮개막의 이탈 현상 및 변화 양상

른 변화를 감지할 수 있게 되어 있다. *RDX* (DFNB24), *PTPRQ* (DFNB84), *MYO6* (DFNA22), 그리고 *TRIOBP* (DFNB28) 등은 부동모 기저부 부위의 세포골격(cytoskeleton)을 유모세포 형질막에 고정시키는 복합체에 기여하는 것으로 알려져 있다(그림 30-7).

한편 와우의 코르티기관에서 외유모세포는 전압에 의존하여 세포의 길이를 능동적으로 변화시키는 electromotility를 이용하여 추가적인 증폭작용을 수행하는데, 이를 통해 소리에 대한 민감도와 주파수 선택성을 높이고 dynamic range를 넓히게 된다. 이런 증폭작용과 electromotility는 *SLC26A5* 유전자에 의해서 만들어지는 anion-transporter이면서 운동 단백질인 prestin에 의해서 일어난다.[155] 사람에서도 이 유전자의 열성 돌연변이와 연관된 비증후군성 난청이 보고되었는데, 동형접합체(homozygote)의 경우, 40~60 dB 정도의 청력손실만 보고되었던 마우스에서와 달리 역치 90 dB 이상의 심고도 난청이 발생하였으며, 이형접합체 보인자(heterozygous carrier)의 경우 정상, 경도 혹은 중등도의 난청까지 다양하게 보였다.[80]

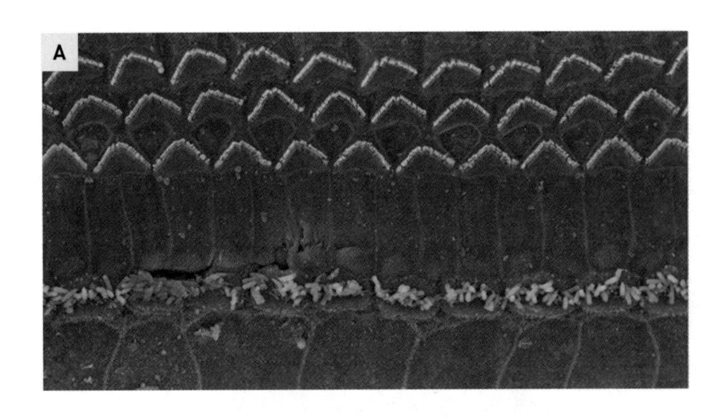

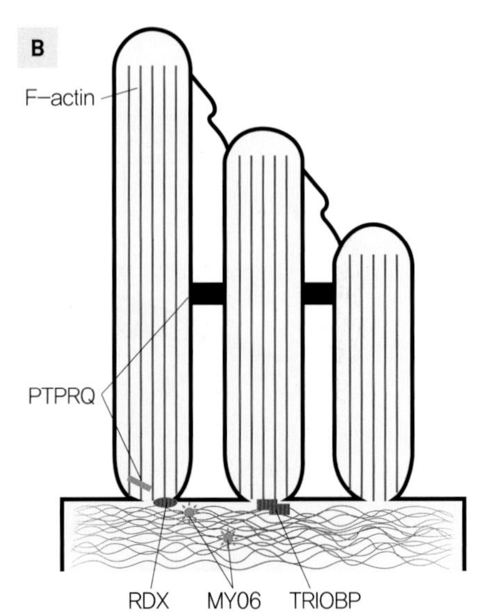

■ 그림 30-7. **유모세포와 부동모 그리고 부동모의 유모세포에의 고정에 관여하는 유전자. A)** 유모세포와 부동모 전자 현미경 사진. **B)** 부동모와 유모세포 복합체에 관여하는 유전자들

3) Transduction 채널을 코딩하는 후보 유전자와 주요 투과 이온

소리 진동 자극에 의해서 유모세포의 전도도(conductance)에 변화가 발생하는데, 구체적으로 부동모가 흥분하는 방향으로 굴곡하게 되면 유모세포 첨부에 위치하는, transduction channel이라는 중요한 구조물이 열리게 되고, 이에 따라 유모세포 내부로 전류가 발생하면서 탈분극이 일어나게 된다(그림 30-8).

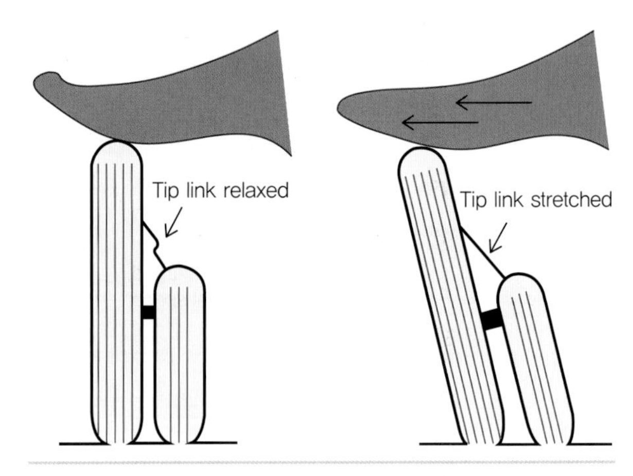

■ 그림 30-8. **부동모의 굴곡과 transduction channel의 개폐.** 기저막과 개막의 상호 움직임에 의해서 유모세포의 가장 큰 부동모쪽으로 휘어지는 힘을 받게 되면 Tip link stretch에 의한 흥분성 자극이 되며 transduction channel 개폐에 의한 K+ 같은 양이온이 세포 내로 유입되고 축적되어 유모세포의 탈분극 진행

최근의 여러 연구에 의하면 이러한 transduction channel은 가장 긴 열의 부동모에는 존재하지 않으며, 길이가 짧은 나머지 두 열의 부동모의 끝(tip)에 위치하며, 한 부동모당 두 개의 transduction channel이 존재한다고 한다.[14] Transduction channel을 코딩하는 유전자의 정체에 대해서는 아직 확실하게 결론이 내려져 있지 않으며, 여러 저명한 연구자들의 초미의 관심사이다. 초기에 초파리와 zebrafish 연구를 근거로 *TRP* 유전자가 가능성 높은 후보로 대두되었으나, 일련의 연구를 통해서 그 가능성은 미미한 것으로 나타났다. 대신 최근의 연구들에서는 사람에서 각종 난청을 실제로 일으키는 유전자들인 *TMC1* (DFNA36, DFNB7/11), *TMC2*,[98] *TMHS* (*LHFPL5*, DFNB66/67),[81] 그리고 *TMIE* (DFNB6)[151] 등이 transduction channel을 코딩하는 주요 후보 유전자로 제시되고 있으며, 특히 *TMC1/2*이 주목할 만하다(그림 30-9). 이 transduction channel이 열리게 되면 내림프에 풍부한 K^+ 이온이 이 채널을 통하여 부동모와 유모세포 안으로 쏟아져 들어오게 되고, 유모세포의 기저부(basolateral side)를 통과하여 나가면서 활동 전위를 발생시킨다. 유모세포 기저부에는 다양한 종류의 K^+ 채널이 존재

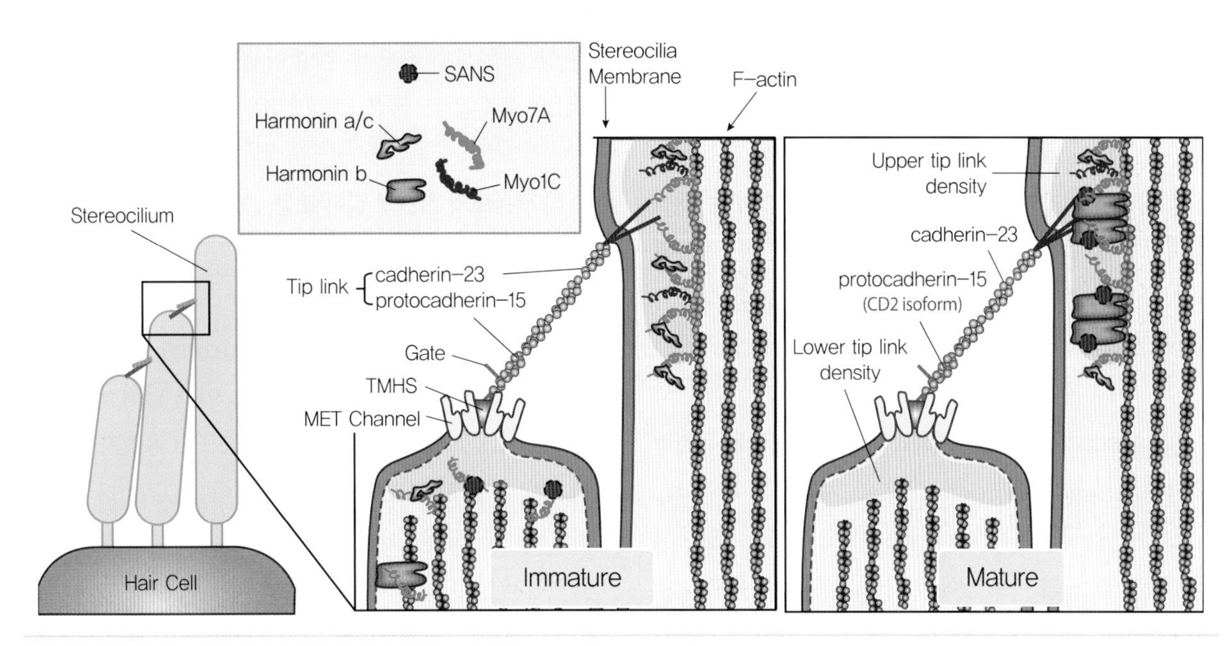

■ **그림 30-9. Transduction channel과 tip link에 기여하는 유전자.** tip link는 CDH23 유전자가 만들어내는 cadherin 23 단백질과 PCDH15 유전자가 코딩하는 protocadherin 15 단백질의 세포외 도메인(extracellular domain)들로 형성되는데, 아래쪽 부분은 protocadherin 15이, 위쪽 부분은 cadherin 23가 구성함

하는데, 그 중 KCNQ4는 *KCNQ4* 유전자에 의해 코딩되는 채널로, 탈분극 이후에 K^+ 이온이 유모세포 기저부를 통과하여 빠져나오게 하는 역할을 담당한다. 이 *KCNQ4* 유전자에 돌연변이가 발생하면 사람에서 고주파에서부터 시작하는 우성 유전의 난청이 발생하는데(DFNA2A),[73] DFNA2에서 난청이 발생하는 주된 이유는 외유모세포로부터 K^+ 이온의 배출이 되지 않으면서 지속적으로 탈분극이 유지되고 이에 따라 발생하는 외유모세포의 피로와 변성 때문일 것으로 생각된다.[56]

K^+와 더불어 Ca^{2+} 역시 transduction channel을 많이 통과하는 것으로 알려져 있는데, 따라서 탈분극 이후에 역시 유모세포로부터 갑자기 증가한 Ca^{2+}을 배출시키는 장치가 존재해야 한다. *PMCA2* (=*ATP2B2*)가 코딩하며, 부동모에 주로 존재하는 plasma membrane Ca^{2+}-ATPase가 주로 이 역할을 담당하고 있는데, 이 유전자에 이형접합체 변이를 하나만 가지고 있는 돌연변이 마우스는 소음성 난청에 보다 이환이 잘 되고, 노화성 난청 변이인 *Cdh23*^{ahl}를 가지고 있는 마우스와 교배하게 되어 두 이형접합체 변이를 모두 갖게 되면 더 빠른 나이에 노화성 난청이 진행되는 현상을 볼 수 있다. 이와 비슷하게 사람에서도 *CDH23* 열성 변이에 의한 난청의 정도가 *ATP2B2*의 일부 변이가 함께 존재할 때 더 악화되는 현상이 보고된 바 있다.[124] 이는 K^+ 항상성 이외에도 내이의 기능 유지에 Ca^{2+} 항상성도 중요함을 나타내며, 다른 난청 유전자에 의한 난청의 정도를 조절할 수 있는 modifier 유전자가 존재함을 보여준다.[124]

유모세포의 transduction channel을 통해 발생하는 전류는 부동모가 일정 시간 지속적으로 굴곡된 후에는 다시 원상으로 돌아와서 유모세포의 감수성을 회복시키는데, 이러한 과정을 순응(adaptation)이라고 하며, 수 ms 이내에 발생하는 급속 순응(rapid adaptation), 그리고 이보다 늦게 작용하는 느린 순응(slow adaptation)의 두 가지 기전이 제시되었다. 느린 순응의 경우에는 upper tip link density를 구성하는 단백질 성분이 액틴미세섬유를 따라서 미끄러져 내려오면서 tip link의 긴장도를 낮추어, transduction channel이 닫히는 것으로 제안되었

는데, 여러 연구 결과에 의하면 Myosin 1c가 이 역할에 가장 부합하는 단백질로 보인다.[44] 반면, 급속 순응의 경우, transduction channel을 통하여 부동모 내로 들어온 Ca^{2+} 이온이 채널의 세포 내 특정 부분에 결합하여, 채널의 여닫힘에 관여하는 긴장도를 조절하는 기전이 제안된 바 있다.[110] 하지만 정확한 기전에 대해서는 많은 연구가 필요한 실정이다.

4) Transduction 채널의 개폐와 tip link와 연관된 유전자

한편 transduction channel이 여닫히는 데는 tip link라는 미세섬유가 관여하는데, 이 tip link는 짧은 열의 부동모의 tip과 바로 옆에 위치한 긴 열의 부동모의 측면을 연결하는 구조물로서 부동모들의 극성 polarity의 축과 평행하게 배열되어 있어서 부동모들의 축 방향으로의 굴곡을 매우 민감하게 반영할 수 있다.[30] 즉 부동모들이 긴 부동모 쪽으로 굴곡하면 tip link가 신장되면서 물리적으로 transduction channel이 열리고 이어서 유모세포의 탈분극이 일어난다. Tip link는 *CDH23* 유전자가 만들어내는 cadherin 23 단백질과 *PCDH15* 유전자가 코딩하는 protocadherin 15 단백질의 세포외 도메인(extracellular domain)들로 형성되는데, 아래쪽 부분은 protocadherin 15이 그리고 위쪽 부분은 cadherin 23가 구성한다(그림 30-9).[3,55] 사람에서 *CDH23*의 돌연변이는 돌연변이의 종류에 따라 Usher 증후군 1D 혹은 비증후군성 열성 난청으로 선천적으로 고도 난청을 보이는 DFNB12를 나타낸다. 우리 나라 비증후군성 언어습득기전 심고도 난청 환아에서 *CDH23*은 *GJB2*, *SLC26A4*에 이어서 세 번째로 흔한 원인 유전자이며, 특히 p.P240L 변이는 우리 나라에서 매우 유병률이 높은 시조 대립유전자(founder allele)로 보고되었다.[66] 하지만 돌연변이 마우스에 대한 연구 결과를 보면 위에서도 언급하였다시피 특정 마우스 strain에서 특정 *Cdh23*변이는 이른 연령에서 노화성 난청을 유발하기에, 사람에서도 *CDH23*의 일부 변이가 노화나 소음에 보다 민감하게 이환되게 하는 역할을 할 가능성도 배제할 수 없다. *PCDH15* 변이는 역시 Usher 증후군 1F 혹은 DFNB23을 일으킨다.

5) 부동모의 발달과 길이 조절, 그리고 부동모 간 연결에 관여하는 유전자

정상적인 부동모의 발달과 그 길이의 조절은 정상적인 청력을 위해서 필수적이고, 주로 whirlin과 myosinXVa의 상호 작용에 의해서 일어나는데, 이들 단백질은 각각 *WHRN* (DFNB31)과 *MYO15A* (DFNB3) 유전자에 의해서 코딩된다. *MYO15A* 유전자의 변이는 DFNB3 난청을 일으키는데, 국내에서도 최근까지 여러 차례 보고되었다.[20] 돌연변이 마우스 모델에서 부동모의 길이는 정상 대조군에 비하여 현저하게 짧으며, 3열 간의 부동모 길이의 차이가 정상에 비하여 뚜렷하지 않다. 특히 myosinXV의 면역염색이 부동모 길이가 서로 달라지기 시작한 시점에 제일 뚜렷하게 나타나는 것으로 보아서 이 유전자는 정상 청력에 필수적인, 부동모 길이의 계단식 배열에 필수적인 역할을 담당하는 것으로 여겨진다.[10,116] *WHRN* 돌연변이는 비증후군성 난청인 DFNB31과 Usher 증후군 2D (USH2D)를 모두 일으킬 수 있으며, 돌연변이 마우스는 역시 정상에 비하여 짧은 부동모 길이를 보이게 되며, 특히 외유모세포에서 W나 V자 모양의 부동모 배열이 소실된 것을 볼 수 있다. 일련의 연구에 의하면 myosinXV가 whirlin을 부동모의 tip까지 운반하면서 부동모의 길이를 연장시킬 가능성이 있다.[11] 이 외에도 부동모에서 발현되어 부동모의 길이나 대사에 관련하는 것으로 알려진 unconventional myosin 유전자로는 *MYO7A* (DFNA11/DFNB2/USH1B)와 *MYO3A* (DFNB30)가 있으며, 돌연변이가 발생하면 각각 사람에서 난청을 일으킨다.

청각에 핵심적인 역할을 담당하는 부동모는 매우 촘촘하게 짜여 있는 액틴미세섬유다발(actin filament bundle) 이 부동모 전체 길이를 관통하면서 형성되어 있는데, 각각의 액틴미세섬유는 espin이나 fimbrin과 같은 수많은 교차결합(cross-linking)에 의하여 단단히 결합되어서 다발을 형성한다. 이렇듯 수많은 교차결합은 부동모에 stiffness를 부여하여 부동모가 흐느적거리지 않고 마치 막대기처럼 움직이게 한다. 청각과자극(acoustic over-stimulation) 시에 액틴미세섬유간의 교차결합의 수가 일시적으로 줄어들어 부동모의 stiffness를 일정 시간 동안 약화시키는데, 이것은 temporary threshold shift를 일으킨다.[136] 사람에서 espin 단백질을 코딩하는 ESPN 유전자의 변이는 언어습득기 전 심도 난청(DFNB36)을 일으켜 정상 청력에 이러한 액틴 bundling의 중요함을 보여준다. 액틴미세섬유의 재생은 청각과자극으로부터의 부동모의 복구와 회복에 중요한 역할을 담당하는 것으로 보이며, 이러한 기전에 이상이 생기면 역시 난청이 발생하는데, 액틴 모노머가 부동모의 첨부 쪽에서 액틴미세섬유다발에 추가되면서 부동모의 재생이 이루어지는 기전이 제시된 바 있다.[122] 청각 유모세포에서 이러한 세포골격을 이루는 주된 액틴은 gamma-actin이고 *ACTG1* 유전자에 의하여 코딩되는데, 이 유전자의 돌연변이는 사람에서 중년 이후에 매우 빠르게 진행하는 우성 유전의 난청(DFNA20/26)을 보이게 된다. 특히 소음 노출 실험에서 액틴미세섬유 중간에 phallodin 염색이 되지 않는 틈(gap)이 보이는데, 흥미롭게도 이 부분이 gamma-actin 항체에 의해서 염색이 되는 것이 보고되어,[12] 부동모의 구조적 유지에 필수적인 gamma-actin의 역할이 확인되었다.

부동모를 유모세포 형질막에 고정시키는 단백질들도 정상 청각에 필수적인데, 대표적인 단백질은 radixin, TRIOBP, 그리고 diaphanous 1이다. Radixin은 부동모의 기저부에서 높은 농도로 발현되며, Radixin을 코딩하는 *RDX* 유전자에 이상이 있으면 사람에서 DFNB24난청을 일으킨다.[70] TRIOBP는 주로 부동모의 rootlet 쪽에서 발현되며, 주요 TRIOBP isoform이 결핍된 마우스에서 특히 rootlet 형성이 되지 않고, 부동모가 stiffness를 잃어 보다 유연해지고, 청각과자극에 쉽게 손상을 받아 유모세포가 변성을 보이는 것이 관찰되었다.[71] 그리고 유모세포 내 actin의 대사 조절에는 diaphanous 1 단백질이 관여한다고 알려져 있다. *TRIOBP*와 *DIAPH1* 유전자는 돌연변이가 생기면 사람에서 각각 비증후군성 열성 난청인 DFNB28과 우성 난청인 DFNA1을 일으킨다.

액틴미세섬유끼리 교차결합에 의하여 단단히 고정된 것과 마찬가지로 부동모끼리도 교차결합에 의해서 서로 연결되어 있다. 이러한 교차결합은 같은 열끼리의 부동모는 물론 다른 열의 부동모와도 이루어져 있고, 부동모들의 stiffness를 강화하는 역할을 한다. 이들 부동모들끼리의 교차결합은 horizontal top connector, shaft connector, lateral link, 그리고 ankle link 등으로 구분할 수 있는데 예를 들어 비증후군성 열성 중등도 난청 DFNB16의 원인 유전자인 *STRC*에 의한 stereocilin은 horizontal top connector의 주요 성분이며 영구적으로 존재한다(그림 30-10).[141,142] *STRC* 돌연변이는 우리나라에서도 유소아의 산발성 중등도 난청에서 보고된 바가 있으며,[62] 이 유전자에서는 점 돌연변이 이외에도 특히 카피 수 변이(copy number variation)가 자주 발견이 되고 있어 분자유전진단 시에 유념할 필요가 있다.[87] 한편 부동모의 기저부에도 발현하는 PTPRQ는 horizontal top connector 밑에 위치하는 shaft connector의 주요 성분이며 사람에서 DFNB84를 일으킨다. 그리고 lateral link와 ankle link는 부동모 발달 초기에만 내유모세포와 외유모세포에서 일시적으로 존재하며, 각각 Cdh23/Pcdh15과 VLGR1b/Usherin/Whirlin/PDZD7이 주요한 성분이다(그림 30-10). Ankle link의 주요 성분인 VLGR1b, Usherin, 그리고 Whirlin를 각각 코딩하는 *GPR98*(예전에는 *VLGR1*으로 명명되었음), *USH2A*, 그리고 *WHRN*유전자에 열성 돌연변이가 생기게 되면, 각각 Usher 증후군 2C와 2A, 그리고 2D를 일으킨다.

6) 내유모세포와 연접 부위 기능 유전자

일반적인 경우와 달리 내유모세포의 부동모에만 국한되는 병변을 가지는 경우에는 청각신경병증(auditory neuropathy)의 양상을 보이게 되는데, 대표적인 경우가

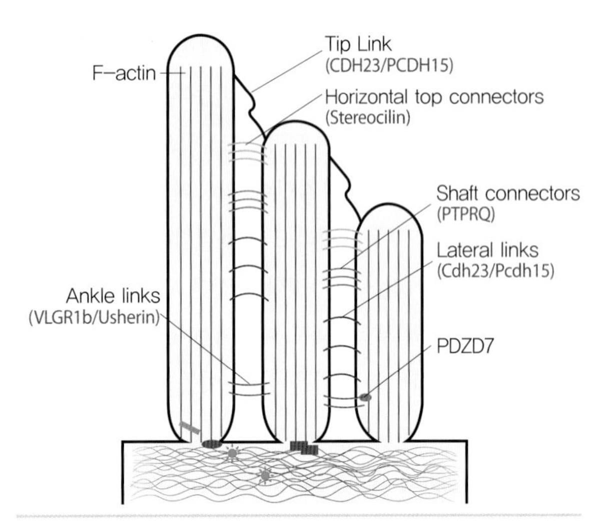

■ **그림 30-10. . 부동모 간의 연결에 관여하는 유전자들.** 각 부동모들끼리의 교차결합은 horizontal top connector, shaft connector, lateral link, 그리고 ankle link 등으로 구분할 수 있는데, ankle link 같은 경우에는 PDZD7과 같은 발판 단백질(scaffolding protein)이 고정하는 역할을 함

DIAPH3 유전자의 변이에 의해 발생하는 AUNA1 (autosomal dominant nonsyndromic auditory neuropathy)이다.[69] 와우에서 내유모세포와 구심성 수상돌기 간의 시냅스는 특이할 만한 부분이 존재하는데, 바로 리본(Ribbon)이라 불리는 시냅스전 치밀소체(presynaptic dense body)이다. 각각의 구심성 수상돌기(dendrite)는 오직 하나의 리본시냅스로부터 정보를 받는데, 유모세포의 탈분극이 일어났을 때, 동시에 신경전달물질을 배출하기 위해서는 효율적이고 잘 조율된 방법으로 시냅스소포의 엑소시토시스가 일어나야 한다. 따라서 언제라도 이용 가능한 시냅스소포의 pool이 마련되어 있어야 하는데, 리본 주위에 시냅스소포들이 그런 목적에 부합되도록 배열되어 있다(그림 30-11). 또한 와우 내유모세포-구심성 시냅스의 경우는 다른 부위의 시냅스나 리본시냅스와 다르게 Ribeye나 Bassoon 같은 특별한 단백질들을 가지고 있어서 리본을 시냅스전막(presynaptic membrane)에 고정시킨다. 탈분극으로 Cav1.3 채널을 통하여 내유모세포 내로 Ca^{2+} 이온이 유입되면 *OTOF* 유전자에 의해 만들어지는 otoferlin 단백질이 활성화되는데, otoferlin은 시냅스소포와 시냅스전막을 융합하여, 시냅스소포의 엑소시토시스를 유도한다(그림 30-11).[15,112] *OTOF* 유전자의 돌연변이는 사람에서 언어습득기전 난청 DFNB9을 유발하는데, 이들 환아들은 청성뇌간반응검사에서 무반응을 보이지만 이음향방사에서는 많은 경우에 반응을 보이는 전형적인 청각신경병증(auditory neuropathy), 그 중에서도 특히 'synaptopathy'의 소견을 보인다. 인종별로 청각신경병증 환자에서 이 *OTOF* 유전자의 돌연변이 유병률은 차이가 있는데, 우리나라에서는 MRI에서 청신경이 잘 발달된 것으로 확인된 소아 청각신경병증만을 대상으로 한 연구에서 약 80% 이상에서 이 유전자의 열성 변이가 발견된다.[21] 그 중 특히 p.R1939Q 변이가 매우 흔하게 발견되어 *OTOF* 변이 스크리닝에 효율적으로 사용될 수 있다.[21]

Otoferlin, Cav1.3 채널 단백질, Bassoon 이외에도 시냅스소포막에 위치하여 glutamate를 시냅스소포로 운반하는 수송체인 VGLUT3 (*SLC17A8*) (그림 30-11) 등의 단백질에 이상이 생기면 적어도 마우스에서는 synaptopathy의 청각표현형을 보이게 되며, 사람에서는 진행성 난청 DFNA25을 일으킨다. 이들 단백질의 이상은 청신경 자체에 문제가 있어서 발생하는 청각신경병증과 구별되어야 하겠다.

7) 연접 부위 후 발현 청각신경병증 유전자

청각신경병증에서 시냅스 후 병변은 여러 부분에서 일어날 수 있다. 첫 번째는 수상돌기의 신경말단 dendritic nerve terminal의 이상으로, *OPA1* 유전자 돌연변이에 의해 발생한다.[121] 이 부분의 이상은 유전적인 문제뿐 아니라 소음에 의해서도 일어날 수 있음이 Kujawa 등에 의해 알려진 바 있다.[75] *OPA1* 유전자 돌연변이에 의한 청각신경병증에서 인공와우수술을 통하여 좋은 결과가 보고된 바 있다.[121]

두 번째로는 축삭의 신경병증(axonal neuropathy)이다. 축삭의 이상으로 인해 유모세포의 이상 없이 청신경의 신경활성이 감소하게 된다. 세 번째는 청신경의 신경절세포(auditory spiral ganglion neuron)의 이상이다. 청

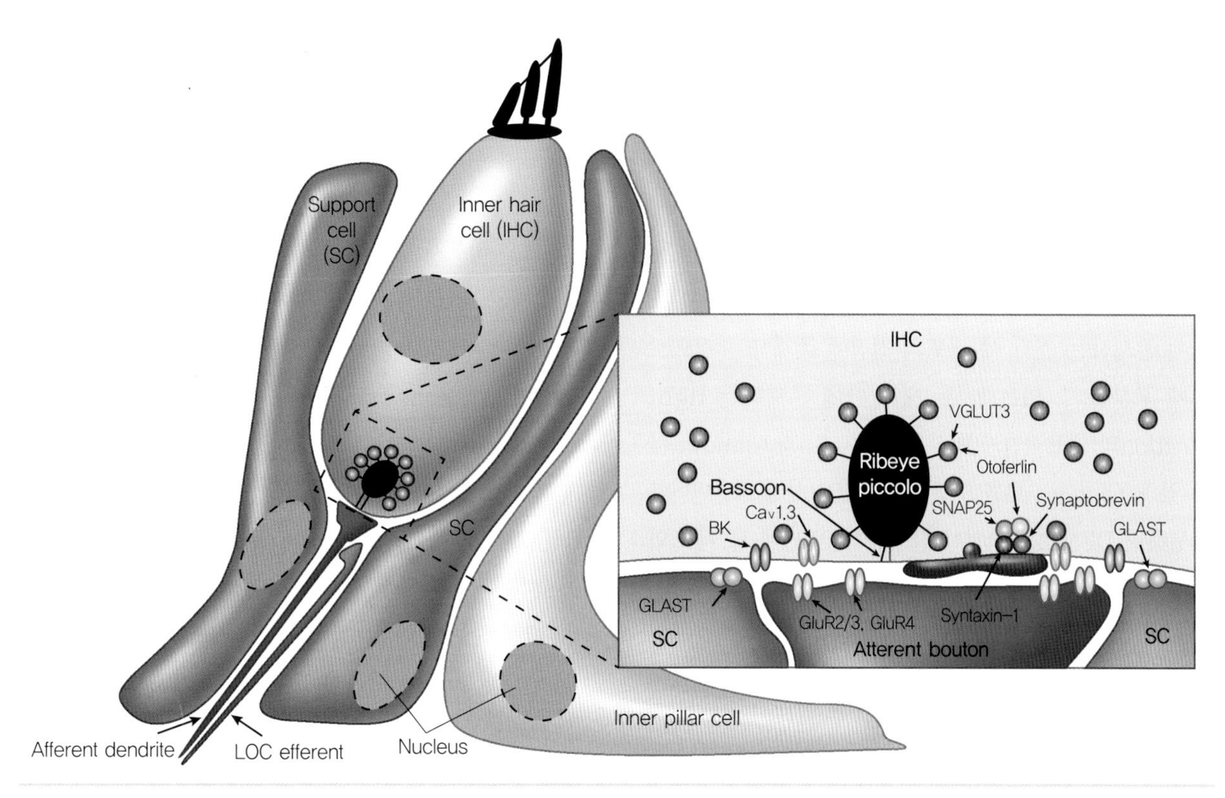

■ **그림 30-11. 내유모세포와 구심성 시냅스에 관여하는 유전자들.** 각각의 구심성 수상돌기(dendrite)는 오직 하나의 리본시냅스로부터 정보를 받는데, 유모세포의 탈분극이 일어났을 때, 언제라도 시냅스소포의 pool을 이용할 수 있도록 리본 주위에 시냅스소포들이 배열되어 있음. 또한 와우 내유모세포-구심성 시냅스의 경우는 다른 부위의 시냅스나 리본시냅스와 다르게 Ribeye나 Bassoon 같은 특별한 단백질들을 가지고 있어 서 리본을 시냅스전막(presynaptic membrane)에 고정시킴

신경의 신경절 세포는 고빌리루빈혈증과 같은 대사 이상에 의해 영향을 받으며 황달환자 청각기능검사를 시행한 한 연구에서 가중전위가 정상 소견을 보이지만 복합활동전위가 감소하는 소견을 보인 바 있다.[120] 네 번째는 수초 myelin의 이상이다. 일부 청각신경병증의 경우 탈수초 현상에 의해 동기적인 신경 신호를 만드는 것에 이상이 발생한다.[150] 마지막으로 다발성 경화증이나 소뇌교각부 종양에 의해서도 청신경의 전도장애가 발생하여 청신경병증에서와 비슷한 양상의 난청을 일으킬 수 있다.[108]

*AIFM1*은 예정세포사(programmed cell death) 및 산화화원조절(redox control)과 관련 있는 유전자로, X 염색체에 위치하는데, 돌연변이가 발생할 경우 산발 혹은 가족성 청각신경병증의 원인이 된다(DFNX5).[157] PJVK 유전자의 이상이 있을 경우 상염색체 열성의 청각신경병증이 발생함이 알려져 있다. PJVK 유전자는 나선신경절과 뇌간의 신경세포체에 분포하는 pejvakin이라는 단백의 코딩에 관여한다. 소음에 노출될 경우 와우에서 pejvakin의 전사가 증가되고 이에 따라 청신경과 유모세포에서 peroxisome이 증가하여 산화스트레스에 대응하는 것으로 밝혀진 바 있는데, perjvakin의 결핍이 발생할 경우 이러한 기전이 이루어지지 않으므로 소음에 취약해 진다. 따라서 인공와우와 보청기의 사용이 PJVK유전자의 돌연변이가 있는 환자에서는 오히려 산화스트레스를 증가시켜 잔청의 악화를 가져올 수 있다.[35] 이렇듯 원인이 매우 다양한 청각신경병증에서 분자유전진단은 청각재활 관련하여 특히 더 중요하며, 아무리 강조해도 지나치지 않다.

8) 내이 Tight junction 구성 유전자

한편, 내이에서 조성이 완전히 다른 내림프와 외림프가 섞이지 않게 잘 구획이 나누어져 있는 것은 매우 중요하다. 내림프가 존재하는 환경을 유지하기 위하여 와우관(scala media)을 둘러싸는 모든 상피세포의 사이에는 tight junction이 존재한다. 이 tight junction은 두 세포 간에 존재하는 것과 세 세포의 접점에 존재하는 것으로 크게 구분할 수 있는데, 두 세포 간에 존재하는 tight junction의 대표적인 단백질은 Occludin과 Claudin 14이 있다. Claudin 14를 코딩하는 *CLDN14*에 돌연변이가 발생하면 DFNB29 난청이 발생한다. 반면에 세 세포의 접점에 존재하는 치밀이음부의 대표적인 단백질로는 Tricellulin과 ILDR1을 들 수 있는데, *TRIC* 그리고 *ILDR1* 두 유전자의 돌연변이는 사람에서 각각 DFNB49와 DFNB42 난청을 일으키는 것이 보고되어, 이들 단백질이 와우의 기능 유지에 필수적임을 알 수 있다.[16,109]

9) 내이 이온 및pH 항상성 유지와 관련된 유전자 - K^+ 재활용과 연관된 유전자

내림프의 이온 조성이나 pH와 같은 내이 항상성 유지도 정상적인 청각기능을 위해서 필수적인데, 특히 K^+ 재활용 가설과 관련된 여러 co-transporter와 간극결합채널(gap-junction channel), 그리고 K^+ 채널 등의 역할이 매우 중요하다. 이 가설에 의하면, transduction 채널을 통해서 유모세포에 유입된 K^+은 위에서 언급한 KCNQ4 채널에 의해서 유모세포 밖의 세포외 외림프 공간으로 배출되고, 여러 종류의 K^+-Cl^- co-transporter (예: Kcc3 혹은 Kcc4)를 통해서 코르티 기관의 지지세포에 의해 흡수된다. *GJB2*나 *GJB6* 등의 유전자에 의해 여러 connexin 단백질이 코딩되고, 이들 단백질의 결합에 의해 형성되는 간극결합채널 등을 통하여 K^+ 은 나선인대(spiral ligament)의 root 세포로 전달되며 여기서 다시 세포외 공간으로 나오게 된다(그림 30-12). 이렇듯 간극결합채널은 세포 사이에 작은 입자과 이온을 소통시키는 역할을 하며 이 유전자에 이상이 생기면 와우 내에서 내림프의 K^+ 재활용이 저하되어 청력 감소를 초래한다. 간극결합채널의 구조를 살펴보면 6개의 connexin이 1개의 connexon을 만들며, 2개의 인접한 세포의 connexon이 1개의 간극결합채널을 비로서 형성하게 된다.

실제로 비증후군성 전농에서 가장 흔한 형태인 DFNB1이 바로 이러한 간극결합채널의 기능 이상과 연관되어 있는데, connexin 26를 코딩하는 *GJB2* 유전자가 DFNB1A의 원인임이 처음 밝혀진 이후, *GJB2* 변이가 소아 전체 난청환자의 20%에서 원인이고, 전 인구의 2.8%에서 보인자(carrier)라는 것이 알려졌다. 서구의 일부 연구에서는 비증후군성 상염색체 열성 고도 난청의 50%에서 *GJB2* 돌연변이가 발견되기도 하였으나, 우리나라를 비롯한 동아시아에서는 그 정도로 흔히 발견되지는 않는다. 그래도 보통 한국인 유소아 심고도 난청의 10% 조금 넘는 정도에서 발견되며,[65,99] *SLC26A4*와 더불어 가장 중요한 원인 유전자로 여겨진다. 흥미롭게도 상염색체 열성 유전(DFNB1A) 외에 *GJB2* 유전자의 일부 돌연변이는 우성 유전방식의 난청(DFNA3A)을 일으키기도 하고 때로는 Keratitis-ichthyosis-deafness (KID) syndrome과 같은 증후군성 난청을 일으키기도 한다. 또한 인종별로 *GJB2* 돌연변이의 스펙트럼에 차이도 커서, 예를 들어서 c.35delG는 서양인 DFNB1의 60% 이상에서 원인임이 밝혀져 모든 난청환자에서 이 유전자 변이를 선별하여야 한다는 주장도 있을 정도이지만, 국내에서는 이와 달리 c.35delG는 매우 드물고 대신 c.235delC가 가장 흔하게 발견되어, 인종 간 큰 차이가 존재한다.[65,99] 동아시아인에게 흔한 이 c.235delC 변이는 비교적 다양한 청력 역치를 보이며,[65] 역시 동아시아인에서 흔한 *GJB2* p.V37I 변이는 특징적으로 경도나 중등도 난청과 연관되어 보고가 되고 있다.[67] 한편 connexin 30과 connexin 31을 각각 코딩하는 *GJB6*와 *GJB3*의 돌연변이 역시 DFNB1B/DFNA3B와 DFNA2B를 각각 일으킨다.

다시 K^+ 재활용 가설로 돌아와서, 나선인대(spiral

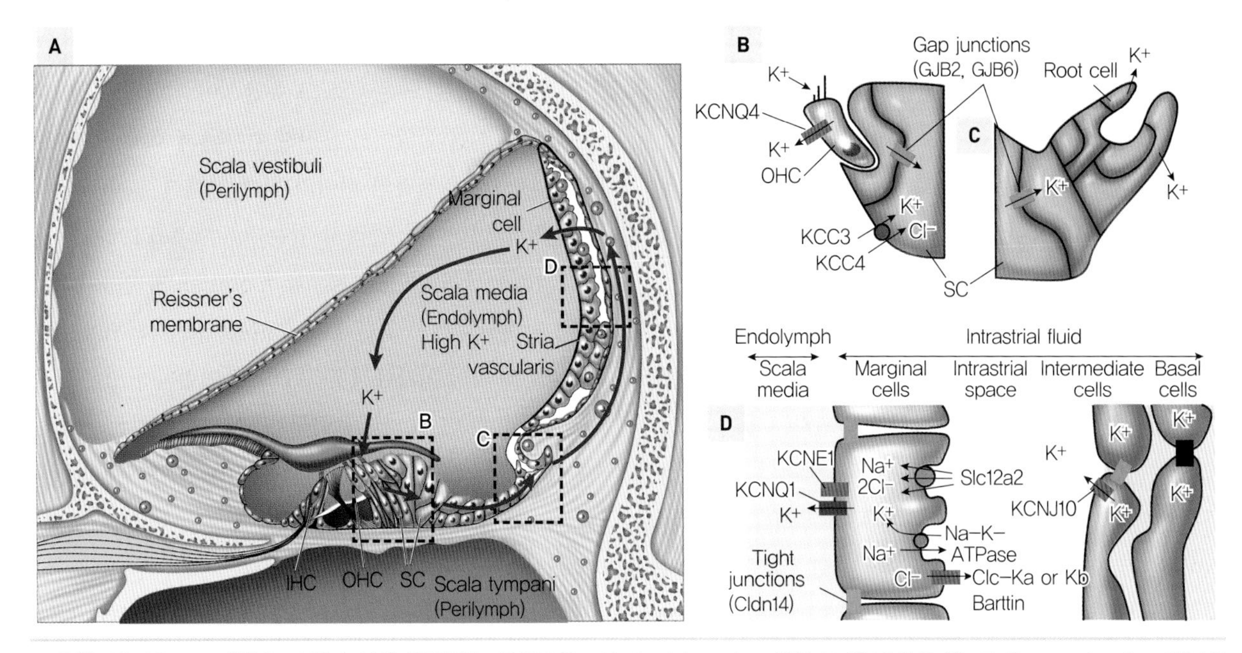

■ 그림 30-12. **K^+ 재활용 가설과 이에 관여하는 유전자들. A)** Cochlear duct에서 K^+의 재활용 맵; K^+은 transduction 채널을 통해서 유모세포에 유입된 후 KCNQ4 채널에 의해서 유모세포 밖의 세포외 공간으로 배출됨. 이후 K^+은 여러 종류의 K^+-Cl^- co-transporter 를 통해서 코르티 기관의 지지세포에 의해 흡수되고 간극결합채널을 통해 나선인대의 root 세포로 전달되며 여기서 다시 세포외 공간으로 나오게 됨. **B)** OHC와 지지세포 간 K^+의 활용; KCC3 또는 KCC4와 같은 K^+-Cl^- co-transporter 를 통해서 지지세포에 흡수됨. **C)** root 세포를 통한 K^+의 방출; K^+은 간극결합채널에 의해 root 세포로 전달되어 배출되는데, 간극결합채널은 지지세포에서 connexin 단백질의 결합을 통해 형성되며, connexin 단백질은 GJB2 나 GJB6 등의 유전자에 의해 코딩됨. **D)** 방출된 K^+의 Scala media 내로의 재활용; root 세포를 통해 배출된 K^+은 섬유모세포(fibrocyte)를 통해 기저세포(basal cell)와 중층세포(intermediate cell)를 거쳐 혈관조의 intrastrial fluid로 배출되는데 이는 다시 변연세포(marginal cell)을 통해 scala media로 재활용 됨

ligament)의 root 세포로부터 세포외 공간으로 배출된 K^+은 나선인대의 제2형 섬유모세포에 의해서 uptake된 후 역시 gap-junction 채널 등을 통하여 나선인대의 제1형 섬유모세포를 거친 뒤에, 마침내 혈관선조(stria vascularis)의 중층 세포(intermediate cell) 도달한다. 중층 세포로부터 KCNJ10 채널에 의하여 선조내 공간(intrastrial space)으로 배출된 K^+는 여러 transporter에 의해서 변연세포(marginal cell)로 흡수되고, 흡수된 K^+은 변연세포의 apical 세포막에 위치한, KCNQ1/KCNE1로 구성된 K^+ 채널에 의하여 다시 내림프로 되돌아간다(그림 30-12). *KCNQ1/KCNE1* 유전자에 이상이 발생하면, 심전도에서 QT 간격이 늘어나면서 선천성 고도 난청이 나타나는 Jervell Lange-Nielsen 증후군이 나타난다. 이 경우 sudden death를 예방하기 위해 약물치료가 필요하므로 유전진단의 중요성을 다시 한 번 알 수 있다.

10) 내이 이온 및 pH 항상성 유지와 관련된 유전자 - *SLC26A4*

내이에서 pH 조절에 관여하는 주요한 물질은 pendrin으로서, *SLC26A4* 유전자에 의해 내이, 갑상선, 신장 등에서 발현되며, 달팽이관 내에서는 spiral prominence의 세포, 내림프관, 그리고 내림프낭 등에서 발현되며, 음이온-염기 운반체(anion-base transporter)역할을 한다. 특히 HCO^{3-}를 내림프로 배출하여 내림프 내의 pH를 조절하는 역할을 한다. *SLC26A4* 유전자의 열성 변이는 Pendred 증후군이나 비증후군성 상염색체 열성 난청(DFNB4)을 모두 일으킬 수 있으며, 특히 동아시아에서는

*GJB2*와 더불어 가장 중요한 유전성 난청의 원인 유전자로 분류된다. Pendred 증후군은 가장 흔한 증후군성 난청으로 Pendred가 1896년 보고하였다.[131] 100,000명당 7.5~10명에서 발생하는 것으로 추정되며, 유전성 난청의 10%를 차지한다.[42] 이 증후군은 감각신경성 난청과 비정상적인 요오드 대사(abnormal iodine organification)로 특징지워지며, 통상 perchlorate discharge test로 요오드 대사 이상 여부를 판정해왔다.[42] 갑상선종(goiter)은 Pendred 증후군이라고 해서 항상 동반되지는 않는다. 만일 존재한다면 갑상선종은 대개 십대에 발견되고 갑상선 기능은 정상인 경우가 대부분이다. 특히 우리나라에서는 식이적으로 요오드 섭취가 많아 Pendred 증후군이라 하여도 갑상선종이 나타나는 경우가 많지 않다. 비정상적인 pendrin 단백의 잔여 기능의 정도가 표현형이 증후군성(Pendred 증후군)인지 혹은 비증후군성(DFNB4) 인지를 결정하게 된다.

SLC26A4 유전자 돌연변이에 의해 나타나는 임상 증상 및 징후 중 항상 나타나는 가장 분명한 소견은 영상학적 검사에서 관찰되는 전정수도관확장증(enlarged vestibular aqeuduct; EVA)이며, 달팽이관에 incomplete partition type II 기형을 동반하는 경우도 흔하다. 난청과 관련된 증상은 많은 경우에 출생시 심/고도난청을 보이나, 첫 발견 시에 경도에서 중등도 난청을 나타내는 경우도 적지 않고, 양측이 비대칭적인 청력을 보이는 경우에서부터 심지어 거의 일측성 난청에 가까운 소견을 보이다가 반대측에서 난청이 진행되는 환아도 있으며, 신생아 청각선별검사에서 통과되고 후에 진행성 난청을 보이는 경우도 상당수이다.[58] 또한 감기로 심한 기침을 하거나 두부에 외상을 받았을 때 난청이 악화되었다가 휴식과 스테로이드로 약간의 회복을 보이는 임상적 특징이 있다. 코카시안의 경우, 전정도수관확장증을 보이는 전체 환자의 약 25%에서 두 개의 *SLC26A4* 돌연변이가 발견된다.[24] 반면 동아시안이나 한국인에서는 이보다 훨씬 많은, 80%가 넘는 환자에서 두 개의 *SLC26A4* 돌연변이가 발견된다.[106] 과거 진단에 perchlorate discharge 검사가 이용되었지만 위양성과 민감도 문제로 그 유용성이 의심되고 있으며 본 질환의 진단에 있어서 유전자 검사를 선호하는 경향이 있다. *GJB2* 유전자의 변이와 함께 현재까지 가장 많은 종류의 돌연변이가 알려져 있는데, 우리나라에서는 p. H723R 과오돌연변이(missense mutation)가 압도적으로 흔히 발견된다.[26,106] 최근에 *SLC26A4* 유전자의 heterozygote를 지닌 환자에서 *FOXI1*의 돌연변이가 있을 경우 Pendred 증후군이나 DFNB4가 생길 수 있다는 가설이 제기되었으나,[151] 실제 이에 의한 Pendred 증후군의 발생은 거의 보고되지 않고 있다.[77,148]

11) 내이 이온 및 pH 항상성 유지와 관련된 유전자 - 기타

이외에도 내이 항상성 유지에 영향을 미치는 주요 유전자들을 살펴보면 우선 달팽이관의 내림프와 외림프의 여러 단백질들을(예: ENaC) 활성화시키는 transmembrane serine protease 3를 코딩하는 *TMPRSS3*를 들 수 있다. 상염색체 열성 유전자이지만 많은 경우에 언어습득기 후 난청을 일으키는 흥미로운 유전자이다. 돌연변이의 종류에 따라서 언어습득기 후 난청(DFNB8)과 언어습득기 전 난청(DFNB10)을 모두 유발할 수 있다. 우리나라에서도 상염색체 열성 난청 중에서 10세 전후로 난청이 ski-slope 형태를 보이면서 본격적으로 악화되거나(DFNB8), 언어습득기 전 난청 중 저주파에 유의하게 잔청이 남아 있는 경우(DFNB10)에 이 유전자 변이가 대략 10% 정도에서 발견된 바 있다(그림 30-13).[29]

달팽이관의 나선인대의 섬유모세포에서 주로 발현되어 내이 항상성에 기여하는 또 다른 중요한 유전자로 X 염색체(Xq21)에 위치하고 있는 *POU3F4*를 들 수 있다. 유전자가 X염색체에 위치하므로 이 유전자 변이에 의한 난청(DFNX2)은 성염색체 열성유전 방식을 따른다. 이 유전자는 POU 전사인자(transcription factor)를 코딩하며, 내이 형성과정에서 중배엽(mcsenchyme)에 발현되어, 골성 미로의 형성에도 관여하므로, 돌연변이가 발생하면 와

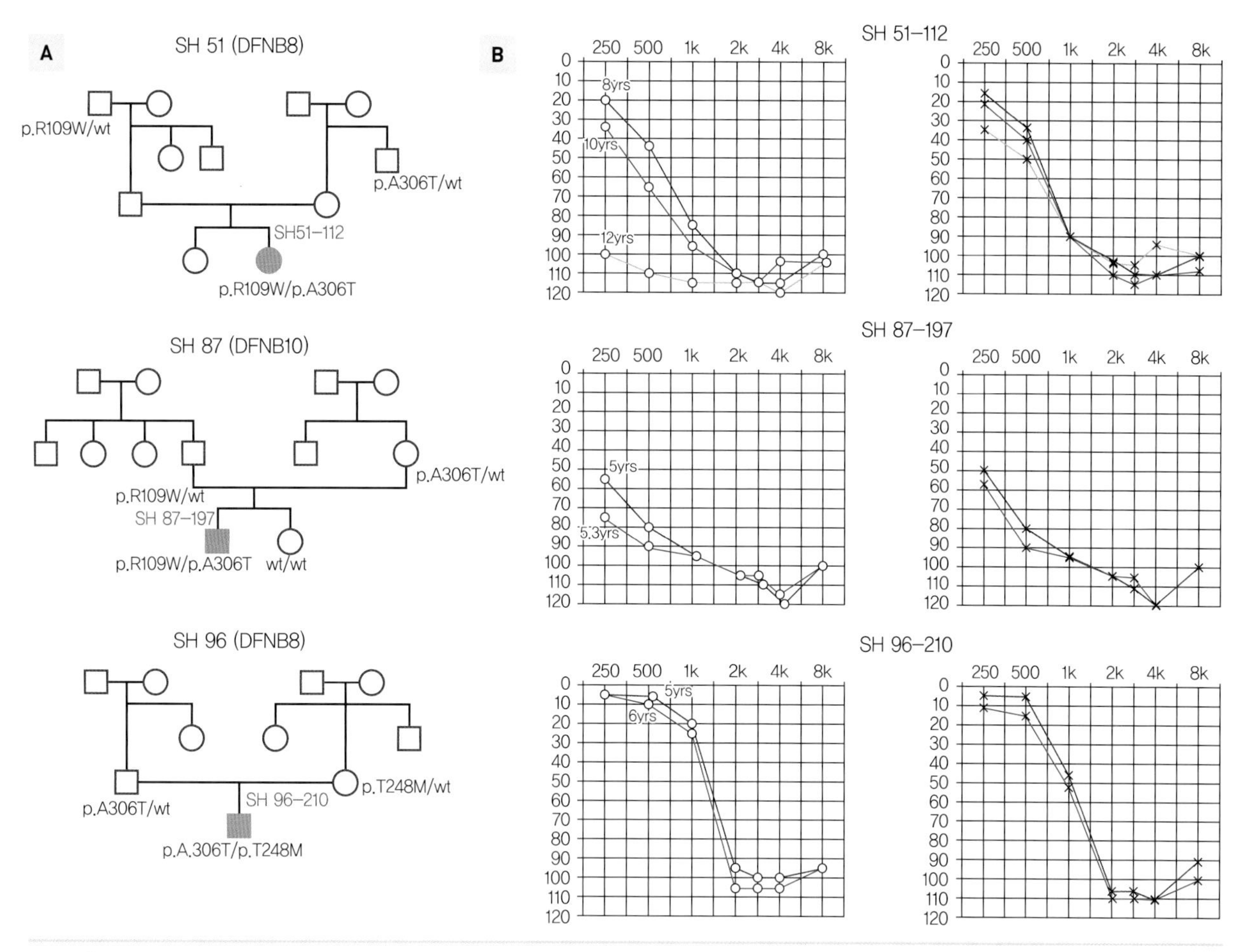

■ 그림 30-13. ***TMPRSS3* 유전자 돌연변이에 의한 DFNB8/10 난청.** **A)** *TMPRSS3* 열성 돌연변이가 발견된 3 가계. **B)** *TMPRSS3* 돌연변이에 의한 청각표현형

우내전위(endocochlear potential)가 감소하고, incomplete partition type III의 내이 기형이 발생하여, 혼합성 심고도 난청이 발생한다.

12) 세포자멸사(Apotosis)와 연관된 유전자들

최근에는 세포자멸사(apotosis)와 관련된 난청 유전자들도 관심을 받고 있다. DFNB74의 원인 유전자인 *MSRB3*[2,76]와 DFNA51의 원인 유전자인 *TJP2*[144]들인데, 특히 *MSRB3*의 경우 최근에 국내 연구자에 의해서 이 유전자의 선천성 결손 마우스 모델에서 자궁 내 유전자 치료로 청력이 호전된 결과가 보고된 바 있다.[61]

13) 이경화증(Otosclerosis)의 병인과 연관된 유전자들

이경화증에는 유전적 요인, 홍역 바이러스 감염이나 자가면역 등의 다양한 요인들이 작용한다고 알려져 있으며, 지금까지 7개의 유전자좌가 이경화증과 관련이 있을 것으로 연구되었으나, 그 어떤 유전자좌에서도 뚜렷하게 원인 유전자가 규명되지는 않았다. 최근 상염색체 우성으로 유전되는 이경화증을 가진 4가계에서, 단일 유전자인 *SERPINF1*의 돌연변이가 발견되어 주목을 받았는데, 이 유전자는 pigment epithelium derived factor를 코딩하며 이 단백질은 골밀도를 조절하는 역할을 하고, 혈관 신생을 억제하는 작용도 한다고 알려졌다.[156]

14) 메니에르 병과 연관된 유전자 - *COCH* (DFNA9)

이 유전자 변이는 20~50대 사이에 고음역대에서 시작하는 우성유전 진행성 난청(DFNA9)을 유발한다. 돌연변이가 발견되는 유전자 내의 위치에 따라서 평형가능의 이상을 동반하며 메니에르병과 흡사한 증상을 나타내는가 하면, 상대적으로 청력 저하가 두드러지는 표현형을 보이기도 한다.[6,59]

V 소음성 난청과 노화성 난청에 유전적 감수성

유전자 변이가 단지 멘델리안 유전 방식으로 난청을 일으키는 것 이외에, 다른 난청 유전자의 표현형을 조절하는 조절인자로 기능할 수 있다는 것은 앞에서 언급한 바 있다. 최근 들어서는 더 나아가 소음성 난청이나 노화성 난청에 보다 이환되기 싫게 감수성을 높이는 역할을 하는 유전자 변이들이 보고되고 있다.

1. 소음성 난청에서 유전적 감수성

소음 노출 조건을 세심하게 맞추더라도, 소음에 대한 감수성은 각 개인마다 다르다. 10번 염색체의 *Ahl* 유전자좌 내의 *CDH23*이 C57BL/6J와 DBA/2J 근친계 마우스에서 노화성 진행성 난청과 관련 있다는 것이 확인되었는데[40] 동형접합체를 가지고 있는 경우, 야생형 유전자를 가지고 있는 경우보다 소음에 쉽게 손상을 받는다는 것도 알려져,[33] 소음성 난청과 노인성 난청 사이에 상호작용이 있을 가능성이 높음을 시사한다. *CDH23*의 돌연변이로 cadherin-23이 감소하거나 없어지면 큰소리나 노화에 의한 부동섬모의 손상이 더욱 쉬워진다. 다른 몇몇 연구에서도 초기 소음 노출이 시간이 지남에 따라 진행성 난청으로 유발하는 것이 밝혀졌고, 소음성 난청과 노화성 난청간에 단순 합산 이상의 상호작용이 일어나는 것으로 알려져있다.[74,97] 한국인에서도 언어습득기 이후 발생하는 진행성 난청이 *CDH23*변이와 관련 있음이 밝혀진 바 있다.[60] Lavinsky는 마우스에서 전장유전체연관분석연구 genome-wide association study를 시행하여 소음성 난청의 감수성이 *NOX3*를 포함하는 단상형블록 haplotype block 내의 17번 염색체에서 유의하게 높게 나온것을 발견하였다. *NOX3* 돌연변이형이나 이형접합체는 소음성 난청에 대한 감수성이 높은 양상을 보이는데, 특히 8 kHz에서 더 두드러진다. 이러한 민감성은 와우의 시냅스 리본 수준에서 문제가 발생하여 생기는 것으로 보이며 8 kHz에 특징적이다.[78]

2. 노화성 난청의 유전적 감수성

노화성 난청은 양측성으로 발생하며 주로 고음역대를 침범하며 환경적인 요소와 유전적인 요소 모두의 영향을 받는다.[105] 노화성 난청의 감수성과 관련된 유전적 연관성 연구에서 *NAT2*와 *KCNQ4*가 관련이 있다는 결과가 보고된 바 있다.[139] *NAT2* 유전자는 arylamine, hydrazine 약물, 그리고 발암물질을 활성화 혹은 비활성화시키는 효소를 코딩한다. Ruel 등은 마우스에서는 청각신경병증을 나타내며, 사람에서는 상염색체 우성 유전을 하는 진행성의 고음역대 난청과 관련된 유전자인 *SLC17A8*을 밝혀냈다.[114] 상염색체 우성 감각신경성 난청은 표현형이 노인성 난청과 상당히 흡사하다. Friedman 등은 *GRM7*이 glutmate 흥분독성의 감수성을 변화시켜 노인성 난청의 발생 위험도에 기여함을 밝혔다.[43]

VI 청각재활에의 유전정보 활용

인공와우 이식을 받은 환자의 약 3~7%는 만족할 만한 예후를 보지 못하는 것으로 추정된다. 그러나 아직까지 어떤 환자가 나쁜 예후를 보일지 인공와우 이식 전에 정확히 예측할 수 있는 방법은 없다. 인공와우 환자 중

비증후군성 난청을 가진 환자들은 대부분 비슷한 청력도를 보이기 때문에 이것으로 예후를 예측하기는 어렵다. 그러나 만일 인공와우의 예후가 난청의 유전적인 원인과 관련이 있다면 수술 전에 예후를 예측해 볼 수 있다. 한 예로 *GJB2*에 의한 난청환자의 경우 대부분 좋은 예후를 보이며,[9,31] *PCDH15*, *PJVK*[35,147] 그리고 *DDP1/TIMM8a*와 관련된 난청의 경우 나쁜 예후를 가진다.[19,89] 나선 신경절에서 많이 발현되는 *TMPRSS3* 유전자와 같은 예외적인 경우가 있으나,[29,36,85,145] 보통 막성미로에서 발현되는 유전자의 돌연변이에 의한 난청일 경우 예후가 좋으며, 반면 원인 유전자가 나선 신경절에서 발현되는 경우에는 좋지 않은 예후를 보인다.[39,94,127] 미토콘드리아 난청의 경우 대개 좋은 예후를 보이는데, 와우에서 미토콘드리아 이상에 의해 손상을 받는 부위가 가장 에너지 요구량이 많은 세포인 유모세포와 혈관조의 중층세포 intermediate cell이기 때문이다.[128,132,138] 청각신경병증의 경우는 가장 유전자 정보가 필요한 부분인데, *OTOF*나, *OPA1*의 변이로 인한 경우는 와우이식 후 좋은 결과가 보고되고 있으나, *PJVK* (*DFNB59*)의 경우는 불량한 예후가 보고된 바 있다.

Ⅶ 유전성 난청 환자에 대한 임상적 접근 및 관리

1. 가족력

난청의 원인을 파악하는데 있어 병력 청취, 신체검사, 청력검사는 매우 중요한 역할을 한다. 먼저 난청이 유전성인지 환경적 요인 때문인지 판단하고, 유전성이라면 증후군성인지 비증후군성인지 판단하여야 한다. 병력 청취에서 가장 중요한 것 중 하나가 가족력이다.

2. 신생아 청각선별검사 및 청각검사

가급적 모든 신생아에서 신생아 청각선별검사를 하고 재검이 나오면 확진검사를 시행하는 시스템이 권장되고 있다. 난청이 확진되면 빠른 시일 안에 난청의 정도에 의거하여 보청기나 인공와우수술 등의 청각재활을 권유하며 순음 청력검사가 어려운 소아라면 뇌간유발반응검사, 청성지속반응검사, 이음향방사검사를 시행하여야 한다. 평형기능검사가 필요한 경우도 종종 있다.

3. 신체검사 및 각종 검사

가능한 체계적으로 신체의 모든 부분에 대한 검사를 실시해야 하는데, 특히 두개안면부의 기형 여부를 철저히 파악하고 각종 색소 질환 여부(피부색 및 머리 색, 그리고 주근깨 여부), 손발의 기형, 평형 기능 장애 여부, 그리고 갑상선의 크기들을 파악한다. 한편 난청이 있다고 확인된 경우에는 특히 증후군성 난청을 배제하기 위하여 단백뇨나 혈뇨가 있는지에 대해서도 검사하여 Alport 증후군 여부를 확인하여야 하며, Pendred 증후군이 의심되는 경우 perchlorate discharge test나 갑상선기능검사를, Jervell and Lange-Nielsen 증후군이 의심되면 즉시 심전도 검사를 시행하여야 한다.

4. 영상의학적 검사

측두골단층촬영(temporal bone CT)이나 내이도 자기공명영상(IAC MRI)을 적절히 이용하여 검사한다. 측두골단층촬영이나 내이도 자기공명영상을 통해서 전정수도관이나 내림프낭의 확장 소견, 그리고 달팽이관이나 평형기관의 기형 등을 확인할 수 있고(표 30-8), 청각신경병증의 청각 소견이 보이면 내이도 자기공명영상을 통하여, 청신경의 이상 유무를 확인할 수 있다. 특히 선천성 일측성 난청의 경우에, 내이도 자기공명영상을 통하여 청신경의 저형성이나 무형성 소견을 정확히 확인할 수 있다.

5. 유전자 검사

최근 유전성 난청에 대한 지식이 축적되면서 상당수의 유전성 난청의 경우 정확하게 유전자 검사를 할 수 있게 되었다. 이미 난청이 발현된 환자이더라도 원인 유전자를 밝혀내어 난청의 예후를 예측하고 필요한 치료를 조기에 실시할 수 있다. 그리고 나머지 가족에서 난청이 발현되기 전에 유전성 난청의 가능성을 진단하고 필요하다면 예방을 실시할 수 있다는 큰 장점이 있다. 예전과 달리 요사이는 분명한 감각신경성 난청이 존재한다면 유전자 검사를 하는 것이 권장된다. 유전자 검사를 통하여 원인을 알게 되는 경우 불필요하고 많은 시간을 요하는 복잡한 검사 없이 환자에게 꼭 필요한 검사에 집중할 수 있는 부분이 있다. 특징적인 증상이 뚜렷하여 관련된 유전자만 검사할 수 있는 일부 증후군성 난청이나 특정 내이 기형과 연관된 난청에서와 달리 Usher 증후군이나 비증후군성 난청의 경우는 난청 유전자 패널을 이용하는 것이 도움이 될 수 있다. 최근에 심고도 난청 이외에 경도나 중등도 난청을 보이는 국내의 산발성 소아 환자에서도 엑솜 염기서열 분석을 시행하여 45%에서 진단이 가능했던 결과가 보고되어 유전자 검사의 영역이 점차 넓어지는 추세이다.[62] 그 밖에도 유전자 검사는 해당 유전 질환의 유전형과 표현형을 비교하고 난청 정도에 영향을 주는 유전정보 등을 연구하는데 반드시 필요하지만 그렇다고 유전자 검사를 외래의 모든 환자에서 시행하는 것은 현실적으로 무리가 있다. 왜냐하면 이러한 개인의 유전정보는 철저히 보안이 유지되어야 하고 환자나 그 가족에게 어떠한 피해도 주어서는 안 된다는 점에서 상당한 책임과 조심성을 요구하기 때문이다. 따라서 유전자 검사는 반드시 본인과 가족의 동의를 얻은 후 시행하여야 한다.[149]

 산전 진단 및 유전 상담

일부 유전성 난청의 경우에 있어서 태아의 세포나 혹은 DNA로부터 산전 진단이 가능해졌다. 태아의 세포는 양수천자나 융모막 생검을 통해서 각각 임신 15~18주 사이에 그리고 임신 10~12주 사이에 확보할 수 있다. 최근 들어 산모나 태아에 전혀 위해를 끼치지 않게 비침습적인 방법으로 유전성 난청 가계에서 산전진단을 시행하여 성공한 예가 보고된 바 있다.[84] 어떤 경우에도 유전성 난청에서 산전 진단이 이루어지기 위해서는 먼저 그 가계에서 난청 환자의 원인 유전자와 돌연변이가 명확하게 규명이 되어야 한다. 우리나라에서는 보건복지부고시 제2011-140호에 의하여 배아 또는 태아를 대상으로 유전자 검사를 할 수 있는 유전 질환으로 제67항에 유전성 청각장애(Hereditary deafness)가 포함되어 있기는 하지만 실제로 유전성 난청으로 인하여 산전진단을 시행하는 예는 많지 않으며 이의 시행 또한 매우 신중하게 이루어져야 한다.

각 개인이나 가족마다 난청 관련하여서 유전자 상담을 하는 이유는 다양하다. 난청가족의 경우 어느 유전자의 이상 때문에 발생하였는지, 다른 연관된 의학적 합병증은 없는지, 난청이 진행될 것인지, 혹은 새로 태어날 형제나 다른 가족들에게 미치는 영향은 어떤 것인지 등이 주요한 관심사일 것이다.

유전 상담은 부모, 자식과 3대에 걸친 친척에 대하여 가족력, 건강상태, 청력 등을 조사하여 질환의 원인이 되는 난청 유전자를 찾고, 앞으로 태어날 형제(sibling)가 난청에 이환될 확률이 얼마나 되는지, 그들의 난청을 악화시킬 수 있는 위험요소로는 어떠한 것이 있는지, 난청이 계속 진행할 것인지, 이에 대한 치료방법으로는 어떤 것이 있는지 등 정보를 전달하는 데 최대의 목적이 있다.

첫 아이가 난청일 경우 둘째가 난청일 확률에 대한 계산은 분자유전진단이 되는 경우가 많아지면서 보다 정확해지고 있다. 예전에는 전적으로 경험적 위험표(empiric risk table)에 의한 예측에 의존하였으나, 원인 유전자가 밝혀지는 경우가 많아지면서 발견된 유전자의 유전 방식에 의해 계산하는 경우가 늘고 있다. 정상적인 부부가 원인이 불분명한 산발적(sporadic) 난청아를 가진 경우에는 경험적 위험표(empiric risk table)에 의해 난청의 재발률에 대한 예측을 할 수밖에 없다. 첫아이가 난청일 때 둘째가 난청일 확률은 요사이는 17.5%로 예상되며, 비유전성 선천성 난청의 빈도의 감소와 증후군성 난청에 대한 진단율이 높아지면서 예전의 추정치보다 높아졌다.[4] 다음에 태어난 아이들이 정상이라면 유전적 원인의 가능성은 줄어든다. 즉 한 명의 난청아와 두 명의 정상아를 가진 경우는 다음 아이의 위험성은 6~7%로 줄어든다. 반대로 두 번째 아이도 난청아이가 태어난다면 열성 유전이라고 판단해야해서 그 위험성은 25%로 증가한다.

한쪽이 난청인 부부에서 난청아가 나올 확률은 경험적으로 평균 6~10% 정도로 생각되지만 정상아가 출생할수록 비유전적 질환에 가까워져 그 위험성은 당연히 떨어진다. 하지만 난청아가 태어난다면 우성 유전 질환으로 생각되어 위험성은 40.8%로 증가한다.

부모가 둘 다 난청 환자인 경우 같은 유전자에 의한 상염색체 열성 난청이라면 자손은 모두 난청에 이환되고, 부모가 같은 유전자에 의한 상염색체 우성 난청이라면 자손의 난청 확률은 50%가 된다. 부모가 모두 난청이지만, 적어도 같은 열성 유전자에 의한 유전적 원인인지 모르는 경우라면 경험적으로 자손이 난청에 이환될 위험성은 10% 정도이고, 첫 아이가 정상인지 난청인지에 따라 다음 아이들이 난청에 이환될 확률이 크게 달라진다. 즉 첫 아이가 난청아라면 둘째가 난청에 이환될 확률은 62% 정도로 증가하고 한 명의 난청아와 한 명의 정상아를 가진 경우에 또 다른 난청아를 가질 확률은 32.5%이다. 난청아가 연속해서 여러 명 출생한다면 부모의 난청은 같은 열성 유전자에 의한 가능성이 높으며, 확률적으로 만약 다섯 명의 아이가 모두 난청아라면 그 다음 아이가 난청아가 될 위험성은 100%이다.

유전 상담은 환자 및 부모의 미래에 지대한 영향을 미칠 수 있으므로 매우 신중히 시행해야 한다. 유전검사를 통해서 나온 결과와 임상적 의의와 한계를 충분히 설명해주고, 부모나 환자가 결과를 해석하고 판단을 하는데 최대한 도움을 주어야 한다. 하지만 이러한 유전 상담이 부모나 환자로 하여금 특정 선택을 하도록 강요하는 수단으로 사용되어서는 안되고, 그들의 판단에 도움이 되도록 충분한 정보를 전달하는데 주안점을 두어야 한다.

참고문헌

1. Abdelhak S, Kalatzis V, Heilig R, et al. A human homologue of the Drosophila eyes absent gene underlies branchio-oto-renal (BOR) syndrome and identifies a novel gene family. Nat Genet 1997;15:157-164.
2. Ahmed ZM, Yousaf R, Lee BC, et al. Functional null mutations of MSRB3 encoding methionine sulfoxide reductase are associated with human deafness DFNB74. The American Journal of Human Genetics 2011;88:19-29.
3. Alagramam KN, Goodyear RJ, Geng R, et al. Mutations in protocadherin 15 and cadherin 23 affect tip links and mechanotransduction in mammalian sensory hair cells. PLoS One 2011;6:e19183.
4. Ando M, Takeuchi S. Immunological identification of an inward rectifier K+ channel (Kir4. 1) in the intermediate cell (melanocyte) of the cochlear stria vascularis of gerbils and rats. Cell Tissue Res 1999;298:179-183.
5. Attie T, Till M, Pelet A, et al. Mutation of the endothelin-receptor B gene in Waardenburg-Hirschsprung disease. Hum Mol Genet 1995;4:2407-2409.
6. Bae SH, Robertson NG, Cho HJ, et al. Identification of Pathogenic Mechanisms of COCH Mutations, Abolished Cochlin Secretion, and Intracellular Aggregate Formation: Genotype-Phenotype Correlations in DFNA9 Deafness and Vestibular Disorder. Hum Mutat 2014;35:1506-1513.
7. Baek J-I, Oh S-K, Kim D-B, et al. Targeted massive parallel sequencing: the effective detection of novel causative mutations associated with hearing loss in small families. Orphanet J Rare Dis 2012;7:1.
8. Bashour AM, Meng JJ, Ip W, et al. The neurofibromatosis type 2 gene product, merlin, reverses the F-actin cytoskeletal defects in primary human Schwannoma cells. Mol Cell Biol 2002;22:1150-1157.
9. Bauer PW, Geers AE, Brenner C, et al. The effect of GJB2 allele variants on performance after cochlear implantation. The Laryngoscope 2003;113:2135-2140.

10. Belyantseva IA, Boger ET, Friedman TB. Myosin XVa localizes to the tips of inner ear sensory cell stereocilia and is essential for staircase formation of the hair bundle. Proceedings of the National Academy of Sciences 2003:100:13958-13963.
11. Belyantseva IA, Boger ET, Naz S, et al. Myosin-XVa is required for tip localization of whirlin and differential elongation of hair-cell stereocilia. Nat Cell Biol 2005:7:148-156.
12. Belyantseva IA, Perrin BJ, Sonnemann KJ, et al. γ-Actin is required for cytoskeletal maintenance but not development. Proceedings of the National Academy of Sciences 2009:106:9703-9708.
13. Berger W, van de Pol D, Warburg M, et al. Mutations in the candidate gene for Norrie disease. Hum Mol Genet 1992:1:461-465.
14. Beurg M, Fettiplace R, Nam J-H, et al. Localization of inner hair cell mechanotransducer channels using high-speed calcium imaging. Nat Neurosci 2009:12:553-558.
15. Beurg M, Safieddine S, Roux I, et al. Calcium- and otoferlin-dependent exocytosis by immature outer hair cells. J Neurosci 2008:28:1798-1803.
16. Borck G, Rehman AU, Lee K, et al. Loss-of-function mutations of ILDR1 cause autosomal-recessive hearing impairment DFNB42. The American Journal of Human Genetics 2011:88:127-137.
17. Boughman JA, Vernon M, Shaver KA. Usher syndrome: definition and estimate of prevalence from two high-risk populations. J Chronic Dis 1983:36:595-603.
18. Brenner S, Johnson M, Bridgham J, et al. Gene expression analysis by massively parallel signature sequencing (MPSS) on microbead arrays. Nat Biotechnol 2000:18:630-634.
19. Brookes JT, Kanis AB, Tan LY, et al. Cochlear implantation in deafness-dystonia-optic neuronopathy (DDON) syndrome. Int J Pediatr Otorhinolaryngol 2008:72:121-126.
20. Chang MY, Kim AR, Kim NK, et al. Identification and clinical implications of novel MYO15A mutations in a non-consanguineous Korean family by targeted exome sequencing. Mol Cells 2015:38:781.
21. Chang MY, Kim AR, Kim NK, et al. Refinement of Molecular Diagnostic Protocol of Auditory Neuropathy Spectrum Disorder: Disclosure of Significant Level of Etiologic Homogeneity in Koreans and Its Clinical Implications. Medicine 2015:94:e1996.
22. Chen ZY, Hendriks RW, Jobling MA, et al. Isolation and characterization of a candidate gene for Norrie disease. Nat Genet 1992:1:204-208.
23. Choi BY, Kim J, Chung J, et al. Whole-exome sequencing identifies a novel genotype-phenotype correlation in the entactin domain of the known deafness gene TECTA. PLoS One 2014:9:e97040.
24. Choi BY, Madeo AC, King KA, et al. Segregation of enlarged vestibular aqueducts in families with non-diagnostic SLC26A4 genotypes. J Med Genet 2009:46:856-861.
25. Choi BY, Park G, Gim J, et al. Diagnostic application of targeted resequencing for familial nonsyndromic hearing loss. PLoS One 2013:8:e68692.
26. Choi BY, Stewart AK, Nishimura KK, et al. Efficient molecular genetic diagnosis of enlarged vestibular aqueducts in East Asians. Genet Test Mol Biomarkers 2009:13:679-687.
27. Choi M, Scholl UI, Ji W, et al. Genetic diagnosis by whole exome capture and massively parallel DNA sequencing. Proc Natl Acad Sci U S A 2009:106:19096-19101.
28. Choi S-Y, Kim Y-E, Ahn D-b, et al. Construction of a DNA chip for screening of genetic hearing loss. Clin Exp Otorhinolaryngol 2009:2:44.
29. Chung J, Park SM, Chang SO, et al. A novel mutation of TMPRSS3 related to milder auditory phenotype in Korean postlingual deafness: a possible future implication for a personalized auditory rehabilitation. J Mol Med (Berl) 2014:92:651-663.
30. Comis S, Pickles J, Osborne M. Osmium tetroxide postfixation in relation to the crosslinkage and spatial organization of stereocilia in the guinea-pig cochlea. J Neurocytol 1985:14:113-130.
31. Connell SS, Angeli SI, Suarez H, et al. Performance after cochlear implantation in DFNB1 patients. Otolaryngology-Head and Neck Surgery 2007:137:596-602.
32. Dagher H, Buzza M, Colville D, et al. A comparison of the clinical, histopathologic, and ultrastructural phenotypes in carriers of X-linked and autosomal recessive Alport's syndrome. Am J Kidney Dis 2001:38:1217-1228.
33. Davis RR, Newlander JK, Ling X-B, et al. Genetic basis for susceptibility to noise-induced hearing loss in mice. Hear Res 2001:155:82-90.
34. de Kok YJ, van der Maarel SM, Bitner-Glindzicz M, et al. Association between X-linked mixed deafness and mutations in the POU domain gene POU3F4. Science 1995:267:685-688.
35. Delmaghani S, Defourny J, Aghaie A, et al. Hypervulnerability to sound exposure through impaired adaptive proliferation of peroxisomes. Cell 2015:163:894-906.
36. Elbracht M, Senderek J, Eggermann T, et al. Autosomal recessive postlingual hearing loss (DFNB8): compound heterozygosity for two novel TMPRSS3 mutations in German siblings. J Med Genet 2007:44:e81.
37. Ensink R, Camp G, Cremers C. Mitochondrial inherited hearing loss. Clin Otolaryngol 1998:23:3-8.
38. Ensink RJ, Camp GV, Cremers CW. Mitochondrial inherited hearing loss. Clin Otolaryngol Allied Sci 1998:23:3-8.
39. Eppsteiner RW, Shearer AE, Hildebrand MS, et al. Prediction of cochlear implant performance by genetic mutation: the spiral ganglion hypothesis. Hear Res 2012:292:51-58.
40. Erway LC, Willott JF, Archer JR, et al. Genetics of age-related hearing loss in mice: I. Inbred and F1 hybrid strains. Hear Res

1993;65;125-132.

41. Eudy JD, Weston MD, Yao S, et al. Mutation of a gene encoding a protein with extracellular matrix motifs in Usher syndrome type IIa. Science 1998;280;1753-1757.
42. Everett LA, Glaser B, Beck JC, et al. Pendred syndrome is caused by mutations in a putative sulphate transporter gene (PDS). Nat Genet 1997;17;411-422.
43. Friedman RA, Van Laer L, Huentelman MJ, et al. GRM7 variants confer susceptibility to age-related hearing impairment. Hum Mol Genet 2008;18;785-796.
44. Gillespie PG, Corey DP. Myosin and adaptation by hair cells. Neuron 1997;19;955-958.
45. Hale CL, Niederriter AN, Green GE, et al. Atypical phenotypes associated with pathogenic CHD7 variants and a proposal for broadening CHARGE syndrome clinical diagnostic criteria. American Journal of Medical Genetics Part A 2016;170;344-354.
46. Han K-H, Kim AR, Kim MY, et al. Establishment of a Flexible Real-Time Polymerase Chain Reaction-Based Platform for Detecting Prevalent Deafness Mutations Associated with Variable Degree of Sensorineural Hearing Loss in Koreans. PLoS One 2016;11;e0161756.
47. Hoskins BE, Cramer CH, Silvius D, et al. Transcription factor SIX5 is mutated in patients with branchio-oto-renal syndrome. Am J Hum Genet 2007;80;800-804.
48. Hoth CF, Milunsky A, Lipsky N, et al. Mutations in the paired domain of the human PAX3 gene cause Klein-Waardenburg syndrome (WS-III) as well as Waardenburg syndrome type I (WS-I). Am J Hum Genet 1993;52;455-462.
49. House WF, Hitselberger WE. Twenty-year report of the first auditory brain stem nucleus implant. Ann Otol Rhinol Laryngol 2001;110;103-104.
50. Hulka GF, Bernard EJ, Pillsbury HC. Cochlear implantation in a patient after removal of an acoustic neuroma; the implications of magnetic resonance imaging with gadolinium on patient management. Archives of Otolaryngology–Head & Neck Surgery 1995;121;465-468.
51. Jacobs HT. Mitochondrial deafness. Ann Med 1997;29;483-491.
52. Jais JP, Knebelmann B, Giatras I, et al. X-linked Alport syndrome; natural history in 195 families and genotype- phenotype correlations in males. J Am Soc Nephrol 2000;11;649-657.
53. Kang BS, Cooper DR, Devedjiev Y, et al. The structure of the FERM domain of merlin, the neurofibromatosis type 2 gene product. Acta Crystallogr D Biol Crystallogr 2002;58;381-391.
54. Kaplan J, Gerber S, Bonneau D, et al. A gene for Usher syndrome type I (USH1A) maps to chromosome 14q. Genomics 1992;14;979-987.
55. Kazmierczak P, Sakaguchi H, Tokita J, et al. Cadherin 23 and protocadherin 15 interact to form tip-link filaments in sensory hair cells. Nature 2007;449;87-91.
56. Kharkovets T, Dedek K, Maier H, et al. Mice with altered KCNQ4 K+ channels implicate sensory outer hair cells in human progressive deafness. The EMBO journal 2006;25;642-652.
57. Kim AR, Chang MY, Koo J-W, et al. Novel TECTA mutations identified in stable sensorineural hearing loss and their clinical implications. Audiology and Neurotology 2014;20;17-25.
58. Kim BG, Shin JW, Park HJ, et al. Limitations of hearing screening in newborns with PDS mutations. Int J Pediatr Otorhinolaryngol 2013;77;833-837.
59. Kim BJ, Kim AR, Han K-H, et al. Distinct vestibular phenotypes in DFNA9 families with COCH variants. Eur Arch Otorhinolaryngol 2016;1-10.
60. Kim BJ, Kim AR, Lee C, et al. Discovery of CDH23 as a Significant Contributor to Progressive Postlingual Sensorineural Hearing Loss in Koreans. PLoS One 2016;11;e0165680.
61. Kim M-A, Cho H-J, Bae S-H, et al. Methionine sulfoxide reductase B3-targeted in utero gene therapy rescues hearing function in a mouse model of congenital sensorineural hearing loss. Antioxidants & redox signaling 2016;24;590-602.
62. Kim NK, Kim AR, Park KT, et al. Whole-exome sequencing reveals diverse modes of inheritance in sporadic mild to moderate sensorineural hearing loss in a pediatric population. Genet Med 2015.
63. Kim NK, Kim AR, Park KT, et al. Whole-exome sequencing reveals diverse modes of inheritance in sporadic mild to moderate sensorineural hearing loss in a pediatric population. Genet Med 2015;17;901-11.
64. Kim SH, Kim AR, Choi HS, et al. Molecular Etiology of Hereditary Single-Side Deafness; Its Association With Pigmentary Disorders and Waardenburg Syndrome. Medicine (Baltimore) 2015;94;e1817.
65. Kim SY, Kim AR, Han KH, et al. Residual hearing in DFNB1 deafness and its clinical implication in a Korean population. PLoS One 2015;10;e0125416.
66. Kim SY, Kim AR, Kim NK, et al. Strong founder effect of p. P240L in CDH23 in Koreans and its significant contribution to severe-to-profound nonsyndromic hearing loss in a Korean pediatric population. J Transl Med 2015;13;1.
67. Kim SY, Park G, Han K-H, et al. Prevalence of p. V37I variant of GJB2 in mild or moderate hearing loss in a pediatric population and the interpretation of its pathogenicity. PLoS One 2013;8;e61592.
68. Kim SY, Park G, Han KH, et al. Prevalence of p.V37I variant of GJB2 in mild or moderate hearing loss in a pediatric population and the interpretation of its pathogenicity. PLoS One 2013;8;e61592.
69. Kim TB, Isaacson B, Sivakumaran TA, et al. A gene responsible for autosomal dominant auditory neuropathy (AUNA1) maps to 13q14–21. J Med Genet 2004;41;872-876.
70. Kitajiri S-i, Fukumoto K, Hata M, et al. Radixin deficiency causes

deafness associated with progressive degeneration of cochlear stereocilia. The Journal of cell biology 2004;166:559-570.
71. Kitajiri S-i, Sakamoto T, Belyantseva IA, et al. Actin-bundling protein TRIOBP forms resilient rootlets of hair cell stereocilia essential for hearing. Cell 2010;141:786-798.
72. Komsuoglu B, Goldeli O, Kulan K, et al. The Jervell and Lange-Nielsen syndrome. Int J Cardiol 1994;47:189-192.
73. Kubisch C, Schroeder BC, Friedrich T, et al. KCNQ4, a novel potassium channel expressed in sensory outer hair cells, is mutated in dominant deafness. Cell 1999;96:437-446.
74. Kujawa SG, Liberman MC. Acceleration of age-related hearing loss by early noise exposure: evidence of a misspent youth. J Neurosci 2006;26:2115-2123.
75. Kujawa SG, Liberman MC. Adding insult to injury: cochlear nerve degeneration after "temporary" noise-induced hearing loss. J Neurosci 2009;29:14077-14085.
76. Kwon T-J, Cho H-J, Kim U-K, et al. Methionine sulfoxide reductase B3 deficiency causes hearing loss due to stereocilia degeneration and apoptotic cell death in cochlear hair cells. Hum Mol Genet 2014;23:1591-1601.
77. Landa P, Differ AM, Rajput K, et al. Lack of significant association between mutations of KCNJ10 or FOXI1 and SLC26A4 mutations in Pendred syndrome/enlarged vestibular aqueducts. BMC Med Genet 2013;14:85.
78. Lavinsky J, Crow AL, Pan C, et al. Genome-wide association study identifies nox3 as a critical gene for susceptibility to noise-induced hearing loss. PLoS genetics 2015;11:e1005094.
79. Li H, Handsaker B, Wysoker A, et al. The Sequence Alignment/Map format and SAMtools. Bioinformatics 2009;25:2078-2079.
80. Liu XZ, Ouyang XM, Xia XJ, et al. Prestin, a cochlear motor protein, is defective in non-syndromic hearing loss. Hum Mol Genet 2003;12:1155-1162.
81. Longo-Guess CM, Gagnon LH, Fritzsch B, et al. Targeted knockout and lacZ reporter expression of the mouse Tmhs deafness gene and characterization of the hscy-2J mutation. Mamm Genome 2007;18:646-656.
82. Margulies M, Egholm M, Altman WE, et al. Genome sequencing in microfabricated high-density picolitre reactors. Nature 2005;437:376-380.
83. Mencia A, Modamio-Hoybjor S, Redshaw N, et al. Mutations in the seed region of human miR-96 are responsible for nonsyndromic progressive hearing loss. Nat Genet 2009;41:609-613.
84. Meng M, Li X, Ge H, et al. Noninvasive prenatal testing for autosomal recessive conditions by maternal plasma sequencing in a case of congenital deafness. Genet Med 2014;16:972-976.
85. Miyagawa M, Nishio SY, Sakurai Y, et al. The patients associated with TMPRSS3 mutations are good candidates for electric acoustic stimulation. Ann Otol Rhinol Laryngol 2015;124 Suppl 1:193s-204s.
86. Morton CC, Nance WE. Newborn hearing screening-a silent revolution. N Engl J Med 2006;354:2151-2164.
87. Moteki H, Azaiez H, Sloan-Heggen CM, et al. Detection and Confirmation of Deafness-Causing Copy Number Variations in the STRC Gene by Massively Parallel Sequencing and Comparative Genomic Hybridization. Ann Otol Rhinol Laryngol 2016;0003489416661345.
88. Mustapha M, Weil D, Chardenoux S, et al. An α-tectorin gene defect causes a newly identified autosomal recessive form of sensorineural pre-lingual non-syndromic deafness, DFNB21. Hum Mol Genet 1999;8:409-412.
89. Nadol JB, Merchant SN. Histopathology and molecular genetics of hearing loss in the human. Int J Pediatr Otorhinolaryngol 2001;61:1-15.
90. Newton VE. Clinical features of the Waardenburg syndromes. Adv Otorhinolaryngol 2002;61:201-208.
91. Neyroud N, Tesson F, Denjoy I, et al. A novel mutation in the potassium channel gene KVLQT1 causes the Jervell and Lange-Nielsen cardioauditory syndrome. Nat Genet 1997;15:186-189.
92. Ng PC, Henikoff S. SIFT: Predicting amino acid changes that affect protein function. Nucleic Acids Res 2003;31:3812-3814.
93. Nishio S-y, Usami S-i. Outcomes of cochlear implantation for the patients with specific genetic etiologies: a systematic literature review. Acta Otolaryngol 2017:1-13.
94. Nishio SY, Usami SI. Outcomes of cochlear implantation for the patients with specific genetic etiologies: a systematic literature review. Acta Otolaryngol 2017;137:730-42.
95. O'Sullivan BP, Freedman SD. Cystic fibrosis. The Lancet 2009;373:1891-904.
96. Ocal B, Imamoglu A, Atalay S, et al. Prevalence of idiopathic long QT syndrome in children with congenital deafness. Pediatr Cardiol 1997;18:401-405.
97. Ohlemiller KK. Contributions of mouse models to understanding of age-and noise-related hearing loss. Brain Res 2006;1091:89-102.
98. Pan B, Géléoc GS, Asai Y, et al. TMC1 and TMC2 are components of the mechanotransduction channel in hair cells of the mammalian inner ear. Neuron 2013;79:504-515.
99. Park JH, Kim NK, Kim AR, et al. Exploration of molecular genetic etiology for Korean cochlear implantees with severe to profound hearing loss and its implication. Orphanet J Rare Dis 2014;9:167.
100. Patel M, Hu BH. MicroRNAs in inner ear biology and pathogenesis. Hear Res 2012;287:6-14.
101. Pennings RJ, Wagenaar M, van Aarem A, et al. Hearing impairment in Usher's syndrome. Adv Otorhinolaryngol 2002;61:184-191.
102. Petit C, Levilliers J, Hardelin J-P. Molecular genetics of hearing loss. Annu Rev Genet 2001;35:589-645.
103. Pingault V, Bondurand N, Kuhlbrodt K, et al. SOX10 mutations in

patients with Waardenburg-Hirschsprung disease. Nat Genet 1998;18:171-173.

104. Plant KE, Green PM, Vetrie D, et al. Detection of mutations in COL4A5 in patients with Alport syndrome. Hum Mutat 1999;13:124-32.

105. Potter PK, Bowl MR, Jeyarajan P, et al. Novel gene function revealed by mouse mutagenesis screens for models of age-related disease. Nat Commun 2016;7:12444.

106. Rah YC, Kim AR, Koo JW, et al. Audiologic presentation of enlargement of the vestibular aqueduct according to the SLC26A4 genotypes. Laryngoscope 2015;125:E216-22.

107. Ramensky V, Bork P, Sunyaev S. Human non-synonymous SNPs: server and survey. Nucleic Acids Res 2002;30:3894-3900.

108. Rance G, Starr A. Pathophysiological mechanisms and functional hearing consequences of auditory neuropathy. Brain 2015;138:3141-58.

109. Riazuddin S, Ahmed ZM, Fanning AS, et al. Tricellulin is a tight-junction protein necessary for hearing. The American Journal of Human Genetics 2006;79:1040-1051.

110. Ricci A, Fettiplace R. Calcium permeation of the turtle hair cell mechanotransducer channel and its relation to the composition of endolymph. The Journal of Physiology 1998;506:159-173.

111. Rouleau GA, Merel P, Lutchman M, et al. Alteration in a new gene encoding a putative membrane-organizing protein causes neuro-fibromatosis type 2. Nature 1993;363:515-521.

112. Roux I, Safieddine S, Nouvian R, et al. Otoferlin, defective in a human deafness form, is essential for exocytosis at the auditory ribbon synapse. Cell 2006;127:277-289.

113. Rudnicki A, Avraham KB. microRNAs: the art of silencing in the ear. EMBO Mol Med 2012;4:849-859.

114. Ruel J, Emery S, Nouvian R, et al. Impairment of SLC17A8 encoding vesicular glutamate transporter-3, VGLUT3, underlies nonsyndromic deafness DFNA25 and inner hair cell dysfunction in null mice. The American Journal of Human Genetics 2008;83:278-292.

115. Ruf RG, Xu PX, Silvius D, et al. SIX1 mutations cause branchio-oto-renal syndrome by disruption of EYA1-SIX1-DNA complexes. Proc Natl Acad Sci U S A 2004;101:8090-8095.

116. Rzadzinska AK, Schneider ME, Davies C, et al. An actin molecular treadmill and myosins maintain stereocilia functional architecture and self-renewal. The Journal of cell biology 2004;164:887-897.

117. Sagong B, Park H-J, Lee K-Y, et al. Identification and functional characterization of novel compound heterozygotic mutations in the TECTA gene. Gene 2012;492:239-243.

118. Sagong B, Park R, Kim YH, et al. Two novel missense mutations in the TECTA gene in Korean families with autosomal dominant non-syndromic hearing loss. Ann Clin Lab Sci 2010;40:380-385.

119. Sanchez-Martin M, Rodriguez-Garcia A, Perez-Losada J, et al. SLUG (SNAI2) deletions in patients with Waardenburg disease. Hum Mol Genet 2002;11:3231-3236.

120. Santarelli R, Arslan E. Electrocochleography in auditory neuropathy. Hear Res 2002;170:32-47.

121. Santarelli R, Rossi R, Scimemi P, et al. OPA1-related auditory neuropathy: site of lesion and outcome of cochlear implantation. Brain 2015;138:563-576.

122. Schneider ME, Belyantseva IA, Azevedo RB, et al. Structural cell biology: Rapid renewal of auditory hair bundles. Nature 2002;418:837-838.

123. Schraders M, Ruiz-Palmero L, Kalay E, et al. Mutations of the gene encoding otogelin are a cause of autosomal-recessive nonsyndromic moderate hearing impairment. The American Journal of Human Genetics 2012;91:883-889.

124. Schultz JM, Yang Y, Caride AJ, et al. Modification of human hearing loss by plasma-membrane calcium pump PMCA2. N Engl J Med 2005;352:1557-1564.

125. Schulze-Bahr E, Wang Q, Wedekind H, et al. KCNE1 mutations cause jervell and Lange-Nielsen syndrome. Nat Genet 1997;17:267-268.

126. Shearer AE, DeLuca AP, Hildebrand MS, et al. Comprehensive genetic testing for hereditary hearing loss using massively parallel sequencing. Proceedings of the National Academy of Sciences 2010;107:21104-21109.

127. Shearer AE, Eppsteiner RW, Frees K, et al. Genetic variants in the peripheral auditory system significantly affect adult cochlear implant performance. Hear Res 2017;348:138-142.

128. Sinnathuray A, Raut V, Awa A, et al. A review of cochlear implantation in mitochondrial sensorineural hearing loss. Otol Neurotol 2003;24:418-426.

129. Smith RJ, Bale JF, White KR. Sensorineural hearing loss in children. The Lancet 2005;365:879-890.

130. Smith RJ, Schwartz C. Branchio-oto-renal syndrome. J Commun Disord 1998;31:411-20; quiz 21.

131. Stinckens C, Huygen PL, Van Camp G, et al. Pendred syndrome redefined. Report of a new family with fluctuating and progressive hearing loss. Adv Otorhinolaryngol 2002;61:131-141.

132. Sudo A, Takeichi N, Hosoki K, et al. Successful cochlear implantation in a patient with mitochondrial hearing loss and m. 625G> A transition. The Journal of Laryngology & Otology 2011;125:1282-1285.

133. Tang W, Qian D, Ahmad S, et al. A low-cost exon capture method suitable for large-scale screening of genetic deafness by the massively-parallel sequencing approach. Genet Test Mol Biomarkers 2012;16:536-542.

134. Tassabehji M, Newton VE, Read AP. Waardenburg syndrome type 2 caused by mutations in the human microphthalmia (MITF) gene. Nat Genet 1994;8:251-255.

135. Tassabehji M, Read AP, Newton VE, et al. Waardenburg's syndrome patients have mutations in the human homologue of the Pax-3 paired box gene. Nature 1992;355:635-636.

136. Tilney LG, Saunders JC, Egelman E, et al. Changes in the organization of actin filaments in the stereocilia of noise-damaged lizard cochleae. Hear Res 1982;7:181-197.

137. Tyson J, Tranebjaerg L, Bellman S, et al. IsK and KvLQT1: mutation in either of the two subunits of the slow component of the delayed rectifier potassium channel can cause Jervell and Lange-Nielsen syndrome. Hum Mol Genet 1997;6:2179-2185.

138. Ulubil SA, Furze AD, Angeli SI. Cochlear implantation in a patient with profound hearing loss with the A1555G mitochondrial DNA mutation and no history of aminoglycoside exposure. The Journal of Laryngology & Otology 2006;120:230-232.

139. Van Eyken E, Van Laer L, Fransen E, et al. KCNQ4: a gene for age-related hearing impairment? Hum Mutat 2006;27:1007-1016.

140. Verhoeven K, Van Laer L, Kirschhofer K, et al. Mutations in the human α-tectorin gene cause autosomal dominant non-syndromic hearing impairment. Nat Genet 1998;19:60-62.

141. Verpy E, Masmoudi S, Zwaenepoel I, et al. Mutations in a new gene encoding a protein of the hair bundle cause non-syndromic deafness at the DFNB16 locus. Nat Genet 2001;29:345-349.

142. Verpy E, Weil D, Leibovici M, et al. Stereocilin-deficient mice reveal the origin of cochlear waveform distortions. Nature 2008;456:255-258.

143. Vona B, Nanda I, Hofrichter MA, et al. Non-syndromic hearing loss gene identification: A brief history and glimpse into the future. Mol Cell Probes 2015;29:260-270.

144. Walsh T, Pierce SB, Lenz DR, et al. Genomic duplication and overexpression of TJP2/ZO-2 leads to altered expression of apoptosis genes in progressive nonsyndromic hearing loss DFNA51. The American Journal of Human Genetics 2010;87:101-109.

145. Weegerink NJ, Schraders M, Oostrik J, et al. Genotype-phenotype correlation in DFNB8/10 families with TMPRSS3 mutations. J Assoc Res Otolaryngol 2011;12:753-766.

146. Weil D, Blanchard S, Kaplan J, et al. Defective myosin VIIA gene responsible for Usher syndrome type 1B. Nature 1995;374:60-61.

147. Wu CC, Lin YH, Liu TC, et al. Identifying Children With Poor Cochlear Implantation Outcomes Using Massively Parallel Sequencing. Medicine (Baltimore) 2015;94:e1073.

148. Wu CC, Lu YC, Chen PJ, et al. Phenotypic analyses and mutation screening of the SLC26A4 and FOXI1 genes in 101 Taiwanese families with bilateral nonsyndromic enlarged vestibular aqueduct (DFNB4) or Pendred syndrome. Audiol Neurootol 2010;15:57-66.

149. Wu CC, Tsai CH, Hung CC, et al. Newborn genetic screening for hearing impairment: a population-based longitudinal study. Genet Med 2017;19:6-12.

150. Wynne DP, Zeng F-G, Bhatt S, et al. Loudness adaptation accompanying ribbon synapse and auditory nerve disorders. Brain 2013;136:1626-1638.

151. Xiong W, Grillet N, Elledge HM, et al. TMHS is an integral component of the mechanotransduction machinery of cochlear hair cells. Cell 2012;151:1283-1295.

152. Yang T, Vidarsson H, Rodrigo-Blomqvist S, et al. Transcriptional control of SLC26A4 is involved in Pendred syndrome and nonsyndromic enlargement of vestibular aqueduct (DFNB4). Am J Hum Genet 2007;80:1055-1063.

153. Yariz KO, Duman D, Seco CZ, et al. Mutations in OTOGL, encoding the inner ear protein otogelin-like, cause moderate sensorineural hearing loss. The American Journal of Human Genetics 2012;91:872-882.

154. Zentner GE, Layman WS, Martin DM, et al. Molecular and phenotypic aspects of CHD7 mutation in CHARGE syndrome. American Journal of Medical Genetics Part A 2010;152:674-686.

155. Zheng J, Shen W, He DZ, et al. Prestin is the motor protein of cochlear outer hair cells. Nature 2000;405:149-155.

156. Ziff JL, Crompton M, Powell HR, et al. Mutations and altered expression of SERPINF1 in patients with familial otosclerosis. Hum Mol Genet 2016;25:2393-2403.

157. Zong L, Guan J, Ealy M, et al. Mutations in apoptosis-inducing factor cause X-linked recessive auditory neuropathy spectrum disorder. J Med Genet 2015;jmedgenet-2014-102961.

CHAPTER

31

노인성 난청

이비인후과학 Otorhinolaryngology - Head and Neck Surgery

이일우

의학의 발전과 위생 환경의 개선 등으로 평균수명이 길어져 전체 인구에서 노인이 차지하는 비율이 점차 늘어나고 있다. 우리나라 전체 인구 중 65세 이상의 비율은 2010년에 11.0%이었고, 2018년에는 14.3%, 2026년에는 20.8%로 초고령사회로의 진입이 예상되고 있다. 인체 각 장기는 30대 혹은 50대 이후부터 노인성 변화를 일으킨다. 노인성 변화를 일으키는 감각기관 중 청각은 인지능력, 인지기능장애, 치매 등을 동반하게 되어 미각이나 후각에 비해 더 심대한 장애라고 할 수 있다. 미국의 통계에 따르면 청력의 감소는 노령층의 질환 중 관절염, 고혈압, 심장질환에 이어 네 번째로 많은 질환이다. 신경의 변성 혹은 퇴화는 불가역적이기 때문에 노인성 난청에 효과적으로 대처하려면 난청의 발생 원인과 예방이 중요하다.

이 장에서는 노인성 난청의 정의와 빈도, 원인 및 임상증상과 병리조직학적 소견에 따른 분류에 대해 기술할 것이다. 또한 이를 바탕으로 노인성 난청의 예방과 치료에 관해 서술하고자 한다.

I 노인성 난청의 정의

신체장기의 노화에 의한 퇴행성 변화로 인해 발생하는 난청을 일반적으로 노인성 난청(age-related hearing loss; ARHL), presbycusis이라고 한다. 막연한 의미로 쓰이던 노인성 난청을 1982년 Pearlman은 4가지 특징을 가지는 증후군으로 정의하였다. 첫째는 양측 대칭성 감각신경성 난청, 둘째는 누가 현상이 없거나 부분적으로 있을 것, 셋째는 소음 노출 병력이 없을 것, 그리고 순음역치에 비해 현저히 떨어지는 어음역치가 있을 때이다.[27] 즉 엄격한 의미에서의 노인성 난청은 노화 이외의 난청유발인자인 유전적 요인, 소음노출, 대사성 원인 등을 배제하여야 진단이 가능하다. 사람마다 연령에 따른 노화의 정도에 차이가 있을 수 있어, 노인성 난청은 연령의 증가로 발생하는 청력 감소라고 간단하게 정의할 수 있다. 노화에 따른 모든 신체기관의 노쇠화 현상의 일부로 그 발생 연령과 진행 정도는 유전적 요인과 주위 환경에 의해 결정된다고 알려져 있다. 전형적인 증상은 양측 고주파 영역에 경도 혹은 중등도의 청력 감소가 있고 순음 역치보다 어음역치가 상대적으로 떨어지게 되어 남이 말하는 것을 이해하지 못하는 경우가 많다. 따라서 초기에는 자신이 잘 듣지 못함을 받아들이지 않고 다른 사람의 발음이 정확하지 못하다고 탓하기도 한다. 이런 증상은 시끄러운 환경에서 더욱 심해진다. 연령에 따른 청력 감소는 30대 정도 시작되어 계속 진행하고, 약물 등의 치료로 호전시킬 수 없고 영구적으로 지속된다. 65세 이상의 고령환자에서 순음청력 검사상 양측이 대칭적인 형태를 보이며, 외상, 이독성 약물, 귀의 질환, 소음에의 노출, 귀수술 등의 청력 감소와 연관이 있을 수 있는 과거력이 없고, 기골도차가 10 dB 이하인 감각신경성 난청일 것 등의 기준을 충족해야 노인성 난청으로 진단할 수 있다.[3]

노인성 난청은 노화와 함께 일어나는 청각계의 자연 손상에 의한 난청으로 나타나는 난청이지만, 노화와 관련한 소음노출, 유전적 요인, 전신 질환을 포함한 이과적 질환이나 이독성 약물에의 노출 여부를 각 환자에서 명확히 구분할 수 없다는 역설적인 면이 있다.[10]

Ⅱ 노인성 난청의 역학 및 빈도

난청은 노인의 만성적 장애 중 가장 흔한 질환 중 하나이며 미국의 경우 65세 이상 인구의 대략 30% 정도에서 이환되어 있는 것으로 알려져 있다.[5] 국내에서 시행된 한 보고에 따르면 유병률은 500, 1,000, 2,000, 4,000 Hz 에서의 기도 청력역치를 6분법으로 평균하여 27 dBHL 이상이 역치를 기준으로 했을 때 37.8%, 41 dBHL 이상을 기준으로 8.3%에서 노인성 난청을 가진 것으로 조사되었다.[16] 2000년도의 보건복지부 통계연보에 따르면 1975년 3.5%이던 65세 이상 인구가 2014년도에는 12.7%로 약 640만 명으로 늘어났으며 현재 우리나라에는 대략 250만 명의 노인성 난청 환자가 있을 것으로 추정된다. 65세 이상 인구가 전체인구의 20.8%로 늘어날 2026년에는 노인인구가 1,100만 명에 달할 것으로 예상되므로 노인성 난청 조기진단 및 예방과 치료에 대한 중요성은 더욱 커질 것이다.

Ⅲ 임상증상

노인성 난청으로 인해 가장 흔히 알려진 증상은 대화장애와 이명이다. 양측성, 진행성의 감각신경성 난청이 대칭성으로 발생한다.[22] 노인성 난청이 진행할수록 사회로부터의 격리가 심각해지며,[15,22] 소음환경에서의 청력감소와 어음인지력이 저하되고 청각신호의 중추 조절력이 떨어진다.[11] 청력의 감소는 30대에서부터 시작되나, 1,000 Hz 부근의 회화영역의 청력 감소로 청력의 저하를 느끼게 되는 때는 40~60세이고, 60대가 되면 질병이나 외상 등 다른 요인에 의하여 저주파 영역의 청력역치도 감소하게 된다. 대개 여성보다 남성의 청력이 더 어린 연령대에 감소하기 시작하고 청력감소의 진행속도도 두 배 정도 빠르다고 알려져 있다. 남성의 청력은 여성보다 특히 고주파 영역의 감소가 심하고, 여자는 저주파 영역의 감소가 더 두드러진다고 한다. 초기에는 고주파 영역의 손상이 일어서 소리를 감지하고, 구분하거나 소리방향을 구별하는 능력이 떨어지며, 2~4 kHz의 주파수에 손상이 일어나면 무성음의 이해가 떨어져 말소리를 구분하고 이해하는 능력이 현저히 떨어진다.[11] 또한 인종적으로는 흑인보다 백인에게서 노인성 난청이 흔히 발생한다. 노인성 난청은 우울이나 외로움을 증가시키고 노인의 자율성을 저하시켜 궁극적으로 삶의 질을 저하시킨다.[18]

Ⅳ 노인성 난청의 병리생태

노인성 난청은 같은 나이라도 각 개인별로 노화의 정도가 다르고 다인자적 원인에 의해 발생하는데 평균수명은 지속적으로 연장되고 있어 어느 시점에서 시작이 되는지

알 수 없고 대조군 선정이 어려워 원인에 대한 연구에 어려움이 있다.[40]

현재까지 연구된 원인 인자로는 1919년 Mayer가 처음 보고한 와우기저막의 경화, 1972년 Schuknecht가 발표한 나선인대(spiral ligament)의 위축 등과 같은 기계적 변화에 의한 인자가 있다. 1934년 Crowe 등은 와우와 나선신경절 등 신경부위의 병변을 보고하여 감각신경기관의 이상이 노인성 난청의 또 하나의 기전임을 파악하게 되었으며, Pujol 등은 1991년 glutamate에 의한 신경독성으로 인한 Corti기의 손상이 소음이나 저산소증에 의한 손상과 형태가 거의 같다고 보고하여 생화학적 기전도 작용하는 것으로 생각되고 있다.

노인성 난청을 악화시키는 인자로 노화에 의해 발생하는 면역반응의 저하로 인한 만성적인 염증,[40] 와우 첨부의 유모세포 변성에 의한 가중전압(summating potential)의 상승,[41] stria vascularis 의 변성[2] 등을 들 수 있다. 와우 유모세포 기저막의 ribbone synapse 수의 감소도 노인성 난청의 병리기전으로 설명이 되는데[13] 이는 와우의 기저부(basal turn)에서 시작되어 노화가 진행될수록 첨부쪽으로 이동하는 경향을 보여 노인성 난청의 청력도와 일치하는 양상이라고 할 수 있다. Syka 등은 중추 청각계에서의 비인산화 신경섬유단백과 신경원의 수가 청력의 노화에 영향을 준다고 하였다.[1] 나선신경절세포의 GABAAR, nAChR, NMDAR 의 감소가 와우 시냅스 전달의 기능적 변화를 일으켜 노인성 난청의 진행에 역할을 하는 것으로 알려져 있다.[36] Hao 등은 노화된 생쥐와 사람의 와우에서 lateral wall의 Sox 10 expression cell의 감소가 증가함을 보고하였다.[10]

Furness 등은 노인성 난청이 급격히 진행하는 CD/1 mice에서 초기변화는 와우 기저부의 나선인대 섬유세포와 나선신경절 세포에서 일어난다고 보고하였다.[21]

이 이외에도 청력에 관여하는 중추신경계의 퇴화, 고막이나 이소골 등 청각기관의 퇴화, 동맥경화증 혈류감소에 따른 순환기계 이상 등이 다른 기전으로 보고되었다. 이 같은 요소들 이외에도 기후, 식이, 소음 노출 등의 환경 인자, 난청 가족력의 유전적 인자, 고령에 따른 유전자의 돌연변이 또는 결손에 의한 세포 내 단백질의 이상 발현에 따른 세포분열 이상 등이 노인성 난청의 원인이 될 수 있다고 보고되고 있다. 여러 가지 종류의 유전자 돌연변이가 원인 인자로 제시되고 있으며 그중 세포 표면 부착 단백질cell surface adhesion protein인 cadherin superfamily의 일부이며, otocadherin이라고도 알려진 cadherin 23 유전자(CHD23)의 돌연변이가 노인성 난청 및 상염색체 열성 유전 난청과 연관된다고 한다. Garringer 등은 DFNA 18 유전자 자리의 변이와 노인성 난청의 상관성을 제시하기도 하였다.

한 번 손상되면 재생되지 않는 와우 유모세포의 액틴 세포골격에 의존적인 내이의 기능에서 y-actin 유전자의 돌연변이가 원인 인자로 생각되기도 한다.

한편 노인성 난청 환자의 측두골 연구에서 와우신경과 막성미로의 사립체 DNA 결손변이(mitochondrial DNA deletion)와 점상 돌연변이(point mutation)가 보고되었다.[28] 특히 사립체 DNA 결손변이의 30~50%를 차지하며 'common deletion'이라 불리는 4977 bp의 결손변이가 노인성 난청의 원인이 될 것으로 추정된다. Unal 등은 세포독성 cytotoxic이 있으며 발암 화합물(carcinogenic compounds)인 반응성 산화물(reactive oxygen species)의 대사와 해독작용에 관여된 N-acetyl transferase (NAT) 유전자의 돌연변이를 가진 환자군에서 정상인 대조군에 비해 노인성 난청의 빈도가 15.2배 높다고 보고하였으며, 그 기전은 반응성 산화물이 사립체 결손변이를 일으키는 것으로 추정된다. 최근 들어 세포의 능동적인 사망기전인 세포자멸사apoptosis와 관련된 연구가 많이 진행되면서 와우 내에서 세포자멸사에 의한 변화가 관찰되고 있어 주된 기전의 하나일 것으로 생각된다.[4] 염류코르티코이드(mineraloco rticoid)인 알도스테론(aldosterone) 호르몬은 와우에서 Na, K-ATPase와 NaK-Cl cotransfer (NKCC)를 자극해주는 역할을 하는데, 노인성 난청 환자에서 혈청 알도스테론 수치가 의미 있게 낮았다는 보고는 호르몬의 불균형이 노인성 난청을 초래할 수 있음을 시사한다. 이렇게 노인성 난청의 발병 원인은 다양하지만, 어느 한 가지가 아니라 앞의 원인들이 복합적으로 관여하는 다인자적 과정(multifactorial process)에서 발생한다고 생각된다.

 분류

노인성 난청은 크게 감각성, 신경성, 대사성, 그리고 와우전도성의 4가지 형태로나누어진다. 감각성 노인성 난청은 고음역에서 급격한 감소현상을 보이는 특징을 보이고, 신경성 난청은 순음역치에 비해 어음판별력이 떨어지며, 대사성난청은 순음청력도상 편평한 청력도를 보인다. 청력역치의 감소가 와우관의 물리적 특성에 의한 것으로 추정될 경우 와우전도성 난청으로 분류할 수 있다.[5] 노인성 난청은 개인별 청력도가 앞서 분류한 4가지 중 어느 한가지로 명확히 분류되지 않고 이들 4가지가 혼합된 형태를 보이는 경우 혼합형 노인성 난청이라고 한다. 전체 노인성 난청의 25% 정도는 이들 4가지 분류 중 어느 한 가지의 특징도 가지지 않으며 이를 중간형 노인성 난청 intermediate presbycusis라고 한다.[5] Schuknecht는 이전에 임상적으로 분류하였던 4가지를 측두골 사체에서 확인하였다.[30]

Zwaardemaker 등이 1891년 처음으로 노인성 난청에서 고음역의 청력 소실이 두드러 진다는 청력 특징을 기술한 이래로, 청각학적으로나 병리조직 소견에 근거한 분류가 다양한 방법으로 시도되고 있다.

초기에는 병리조직 소견에 의하여 Corti기를 침범하는 형, 청신경을 침범하는 형의 두 가지로 분류하였으나, 그 후 Schuknecht 등이 혈관조(stria vascularis)의 변성에 의한 노인성 난청의 형태를 추가로 보고하였다.

Schuknecht는 병리조직 소견에 따른 분류와 청력도를 같이 비교하여 청각세포의 변성을 일으키면서 순음청력도에서 급하강형을 보이는 감각성 노인성 난청(sensory presbycusis), 와우신경원과 중추신경세포의 소실과 하강형의 청력도를 일으키는 신경성 노인성 난청(neural presbycusis), 혈관조의 위축과 수평형의 순음청력도를 보이는 대사성 노인성 난청(metabolic, strial presbycusis), 조직학적으로 특별한 이상 없이 청력도상 점진하강형을 보이는 와우전도성 노인성 난청(cochlear, mechanical conductive presbycusis), 전술한 네 가지가 혼합된 혼합성 노인성 난청(mixed presbycusis) 등 다섯 가지 유형으로 분류하였다(표 31-1).

1. 감각성 노인성 난청

감각성 노인성 난청(sensory presbycsis)은 와우 내의 유모세포, 특히 외유모세포의 손상에 의해 발생하며 와우 기저부 말단에서 시작되어 외상이나 소음에 의한 난청과 유사한 병리기전으로 생각된다. 난청이 진행되어도 회화음역까지 침범되는 예는 드물다(그림 31-1A, B).

외유모세포 손상은 와우기저부 말단에서 발생하여 4 kHz 음역의 세포에 가장 심한 손상을보인다. 순음청력도상 저음역은 비교적 정상이나 고음역에서 청력역치가 급격히 감소하는 형태를 보인다(그림 31-1C).

와우에 대한 물리적 손상이나 음향외상 acoustic trauma과의 감별이 중요하다.

2. 신경성 노인성 난청

신경성 노인성 난청(neural presbycusis)은 와우의 나선신경절이나 중추신경세포의 소실로 발생한다. 나선신경절세포의 감소 혹은 손상은 와우내 유모세포의 손상에 이차적으로 발생하는 것이 일반적이기 때문에 감각성 노인성 난청과 연관이 있나. 나선신경절 세포는 외유모세포의 손상으로 외유모세포로부터의 자극이 줄어들면 젊은

표 31-1. 노인성 난청의 분류 및 분류 기준

	병리학적 기준	청력도상의 특징
감각성 난청	와우유모세포가 기저부의 끝에서 최소 10 mm 이상 손실된 경우	2 kHz 이상에서 30~45 dB 기울기의 청력 감소
신경성 난청	와우의 신경세포 수가 정상의 50% 이하	고음역의 소실이 뚜렷한 하강형 청력도 음운 감퇴 phonemic regression
대사성 난청	혈관조의 소실이 30% 이상	가벼운 하강형 혹은 편평형 정상 어음명료도치
와우전도성 난청	위의 기준 등 어디에도 속하지 않음	순음청력도의 다섯 주파수에 걸쳐 점진적인 청력 소실(인접한 두 주파수의 차이가 25 dB 미만이고, 최상과 최하의 역치가 50 dB 이상)
혼합성 난청	우의 기준 등 두 가지 이상에 적합한 소견을 보임	각 청력도의 합

Data from Rosenhall U, Sixt E, Sundh V, et al. Correlations between presbycusis and extrinsic noxious factors, Audiology 1993;32:234-243.

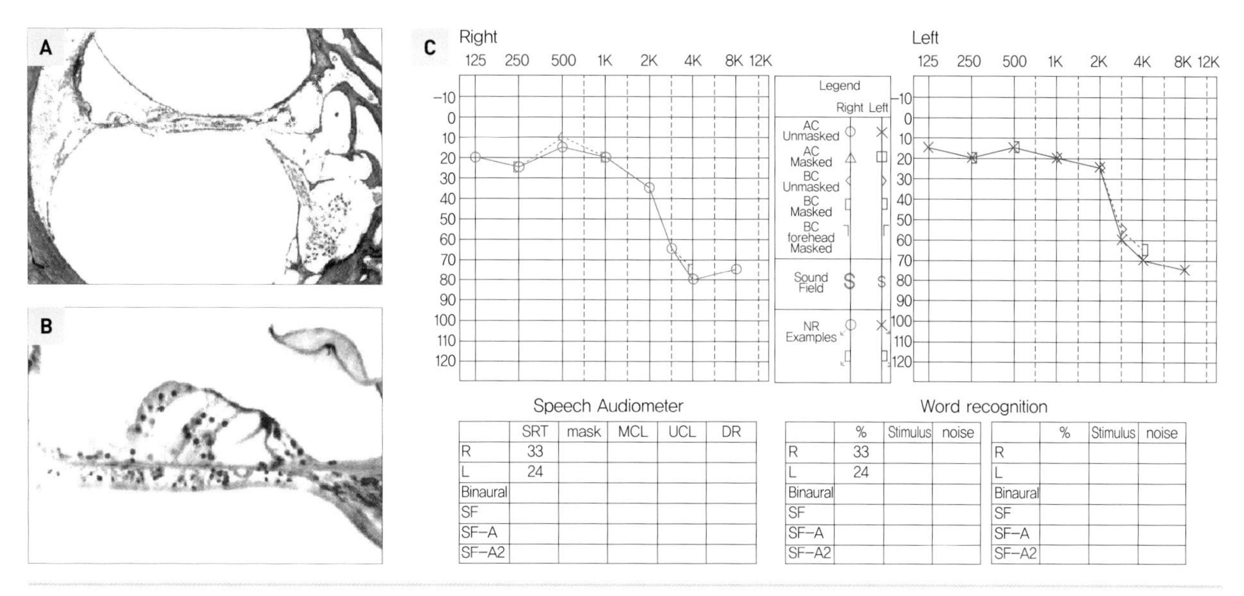

■ 그림 31-1. **감각성 노인성 난청. A), B)** Corti기의 위축과 그로 인한 이차적인 와우신경절의 감소가 보인다.(From Schuknecht HF, Arch Otolaryngol 1964;80:371; with permission). **C)** 2 kHz 이상의 고주파 영역에서 급격한 청력 감소를 보이는 순음청력검사 결과를 확인할 수 있다.

연령에서도 일어나며 외유모세포의 손상과 마찬가지로 와우기저부에 해당하는 나선신경절 세포의 손상으로 인해 고음역의 소실이 뚜렷한 하강형 청력도를 보인다(그림 31-2). 신경성 노인성 난청이 진행하여 나선신경절 세포의 수가 일정 수준 이상 감소하면 인공와우 이식에 의한 청력재활에 영향을 줄 수 있다.

3. 대사성 노인성 난청

대사성 노인성 난청(metabolic, strial presbycusis)의 주 병리조직 소견은 혈관조의 위축이다. 해부학적으로 Corti 기와 관련성이 없어 다른 형태와는 달리 어음분별력이 떨어지지 않는다. 따라서 진행이 된 경우에도 보청기로 도움을 받을 수 있다. 순음청력도상의 대개 수평형이

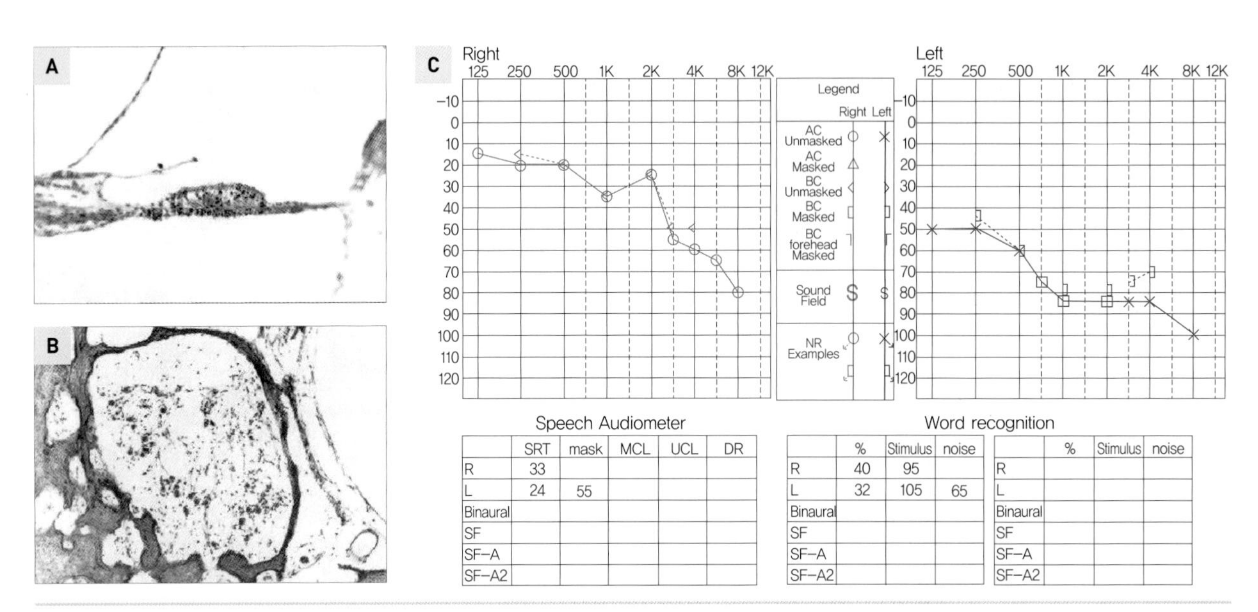

■ 그림 31-2. **신경성 노인성 난청. A)** 내이 유모세포의 핵은 정상적으로 보인다. **B)** 와우신경절에 신경조직이 25% 정도만 남아 있는 소견이 보인다.(From Schuknecht HF, Arch Otolaryngol 1964;80:373; with permission) **C)** 지속적인 하강형 청력도를 보이며 32~40%의 어음청력치를 보이는 순음청력 결과를 확인할 수 있다.

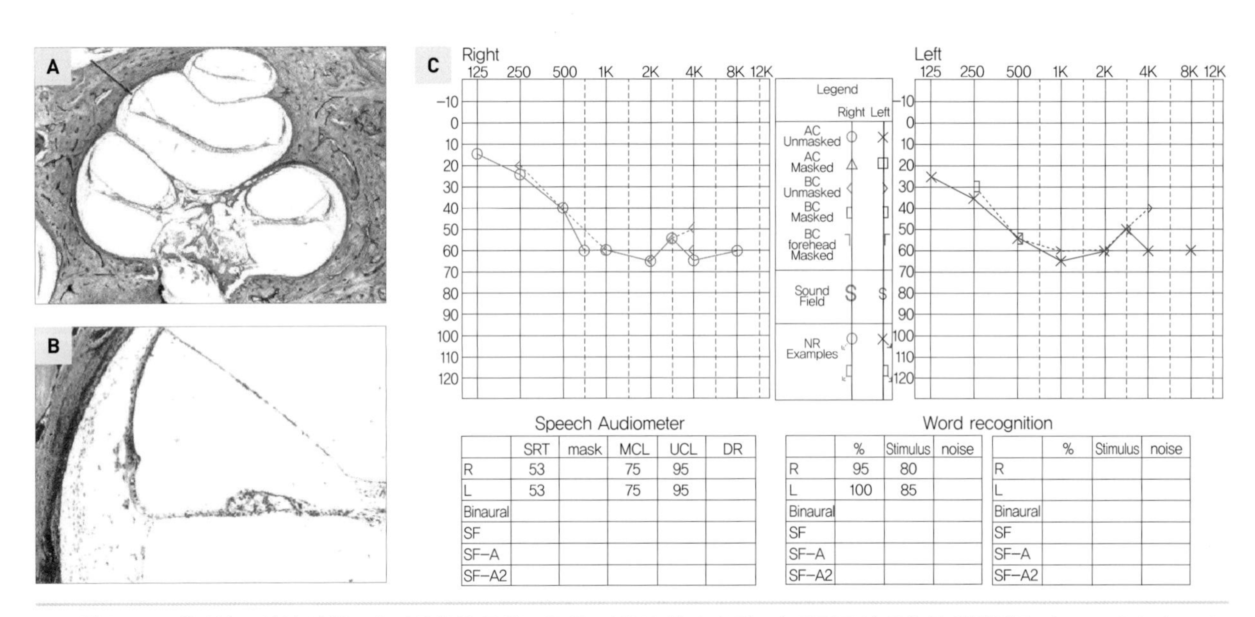

■ 그림 31-3. **대사성 노인성 난청. A)** 와우축을 중심으로 한 와우의 병리 소견. **B)** 혈관조의 위축이 관찰된다. (From Schuknecht HF, Arch Otolaryngol 1964;80:377; with permission) **C)** 가벼운 하강과 편평형의 청력도를 보이며 95~100%의 어음청력피를 보이는 순음청력검사 결과를 확인할 수 있다.

며 경도의 하강형을 보일 수 있다(그림 31-3).

4. 와우전도성 노인성 난청

와우전도성 노인성 난청(cochlear, mechanical con-

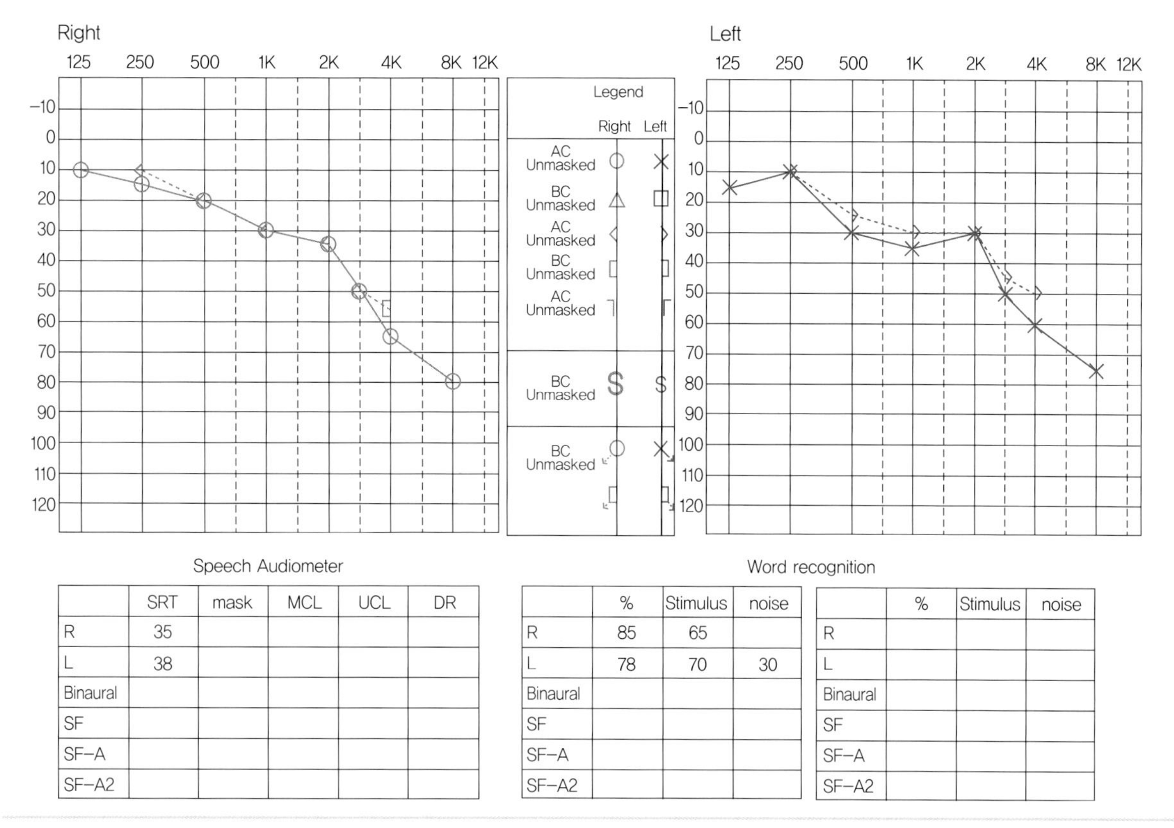

Speech Audiometer

	SRT	mask	MCL	UCL	DR
R	35				
L	38				
Binaural					
SF					
SF-A					
SF-A2					

Word recognition

	%	Stimulus	noise
R	85	65	
L	78	70	30
Binaural			
SF			
SF-A			
SF-A2			

	%	Stimulus	noise
R			
L			
Binaural			
SF			
SF-A			
SF-A2			

■ **그림 31-4.** 와우전도성 난청 하강형의 청력도를 보이며 78~85%의 어음청력치를 보이는 순음청력검사 결과를 확인할 수 있다.

ductive presbycusis)의 진단은 순음청력도에서 고음역으로 갈수록 청력이 감소하나, 병리조직 소견에서 특이 소견이 없을 때 진단할 수 있으나, 임상에서 병리조직을 확인할 수 없다는 진단상 어려움이 있다. 청력도상 최소 다섯 주파수에 걸쳐 청력 소실이 있고, 첫 주파수와 마지막 주파수의 청력차이가 50 dB 이상, 이웃하는 두 주파수의 차이는 25 dB 미만이어야 한다(그림 31-4).

5. 혼합성 노인성 난청

노인성 난청의 대부분은 앞서 설명한 네 가지 유형 중 어느 한 가지만으로 나타나지 않는다. 외유모세포와 나선 신경절 세포가 유기적으로 연관되어 있고, 혈관조의 위축 또한 와우내 다른 구조물의 이상을 동반하기 때문이다. 따라서 30~50% 이상의 노인성 난청이 혼합성 노인성 난청의 형태로 나타난다. 각 노인성 난청의 특징을 혼합한 형태의 청력도를 보인다.

 VI 예방과 치료

1. 예방

노인성 난청의 예방은 다른 형태의 감각신경성 난청의 경우와 마찬가지로 약물에 의한 치료 혹은 청력재생이 일어나지 않기 때문에 예방이 가장 중요하다. 그러나 일반적인 감각신경성 난청의 치료와 마찬가지로 노인성 난청을 예방할 수 있는 공인된 약물은 아직까지 개발되어 있지 않다. 다만 노인성 난청의 원인인자로 알려져 있는 것에 대한 다양한 연구와 이를 근거로 여러가지 예방법이 제시되고 있다. 그러나 현재까지는 이독성 약물이나 과도한 소음 노출 등 일반적인 난청의 위험인자를 피하는 것 이외에 노인성 난청 예방을 위한 특이적인 요법은 알려져 있지 않다. 특히 유전적 원인이나 세포 내 대사과정 후에 발생하는 세포 독성물질에 의한 노인성 난청의 진행에 대한 예방법도 알려지지 않은 실정이다.

노인성 난청이 진행이 되는 과정에서 소음에 노출되는 것은 난청의 진행을 촉발한다고 알려져 있다. 따라서 장시간의 고음에 노출되어야 하는 음악가의 경우 이에 대한 노출을 줄여주는 것이 필요하다.[29] 알도스테론은 mineralocorticoid receptor의 upregulationm을 통해 나선신경절 세포의 생존을 증가시켜 생쥐에서 ARHL의 진행을 막는다.[7] 국내에서 시행된 국민건강영양평가에 의하면 비타민 C의 섭취가 노년층의 좋은 청력과 연관이 있다고 하여 난청 예방을 위해 비타민 섭취에 대한 체계적인 상담이 필요할 것이라고 하였다.[14] 반면 Sha 등은 비타민 A,C,E와 L-carnitine, a-lipoic acid와 같은 항산화물질을 장기간 투여했을 때 와우내 항산화물질의 농도는 높아지지만 유모세포나 나선신경절세포의 감소에는 영향을 주지않아 노인성 난청을 예방하지 못한다고 하였다.[31] 동물실험에 의하면 골수 이식이 노인성 난청의 진행을 예방하는 효과가 있다고 하였다.[12] 노인성 난청을 억제하는 또 다른 물질로 오메가 3 지방산이 있다.[8]

Olayemi 등은 혈장 Ig G 농도가 노인성 난청에서 감소하였다고 보고하면서도 Ig G가 노인성 난청의 예방이나 치료에 효과가 있는지는 불확실하다고 하였다.

Tanigawa 등은 땅콩이 노인성 난청을 예방할 수 있다고 하였다.[37] 저혈당은 노인성 난청의 조기 발생을 초래할 수 있다.[34] 하지만 근래의 연구를 통하여 주위 환경과 노인성 난청의 관련성에 대하여 남자에서는 담배, 술, 두부외상 등이, 여성에서는 약물복용력이 관련이 있다고 알려져 있으며, 뇌경색, 심근경색, 당뇨와 같은 전신 혈관 질환의 경우 노인 연령에서 난청과 연관이 잇는 것으로 알려져 있어 동반 질환에 대한 평소의 예방과 치료가 중요하다 할 수 있겠다. 이외에도 체내 β-아드레날린의 영향이 노인성 난청과 연관이 있다는 보고도 있으며, 흡연의 관련성도 연구되고 있는데, 현재는 주로 전정기관에 이상을 일으킨다고 생각된다. 다른 연구로는 노인성 난청의 주된 기전의 하나로 주목되는 사립체 DNA (mitochond1ial DNA)의 결손을 막고자, 항산화제 antioxidant와 식이제한에 대한 동물연구에서 칼로리를 30% 줄인 그룹의 청력이 가장 좋다고 보고된 바 있다.[33,35,43,44] 그러나 항산화제의 사용이 노인성 난청으로 지연시키지 않는다는 보고도 있다.[31]

Zinc 결핍은 와우와 전정에 높은 농도로 분포하며 결핍될 경우 진행성 난청을 일으킬 수 있어 노인성 난청의 원인 인자 중 하나일 수 있다고 하였다.[32]

2. 치료

포유류의 청신경세포는 재생이 되지 않는 것으로 알려져 있으며 따라서 노인성 난청의 치료는 현재까지 보청기나 인공와우 등의 청력재활장치를 이용하여야 한다. 노인성 난청은 어음 분별력이 떨어지면 순음역치상 이상이 없어도 조기 진단할 수 있으며 가능한 조기 진단하여 빨리 보청기를 통해 청력재활을 시행함으로써 보청기에 대한 거부감을 줄이고 노화의 진행을 효율적으로 막을 수 있다.

1) 보청기

보청기는 중등도 이상, 고도난청 미만의 환자에서 소리를 증폭시켜 주는 장치로서 순음청력검사, 어음 청력검사 등 기본적인 청력검사를 거쳐 의사에 의해 처방되고 보청기 제조업자에 의해 제조되어 환자에게 착용된다.

난청이 있는 환자가 보청기 사용을 원하지 않는 경우에 의사는 환자가 자신의 난청 정도를 인식하고 있는지를 먼저 확인해야 하며, 인식은 하지만 보청기를 원하지 않는 경우에는 충분한 상담을 통해 그 원인을 찾아서 적절한 조언을 해 주어야 한다. 이럴 경우 대부분은 경제적인 문제 혹은 보청기로 인한 자기 이미지의 손상을 염려하는 경우가 많다.

중등도에서 중등고도까지의 난청이 있는 노인성 난청에서 가장 흔히 이용되는 치료방법은 보청기이다. 그러나 노인성 난청의 특성상 고음난청이 심하며, 어음분별력이 떨어져 모든 노인성 난청 환자에서 보청기가 유용하게 사용되는 것은 아니다.

중동도 이상의 난청을 치료하지 않은 채로 방치하면 의사소통에 문제가 생기고 고립감과 우울증, 그리고 치매의 발병에 영향을 줄 수 있다. 하지만 대개의 경우 청력이 천천히 저하되므로, 평소에 불편함을 느끼지 않고 자신이 잘 듣지 못한다는 사실을 받아들이지 않는 경우도 많아 재활을 위해 상담을 하는 경우가 적고, 청력 감소가 생긴 후 10년이 지나서 이비인후과를 찾는 경우도 흔하다. 청력 감소가 있는 노인 중 보청기를 착용하고 있는 사람은 18% 정도밖에 안 되며, 이 중 75%가 60세 이상이다. 우리나라의 경우도 2009년 국민건강통계에 따르면 만 65세 이상의 난청 환자 중 보청기 사용률은 전체 11.3%로 낮은 수준이었다.[17]

보청기 사용은 여러가지 이유로 사용율이 현저히 떨어진다.[23] 보청기의 사용 여부는 난청의 정도나 형태, 주변 소음이나 보청기의 성능 등 청각학적 특성보다는 비청각학적 요인에 의해 영향을 받는데 특히 보청기의 필요성을 환자가 얼마가 강하게 생각하는지가 가장 중요하다.[25,42]

노인성 난청에서 보청기 착용 여부의 최종결정권은 환자에게 있지만, 난청이 있는 환자가 실제 자신에게 보청기가 필요한지에 대한 객관적 자료를 얻기 위하여 임상의의 도움이 필요하다. 그러나 시력 보정을 위한 안경의 경우와는 달리 보청기의 경우는 청력검사결과에 근거한 의사의 의견은 보청기 착용이 필요하지만, 보청기 처방을 받은 환자의 많은 부분에서 보청기를 구입하지 않으며, 심지어 보청기를 구입한 경우에도 약 20% 정도만이 실제로 보청기를 착용하게 된다. 따라서 보청기는 단순한 순음 청력검사 결과에 의한 처방이 아니라 환자의 보청기에 대한 필요성, 환자의 동기 등 여러 가지 요인을 고려하여 처방하여야 한다.

노인성 난청 환자가 보청기를 지속적으로 사용할 지 여부를 결정짓는 가장 큰 요인은 보청기의 필요성에 대한 환자의 동기이다. 보청기 구입여부를 결정할 때 환자는 보청기를 사용함으로서 얻게 될 이익과 보청기 착용이 자신에게 미칠 부정적인 영향을 생각하고 이 둘 사이의 손익계산을 하게 된다. 불행히도 대부분의 노인성 난청 환자는 보청기에 의한 이득보다는 손해를 더 많이 생각하게 되는데 보청기 사용의 부정적인 측면은 안경에 비해 상대적으로 높은 가격, 보청기를 착용함으로써 타인에게 자신이 장애인으로 보인다는 점, 최초 사용시 보청기가 가지는 여러 가지 음향학적인 문제에 대한 적응 장애 등을 들 수 있다. 따라서 보청기를 처방하는 의사는 보청기를 사용함으로서 얻게 될 이득에 대한 너무 높은 기대를 낮추어 주거나, 보청기의 단점을 너무 과대평가하지 않도록 적절한 상담과 설명을 통하여 환자가 보청기에 대해 현실적인 기대를 갖게 하는 것이 필요하다.

노인성 난청 환자의 보청기 필요성 여부를 확인하기 위한 자료로 가장 흔히 활용되는 것은 청력장애의 정도를 설문지 형식으로 만든 설문지이다(Hearing Handicap Inventory for the Elderly-Screening Version; HHIE-S)(표 31-2), 각각의 질문에 대하여 '그렇다'는 4점, '가끔 그렇다'는 2점, '아니다'는 0점으로 계산하여 합계를 낸다. 5개의 질문은 사회생활의 상황에 대한 내용이고, 나머지 5개는 난청에 대한 정서적인 면을 검사하는 항목이다. 0~8점 까지는 정상이며, 10~24점이면 난청일 가능성이 50%로 경도나 중등도 장애로 생각할 수 있다. 26점 이상이면 심한 장애를 가지고 있다고 판정한다.

2) 중이이식장치

노인성 난청은 고음역 난청이 초기에 오고 이에 따른 어음판별력이 저하가 주된 문제이므로 중이이식장치는 이를 해결하기 위한 좋은 방법이 될 수 있다.[38]

표 31-2. 노인성 난청으로 인한 장애도 선별검사를 위한 설문지

1. 귀가 잘 들리지 않아 새로운 사람을 만날 때 곤란을 겪습니까?	○ 예	○ 가끔 그렇다	○ 아니다
2. 귀가 잘 들리지 않아 가족과 대화할 때 좌절감을 느끼십니까?	○ 예	○ 가끔 그렇다	○ 아니다
3. 다른 사람이 작은 소리로 속삭일 때 듣지 못하십니까?	○ 예	○ 가끔 그렇다	○ 아니다
4. 청력의 문제로 장애가 있다고 느끼십니까?	○ 예	○ 가끔 그렇다	○ 아니다
5. 귀가 잘 들리지 않아 친구, 친지 혹은 이웃을 방문할 때 문제가 있습니까?	○ 예	○ 가끔 그렇다	○ 아니다
6. 귀가 잘 들리지 않아 종교행사 등에 참여하고 싶어도 횟수가 줄어듭니까?	○ 예	○ 가끔 그렇다	○ 아니다
7. 귀가 잘 들리지 않아 가족과 다툼이 생기는 수가 있습니까?	○ 예	○ 가끔 그렇다	○ 아니다
8. 텔레비전이나 라디오를 들을 때 문제가 있습니까?	○ 예	○ 가끔 그렇다	○ 아니다
9. 청력의 문제로 개인적인 생활이나 사회생활에 제한이 있다고 생각하십니까?	○ 예	○ 가끔 그렇다	○ 아니다
10. 귀가 잘 들리지 않아 친지나 친구와 식당에 있을 때 대화에 문제가 있습니까?	○ 예	○ 가끔 그렇다	○ 아니다

Hearing Handicap Inventory for Elderly-Screening; HHIE-S

3) 인공와우

노인성 난청은 인공와우이식의 좋은 적응증이 된다. 양측 70 dB 이상의 고도난청이 있고 보청기 착용으로 도움이 되지 않는 경우 인공와우는 보험급여의 대상이 된다. 노인성 난청에서 인공와우 이식은 전신상태에 큰 이상이 없는 경우 나이와 관계없이 시행할 수 있다.[20] 80세 이상의 초고령층에서도 청장년층과 비교하여 영구적인 내외과적 합병증 없이 청각학적 수행능력을 향상시키는 것으로 알려져 있다.[6]

노인에서 인공와우 이식술 후 잘 사용하지 않는 경우 원인은 술후 어지럼이나 이명, 동반된 전신질환이 악화되거나 주변에서의 도움이 부족할 때 등이다.[6,20] 인공와우 이식 후 시간이 경과하면 노인성 난청의 경우와 마찬가지로 고음역에서의 난청이 진행되는 것으로 알려져 있다.[39]

4) 기타 치료

규칙적인 육체운동은 비만, 심혈관계질환 및 신체장애를 줄여서 수명연장에 영향을 줄 뿐 아니라 청력의 노화를 줄여주는 것으로 알려져 있다. Han 등은 쳇바퀴 운동을 하루 3,987마일 시킨 CBA/CaJ 생쥐가 운동을 시키지 않은 생쥐에 비해 혈관조의 퇴화가 현저하게 적게 일어남을 보고하였다.[9]

노인성 난청의 치료는 보청기나 인공와우와 같은 말초기능병변의 회복에 대해 접근하고 있지만 이보다는 더 포괄적인 접근법이 필요하다.[26] 즉 청력감소에 의한 인지기능장애, 사회적 격리와 이로 인한 치매, 신체적 기능 감소 등을 고려하여 청각재활, 상담을 통한 접근을 해야 보다 효율적인 치료가 이루어 질 수 있을 것이다.

참고문헌

1. Burianova, J., L. Ouda, and J. Syka. 2015. 'The influence of aging on the number of neurons and levels of non-phosporylated neurofilament proteins in the central auditory system of rats', *Front Aging Neurosci*, 7:27.
2. Carraro, M., and R. V. Harrison. 2016. 'Degeneration of stria vascularis in age-related hearing loss; a corrosion cast study in a mouse model', *Acta Otolaryngol*, 136:385-390.
3. Chang, H. P., and P. Chou. 2007. 'Presbycusis among older Chinese people in Taipei, Taiwan: a community-based study', *Int J Audiol*, 46:738-745.
4. Contrera, K. J., J. Betz, J. A. Deal, J. S. Choi, H. N. Ayonayon, T. Harris, E. Helzner, K. R. Martin, K. Mehta, S. Pratt, S. M. Rubin, S. Satterfield, K. Yaffe, M. Garcia, E. M. Simonsick, F. R. Lin, and A. B. C. Study Health. 2016. 'Association of Hearing Impairment and Emotional Vitality in Older Adults', *J Gerontol B Psychol Sci Soc Sci*, 71:400-404.
5. Dubno, J. R., M. A. Eckert, F. S. Lee, L. J. Matthews, and R. A.

Schmiedt. 2013. 'Classifying human audiometric phenotypes of age-related hearing loss from animal models', *J Assoc Res Otolaryngol*, 14:687-701.

6. Eshraghi, A. A., M. Rodriguez, T. J. Balkany, F. F. Telischi, S. Angeli, A. V. Hodges, and E. Adil. 2009. 'Cochlear implant surgery in patients more than seventy-nine years old', *Laryngoscope*, 119:1180-1183.
7. Frisina, R. D., B. Ding, X. Zhu, and J. P. Walton. 2016. 'Age-related hearing loss: prevention of threshold declines, cell loss and apoptosis in spiral ganglion neurons', *Aging (Albany NY)*, 8:2081-2099.
8. Gopinath, B., V. M. Flood, E. Rochtchina, C. M. McMahon, and P. Mitchell. 2010. 'Consumption of omega-3 fatty acids and fish and risk of age-related hearing loss', *Am J Clin Nutr*, 92:416-421.
9. Han, C., D. Ding, M. C. Lopez, S. Manohar, Y. Zhang, M. J. Kim, H. J. Park, K. White, Y. H. Kim, P. Linser, M. Tanokura, C. Leeuwenburgh, H. V. Baker, R. J. Salvi, and S. Someya. 2016. 'Effects of Long-Term Exercise on Age-Related Hearing Loss in Mice', *J Neurosci*, 36:11308-11319.
10. Hao, X., Y. Xing, M. W. Moore, J. Zhang, D. Han, B. A. Schulte, J. R. Dubno, and H. Lang. 2014. 'Sox10 expressing cells in the lateral wall of the aged mouse and human cochlea', *PLoS One*, 9:e97389.
11. Huang, Q., and J. Tang. 2010. 'Age-related hearing loss or presbycusis', *Eur Arch Otorhinolaryngol*, 267:1179-1191.
12. Iwai, H., S. Lee, M. Inaba, K. Sugiura, K. Tomoda, T. Yamashita, and S. Ikehara. 2001. 'Prevention of accelerated presbycusis by bone marrow transplantation in senescence-accelerated mice', *Bone Marrow Transplant*, 28:323-328.
13. Jiang, X. W., X. R. Li, and Y. P. Zhang. 2015. 'Changes of ribbon synapses number of cochlear hair cells in C57BL/6J mice with age(Delta)', *Int J Clin Exp Med*, 8:19058-19064.
14. Kang, J. W., H. S. Choi, K. Kim, and J. Y. Choi. 2014. 'Dietary vitamin intake correlates with hearing thresholds in the older population: the Korean National Health and Nutrition Examination Survey', *Am J Clin Nutr*, 99:1407-1413.
15. Kiely, K. M., B. Gopinath, P. Mitchell, M. Luszcz, and K. J. Anstey. 2012. 'Cognitive, health, and sociodemographic predictors of longitudinal decline in hearing acuity among older adults', *J Gerontol A Biol Sci Med Sci*, 67:997-1003.
16. Kim HN, Kim SG, Lee HK, Ohrr H, Moon SK, Chi J, Lee EH, Park K, Park DJ, Lee JH, Yi SW. Incidence of presbycusis of Korean populations in Seoul, Kyunggi and Kangwon pro-vinces. J Korean Med Sci 2000:15:580-584.
17. Korea Centers for Disease Control and Prevention. The Fifth Korea Na\-tional Health and Nutrition Examination Survey (KNHANES V-2) [Internet]. Cheongwon (KR), Korea Centers for Disease Control and Prevention: c2011, [cited 2015 Feb 02]. Available from: http://knhanes.cdc.go.kr/.
18. Li-Korotky, H. S. 2012. 'Age-related hearing loss: quality of care for quality of life', *Gerontologist*, 52:265-271.
19. Liu, X. Z., and D. Yan. 2007. 'Ageing and hearing loss', *J Pathol*, 211:188-197.
20. Lundin, K., A. Nasvall, S. Kobler, G. Linde, and H. Rask-Andersen. 2013. 'Cochlear implantation in the elderly', *Cochlear Implants Int*, 14:92-97.
21. Mahendrasingam, S., J. A. Macdonald, and D. N. Furness. 2011. 'Relative time course of degeneration of different cochlear structures in the CD/1 mouse model of accelerated aging', *J Assoc Res Otolaryngol*, 12:437-453.
22. Martins, K., M. Fontenele, S. Camara, and E. L. Sartorato. 2013. 'Genetic and audiologic study in elderly with sensorineural hearing loss', *Codas*, 25:224-228.
23. McCormack, A., and H. Fortnum. 2013. 'Why do people fitted with hearing aids not wear them?', *Int J Audiol*, 52:360-368.
24. Mick, P., I. Kawachi, and F. R. Lin. 2014. 'The association between hearing loss and social isolation in older adults', *Otolaryngol Head Neck Surg*, 150:378-384.
25. Ng, J. H., and A. Y. Loke. 2015. 'Determinants of hearing-aid adoption and use among the elderly: a systematic review', *Int J Audiol*, 54:291-300.
26. Parham, K., F. R. Lin, D. H. Coelho, R. T. Sataloff, and G. A. Gates. 2013. 'Comprehensive management of presbycusis: central and peripheral', *Otolaryngol Head Neck Surg*, 148:537-539.
27. Pearlman, R. C. 1982. 'Presbycusis: the need for a clinical definition', *Am J Otol*, 3:183-186.
28. Pickles, J. O. 2004. 'Mutation in mitochondrial DNA as a cause of presbyacusis', *Audiol Neurootol*, 9:23-33.
29. Pouryaghoub, G., R. Mehrdad, and S. Pourhosein. 2017. 'Noise-Induced hearing loss among professional musicians', *J Occup Health*, 59:33-37.
30. Schuknecht, H. F., and M. R. Gacek. 1993. 'Cochlear pathology in presbycusis', *Ann Otol Rhinol Laryngol*, 102:1-16.
31. Sha, S. H., A. Kanicki, K. Halsey, K. A. Wearne, and J. Schacht. 2012. 'Antioxidant-enriched diet does not delay the progression of age-related hearing loss', *Neurobiol Aging*, 33:1010 e15-16.
32. Shambaugh, G. E., Jr. 1989. 'Zinc: the neglected nutrient', *Am J Otol*, 10:156-160.
33. Someya, S., M. Tanokura, R. Weindruch, T. A. Prolla, and T. Yamasoba. 2010. 'Effects of caloric restriction on age-related hearing loss in rodents and rhesus monkeys', *Curr Aging Sci*, 3:20-25.
34. Sommer, J., C. G. Brenann-Jones, R. H. Eikelboom, M. Hunter, W. A. Davis, M. D. Atlas, and T. M. E. Davis. 2017. 'A population-based study of the association between dysglycaemia and hearing loss in middle age', *Diabet Med*, 34:683-690.
35. Takumida, M., and M. Anniko. 2005. 'Radical scavengers: a remedy

for presbyacusis. A pilot study', *Acta Otolaryngol*, 125:1290-1295.

36. Tang, X., X. Zhu, B. Ding, J. P. Walton, R. D. Frisina, and J. Su. 2014. 'Age-related hearing loss: GABA, nicotinic acetylcholine and NMDA receptor expression changes in spiral ganglion neurons of the mouse', *Neuroscience*, 259:184-193.
37. Tanigawa, T., R. Shibata, K. Kondo, N. Katahira, T. Kambara, Y. Inoue, H. Nonoyama, Y. Horibe, H. Ueda, and T. Murohara. 2015. 'Soybean beta-Conglycinin Prevents Age-Related Hearing Impairment', *PLoS One*, 10:e0137493.
38. Ter Haar, G., J. J. Mulder, A. J. Venker-van Haagen, F. J. van Sluijs, A. F. Snik, and G. F. Smoorenburg. 2010. 'Treatment of age-related hearing loss in dogs with the vibrant soundbridge middle ear implant: short-term results in 3 dogs', *J Vet Intern Med*, 24:557-564.
39. Trosman, S., D. K. Matusik, L. Ferro, W. Gao, and M. Saadia-Redleaf. 2012. 'Presbycusis occurs after cochlear implantation also: a retrospective study of pure tone thresholds over time', *Otol Neurotol*, 33:1543-1548.
40. Verschuur, C., A. Agyemang-Prempeh, and T. A. Newman. 2014. 'Inflammation is associated with a worsening of presbycusis: evidence from the MRC national study of hearing', *Int J Audiol*, 53:469-475.
41. Wang, D., B. Xiong, F. Xiong, G. D. Chen, B. H. Hu, and W. Sun. 2016. 'Apical hair cell degeneration causes the increase in the amplitude of summating potential', *Acta Otolaryngol*, 136:1255-1260.
42. Williger, B., and F. R. Lang. 2014. 'Managing age-related hearing loss: how to use hearing aids efficiently - a mini-review', *Gerontology*, 60:440-447.
43. Willott, J. F., T. Hnath Chisolm, and J. J. Lister. 2001. 'Modulation of presbycusis: current status and future directions', *Audiol Neurootol*, 6:231-249.
44. Yamasoba, T., F. R. Lin, S. Someya, A. Kashio, T. Sakamoto, and K. Kondo. 2013. 'Current concepts in age-related hearing loss: epidemiology and mechanistic pathways', *Hear Res*, 303:30-38.

CHAPTER 32

이독성 난청

김영호

이독성이란 여러 가지 약물과 화학물질에 의하여 발생하는 내이기능의 손상으로 정의되며 청력의 저하를 유발하고 때로는 평형기능의 저하도 동반된다. 와우의 감각유모세포와 구심성 신경섬유가 청력기능을 유지하는데 중요한데 약물과 화학물질에 의하여 이 부위가 손상을 받으면 이독성 난청이 발생한다.

내이에는 평형기능을 담당하는 전정기관도 같이 있는데 전정기관의 구조도 와우와 유사하여 감각유모세포와 구심성 신경섬유가 기능유지에 중요한 역할을 하므로 이독성을 일으키는 약물과 화학물질에 의하여 전정기관의 손상과 장애의 발생이 가능하다. 이러한 이독성 약물은 환자의 청력을 저하시키며 평형기능의 장애를 초래할 수 있지만 특정 질환에 대한 치료를 위하여 불가피하게 그 약물을 사용하는 경우에는 심각한 문제로 발전하기도 한다.

이독성 난청은 11세기 머릿니를 죽이는 수은(mercury) 증기를 사용한 후 청력이 떨어지는 것을 보고 처음 기술되었다. 그 후에 19세기에 들어서 여러 가지 약물과 화학물이 지니고 있는 이독성이 추가적으로 발견되었다. 이독성을 보이는 약물은 다양하며 각 약물의 성질에 따라 다양한 부위에 작용하여 다양한 형태의 난청을 초래하게 된다. 최근에는 이독성 난청의 손상기전에 대한 연구가 활발하여 이를 예방, 또는 억제하는 약제의 개발 시도가 있으며 실험적으로 효과를 보이는 연구 결과가 발표되고 있다.

I 이독성 난청의 양상

이독성 약물들은 여러 가지 경로를 통하여 내이에 손상을 일으킨다. 경구투여, 근육주사, 정맥주사 등을 통한 전신적 투여, 또는 점이액과 같은 국소적 투여는 물론이고 오염된 공기의 흡입으로도 이독성을 유발할 수 있다. 증상은 투여 후 즉시 나타나기도 하고, 지연성으로 약을 중단한 후 수 주, 수 개월 후에 발생할 수도 있다. 증상은 일시적인 경우도 있으나 영구적이며 비가역적인 손상을 초래하기도 하며, 일측 혹은 양측에 발생하기도 한다.

Ⅱ 이독성 난청의 기전과 예방

이독성 약물에 의하여 내이기관의 정상적인 항상성을 유지하고 청각신호전달에 관여하는 감각유모세포, 청신경과 나선신경절 등이 파괴되거나 기능이 약화되어 이독성 난청이 발생한다. 이독성 약물들에 의한 주된 손상부위는 그림 32-1과 표 32-1에 기술된 것과 같이 다양하다.

이독성 약물이 독성을 나타내는 기전은 활성산소유리기(reactive oxygen species; ROS)에 의한 손상이 가장 대표적이다. 그 밖에 내이의 이온항상성의 파괴, 와우 내 전위의 변화 등에 의하여 손상이 발생하기도 한다. 이러한 손상 기전을 방해하거나 차단하는 약제를 사용하여 이독성을 예방하기 위한 연구가 활발히 진행되고 있다.

지금까지 아미노글리코사이드 항생제와 cisplatin 항암제에 의한 이독성 예방을 위하여 많은 연구가 진행되었다. Cisplatin 이독성에 대해서는 alpha-tocopherol, D-Methionine, 전신적인 살리실산의 투여, L-N-Acetyl-cysteine, 그리고 neurotrophin-3를 포함한 바이러스 벡터의 와우 내 주입을 통하여 어느 정도 예방 효과가 있다고 보고되었다.[5,13,25] 아미노글리코사이드에 대해서는 cyclosporin A, L-nitroarginie methyl ester (L-NAME), D-methionine, brain-derived neurotrophic factor (BDNF), leupeptin (calpain inhibitor), dexamethasone 등이 생체내외(*in vivo, in vitro*) 연구를 통해 예방 효과가 있는 것으로 보고되고 있다.[46]

이독성 난청의 예방 및 치료를 위한 임상 연구도 여러 차례 진행된 바 있다. Cisplatin 이독성에 대해 진행된 고실 내(dexamethasone) 주입 연구에서는 6,000 Hz에서 다소간의 청력 보존 효과를 기대할 수 있으며, 4,000~8,000 Hz 사이의 외유모세포 기능이상을 줄일 수 있음이 보고되었다.[33] 그 외에 Cisplatin 이독성에 대한 보호 약물로서 Amifostine이 연구되었으나 그 효과에 대해서는 여러 연구에서 상반된 결과를 보이고 있다.[18,47] Gentamicin 투여에 의한 이독성에는 아스피린이 보호 효과를 보이며, 투석 환자에서 Gentamicin 투약 시 N-acetyl-cysteine이 보호 효과를 보임이 보고된 바 있다.[14,52]

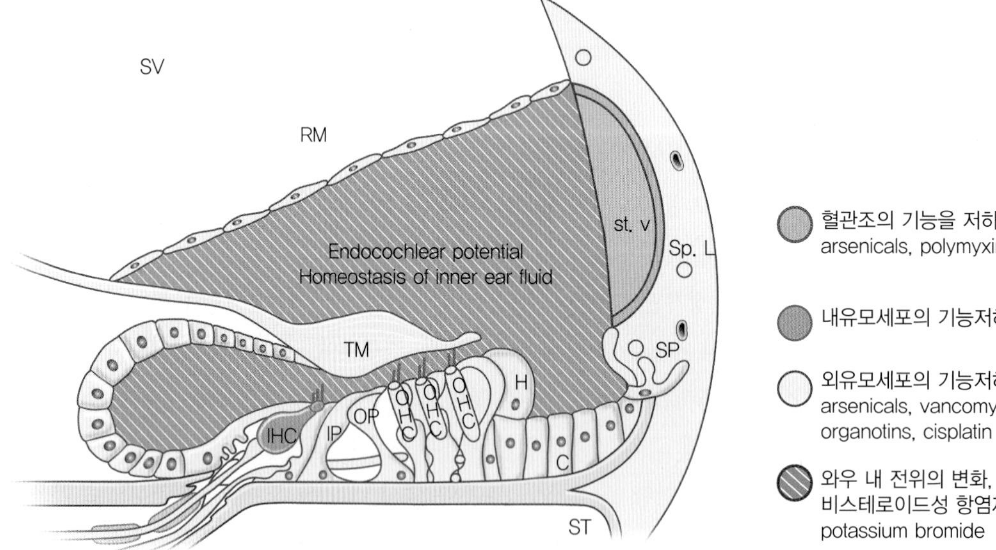

■ **그림 32-1. 와우 내에서 이독성 약제의 작용 부위.** SV: scala vestibuli, RM: Reissner's membrane, TM: tectorial membrane, Sp.L: spiral ligament, st,v: stria vascularis, SP: spiral prominence, IHC: inner hair cell, IP: inner pillar cell, OP: outer pillar cell, OHC: outer hair cell, D: Deiters' cell, H: Hensen's cell, C: Claudius' cells, ST: scala tympani

표 32-1. 이독성 약제의 분류 및 특성

분류	약제	손상 부위	손상기전	가역성 여부	참고 문헌
중금속	mercury	외유모세포	IIB형 이가 양이온인 mercury (Hg2+)는 I형 일가 양이온인 potassium (K+)의 pore-forming channel의 차단제로 작용	비가역성	51
항말라리아제	quinine	외유모세포		가역성 및 비가역성	
	chloroquinine				
비스테로이드성 항염제	aspirin	와우	와우 내 활동저위의 감소	가역성	56
	fenoprofen	와우	〃	가역성	32
	ibuprofen	와우	〃	가역성	32
	indomethacin	와우	〃	가역성	37
	naproxen	와우	〃	가역성	84
	phenylbutazone	와우	〃	가역성	40
	sulindac	와우	〃	가역성	37
Anthelminitics	oil of chenopodium				
Arsenicals	atoxyl	유모세포 및 혈관조	유모세포와 혈관조 세포의 변성을 초래		93
	salvarsan	유모세포 및 혈관조	유모세포와 혈관조 세포의 변성을 초래		93
아미노글리코사이드 항생제	streptomycin	전정기관	활성산소유리기의 발생	비가역성	18
	amikacin	와우	〃	비가역성	24
	gentamicin	전정기관 및 와우	〃	비가역성	24
	kanamycin	와우	〃	비가역성	18
	neomycin	와우	〃	비가역성	24
	netilmicin	전정기관 및 와우	〃	비가역성	24
	paromomycin		〃	비가역성	24
	tobarmycin	전정기관 및 와우	〃	비가역성	50
기타 항생제	chloramphenicol	와우		비가역성	4
	erythromycin			가역성	
	polymyxin B	혈관조			43
	vancomycin	외유모세포			52
고리형 이뇨제	ethracrynic acid	와우내 sodium-potassium ATPase	와우 내 전위의 변화	비가역성	92
	bumetanide		〃	가역성	46
	furosemide		〃	가역성	71
산업유기용매 및 화학물	toluene	외유모세포		비가역성	25
	organotins	외유모세포	외유모세포의 칼슘대사 항상성의 변화	가역성	89
	carbon monoxide	내유모세포	저산소증에 의해 발생한 산소유리기를 통한 세포손상	비가역성	17
	potassium bromate		내이 림프액의 potassium과 sodium 이온의 균형이 깨어짐	비가역성	58
외용소독제	povidone iodine				3
항암제	bleomycin				15
	carboplatic	I형 유모세포와 구심성 신경섬유	활성산소유리기와 nitrogen species의 발생	비가역성	79
	cisplatin	외유모세포 및 혈관조	활성산소유리기의 발생 adenylate cyclase의 작용 억제	비가역성	81
Chelating agents	deferoxamine				13

Ⅲ 가역적 이독성을 유발하는 약제

1. 고리형 이뇨제

Furosemide, bumetanide와 같은 고리형 이뇨제(loop diuretics)는 투여용량과 비례하는 이독성을 지니고 있다. 이 약제에 의하여 침범 받는 내이기관의 주된 부위는 혈관조이며 신장에서와 같이 혈관조 내 Na/2Cl/K transporter (SLC12A2)에 영향을 준다. 이는 내·외 림프액 사이의 칼륨이온 농도 차이(potassium ion gradient)를 감소시켜서 난청을 유발한다.[45] Ethracrynic acid는 와우 외벽 혈류에 영향을 주어 혈관조와 코르티기에 활성산소로 인한 손상을 유발한다. 고리형 이뇨제에 의한 이독성에 의해 영구적인 청력저하를 가져오는 경우는 극히 드물며 대부분 회복된다. Ethracrynic acid 이독성의 경우에는 조직병리 결과 외유모세포소실이 확인되기도 한다. 신부전이 있는 경우에는 약제의 반감기가 연장되어 이독성이 더욱 심하게 나타난다.

2. 살리실산

아스피린이라고 불리는 살리실산에 의한 이독성은 임상적으로 양측에 40 dB 정도의 경도 또는 중등도의 난청을 초래하게 되며, 약제의 투여를 중지하면 72시간 이내에 정상으로 회복된다. 아스피린의 혈중 농도와 난청의 정도는 선형의 상관관계가 있는 것으로 알려져 있으며, 혈중 11 mg/dL의 농도에서 12 dB, 20~50 mg/dL의 농도에서 약 30 dB의 난청이 발생할 수 있음이 보고된 바 있다.[35] 아스피린으로 인한 이명 또한 40~320 mg/dL의 농도 구간에서 지속적으로 증가하는 양상을 보였다.[11]

형태학적 연구에서 유모세포의 소실은 발견되지 않으며, 급성 독성 후 투과전자현미경소견에서 외유모세포와 내유모세포의 세포원형질세망의 변화, 분리된 외유모세포에서 세포 모양의 변화와 전기적 운동성의 변화를 관찰할 수 있다. 살리실산의 이독성에 대한 작용기전은 정확히 알려져 있지 않으나, 살리실산이 이음향방사에 영향을 미치는 것으로 미루어 보아 외유모세포에 작용하는 것으로 여겨지며 운동 단백인 prestin의 기능에 관여하는 것으로 생각된다. 그 외 와우의 혈관계통과 프로스타글란딘 prostaglandin 농도에도 영향을 주는 것으로 보고되고 있다.[4]

Ⅳ 비가역적 이독성을 유발하는 약제

영구적인 이독성을 일으키는 약제들에 의한 손상은 주로 서서히 발생하며 코르티기(organ of Corti)에 심한 손상을 유발하게 되는데 대표적인 약제로는 항암제와 항생제가 있다.

1. 백금화합물 항암제

현재 임상적으로 널리 사용되고 있는 백금 화합물 항암제에는 cisplatin (Cis-diammine-dichloroplatinum Ⅱ)과 carboplatin (Cis-diammin-1, 1-cyclobutane decarboxylate platinum II)이 있다. 1978년부터 많이 사용되는 cisplatin은 여러 악성종양(난소암, 고환암, 방광암, 폐암 및 두경부 암종)의 치료에 쓰이는 항암제로서 DNA에 비가역적으로 반응하여 구아닌기의 나선가닥들 사이에서 상호연결을 형성하여 세포의 파괴를 초래하는 약물이다. 그러나 항암효과 이외에 부작용으로 구역, 구토, 이독성, 신독성 및 중추신경계독성 등을 일으키는 것으로 알려져 있다. 사람에게서 cisplatin 투여에 따른 이독성의 발생 빈도는 11~97%로 알려져 있으며, 평균 62%의 발생빈도를 보이는 것으로 보고되고 있다.[9,33,40]

다른 여러 항암제와 마찬가지로 고음역의 감각신경성 난청, 말초신경 병변과 신장 기능장애 등을 초래하며, 이들 부작용은 투여량 및 최고 혈장농도와 밀접한 관계가 있는 것으로 알려져 있다. 임상적으로 이명과 고음역의 양측성 난청이 특징이다. 이명은 약 2~36%에서 나타나며 일시적이거나 영구적이며 난청을 동반하는 경우가 많다.[50]

Cisplatin 이독성으로 인한 난청은 대부분 영구적이며 양측으로 대칭적인 청력 저하를 일으키는데, 난청의 정도는 투여방법, 환자의 나이, 체내 축적량, 총투여량 등과 밀접한 관계를 가지고 있으며 투여 전 두개 부위의 방사선 치료, 다른 이독성 약제 병용 투여, 신부전, 소음 노출 등에 의한 상승작용이 있다. 초기에는 주로 4,000 Hz 이상 고음역에서의 청력소실을 초래하여 주변에 소음이 있는 환경에서만 어음명료도가 떨어지나, 심해지면 회화 음역에도 손상을 주어 일상 대화에 지장을 초래하기도 한다. Cisplatin의 이독성은 성인과 비교하여 소아에서 더 심하게 나타나며, 지연성 이독성 또한 소아에서 더 심각한 것으로 보인다. Cisplatin의 독성은 투여량 및 체내축적량과 밀접한 관계가 있어서 일반적으로 저용량 장기적 투여법 (50 mg/m^2)은 고용량 단기적 투여법(100 mg/m^2)에 비하여 이독성의 빈도가 적다고 보고되었으며,[61] 최고 혈장농도가 1 ml/L 이하에서는 이독성이 발생하지 않는다.

Cisplatin은 혈관조에서 adenylate cyclase의 작용을 억제하며, 외유모세포의 신호전달통로(signal transduction channel)를 차단하여 유모세포의 수용체전류 (receptor current)가 감소함으로써 난청이 발생한다고 알려져 있다. Cisplatin에 의한 내이의 형태학적인 변화는 대개 외유모세포의 변성이며,[1,27] 그 밖에 코르티기의 지지세포 또는 Reissner막의 이상 소견 등이 관찰된다.[27] Wright 등[62]과 Strauss 등[57]은 cisplatin을 투여받은 환자의 측두골 병리조직 소견을 분석하여 주로 기저회전의 외유모세포가 손상을 받으며, 그 밖의 지지세포들은 대개 정상으로 유지되고 있음을 보고하였다. 그러나 아직 cisplatin 투여에 의한 이독성의 발생 부위에 대해서 논란이 있다. 일부의 연구자들은 cisplatin 투여에 의하여 와우 내 전위가 감소하는 것을 관찰하여 혈관조가 cisplatin 이독성의 침범 부위라고 하였으나,[27] 다른 연구자들은 와우 내 전위가 감소하지 않고 와우 음전기반응이 감소한다는 것을 관찰하여 일차적인 침범범위가 코르티기일 것이라고 주장하기도 한다.[28]

Cisplatin 이독성을 예방하기 위해서는 투여 초기에 이명, 난청 등의 증상을 조기 발견하는 것이 중요하며, 고주파 청력검사가 조기 발견에 도움이 된다. Cisplatin 이독성을 감소시키기 위하여 이뇨작용을 상승시키는 acetazolamide, 고장액 식염수 등으로 전 처치를 하기도 하며, 염기이동 억제제로 thiamin, cyanin 등이 사용되고 있고, sodium thiosulfate, fosfomycin, lazaroid (free oxygen radical scavenger) 등이 실험적으로 사용되고 있다. 하지만 아직까지 platinum 이독성 난청을 예방하거나 회복시키는 약제로 FDA 승인을 받은 것이 없다. 따라서 cisplatin에 비하여 비교적 독성이 적은 것으로 알려진 제2 세대 약물인 carboplatin으로 대체하여 사용하기도 한다.

2. 아미노글리코사이드 항생제

아미노글리코사이드 항생제는 호기성 그람음성균과 일부 그람양성균에서 널리 사용되고 있다. 1940년 결핵환자에서 아미노글리코사이드의 일종인 streptomycin을 사용한 후 이독성이 처음 알려졌고 오늘날 gentamicin, tobramycin과 amikacin이 가장 일반적인 이독성 아미노글리코사이드로 알려져 있다. 이독성의 증상으로는 이명, 난청, 어지럼증이 있으며, 주로 고음역에 영향을 주는 와우의 기저부에서 시작하여 첨단부 쪽으로 진행함에 따라 회화음역의 청력손실을 가져오게 된다. 청력손실은 초기에 나타나므로 약제 투여를 중지하면 더 이상의 진행을 예방할 수 있을 뿐 아니라 청력의 회복도 가능하므로 청각기능에 대한 감시가 영구적 기능손실의 예방에 중요하다. 따라서 고주파 청력검사계기를 사용하여 청력 손상 여부를 감시하는 것이 유용하다. 일반적으로 사용되는 정의는 청력검사에서 한쪽 혹은 양측에서 어느 주파수에서

든 15 dB 이상 떨어진 경우를 말하고 있다.[6,15]

반면에 전정기능 장애는 청각기능의 변화에 비하여 늦게 발현되기 때문에 영구적인 장애로 이어지는 경우가 많다. 주로 현훈이 발생하게 되나 중추의 보상작용으로 인해 오래 지속되지는 않는다. 양측의 전정기능이 모두 손실된 경우에는 적절한 전정안구반사가 일어나지 못하므로 진동시(oscillopsia)가 발생하게 된다. 전정기능의 객관적인 평가방법으로는 회전의자검사를 통해 양측의 전정기능장애를 평가하는 방법이 가장 신뢰할 만하며, 온도안진검사는 보통 편측의 전정기능을 확인하는데 도움이 되나 아미노글리코사이드처럼 양측의 전정장애를 가져오는 경우에는 별로 도움이 되지 않고 동적자세검사(posturography)는 거동이 불편한 환자에서는 실시하기 힘든 단점이 있다.[17]

아미노글리코사이드 이독성의 빈도는 환자군, 투약방법, 용량에 따라서 다양하고 이독성을 평가할 수 있는 정확한 진단기준이 부족하기 때문에 알기 어렵다. 또한, 환자가 현재 다른 이독성 약을 함께 복용하고 있는 경우에는 더욱 그러하다.[15] 이독성은 일반적으로 투약 후 수일 혹은 수주 이후에 발생한다. 전체적인 아미노글리코사이드 이독성 난청의 빈도는 20%이며 이독성 전정기능 장애는 15%에서 발생한다.[17]

1) 병리 소견

아미노글리코사이드에 영향을 받는 주된 손상 부위는 Corti 기로 청력저하는 내이 유모세포의 파괴와 관련되어 나타난다.[6] 특히 가장 취약한 기저부의 외유모세포가 가장 먼저 영향을 받으므로 고음 영역이 먼저 영향을 받고 첨부쪽으로 가면서 이독성이 점차 저음영역으로 진행하게 된다.

아미노글리코사이드 이독성이 있었던 환자 부검을 시행해 보면 유모세포와 지지구조들이 심하게 손실되어 있고 신경섬유와 신경절도 퇴화되어 있다.[22,64] 보통 외유모세포가 먼저 영향을 받고 이후 내유모세포로 진행되는데, 외유모세포의 제1열이 가장 먼저 심한 손상을 받으며, 차례로 제2열, 제3열의 손상 후에 내유모세포, 그리고 마지막으로 지지세포 등이 손상된다.[22,64] 일반적으로 신경섬유 및 신경절세포의 퇴화는 유모세포가 손실됨으로 인해 이차적으로 발생하는 것으로 생각된다.[56,64] 아미노글리코사이드에 의한 전정(vestibule)의 병변은 신경절세포의 손실 없이 팽대부릉(crista)과 평형반(macula)의 유모세포만 파괴되는 것으로 알려져 있다.[59]

2) 발생기전

아미노글리코사이드의 이독성과 관련된 생화학적인 반응 중 하나는 polyphosphoinositides와 아미노글리코사이드의 결합이다.[17,48] Polyphosphoinositides는 다양한 호르몬의 생리학적 작용을 매개하는 세포막 내의 신호체계의 일부이다.[48] Phosphoinositides 대사를 저해하면 2차 신호전달물질(second messenger)인 diacylglycerol과 inositol triphosphate의 생성이 감소되어 세포 생리의 필수 기전이 저해된다.[17,48] Phosphoinositides는 arachidonic acid의 원료이면서 세포막 구조와 투과성과도 관련이 있다.

그 동안의 실험적 증거로 활성산소계(reactive oxygen species; ROS)가 아미노글리코사이드 이독성 기전과 관련이 있다고 보고되고 있다.[17,48] 활성산소계는 산소 대사 산물이며, 반응성이 높고, 세포의 구성성분을 파괴할 수 있는 유리기(free radical)를 포함하고 있다.[62] 활성산소계의 생성과 불활성과의 균형이 항산화물질(glutathione) 또는 항산화효소(superoxide dismutase, catalase, glutathione peroxidase)로 구성된 세포방어기전에 의해 유지된다.[62] 아미노글리코사이드는 철(iron)과 킬레이트(chelates)를 형성하여 산화환원반응에 민감한 gentamicin-ferrous iron 화합물이 된다. 이 화합물이 lipid peroxidases와 과산화물(superoxide)을 생성하여 세포독성을 가지게 된다(그림 32-2).[17,41,63] Lipid peroxidases는 peroxidation 연쇄반응을 개시할 수 있고, superoxi-

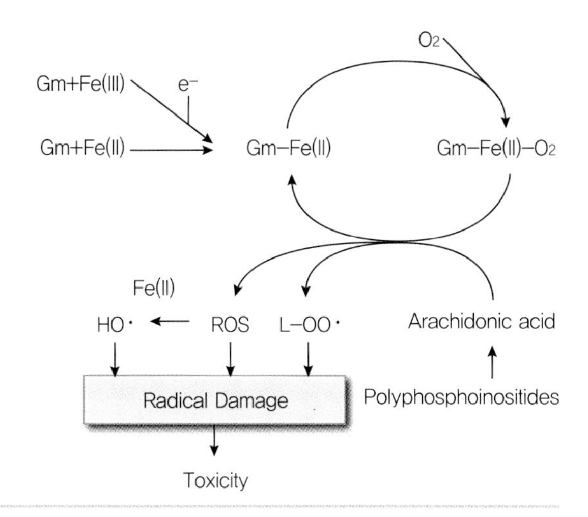

■ 그림 32-2. **Gentamicin에 의한 활성산소유리기의 발생 기전.** Gm: gentamicin, Fe: iron, ROS: reactive oxygen species, L-OO: lipid peroxide. 세포 내의 철이온은 대부분 이가철(ferrous iron) 형태로 존재하므로 이가철을 바로 킬레이트화하는 반응이 더 잘 일어난다. 그러나 철 이온이 삼가철(ferric iron) 형태로 킬레이트화하면 전자 1개가 환원되면서 Gm-이가철 화합물이 형성되어 산소분자를 자극하기도 하고, arachidonic acid 같은 전자공여물질(electron donor)로부터 전자를 받아 산소분자를 환원시킬 수도 있다. 결과로 lipid peroxide와 과산화물(superoxide)이 생성된다. Lipid peroxide는 peroxidation의 연쇄반응을 일으키게 되고, 과산화물은 hydroxyl 유리기를 만드는 Fenton 반응을 일으켜서 결국 세포를 손상한다.

dase는 Fenton 반응을 통하여 hydroxyl radical을 생성하고 세포에 손상을 주게 된다.

또 다른 아미노글리코사이드 이독성의 기전은 polyamine과 유사한 성질을 가진 것에 근거를 둔다.[17] 이는 내유모세포와 8번 뇌신경 접합부에서 excitotoxicity와 관련된 반응 기전을 포함한다.

3) 약동학

아미노글리코사이드는 정맥을 통해 들어가 빠르게 내이로 퍼지지만 내림프나 외림프에 축적되지는 않는다.[22] 내이에서 아미노글리코사이드의 농도는 동물실험에서는 이독성을 발생시키는 것과 관련이 없는 것으로 보인다.[58] 결핵치료에서 streptomycin을 사용한 후 내이기능 저하를 보이는 환자에서는 streptomycin의 이독성 대사물 streptidine이 발견되었다.[20] 내림프와 외림프에서 약물의 농도는 보통 최고치 혈장농도보다 10배가량 높다.[17] 쥐에서 gentamicin은 주입 후 보통 몇 분 내에 내이로 들어가 0.5~3시간 내에 일정농도에 달하며, 한 번 주입 후 반감기는 39분이고 30일간 치료 후에 반감기는 2~17.5일까지 소요된다.[58] 정상 신장 기능을 가진 성인에서 혈장 내 반감기는 2~4시간 정도 걸린다. 아미노글리코사이드는 주로 신장을 통해서 제거되기 때문에, 신기능 저하는 이독성을 증가시키는 위험인자로 작용한다.

동물실험자료를 볼 때 아미노글리코사이드는 내이 내에서 매우 천천히 제거되기 때문에 이러한 약동학적 사실로 사람에서 약물을 중단하고 몇 일 혹은 몇 주 후까지 지속되는 이독성 현상을 설명할 수 있다.[38]

4) 위험인자

아미노글리코사이드에 대한 이독성을 증가시키는 가장 중요한 위험인자로 알려진 것은 미토콘드리아 RNA변이이다. 아미노글리코사이드 유발성 난청 환자의 17%에서 미토콘드리아 변이가 있다.[17] 미토콘드리아 12S ribosomal RNA (rRNA) 유전자의 A1555G 변이가 처음으로 보고되었는데 이 돌연변이에 의해서 박테리아의 RNA와 유사하게 변하게 되고 결과적으로 미토콘드리아 RNA에 대한 아미노글리코사이드의 결합력이 증가한다고 보고 있다.[16] 난청의 정도는 어음영역과 고음역에서 중증 청력저하를 보인다. 보통 청력저하는 아미노글리코사이드를 사용한 직후에 발생하고 영구적이다. 이러한 돌연변이를 가진 가족에서는 전정기능장애는 발생하지 않고 단지 청력에만 영향을 주는 것으로 보인다.

두 번째 12S rRNA 에서의 돌연변이가 알려졌고, 이탈리아인 가족에서 961번 유전자 thymidine 결손이 발견되었으며 이 가족구성원들은 streptomycin과 dihydrostreptomycin 사용 몇 달 이내에 양측 청력소실이 발생되었다.[8] 아미노글리코사이드 치료 시 혈장 농도보다 축적

표 32-2. 이독성에 영향을 줄 수 있는 요소

이독성에 영향을 줄 수 있는 요소
이독성 약물의 투여 용량, 기간
환자의 연령(특히 65세 이상의 고령)
같이 투여하고 있는 이독성 약제
과거에 이독성 약제의 사용 여부
과거에 소음 노출 여부
기존의 청각 및 평형 질환
신기능, 간기능 부전
발열, 저혈량증(hypovolemia), 균혈증(bacteremia)
유전적 요인

농도와 치료 기간이 더 중요하다.[17,39] 전정기관에 대한 독성은 보통 평형장애가 있는 환자, 간기능 및 신기능 부전이 있는 환자에서 더 잘 발생한다.[36] 또한 erythromycin, vancomycin, doxycyline, minocycline, salicylates, NSAIDS, ethacrynic acid, furosemide, bumetanide, quinine, chlorquine, cisplatin과 같은 다른 이독성 약물과 함께 사용할 때 위험성이 증가한다.[51] 그 외에도 이독성을 발생시킬 수 있는 몇 가지 위험인자들이 알려져 있다(표 32-2).[17,31,36,51]

5) 와우 및 전정 독성

보통 동일한 환자에서 전정장애와 와우장애가 동시에 발생하지는 않는다. 청력장애는 amikacin, kanamycin, neomycin, netilmicin 사용 시 잘 발생하고, 그 중 neomycin은 와우 독성이 가장 심하여 절대로 정맥으로 주사해서는 안 된다.[50] Netilmicin은 다른 제제에 비해 와우독성 및 전정독성이 가장 덜한 것으로 알려져 있다.[49]

전정기능 증상은 streptomycin, gentamicin, tobramycin 투여 시 더 자주 발생하고 오심, 구토, 어지럼증, 보행장애 등이 생길 수 있다.[55]

고음역 청력 저하가 가장 먼저 발생하며 증상 발생 전 발견할 수 있다. 이독성의 증상은 처음 3~5일 째에도 나타날 수 있으나 거의 대부분은 약을 중단하고 1주에서 3주 사이에 지연성으로 발생한다.[34] 아미노글리코사이드를 7일 이상 사용한 환자의 20%에서 청력저하가 발생할 수 있으며, 결핵치료를 위해 1년 이상 사용한 경우 모든 환자에서 청력 저하가 발생한다.[12] 이명증상은 보통 이독성보다 먼저 발생하거나 동시에 발생한다.[6,51] 대부분의 경우 이명이 양측에서 발생하며, 50% 환자에서는 청력이 다시 회복된다.[50] 전구 증상으로 보통 이충만감을 호소하고 약을 중단한 뒤 2주 내에 완전히 혹은 부분적으로 회복이 일어날 수 있다. 영구적인 전농은 지연성 발병의 경우, 25 dB 이상의 청력소실이 있고 치료 중단 후 점차적으로 악화되는 경우에 자주 발생한다.[51]

6) 아미노글리코사이드 이독성의 예방

동물실험에서 감염이나 영양 부족 등의 스트레스를 통해 방어체계가 파괴되면 이독성에 대한 감수성이 증가하는 것으로 보인다. 동일한 용량을 주었을 때 영양이 충분한 동물보다 그렇지 못한 동물에서 이독성이 잘 발생하는 것으로 알려져 있다.[24]

지금까지 아미노글리코사이드 이독성을 방지하기 위해서 항산화제와 철이온 킬레이트화에 의한 치료가 연구되고 있다. 항산화제치료는 아미노글리코사이드 이독성을 줄이는 것으로 보이며 유리기청소제(free radical scavenger)인 alpha lipoic acid가 amikacin으로 인한 청력역치 저하를 60 dB에서 10 dB로 감소시킴이 보고되었다.[10] Alpha lipoic acid는 금속을 킬레이트화하는 작용을 가지고 있는 gluthathione, vitamin C, vitamin E의 세포 내 농도를 높이는 것으로 알려져 있다. 금속을 킬레이트화 시키는 작용을 가진 D-methionine 또한 유리기청소제로서 gentamicin 유발 청력저하를 50~60 dB에서 10~30 dB로 감소시켰다.[54] 철이온 킬레이트화 물질인 dihydroxybenzoate + mannitol, dihydrobenzoate 혹은 deferoxamine도 이독성을 감소시키는 것으로 밝혀졌다.

나트륨 살리실산(sodium salicylate)도 아미노글리코사이드 유발 이독성을 효과적으로 보호할 수 있는데 이는 살리실산이 약한 철이온 킬레이트화 물질이고 유리기

청소제이기 때문이다. Gentamicin으로 인해 60~70 dB까지 청력저하가 있었던 환자에서 살리실산을 정맥주사로 함께 사용한 경우에는 청력이 20 dB까지 향상되었다. 경구 살리실산은 효과가 상대적으로 크지 않지만 청력역치를 31 dB까지 향상시켰다.[53]

하지만 deferoxamine과 살리실산은 그 약물 자체가 내이에 독성이 있는 것으로 알려져 있기 때문에 아미노글리코사이드 이독성을 방지하기 위해 임상적으로 사용하는 것은 제한이 있을 것으로 보인다.[26]

NMDA (N-methyl-D-asparate) 길항제인 dizocilpine과 ifenprodil은 난청과 와우 유모세포의 파괴를 줄인다고 보고되고 있다.[2]

3. 그 밖의 항생제

1) Macrolides

Macrolide계 항생제로는 erythromycin, azithromycin, clarithromycin 등이 있다. 그 중 대표적인 erythromycin은 1950년대 소개되어 *Legionella* 폐렴, 후천성 면역결핍증후군(AIDS) 등의 치료에 널리 사용되고 있으며, 최근 만성 비루의 치료에도 사용되고 있다. 오랫동안 erythromcin은 이독성이 없는 것으로 알려져 왔으나 1973년 이후부터 청각 및 전정 장애를 초래할 수 있다고 보고되었다. 청력역치 상승, 이명 등이 주로 발생하며 대부분 투약 중단 1~2주 후 정상화된다. 또한 외이도에 국소적으로 사용된 azithromycin의 경우, 중이의 변화뿐 아니라 유모세포의 변성을 초래할 수 있음이 동물실험을 통해 보고된 바 있으며, 임상에서 clarithromycin 투약 후 감각신경성 난청이 발생한 경우도 보고되고 있어,[21] macrolide의 드문 부작용으로서 이독성의 가능성 또한 배제할 수 없다. Macrolide계 항생제의 이독성 기전은 잘 알려져 있지 않다.

2) Vancomycin

1950년대부터 사용되기 시작한 peptide계 항생제인 vancomycin은 최근 methicillin-resistant Staphylococcus aureus; MRSA의 출현으로 사용 빈도가 많아지고 있다. Vancomycin은 다른 항생제와 병합요법 시 일시적인 난청과 이명을 초래하기도 하나, 단독으로 사용할 때에는 영구적인 난청을 유발할 가능성이 낮은 것으로 알려져 있다.[7]

 국소 점이액

항염증제, 용매제, 항생제 등의 복합체로서 이루가 있는 귀의 치료에 사용한다. 중이염, 중이 내 환기관 삽관 후에 생긴 이루의 치료를 위해 90% 국소 점이액을 사용하고 있는데, 3~4% 정도에서 이독성이 보고되었다.

1. 항생제

한 가지 항생제를 단독으로 사용하거나 혹은 여러 가지 항생제를 복합하여 사용하기도 한다. 현재 점이액의 항생제로는 neomycin, polymixin B, gentamicin 등이 많이 사용되고 있다. 국소 아미노글리코사이드는 일반적으로 고막이 정상인 경우에는 안전한 것으로 알려져 있으나, 고막 천공 혹은 환기관 삽입을 한 환자에서는 전정 독성 및 와우 독성이 보고되었다. 중이강 내에 점적된 항생제가 정원창을 통하여 내이의 외림프액으로 확산되어 이독성을 일으키게 된다. 이독성은 투여량과 밀접한 관계가 있으며, fosfomycin은 점적액의 이독성으로 인한 유모세포의 소실을 현저히 감소시킨다고 보고되었다.[30] 퀴놀론계 항생제인 ciprofloxacin 점이액의 사용이 최근에 점차 늘어나고 있다. 청력 감소나 유모세포의 손실 등과 같은 이독성은 아직 보고되지 않고 있으며,[60] 현재까지 유일하게 미국 FDA 공인을 받은 약제이다.

2. 용매제

대표적인 점이액의 용매제(solvents)로 Propylene glycol이 많이 사용되고 있다. 일반적으로 상품화된 점이액에서 사용되는 농도(10%) 이하에서는 심한 이독성이 보고된 적은 없다. 기니픽 중이강에 10% 농도의 propylene glycol을 6일간 점적한 결과 와우음 전기반응(cochlear microphonics)이 현저하게 감소한다고 보고되었다.[37] 와우에 작용하는 것 이외에 propylene glycol은 중이 내에 심한 염증반응을 일으켜 동물실험에서 염증성 육아조직, 편평상피화생, 진주종 형성 등이 발생한다고 보고되었다. 따라서 점이액의 용매로 propylene glycol을 사용할 때에는 저농도로 사용할 것을 권장하고 있다.

3. 살균제

이과수술에 사용되는 피부 살균제(antiseptics)가 중이강 내로 흘러 들어가는 경우 내이에 독성 자극을 일으킬 수 있다. 알코올은 점이액의 용매로 사용되기도 하고 소독제로 사용되기도 한다. 동물실험에서 50% 에탄올(ethanol)을 정원창에 10분간 점적한 경우와 10% 에탄올을 중이 내에 24시간 이상 점적한 경우에 독성이 있다고 보고되었다.[37] Povidone iodine은 와우의 유모세포의 형태학적 변화와 함께 활동전위역치(action potential threshold)를 증가시킬 수 있으며, chlorhexidine은 심한 감각신경성난청과 유모세포 손실을 초래할 수 있으므로 고막천공이 있는 환자에서는 중이강 내로 흘러 들어가지 않도록 주의가 필요하며 외이도 살균제로는 사용하지 않는 것이 좋다.

Ⅵ 이독성 화학약품

공장에서 사용되는 많은 화학약품 중 여러 물질은 장기간 노출될 경우 신체에 축적되어 이독성을 초래할 수 있다. 중금속 중에서는 비소화합물이나 수은, trimethyltin 등이 이독성에 의하여 감각신경성 난청과 유모세포 손상을 초래하며, 심한 경우 중추청각계에도 영향을 미친다.[44] 공업용 화학물질 중 styrene에 의한 난청이 보고된 바 있으며, 용매제로는 toluene, trichloethylene, carbone disulfide (CS_2), xylene 등에 의한 난청 등이 보고되고 있다.[19,23] Toluene은 공장의 소음에 의한 소음성 난청과 상승작용을 하여 더욱 심한 감각신경성 난청을 초래하기도 한다.

Ⅶ 이독성의 상승작용

다른 종류의 이독성 약제나 난청을 초래할 수 있는 환경에 동시에 노출되었을 때에는 상승작용으로 인해 이독성이 더욱 심하게 나타날 수 있다. 가장 대표적인 상승작용을 하는 약제들은 이뇨제와 아미노글리코사이드계 항생제나 cisplatin 항암제를 같이 투여하였을 때이다. 이뇨제는 와우에서 아미노글리코사이드와 cisplatin의 흡수를 증가시킴으로써 이독성을 강하게 하는 역할을 한다.[29] 여러 가지 용매제에 복합적으로 노출되었을 경우에도 상호작용에 의하여 각각 따로 노출되었을 때보다 현저한 이독성을 보인다.[42]

소음은 난청을 일으키는 가장 흔한 외부 원인으로 이독성 약제와 동반되어 노출될 경우 청력소실과 유모세포 손실을 더욱 심하게 일으킬 수 있다. 아미노글리코사이드계 항생제와 cisplatin은 소음 피폭과 동시에 투여하거나, 소음 피폭 후 투여할 경우 이독성의 상승작용이 일어난다.[6] 그러나 이뇨제와 소음 자극은 상승작용을 하지 않는 것으로 알려져 있고, 과량의 아스피린을 사용하고 있는 경우 소음은 일시적 청력역치 상승을 유발할 수 있으나 영구적 청력역치 상승은 발생하지 않는다. 노인성 난청 또한 이독성에 영향을 줄 수 있는 요인으로 거론되고 있으나 현재까지 그 상호작용에 대하여는 확실하게 밝혀지지 않고 있다.

Ⅷ 태아나 신생아에 영향을 미치는 이독성 약제

1. 아미노글리코사이드계 항생제

아미노글리코사이드 항생제는 태반을 통과할 수 있기 때문에 태아에 이독성 난청을 유발할 가능성이 있다. 동물실험 결과를 유추해 볼 때 이독성은 태아의 발달과정 중 어느 특정 시기(critical period)에 영향을 미치는 것으로 생각된다. 쥐에서는 와우 내 전위(endocochlear potential)가 형성된 후에 더 이독성이 심하며,[32] 기니픽에서는 유모세포의 기능적 분화가 이루어진 이후에 이독성이 심하였다.[43] 사람에서의 critical period에 대해서는 아직 알려져 있지 않다.

임상조사 결과 결핵치료에 사용된 streptomycin은 태반을 통과하여 태아에 영향을 미칠 수는 있으나 모체에 발생하는 이독성보다 심하지는 않았다. 그 이유는 태반의 방벽 역할로 인하여 태아 혈액 내의 약제 농도가 모체보다 낮기 때문으로 여겨지며, 치료 기간이나 약제 투여 시기와 태아의 청각기관 발생 시기와의 관계에 따라 이독성을 예방 할 수 있다. 신생아는 배설능력이 크므로 아미노글리코사이드계 항생제의 이독성에 성인보다 덜 민감하다. 그러나 미숙아는 정상 신생아나 성인보다 이독성에 민감하다.[3]

2. 이뇨제

Furosemide, etozolin 등이 임신 중 발생하는 고혈압, 부종 또는 미숙아에 많은 기관지폐 이형성증(bronchopulmonary dysplasia)의 치료에 사용되고 있다. 이러한 이뇨제는 태반을 잘 통과하기 때문에 태아에 이독성을 일으킬 수 있으며, 미숙아에서 감각신경성 난청을 일으킬 수도 있다. Etozolin은 furosemide나 ethacrynic acid보다 이독성이 낮다. 감각신경성 난청은 고용량의 furosemide를 장기간 사용하거나 아미노글리코사이드계 항생제와 함께 투여했을 때 많이 발생한다.

Ⅸ 이독성의 감시

이독성으로 인한 내이손상은 개인에 따라 차이가 있고, 많은 위험 요소들이 상호작용을 하기 때문에 약제의 위험성을 미리 예측하는 것은 매우 어렵다.

이독성을 예측하기 위한 여러 가지 청력검사법이 개발되고 있으나 실제로 그 유용성에는 아직 미흡한 점이 많다. 또한 이독성 약물을 투여 받는 환자들은 중병을 앓고 있는 경우가 많기 때문에 많은 검사를 하는 것 자체가 환자들에게는 또 다른 부담을 줄 수 있으므로 적절한 검사법을 선택하고 시행하는 것이 중요하다.

1. 청력검사

순음청력검사 결과에서 기도청력뿐만 아니라 골도청력 역시 매우 중요하므로 약물 투여 전후에 주기적으로 청력검사를 하는 것이 필요하다. 두 주파수 사이에 20 dB 이상의 차이가 있거나, 여러 주파수의 평균치가 15 dB 이상의 차이가 있으면 의미가 있는 변화라 할 수 있다. 항생제나 면역억제 화학요법을 투여 받는 환자의 경우 간혹 중이염에 이환되는 경우가 있으므로 고실도를 시행하는 것도 유용하다. 난청이 의심되면 어음청력 검사도 반드시 함께 시행하도록 한다.

2. 고주파 청력검사

아미노글리코사이드계 항생제를 비롯한 많은 약제들

에 의한 이독성은 고음역의 소리를 감지하는 와우의 기저부에서 손상이 시작되어 서서히 첨단부까지 손상이 파급되기 때문에, 일반적인 청력검사로 측정할 수 없는 8,000 Hz 이상의 높은 음역의 청각역치를 측정할 수 있는 고주파 청력검사기는 이독성 여부를 조기에 발견하는 데 매우 유용하게 쓰인다.

고주파 청력검사를 사용하여 이독성 여부를 조기에 발견하여 의사나 환자들이 이독성의 위험성을 미리 간파하여 회화음역의 손상이 있기 전에 치료방법을 교체할 수 있게 하며, 이독성에도 불구하고 치료방법을 교체할 수 없을 때 의사가 환자나 보호자에게 난청의 가능성을 미리 주지시킬 수 있다.

방음실에서의 검사가 필수적이며, 협조가 잘 안 되는 환자에게는 8,000~14,000 Hz의 고주파대 자극을 이용한 청성뇌간반응 검사를 시행하기도 한다. 8,000~14,000 Hz에서 10 dB 이상, 14,000~16,000 Hz에서 15 dB 이상 차이가 있는 경우 청각역치의 이상을 예측할 수 있다.

3. 이음향방사

대부분의 이독성 약제들은 와우의 외유모세포에 가장 먼저 손상을 가져오는 것으로 알려져 있으므로, 외유모세포에서 기원하는 신호를 측정하는 이음향방사검사는 이독성 여부를 미리 예견하는 데 큰 도움을 줄 것으로 여겨지고 있다.

동물실험 결과 아미노글리코사이드계 항생제, 이뇨제, 아스피린의 이독성으로 인해 자발이음향방사, 일과성 음유발 이음향방사, 변조이음향방사 등이 감소한다고 알려져 있고, 최근 일과성 유발 이음향방사(TEOAE)를 이용한 이독성의 조기 발견이 보고되어 그 유용성이 확인되고 있다. Cisplatin, deferoxamine의 경우 이독성 조기 발견에서 변조이음향방사(DPOAE)가 순음청력검사에 비해 더 예민하고 유용한 것으로 보고되었다.

이 방법은 검사 시간이 빠르고 비침습적 방법이며 환자가 직접 검사에 반응할 필요가 없으므로 검사 협조가 어려운 환자에서도 이용할 수 있는 장점이 있다. 그러나 기존에 난청이 있던 환자에서는 측정에 한계가 있으며, 중이질환이 있는 환자에서는 정확한 측정이 어렵다.

4. 이독성 감시의 계획

우선적으로 약제 투여 전에 환자의 기본 청력을 검사하는 것이 필수적이다. 일반적인 청력검사로 순음청력검사, 어음청력검사, 고주파 청력검사가 필요하고, 수시로 설문조사를 시행하여 환자의 청력상태 변화를 스스로 표시할 수 있게 한다.

적은 용량 혹은 단기간 치료하는 위험이 적은 환자군에서는 약제 투여 전에 기본 검사를 하고 일주일 간격으로 설문지로 검사한다. 약물 투여가 끝난 후에 다시 청력검사를 시행하여 전후의 청력을 비교한다. 고위험군이나 이독성 약제를 장기간 사용하거나 amikacin처럼 이독성이 높은 약제를 사용할 경우 약물 투여 전에 기본 검사를 시행하고 적어도 일주일 간격으로 청력검사를 실시하며, 지연성 이독성을 고려하여 약제 투여가 끝난 수주, 수개월 후에도 청력검사를 주기적으로 시행하여 추적관찰을 하는 것이 좋다.

참고문헌

1. Barron SE, Daigneault EA. Effect of cisplatin on hair cell morphology and lateral wall Na,K-ATPase activity. Hear Res 1987;26:131-137.
2. Basile AS, Huang JM, Xie C, Webster D, Berlin C, Skolnick P. N-methyl-D-aspartate antagonists limit aminoglycoside antibiotic-induced hearing loss. Nat Med 1996;2:1338-1343.
3. Bernard PA. Freedom from ototoxicity in aminoglycoside treated neonates: a mistaken notion. Laryngoscope 1981;91:1985-1994.
4. Boettcher FA, Salvi RJ. Salicylate ototoxicity: review and synthesis. Am J Otolaryngol 1991;12:33-47.
5. Bowers WJ, Chen X, Guo H, Frisina DR, Federoff HJ, Frisina RD. Neurotrophin-3 transduction attenuates cisplatin spiral ganglion neu-

ron ototoxicity in the cochlea. Mol Ther 2002;6:12-18.
6. Brummett RE. Drug-induced ototoxicity. Drugs 1980;19:412-428.
7. Brummett RE, Fox KE. Vancomycin- and erythromycin-induced hearing loss in humans. Antimicrob Agents Chemother 1989;33:791-796.
8. Casano RA, Johnson DF, Bykhovskaya Y, Torricelli F, Bigozzi M, Fischel-Ghodsian N. Inherited susceptibility to aminoglycoside ototoxicity: genetic heterogeneity and clinical implications. Am J Otolaryngol 1999;20:151-156.
9. Chirtes F, Albu S. Prevention and restoration of hearing loss associated with the use of cisplatin. Biomed Res Int 2014;2014:925485.
10. Conlon BJ, Aran JM, Erre JP, Smith DW. Attenuation of aminoglycoside-induced cochlear damage with the metabolic antioxidant alpha-lipoic acid. Hear Res 1999;128:40-44.
11. Day RO, Graham GG, Bieri D, et al. Concentration-response relationships for salicylate-induced ototoxicity in normal volunteers. Br J Clin Pharmacol 1989;28:695-702.
12. Duggal P, Sarkar M. Audiologic monitoring of multi-drug resistant tuberculosis patients on aminoglycoside treatment with long term follow-up. BMC Ear Nose Throat Disord 2007;7:5.
13. Feghali JG, Liu W, Van De Water TR. L-n-acetyl-cysteine protection against cisplatin-induced auditory neuronal and hair cell toxicity. Laryngoscope 2001;111:1147-1155.
14. Feldman L, Efrati S, Eviatar E, et al. Gentamicin-induced ototoxicity in hemodialysis patients is ameliorated by N-acetylcysteine. Kidney Int 2007;72:359-363.
15. Ferriols-Lisart R, Alos-Alminana M. Effectiveness and safety of once-daily aminoglycosides: a meta-analysis. Am J Health Syst Pharm 1996;53:1141-1150.
16. Fischel-Ghodsian N. Genetic factors in aminoglycoside toxicity. Pharmacogenomics 2005;6:27-36.
17. Forge A, Schacht J. Aminoglycoside antibiotics. Audiol Neurootol 2000;5:3-22.
18. Fouladi M, Chintagumpala M, Ashley D, et al. Amifostine protects against cisplatin-induced ototoxicity in children with average-risk medulloblastoma. J Clin Oncol 2008;26:3749-3755.
19. Fuente A, McPherson B, Cardemil F. Xylene-induced auditory dysfunction in humans. Ear Hear 2013;34:651-660.
20. Granados O, Meza G. A direct HPLC method to estimate streptomycin and its putative ototoxic derivative, streptidine, in blood serum: application to streptomycin-treated humans. J Pharm Biomed Anal 2007;43:625-630.
21. Hajiioannou JK, Florou V, Kousoulis P, Fragkos M, Moshovakis E. Clarithromycin induced reversible sensorineural hearing loss. B-ENT 2011;7:127-130.
22. Hinojosa R, Nelson EG, Lerner SA, Redleaf MI, Schramm DR. Aminoglycoside ototoxicity: a human temporal bone study. Laryngoscope 2001;111:1797-1805.
23. Hoet P, Lison D. Ototoxicity of toluene and styrene: state of current knowledge. Crit Rev Toxicol 2008;38:127-170.
24. Hoffman DW, Whitworth CA, Jones KL, Rybak LP. Nutritional status, glutathione levels, and ototoxicity of loop diuretics and aminoglycoside antibiotics. Hear Res 1987;31:217-222.
25. Hyppolito MA, de Oliveira JA, Rossato M. Cisplatin ototoxicity and otoprotection with sodium salicylate. Eur Arch Otorhinolaryngol 2006;263:798-803.
26. Kanno H, Yamanobe S, Rybak LP. The ototoxicity of deferoxamine mesylate. Am J Otolaryngol 1995;16:148-152.
27. Komune S, Asakuma S, Snow JB, Jr. Pathophysiology of the ototoxicity of cis-diamminedichloroplatinum. Otolaryngol Head Neck Surg 1981;89:275-282.
28. Konishi T, Gupta BN, Prazma J. Ototoxicity of cis-dichlorodiammine platinum (II) in guinea pigs. Am J Otolaryngol 1983;4:18-26.
29. Laurell G, Engstrom B. The combined effect of cisplatin and furosemide on hearing function in guinea pigs. Hear Res 1989;38:19-26.
30. Leach JL, Wright CG, Edwards LB, Meyerhoff WL. Effect of topical fosfomycin on polymyxin B ototoxicity. Arch Otolaryngol Head Neck Surg 1990;116:49-53.
31. Manian FA, Stone WJ, Alford RH. Adverse antibiotic effects associated with renal insufficiency. Rev Infect Dis 1990;12:236-249.
32. Marot M, Uziel A, Romand R. Ototoxicity of kanamycin in developing rats: relationship with the onset of the auditory function. Hear Res 1980;2:111-113.
33. Marshak T, Steiner M, Kaminer M, Levy L, Shupak A. Prevention of Cisplatin-Induced Hearing Loss by Intratympanic Dexamethasone: A Randomized Controlled Study. Otolaryngol Head Neck Surg 2014;150:983-990.
34. Matz GJ. Aminoglycoside ototoxicity. Am J Otolaryngol 1986;7:117-119.
35. McCabe PA, Dey FL. The Effect of Aspirin Upon Auditory Sensitivity. Ann Otol Rhinol Laryngol 1965;74:312-325.
36. Moore RD, Smith CR, Lietman PS. Risk factors for the development of auditory toxicity in patients receiving aminoglycosides. J Infect Dis 1984;149:23-30.
37. Morizono T, Sikora MA. Ototoxicity of ethanol in the tympanic cleft in animals. Acta Otolaryngol 1981;92:33-40.
38. Nicolau DP, Freeman CD, Belliveau PP, Nightingale CH, Ross JW, Quintiliani R. Experience with a once-daily aminoglycoside program administered to 2,184 adult patients. Antimicrob Agents Chemother 1995;39:650-655.
39. Paterson DL, Robson JM, Wagener MM. Risk factors for toxicity in elderly patients given aminoglycosides once daily. J Gen Intern Med 1998;13:735-739.
40. Piel IJ, Meyer D, Perlia CP, Wolfe VI. Effects of cis-diamminedichlo-

roplatinum (NSC-119875) on hearing function in man. Cancer Chemother Rep 1974;58:871-875.
41. Priuska EM, Schacht J. Formation of free radicals by gentamicin and iron and evidence for an iron/gentamicin complex. Biochem Pharmacol 1995;50:1749-1752.
42. Pryor GT, Rebert CS. Interactive effects of toluene and hexane on behavior and neurophysiologic responses in Fischer-344 rats. Neurotoxicology 1992;13:225-234.
43. Raphael Y, Fein A, Nebel L. Transplacental kanamycin ototoxicity in the guinea pig. Arch Otorhinolaryngol 1983;238:45-51.
44. Rybak LP. Hearing: the effects of chemicals. Otolaryngol Head Neck Surg 1992;106:677-686.
45. Rybak LP. Ototoxicity of loop diuretics. Otolaryngol Clin North Am 1993;26:829-844.
46. Rybak LP, Kelly T. Ototoxicity: bioprotective mechanisms. Curr Opin Otolaryngol Head Neck Surg 2003;11:328-333.
47. Sastry J, Kellie SJ. Severe neurotoxicity, ototoxicity and nephrotoxicity following high-dose cisplatin and amifostine. Pediatr Hematol Oncol 2005;22:441-445.
48. Schacht J. Biochemical basis of aminoglycoside ototoxicity. Otolaryngol Clin North Am 1993;26:845-856.
49. Schacht J. Aminoglycoside ototoxicity: prevention in sight? Otolaryngol Head Neck Surg 1998;118:674-677.
50. Schweitzer VG. Ototoxicity of chemotherapeutic agents. Otolaryngol Clin North Am 1993;26:759-789.
51. Seligmann H, Podoshin L, Ben-David J, Fradis M, Goldsher M. Drug-induced tinnitus and other hearing disorders. Drug Saf 1996;14:198-212.
52. Sha SH, Qiu JH, Schacht J. Aspirin to prevent gentamicin-induced hearing loss. N Engl J Med 2006;354:1856-1857.
53. Sha SH, Schacht J. Salicylate attenuates gentamicin-induced ototoxicity. Lab Invest 1999;79:807-813.
54. Sha SH, Schacht J. Antioxidants attenuate gentamicin-induced free radical formation in vitro and ototoxicity in vivo: D-methionine is a potential protectant. Hear Res 2000;142:34-40.
55. Singer C, Smith C, Krieff D. Once-daily aminoglycoside therapy: potential ototoxicity. Antimicrob Agents Chemother 1996;40:2209-2211
56. Sone M, Schachern PA, Paparella MM. Loss of spiral ganglion cells as primary manifestation of aminoglycoside ototoxicity. Hear Res 1998;115:217-223.
57. Strauss M, Towfighi J, Lord S, Lipton A, Harvey HA, Brown B. Cisplatinum ototoxicity: clinical experience and temporal bone histopathology. Laryngoscope 1983;93:1554-1559.
58. Tran Ba Huy P, Bernard P, Schacht J. Kinetics of gentamicin uptake and release in the rat. Comparison of inner ear tissues and fluids with other organs. J Clin Invest 1986;77:1492-1500.
59. Tsuji K, Velazquez-Villasenor L, Rauch SD, Glynn RJ, Wall C, 3rd, Merchant SN. Temporal bone studies of the human peripheral vestibular system. Aminoglycoside ototoxicity. Ann Otol Rhinol Laryngol Suppl 2000;181:20-25.
60. Wai TK, Tong MC. A benefit-risk assessment of ofloxacin otic solution in ear infection. Drug Saf 2003;26:405-420.
61. Waters GS, Ahmad M, Katsarkas A, Stanimir G, McKay J. Ototoxicity due to cis-diamminedichloroplatinum in the treatment of ovarian cancer: influence of dosage and schedule of administration. Ear Hear 1991;12:91-102.
62. Wright CG, Schaefer SD. Inner ear histopathology in patients treated with cis-platinum. Laryngoscope 1982;92:1408-1413.
63. Wu WJ, Sha SH, Schacht J. Recent advances in understanding aminoglycoside ototoxicity and its prevention. Audiol Neurootol 2002;7:171-174.
64. Zheng Y, Schachern PA, Sone M, Papapella MM. Aminoglycoside ototoxicity. Otol Neurotol 2001;22:266-268.

CHAPTER

33

소음성 난청

이비인후과학 Otorhinolaryngology - Head and Neck Surgery

이병돈

I 소음의 정의와 유병률

소음이란 시끄러운 소리로, "원하지 않는 소리(Unwanted Sound), 듣기 싫은 소리"라는 주관적인 개념과 "주파수가 불규칙한 소리"라는 물리적 개념으로,[2] 소음원이란 소음을 발생하는 기계·기구, 시설 및 기타 물체 또는 환경부령으로 정하는 사람의 활동으로 정의하고 있다.[13] 또한 미국산업의학회(ACOEM)에서의 소음성 난청은 일반적으로 수년 동안 서서히 발생하는 지속적이거나 단속적인 소음 노출에 의하여 발생하는 난청으로 정의하였다.[33]

과도한 소음에의 노출은 영구적인 청력 장애의 가장 흔한 원인 중의 하나로 전 세계 수억 명의 사람들이 소음성 난청을 가지고 있다. 이러한 소음성 난청은 사회로부터의 고립을 초래하고 심한 이명을 유발하며, 가족 구성원, 직장 동료들, 친구들과의 소통에 장애를 유발하기 때문에 삶의 질을 낮게 한다. 소음성 난청(noise-induced hearing loss)은 강한 소음에 장기간 노출된 후 점점 악화되는 특징을 가지며, 예방이 가능하지만 심각한 장애를 일으킨다. 현재 사용이 보편화되어 있는 개인용 음향 기기나, 스포츠 활동과 같은 여가활동에 의하여 발생하는 비직업성 소음성 난청(non-occupational hearing loss)과 공장의 기계작동음, 광산이나 건설업종, 직업군인의 사격훈련으로 인한 소음 등의 직업적 소음에 관련된 직업성 난청(occupational hearing loss)으로 분류된다.

세계보건기구의 보고에서는 스마트폰이나 스포츠 활동 등에 의하여 전세계인구의 0.15%의 전 세계 젊은이들이 비직업성 소음의 위험에 처해 있고, 전 인구의 난청 유병률은 0.035%(2억5천만 명)이며,[49] 직업성 난청의 전 세계 유병률은 약 0.0056%를 차지하고 있다.[39] 국민건강보험공단에서 발표한 2013년도 우리나라의 난청은 282,000명으로 전체의 45%가 60세 이상이었고, 소음성 난청은 30대 이하가 38%, 60대 이상은 17%이었다. 또한, 미국에서는 인구의 10%가 소음에 노출되고, 0.0023%가 소음으로 인한 영구적 난청이 발생한다.[40]

고용노동부와 안전보건공단의 2014년도의 작업환경실

태조사에서 유해작업환경 보유 비율 중 소음과 진동이 과반수 이상을 차지하였고, 유해작업환경노출 근로자 비율은 가장 높은 빈도를 보였으며, 특히 질병종류별 분류에서 소음성 난청은 진폐증에 이어 두 번째를 차지하였다. 2013년도의 근로자 건강진단실시 결과의 질병 종류에서는 제조업에 종사하는 직업병 요관찰자(C1)와 유소견자(D1) 비율이 약 90% 이상을 보여 보호구 착용을 엄격히 제시하였다.[1]

Ⅱ 소음성 난청의 분류

1. 일시역치변동(Temporary threshold shift; TTS)

소리의 노출 정도에 따라 가역적이거나 영구적인 손상이 말초 청각기관에 올 수 있다. 일시역치변동(TTS)이라고 칭하는 가역적인 손상은 라이브 음악 행사나 시끄러운 전동공구를 사용했을 때와 같은 중간 정도 강도의 소음에 노출 되었을 때 발생할 수 있다. 소음의 강도 하나만으로 발생하지 않으며, 주파수, 형태 및 특징에 의하여 복합적으로 발생한다. 수초에서 수 시간 동안 소음에 노출되면 대부분에서 24시간 이내에 회복되지만, 수 시간에서 수일 동안 지속되기도 한다. 동일 강도라면 고음역이 저음역보다 더 위험하다. 일시역치변동이, 혹은 TTS가 발생할 경우 종종 이명이나 큰 소리에 대한 누가현상(loudness recruitment), 먹먹한 소리(muffled sound), 복청(diplacusis)과 같은 증상을 동반한다. TTS는 소음 노출이 길어지거나 지속적일 때에 증가한다. 만약 TTS가 발생하면 조용한 곳에서 쉬거나, 더 이상 소음에 노출되지 말아야 한다. 소음성 난청의 경우에 대부분 1,000~5,000 Hz에서 가장 위험하며, 특히 3,000~6,000 Hz 주파수대의 청력역치 상승을 유발한다.[19,26,27]

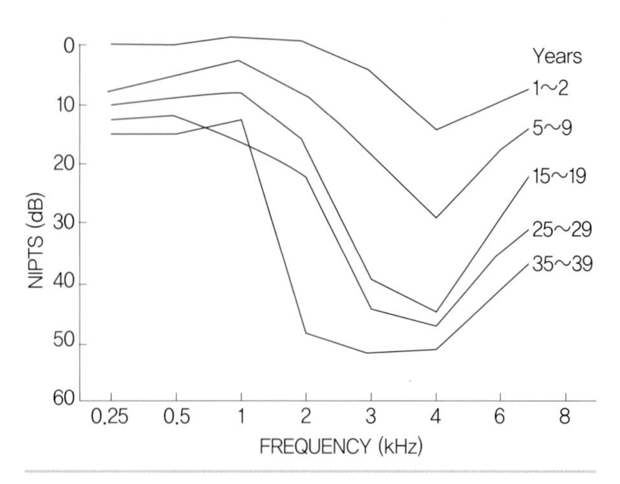

■ 그림 33-1. **황마직조공장에서의 소음(약 100 dBA) 노출에 의한 주파수별 영구역치 변동.** 직업성 소음 노출 기간이 길어질수록 고음역 난청에 비해 저음역 난청이 진행되는 양상을 보인다.

2. 영구역치변동(Permanent threshold shift; PTS)

TTS가 충분히 회복되지 않은 상태에서 지속적으로 소음에 노출이 되면 치료가 불가능한 영구적인 난청이 발생되는데 이를 영구역치변동(PTS)라 정의한다. PTS의 특징은 소음을 제거하면 더 이상 진행되지 않고, 과거에 노출되었어도 연령이 증가 할수록 노출되지 않은 사람과 비교해도 더 빠르게 진행되지 않는다.[14]

소음 노출에 의해 발생하는 TTS와 PTS 단계 사이의 정확한 관계는 아직 알려져 있지 않으며, 반복된 TTS가 결국 PTS로 진행될 것이라는 가정이 논리적으로 보이나 실험적인 증거는 가역적 소음성 난청과 비가역적 소음성 난청의 발생에 관여하는 근본적인 과정은 서로 관련이 없음을 나타내고 있다.[19]

직업성 난청의 초기에는 고음역 난청을 보이나, 10년 후에는 고음역 역치는 증가하지 않고 정체되나 점진적으로 저음역 난청이 진행된다(그림 33-1). 또한 동물실험에서 큰 소음에 노출되기 전 단속적이고 작은 음향자극에 미리 노출시킨 다음, 소음에 노출되면 오히려 역치변동이 감소되고 완전회복도 가능한 것으로 관찰되었다. 이를

'toughening' 또는 'conditioning'이라고 하며 이는 외유모세포의 역할로 인하여 발생하나, 아직 정확한 기전에 대해서는 알려져 있지 않다.[21]

3. 음향외상(Acoustic trauma)

음향외상은 폭발음과 같은 순간적인 큰 충격소음에 노출된 후 일어나는데, TTS 단계를 건너뛰어 바로 영구적인 난청을 일으키며, 소음성 난청보다 내이에 심한 손상을 보인다. 특히 저음역을 침범하기도 한다. 140 dB 이상의 폭발이나 사격에 의한 impulse noise와 impulse noise보다 한계수치 이하로 손상이 적은 작업장의 쇠붙이에 의한 impact noise로 나뉜다.[37]

급격한 공기압의 변화로 유발되는 큰 소리에 대한 1회성 노출이 중이(고막, 이소골)와 내이(Corti기관)의 말초 청각기의 섬세한 조직에 기계적인 손상을 유발할 수 있다는 사실은 잘 정립되어 있다. 유모세포 섬모의 손상, Reissner막의 파괴 및 내이 림프액의 혼합이 관찰되며, 이는 TTS에 의한 소음성 난청에서의 섬모와 유모세포의 지연성 소실과 비교된다.[22] 이음향방사검사와 조직학적검사에 의하면, 외유모세포의 손상이 가장 먼저 일어나고, 그에 따른 1,000~4,000 Hz 영역의 난청이 확인된다.[50]

Ⅲ 소음성 난청의 기전

1. 대사성 기전

대사성 손상은 대사기전의 과도한 자극으로 인해 세포의 생화학적 체계가 손상되어 세포의 괴사나 세포자멸사(apoptosis, programmed cell death)를 일으켜 내이 유모세포가 변형되는 것을 말한다. 소음 노출 후 활성산소유리기(reactive oxygen species, ROS)의 생성은 대사성 손상의 대표적인 예이다.[29]

2. 물리적 기전

물리적 손상기전에는 기저막의 심한 움직임에 의한 기계적인 손상설, 활성화된 세포의 대사 고갈설, 허혈을 유발하는 활동 유발성 혈관 수축설, 감각세포와 지지세포를 구성하는데 대한 미세한 장애를 유발시켜 정상적인 화학적 흐름의 방해로 인해 발생하는 이온 독성설 등 여러 가지 가설이 제기되고 있다.[52]

와우막의 기계적 손상과 세포막의 물리적 파괴는 외림프액과 내림프액의 혼합을 유발하여, 결과적으로 서로 간의 화학적 불균형에 의하여 내이의 세포구조가 파괴된다. 소음자극에 의한 와우의 구조 및 기능에 변화가 일어나고 소음자극이 멈춘 후 세포가 죽거나 재생되는 동적기간(dynamic phase)을 지나면 완전회복이 되거나 부분회복 또는 반흔형태로 남게 되며, 청력이 손상된 수준에 멈추게 되는 정지기(state phase)에 이르게 된다.[45]

Ⅳ 소음성 난청의 조직병리

소음성 난청은 외부 손상에 가장 민감한 외유모세포는 Corti기의 9~13 mm 부위인 해부학적인 특성과,[36] 4,000 Hz notch의 기원이 외이도의 공명기능에 연관성이 있다는 청각학적 특징이 있다.[20]

손상의 초기 변화는 외유모세포에 섬모가 부착된 부분으로 외유모세포의 주변 섬모가 유착되고 소실된다. 섬모가 소실되면 유모세포는 죽게 되며, 손상이 지속되면 내유모세포와 지지세포까지 파괴되고, 나아가 2차적인 청신경변성과 신경절세포의 소실에 따른 청신경과 뇌간청각신경핵에까지 영향을 준다.[27] 형태학적 기준에 따라서 유모세포의 핵과 세포 자체가 커지면서 창백해지고(oncosis), 핵은 농축되며(pyknotic) 세포는 수축되면서 진해지고(apoptotic), 형질막 기저측 부위의 결손, 정상 외유모세포 주변으로의 세포 파편 축적, 핵형질 내 핵의 소실이

소음에 노출된 외유모세포에서 흔하게 관찰된다.[18]

TTS와 PTS 조직학적 특징에서, TTS는 섬모가 짧아지거나 기저부의 파괴와 함께 최대노출효과의 주파수 지역에 위치하는 지지세포 몸체의 굴곡이 있고, PTS는 유모세포의 부분적 소실과 이에 상응하는 신경섬유말단의 완전변성이 보인다.[42]

 소음의 측정

소음으로 인한 내이손상의 정도는 소음의 크기(강도)(intensity), 폭로 기간(duration), 주파수(frequency)에 따라, 그리고 시간적 유형에 따라 충격(impulse, impact) 및 지속적(continuous), 파동성(fluctuating) 혹은 단속적(intermittent) 등의 요인에 의해 결정된다.

소음측정의 단위로는 dBA을 사용한다. 이는 일반적인 음압(sound pressure level; SPL)의 단위 dB에 소음의 주파수별 유해정도를 고려하여, 1,000~5,000 Hz 주파수의 비중을 크게하고, 그 외 주파수위 비중을 낮게 보정함으로서 실제 인체에 미치는 영향과 특성에 맞게 보정한 단위이다.[41]

소음계는 소음을 측정하는 기구로 간이소음계(simple type sound level meter), 보통소음계(sound level meter, class 2)와 정밀소음계(precision sound level meter, class 1) 등이 있으며, class 2의 소음계 또는 동등 이상의 성능을 가진 것으로 청감보정회로는 A특성에 고정하여 측정한다.[11] 작업환경의 소음을 측정하기 위해서는 순간음압수준을 측정하는 보통소음계와 보통소음계가 읽은 음압수치를 시간에 대해 적분하여 평균을 계산하는 등가소음레벨(equivalent sound level, Leq), 또는 평균음압수준(average sound level, Lav)으로 나타내는 적분형 소음계(integrating or averaging sound level meter), 그리고 소음 변동이 있는 작업장이나 작업자가 이동하는 경우에 시간에 따른 소음 노출량을 측정하는 누적소음노출량측정기(Noise dosimeter, Noise dose-meter)가 사용된다. 특히 누적소음폭로량측정기는 작업장 허용소음한계(permissible noise level)인 90 dBA SPL 이하에서의 지속되는 8시간 작업에 대응하는 1일 소음을 계산한다.[7]

최근에는 청력을 보호할 수 있는 휴대가 가능하고 소형이며, 저렴한 개인용 소음 측정기가 공급되고 있다. 이 소음계는 소음량을 16시간 동안 지속적으로 측정하고 표시해 주며 사용자가 허용량을 넘어 소음에 노출되기 전에 미리 알림을 주어 청력을 보호할 수 있게 한다. 전동기구나 음악회, 스포츠행사 같은 특별한 소음을 2분 동안 측정하여 시간당 소음의 양으로 변환하여, 계산된 시간당 소음의 양이 허용 가능한지 혹은 초과하였는지를 표시하여 준다. 이러한 저렴한 소음계들은 가치있는 건강정보를 소비자에게 제공함으로써 개인이 소음성 난청을 예방하기 위한 적절한 조치를 밟을 수 있도록 해 준다.[19]

Ⅵ 청력손실의 측정

소음으로 인한 청력손실은 와우의 유모세포 파괴에 기인하므로 소음성 난청의 정도를 정확히 표현하려면 유모세포의 파괴 정도를 관찰하고 정량적으로 표시해야 한다. 그러나 이러한 측정방법은 동물실험에서만 가능하고 임상에서는 적용 불가능하므로 소음선 난청의 진단이나 청력손실의 정도를 측정하기 위해서는 순음청력검사, 전기와우도검사, 청성뇌간반응검사, 이음향방사검사 등을 이용한다.

1. 순음청력검사

소음성 난청을 추정하는데 가장 많이 사용하는 검사는 순음정력역치를 측징하는 것이다. 소음성 난청의 전형적인 특징은 난원창에서 10 mm 부위에 위치하고, 가장

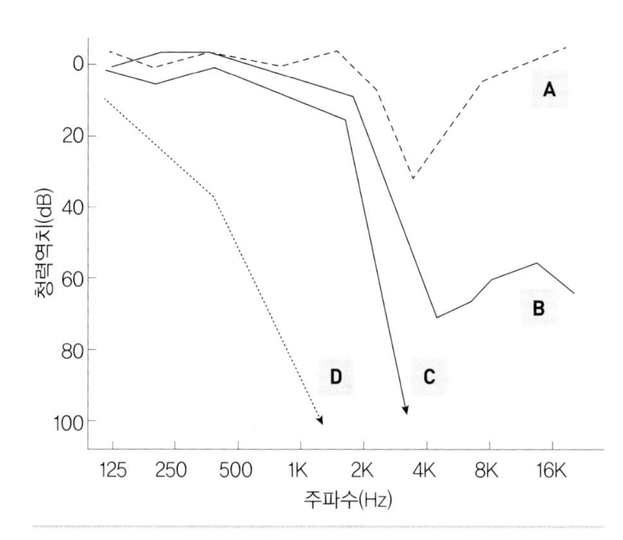

■ 그림 33-2. **소음성 난청 청력도의 전형적인 진행.** **A)** 4 kHz에서 notch가 형성된다. **B)** 4 kHz notch가 깊고 넓어진다. 외유모세포가 완전소실되면 60 dB에 달한다. **C)** 고주파수 청력이 완전소실되고 저주파수 청력도 침범된다. **D)** 저주파수 청력도 소실된다.

쉽게 손상받는 부위로, 4,000 Hz의 주파수 영역에 해당하며, 이를 'boilermaker's notch' 혹은 'C5 dip'이라 한다. 이때 40 dB 이하의 난청은 귀가 멍멍하다는 느낌 이외에 난청을 잘 인지하지 못한다. 'notch'는 60 dB에서 일시적으로 정체기를 보이나, 지속적인 소음에 노출이 되면 광범위한 범위의 외유모세포가 파괴되고, 나중에 내유모세포와 기저막이 손상되면 고음역뿐 아니라 저음역으로 침범되어 결국 농이 된다(그림 33-2).[46]

2. 전기와우도검사(Electrocochleography; ECoG)

와우의 기능을 평가하는데, 유모세포에서 발생하는 가중전압(summating potential, SP)과 청신경에서 발생하는 활동전위(action potential, AP)의 비(SP/AP)가 메니에르병과 기타 내이 질환의 진단에 사용되고 있다. 소음성 난청에서는 TTS의 경우에 SP/AP가 증가하여 초기 선별검사와 검사에 유효하다고 하였다.[38]

3. 청성뇌간반응검사(Auditory brainstem response; ABR)

청성뇌간반응검사는 순음청력검사보다는 약 15~20 dB의 역치상승을 보여 청력역치를 평가하는 정확성은 떨어진다. 대표적인 객관적 검사방법으로 소음성 난청의 청력역치 평가와 보상 문제와의 관련으로 현재 널리 사용되고 있으나, 고음역 난청의 경우에 약 30%에서 정상 ABR을 보이는 경우도 있다.[41]

4. 이음향방사검사(Otoacoustic emission; OAE)

이음향방사검사는 와우 외유모세포의 높은 민감도와 주파수 선택성을 가지고 있고 비교적 간단하고 비침습적이다. 또한 변조이음향방사(distortion product oto-acoustic emission; DPOAE)와 일과성 음유발이음향방사(transient evoked otoacoustic emission, TEOAE)는 체계적인 선별검사에 사용되어 소음 노출의 영향을 초기에 평가하는데 순음청력검사보다 더 빠르고 효과적이며 객관적 청력검사로서의 장점이 있다.[47] 특히 30 dB 이상의 청력손실을 발견하는데 순음청력검사와 비슷한 민감도와 특이성을 지닌 동시에, 주파수-특이성에도 효과적이다. 그러나 난청의 정도와 그의 시작점을 정확히 파악하기에는 어려움이 있다.[16]

Ⅶ 청력손실과 인체의 반응

만성 소음 노출은 자율신경계와 뇌하수체-부신 복합체의 활성화 증가와 더불어 일반적인 건강 악화를 유발하는 생물학적 스트레스로서 작용하는데, 특히 소화불량, 위궤양 등의 위장관계 질환, 고혈압과 빈맥 등의 심혈관계 질환, 두통, 불안과 수면장애 등의 정신신경계 질환 및 내분비계 질환들과의 연관성이 있다고 알려져 있지만, 아직

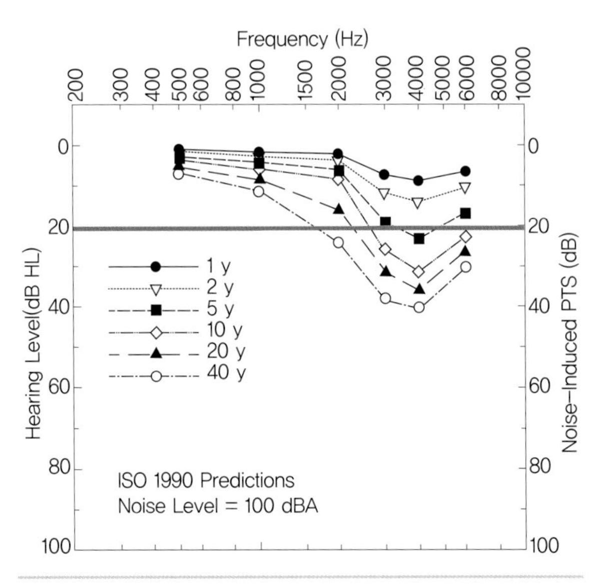

■ 그림 33-3. **국제표준화기구(ISO) 1999:1990 음향학.** 직업성 소음 노출 기간에 따른 소음성 난청의 정도를 계산할 수 있다.

확실하게 밝혀진 것은 없다.[43]

Ⅷ 소음성 청력손실에 영향을 미치는 인자

소음성 난청을 장기간 관찰해 보면, 어떤 사람들은 소음에 의해 보다 더 쉽게 손상을 받는데, 소음성 난청에 영향을 미치는 인자로는 폭로된 소음의 물리적 특징, 개인의 감수성, 과거 병력 및 현 병력과 작업 환경 등이다.

1. 소음의 특성

소음의 특성으로는 음의 강도, 폭로 기간, 주파수, 지속적 혹은 단속적 등이 모두 영향을 미친다. 2,000~3,000 Hz 주파수 영역의 소음이 그 외 다른 주파수의 소음보다 인체에 유해하게 나타나지만, 저주파에서는 수년 동안 매우 서서히 진행된다. 지속적 소음이 더 유해하다. 소음노출에 따른 청력손실의 50%는 첫 2년 이내에 발생하고, 대부분은 5년 이내에 이 더 유해하여 청력손실이 더 크며, 그 이유로는 단속적 소음이 청각피로에서 쉽게 회복되고 중이근육의 수축에 의하여 내이로 전달되는 음이 감소되기 때문이다.[51]

100 dB의 소음을 하루 8시간씩 10년 노출되면 4,000 Hz에서 35 dB의 손실이 있고, 40년 노출되면 3,000~6,000 Hz에서 30~40 dB 손실이 발생한다. 또한 90 dB의 소음 노출로 난청의 위험률은 21%에 달한다(그림 33-3).[31]

2. 개인의 감수성

소음, 화학물질 또는 진동 등 명확히 소음성 난청을 일으키는 요인을 제외하고는 중이근 반사, 내이구조, 혈액구성도, 생리주기, 전해질, 고콜레스테롤증, 심혈관계 질환, 당뇨, 성별, 인종, 연령, 초기 청력, 흡연, 음주, 식습관, 비만, 영양, 비타민, 기호식품 등은 이에 대한 연구도 적고, 아직 확립되어 있지도 않다. 그러나 남성보다는 여성이, 백인보다는 흑인이, 흡연자보다는 비흡연자가 소음성 난청에 이환될 경우가 작다고 하였다.[17,28]

3. 이독성 약제, 유기용제 및 진동

소음이 특정한 약제나 화학약품과 동시에 자극이 되면 각각의 요소가 단독으로 가해지는 것보다 훨씬 더 강한 반응을 나타낸다는 것은 잘 알려진 사실이다. 난청을 일으키는 약물들은 와우의 유모세포와 주변 조직에 변화를 주는데, saicylate와 loop diuretics는 대표적인 비가역적 약제로 소음 노출에 의한 순음청력역치의 증가는 아직 확립되지 않았으나, 항암제와 아미노글리코사이드계 항생제는 가역적 손상을 발생하며 소음에 동시 노출되면 청력역치가 증가한다.

일반적으로 근로자들은 소음이 있는 작업장에서 유기용제인 화학물질에 동시 노출되는 경우가 흔하다. 난청을 일으키는 산업화학물질에는 수은, 비소, 코발트, 납, 카드뮴, 망간 등의 중금속과, 벤젠, 요오드, 일산화탄소, 크실렌, 톨루엔 및 일산화탄소 등의 화학물질들은 단독 노출뿐 아니라 소음 노출과 동반하여 소음성 난청을 더욱 악화시킨다.[22] 또한 건설현장에서는 소음뿐 아니라 수부의 국소진동에 의하여 와우에도 영향을 미친다. 진동 노출은 소음과 복합작용을 일으켜 청력역치의 상승작용을 한다.[44]

4. 관련 유전자

최근의 연구에서 소음성 난청도 유전적 소인이 있다고 동물실험에서 밝혀진 바 있는데, 쥐에서 발견된 mutant c57 BL/6J, cadherin 23 (Cdh23) 및 MOLF/Ei 등이 그것이다. 산화스트레스유전자는 소음성 난청의 개인 감수성과 밀접한데, CAT, catalse gene의 single nucletide polymorphisms, SNPs이 대표적으로 소음민감성 유전자이다.[48]

최근까지의 연구에서 와우의 기능적, 형태학적 역할을 하는 다수의 유전자 돌연변이를 확인하였는데 potassium recycling, heat shock protein 70, protocadherin 15, myosin 14 등이 있다. 더 발전된 유전형 분석방법의 개발과 단일염기 다형성(single nucleotide polymorphism) 데이터의 많은 축적으로 인해, 소음성 난청 감수성 유전자 확인은 위험소인이 있는 환자를 발견하고, 필요하면 개별화된 유전자 치료까지 할 수 있는 유전자 검사의 개발로 이어질 것이다.

Ⅸ 소음성 난청의 진단

소음성 난청을 진단하기 위해서는 병력조사, 신체검사 및 청력검사 등을 시행한다. 병력 중에서는 직업력과 군경력 같은 비직업성 소음폭로의 과거력이 제일 중요하고, 소음측정계를 사용하여 작업장의 소음을 측정한다. 가족력, 이독성 약물, 두부외상 등 감각신경성 난청을 일으킬 수 있는 다양한 원인들을 조사하고 청신경 종양을 포함하는 이과적 질환의 가능성을 배제해야 한다. 소음성 난청에 의한 청력역치는 총기류에 의한 난청을 제외하면 대개 양측 귀의 청력 차이가 15 dB 이내이므로 그 이상의 차이가 나는 비대칭형 청력손실은 다른 원인을 의심해야 한다. 미국산업의학회(American College of Occupational Medicine, ACOEM)에서는 다음의 증상과 징후가 있으면 비가역적 소음성 난청으로 진단한다.[32]

(1) 주로 와우의 유모세포의 손상으로 인한 영구적인 감각신경성 난청이다.
(2) 대부분의 소음폭로가 대칭이므로, 양측성이 특징이다.
(3) 3,000~6,000 Hz의 고음역에서의 청력은 'notching'이 첫 징후이나 8,000 Hz는 포함되지 않는다.
(4) 소음 노출 자체로는 고음역에서 75 dB 이상, 혹은 저음역에서 40 dB 이상의 손실은 없다. 그럼에도 불구하고 노인성 난청과 같은 비소음성 난청은 이러한 수치보다 더 나쁜 청력역치를 갖는다.
(5) 소음 노출에 의한 난청의 발생 정도는 노출 첫 10~15년 동안 빠르게 악화되고, 청력역치가 증가함에 따라 청력역치는 감소한다. 이러한 특징은 시간이 경과함에 따라 증가하는 노인성 난청과 비교된다.
(6) 과거 소음의 노출은 추후 다시 노출되어도 그의 영향을 미치지 않는다.
(7) 소음성 난청은 소음이 차단된 경우에도 진행된다는 근거는 없다. 그러나 정상적인 회복 과정을 평가한 임상과 동물 연구에서 지연성 영향은 없다고 하였다.
(8) 소음성 난청은 8시간 기준으로 85 dB 이하에서는 위험도가 낮으나, 85 dB 이상에서는 현저하게 증가한다.
(9) 지속적인 소음의 노출은 휴식기를 갖는 단속적인 노출보다 손상을 더 받는다. 현재 간헐적 노출에 대한 건강에 미치는 영향을 추정하는 측정치는 아직 논란이 있다.

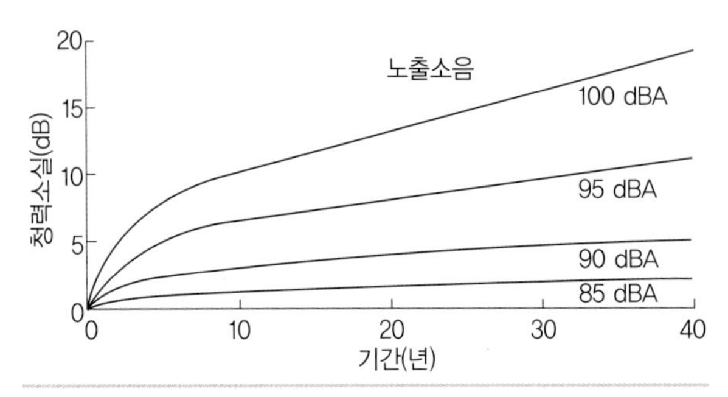

■ 그림 33-4. **소음성 난청의 진행.** 소음성 난청의 정도는 폭로된 소음의 강도와 기간의 곱에 비례한다. 처음에는 청력소실이 급격히 일어나고, 나중에는 서서히 진행한다.

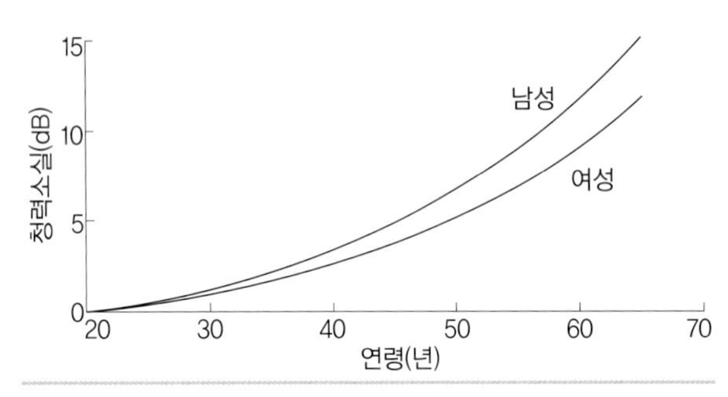

■ 그림 33-5. **노인성 난청의 진행.** 노인성 난청은 남자가 여자보다 심하고, 연령의 증가에 따라 청력소실이 처음에는 서서히 진행하다가 나이가 많아지면 급격히 증가한다.

(10) 이명의 유무와 관계없이 TTS는 소음 노출이 지속된다면 비가역적인 소음성 난청이 발생할 수 있다는 위험지표이다.

소음성 난청의 정도를 표시할 때는 항상 노인성 난청 성분이 포함되었는지를 염두에 두어야 한다. 소음성 난청은 소음 폭로 후 급격히 일어나고 더 이상 크게 악화되지 않는 감속과정(decelerating process)이 있고, 노인성 난청은 처음에는 서서히 악화하지만, 나이가 들수록 급격히 증가하는 가속과정(accelerating process)을 밟는다. 예를 들면 65세의 사람에서 두 성분이 혼재한다면 노인성 난청이 전체 청력손실의 75%를 차지한다(그림 33-4, 5).[15]

표 33-1. 고용노동부 소음노출기준

1일 노출시간(hour)	소음강도 dB (A)
8	90
4	95
2	100
1	105
1/2	110
1/4	115

표 33-2. 충격소음의 산출

1일 노출회수	충격소음의 강도 dB (A)
100	140
1,000	130
1,0000	120

X 소음허용한계

소음성 난청은 소음의 주파수, 강도(세기, intensity), 노출 시간 및 개인의 감수성 등의 요인에 따라 다르므로 그의 발생 원인을 예측하기란 대단히 어렵다.

산업안전보건법에 따라 근로자에 대한 '소음작업'이라 함은 '1일 8시간 작업을 기준으로 85 dB 이상의 소음이 발생하는 작업'으로 정의하였고, 6개월에 1회씩 근로자의 머리를 기준으로 60 cm 이내에서 정기적으로 측정하도록 규정하였다. 고용노동부의 소음노출기준으로는 표 33-1과 같고, 8시간을 기준으로 하여 5 dB 증가할 때 허용 시간은 1/2로 감소되는 소위 5 dB 법칙이 적용되고 있으며, 최대 소음의 강도가 115 dB을 초과해서는 안된다는 기준을 정하였다. 또한 충격소음의 노출은 표 33-2와 같고, 최대 음압수준이 140 dB을 넘지 말아야 하며, 충격소음의 정의는 최대음압수준에 120 dB 이상인 소음이 1초 이상의 간격으로 발생하는 것으로 정의하였다.

소음의 크기는 소음의 강도와 폭로시간의 곱으로 정해진다. 소음의 강도는 dB로 표시하는데, 0 dB에 비하여

10 dB은 10배, 20 dB은 100배로 증가하므로 약 3 dB 증가에 강도는 2배로 커진다. 따라서 동일에너지원칙/등가에너지법칙/에너지등가의 원리(equal-energy principle)에 의해 3 dB 커질 때마다 폭로시간은 반으로 줄여야 하지만, 소음은 인체에 5 dB 증가 시 2배가 되어 OSHA와 우리나라에서는 5 dB로, ISO와 NIOSH는 3 dB로 규정한다.[8,30]

XI 소음성 난청의 예방과 치료

1. 예방

1961년 대한이비인후과학회에서 제정한 9월 9일은 귀의 날로 난청에 대한 이해, 예방 및 치료에 대한 대국민 행사를 매년 전국적으로 시행하고 있다. 작업성, 직업성, 환경성 소음은 그의 소음원을 조절하는데 한계가 있고 계속 증가 추세에 있으며, 소음성 난청은 아직까지 치료 불가능한 질병으로 사전 예방과 조기진단이 중요하며, 상담을 통하여 적절한 조치가 필요하다. 작업장 근로자나 사격장에 대한 청력의 보호는 소음 노출 시간 단축, 흡음 시설의 설치, 격벽이 설치된 독립된 작업장, 소음을 일으키는 기계 교환 등 작업장의 소음을 차단하거나 제거하는 방향으로 환경을 개선하거나, 가능하면 최대한 낮은 수준의 음압을 유지하고, 청력보호 장비 등을 착용하며, 채용 시점의 초기 청력을 기초로 정기적인 청력검사를 통해 소음성 난청을 조기에 발견해야 하며, 만약 난청이 확진되면 부서 이동을 통해 더 이상 난청이 악화되지 않도록 한다. 지하철이나 비행기 내와 같은 시끄러운 곳에서는 MP3나 휴대폰 등의 휴대용 전자 음향 기기의 사용을 자제하거나, 주변 소음으로 인하여 대개 100 dB 이상으로 청취하게 되므로 미국 산업안전보건청에서는 청취시간을 2시간 이내로 권장하며, 유럽의회에서는 2009년부터 최대음량을 100 dB 이하로 제한하였다. 또한 이어폰보다는 헤드폰이 덜 위험하지만, 음량의 강도, 시간 및 주파수에 따라 다르므로, 주변 소음을 차단하여 본래의 음원 크기를 작게 하는 소음제거 이어폰이나 헤드폰 사용이 추천된다.

2. 보호장구

작업장의 설비나 시설을 대규모로 변경할 수 없는 경우에, 근로자가 유해한 수준의 소음에 노출되었다고 판단되면 귀마개나 귀덮개와 같은 청력보호구를 착용하여야만 한다. 청력보호구는 비용이 저렴하고 쉽게 사용할 수 있는 장점이 있다. 우리나라에서는 2014년 고용노동부 고시에서 "방음용 귀마개(ear-plugs)"란 외이도에 삽입 또는 외이 내부·외이도 입구에 반 삽입함으로서 차음 효과를 나타내는 일회용 또는 재사용 가능한 방음용 귀마개를 말하며, "방음용 귀덮개(ear-muff)"란 양쪽 귀 전체를 덮을 수 있는 컵(머리띠 또는 안전모에 부착된 부품을 사용하여 머리에 압착될 수 있는 것)으로 정의하였다. 또한 안전보건공단에서 '청력보호구의 착용방법 및 관리에 관한 지침'이 공표되었는데, 보호구의 착용으로 8시간 시간가중평균 90 dB 이하의 수준이 되도록 요구하고 있다. 소음수준이 85~115 dB인 경우에는 귀마개 또는 귀덮개를 각각 착용하고, 115 dB이 넘을 경우에는 동시에 착용한다. 귀마개는 foam 형태로 덥고 습한 환경에 적합하고 고주파영역에서 15~30 dB의 감음효과가 있으며, 중간 음역대에서 고음역을 보호하는데 효과가 좋다. 귀덮개는 중이염 등의 질환이 있어도 착용가능하고 중간주파수 영역(500~1,000 Hz)에서 귀마개보다 감음효과가 더 크며, 동시에 착용하면 10~15 dB의 소음을 감소시킨다(그림 33-6).[4,11]

매우 높은 수준의 소음에서는 삽입형 귀마개 단독으로 충분한 보호효과를 발휘하지 못하므로, 삽입형과 덮개형 귀마개를 동시에 쓰는 것을 권해야 한다. 또한 높은 소음 수준과 관련된 소리에너지는 두개골과 귀 근처의 조직을 진동시켜 내이로 전달되기도 한다. 따라서 소리의 골전도

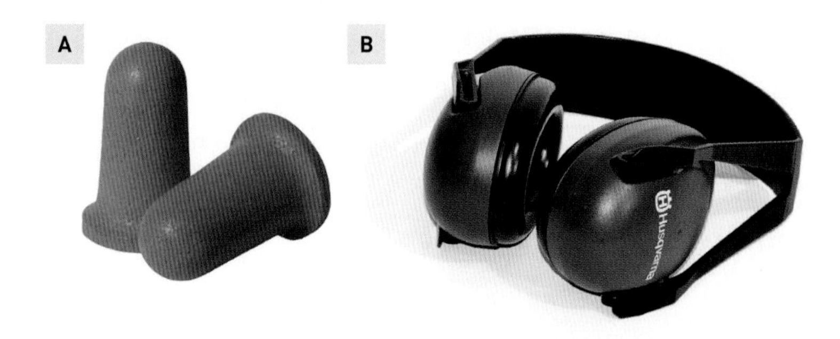

■ 그림 33-6. A) 귀마개, B) 귀덮개

및 조직전도는 청력 보호장구가 소리에너지를 감쇠시키는 데 한계가 있다.

3. 청력보존프로그램

우리나라에서의 청력보존프로그램은 2008년 산업안전보건기준에 관한 규칙에 의거하여 시행되었고, 작업환경측정결과 90 dBA 이상의 고소음에 노출된 근로자와 소음으로 인하여 근로자에게 건강장해가 발생한 사업장에서 시행하며, 소음노출평가, 공학적 대책, 청력검사 및 평가, 청력보호구 지급 및 착용, 유해성 주지 및 관련문서 작성과 기록 관리 등에 대한 교육을 통해 소음성 난청을 예방하는 것으로 규정하였다(그림 33-7).[3]

청력보존프로그램은 적극적인 소음성 난청 예방과 청력보호를 위한 계획수립 및 추진, 작업장의 소음관리 및 근로자의 청력보호, 근로자 건강보호 및 삶의 질 향상, 의료보상 비용 절감 및 근로 손실 일수 감소, 사업장의 생산성 향상 및 필요한 인적자원 확보에 그의 목표를 두고 있다.

4. 치료

소음성 난청은 치유되지는 않으나 예방 가능한 질환이다. 그러나 다수의 동물실험과 임상연구에서 최근 다양한 약물치료가 소개되었는데, 항산화제인 N-acetyl-L-cystein (NAC)과 acetyl-L-carnitine (ALCAR), 니이트로젠 길항제인 PBN (Phenyl-N-tert-butylnitrogen) 등이 대표적으로 그 외 corticosteroid, magnesium, Ebselen, ginko biloba, 비타민 A, 비타민 C, 비타민 E, carbogen 등이 있으며, 단일제재보다는 복합투여가 효과적으로, 소음에 노출된 후 24시간 이내에 투여하고, 투여기간은 10일로 보고하였다.[25,34,35]

5. 청각 재활

소음성 난청에 의한 청력손실은 대부분 고주파에서 시작하여 점차 저주파로 진행되며, 특히 'ㅅ,ㅈ,ㅊ,ㅎ'와 같은 자음 판별력이 떨어지고 소리가 울려서 들리거나, 소음환경에서 회화음을 이해하기 어려워진다. 난청이 확진되면 재활치료로 자신의 청력에 맞는 보청기를 맞춰 착용한다. 보청기는 고주파를 저주파로 압축변환하는 주파수변환형 보청기나, 이폐쇄감이 없는 개방형 보청기(open fit hearing aid/receiver in the canal), 그리고 거리가 멀거나 소음이 있는 장소에서는 FM을 이용한 보청기를 착용한다.[24] 최근에는 고주파수 영역의 이득에 효과가 있는 것으로 알려진 중이이식술도 도움이 될 수 있다.

XII 소음성 난청의 법률 및 제도적 장치

1. 장애, 장해와 분류 및 등급판정

WHO에 성의에 의하면 2001년 ICF international classification of functioning, disability and health의 제기로 (1) 신체 기능 및 구조(Body Functions/Body

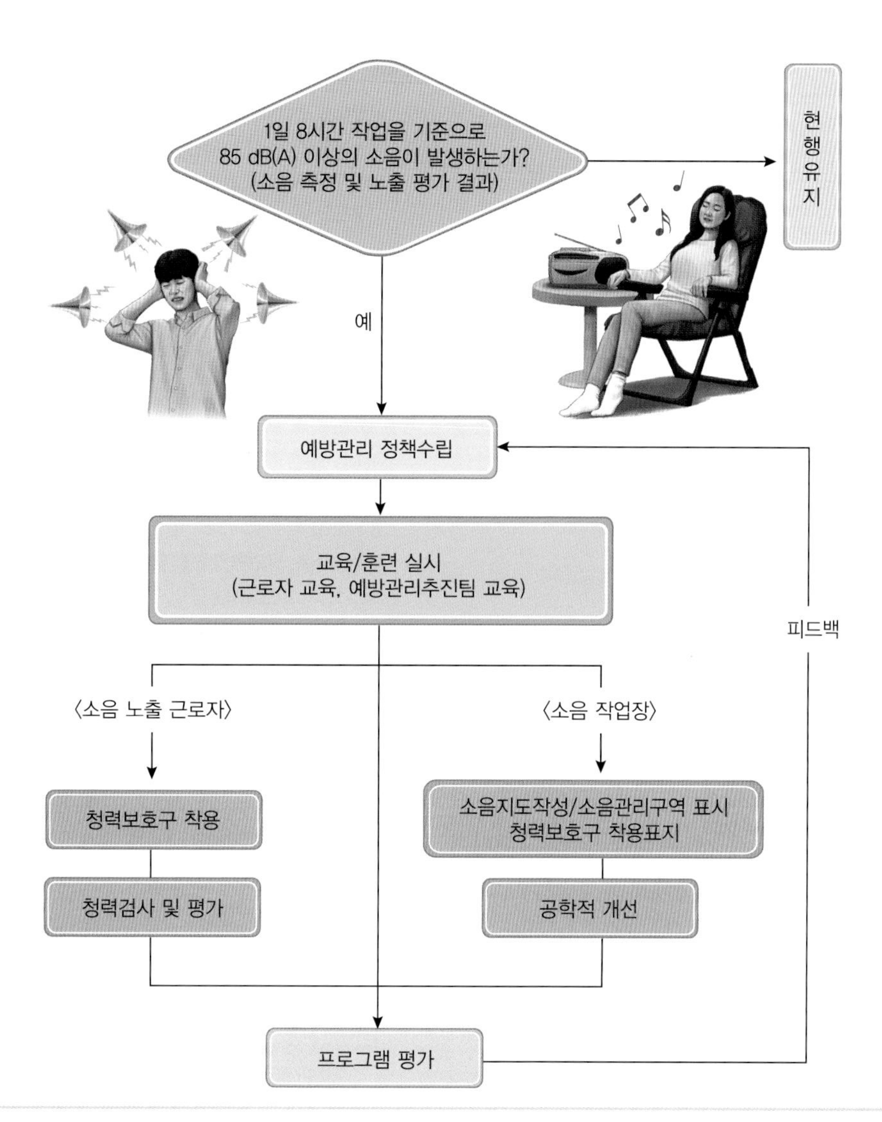

■ 그림 33-7. **청력보존프로그램 시행 흐름도**

Structures), (2) 활동(activities), (3) 참여(participation)라는 보다 포괄적인 개념으로, 장애의 기준을 '질병의 결과'에서 비롯된 구분보다는 '건강의 구성요소'의 상태 구분에 의해 이루어지게 되었으며, 구체적으로는 신체기능의 손상, 활동의 제한, 참여의 제약 등 다양한 형태를 포괄하는 개념으로 사용하고 있다. 장애(disabled, disability)는 '신체 기관이 본래의 제대로 기능하지 못하거나 정신 능력에 결함이 있는 상태' 또는 일상생활이나 사회생활을 하는 데 상당한 제약을 받는 상태를 의미하며 장해는 '어떤 일을 하는 데 거치적거리며 방해함'의 뜻을 지닌다. 질병 또는 사고로 인하여 치료를 한 후 신체에 남아 있는 정신 또는 육체의 훼손 상태로, 산업재해나 교통사고 등 보상과 관련된 법률적 표현이며 우리나라에서는 둘다 혼용해서 사용하고 있는데, 청력장애(장해)에 대한 분류에는 보건복지부의 장애인복지법과 국민연금법에 의한 법률, 고용노동부 근로복지공단의 산업재해보상보험법 등으로 나뉘어져 있다. 등급의 판정은 충분한 치료에도 불구하고 질환이 변하지 않는 경우에 증상이 고착되었다고 판단되었을 때로 사고 후 6개월 또는 수술 후 6개월 경과된 시점에 장해 평가를 받고 있다.

장애에 대한 청력의 측정은 청력검사실과 청력검사기(오디오미터)가 있는 의료기관의 이비인후과전문의가 2~7일의 반복검사를 가지고 총 3회 및 청성뇌간반응검사 1회를 시행한다. 주파수는 500, 1,000, 2000, 4,000 Hz에서 시행하며 평균치는 6분법으로 소수점 이하는 버린다 (a+2b+2c+d/6). (500 Hz (a), 1,000 Hz (b), 2,000 Hz (c), 4,000 Hz (d). 각각의 등급은 서로 다르게 나뉘어 져 있는데, 이는 서로의 목적이 달라 그 제도에 맞게 입법화되었기 때문이다.[9,10]

2. 소음성 난청의 판정과 보상

소음성 난청으로 진단하기 위해서는 먼저 고용노동부 산하 안전보건공단의 산업안전보건법에 의거하여 특수건강검진을 받아야 한다. 특수건강검진에 의한 직업병 판정 기준으로는 '기도 순음, 어음청력검사상 청력검사상 4,000 Hz에서 50 dB 이상 청력손실이 있고, 3분법 (500(a), 1,000(b), 2,000(c)Hz에서의 청력손실치 (a+b+c)/3)에 의하여 30 dB 이상의 청력손실이 있을 경우' 직업병 유소견자(D1)라고 판정한다. 직업병 유소견자라고 판정을 받으면, 산업재해보상법에 따라 소음성 난청은 '연속으로 85 dB (A) 이상의 소음에 3년 이상 노출되어 한 귀의 청력손실이 40 dB 이상으로, 다음 요건 모두를 충족하는 감각신경성 난청. 다만, 내이염, 약물중독, 열성 질병, 메니에르증후군, 매독, 두부 외상, 돌발성 난청, 유전성 난청, 가족성 난청, 노인성 난청 또는 재해성 폭발음 등 다른 원인으로 발생한 난청은 제외한다'고 정의되어 있으며, 그 외 '1) 고막 또는 중이에 뚜렷한 병변이 없을 것 2) 순음청력검사결과 기도청력역치와 골도청력역치 사이에 뚜렷한 차이가 없어야 하며, 청력장해가 저음역보다 고음역에서 클 것'으로 규정하고 있어, 이에 따른 검사(24시간 이상의 소음작업을 중단한 후에 시행)를 근로복지공단에 재해보상을 신청하여 재해에 대한 진료, 치료, 재활 및 보험급여를 받을 수 있다.[4,6]

참고문헌

1. 고용노동부 2013 근로자 건강진단 실시결과.
2. 고용노동부. 건설근로자의 고용개선 등에 관한 법률 시행규칙. 고용노동부령 제117호. 2014. 12. 31.
3. 고용노동부. 건설근로자의 고용개선 등에 관한 법률 시행규칙. 고용노동부령 제117호. 2014. 12. 31.
4. 고용노동부. 근로자건강진단실시기준. 고용노동부 고시 제2012-45호. 2012 4. 30.
5. 고용노동부. 산업안전보건기준에 관한 규칙. 고용노동부고시 제 2014-46호. 2014. 11. 20. 일부개정.
6. 고용노동부. 산업재해보상보험법 시행령. 대통령령 제24651호. 2013. 6. 28.
7. 고용노동부. 작업환경측정 및 지정측정기관 평가 등에 관한 고시. 고용노동부고시 제2013-39호. 2013. 8. 6.
8. 고용노동부. 작업환경측정 및 지정측정기관 평가 등에 관한 고시. 제 2013-39호. 2013. 8. 13.
9. 보건복지부. 국민연금법. 시행 2015. 7. 29.(법률 제13100호. 2015. 1. 28.)
10. 보건복지부. 장애인복지법 제2조 및 시행규칙 제2조제2항의 규정에 의한 「장애등급판정기준」. 보건복지부 고시 제2013-174호(보건복지부 고시 제2013-56호 개정).
11. 한국산업안전보건공단. 청력보호구의 착용방법 및 관리에 관한 지침. KOSHA GUIDE H-160-2014. 2014. 11.
12. 환경부. 소음·진동 공정시험기준. 환경부고시 제2013-172호. 2013. 12. 30.
13. 환경부. 소음·진동 공정시험기준. 환경부고시 제2013-172호. 2013. 12. 30.
14. ACOEM Noise and Hearing Conservation Committee. ACOEM evidence-based statement noise-induced hearing loss. J Occup Environ Med 2003 Jun;45(6):579-581.
15. Alberti PW, Symons F, Hyde ML. Occupational hearing loss: The significance of asymmetrical hearing thresholds. Acta Otolarymgol 1979. 87(3-4):255-263.
16. Axelsson A, Borchgrevink H, Hamernik R, et al. Scientific Basis of Noise-induced Hearing Loss. New York: Thieme Publishing Group;1996. February. 65-81.
17. Barrenäs ML, Lindgren F. The influence of eye colour on susceptibility to TTS in humans. Br J Audiol. 1991 Oct;25(5):303-307.
18. Bohne BA, Harding GW, Lee SC. Death pathways in noise-damaged outer hair cells. Hear Res. 2007 Jan;223(1-2):61-70.
19. Brenda L. LM, Glen KM. Noise induced hearing loss. In: Flint PW, Haughey BH, Lund VJ, Niparko JK, Robbins KT, Thomas JR, Lesperance MM. editors. Cummings Otolaryngology-Head and Neck surgery 6thed. Philadelphia: Elsevier Saunders;2015. 2345-2358.
20. Caiazzo AJ, Tonndorf J. Ear canal resonance and temporary threshold shift. Otolaryngology. 1978 Sep-Oct;86(5):ORL-820.
21. Canlon B, Borg E, Flock A. Protection against noise trauma by pre-

exposure to a low level acoustic stimulus. Hear Res. 1988 Jul;34(2):197-200.

22. Cary R, Clarke S, Delic J. Effects of combined exposure to noise and toxic substances-critical review of the literature. Ann Occup Hyg. 1997 Aug;41(4):455-465.
23. Covell WP, Davis H, Eldredge DH. Recovery from acoustic trauma in the guinea pig. Laryngoscope. 1957 Jan;67(1):66-84.
24. Davor Šušković. Noise-induced hearing loss. 5th congress of Alps-Adria Acoustics Association. 12-14, september, 2012. 1-5 Petrcane, Crotatia.
25. Diao M, Gao W, Sun J. Nitric oxide synthase inhibitor reduces noise-induced cochlear damage in guinea pigs. Acta Otolaryngol. 2007 Nov;127(11):1162-1167.
26. Dobie RA. A method for allocation of hearing handicap. Otolaryngol Head Neck Surg. 1990 Nov;103(5(Pt 1)):733-739.
27. Dobie RA. Noise induced hearing loss. In: Johnson JT, Rosen CA. editors. Bailey's Head and Neck Surgery-Otolaryngology 5thed. Baltimore: Lippincott Williams&. WJ.lkins. a Wolters Kluwer business;2014. 2530-2541.
28. FLODGREN E, KYLIN B. Sex differences in hearing in relation to noise exposure. Acta Otolaryngol. 1960 Oct;52:358-366.
29. Henderson D, Bielefeld EC, Harris KC, et al. The role of oxidative stress in noise-induced hearing loss. Ear Hear. 2006 Feb;27(1):1-19.
30. Humes LE. Noise-induced hearing loss as influenced by other agents and by some physical characteristics of the individual. J Acoust Soc Am. 1984 Nov;76(5):1318-29. 39.
31. International Organization for Standardization. Acoustics: Determination of occupational noise exposure and estimation of noise-induced hearing impairment. ISO1999, Geneva 1990. 1. 18.
32. Kirchner DB, Evenson CE, Dobie RA, et al. ACOEM GUIDANCE STATEMENT: Occupational Noise-Induced Hearing Loss. American College of Occupational Medicine, ACOEM Task Force on Occupational Hearing Loss, 2012, 106-108.
33. Kirchner DB, Evenson E, Dobie RA, et al. Occupational Noise-Induced Hearing Loss: ACOEM Task Force on Occupational Hearing Loss. J Occup Environ Med 2012;54(1):106-108.
34. Kramer S, Dreisbach L, Lockwood J, et al. Efficacy of the antioxidant N-acetylcysteine (NAC) in protecting ears exposed to loud music. J Am Acad Audiol. 2006 Apr;17(4):265-278.
35. Le Prell CG, Yamashita D, Minami SB, et al. Mechanisms of noise-induced hearing loss indicate multiple methods of prevention. Hear Res. 2007 Apr;226(1-2):22-43.
36. McGill TJ, Schuknecht HF. Human cochlear changes in noise induced hearing loss. Laryngoscope. 1976 Sep;86(9):1293-1302.
37. McRobert H, Ward WD. Damage-risk criteria: the trading relation between intensity and the number of nonreverberant impulses. J Acoust Soc Am. 1973 May;53(5):1297-1300.
38. Nam EC, Won JY. Extratympanic electrocochleographic changes on noise-induced temporary threshold shift. Otolaryngol Head Neck Surg. 2004 Apr;130(4):437-442.
39. Nelson DL, Nelson RY, Concha-Barrientos M, et al. The global burden of occupational noise-induced hearing loss. Am J Ind Med 2005;48(6):446-458.
40. NIDCD, National institute of deafness and other communication disorders 2015. 3. 7.
41. Noorhassim I, Kaga K, Nishimura K. Pure-tone audiometry and auditory brainstem responses in noise-induced deafness. Am J Otolaryngol. 1996 Jan-Feb;17(1):31-35.
42. Nordmann AS, Bohne BA, Harding GW. Histopathological differences between temporary and permanent threshold shift. Hear Res. 2000 Jan;139(1-2):13-30.
43. Perron S, Tétreault LF, King N, et al. Review of the effect of aircraft noise on sleep disturbance in adults. Noise Health. 2012 Mar-Apr;14(57):58-67.
44. Pettersson H, Burström L, Hagberg M, et al. Noise and hand-arm vibration exposure in relation to the risk of hearing loss. Noise Health. 2012 Jul-Aug;14(59):159-165.
45. Saunders JC, Dear SP, Schneider ME. The anatomical consequences of acoustic injury: A review and tutorial. J Acoust Soc Am. 1985 Sep;78(3):833-860.
46. Schuknecht HF. Lesions of the organ of Corti. Trans Am Acad Ophthalmol Otolaryngol. 1953 May-Jun;57(3):366-383.
47. Sliwinska-Kowalska M, Kotylo P. Otoacoustic emissions in industrial hearing loss assessment. Noise Health. 2001;3(12):75-84.
48. Sliwinska-Kowalska M, Pawelczyk M. Contribution of genetic factors to noise-induced hearing loss: a human studies review. Mutat Res. 2013 Jan-Mar;752(1):61-65.
49. Smith A. The fifteenth most serious health problem in the WHO perspective. Presentation to IFHOH World Congress; 2004 July; Helsinki.
50. van de Weyer PS, Praetorius M, Tisch M. [Update: blast and explosion trauma]. HNO. 2011 Aug;59(8):811-818.
51. W. Dixon Ward. Noise-induced hearing damage. In: Paparella M. M., Shumrick DA, Gluckman JL, Meyerhoff WL, editors. Otolaryngology. 3rd ed. Philadelphia: W. B. Saunders;1991. 1639-1652.
52. Wang Y, Hirose K, Liberman MC. Dynamics of noise-induced cellular injury and repair in the mouse cochlea. J Assoc Res Otolaryngol. 2002 Sep;3(3):248-268.

CHAPTER

34

돌발성 난청

이비인후과학 Otorhinolaryngology - Head and Neck Surgery

박문서, 송재준

돌발성 감각 신경성 난청(sudden sensorineural hearing loss)은 확실한 원인 없이 수 시간 또는 2~3일 이내에 갑자기 발생하는 감각 신경성 난청으로 때로는 이명이나 현기증을 동반한다. 청각 손실의 정도는 경도에서 완전손실까지 다양하며 대부분 한쪽 귀에 발생한다. 많은 경우 회복되나 회복되지 않고 난청이 계속되는 경우도 많으며 드물게는 양측성으로 발생한다.

 정의

돌발성 난청은 순음청력검사에서 3개 이상의 연속된 주파수에서 30 dB 이상의 감각신경성 청력손실이 3일 내에 발생한 경우를 의미한다.[59] 이 기준은 임상적으로 유용하지만 일부 환자들은 난청의 정도가 이 기준보다 심하지 않을 수 있다. 돌발성 난청은 병인이 다양하므로 단일 질환이라기보다는 증후군이라 할 수 있다.

보통 갑작스럽게 청력손실이 진행되는데, 육체적, 정신적 긴장 상태에서 자주 발생한다. 환자의 약 1/3은 아침에 깨어나서 한쪽 귀의 청력손실을 알게 된다. 발생한지 며칠 후 청력손실이 느껴지거나 저음이나 고음 영역에서 국소적인 청력손실이 있거나 다른 사람의 말을 감지할 때 왜곡이 생기는 경우 등도 돌발성 난청에 포함된다. 처음에는 이명이나 이충만감을 호소하기도 하고 현기증이 약 20~60%에서 동반되지만,[36] 증상은 심하지 않고 보통 수일 내 소실된다.

돌발성 난청은 해마다 세계적으로 1만5천 사례 정도가 보고되고 있는데 연간 유병률은 미국에서는 10만 명당 5~20명이고,[10] 한국에서도 10만 명당 10명 이상 발병하는 것으로 보고되었다.[1] 수일 내에 자연 치유되는 경우 병원에 오지 않는 것을 감안하면 실제 자연발생률은 이보다 높을 수 있다. 성별과 좌우의 빈도 차이는 없으며 계절적, 지역적 차이도 없다. 돌발성 난청은 나이에 관계없이 올 수 있으나, 30~50대에 가장 많으며 대부분 일측성으로 발생하지만 환자의 4~17%는 양측성이다.[14,18,27,52,55]

II 원인

대부분 원인을 찾지 못한다. 치료에 대한 반응이나 예후가 다양한 만큼 원인은 다인성(multifactorial)일 가능성이 높다. 바이러스 감염과 혈관장애가 주된 발병기전으로 생각되며 그 외에는 와우막 파열(cochlear membrane rupture), 자가면역성 질환, 청신경 종양 및 기타원인으로 밝혀진다(표 34-1). 종양으로는 청신경종양이 가장 많으며 청신경종양의 10% 정도에서 돌발성 난청의 양상이 나타난다.[24] 두부외상은 정도의 차이는 있지만 유모세포를 손상하거나 내이 출혈을 일으켜 난청을 유발할 수 있다.[45]

1. 바이러스 감염

바이러스로 인한 신경염(neuritis)은 다음과 같은 점에서 돌발성 난청의 가장 흔한 원인으로 추측되어 왔다. 첫째, 최근에 바이러스성 감염을 앓은 사람이 많다는 점이다. 돌발성 난청 환자의 5~65%가 전에 바이러스에 감염되었던 병력이 있었고 발병 당시 환자의 25%는 상기도 감염증이 있었다.[55,57] 둘째 유행성 이하선염 바이러스(mumps virus), 홍역바이러스(measles virus), influenza B virus, herpes virus 등 와우 병변을 유발할 수 있는 바이러스의 혈청변환(seroconversion) 빈도가 돌발성 난청 환자에서 63%로 정상인의 40%에 비하여 높았다.[57,62] 셋째, 돌발성 난청을 앓았던 환자들의 측두골 병리조직 소견에서 와우 내 바이러스 손상으로 인한 병변이 발견되었다.[25,62] 즉 유모세포나 지주 세포들이 소실되고 혈관조(stria vascularis)나 개막(tectorial membrane)이 위축되는 등의 소견은 유행성 이하선염이나 홍역에서의 내이 소견과 유사하다. 내이 추출물에서 간접면역형광법으로 바이러스를 직접 검출하기도 했는데, 바이러스 감염은 신경, 혈관, 적혈구에 직접 손상을 주어 이차적으로 미세혈관부전을 초래하므로 혈관 장애와 구별하여 생각할 수 없다.[33]

표 34-1. 돌발성 난청의 원인 질환들

감염성 질환
바이러스감염 • 미로염 • 신경염(다발성 신경염포함) • 수막뇌염 • 특정 바이러스 감염(CMV, HIV, EB virus등)
세균감염 • 뇌막염 • 미로염 • 매독 • *Toxoplasmosis* • *Mycoplasma*
혈관장애 • 혈전/색전증(관상혈관 질환, 겸상 적혈구증, 혈액과응고 상태, 미세혈전, 적혈구 형태 변화, 진성 적혈구증다증, macroglobulinemia) • 대혈관 폐쇄(뇌저동맥 등) • 소혈관 폐쇄(당뇨 등) • 출혈(백혈병, 혈전 용해제 치료)
와우막파열 • 와우 내막파열 • 정원창막/ 난원창막 파열
내림프수종 • 특발성(Meniere병) • 비특발성(지연성 내림프수종, CSF 배액)
외상성 • 측두골 골절 • 기압성(기압외상, 감압병, 소음노출, 폭발외상) • 의인성(등골수술)
선천성기형 • EVAS, Mondini이형성
자가면역 질환 • 내이 원발성 • 유육종증(sarcoidosis) • 궤양성 대장염 • 결절성 다발 동맥염, 측두 동맥염 • Cogan증후군, Wegener육아종 • 교원혈관 질환(SLE등)
신경계 질환 • 다발성 경화증 • 편두통
종양 • 소뇌교각종양(청신경 종양 등) • 전이성 병변 • 부종양성 증후군(paraneoplastic syndrome)
이독성

2. 혈관장애

돌발성 난청은 와우의 혈액공급이 감소되어 생길 수 있다. 와우는 측부순환(collateral circulation)이 없는 미로 동맥(labyrinthine artery)에서 혈액을 공급받기 때문에 혈관장애에 매우 민감하다. 혈류가 감소되면 와우 림프액의 산소분압이 떨어져 장애를 초래한다. 실제로 전신적인 혈압이나 혈관 내 이산화탄소분압 변화로 림프액의 산소분압이 변한다.[15] 그러므로 혈전(embolus), 혈관경련 혹은 출혈 등으로 인한 혈류감소는 외견상 병인이 밝혀지지 않은 돌발성 난청의 원인이 될 수 있다. 개심술(open heart surgery) 후에 미세혈전(microemboli)이 원인으로 추정되는 돌발성 난청이 발생한 예들이 있으며,[40] 백혈병, 혈관염 등 혈관 장애를 동반한 환자에서 돌발성 난청이 발생한 예는 잘 알려져 있다.[33] 미로혈관이 막혀 발생하는 와우손상은 측두골 병리조직 소견에서 초기의 와우 내 출혈을 거쳐 섬유화와 골화가 진행되어 이 설을 뒷받침해주고 있다.[8,26,62]

3. 와우막파열

내림프와 외림프를 나누는 막(membrane)이 파열될 때 이론적으로 난청이 발생할 수 있다. 이 파열은 내림프수종(endolymphatic hydrops) 환자의 측두골 병리조직 소견이나 동물실험에서 증명되었다.[45] 즉 정원창이나 난원창을 통해 림프액이 중이 내로 유출되거나 와우 내에서 내림프와 외림프가 섞이면 와우 내 전위가 변화되어 난청을 유발한다(그림 34-1).

발생기전은 첫째, 내파성 경로(implosive route)로 재채기, 기침 혹은 valsalva법이나 다이빙 등으로 인해 갑자기 압력이 높아지면 이관고실부(tubotympanic area)의 압력이 갑자기 증가하여 정원막창막이 파열하거나 난원창 인대를 손상하고 Reissner막이 파열하여 돌발성 난청이 발생한다.[48] 난청과 함께 두위 변환성 안진(positioning

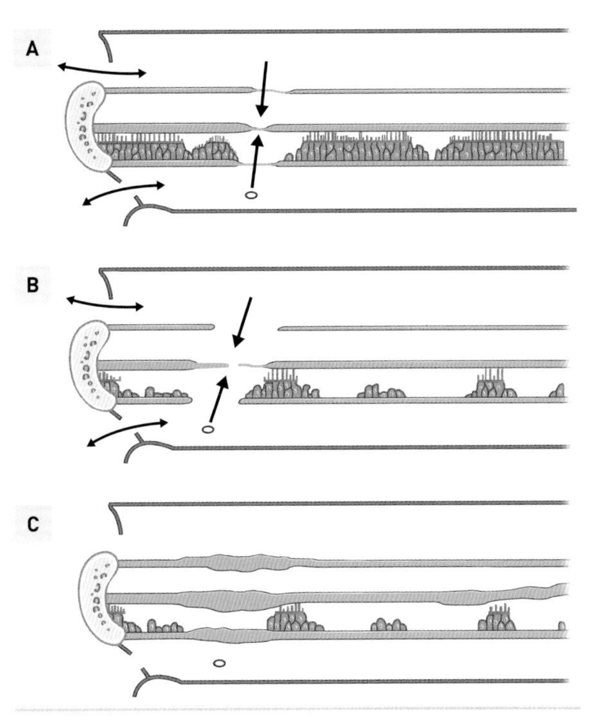

■ 그림 34-1. **와우막 파열로 인한 난청의 기전.** **A)** 미로 내의 미세한 병변으로 Corti기가 손상되었다. **B)** 와우막 파열이 발생한다. **C)** 와우막 파열은 회복되나 유모세포 손상은 남아 있다.

nystagmus)이 생기거나 누공검사(fistula test)나 Romberg검사에서 양성 소견이 발견되면 정원창이나 난원창의 파열을 의심할 수 있다.[18] 둘째는 폭발성 경로(explosive route)로 갑작스러운 뇌척수액압 상승을 일으키는 신체적 활동으로 인해 지주막하 뇌척수액압이 상승하면 이 압력이 와우도수관을 통하여 고실계로 전달되어 기저막과 정원창이 파열하게 되며 그 결과 돌발성 난청이 발생하게 된다(그림 34-2).

와우막 파열은 돌발적으로 발생할 수 있지만 천천히 간헐적으로 발생하는 경우 발생 원인을 알 수 없는 감각신경성 난청의 한 원인이 될 수 있다.[17]

4. 자가면역성 원인

자가면역성으로 감각신경성 난청이 발생할 수 있다는 증거가 점점 더 많아지고 있다. 감각신경성 난청이 스테로

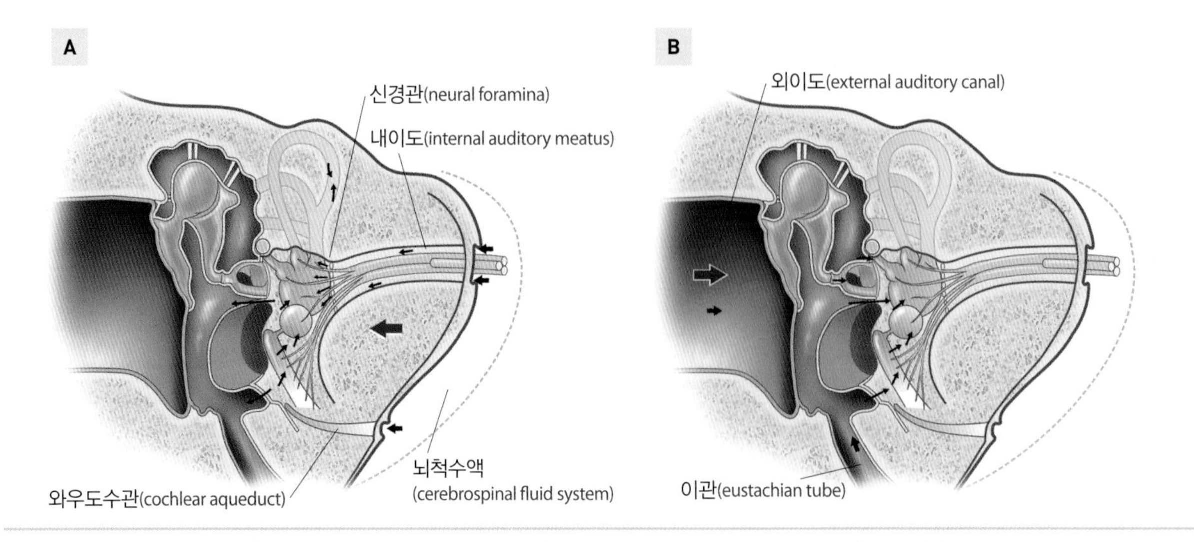

■ 그림 34-2. **돌발성 난청을 유발할 수 있는 내이의 경로. A)** 폭발성 경로(explosive route). **B)** 내파성 경로(implosive route)

이드 치료에 반응한다는 사실과 돌발성 난청을 포함한 진행성 감각신경선 난청환자에서 교차반응순환항체(cross-reacting circulating antibody)가 발견된다는 사실 등이 이론적 기반이다.[31,36] 자가면역성 내이 질환, 측두동맥염(temporal arteries), Wegener육아종, Cogan증후군, 결절성 다발 동맥염(polyarteritis nodosa) 반대측 귀의 지연성 내림프수종(delayed endolymphatic hydrops) 등이 이 범주에 포함된다.[33] 전신성 홍반성 루프(systemic lupus erythematosus; SLE)에 난청이 동반될 수 있다는 사실은 잘 알려져 있다. 이와 같이 자가면역과 관련된 감각신경성 난청은 내이에 국한된 일차적인 원인이나 전신적인 자가면역 질환으로 인한 이차적 원인 때문에 발생할 수 있다.[33,51]

5. 청신경 종양

돌발성 난청을 보이는 환자의 약 0.8%~3%에서 청신경종양이 원인으로 알려져 있다.[12,13] 하지만 돌발성 난청 환자에서 청신경종양을 시사하는 특이적 소견은 없으며, 난청 발생 전에 동측의 이명이 있을 때 의심 가능하나, 대부분의 청신경종양 환자에서는 이명이 없다는 보고가 있다.[13] 청신경종양 환자에서는 저음역 난청보다 중간, 또는 고음역난청이 더 흔하며, 전기안진검사는 대부분 정상이라는 보고가 있다.[13] 특히 유두부종이나 안면부 감각이상을 포함한 다른 뇌신경 장애가 동반되면 청신경 종양의 가능성이 높아진다. 청신경 종양 환자의 10% 내외에서 돌발성 난청이 나타나며, 이 중 23%의 환자는 자연적으로 혹은 스테로이드치료로 청력이 회복된다. 하지만 스테로이드치료를 통한 난청 회복 여부가 청신경종양과 무관하므로, 모든 돌발성 감각신경성 난청 환자들은 치료 후 청력이 회복되어도 청신경종양의 가능성을 고려해야 한다.[38] 청신경 종양 수술 후에 발생하는 반대측 귀의 돌발성 난청은 고주파수 영역에서 평균 16.5 dB, 저주파수 영역에서 19.5 dB 정도 청력이 손실되는 양상을 띠며 대개 3개월 이내에 정상으로 회복된다. 이러한 난청의 발생 원인은 수술 직후 뇌척수액이나 내이 림프액의 저혈압 혹은 내이 림프액에 대한 자가면역반응으로 생각된다.[56]

6. 기타 원인

외림프누공(perilymphatic fistula), 외림프 고혈압(perilymphatic hypertension), 당뇨, 이과적 수술 이외의

수술 합병증, 와우수종(cochlear hydrops), 자율신경계 부전(autonomic imbalance), 척추동맥 손상, 경부척추 수술 등이 돌발성 난청과 관련이 있다는 보고들이 있다.[9,19,21,60] 급작스러운 소음 노출도 돌발성 난청의 원인이다.[52]

Ⅲ 진단

돌발성 난청은 초기에 발견하여 치료하는 것이 예후에 많은 영향을 미치므로 빠른 진단이 중요하다. 진단은 치료 가능한 원인들을 하나씩 제외시키면서 최종진단에 이른다. 증상이 나타난 후 경과된 시간과 최근의 육체적, 정신적 활동, 동반증상 등이 중요한 단서가 되고 최근 복용한 약제에 대한 검색도 필수적이다. 또 난청의 위험인자를 알기 위한 과거의 병력 청취가 필요하다.

우선 이경검사(otoscopy)와 누공검사를 실시하며 면밀한 이신경학적 검사를 시행해야 한다. 순음청력검사와 언어청력검사, 등골반사검사를 포함한 임피던스 청력검사는 기본이고, 청성뇌간반응검사(auditory brainstem response; ABR)와 이음향방사검사(otoacoustic emission; OAE)는 진단에 도움을 준다. 순음청력검사에서 연속되는 세 개 이상의 주파수에서 30 dB 이상의 청력 저하를 보일 때 의심할 수 있다.[50] ABR 검사는 후미로 신경로의 기능을 반영하고, OAE가 있다면 외유모세포 기능이 잔존함을 예측할 수 있다. 병력이나 신체검사 결과에 따라 전정기능 검사를 추가할 수 있다. 이상의 검사를 시행할 때는 다른 약물 투여를 잠시 중단하는 것이 좋다.

돌발성 난청환자의 1~2%가 내이도 혹은 소뇌교각의 종양이 원인이므로 경우에 따라 내이도 혹은 소뇌교각에 대한 방사선 검사가 필요하다.[14,47] Gadolinium 조영증강 MRI는 소뇌교각 종양을 진단하는데 필요한 기본 검사이며, 선별검사로 ABR 검사를 실시한다. 종양이 있는 경우라도 스테로이드에 반응하거나 난청이 자연 치유된 보고들이 많기 때문에,[43] 이들 종양의 진단 시 스테로이드에 대한 반응 여부로 종양의 유무를 추측할 수는 없다. 다발성 경화증(multiple sclerosis)의 초기증상으로 돌발성 난청이 발생할 수 있으므로 의심스러우면 MRI촬영을 시행해야 한다.[46] Mondini이형성이나 전정도수관확장 등의 해부학적 이상이 발견될 수도 있다.[24]

바이러스가 원인인 급성 감염을 증명하기 위하여 비인강에서 면봉채취법(swab)을 실시하고 혈청항체치의 상승 여부를 확인한다. 이 검사는 가능하면 돌발성 난청이 발생한 지 2~3주 내에 시행하는 것이 좋다. 혈액과응고(hypercoagulabiliity) 현상이 원인으로 의심되면 prothrombin time 등 혈액응고검사를 시행한다. 그 외에 매독 혈청반응검사, 갑상선 기능검사, 혈당검사, 혈중지질검사 등이 필요하다(표 34-2).

표 34-2. 돌발성 난청의 검사 항목들

청력검사 • 순음청력검사 • 어음청력검사 • 임피던스검사
Gadolinium 조영증강 MRI
혈액학적 검사 • 전혈구 계산치, ESR, Hb A1c • 혈당 • 콜레스테롤, 중성지방 • 갑상선기능검사(T3,T4,TSH) • 혈액응고 검사 • 혈청검사(FTA-ABS,FANA) • 바이러스 항체가 검사
전정기능검사

Ⅳ 치료

돌발성 난청은 이과적 응급상황이므로 먼저 세밀한 검사를 통해 가능한 원인을 찾아내서 그에 맞게 치료하는 것이 중요하다. 원인불명의 돌발성 난청에 대한 치료법은 추정되는 병인이 다르고 진단이 명확하지 않기 때문에 항염증제, 혈액순환개선제(rheologic agent), 혈관확장제, 항바이러스제, 이뇨제, triiodobenzoic acid 유도체 등을 사용할 수 있으며, 고압산소치료나 수술적 방법도 이용할 수 있다.

1. 항염증제

스테로이드는 원인 불명의 돌발성 난청에 쓰이는 치료제중 유일하게 효과를 인정받고 있는 제제이다.[22] 모든 형태의 스테로이드를 사용할 수 있으며 작용기전은 와우와 청신경염증을 감소시키는 것으로 생각된다. Wilson 등은 스테로이드 경구투여로 난청환자의 61%가 호전된 반면 위약(placebo)군은 32%만이 호전되었으며 90 dB 이상 청력이 손실된 환자들은 효과가 없었지만 40~90 dB의 난청환자들은 위약군이 38%, 스테로이드 치료군이 78%의 회복율을 보여 스테로이드를 사용한 환자들의 회복률이 의미 있게 높았다고 보고하였다.[59] 미국의 돌발성 난청에 대한 가이드라인에서는 초기 스테로이드치료를 선택사항 option (grade B)으로 정하고 있다.[50] 사용방법은 다양하며 prednisone의 경우 하루 60~80 mg (1mg/kg/day)부터 시작하여 1~2주에 걸쳐 감량한다. 부분적인 회복이 있으면 prednisone을 10일 정도 다시 사용하기도 한다. 경구 스테로이드의 대표적 부작용은 10~14일의 복용으로도 시상하부–뇌하수체–부신 축의 억제 및 쿠싱증후군이 발생할 수 있다는 것이다.

이러한 스테로이드의 전신 부작용을 줄이고 내이에서의 농도를 높이 유지하기 위하여 고막을 통해 고실내로 약물을 직접 주입하기도 하는데, 고실내 스테로이드 주입술(intratympanic dexamethasone injection)의 주요 부작용은 이통, 고막 천공, 일시적 현훈 등이 있다. 고실내 주입된 스테로이드는 정원창막을 통하여 확산되어 내이에 도달한다. 동물실험에서 고실내에 주입한 후 내이의 약제 농도가 전신투여 때보다 높은 것이 확인되었으며 약물로는 dexamethasone이나 methylprednisolone을 사용할 수 있다. 이 중 methylprednisolone의 경우 농도가 높아 내이의 약물 농도를 높게 유지할 수 있으나 주입 후 중이점막에 통증을 유발할 수도 있으므로 사용에 주의를 요한다. 주사기를 이용하여 중이강에 직접 주입하는 방법, 고막절개술 후 약물을 젤폼이나 피브린 글루와 혼합하여 정원창 주변에 유치시키는 방법, 중이환기관을 삽입하고 이를 통하여 약물을 주입하는 방법, microwick이나 카테터를 이용하여 주입하는 방법 등이 있다.

고실내 스테로이드 주입술을 시행하는 데에는 전신 스테로이드 사용 후 호전이 없어 구제치료로서 시행하는 경우, 전신 스테로이드와 병행하여 사용하는 경우, 전신 스테로이드 사용 없이 주치료로 사용하는 경우가 있을 수 있다. 돌발성 난청 발생 후 자연호전 되지 않거나 경구 스테로이드치료 후 호전이 불충분한 경우, 고실내 스테로이드 주입술은 구제요법(salvage therapy)으로 사용될 수 있으며 많은 연구에서 추가적인 청력역치의 호전을 가져올 수 있음을 보고하였다.[6,11,20,53] 전신 스테로이드와 병행하여 사용하는 경우 고실내 스테로이드 주입술의 효과에 대해서는 서로 상반된 연구 결과들이 보고되고 있어 논란의 여지가 있다.[2,5,7,29] Rauch 등은 경구 prednisone을 14일 사용한 군과 methylprednisolone을 14일에 걸쳐 4회 고실내 주입한 군의 순음청력역치를 비교하였을 때 유의한 차이를 보이지 않았음을 보고한 바 있다.[42]

2. 혈액순환 개선제

혈액의 점도(viscosity)를 낮추어 혈액순환을 개선하고 산소공급을 증가시킬 목적으로 저분자량 혈량증량제(low molecular weight volume expander), pentoxifylline, heparin 같은 항응고제를 사용한다. 특히 혈량증량제는 혈액희석 효과가 있고 factor VIII에 영향을 미쳐 혈액의 점도를 감소시키므로 혈액순환을 향상시킬 수 있으나 심부전증이나 혈액 질환 등에는 사용하지 말아야 한다.[22] 10% dextran 500 mL을 4시간에 거쳐 정맥 주입하며

3~7일간 투여한다. Pentoxifylline은 경구 투여가 가능하며 400 mg을 1일 3회 투여한다. Heparin은 12시간마다 5,000~10,000 unit을 투여하여 혈액응고 시간이 정상의 2~3배가 되도록 유지시킨다.[31]

3. 혈관 확장제

혈관확장제는 와우 내 혈류를 개선하여 산소의 공급을 증가시켜 줄 수 있으므로 치료제로 많이 사용한다. Histamine은 1일 2.75mg을 500mL의 생리 식염수에 섞어 30분에 걸쳐 정맥주입하고 3일간 사용한다. Papaverine, nicotinic acid는 보통 경구 투여하며 그 외에 niacin, procaine 등도 사용된다. Carbogen(5% CO_2, 95% O_2)흡입은 외림프의 산소압을 증가시키는 효과가 있는데,[15] 보통 1시간 간격을 두고 하루 8번 30분간 carbogen을 흡입하는 법 등 여러 방식이 있다. 그러나 Snow와 Suga 등은 대량의 혈관확장제를 사용해도 와우혈류 증가가 없었다고 보고하였다.[51]

4. 항바이러스제

Acyclovir는 대표적인 항바이러스제로, DNA중합효소를 억제하고 핵산의 합성을 정지시킨다. 경구용 acyclovir 800 mg을 1일 5회씩 10일간 사용한다. 항바이러스제와 스테로이드를 같이 사용했을 때 치료 효과가 더 좋은지에 대해서는 논란이 있다. Zadeh 등은 후향적 연구에서 스테로이드와 항바이러스제를 동시 투여해서 회복률이 증가했다고 추정했으나,[62] Tucci 등은 스테로이드와 항바이러스제(Valacyclovir)를 10일간 동시 투여했을 때 스테로이드 단독 투여군에 비해 효과가 더 좋지는 않았다고 하였다.[54]

5. 이뇨제

원인불명의 돌발성 난청의 일부는 내림프 수종에 의해 발생할 수 있으므로 치료제로 이뇨제가 사용되어 왔다. Hydrochlorthiazide와 trimaterene을 병용하여 사용하기도 하는데, Hughes는 저염식을 하면서 hydrochlorthizide 1일 1회, 20 mg의 prednisone을 1일 4회씩 10일간 사용하는 방법을 돌발성 난청의 치료 방침으로 추천하였다.[33]

6. Triiodobenzoic acid 유도체

Diatrizoate meglumine (Hypaque®)은 조영제로 대표적인 triiodobenzoic acid유도체이다. 혈관조에 영향을 미쳐 와우내 전위유지에 도움을 준다고 생각된다.[43] Morinitsu는 amidotrizoate (Urografin®)를 사용한 돌발성 난청 환자의 54%가 회복된 반면 혈관 확장제를 사용한 경우는 19%만이 호전되었다고 보고하였다.[29]

7. 고압산소치료

고압산소치료(hyperbaric oxygen therapy) 또한 난청의 회복에 도움이 될 수 있다는 RCT 결과를 토대로 미국의 돌발성 난청에 대한 가이드라인에서 선택사항(option grade B)으로 제시하고 있다.[50] 고압산소치료는 기존의 고식적 치료인 스테로이드/약물치료에 추가되었을 때, 스테로이드/약물치료만 한 군에 비해 치료 효과가 높음이 입증되었다. 외국의 한 무작위 임상시험연구에서는 돌발성 난청 환자를 대상으로 1차 치료로써 중재군(고압산소처치/스테로이드/약물치료 병용, 30명)과 비교군(스테로이드/약물치료 병용, 21명)을 비교하여 2,000 Hz를 제외한 모든 주파수에서 중재군의 평균청력 향상이 비교군보다 유의하게 높게 향상됨을 보고하였다.[13] 또한 고식적치료와 고압산소치료의 비교에서 고압산소치료의 효과가 더 크다는 보고도 있었는데, 외국의 한 코호트연구는 돌발성 난청 환자를 대상으로 1차 치료로써 중재군(고압산소처치, 51명)과 비교군(Pendoxifylline, 64명)을 비교하여 평균 청력향상이 중재군 46.35±18.58 dB, 비교군 21.48±13.50 dB로 중재군이 비교군보다 유의하게 높음을 보고하였다.[23] 고압산소치료의 일반적인 합병증 및 부작용으로는 고막손상, 중이염, 내이 압력 평형 부전, 유스타키오관 이상, 압력 손상(barotrauma), 내이 손상, 폐 손상, 단기간 시각 흐림, 폐쇄공포증, 현훈, 전신적 생리적 대사적 변화 등이 있을 수 있으나, 기존 보고에서 고막손상, 중이염 외 심각한 부작용은 보고되지 않았다.

8. 수술적 요법

와우막이 파열되어 외림프누공이 있을 때 돌발성 난청이 발생할 수 있으므로 최근에 외상을 입었거나 육체적 진력(exertion) 등을 경험한 후 난청이 생겼다면 시험적 고실개방술(exploratory tympanotomy)을 통해 내이의 누공을 확인해야 한다. 이때 누공검사가 도움이 되며 이 검사에서 양성이면 난원창이나 정원창의 외림프누공 가능성이 있으므로 폐쇄술을 실시할 수 있다. 그러나 누공의 발견이나 치료에 대한 공인된 방법이 아직 없으므로 그 치료 효과를 명확히 알기는 어렵다. 유일청이(only hearing ear)에 돌발성 난청이 발병했을 때도 시험적 고실개방술을 고려한다. 그 외에 성상신경 절단술(stellate ganglion block) 등이 말초 혈관을 확장시킬 목적으로 시술되었으나 그 결과는 확실하지 않다.[39] 또 고용량의 스테로이드나 세포독성약제까지 사용되기도 하나 임상적 효능은 아직 확실하지 않다.

이상과 같은 모든 치료는 입원치료를 원칙으로 하며 환자가 술과 담배를 금하고 안정을 취한 상태에서 약물을 투여한다. 만약 외림프누공이 의심된다면 절대안정이 필수적이다. 매일 순음청력검사와 어음청력검사를 시행하여 그 경과를 관찰하는 것이 중요하다. 퇴원 후에도 청력검사 결과가 고정될 때까지는 휴식을 취해야 한다. 만약 치료에 반응이 없을 때에는 이신경학적 원인의 가능성을 다시 생각하고 필요한 검사를 시행한다.

 결과

돌발성난청은 치료를 받지 않아도 보통 2주 안에 회복되어 자연 회복률은 부분적 회복을 포함하면 47~63%에 이른다.[33,44] 완전회복은 반대측 정상귀와 비교하여 순음청력 검사 결과에서 보통 10 dB 이내의 차이를 보일 때를 의미한다. 일반적으로 1/3의 환자는 정상 청력을 되찾지만 1/3은 청력이 40~60 dB 정도 손실되며 나머지 1/3은 청력을 완전히 잃는다.[62] 돌발성 난청 환자의 15%에서 난청이 진행하였다는 보고도 있다.[51] 일단 청력이 회복되기 시작하면 수일 내에 급속히 호전된다.

돌발성 난청의 치료 효과 판정은 대조군 설정이 어렵고 예후에 영향을 미치는 여러 인자들을 올바르게 고려하기가 어렵다는 점 때문에 쉽지 않다. 치료제로 가장 많이 사용되는 스테로이드를 투여했을 때 문헌상으로 41~61%의 환자에서 난청이 회복되지만,[4,10,40] 여러 약제를 혼합하여 사용하는 경우가 대부분이며 치료 시기도 환자들마다 다양한 질병 경과 중에 시작하므로 각 약제의 치료 효과를 분리하여 판정하는 것은 어렵다. 실험적으로 유발된 돌발성 난청은 혈관조 모세혈관이 일시적으로 폐쇄되어 내이의 저산소증과 내림프전위 감소로 인하여 발생하며, 혈류의 회복과 더불어 청력도 회복된다.[61]

난청이 심할수록 예후는 좋지 않으며 수 주일이 지나도 완전히 청력을 회복하지 못할 수도 있다. 순음청력검사에서 저음장애를 보이거나 중간주파수 대역에 청력손실이 있는 경우는 고음장애나 전주파수대 영역에 손실이 있는 경우보다 회복률이 좋다. 어음 명료도가 떨어지거나 현기증이 동반되는 경우도 예후가 좋지 않고 소아나 40세 이상의 성인은 상대적으로 회복률이 떨어진다. 또 청력은 대부분 발병 2주 내에 회복되기 때문에 치료를 늦게 시작했거나 오래된 돌발성 난청은 그만큼 회복률도 낮다. 재발은 드물다.[16] 현기증은 난청 발병 초기에는 심할 수 있으나 1주일 이내에 호전되며 6주 이내에 완전 회복된다.[62]

치료를 시작하기 전, 환자에게 난청의 변화 양상 및 약물 치료의 이점 및 위험성 등에 대해 충분히 교육하는 것이 필요하다. 충분한 약물치료 후에도, 청력이 회복되지 않는 경우 심리 상담이나 정신과적 조언이 필요할 수 있으며 그 후로도 시간 간격을 두고 계속해서 청력상태를 관찰해야한다. 특히 소아의 경우에는 학교에서 자리배정 등에 신경을 써야하고 소리 방향에 대한 분별력이 떨어지므로 소아가 여기에 익숙해져야 한다. 또 각종 사고에 노출될 위험이 크므로 특별한 주의가 필요하다. 경우에 따라 CROS (contralateral routing of signal)보청기가 도움이 될 수 있다. 양측성으로 발병하여 회복되지 않는 경우 보청기를 통한 청각재활이 필요하며 보청기로도 도움을 받지 못하거나 문장 이해 검사 결과가 불량하면 와우이식술의 대상자가 될 수 있다.[51]

참고문헌

1. 신시옥. 돌발성난청의 특징과 치료적 접근방법. 이비인후과학 서울심포지움 13권. 2007;108-117.
2. Arslan N, Oguz H, Demirci M, Safak MA, Islam A, Kaytez SK, et al. Combined intratympanic and systemic use of steroids for idiopathic sudden sensorineural hearing loss. Otol Neurotol. 2011;32(3):393-397.
3. Arts HA. Different diagnosis of sensory neural hearing loss. In: Cummings CW, Fredrickson JM, Harker LA, et al, eds. Otolaryngology: Head Neck Surgery, 3rd ed. St Louis: Mosby Year Book, 1999, p.2928.
4. Bailey CM, Graham MD, Lawrence M. Recovery from prolonged sensory neural hearing loss. Am J Otol 1982;4:1-8.
5. Battaglia A, Burchette R, Cueva R. Combination therapy (intratympanic dexamethasone + high-dose prednisone taper) for the treatment of idiopathic sudden sensorineural hearing loss. Otol Neurotol. 2008;29(4):453-460.
6. Battista RA. Intratympanic dexamethasone for profound idiopathic sudden sensorineural hearing loss. Otolaryngol Head Neck Surg. 2005;132(6):902-905.
7. Baysal E, Tunc O, Baglam T, Durucu C, Oz A, Karatas ZA, et al. Systemic steroid versus combined systemic and intratympanic steroid treatment for sudden sensorineural hearing loss. J Craniofac Surg. 2013;24(2):432-434.
8. Belal A. Pathology of vasculae sensorineural hearing impairment. Laryngoscope 1980;90:1831-1839.
9. Brownson RJ, Zollinger WK, Maderia T, et al. Sudden sensory neural hearing loss following manipulation of the cervical spine. Laryngoscope 1986;96:166-170.
10. Byl FM Jr. Sudden hearing loss: eight years experience and suggested prognostic table. Laryngoscope 1984;94:647-661.
11. Chandrasekhar SS. Intratympanic dexamethasone for sudden sensorineural hearing loss: clinical and laboratory evaluation. Otol Neurotol. 2001;22(1):18-23.
12. Chau JK, Lin JR, Atashband S, Irvine RA, Westerberg BD. Systematic review of the evidence for the etiology of adult sudden sensorineural hearing loss. Laryngoscope 2010;120:1011-1021.
13. Ersoy Callioglu E, Tuzuner A, Demirci S, Cengiz C, Caylan R. Comparison of simultaneous systemic steroid and hyperbaric oxygen treatment versus only steroid in idiopathic sudden sensorineural hearing loss. Int J Clin Exp Med. 2015; 8(6):9876-9882.
14. Fetterman BL, Saunders JE, Luxford WM. Prognosis and treatment of sudden sensorineural hearing loss. Am J Otol 1996; 17:529-536.
15. Fisch U. Management of sudden deafness. Otolaryngol Head Neck Surg 1983;91:3-8.
16. Furuhashi A, Matsuda K, Asahi K, er al. Sudden deafness: long-term follow-up and recurrence. Clin Otolaryngol Allied Sci 2002;27:458-463.
17. Goode RL. Perilymph hypertension and the indirect measurement of cochlear pressure. Laryngoscope 1981;91:1706-1713.
18. Goodhill V, Harris I. Sudden hearing loss syndromes. In: Goodhill V, ed. Ear diseases, dizziness, and deafness. Hagerstown: Harper & Row, 1979;664-681.
19. Grandis JR, Hirsch BE, Wagener MM. Treatment of idiopathic sudden sensorineural hearing loss. Am J Otol 1993;14:183-188.
20. Haynes DS, O'Malley M, Cohen S, Watford K, Labadie RF. Intratympanic dexamethasone for sudden sensorineural hearing loss after failure of systemic therapy. Laryngoscope. 2007;117(1):3-15.
21. Haug O, Draper WL, Haug SA. Stellate ganglion blocks for idiopathic sensory neural hearing loss. Arch Otolaryngol 1976;102:5-8.
22. Hultcrantz E, Stenquist M, Lyttkens L. Sudden deafness: a retrospective evaluation of dextran therapy. ORL J Otorhinolaryngol Relat Spec 1994;56:137-142.
23. Imsuwansri T, Poonsap P, Snidvongs K. Hyperbaric Oxygen Therapy for Sudden Sensorineural Hearing Loss after Failure from Oral and Intratympanic Corticosteroid. Clin Exp Otorhinolaryngol. 2012;5(Suppl 1):S99-S102.
24. Jackler RK, De La Cruz A. The large vestibular aqueduct syndrome. Laryngoscope 1989;99:1238-1243.
25. Khetarpal U, Nadol JB, Glynn RJ. Idiopathic sudden sensorineural hearing loss and postnatal viral labyrinthitis: a statistical comparison of temporal bone findings. Ann Otol Rhinol Laryngol 1990;99:969-976.
26. Kimura RS. Animal models of inner ear vascular disturbances. Am J

Otolaryngol 1986;7:130-139.
27. Kronenburg J, Almagor M, Bendet E, et al. Vasoactive therapy versus placebo in the treatment of sudden hearing loss: a double-blind clinical study. Laryngoscope 1992;102:65-68.
28. Kuhn M, Heman-Ackah SE, Shaikh JA, Roehm PC. Sudden Sensorineural Hearing Loss: A Review of Diagnosis, Treatment, and Prognosis. Trends Amplif. 2011;15(3):91-105.
29. Labatut T, Daza MJ, Alonso A. Intratympanic steroids as primary initial treatment of idiopathic sudden sensorineural hearing loss. The Hospital Universitario Ramon y Cajal experience and review of the literature. Eur Arch Otorhinolaryngol. 2013;270(11):2823-2832.
30. Mattox DE, Simmons FB. Natural history of sudden sensorineural hearing loss. Ann Otol Rhinol Laryngol 1997;86:463-480.
31. Meyerhoff WL. The management of sudden deafness. Laryngoscope 1979;89:1867-1868.
32. Moffat DA. Sudden deafness in vestibular schwanoma.J Laryngol Otol 1994;109:116-119.
33. Mansell EM, Teixido MT, Wilson MD, et al. Nonhereditary heaing loss. In: Hughes GB, Pensak ML, eds. Clinical Otology, 2nd ed. New York: Thieme-Stratton, 1997;294-295.
34. Morimitsu T. Dysfunction of stria vascularis as a new theory of sudden deafness. Adv Otorhinolaryngol 1977;22:57-75.
35. Morrison A, Booth J. Sudden deafness: an otological emergency. Br J Hosp Med 1970;4:287.
36. Moskowitz D, Lee KJ, Smith HW. steroid use in idiopathic sudden sensorineural hearing loss. Laryngoscope 1984;94:664-666.
37. Nadol JB Jr. Patterns of neural degeneration in the human cochlea and auditory nerve: implications for cochlear implantation. Otolaryngol Head Neck Surg 1997;117:220-228.
38. Nageris BI, Popovtzer A. Acoustic neuroma in patients with completely resolved sudden hearing loss. Annals of Otology, Rhinol and Laryngology. 2003;112:395-397.
39. Ohinata Y, Makimoto K, Kawakami M, et al. Blood flow in common carotid and vertebral arteries in patients with sudden deafness. Ann Otol Rhinol Laryngol 1997;106:27-32.
40. Plasse HM, Mittleman M, Frost JO. Unilateral sudden hearing loss after open heart surgery: detailed study of seven cases. Laryngoscope 1981;91:101-109.
41. Rambold H, Boenki J, Stritzke G, et al. Differential vestibular dysfunction in sudden unilateral hearing loss. Neurology 2005;64:148-151.
42. Rauch SD, Halpin CF, Antonelli PJ, Babu S, Carey JP, Gantz BJ, et al. Oral vs intratympanic corticosteroid therapy for idiopathic sudden sensorineural hearing loss: a randomized trial. JAMA. 2011;305(20):2071-2079.
43. Redleaf MI, Bauer CA, Gantz BJ, et al. Diatrizoate and dextran treatment of sudden sensorineural hearing loss. Am J Otol 1995;16:295-303
44. Saunders JE. Sudden hearing loss in acoustic neuroma patients. Otolaryngol Head Neck Surg 1995;113:23-31.
45. Schuknecht HF. Pathology of the Ear, 2nd ed. Philadelphia: Lea & Febiger, 1993;181-182.
46. Schweizer VG, Shepard N. Sudden hearing loss: An uncommon manifestation of multiple sclerosis. Otolaryngol Head Neck Surg 1989;100:327-332.
47. Shaia FT, Sheehy JL. Sudden sensorineural impairment: a report of 1220 cases. Laryngoscope 1976;86:389-398.
48. Simmons BF. Theory of membrane breaks and sudden hearing loss. Arch Otolaryngol 1968;88:67-74.
49. Simmons BF. Sudden sensory neural hearing loss. In: English GM, ed. Otolaryngology. Hagerstown: Harper and Row, 1976, p.2.
50. Stachler RJ. Chandrasekhar SS, Archer SM et al. Clinical practice guideline: sudden hearing loss. Otolaryngol Head Neck Surg. 2012;146:S1-35.
51. Snow JB Jr, Suga F. Control of the microcirculation of the inner ear. Otolaryngol Clin North Am 1975;8:455-466.
52. Snow JB, Telian SA. Sudden deafness. In: Paparella MM, Shumrick DA, Gluckman JL, et al, eds. Otolaryngology, 3rd ed. Philadelpia: WB Saunders, 1991;ㄴ1619-1628.
53. Stachler RJ, Chandrasekhar SS, Archer SM, Rosenfeld RM, Schwartz SR, Barrs DM, et al. Clinical practice guideline: sudden hearing loss. Otolaryngol Head Neck Surg. 2012;146(3 Suppl):S1-35./
54. Tucci DI, Farmer JC, Kitch RD, et al. Treatment of sudden sensorineural hearing loss with systemic steroids and valcyclovir. Otol Neurotol 2002;23:301-308.
55. Van Dishoeck H, Bierman T. Sudden perceptive deafness and viral infection. Ann Otol Rhinol Laryngol 1957;66:963-969.
56. Waisted A, Salomon G, Thomsen J, et al. Hearing decrease after loss of cerebrospinal fluid. A new hydrops model? Acta Otolaryngol 1991;111:468-476.
57. Wilkins SA, Mattox DE, Lyles A. Evaluation of a shotgun regimen for sudden hearing loss. Otolaryngol Head Neck Surg 1987;97:474-480.
58. Wilson WR. The relationship of the herpes virus family to sudden hearing loss: a prospective clinical study and literature review. Laryngoscope 1986;96:870-877.
59. Wilson WR. Why treat sudden hearing loss. Am J Otol 1984;5:481-483.
60. Wilson WR, Veltri RW, Laird N, et al. Viral and epidemiologic studies of idiopathic sudden hearing loss. Otolaryngol Head Neck Surg 1983;91:653-658.
61. Yoon TH, Paparella MM, Schachern PA, et al. Histopathology of sudden hearing loss. Laryngoscope 1990;100:707-715.
62. Zadeh MH, Storper IS, Spitzer JB. Diagnosis and treatment of sudden-onset sensorineural hearing loss: a study of 51 patients. Otolaryngol Head Neck Surg 2003;128:92-98.

CHAPTER

35

염증성 내이 질환

장철호

내이의 염증은 중이강, 와우도수관(cochlear aqueduct), 내이도(internal acoustic meatus), 또는 나선 와우축 혈관(spiral modiolar vessel)을 통하여 원인균 혹은 바이러스가 침입하여 발생한다. 일반적으로 바이러스에 의해 발생하는 미로염은 치명적이지 않지만 중이염 합병증으로 발생하는 화농성 미로염은 치료가 지연되면 치명적일 수 있다.

I 중이강을 통한 미로염

미로염은 병리조직학적 소견과 병인에 따라 미로누공(labyrinthine fistula), perilabyrinthitis, 장액성 미로염(serous labyrinthitis), 화농성 미로염(suppurative labyrinthitis)으로 구분한다.

1. 미로누공

1) 원인과 빈도

미로누공(labyrinthine fistula)은 와우나 반고리관의 골미란(bone erosion)으로 인해 생기며, 진주종성 중이염의 가장 흔한 합병증이다. 진주종과 주변부의 육아조직에 의해 형성되며, 발생빈도는 4~15% 정도이다.[22,37,40] 그 외에도 등골절제술 후, 선천성 매독, 종양 등으로 인해 발생할 수 있다. 누공 자체에 의한 결손은 골성미로(bony labyrinth)와 골내막(endosteum)에 국한되며, 막성미로(membranous labyrinth)는 보존되는 것이 보통이나 육아조직이나 섬유조직이 막성미로를 침범하여 화농성 내이염으로 이행되는 경우도 있다.

진주종에 의한 미로누공 형성 단계는 4단계로 나누어진다.[8] 1단계는 골성미로의 두께가 감소되어 얇은 골판(bony plate)인 골내막층이 미로의 관을 덮고 있는 상태로 뚜렷한 청색선(blue line)을 볼 수 있다. 2단계는 누공이 형성되어 골성미로의 모든 골조직이 소실되고 진주종이 골성미로의 골내막과 접한 상태이다. 3단계는 진주종이 막성미로의 벽에 직접 접한 상태인데, 이때 진주종을 제거하면 외림프강이 넓게 노출될 수 있다. 4단계는 막성 미로의 벽이 진주종으로 이루어진 상태이다. 그러나 누공 부위의 기질(matrix)을 제거하지 않은 상태에서 이낭(otic capsule)의 미란 깊이(erosion depth)에 따른 단계를 분류한 보고는 아직 없는 실정이다.[6]

2) 증상과 진단

현기증은 환자의 2/3에서 나타나며, 자발성 안진은 없는 것이 보통이며 누공검사 시 음성을 보이는 경우도 있다. 수평반고리관에 누공이 있으면 보통 수평안진을 보이지만 전정(vestibule)에 생긴 누공은 수평회전안진을, 후반고리관에 생긴 누공은 수직안진을 보이기도 한다. 수평반고리관 누공의 증상은 드물게 수평반고리관 양성돌발성 체위성 현훈증처럼 증상이 나타날 수 있어 감별을 요한다.[43]

누공 부위에 따른 안진은 표 35-1과 같으나 위음성, 위양성이 많기 때문에 검사 결과를 해석할 때 주의해야 한다. 진주종이 고막과 누공 사이를 차단하고 있으면 누공검사는 의미가 없으며, 누공검사의 정확도를 높이기 위하여 임피던스 전기 안진검사(impedance ENG)를 이용하기도 한다. 염증이 없는 상태의 진주종이 천천히 골성미로를 파괴할 경우 청력손실이 진행하는 것 외에는 별 증상 없이 큰 누공을 형성할 수 있다. 고해상도 측두골 CT는 미로누공 진단율이 80% 이상이며,[20] 대다수의 누공은 안면신경관의 골부 결손을 동반한다. 동반되는 합병증은 안면신경마비, 중두개저 결손, 뇌류(encephalocele) 등이다.[26]

최근 Sone 등은[45] 미로누공에서 수술 전 CT와 MRI를 임상증상과 비교 관찰하였는데, 미로누공 크기는 CT로 측정하였고, 병변측 내이와 소뇌의 SIR (signal intensity ratio)를 3D FLAIR MRI로 측정하였다. 수술 전 골도 청력상태는 SIR과 상관관계가 있고, 누공 크기와는 상관관계가 없다고 하였다. 또한 미로누공 증상 동반한 환자군은 증상 없는 환자군에 비해 SIR이 높았으며, 미로누공 크기가 큰 환자나 높은 SIR 지수를 보인 환자는 침범 깊이(depth)가 더 깊거나 진주종 기질(matrix)이 막성미로에 더 유착된 것을 수술 시에 확인했다고 하였다. 수술전 3D FLAIR MRI는 CT보다도 수술 전 미로누공의 내이기능 상태를 예측하는데 도움이 될것으로 사료된다.

표 35-1. 미로누공의 위치에 따른 안진의 방향

미로누공 위치	안진방향
수평반고리관, 팽대후부위	수평성, 정상 쪽 귀를 향함
수평반고리관, 팽대전부위	수평성, 병변 쪽 귀를 향함
전정	회전성, 수평성, 병변 쪽 귀를 향함
상반고리관	회전성, 병변 쪽 귀를 향함
후반고리관	수직성

3) 측두골 병리조직 소견

육아조직의 방어벽(walled-off) 현상은 미로누공 부위에서 이루어지기 때문에 진주종이 막성미로 내로 진행되는 것이 방지된다고 알려졌으나,[18] 일부 연구 결과에서는 미로누공 부위 육아조직의 방어벽 현상이 발견되지 않았다.[18] 또한 누공 부위에 염증이 없는 경우에도 누공 주변의 신생골형성이 관찰되었으며, 이러한 신생골 형성은 골성미로의 골외막층(periosteal layer) 또는 골내막층(endosteal layer)에서 시작된다. 누공 부위의 염증이 심한 경우라도 막성미로와 경계를 이루는 골내막층이 일단 두꺼워져 병변이 막성미로로 진행되는 것을 방지한다. 미로누공만 있는 경우에는 내이의 와우나 전정기관의 조직들은 정상적인 소견을 보이며, 와우에 미로누공이 있는 경우에도 와우 주변에서 신생골 형성이 관찰되었다.[18]

4) 치료

화농성 이루가 있다면 수술 전 항생제를 사용하여 염증을 줄이면서 수술해야 한다. 경험이 많은 술자들에서도 미로누공 수술 후 발생하는 난청(deafness)의 빈도는 약 10%에 이르므로 수술 시 세심한 주의를 요한다.[6,12]

전정 미로누공 유무가 확실하지 않다면 미로누공이 가장 빈발하는 부위인 수평반고리관의 상부를 수술 중 확인한다. 그러나 와우에서 누공이 의심되면 청력보존을 위하여 기질을 그대로 보존할 수 있다.

수술 시 미로누공의 처치에 관해서는 논란이 있다. 일반적으로 누공의 직경이 2~3 mm 이하일 때는 진주종의 기질을 제거하고 누공 부위를 덮어 주며, 그 이상의 크기에서는 청각소실의 우려 때문에 진주종 기질을 남기고 이차 수술 시에 제거하기를 권하고 있다.[11] 누공 부위의 진주종 기질을 제거하였을 때는 피질골 가루(cortical bone dust)와 섬유소접착제(fibrin glue)를 혼합하여 누공 부위를 덮고 그 위를 연골막, 측두근막, 연골편이나 골판 등으로 덮어 준다. 치유과정 중 누공연에서 신생골이 형성될 수 있다. 술자에 따라 개방형 유양동삭개술 또는 폐쇄형 유양동삭개술을 선택하여 시행하며, 상황에 따라 유양동 폐쇄술을 시행한다.[40]

임상적으로도 미로누공에 진주종을 남겨둔 환자의 이차 수술 시 66%에서 진주종의 기질이 소실되었다고 보고된 바 있다.[40] 반면에 2 mm 이상의 누공에서 진주종을 제거하여 청력이 증진되었다는 보고도 있는데,[8,25,46] 이러한 청력증진은 중이 전음기전 때문이라기보다는 미로누공과 진주종을 제거한 후 내이의 기능이 회복되기 때문이라고 하였다.[12]

최근 2 mm 이상의 누공을 동반한 진주종에서도 수술 전 또는 수술 중 steroid 사용과 함께 흡입기(suction)를 사용하지 않고 조심스럽게 제거할 경우 골도청력을 보존할 수 있다는 보고도 있다.[1,20] 그러나 Ikeda 등은[16] 3 mm 이상 누공은 수술 후 골도청력의 전소실을 동반할 수도 있기 때문에 주의를 요한다고 하였다. 하지만 일반적으로 반대측보다 청력이 좋은 귀, 와우누공, 염증이 심한 경우, 막성미로에 유착된 2 mm 이상의 누공 등에서는 진주종 기질을 남기고 이차 수술 시 가능하다면 기질을 제거함으로써 골도청력 보존에 유리하다. 누공 stage에 의한 침범 정도와 수술 후 hearing outcome은 상관관계가 없다고 보고되었다.[28] 수술 후 골도청력은 주로 저주파영역에서 회복된다. 반면에 수술 후 자발성 안진과 고주파영역에서 골도청력이 악화를 보이는 경우는 수술에 의한 내이 손상을 의미한다.[22]

최근 Katsura 등은[23] 미로누공 수술 후 장기간 관찰 시 처음 수술 후 1년은 골도 청력이 호전되었다가 5년 후에 1 kHz와 2 kHz의 골도청력이 의미 있게 악화됨을 관찰하였다고 보고한 바 있다.

2. 장액성 미로염

장액성 미로염(serous labyrinthitis)은 내이에 염증세포나 세균의 침입이 없는 무균상태에서 염증성 물질의 독성에 대한 반응으로 발현된다. 급성 화농성 중이염의 가장 빈번한 합병증 중 하나이다.[19] 미로누공을 통하여 육아조직이 외림프액의 인접 부위까지 침범하여도 측두골 병리조직 소견상 막성미로 안에서 다형핵백혈구가 거의 발견되지 않는다. 선홍색의 호산성 침전물(eosinophilic precipitation)이 외림프액 속에 출현하며 와우에서는 내림프수종(endolymphatic hydrops)이 발생할 수 있다.[18]

증상으로는 감각신경성 난청이 나타나며 치료하면 회복할 수 있다. 안구진탕이 병변 측으로 나타나는 것이 보통이지만 안구진탕의 방향이 반대쪽으로 바뀌면 화농성 미로염으로 진행된 것인지 의심하고 적극적인 치료를 시행해야 한다. 주로 항생제와 스테로이드를 사용한다.[19]

3. 화농성 미로염

화농성 미로염(suppurative labyrinthitis)이란 세균이 직접 내이, 즉 막성미로 안으로 침입한 것을 의미한다. 염증의 전파경로는 중이의 염증이 정원창이나 난원창을 통하여 직접 전파되는 경로인 고실성 미로염(tympanogenic labyrinthitis), 뇌막염이 내이도나 와우도수관을 통해 전파되는 경로인 수막성 미로염(meningogenic labyrinthitis), 패혈증이 혈액을 통해 전파되는 경로인 혈행성 미로염(hematogenous labyrinthitis)의 세 가지가 있다.

중이강에 Streptococcus pneumoniae를 주입하여 미로염을 일으킨 동물실험 연구에 의하면 정원창와에 결체조직을 이식한 군에서는 화농성 내이염이 발생하지 않았으나 이식하지 않은 경우에는 미로염이 와우의 모든 부위에서 발생하는데, 염증은 Schuknecht의 관통세관(canaliculae perforantes)을 통하여 Corti기로 침범하여 유모세포의 변성과 소실, 혈관조(stria vascularis)의 부종과 출혈을 일으켰다고 한다. 화농성 미로염 후에 발생하는 청력장애는 이러한 신경조직의 손상으로 인해 발생한다.[41]

뇌막염에 속발하여 발생하는 화농성 미로염은 보통 양측성으로 발생하며 고열을 동반하는 경우가 많아 중이염으로 인해 생기는 편측성 고실성 미로염과는 다르다. 수막성 미로염은 고실성 미로염에 비해 발생 빈도가 높으며 전정기관 침범이 많고 특히 소아난청의 원인 중 약 20%를 차지한다. Schuknecht[27]는 화농성 미로염의 조직학적 변화를 다형핵백혈구의 침윤 시기, 내림프수종이 생기는 시기, 막성 내이의 괴사, 섬유화와 신생골 형성의 4단계로 구분하였다.

급성 중이염으로 인한 경우에는 고막절개술을 시행하여 중이강 내의 화농성 삼출액을 배농시키고 항생제 치료와 스테로이드 및 진토제 등을 사용한다. 만성 중이염으로 인한 화농성 미로염이 발생하면 뇌막염으로 발전하기 쉬우므로 적극적으로 치료해야 하며, 유양동삭개술을 시행하여 원인 병변을 제거하고 광범위항생제와 스테로이드 치료를 시행한다. 과거에는 유양동근치술을 시행하고, 심한 경우 미로적출술 및 배농술을 시행하였으나 최근에는 항생제의 발달로 미로적출술 및 배농술의 적응증은 급격하게 줄어든 상태이다. 뇌막염에 속발한 수막성 미로염에는 유양동삭개술을 시행하지 않는다. Cehalosporin계열의 항생제는 정맥주사 후 외림프액 내로 효과적으로 투과되어 화농성 미로염을 효과적으로 치료할 수 있다. 한편 혐기성 균에 의한 화농성 내이염도 보고되었다.[9]

II 바이러스성 미로염

Schuknecht[27]는 바이러스에 의한 신경 미로염(neurolabyrinthitis)을 급성 바이러스성 미로염(acute viral labyrinthitis), 급성 바이러스성 신경염(acute viral neuritis), 지연성 내림프수종(delayed endolymphatic hydrops)의 세 가지로 분류하였다. 급성 바이러스성 미로염은 급성 와우염을, 급성 바이러스성 신경염은 주로 급성 전정신경염을 일으킨다. 돌발성 난청의 원인 중 상당수를 차지하는 급성 와우염은 18장에서, 급성 전정신경염과 지연성 내림프수종은 26장, 27장에서 다루어지므로 이 장에서는 생략한다.

최근 발달된 PCR 기법을 이용하여 적은 양의 조직만으로 미로염을 일으키는 바이러스 항원을 진단할 수 있게 되었다. 따라서 수술 시 또는 부검 시 얻을 수 있는 내이의 조직이나 외림프액, 내림프액을 통해 바이러스 항원 동정이 가능하게 되었다. 일부 세균이나 바이러스는 광학현미경이나 전자현미경으로 발견할 수 있다.

사람의 미로염에 관련되는 대표적인 바이러스는 주로 임신중 감염(perinatal labyrinthine infection)으로 발생되는 거대세포 바이러스(cytomegalovirus; CMV), 풍진 바이러스(rubella virus)이다, 그 외에 Herpes simplex virus (HSV), 대상포진 바이러스(varicella zoster virus; VZV), 유행성이하선염 바이러스(mumps virus) 등이다. 대부분의 경우는 전신적인 바이러스 질환과 함께 미로염이 나타난다(표 35-2).

1. 선천성 거대세포 바이러스 미로염(Congenital cytomegalovirus; CMV)

1) 원인

헤르페스 바이러스과에 속하는 거대세포 바이러스는 선천성 내이 감염을 일으키는 바이러스 중 가장 발생 빈도가 높으며, 전체적으로 볼때 비유전성 난청의 가장 많

표 35-2. 바이러스성 신경미로염의 분류

급성 바이러스성 미로염	급성 와우미로염(돌발성 난청)
	급성 전정미로염
	급성 와우 전정미로염
급성 바이러스성 신경염	급성 와우신경염
	급성 전정신경염
	급성 와우전정신경염
지연선 내림프수종	동측
	반대측
	양측

은 빈도를 차지한다. 또한 지금까지 내이 외림프액이나 기타 내이조직에서 유일하게 발견된 virus이다. 아직까지 선천성 풍진 바이러스나 HSV는 내이 외림프액이나 조직 sample에서 검출되지는 않았다.[4]

미숙아에서 면역결핍이나 수혈로 인한 바이러스 감염의 중요한 원인이다. 신생아 100명당 1~2명이 감염되는 것으로 알려져 있다. 감염된 태아 80% 이상이 불현성 asymptomatic 감염으로, 이 중 7~15% 정도에서 난청이 발생하며 생후 10년까지 난청이 진행하기도 한다.[10]

선천성 거대세포 바이러스 미로염 현성(symptomatic) 감염은 5% 정도에서 발생하는데, 간, 폐, 신장, 각막, 내이 등을 침범하는 선천성 거대세포 바이러스 질환을 일으키며 이 중 30~60% 정도에서 난청이 발생한다. 특히 임신 초기 3개월 내에 산모가 이환되면 난청의 발생 확률은 더욱 높아진다.[30]

2) 증상

상기 장기침범에 의한 전신 증상과 더불어 미로염이 나타나며 감각신경성난청의 형태는 지연성, 진행성, 일측성, 양측성, fluctuating 등으로 다양하다 특히 신생아 청력 스크리닝에서 정상으로 나올지라도 나중에 지연성 감각신경성난청이 발생할 수 있다.[21]

선천성 거대세포 바이러스 미로염에 의한 신생아 난청은 1,000명 출생당 1.1명이며 양측성으로 50 dB 이상의 난청은 0.6명에서 발생하는데, 이 결과 55%에서 고도, 30%에서 중등도, 15%에서 경도의 난청이 일어난다.[15]

3) 진단

출생 첫 주에서 3주 이내에 신생아의 소변, 혈액, 타액이나 다른 체액에서 PCR을 통해 바이러스를 검출하는것이 현재 gold standard이다. 유전성 난청검사를 위해 출생시 건조된 제대혈 혈액 샘플로 PCR시행하는 방법으로 CMV DNA를 확인할 수도 있지만 이런 방법은 3주 이내에 신생아의 소변, 혈액, 타액이나 다른 체액에서 PCR을 통해 바이러스를 검출하는 PCR검사에 비해 감수성이 떨어진다.

최근 인공와우수술 시 채취한 외림프액을 PCR 시행하여 CMV DNA를 확인하는 방법이 보고되고 있다. Ogawa 등은[33] 5명 CMV환자 외림프액과 CMV가 없는 17명의 외림프액을 대상으로 PCR을 시행하여 CMV 환자 5명 중 2명에서, 선천성 CMV없는 환자 17명 중 1명에서 CMV를 확인하였다.

4) 측두골 조직 소견

청신경과 전정신경은 침범하지 않고 전체적으로 endolymphatic system에 영향을 미쳐서 와우와 구형낭에 수종(endolymphatic hydrops)을 유발시키며 Reissner막 붕괴가 일어난다. 태생기 19~35주 CMV 감염된 태아들의 조직소견에서 와우혈관조의 변연세포(marginal cell)와 전정기관의 nonsensory 상피에서 거대세포와 봉입체가 관찰 되었으며 병변이 더 확산된 증례에서는 반규관과 이석상피, 내림프액을 분비하는 dark cell에서도 관찰되었다.[27]

5) 치료

CMV 감염된 산모에서 CMV 감마글로블린을 사용하여 수동적인 면역치료와 항바이러스제 치료를 시행한다.

산모의 수동적인 면역치료는 의미있게 출생 후 2년 동안 현성감염 신생아 발현을 감소시키며, 산모의 항바이러스제 치료는 산모와 태아의 혈액 내 치료량 level을 유지함으로써 결국 태아의 바이러스 load를 감소시키는 효과가 있다.[17,31,32]

현성 감염 신생아에서는 항바이러스제를 투여하며, 이때는 주사시 발생할 수 있는 백혈구 감소를 점검해야 한다. 불현성 감염 신생아에서는 항바이러스제를 투여하지 않는다. 항바이러스제는 정맥주사로 사용하는 ganciclovir를 투여하거나, 또는 구강투여가 가능한 valganciclovir가 사용된다. 현성 신생아에서 두 가지 중 어느 방법을 택하든 각기 치료 효과가 비슷하다고 한다. 최근 valganciclovir로 치료한 현성 감염 신생아의 청력이 호전되었다고 보고되었다.[48]

불현성 신생아에서는 3살 때까지는 3개월 또는 8개월 간격으로 그 후로는 일 년 간격으로 청력검사를 통해서 청역상태를 확인해야 한다. 보청기 착용이 필요하며, 고도나 심도의 난청에서는 인공와우 이식술이 필요하다.[13]

2. 선천성 풍진 증후군(Congenital rubella syndrome)

1) 원인

주산기 산모감염으로 태아에 발생하며 임신 첫 3개월 내 감염된 태아는 청력장애가 나타날 가능성이 높으나 임신 3개월 이후 감염된 태아에서는 불현성 풍진감염이 될 가능성이 많으며 이런 아이들은 출생시에 건강하게 태어난다. 하지만 불현성 감염 신생아에서도 10~20%에서는 감각신경성난청이 나타날 수 있다.[13]

2) 증상

감각신경성 난청은 양측성이며 주로 저주파나 고주파 영역이 아닌 중간주파수대 영역을 침범하는 난청을 보인다. 15%에서는 경도 중등도 난청, 30% 고도 난청, 55% 심도 난청을 보인다.

3) 진단

양수에서 바이러스를 검출하거나, 출생 1주일 동안 소변이나 인두 배양검사에서 풍진이나 풍진 바이러스검출, 신생아 혈장 내에서 풍진에 대한 IgM 항체검사, 혹은 풍진백신을 시행하지 않은 신생아에서 출생 후 수 개월 IgM 항체 titer 증가로 진단할 수 있다. 바이러스 확인에는 실시간 중합효소연쇄반응 검사, IgM 항체 검사에는 효소면역정량법(ELISA)이 사용된다.

4) 측두골 조직 소견

선천성 풍진의 특징적 병리조직 소견은 없으나 일반적으로 와우, 구형낭이 변성되고 혈관조가 다양한 정도로 위축되며 난형낭과 반고리관은 정상 소견을 보인다. Reissner막과 구형낭의 붕괴를 관찰할 수 있으나 와우 안에서 염증세포들은 관찰되지 않으며, 바이러스 질환에서 볼 수 있는 숙주세포의 봉입체 변성도 관찰하기 힘들다.

5) 치료

항바이러스 제제를 사용한다.[31] 청력검사를 실시하여 난청의 정도에 따라 보청기나 와우이식수술을 통한 청각재활을 고려한다.

3. 출생 후 바이러스 미로염

출생 후 바이러스 미로염(postnatal viral labyrinthitis)을 일으키는 가장 흔한 원인은 유행성이하선염 바이러스, 홍역 바이러스, 대상포진 바이러스이다.

1) 유행성 이하선염 바이러스 미로염(Epidemic parotitis, mumps virus labyrinthitis)

원인 바이러스는 *paramyxovirus*군에 속하는 유행성 이하선염 바이러스로 한 가지 혈청형만이 알려져 있다. 타액, 뇌척수액, 혈액, 소변, 뇌를 비롯한 침범 부위 조직과 외림프액에서 바이러스를 분리할 수 있다. 주로 타액이 비말감염으로 전염된다. 타액에서 바이러스가 검출되는 기간은 타액선 종창 6일 전부터 9일 후까지이며, 전염성이 있는 시기는 종창 1~2일 전부터 종창이 사라진 후 3일까지이다. 진단은 실시간 PCR에 의한 virus 검사, 효소면역 정량법에 의한 IgM 항체검사이다.

유행성이하선염은 뇌수막염, 고환염, 난소염, 췌장염, 난청 등의 합병증을 일으키는 질환이다. 난청의 발생 빈도는 0.05%이며 발생한 환아의 80%는 일측성이다. 난청은 와우성 난청으로 이하선염 발병 1주 말경에 시작하며 경도에서 고도까지 다양하게 나타난다. 병변은 주로 와우를 침범하며 전정기관의 침범은 드물다. 따라서 이하선염을 동반한 돌발성 난청인 경우 볼거리를 염두에 두어야 하나 이하선염 없이 난청만 발생할 수도 있다.

측두골의 조직 소견은 Corti기와 혈관조의 위축이며 Reissner막도 파괴된다. 또한 개막(tectorial membrane)의 박리와 나선신경절의 중등도 소실을 보인다.

치료는 돌발성 난청에 준하여 시행하나 스테로이드가 유행성이하선염 바이러스에 효과가 있는지는 확실한 근거가 부족하다. 다른 바이러스 미로염과 마찬가지로 난청의 정도에 따라 청력재활을 조기에 시행한다. 일측성난청이므로 CROS type 보청기, 골전도보청기를 시행할 수 있다.

2) 홍역 바이러스 미로염(Rubeola virus labyrinthitis)

홍역에 걸린 환아 1,000명당 1명 정도에서 발생하는데, 홍역 백신이 널리 보급된 이후 미로염의 발생률도 많이 줄었다. 난청은 급작스러운 양측성으로 나타나지만 일측성으로 발생하는 경우도 있으며, 영구적이고 발생 시에 이명, 현기증 등을 동반하는 경우가 많다.

청력검사에서 비대칭적인 심한 고음성 난청 소견을 보이며, 70%의 환자에서 온도안진검사의 반응이 감소한다. 진단방법으로는 인두분비물에서 홍역 바이러스를 PCR로 검출하거나 인두 탈락상피에서 면역형광염색으로 바이러스 항원을 검출한다. 측두골 병리조직검사에서 와우 기저부, 특히 혈관조 부분의 변성이 심하며 개막의 비후 혹은 병변이 관찰된다.

3) 대상포진 바이러스 미로염(Varivella-zoster virus labyrinthitis)

대상포진 바이러스는 수두와 대상포진이라는 두 가지 임상 증후군을 유발한다. 수두는 대부분 소아에서 발생하는데, 전염력이 매우 강하고 전신적인 발진을 동반하며 감수성이 있는 집단에서 급속하게 전파된다. 대상포진은 주로 면역 기능이 떨어진 성인에서 발병한다.

병인은 바이러스가 혈행성으로 뇌척수막염을 일으키고, 이어 나선신경절과 전정신경절을 침범하여 발생한다. 잠복성 바이러스가 재활성되어 일어나는 이성 대상포진(herpes zoster oticus) 혹은 Ramsay-hunt 증후군은 전정감각신경인 전정신경절(Scarpa ganglinon)이 침범되어 현기증(40%)과 병변의 반대 방향으로 향하는 자발안진이 생기고, 안면신경의 슬상신경절(genigulate ganglion)이 침범되어 안면신경 마비(60~90%)와 이개의 통증을 동반한 수포성 병변이 발생하며, 나선신경절(spiral ganglion)이 침범되어 돌발성 감각신경성 난청이 발생하는 3주징이 특징이다. 많은 환자들이 청각증상을 호소하나 실제 청력검사에서는 6.5% 정도에서 다양한 정도의 감각신경성 난청이 발생하며, 주로 고음역을 침범하며 영구적인 경우가 많다. 온도안진 검사에서 병변 측의 반응이 감소된 소견을 보이며, gadolinium 조영 증강 MRI에서 슬상신경절과 내이도 외측부와 미로의 조영증강을 볼 수 있다. 또한 3D-FLAIR MRI검사에서 내이와 8번 신경에서 나타나는 precontrast hyperintensity는 안면신경마비 정도와 현기증, 청력장애정도와 의미 있는 상관관계가 있지만 질환의 outcome과는 상관관계가 없다고 보고되었다.[5]

치료로는 스테로이드 경구투여와 항바이러스제 경구투여이다.[34] 두 가지 약물의 경구투여에도 반응이 없는 경우 스테로이드 고용량 정맥주사로 정상으로 회복되었다는 보고도 있다.[7]

III 매독성 미로염

1. 원인

매독성 미로염(luetic labyrinthitis)은 선천성 감염이나 후천성 감염으로 인해 발생한다. 선천성 매독은 증상의 발현 시기에 따라 생후 3세까지 발생하는 조기 선천성 매독(early congenital syphilis)과 8~20세 사이에 발생하는 후기 선천성 매독(late congenital syphilis)의 두 가지가 있다. 후천성 매독감염으로 인한 미로염은 2기(acquired secondary stage)나 3기(acquired tertiary stage) 신경성 매독에서 발생한다.[36]

2. 증상

감각신경성 난청이 발생하며 현기증이 동반되거나 동반되지 않을 수 있다. 조기 선천성 매독은 치명적이며, 후기 선천성 매독은 소아기에 돌발성 난청을 일으킨다. 양측성이고 고도의 감각신경성 난청을 보이며, 다양한 정도의 변동성 난청을 보일 수 있으며, 발작성 현기증이나 이명을 동반하며 진행한다. 따라서 돌발성 난청, Meniere 병과 감별해야 한다.

선천성 매독에서는 두 가지 특징적인 징후가 나타난다. Hennebert 징후는 중이 질환이나 누공이 없는데도 누공검사 결과가 양성으로 나타나는 것이다.[36] 안진은 특히 음압자극 시 더욱 심하게 나타난다. 이 징후는 Meniere 병이나 선천성 매독이 있을 때 나타나는 내림프수종으로 인해 고막은 정상이나 전정 내의 막성미로와 등골족판 사이에 연결된 섬유조직이 전정자극을 전달하여 발생한다. 또는 선천성 매독이 있을 때 고무종(gumma) 형성으로 인한 괴사로 등골족판의 과도한 가동성이 전정반응을 일으키게 되어 발생한다.[35]

Tullio 현상은 Barany 소음기 같은 고음압의 자극 시 안진과 현기증이 나타나는 것이다.[36] 이는 고막과 이소골 연쇄가 정상일 때 고음압으로 생긴 압력이 등골족판을 통하여 내이로 전달되어 정원창 대신 가장 저항이 약한 누공 부위로 파급되면서 전정감각기를 전위시켜 나타나는 현상이다. 이 현상은 매독에서 흔히 나타나지만 진단의 결정적인 단서는 되지 못하며, 선천성 매독으로 인한 미로누공뿐만 아니라 미로개창술 후나 Meniere병에서도 나타난다.[35]

내이의 진행성 변성으로 인한 난청, 각막 혼탁을 일으키는 간질성 각막염(interstitial keratitis), 치아 손상으로 인한 톱니 모양의 문치(Hutchinson's teeth) 등이 출현하는 Hutchinson 3주징이 후기 선천성 매독에서 관찰된다.[36]

3. 진단

혈청학적 검사로 매독에 대한 특이항체를 검출하는 FTA-ABS (fluorescent treponemal antibody absorption), TPI (Treponemal pallidum immobilization), MHA-TP (micro hemagglutination assay for Treponemal pallidum)검사를 시행하여 확진한다. ABR 청력검사에서 병적인 파형간 잠복기간(interpeak latency) 연장 소견을 보이고 V파형의 진폭이 감소한다. 평형기능검사에서 말초성 장애 소견을 보이며 전기와우도(ECoG)검사에서 SP/AP 비율이 증가한다.[36]

4. 측두골의 병리조직 소견

골염과 단핵백혈구 침윤, 폐쇄성 동맥염(obliterative endarteritis), 내림프수종(endolymphatic hydrops) 등은 매독에 이환된 조직에서 공통으로 나타나는 소견이다. 매독으로 인한 특징적 육아성 병변, 즉 고무종 형성, 중심성 괴사, 림프구 침윤 등의 소견은 측두골 내의 이낭(otic capsule)에서 가장 잘 관찰되는데 미로와 청신경을 파괴하며, 중이강의 이소골에도 고무종이 발생하여 전도성 난청을 유발하기도 한다. 조기 선천성 매독으로 인한 미로염은 전정신경염의 형태로 미로와 청신경에 주된 병변이 나타나 난청과 현기증을 일으킨다. 후기 선천성 매독에서는 주된 병변인 골염으로 인해 막성미로가 침범되어 내림프수종에서와 같이 내림프강이 확장된다. 2기 후천성 매독은 초기 선천성 매독과, 3기 후천성 매독은 후기 선천성 매독과 비슷한 병리소견을 보인다.[27]

5. 치료

Benzathin penicillin을 주당 240만 단위를 6주에서 3개월간 주사하며, prednisone 30~60 mg을 2일에 한 번, 3~6개월간 항생제와 같이 투여하며 서서히 감량한다. 내림프수종으로 인한 현기증의 발작이 지속되면 내림프낭 감압술을 실시하여 현기증 발작을 경감시키고 변동성 난청을 안정시킬 수 있다.[35]

Ⅳ 세균성 수막성 미로염

1. 원인

세균성 뇌막염(bacterial meningitis) 환자의 10%에서 영구적인 난청이 동반되는데, 이는 뇌막염의 염증 병변이 지주막하 공간(subarachnoid space)에서 양측의 내이도나 와우도수관(cochlear aqueduct)을 통하여 내이의 고실계(scala tympani)를 침범하여 발생한다.

이외에도 혈관, 내이나 지주막하공간의 외상 또는 선천성 골결손 부위를 통해서도 발생한다.[29] Mondini 이형성dysplasia처럼 골결손 부위가 있는 경우 반복적인 세균성 수막염을 일으킬 수 있다.[42]

수막성 미로염을 일으키는 세균들은 주로 *Streptococcus pneumoniae*, *Neiserria meningitides*, *Haemophilus influenzae*, *Pneumococcus* 등이며, 이 중 *Pneumococcal meningitis*에서 난청의 발생 빈도가 가장 높다.

난청은 모든 소아 연령에서 동일하게 발생하나 어른에서는 발생 빈도가 낮다. 이는 뇌막염에서는 와우도수관을 통하여 내이염이 발생하는데 소아에서는 와우도수관이 개관된 상태이나 성인이 되면서 점차 폐쇄되기 때문이다. 와우도수관의 가장 좁은 부위의 평균 직경은 140 μm이고, 길이는 신생아는 3.5 mm이며 성인은 6.5 mm 정도이다. 과거에는 세균이 직접 와우도수관을 통하여 외림프강을 침범하여 염증을 일으키는 것으로 생각되었으나 최근에는 염증세포의 침범으로 내독소가 외림프강 내에서 염증을 일으키는 것으로 알려져 있다.

뇌막염을 앓고 있는 환자에서 염증은 위의 두 곳을 통해 내이로 파급되기 때문에 정원창 근처에 고실계 근위부가 가장 먼저, 그리고 가장 심하게 손상되며 주로 Corti기 안의 유모세포를 손상시킨다. 화골화도 이 부위에서 가장 심하게 일어나며 때때로 와우의 중간회전과 첨단회전도 골화된다. 이에 비해 전정계(scala vestibuli)는 영향을 받지 않는 경향이 있어 와우이식수술 시 고실계의 골화가 심할 경우 전정계를 통해 전극을 삽입할 수 있다. 이러한 와우 화골화는 최근의 연구에 의하면 감염 당시의 나이, 병원균의 종류, 뇌척수액 백혈구수 등과 상관관계가 없다고 알려져 있다.[3]

뇌막염 후 난청을 일으키는 데에 관여하는 위험인자는 *Streptococcus pneumoniae*가 원인균일 때, CT에서 두개내압의 상승 소견이 있을 때, 경부강직이 있을 때, 뇌척수액 내의 당농도가 낮을 때 등이다.[47] *Coccidioidomycosis*, *mucormycosis* 등 진균에 의한 미로염의 경우 세균에 의한 미로염과 비슷한 소견을 보이며 화골화는 심하지 않다. 세균이나 진균 독소에 의한 미로염이나 화농기의 미로염이 있으면 즉시 고단위의 항생제와 스테로이드를 사용하여 염증의 파급을 억제해야 한다.

2. 증상

임상증상은 뇌막염의 경과를 따르며, 뇌막염을 조기에 진단하고 치료를 시행하여도 난청 발생을 예방하기 힘들다고 알려져 있다. 최근에는 항생제의 발달과 스테로이드의 병용으로 난청의 발생빈도가 줄어들었다는 보고도 있다.[8] 그러나 일단 난청이 발생하면 모든 주파수를 침범하여 일측, 양측에 고도의 영구적 난청을 일으키므로 어떠한 치료도 난청의 정도와 영구적 손상을 막지 못한다고 알려져 있지만 최근 보고에 의하면 235명 소아 뇌수막염 환자에서 절반정도는 치료의 회복기에 청력역치가 부분적으로 회복되었다고 한다.[39]

ABR청력검사는 주관적 청력검사가 불가능한 유소아 난청의 조기 발견에 유용하므로 뇌막염이 이환된 환아에서 조기에 시행하여 청력재활을 시작하도록 한다. 난청 유무와 상관 없이 현기증, 구토, 보행장애 등이 나타날 수도 있다.

3. 치료

먼저 혈액뇌장벽(Blood–brain barrier)을 통과하는 광범위항생제를 사용하며, 혈액이나 뇌척수액을 배양하여 원인균이 발견되면 감수성이 있는 항생제를 사용한다. 스테로이드는 소아에서 난청의 빈도를 줄이는 데 효과가 있다고 알려져 있으며 특히 조기에 치료시 최대효과를 얻을 수 있다.[13] Dexamethasone 0.5 mg/kg을 하루에 4번 4일 동안 주사한다. 스테로이드는 뇌막염을 일으키는 데 관여하는 cytokine 중 IL–1β와 TNF–α의 작용을 억제하는 것으로 알려져 있으며, 막성미로와 청신경의 염증반응을 완화하여 와우와 청신경의 이차 손상을 막는 작용을 한다. 또한 와우 화골화를 방지하는데도 도움이 된다.[14]

최근 항산화제,[24] TNF–α inhibitor[2] 등이 세균성 뇌막염후 난청의 발생을 현저히 감소시켰다는 실험적 보고가 있어서 향후 임상적으로 사용될 것으로 사료된다.

뇌막염에 이환된 환아가 회복기에 들어가면 일단 조기에 ABR 청력검사와 이음향방사검사, 행동청력검사(behavioral audiometry)를 시행한다. 청력검사가 정상으로 나온 경우는 장기적인 청력검사 관찰이 필요하지 않으나 결과가 비정상인 경우 정기적으로 검사하여 적절한 청각재활을 시행해야 한다.[38]

세균성 뇌막염으로 인한 미로염이 발생하면 와우는 신생골로 폐쇄되는 과정을 따르게 되므로 와우이식술을 시행하기가 어렵다. 최근에는 수막염으로 인한 내이 화골화의 진행이 의심되면 유아에서도 조기에 와우이식을 하는 경향이 있어 6개월 된 유아에게 와우이식을 했다는 보고도 있다.[49] 이러한 와우화골화는 빠르면 뇌막염을 앓은 지 2개월 후부터 진단할 수 있는데, 고해상도 CT로 85%이상에서 발견되며 MRI로 와우섬유화를 조기에 진단할 수 있다.[44]

참고문헌

1. Albu S, Amadori M, Babighian G. Predictors of hearing preservation in the management of labyrinthine fistulas positioned on the semicircular canals. Ann Otol Rhinol Laryngol 2013;122(8):529-534.
2. Aminpour A, Tinling SP, Brodie HA. Role of tumor necrosis factor-alpha in sensorineural hearing loss after bacterial meningitis. Otol Neurotol 2005;26:602-609.
3. Axon PR, Temple RH, Saeed SR, et al. Cochlear ossification after meningitis. Am J Otol 1998;19:724-729.
4. Bauer PW, Parizi-Robinson M, Roland PS, et al: Cytomegalovirus in the perilymphatic fluid. Laryngoscope 2005;115:223-225.
5. Chung MS, Lee JH, Kim DY, et al. The clinical significance of findings obtained on 3D-FLAIR MR imaging in patients with Ramsay-Hunt syndrome. Laryngoscope 2015;125:950-955.
6. Copeland BJ, Buchman CA. management of labyrinthine fistulae in chronic ear surgery. Am J Otolaryngol 2003;24:51-60.
7. Donati D1, De Santi L, Ginanneschi F, et al. Successful response of non-recovering Ramsay Hunt syndrome to intravenous high dose methylprednisolone. J Neurol Sci 2012;318(1-2):160-162.
8. Dornhoffer J, Milewski CH. Management of the open labyrinthine.

Head and Neck Surgery 1995;112:410-414.
9. Egelund E, Bak-Pedersen K. Suppurative labyrinthitis caused by anaerobic bacteria. J Laryngol Otol 1994;108:413-414.
10. Fowler KB, McCollister FP, Dahle AJ, et al: Progressive and fluctuating sensorineural hearing loss in children with asymptomatic congenital cytomegalovirus infection. J Pediatr 1997;130:624-630.
11. Gacek RR. The surgical management of labyrinthine fistulae in chronic otitis media with cholesteatoma. Laryngoscope 1974;10(suppl):1-19.
12. Gocea A, Martinez-Vidal B, Panuschka C, Epprecht P, Caballero M, Bernal-Sprekelsen M. Preserving bone conduction in patients with labyrinthine fistula. Eur Arch Otorhinolaryngol 2012;269:1085-1090.
13. Goddard JC, Slattery III WH. Infections of the labyrinth. In Flint PW, Haughey BH, Lund VJ, et al. eds. Cummings Otolaryngology, 6th ed. Elsevier, 2014. p.2359-2368.
14. Hartnick CJ, Kim HH, Chute PM, et al: Preventing labyrinthitis ossificans: the role of steroids. Arch Otolaryngol Head Neck Surg 2001;127:180-183.
15. Hicks T, Fowler K, Richardson M, et al. Congenital cytomegalovirus infection and neonatal auditory screening. J pediatr 1993;123:779-782.
16. Ikeda R, Nakaya K, Oshima T, et al. Calcium concentration in cochlear endolymph after vestibular labyrinth injury. Neuroreport 2010;21:651-655.
17. Jacquemard F, Yamamoto M, Costa JM, et al: Maternal administration of valaciclovir in symptomatic intrauterine cytomegalovirus infection. BJOG 2007;114:1113-1121.
18. Jang CH, Merchant SN. Histopathology of labyrinthine fistulae in chronic otitis media with clinical implications, Am J Otol 1997;18:15-25.
19. Jang CH, Park SY, Wang PC. Acase of tympanogenic labyrinthitis complicated by acute otitis media. Yonsei Med J 2005;46:161-165.
20. Jang CH, Jo SY, Cho YB. Matrix removal of labyrinthine fistulae by non-suction technique with intraoperative dexamethasone injection. Acta Otolaryngol 2013;133:910-915.
21. Kadambari S, Williams EJ, Luck S, et al: Evidence based management guidelines for the detection and treatment of congenital CMV. Early Hum Dev 2011;87:723-728.
22. Katsura H, Mishiro Y, Adachi O, et al. Long-term deterioration of bone-conduction hearing level in patients with labyrinthine fistula. Auris NasusLarynx 2014;41:6-9.
23. Kitahara T, Kamakura T, Ohta Y, et al. Chronic otitis media with cholesteatoma with canal fistula and bone conduction threshold after tympanoplasty with mastoidectomy. Otol Neurotol 2014;35(6):981-988.
24. Klein M, Koedel U, Pfister HW et al. Meningitis-associated hearing loss: protection by adjunctive antioxidant therapy. Ann Neurol. 2003;54:451-458.
25. Kobayashi T, Sakurai T, Okitsu T, et al. Labyrinthine fistulae caused by cholesteatoma: improved bone conduction by treatment. Am J Otol 1989;10:5-10.
26. Manolidis S. Complications associated with labyrinthine fistula in surgery for chronic otitis meda. Otolaryngol Head Neck Surg 2000;123:733-773.
27. Merchant SN, Nadol JB HF. Schuknecht's Pathology of the Ear, 3rd ed. Shelton: PMPH, USA, 2010.
28. Meyer A, Bouchetemblé P, Costentin B, et al. Lateral semicircular canal fistula in cholesteatoma: diagnosis and management. Eur Arch Otorhinolaryngol.2016 ;273(8):2055-2063.
29. Merchant S, Gopen Q: A human temporal bone study of acute bacterial meningogenic labyrinthitis. Am J Otology 1996;17:373-385.
30. Murph JR, Souza IE, Dawson JD, et al. Epidemiology of congenital CMV infection: Maternal risk factors and molecular analysis of cytomegalovirus strains. Am J Epidemiol 1998;147:940-947.
31. Nigro G, Scholz H, Bartmann U. Ganciclovir therapy for symptomatic congenital CMV infection in infants: A two regimen experience. J Pediatr 1994;124:318.
32. Nigro G, Adler SP, La Torre R, et al: Passive immunization during pregnancy for congenital cytomegalovirus infection. N Engl J Med 2005;353:1350-1362.
33. Ogawa H1, Matsui T, Baba Y, et al. Presence of cytomegalovirus in the perilymphatic fluid of patients with profound sensorineural hearing loss caused by congenital cytomegalovirus infection. Acta Otolaryngol. 2016;136:132-135.
34. Ohtani F, Furuta Y, Aizawa H, et al. Varicella-Zoster virus load and cochleovestibular symptoms in Ramsay Hunt syndrome. Ann Otol Rhinol Laryngol 2006;115:233-238.
35. Paparella MM, Kim CS, Shea DA. Sac decompression for refractory leutic vertigo. Acta Otolaryngol 1980;89:541-546.
36. Paparella MM, Bassiouni M. Labyrinthitis. In: Pparella MM, Shumrick DA, Guckman JL, et al, eds. Otolaryngology, 3rd ed. philadelpia: WB Saunders, 1991. p.1601-1618.
37. Parisier SC, Edelstein DR, Han JC, et al. Management of labyrinthine fistula cased by cholesteatoma. Otolaryngol Head Neck Surg 1991;104:110-115.
38. Rodenburg-Vlot MB1, Ruytjens L, Oostenbrink R, Systematic Review: Incidence and Course of Hearing Loss Caused by Bacterial Meningitis: In Search of an Optimal Timed Audiological Follow-up. Otol Neurotol 2016;37:1-8.
39. Roine I1, Pelkonen T, Cruzeiro ML, et al. Fluctuation in hearing thresholds during recovery from childhood bacterial meningitis. Pediatr Infect Dis J 2014 ;33:253-257.
40. Sanna M, Zini C, Bacciu S, et al. Closed vs open technique in the management of labyrinthine fistulae. In: Tos M, Thomsen J, Peitersen

E, et al, eds. Cholesteatoma and Mastoid Surgery. Amsterdam: Kugler & Ghedini, 1989, p.1043-1045.

41. Schachern PA, paparella MM, Hybertson R, et al. Bacterial tympanogenic labyrinthitis, meningitis, and sensorineural damage. Arch Otolaryngol Head Neck Surg 1992;118:53-57.
42. Shikano H, Ohnishi H, Fukutomi H, et al. Mondini dysplasia with recurrent bacterial meningitis caused by three different pathogens. Pediatr Int. 2015 ;57:1192-1195.
43. Shim DB, Ko KM, Song MH, et al. A case of labyrinthine fistula by cholesteatoma mimicking lateral canal benign paroxysmal positional vertigo. Korean J Audiol. 2014;18:153-157.
44. Silbermann B, Garabedian EN, Denoyelle F, et al. Role of modern imaging technology in the implementation of pediatric cochlear implant. Ann Otol Rhinol Laryngol 1995;104:42-46.
45. Sone M, Yoshida T, Naganawa S, et al. Comparison of computed tomography and magnetic resonance imaging for evaluation of cholesteatoma with labyrinthine fistulae.Laryngoscope. 2012;122:1121-1125.
46. Stephenson MF, Saliba I. Prognostic indicators of hearing after complete resection of cholesteatoma causing a labyrinthine fistula. Eur Arch Otorhinolaryngol 2011;268:1705-1711.
47. Woolley Al, Kirk KA, Neumann AM Jr, et al. Risk factors for hearing loss from meningitis in children. Arch Otolaryngol Head Neck Surg 1999;125:509-514.
48. Yilmaz CD, Vardar F. Effect on hearing of oral valganciclovir for asymptomatic congenital cytomegalovirus infection. J Trop Pediatr 2011;57:132-134.
49. Young NM, Houghes CA, Byrd SE, et al. Postmeningitis ossification in pediatric cochlear implantation. Otolaryngol Head Neck Surg 2000;122:183-188.

CHAPTER

36

면역성 내이 질환

여상원

정상적인 인체의 면역체계는 외부로부터 자기(self)를 구분하고 외부침입자를 공격할 수 있는 능력을 가지고 있다. 그러나 불행히도 이러한 면역체계에 이상이 발생하여 자기에게 면역반응을 일으킬 때 여러 가지 심각한 병리학적 현상이 발생하고 때로는 죽음까지도 초래하는데 이러한 현상을 자가면역(autoimmunity)이라고 부른다.

자가면역성 내이질환 중 1차 자가면역성 내이질환(primary autoimmune inner ear disorder)은 병소가 귀에 국한된 질환을 의미하며, 2차 자가면역성 내이질환(secondary autoimmune inner ear disorder)은 전신적인 기관-비특이적 자가면역질환이 내이를 침범하는 경우를 말하며, Cogan 증후군, Wegener 육아종, 전신성 홍반성 루푸스, 기타 전신성 혈관질환들이 이에 해당된다. 1차 자가면역성 내이질환의 유병율은 정확한 진단법의 부재로 판단하기 어려운 점이 있으나 대략 전체 난청과 어지러움의 1% 미만을 차지한다고 알려져 있으며 특히 20~50대 사이의 여성에게 흔하게 발병한다고 알려져 있다.[2,10]

1979년 McCabe[27]가 처음으로 자가면역성 감각신경성 난청 환자를 보고한 이래 내이질환에서 면역계의 역할에 대한 연구가 진행되어 왔으나 임상적, 실험적인 진단이 어렵고 발생기전에 대한 확실한 지식이 부족하고, 내이가 신체의 다른 부위와는 달리 단단한 이낭(otic capsule) 안에 있어 연구하기가 어려운 분야이다. 자가면역성 내이 질환은 발생 기전과 병인에 대한 연구, 정확한 진단, 인체에 무해한 면역치료방법과 유전자치료법의 개발 등 향후 해결해야 할 많은 과제를 가지고 있다.

I 병인과 병리

이종 항원(foreign antigen)이 인체 백혈구 항원 단백질 펩타이드에 결합할 때 T세포들은 이를 이종으로 인식하게 된다. 그러나 스트레스 등의 외적 요인에 의해 정상 상태에서는 발현되지 않는 일부 인체 백혈구 항원이 나타나 여기에 자신의 항원이 결합할 때 T세포들은 자신의 항원을 이종으로 인식하고 공격하게 된다.[35] 면역체계는 중배엽성 기원(mesodermal origin)이지만 막성미로는 외배엽성 기원(ectodermal origin)이므로 막성미로가 면역체계에 의해 이종으로 간주될 수 있다. 내이에서 발생하는 면역반응은 면역적합세포를 포함하고 있는 내림프낭에서 주로 시작되고 내림프낭이 내이 면역반응의 중요한 역할을 담당하게 된다.[36,37]

자가면역성 내이 질환의 발생기전이 아직 정확히 규명되지는 않았으나 동물실험과 임상연구를 통해 면역기능장애가 중요한 역할을 하며, 내이 항원에 대한 세포성 면역 혹은 체액성 면역 반응이 일어나는 것으로 알려져 있다. 세포성면역반응에 대한 연구들은 내이항원에 감작된 T cell을 정상 동물에 주입하였을 때 내이염이 일어나는지, 이러한 염증반응시에 방사성 동위원소를 부착한 백혈구들이 내이로 이동하는지 증명해왔고, spiral modiolar vein을 따라 고실계로 이동하는 백혈구의 이동을 증명했다.[8,9,14]

Harris[6,16]는 암소 내이항원으로 감작시킨 기니픽의 와우에서 조직학적 변화와 청력의 감퇴를 관찰하여 자가면역성 내이 질환의 동물모델을 만들었으며, 감각신경성 난청과 메니에르병 환자들의 혈청에서 68kD 내이항원에 대한 항체를 관찰하고 68kD 단백질이 면역성 내이질환의 중요한 항원일 수도 있다고 하였다. Moscicki 등[30]은 진행성의 양측성 감각신경성 난청 환자의 89%가 항 68kD 항체를 갖고 있었으며 그 중의 75%가 스테로이드 치료로 청력이 개선되었음을 보고하였으나, Billings 등[1]은 68kD 항원이 heat shock protein (HSP)-70이거나 HSP-70에 결합된 항원일 수 있다고 하였으며, Bloch 등[3]은 68kD 항원의 염기서열이 HSP-70과 동일함을 확인하였다. 그 밖에 세포성, 체액성 면역반응 이외, 미로 내에 혈관염이나 와우의 신경염도 자가면역성 내이질환의 기전으로 제시되고 있다.[32,38]

내이의 자기항원을 이종으로 인식하여 면역반응이 시작되면 염증매개체들이 분비되는데, 이 중 ICAM-1이 혈관의 투과율을 높이고 림프구들의 이동을 촉진하는 등 주요한 역할을 한다고 알려져 있고, 조직학적으로 혈관조와 나선신경절의 변성, 코르티 기관의 위축, Reissner막과 개막(tectorial membrane)의 변형, 때로는 내림프 수종 등의 변화가 뒤따른다고 알려져 있다.[11]

II 임상 양상

자가면역성 난청은 수주 혹은 수개월에 걸쳐 진행하는 양측성의 감각신경성 난청을 의미한다. 난청은 초기에는 편측성일 수 있으나 수개월에 걸쳐 시간이 지나면 양측성으로 나타날 수 있다. 청력의 변동성이 나타날 수 있으나 전체적으로는 청각기능의 심각한 손상이 발생한다. McCabe[28]는 양측 귀에 발생하며 양측 귀의 청력상태가 동일하지 않고 수주 내지 수개월에 걸쳐 진행하는 감각신경성 난청 환자들을 자가면역성 난청으로 보고하였다. 자가면역성 내이질환을 앓고 있는 환자들 중 여자가 63~65%로 남자보다 많으며,[18] 특히 수주에 걸쳐 난청이 급격히 진행되거나 악화될 수 있다. Hughes 등[18]은 중년의 환자(특히 여성)로서 양측 성이면서도 양측 귀의 난청 정도가 일치하지 않은 진행성의 감각신경성 난청을 가지고 있으며, 때로는 류마티스성 관절염 같은 전신성 질환을 앓고 있는 환자를 '전형적 고위험 환자군'으로 간주하고 정밀검사와 적절한 치료를 시행할 것을 권유하였다. 약 2/3에서 전정증상이 발생할 수 있으며 양상은 체위성 혹은 발작성 현훈부터 운동실조, 자세불안 등 다양한 형태로 호소할 수 있다.[18]

1. 이차 자가면역성 내이 질환

전신성 자가면역성 질환 환자의 일부에서 전정와우기능장해가 발생하며, 전신 자가면역 질환의 동반이 내이 자가면역 질환을 진단하는 기준의 하나이다. 임상적으로 내이의 기능이상을 일으킬 수 있는 전신성 자가면역질환으로는 결절성 다발성 동맥염(polyarteritis nodosa), Cogan 증후군, Vogt-Koyanagi-Harada 증후군, Wegener 육아종, Behcet 증후군, 재발성 다발성 연골염(relapsing polychondritis), 전신성 홍반성 루푸스(systemic lupus erythematosus), 류마티스성 관절염(rhematoid arthritis), 궤양성 대장염(ulcerative colitis) 등이 있다. 자가면역성 내이 질환 환자의 약 29%가 다른 전신성 자가면역 질환을 가지고 있다는 연구결과가 보고된 바 있다.[18]

Cogan 증후군은 내이기능 장애를 일으키는 대표적인 자가면역 질환이다. 비매독성 간질각막염과 전정와우기능 장애를 보이는 증후군으로 감염균에 대한 과민성 반응과 그에 따른 혈관염이 원인이 될 수 있으며, 내이 혹은 각막 항원에 대한 과민반응 또는 자가면역반응으로 인해 발생할 수 있다. 내이질환은 안 질환과 함께 발생하거나 혹은 안질환 발생 전후 6개월 내에 발생할 수도 있다.[19]

Wegener 육아종은 상, 하기도의 발생하는 육아종 형성과 혈관염이 특징이며, 궁극적으로 신장을 침범하는 미만성의 육아종성 혈관염으로 진행할 수 있다. 이 질환은 전음성 난청을 일으키는 중이 질환과 더 흔히 연관되어 있으나 약 환자들의 10%에서는 감각신경성 난청이 발생할 수 있다. McDonald와 Deremee[29]는 108명의 Wegener 육아종 환자 중 21명에서 귀 질환이 발생하였는데 비강, 비인강, 상기도의 병변으로 인한 삼출성 중이염이 대부분이며, 9예에서 감각신경성 난청이 관찰되었고 이들은 cyclophosphamide의 투여에 의해 호전되었다고 하였다. Kempf[27]는 Wegener 육아종 환자의 26귀 중 21귀에서 경도 내지는 중등도의 감각신경성 난청이 발생하였음을 보고하였다.

전신성 홍반성 루푸스는 혈관염으로 인해 신경염, 관절염, 늑막염, 신장기능장애, 심근염 등의 전신질환을 일으키는 질병으로 만성 중이염, 진행성의 감각신경성 난청, 평형기능장애 등의 귀질환을 유발하기도 한다.[27]

III 진단

일차 자가면역성 내이 질환을 진단하기는 어렵다. 아직까지는 혈청학적 검사나 면역학적 검사가 확정적인 진단을 내리기에는 불충분하다. 자가면역에 대한 진단은 학자에 따라 약간의 차이는 있으나 기본적으로는 임상증상, 면역학적 검사소견, 치료에 대한 반응 등을 기준으로 삼는다.

면역학적 혈청검사로는 CBC, 적혈구침강속도, 류마치스양 인자, antineutrophil antibody, anti-double-stranded DNA antibodies, anti-SSA/B antibodies, antiphospholipid antibodies, 보체 C3와 C4, Raji cell assay 등이 있으며, 이매독증 여부를 확인하기 위해 FTA-ABS, MHA-TP 검사 등이 필요하다. 그러나 이 검사방법들은 비특이적 검사법으로 자가면역질환을 진단하기에는 한계가 있으며 보조적인 방법으로만 이용될 수 있다.

과거 20여 년에 걸쳐 Western blot 면역검사를 이용하여 자가항원(제2, 9, 11형 collagen, myelin basic protein) 혹은 내이항원(68kD 항원과 inducible form의 HSP-70)에 대한 항체의 정성 및 정량 분석, ELISA 혹은 방사선면역측정법(radioimmunoassay)을 이용한 특이 항체의 정성 및 정량 분석 등이 진단과 면역억제치료를 결정하는 방법으로 이용되어왔다. 특히 68kD 단백질에 대한 항체가 진행성의 감각신경성 난청 환자의 혈청에서 발견되고[4,15] 암소 내이조직항원으로 감작시킨 자가면역성 난청의 실험동물에서도 확인되었다.[15] Moscicki 등[29]은 급속히 진행하는 난청 환자의 89%가 상기 항체를 가지고 있는 반면, 대조군 환자들은 western blot 검사에 양성반응을 보이지 않았다고 하였다. 또한 이들 환자들은 항체를 가지고 있지 않은 환자에 비해 스테로이드 치료에 더 잘 반응하였다고 보고되었다. 한편 68kD 항원의 아미노산 서열 분석 결과 이는 HSP-70과 동일한 단백질이며, HSP-70은 자가면역반응의 목표대상이거나 혹은 자가면역에 의한 내이 손상의 부수현상(epiphenomenon)일 것으로 생각되고 있다.[3] Matsuoka와 Harris[25]가 최근 47명의 자가면역성 난청 환자를 분석한 결과에 따르면 경구용 스테로이드 제제에 반응하는 양성률은 69.7%, HSP70에 대한 혈청항체에 의한 자가면역성난청 환자의 진단 민감도는 54.5%, 특이도는 42.9%를 보여 HSP70 항체는 자가면역성난청의 진단에 한계를 가지고 있음을 보여주었다.

일차 자가면역성 내이 질환의 진단은 매월 시행하는 청각검사를 통한 진행성의 감각신경성 난청의 확인, 부신피질호르몬의 투여에 대한 양성 반응에 기초를 두고 있으며 western blot 검사에 대한 양성반응이 자가면역성 내이 질환의 진단을 보조할 수 있을 것이다.

Ⅳ 감별진단

1. 돌발성 난청

자가면역성 난청의 증상은 초기에는 돌발성 난청과 유사한 형태로 나타날 수 있다. 자가면역성 난청은 돌발성 난청에 비해 상당히 드물게 발생하며, 자가면역성 난청은 양측 귀에 발생하나, 돌발성 난청은 대개 일측성 귀에 발생한다. 돌발성 난청은 72시간 이내에 발생하지만 자가면역성 난청은 수일 내지는 수개월에 걸쳐 진행한다.

2. 메니에르병

메니에르병 환자들의 혈액에서 시행한 면역복합체, 내이조직항원에 대한 항체, 인체백혈구항원 등에 대한 검사와 동물실험을 통해 메니에르병의 일부에서 내이 면역반응이 원인이 될 수 있음이 밝혀졌다. Gottschlich 등[12]은 메니에르병 환자의 32%에서, Yeo 등[39]은 26%에서 항 68kD 항체를 발견하였으며, Harris와 Aframian[13]은 지연성 내림프수종 환자 7명 중 6명에서 항 68kD 항체를 발견하기도 하였다. Soliman[33]은 메니에르병 환자의 40%에서 내림프낭 항원에 대한 항체의 생성을 관찰함으로써 내림프낭 항원에 대한 면역반응이 메니에르병의 원인일 수 있다고 하였다. 이러한 연구결과는 내림프낭에 발생한 면역반응이 내이의 항상성(homeostasis)에 장해를 일으키고 내림프수종과 메니에르병을 유발할 수 있음을 보여준다.

또한 최근, Kim 등[23]은 내림프감압술을 시행받은 3명의 메니에르 환자에서 직접 채취한 내림프의 단백질 성분을 분석한 결과, 여러 종류의 항체와 혹은 변형된 항체들의 증가를 관찰하고, 또 9명의 메니에르 환자들의 혈청에서 마우스의 내이항원에 대한 항체를 관찰함으로써 메니에르의 자가면역성 병인론에 대한 증거를 제시하였다.

자가면역성 난청의 임상 양상은 일반적인 메니에르병과 상당히 비슷할 수 있으며 특히 발생 초기에는 두 질환의 구분이 어려울 수도 있다. 두 질환 모두 주기적인 현훈과 변동성 난청을 나타낼 수 있으며, 부신피질 호르몬을 투여할 경우 메니에르병에서 나타날 수 있는 청각의 회복이 자가면역성 난청에서의 면역억제치료에 대한 양성반응으로 오인될 수도 있다. 궁극적으로는 자가면역성 난청에서 보이는 공격적인 병의 진행이 두 질환을 구분하는 데에 도움이 될 수 있다. 그러나 앞에서 언급한대로 메니에르병 환자의 약 1/3에서 western blot 검사에서 항 HSP-70 항체를 보임으로서 메니에르병 환자의 일부에서 자가면역성 난청과 동일한 병인을 가지고 내이자가면역에 의해 질병이 발생하고 있음을 보여주고 있다.[12,31]

3. 기타

이매독(otosyphilis), 청신경 종양, 뇌막염, 다발성 경화증, 악성종양 등이 자가면역성 난청과 유사한 진행성의 난청을 보일 수 있다.

치 료

1. 부신피질호르몬 치료

자가면역 내이 질환은 치료하지 않고 방치하거나 진단 후 치료가 늦어질 경우 발생할 수 있는 심각한 결과 때문에 잠정적인 진단만으로도 치료를 시작해야 한다. 그러나 면역억제제를 이용한 치료방법은 주로 각 치료자의 임상 경험에 의존하여 제시되어 왔다. 일반적으로 일정기간 동안 고용양의 스테로이드를 투여하는 방법이 사용되며 보조적으로 혹은 스테로이드 투여가 효과가 없는 경우 세포독성 약물들이 사용되고 있다. 그러나 각 치료자 마다 투약용량, 치료기간, 치료결과의 분석 등이 매우 다르다.

Harris는 prednisone을 1일 60 mg씩 2주간 투여한 후 감량하며, 유지용량(maintenance dose)으로 보통 6~12개월간 지속할 것을 권유하였다. 만일 치료효과가 만족스럽지 않으면 cyclophosphamide를 추가하였다. 그 후 Harris 등[17]은 최근 치료방법을 개선하여 초기 치료로 성인에서는 일일 prednisone 60 mg의 용량으로 4주간 투여하며, 소아에서는 일일 체중 kg 당 1 mg의 용량으로 4주간 투여한다. 스테로이드 투여에 반응이 없는 경우에는 1주 내지 10일에 걸쳐 급속하게 감량하며, 스테로이드 치료에 반응을 하는 경우 1개월에 걸쳐 서서히 감량한다. 질병이 재발하는 경우 위와 같은 스테로이드 치료를 반복 시행하며, 만일 스테로이드 감량 도중 혹은 직후에 재발하는 경우에는 스테로이드 대신 methotrexate를 투여할 수 있다고 하였다.

Matteson 등[26]은 면역성 감각신경성 난청을 일으키는 질환(양측성 메니에르 병, Cogan 증후군, prednisone에 반응하는 진행성의 감각신경성 난청) 환자 25명에게 3주간 고용량의 prednisone을 투여한 결과 18명(72%)에서 적어도 일측 귀에서 부분적인 개선을 보였다고 하였다. 1년 후에는 개선된 17명의 환자 중 11명(65%)가 청력개선을, 2명(12%)가 청력악화를, 4명(23%)이 동일한 청력을 보였다고 하였다.

그러나 장기간의 스테로이드 치료는 환자에게 여러 가지 부작용을 초래할 수 있으므로 치료를 시행하기 전 환자의 전신상태에 대한 정밀검사를 시행하여 스테로이드 투여에 따른 부작용을 최소화해야 하며 환자와 충분한 상의를 한 후 시행해야 한다.

2. 혈장반출

혈장반출(plasmapheresis)이란 혈액성분 중 혈장을 교환해 주는 치료법으로서 항원, 항체, 면역복합체, 차단항체(blocking antibody), 염증매개체 등을 제거하고, 면역억제제의 치료효과를 강화할 목적으로 사용된다.[21]

대부분의 자가항체는 면역글로불린 G class로서 혈관 내 공간과 혈관 외 공간에 균등하게 분포한다. 혈장반출로 혈관 내 농도가 감소하면 혈관 외 공간으로부터 혈관 내 공간으로 면역글로불린 G의 신속평형(rapid equilibrium)이 발생하여 항체 농도가 현저히 상승하는 반동현상(rebound phenomenon)이 나타난다.[21] 그러므로 혈장반출만으로는 면역글로불린 G를 충분히 제거할 수 없으며, 혈장반출 직후 즉시 면역억제제를 투여함으로써 항체 농도의 재 상승을 방지할 수 있다.

3. 세포독성 약제

최근에 세포독성 약물로서 자주 이용되는 methotrexate는 dihydrofolate reductase를 억제하는 항대사제(anti-metabolite agent)로서 DNA의 합성, 복제를 억제하고, 말초혈액단핵구세포의 증식과 B, T세포 반응을 억제함으로써 면역억제 효과를 일으킨다. Methotrexate는 세포독성 약물들 중에서는 독성이 비교적 덜 강하여 2차 약제 중 우선선택 약제로 사용되고 있다. Methotrexate는 류마티스성 관절염에서는 대부분의 환자에서는 복용 후 수주 내에 증상의 개선을 보이고 최대 효과는

6개월경에 나타나는 것으로 알려져 있다.[24]

Sismanis 등[33]은 25명의 면역매개성 와우전정질환 환자에게 methotrexate를 초기용량으로 1주일 당 7.5 mg을 경구 투여하고 최대효과를 얻기 위해 점차 12.5~15 mg(최대 25 mg)으로 증량하였으며 증상의 개선이 이루어진 이후에도 6~12개월간 계속 투여함으로써(평균 투여기간 13개월) 70%의 환자에서 청력개선을, 80%에서 전정증상개선을 보였다. 또한 계속된 연구를 통해 양측성 면역성 메니에르병 환자에게 methotrexate를 투여한 결과 28%에서 청력개선을, 39%에서 청력의 안정을, 78%에서 현훈의 개선을 보였다고 하였다.[22] 그러나 Harris 등[17]은 자가면역성 난청으로 생각되는 급속히 진행하는 양측 귀의 감각신경성 난청환자 67명에게 prednisone과 methotrexate, 혹은 prednisone과 placebo를 투여하였을 때 환자들의 57.8%에서 청력이 개선되고, 특히 37%의 환자에서는 양측 귀의 청력개선을 보였으나, prednisone으로 개선된 청력을 유지하는 데에 methotrexate와 placebo 투여군간에 뚜렷한 차이를 보이지 못하였다고 하였다.

이 외에 자가면역성 내이 질환의 치료를 위한 세포독성 약물로는 cyclophosphamide가 있다. McCabe는 prednisone 단독투여보다는 cyclophosphamide와 prednisone의 병합투여가 더 효과적이라고 하였다.[28] Cyclophosphamide는 보통 일일 2~5 mg/kg을 투여하며 다량의 수분을 함께 섭취해야 한다. cyclophosphamide는 출혈성 방광염(hemorrhagic cystitis), 요로의 악성 종양, 골수기능억제 등의 합병증을 일으킬 수 있으므로 다량의 수분과 함께 투여해야 하며, 지속적인 관심과 감시 monitoring이 필요하므로 사용하기 전 반드시 환자에게 충분히 설명하고 동의를 구해야 한다.

4. 기타 치료법들

최근, 생물학적 제제들이 FDA에서 항암요법이나 자가면역성 질환의 치료에 허가를 받으면서 자가면역성 난청에서도 효과가 보고되고 있으며 이들 제제들은 기존의 경구 스테로이드나 세포독성 약제보다 전신 부작용이 적다는 장점을 가지고 있다.[25] TNF-alpha에 대한 항체나, B cell에서 발현되는 CD20에 대한 항체들이 치료에 전신적 혹은 경고막으로 투여되어 일부 효과를 보이고 있다.[5,7,25]

5. 치료결과 판정

순음청력검사에서 세 음역 이상에서 평균 15 dB 이상 청력이 개선되고, 어음명료도가 20% 이상 향상된 경우 양호반응(good response)이라고 규정하며,[28] 치료효과가 있는 경우 냉수로 온도자극검사를 시행하면 반응이 없던 환자에서 반응이 나타난다고 한다.[20]

참고문헌

1. Billings PB, Keithley EM, Harris JP. Evidence linking the 68 kilodalton antigen identified in progressive sensorineural hearing loss patient sera with heat shock protein 70. Ann Otol Rhinol Laryngol 1995;104:181-188.
2. Bitra RK, Eggenberger E. Review of Susac syndrome. Curr Opin Ophthalmol 2011;22:472-476.
3. Bloch DB, San Martin JE, Rauch SD, Moscicki RA, Bloch KJ. Serum antibodies to heat shock protein 70 in sensorineural hearing loss. Arch Otolaryngol Head Neck Surg 1995;121:1167-1171.
4. Cao MY, Thonnard J, Deggouj N, et al. HLA class II-associated genetic susceptibility in idiopathic progressive sensorineural hearing loss. Ann Otol Rhinol Laryngol 1996;105:628-633.
5. Derebery MJ, Fisher LM, Voelker CC, Calzada A. An open label study to evaluate the safety and efficacy of intratympanic golimumab therapy in patients with autoimmune inner ear disease. Otol Neurotol 2014;35:1515-1521.
6. Flint PW, Cummings CW. Cummings otolaryngology : head & neck surgery 5th ed. Philadelphia, PA: Mosby/Elsevier, 2010.
7. Gazeau P, Saraux A, Devauchelle-Pensec V, Cornec D. Long-term efficacy of infliximab in autoimmune sensorineural hearing loss associated with rheumatoid arthritis. Rheumatology (Oxford) 2014;53:1715-1716.
8. Gloddek B, Gloddek J, Arnold W. Induction of an inner-ear-specific autoreactive T-cell line for the diagnostic evaluation of an autoim-

mune disease of the inner ear. Ann N Y Acad Sci 1997;830:266-276.
9. Gloddek B, Ryan AF, Harris JP. Homing of lymphocytes to the inner ear. Acta Otolaryngol 1991;111:1051-1059.
10. Gluth MB, Baratz KH, Matteson EL, Driscoll CL. Cogan syndrome: a retrospective review of 60 patients throughout a half century. Mayo Clin Proc 2006;81:483-488.
11. Goodall AF, Siddiq MA. Current understanding of the pathogenesis of autoimmune inner ear disease: a review. Clin Otolaryngol 2015;40:412-419.
12. Gottschlich S, Billings PB, Keithley EM, Weisman MH, Harris JP. Assessment of serum antibodies in patients with rapidly progressive sensorineural hearing loss and Meniere's disease. Laryngoscope 1995;105:1347-1352.
13. Harris JP, Aframian D. Role of autoimmunity in contralateral delayed endolymphatic hydrops. Am J Otol 1994;15:710-716.
14. Harris JP, Fukuda S, Keithley EM. Spiral modiolar vein: its importance in inner ear inflammation. Acta Otolaryngol 1990;110:357-365.
15. Harris JP, Sharp PA. Inner ear autoantibodies in patients with rapidly progressive sensorineural hearing loss. Laryngoscope 1990;100:516-524.
16. Harris JP, Tomiyama S. Experimental immune system of the inner ear. ORL J Otorhinolaryngol Relat Spec 1987;49:225-233.
17. Harris JP, Weisman MH, Derebery JM, et al. Treatment of corticosteroid-responsive autoimmune inner ear disease with methotrexate: a randomized controlled trial. JAMA 2003;290:1875-1883.
18. Hughes GB, Barna BP, Kinney SE, Calabrese LH, Nalepa NJ. Clinical diagnosis of immune inner-ear disease. Laryngoscope 1988;98:251-253.
19. Hughes GB, Kinney SE, Barna BP, Tomsak RL, Calabrese LH. Autoimmune reactivity in Cogan's syndrome: a preliminary report. Otolaryngol Head Neck Surg 1983;91:24-32.
20. Kanzaki J, Ouchi T. Steroid-responsive bilateral sensorineural hearing loss and immune complexes. Arch Otorhinolaryngol 1981;230:5-9.
21. Kennedy MS, Domen RE. Therapeutic apheresis. Applications and future directions. Vox Sang 1983;45:261-277.
22. Kilpatrick JK, Sismanis A, Spencer RF, Wise CM. Low-dose oral methotrexate management of patients with bilateral Meniere's disease. Ear Nose Throat J 2000;79:82-83, 86-88, 91-82.
23. Kim SH, Kim JY, Lee HJ, Gi M, Kim BG, Choi JY. Autoimmunity as a candidate for the etiopathogenesis of Meniere's disease: detection of autoimmune reactions and diagnostic biomarker candidate. PLoS One 2014;9:e111039.
24. Kremer JM. Safety, efficacy, and mortality in a long-term cohort of patients with rheumatoid arthritis taking methotrexate: followup after a mean of 13.3 years. Arthritis Rheum 1997;40:984-985.
25. Matsuoka AJ, Harris JP. Autoimmune inner ear disease: a retrospective review of forty-seven patients. Audiol Neurootol 2013;18:228-239.
26. Matteson EL, Fabry DA, Facer GW, et al. Open trial of methotrexate as treatment for autoimmune hearing loss. Arthritis Rheum 2001;45:146-150.
27. McCabe BF. Autoimmune sensorineural hearing loss. Ann Otol Rhinol Laryngol 1979;88:585-589.
28. McCabe BF. Autoimmune inner ear disease: therapy. Am J Otol 1989;10:196-197.
29. McDonald TJ, DeRemee RA. Wegener's granulomatosis. Laryngoscope 1983;93:220-231.
30. Moscicki RA, San Martin JE, Quintero CH, Rauch SD, Nadol JB, Jr., Bloch KJ. Serum antibody to inner ear proteins in patients with progressive hearing loss. Correlation with disease activity and response to corticosteroid treatment. JAMA 1994;272:611-616.
31. Rauch SD, Zurakowski D, Bloch DB, Bloch KJ. Anti-heat shock protein 70 antibodies in Meniere's disease. Laryngoscope 2000;110:1516-1521.
32. Ruckenstein MJ, Hu L. Antibody deposition in the stria vascularis of the MRL-Fas(lpr) mouse. Hear Res 1999;127:137-142.
33. Sismanis A, Wise CM, Johnson GD. Methotrexate management of immune-mediated cochleovestibular disorders. Otolaryngol Head Neck Surg 1997;116:146-152.
34. Soliman AM. A subpopulation of Meniere's patients produce antibodies that bind to endolymphatic sac antigens. Am J Otol 1996;17:76-80.
35. Steinman L. Autoimmune disease. Sci Am 1993;269:106-114.
36. Tomiyama S, Harris JP. The endolymphatic sac: its importance in inner ear immune responses. Laryngoscope 1986;96:685-691.
37. Yeo SW, Gottschlich S, Harris JP, Keithley EM. Antigen diffusion from the perilymphatic space of the cochlea. Laryngoscope 1995;105:623-628.
38. Yoon TH, Paparella MM, Schachern PA. Systemic vasculitis: a temporal bone histopathologic study. Laryngoscope 1989;99:600-609.
39. Yeo SW SB. Autoimmunity in inner ear disorders. In Proc Sendai Symposium. Sendai, Tohoku University, 1995;29-32.

CHAPTER

37

중추성 청각 질환

남의철, 이효정

I 청각신경병증 스펙트럼 장애(Auditory Neuropathy Spectrum Disorder; ANSD)

1. 정의와 유병률

강한 음자극에도 청성뇌간반응(auditory brainstem response)이 아주 작거나 아예 없는 반면에 유발이음향방사(evoked otoacoustic emission) 혹은 와우음전위(cochlear microphonics)는 정상적으로 나타나는 경우를 청각신경병증 스펙트럼 장애(Auditory Neuropathy Spectrum Disorder, ANSD, 이하 청각신경병증)로 정의한다. 청성뇌간반응의 V파가 없거나 작은 것은 청신경섬유 흥분발사의 동시성이 저하되었음(poorly synchronized neural firing)을 의미한다. 즉, 외유모세포의 기능은 정상이면서 내유모세포로부터 뇌간에 이르는 신경로에 청각신호 전달 장애가 발생하면 청각신경병증이 나타난다.[42] 본문에서와 같이 청각신경병증으로 약칭하여 부르는 경우가 많으나, 청신경의 기능은 정상이면서 내유모세포나 신경접합부의 기능에만 문제가 있는 경우도 포함되므로 '청각신경병증 스펙트럼 장애'가 더 정확한 용어이다.

청각신경병증은 소아의 영구적 난청 원인 중 약 10%를 차지하며, 청성뇌간반응이 나타나지 않는 고도 난청의 약 15%에 달한다는 보고가 있으나, 아직 대규모의 역학조사가 없어 정확한 유병률을 예측하기는 어렵다. 신생아중환자실 환아의 약 2%에서 관찰되고 있으나 청성뇌간반응이 나타나지 않는 많은 환아들이 일반적인 감각신경성난청으로 진단 받는 경우가 많고, 현재 고위험군에 국한하여 청성뇌간반응을 시행하기 때문에 이음향방사를 이용한 선별검사를 통과하면 청성뇌간반응을 검사받을 기회가 없다. 때문에 기존의 유병률 조사에서 일부 증례들이 누락되었을 가능성이 높다. 영유아기의 유병률은 5.3~15.4%로 학령기 아동의 1.6~4%보다 높게 조사되고 있다. 그 이유는 첫째, 점진적으로 진행하는 병리기전의 경우 영유아기에 건강했던 외유모세포들에까지 손상이 점차 파급되므로 소아기에는 이미 와우음전위와 이음향방사 반응이

소실되어 일반적인 난청으로 분류되기 때문이거나 둘째, 이미 보청기로 청각재활을 시작한 경우 보청기의 과도한 증폭에 따른 소음성 손상에 의해 외유모세포들이 이미 기능을 상실했기 때문으로 추측된다.[37] 간혹 한쪽 귀의 외유모세포만 먼저 손상되어 마치 일측성인 것처럼 보이는 경우가 있으나 대부분 양측성(87%)으로 발생하며 유행성 이하선염(mumps)이나 선천성 청신경 무(저)형성증(congenital cochlear nerve a(hypo)plasia)의 경우에는 진정한 의미의 일측성 청각신경병증이 발생할 수 있다.[36]

2. 발생 원인과 위험인자

약 40%는 원인 미상이며, 40% 정도가 유전적 결함과 관련되어 있고 나머지 20%는 조산, 과빌리루빈혈증, 저산소증, 선천성뇌기형, 이독성물질, 대사, 면역 및 감염성 질환등과 관련이 있다.[39] 청각신경병증은 진단명이라기보다는 청각검사에서 유사한 패턴을 보이는 이질적 질환들을 모아 놓은 집합체이므로 다양한 발생 원인과 위험인자들이 존재한다. 따라서 원인 질환을 규명하는 것이 적절한 치료와 재활의 선결 조건이며 이를 위해 주의를 기울여야 하겠다.

1) 유전적 인자

상염색체, X-염색체 및 미토콘드리아형 등 모든 종류의 유전방식이 가능하다. 그 중 영유아기부터 고도난청을 일으키는 비증후군성의 단독형태(isolated)인 상염색체 열성유전형이 가장 흔하고, 상염색체 우성이나 X-염색체 열성유전형은 대개 소아기에 뒤늦게 발병하여 점차 진행하는 난청으로 나타난다. 가장 흔한 단독유전형은 *DFNB9*, *DFNB59*, *DIAPH3* 유전자의 변이이다. *DFNB9* 변이는 상염색체 열성형태로 otoferlin (OTOF) 단백질 합성에 관여한다. Otoferlin은 내유모세포의 구심성 시냅스 이전 활성영역(presynaptic active zone)에서 시냅스 소포의 칼슘-의존형 세포외배출(exocytosis)에 중요한 역할을 한다. 그러므로 이 유전적장애가 발생하면 신경전달물질이 세포밖으로 빨리 배출되지 못해 나선신경절의 시냅스들이 동시에 활성화되지 못하므로 복합활동전위의 진폭이 크게 감소한다. 즉, 내유모세포와 청신경사이의 신호전달장애와 이에 따른 복합활동전위의 감소가 발생하여 언어습득기 전(prelingual)에 고도난청으로 진행한다. Pejvakin은 *DFN*B59 유전자에 의해 합성되는 단백질로 내이의 유모세포와 기둥세포(pillar cells), 그리고 나선신경절에서 중뇌의 하구(inferior colliculus)에 이르는 구심성 신경세포체들에서 발견된다. 역시 상염색체 열성형태로 유전되며 이 단백질 합성장애도 청각신호의 전달장애를 일으켜 청성뇌간반응의 V파가 진폭이 감소되고 지연되어 나타나게 된다.[17] 염색체 13q21-q24의 *DIAPH3* 유전자는 상염색체 우성으로 유전되는 auditory neuropathy, dominant 1 (AUNA1)의 원인으로 이 유전자가 과발현되면 청신경세포의 수상돌기 말단부와 내유모세포의 시냅스가 먼저 영향을 받고 장애가 진행될수록 점차 외유모세포까지 모두 손상되어 결국 40~50대에 고도난청에 이르게 된다.[14] 그 외에 auditory neuropathy, X-linked 1 (AUNX1)이나 myelin protein zero (MPZ) 합성유전자변이에서는 공통적으로 청신경이 탈수초되고 축삭이 소실된다.[17]

청각신경병증을 포함하는 증후군성 유전성 신경병증인 Charcot-Marie-Tooth병과 Friedreich's ataxia는 감각-운동계에서 여러 말초신경의 수초와 축삭을 침범하는 신경병증이다. 대개 유모세포와 시냅스는 정상이며, 청신경과 청각중추신경계에 주로 병변이 존재한다. 일본에서는 양쪽 시신경의 위축에 청신경 말단부의 병변이 가끔 동반되는 Autosomal Dominant Optic Atrophy (ADOA) 즉, Kjer병에 의한 청각신경병증이 자주 보고된다.[31,41] 이처럼 말초신경병증의 일부로서 소아기말-성인기에 발병하는 청각신경병증은 대부분 진행성의 신경병리기전에 따른 다양한 청성뇌간반응의 변화를 나타낸다. 축삭의 병변인 경우 청성뇌간반응을 발생시키는 신경성분이 감소하므로 청성뇌간반응 파형의 진폭이 감소하며 탈수초화의 병리기전이라면 신경전도 속도가 느려져 파형간 잠복기가 늘어나게 된다. 그러나 병이 진행할수록 두 가지 양상이 혼재되어 나타나기 때문에 병리기전의 명확한 분류는 어렵다.

2) 위험인자

신생아기에 발생하는 조기발현형 후천성 청각신경병증의 가장 중요한 위험인자는 신생아중환자실의 장기입원이며 세부 원인들로서 고빌리루빈혈증, 저산소증, 조산 등이 있다. 신생아기 고빌리루빈혈증과 저산소증의 병력은 조기발현형 청각신경병증 발생과의 연관성이 50~100%의 높은 빈도로 보고되고 있다. 과도한 비포합형 빌리루빈(unconjugated bilirubin)은 주로 뇌간의 와우핵과 나선신경절, 청신경등을 함께 손상시키지만 내이와 중뇌 및 대뇌는 거의 침범하지 않는다. 빌리루빈은 세포 내 칼슘농도를 높여 신경세포의 발달을 억제하므로 청각정보의 시간적 부호화(temporal coding)에 필수인 신경 흥분의 동시성이 교란된다. 유전성 청각신경병증은 자연회복이 드문 반면 고빌리루빈혈증에 의한 청각신경병증은 빌리루빈 농도가 정상화되면서 자연스럽게 난청이 회복되는 경우가 흔하여 대개 생후 12~18개월이면 정상에 가까운 청력 상태로 회복된다. 이러한 이유에서 신생아청력선별검사 가이드라인은 생후 8~10주와 12~18개월에 청성뇌간반응을 반복 측정할 것을 제안하고 있다.[19] 실험동물을 경도의 저산소증에 장기간 노출시키면 외유모세포에 앞서 내유모세포와 시냅스에서 먼저 심각한 손상이 발생하고 이에 따라 정상적인 이음향반사는 유지하면서 청성뇌간반응의 진폭이 감소한다는 사실이 여러 차례 증명된 바 있다. 조산은 그 자체가 청각신경병증의 위험인자로 신생아 중환자실에서 평균 32주 이전에 사망한 경우 내유모세포의 선택적 손상이 관찰된다.[8]

신생아기 이후에 발병하는 후천성 청각신경병증의 원인으로는 면역성 및 감염성 질환, 전신 질환, 종양, 이독성물질, 영양결핍, 내분비계 이상 등이 있다. 만성 염증성 탈수초다발 신경병증(chronic inflammatory demyelinating polyneuropathy), Guillain-Barre증후군, Stevens-Johnson증후군, 뇌수막염, Epstein-Barr 바이러스 및 홍역 감염 등이 이에 해당한다. 특히 이하선염 바이러스는 일측성 신경변성에 의한 일측성 청각신경병증을 유발할 수 있다.[14] 신생아청력선별검사 가이드라인은 수두증, 뇌간기형, 소뇌증, 청신경무(저)형성증, 청신경종양과 소뇌종양등을 구조적 이상으로 분류하여 청각신경병증에서 제외하고 있으나 이 질환들의 청각검사 소견은 청각신경병증의 진단기준에 부합하는 경우가 흔하다.[19] 영상의학적 조사에서 청각신경병증 환아 118명의 약 30%에서 청신경 저형성증이 어느 정도 동반된다고 하며, 특히 일측성 청각신경병증의 원인으로 일측성 청신경 결손 혹은 종양 등을 의심해 볼 필요가 있다.[36]

3. 병태생리

청각신경병증의 병소는 내유모세포, 내유모세포와 제1형 청신경세포의 수상돌기를 연결하는 시냅스, 나선신경절과 청신경섬유 중에서 한 곳 혹은 여러 부위일 수 있고, 신경전달물질의 대사와 관련된 이상일 수도 있다. 가장 널리 알려진 병태생리기전은 청신경 흥분발사의 동시성 저하(dys-synchrony of neural discharges)로 신경전달물질이 시냅스에서 동시에 분비되지 않거나 청신경의 탈수초 등에 의해 발생한다. 언어인지 과정은 청신경섬유 흥분의 동시성에 의존하는 시간적 정보처리과정(temporal processing)이므로 청각신경병증 환아의 언어인지 능력과 어음명료도가 행동청력역치(behavioral hearing thresholds)에 비해 과도하게 감소한다. 청성뇌간반응 또한 청신경섬유들이 각각의 활동전위를 정확하게 같은 시점에 방출하여 총합이 역치를 초과해야만 나타나는 복합 유발전위이기 때문에 동시성 저하의 정도에 따라 청성뇌간반응이 아주 작거나 아예 나타나지 않게 된다.[42] 내유모세포와 시냅스에 국한된 병변의 경우는 진정한 신경병증이라 할 수 없으나 청각검사 기준에 합당하므로 포함된 경우다. 내유모세포의 시냅스에서 장애를 일으키는 Otoferlin 합성 유전자의 변이, 이독성약물로 내유모세포의 선택적 손상을 유발한 실험 동물, 그리고 신생아중환자실에서 사망한 부검에서 내유모세포의 선택적인 손상이 확인된 경우들 모두에서 청각신경병증 기준에 부합하는 청각검사소견이 관찰된다.[8,44] Charcot-Marie-Tooth병과 Guillain-Barre증후군 등에서와 같이 신경섬유의 수초에 결함이 생기면 신경전도 속도가 감소하고 불응기가 길어지므로 특히 아주 높은 빈도(고주파수)의 자극에 대해 전도장애를 일으킨다. 또한 이런 신경섬유들은 제각기 다른 속도로 신호를 전달하므로 동시성의 장애를 일으킨다. Otoferlin 유전자 변이 환자들에서는 심부 체온 상승에 의해 신경전도가 차단되어 청력이 변동하는 증례들도 보고되고 있다.[26]

4. 자연 경과 및 예후

75% 이상이 10세 이전에 발병하고 2세 이하의 발생이 가장 많으며, 남녀간 발생의 차이는 거의 없다. 그러나 일반적인 말초신경병증에 병발하는 후기발현형은 80%가 15세 이후에 증상이 나타난다. 환자의 청력은 일정하거나 변동하며, 점진적 악화 혹은 호전되는 등 다양한 경과를 보인다. 정상에서 전농에 이르는 다양한 순음(행동)청력역치를 보이며 어음명료도가 행동역치에 비해 몹시 나쁘기 때문에 행동역치로는 보청기의 효과를 예측할 수 없다. 특히 소음환경에서의 청력은 훨씬 떨어져 중추청각처리장애(central auditory processing disorder)에 해당하는 소견을 보인다. 청성뇌간반응과 행동청력역치 모두 어음명료도와의 상관성이 아주 낮아 어음인지능력을 추정하는데 도움이 되지 않기 때문에 치료 및 재활방법을 결정할 때 순음청력이나 청성뇌간반응 역치보다 의사소통의 효율성을 더 고려해야 한다.[39] 청력이 자연회복되는 빈도는 연구대상에 따라 7~50%로 다양하나 발달지체가 청각신경병증으로 잠정 진단된 경우가 대부분이며 대개 생후 12~18개월까지 청성뇌간반응이 정상 형태가 되면서 역치가 행동청력 수준으로 회복된다. 청성뇌간반응의 회복이 확인되면 당연히 청각신경병증 진단에서 제외해야 한다. 특별한 치료 없이 보청기가 필요없을 만큼 청력이 회복되어 정상적 언어발달을 이루는 경우도 있고, 여전히 청각정보처리장애를 보이는 경우도 있다. 보청기 착용 여부에 관계없이 처음에 나타났던 이음향방사가 시간이 지나면서 사라질 수 있다.[35] 난청과 함께 평형장애나 다른 말초신경병증의 증상이 동반될 수 있다. 청각신경병증과 병발하는 말초신경병증은 Charcot-Marie-Tooth병, Friedreich's ataxia, 시신경위축, 심부건반사의 소실 등이 있으며 주로 성인에서 나타난다. 또한 전정신경을 함께 침범할 수 있어 평형장애를 호소하거나, 증상없이 전정기능검사에서 이상 소견만 관찰되는 경우도 있다.[18,25,31]

5. 진단

와우이식 대상환자에 대한 접근과 동일하게 환자와 가족, 의사, 청각사, 언어치료사, 청각장애학교교사 등이 팀으로 참여하는 전반적인 평가가 필요하며 청각신경병증 환아를 양육한 경험이 있는 부모들이 도움을 줄 수 있다. 유전자검사는 청각신경병증을 포함하는 증후군성 말초신경병증의 진단과 단독형 청각신경병증의 기능적인 예후를 예측하는데 도움이 되므로 유전자에 대한 분자생물학적 검사를 반드시 포함해야 한다. 또한 후천성 청각신경병증은 특히 신경변성 혹은 대사 장애의 원인에 의해서 발생할 가능성이 있으므로 신경학적인 평가가 자세히 이루어져야 한다. 특히 내이도를 포함하는 자기공명영상검사는 청각신경병증의 구조적 원인을 배제하기 위해 반드시 시행해야 할 검사이다. 청신경 결손과 중추성 청각장애를 일으키는 두개 내 이상 소견을 찾고 특히 성인에서 일측성으로 청각신경병증 기준에 부합하는 청각검사소견이 나

표 37-1. 청각신경병증 스펙트럼 장애 환자에 대한 평가 항목

가족력 및 신생아기 위험인자 등 과거력 조사
일반적 성장과 신경학적 발달에 대한 평가
유전학적 검사
내이도를 포함하는 자기공명영상 검사
말초 신경전도 검사: 특히 증후군성 말초신경병증이 의심될 때
대사 질환에 대한 검사
안과적 평가: 특히 시각 피질 기능 및 시신경 유두의 검사

타나면 청신경종양과 같은 후미로성 병변을 의심해야 하므로 반드시 자기공명영상검사를 시행해야 한다(표 37-1).[36,39]

1) 초기청각검사

외유모세포의 기능은 이음향방사와 와우음전위를 통해 확인하고, 청각신경로의 기능은 청성뇌간반응, 등골반사, 이음향방사의 대측억제(contralateral suppression) 검사 등을 이용해 평가한다. 특히 생후 6개월까지 청성뇌간반응, 이음향방사, 와우음전위, 등골반사를 모두 시행하여 그림 37-1과 같은 감별진단을 해야 한다.[19] 75 dB nHL 이상의 자극에 대해 청성뇌간반응이 없거나 매우 작은 경우 이음향방사 혹은 와우음전위 중 적어도 하나를 시행한다.[43] 청성뇌간반응이 없거나 작고 뚜렷한 (일과성유발 혹은 변조)이음향방사가 나타나면 청각신경병증을 의심할 수 있다. 그러나 외이-중이상태가 나쁘거나 전음성 난청 때문에 이음향방사가 나타나지 않을 가능성을 배제해야 하므로 고실도를 통해 중이 상태를 확인하는 것이 좋다. 청각신경병증의 진단시점에 이음향방사가 나타나는 경우가 대부분이나 약 10%는 나중에 나타나며 11~33%에서는 정상적으로 나타나던 이음향방사가 점차 사라지기도 한다.[39] 그림 37-2의 청성뇌간반응 측정방법으로 와우음전위의 존재 여부를 확인할 수 있다. 즉, 이어폰을 통해 압축(condensation)과 희박(rarefaction)의 정반대 위상을 갖는 클릭음들로 자극하여 와우음전위를 두 번 측정한다. 와우음전위는 자극음의 위상을 그대로 반영하므로

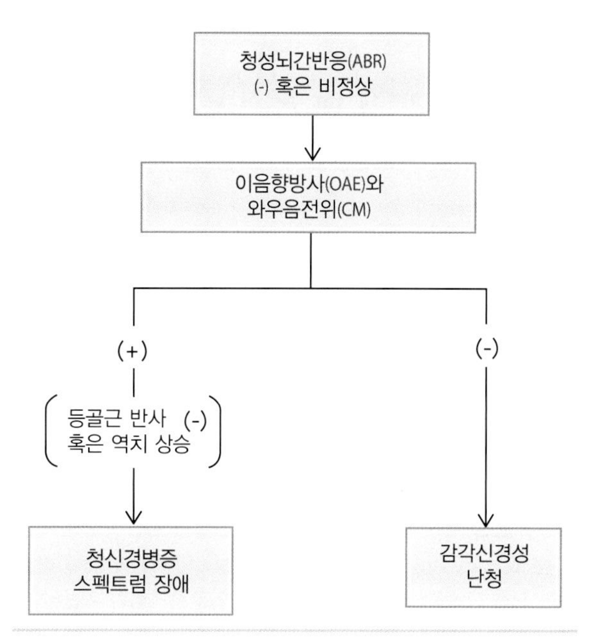

■ **그림 37-1.** 청각신경병증 스펙트럼 장애의 감별진단을 위한 청각 검사

상하가 서로 뒤바뀐 정반대 형태의 와우음전위를 압축과 희박 클릭유발 청성뇌간반응에서 확인할 수 있다. 와우음전위가 존재하면서 청성뇌간반응이 없거나 비정상이라면 청각신경병증의 진단기준에 부합한다. 이음향방사가 이미 확인된 경우에는 와우음전위 검사가 추가로 필요하지 않지만 와우음전위의 존재만으로 외유모세포의 기능을 정상이라고 할 수는 없다. 왜냐하면 와우음전위의 발생에는 내유모세포와 외유모세포가 모두 관여하며 이음향방사가 주로 1 kHz 이상의 청력상태를 반영하는데 비해 와우음전위의 발생에는 더 낮은 주파수 영역(250 Hz 이상)도 함께 참여하기 때문에 청각신경병증에서 와우음전위는 이음향방사보다 일관되게 오랫동안 유지되기 때문이다. 여러 부위에 동시다발적 병변이 존재하거나 연령 증가에 따라 병변이 여러 부위로 확대되면서 섞임 양상(mosaic pattern)의 병변을 보이므로 병변 위치의 정확한 감별은 극히 어려운 일이다. 이러한 섞임 양상 혹은 외유모세포 이온통로의 점진적 손상 때문에 연령 증가에 따라 이음향방사가 사라지기도 한다. 이음향방사와 와우음전위가 처음에 잘 나타나다가 이후에 사라진 경우라면 청성뇌간

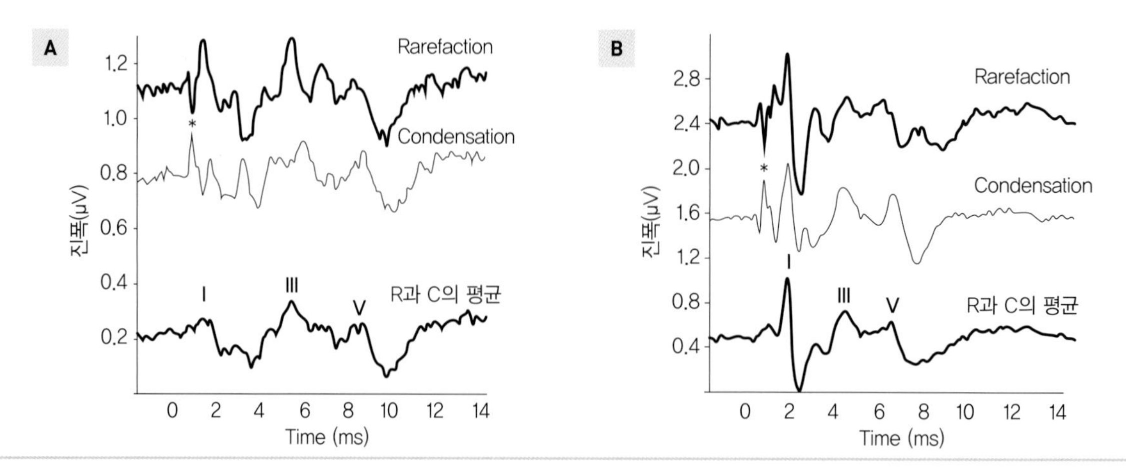

■ 그림 37-2. **청각신경병증 스펙트럼 장애 환아(A)와 정상 아동(B)의 청성뇌간반응.** R과 C의 평균 곡선끼리 비교할 때, 그래프 A의 세로축 눈금의 진폭 단위가 B의 절반수준임을 감안하면 청각신경병증 환아의 청성뇌간반응에서 각 파형의 진폭이 크게 감소하였음을 알 수 있고 I-V 파간 잠복기가 약 7.0 ms로 연장되어 있어 '비정상적' 청성뇌간반응이 관찰된다. 또한 R과 C에서 I 파 이전에 파형의 상하가 서로 뒤바뀐, 즉, 위상이 정반대인 와우음전위가 관찰된다(그림 A와 B의 * 표시한 위치). R: rarefaction click, C: condensation click, CM: cochlear microphonics. (Adapted from Norrix LW, Velenovsky DS. Auditory neuropathy spectrum disorder: a review. J Speech Lang Hear Res 2014;57:1564-76. with permission.)

반응이 행동청력역치수준으로 완전히 정상화되지 않는 한 청각신경병증의 가능성을 배제할 수 없다. 그러므로 최종적으로 확진을 내리기 전에 청성뇌간반응 검사를 생후 8~10주에 시행하고, 또 생후 12~18개월까지 청성뇌간반응을 반복하는 것이 진단에 중요하다.[13] 구심성 청각로의 이상으로 인해 안면신경이 정상임에도 불구하고 거의 모든 청각신경병증 환자에서 등골반사의 역치가 100 dB 이상으로 증가하거나 아예 나타나지 않는다. 이런 사실을 고려하여 현재 이음향방사에만 의존하고 있는 신생아 청력선별검사에 적어도 1, 2 kHz에 대한 등골근의 동측반사검사를 추가할 필요가 있다.

2) 행동(순음)청력검사

생후 6개월 이전에는 행동관찰청력검사(behavioral observation audiometry)를, 그 이후에는 시각강화청력검사(visual reinforcement audiometry), 놀이청력검사(play audiometry) 등을 이용하여 주파수 특성을 갖는 행동청력역치를 측정할 수 있다. 그러나 청각 이외에 성장-발달의 복합적 장애가 함께 있는 경우라면 행동관찰청력검사나 부모의 설문을 사용해 간접적으로 평가할 수밖에 없다. 소리를 감지하는 능력은 어음을 이해하는 능력보다 신경흥분의 동시성에 훨씬 덜 의존하므로 청성뇌간반응이 나타나지 않는 청각신경병증 환자라도 정상부터 고도 이상의 난청까지 다양한 행동청력역치를 보일 수 있다. 청각신경병증 환자의 평균순음역치는 약 57 dB HL로 정상에서 고도 난청까지 거의 고르게 분포하며 40~60%가 중등도 이상의 난청을 보인다. 또한 병의 경과중에 최대 45 dB의 역치변동을 보일 수 있다. 경도-중등도 난청에선 그림 37-3과 같이 대개 상승형(up-sloping)의 청력도를 보이며 고도 난청으로 진행할수록 평평한 형태가 많아진다.[13,33,43]

3) 어음청력검사

청각신경병증에서 행동(순음)청력처럼 자극세기와 관련된 청각지각력(intensity-related perception)은 잘 보존되는 반면 시간적 정보와 관련된(timing related) 청각기능은 심각하게 저하된다. 그러므로 어음명료도는 순음역치에 비해 크게 떨어지고, 특징적으로 소음환경에서의

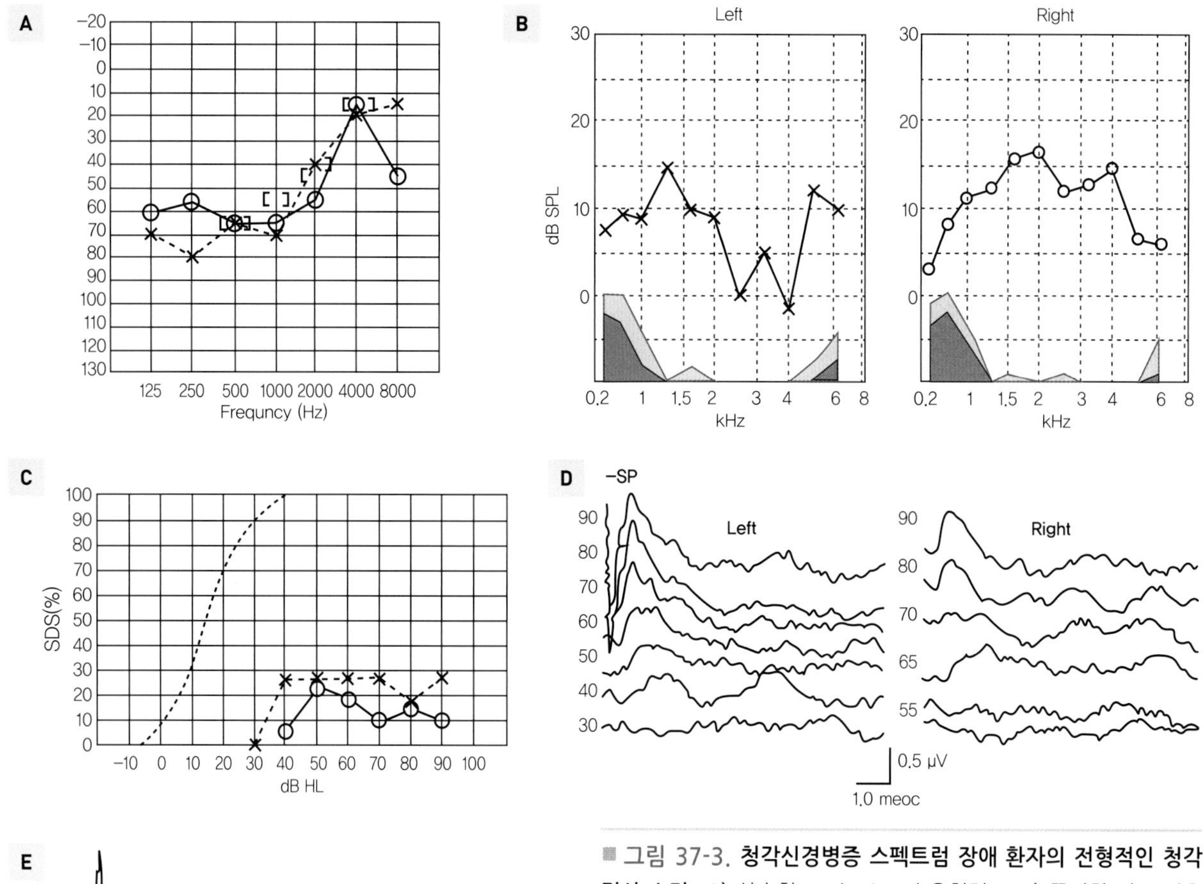

■ 그림 37-3. **청각신경병증 스펙트럼 장애 환자의 전형적인 청각 검사 소견. A)** 상승형up-sloping 순음청력도, **B)** 뚜렷한 변조 이음향방사, **C)** 30% 미만의 아주 낮은 어음명료도와 말림roll-over현상, **D)** 합산전위summating potential, SP가 관찰되는 전기와우도 (이 환자는 왼쪽 귀에서만 관찰되고 있음), **E)** I-V의 모든 파형이 전혀 나타나지 않는 청성뇌간반응. (From Kaga K. Auditory nerve disease and auditory neuropathy spectrum disorders. Auris Nasus Larynx. 2016;43(1):10-20 with permission.)

청취능력도 극심하게 저하되며, 선택적 청취능력을 요하는 이분청취숫자검사(dichotic digit test)의 수행력도 크게 감소한다.[34]

4) 전기와우도, 전기자극 청성뇌간반응 및 청각피질유발전위

이 검사들은 청각신경병증의 병소추정과 보청기 또는 와우이식의 효과를 예측하는데 도움을 준다. 내유모세포가 전기와우도의 가중전위(summating potential)의 발생 기원이므로 내유모세포의 병변이 발생하면 가중전위가 양의 값으로 역전된다. 따라서 경고막 전기와우도에서 비정상적인 양성가중전위가 관찰되면서 정상적인 전기자극 청성뇌간반응이 나타나는 경우엔 내유모세포가 주된 병소이므로 긍정적인 와우이식결과를 기대할 수 있다. 그렇지 않은 경우들은 대개 청신경이나 뇌간의 병변일 가능성이 크고 자기공명영상에서 청신경저형성증이 발견되는 경우가 흔하며, 대개 전기자극 청성뇌간반응이 비정상이므로 와우이식의 결과가 좋지 않다. 실제로 와우이식후

신경동시성 회복의 예측에 가장 중요한 검사는 술 전 전기와우도보다 전기자극 청성뇌간반응이라고 할 수 있다.[45]

청각신경병증 환자에서 정상적인 형태, 잠복기 및 진폭을 갖는 청각피질유발전위(cortical auditory evoked potentials)의 P1 파형이 나타난 경우가 그렇지 못한 경우보다 소리에 대한 각성과 의미추출 및 발성패턴 등 청각기능의 발달에 더 나은 결과를 보이므로 청각피질유발전위로 청각피질과 행동청력의 발달에 대한 예후를 추정할 수 있다. 또한 청각피질유발전위는 신경동시성 장애의 정도와 보청기의 효과 예측에 도움이 되는 정보를 제공한다. 청각신경병증의 정도가 심할수록 피질하 신호전달이 비정상이거나 동시성 장애가 심하며 이로 인해 대뇌청각피질의 발달을 방해하므로 청각피질유발전위를 관찰할 수 없다. 또한 비교적 짧은 잠복기를 갖는 청성뇌간반응은 동시성 장애가 심하지 않은 경우에도 소실되나, 잠복기가 더 긴 청각피질유발전위까지 사라진다면 동시성 장애가 심각하게 악화된 경우일 것이다. 결국 청성뇌간반응과 청각피질유발전위 모두 반응이 없다면 보청기의 효과는 기대하기 어려우며, 청성뇌간반응이 없더라도 청각피질유발전위가 존재하는 경우에 보청기 사용가능성이 더 희망적이라고 볼 수 있다.[38]

5) 유발이음향방사의 대측억제검사

이 검사는 외유모세포의 음증폭기능을 억제 혹은 항진시켜 선택적 청취를 가능하게 하거나 지속적 환경소음에 대한 반응을 억제하는 내측올리브와우 원심성섬유(medial olivocochlear efferent fiber)의 기능을 측정하는 방법이다. 유발이음향방사를 측정할 때 반대쪽 귀에 차폐음을 주면 올리브와우 원심성섬유가 활성화되어 이음향방사의 진폭이 감소한다. 청각신경병증으로 인해 구심성뿐만 아니라 원심성 청각신경로의 기능도 저하되어 외유모세포의 증폭을 억제하는 기능이 사라지므로 이러한 대측억제가 소실되며, 이 현상을 청각신경병증 감별진단을 위한 방법으로 사용할 수 있다.[7]

6) 전정기능검사

소아 청각신경병증 환자 12명 중 10명(83.3%)에 대해 냉온교대검사(bithermal caloric test)와 4℃ 냉각수검사를 시행한 결과 두 검사 모두에서 안진이 전혀 유발되지 않았다.[4] 비증후군성 성인 환자 17명 중 10명(58.8%)에서 냉수온도 안진이 나타나지 않거나 비정상 반응이 관찰되고, 14명 중 5명(35.7%)에서 전정유발근전위가 나타나지 않는 등 전정신경기능장애가 상당한 증례에서 보고되고 있다. 또한 유발이음향방사의 대측억제를 담당하는 내측올리브와우섬유는 청신경이 아니라 전정신경을 통해 와우 내부로 들어오므로 대측억제가 소실되는 현상은 전정신경의 장애를 의미한다. 이런 현상들로 미루어 청각신경병증으로 생각하는 다수가 실제로는 청신경에 국한되지 않은 '전정와우신경병증(vestibulo-cochlear-neuropathy)'이며, 이런 점 또한 '청각신경병증 스펙트럼 장애'라는 보다 넓은 의미의 용어가 필요한 이유이다.

6. 치료

초기 청각재활방법으로써 보청기와 주파수변조(frequency modulation, FM) 시스템을 사용한다. 보청기나 인공와우를 통해 전달되는 청각 및 전기자극만으로 언어발달의 충분한 성과를 얻기 힘든 경우 유소아용 수화(baby signs), 수화, 수화와 구순법을 조합한 단서 언어(cued speech) 또는 독화(speech reading) 등과 같은 시각적 의사소통방법의 사용을 고려해야 한다. 행동청력과 달리 신경흥분의 동시성에 크게 좌우되는 청성뇌간반응 역치는 청각신경병증 환아의 청력기능을 가늠하는 지표가 될 수 없다. 그러므로 일반적인 감각신경성 난청과 달리 청각신경병증 환아의 보청기 사용, 와우이식결정 및 의사소통방법의 선택에 있어서 가장 믿을 만한 지표는 행동청력검사로 측정한 청력역치, 언어인지 능력과(실제 교실처럼 환경소음과 메아리현상이 있고 교사의 음성이 들리는 거리를 고려한) 기능적 언어청취능력(functional lis-

경우에는 기도 역치가 40 dB nHL 이상으로 난청으로 정하며, 청각신경병증을 포함한 신경성 난청을 포함한다.[1,44]

1. 검사방법

신생아청각선별검사의 목적은 난청의 가능성이 높은 신생아를 발견하여 정확한 청력 평가를 받도록 하는 데 있으며 대부분 검사기기는 자동으로 '통과(pass)'와 '재검(refer)' 두 가지 결과가 나오게 된다. 신생아청각선별검사에서 '통과'된 경우는 검사 시점에서 심각한 난청의 위험성이 없고, 추가적인 청력검사가 필요 없는 경우를 의미하며, '재검'은 선별검사 시점에서 난청의 위험성이 있거나 추가적인 청력검사를 요하는 경우를 의미한다. 따라서 신생아가 '재검' 결과가 나왔다고 하여 난청이라고 보호자에게 설명하지 않도록 주의해야 한다. 즉, '재검' 결과는 '신생아가 난청이 있다'는 것이 아니라 '난청의 위험성이 크다'는 것을 부모와 보호자들에게 주지시킬 필요가 있다. 이런 의미에서 '실패(fail)'라는 용어 대신 '재검'이라는 표현을 사용한다.

신생아청각선별검사는 선별검사로서 다음의 조건을 갖추어야 한다. 검사자가 검사방법을 배우기 쉬우며, 민감도와 특이성이 높고, 적용 가능한 객관적인 기준이 있으며, 신생아가 병원에서 퇴원하기 전에 시행할 수 있어야 한다. 현재 널리 쓰이는 방법은 청각사가 아닌 일반인들도 간단한 교육을 통해 시행할 수 있도록 결과 판독을 자동화한 자동이음향방사와 자동청성뇌간반응 기기가 개발되어 많이 사용되고 있다(표 38-1). 검사 시점은 외이도 안의 태지나 중이 내 저류액이 빠지지 않은 상태에서는 위양성이 나타나기 쉽기 때문에 이를 방지하기 위해서 적어도 생후 12시간이 지난 후에 출생 후 퇴원 전에 시행하는 것을 권장한다.[1]

검사 전에 보호자에게 동의서를 받고 검사에 대해 설명한다. 보호자가 청각선별검사에 동의하지 않거나 사정상 입원 기간에 청각선별검사를 시행하지 못하는 경우에는 언어발달 체크리스트와 청각선별검사에 대한 안내서를 나누어 주어 난청조기진단의 중요성을 설명하고 지속적으로 청각과 언어발달에 관심을 가지도록 한다(표 38-2). 청각선별검사는 적어도 생후 1개월 이내 시행하도록 하며 신생아중환자실 신생아나 조산아의 경우 예정 출산일을 기준으로 하는 교정연령으로 생후 1개월 이내 시행한다. 이는 생후 1개월이 지나면 점차 수면 시간이 적어져 자연수면 동안의 검사가 어려워지고 수면제를 복용 후 검사를 시행해야 할 수도 있기 때문이다. 청각선별검사는 가능한 조용한 환경에서 시행하며, 자동청성뇌간반응은 아기가 수면 중에 검사를 시행하도록 하며, 자동이음향방사의 경우 아기가 울지 않으면 검사가 가능하다. 검사는 각각의 귀에서 최고 2회까지 시행하며 3회 이상 반복하여 실시하지 않도록 한다. 이는 검사를 반복함에 따라 우연히 통과가 나와 위음성을 초래하는 결과가 생기기 때문이다.[1] 최종 청각선별검사결과는 아가수첩에 검사 결과를 기재하고 언어발달 체크리스트 등을 주어 지속적으로 청각에 관심을 갖도록 한다(표 38-2).

1) 자동청성뇌간반응(Automated auditory brainstem response; AABR)

클릭음을 이용한 자동청성뇌간반응은 정상 청력을 가진 신생아군(정상 청력을 가진 임신 34주의 조산아부터 생후 6개월의 영아)에서 얻은 wave V를 원형(template)으로 하여 검사를 시행하는 신생아의 파형과 통계적인 비교를 통하여 '통과' 또는 '재검' 판정을 내리는 신생아청각선별검사방법이다. 자동청성뇌간반응은 작동이 용이하고 간단하며 비침습적이고 아이가 자는 동안에는 3~10분이면 검사를 마칠 수 있기 때문에 교육받은 자원봉사자, 일반기사, 간호사들도 성공적으로 수행할 수 있다. 휴대가 간편하여 한 사람의 검사자가 여러 지역의 병원들을 돌아다니면서 청각선별검사를 할 수 있기 때문에 집이나 시골에서 태어난 아이들에게도 선별검사를 시행할 수 있다.

JCIH의 청력 선별에 대한 조건 중 하나인 30~40 dB

표 38-1. 신생아청각선별검사 장비

제조 회사	장비명	측정		
		AABR	A-DPOAE	A-TEOAE
Natus, Bio-Logic Systems Corp. USA	ABaer	o	o	o
	ABaer Cub	o		
	AuDXI, II		o	o
	Scout Sport		o	o
Vivosonic, Canada	Aurix	o		
Etymotic Research Inc, USA	Ero*Scan	o		
Grason-Stadler Inc (GSI), USA	GSI 70		o	
	Audioscreener, Audioscreener+	o	o	o
	GSI Corti			o
Intelligent Hearing Systems, USA	Smart screener	o		
	Smart OAE	o	o	
Madsen, Denmark	Capella		o	o
	Echoscreen			o
Madsen, Autometrics A/S, Denmark	AccuScreen Pro	o	o	o
Interacoustics, Denmark	Titan (Click, Chirp 자극음이용)	o	o	o
Natus Medical Inc, USA	ALGO 2e	o		
	ALGO Portable	o		
	ALGO 3, 3i, 5	o		
MAICO Diagnostics, Germany	MB 11 BERAphone (Chirp sound 이용)	o		
Otodynamics LTD, UK	Echoport Plus			o
	Echocheck			o
	Tei			o
	DP Echoport Plus		o	o
	88 DPI		o	
	ILO 96/ILO 88			o
SLE, UK	SABRe	o		
SonaMed Corp, USA	Clarity	o	o	
Starkey Labaratories, USA	DP 2000		o	

AABR: 자동청성뇌간반응, A-DPOAE: 자동 변조이음향방사, A-TEOAE: 자동 일과성음 유발이음향방사

이상의 청력손실의 발견을 만족시키기 위하여 대부분 35 dB nHL 클릭음을 주로 이용한다. 필요에 따라 25 dB nHL, 30 dB nHL로 음의 자극강도를 변경할 수 있거나 Chirp 자극음을 이용하는 자동청성뇌간반응 기기도 있다. Chirp음을 이용할 경우 정상 청력 신생아들의 원형을 이용하지 않고 변조음을 이용한 방식을 사용하는 알고

표 38-2. 언어발달 체크리스트

생후 3개월까지
□ 큰소리에 놀라는 반응을 보인다.
□ 부르면 고개를 움직인다.
□ 큰 소리에 잠을 깨곤 한다.
□ 엄마 목소리를 들으면 조용해지곤 한다.
생후 4개월 ~ 6개월
□ '아', '오'등의 소리를 반복하기 시작한다.
□ 놀거나 혼자 있을 때 가글하는 것 같은 소리를 낼 때가 있다
□ 일상의 여러 가지 소리(텔리비전, 완구, 악기, 문의 개폐 등)에 반응을 보인다.
생후 7개월 ~ 9개월
□ 조용한 환경에서 이름을 부르거나, 전화벨 소리, 사람들 소리에 반응한다.
□ 흔하게 사용하는 단어(맘마, 신발, 안녕 등)에 반응한다.
□ 아기 혼자서 재잘거리는 등의 옹알이를 한다. 예) 다다, 마마 등
생후 10개월 ~12개월 이내
□ 반복되는 자음 발음(마마, 빠빠 등)과 좀 더 많은 소리를 듣고 모방하여 말할 수 있다.
□ 이름을 부르면 반응하거나 소리나는 방향을 쳐다본다.
□ 주변 소음에 귀를 기울인다.
□ '우유먹자', '안돼'같은 간단한 지시를 이해한다.
생후 13개월~15개월
□ 단독으로 의미있는 한 개 또는 두 개의 단어를 말하고 흉내낼 수 있다.
□ 혼자 말하고 소리내면서 놀 수 있다.
□ 친숙한 특정 사물을 가라키라고 지시하면 그 사물을 가릴 수 있다.
□ 까꿍 놀이나 짝짜꿍, 손뼉치기 등의 소리를 이용한 놀이를 좋아한다.
생후 16개월~18개월
□ 반향어와 의미없이 횡설수설하는 소리들을 내거나 배운 단어들을 사용하곤 한다.
□ 원하는 것을 요구하기 위해 의미 있는 2~3개의 단어를 사용한다.
□ 눈, 코, 입 등 신체 부위에 대해 1개 이상 말을 듣고 가리킬 수 있다.
□ 3~10, 혹은 그 이상의 표현 어휘를 습득한다.
2세 이내
□ '엄마', '아빠'외에 한 단어 이상 말할 수 있으며, 명사와 동사를 결합하기 시작한다.
□ "배 고프니?", "쉬 마려워?" 같은 단순 예-아니오 식의 질문에 이해하고 반응한다.
□ "이게 뭐지?"하는 질문에 대답한다.
□ 말을 듣고 익숙한 사물이나 신체 일부 또는 그림을 가리킬 수 있다.
□ 50~100개 이상의 표현 어휘를 습득한다.
□ 300개 이상의 수용 어휘를 습득한다.
3세 이내
□ 이름과 나이를 말할 수 있다.
□ '신발 신어요', '우유 먹어요.' 등의 간단한 지시를 수행한다.
□ 두 어절을 이어서 말할 수 있다.
□ 말로 지시한 것을 대부분 이해하고 그대로 생동한다.
□ 모음을 정확하게 사용하고, 3~4 낱말 구를 사용하며, 의미있는 50개 이상의 단어를 사용한다.

(Data from NIDCD, Kim YT 1994)

리듬이기 때문에 대상 연령의 제한을 받지 않아 유소아까지 청각선별검사로 이용이 가능하다. 대개의 경우 주위의 잡음을 줄이기 위해 귀를 감싸는 형태의 송화기를 통해 소리를 전달한다. 파형을 측정하는 시간도 자극 후 약 20~25 ms이며 전극은 청성뇌간반응과 같은 장소에 부착하기도 하나 대개 이마, 목, 어깨 등에 부착한다. 최근에는 여러 회사에서 자동청성뇌간반응 기기를 만들어내고 있으며, 자동이음향방사검사도 같이 할 수 있도록 고안된 것이 많다(표 38-1). 또한 최근 기기들은 검사 후 파형을 저장 또는 인쇄할 수 있는 기능이 있어 추후에 전문가의 재검토가 가능하다.

2) (자동)이음향방사((Automated) Otoacoustic emissions; (A)OAE)

유발이음향방사는 소리자극 후 와우의 외유모세포에서 발생한 음향에너지 진동파를 외이도에서 측정함으로써 와우의 정상적인 기능 여부를 알아보는 검사법이다. (자동)이음향방사는 객관적 청력검사로서 간단하고, 신속하며, 비침습적이고 저렴하기 때문에 신생아청각선별검사로 가장 널리 사용되고 있다. 그러나 민감도가 높아 재검률이 비교적 높고, 내유모세포 질환이나 후미로 병변이 잡히지 않고 정상으로 나타날 수 있어 고위험군의 경우는 자동청성뇌간반응이나 진단적 청성뇌간반응을 이용한 보완검사가 필요하다. 이음향방사에는 일시적인 단속음으로 이음향방사를 유발하는 일과성음 유발이음향방사(transiently evoked otoacoustic emissions; TEOAE)와 두 가지의 순음으로 이음향방사를 유발하는 변조이음향방사(distortion product otoacoustic emissions; DPOAE)가 있다. 일과성음 유발이음향방사는 25~30 dB 이상의 난청을 발견할 수 있는 매우 민감한 검사이고, 변조이음향방사는 주파수 특성을 가지고 있으며 청력손실이 35~40 dB 이하에서는 발현되고 50~60 dB 이상의 청력저하에서는 나타나지 않는다.

(1) (자동)일과성음 유발이음향검사((Automated)-Transiently evoked otoacoustic emissions)

소리자극에 의하여 유발되는 이음향방사 중 (자동)일과성음 유발이음향검사는 클릭음이나 톤버스트 등의 소리 자극 후 유발되는 1~5 kHz 사이에 나타나는 주파수 특이반응을 측정하는 검사이다. (자동)일과성음 유발이음향검사는 검사방법이 용이하며 소요 시간이 짧아, 선별검사로서의 유용성이 입증되어 전 세계적으로 이용되고 있다. (자동)일과성음 유발이음향검사가 선별검사로 유용한 이유 중 하나로 비교적 높은 정확도다. 청성뇌간유발전위가 비정상으로 나온 신생아들은 모두 이음향방사도 비정상이었다.[34] 그러나 (자동)일과성음 유발이음향검사에서 비정상적인 반응을 보인 환아가 모두 심각한 난청은 아니므로, (자동)일과성음 유발이음향검사의 결과에 영향을 미치는 여러 가지 요소를 점검해야 한다. 먼저 외이도의 상태가 중요한데, 외이도가 좁거나 함몰된 경우 또는 이구가 많은 경우에는 반응이 잘 안 나올 수 있다.[20] 장 등은 이음향방사 통과율(pass rate)이 외이도의 상태를 관찰하기 전에는 74%였으나 외이도를 깨끗이 청소하고 고막을 관찰한 후에는 91%로 증가하여 외이도의 상태가 검사결과에 영향을 미침을 강조하였다.[7] 중이와 고막의 상태도 (자동)일과성음 유발이음향검사의 결과에 상당한 영향을 미친다. 중이의 압력 변화만으로도 (자동)일과성음 유발이음향검사의 진폭과 재현율이 변하며, 삼출성 중이염에 의한 삼출액의 성상에도 큰 영향을 받는다.

(자동)일과성음 유발이음향검사를 이용한 신생아청각선별검사는 30 dB 이상의 난청이 있는 경우 이상 소견이 나타나기 때문에 민감도가 높고 환자가 불편해 하지 않으며 검사시간이 짧고, 검사비가 저렴하기 때문에 청각선별검사로써 적합하다. 이 검사의 통과 기준은 시행하는 기관에 따라 다양하지만, 검사 결과가 주위 소음이나 신생아의 움직임에 영향을 많이 받기 때문에 신뢰도를 확인하는 것이 중요하다. 통과 기준을 충족하더라도 검사 신뢰도가 낮다면 재검사를 시행한다. 검사의 신뢰도가 인정되

는 기준은 ① 자극의 안정성 측정수치가 75% 이상, ② 최대자극강도가 77~83 dB SPL, ③ 자극 스팩트럼이 충분한 주파수대에 분포할 것, ④ 소음 강도가 40 dB SPL 이하, ⑤ 낮은 자극 샘플수가 50 이상일 것 등이다. 이 중 가장 중요한 항목은 ②항과 ⑤항으로, 최대자극강도가 83 dB SPL을 초과하거나 낮은 자극 샘플수가 50 미만일 경우 재검사를 실시해야 한다.[29] (자동)일과성음 유발이음향검사 통과기준은 주파수대역의 절반 이상에서 재현율(reproducibility) 50~70% 이상, 반응–소음강도가 3 dB 이상이다. 1차 검사시 재검률은 3~12% 정도로 평균 7%이며, 이들이 퇴원 전 이차 청각선별검사를 검사를 받게 되면 최종적으로 1~4% 정도가 난청 진단을 위한 청성뇌간반응검사를 받게 된다.

(2) (자동)변조이음향검사((Automated)-Distortion product otoacoustic emissions)

(자동)변조이음향방사는 음자극에 의해 와우 내의 외유모세포의 수축, 진동의 능동적 기전에 의해 발생되는 음 에너지로 청신경으로 전달될 뿐 아니라 중이를 거쳐 외이도로 전달되어 나타난다. 와우의 기능을 객관적으로 관찰할 수 있고 검사가 신속하며 순음청력검사보다 청력의 변동에 민감하여 매우 작은 음향적 손상도 측정할 수 있는 검사이다. 정상 청력을 가진 사람에서 (자동)변조이음향방사는 90% 이상 발현된다.[22,36]

(자동)변조이음향방사는 1~6 kHz 범위 내의 주파수별로 검사할 수 있다는 특징 때문에 주로 청각선별검사보다는 진단검사에서 많이 사용되어 왔다. 하지만 변조산물의 진폭, 입출력 곡선 I/O curve 역치 등을 이용하여 청각선별검사로서의 유용성 등이 활발히 연구되었다. (자동)변조이음향방사에서는 DP청력도(distortion product audiogram)와 (자동)변조이음향방사 성분의 크기를 자극음의 크기와 주파수에 따라서 보여주는 입출력 곡선(I/O curve)을 이용할 수 있다. 여기서 (자동)변조이음향방사 성분이 적어도 주변소음 표준편차보다 약 2배 이상 크거나, 크기가 소음 수준보다 약 5 dB 이상 더 커야 하는 등의 판정기준을 제시할 수 있다. 자동화 기기의 경우 3개의 주파수에서 2개 이상 또는 5개의 주파수에서 3개 이상 비정상으로 판정 시 최종 판정이 '재검'으로 판정되며, 검사자가 이 기준을 변경할 수 있는 기기도 있다.[42]

3) 신생아청각선별검사의 한계와 유의점

신생아청각선별검사를 에서 최종 '통과' 또는 '재검' 판정을 받았더라도 다음과 같은 위음성과 위양성이 나올 수 있는 가능성을 고려하여야 한다. 청력저하가 있으나 '통과'로 나오는 위음성을 보이는 경우는 다음과 같다. (1) 전반적으로 정상적인 청력도를 보이지만 특정 주파수에서 난청이 있는 경우 (2) 0.5~2 kHz 중간 주파수대에서 난청이 있을 때 자동청성뇌간으로 검사를 시행한 경우 (3) 청각신경병증이나 거대세포바이러스 감염 등으로 진행형의 난청이 발생하는 경우 (4) 전정도수관확장증이나 중이염이 있어 변동성 난청이 있는 경우 (5) (자동)이음향방사로 선별이 가능한 경도 난청에 해당하는 신생아가(예, 25 dB 정도의 난청) 보다 높은 난청의 진단(35 dB nHL)에 맞춘 자동청성뇌간반응 기기로 청각선별검사를 하여 통과로 판정받은 경우 (6) 후미로의 병변에 의한 난청이 있는데 (자동)이음향방사로 검사한 경우 (7) 청각선별검사를 3회 이상 반복하여 실시한 경우 등이 있다. 청력은 정상이나 청각선별검사에서 '재검' 판정을 받는 위양성이 발생하는 경우는 양수와 태지 등으로 인한 외이도나 중이의 상태, 내외부 소음이 있는 상황에서 (자동)이음향방사로 검사한 때를 들 수 있다.[44]

2. 난청 위험인자

난청 위험인자를 가진 신생아는 건강신생아에 비해 난청 발생률이 10~20배 높으며[14] 신생아청각선별검사에서 '통과'로 나왔더라고 추후 지연성 난청 발생률이 그렇지 않은 경우에 비해 10배 이상 높으므로 학령 전까지 6개월에

표 38-3. 난청 위험인자(JCIH 2007)

보호자가 난청이나 언어발달 저하가 의심되는 경우*
소아 난청의 가족력*
5일 이상 신생아중환자실에 입원한 경우 - 체외막산소화장치(ECMO)나 인공호흡기를 사용한 경우(기간에 상관없음)*
태아시의 감염(톡소플라즈마증, 풍진, 거대세포바이러스감염(CMV)*, 단순포진, 매독)
교환수혈이 필요한 정도의 과빌리루빈혈증(기간에 상관없음)
감각신경성 난청이나 전음성 난청을 포함하는 증후군의 소견
진행성 난청 또는 지연성 난청과 연관된 증후군(신경섬유종증, 골화석증, Usher 증후군 등)*
균검사에서 확인된 세균성 또는 바이러스성(특히 herpes 또는 varicella) 뇌막염을 포함한 감염*
이개와 외이도 기형을 동반한 두개안면부 기형
두개저나 측두골 골절 등 두부 손상
이독성약물(gentamycin, tobramycin 등)이나 고리이뇨제(furosemide(lasix)) 등을 사용한 경우 - (기간에 상관없음)
항암제 등의 화학요법 치료의 기왕력*

* 지연성 난청의 발생이 높은 위험인자로, 기존 고위험군보다 보다 많은 정기적인 청력검사가 필요

서 1년마다 지속적인 정기 검진이 필요하다.[44]

미국 JCIH에서는 1973년 처음 난청 고위험군을 정의한 이후 2007년까지 지속적으로 위험요소를 보강하였는데, 2007년 지침에서는 난청위험요소를 가진 경우 3세 이전에 적어도 1회의 청성뇌간반응을 실시하도록 하였고, 특히 보호자가 난청이나 언어발달 저하가 의심되는 경우, 소아 난청의 가족력, 기간에 상관없이 체외막산소화장치(ECMO)나 인공호흡기를 사용한 경우, 거대세포바이러스 감염, 진행성 난청 또는 지연성 난청과 연관된 증후군의 증상이 있는 경우, 균검사에서 확인된 세균성 또는 바이러스성 뇌막염을 포함한 감염 등이 있는 경우에는 지연성 난청의 발생이 높기 때문에 환아 개별적인 언어발달과 임상양상을 고려하여 전문의의 판단에 의해 더 자주 정밀청력검사를 시행하도록 권고하였다(표 38-3).

3. 검사 프로토콜

신생아청각선별검사 프로그램을 성공적으로 운용하려면 전문가적인 기기와 인력을 갖출 뿐만 아니라 다음 요건을 만족해야 한다.[1,43] (1) 모든 신생아의 최소 95%이상에서 퇴원 전 또는 최소 1개월 내에 청각선별검사가 시행되어야 한다. (2) 청력이 좋은 귀(better hearing ear)에 35 dB 이상의 난청이 존재할 경우 반드시 이를 재검으로 잡아내는 검사방법을 적용해야 한다. (3) 선별검사 후 재검으로 판정되어 청각학적, 의학적 정밀 검사를 의뢰하는 비율(재검률)이 4%를 넘지 않아야 한다. (4) 난청 신생아를 발견하지 못하는 청각선별검사의 위음성률이 0%여야 하며 위양성률은 3% 이하여야 한다. (5) 검사에 통과하지 못한 재검아 중 적어도 95%에서 추척 검사가 성공적으로 이루어져야 한다.[1,33,39]

JCIH는 2007년 지침에서 포괄적인 조기난청 발견과 중재(early hearing detection and intervention; EHDI) 프로그램을 위한 8가지 원칙과 관련된 지침서를 제시하였다. 첫째, 모든 신생아는 청각선별검사를 받아야 하며, 둘째, 검사를 통과하지 못한 신생아는 생후 3개월 이내에 추적검사를 받아야 하고, 셋째, 난청으로 진단된 영아는 늦어도 생후 6개월 이전에 중재를 받아야 하고(그림 38-1), 넷째, 고위험군 신생아는 청각적 검사를 지속적으로 받아야 하며, 다섯째, 신생아와 가족의 권리는 서면화된 선택과 동의를 통하여 보장되어야 하며, 여섯째, 영아와 가족의 정보와 결과가 보호되어야 하며, 일곱째, 정보는 EHDI service의 효과를 측정하고 보고하기 위해서

사용되어야 하며, 여덟째, 프로그램은 EHDI system의 발전을 위한 자료를 제공해야 한다.[44]

신생아청각선별검사 프로그램은 전체 신생아를 대상으로 하는 청각선별검사(universal newborn hearing screening; UNHS)를 원칙으로 하고 있으며, 검사 프로토콜은 이용하는 검사기기에 따라 1단계와 2단계 검사방법, 검사 대상에 따라 건강신생아와 신생아중환자실 프로토콜로 구분된다. 1단계 방법은 자동청성뇌간반응이나 (자동)이음향방사 중 한 가지 검사방법으로만 시행하는 것이며, 2단계 검사방법은 처음에는 (자동)이음향방사 또는 자동청성뇌간 검사로 검사하고, 어느 한쪽 귀라도 '재검' 판정이 나온 경우 자동청성뇌간반응으로 재선별검사를 시행하는 방법이다. 선진국과 국내 지침에서 제시하는 신생아청각선별검사 프로토콜은 검사 대상자인 신생아의 상태에 따라 건강 신생아 프로토콜과 신생아 중환자실 프로토콜로 구분하여 실시한다(그림 38-1).[1,2,18,44]

1) 건강신생아 프로토콜

건강신생아는 합병증이 없는 분만을 통해 출생한 건강한 신생아이거나 신생아 중환자실에 4일 이하로 입원하고 건강신생아실로 옮겨 퇴원 예정인 신생아를 의미한다. 검사방법은 1단계 또는 2단계 방법 모두 가능하다. 청각선별검사는 각각의 귀에서 최고 2번까지 시행한다(그림 38-1). 초기에 자동청성뇌간반응을 시행하여 재검이 나온 경우 (자동)이음향방사로 다시 청각선별검사를 시행하지 않도록 주의한다. 이는 2차로 시행한 (자동)이음향방사에서 통과로 나오는 경우 청각신경병증을 놓치는 결과를 초래할 수 있기 때문이다. 양측 모두 통과로 판정된 경우라도 난청 위험요소를 가지고 있는 경우 정기적으로 정밀청력검사를 시행하도록 하며, 한쪽 귀라도 재검 판정을 받은 경우 생후 4주 이내에 이비인후과 외래로 의뢰하여 다시 자동청성뇌간반응로 청각선별검사를 시행하거나 난청 진단을 위한 청성뇌간반응 검사를 시행한다.[37,44]

2) 신생아 중환자실 프로토콜

신생아 중환자실 프로토콜의 대상은 신생아중환자실에 5일 이상 입원치료를 받은 신생아, 중환자실 신생아 중 명백한 일측성 또는 양측성 외이 기형이 있는 신생아 또는 뇌막염으로 확진되었거나 뇌막염 의증을 앓고 난 후 회복된 신생아, 이전 청각선별검사에서 '통과'로 판정받은 건강 신생아가 뇌막염을 앓게 되어 신생아중환자실에 다시 입원한 경우, 청각선별검사에서 '통과'로 판정받아 퇴원하고 생후 4주 이내에 교환수혈이 필요할 정도의 고빌리루빈혈증이나 세균이 배양된 패혈증 등 난청의 위험이 있는 질병을 앓게 되어 병원에 다시 입원하게 된 경우에 해당한다.[45]

중환자실 신생아의 연령은 출산 예정일로부터 계산한 교정연령을 기준으로 하며 교정연령 1개월 이내 검사하도록 한다. 중환자실 치료가 끝나고 전신 상태가 양호할 때 시행하며 퇴원 하루 또는 이틀 전에 시행하는 것이 바람직하다. 제태 연령 34주 이전에 출생한 신생아에 대해서는 좀 더 기다렸다가 34주 이후에 검사를 하도록 한다. 만약 중환자실에서 양호한 건강상태를 회복하는 시기가 교정연령 1개월이 넘은 경우 진단적 청성뇌간반응 검사를 포함한 정밀청력검사를 바로 고려해 볼 수 있다.

검사방법은 자동청성뇌간반응과 (자동)이음향방사를 동시에 시행할 수 있으나 검사 판정은 자동청성뇌간반응을 기준으로 하며, (자동)이음향방사 단독의 1단계 방법은 시행하지 않는다. 이는 청각신경병증의 경우에는 최초 검사로 (자동)이음향방사를 시행할 경우, '통과'로 나타나기 때문이다. 각각의 귀에서 2번까지 시행하며 3번 이상 반복하여 검사하지 않는다. 양측 모두 '통과'가 나왔더라도 난청 위험군에 해당하므로 학령 전까지 6개월 또는 1년마다 정기적인 청각검진을 받도록 하고, 한쪽 귀라도 '재검' 판정을 받은 경우 생후 개월 주 이내에 이비인후과로 의뢰하여 진단적 청성뇌간반응 검사로 실제 역치를 확인한다(그림 38-1).[37,44]

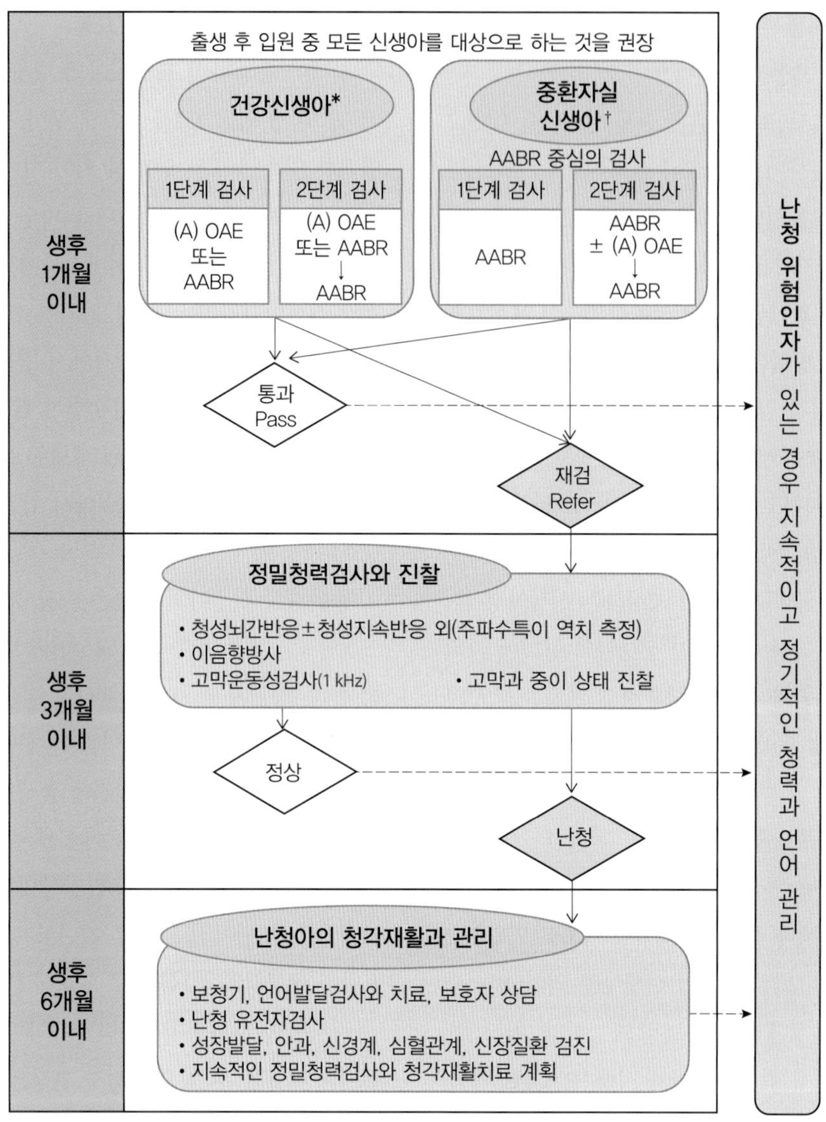

■ **그림 38-1. 신생아 난청 조기진단과 재활치료 흐름도.**

* 건강신생아: 정상적인 분만을 통해 출생한 건강한 신생아 또는 신생아중환자실에 4일 이하로 입원하고 건강 신생아실에 옮겨져 퇴원 예정인 경우.

† 중환자실신생아: 신생아중환자실에 5일 이상 입원하여 치료를 받은 신생아, 중환자실 신생아 중 명맥한 일측성 혹은 양측성 외이기형이 있는 신생아, 뇌막염 의증을 앓고 난 후 회복된 신생아, 이전 청각선별검사에서 '통과'로 판정받은 건강 신생아가 뇌막염, 교환수혈이 필요할 정도의 고빌리루빈형증, 패혈증 등 난청 위험인자로 교정연령 1개월 이내에 재입원하는 경우.

3) 입원 중 신생아청각선별검사를 시행하지 못한 경우

출생 후 입원 기간 동안 청각선별검사를 시행하지 못한 경우는 생후 1개월 이내(교정연령 기준) 외래에 방문하여 신생아의 상태에 맞는 프로토콜을 선택하여 청각선별검사를 시행한다. 입원기간 중 (자동)이음향방사 또는 자동청성뇌간반응로 검사를 하여 어느 한 귀라도 '재검' 판정을 받고 외래로 내원한 경우 자동청성뇌간반응로 다시 청각선별검사를 시행한다. 생후 1개월 이후 내원할 경우 연령이 생후 6개월 이내일 경우 자연 수면 하에 자동청성뇌간반응 검사를 시행할 수 있으나, 아기가 협조가 되지 않을 경우 진단적 청성뇌간반응을 실시할 수 있다. 이비인후과 외래에 내원한 영아들은 모두 고막 상태를 진찰하고, 필요할 경우 1,000 Hz 고막운동성 검사를 시행할 수 있으며, 청각신경병증이 의심될 경우 (자동)이음향방사를 자동청성뇌간반응과 같이 시행할 수 있다. 외래에서 검사를 시행할 경우 1-3-6 원칙을 고려하여 조기에 난청을 진단하고 청각 재활치료를 시작할 수 있도록 노력해야 한다.[45]

Ⅳ 청각선별검사 후 추적 청력검사

신생아청각선별검사에서 한쪽 귀라도 '재검'으로 최종 판정 받은 경우 생후 3개월 이내에 난청 여부를 진단하기 위한 포괄적인 청력검사를 받아야 한다. 난청을 진단하고 난청의 원인 부위를 진단하기 위해서 기본적으로 고막소견과 함께 고막운동성검사, 유발이음향방사, 청성뇌간반응 또는 청성지속반응검사를 시행한다. 이 외에 등골근반사, 행동반응검사를 참고로 시행할 수 있다.[44] 청각선별검사에서 양측 양호 또는 포괄적인 청력검사에서 정상으로 판정 받은 경우라도 난청 위험인자를 가진 경우 학령전기까지 6개월에서 1년마다 정기적인 고막 진찰과 언어발달평가, 추적 청력검사를 시행한다. 연령별 주파수별 역치를 확인하기 위한 청력검사로 만 3세 이전에는 청성뇌간반응 또는 청성지속반응을, 만 3세 이후에는 순음청력검사와 어음청력검사를 우선적으로 실시하는 것을 추천하고 있다.[1] 청성뇌간반응이나 이음향방사와 같은 객관적인 검사는 생후 5~6개월 이하의 영아의 청력을 측정하는데 유용하며, 그 이상의 연령의 영아에서는 행동청력검사를 같이 시행할 수 있다. 모든 청력검사를 시행하기 전에 이학적 검사를 시행하여 외이도의 귀지나 중이염 등의 전음성 난청을 일으킬 수 있는 질환의 유무를 파악하고 외이도의 이물을 제거 후 청력검사를 시행하도록 한다.

1. 고막운동성검사(Tympanometry)

고막운동성검사는 외이도의 압력 변화에 따른 고막의 탄성 변화를 확인하는 검사로 고막과 중이강의 상태에 대한 정보를 제공한다. 신생아와 영아는 외이도가 좁아 이경검사로 고막의 상태를 정확히 확인하기 어려운 경우가 있으므로 고막운동성검사를 시행하여 고막과 중이강의 상태에 대한 정보를 얻는 것이 좋다. 그러나 이 시기의 외이도는 골부 발달이 성숙되지 않은 상태로 벽의 탄성력 때문에 성인에서와 같이 226 Hz probe tone을 이용할 경우 오차가 발생할 수 있으므로, 신생아와 생후 6개월 이하의 영아에서는 1,000 Hz probe를 이용하도록 한다.[9]

2. 청각뇌간반응(Auditory brainstem response; ABR)

청성뇌간반응은 음자극 후 10~20 ms 내에 와우관에서 뇌간까지의 상행 청각 전달로에서 발생하는 일련의 전기적 변화를 전극을 이용하여 신경전기적 신호를 측정하며 V파를 기준으로 하여 역치를 측정하는 검사이다.[24] 청력역치를 측정하기 위한 신생아와 영아에게서 이용하는 자극음은 클릭음과 톤버스트음이 주로 이용되고 있다.[44] 클릭음에 대한 청성뇌간반응은 2~4 kHz의 고주파수대의 평균적인 청력역치를 측정할 수 있으며, 클릭음의 잠복기의 한계를 극복하기 위해 클릭음을 변조한 Chirp음을 이용할 경우 전 주파수 영역의 평균적인 역치 측정이 가능하다.[35] 톤버스트음, 톤핍음, Chirp음을 사용할 경우 주파수별 청력역치를 측정할 수 있다.[28,42] 청각선별검사에서 한쪽 귀만 재검이 나왔어도 양쪽 귀 모두 검사를 시행하며, 아이의 성장발달이 매우 늦거나 미숙아의 경우 주의하여 판독해야 하는데 1회의 검사로 최종 진단을 하지 않고 추후 기간을 두고 반복하여 청성뇌간반응을 시행하는 것이 필요하다.

정상 청력의 기준은 클릭음을 이용한 청성뇌간반응에서는 기도(air conduction)의 역치가 양측 귀 모두 35 dB nHL 미만인 경우이며, 톤버스트음 또는 톤핍음을 이용

하여 시행한 경우에는 기도 역치가 양측 귀 모두 40 dB nHL 미만인 경우이다.[1,44]

3. 청성지속반응(Auditory steady state response; ASSR)

청성지속반응은 음자극 후 약 15~70 ms의 잠복기를 가진 시상과 청각피질 등에서 발생하는 중기청성유발전위(middle-latency response)로 증폭과 평균 가산(signal average), 주파수변조(modulating frequency) 방법을 이용하여 주파수별 역치를 청각사의 판단 없이 측정할 수 있는 객관적인 청력검사이다.[10] 청성지속반응의 장점은 완벽한 객관적 검사, 250 Hz에서 8 kHz에 이르는 주파수 대역에 걸쳐 주파수 특이적인 청력역치를 제공, 128 dB (1 kHz에서)의 강한 자극음에 대한 역치도 측정할 수 있어 잔존 청력을 알 수 있는 점이다. 하지만, 검사 시간이 오래 걸리고 정상 청력역치 부분과 저주파수대의 변동 폭이 크며, 소음성 난청이나 ski slop 형태의 청력도에서는 역치가 정확하지 않다. 검사가 제대로 이루어졌는지는 배경 뇌파와 청성지속반응 사이에 발생할 수 있는 신호대잡음비를 얼마나 얻느냐에 따라 역치 측정 결과가 달라질 수 있으며, 특히 8 kHz에서는 검사가 잘 되지 않을 수 있다. 그러나 청성지속반응은 임상적으로 유소아의 정확한 주파수별 청력역치 측정과 보청기 처방에 효과적으로 이용될 수 있으며, 협조가 어려운 성인과 위난청자에서 정확한 청력역치 측정이 가능하다.

4. 유발이음향방사검사(Evoked otoacoustic emissions; EOAE)

이전 (자동)이음향방사 부분 참조.

5. 행동청력검사(Behavioral audiological assessment)

행동청력검사는 방음이 된 방에서 시행하며, 스피커, 이어폰, 헤드폰으로 소리자극을 준다. 기도청력과 골도청력을 측정할 수 있고, 각각의 귀의 청력을 측정할 수 있다. 행동청력검사에는 행동관찰청력검사, 시각강화청력검사, 유희청력검사 등 세 가지가 있다.

1) 행동관찰검사(Behavioral observation audiometry; BO)

행동관찰검사는 영아나 발달 수준이 생후 5~6개월 이하인 발달지연 유소아에게 이용할 수 있다. 유소아는 소리자극을 받으면 젖빨기 멈추기, 깜짝 놀라기, 눈을 크게 뜨기, 조용해지기 등의 반사운동을 하거나 상태가 변한다. 행동관찰청력검사에서 보이는 반응은 자극에 따라 다양하고, 부정확할 수 있으며, 습관적 행위일 수 있고, 관찰자의 편견이 개입될 수 있기 때문에 행동관찰검사만으로 청력을 정량적으로 평가할 수는 없다.

2) 시각강화청력검사(Visual reinforcement audiometry; VRA)

시각강화청력검사는 6개월에서 24개월 이하의 소아에게 사용한다. 시각강화청력검사는 아이가 소리자극 쪽으로 고개를 돌리거나 쳐다볼 때 빛을 깜박거리거나 장난감을 움직여 반응행위를 강화하는 검사이다. 다양한 시각강화 방법을 이용하여 아이의 관심을 유도하고 고개를 돌리는 반응을 계속 유지시킨다. 대부분의 경우에 이 방법으로 청력수준을 측정할 수 있다 방음이 된 방에서 소리 나는 곳을 향하여 고개를 돌리는 반응은 양측 귀의 청력 차에 대한 정보를 제공하고, 특히 차폐하지 않은 골도 전도 소리자극은 Weber검사와 유사한 정보를 제공할 수 있다.

시각강화청력검사는 이어폰을 이용하여 시행할 수 있다. Widen 등은 8~12개월 영아의 95%에서 시각강화청력검사를 시행하여, 2~3개의 순음 주파수에서 또는 어음자극으로 일측 귀의 최소반응청력(minimal response level; MRL)을 측정하였다.[40] Parry 등도 500~4,000 Hz의 8개 주파수에 최소반응청력을 측정하여 유사한 결

과를 보고하였다.[31]

3) 유희청력검사(Conditional play audiometry)

유희청력검사는 24개월 이상 5세까지의 유아에게 시행 할 수 있다. 소리자극에 장난감을 하나씩 고리에 끼우게 하거나, 블록을 통에 넣게 하는 등 일정한 행위 반응을 보이는 놀이를 아이에게 가르쳐서 시행한다. 아이의 관심을 유지하기 위해 놀이를 바꾸어 가면서 할 수도 있다. 유희청력검사로 청력역치를 측정할 수 있으며, 정상 성인의 청력역치 결과를 기대할 수 있다.

6. 순음청력검사(Pure tone audiometry)

일반적으로 유소아가 5세 이상이면 순음청력검사를 할 수 있으며 만 3세경부터 시도해 볼 수 있다. 주파수별 청력역치를 구하는데, 일반적으로 언어청력검사에서 얻은 정보를 보충하기 위해 2,000 Hz 주파수를 제일 먼저 검사한다. 이 대역은 감각신경성 난청의 정도와 관련이 많다. 이어서 500 Hz 순음검사를 하는데 이는 주로 전음성 난청과 더 많이 연관된다. 다른 주파수도 소아의 관심도와 집중력에 따라 모두 진행할 수 있다.[14] 선진국에서는 초등학교에 입학하기 전에 모든 아이들을 대상으로 5~7세 사이에 순음청력검사를 시행하여 지연성 난청이나 진행성 난청, 중이염 등을 발견하기 위한 유소아 청각선별검사를 시행하고 있으며, 난청으로 발견된 경우 초등학교 생활에 어려움이 없도록 청각재활치료를 시행하고 있다.[1,41]

7. 언어청력검사(Speech audiometry)

언어청력검사는 전형적으로 어음자극을 이용하여 아이의 전반적인 반응을 살필 수 있으며, 주파수 특이적 검사의 기준으로 사용할 수 있다. 광역어음신호(broadband speech signal)는 아이들에게 흥미를 유발할 수 있고 의미 있게 전달되며, 주파수 특이 자극보다 저주파수에서 얻어진다. 어음청취역치(speech reception threshold; SRT)는 예상 청취역치보다 10 dB 낮은 수준에서 그림 가리키기(picture-pointing) 작업으로 시행 할 수 있다. 소아가 정상적으로 말할 수 있다면 정상적인 어음청취역치 검사를 할 수 있다. 기도 전도 및 골도 전도 자극 모두를 사용하여 측정할 수 있다. 어음변별력검사는 일반적으로 3세 이하의 소아에게는 시행하지 않는다. 아이들의 집중력이 짧기 때문에 언어검사보다는 각각의 귀에서 주파수 특이적 검사를 먼저 하는 것이 좋다.[14]

8. 등골반사검사(Stapedial reflex test, Acoustic reflex test)

등골반사는 큰 소리가 귀에 들어올 때 내이를 보호하기 위해 이소골, 청신경, 뇌간, 안면신경 등 신경경로를 통해 등골근을 수축하는 반사로 그 결과 중이의 임피던스는 증가하고 고막의 탄성이 감소하게 된다. 외이도의 골부가 성숙하게 되는 생후 4개월부터 적용하는 것이 좋다. 정상 청력을 가진 경우 500 Hz에서 2,000 Hz 주파수대에서 70~100 dB nHL 강도의 순음 자극음에 대해 반사가 나타난다. 대개 난청의 정도에 따라 등골반사 역치가 상승하며, 75 dB HL 이상의 감각신경성 난청이 있는 경우 90% 이상에서 최대 강도의 자극음에도 반사가 나타나지 않는다. 즉, 등골 반사가 있는 경우 청력역치가 75 dB HL 이하로 잔존 청력이 있을 가능성이 많다는 것을 의미한다.[19]

V 상담 및 재활치료

1. 신생아청각선별검사 결과에 대한 상담

신생아청각선별검사 결과에 대한 상담은 검사 결과를 아가수첩에 붙이거나 기재하고, 유인물을 이용한 서면과 직접 보호자 면담을 통한 구두 설명 모두 전달하는 것이 좋다. 가장 중요한 것은 실제 검사를 시행한 검사자와 의사가 청각선별검사를 시행한 의미와 검사 결과를 설명하고 질문에 답을 할 수 있어야 한다. 청각선별검사는 난청을 진단하는 검사가 아니라 난청의 위험이 있거나 추가 청력검사가 필요한 아이들을 찾아내고자 하는 검사라는 점을 부모에게 설명하고, '재검'이라는 선별검사 결과가 난청을 진단하는 것이 아니기 때문에 '실패'나 '난청'이라는 단어를 사용하지 않도록 한다. 즉, '재검'이라는 결과를 부모에게 설명할 때 너무 경시하게 추가 청력검사의 필요성을 느끼지 않게 하거나 그 반대로 온 가족을 극심한 불안과 스트레스 상태로 밀어 넣는 것은 피해야 하며, '재검'이 가장 나오는 흔한 원인들은 귀지나 태지 등으로 외이도가 막혀 있거나, 삼출성 중이염이 있는 경우가 많음을 설명하고 영구적인 감각신경성 난청의 빈도를 알려준다.[1]

신생아가 청각선별검사를 시행하지 않거나 짧은 입원기간으로 못한 경우에도 청각선별검사의 안내서와 난청 위험요인, 언어발달 체크리스트 등을 나누어 주고 퇴원 후 시행할 수 있도록 한다(표 38-3). 청각선별검사에서 양측 통과로 판정 받았지만 난청 위험요소를 가진 아이는 학교 입학 전까지 6개월~1년마다 정기적인 이비인후과 검진과 청력검사를 시행하도록 안내서를 나누어주어 교육한다.[1]

2. 난청으로 진단된 경우 상담과 재활치료

부모는 자녀가 난청으로 진단받으면 모든 검사가 끝나고 재활이 시작될 때까지 무척 불안해 한다. 영아에서의 경도와 중등도의 청력저하는 삼출성 중이염으로 인하여 일시적으로 발생할 수 있다. 아이가 중이염이 있는 경우 부모에게 누워서 우유병을 빨게 하거나, 생후 6~12개월에서 공갈젖꼭지를 사용하지 않도록 하고 가족의 흡연을 금하도록 위험인자에 대한 교육을 실시한다.

아이가 중이염 등의 경도 청력저하가 있는 경우 치료를 위한 추적관찰 기간 동안 대화를 할 때 다음 들을 보호자에게 교육한다. (1) 아이와 대화를 할 때 아이의 얼굴을 보고 또박또박 분명히 말한다. (2) 아이와 이야기 할 때 주변 소음을 줄이도록 노력하는데, 가령 텔레비전을 끄고 대화하거나 주위 사람에게 조용히 해달라고 부탁한다. (3) 짧은 문장으로 분명하게 말한다. (4) 아이가 당신이 하는 말을 잘 듣지 못하더라도 가끔씩 고개를 끄덕이거나, 미소짓거나, '예' 라고 대답할 수 있음을 인지한다. 즉, 아이가 잘 안 들리더라도 들리는 것처럼 행동할 수 있다. (5) 인내심을 가지고 아이를 이해하려고 노력하며, 아이가 주변 상황에 잘 들을 수도, 잘 듣지 못할 수도 있음을 이해한다.[33]

검사 후 일시적인 중이의 문제 때문이라 하더라도 청력감소가 심하다면 어음청취나 집중력에 문제가 발생할 확률이 높다는 보고가 많다.[17] 따라서 중이염이 있는 경우에도 청력검사를 하여 심한 난청이 있으면 적극적으로 치료해야 한다. 1~3세의 삼출성 중이염 환자에서 3개월 이상 삼출액이 지속되는 경우 청력검사를 시행하여, 20 dB 이하일 때는 관찰만 하거나 동반 질환에 따라 항생제를 사용하고, 청력이 좋은 귀의 역치가 40 dB 이상이거나 40 dB 이하라도 고막의 비가역적 변화가 관찰되거나 언어발달에 이상 등의 의학적 상황에 따라 양측 환기관삽입술을 시행한다. 이와 달리 영구적인 전음성 난청이 있는 경우 수술로 교정하기 힘들다면 가능한 한 일반적인 보청기를 사용하고, 필요하다면 골도 보청기를 이식한다.

감각신경성 난청으로 최종 진단된 경우 생후 6개월 이내 보청기 착용과 재활을 바로 시작해야 한다.[45] 대개 고주파 영역의 난청을 가진 아이의 경우 생활에 지장은 심하지 않으나, 일부 환아는 청력이 약한 것을 보상하고자 지나치게 집중하여 빨리 지칠 수 있으므로, 청력이 좋은 귀를 기준으로 경도의 난청이 있더라도 실험적으로 보청기를 착용하면 도움이 된다. 영아와 유소아에서는 귀걸이형 보청기를 가장 많이 사용하는데, 적용 가능한 청력장애의 범위가 넓고 성장에 따라 쉽게 조절이 가능하며 내구성이 뛰어나지만 외형상 잘 보이는 단점이 있다. 고도난청의 경우 적응증이 된다면 와우이식술을 고려한다. 일측성 난청이 있는 경우 아이의 난청의 정도와 보호자의 상담을 통해 난청이 있는 귀에 보청기를 시행할 수 있으며, 아이가 성장함에 따라 지속적이고 정기적인 청력검사와 언어발달평가를 시행하고, 어린이집이나 학교에서 보다 앞쪽에 자리배치가 필요하고 잘 듣는 귀가 중이염에 걸리지 않도록 특히 주의해야 함을 설명한다.

난청 위험인자를 가진 경우 학령전기까지 진행성 난청의 가능성을 염두에 두고 정기적인 청력검사와 언어발달평가를 시행하도록 하고 그 이유를 설명한다. 난청과 관련된 증후군 여부를 판단하기 위해 신체의 다른 기관에 이상 여부가 있는지 이학적 검사와 타과 검진을 시행하는데 악안면 기형, 피부나 머리카락, 눈 등의 색소침착 여부를 확인하고 시력검사, 안저검사를 포함한 안과검진, 심전도, 소변검사를 시행한다.[44] 유전상담을 통해 가족 중 난청을 가진 구성원이 있는지 가계도를 그려서 적어도 3대에 걸쳐 조사하도록 하고, 유전성 난청이 의심될 경우 난청과 관련된 유전자 검사를 실시할 수 있다. 그러나 출생 직후 모든 신생아를 대상으로 난청 관련 유전자 검사를 시행하는 것은 바람직하지 않으며 효과를 입증할 수 있는 근거가 부족하다. 그 밖에 아이의 상태에 따라 성장발달, 신경발달, 심장 질환, 신장 질환 등의 유무를 파악하기 위해 해당 진료 전문의와 협진 진료를 시행하여야 한다.

참고문헌

1. 대한이과학회, 대한청각학회. 신생아청각선별검사 지침 중앙문화사, 2010.
2. 박수경. 신생아 난청과 신생아청각선별검사. Hanyang Medical Reviews 2015;35:72-77.
3. 박수경, 정명현, 오승하. 한국 신생아 및 영아 청각 검사 현황: 3개월 전국 조사. 대한청각학회지 2006;10(2):99-104.
4. 오승하, 박수경. 2014년도 난청조기지단 사업 보고서: 보건복지부 출산정책과, 2014:1-94.
5. 오승하, 박수경. 신생아 난청 조기진단사업의 타당성 연구 및 관리체계 구축방안 연구: 보건복지부 건강증진기금 연구사업, 2007.
6. 오승하, 박수경. 현행 국가건강검진 프로그램 전반에 대한 타당성 평가 및 제도개선 방안 제시. In: 학술연구용역과제, 질병관리본부, 2013:78-82.
7. 장선오, 김종선, 장용주. 고위험군 신생아의 클릭유발이음향방사: 선별검사로서 임상적 유용성. 한이인지 1994; 37:216-221.
8. 코이시스 KOSIS. 국제통계연감: 출생아수 및 출생성비. Available at: http://kosis.kr/wnsearch/totalSearch.jsp. Accessed May.9 2017.
9. Alaerts J, Luts H, Wouters J. Evaluation of middle ear function in young children: clinical guidelines for the use of 226- and 1,000-Hz tympanometry. Otol Neurotol. 2007;28(6):727-732.
10. Aoyagi M, Suzuki Y, Yokota M, et al. Reliability of 80-Hz amplitude-modulation-following response detected by phase coherence. Audiology & neuro-otology 1999;4:28-37.
11. Barsky-Firkser L, Sun S. Universal newborn hearing screenings: a three-year experience. Pediatrics 1997;99-104.
12. Bengoetxea H, Ortuzar N, Bulnes S, et al. Enriched and deprived sensory experience induces structural changes and rewires connectivity during the postnatal development of the brain. Neural plasticity 2012;1-11.
13. Bergman I, Hirsch RP, Fria TJ, et al. Cause of hearing loss in the high-risk premature infant. The Journal of pediatrics 1985; 106:95-101.
14. Carlson DL, Reeh HL. Pediatric audiology. In: Bailey BJ, Johnson JT, Newlands SD, eds. Head & Neck Surgery: Otolaryngology, 4th ed. Philadelphia: Lippincott Williams & Wilkins, 2006, p.1277-1288.
15. Davis A, Bamford J, Wilson I, et al. A critical review of the role of neonatal hearing screening in the detection of congenital hearing impairment. Health technology assessment 1997; 1:i-iv, 1-176.
16. Finitzo T, Albright K, O'Neal J. The newborn with hearing loss: detection in the nursery. Pediatrics 1998;102:1452-1460.
17. Gravel JS, Wallace IF. Listening and language at 4 years of age: effects of early otitis media. Journal of speech and hearing research 1992;35:588-595.
18. Institute GR. Demographic aspects of hearing impairment: data from the National Health Interview Survey 1994;Series 10:188.
19. Kei J. Acoustic stapedial reflexes in healthy neonates: normative data and test-retest reliability. Journal of the American Academy of Audiology 2012;23:46-56.
20. Kemp DT, Bray P, Alexander L, et al. Acoustic emission cochleography -practical aspects. Scandinavian audiology Supplementum 1986;25:71-95.
21. Kral A, Eggermont JJ. What's to lose and what's to learn: development under auditory deprivation, cochlear implants and limits of cortical plasticity. Brain research reviews 2007;56:259-269.
22. Lasky R, Perlman J, Hecox K. Distortion-product otoacoustic emissions in human newborns and adults. Ear and hearing 1992;13:430-441.
23. Lu J, Huang Z, Yang T, et al. Screening for delayed-onset hearing loss in preschool children who previously passed the newborn hearing screening. International journal of pediatric otorhinolaryngology 2011;75:1045-1049.

24. Manuel Don and Betty Kwong. Auditory brainstem response. In: Katz J, eds. Handbook of Clinical Audiology. 5th ed. Baltimore: Williams & Wilkins, 2002, p.274-297.
25. Mauk GW, White KR, Mortensen LB, et al. The effectiveness of screening programs based on high-risk characteristics in early identification of hearing impairment. Ear and hearing 1991;12:312-319.
26. Mehl AL, Thomson V. Newborn hearing screening: the great omission. Pediatrics 1998; 101:E4.
27. Mencher GT. Challenge of epidemiological research in the developing world: overview. Audiology : official organ of the International Society of Audiology 2000; 39:178-183.
28. Muhlenberg L, Schade G. A comparison of low-chirp and notched-noise-evoked auditory brainstem response. Laryngo- rhino- otologie 2012; 91:500-504.
29. NB C. Neonatal screening via evoked otoacoustic emissions. In: Glattke TJ RM, ed. Otoacoustic emissions: clinical applications. New York: Thiene, 1997:233-270.
30. Pappas DG. A study of the high-risk registry for sensorineural hearing impairment. Otolaryngology--head and neck surgery : official journal of American Academy of Otolaryngology-Head and Neck Surgery 1983;91:41-44.
31. Parry G, Hacking C, Bamford J, et al. Minimal response levels for visual reinforcement audiometry in infants. International journal of audiology 2003; 42:413-417.
32. Sanders R, Durieux-Smith A, Hyde M, et al. Incidence of hearing loss in high risk and intensive care nursery infants. The Journal of otolaryngology Supplement 1985;14:28-33.
33. Scanlon PE, Bamford JM. Early identification of hearing loss: screening and surveillance methods. Arch Dis Child 1990; 65:479-484; discussion 484-475.
34. Sininger YS, Doyle KJ, Moore JK. The case for early identification of hearing loss in children. Auditory system development, experimental auditory deprivation, and development of speech perception and hearing. Pediatric clinics of North America 1999;46:1-14.
35. Stuart A, Cobb KM. Effect of stimulus and number of sweeps on the neonate auditory brainstem response. Ear and hearing 2014;35:585-588.
36. Subramaniam M, Salvi RJ, Spongr VP, et al. Changes in distortion product otoacoustic emissions and outer hair cells following interrupted noise exposures. Hearing research 1994;74:204-216.
37. Universal screening for hearing loss in newborns: US Preventive Services Task Force recommendation statement. Pediatrics 2008;122:143-148.
38. Van Naarden K, Decoufle P, Caldwell K. Prevalence and characteristics of children with serious hearing impairment in metropolitan Atlanta, 1991-1993. Pediatrics 1999; 103:570-575.
39. Vohr BR, Carty LM, Moore PE, et al. The Rhode Island Hearing Assessment Program: experience with statewide hearing screening (1993-1996). The Journal of pediatrics 1998;133:353-357.
40. Widen JE, Folsom RC, Cone-Wesson B, et al. Identification of neonatal hearing impairment: hearing status at 8 to 12 months corrected age using a visual reinforcement audiometry protocol. Ear and hearing 2000;21:471-487.
41. Wu W, Lu J, Li Y, et al. A new hearing screening system for preschool children. International journal of pediatric otorhinolaryngology 2014;78:290-295.
42. Xu ZM, Cheng WX, Yao ZH. Prediction of frequency-specific hearing threshold using chirp auditory brainstem response in infants with hearing losses. International journal of pediatric otorhinolaryngology 2014;78:812-816.
43. Year 2000 position statement: principles and guidelines for early hearing detection and intervention programs. Joint Committee on Infant Hearing, American Academy of Audiology, American Academy of Pediatrics, American Speech-Language-Hearing Association, and Directors of Speech and Hearing Programs in State Health and Welfare Agencies. Pediatrics 2000;106:798-817.
44. Year 2007 position statement: Principles and guidelines for early hearing detection and intervention programs. Pediatrics 2007; 120:898-921.
45. Yoshinaga-Itano C, Sedey AL, Coulter DK, et al. Language of early- and later-identified children with hearing loss. Pediatrics 1998;102:1161-1171.

CHAPTER

39

보청기_ 보청기의 기계적 특성

박민현

보청기는 각각의 기능을 가지고 있는 여러 개의 부품이 들어 있는 전자 기기이다. 이 각각의 부품은 각기 특징적인 기계적 성질을 가지고 있으며 이들이 합쳐져서 최종적으로 보청기를 구성한다. 보청기의 기계적 특성 및 성능을 이해하기 위해서는 각각의 부품의 특성을 이해하고 그 부품의 성능을 이해해야 한다. 이 장에서는 보청기의 부품들에 대해 기술하고 그 기계적 특성 및 성능에 대해 이야기하고자 한다.

I 보청기의 구성

소리가 보청기에 도달하면 가장 먼저 소리를 받아 들이는 부품은 마이크로폰(microphone)이다. 마이크로폰에서 소리를 전기신호로 변환시키고 그 전기신호는 증폭기와 필터를 거쳐서 다시 합쳐지고 리시버(송화기, receiver)에서 다시 소리로 변환되어 귀로 소리가 전달된다(그림 39-1). 최근의 디지털 보청기는 증폭기를 거친 후에 디지털 회로(digital circuit)에서 신호를 조절하게 된다. 이 외에도 소리 에너지 조절기(acoustic dampers), 텔레코일(telecoils), 외부 입력 단자, 건전지 등이 부품으로 들어가게 된다.[2]

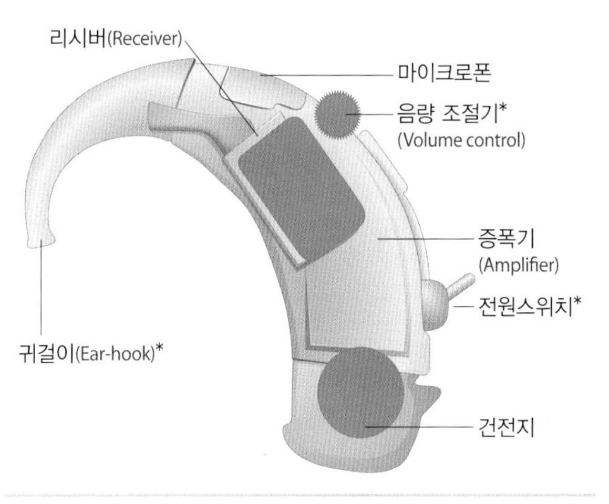

■ 그림 39-1. **귀걸이형 보청기의 내부구조.** 보청기 내부에는 마이크로폰, 리시버, 증폭기, 건전지 등이 들어갈 수 있게 설계되어 있으며, 기종에 따라 음량 조절기, 전원 스위치 등이 들어갈 수 있다(*: 기종에 따라 없을 수 있음).

Ⅱ 마이크로폰

마이크로폰의 역할은 소리에너지를 전기 에너지 신호로 변환하는 것이다. 마이크로폰이 완벽하게 작동한다는 것은 소리에너지의 파형과 똑같은 전기 신호 파형으로 변환하는 것이다. 현재 보청기에 사용되는 마이크로폰은 이 역할에 매우 충실하다. 마이크로폰은 소리를 선형으로 전기신호로 변환시킨다(linear transformation). 즉 소리가 커지는 만큼 전기 신호도 증가하고 소리가 감소하면 전기 신호도 같은 비율로 감소한다는 의미이다. 이때 소리 에너지가 어느 정도의 전기 신호로 변환되는지의 비율을 정할 수 있는데 이를 마이크로폰의 민감도(sensitivity)라고 한다. 전형적인 보청기의 마이크로폰은 1 파스칼(Pascal)의 소리 압력 에너지를 약 16 mV의 전압으로 변환시킨다. 이는 70 dB SPL의 소리가 약 1 mV의 전압으로 변환된다는 의미이다.

마이크로폰의 기본적 구성은 소리가 들어오는 구멍(inlet port)이 있고 이를 통해 들어온 소리는 중간 막을 진동시킨다. 막의 뒤편에는 뒤판(back-plate)이 붙어 있고 여기에 테플론(teflon)과 같은 전기를 발생시킬 수 있는 입자가 코팅되어 있다. 막이 진동하며 뒤판과의 사이의 거리가 변화하면서 음압과 같은 형태의 전압이 발생하게 된다(그림 39-2). 마이크로폰에 의해서 생기는 전류의 양은 주파수에 따라 일정하게 발생한다. 하지만 저주파수의 에너지의 경우는 사람의 경우 4,000 Hz 주변에 비해 역치가 높다. 따라서 저주파수의 에너지가 과도하게 들어오게 되면 어음주파수의 신호를 방해하게 되고 보청기를 통해 듣는 소리에 대해 불편감을 호소하게 된다. 그래서 마이크로폰의 막의 한쪽에 공기통로(air path)를 만들어 주는데 이는 양측의 압력차를 줄여주는 역할을 하기도 하지만 저주파수에 의한 막의 진동을 줄여주는 효과가 있다. 공기통로의 크기가 클수록 저주파수 에너지에 의한 진동이 작아지게 된다.

주파수에 따라 생성되는 전류의 양이 달라지게 되는 변수는 막의 건너편, 그러니까 공기통로를 지나서 있는 공간의 부피이다. 마이크로폰 케이스 안에서 막을 사이에 두고 입구 쪽에 있는 공기의 양(acoustic mass)과 반대측의 공기의 양(acoustic compliance)에 따라서 진동하는 공명 주파수가 결정이 되고 이것이 가장 민감한, 즉 가장 이득이 큰 주파수 영역이 된다(그림 39-3).

마이크로폰은 소리는 전반적으로 잘 전달이 되지만 방향성은 좋지 않은 편이다. 보청기에서 소리의 방향성을 나타내는 지표로 방향성 지수(directivity index; DI)라는 것을 사용한다. 방향성 지수는 정면에서 오는 소리가 전방향에서 오는 소리에 비해서 얼마나 크게 들리는지에 대한 상대 값이다. 기존의 마이크로폰은 사방에서 오는 소

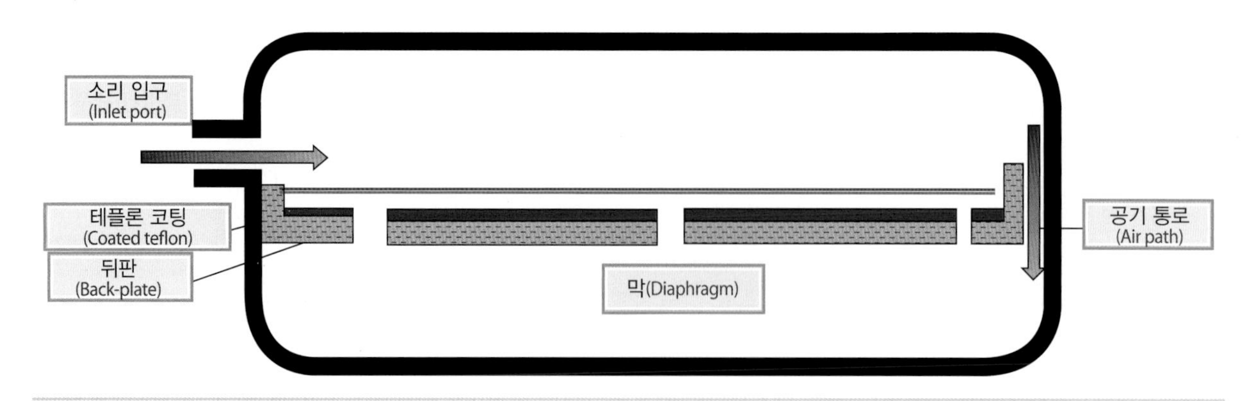

■ 그림 39-2. **마이크로폰의 구조.** 소리는 입구로 들어와서 가운데 막을 진동시키고 이 진동으로 인해 뒤판의 테플론 코팅에서 전류가 발생하게 된다.

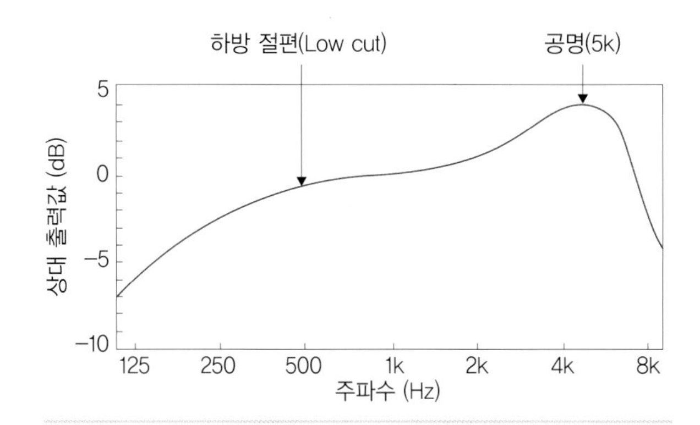

■ **그림 39-3. 마이크로폰의 주파수에 따른 출력.** 그림에서 보이는 그래프에서 가장 높은 출력을 보이는 곳은 5 kHz에서 4 dB의 상대적 출력값을 보이고 있다. 이때 이 마이크로폰은 5 kHz의 공명 주파수를 가지고 있다고 말할 수 있다. 공명이 일어난 출력에서 3 dB 출력이 감소한 500 Hz (1 dB)를 하방 절편(low cut)이라고 말한다.

리를 다 들을 수 있기 때문에 전방향성(omni-directional) 마이크로폰이라고 한다. 이를 극복하고 소리의 방향 탐지 능력을 개선하기 위해 개발된 것이 방향성 마이크로폰(directional microphone)이다. 방향성 마이크로폰은 소리가 들어오는 구멍을 하나 더 가지고 있고 이는 기존 소리 통로가 연결되어 있는 막 공간의 반대편과 연결되어 있다. 이렇게 되면 외부에서 소리가 보청기에 도달할 때 두 소리 구멍 사이에 시간 차이가 생기게 되며, 또 뒤쪽 구멍에는 소리 에너지 조절기(acoustic damper)가 들어 있어 소리 전달이 동시에 되어도 뒤쪽에서 오는 소리는 약간의 시간지연이 생긴다. 이 두 가지 이유로 발생한 시간차이를 가지고 소리의 방향을 탐지할 수 있다.[7] 소리에 민감하게 반응하는 방향성 마이크로폰은 구조상 고막형 보청기(completely in the canal; CIC)나 귀속형 보청기(in the canal; ITC)에 적용하기는 힘들고 주로 귀걸이형 보청기(behind the ear; BTE)에 사용한다. 방향성 마이크로폰을 사용하게 되면 앞에서 오는 소리는 더 잘 들을 수 있지만 뒤쪽에서 오는 소리는 더 못 듣게 되는 일이 발생하는데 이를 극복하기 위해서 사용하는 방법은 앞을 향하는 방향성 마이크로폰과 전방향성 마이크로폰을 같이 사용하는 것이고 또 다른 방법은 전방향성 마이크로폰을 앞과 뒤를 향하게 배치하는 방법이다(dual-microphone technique).

마이크로폰이 가지고 있는 문제점도 있다. 땀에 의해 부식이 되기 때문에 기계적 손상이 발생하기도 한다. 전자부품이어서 내부에서 전기 잡음도 발생할 수 있는데 크기가 큰 경우 보청기에서 들릴 수 있다. 마이크로폰의 구조상 소리에 민감하기도 하지만 진동에도 민감하다. 이는 내부 막의 관성에 의해 발생하고 잡음으로 들리게 된다. 보청기의 케이스를 만지는 소리, 머리카락이나 옷깃이 스치는 것들이 크게 들릴 수 있다. 보청기 내부에서 리시버가 소리를 내기 위해 진동을 하는데 이 내부 진동이 다시 마이크로폰으로 전달되기도 한다. 이를 내부 되먹임(feedback)이라고 한다. 이는 케이스 내에 각 부품이 들어갈 때 위치 배열이 잘못 되면 생길 수 있는 문제로 처음 제작 시 생길 수도 있지만 사용 중에 외부 충격에 의해 위치가 이동하면서 생기기도 한다. BTE보다는 CIC나 ITC 같이 작은 케이스에 부품이 배열되는 경우에 문제가 될 수 있다. 개방형 보청기(open-type hearing aid)에서는 외이도에 위치한 리시버에서 나오는 소리가 다시 보청기에 있는 마이크로폰에 전달이 되어 되먹임이 발생할 수 있다. 이는 귀속형 보청기의 통기구멍(vent)이 너무 넓게 만들어졌을 때에도 발생하는 현상이다. 최근 기술의 발달로 이런 되먹임을 상쇄시키는 기전(feedback cancellation algorithm)이 개발되어 사용하고 있으며 이는 개방형 보청기에서는 필수적인 요소이다. 외부 활동을 할 때 바람이 보청기에 닿으면 마이크로폰에서 소음이 발생하게 되는데 이를 바람 소음(wind noise)이라고 한다. 바람이 귀 주변에서 와류를 일으키고 이 와류가 마이크로폰의 공기 압력을 심하게 변화시켜서 일어나는 현상으로 주로 중저음 주파수의 잡음이 발생한다.[3] 이를 막기 위해서는 마이크 주변에 솜이나 천으로 된 망, 털망 등을 두어서 바람이 직접적으로 마이크로폰의 막에 닿지 않게 한다.

Ⅲ 증폭기(Amplifier)

증폭기가 하는 역할은 마이크로폰에서 발생한 작은 전류와 전압을 크게 증폭하는 일이다. 전류나 전압만 증폭하는 것도 가능하지만 대부분 둘 다 증폭하여 전기신호처리를 할 수 있도록 한다. 증폭기는 단일 부품이 아니라 집적회로(integrated circuit) 기판으로 구성되어 있다. 증폭기는 일정한 비율로 전기신호를 증폭하는데 증폭값의 최대치가 존재한다. 대개는 기계의 전원의 전압, 즉 배터리의 전압이 최대치가 된다. 이 증폭치의 최대값이 문제가 되는 것은 일상적인 소리보다 큰 소리가 들어올 때이다. 증폭의 최대치를 넘는 소리가 들어오게 되면 그 부분은 최대치로만 증폭이 되기 때문에 그 부분이 잘리는 형태가 되고 이를 첨두 삭제(peak clipping)라고 한다(그림 39-4). 이렇게 되면 출력되는 전류의 파형이 처음에 형성된 정현파(sine wave)가 아닌 변형된 형태로 나오게 된다. 이는 소리의 주파수 성분에서 다른 변형이 발생하게 되며 이를 변조(distortion)라고 하며 이런 변형이 합쳐져서 배음 변조(harmonic distortion)가 생기게 된다. 이는 결국 보청기를 통해 증폭되는 소리의 질을 감소시키고 잡음으로 들리게 한다.

감각신경성 난청이 있는 경우 소리의 역치값이 증가하는데 비해 편안하게 들을 수 있는 소리의 크기는 정해져 있기 때문에 소리를 들을 수 있는 가청범위(dynamic range)가 감소하게 된다. 이런 경우 보청기를 통해 듣는 소리의 크기가 편안하게 들을 수 있는 크기 범위를 넘어서게 되면, 즉 가청범위보다 소리가 크게 증폭이 되면 불편감을 호소하게 된다. 이를 해결하기 위해서는 압축 증폭기(compressor amplifier)가 필요하다. 이는 증폭되는 소리의 이득을 감소시켜 주는 것으로 주로 되먹이기 기전을 통해서 이득을 조절한다. 즉 마이크로폰으로 들어온 소리가 증폭기를 거쳐서 나왔을 때 예정된 출력 범위를 넘게 된 경우 이 신호의 크기를 일정 비율로 감소시켜서 출력범위 안으로 들어오도록 조정하는 것을 말한다. 이런 압축

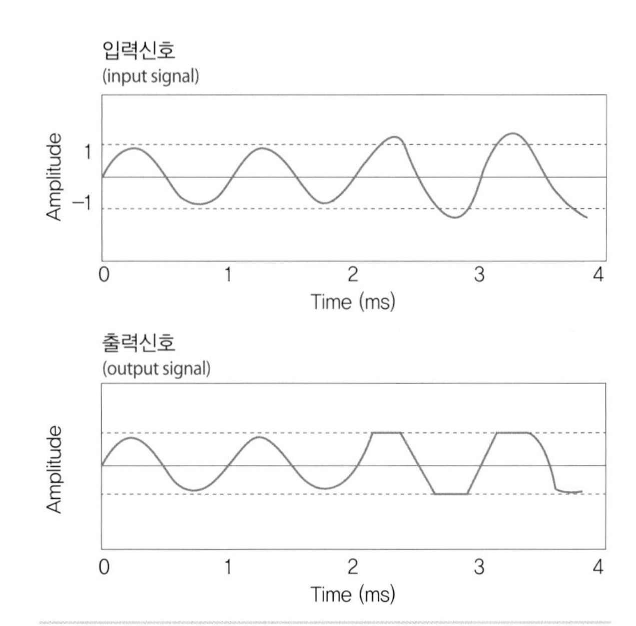

■ 그림 39-4. **증폭기의 첨두 삭제(peak clipping).** 주파수의 크기가 증폭기가 가지고 있는 한계를 넘게 되면 넘어간 부분은 삭제가 된다. 상단 그림과 같은 입력 신호가 왔을 때 하단에 있는 그림과 같은 출력 신호가 나오게 되는데 0~2 ms까지는 같은 패턴과 형태를 보인다. 하지만 2~4 ms 구간에서는 증폭기의 출력 범위를 넘어서는 신호가 들어왔기 때문에 첨두 부분이 삭제되는 형태(증폭을 최대한으로 하였지만 입력을 따라가지 못함)의 모습을 보인다.

증폭기는 자동 이득 조절(automatic gain control) 또는 자동 크기 조절(automatic volume control)이라는 용어로 불리기도 한다.

Ⅳ 디지털 회로(Digital circuits)

증폭기는 아날로그 방식으로 신호를 처리하는 기술이다. 최근에는 대부분 디지털 회로를 적용하여 전기신호를 처리하는 방식을 사용한다. 이때 가장 먼저 전기신호가 거치게 되는 곳이 아날로그-디지털 변환기(analog-to-digital converter; ADC)이다. 변환할 때 마이크로폰에서 들어오는 전압의 파형을 일정한 비율로 추출한다(sampling frequency or rate). 이 비율은 들어오는 주

파수의 2배가 파형을 읽을 수 있는 최소치이다. 즉 1,000 Hz의 신호를 추출하기 위해서는 1초에 최소 2,000번의 신호를 추출해야 한다. 추출된 신호는 숫자화되어 신호처리기를 통해 조절 된다.

신호 처리 과정에서 신호의 지연이 발생할 수 있다. 아날로그 신호가 디지털 신호로 변환된 후에 이 신호들은 그룹 단위로 처리가 된다. 이 과정에서 그룹의 크기가 큰 경우는 신호 처리에서 지연이 발생할 수 있다. 또 신호 처리 과정에서 약간의 지연이 발생한다. 보청기에서의 문제점은 귀속형 보청기이더라도 압력을 조절해주기 위해 있는 공기통로가 있는데, 이를 통해 저주파의 소리가 바로 고막으로 전달된다. 따라서 바로 전달되는 저주파의 소리와 신호처리를 하여 보청기를 통해 나오는 소리가 시간차이를 가지게 되고 이는 서로 영향을 주어 소리의 간섭(cancellation)이 일어날 수 있다. 이 시간차이가 5 ms 정도 되면 보청기 사용자가 지연을 인지할 수 있게 되며 10 ms까지는 인지할 수 있지만 음질은 유지된다. 하지만 20 ms를 넘게 되면 불편감을 호소하게 되고 어음 인지에 장애를 유발한다.[1]

디지털로 처리된 신호는 다시 디지털-아날로그 변환기(digital to analog converter; DAC)를 통해서 아날로그 신호로 변환되고 이를 리시버로 전달하여 소리로 재생하게 된다. 최근에는 디지털-디지털 변환기와 리시버를 연결하여 전기 소모를 줄여주는 기술이 개발되어 사용하기도 한다. 디지털 보청기가 아날로그 보청기에 비해 모든 면이 우월하지만 단 하나의 문제는 소리 전달의 지연이다. 하지만 점차 기술 개발로 지연 속도가 작아지면서 큰 문제가 되고 있지는 않다.[4]

디지털 회로가 도입되면서 보청기에서 발생하는 되먹임 기전을 줄여주거나, 소음을 감소시키는 기능이 좀 더 활성화되었다. 특히 소음을 감소시키는 기전은 전기적으로 소음과 신호음, 즉 사람의 말소리를 구분해야 한다. 이를 디지털 회로에서 빠르게 계산하여서 소음과 신호를 구분하고 신호를 보다 많이 증폭시켜서 신호대 잡음비를 증가시켜서 보다 소리를 명료하게 들을 수 있게 할 수 있다.

 필터(Filter)와 크기 조절기(Tone control)

필터는 소리를 주파수 별로 나누어 준다. 네 가지 종류의 필터가 있다. 각각은 고음역 통과(high pass), 저음역 통과(low-pass), 특정영역 주파수 통과(band-pass), 특정영역 주파수 억제(band-stop) 필터이다(그림 39-5). 각각의 필터를 이용하여 소리를 주파수별로 나누어 주고 이렇게 나누어진 주파수 성분을 밴드(band)라고 한다. 때로는 하나의 밴드 주파수를, 또 다른 경우는 여러 개의 밴드 주파수를 모아서 각각의 소리 크기를 조절하게 되는데 이를 크기 조절기라고 하고, 이렇게 조절해 주는 단위를 채널(channel)이라고 한다. 보청기의 성능을 나타내는 것 중의 하나인 채널 수는 조절해 줄 수 있는 소리의 주파수별 단위를 의미한다. 밴드는 입력된 소리를 주파수별로 나눈 개수를 의미하고 채널은 출력할 때 조절되는 단위의 개수를 의미한다고 할 수 있다.[5] 따라서 밴드의 수가 많으면 입력된 소리를 분석하는데 용이하고 더 많은 정보를 분석할 수 있으며 채널의 수가 많으면 출력을 다양하게 조절할 수 있어서 주파수별 청력이 차이가 나는 경우 좀 더 용이하게 조절이 가능한 장점이 있다.

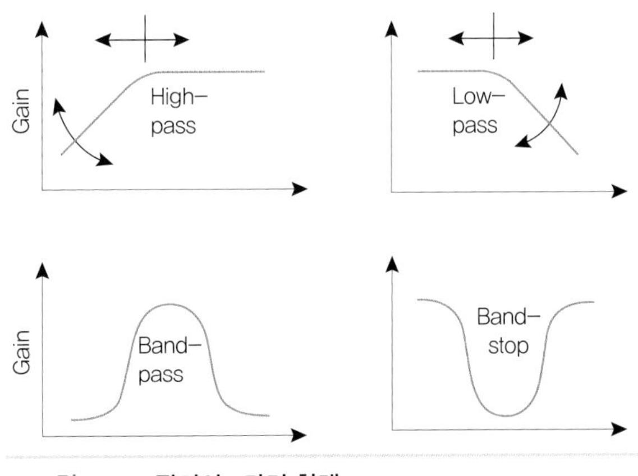

■ 그림 39-5. 필터의 4가지 형태

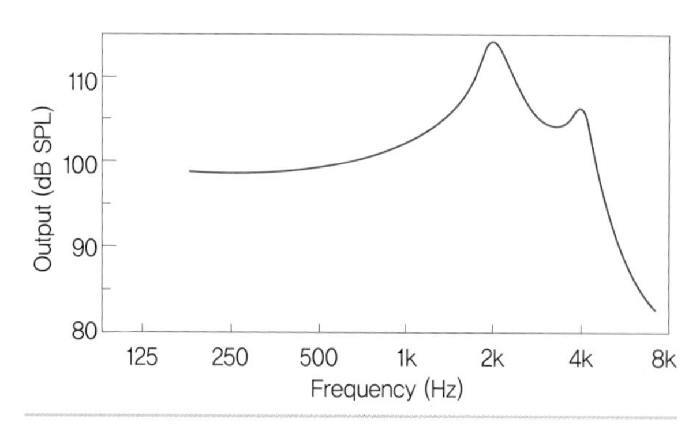

■ **그림 39-6. 리시버의 주파수 반응 곡선.** 귀속에 리시버가 있는 receiver-in-the-canal, in-the-canal 형태의 보청기에서 나오는 형태이다. 두 개의 피크가 보이는데 처음은 3 kHz로 리시버의 기계적 공명에 의한 피크이다. 두 번째 피크는 5 kHz에서 보이며 이는 리시버 앞의 튜브에서 생기는 공명에 의한 것이다. 이는 튜브의 길이의 4배에 해당(quarter-wave resonance)한다.

Ⅵ 리시버(송화기, Receiver)

리시버는 증폭되고 조절된 전기신호를 소리 신호로 변환시켜서 출력하는 부품이다. 리시버는 전류가 흐를 때 생기는 자기장을 이용한다. 두 개의 자석 사이에 얇은 금속으로 만든 판막이 있고 그 금속판막을 전류가 흐르는 코일로 감싸 놓으면 전류가 흐를 때 발생하는 자기장에 의해서 판막이 한쪽으로 움직이게 된다. 전류의 방향과 강도를 다르게 하면 판막이 진동하게 되고 이때 연결되어 있는 막이 진동에 의해 떨리면서 소리가 발생한다. 단순한 원리이지만 넓은 주파수 범위의 소리를 만들어 내야 하고, 에너지 소모가 적어야 하고, 주변의 자기장의 영향을 적게 받아야 하며 작게 만들어서 보청기 케이스 안에 넣어야 하기 때문에 실제적인 리시버의 작동은 단순하지는 않다. 리시버의 성능을 알기 위해서는 그 리시버의 주파수 반응 곡선을 보면 알 수 있다(그림 39-6). 대개 곡선에서 두 개의 피크가 있는데 처음에 나오는 2.5 kHz 주변의 피크는 기계적 공명에 의한 것이고 5 kHz 전후의 두번째 피크는 주로 ITC, ITE, CIC형 보청기에서 보이는데 내부 튜브의 공명 주파수의 4분의 1에 해당하기 때문에 발생한다.[6]

표 39-1. 건전지의 크기와 용량

Type	크기 (지름x높이; mm)	용량 (mAh)	사용되는 보청기 형
675	11.4 x 5.2	600	BTE
13	7.7 x 5.2	300	BTE, ITE
312	7.7 x 3.5	175	BTE, ITE, ITC
A10 (10A or 230)	5.7 x 3.5	90	BTE, CIC
A5	5.7 x 2.0	35	CIC

Ⅶ 건전지

건전지에서 확인해야 할 부분은 전압, 용량(capacity), 최대 전류량, 전기적 저항 및 크기이다. 보청기에 사용하는 건전지는 흔히 아연 전지라고 부르는 것으로 약 1.35 볼트의 전압을 낼 수 있다. 아연 전지는 아연이 공기와 닿으면서 산화하며 전류를 발생시킨다. 배터리의 용량이 커질수록 크기도 커지는 경향이 있는데 BTE 보청기에 많이 쓰이는 675 건전지가 가장 크기도 크고 용량도 많다. CIC에 많이 들어가는 A10형 건전지는 675형에 비해 약 7분의 1에 해당하는 용량만 가지고 있다. 보청기가 사용하는 전류의 소모량이 한 시간에 1 mA라면 A10형 건전지는 90시간을 사용할 수 있다(표 39-1).

Ⅷ 기타 구성 요소들

텔레코일(telecoil)은 자기장의 변화를 전기신호로 바꿔주는 역할을 한다. 보청기에서는 M 모드와 T 모드를 사용하는 모델에서 T 모드를 사용하는 경우에 텔레코일이 활성화된다. 그 의미는 마이크로폰으로 소리를 듣지 않고 텔레코일에 의해서만 소리를 듣게 되는 것으로 전화기를 사용하는 경우에 사용된다. 전화 수화기의 자기장의 변화를 보청기가 감지해서 소리로 변환시키게 되므로 주변 잡음이 발생하지 않아서 전화 소리에만 집중할 수 있는 장점이 있다.[8] T 모드인 경우 텔레코일이 활성화되면 주변의 전자기장의 신호가 잡음으로 들릴 수 있다. 형광등, 텔레비전, 컴퓨터 모니터, 전자레인지 등의 전기 기기에서 발생하는 신호가 잡음이 될 수 있다. 따라서 잡음이 생기는 경우 전화기와 보청기의 위치를 바꿔 보면 잡음이 호전될 수 있음을 알고 있어야 한다.

외부 입력 단자를 가지고 있는 경우는 외부의 음향기기를 직접 연결해서 소리를 보청기를 통해 바로 들을 수 있다. 이는 소음이나 울림의 영향을 받지 않게 되므로 소리의 질이 향상되어 사용자가 좀 더 좋은 음질의 소리를 들을 수 있다. 최근에는 외부 입력 단자가 아닌 무선 연결로 전화기나 외부의 음향 기기와 연결하여 소리를 전달받는 보청기가 있는데 이는 좀 더 편한 환경을 제공한다.

소리 에너지 조절기(acoustic damper)는 리시버에서 나오는 소리를 부드럽게 만들어 준다. 리시버에서 나오는 소리가 공명 주파수 부근에서 너무 강하게 나와서 소리를 들을 때 갑자기 높은 소리로 들려서 불편하게 하는 경우가 있는데 소리 조절기는 작은 구멍이 금속 그물망이나 면으로 채워져 있어 갑자기 커지는 소리의 강도를 줄여줄 수 있다. 위치와 크기에 따라 조금씩 다른 주파수의 소리를 줄여 준다.

원격 조정 장치(remote control)은 최신의 디지털 보청기에 포함되어 있는 구성 요소이다. 원격으로 보청기의 소리 크기, 작동 모드를 조절할 수 있어서 보다 보청기 사용을 간편하게 할 수 있는 장점이 있다. 하지만 배터리 소모가 빨라지는 경향이 있어 주의해야 한다. 원격 조정 장치를 따로 만들기도 하지만 최근에 스마트폰의 보급이 확대되면서 스마트폰을 이용해서 원격 조종하는 보청기들도 시판되고 있다.

최근에는 전자 무선 통신 기술이 발달되면서 보청기에도 많은 발전을 이루고 있다. 현대의 보청기는 무선 기술시대(wireless era)로 부르기도 한다. 이런 무선 통신 기술을 이용한 보청기 기능은 멀리 있는 마이크로폰으로 소리가 들어오는 것을 보청기의 리시버로 들을 수 있게 한다. 대표적인 예가 학교에서 보청기를 사용하는 학생이 있을 때 마이크로폰은 교탁에 두고 신호를 무선으로 보청기로 보내어 들을 수 있게 하는 기능이다. 이는 주변 잡음이 작은 상태에서 말소리가 마이크로폰으로 전달되기 때문에 더 좋은 음질의 강의를 들을 수 있다. 또한 양측 보청기를 착용하는 경우 두 보청기 간에 무선 통신을 하도록 하여 이득을 올리거나 소음을 낮추는 기능을 할 수 있다. TV, 휴대폰과 같은 전자 기기와 무선으로 보청기를 연결하여 전자 기기에서 생성된 신호를 바로 보청기가 받아들여 소리로 재생할 수 있으며 이런 경우도 소리가 중간에 변형되거나 잡음이 들어올 수 있는 여지를 없애서 보다 깨끗한 음질로 들을 수 있다.

Ⅸ 맺음말

보청기는 작은 부품이 단위가 되어 작동하는 기계 장치이다. 구성하는 각각의 부품의 특성과 역할을 알아야 보청기의 전체 기능을 이해하는데 도움이 된다. 보청기의 기능과 역할을 잘 이해해야 난청의 재활에 가장 적합한 기계적 성능을 가지고 있는 보청기를 선택할 수 있고 또 그 한계점을 알고 있어야 가능한 재활 범위와 하지 못하는 부분을 환자에게 설명할 수 있을 것이다. 이는 보청기를 비롯한 난청 재활 기기의 선택과 사용에 도움을 주고 치료의 목표를 정확하게 할 수 있을 것이다.

참고문헌

1. Agnew J, Thornton JM. Just noticeable and objectionable group delays in digital hearing aids. J Am Acad Audiol 2000;11:330-336.
2. ANSI S3.22. American National Standard Specification of hearing aid characteristics. ANSI/ASA S3.22-2009, Revision of ANSI S3.22-2003. New York: American National Standards Institutes; 2009.
3. Chung K. Wind noise in hearing aids: II. Effect of microphone direc-

tivity. Int J Audiol 2012;51:29-42.

4. Crukley J, Scollie SD. The effects of digital signal processing features on children's speech recognition and loudness perception. Am J Audiol 2014;23:99-115.
5. Dillon H. Hearing aid components. In: Dillon H, Hearing Aids. 2nd ed. Turramurra, Austria: Boomerang Press; 2012. p.20-49.
6. Groth J, Christensen LA. Hearing aid technology. In: Katz J, Chasin M, English K, Hood LJ, Tillery KL, editors. Handbook of Clinical Audiology. 7th ed. Philadelphia, USA: Wolters Kluwer Health; 2015. p.703-726.
7. McCreery RW, Venediktov Ra, Colemann JJ, et al. An evidence-baased systemic review of directional microphones and digital noise reduction hearing aids in school-age children with hearing loss. Am J Audiol 2012;21:295-312.
8. Picou EM, Ricketts TA. Comparison of wireless and acoustic hearing aid-based telephone listening strategies. Ear Hear 2011;32:209-220.

CHAPTER

40

보청기_ 보청기의 종류와 선택

노혜일

I 보청기의 종류와 선택

1. 보청기의 종류

1996년에 디지털 보청기가 상업적으로 보급되기 시작하였고 공학 기술의 발전으로 20년 동안 새로운 제품들이 지속적으로 출시되고 있다. 그러므로 교과서에 나오는 보청기에 대한 내용은 언제나 새로운 내용으로 바뀔 수 있다.

그러나 기본적으로 특수 목적의 보청기를 제외하면 일반적으로 보청기는 모양과 크기 및 기능에 따라 가장 많이 사용하는 귓속형과 귀걸이형으로 먼저 나누고 귓속형은 외이도에 완전히 들어가는 고막형 CIC (completely in-the-canal)와 외이도 입구에 걸쳐지는 외이도형 ITC (in-the-canal), 이갑개(concha)를 채우는 이갑개형 ITE (in-the-ear)로 나눈다(그림 40-1). 이갑개형은 해부학적으로 외이가 특이한 모양이어서 고정이 잘 되지 않는 특수한 경우이므로 드물게 제작되며 국내에선 고막형이 선호도가 높다.

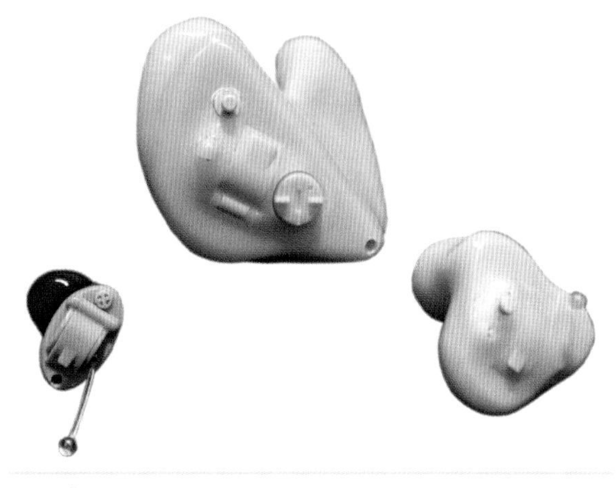

■ 그림 40-1. **귓속형 보청기의 종류.** 좌로부터 고막형, 이갑개형, 외이도형 순

CIC와 ITC, ITE의 선택 기준은 다음의 변수가 결정한다.

(1) 청력역치값

(2) 외이도 용적과 굴곡정도, 외이의 해부학적 특성

(3) 환자가 보청기를 끼고 뺄 수 있는 손동작 능력

최근 기술발전으로 Power CIC가 60 dB 이득(gain)을 줄 수 있다고 하나 일반적으로 심도 난청에서 CIC는 충분한 출력을 내기 어렵고 외이도 용적이 너무 작거나 굴곡이 심하면 환자가 안 보이는 보청기를 원하더라도 보청기를 만들 때 외이도 내에 완전히 들어가도록 제작하는 것은 어렵다. 이 문제도 부속품이 점점 소형화되면서 바뀔 수는 있다.

1) 고막형 보청기(Completely in the canal; CIC)

겉에서 보아 표시가 잘 나지 않으면서 마이크로폰이 외이도 내에 위치하여 외이도의 공명효과와 귓바퀴의 음장 증폭 효과를 이용할 수 있어 음향학적인 장점이 있다. 수신기는 고막 5 mm 근처에 위치하므로 고막에 도달하는 음압수준이 높고 외이도 골부 내측에 위치하여 폐쇄효과는 적다. 단점은 출력이 작아 심고도 난청에게 사용하기 어렵고 작은 건전지를 사용하므로 작용시간이 짧다.

2) 귀걸이형 보청기(Behind the ear; BTE)

귀걸이형은 송수신기와 증폭기가 본체에 들어 있고 튜브로 귓본(earmold)을 연결하여 소리를 전달하므로 출력을 상대적으로 크게 할 수 있다. 최근 공학기술의 발전으로 수신기(receiver)를 본체와 분리하여 투명한 얇은 전선으로 연결하고, 여러 겹으로 이루어진 얇은 실리콘 재질의 튤립(tulip) 또는 돔(dome)을 부착하여 외이도에 위치시키는 방식의 초소형 귀걸이형 보청기가 개방형(open type)으로 보급되고 있다. 이렇게 원래 본체에 있는 standard-tube BTE에서 발전하여 수신기가 본체에서 독립하여 외이도에 위치한 것을 RIC (receiver-in-the-ear canal)형이라고 한다(그림 40-2).

RIC 보청기는 외이도를 완전히 막지 않아 폐쇄효과(occlusion effect)가 적고 답답함 등의 불편감이 개선되어 환자들이 선호하게 되는데, 본체로부터 수신기로 가는 투명하고 얇은 전선이 보일 수 있어 귓속형 보다는 미용적 외형적 측면에서 기피하는 경우도 있다. 기술적으로 빨라진 어음처리속도에 의해 보청기를 통한 증폭음과 외이도를 통한 자연음이 지연되지 않게 느껴지며, 소리되먹임 방지회로(feedback cancellation circuit)의 발달로 개방형 보청기의 소리되먹임 발생을 제어할 수 있게 되면서 탄생한 보청기이다. 단 개방의 정도에 따라 증폭에는 한계가 있으므로 폐쇄효과를 줄이는 부분과 증폭을 올리는 부분은 상호 조정을 해야 한다.

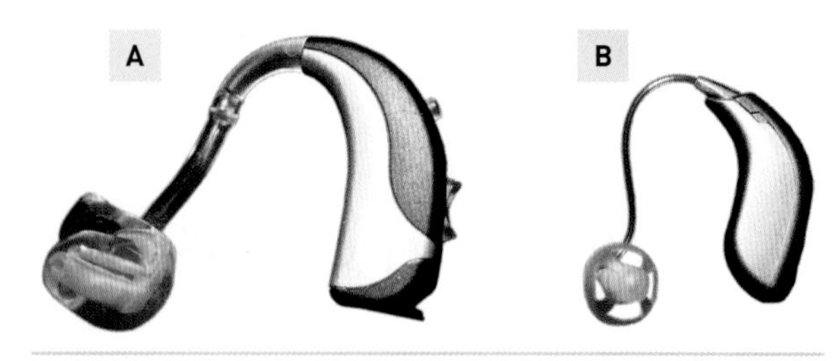

■ 그림 40-2. **귀걸이형 보청기.** **A)** 일반 귀걸이형 보청기, **B)** 개방형 보청기

그 외 고막형보다 더 외이도 안쪽에 위치하는 초소형 고막형 보청기(invisible in the canal; IITC)가 출시되고 있고, 외이도의 두 번째 굴곡(second bend of the ear canal)까지 삽입되어 Deep insertion hearing aid라고 지칭하기도 한다. 이는 골부에 위치하여 통증을 유발할 수 있고 삽입과 제거의 어려움이 예상된다.

국내에는 현재까지 수입되지 않은 1회용 보청기 Lyric hearing aid from Phonak는 건전지 수명 기간 내(수주에서 3개월 이내)에만 사용 가능하고 전문가에 의해 삽입과 제거가 이루어져야 하는 제한이 있다.

그 밖에도 치아용 보청기(sound bite) 등 새롭고 다양한 형태의 보청기가 개발되고 있다.

3) 특수 목적의 보청기

(1) 골도 보청기

공기 전도 보청기를 사용할 수 없는 양측 외이도 폐쇄증 환자에서 골전도 수신기(bone conduction receiver)를 밴드형(그림 40-3)이나 안경형(그림 40-4)으로 제작하여 유양돌기 등 골부를 자극하여 골전도를 이용한다.

BAHA (Bone anchored hearing aids)(그림 40-5)는 수술적 방법을 추가하여 titanium fixture를 이개 후방의 뼈에 고정시켜 일정 시간 동안 골융합(골유착) (osseointegration)을 유도한 다음 외부로 노출된 연결장치(abutment)에 골전도기를 부착한다. 진동소리가 피부연부 조직을 거치지 않고 직접 골전도를 한다는 점에서 전도효율이 향상되었다.

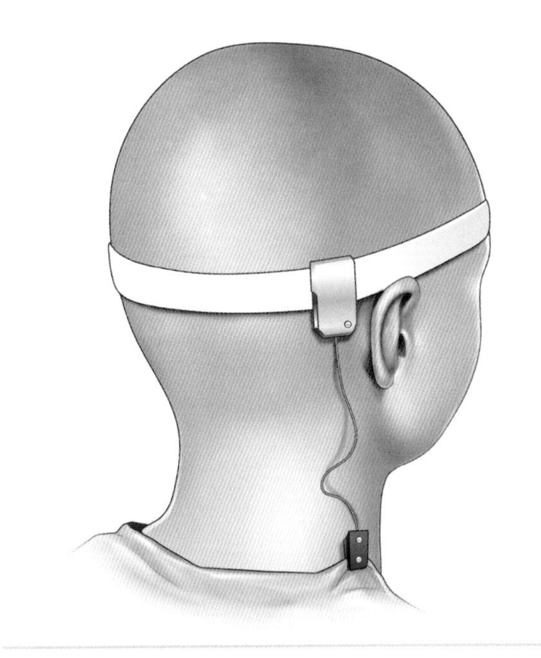

■ 그림 40-3. **골도 보청기의 일종인 밴드형 골도 보청기(soft band)**

(2) CROS, BICROS 보청기

CROS (contralateral routing of signal) 보청기(그림 40-6)는 일측의 난청 혹은 비대칭 난청의 경우에 사용하는데 청력이 나쁜 쪽에서 들어오는 소리를 유선이나 무선을 통해 좋은 쪽으로 듣게 하는 방식이다. CROS는 일측이 정상이고 반대측이 고도 난청인 경우 마이크로폰은 나쁜 쪽에, 좋은 쪽에 수화기를 위치시켜 나쁜 쪽에서 나는 소리를 좋은 쪽으로 듣게 한다. BICROS 보청기는 좋은 쪽도 중고도 난청이 있어 양측에서 들어오는 소리를 들을 수 있게 한다(그림 40-7).

비대칭 난청 중에서 나쁜 귀의 난청 정도가 심해서 보청기가 도움이 안되고 오히려 말소리 분별력에 방해가 되면 이 방법를 시도해 볼 수 있다. 그러나 이런 BICROS를 잘 사용하지 않는 이유는 양측 보청기를 구입해야 하고 가격대비 환자가 체감하는 혜택이 적어 일측 난청이면 보청기를 하지 않거나 좋은 쪽이 40 dB 이상의 난청이 있으면 좋은 쪽에 귓속형 보청기를 하는 경향이 많기 때문이다.

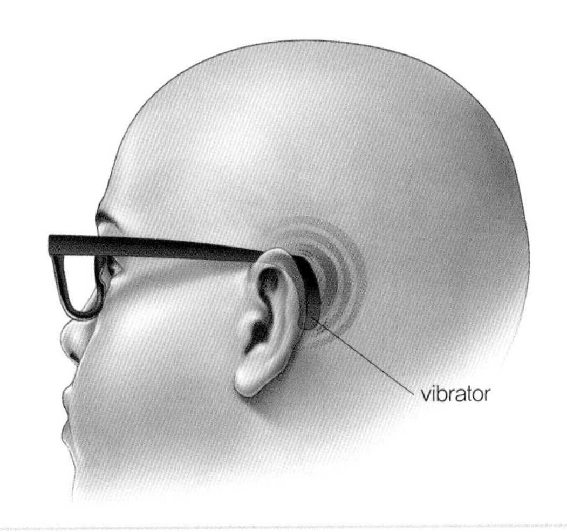

■ 그림 40-4. **안경형 골도 보청기**

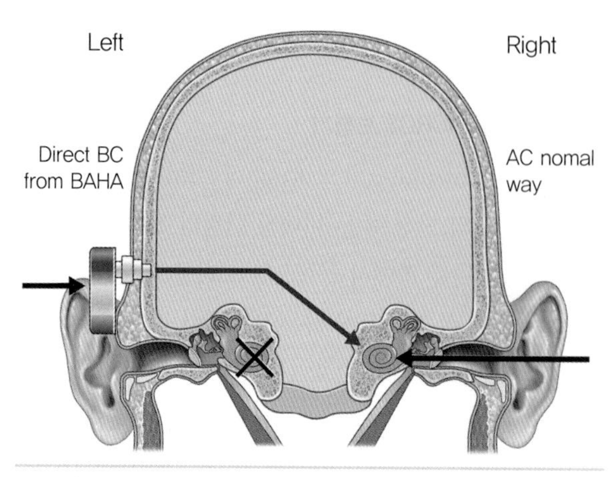

■ 그림 40-5. BAHA (Bone anchored hearing aids)

4) 현재는 드물게 사용되는 역사적 보청기

(1) 포켓형 보청기(Box type)

외이도에 삽입하는 수신기(이어폰)가 긴 코드(code)로 연결되어 마이크로폰이 부착되어 있는 본체와 분리되어 있다. 이런 특성으로 소리의 되울림이 없이 큰 출력을 얻을 수 있어서 고도 난청 환자에게 사용하였으나 무겁고 크기가 커서 주머니에 넣으면 옷과의 마찰음 등이 증폭되는 단점이 있다. 최근에는 귀걸이형 보청기로도 같은 충분한 출력을 얻을 수 있어 거의 사용하지 않으나 개인 음향기기처럼 보인다는 외형적인 이유와 저렴한 가격으로 사용하는 환자들이 있다(그림 40-8).

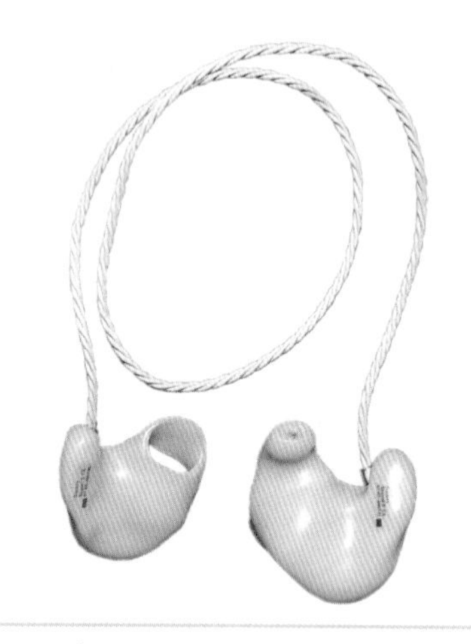
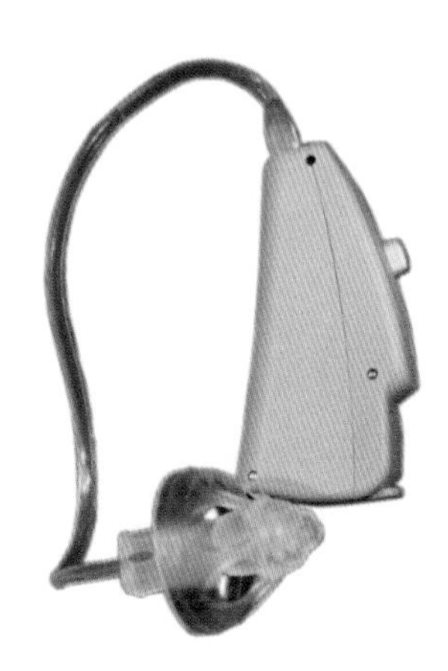
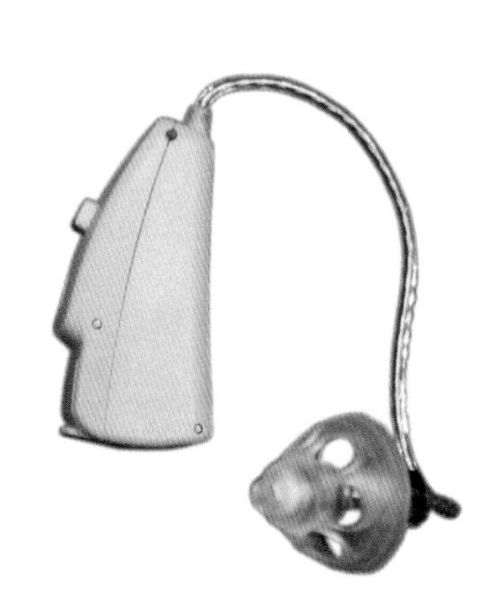

■ 그림 40-6. CROS와 BICROS 보청기 사진

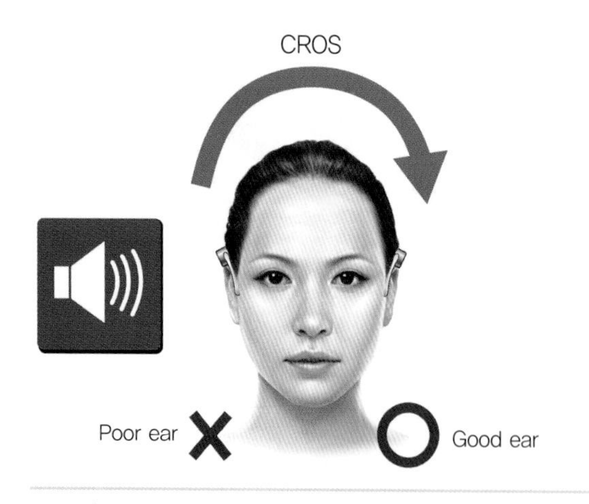

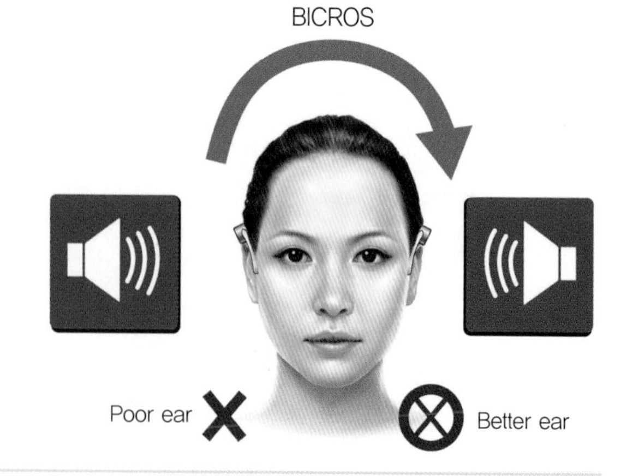

■ 그림 40-7. CROS와 BICROS를 설명하는 모식도

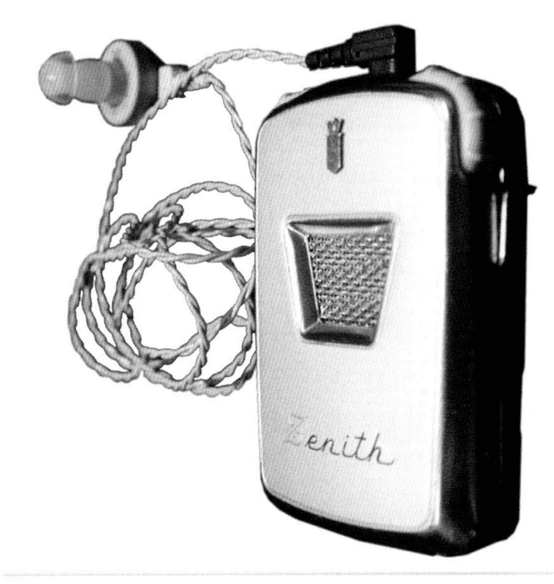

■ 그림 40-8. **포켓형 보청기(Box type)**

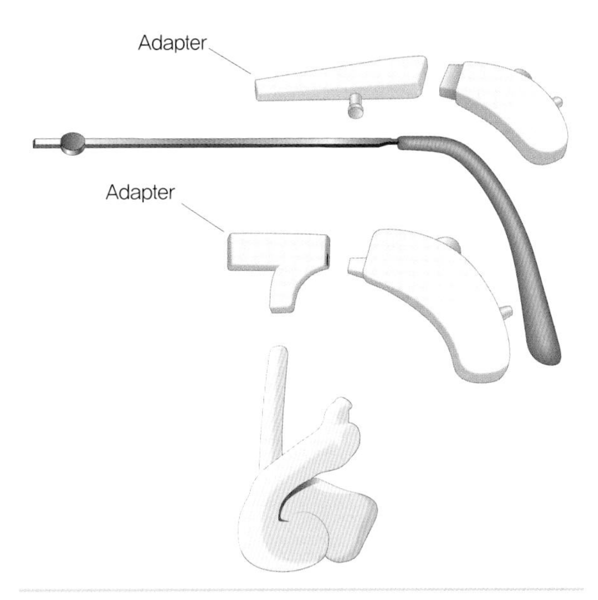

■ 그림 40-9. **안경형 기도 보청기**

(2) 안경형 보청기

귀걸이형 보청기를 안경걸이 부분에 어댑터(adaptor)와 연결하여 귓본(earmold)과 함께 끼고 다닐 수 있는 제품 등이 있었으나 현재는 잘 쓰이지 않는다(그림 40-9).

2. 보청기의 선택

1) 보청기 선택 시 고려할 사항

(1) 외부노출 정도(Invisibility)

국내 환자들의 공통 관심사는 외부에 노출되지 않는 작은 보청기이다. 초슬림형 부품개발로 외이도 골부 깊게 위치시킬 수 있는 초소형 고막형 보청기가 개발되어 시판되고 있지만, 환자가 보청기 삽입과 제거를 하지 못하면 이를 사용할 수 없게 된다.

보청기 선택 시 외관상의 미용적인 문제가 중요할 수는 있으나 임상의는 환자의 청력상태와 귀의 모양 등 의학적인 측면에서 환자가 원하는 고막형 보청기를 할 수 있는지를 판단해 줄 수 있어야 한다. 귀를 진찰하여 외이도의 크기와 굴곡 상태에 따라 고막형 보청기가 가능한지를 판단하고 환자가 시력이나 손동작 등의 문제로 작은 보청기를 잘 다룰 수 있는지도 확인해야 한다.

이갑개형 보청기는 외이의 기형이나 변형이 있는 경우, 이갑개의 깊이와 모양 등을 고려하여 제작 의뢰하고, 귀걸이형 보청기를 사용해야 하는 경우에 귓바퀴의 모양과 형태에 따라 무거운 귀걸이형 보청기가 귓바퀴에 걸릴 수 있는지 확인한다. 유소아에서는 출력만 가능하면 가벼운 소형 귀걸이형(mini-BTE)을 처방한다.

(2) 난청의 정도에 따른 출력 가능정도(High gain and maximal output)

과거에는 난청이 심할수록 큰 출력을 내기 위해 크기가 큰 보청기가 필요하였으나 최근 공학의 발전으로 보청기 크기에 따른 출력값의 차이는 절대적인 변수가 아니다. 그러므로 보청기 크기는 난청의 정도와 외이도 변수를 같이 고려하여 결정한다. 그 외에 전도성 난청 부분에 대해서는 추가 이득을 주어야 하고 수평형 보다는 하강형에서 채널수가 많은 고가의 보청기가 필요하다. 저음역 난청이 없으면서 고음역 난청이 있는 경우 개방형 보청기를 시도해 볼 수 있다.

(3) 착용자의 보청기 삽입과 제거의 측면

환자의 나이와 일반적인 건강상태 및 인지기능 상태를 종합적으로 판단하는데 일반적으로 고령에서 시력과 미세 손동작 촉지능력이 문제가 되는 경우는 작은 크기의 고막형 보청기를 선택할 때 신중해야 한다. 볼륨 작동기(volume control) 조작 측면도 같은 원리이며 보청기가 작을수록 작은 베터리를 사용하므로 이 문제도 같이 고려한다. 만일 보청기 삽입과 제거 등 미세 조작이 어려운 경우 보청기를 중단하게 되는 중요한 요인이 된다.

(4) 가격

귓속형이 제작과 부품비 등의 문제로 상대적으로 비싸고 귀걸이형이 비교적 저렴한 것으로 생각할 수 있으나, 일반적인 귀걸이형에 기능적으로 방향성, 무선 통신 등 기능을 추가 하면 귓속형에 비해 저렴하지 않다. 또한 개방형(open type)도 귀걸이형이지만 RIC (receiver in the canal)처럼 기능이 개선된 신제품이 출시되므로 고가품이 많다. 가격에 영향을 미치는 변수 중 채널수가 중요하며 그 외 여러 선택 사항이 있는데 대상에 따라 이들이 꼭 필요한지를 가격대비로 판단할 수 있어야 한다.

상담시에 환자가 자신의 재정 상태를 고려할 수 있도록 가격부분에 대해서도 적절히 설명할 수 있어야 한다.

(5) 기타 대상에 따라서는 중요한 문제일 수 있는 요인들

① 바람소리(Insensitivity to wind noise)

귓속형에 비해 귀걸이형이 바람소리가 심하고 야외작업 환경에서 바람소리를 심한 소음으로 느끼는 양측 착용자는 보청기 지속 사용에 방해가 될 수 있다.

② 방향성 마이크로폰(Directional microphone) 선택 여부

주로 귀걸이형에서 저렴한 것 외에는 기본으로 장착되어 있고 귓속형은 고막형을 제외하고는 외이도형과 이갑개형에서 옵션 또는 기본으로 사용할 수 있다.

③ 내구성 문제

습기 등의 문제로 수신기가 외이도에 위치하면 기계적인 손상이 잘 생기고 귓속형이나 RIC (receiver in the canal)는 이루가 있으면 고장의 원인이 된다.

④ 전화·청진기 사용

전화 사용(telephone compatibility)이나 청진기 사용(stethoscope compatibility)이 직업적으로 꼭 필요한 경우에는 보청기 선택에 제한이 있을 수 있다.

⑤ 당일 제작 가능 여부

기성귓본(custom earmold)이나 개방형 보청기는 귓본 제작이 불필요하여 당일 구입 가능한데 환자들이 이를 선호하는 경우도 있다.

2) 고막형 보청기의 장점

환자들이 선호하는 고막형 보청기는 외향적 장점 외에도, 리시버(receiver)가 고막에 가까이 위치하므로, 소리가 귓본(earmold)을 통과하면서 공명현상 등으로 왜곡되는 귀걸이형에 비해 직접전달의 장점이 있다. 또한 마이크로폰이 외이도에 위치하여 귓바퀴가 모은 소리를 들을 수 있어 외이에 의한 주파수별 증폭이 있다. 그 외에도 보청기가 외이도의 골부에 위치하여 폐쇄효과가 비교적 적으며 외이도 깊이 보청기를 삽입하여 소리의 누출이 적고 되울림을 막을 수 있다.

3) 양측 보청기의 착용

양이 청취는 중추 청각계의 양이 상호작용(binaural interaction) 기능으로 두 귀 사이의 소리크기 차이와 시간 차이를 인지하여 음원의 방향을 알아낸다. 또한 소음 환경에서도 음향 신호를 필요한 음(신호)과 불필요한 음(잡음)으로 분리하는 능력이 있는데, 이는 중추 청각계의 특별한 능력이다. 따라서 양측 난청에서 양측 보청기를 선택하는 데는 그 장단점을 이해하는 것이 필요하다.

(1) 청력 향상의 효과

양측 귀에 소리를 주면 한쪽으로 주는 것보다 3 dB 정도의 역치 개선 효과가 있다.

(2) 머리가림 효과(Head shadow effect)의 감소

저음역에서는 2~3 dB, 1.5 kHz 이상 고음역에서는 5~15 dB의 청력 이득이 발생하는 것으로 알려져 있다.

(3) 소음에서의 말소리 분별력 향상

양이 청취는 소음이 있는 환경에서 어음 분별력을 좋게 한다. 소음이 있는 곳에서 자극 소리를 각각의 귀에 시차와 위상을 달리하여 듣게 하면 청력역치가 낮아지는 binaural squelch effect와 소리가 각각의 귀에서 다른 청취음으로 전달되면 한쪽 귀에서 같은 신호의 청취음으로 들을 때보다 대뇌중추에서 음의 분별력과 청리가 빠른 dichotic listening 현상으로 난청 환자가 양측 보청기를 사용하는 경우 소음환경에서 말소리 분별력이 개선된다.

(4) 양측 보청기의 단점

비용적인 문제와 미용 문제가 있고 10% 정도에서는 양이 간섭현상으로 오히려 양이 청취가 방해가 되는 경우도 있다. 고령이나 중추성 질환에 의한 난청이 있는 경우 소음 환경에서는 일측을 선호한다. 또한 보청기를 2개 관리해야 하는 문제와 폐쇄증상(occlusion effect)이 좀 더 심하게 느껴질 수 있고 바람소리의 불편함도 가중된다.

결론적으로 난청 환자가 보청기를 시작해야 할지를 결정할 때는

① 난청의 정도(청력역치)
② 환자가 느끼는 난청의 불편감과 이에 따른 필요성 및 동기
③ 연령과 육체적 정신적 건강상태
④ 경제적 여건 재정상태
⑤ 보호자의 협조 등이 영향을 미치고

어떤 보청기를 할지 결정할 때는

과거에는 청력역치가 중요하였는데 그 외에도 난청의 유형 등 청각학적인 요소와 함께

① 외이도와 외이의 해부학적 구조적 문제
② 환자가 작은 크기의 보청기를 잘 다룰 수 있는지
③ 이루의 유무
④ 환자의 나이와 육체적 정신적 건강상태
⑤ 재정상태 등을 고려하여 결정한다.

4) 보청기 선택에 도움이 되는 간단한 공학용어 개념 정리

(1) 주파수 변조 송수신 방식 FM : Radio-frequency Transmission

Frequency modulation system의 원리는 신호대잡음 비율을 높이기 위해 FM 무선 송신기를 교사가 들고 무선 수신기는 보청기하단에 부착하여 보청기를 통해 선생님의 말소리를 주변 잡음의 전달 없이 들을 수 있도록 하는 근거리 통신방법이다.

송신기는 마이크로폰에서 받은 소리를 주파수변조(Frequency modulation)를 통해 증폭기에서 증폭하여 대역대 주파수로 변조한 후 안테나를 통하여 수신기로 전달한다. 수신기로 받은 주파수 변조 신호를 대화음으로 환원한 음향신호로 보청기에 전달한다(그림 40-10).

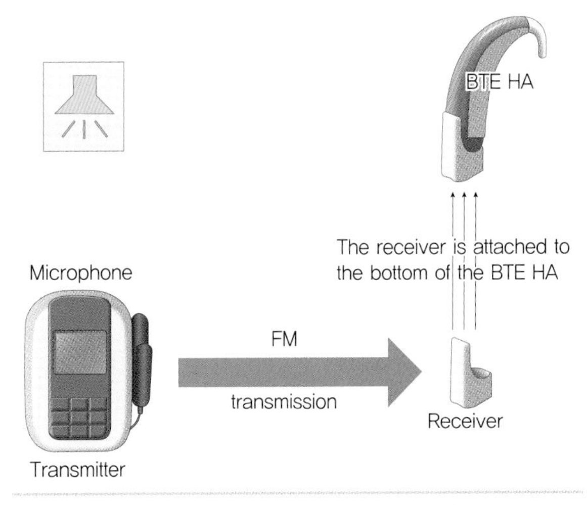

■ 그림 40-10. FM 장치의 원리를 설명하는 모식도

(2) 무선통신기술

디지털 보청기에서 무선 통신은 양이 보청기 사이에서의 무선 통신과 외부 음향 기기와의 연동기술이 있다. 무선통신기술에 의해 CROS와 BICROS에서 과거에 있던 연결선이 사라진 것으로 인해 소수이지만 사용을 하는 경우가 증가하였다.

무선통신기술인 블루투스(bluetooth)는 전송방식을 표준화 통일한 것으로 보청기에 하나의 블루투스 수화기만 부착하면 다양한 기기의 음향을 들을 수 있다. 이렇게 무선 기술이 보청기에서 사용은 가능하지만 널리 활용되지 못하는 이유는 전력소모 즉 건전지 문제이다. 블루투스칩은 신호를 전송하는데 30 mW 이상의 전력을 필요로 하지만 대부분의 보청기는 1 mW 이하의 전력 소모에 맞추어져 있다. 이 문제를 해결하기 위해 블루투스를 포함한 주변기기들로부터 보청기 대신 신호를 받아 전력소모가 적은 텔레코일(telecoil)이나 무선 주파수(radio frequency)를 통해 보청기로 전송하는 중계기(gateway device)가 사용된다. 중계기와 보청기 사이에는 근거리 자기유도기술(near-field magnetic induction)을 사용한다. 그러나 이 경우는 국소적인 자기장에서만 에너지를 전달할 수 있어 1 m 범위 내 근거리, 즉 목걸이 형태를 사용해야 하는 등 거리 제한이 있다.

최근에는 블루투스 기술의 발전으로 귀걸이형 보청기에 별도의 어댑터 장치 없이 탑재 가능하며 스마트폰 또는 스마트 와치와 연동하여 보청기 제어가 가능하고 음향기기에서 재생된 음원을 보청기를 통해 들을 수 있는 제품들이 출시되고 있다.

(3) 주파수전위(Frequency transposition)

고음역의 청력손실로 저음역의 청력만 남아 있는 고도난청 환자에서 고음역의 소리를 재코드화(dynamic speech recoding) 작업을 통해서 저음역으로 전위시켜 증폭하는 방법이다. 환자는 일정 기간 적응과 학습을 통해 어음분별력 향상을 기대할 수 있다.

(4) 방향성 마이크로폰(Directional microphone)

소음 환경에서 말소리 분별력(intelligibility)을 향상하기 위해서, 공간적으로 떨어져 있는 2개 이상의 마이크로폰을 이용하여 각각 감지된 소리를 공학적으로 시간을 지연하거나 제거해 주는 방식 등으로 처리하여 특정 방향의 소리를 더 잘 감지하도록 하는 기술이다.

특정 방향, 즉 보청기 사용자의 정면에서 들리는 소리를 더욱 강조하고, 뒤나 옆 등 주변 소리를 감소시켜 청취능력을 향상시키는 기술이므로 정면에서 불필요한 소음이 들리고 말소리가 주변에서 들리는 경우, 소리와 소음의 구분이 어려운 인지기능이 저하된 노년층이나 들어야 하는 소리를 향해 적절히 고개를 돌리는 것이 어려운 유소아의 경우에는 효과가 떨어진다.

소음원의 강도와 위치에 따라 방향성 시스템이 선택적으로 작동하거나 조용한 장소에서는 전방향성으로 적용되다가 소음 상황이 되면 자동으로 방향성으로 전환되는 경우도 있다.

(5) 소음처리방식(Adaptive noise reduction)

동의어로는 Noise suppression, fine-scale noise cancelling, single-microphone noise reduction, Digital noise reduction이 있다. 여기서 adaptive의 의미는 실시간으로 감지되었을 때만 작동한다는 의미이다.

소리의 스펙트럼 영역에서 소음과 어음의 차이를 구분하는 방법은 진폭 스펙트럼의 합이 일정 레벨 이하일 경우 이를 소음으로 간주하는 방법이 있다. 다양한 환경의 잡음은 자동차 엔진이나 에어컨 소음 같은 정적 잡음(stationary noise)과 바람소리나 웅성거림소리 같은 동적 잡음(non-stationary noise)가 있는데 마이크로폰으로 입력된 신호(speech와 noise를 실시간으로 측정)를 신호 분석기를 거쳐, 들어온 음을 시간적 주파수적 특징을 분석하거나 예측하여 Wiener Filtering나 Spectral Subtraction 방법으로 소음 성분을 제거한다.

분석된 신호에 따라 적응형 고주파수 통과 필터(adaptive high-pass filter)와 적응형 저주파수 통과 필터(adaptive low-pass filter)를 이용하여 잡음을 제거한다. 스펙트럼 차감법(spectral subtraction)은 단일 마이크로폰으로 입력된 신호가 음성 검출기(voice activity detector)를 거쳐 음성이 없는 잡음 구간을 검출하여 그 구간의 주파수 영역 잡음 에너지를 측정한다. 이후 잡음 속 어음 에너지에서 측정된 잡음 에너지를 차감하여 어음 에너지만 출력하는 방법이다. 이 방법을 사용하면 정적 특성을 가진 잡음에서는 환자가 체감하는 소음 정도는 감소한다. 단 이 방법을 사용한다고 해서 동적 특성의 소음 환경에서 말소리 분별력(intelligibility) 향상으로 이어지지는 않는다.

다채널 보청기의 경우, 여러개의 주파수 대역에 걸쳐 각각의 WDRC (wide dynamic range compression)을 달성하기 위해 각 대역마다 압축 특성을 조절할 수 있게 한다. 즉 채널별로 압축 역치를 높이거나 압축 비율을 감소시켜 난청인의 좁은 역동 범위를 최대한 사용하여 들을 수 있게 조절을 해 줄 수가 있다.

(6) 피드백 처리 방법(Feedback Reduction)

피드백 처리 방법에도 여러 가지가 있는데 가장 많이 사용하는 방법이 feedback path cancellation 방법으로 보청기 내부에 이차적인 피드백경로를 만들어 놓고, 피드백이 발생하면 같은 이득의 반대 위상의 피드백이 이차 경로로 새어 들어가 더해지면서 서로 상쇄 되도록 한다.

다른 방법은 피드백 신호의 위상과 180°의 위상을 갖는 또 다른 내부 신호를 생성시켜서 피드백을 제거하는 위상 소거(phase cancellation) 방식으로 소리의 증폭량을 유지하면서 소리의 왜곡을 최소한으로 한다. 이 역위상 피드백 제어기술(digital feedback suppression)은 들려오는 방해소음의 파장을 자동으로 구분하여 방해소음의 소리파장과 위상이 정반대인 파장을 실시간으로 적용하여 각 주파수 대역에서 발생하는 과다 이득을 제거할 수 있게 되었다.

(7) 다채널

보청기에서 채널은 일정 주파수 영역의 일종의 필터로 작용하여 동일 방식의 분석과 신호처리 후 재생산(증폭 또는 압축)을 독립적으로 담당한다. 대부분의 보청기 제조사들이 채널별로 가격을 책정하고 있고 가격대별 등급을 나누어 채널수가 높을수록 고가 판매 정책을 유지하고 있다.

채널수가 많을수록 주파수별 소리반응을 조절(adjustment)이 쉽고 들어오는 소리 환경을 세분화할 수 있다. 또한 방향성 마이크로폰 기능이 채널수가 많을수록 더 정확하게 작동한다. 압축이나 소음처리 방식에서도 다채널이 유리하다.

채널수가 과도하다고 해서 소리가 명확히 들리는 건 아니며 spectral and temporal smearing, 신호처리 동안의 시간적 차이를 감지하게 되는 경우도 있다. 과도한 채널 수는 processing power를 낭비하는 결과를 가져올 수 있다.

(8) 이명제어기술

보청기를 통해 외부 소리를 잘 듣게 되면 이명에 대한 소리치료의 기본 목적인 진정작용, 배경소리 효과를 통한 수동적 주의 분산 효과와 흥미로운 소리를 잘 듣게 되어 이명에 대한 능동적 주의 분산 효과를 기대할 수 있다. 소리 발생기와 보청기 성능을 동시에 지닌 개방형 보청기가 개발되어 있고 소음 발생기에 소프트웨어를 장착하여 소음을 밴드처리하거나 음악이나 환경음을 메모리에 장착하여 사용하는 등 소리에 변화를 주어 이명치료에 사용할 수 있다.

5) 영유아 소아에서 보청기의 선택

유소아와 소아들은 대부분 귀걸이형 보청기를 선택하게 된다. 예외적인 경우가 난청을 늦게 발견하여 외이도가 성인 크기이면서 난청의 정도가 귀걸이형 보청기를 하지 않아도 되는 중고도 난청의 경우이다. 소아가 성장하면서

6세 이후 보청기 교체 시에 귓속형 보청기가 가능해지는 경우도 있으므로 귓본을 새로 만들면서 외이도 크기를 잘 확인하도록 한다. 귀걸이형 보청기 중 난청의 정도나 외이도 크기에 따라 이개부분에 무게감이 덜 한 작은 mini-BTE나 RIC (receiver in the canal)를 선택할 수 있다. volume control을 무력화시키거나 battery door가 쉽게 열리지 않게 하는 등 안전에 유의하여야 하고 보호자 교육을 철저히 시행하여야 한다.

소아보청기는 가능한 4채널 이상을 선택하는 것이 좋고 선택 사항 중 FM 시스템이 가능한 보청기를 선택하면 교실 학습 환경에서 신호대잡음 문제에 도움을 받을 수 있다.

유소아인 경우, 청력역치를 정확히 얻는 과정, 피팅 방식, 특히 2세 전까지는 외이도의 용적과 임피던스가 다르고 외이도의 주파수별 공명이 다르므로 보청기 맞춤 과정에 실이측정을 해야한다는 점, 보청기 착용 후에도 사운드 필드에서의 적합성 검사와 추적검사가 더욱 더 중요하므로 성인과 다른 차원의 노력이 필요하다.

소아에서 보청기 선택을 할 때 유의할 점을 정리하면 다음과 같다.

(1) 처음에 click-ABR을 통해 고음역 난청 역치를 얻은 경우 저음역 tone burst-ABR을 시행하여 저음역 역치값을 얻을 수는 있다. 그러나 최근에는 청력역치를 주파수별로 최대한 정확히 얻기 위해 청성지속반응검사 ASSR (auditory steady state response) 을 시행하여 피팅에 사용한다. 정확한 청력검사 결과를 얻기 어려운 기관에서는 유소아 보청기 피팅을 시작할 수 없다.

(2) 주파수별 청력역치를 얻으면 NAL (national acoustic laboratory) 방식이나 DSL (desired sensation level) 방식을 이용하여 보청기 피팅을 한 후에 실이측정을 하여 목표값에 맞는지 확인하는 과정을 거쳐야 한다. DSL 방식이 실이 측정을 하면서 외이도 내 음압을 측정하고 목표치를 조절하기 때문에 유소아에서 주로 사용되고 있다.

(3) 보청기의 종류: 귀걸이형 보청기와 소형 보청기(mini-BTE)나 개방형 중 RIC (receiver in the canal)를 사용하다가 외이도가 성장하면 귓속형으로 교체한다.

(4) 채널 수: 최소 4채널 이상을 사용한다.

(5) 보청기를 피팅 한 후 2 cc-coupler에서 출력을 확인한다. 소아마다 연령에 따라 외이도 용적과 임피던스가 다르므로 실이에서 REAR (Real ear aided response) 측정값과 RESR (Real ear saturated response)까지 확인을 해야 한다. 특히 유소아가 큰 소리에 불편한 반응을 보이지 않는지까지 확인이 되면 보청기를 착용한 상태에서의 역치값(aided threshold)을 사운드 필드에서 측정한다. 성인처럼 기능적 이득값(Functional gain)을 측정하기는 어려우므로, 2세 이상에서는 이음절어를 이용한 SRT (speech reception threshold)를 측정한다. 그 외 소음 속 말소리 청력검사를 시행할 수 있고 방향성 검사도 할 수 있다.

(6) 유소아의 경우 85 dB 이상의 자극에 괴로운 반응을 보이는지 확인해야 하는데 이때 주의할 점은 보청기를 처음 끼고 괴로운 소리를 경험하는 것이 앞으로 보청기를 사용하는데 있어 좋지 않은 기억으로 남지 않도록 주의하면서 검사해야 한다. 보청기 착용 후 불편감을 측정하기 어려운 경우, 청각등골반사검사(Acoustic Reflex)를 사용할 수 있다.

(7) 안전과 관련된 문제로 volume control을 무력화시켜 큰 소리에 노출 되거나 battery door가 쉽게 열리지 않도록 하여 건전지를 아이가 삼키는 문제가 발생하지 않도록 한다.

(8) 유소아의 수행능력(performance)을 확인하는 것도 성인과 차이가 있는데 주관적인 평가를 위한 설문지 중 소아용으로 개발된 것들이 있고 보호자의 관찰에 의존하는 설문지도 개발되었다. 이러한 설

문지를 사용하지 않더라도 추적검사 기간에 보청기를 유소아가 잘 사용하고 있는지 아니라면 그 이유를 찾아보고 조용한 곳과 소음 환경 모두에서 대화가 가능한지와 환경음에 대한 반응을 질문하여 문제점을 파악해야 한다. 보호자들에게 미리 이런 내용을 추적 검사 시에 질문하겠으니 잘 관찰하라고 미리 말해두는 것이 좋다. 처음 맞춤 후에는 1~2개월간격으로 검사하고 이후 추적기간의 간격은 특별한 문제가 없어도 최소 3~6개월 단위로 정하여 방학때는 반드시 외래를 방문하도록 교육한다.

6) 노인에서 보청기의 선택

노인들은 청력이 나쁜 상태로 오래 방치되어 오다 가족들의 불편에 의해 보청기를 선택하는 경우가 많다. 또한 시력 등의 문제로 보청기를 잘 다루지 못하고 난청 기간이 길어 어음분별력이 저하된 상태에서 적응을 잘 못하는 경우가 실패의 흔한 경우이다. 그러므로 노인의 보청기 선택에는 우선 난청의 정도와 어음분별력 상태를 확인하지만 보청기를 시작하더라도 지속적으로 사용 가능한 환자인지를 먼저 판단하여야 한다. 귓속형을 원하더라도 고막형처럼 다루기 어려운 소형 보청기만을 선호하지 말고, 시력이나 미세 손동작 등 보청기를 다룰 수 있는지를 고려하여 보청기의 종류를 선택하도록 한다. 보청기의 종류는 외이도 상태와 선호도 외에 독립적인 생활이 가능한 노인인지 아닌지를 설문하고 청각학적 문제 외에도 다른 기존 질환과의 문제, 인지적 심리적 상태를 종합적으로 확인하고 보청기를 처방해야 한다. 개방형 보청기 중 RIC (receiver in the canal)의 경우는 착용이 쉽고 생각보다 눈에 잘 띄지 않으므로 청력에만 적합하면 적절한 상담을 통해 RIC를 선택할 수 있게 상담을 잘 해야한다. 노인들이 보청기를 처음 구입할 때는 난청의 정도와 사회활동 정도, 경제적인 문제와 거부감이 종합적으로 작용하는데 지속적으로 보청기를 잘 사용하기 위해서는 보청기를 혼자 잘 다루는지가 중요하다. 가족 등 보호자들에게 고령 난청 환자가 보청기를 시작하더라도 인지기능의 문제로 어음 분별력 향상이 바로 나타나는 것이 아니므로 대화를 천천히 하고 구순(lip-reading)을 독려하며 상호 인내심을 가지도록 격려하는 상담 기술이 필요하다.

참고문헌

1. Arthur Schaub, Digital Hearing Aids 2008 Thieme.
2. Current Opinion on Hearing Aids, Korean Otology Society, 2nd edition 2017.
3. Harvey Dillon. Hearing Aids, 2nd edition 2012 Thieme.
4. Michael Valente, Strategies for selecting and verifying Hearing aid fittings, 2nd edition 2002 Thieme.
5. Ruth Bentler, Gastav Mueller, Todd Ricketts, Modern Hearing aids: Verification, Outcome measures and Follow up, 2016, Plural Publishing.
6. Stach BA, Ramachandran V. Hearing Aid Amplification. In: Flint PW. Cummings CW, editors. Cummings Otolaryngology-Head and Neck Surgery. 6th ed. Saunders, Elsevier Inc.; 2015. p.2481-2490.

보청기_ 보청기의 적합성과 조율

이비인후과학 Otorhinolaryngology - Head and Neck Surgery

이광선

I 보청기 맞춤(Fitting)

보청기 맞춤에서 가장 기본적으로 알아야 할 것은 같은 청력손실에서도 사람마다 어음판별력이 다르고 동적범위(dynamic range), 큰 소리에 대한 불편함(loudness discomfort level, LDL)이 다르다는 것이다. 그림에서와 같이 500여 명의 난청 환자에서 청력손실과 LDL의 상관관계를 보면 같은 청력손실에서 상이한 반응을 보이고 있는 것을 알 수 있다(그림 41-1).

보청기 맞춤의 기본원칙은 편안한 크기의 소리에서 어음판별력을 최대화시키는 것이다. 보청기 맞춤의 기초적인 목표는 작은 소리를 증폭하여 청력손실을 보상하는 것으로 경도나 중등도의 청력손실에는 청력손실의 1/3 이득(gain)을 심도 및 고도난청에는 1/2 이득을 주는 것이다. 증폭된 소리가 불편하게 크지 말아야 하고 너무 큰 소리는 증폭하지 않게 한다. 또한 보청기 맞춤 후 실이측정(REM)으로 직접적인 검증과 설문지를 통한 간접적인 검증을 하여야 한다.

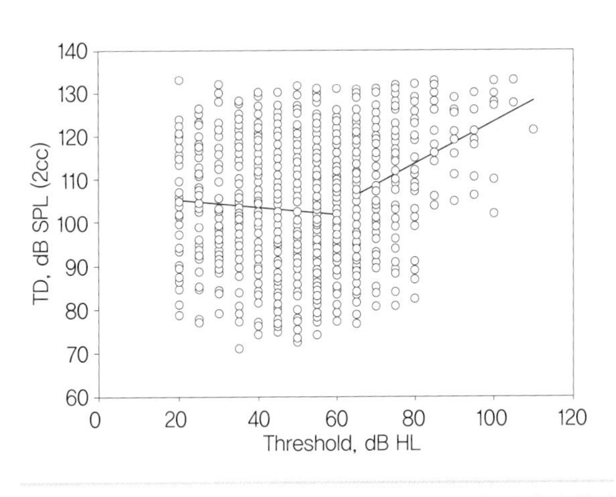

■ 그림 41-1. 감각신경성난청으로 확진된 500명 이상의 환자에서 loudness discomfort level (LDL)

보청기 맞춤 전에 알아 두어야 할 것은 환자의 순음청력 역치, 조용한 장소와 소음이 있는 환경에서 어음판별력, MCL (most comfortable level), 큰 소리에 대한 인내력 즉, LDL (Loudness discomfort levels), 인지력(cognitive function), 보청기에 대한 기대치, 보청기를 사용하려는 계기 등을 알아야 한다.

보청기의 최적의 맞춤절차는 먼저 순음청력 및 어음명료도 등 청각학적인 검사를 하고 LDL을 dB SPL로 측정한 후 보청기 착용하지 않은 상태에서 APHAB (Abbreviated Profile of Hearing Aid Benefit) 설문지를 작성하게 한다. 그 다음 실이측정(REM)으로 보청기의 REIR (real ear insertion response)를 측정하고 정확한 목표(target)를 설정한다. 그리고 2 cc coupler로 보청기의 반응을 측정한 뒤 측정된 REIG (real ear insertion gain)을 "target" REIG에 맞게 조정한다. 마지막으로 live REM으로 50 dB SPL speech noise로 적은 소리(soft sound)의 반응을 측정하고 65 dB SPL의 편안한 소리(comfortable. sound) 및 85 dB SPL 시끄러운 소리(loud sound)로 각각의 소리에서 주파수반응을 측정하여 speech banana와 비교한다. 그리고 90 dB SPL 순음으로 LDL을 측정한다. 보청기 착용 후 대한이과학회에서 검증한 K-IOI-HA (Korean version of International Outcome Inventory for Hearing Aids) 설문지 혹은 APHAB 설문지를 작성하여 환자의 보청기 사용 전과 후의 객관적인 반응을 비교해 본다.

1. 보청기 이득(Gain)의 처방공식(Prescriptive Formula)

순음청력역치를 근거로 한 보청기 이득 처방의 기본 원칙은 증폭된 음이 편안한 볼륨에서 좋은 질의 소리를 들을 수 있어야 하고 대화수준에서 어음명료도가 높아야 하며, 증폭된 소리의 크기가 UCL (uncomfortable level)을 넘지 말아야 한다. 보청기의 증폭을 평균적인 회화 수준으로 높이며 저음역의 증폭은 가급적 감소시킨다. 과도한 저음은 어음명료도와 관계 있는 고음역의 청취력을 감소시켜 "upward spread of masking"이 됨으로 이를 막아야 한다. 또한 보청기 증폭음으로 인하여 환자의 청력이 손상되지 않게 하여야 한다.

순음청력역치를 근거로 한 처방공식은 선형증폭(linear amplification) 보청기의 처방에 사용하며, 최대 어음명료도를 얻기 위하여 주파수별 손실을 근거로 각 주파수의 이득(gain)을 주어진 수식에 따라 증폭의 목표(target)로 정하는 것이다. 많은 처방공식은 순음청력검사을 근거로 하고 일부는 MCL (most comfortable level) 혹은 UCL (most uncomfortable level)을 근거로 하고 있다. 어떤 방법을 사용하든지 근본적으로 일치하는 것은 MCL만큼 증폭하여 주는 것이 가장 높은 어음판별력과 이해력을 갖게 된다는 것이다. 정확한 MCL을 얻기는 쉽지 않으며, 한 연구에 의하면 MCL은 8 dB의 오차를 갖는다고 보고하고 있다. 이와 같은 오차는 만일 보청기가 약 15 dB의 reserve 이득을 갖고 있다면 환자가 편안하게 듣는 수준을 음량 조절을 통하여 조절할 수 있게 된다. 개인에 따라 소리를 편하게 듣는 수준은 여러 인자에 의하여 각각 달라진다. 난청 환자들이 일반적으로 선호하는 소리의 증폭 수준은 평균 청력역치의 절반 정도이다. 그림 41-2에서와 같이 고음청력의 난청을 갖고 있는 환자는 고음역으로 갈수록 MCL과 UCL의 폭이 감소, 즉 dynamic range가 감소하고 보청기 증폭을 위한 MCL은 기울기(slope)가 0.5로 half gain rule에 적합한 것을 알 수 있다(그림 41-2). 그러므로 Lybarger의 "half gain

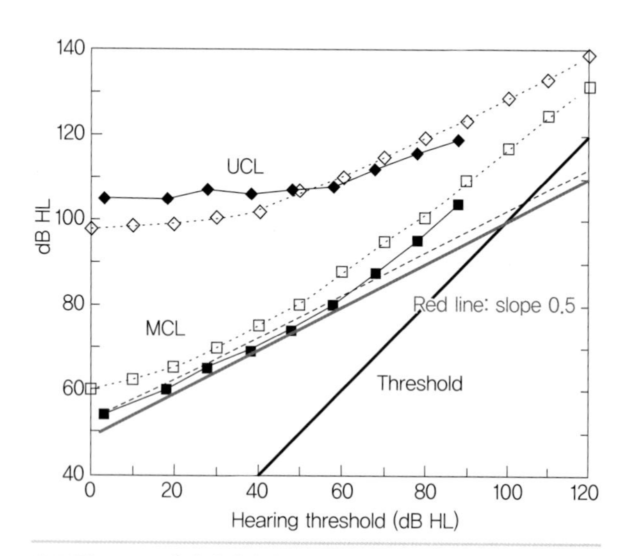

■ 그림 41-2. 감각신경난청 환자에서 MCL (most comfortable level), UCL (uncomfortable level)

rule"은 많은 처방공식에 근간으로 사용되고 있다. 처방공식은 24가지 이상 소개되고 있다. 처방공식인 NAL (National Acoustic Lab of Australia), POGO (Pre-scription of Gain and Output), Berger은 압축보청기에 적용하는데 한계가 있어 다른 방식의 공식이 이용되고 있다. 즉, 소리크기강도(loudness based)를 근간으로 증폭 목표를 정하는 DSL (desired sensation level)(i/o), NAL (national acoustic lab)-NLI NAL-NLII 등은 비선형(none linear) 압축보청기에서 주로 사용되며 주파수별로 이득을 달리 설정한다.

1) Libby 1/3 Gain Method

이론적 배경: 일상생활에서 청력손실의 보상은 약간의 이득으로 충분하다는 것이다. 약간의 청력손실이 있는 경우 절반이 아닌 1/3로 충분하며 1/3 이득 방법은 일반적인 회화에서 평균 MCL 만큼 보정을 하지 않는다 Libby의 1/3 이득공식은 1/3의 청력역치에서 250 Hz에서는 5 dB을 빼고, 500 Hz에서는 1/3 hearing threshold level (HTL)에서 3 dB 적게 하며 그 외의 1,000 Hz부터 6,000 Hz까지는 HTL의 1/3의 이득을 준다. Libby는 2/3 이득법칙은 고도난청 환자에서 1/2 이득 이상이 필요한 환자들에게 적용된다고 하였다.

2) POGO (Prescription of Gain and Output) 공식

POGO는 Libby 1/2 이득법칙(half gain rule)과 유사하며 심-고도난청 환자에게 많이 사용된다. 65 dB 이상의 청력손실이 있는 경우 1 dB의 청력손실에 1 dB 이득을 증가시킨다. Upward spread of masking을 방지하기 위하여 250 Hz에서 10 dB, 500 Hz에서 5 dB을 감소시키고 나머지 1,000 Hz부터 6,000 Hz까지 1/2 이득을 주고 10 dB의 예비 이득을 각 주파수에 더한다.

Insertion gain I1 = 0.5xHi + ki (hearing loss<65),

Insertion gain I2 = 0.5xHi + ki + 0.5 × (Hi 65)

Freq(Hz)	250	500	1k	2k	3k	4k
Ki(dB)	-10	-5	0	0	0	0

3) NAL (National Acoustic Lab of Australia) 공식

이론적 배경: 1/2 이득법칙과 1/3 slope rate을 적용한 것으로 저음역에서는 upward spread of masking을 줄이기 위하여 이득을 적게 한다. NAL 공식은 NAL-R과 NAL-RP (revised profound) 공식이 있으며 중등도 난청에는 NAL-R을 심도 혹은 심-고도난청에서는 NAL-RP를 사용하여 보청기 맞춤(fitting)을 시행한다. NAL 공식은 다른 방식에 비하여 계산이 복잡하여 250 Hz부터 6,000 Hz까지의 이 값에 각 주파수에 0.31을 곱하고 0.05x (HTL at 500+1000+2000)을 더한다.

H3HA = (H500 + H1k + H2k) / 3

X = 0.15 × H3FA

IGi = X + 0.31 × Hi + ki

(IGi :insertion gain in i frequency, ki: additive fitting constant at i frequency, H: hearing threshold at i frequency)

Freq(Hz)	250	500	1k	2k	3k	4k	6k
Ki(dB)	-17	-8	1	-1	-2	-2	-2

압축보청기 맞춤에 많이 사용되는 NAL-NLI 혹은 NAL-NLII는 성인의 축적된 데이터를 기본으로 하여 경험적인 algorithm을 추출한 것으로 성인의 난청 환자들에게 많이 사용되고 있다.

4) IHAFF (Independent Hearing Aid Fitting Forum)

IHAFF의 기본 개념은 압축보청기에서 주위 환경의 소리 강도와 환자가 받아들이는 소리의 강도의 관계를 정상화시키는 것이다. 이것을 실현하기 위하여 3개의 컴퓨터 software가 개발되었다. CONTOUR는 loudness growth 검사를 위한 software이고 VIOLA는 보청기의 선택을 위한 software이다. CONTOUR는 Loudness growth 검사로 warble tone과 같이 주파수 특성이 있는 소리를 5 dB씩 증가시키며 검사하며 환자에게 7단계 즉, 1. 아주 작은 소리, 2. 작은(soft) 소리, 3. 편안한 소리, 그러나 조금 작은 소리, 4. 편안하게(comfortable) 들을 수 있는 소리, 5. 편안한 소리나 조금 시끄러운 소리, 6. 큰소리(loud)나 참을 정도의 큰 소리, 7. 너무 커 불편을 느끼는 소리로 구분하게 한다. 검사는 250 Hz에서 4,000 Hz까지 할 수 있으나 많은 시간이 소요되어 500 Hz와 3,000 Hz에서만 측정하기도 하며 3회 반복하여 중간치를 표기한다. VIOLA는 Loudness growth data는 장기간 측정한 speech spectrum의 작은 소리(soft speech), 편안한 소리(comfortable speech), 시끄러운 소리(loud speech)들을 각 주파수 별로 구분하여 비교한다. 예를 들어 1,000 Hz에서 정상청력을 갖고 있는 사람에게 작은 소리의 0.53의 크기가 작은 어음(soft speech)으로 들리고, 듣기 작은 소리의 0.85에 해당하는 소리의 크기가 듣기 편한 음성(comfortable speech)으로 들리며, 듣기 편한 소리(comfortable sound)의 0.44에 해당하는 소리가 들을 때 시끄러운 어음(loud speech)으로 느끼게 된다. 청력손실이 있어 동작범위가 감소한 난청 환자에게도 소리의 크기와 음성인식간의 관계에 같은 비율이 적용 된다. 일반적으로 500 Hz와 3,000 Hz에서 loudness growth 검사를 실시하며 각 주파수의 input/output function에서 이득, 압축 역치, 압축률, 최대출력을 산출하게 된다.

5) Desired Sensation Level (DSL) I/O 공식

Leonard Cornelisse, Richard Seewald, Don Jamieson 등에 의하여 개발된 공식으로 증폭된 음이 동적 범위(dynamic range) 내에 들도록 하는 데 있다. DSL I/O는 IHFAA와 달리 loudness의 perception이 아닌 순음청력역치를 이용한다. 이 공식은 어린이에게서 상당량 연구되었으며 이는 어린이들이 복잡한 loudness perception을 측정하는데 걸리는 긴 검사시간을 소화하지 못하기 때문이다. 이 공식의 목표는 일상 범위의 소리, 즉, 작은 소리와 큰소리를 난청이 있는 환자의 동작범위에 들어가게 하는 것이다. 이를 위하여 소리는 증폭되고 압축되어야 한다. 증폭은 소리를 들을 수 있게 키우고 압축은 큰소리의 불쾌감을 줄이도록 하는 것이다. DSL I/O는 소아의 작은 외이도의 크기에 따라 변하는 공명을 고려하여 RECD (real ear coupler difference)를 고려하여 이득을 산출한다. DSL I/O은 equal loudness가 아닌 comfortable loudness로 loudness를 정하고 난청이 심할 수록 target sensation level을 낮추었다(그림 41-3). 보청기 이득의 목표는 REIG (real ear insertion gain)가 아닌 REAG (real ear aided gain)로 주파수별 target 설정하였다. 그러므로 소리의 청취력(audibility)을 강조하는 소아 보청기에는 맞춤 목표에 부합하는 DSL I/O을 사용하는 경우가 많다.

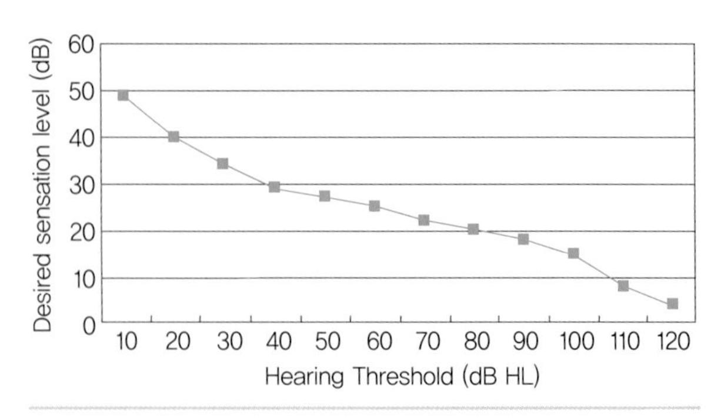

■ 그림 41-3. 1 kHz에서 DSL 방식의 Sensation level의 목표

6) FIG. 6 공식

DSL I/O와 같이 청력역치를 근거로 한 공식으로 loudness data를 사용하게 된다. 이 공식은 1993년 Killion과 Fikret-Pasa에 의하여 게재된 "Three types of sensorineural hearing loss"에 근거를 두고 있다. 즉 정상인과 난청 환자에서 평균 loudness growth를 근거로 software를 만들었다. 40, 65, 90 dB SPL에서 target curve를 만들었고 40 dB는 어음의 작은 소리를, 65 dB는 정상회화음역을, 90 dB는 큰 환경소음을 나타내고 있다. 환자의 청력역치를 근거로 작은 소리는 들을 수 있게,

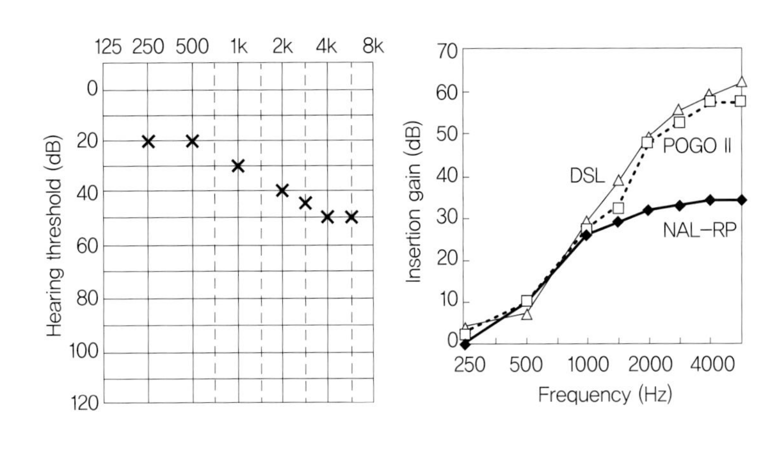

■ **그림 41-4. 좌측 청력도을 근거로한 NAL, POGO, DSL을 적용한 맞춤공식(Fitting formula)에서 주파수별 이득의 비교**

회화음은 편안하게, 큰소리는 들을 만하게 수직적인 공식을 만든 것이다. 청력검사에서 얻은 청력역치를 이용한 각 소리의 수준에서 이득은 아래와 같다.

작은 소리의 이득은 청력역치가 0-20 HL이면 이득=0, 청력역치가 20-60 HL이면 이득=HL 20, 청력역치가 >60 HL 이면 이득 = HL-20 5로 한다. MCL에서의 이득은 청력역치가 0-20 HL이면 이득=0, 청력역치가 20-60 HL 이면 이득 = .6 (HL-20), 청력역치가 >60 HL 이면 이득 = (.8 HL)-23으로 한다. 큰소리에서 이득은 청력역치가 0-40 HL이면 이득=0, 청력역치가 >40 HL 이면 이득 = .1 HL (HL-40)으로 한다. 그림 41-4는 DSL, POGO, NAL 공식에서 서로 다른 주파수반응을 보여주고 있다. 즉 DSL이나 POGO는 NAL에 비해 2-4 kHz의 고음역에서 높은 이득이 있는 것을 보여주고 있다.

Ⅱ 보청기의 조정(Modification)

1. 보청기의 흔한 문제점

처음 보청기를 착용했을 때 환자의 느낌은 오랫동안 정상적인 크기의 소리를 듣지 못했기 때문에 보청기로 증폭한 소리를 듣는 경우 대뇌에서는 그동안 잊어버린 익숙치 못한 소리, 즉 소음으로 받아들이게 된다. 그러므로 보청기로 소리를 증폭하여 듣는 경우 대뇌에서 익숙해지기 위해 약 6주간의 시간이 필요한 것으로 알려져 있다. 난청 환자들에게 보청기를 처음 착용할 때 문제들은 크게 두 가지로 환자가 느끼는 불편함과 보청기 적용이 어려운 기술적인 문제이다. 난청 환자들의 보청기로 인한 불편함의 종류는 소리의 소리되먹임, 폐쇄감, 과증폭, 주변 소음, 언어청취력의 감소 및 소리의 변형이다. 각 주파수에 따른 손실을 보정하고자 하는 경우 난청의 형태에 따라 소리의 증폭에 기술적인 어려움이 있다. 예를 들어, 저음역은 정상에 가까우나 고음역에서 급경사의 손실을 보이는 감각신경성난청, 혹은 일반적으로 고음역에 청력손실이 있는 것과 달리 저음역에 주로 청력손실이 있는 감각신경성난청 등이 주파수의 손실에 따른 소리의 증폭에 어려움이 있다.

1) 소리되먹임(Acoustic Feedback)

소리되먹임은 보청기 착용 후 가장 흔히 대두되는 문제로 특히 웃을 때, 음식물을 씹을 때, 혹은 얼굴표정을 바꿀 때 발생하게 된다. 이러한 소리되먹임의 원인은 보청기 내부 회로 이상 등 기계적인 고장에 의한 내부 원인에 의한 소리되먹임과 귓본, 고주파음, 마이크로폰의 위치, 통음구의 위치 등의 문제로 소리되먹임이 발생하는 외부 소리되먹임이 있다. 가장 흔한 문제는 외이도의 연골부가 골부에 비하여 확장할 수 있는 여지가 많아 외이도 연골부,

하악골 움직임에 발생하는 소리되먹임이다. 즉 외이도의 연골부는 골부에 비하여 하악골의 움직임에 용적의 변화가 쉽게 발생해 연골부의 용적의 변화에 주의를 기울여야 한다. 입을 크게 벌렸을 때와 입을 다물었을 때의 외이도 전벽은 2 mm 정도의 차가 있어, 입을 다문 상태에서 인상(impression)을 만든 경우 환자가 입을 벌릴 때 2 mm의 불필요한 여유공간이 생긴 것과 같다. 그러므로 소리되먹임, 특히 외이도 연골부의 확장에 의한 원인인 경우 적절한 귓본의 제작으로 이를 극복할 수 있다.

소리되먹임을 방지하기 위한 귓본 혹은 earshell을 변형시키는 방법으로 soft sealing, seal ring, sleeve 등이 있다. 원칙은 소리가 외이도에서 누출되지 않도록 하는 것이다. 다른 방법으로 수신기의 튜브의 길이를 길게 하는 것으로, 마이크로폰과 소리의 배출구의 거리를 멀리하는 것이다. 수신기 튜브를 확장함으로 고막 가까이에 증폭된 소리를 줄 수 있고, 적은 이득으로 같은 크기의 소리를 듣게 하는 것이다. 그러므로 튜브를 길게 하거나 보청기의 삽입의 깊이를 깊게 하면 보청기의 적은 이득으로 같은 효과를 얻을 수 있어 소리되먹임을 줄일 수 있다. 또 다른 방법으로 마이크로폰 혹은 소리의 이동 통로, 혹은 통음구에 약음기(damper)를 설치하는 것이다. 고주파의 음이 소리되먹임의 원인이 됨으로 고주파음을 줄이기 위하여 주파수 조절기로 고음을 줄이는 것이다. 약음기는 예리한 공명주파수를 무디게 하며 이로서 주파수반응을 부드럽게 만든다. 약음기는 주파수반응 중 1,000 Hz를 줄여 고음으로의 차폐("upward spread of masking")를 방지하게 된다. 약음기는 여러 종류가 있고 mesh의 밀도에 따라, 약음기의 숫자에 따라 저항이 달라지게 된다.

2) 폐쇄효과(Occlusion Effect)

보청기를 처음 착용하는 경우 환자들이 '자신의 음성을 인식하는 방법에도 변화를 주게 되었다'는 것을 환자에게 인식시켜야 한다. 보청기를 착용함으로써 환자들은 이전에 듣지 못했던 자신의 음성을 듣게 되며 환자들을 이러한 변화에 적응시켜 주어야 한다. 보청기 사용에 의한 증폭으로 외이도 공명의 변화가 생기면 환자는 자신의 음성이 달라졌다고 호소하는데, 자기 목소리가 변했다고 느끼면 매우 불편하게 된다. 특히 "아" 등 모음의 발음의 울림이 크다. 그러나 보청기로서 '환자들의 청력을 변화시켜 주었다면 자음은 울림 현상이 작으며 일상 대화에서 이 두 소리는 약 28 dB의 차이가 있다. 이와 같이 대부분의 음성 울림 문제는 보청기의 저주파 음이 너무 강조되는 것과 관련이 있다. 울림, 진동, 공허감, 막힌 느낌, 소리의 변형 또는 환자가 감기 걸린 듯한 느낌 등의 표현은 모두 너무 많은 저주파수의 증폭과 관련이 있다.

외이도를 보청기로 폐쇄하는 경우 250~500 Hz의 저음에서 20~30 dB, 1,000 Hz에서 6 dB 증강되게 된다. 10 dB의 증가가 환자가 느끼는 소리크기(loudness)로 환산하면 2배의 증가가 됨으로 20~30 dB의 증가는 실제로 3~4배의 loudness의 증가가 되는 것이다. 외이도를 폐쇄하는 경우 두부를 통한 소리의 울림과 저음의 증가로 폐쇄 모음이 "이", 혹은 "오" 등의 발음은 20~30 dB의 증폭이 있고 큰소리로 "이" 혹은 "오"를 발음하는 경우 140 dB SPL 크기로 울려 들리게 된다. 그림 41-5는 외이도에 probe-마이크로폰을 설치하고 스위치를 끈 보청기를 귀에 삽입하고 "이" 발음을 하는 경우 보청기의 삽입 깊이에 따라 주파수반응이 달라지는 것을 나타내는 것으로 삽입 깊이가 깊어질수록 250 Hz 주위의 저음의 반응이 감소하

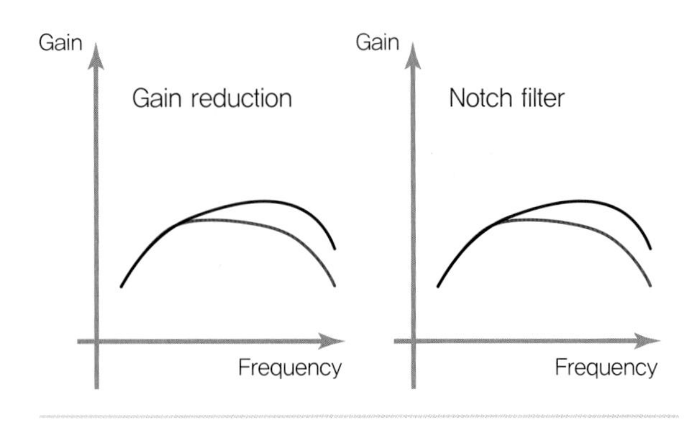

■ **그림 41-5. 소리되먹임 제거방법.** Gain reduction과 notch filter

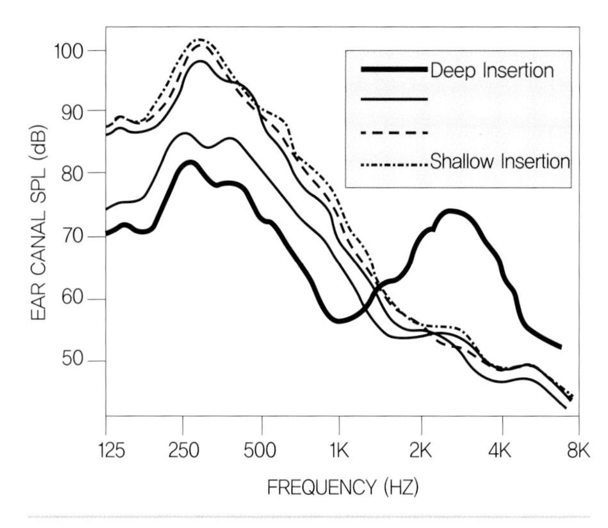

■ 그림 41-6. 보청기의 깊은 삽입과 얕은 삽입의 주파수 반응의 차

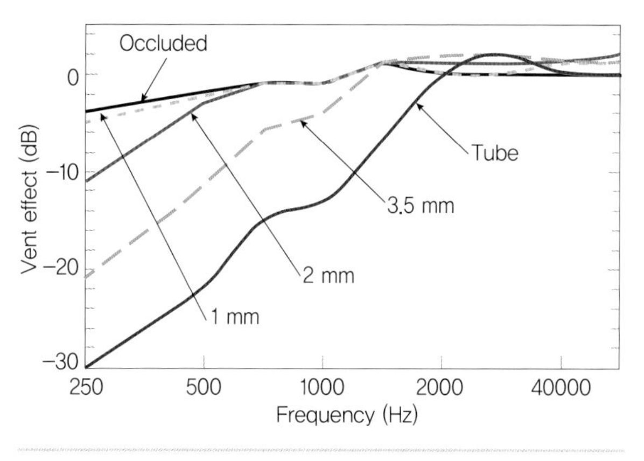

■ 그림 41-7. 저주파 음역에서 통음구(vent)의 효과

는 것을 보이고 있다. 개방 모음인 "아"는 "이"나 "오"보다 폐쇄효과가 작아 "아"를 크게 발음하는 경우 115 dB SPL의 크기의 소리를 듣는 것으로 알려져 있다. 그러므로 폐쇄 모음인 경우 외이도를 폐쇄하는 경우 자체의 소리를 제외하고도 80~95 dB가 증폭된다. 따라서 보청기 음향의 조정은 보청기를 착용하는데 있어서 매우 중요하다고 할 수 있다. 외이도 공명을 변화시키거나 공명 주파수를 상승시키는 방법에는 통음구의 크기를 크게 하고 길이를 길게 한다. 그림 41-6은 귓본의 크기를 달리하여 외이도에서 차지하는 깊이에 따른 소리의 주파수반응을 측정한 것으로 외이도의 귓본이 깊이 위치할수록 고음역에서 주파수반응이 좋아지는 것을 볼 수 있다.

폐쇄효과를 줄이기 위한 방편으로 통음구를 만드는 것으로 2 mm 통음구를 만드는 경우 200 Hz에서 8.5 dB을 감소시킬 수 있다. 그러나 귓속형 보청기인 경우 외이도가 넓은 경우 최대 2-3 mm의 통음구를 설치할 수 있으나 고막형 보청기인 경우 압력을 배출할 수 있는 작은 통음구만 가능하다. 다른 방법으로 외이도에 깊게 보청기를 위치시키는 것이다. 외이도에 얕게 수신기가 위치하는 경우 125 Hz에서 20~25 dB, 200 Hz에서 8.5 dB를 증강시킬 수 있다. 그러나 외이도 깊이 shell을 위치시키는 경우 5~10 dB 정도만 증가시키게 된다(그림 41-7). 저주파음을 감소시키는 방법들은 짧은 귓본이나 큰 통음구를 사용해서 외이도 내에 더 많은 airspace를 확보한다. 또한 소리 특성의 변화를 low cut 혹은 high pass filter 등의 주파수 조절기로 조정하거나 저항이 다른 약음기 혹은 filter를 사용한다.

3) 주변 소음(Background Noise)

난청이 있는 환자에서 가장 어려운 점은 음식점, 혹은 시장 등 주변소음(background noise)이 큰 환경에서의 청취능력의 감소이다. 주변소음은 주로 저음으로 저음이 고음을 차폐하는 "spread of masking" 때문에, 어음판별력을 좌우하는 고음의 청취능력 감소가 일어나 소음이 있는 상황에서 어음판별력은 감소하게 된다. 상대방과 대화에 집중할 수 있는 능력을 얻기 위해 적절한 연습이 필요하며, 특히 양측 귀가 모두 나쁜 경우에 보청기를 한쪽만 착용한 환자일 때 소음 속에서의 대화능력은 더 떨어지게 된다. 그러므로 양측귀의 청력장해가 있는 경우 양측 귀에 보청기를 함으로써 다음과 같은 기능을 향상시킬 수 있다. 즉 양측 귀에 보청기를 착용하는 경우 신호 대 잡음 비(signal/noise ratio)가 증가되고, 이에 따라 소음 속에서 대화하는 경우 어음명료도가 증가하며, 소리에 대한 방향감각이 증가한다. 또한 양측 보청기는 소리의 상승작용으로 보다 작은 이득 수준에서 소리를 들음으로써 소리변형 및 소리되먹임의 감소 등의 이점이 있다.

2. 보청기 증폭의 조정(Modification) 방법

보청기의 증폭음은 귀를 폐쇄함으로 공명 변형(resonance distortion)이 생기고 환자에게 소리의 부자연스러움을 느끼게 한다. 공명변형의 예로 증폭된 소리가 깨진 스피커 같은 느낌이라면 수신기 튜브의 소리누출이 있는 것이다. 또한 소리의 변형은 일시적인 변형(transient distortion)으로 증폭음이 무엇을 두드리는 듯한 음이라든지 벨 소리 같이 울리는 경우로 마이크로폰과 수신기의 inertia로 발생할 수 있다. 말소리나 음악 소리가 따갑게 들리는 경우 intermodulation 조정으로 약음기나 filter로 교정할 수 있다.

난청 환자의 보청기 착용 후 일반적인 증폭음에 대한 불편함은 아래와 같다. 첫째, 자신의 목소리에 귀가 따갑다든지 물 흐르는 소리 같은 것 때문에 괴롭다고 환자들이 불평할 때는 MCL과 UCL사이의 간격을 점검한다. 또한 환자가 reference test position 이상으로 보청기 이득을 사용하고 있지 않는가를 확인해야 한다. MCL과 UCL 사이의 정상 범위는 보청기 착용 시의 범위보다 더 크며, 대개의 경우 환자는 더 넓은 범위를 필요로 한다. 둘째, 고주파수가 너무 증폭될 때는 저주파수가 많을 때와는 반대의 효과를 나타낸다. 환자는 자신의 목소리가 너무 작고 날카롭다든지 또는 기계적인 음 같다고 말한다. 이런 경우 해결책들은 통음구 크기를 줄이거나 tone을 낮추거나 약음기(damper)를 바꾼다. 또 다른 방법으로 귓본을 더 꼭 끼게 하거나 마이크로폰이나 수신기를 주파수 반응이 낮은 종류로 바꾼다. 저주파음 이득은 수신기 튜브 크기를 줄이거나 다른 종류의 wax guard를 사용함으로써 증가된다. 셋째, 환자가 되 튀는 소리 또는 귀 따가운 소리보다 통 속에 머리가 든 느낌, 큰 빈방에 있는 느낌 또는 '메아리가 들린다'라고 표현하면 보청기의 출력이 너무 높음을 의미한다. 출력 단자가 없다면 수신기나 보청기의 earhook에 약음기나 filter를 사용해 본다. 넷째, 자신의 씹는 소리가 너무 크다고 느낄 때는 통음구를 크게 하고 canal 부위를 짧게 해야 한다. 귀마개를 착용하고 있는 듯한 느낌이라고 할 때는 1,000 Hz 영역에서 이득을 높여야 하는데, 경우에 따라서는 750 Hz와 1,500 Hz를 포함해야 하기도 한다. 보청기를 너무 낮게 끼우고 있는 경우에도 그럴 수 있다.

보청기를 처음 착용하는 경우 거의 대부분의 환자들이 한가지 이상의 문제점을 호소하게 되는데 가장 흔히 겪는 문제는 소리되먹임(feedback)과 폐쇄감(occlusion), 자극적인 주위의 소음, 동굴 같은 곳에서 소리를 듣는 것과 같은 소리의 변형 등 음향적인 문제뿐 아니라 보청기 착용의 불편함, 외이도 자극 등의 음향 외적인 문제들도 있다. 이러한 문제를 해결하기 위한 방법은 귓본의 조정과 보청기에 부착된 조절기의 조절이다.

1) 귓본(Earmold)에서 증폭음의 조정

BTE 보청기에 주로 사용하는 귓본은 증폭된 음을 보청기 본체로부터 고막에 전달한다. 귓본은 acoustic coupler라 할 수 있으며, 귓본의 조정은 보청기의 형태에 따라 조정의 용이성이 달라 가장 큰 종류인 귀걸이형이 귓속형 혹은 고막형보다 조정이 쉽다. 그러나 자연스러운 소리의 청취력은 보청기가 고막에 가까우면서 작을수록 증가한다. 귓본의 음향의 변형은 보청기의 수신기로부터 소리가 배출되는 bore까지 튜브로 연결되어 있으며 튜브의 길이와 넓이의 변형은 증폭된 음을 크게 나팔(horn) 효과, 통음구(vent), 약음기(damper)로 대별할 수 있고 각각은 보청기의 주파수반응을 달리 변형시킨다. 그림 41-8은 통음구와 약음기, 그리고 나팔효과에 의한 주파수반응의 변형을 도식화한 것으로 통음구는 500 Hz 주변의 저음을 변형시킬 수 있고 약음기는 2,000 Hz 주변의 중간음을 변형시킬 수 있으며, 귓본의 bore의 형태를 변형시키는 경우 나팔효과가 있어 고음을 증폭시킬 수 있다.

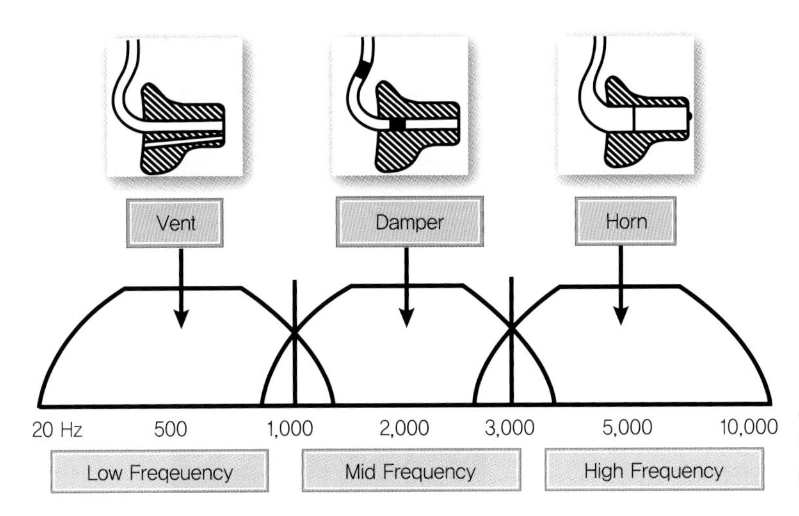

■ 그림 41-8. 통음구(Vent), 약음기(damper), 나팔(horn) 효과

(1) 튜브에 의한 조정

귓본의 조정의 종류는 튜브의 변형으로 튜브는 ear-hook으로부터 sound bore까지 튜브를 변형시킬 수 있다. 튜브의 내경(inside diameter; ID)과 튜브의 길이가 주파수반응에 현격한 영향을 미칠 수 있다. 모든 형태의 보청기에서 tube의 직경을 달리함으로써 이득과 출력이 증가하거나 감소하게 된다. 표 41-1은 National Association of Earmold Laboratory (NAEL)에서 규정한 튜브의 번호와 내경 및 직경을 규정한 것으로 일반적으로 13번 튜브가 가장 많이 쓰이며 소리되먹임이 문제가 될 때에는 두터운 혹은 이중벽의 튜브를 사용한다. 벽이 두꺼운 튜브의 경우 튜브를 통한 음의 누출이 작고 소리의 진동도 쉽게 일어나지 않으며 귓본에 삽입할 때 변형되지 않는다. 튜브는 길이가 길어지는 경우 공명 주파수의 정점이 낮은 쪽으로 이동하고 튜브의 구경이 넓어지면 1,000 Hz와 2,000 Hz 사이의 이득이 증가하며 낮은 주파수의 이득은 감소하게 된다. 튜브의 구경이 좁아지면 저주파수의 이득이 증가하게 된다. 그러므로 튜브가 길고 좁은 경우 주파수의 정점이 저주파음 쪽으로 가고 튜브가 짧고 넓은 경우 주파수 정점이 고주파 쪽으로 이동하게 된다. 일반적으로 어음의 변별력이 고음에 의하여 좌우됨으로 보청기의 궁극적인 보청효과는 고음이 강조될 때 이루어지고 이를 달성하기 위하여 튜브는 가능한 짧고 넓게 써야 한다.

표 41-1. Tube number 에 따른 내경 및 외경의 크기

Tube Number(#)	Tube 내경(mm)	Tube 외경(mm)
#12 Standard	2.16	3.18
#13 Medium	1.93	3.10
#13 Thick wall	1.93	3.31
#13 Super thick	1.93	3.61
#15 Standard	1.50	2.95
#16 Standard	1.35	2.95

(2) 나팔(Horn) 효과에 의한 조정

귓본의 소리 배출 통로를 벨 모양으로 만들거나 귓본을 짧게 하여 귓본이 외이도에 차지하는 부분을 작게 하여 외이도에 밀폐된 공간이 적은 경우 compliance는 증가하게 된다. Libby Horn 등과 같은 특수한 형태의 튜브는 13번, 즉 내경 1.9 mm의 길이 21~22 mm의 튜브의 끝부분을 3~4 mm 크기의 벨 모양으로 크게 만들어 소리를 증폭시키는 경우 소리의 음질의 향상과 고음역의 이득을 얻을 수 있다. 즉 소리가 배출되는 bore 모양의 변형에 따라 음향을 변형시킬 수 있다. 소리의 최종 배출구인 bore는 길이가 길고 좁을수록 주파수반응은 저주파 쪽으로 이동하고 bore가 좁고 짧은 경우 주파수반응이 고주파 쪽으로

이동하게 된다. Bore가 종과 같은 모양의 끝이 확대되는 경우 나팔효과가 있어 고주파의 증폭 효과가 있다.

(3) 통음구(Vent)에 의한 조정

외이도를 폐쇄하는 경우 환자는 폐쇄효과로 소리가 울려서 들린다고 불편을 호소하게 되며 이를 예방하기 위하여 통음구를 설치한다. 귓속형 혹은 고막형 보청기 등 보청기의 크기가 적은 경우 통음구를 설치할 공간이 작아 적절한 통음구를 설치할 수 없으나 BTE인 경우 귓본에 통음구를 설지할 수 있다. BTE에서는 주파수반응의 이득을 얻을 수 있는 충분한 크기의 통음구를 설치할 수 있어 저주파의 음을 배출시키는 효과뿐 아니라 저주파의 이득을 감소시킬 수 있어 폐쇄효과를 감소시킬 수 있다. 또한 통음구는 주파수 이득뿐 아니라 통음구를 통하여 소리가 고막으로 들어갈 수 있는 소리의 통로 역할도 할 수 있으며 특히 저음의 통로 역할을 한다.

귓본이 폐쇄되어 외부공기가 직접 외이도에 들어가지 않으면 귓본은 막힌 형태가 되고 소리의 통로와 평행 혹은 경사지게 통음구를 갖춘 경우에는 공기의 소통이 가능하게 된다. 통음구는 그 형태에 따라 parallel vent, diagonal vent, external vent 등 3개의 종류로 대별되며 일반적으로 parallel vent를 만들게 되나 귓본이 좁은 경우 diagonal vent를 만든다(그림 41-9). 그러나 diagonal vent는 고주파수의 음을 감소시키기 때문에 가능한 parallel vent를 만드는 것이 좋다. 외이도가 좁아 diagonal vent를 만드는 경우 가능한 bore 길이를 짧게 하고 귓본의 끝에서 소리통로와 만나게 하고 벨 모양의 bore를 만드는 것이 좋은 것으로 알려져 있다. 음향에 대한 효과를 기대하기보다는 외이도의 차페와 충만감을 줄이기 위해 외부 통음구를 사용하기도 한다. 외이도가 좁거나 귀속형, 귓바퀴형 혹은 외이도형 보청기인 경우 통음구를 만들 공간이 없어 귓본 외부 표면에 홈을 파낸 형태도 있다.

통음구의 직경과 길이는 보청기 음향에 영향을 주며

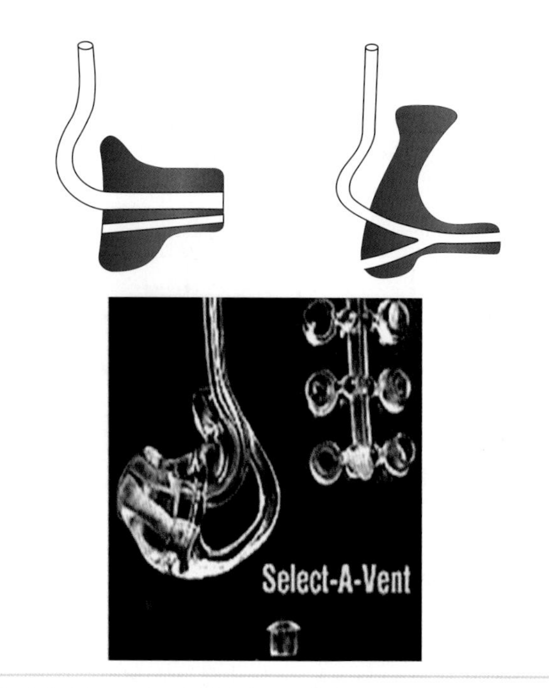

■ 그림 41-9. 좌측으로부터 Parallel vent, Diagonal vent, Select A vent

미세한 크기의 통음구는 이득과 음향에 영향 없이 외이도 내 압력을 감소시킬 수 있다. 통음구의 구경이 0.06~0.8 mm이면 주파수반응의 효과는 없으나 외이도 감압 효과가 있다. 즉 귓속형 혹은 고막형 보청기는 넓은 통음구를 설치할 공간이 없어 음향의 변형을 주지 못하고 단지 압력의 감소 역할을 한다. BTE의 귓본은 구경이 큰 통음구를 설치할 수 있고 통음구의 구경이 1 mm 가량되는 경우 250~300 Hz의 저음에 증강이 있고 구경이 2 mm 이상 되는 경우 500 Hz 이하의 저음의 감소가 있으며 500~700 Hz의 음은 증가시키는 효과가 있다(표 41-1).

(4) 약음기(Damper)와 Filter에 의한 조정

보청기에 의하여 외이도가 폐쇄되는 경우 보청기로 증폭된 소리는 많은 peak를 갖는 공명음을 만들어 내고 이러한 음은 환자에게 듣기에 불편한 소리를 생성하게 된다. 이러한 다수의 peak를 갖는 공명음을 줄이기 위하여 소리의 통로 튜브 내에 약음기(damper), 또는 filter 등을 삽입하여 소리를 부드럽게 만든다. 약음기의 종류는 많이

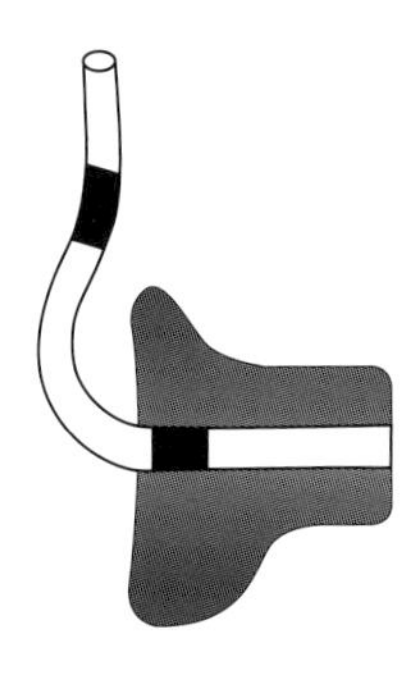
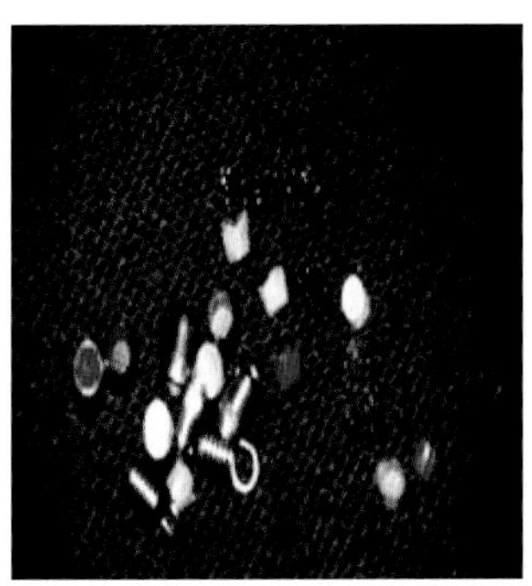
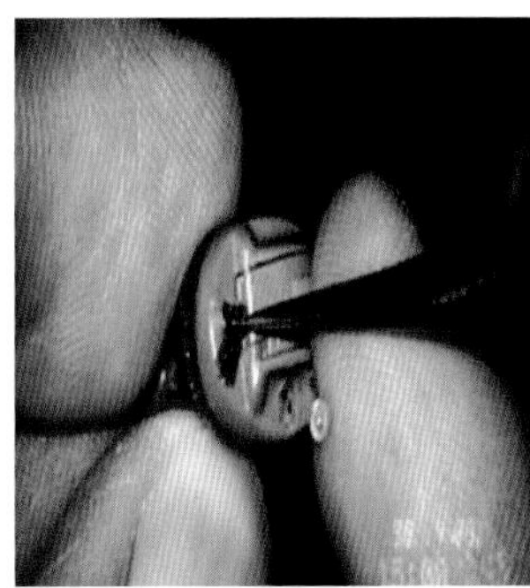

■ 그림 41-10. 약음기(Damper) 종류 및 사용방법

있는 플라스틱 망사형으로부터 스펀지, 양털 등 여러 가지가 있다(그림 41-10). 이러한 약음기는 전 주파수 범위에서 마찰손실을 이용한 에너지 분산 등으로 특히 2,000 Hz 주변의 중간음의 음향의 흐름을 제한할 수 있다.

보청기의 약음기 및 filter는 재질의 밀도와 수신기로부터 나온 증폭음이 소리통과 튜브의 위치에 따라 주파수반응의 변화를 결정한다. 그물형 플라스틱의 약음기인 경우 색깔에 따라 저항이 달라 680, 1,500, 2,200, 3,300, 4,700 Ohm(Ω)의 저항을 갖는 것으로 흰색, 녹색, 적색, 오렌지, 황색 등으로 색깔을 구분한다(그림 41-10). 약음기의 효과는 약음기의 밀도와 삽입한 약음기의 숫자에 따라 다르며 밀도가 높을수록 저항이 높고 소리의 peak를 감소시켜 부드럽게 하는 효과가 크며 보청기의 이득을 감소시킨다. 그림 41-11는 약음기를 사용하지 않은 경우와 저항이 다른 그물형 플라스틱 약음기를 사용했을 때의 고막 앞에서 60 dB SPL의 소리를 주고 probe-마이크로폰으로 측정한 주파수반응을 나타낸 것으로 약음기를 사용하지 않을 경우 여러 개의 peak를 갖는 주파수반응을 나타내는 보청기가 밀도가 높아지는 약음기를 사용함에 따라 부드러운 peak를 나타내는 주파수반응을 관찰할 수 있다(그림 41-11). 그러나 약음기는 튜브 내에 습기가 차고 응축되는 현상을 유발시킬 수 있다.

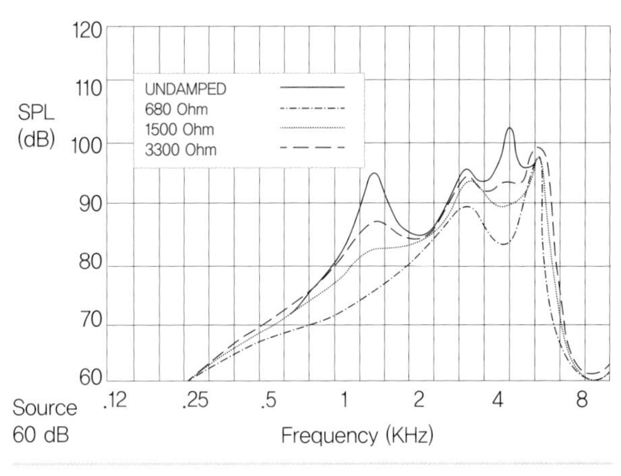

■ 그림 41-11. 약음기(Damper)의 종류에 따른 주파수반응의 차

2) 조절기(Potentiometer) 조정에 의한 증폭음의 조정

보청기는 보청기의 크기에 따라 최고 1~6개의 다른 기능을 갖는 조절기(potentiometer, pot, trimmer)를 부착하게 된다. 보청기의 크기가 작은 고막형인 경우 조절기를 설치할 공간이 없어 단순히 소리의 크기를 조정하는 음량조절기만 부착되어 있다. 귓속형 보청기는 1~2개의 조절기를 부착하는 경우가 많고, BTE는 설치할 수 있는 여유 공간이 많아 4개 이상 6개까지 설치된 것을 볼 수 있다(그림 41-12). 부착되는 조절기의 종류는 이득조정(gain control), 주파수반응(frequency response) 조정, 즉 고음 및 저음의 증감, 최고출력(maximum output, SSPL 90)의 제한, knee point, 압축률(compression ratio)을 조정할 수 있는 조절기 등이 있다. 그러나 최근 많이 사용되고 있는 programmable 혹은 digital 보청기는 보청기 외부에 조절기가 부착되지는 않았으나 Hi-probox라는 interface와 Noah software로 보청기와 컴

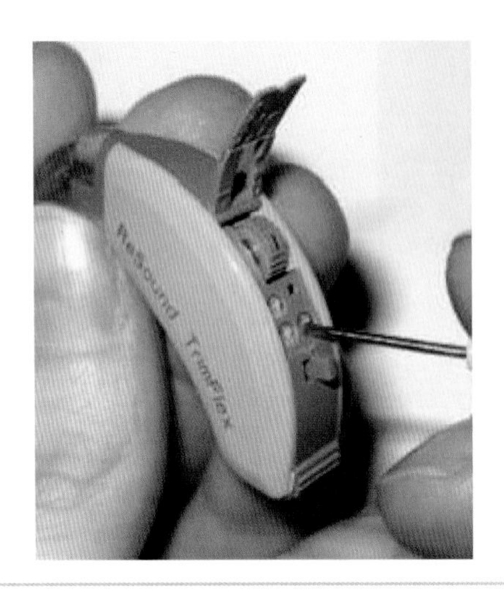

■ 그림 41-12. Potentiometer

퓨터가 연결되어 컴퓨터에서 보청기의 주파수특성, 최대 출력 등 기존의 BTE 보청기에서 조절할 수 있는 이상의 종목들을 조절할 수 있다. 그러므로 과거 고막형 혹은 귓속형 회로는 고정되어 변형이 제한되어 있다는 개념에서 이제는 BTE 이상의 조정 가능한 유연한 회로의 보청기로 개념이 변화되고 있다.

(1) 이득조절(Gain Control)에 의한 조정

이득조절은 두 가지로 고막형의 작은 보청기인 경우 이득조절은 즉 음량조절로, 외부에 노출된 바퀴형의 음량조절기가 부착되어 있다. BTE인 경우 외부에 부착된 손으로 조절하는 음량조절기와 함께 보청기 내부에 조그만 screw driver로 조절하는 이득 조절기의 두 가지로 이루어져 있다. 외부에 노출된 음량조절기와 내부의 이득조절기는 동일한 기능을 같게 되며 보청기 회로가 갖고 있는 주파수반응을 단순하게 증가시키는 역할을 하게 된다.

(2) 주파수 조절기에 의한 조정

주파수 조절기는 크게 고음통과휠터(high pass filter)와 저음통과휠터(low pass filter)로 나누며 고음통과휠터는 저음역의 소리를 감소시킨다. 주파수 조절기는 회로의 정해진 주파수반응을 변형시켜 저음역 혹은 고음역의 증폭음을 변형시켜 환자의 청력손실에 따른 주파수별 반응을 보전하게 된다. 예를 들어 고음통과휠터는 저음역의 소리를 변형시킬 수 있고 저음의 감소는 소음이 있는 환경에서 말을 알아듣는 능력을 증가시키고 폐쇄효과를 감소시켜 음감을 자연음과 유사하게 한다. 저음통과휠터는 고음역의 주파수반응을 증가 혹은 감소시키며 고음의 증가는 어음의 명료도를 증가시키고 고음의 감소는 소리의 소리되먹임을 감소시킬 수 있다.

(3) 최고출력 조절

보청기의 최초 착용 시 가장 유의하여야 할 것은 보청기의 최대출력(maximum output)이 환자가 불편함을 느끼는 수준(UCL)을 넘지 않게 하는 것이다. 최고출력조절기는 saturation SPL (SSPL) 90을 적용시키는 것으로 90 dB SPL의 소리를 주었을 때 보청기가 증폭하는 최대의 소리 크기를 제한하는 것이다. 그러므로 보청기를 환자에게 최초로 착용하기 전 보청기분석기를 이용하여 최대출력이 환자의 UCL을 넘지 않는지 확인하여야 한다.

(4) Knee Point 조절에 의한 조정

Knee point (KP) 혹은 압력역치(compression threshold) 조절기는 소리가 보청기에 입력되었을 때 소리의 압축시점을 조절하는 것으로 일반적으로 45~75 dB SPL 사이에서 작동된다. 감각신경성난청 환자인 경우 누가현상(recruitment phenomenon)이 있어 동작범위가 좁아져 있고 일반인이 편안하게 듣는 소리의 크기에서도 불편함을 느낄 수 있다. 이런 경우 KP를 낮추어 보통 크기의 소리에서도 소리의 압축이 요구된다. 낮은 KP는 작은 소리 크기에서부터 압축이 시작됨으로 거의 대부분의 청력 수준의 소리를 압축된 상태로 듣게 되고 이런 경우 압축이 시작되고 풀리는 것을 환자가 감지하지 못한다. KP가 70 dB SPL에서 작동되면 압축되기까지 비례증폭(linear amplification)을 하고 KP 이상의 소리에서 압축이 시작된다. 그러나 환자는 압축과 압축해제의 소리를 느끼게

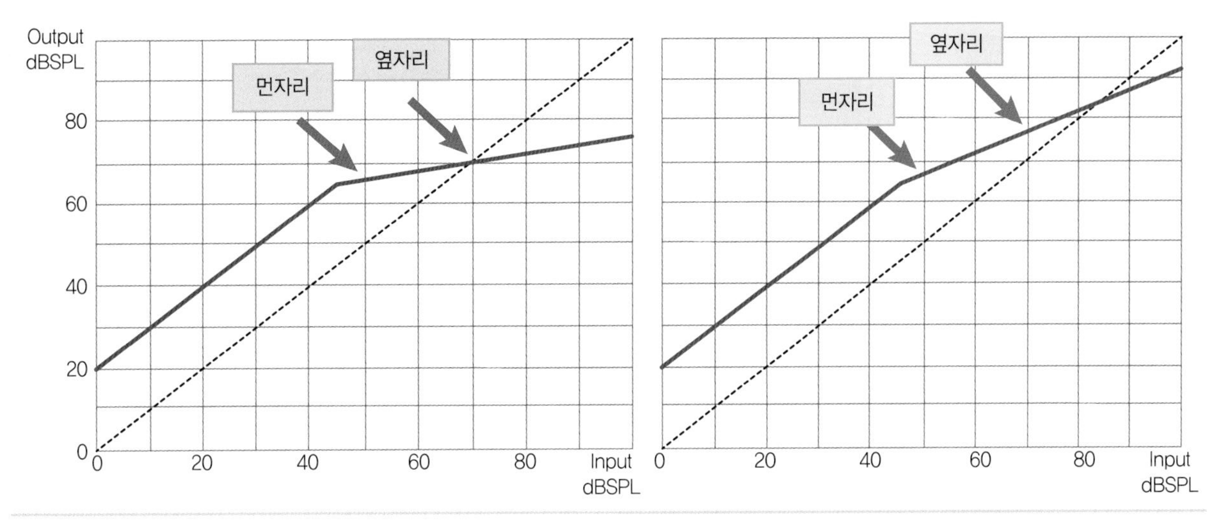

■ 그림 41-13. Knee point 45 dB SPL에서 compression ratio 6:1(좌)과 compression ratio 2:1(우)의 비교

되는 불편함이 있다. 그러므로 KP의 설정은 환자의 청력 손실 형태와 누가현상의 여부, 동적범위의 범위 등을 고려하여 설정하여야 한다.

(5) 압축률(Compression Ratio)의 조절에 의한 조정

압축률 조절기는 입력되는 소리를 출력할 때 압축되는 비율을 정하는 것으로 비례증폭은 1:1로 증폭하나 압축증폭은 입력되는 소리를 일정한 비율로 감소시켜 증폭하는 것이다. 소리의 증폭이 일정 수준 이상이 되면 환자가 불편을 느끼게 되고 이것을 방지하기 위하여 증폭되는 소리의 제한을 둔다. 그러나 비례증폭인 경우 소리를 제한하면 제한되는 소리 크기의 주변에서 소리의 변형이 일어난다. 이를 예방하기 위하여 소리의 압축이 필요하다. 또한, 감각신경성난청으로 동적범위(dynamic range)가 줄어든 경우 불편하게 느끼는 큰 소리는 적게 하고 잘 안 들리는 작은 소리는 크게 증폭하여 입력되는 소리가 동적범위 내로 들어가게 하는 목적이 있다. 정상인의 경우 동적범위가 100 dB 정도 되나 감각신경성난청인 경우 40 dB 이내가 되는 경우가 많다. 그러므로 감각신경성난청이 있는 경우 입력된 소리를 증폭하여 출력되는 소리의 범위를 40 dB 이내로 축소해야 환자가 편하게 들을 수 있다. 보청기의 출력을 비례형과 유사하게 하려면 압축비율을 2.5:1 이하로 만들어야 한다. 그림 41-13에서와 같이 동일한 knee point에서 압축률이 다른 두 보청기에서 압축률이 높은 압축률이 낮은 경우보다 근거리와 원거리의 소리의 차가 없는 것을 보여주고 있다. 이런 경우 원거리의 소음이 증폭되어 신호소음비가 감소하여 어음변별력이 감소된다.

Ⅲ 보청기 검증(Verification)

보청기 맞춤 후 처방된 목표만큼 보청기에 의한 이득이 있는지 알아보아야 한다. 이를 측정하는 방법은 보청기 착용 전과 후의 순음청력역치의 변화를 보는 functional gain과 실이측정(real ear measurement)이 있다. 그림 41-14의 좌측 사진은 coupler를 이용한 보청기의 출력 측정이고 우측 사진은 probe 마이크로폰을 귓속에 삽입하고 실이측정을 하고 있다. 실이측정은 probe-tube 마이크로폰을 고막에 위치시키고 주파수반응을 SPL dB HL로 측정하는 것으로 보청기를 착용하지 않고 측정한 real ear unoccluded response (REUR), 보청기를 착용하였으나 작동시키지 않은 상태에서 측정한 real ear occluded response (REOR), 보청기를 작동시키고 측정한 REAR (real ear aided response) 등이 있다. 실

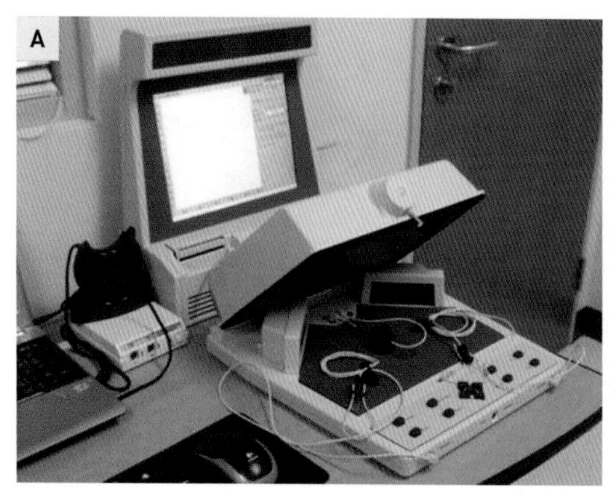

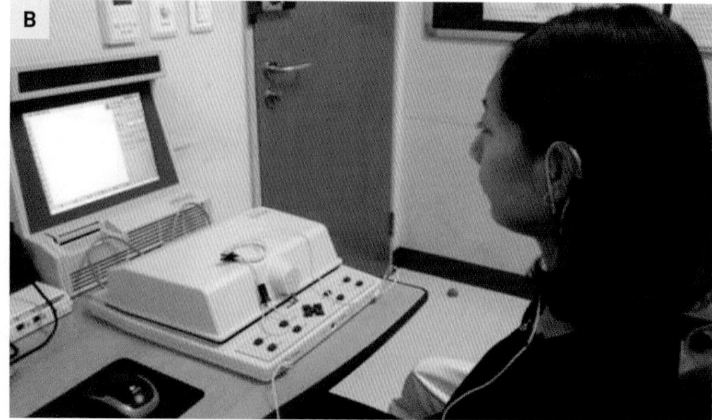

■ 그림 41-14. **실이측정(real ear measurement; REM) 기기의 구성**

이측정을 하는 경우 개별적인 차를 고려하지 않은 보청기 조절 공식, 즉 여러 축적된 데이터에 의한 일반적인 target보다 개별적인 차이를 반영한 목표치를 설정하여 보청기 맞춤의 만족도를 높일 수 있다. 특히 소아의 보청기 맞춤에 이를 적용하는 것이 중요하다.

1. 실이측정(Real ear measurement)

1) Real Ear Insertion Gain (REIG)

Real ear insertion gain (REIG)은 고막 앞에 probe tube 마이크로폰을 위치시키고 보청기 작동 후 주파수반응인 REIR (real ear insertion response)와 보청기 작동 전 주파수반응인 REUR (Real ear unaided response)의 차를 SPL로 표기한 것이다(그림 41-15). REUR는 외이도와 concha의 공명효과의 특성을 측정하는 것이다. 외이도와 귓바퀴는 특정한 음을 증폭시키는 특성이 있으먀 성인은 2,700 Hz에서 약 17 dB의 증폭을 나타낸다. REUR의 측정은 insertion gain에 기본적인 수치가 된다.

2) Real Ear Coupler Difference (RECD)

Prescriptive 공식에 의하여 환자의 청력검사 결과를 컴퓨터화된 probe-tube 마이크로폰 system에 입력하고 원하는 처방공식을 선택한 후 target insertion gain을

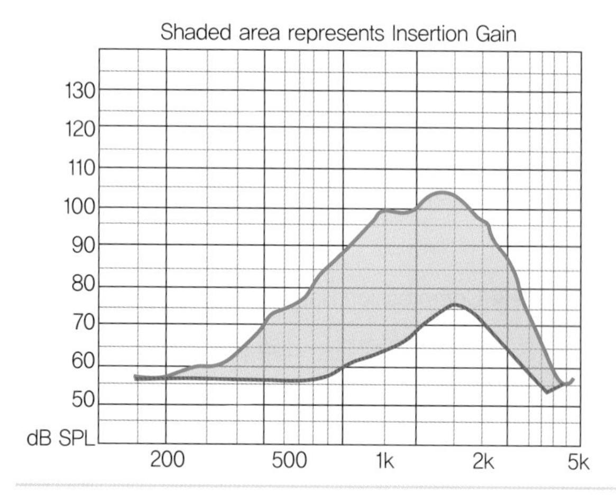

■ 그림 41-15. **Real Ear Insertion Response.** Insertion gain은 REAR와 REUR의 차

계산한다. 고막 앞에서 실이측정으로 보청기의 이득을 측정한 것이 REAR (real ear aided response)이고 이 수치로 REIG (real ear insertion gain)을 산출할 수 있다. 보청기를 제조한 후 제작사에서 2 cc 접합기(coupler)로 보청기의 이득을 측정한다. 2 cc 접합기 이득(coupler gain)과 REIG과의 차를 RECD (real-ear coupler difference)라 한다(그림 41-16).

RECD는 외이도의 크기, 보청기의 형태, 마이크로폰의 위치, ear mold의 형태 등에 의하여 생길 수 있다. 이와 같은 차를 줄이기 위하여 2가지의 방법이 개발되었으며 그 중 하나는 Zwislcki coupler이고 다른 하나는

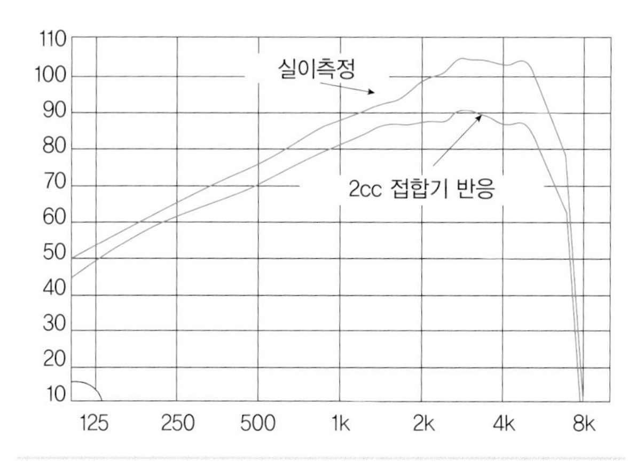

■ 그림 41-16. RECD는 실이측정치(REAR)와 2cc 접합기(coupler) 반응의 차

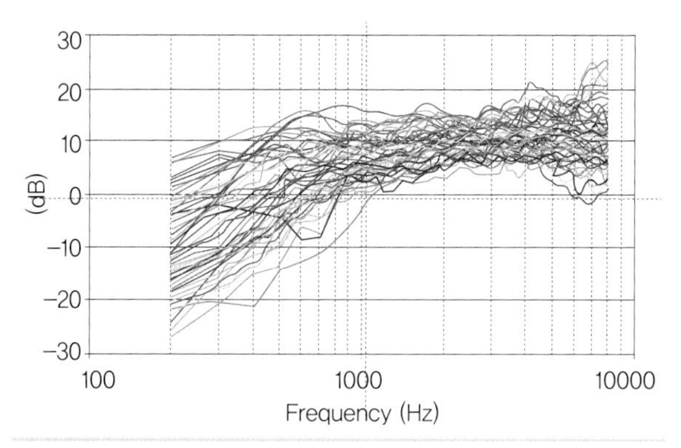

■ 그림 41-17. Real ear coupler difference (RECD)의 평균치(굵은 선)와 측정치(개별 실선)

KEMAR이다. 그림 41-16에서와 같이 RECD는 개체 별로 차이가 있어 이를 반영하지 않은 일률적인 보청기 이득의 목표설정(target)은 오류가 발생할 가능성이 많다. 특히 소아인 경우 협소한 외이도로 인한 RECD가 커 보청기 맞춤 시 목표설정에 RECD를 반영하여야 한다. 그림 41-17는 많은 사람들의 개별적인 RECD를 실선으로 표시하였고 이들의 평균 RECD를 굵은 선으로 표시하고 있다.

3) Speech Mapping에 의한 생실이측정(Live REM)

Speech Mapping이란 환자의 고막 앞에서 보청기의 출력을 녹음된 음성, 음악, 혹은 소음 등을 스피커로 준 다음 실시간으로 반응을 표기한 것이다. 생실이측정(Live REM)으로 음성으로 입력한 소리가 보청기를 통해 고막 앞에서 어느 정도의 크기로 들리는지를 측정하는 REM으로 실제 대화 상황을 가장 정확하게 반영한 것이다.

가청(audibility)의 검증(verification)은 3단계 크기의 소리, 즉 작은 소리, 편안한 소리, 큰 소리로 구분하여 검증한다. 작은 소리(soft speech)를 들을 수 있는지는 50 to 55 dB SPL 크기의 음성 혹은 babble로 측정하고 실이측정으로 측정된 소리에 대한 반응은 audibility area, 즉 speech banana의 하단에 위치하여야 한다. 편안한 소리(moderate speech)에 대한 검증은 65 to 70 dB SPL 크기의 녹음된 음성 혹은 babble로 입력하여 반응 curve가 audibility area 중앙에 위치하게 조절한다(그림 41-18). 큰소리에 대한 반응은 환자가 참을 수 있을 정도가 되어야 하며 90 dB SPL 소리에서 주파수반응커브가 UCL (uncomfortable level)에 도달하지 않아야 한다.

2. Functional Gain

Functional gain은 보청기를 착용한 경우와 착용하지 않고 측정한 psychoacoustic measurement의 청력역치의 비교로 sound field에서 측정하게 된다. Sound field는 스피커를 통해서 방음실에서 방사된 음을 가지고 청력검사를 하는 것으로 functional gain은 순음청력검사와 유사하게 측정하게 된다. 그러나 functional gain의 측정은 순음 대신 wobble tone 혹은 narrow band masking noise를 사용하게 된다. 이는 standing wave에 의한 측정의 오차를 줄이기 위함이다.

검사방법은 먼저 보청기를 착용하지 않고 청력역치를 측정하고 난 후 보청기를 작동시키고 청력역치를 측정하게 된다. 이 두 청력역치의 차가 보청기에 의한 functional gain이 된다.

Headphone을 사용한 Functional Gain. Conventional한 보청기는 기존의 headphone으로 검사하는 경우 소리되먹임의 문제로 측정하는데 문제가 있으나 고막

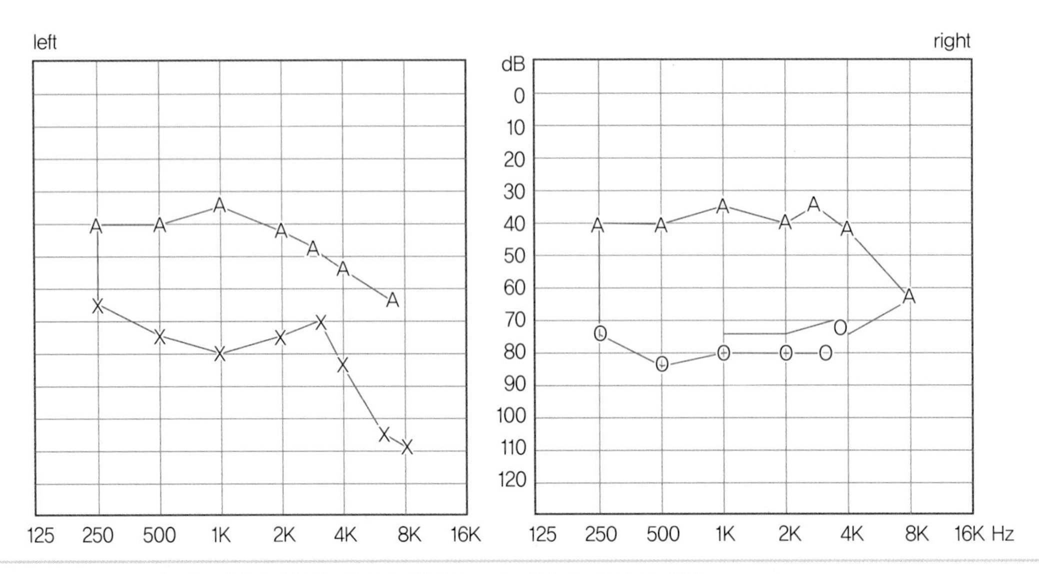

■ 그림 41-18. **Functional gain.** 보청기 착용 전 후의 청력도. A는 보청기 착용 후 청력

형의 보청기는 귀속에 마이크로폰이 있고 낮은 이득이어서 headphone으로 functional gain의 측정이 가능하다.

참고문헌

1. Austin CD, Kasten RN, Wilson H. Real ear measurements of hearing aid plumbing modifications. Part II. Hear Instm 1990;43;25-30.
2. Berger K., Hagberg E, Lane R. Prescription of Hearing Aids: Rationale, Procedures and Results. 5th ed. Ohio: Herald Publishing House.
3. Byrne D.(1980). Binaural hearing aid fitting : Research findings and clinical application In E. Libby (Ed.), Binaural hearing and amplification, Chicago. IL : Zenetron, Inc.
4. Carhart RC. the usefulness of binaural hearing aids. J Speech Hear Disord 1958;23:42-51. Chasin M. CIC handbook. San Diego; Singular Publishing, 1997.
5. Chasin M. The acoustic advantages of CIC hearing aids. Hear J 1994:47;13-17.
6. Chung S, Stephens S. Factors influencing binaural hearing aid use. British Journal of Audiology 1986;20:129-140.
7. Davis, A.,& Haggard, M. (1982). Some implications of audiological measures in the population for binaural aiding strategies. In O. Pederson & T. Paulson (Eds.) Binaural effects in normal and impaired hearing. Scan-dinavian Audiology, (Suppl. 15), 167-179.
8. Dilon H. Allowing for real ear venting effects when selection the coupler gain of hearing aids. Ear Hear 1991:12;406-416.
9. Egolf DP. Techniques for modeling the hearing aid receiver and associated tubing. In: Studebaker GA, Hochberg, eds. Acoustical factors Affecting Hearing Aid Performance. Baltimore University Park Press, 1980. p.297-319.
10. Gatehouse S, Killion MC: Hearing aid brain rewiring accommodation time. Hear Instrum 1993;44:29-32.
11. Goldenberg RA. Hearing aids. Philadelphia:Lippincott-Raven publishers;1996.
12. Hawkins DB, Yacullo W. Signal-to-noise ratio advantage of binaural hearing aids and directional micophones under different levels of reverberation. J Speech Hear Disord 1984;49:278-86.
13. Killion MC. The "hollow voice" occlusion effect. In: Jensen JH, ed Hearing Aid Fittions. Theoretical and Practical Views. 13th Danavox Symposium. Copenhagen: Stougaard Jensen, 1988. p.231-242.
14. Lybarger SF. Earmolds. In Katz J, ed. Handbook of Clinical Audiology 3rd ed. Baltimore: Williams and Wilkins, 1985. p.885-910.
15. Mueller HG, Hawkins DB. Three important considerations in hearing aid selection. In:Sandlin RE editors. Handbook of hearing and amplification. London:Singular Publishing Group;1995. p.31-60.
16. Staab WJ, Nunley JA. A guide to tube fitting of hearing aids. Hear Aid J 1982:9;25-34.
17. Schreus K, Olsen W. Comparison of monoaural and binaural hearing aid use on a trial peroid basis. Ear and Hearing 1985;6:198-202.
18. Valente M. Interaction of Tubing Insertion and Bore Length Upon the Frequency Response. Paper presented at the Annual Meeting of the American-Speech-Language-Hearing Association, San Francisco, CA. 1984.
19. Valente M. Hearing aids: Standards, Options, and Limitation. New York; Thieme Medical Publishers, 1996.

CHAPTER 42

인공와우이식_ 와우이식의 적응증과 수술 전 평가

홍성화

I 와우이식술

와우이식술(cochlear implant)은 보청기를 사용하여도 도움을 받지 못하는 고도 이상의 감각신경성 난청 환자에게 와우의 나선신경절세포(spiral ganglion cells)나 말초 청각신경을 전기적으로 자극하는 와우이식기를 이식함으로써 대뇌 청각중추에서 이를 소리로 인지할 수 있도록 해주는 수술을 말한다. 1950년대 Djourno와 Eyries[17]가 농환자의 와우고실계(scala tympani)에 전극을 삽입하여 전기자극을 가한 결과 음자극을 느낄 수 있었음을 보고하였고, 1961년 House[25]가 단일 채널을 이용한 와우이식술을 처음으로 시도하면서 도입된 와우이식술은 인간의 감각기관 중 최초로 전자 기기를 이용하여 효과적인 재활을 가능하게 한 치료방법이다. 다양한 요인에 의하여 와우이식술을 통한 청각 재활의 성적이 영향을 받을 수 있지만, 일반적으로 와우이식술을 통하여 보청기를 통하여는 정상인과의 의사소통이 불가능했던 고도 이상의 난청 환자들은 효과적인 청력 재활을 이룰 수 있다.

1978년 호주 멜버른대학의 Clack[9]는 10개 채널의 전극을 이식한 후 전기 자극이 주어지는 전극의 위치에 따라 환자가 느끼는 음의 높낮이가 다름을 보고하면서 다채널 전극(multi-channel electrode)을 이용하여 좀 더 효과적으로 소리의 주파수를 구현하게 되었다. 1982년 Clark와 Pyman[10]은 Nucleus 22채널 와우이식기를 언어습득 후 농 환자(postlingual deaf)에게 처음 이식하여 단일채널 와우이식기보다 청각 수행능력이 월등하게 개선되었음을 보고하였다. 이후 다채널 인공와우 이식술은 점차 널리 적용되었으며, 현재 어음처리기(speech processor), 전극(electrode array) 등 인공와우 기기의 각 부분에 대한 다양한 발전이 이루어지고 있다. 인공와우 이식술이 처음 시행된 이후 30여 년간 많은 발전을 통하여 2013년까지 전 세계적으로 약 22만 명의 성인과 소아에서 와우이식술이 효과적으로 시행되어 난청 환자들의 재활을 돕고 있다. 특히 전세계적으로 도입되고 있는 신생아 청력선별검사(newborn hearing screening; NHS)를 통하여 조기에 난청을 진단하고 와우이식술이 시행되고 있다.

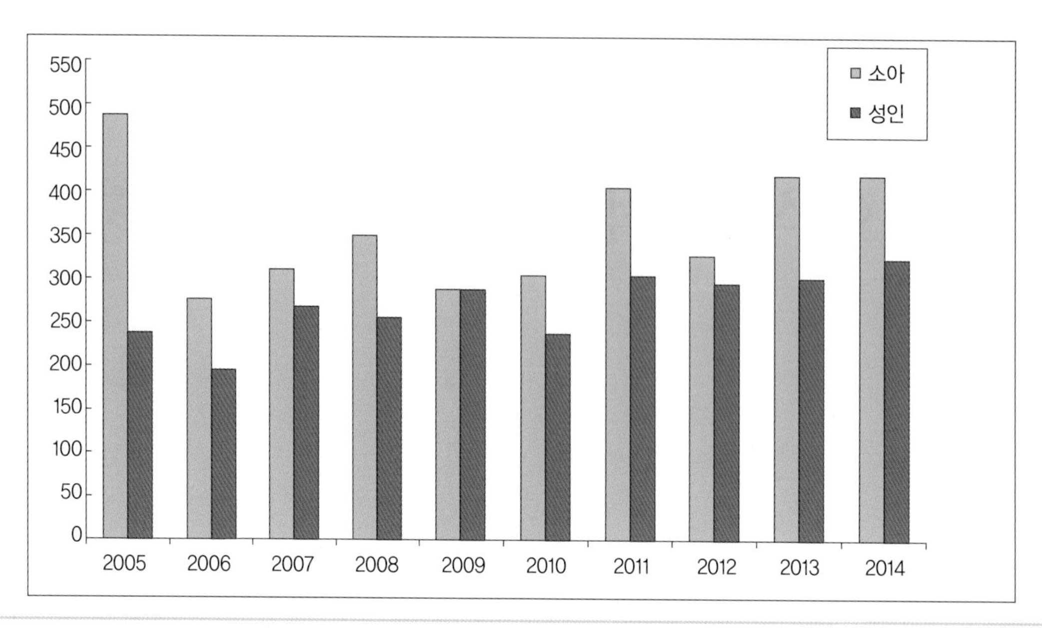

■ 그림 42-1. 연도별 국내 소아와 성인의 와우이식 환자 수

국내에서는 1988년 최초로 와우이식술이 이루어졌으며 이후 점차 확대 적용되었다. 보험 급여는 2005년 1월 시행되었으며 이후 2014년 12월까지 시행된 와우이식술에 대한 연도별 국내 성인과 소아 이식자 수는 그림 42-1과 같다.

II 와우이식의 적응증

와우이식의 적응은 일반적으로 양측 귀에 고도(70 dB HL 이상) 이상의 영구적 감각신경성 난청이 있고 보청기를 착용한 상태에서 3개월 이상 청력 재활교육을 받아도 효과가 없는 경우이다. 와우이식을 진행하기 위해서는 수술 전 다양한 검사를 통해 청각기관이나 청신경에 와우이식을 할 수 없는 심각한 기형(와우 무형성, 청신경 무형성 등)이 없는지를 확인해야 한다. 환자의 전신 상태가 전신 마취나 수술에 금기가 될 내과적 문제가 없으며, 환자의 보호자가 수술에 대한 강한 동기를 가지고 있고 수술에 대하여 이해하고 있을 때 가능하다. 수술 후 이식자가 청력재활 교육을 받을 환경이 조성되어 있는지를 확인하는 것도 필요하다. 2016년 현재 보험급여의 세부 인정기준은 표 42-1과 같다.

또한 최근 여러 연구 결과들을 바탕으로 인공와우 적응증이 확대되면서 1) 양측 인공와우, 2) 저주파수 잔청(residual hearing)이 있는 난청, 3) 동반된 내이기형 또는 중복장애, 4) 청신경병증, 5) 편측 전농(single side deafness), 6) 고도 난청 환자에서의 이명 치료 등에서 인공와우 수술이 널리 시행되고 있다.

1. 양측 인공와우 시술

최근의 연구들에 따르면 선천성 양측 난청 소아에서 일측만 인공와우 시술을 받아 양이청(binaural hearing)에 장애가 있는 경우 일반적인 아동에 비하여 학업 성취도가 크게 저하된다고 보고하였다. 일반적으로 양측 인공와우를 사용하는 경우에는 조용한 곳에서의 언어인지, 소음 환경에서의 언어인지 및 소리의 방향성 파악 능력 등이 향상됨이 보고되었다.[2,30] 그리고 양측 대뇌피질에 대하

표 42-1. 인공와우 급여기준

1. 인공와우(Artificial Ear Cochlear Implant)는 다음의 경우에 요양급여함

가. 적응증
- 1) 1세 미만
  양측 심도(90 dB) 이상의 난청환자로서 최소한 3개월 이상 보청기 착용에도 청능 발달의 진전이 없는 경우
- 2) 1세 이상 19세 미만
  양측 고도(70 dB) 이상의 난청환자로서 최소한 3개월 이상 보청기 착용 및 집중교육에도 청능 발달의 진전이 없는 경우. 다만, 시술 후 의사소통 수단으로 인공와우를 사용하지 못할 것으로 예상되는 경우는 제외
- 3) 19세 이상
  양측 고도(70 dB) 이상의 난청환자로서 보청기를 착용한 상태에서 단음절어에 대한 어음변별력(speech discrimination)이 50% 이하 또는 문장언어평가가 50% 이하인 경우. 다만, 시술 후 의사소통 수단으로 인공와우를 사용하지 못할 것으로 예상되는 경우는 제외
- 4) 상기 1), 2), 3)의 난청환자 중 뇌막염의 합병증 등으로 시급히 시행하지 않으면 수술시기를 놓치게 될 경우에는 예외적으로 시행할 수 있음
- 5) 아래의 대상자 중 양이청(binaural Hearing)이 반드시 필요한 경우 상기 1), 2), 3), 4) 각 해당 조건에 만족 시 반대측 또는 양측 인공와우를 요양급여
  - 가) 요양급여적용일(2005.1.15.) 이전 편측 인공와우 이식자
  - 나) 19세 미만의 편측 인공와우 이식자
  - 다) 19세 미만의 양측 동시 이식 대상자. 다만, 상기 가), 나)의 경우 순음청력 검사 및 단음절어에 대한 어음변별력, 문장언어평가 결과는 인공와우를 착용하지 않은 상태에서 실시한 결과를 적용

나. 급여개수
- 1) 인공와우는 1set(내부장치, 외부장치)에 한하여 요양급여대상으로 하되, 분실, 수리가 불가능한 파손 등으로 교체 시 외부장치 1개를 추가 요양급여
- 2) 상기 가.5)의 19세 미만에서 양측 인공와우 시술이 필요한 경우는 2set(내부장치, 외부장치)를 요양급여하되, 이후 분실, 수리가 불가능한 파손 등으로 교체 시 외부장치 2개 이내에서 추가 요양급여

다. 시설·장비 및 인력 기준
- 1) 시설 · 장비
  - 가) 청각실: 방음청력검사실, 인공와우조절검사(mapping of speech processor) 장비, 청각유발반응검사 기기를 갖추어야 함
  - 나) 언어치료실: 인공와우조절검사 장비를 갖추어야 함(청각실과 공동사용 가능)
- 2) 인력
  - 가) 시술자: 이비인후과 전문의 2인 이상이 상근하는 요양기관에서 아래 중 각호의 1에 해당하는 이비인후과 전문의가 1인 이상 상근하는 경우
    - (1) 전문의 자격증 취득 이후 인공와우이식술을 시행하는 상급종합병원에서 2년 이상 이과) 전문 경력이 있으면서 그 기간 중 1년 이상 와우이식술을 시술하거나 공동 시술한 경험이 있는 자
    - (2) 전문의 자격증 취득 이후 인공와우이식술 실시기준(시설, 장비 및 인력)에 적합하다고 건강보험심사평가원에서 통보받은 기관에서 3년 이상 와우이식술을 시술 또는 공동 시술한 경험이 있는 자
    - (3) 교육, 해외연수 등으로 위 각호에 해당하는 자격을 갖추었다고 이비인후과학회에서 인정받은 자
  - 나) 보조인력: 청각유발반응 검사와 시술 후 인공와우조절검사를 직접 시행할 수 있는 인력 1인(청각실)과 시술 전 · 후 언어평가, 시술 후 인공와우조절검사를 직접 시행할 수 있는 인력 1인(언어치료실)
- 3) 요양기관은 인공와우이식술 실시 이전에 건강보험심사평가원에 상기 1), 2)에 관한 기준에 적합한 증빙서류를 첨부하여 제출하여야 함

2. 상기 1.의 급여대상 및 개수를 초과하여 사용한 치료재료 비용은「선별급여 지정 및 실시 등에 관한 기준」에 따라 본인부담률을 80%로 적용함

여 양측의 인공와우를 통한 직접적인 자극을 하기 때문에 중추 청각계의 발달에 더 큰 도움을 주고[34] 양측 인공와우를 사용하는 소아에게서 수용언어와 표현언어 모두의 향상을 기대할 수 있음이 알려져 있다. 이와 같은 양이청의 청각학적 효과는 와우이식술을 통하여 청각기의 자연스러운 청각학적 조건을 회복시켜줌으로써 달성하게 된다. 따라서 현재는 선천성 양측 난청이 확인될 경우 최대한 빠른 시기에 난청의 확진 후 양이청을 위한 양측 와우이식술을 시행하는 것을 전세계적으로 권고하고 있다.[2,39] 국내에서도 양측 인공와우 시술에 대하여 보험급여가 확

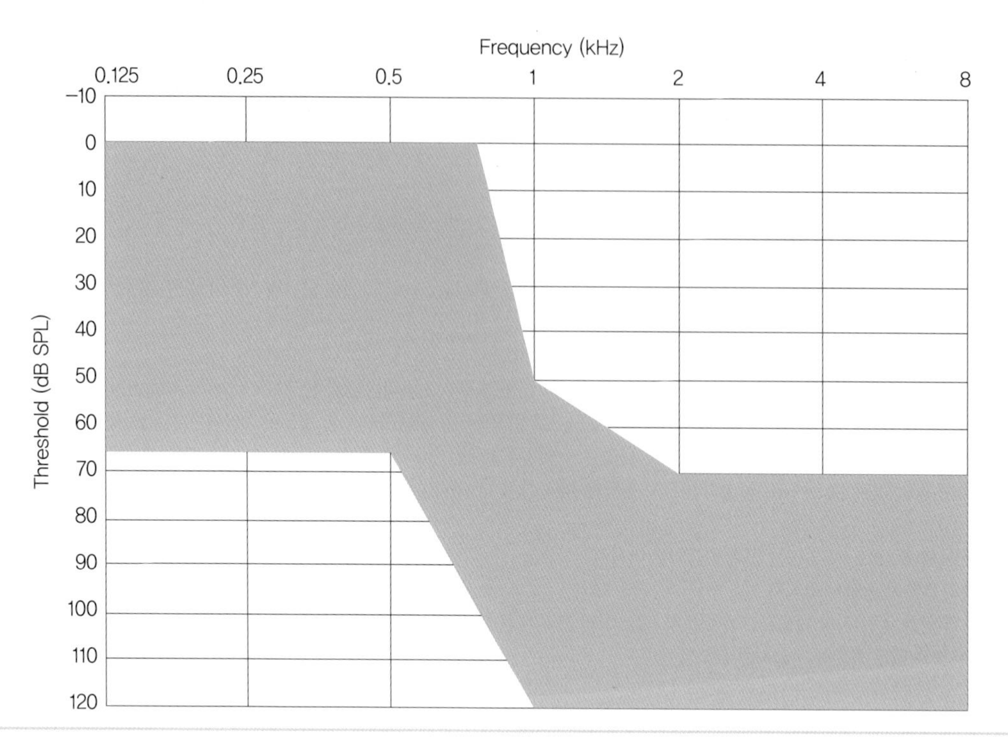

■ 그림 42-2. **전기청각동시자극 인공와우의 적응증**

대되어 양측 인공와우의 적응증에 해당할 경우 이를 적극적으로 고려해야 한다. 양측 인공와우 시술은 동시에 시술되거나 편측을 시행한 이후 반대측에 시행할 수 있으며 일반적으로 두 수술의 간격은 6~12개월 이내로 하는 것이 좋은 수행능력을 보인다고 알려져 있다.[38]

2. 잔청

최근 인공와우 전극 및 수술 기법의 지속적인 발전으로 저주파수 대역의 잔존 청력을 보존할 수 있음이 밝혀졌다.[19] 따라서 술후 보존되는 잔청을 이용하여 전기음향동시자극(combined electroacoustic stimulation; EAS)을 적용할 수 있다. EAS는 소리에 대한 정보 중 고주파 영역은 전기 자극을 통하여 전달하고 저주파 영역은 남아 있는 청력을 보존하여 보청기 등을 통한 음향학적 자극을 이용하여 소리를 전달하는 방법으로[45] 기존의 인공와우 시술에 비하여 소음 환경에서의 언어 인지, 방향 분별력 및 음악 청취능 등의 향상을 나타낸다.[23] EAS는 짧게 고안된 전극 또는 가늘게 고안된 전극을 이용하거나 기존의 전극을 고주파 부위에 부분적으로 삽입하여 적용할 수 있으며 외부장치는 EAS를 제공하는 기기를 사용한다. 수술 시에는 내이의 손상을 최소화하는 수술법(soft surgery technique)을 적용하여 잔청을 보존하여야 수술 후 EAS 적용 시 효과를 최대화할 수 있다.[45] 수술 적응 시 고려할 사항은 보청기 착용 후 최대 어음명료도가 50% 이하여야만 인공와우 수술을 적용할 수 있으며 50% 이상인 경우 와우이식술 후 잔청이 소실될 경우 오히려 술전에 비하여 문장 이해능력이 저하될 수 있다. 일반적으로 알려진 EAS의 적응증은 그림 42-2와 같다.[45]

3. 동반된 내이 기형이나 중복 장애

와우이식술 시행 전 동반된 내이 기형이나 중복 장애를 확인하여 수술 적응증 및 기대 이득에 대하여 확인하는 것이 필요하다. 와우의 무형성증(aplsia)은 와우이식술의 금기이며 와우의 형성부전(hypoplasia)이나 공동(common cavity)이 확인되면 그 형태에 따라 직선형 전극의 사용을 고려할 수 있다. 내이의 기형이 동반된 경우 술후 청각학적 이득이 기형이 없는 경우에 비해 제한될 수 있다.[37]

난청이 확인된 소아의 30% 이상에서 발달 지연, 자폐증, 주의력 결핍 및 과잉 행동 장애, 뇌성 마비 및 지적 장애와 같은 중복 장애를 나타내는 것으로 알려져 있다.[12] 중복장애가 있는 경우 와우이식 술후 청각 재활 등에서 어려움이 있을 수 있으나, 수술을 통하여 의미 있는 청각능력의 향상을 기대할 수 있으며 이를 통하여 삶의 질을 개선시킬 수 있다. Lesinki 등은 운동지연, 시각장애, 간질, 내분비 장애와 같은 내과적 질환이 동반된 경우에는 와우이식술 후 언어 인지에 큰 영향을 미치지 않는다고 보고하였다.[29] 그리고 경도 및 중등도의 지능저하는 비록 인공 와우의 효과가 제한되더라도 일정한 효과를 기대할 수 있다. 하지만 자폐증이나 중증 뇌성마비 등이 동반된 경우 와우이식술 후 개방형 언어인지의 어려움이 있을 수 있다.[6] 그러나 이러한 환자들에서도 와우이식 후 눈맞춤, 주변 환경에 대한 인지, 발성, 신호 언어의 사용 등이 증가함을 보고하여 청각수행능력 이외의 삶의 질 향상 등을 기대할 수 있음이 보고되고 있다.[28] 따라서 수술 전 보호자와의 상담을 통하여 현실적인 기대를 갖게 하고 인공와우 수술을 진행하는 것이 좋으며, 수술 후에는 언어 재활에 적극적으로 참여하도록 안내해야 한다.

4. 청신경병증

청신경병증(Auditory neuropathy/Auditory dys-synchrony)은 이음향방사검사(otoacoustic emission test)나 와우마이크로폰작용(cochlear microphonics)에서 반응을 보이지만 청성뇌간반응검사(auditory brain-stem response)에는 반응을 보이지 않는 임상적 증후군으로[42], 난청 환자의 0.5~1.3%를 차지하는 것으로 알려져 있다.[14] 청신경병증의 원인은 다양하며 유전적 요인 40%, 이독성 대사 질환(산소 결핍증, 고빌리루빈혈증) 20%, 특발성 원인이 40%를 차지한다고 알려져 있다.[41] 청신경병증 환자는 보청기를 통하여 충분한 청각학적 이득을 기대할 수 없으나 와우이식술을 통하여 청각학적 이득을 얻을 수 있음이 보고되었다.[27] 하지만 청신경 결핍이 있을 경우 술후 결과가 좋지 않기 때문에 청신경병증이 의심될 경우 술전 청신경의 결핍에 대한 평가 이후 와우이식술에 대한 고려가 필요하다. 그리고 1세 미만의 소아에서는 청신경병증이 자발적으로 호전되는 경우가 보고되었기 때문에 청신경병증이 의심되는 1세 미만의 소아에서는 반복적인 검사를 시행한 이후 와우이식술의 시행 여부를 결정해야 한다.[3]

5. 편측 전농

편측 전농 환자들에 대한 치료는 현재까지 소아와 성인 모두에서 특별하게 고려되지 않았다. 하지만, 선천성 난청 환자 중 중등도 이상의 편측 난청을 호소하는 경우는 0.83/1,000명으로 보고되고 있으며[1] 편측 난청으로 인한 소아에서의 학습 장애나 방향성 분별능의 저하가 보고되었고[4] 성인에서는 역시 소음 환경에서의 언어인지능력 저하, 방향성 분별능의 저하 및 심한 이명 등으로 인한 삶의 질 저하 등이 보고되고 있다.[47] 이에 대한 개선방안으로는 편측성 전농 부위에서 와우이식술이 고려되고 있다. 정상측에서의 청각학적 자극과 전농측에서의 전기자극에 대한 중추신경계에서의 반응에 대한 의문이 있었으나, 2009년 발표된 연구를 통하여 주변 소음환경에서의 어음이해도가 개선되었음을 보고하였다.[43] 이후 다양한 연구를 통하여 편측 전농환자에서의 와우이식술은 어음분별력, 방향성 분별능(sound localization)의 향상과 이명의 개선 효과가 있음이 보고되고 있어[5,26,40,44] 와우이식술을 통한 편측 전농의 치료에 대한 고려가 필요하다.

6. 고도 난청 환자에서의 이명 치료

고도 이상의 난청 환자는 청력 저하로 인한 삶의 질 저하 이외에도 이명으로 인한 일상생활의 장애를 호소하는 경우가 흔하다. 현재까지 이러한 환자에게 적절한 치료가 제시되지 못하고 있으나, 최근 여러 연구를 통하여 와우이식술을 통하여 이명을 호전시킬 수 있음이 제시되고 있다.[36] 고도 이상의 난청과 보청기 사용이 어려운 낮은 어음분별도를 가진 환자에서 이명에 대한 여러 치료에 불응성인 경우 와우이식술을 통하여 청력의 개선 및 이명의 치료를 고려할 수 있다.

III 와우이식의 수술 전 평가

와우이식이 최대한의 효과를 나타내기 위해서는 적절한 와우이식의 대상자를 선정하고 최적의 수술 방향을 선택하여 와우이식수술을 진행하는 것이 중요하다. 수술 전 평가 사항은 표 42-2와 같다.

표 42-2. 와우이식수술 전 평가사항

평가사항	요인
병력	• 병력 • 출생 전 노출력(TORCH감염, 기형 유발물질) • 출생 시 요인(미숙아, 저체중아, 신생아 집중치료실 치료, 출생 시 Apgar score, 고빌리루빈혈증, 폐혈증, 기관삽관) • 출생 후 요인(이독성약물, 뇌수막염, 볼거리) • 가족력 • 중복장애 • 중이염 • 폐렴구균 백신 접종력
영상 검사	• 고해상도 측두골단층촬영 • 내이도 자기공명영상
청력검사	• 순음청력검사 • 어음명료도검사 • 보청기 사용 평가 • 이음향방사검사 • 청성뇌간반응검사
언어평가	• 언어지각 검사 • 조음 장애 평가
정신의학적 검사	• 인지 및 발달 지연 평가
환자 및 가족 면담	• 환자 및 가족의 기대 설정 • 수술 후 재활교육에 대한 이해 • 인공와우 기기의 선택 • 수술에 대한 사전 동의

1. 와우이식팀의 구성

와우이식 대상자의 선택은 여러 분야의 전문가로 구성된 와우이식팀에서 논의되고 결정되어야 한다. 와우이식팀은 수술 전 환자의 진단과 상담, 수술, 그리고 수술 후 재활치료의 전 과정을 이끌게 된다. 와우이식팀은 이비인후과 전문의, 청각사, 언어치료사, 사회사업사, 언어병리학자 등으로 구성된다. 수술대상을 결정하기 위하여 청각사는 여러 가지 청력검사를 통하여 환자의 정확한 청력과 잔청 여부 및 보청기를 착용한 상태에서의 청력 정도를 측정한다. 언어치료사는 환자의 조음 및 언어 능력에 대해 기초적인 평가를 한다. 이비인후과 전문의는 환자의 전신상태와 이과적 상태를 평가하고 소아과, 신경과 및 정신과 등 여러 자문의사의 평가 결과에 따라 와우이식의 대상 환자를 최종적으로 결정한다. 이를 통하여 와우이식팀은 환자 및 환자의 가족과 충분한 의사소통을 통하여 최상의 선택을 제시하게 된다.

2. 연령

연령은 18세를 기준으로 소아와 성인을 구분한다. 소아와 성인 모두에서 언어습득 여부는 와우이식술 결과에 중요한 요소이므로, 각각 언어습득기 이후와 이전으로 구분하여 평가하여야 한다.

언어습득기 후 고도난청 성인의 경우 특별한 연령제한이 없다. 다만 난청 기간이 길어질수록 효과가 떨어지게 되며 65세 이상의 고령이 경우에는 연령에 따른 청각신경의 신경병증(auditory neuropathy) 문제와 청력재활에 있어 인지력 저하 등의 복합적인 문제로 효과가 떨어질 수 있다. 그러나 최근 연구를 통하여 65세 이상의 고령에서도 와우이식술을 통하여 청각학적 수행능력과 삶의 질 향상을 기대할 수 있음이 밝혀지고 있다. Eshraghi 등은 79세 이상의 21명에서 와우이식술을 시행 후 특별한 합병증 없이 청각학적 수행능력과 삶의 질이 향상되는 결과를 보고하였다.[20] 일반적으로 고령에서의 전신마취에 대한 위험도가 와우이식술 진행의 가장 큰 제한요인으로 알려져 있으나, Carlson 등에 따르면 모든 성인 연령대에서 충분한 수술 전 전신마취에 대한 평가를 통하여 수술 중 마취에 따른 부작용을 최소화할 수 있으며 청각학적 이득 역시 제한되지 않는다고 보고하였다.[7] 따라서 최근에는 고령 자체가 인공와우 이식술 여부를 결정하는 요소는 되지 않는다.

언어습득기 전 난청 성인의 경우는 대부분 와우이식술 후 장기간의 재활치료에도 불구하고 언어습득과 구음의 개선에 한계가 있으므로 인공와우 이식술의 적응에 신중해야 한다. 그러나 본인이 와우이식에 대한 강한 동기가 있고 보청기를 꾸준히 사용해 왔으며 언어가 어느 정도 발달했고 대화방법으로 구화를 사용하는 경우에는 좋은 효과를 기대할 수 있다.

언어습득기 후 난청 소아인 경우 연령에 제한이 없으며, 언어습득기 전 또는 선천성 난청인 경우 조기 수술로 재활기간이 단축되고 언어 습득에 많은 장점이 있으므로 가능한 한 조기수술을 시행하는 것이 중요하다. 특히 소아에서는 청각이 언어와 지능 발달 및 교육 측면에서 필수적이기 때문에 난청에 대한 빠른 평가와 와우이식의 중요성이 더욱 강조되고 있다. 특정 시기 동안 청각학적 자극의 결핍으로 인한 신경발달이 저하될 경우 이후 청각이 완전히 회복되어도 신경발달을 회복시킬 수 없어, 이 연령대를 결정적 연령(critical age)[32]이라 하며 3~5세 이전에 와우이식을 시행하여 외부의 음자극을 통하여 대뇌 청각 신경로의 발달과 성숙이 적절하게 이루어질 수 있도록 해야 한다. 최근에는 세계적으로 12개월 이하의 소아에서도 인공와우가 적극적으로 고려되고 있으며 이러한 조기 와우이식을 통하여 좋은 예후를 나타냄이 보고되고 있다.[11,16,31] 12개월 이전의 소아에서는 객관적인 청력검사를 통하여 신뢰할 수 있는 청력 역치를 확인하고 숙련된 언어치료사가 반복적인 검사를 시행하여 언어 발달에 대하여 정확하게 평가한 후 와우이식술을 시행하여야 한다. 언어발달이 이루어지는 결정적 연령 이전에 인공와우 이식술을 받은 환아들의 약 80% 정도는 일반학교에서 교육을 받을 수 있을 정도로 잔여 청력과 학습능력이 향상되는 것으로 알려져 있다.[33]

3. 병력

와우이식수술 시행 전 철저한 이과적 신체검진을 비롯하여 난청의 원인이나 난청 발생의 위험요인, 난청의 발생 시기, 동반된 증상, 가족력, 보청기 사용 여부 등을 평가해야 한다.

이과적 신체검진을 통하여 만성 중이염이나 삼출성 중이염에 대하여 확인해야 한다. 만성 중이염이나 삼출성 중이염이 확인되는 경우 와우이식수술 시행 전 이에 대한 적절한 치료 계획을 수립하여야 한다.

난청의 원인은 유전적 요인 및 후천적 요인 등이 있을 수 있다. 출생 신생아 1,000명 중 1명의 비율로 발생하는 선천성 난청의 경우 약 60%에서 유전적 요인이 확인된다. 출생 전 모체로부터의 TORCH (toxoplasmosis, syphilis, rubella, cytomegalovirus, and herpes) 감염은 신생아 난청의 원인이 될 수 있으며 이 경우 나선신경절세포(spiral ganglion cell)의 숫자, 인지 능력의 저하나 안면신경의 주행 경로 이상 등을 일으켜 수술 중 위험요인이 되거나 수술 후 인공와우를 통한 청각발달을 제한할 수 있다.[35] 이외에도 저체중 미숙아, 출생 후 고빌리루빈혈증(hyperbilirubinemia) 등에 대한 평가가 필요하다.[35]

난청의 가족력과 심인성 급사나 실신의 병력이 있는 소

아의 경우에는 Jervell and Lange-Nieseln syndrome의 가능성을 고려하여 수술 전 심전도 검사를 통하여 QT interval의 연장(QT prolongation) 여부를 평가해야 한다.[8]

4. 청력검사

청력검사는 환자의 정확한 청력상태를 평가하여 와우이식술의 대상자를 결정하고 이식술의 적절성을 평가하기 위한 가장 중요한 단계이다. 청력검사를 통하여 적절한 와우이식 귀를 선택하는 정보를 제공한다. 검사 결과를 서로 비교하여 정확한 청력상태를 확인할 수 있고, 결과들이 상이할 때 해결점을 찾는 데도 도움이 된다. 청력검사를 통하여 정확한 청력역치와 병소를 규명하는 것이 중요하며 청력검사는 보청기 착용 및 미착용 상태에서 각각 평가하여야 한다.

성인에서는 순음 및 어음 청력검사를 통하여 청력역치를 측정하고 임피던스 청력검사(impedence audiometry), 이음향방사검사(otoacoustic emission test), 청성뇌간반응검사(auditory brainstem response)로 중이, 와우 및 청각 신경계의 병변 여부를 알아본다. 어음 판별력을 알아보기 위하여 단어 검사와 문장 분별력 검사를 실시한다. 그리고 보청기의 효과를 알아보기 위하여 적절한 보청기를 착용하고 3개월 이상 경험한 후 보청기를 착용한 상태에서 청력역치, 단어 및 문장 분별력을 검사하여 보청기의 이득을 평가하게 된다.

소아에서는 연령에 따라 적절한 검사를 시행하여 정확한 청각학적 상태를 평가해야 한다. 특히 최근 잔청의 보존에 대한 중요성이 강조되고 있기 때문에 정확한 신체검진과 청력검사를 시행하여 잔청 여부를 평가하고 전기음향동시자극 인공와우의 적용 가능성을 확인하여야 한다.[45] 12개월 미만의 소아에서 와우이식술을 고려하는 경우에는 반복적인 검사를 통하여 신뢰할 수 있는 청력 역치를 하여야 하며 난청의 의심될 때와 보청기 사용 효과를 평가할 때는 Infant-Toddler Meaningful Auditory Integration Scale (IT-MAIS)와 같은 보호자의 환아 관찰에 대한 설문평가 등을 통하여 좀더 정확한 진단에 도움을 받을 수 있다.[46]

검사로는 조건 오리엔테이션 청력검사(conditional orientation audiometry), 행동관찰 청력검사(behavioral observation audiometry), 시각강화 청력검사(visual reinforcement audiometry), 유희 청력검사(play audiometry) 등을 연령에 맞게 시행할 수 있으며 객관적 청력검사로써 임피던스 청력검사, 이음향방사검사, 청성뇌간반응검사, 청성지속반응검사(auditory steady state response)를 실시하여 종합적으로 판단할 수 있다. 소아에서는 적절한 보청기 착용 후 최소한 3개월간 청력재활교육을 집중적으로 실시한 다음 소리에 대한 판별력과 언어발달 정도를 관찰하여 보청기의 효과가 미흡할 때 와우이식술을 시행한다.

외국에서 사용되는 검사는 표 42-3, 4과 같다. 우리나라에서는 주로 외국판(version)을 사용하고 있어 우리나라의 특성에 맞는 소아용 어음검사법이 필요한 실정이다.

5. 언어평가

평가의 목적은 음에 대한 기능적 상태와 청각학적 정

표 42-3. 영유아 언어청능 평가항목(Infant & Toddler)

청능수행도(auditory performance)	언어발달l(anguage development)	구음능력(speech production)
Listening skills	Sequenced language scale for infants (SELSI)	Early speech production analysis
Auditory performance (CAP)	Preverbal communication skills	Speech sound production repertory
Everyday use of sound (MAIS)	Symbolic behavior analysis through play	Speech intelligibility (SIR)

표 42-4. 학령전기 언어청능 평가항목(Preschooler)

청능수행도(auditory performance)	언어발달(language development)	구음능력(speech production)
Early speech perception test (ESPT)	Preschool receptive-expressive language scale (PRELS)	Articulation and phonation test
Auditory performance (CAP)	Peabody picture vocabulary test-R (PPVT-R)	Speech sound production repertory analysis
Monosyllabic word test	Progmatic skills	Speech intelligibility (SIR)
Bisyllabic word test	Narrative skills	
Common phrase test		

표 42-5. 중추 청각신경계 연구에 이용되는 방법

방법	반응기전	식별 시간	식별 거리
EEG	여러 개의 표면전극에 의한 전위 측정	<1 ms	8~14 mm
MET	초전도 코일에 의한 전류 측정	<1 ms	8~14 mm
PET	방사능 추적자를 이용한 대뇌 대사변화 측정	>2 min	6~10 mm
fMRI	혈중 산소치에 따른 자성magnetic properties 변화를 이용한 대뇌 대사변화 측정	0.25~3 sec	3~5 mm (1.5 T) 2 mm (3.0 T) <1 mm (7.0 T)

보를 얻는 것이며 이는 향후 재활평가의 기초 자료로 사용된다. 언어지각 검사 결과는 개개 환자의 언어수준과 인지 능력에 따라 차이가 큰데, 특히 소아에서 그 차이가 심하다. 검사방법으로 여러 개의 보기가 주어진 상태에서 검사하는 말소리 변별능력검사(closed set speech perception test)는 단어들의 음절수 변별 능력, 문장들의 길이 변별 능력 등을 평가하고, 보기가 주어지지 않은 상태에서 시행하는 말소리 이해능력검사(open set speech perception test)는 단어와 문장을 어느 정도 이해하는지를 평가한다. 아주 어린 소아인 경우에는 언어 이전의 의사소통 기술을 살펴보아야 한다. 언어평가는 환자에 따라 결과가 다르게 나타나므로 연령, 난청 발생시기, 지적 발달 정도, 성장환경을 고려해야 한다.

6. 청각신경 및 중추 청각신경계의 확인

와우이식을 시행하려면 청각신경전달경로와 중추 청각신경계가 보존되어 있어야 최적의 이득을 기대할 수 있다. 고해상도의 자기공명영상과 같은 영상학적 검사나 청성뇌간반응검사, 청성지속반응검사와 같은 객관적 청력검사를 통하여 청각신경의 존재를 유추할 수 있다. 청각신경이 자기공명영상검사에서 확인되지 않는 경우에 수술 후 예후가 좋지 않을 가능성이 높다.

중추 청각신경계에 대한 기능적 평가방법으로는 양전자 방출단층촬영(positron emission tomography; PET)과 기능적 자기공명영상(functional magnetic resonance imaging; fMRI), 뇌파 검사(electroencephalography; EEG), MEG (magnetoencephalograph), MLR (middle latency response), CAEP (cortical auditory evoked potentials) 등이 소개되어 있다. 최근 한 연구에 따르면 fMRI를 통하여 수술 전 언어 기능과 연관된 뇌의 영역에서의 반응 정도와 수술 후 언어평가 결과가 높은 상관성을 보여 술 전 fMRI 결과를 통하여 술 후 인공와우의 이득을 예측할 수 있다고 보고한 바 있다.[15] 각각의 검사들의 특성은 표 42-5와 같다.[21]

7. 영상 검사

와우이식수술 전에 고해상도 측두골단층촬영(HRCT)과 자기공명영상(MRI)을 통하여 다양한 정보를 확인할 수 있다. 고해상도 측두골단층촬영으로는 내이도 및 와우의 발달 상태를 평가함으로써 Mondini 이형성증이나 전정도수관확장증후군(enlarged vestibular aqueduct syndrome) 같은 난청의 원인이 될 수 있는 여러 가지 기형의 여부를 확인할 수 있고, 좁은 내이도가 관찰되면 청신경의 발생부전을 생각할 수 있다. 안면신경(facial nerve)의 주행, 정원창(round window) 개방여부, 고경정맥구(high jugular bulb) 여부, 와우각 하부의 함기봉소(hypotympanic air cells) 존재 여부, 와우의 개방성(cochlear patency) 여부를 관찰하면 와우이식수술 중 주의사항 및 수술의 성공 여부를 예측할 수 있으며 와우의 형성부전(hypoplasia)이나 공동(common cavity) 여부를 관찰하면 적절한 와우 전극 선택에 도움이 된다. 뇌수막염으로 인해 농이 된 경우에 고해상도 측두골단층촬영에 의한 와우 골화(cochlear ossification)의 특이도 73%, 민감도 88%로[18] 추가적으로 T2조영증강 자기공명영상을 통하여 고실계(scala tympani)의 부분적인 와우 골화 가능성을 평가하는 것이 도움이 된다. 와우내강의 폐쇄는 수술기법의 향상과 특수 전극의 개발로 수술의 금기는 아니지만 제한된 전극삽입, 전극고정 문제, 잔존 신경성부(neural elements)의 손상 가능성, 안면신경이나 경동맥 같은 인근 주요 기관의 손상, 전류흐름의 제한점 등으로 술후 효과가 불량할 수 있다는 점을 보호자와 상의해야 한다.

자기공명영상으로는 청각전도로의 해부학적 이상과 내이도 내 청신경의 확인, 그리고 내이액의 존재 여부 등을 알 수 있으며, 고해상도 측두골단층촬영과 상호보완적으로 이용된다. 와우이식술을 시행한 환자에게 자기공명영상을 촬영을 해야 하는 경우 자기공명영상의 자기장 내에서 내부장치의 이동과 같은 문제가 발생할 수 있다. Crane 등에 의하면 16명의 와우 이식 환자에게 이식 부위에 대한 압박붕대법 시행 후 1.5 Tesla에서의 MRI 촬영 시 내부 장치의 이동은 관찰되지 않았다고 하였으나[13] 자기공명영상 시행 전 이에 대한 각별한 주의가 요구된다. 최근에는 내부장치의 자석 제거 없이도 3 Tesla MRI 촬영까지는 가능한 와우이식기가 생산되고 있으나 와우이식기에 의한 영상의 왜곡은 피할 수 없다.

8. 정신의학적 검사

정신의학적 검사는 와우이식 대상자의 일반적인 인지능력, 동기, 가족과 환자의 기대에 대하여 중요한 정보를 제공한다. 인지 장애를 동반한 실제로 일반적인 지적 수준을 평가하고 와우이식 후의 재활에 영향을 미치는 다른 문제점들을 파악하기 위해 여러 검사를 시행한다. Holt 등에 의하면 언어습득기 전 난청 환자에서 인지 장애가 동반된 경우 와우이식술을 통하여 도움을 받을 수 있으나 인지 장애가 동반되지 않은 경우에 비하여 상대적으로 그 이득이 제한될 수 있다고 보고하였다.[24] 가족들도 정신과 의사와 상담할 때는 다른 검사 구성원들에게 밝히지 않았던 기대들에 대하여 쉽게 토로하게 된다. 이러한 기대에 대하여 검사 구성원들은 가족들과 상담함으로써 이해를 도울 수 있다. 수술 후 재활교육을 받기 위해서는 환자의 올바른 정신상태가 중요하다. 전농과 연관되지 않은 심한 정신병이나 정신신경증이 있으면 와우이식술을 할 수 없다.

9. 뇌막염 예방접종

2002년 미국 식품의약품 안전청에서는 와우이식술 후 뇌막염 발생문제로 와우이식 대상자에게 수술 전에 뇌막염 예방접종을 권장하고 있다.[22] 5세 이하에서는 폐렴구균 예방접종(Pneumococcal vaccination)과 B형 헤모필루스 인플루엔자균 예방접종(Haemophilus influenza type b vaccine; Hib)을 최소한 수술 2주 전에 시행하고, 5세 이상에서는 폐렴구균 예방접종만 시행한다. 폐렴구균 예방접종은 크게 폐렴구균 결합백신(Pneumococcal Conjugate Vaccine;PCV)과 폐렴구균 피막다당류백신(Pneumococcal polysaccharide vaccine;PPSV)의 형태가 있다. 이 중 PPSV 는 23가 백신의 형태로 나오고 있으며(PPSV23) 2세 미만의 소아에서는 면역 체계의 미성숙으로 인하여 충분한 면역반응을 기대할 수 없어 사용하지 않는다. 따라서 2세 미만의 소아에서의 예방 접종은 폐렴구균 결합백신(Pneumococcal Conjugate Vaccine; PCV) 7 또는 13가(valent)를 이용할 수 있으며 2세 이상에서는 폐렴구균 피막다당류백신(Pneumococcal polysaccharide vaccine; PPSV23)을 시행한다.

10. 이식대상자에서 제외하는 경우

양측 청각신경의 기능이 없는 것으로 증명된 경우, 청각 피질에서의 청각 전달이 신경학적인 병변으로 불가능한 경우, 그리고 와우이식의 이점보다 의학적 위험이 큰 경우와 심한 정신적 질환으로 술후 청능재활교육을 시행할 수 없는 경우에는 와우이식 대상자에서 제외한다.

참고문헌

1. Agrawal Y, Platz EA, Niparko JK. Prevalence of hearing loss and differences by demographic characteristics among US adults: data from the National Health and Nutrition Examination Survey, 1999-2004. Arch Intern Med 2008;168:1522-1530.
2. Basura GJ, Eapen R, Buchman CA. Bilateral cochlear implantation: current concepts, indications, and results. Laryngoscope 2009;119:2395-401.
3. Berlin CI, Hood LJ, Morlet T, et al. Multi-site diagnosis and management of 260 patients with auditory neuropathy/dys-synchrony (auditory neuropathy spectrum disorder). Int J Audiol 2010;49:30-43.
4. Brookhouser PE, Worthington DW, Kelly WJ. Unilateral hearing loss in children. Laryngoscope 1991;101:1264-1272.
5. Buechner A, Brendel M, Lesinski-Schiedat A, et al. Cochlear implantation in unilateral deaf subjects associated with ipsilateral tinnitus. Otol Neurotol 2010;31:1381-1385.
6. Byun H, Moon IJ, Kim EY, et al. Performance after timely cochlear implantation in prelingually deaf children with cerebral palsy. Int J Pediatr Otorhinolaryngol 2013;77:1013-1018.
7. Carlson ML, Breen JT, Gifford RH, et al. Cochlear implantation in the octogenarian and nonagenarian. Otol Neurotol 2010;31:1343-1349.
8. Chorbachi R, Graham JM, Ford J, et al. Cochlear implantation in Jervell and Lange-Nielsen syndrome. Int J Pediatr Otorhinolaryngol 2002;66:213-221.
9. Clark GM. Historical perspective. In: Clark GM, Cowan RC, Dowell RC, eds. Cochlear Implantation. San Diergo: Singular Publishing Group 1997. p.9-27.
10. Clark GM, Blamey PJ, Busby PA, et al. A multiple-electrode intracochlear implant for children. Arch Otolaryngol Head Neck Surg 1987;113:825-828.
11. Colletti L, Mandala M, Colletti V. Cochlear implants in children younger than 6 months. Otolaryngol Head Neck Surg 2012;147:139-146.
12. Corrales CE, Oghalai JS. Cochlear implant considerations in children with additional disabilities. Curr Otorhinolaryngol Rep 2013;1:61-68.
13. Crane BT, Gottschalk B, Kraut M, et al. Magnetic resonance imaging at 1.5 T after cochlear implantation. Otol Neurotol 2010;31:1215-1220.
14. Davis H, Hirsh SK. A slow brain stem response for low-frequency audiometry. Audiology 1979;18:445-461.
15. Deshpande AK, Tan L, Lu LJ, et al. fMRI as a Preimplant Objective Tool to Predict Postimplant Oral Language Outcomes in Children with Cochlear Implants. Ear Hear 2016;37:e263-e272.
16. Dettman SJ, Pinder D, Briggs RJ, et al. Communication development in children who receive the cochlear implant younger than 12 months: risks versus benefits. Ear Hear 2007;28:11S-18S.
17. Djourno A, Eyries C. Auditory prosthesis by means of a distant electrical stimulation of the sensory nerve with the use of an indwelt coiling. La Presse Médicale 1957;65:1417-.
18. Durisin M, Bartling S, Arnoldner C, et al. Cochlear osteoneogenesis after meningitis in cochlear implant patients: a retrospective analysis. Otol Neurotol 2010;31:1072-1078.
19. Erixon E, Kobler S, Rask-Andersen H. Cochlear implantation and hearing preservation: Results in 21 consecutively operated patients using the round window approach. Acta Otolaryngol 2012;132:923-931.
20. Eshraghi AA, Rodriguez M, Balkany TJ, et al. Cochlear implant surgery in patients more than seventy-nine years old. Laryngoscope 2009;119:1180-1183.
21. Firszt JB, Ulmer JL, Gaggl W. Differential representation of speech sounds in the human cerebral hemispheres. Anat Rec A Discov Mol Cell Evol Biol 2006;288:345-357.

22. Food and Drug Administration, US. Cochlear implant recipients may be at greater risk for meningitis. Available at:http://www.fda.gov/cdrh/safety/cochlear.html Accessed Auguest 29, 2002.
23. Gfeller KE, Olszewski C, Turner C, et al. Music perception with cochlear implants and residual hearing. Audiol Neurootol 2006;11 Suppl 1:12-15.
24. Holt RF, Kirk KI. Speech and language development in cognitively delayed children with cochlear implants. Ear Hear 2005;26:132-148.
25. House WF. Cochlear implants. Ann Otol Rhinol Laryngol 1976;85 suppl 27:1-93.
26. Jacob R, Stelzig Y, Nopp P, et al. Audiological results with cochlear implants for single-sided deafness. HNO 2011;59:453-460.
27. Jeong SW, Kim LS, Kim BY, et al. Cochlear implantation in children with auditory neuropathy: outcomes and rationale. Acta Otolaryngol Suppl 2007:36-43.
28. Lee YM, Kim LS, Jeong SW, et al. Performance of children with mental retardation after cochlear implantation: speech perception, speech intelligibility, and language development. Acta Otolaryngol 2010;130:924-934.
29. Lesinski A, Hartrampf R, Dahm MC, et al. Cochlear implantation in a population of multihandicapped children. Ann Otol Rhinol Laryngol Suppl 1995;166:332-334.
30. Litovsky RY, Parkinson A, Arcaroli J. Spatial hearing and speech intelligibility in bilateral cochlear implant users. Ear Hear 2009;30:419-431.
31. May-Mederake B. Early intervention and assessment of speech and language development in young children with cochlear implants. Int J Pediatr Otorhinolaryngol 2012;76:939-946.
32. Moore JK. Maturation of human auditory cortex: implications for speech perception. Ann Otol Rhinol Laryngol Suppl 2002;189:7-10.
33. Mukari SZ, Ling LN, Ghani HA. Educational performance of pediatric cochlear implant recipients in mainstream classes. Int J Pediatr Otorhinolaryngol 2007;71:231-240.
34. Offeciers E, Morera C, Muller J, et al. International consensus on bilateral cochlear implants and bimodal stimulation. Acta Otolaryngol 2005;125:918-919.
35. Ohl C, Dornier L, Czajka C, et al. Newborn hearing screening on infants at risk. Int J Pediatr Otorhinolaryngol 2009;73:1691-1695.
36. Olze H, Szczepek AJ, Haupt H, et al. Cochlear implantation has a positive influence on quality of life, tinnitus, and psychological comorbidity. Laryngoscope 2011;121:2220-2227.
37. Pakdaman MN, Herrmann BS, Curtin HD, et al. Cochlear implantation in children with anomalous cochleovestibular anatomy. Otolaryngol Head Neck Surg 2012;146:295-297.
38. Papsin BC, Gordon KA. Bilateral cochlear implants should be the standard for children with bilateral sensorineural deafness. Curr Opin Otolaryngol Head Neck Surg 2008;16:69-74.
39. Ramsden JD, Gordon K, Aschendorff A, et al. European Bilateral Pediatric Cochlear Implant Forum consensus statement. Otol Neurotol 2012;33:561-565.
40. Sladen DP, Frisch CD, Carlson ML, et al. Cochlear implantation for single-sided deafness: A multicenter study. Laryngoscope 2016.
41. Starr A. The neurology of auditory neuropathy. Sininger I, Starr A. Auditory neuropathy, a new perspective on hearing disorders. San Diego: Singular Publishing Group 2001:37-49.
42. Starr A, Picton TW, Sininger Y, et al. Auditory neuropathy. Brain 1996;119 (Pt 3):741-753.
43. Vermeire K, Van de Heyning P. Binaural hearing after cochlear implantation in subjects with unilateral sensorineural deafness and tinnitus. Audiol Neurootol 2009;14:163-171.
44. Vlastarakos PV, Nazos K, Tavoulari EF, et al. Cochlear implantation for single-sided deafness: the outcomes. An evidence-based approach. Eur Arch Otorhinolaryngol 2014;271:2119-2126.
45. von Ilberg CA, Baumann U, Kiefer J, et al. Electric-acoustic stimulation of the auditory system: a review of the first decade. Audiol Neurootol 2011;16 Suppl 2:1-30.
46. Waltzman SB, Roland JT, Jr. Cochlear implantation in children younger than 12 months. Pediatrics 2005;116:e487-493.
47. Wie OB, Pripp AH, Tvete O. Unilateral deafness in adults: effects on communication and social interaction. Ann Otol Rhinol Laryngol 2010;119:772-781.

CHAPTER

43

인공와우이식_
인공와우 기기와 수술

김리석, 정성욱

I 인공와우의 구조와 작동 원리

인공와우(cochlear implant)는 정상적인 기능을 잃은 와우를 대체하는 인공 이식 기기이다. 인공와우는 외부기기(external device)와 내부기기(internal device)로 구성된다(그림 43-1). 외부 기기는 소리를 전기신호로 변환하는 장치로서, 외부의 소리를 감지하는 송화기(microphone)와 소리를 전기신호로 변환하는 어음처리기(speech processor), 그리고 내부기기로 전기신호를 전달하는 연결선(transmitting coil)과 안테나(antenna)로 구성된다. 내부기기는 환자의 측두골 속에 이식되는 부분으로 수용자극기(receiver-stimulator)와 전극(electrode array)으로 구성된다. 송화기에서 받아들인 소리는 어음처리기에서 전기신호로 변환된다. 이 전기신호는 안테나를 통해 radio frequency 전달 방식으로 측두골에 이식된 수용자극기로 전달되어 와우 내로 삽입된 전극에 도달한다. 전극에 도달한 전기신호는 와우에 분포하는 나선신경절세포(spiral ganglion cell)를 직접 자극하고, 이 정보는 대뇌 청각피질로 전달되어 소리를 인지하게 된다.

II 인공와우 기기

초기 인공와우는 하나의 전극으로 이루어진 단채널 인공와우(single-channel cochlear implant)로서, 1961년 House가 처음으로 이식수술을 시행하였다.[20] 소리의 주파수를 부호화(frequency coding)하는 방법에는 시간 부호화(temporal coding) 방식과 위치 부호화(place coding) 방식이 있는데, 단채널 인공와우는 전극이 하나이기 때문에 위치 부호화 방식은 사용할 수 없고 시간 부호화 방식으로 소리의 주파수를 부호화 하였다. 이 방법은 저주파수의 소리는 느린 속도로 전기자극하고 고주파수의 소리는 빠른 속도로 전기자극하여 소리의 주파수를 부호화하는 방식이다. 그러나 인체에서 시간 부호화 방식을 이용할 경우 저주파수의 소리만 음의 높낮이가 구별되고 고주파수의 소리는 음의 높낮이 구별이 불가능하여,

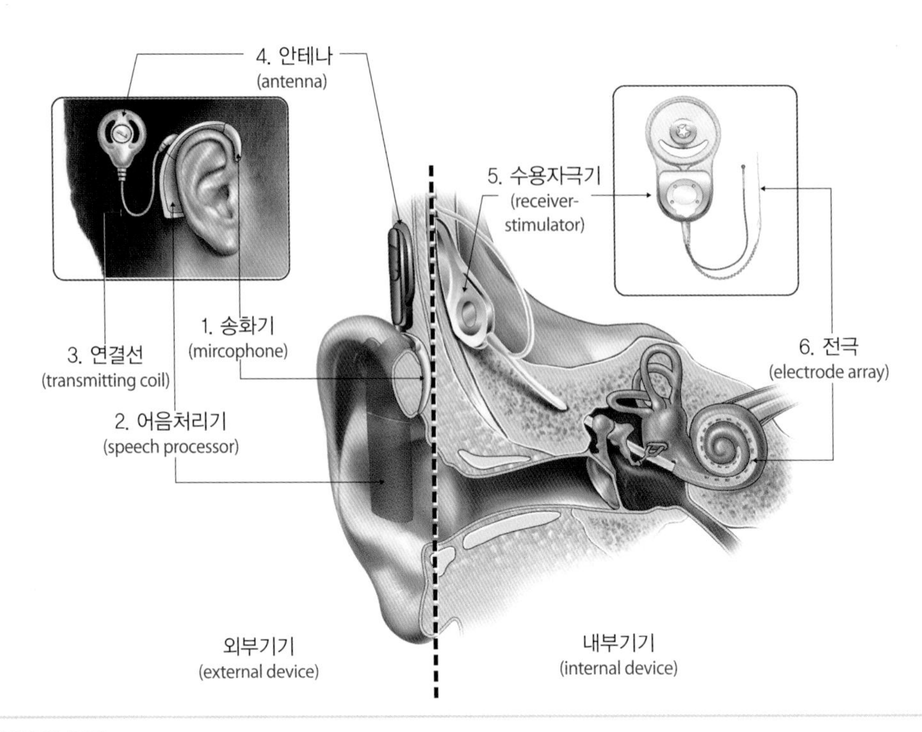

■ 그림 43-1. 인공와우의 구성

단채널 인공와우로는 충분한 말지각을 습득할 수 없었다.[8,20] 이후 다채널 인공와우(multi-channel cochlear implant), 즉 여러 개의 전극을 가진 인공와우가 개발되어 소리의 주파수를 보다 획기적으로 구현할 수 있게 되었다. 저주파수의 소리는 와우 첨부에 위치한 전극을 통해 자극하고, 고주파수의 소리는 와우 기저부에 위치한 전극을 통해 자극하는 위치 부호화 방식으로 소리의 주파수를 구현하였고, 이 방식으로 인공와우를 통한 말지각이 획기적으로 개선되었다. 다채널 인공와우이식은 1978년 Clark에 의해 처음 시행되었으며, 오늘날에 이르기까지 다채널 인공와우가 이식되고 있다.[9]

현재 전 세계적으로 사용되고 있는 인공와우 기기는 Cochlear사, MED-EL사, 그리고 Advanced Bionics사의 세 회사에서 주로 생산하고 있다(그림 43-2). 인공와우 기기는 내부 기기와 외부 기기 양쪽 모두에서 괄목할 만한 발전을 이루어 왔다. 내부 기기의 발전은 전극의 다양화로 대변할 수 있고, 외부 기기의 발전은 소리신호를 전기신호로 변환하는 방식, 즉 소리의 부호화 방식(coding strategy)의 발전으로 대변할 수 있다. 내부 기기는 이식수술이 용이하도록 소형화되고 내구성이 크게 향상되었다. 전극은 초기에 직선형 전극(straight electrode array)이었으나, 이후 와우축(modiolus)에 밀착하는 굴곡형 전극(perimodiolar electrode array)이 개발되어 전류역치를 낮추고 소비전력을 줄였으며 어음인지력의 향상에 기여하였다.[18] 최근에는 와우 내부 환경의 손상을 최소화할 수 있는 전극이 지속적으로 개발되고 있다. 외부 기기는 초기에는 핸드백 크기였으나 점차 귀걸이형으로 소형화되었고, 최근에는 어음처리기와 안테나가 분리되지 않은 일체형으로 더욱 소형화되었다(그림 43-2). 외부의 소리를 전기신호로 변환하는 신호처리 방식에서도 큰 발전이 있어왔으며, 특히 말소리 인지에 중요한 역할을 하는 temporal resolution과 spectral resolution이 크게 개선되어 보다 선명한 소리를 들을 수 있게 되었다. 즉, 기기의 종류에 따라 자극 빈도는 초당 약 3~8만 회 이상까지 가능하고, 고정 채널수는 12~22개이며 인접 전극의 동시 혹은 순차적 자극으로 120개의 가상(virtual) 채널을 구

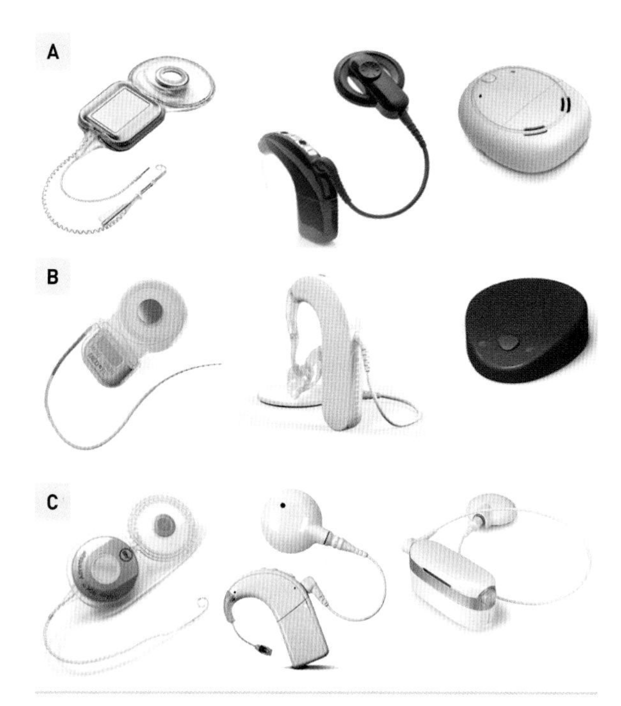

■ 그림 43-2. **각 제조사 별 인공와우 기기. A)** Cochlear 사의 내부기기 (CI532), 외부기기 (N6 speech processor), 일체형 외부기기 (KANSO). **B)** MED-EL사의 내부기기 (Synchrony), 외부기기 (SONNET EAS speech processor), 일체형 외부기기 (RONDO). **C)** Advanced Bionics 사의 내부기기 (HiRes 90**K**), 외부기기 (Naida CI Q70 sound processor), 방수형 외부기기 (Neptune)

Slim Modiloar (18.4 mm, 14 mm, 0.4~0.5 mm)

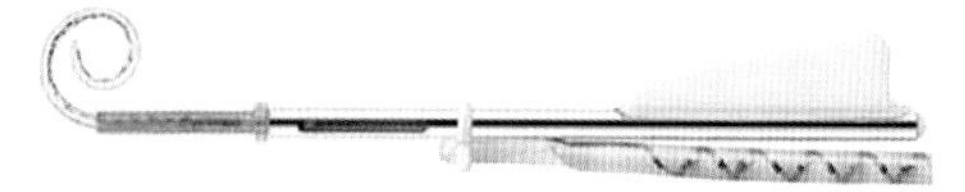

Slim Straight (25 mm, 19.1 mm, 0.3~0.6 mm)

Hybrid (16 mm, 14.5 mm, 0.25~0.4 mm)

Contour Advance (19 mm, 14.25 mm, 0.5~0.8 mm)

Straight (23.9 mm, 16.4 mm, 0.4~0.6 mm)

Double array (14.25 mm/15 mm, 8.25 mm, 0.75 mm)

■ 그림 43-3. **Cochlear 사 인공와우의 전극.** Cochlear 사의 전극은 22개의 플라티늄 전극으로 이루어져 있다. Slim Modiolar 전극과 Contour Advance 전극은 굴곡형 전극(perimodiolar electrode)이고, Slim Straight 전극과 Hybrid 전극, Straight 전극은 직선형 전극이다. 괄호 안의 수치는 전극의 전체길이, 첫 전극과 마지막 전극간 거리, 전극의 첨부 및 기저부에서의 직경이다.

현할 수도 있다.[29] 가장 최근의 인공와우 기기를 중심으로 그 특성을 보다 자세히 살펴보고자 한다.

1. 내부기기

1) Cochlear 사 기기

Cochlear 사의 내부기기 중 최근 모델은 Nucleus profile series이며, 이전 모델은 Nucleus CI24RE series이다. 전극은 여섯 가지 형태로 제작되어 있다(그림 43-3). Slim modiolar 전극은 가장 최근에 개발된 굵기가 가는 굴곡형으로 22개의 플라티늄 전극이 총 14mm에 걸쳐 배열되어 있다. 내부 덮개(internal sheath, 그림 43-3의 주황색 부분)를 와우개창 부위에 위치시킨 후, 한 손으로 손잡이(sheath handle, 그림 43-3의 흰색 날개 부분)를 잡아 고정하고 다른 한 손으로 전극을 밀어 넣으면 전극이 전진하면서 와우축을 감싸게 된다. 전극 삽입이 완료되면 손잡이와 내부 덮개는 전극으로부터 분리된다. 손잡이와 내부 덮개는 재사용이 가능하기 때문에 전극 삽입에 문제가 있는 경우 다시 손잡이와 내부 덮개를 부착하여 사용할 수 있다. Slim Straight 전극은 가늘게 제작된 직선형 전극으로 22개의 플라티늄 전극이 총 19.1 mm에 걸쳐 0.95 mm 간격으로 배열되어 있다. 가늘기 때문에 와우 내부 환경의 손상을 최소화하고 잔존 청력을 보존하는데 적합하다. Hybrid 전극도 직선형으로 Cochlear 사의 전극 중 가장 가늘다. 이 전극은 저주파수 영역의 잔존 청력이 있는 환자를 위한 전기-소리 자극 방식(electro-

■ **그림 43-4. MED-EL 사 인공와우의 전극.** 좌측은 기본전극, 우측은 FLEX 전극이다. 기본전극은 12쌍의 플라티늄 전극이 양측으로 배열되어 있다. FLEX 전극은 처음 5개의 전극은 일측에만, 다음 7쌍의 전극은 양측으로 배열되어 있어 전극의 첨부가 기본전극에 비해 가늘다. 괄호 안의 수치는 전극의 전체길이, 첫 전극과 마지막 전극간 거리, 전극의 첨부 및 기저부에서의 두께이다.

acoustic stimulation)을 사용할 경우 적합하며, 총 14.5 mm에 걸쳐 0.6~0.8 mm 간격으로 22개의 플라티늄 전극이 배열되어 있다. Contour advance (CA) 전극은 굴곡형으로 22개의 플라티늄 전극이 총 14.25 mm에 걸쳐 0.4~0.8 mm 간격으로 배열되어 있다. 제품 출고 시에는 stylet이 삽입되어 있어 직선에 가까운 형태를 취하고 있으며, 수술 시 전극을 고실계에 삽입한 후 stylet을 제거하면 전극이 굴곡을 이루게 되어 와우축을 감싸며 밀착하게 된다. 이 전극은 Advance Off-Stylet 방식을 이용하여 고실계에 삽입하는데, 전극의 일부를 고실계로 삽입한 후 한 손으로 stylet을 잡아 고정하고 나머지 한 손으로 전극을 밀어 넣는 방법이다. Stylet을 제거하여 전극이 굴곡되고 나면 stylet을 다시 삽입할 수 없기 때문에 전극 삽입에 실패한 경우에는 새로운 기기를 사용하여야 한다. Straight 전극은 직선형으로 22개의 플라티늄 전극이 총 16.4 mm에 걸쳐 0.75 mm 간격으로 배열되어 있고, 10개의 추가 전극을 가지고 있다. Double array 전극은 두 가닥의 array에 각각 11개의 플라티늄 전극이 총 8.25 mm에 걸쳐 0.75 mm 간격으로 배열되어 있다. 이 전극은 와우 골화가 있는 경우 사용하며 기저회전부와 중간회전부에 두 개의 와우개창술(cochleostomy)을 시행하고 각각의 전극을 삽입한다.

Cochlear 사의 수용자극기는 티타늄 외장으로 내구성이 높고 실리콘으로 감싸져 있다. 수용자극기의 자석은 분리가 가능하여, MRI 촬영이 필요한 경우 자석을 분리하고 촬영할 수 있다.

2) MED-EL 사 기기

MED-EL 사의 내부기기 중 가장 최근 모델은 Synchrony이다. 이전 모델은 Combi 40+, Pulsar, Sonanta, Concerto가 있으며, Combi 40+와 Pulsar는 세라믹 외장으로, 그리고 Sonata, Concerto, Synchrony는 티타늄 외장으로 이루어져 있다. Synchrony는 수용자극기의 자석 분리가 가능하고, 나머지 기기는 자석 분리가 불가능하다. 전극은 다양한 길이로 제작되어 있으며 모두 직선형이다(그림 43-4). 기본 전극은 Standard, Medium,

Compressed 전극의 세 가지이며, 12쌍의 플라티늄 전극이 각각 26.4 mm, 20.9 mm, 그리고 12.1 mm에 걸쳐 양측으로 배열되어 있다. 와우 골화가 있는 경우 사용할 수 있는 split array는 두 가닥으로 이루어져 있는데, 각각은 5쌍과 7쌍의 플라티늄 전극이 4.4 mm와 6.6 mm에 걸쳐 배열되어 있다. 와우 내부 환경의 손상을 최소화하기 위해 전극의 첨부를 보다 가늘게 만든 FLEX 전극도 있다. FLEX 전극은 처음 5개의 전극은 일측에만, 다음 7개의 전극은 양측에 쌍으로 배열되어 있다. 가장 긴 전극인 $FLEX^{SOFT}$는 12개의 플라티늄 전극이 2.4 mm 간격으로 26.4 mm에 걸쳐 배열되어 있고, $FLEX^{28}$는 각 전극이 2.1 mm 간격으로 23.1 mm에 걸쳐 배열되어 있다. $FLEX^{24}$는 각 전극이 1.9 mm 간격으로 20.9 mm에 걸쳐 배열되어 있으며, 전기-소리 자극 방식을 사용할 때 적합하다. $FLEX^{20}$은 각 전극이 16.5 mm에 걸쳐 배열되어 있다.

3) Advanced Bionics 사 기기

Advanced Bionics 사의 기기 중 가장 최근의 모델은 HiRes 90 K이다. 수용자극기는 타 제조사의 기기와 마찬가지로 티타늄 외장으로 내구성이 높고 실리콘으로 감싸져 있다. 수용자극기의 자석은 분리가 가능하다. 전극은 세 가지 형태로 제작되어 있다(그림 43-5). HiFocus 1j는 완만한 곡선형으로 16개의 플라티늄 전극이 1.1 mm 간격으로 17 mm에 걸쳐 배열되어 있다. HiFocus Helix는 와우축을 감싸는 굴곡형으로 stylet이 삽입되어 있으며, 16개의 플라티늄 전극이 0.85 mm 간격으로 총 13 mm에 걸쳐 배열되어 있다. HiFoucs Mid-Scala는 와우 내부 환경의 손상을 최소화하기 위해 와우축이나 외측벽, 그리고 기저막에 접촉하지 않고 고실계의 중앙 공간으로 삽입될 수 있도록 설계된 전극이다. 이 전극도 굴곡형으로 stylet이 삽입되어 있으며, 16개의 플라티늄 전극이 0.9 mm 간격으로 15 mm에 걸쳐 배열되어 있다.

HiFocus 전극들은 제조사에서 제공하는 삽입기구(insertion tool)를 전극에 부착하여 와우개창 부위에 전극의 끝을 위치시킨 후 삽입기구를 부드럽게 밀기만 하면 전극을 삽입할 수 있어 편리하다. 단, 삽입기구가 통과할 수 있도록 후고실개방술을 비교적 크게 시행해야 한다. 술자의 선호도에 따라 삽입기구를 사용하지 않고, Cochlear사의 Contour advance 전극과 같은 방법으로 전극의 일부를 고실계로 삽입한 후 한 손으로 stylet을 잡아 고정하고 나머지 한 손으로 전극을 밀어 넣는 방법으로 전극을 삽입할 수도 있다.

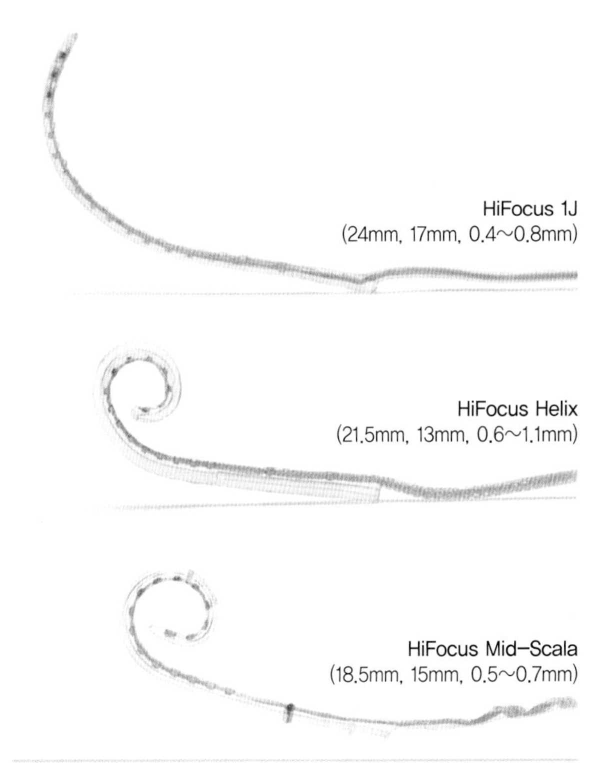

■ 그림 43-5. **Advanced Bionics 사 인공와우의 전극.** 16개의 플라티늄 전극으로 이루어져 있다. HiFocus 1j는 완만한 곡선형이며 HiFocus Helix와 HiFocus Mid-Scala는 굴곡형 전극(perimodiolar electrode)이다. 괄호 안의 수치는 전극의 전체 길이, 첫 전극과 마지막 전극간 거리, 전극의 첨부 및 기저부에서의 두께이다.

4) MRI 촬영 적합성

모든 수용자극기에는 자석이 부착되어 있기 때문에 MRI 촬영 시 문제가 될 수 있다. 자석이 인체 내에 삽입되

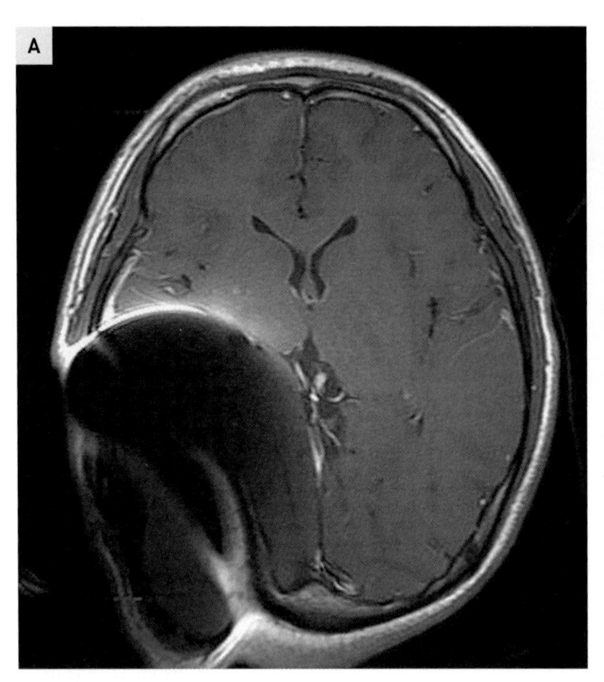

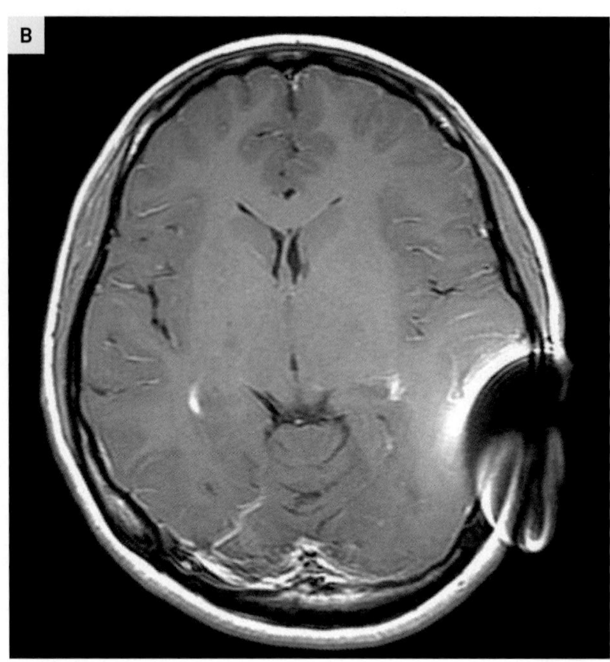

■ **그림 43-6. 인공와우 내부기기로 인한 자기공명영상의 왜곡.** **A)** 내부기기의 자석을 제거하지 않고 촬영한 경우, **B)** 내부기기의 자석을 제거하고 촬영한 경우

어 있는 경우 MRI는 자석 부위에 전류를 유도하여 열을 발생시키고, 자석의 회전력으로 인해 인공와우나 주변조직을 손상시킬 수 있으며, 전극이 움직이거나 고실계 외부로 빠져 나올 가능성이 있다.[50] 또한 MRI 촬영 후 자석의 자성이 소실될 수 있으며, 뇌영상의 경우 자석에 의해 심한 영상 왜곡이 발생하여 진단적 가치가 저하된다(그림 43-6).[13] 따라서 인공와우 이식 환자가 MRI 촬영이 필요한 경우에는 다음의 방법으로 대처해야 한다. 첫째로 수용자극기의 자석을 제거하지 않고 압박 붕대로 수용자극기 부위를 압박하여 자석과 내부기기의 움직임을 억제한 상태에서 MRI를 촬영할 수 있다. 이 경우에는 자기장이 약한 1.5 Tesla 이하의 MRI만 촬영할 수 있으며, 압박붕대로 압박을 하더라도 자석의 움직임을 완전히 억제할 수는 없기 때문에 MRI 촬영 중 다소간의 통증이 발생한다. 둘째로 수용자극기의 자석을 제거한 후 MRI를 촬영하는 방법이다. 자석을 제거하면 3.0 Tesla의 MRI 촬영이 가능하며, 특히 뇌영상 촬영시 자석으로 인한 영상의 외곡을 줄일 수 있다. Cochlear 사의 내부기기 중 CI24M, CI24R(ST), CI24R(CS), CI24R(CA), C24RE(ST), CI24RE(CA), CI422, CI522, CI532와 Advanced Bionics 사의 HiRes 90K, 그리고 MED-EL사의 Synchrony는 수용자극기 자석의 분리가 가능하여, 수술을 통해 자석을 분리한 후 MRI를 촬영할 수 있다. 최근 개발된 MED-EL의 Synchrony는 자기장 속에서 회전만 하도록 설계된 특수 자석을 사용하고 있어 자석 제거나 압박 붕대 사용 없이 3.0 Tesla MRI 촬영이 가능하다.

2. 어음처리기

어음처리기의 부호화 방식의 가장 중심되는 것은 Wilson이 개발한 continuous interleaved sampling (CIS) 방식이며, 이 방식은 모든 제조사에서 채택하고 있는 부호화 방식의 근간이다(그림 43-7).[49] 외부의 소리를 digital filter bank에 통과시켜 주파수 대역별로 나누고,

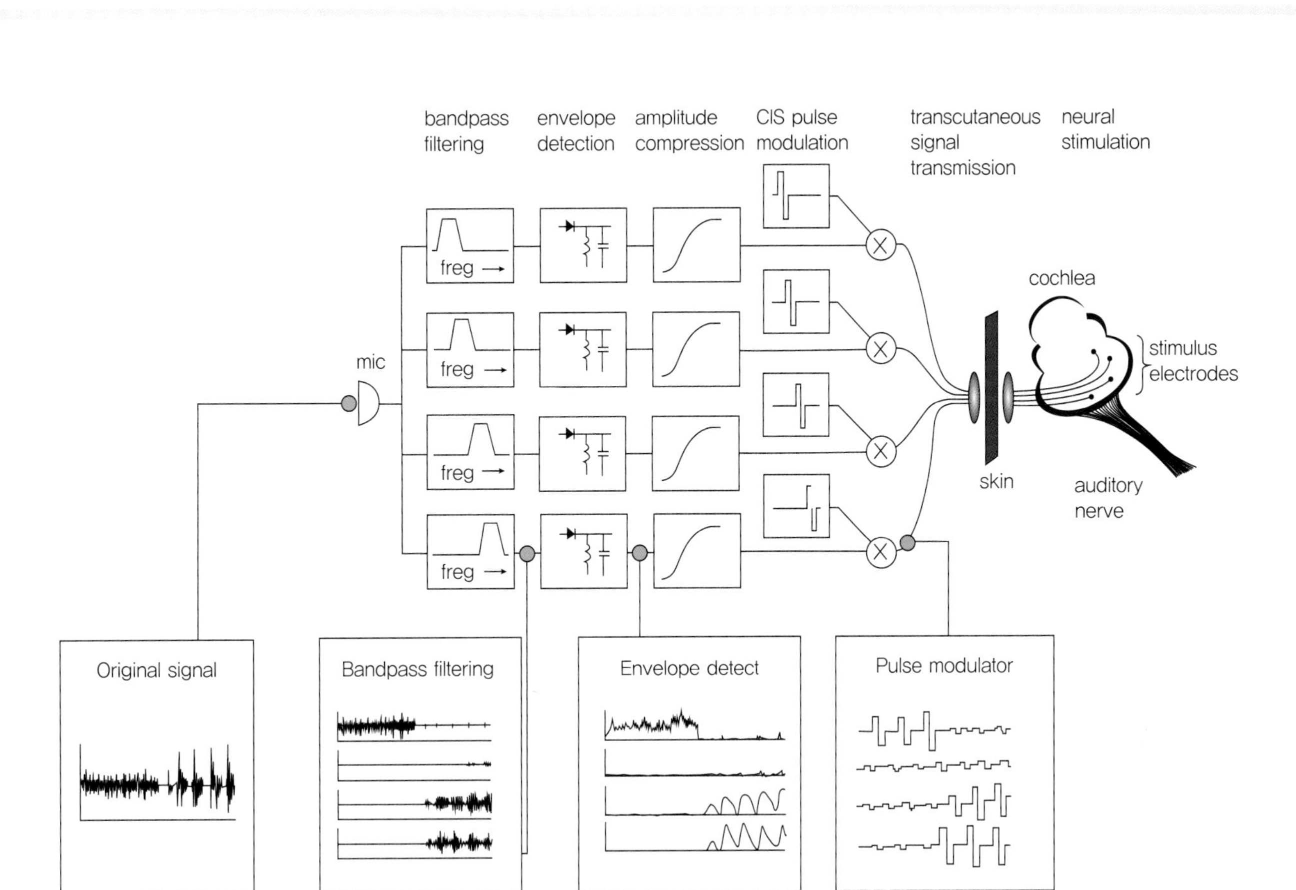

■ 그림 43-7. Continuous interleaved sampling의 모식도

진폭에 해당하는 envelope 성분만을 취하여 이 중 가장 큰 진폭을 가진 4~12개의 성분만을 전기신호(electrical pulse)로 변환하여 해당 전극을 순차적으로 자극하는 방식이다. CIS 방식은 외부 소리를 전기신호로 변환한 후 각 전극을 순차적으로 자극하기 때문에 각 전기신호가 서로 중첩(overlap)되지 않고, 매우 빠른 자극 속도로 인해 소리의 temporal structure를 최대한 반영할 수 있다는 점이 장점이다. 소리는 temporal fine structure와 envelope으로 나눌 수 있는데, 모든 어음처리기의 기본적인 부호화 방식이 CIS이기 때문에 소리의 envelope 성분만을 구현하며, temporal fine structure는 구현하지 못하는 단점이 있다.[44] MED-EL사는 fine structure processing 방식을 통해, 저주파수 영역에 한하여 시간 부호화(temporal coding) 방식을 사용함으로서 부분적으로 temporal fine structure를 구현하고 있다.[38]

현재 임상에서 사용하고 있는 외부기기들은 사용자가 본인의 선호도와 주변 환경에 따라 설정을 조정할 수 있도록 되어 있다. 볼륨/감도 조절(volume/sensitivity control)이 가능하고, 소음환경, 조용한 환경 등 다양한 상황에 적합한 여러 개의 프로그램을 미리 입력하여 필요에 따라 선택할 수 있다. 외부기기 조정을 위한 원격 조정기(remote controller)가 공급되기 때문에, 외부기기를 착용한 상태에서 이러한 다양한 조정을 할 수 있어 편리하다. 또한 frequency modulation system을 연결할 수 있고, 텔레비전이나 라디오 음향 수신과 전화통화 시 블루투스를 이용할 수 있어 주변 소음의 영향을 받지 않을 수 있다. 미용적 효과를 위해 외부장치의 연결선과 귀걸이형 장치 없이 수용자극기 부위에만 부착되는 일체형 어음처리기(single unit audio processor)도 개발되어 있다(그림 43-2).

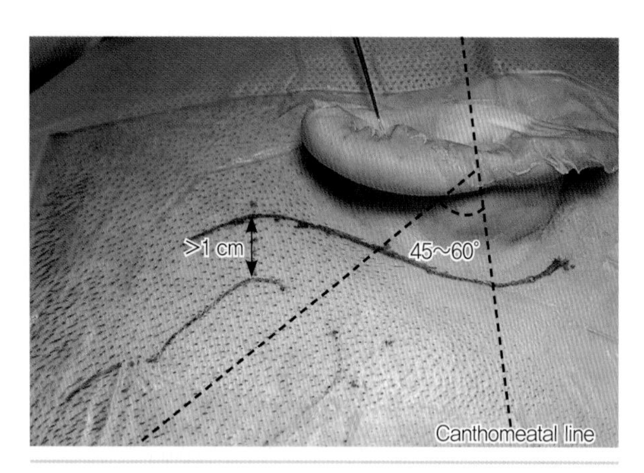

■ 그림 43-8. **피부절개 부위와 수용자극기 삽입 부위의 표시.** 이개 후방에 피부절개선을 표시한다. 수용자극기는 canthomeatal line을 기준으로 45~60° 각도를 이루도록 한다.

Ⅲ 인공와우 이식수술

인공와우 이식수술은 전신마취하에서 시행하며, 안면신경 감시 장치의 사용이 권장된다. 귀 뒤에 피부절개를 하고 유양동 삭개술과 후고실 개방술을 시행한 후, 정원창 하방 혹은 전하방에 와우개창술을 시행하거나 정원창을 절개한다. 와우개창 부위를 통해 내부기기의 전극을 와우 내로 삽입하고, 연부조직을 이용하여 와우개창 부위를 폐쇄한 후 피부를 봉합한다.

1. 피부절개

수술 부위의 소독을 완료하고, 피부절개 부위와 수용자극기가 삽입될 위치를 두피에 도안한다(그림 43-8). 과거에는 역 U (inverted U)형 피부 절개법이나 C형 피부 절개법을 사용하였으나, 최근에는 후이개 절개선을 후상방으로 2~3 cm 정도 연장한 후이개 절개법(extended postauricular incision)이 가장 널리 사용되고 있고 3~4 cm 정도의 작은 후이개 절개만을 가하는 최소 절개법도 이용되고 있다(그림 43-9). 최소절개법의 경우 연장한 후이개 절개법에 비해 창상 치유가 빠른 장점이 있으나,

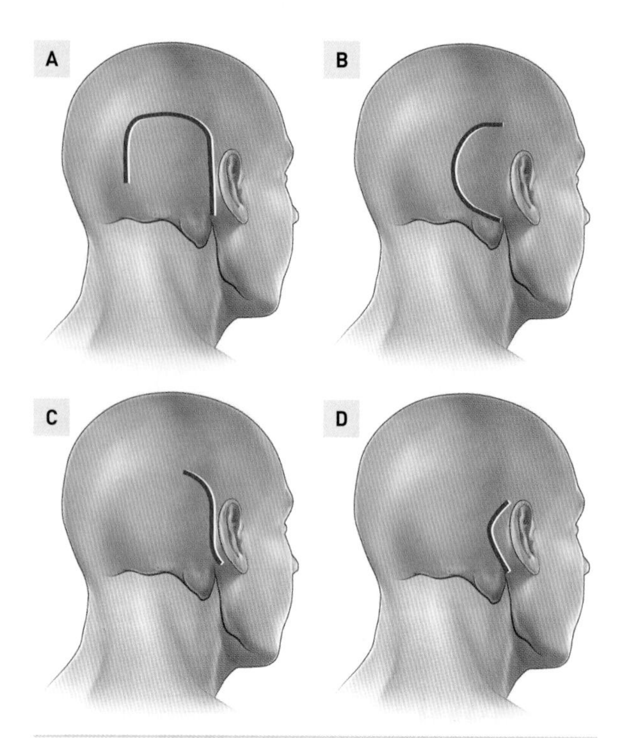

■ 그림 43-9. **인공와우 이식수술을 위한 피부 절개. A)** 역 U형 (inverted U) 절개, **B)** C 형 절개, **C)** 연장한 후이개 절개, **D)** 최소 후이개 절개

수용자극기를 위치시킬 함몰부(well)와 tie-down hole을 만들 때 시야가 제한되고 수술 기구 접근이 불편한 단점이 있다. 수용자극기의 앞쪽 모서리는 피부 절개에서 1 cm 이상 후방에 위치해야 하고, lateral canthus와 외이도 상벽을 연결한 선(canthomeatal line)을 기준으로 45~60° 각도를 이루는 것이 좋다(그림 43-8).

피판을 들어 올릴 때는 단극성 소작기가 많이 이용된다. 그러나 양측 인공와우 이식수술이나 재수술을 시행할 경우, 즉 일측 혹은 양측에 인공와우 이식이 이미 시행되어 있는 경우에는 단극성 소작기의 사용을 금해야 한다. 단극성 소작기의 사용은 수용자극기의 전기회로를 손상시킬수 있고, 와우 내부의 전극에 과도한 전류를 유발하여 나선신경절세포를 손상시킬 수 있기 때문이다. 이때는 양극성 소작기나 Plasma knife와 같은 기구를 사용하는 것이 안전하다.

피판이 너무 두꺼우면 외부기기의 안테나가 잘 부착되

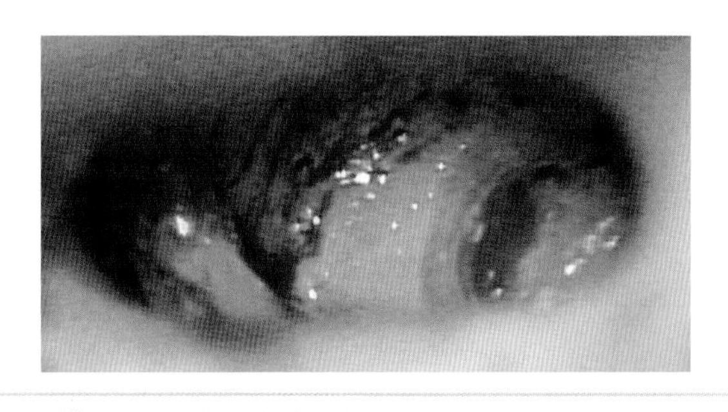

■ 그림 43-10. **후고실 개방술.** Stapedius tendon, 와우갑각, 정원창와가 노출되도록 후고실 개방술을 크게 시행한다.

지 않고 전력 소모가 커서 전지의 수명이 단축되며 소리 정보 전달도 저하된다. 피판의 두께는 6~7 mm 이하가 되도록 하며, 이보다 두꺼운 경우에는 피판 내측면을 절제하여 얇게 만드는 것이 좋다. 이때 모낭이 노출되지 않도록 주의해야 하는데, 모낭이 노출될 경우 수용자극기 주변으로 세균 감염이 발생할 위험이 증가하고, 이후 피판 괴사와 수용자극기의 외부 노출 등 위중한 합병증으로 이행할 가능성이 커지기 때문이다.

2. 유양동 삭개술과 후고실 개방술

내부기기의 전극이 와우로 접근할 수 있도록 유양동 삭개술과 후고실 개방술을 시행한다. 유양동 삭개술을 시행할 때는 피질골(cortical bone)의 상부, 후부, 하부에 약간의 돌출(overhang)을 남겨두어 전극선(electrode cable)이 유양동 내부에 안정적으로 위치할 수 있게 하는 것이 좋다. 후고실 개방술은 안면신경과 고삭신경이 손상되지 않도록 주의하면서 가능한 크게 시행하고 외이도 후벽은 최대한 얇게 만들어서, 중고실의 후방에 위치한 정원창와(round window niche)를 향한 시야가 충분히 확보되게 한다(그림 43-10).

3. 수용자극기를 위한 함몰부(Well)와 Tie-down hole 형성

두피에 미리 도안하였던 수용자극기의 위치를 고려하여, 두정골(parietal bone)에 수용자극기를 위치시킬 함몰부와 tie-down hole을 만든다. 이는 수용자극기를 안정적으로 고정하여 이동(migration)을 방지하고 돌출을 최소화하여 미용적 효과와 외상에 대한 손상을 최소화하기 위한 목적이다. 소아의 경우 두개골이 얇기 때문에 함몰부와 tie-down hole을 만들 때 경막(dura)을 노출해야 하는 경우가 있으며, 이때 경막 손상으로 인해 뇌척수액이 유출되지 않도록 주의해야 한다(그림 43-11).

경막 손상의 위험을 줄이기 위해 두정골을 삭개하지 않고 골막 하부에 수용자극기가 위치할 주머니를 만드는 periosteal pocket technique을 이용할 수도 있다. Temporoparietal suture와 lambdoid suture 사이를 박리하여 공간을 만들고 수용자극기를 이 공간에 삽입한 다음 주머니 입구의 골막을 봉합하여 강화하는 방법이다.[3]

4. 와우개창술(Cochleostomy)

와우개창술은 와우의 고실계(scala tympani)로 전극을 삽입할 수 있도록 와우에 구멍을 만드는 술식이다. 와우개창술은 정원창의 하방 혹은 전하방의 와우갑각에 와우개창을 만드는 방법(bony cochleostomy)과 정원창에 절개를 만드는 정원창 접근법(round window approach)의 두 가지 방법이 있다. 와우갑각을 통한 와우개창술을 시행할 때는 정원창와(round window niche)를 반드시 확인하고, 정원창의 하방이나 전하방에 정원창과 연하여 와우개창을 만들어야 고실계로 접근할 수 있다. 정원창의 전방에 와우개창을 만들 경우 기저막과 나선인대(spiral ligament)의 손상 위험이 크고 전극이 전정계로 삽입될 가능성이 높으며,[5] 처음 고실계로 삽입되더라도 기저막을 뚫고 전정계로 진행할 가능성이 높다.[35] 전정계로 전극이 삽입된 경우 고실계로 삽입된 경우에 비해 어음인지력이 부진하고,[2] 전극이 처음 고실계로 삽입되었다가 전정계로 진행된 경우에도 전정계에 위치한 전극의 수에 비례하여 어음인지력이 부진한 것으로 보고되었다.[15] 정원창 접근법

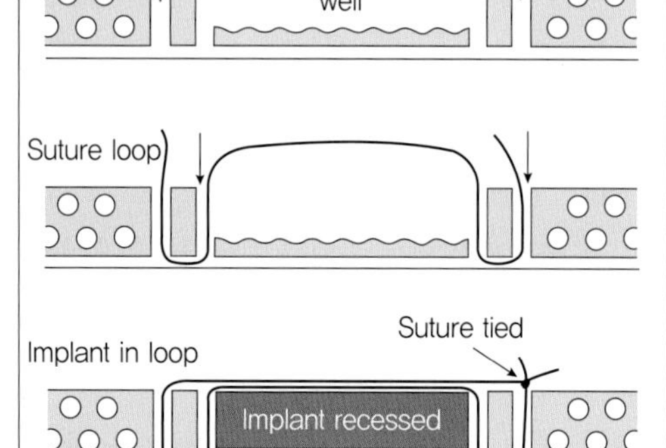

■ 그림 43-11. **수용자극기를 위한 함몰부(Well)와 Tie down hole.** 두정골이 얇은 소아의 경우 함몰부를 만들 때 경막을 노출하여 수용자극기가 돌출되지 않도록 하고, 경막이 손상되지 않도록 주의하면서 tie-down hole을 수직으로 만든다. 두정골이 두꺼운 성인의 경우 함몰부를 만들 때 경막을 노출할 필요가 없으며, tie-down hole은 비스듬한 방향으로 만든다.

을 사용할 때는 정원창을 가리고 있는 상방의 골성 돌출부(bony overhang)를 제거하여 정원창이 충분히 노출되도록 한다. 정원창이 노출되면 25게이지 주삿바늘이나 픽(pick)을 이용하여 정원창에 절개를 가하고 전극을 삽입한다. 와우개창을 만들 때는 주로 다이아몬드 burr를 사용하게 되는데, 드릴 회전시 발생하는 마찰열로 인해 안면신경이 손상될 수 있기 때문에 burr의 shaft가 안면신경관에 닿지 않도록 주의해야 한다.

와우개창술을 시행하는 동안 골분이 와우 내로 유입될 경우 전극과 나선신경절세포 사이의 저항체로 작용할 수 있으므로 골분이 유입되지 않도록 주의하여야 한다. 또한 흡입기로 외림프액을 직접 흡입하는 경우 와우 내부 환경에 직접적인 물리적 손상을 초래할 수 있으므로 삼가해야 한다. 이를 위해 혈액이나 골분이 와우내로 유입되지 않도록 해야 하는데, 와우개창을 만들기 전에 그 부위의 점막을 미리 제거하거나 에피네프린을 적신 젤폼을 올려두어 출혈을 방지하고 충분한 양의 생리식염수로 수술 부위를 세척하여 주변의 골분과 혈액 등을 씻어내도록 한다. 또한 와우개창술을 시행하는 동안 와우의 골내막(endosteum)이 손상되지 않도록 하여 골분의 유입을 막고, 최종적으로 골내막을 절개하여 전극을 삽입하도록 한다. 만일 혈액이나 골분, 혹은 전기 저항체로 작용할 수 있는 공기방울이 와우 내로 유입된 경우에는 hyaluronic acid와 같은 윤활액을 와우 내로 부드럽게 주입하여 골분이나 혈액, 공기방울이 외부로 배출되도록 한다.

두 가지 와우개창술 방법 중 어느 것이 더 좋다고는 할 수 없으며, 와우개창술의 선택은 사용하는 전극과 각 환자의 정원창의 해부학적 구조를 고려하여 결정하는 것이 좋다. 섬세한 직선형 전극은 정원창 접근법과 와우갑각을 통한 와우개창술 모두에 적합하고, 와우를 감싸는 굴곡형 전극은 정원창 접근법보다는 와우갑각을 통한 와우개창술에 적합하다.[5] 15개의 측두골을 이용하여 정원창의 각도를 조사한 연구에 따르면, 정원창이 술자를 정면으로 바라볼 때를 정원창 각도 0°, 아래쪽을 향할 때를 정원창 각도 90°라고 정했을 때, 정원창 각도는 27~65° 범위를 이루고, 이 각도가 0°에 가까울수록 정원창을 통한 전극

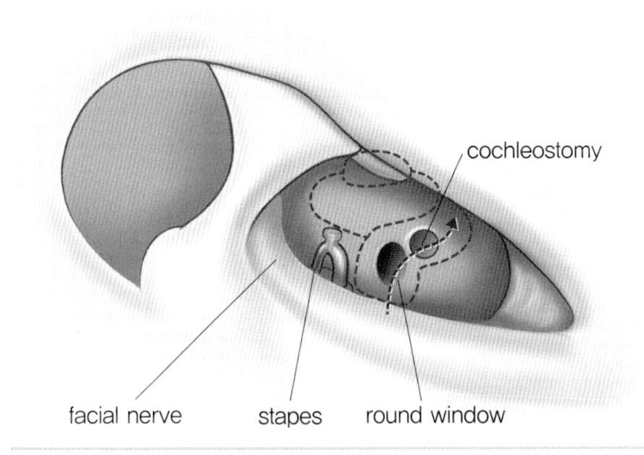

■ 그림 43-12. **전극의 삽입.** 고실계의 진행 방향(화살표)을 따라 전극을 삽입하여 와우축과 외측벽, 기저막 등이 손상되지 않도록 한다.

삽입시 내부 환경의 손상이 적으며, 54° 이상일 경우 전극 삽입 시 와우축에 충격이 가해질 수 있다고 하였다.[43]

5. 수용자극기 고정과 전극 삽입

와우개창이 완료되면 수용자극기를 함몰부에 위치시킨다. 비흡수사를 tie-down hole에 통과시켜 수용자극기를 묶으면 더욱 안정적으로 고정할 수 있다(그림 43-11). 전극을 삽입할 때는 전극이 손상되지 않도록 jeweler's forceps와 같은 섬세한 기구를 이용하여 전극을 잡고, 기저막, 와우축, 그리고 고실계의 외측벽이 손상되지 않도록 고실계의 진행 방향을 따라 약한 힘으로 천천히 삽입하도록 한다(그림 43-12). 저항이 느껴질 경우 무리하게 진행하지 말고 전극을 일부 후퇴한 후 다시 삽입하도록 한다. 전극의 삽입이 완료되면 측두근막이나 근육의 조각을 이용하여 와우개창 부위를 완전히 폐쇄하여야 한다.

6. 수술 중 영상검사와 전기생리학적 검사

전극 삽입 후에는 단순 방사선 촬영이나 fluoroscopy를 이용하여 전극이 와우 내에 정확히 삽입되었는지 확인할 수 있다. 또한 다양한 전기생리학적 검사를 이용하여 기기의 작동상태와 전기자극에 대한 청각전달로의 반응을 확인할 수 있다. 수술 중 전극 삽입 후 단시간 내에 시행할 수 있는 전기생리학적 검사로는 impedance test, 전기자극 복합활동전위(electrically evoked compound action potential; ECAP) 검사,[6] 전기자극 등골근반사(electrically evoked stapedial reflex; ESR) 검사[48] 등이 있다.

Impedance test는 각 전극의 전기저항을 측정하는 검사이다. 골분이나 공기방울이 유입된 경우 해당 전극의 저항이 기준치 이상으로 증가할 수 있으며, 단선(open circuit)된 경우에는 저항이 무한대로 높아진다. 합선(short circuit)된 경우에는 저항이 0 Ω으로 측정된다(그림 43-13).

ECAP은 전기 자극에 의해 각 청신경 섬유에서 방출되는 동기화된 활동전위(action potential)를 기록한 것이다(그림 43-14). 와우 내에 삽입된 전극이 자극 전극이 되고, 인접 전극이 기록 전극이 된다. ECAP의 주 성분은 전기자극 후 0.2~0.4 ms에 나타나는 음파(negative peak)이다. ECAP의 가장 큰 장점은 기록 전극이 청신경 섬유에 인접해 있기 때문에 큰 진폭의 반응을 얻을 수 있고 근전위와 같은 잡파의 혼입이 적다는 점이다.[6] 단, 청신경 섬유를 직접 자극하기 때문에 자극과 반응 사이의 잠복기가 매우 짧아, 자극 잡음을 청신경의 반응으로부터 분리해야 하는 기술적인 문제가 발생한다. 자극 잡음을 상쇄하는 방법으로 청신경의 불응기를 이용한 forward masking subtraction method와 alternating polarity method가 쓰인다. 인공와우 제조사마다 ECAP 측정을 위한 고유의 프로그램을 사용하고 있는데, Cochlear 사는 neural response telemetry (NRT), MED-EL 사는 auditory nerve response telemetry (ART), 그리고 Advanced Bionics 사는 neural response imaging (NRI)을 통해 ECAP을 측정한다. ECAP이 정상적으로 기록될 경우 내부 기기가 정상적으로 작동하고 와우 내부의 신경섬유가 전기 자극에 대해 반응하고 있음을 확인할 수 있다. 또한 ECAP 역치 강도의 전기 자극은 들을 수 있으면서도 불쾌

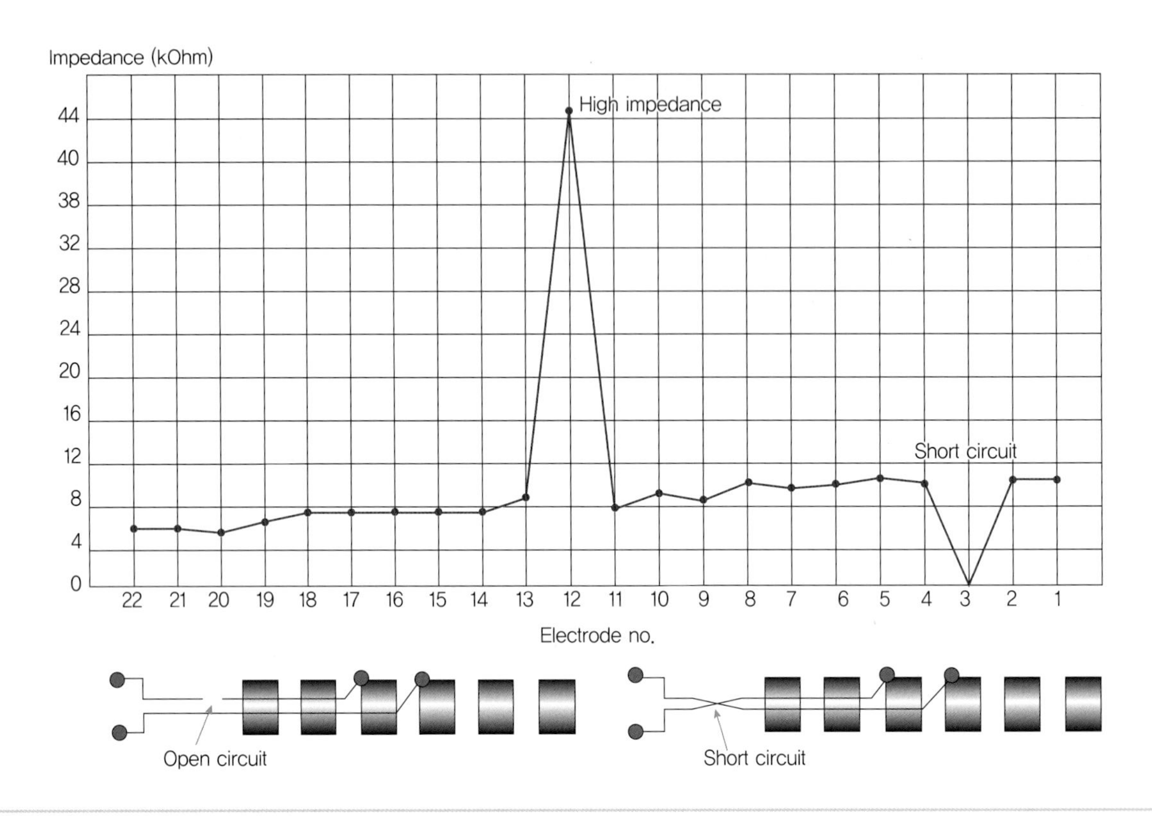

■ 그림 43-13. **Impedance test.** 절연체로 작용하는 골분이나 공기방울이 고실계에 유입된 경우 전기저항이 비정상적으로 증가할 수 있다. 단선(open circuit)된 경우 저항이 무한대로 커지고, 합선(short circuit)된 경우 저항은 0 Ω이 된다.

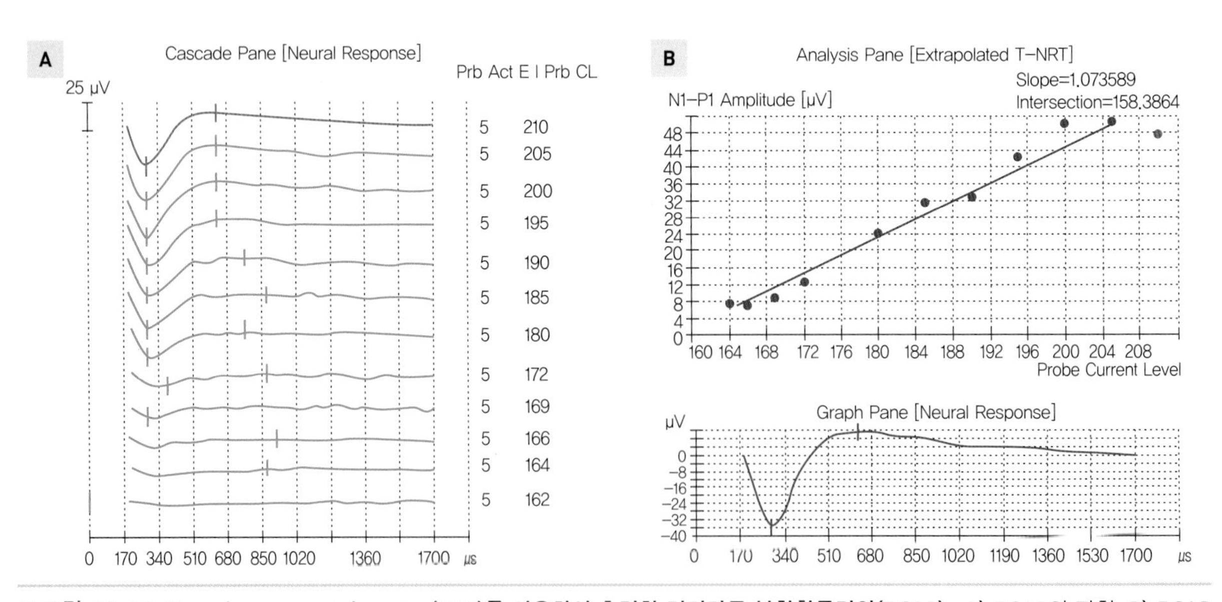

■ 그림 43-14. **Neural response telemetry (NRT)를 이용하여 측정한 전기자극 복합활동전위(ECAP). A)** ECAP의 파형, **B)** ECAP의 진폭을 이용하여 ECAP의 역치를 구하는 plotting

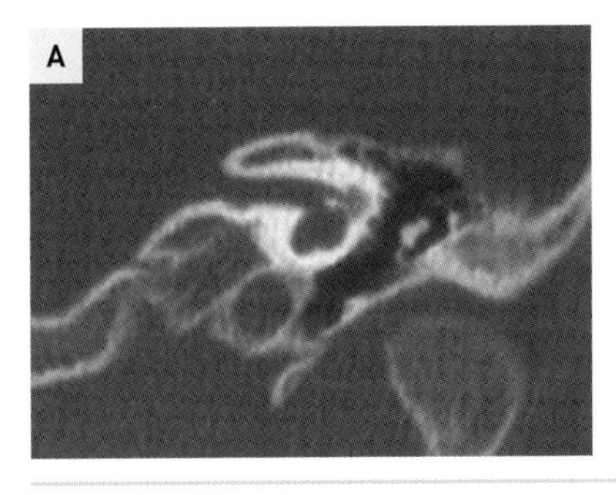

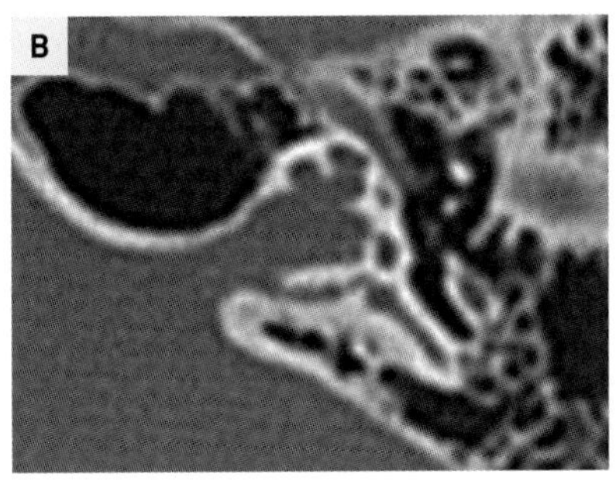

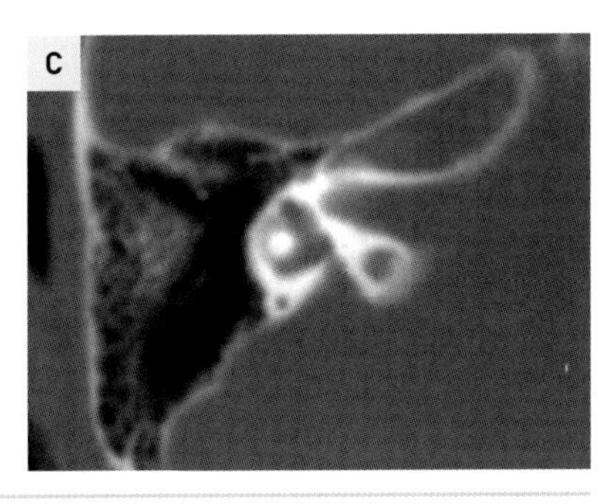

■ 그림 43-15. **뇌척수액 분출(CSF gush)이 흔히 동반되는 내이 기형. A), B)** 내이도 외측벽과 내이 사이의 결손(fundus defect)을 동반한 제I형 불완전 분할(A, incomplete partition type I)과 제III형 불완전 분할(B, incomplete partition type III). **C)** 전정도수관 확장증

하지 않은 강도의 자극이기 때문에 ECAP 역치 강도의 전기 자극을 이용하여 아동을 소리에 적절히 반응하도록 안전하게 훈련할 수 있으며, ECAP의 역치를 인공와우 매핑(mapping)의 참고치로 활용할 수 있다.[21]

ESR은 전기 자극에 의한 등골근의 움직임을 수술 현미경을 통해 직접 확인하는 검사이다. ESR이 나타날 경우 내부기기가 정상적으로 작동하고 있으며 청신경, 뇌간, 그리고 안면신경을 통한 반사궁이 정상임을 확인할 수 있다. 그러나 최대강도의 자극에도 25~35%에서는 ESR이 나타나지 않을 수 있다.[46]

7. 봉합

수용자극기의 고정과 전극의 삽입이 완료되면 피판을 재 위치시킨 후 봉합한다. 일반적으로 배액관은 삽입하지 않으며, 가벼운 압박드레싱을 하고 수술을 마친다.

Ⅳ 특수한 상황에서의 인공와우 이식수술

1. 내이 기형 환자에서의 인공와우 이식수술

선천성 난청을 가진 환자의 약 20~40%는 내이의 해부학적 기형을 가지고 있다.[24,28] 내이 기형을 가진 환자에서 인공와우 이식수술을 시행할 경우 비정상적인 안면신경 주행으로 인한 안면신경손상, 뇌척수액 분출, 그리고 전극의 위치 이상 등 다양한 문제가 발생할 수 있다.[28] 이러한 문제는 안면마비, 뇌수막염, 수술 후 청각적 수행력의 저하와 같은 중대한 결과를 초래할 수 있기 때문에 주의가 필요하다. 안면신경 주행이상은 내이기형 환자의 약 16%에서 동반되었다고 보고된 바 있으며,[19] 이 경우 안면신경은 cochleariform process 아래에서 와우갑각을 가로 질러 정원창을 향해 주행하여 와우개창술을 시행하는 위치로 지날 수 있기 때문에 주의를 요한다. 따라서 내이기형이 있는 경우에는 안면신경 손상을 예방하기 위해 수술 중 안면신경 감시를 시행하는 것이 필수적이다. 와우개창술 후에 뇌척수액 분출은 내이도 외측벽(fundus)과 내이 사이에 결손이 있거나 전정도수관 확장증이 있는 경우 흔히 발생한다(그림 43-15).[19] 뇌척수액 분출은 전극 삽입을 방해하여 수술을 어렵게 하고, 수술 후 뇌척수액 유출이 지속될 경우 뇌수막염이 발생할 수 있다.[19] 뇌척수액 분출이 발생하면 골막, 근막 등의 연부 조직을 이용하여 와우개창 부위를 완벽히 폐쇄하여야 한다. 뇌척수액 분출이 심해 와우개창 부위의 폐쇄가 용이하지 않을 경우에는 수술침대의 머리부위를 높이고 과호흡을 유도하며 mannitol과 같은 뇌압 강하 약물을 투여할 수 있는데, 대부분의 경우 충분한 시간을 기다리면 뇌척수액 분출이 크게 줄어들거나 멈추기 때문에 큰 어려움 없이 수술을 진행할

수 있다.[42] 심한 뇌척수액 분출이 있는 경우에는 중이, 유양동, 이관을 폐쇄하고, 외이도를 봉합하여 외부와 완전 격리하는 수술을 시행할 수 있다. 또한 내이도 외측벽의 결손이 있는 경우에는 전극이 와우를 지나 내이도로 삽입될 수 있으므로 전극 삽입 후 수술을 마치기 전 영상검사를 통해 전극의 위치를 확인하여야 한다.

정상 와우의 경우 와우축에 밀착되는 굴곡형 전극이나 직선형 전극 두 가지 모두 사용 가능하다. 그러나 불완전 분할(incomplete partition) I형과 III형, 그리고 공동강 기형(common cavity)에서처럼 와우축이 형성되어 있지 않은 경우에는 직선형 전극을 사용하는 것이 좋다. 또한 공동강 기형에서처럼 신경 조직이 와우의 벽을 따라 분포하는 경우에는 전극이 와우의 외측벽에 접촉할 수 있도록 전극을 위치시키도록 한다.[19]

2. 잔존 청력 보존을 위한 인공와우 이식수술

1 kHz 이하에서는 청력이 보존되어 있으나 1 kHz 이상에서는 고도 혹은 심도 난청을 가지는 활강형 난청(ski-slope hearing loss)의 경우 고주파수 영역에 해당하는 말소리를 감지하고 변별하는데 제한이 있고 소음 상황에서의 의사소통에 어려움이 생긴다. 이 경우 고음역의 정보는 인공와우를 통해 전달하고, 저음역의 정보는 보청기를 통해 전달하는 전기-소리 자극(electro-acoustic stimulation)을 시행할 수 있다. 과거에는 기존의 전극을 와우의 1 kHz 영역 혹은 약 360° 정도만 삽입하고 동측 귀에 인공와우의 어음처리기와 ITE 보청기를 함께 착용하여 전기-소리 자극을 시행하였으나,[25] 최근에는 전기-소리 자극을 위해 특별히 제작된 부드럽고 비교적 짧은 전극과 어음처리기와 보청기가 일체형으로 만들어진 외부 기기가 개발되어 있다. 성공적인 전기-소리 자극을 위해서는 이식 중 와우 내부 구조의 손상을 최소화하여 잔존 청력을 보존하여야 한다. 잔존 청력 보존을 위한 인공와우 이식수술에는 와우갑각을 통한 와우개창술과 정원창 접근법의 두 가지 술식이 모두 가능하며, 수술 후 잔존 청력 보존의 정도에는 두 술식 간에 유의한 차이가 없는 것으로 보고되고 있다.[1] 중요한 것은 와우개창술을 시행할 때 와우 내부 환경이 손상되지 않도록 하고, 전극을 삽입할 때는 고실계의 주행을 따라 매우 약한 힘으로 최대한 천천히 삽입하여야 한다는 점이다. 성공적인 수술이 이루어진 경우 소음 환경에서의 말지각과 음악 청취 능력이 향상된다.[32] 하지만 전극 삽입 중 와우 내부에 가해진 물리적 충격으로 잔존 청력을 잃거나, 수술 직후 잔존 청력이 보존된 경우라도 점진적으로 잔존 청력이 소실되는 경우가 있다는 점을 염두에 두어야 한다.[16]

3. 양측 인공와우 이식수술(Bilateral cochlear implantation)

양측 귀로 소리를 들을 경우 일측 귀로 듣는 것에 비해 소음 상황에서 말지각이 향상되고 소리의 방향 분별이 좋아지는 장점이 있다.[23,39] 양측 인공와우 이식은 동시에 시행하거나 순차적으로 시행할 수 있다. 두 번째 인공와우 이식수술을 시행할 때는 단극성 소작기의 사용을 금하고, 양극성 소작기나 Plasma knife를 사용하여야 한다.

4. 와우 골화(Cochlear ossification) 환자에서의 인공와우 이식수술

와우 골화는 뇌막염, 측두골 골절, 만성 중이염, 이경화증, Cogan 증후군 등에서 발생할 수 있으며, 세균성 뇌막염이 양측성 와우 골화의 가장 흔한 원인이다.[31,34] 뇌막염에 합병된 내이염에서 와우 골화는 기저회전부의 고실계에서 가장 현저한데 이는 감염된 뇌척수액이 와우도수관을 통해 기저회전부의 고실계를 가장 먼저 침범하기 때문이다. 섬유화가 골화에 선행할 수 있으며, 섬유화와 골화가 함께 공존할 수도 있다.[34]

기저회전 시작부위에만 부분적인 폐쇄가 있는 경우에

는 신생조직을 제거하면 큰 어려움 없이 전극을 완전히 삽입할 수 있다. 전정계의 골화가 고실계의 골화보다 늦게 발생하기 때문에, 고실계의 외림프 공간을 찾기 힘든 경우에는 정원창의 전방 혹은 전상방에 와우개창을 만들어 전정계로의 전극삽입을 시도해 볼 수 있다.[47] 와우 첨단부와 중간회전부까지 골화가 진행되지 않은 경우에는 첨단부에 와우개창술을 시행하여 역방향으로 전극을 삽입할 수 있다.[37] 골화로 인한 폐쇄가 심한 경우에는 정원창의 전방과 난원창의 전방에 각각 와우의 기저회전부와 중간회전부로 이어지는 두 개의 와우개창을 만든 후 split (double) electrode array를 삽입할 수 있다.[31]

5. 만성 중이염 환자에서의 인공와우 이식수술

만성 중이염이 있는 경우에는 수술을 통해 병소를 완전히 제거하여 만성 중이염이 완치된 후에 인공와우 이식수술을 시행하는 것이 안전하다. 개방동 유양동 삭개술을 시행한 경우에는 인공와우 이식수술 후 전극이 노출되지 않도록 연골 등을 이용하여 전극 부위를 보호하는 것이 좋다. 병변이 광범위하고 심한 경우나 전극 노출이 우려되는 경우에는 추체아전절제술(subtotal petrosectomy)을 이용하여 인공와우 이식수술을 시행할 수 있으며,[22] 유양동을 통하지 않는 중두개와 접근법(middle fossa approach)으로 인공와우 이식수술을 시행할 수도 있다.[11]

6. 재이식(Reimplantation)

이식기 고장(device failure), 감염, 개선된 이식기로 교환 등의 이유로 재이식이 필요한 경우가 있다.[12] 재이식을 시행할 때 단극성 소작기를 사용하면 과도한 전류가 와우 내부의 전극을 통해 나선신경절세포를 손상시킬 수 있으므로 사용을 금해야 한다. 재이식을 시행할 때는 기존에 이식된 기기의 전극을 안면신경와에서 절단하여 전극은 삽입된 채로 두고 수용자극기만을 우선 제거하며, 새 내부기기의 전극 삽입 직전에 기존 기기의 전극을 제거한다. 이는 기존 전극 제거 후 시간이 경과하면 고실계 내부의 부종으로 인해 새 전극의 삽입이 어려울 수 있기 때문이다. 재이식 후의 청각적 수행력은 이전과 비해 유의한 차이가 없는 것으로 보고되었다.[33]

V 인공와우 이식수술의 합병증

인공와우 이식수술의 합병증은 수술적 처치가 필요하거나 중대한 장애를 초래할 수 있는 주요 합병증(major complication)과 내과적 처치나 청각적 조치를 통해 교정할 수 있는 부수적 합병증(minor complication)으로 나눌 수 있다.[10] 주요 합병증에는 피판 괴사, 뇌수막염, 영구적 안면 마비 등이 포함되고, 부수적 합병증에는 일시적 안면 마비, 혈종, 안면신경 자극, 이명, 현기증 등이 포함된다. 합병증의 유병률은 주요 합병증이 5% 내외, 부수적 합병증은 15% 내외로 보고되고 있다.[4,10,26] 연령에 따른 합병증의 유병률은 성인의 경우 3.8~7.0%, 소아의 경우 8%~12.5%로 소아에서 높게 발생한다.[7,12,36] 국내의 인공와우이식 후 합병증은 외국의 보고와 유사한 정도로 발생하고 있다(표 43-1).[27]

주요 합병증 중 가장 치명적인 것은 뇌수막염이다. New England Journal of Medicine에 보고된 한 연구에 따르면, 4,264명의 인공와우이식 아동 중 26명에서 폐렴구균에 의한 뇌수막염이 발생하였는데, 이는 동일 연령군에 비해 30배가량 높은 발생률이다.[41] 인공와우 이식 환자에서 뇌수막염 발생과 관련이 있는 요인으로는 현재는 생산 중단된 특정 전극의 사용, 뇌척수액 유출을 동반한 내이기형이 주요하며, 그 외에 전극의 불완전한 삽입, VP shunt의 과거력, 이식수술 전 중이염의 병력, 가정 내 간접 흡연, 이식수술 당시 중이 염증의 존재 등이 관련되어 있다고 보고하였다.[41] 인공와우 이식 후 뇌수막염의 발생을 예방하기 위해서는 연령에 맞는 예방접종을 시행하고

표 43-1. 인공와우 이식수술 합병증의 국내 현황

		children	adults
Major Complications	Electrode malposition	13	12
	Electrode migration	5	8
	Receiver/stimulator migration	7	4
	Magnet dislocation	17	5
	Facial nerve damage	4	10
	Delayed wound breakdown	26	19
	Perilymph fistula	2	-
	Postoperative meningitis	5	-
	Soft failure	3	14
	Hard failure	62	32
Minor complications	Facial nerve stimulation	26	6
	Wound infection	25	12
	Dizziness	13	41
	Persistent pain	2	6
	Postoperative tinnitus	-	13
Total		210	182

2014년 2월 21일까지 국내에서 인공와우 이식수술을 시행 받은 총 6,956명 (소아 4,302명, 성인 2,654명) 의 데이터로서, 제 88차 대한이비인후과학회 학술대회에서 보고되었다.

수술 시 와우개창 부위를 완벽히 폐쇄하며, 수술 후 중이염이 발생할 경우 적극적으로 치료하여야 한다.[30] 피판의 괴사는 감염, 혈류 장애 등에 속발하여 발생할 수 있다. 피판이 괴사하면 광범위한 변연 절제나 국소 피판을 이용한 재건술을 시행할 수 있으며, 이로써 치유되지 않는 경우 수용자극기를 제거해야 한다.[17]

안면신경 자극은 내이도 협착증, 이경화증, 혹은 측두골 골절을 가진 환자에서 발생하는 경우가 많은데, 이 경우 자극 강도를 낮추고 대신 자극 시간(pulse width)을 늘리는 방법을 시도해 볼 수 있으며 개선되지 않을 때는 원인이 되는 전극을 끄도록 한다.[45] 인공와우 이식수술 후 발생하는 현기증은 대부분 보존적 치료와 중추 신경계의 보상으로 해결된다.[14] 수용자극기 부위의 혈종은 외상 후 발생할 수 있는데 천자 흡입 후 압박드레싱을 하거나, 단순 경과 관찰로 호전되기도 한다. 인공와우 이식수술 후 이명이 발생하거나 악화되는 예는 5% 이내이며, 수술 전 이명이 있는 경우 약 80%에서 감소하거나 소실된다.[40]

참고문헌

1. Adunka OF, Dillon MT, Adunka MC, King ER, Pillsbury HC, Buchman CA. Cochleostomy versus round window insertions: influence on functional outcomes in electric-acoustic stimulation of the auditory system. Otol Neurotol 2014;35(4):613-618.
2. Aschendorff A, Kromeier J, Klenzner T, Laszig R. Quality control after insertion of the nucleus contour and contour advance electrode in adults. Ear Hear 2007;28(Suppl 2):75-79.
3. Balkany TJ, Whitley M, Shapira Y, Angeli SI, Brown K, Eter E, et al. The temporalis pocket technique for cochlear implantation: an anatomic and clinical study. Otol Neurotol 2009;30(7):903-907.
4. Bhatia K, Gibbin KP, Nikolopoulos TP, O'Donoghue GM. Surgical complications and their management in a series of 300 consecutive pediatric cochlear implantations. Otol Neurotol 2004;25(5):730-739.

5. Briggs RJ, Tykocinski M, Stidham K, Roberson JB. Cochleostomy site: implications for electrode placement and hearing preservation. Acta Otolaryngol 2005;125(8):870-876.
6. Brown CJ, Abbas PJ, Gantz B. Electrically evoked whole-nerve action potentials: data from human cochlear implant users. J Acoust Soc Am 1990;88(3):1385-1391.
7. Brown KD, Connell SS, Balkany TJ, Eshraghi AE, Telischi FF, Angeli SA. Incidence and indications for revision cochlear implant surgery in adults and children. Laryngoscope 2009;119(1):152-157.
8. Clark GM, Kranz HG, Minas H. Behavioral thresholds in the cat to frequency modulated sound and electrical stimulation of the auditory nerve. Exp Neurol 1973;41(1):190-200.
9. Clark GM, Pyman BC, Bailey QR. The surgery for multiple-electrode cochlear implantations. J Laryngol Otol 1979;93(3):215-223.
10. Cohen NL, Hoffman RA. Complications of cochlear implant surgery in adults and children. Ann Otol Rhinol Laryngol 1991;100:708-711.
11. Colletti V1, Fiorino FG, Carner M, Pacini L. Basal turn cochleostomy via the middle fossa route for cochlear implant insertion. Am J Otol 1998;19(6):778-784.
12. Côté M, Ferron P, Bergeron F, Bussières R. Cochlear reimplantation: causes of failure, outcomes, and audiologic performance. Laryngoscope 2007;117(7):1225-1235.
13. Crane BT, Gottschalk B, Kraut M, Aygun N, Niparko JK. Magnetic resonance imaging at 1.5 T after cochlear implantation. Otol Neurotol 2010;31(8):1215-1220.
14. Enticott JC, Tari S, Koh SM, Dowell RC, O'Leary SJ. Cochlear implant and vestibular function. Otol Neurotol 2006;27(6):824-830.
15. Finley CC, Holden TA, Holden LK, Whiting BR, Chole RA, Neely GJ, et al. Role of electrode placement as a contributor to variability in cochlear implant outcomes. Otol Neurotol 2008;29:920-928.
16. Fitzgerald MB, Sagi E, Jackson M, Shapiro WH, Roland JT Jr, Waltzman SB, et al. Reimplantation of hybrid cochlear implant users with a full-length electrode after loss of residual hearing. Otol Neurotol 2008;29(2):168-173.
17. Geraghty M, Fagan P, Moisidis E. Management of cochlear implant device extrusion: case series and literature review. J Laryngol Otol 2014;128(Suppl 2):55-58.
18. Gordin A, Papsin B, James A, Gordon K. Evolution of cochlear implant arrays result in changes in behavioral and physiological responses in children. Otol Neurotol 2000;30(7):908-915.
19. Hoffman RA, Downey LL, Waltzman SB, Cohen NL. Cochlear implantation in children with cochlear malformations. Am J Otol 1997;18:184-187.
20. House WF. Cochlear implants. Ann Otol Rhinol Laryngol 1976;85(Suppl 27):1-93.
21. Hughes ML, Brown CJ, Abbas PJ, Wolaver AA, Gervais JP. Comparison of EAP thresholds with MAP levels in the nucleus 24 cochlear implant: data from children. Ear Hear 2000;21(2):164-174.
22. Issing PR, Schönermark MP, Winkelmann S, Kempf HG, Ernst A. Cochlear implantation in patients with chronic otitis: indications for subtotal petrosectomy and obliteration of the middle ear. Skull Base Surg 1998;8(3):127-131.
23. Jeong SW, Kang MY, Kim LS. Criteria for Selecting an Optimal Device for the Contralateral Ear of Children with a Unilateral Cochlear Implant. Audiol Neurootol 2015;20(5):314-321.
24. Jeong SW, Kim LS. A new classification of cochleovestibular malformations and implications for predicting speech perception ability after cochlear implantation. Audiol Neurootol 2015;20(2):90-101.
25. Kiefer J, Pok M, Adunka O, Stürzebecher E, Baumgartner W, Schmidt M, et al. Combined electric and acoustic stimulation of the auditory system: Results of a clinical study. Audiol Neurootol 2005;10:134-144.
26. Kim CS, Oh SH, Chang SO, Kim HM, Hur DG. Management of complications in cochlear implantation. Acta Otolaryngol 2008;128(4):408-414.
27. Kim LS. How to manage the complications of cochlear implantation? Paper presented at: 88th Annual Congress of Korean Society of Otorhinolaryngology-Head and Neck Surgery 2014 & Spring Meeting of Korean Society of Otorhinolaryngologic Clinicians; 2014 April 26-28; Seoul, South Korea.
28. Kim LS, Jeong SW, Huh MJ, Park YD. Cochlear implantation in children with inner ear malformations. Ann Otol Rhinol Laryngol 2006;115(3):205-214.
29. Koch DB, Downing M, Osberger MJ, Litvak L. Using current steering to increase spectral resolution in CII and HiRes 90K users. Ear Hear 2007;28(2 Suppl):38-41.
30. Lalwani AK, Cohen NL. Does meningitis after cochlear implantation remain a concern in 2011? Otol Neurotol 2012;33(1):93-95.
31. Lenarz T, Lesinski-Schiedat A, Weber BP, Issing PR, Frohne C, Büchner A, et al. The nucleus double array cochlear implant: a new concept for the obliterated cochlea. Otol Neurotol 2001;22:24-32.
32. Lenarz T, Stöver T, Buechner A, Lesinski-Schiedat A, Patrick J, Pesch J. Hearing conservation surgery using the Hybrid-L electrode. Results from the first clinical trial at the Medical University of Hannover. Audiol Neurootol 2009;14(Suppl 1):22-31.
33. Mahtani S, Glynn F, Mawman DJ, O'Driscoll MP, Green K, Bruce I, et al. Outcomes of cochlear reimplantation in adults. Otol Neurotol 2014;35(8):1366-1372.
34. Marsot-Dupuch K, Meyer B. Cochlear implant assessment: imaging issues. Eur J Radiol 2001;40:119-132.
35. Meshik X, Holden TA, Chole RA, Hullar TE. Optimal Cochlear Implant Insertion Vectors. Otol Neurotol 2010;31(1):58-63.
36. Migirov L, Taitelbaum-Swead R, Hildesheimer M, Kronenberg J. Revision surgeries in cochlear implant patients: a review of 45 cases. Eur

Arch Otorhinolaryngol 2007;264(1):3-7.

37. Montandon PB, Boëx C, Pelizzone M. Ineraid cochlear implant in the ossified cochlea: surgical techniques and results. Am J Otol 1994;15:748-751.
38. Müller J, Brill S, Hagen R, Moeltner A, Brockmeier SJ, Stark T, et al. Clinical trial results with the MED-EL fine structure processing coding strategy in experienced cochlear implant users. ORL J Otorhinolaryngol Relat Spec 2012;74(4):185-198.
39. Papsin BC, Gordon KA. Bilateral cochlear implants should be the standard for children with bilateral sensorineural deafness. Curr Opin Otolaryngol Head Neck Surg 2008;16:69-74.
40. Quaranta N, Fernandez-Vega S, D'elia C, Filipo R, Quaranta A. The effect of unilateral multichannel cochlear implant on bilaterally perceived tinnitus. Acta Otolaryngol 2008;128(2):159-163.
41. Reefhuis J, Honein MA, Whitney CG, Chamany S, Mann EA, Biernath KR, et al. Risk of bacterial meningitis in children with cochlear implants. N Engl J Med 2003;349:435-445.
42. Sennaroglu L. Cochlear implantation in inner ear malformations - a review article. Cochlear Implants Int 2010;11(1):4-41.
43. Shapira Y, Eshraghi AA, Balkany TJ. The perceived angle of the round window affects electrode insertion trauma in round window insertion - an anatomical study. Acta Otolaryngol 2011;131(3):284-289.
44. Smith ZM, Delgutte B, Oxenham AJ. Chimaeric sounds reveal dichotomies in auditory perception. Nature 2002;416:87-90.
45. Smullen JL, Polak M, Hodges AV, Payne SB, Telischi FF, Balkany TJ. Facial nerve stimulation after cochlear implantation. Laryngoscope 2005;115(6):977-982.
46. Spivak LG, Chute PM. The relationship between electrical acoustic reflex thresholds and behavioral comfort levels in children and adult cochlear implant patients. Ear Hear 1994;15(2):184-192.
47. Steenerson RL, Gary LB, Wynens MS. Scala vestibuli cochlear implantation for labyrinthine ossification. Am J Otol 1990;11:360-363.
48. van den Borne B, Snik AF, Mens LH, Brokx JP, van den Broek P. Stapedius reflex measurements during surgery for cochlear implantation in children. Am J Otol 1996;17(4):554-558.
49. Wilson BS, Finley CC, Lawson DT, Wolford RD, Eddington DK, Rabinowitz WM. Better speech recognition with cochlear implants. Nature 1991;352(6332):236-238.
50. Youssefzadeh S, Baumgartner W, Dorffner R, Gstöttner W, Trattnig S. MR compatibility of Med EL cochlear implants: clinical testing at 1.0 T. J Comput Assist Tomogr 1998;22(3):346-350.

인공와우이식_
와우이식의 수술 후 평가와 재활

이비인후과학 Otorhinolaryngology - Head and Neck Surgery

오승하

I 와우이식수술 후 조율

1. 조율의 정의

와우 장치가 효과적으로 소리신호를 전기적 신호로 변환하고 각 전극을 통해 적절한 자극을 전달하는 과정에서, 개개인의 상태에 맞게 최상의 상태로 소리를 들을 수 있도록 자극 강도와 특성을 조절하는 과정이 필요하며 이를 조율(mapping)이라고 한다.[53] 조율은 인공와우 언어처리기 내에 탑재된 프로그램을 조절하여 이식된 전극으로 편안하고 충분한 소리자극을 공급하도록 하는 과정이다.

2. 조율방법과 시기

1) 수술 중 모니터링

전극이 적절히 삽입되었는지, 기능을 하는지에 대한 평가를 수술 중 시행할 수 있다. 이는 수술의 결과에 대하여 환자 보호자와 상담할 수 있는 근거로 활용될 수 있으며, 향후 조율과 언어치료를 진행함에 있어 초기자료로 활용될 수 있다. 수술장 내에서 전극 삽입 및 내부장치 고정이 끝난 후에 두피에 외부장치를 부착한 상태로 진행된다. 먼저 삽입된 전극의 임피던스(impedance)를 측정한다. 전기자극에 따른 반응을 측정함으로써 계산되며, 이는 전극의 무결성을 확인하는데 유용하다. 이후 각 전극 별로 전기적 자극을 통해 나타나는 청각경로의 신경반응, 즉 전기자극복합활동전위(electrical compound action potential; ECAP)를 측정하고, 전기자극복합활동전위 반응이 나타나는 역치값을 구한다. 이 과정을 통해 적절한 위치에 전극이 삽입되었는지, 각 전극을 통해 전기적 자극을 주었을 때 청신경 반응이 나타나는지, 그리고 전기자극복합활동전위 반응을 유도하기 위해 필요한 전기적 자극의 크기를 확인할 수 있다. 또한 이 결과는 향후 초기 조율을 시작할 때 기초자료로 활용된다.[54]

2) 초기 조율 과정과 방법

와우이식 후 첫 조율은 특별한 수술 후 후유증이 없는

경우에는 대개 수술 후 3~4주경에 시작한다. 수술 후 즉시 조율을 시작하지 않는 이유는 수술 후 상처가 치유되고 두피의 부종이 줄어들어 두께가 6 mm 이하로 얇아져야 적절한 조율이 가능하기 때문이다. 초기에는 매주 1회, 총 3~4회 반복 시행하며, 이후 1개월, 3개월, 6개월, 그 후 1년마다 조율을 반복해서 실시한다.

조율은 적절한 자극 강도를 결정하기 위한 평가와 이를 통한 프로그램조정 과정으로 나눌 수 있다. 환자가 불편감을 느끼지 않는 범위 내에서 충분한 크기의 소리자극을 주기 위해서는, 조율 과정에서 최소가청역치(threshold level; T-level)와 최적가청역치(comfort level; C-level)를 결정해야 한다. 두 역치 간의 간격을 가청범위(dynamic range)라고 한다. 최소가청역치란 소리자극을 감지할 수 있는 가장 작은 소리자극의 크기를 의미하며, 순음 청력역치와 비슷한 개념이지만 단위는 전류량(current)으로 표시한다. 약한 자극부터 시작하여 자극의 강도를 점점 높여가면서 소리자극을 감지할 수 있는 최소한의 역치를 구한다. 최적가청역치란 자극음을 점점 높여갈 때 불쾌감을 느끼지 않을 정도이면서 최대로 큰 자극 수준을 말한다. 조율할 때 최소가청역치 이상의 자극을 주면서 너무 큰 소리가 들어가지 않도록 주의해야 한다.

성인 환자의 경우 스스로 소리를 들으면서 그 크기와 이에 대한 만족도, 불편감 등을 표현할 수 있으므로, 최소가청역치와 최적가청역치를 결정하는 데에 큰 어려움이 없다. 그러나 소아의 경우 스스로 의사표현을 하지 못하는 경우가 많고, 협조가 잘 이루어지지 않으며, 일부는 선천성 청력장애로 소리의 감지나 크기에 대한 개념 자체가 부족한 경우가 있어 조율 과정은 매우 어렵다. 소아에서 조율은 소리자극에 대한 반응과 행동을 관찰하여 검사자가 최소가청역치와 최적가청역치를 판단하게 된다. 인공와우를 통해 소리 자극을 주면 소아는 표정이 굳거나 긴장하거나 부모나 검사자를 주시하거나 주위를 두리번거린다든지 또는 헤드셋이 착용된 귀를 만진다든지 갑자기 하던 행동을 멈추거나 울음을 터뜨리는 등의 반응을 나타낼 수 있다. 검사자는 이러한 환아의 반응을 관찰하고 적절한 자극 강도를 결정한다. 초기 수 주간은 반복하여 조율을 시행하고 환아의 반응을 관찰하여 최적가청역치를 찾게 된다.

소리에 대한 경험이 없었던 선천성 난청 환아나 2세 전후의 어린 소아에서는 이러한 노력에도 불구하고 적절한 자극 강도를 결정하는 것이 어려운 경우가 있다. 이러한 경우에는 객관적인 검사 지표를 이용하여 조율을 시행할 수 있다. 객관적인 검사로는 전기자극복합활동전위를 측정하는 방법이 있다. 수술 중 모니터링과 동일한 방식으로 측정하며, 인공와우 제조사들이 제공하는 프로그램을 이용한다. 와우 기기를 통해 전기적 자극을 주어 청각경로에서 발생하는 신경반응, 즉 전기자극복합활동전위를 측정한다. 일반적으로 전기자극복합활동전위의 역치는 최소가청역치와 최적가청역치 사이에서 측정된다고 알려져 있지만, 행동 반응을 통한 조율을 완전히 대체할 수는 없다. 이외 전기자극 등골반사 역치(electric acoustic reflex threshold)를 이용할 수 있다. 일반적으로 인공와우에 소리자극을 주고 반대측 외이도에 위치한 센서를 이용하여 고막 탄성의 변화를 측정하여 전기자극 등골반사 역치를 측정한다. 전기자극 등골반사 역치는 최적 가청 역치와 높은 상관관계가 있다고 보고된 바가 있으며,[34,57] 최대 자극 강도에 관한 신뢰도 높은 정보를 제공한다고 보고되었다.[12,45] 인공와우를 착용한 상태에서 청력검사 결과도 기기 고장이나 조율이 필요한 상태인지 알려줄 수 있다. 인공와우 환자들의 청력검사 역치는 보통 20~30 dB이다. 하지만 환자가 소리를 편안하게 듣고 있는지, 소리의 질이 좋은지에 대한 정보는 제공하지 못하며, 조율 상태가 적절치 못한 경우에도 청력검사 결과는 좋을 수 있다.

최근 저주파의 잔존청력이 남아있는 환자의 경우에는, 저음부 영역은 전기 자극(electrical stimulation)이 아닌 보청기를 이용하여 소리 자극(acoustic stimulation)을 증폭하여 듣는 전기음향자극시스템(electric-acoustic stimulation (EAS) system)이 개발되었다. 일반적으로

125~750 Hz의 저주파 영역의 청력역치가 65 dB보다 좋은 경우에 전기음향자극시스템을 적용할 수 있다고 알려져 있다. 전기음향자극시스템의 조율방법은 기본적으로 인공와우 조율방법과 동일하지만, 전기 자극을 이용할 주파수대와 소리 자극을 이용할 주파수대를 정해야 한다는 점에서 차이가 있다. 와우를 통한 전기자극의 가장 낮은 주파수는 80 dB HL보다 나쁜 역치를 보이는 주파수에 가능한 가깝게 위치하도록 하며, 이보다 낮은 주파수 영역은 소리자극의 증폭특성에 대한 조율을 시행한다.[26,55] 이를 통해 전기자극 영역과 소리자극 영역이 겹치지(overlapping) 않도록 보완적으로 조율하는 것이 일반적이며, 현재까지 연구 결과에 의하면 overlapping이 적을수록 좋은 결과를 얻을 수 있다고 보고되었다.[26,33,37]

II 와우이식수술 전후의 언어평가와 재활

1. 언어평가

인간의 발성기관을 통해 산출된 말소리를 외이, 중이, 내이 및 연수를 거쳐 대뇌 청각피질 영역에서 지각하고, 측두엽(temporal lobe)의 베르니케 영역(Wernicke's area) 등 2차 청각영역에서 기존의 말소리 및 언어능력과 통합되어 처리되는 과정을 말지각(speech perception)이라 한다. 말지각 능력의 발달은 언어 인지 능력 그리고 언어 표현 능력 발달의 기반이 되는 선행 능력이라는 점에서 매우 중요하다. 말지각의 단계는 탐지, 변별, 확인 및 이해의 4단계로 구성된다고 알려져 있다.[21] 탐지(detection)는 소리가 존재함을 감지하는 능력을 말하며, 변별(discrimination)은 들려오는 두 가지 혹은 그 이상의 환경음이나 말소리의 차이점을 지각하는 능력이다. 확인(identification)은 들은 소리를 반복하여 따라하거나, 이름을 대거나 가리키는 방식으로 측정될 수 있다. 마지막으로 이해(comprehension)의 단계는 말 자극에 반응하여 행동이나 말로 답하거나 대화를 하는 단계로, 말의 의미를 이해하는 능력을 뜻한다.

와우이식의 목적이 환자의 말지각 능력을 높여 정상적인 언어 인지 및 말 능력의 발달을 이루고자 함이라는 점에서, 와우이식 전후에 말지각 능력과 언어 발달 정도를 평가하는 것은 매우 중요하다. 언어평가는 다양한 검사도구를 이용하여 검사 대상자의 말지각 능력을 단계적으로 평가하며, 이외에 언어 표현 능력, 조음 능력 및 음성에 대한 평가가 함께 이루어진다. 와우이식수술 후 환자는 수술 전과 수술 후 3개월, 6개월, 그리고 1년마다 언어평가를 받아, 수술 전후 비교와 수술 후 시간 경과에 따른 성취도의 변화, 그리고 현재 조율의 적합 여부 판단과 현재 진행 중인 언어치료 등의 재활치료에 대한 평가와 향후 계획에 대한 정보를 얻는다.

1) 말지각 검사의 요소

언어평가의 도구들은 매우 다양하게 개발되어 활용되고 있다.[1] 자극 대상, 자극 수준, 자극 단위, 자극 조건, 자극 수준, 반응 양식, 반응 종류에 따라 각 검사의 특성을 구분할 수 있다.

(1) 자극 대상

만 16세를 기준으로 성인과 아동으로 나누며, 아동은 연령에 따른 발달적 차이가 크기 때문에 더욱 세분화하여 분류한다. 0~1세를 영아(infant), 2~3세를 유아(toddler)라고 하며, 0~3세를 영유아라고 통칭하기도 한다. 3~5세는 학령전기(pre-school), 6~15세는 학령기(school-aged)로 분류하며, 환자의 나이와 발달 정도에 따라 구분된 검사도구를 활용한다.

(2) 자극 단위

말지각 검사 시 자극으로 사용하는 단위는 음소(phoneme), 단어(word), 문장(sentence)로 이루어지며, 자극 단위가 커질수록 시간 길이와 정보의 양이 늘어난다.

(3) 자극 조건

말지각 검사 시 청각적 단서와 시각적 단서의 유무에 따라 AO (auditory only), AV (audio-visual), VO (visual only)로 나눌 수 있다. 순수한 청각 능력의 발달 평가를 위해서는 AO 조건을 사용하며, 독화 등을 보조적으로 사용할 수 있는 일상생활에서의 말지각 능력을 파악하기 위해서는 AV 조건으로 평가한다.

(4) 반응 양식

검사자의 반응을 확인하는 방식에서 보기가 있는 조건(closed-set, 폐쇄형)과 보기가 없는 조건(open-set, 개방형)으로 나눌 수 있다. 이외 정해진 척도의 수준에 따라 반응하도록 하는 척도 반응 양식이 있다.

(5) 반응 종류

검사 시 요구하는 반응의 종류는 가리키기, 따라 말하기, 대답하기 등이 있다. 학령기 이후의 대상자에게는 쓰기 반응을 통해 말지각 능력을 평가할 수 있다.

2) 말지각 검사의 종류

현재 널리 활용되고 있는 말지각 검사는 크게 척도검사, 설문검사 및 어음검사로 크게 나눌 수 있다.

척도검사는 척도 반응 양식을 사용하는 검사로, 선별검사로 활용되는 경우가 많다. 말-언어 능력을 척도의 단계에 따라 평가하는 방식으로 Categories of Auditory Performance (CAP)와 Speech Intelligibility Rating (SIR)이 대표적이다.

설문검사는 피검자를 대상으로 검사를 진행하는 것이 어려운 경우 보호자에게 설문을 시행하는 방식으로 진행되며, 0~3세의 영유아를 대상으로 하는 Infant-Toddler Meaningful Auditory Integration Scale (IT-MAIS)이 대표적이다. 이외 말 발달 및 발성 능력을 평가하는 MUSS (Meaningful Use of Speech Scale)가 이에 해당한다.

어음검사는 자극에 반응을 할 수 있는 피검자를 대상으로 시행하며, 자극 대상, 단위, 조건 및 수준에 따라 적절한 검사 도구를 이용해야 하며, 적절한 시행과 해석이 중요하다. 어음검사는 가장 정확하게 환자의 말지각 능력을 평가할 수 있다는 장점이 있다.

표 44-1. Categories of Auditory Performance (CAP)

0. 환경음 탐지 불가 (No awareness of environmental sound)
1. 환경음 탐지 (Awareness of environmental sound)
2. 말소리에 반응 (Responds to speech sound)
3. 환경음 지각 (Identifies environmental sound)
4. 두가지 이상의 말소리 변별 (Discrimination of some speech sounds without lipreading)
5. 입 모양을 보지 않고 일상생활문장을 이해 (Understands common phrases without lipreading)
6. 입 모양을 보지 않고 친숙한 사람과 대화 (Understands conversation without lipreading)
7. 친숙한 사람과 전화 통화 (Can use the telephone with a familiar talker)

(1) Categories of Auditory Performance (CAP)

1995년 Archbold 등은 난청 아동의 부모나 공공의료 행정 담당자를 포함한 비전문가도 쉽게 접근하여 이해할 수 있고, 언어평가 검사실 이외에 가정이나 학교 등의 환경에서도 적용할 수 있는 청각지각 능력 평가도구를 보고하였다.[6,7] 청각 발달에서 중요한 단계에 따라 총 8개의 범주로 구성되며 환경음의 감지가 불가능한 수준(category 0)부터 친숙한 대상과 전화통화가 가능한 수준(category 7)과 같은 광범위한 범주를 포함하였고, 2010년 한국어로 번역되어 사용되고 있다(표 44-1).[42] CAP은 거의 모든 수준의 청각 인지 능력 상태를 평가할 수 있고, 비전문가도 사용할 수 있다는 점에서 매우 큰 장점을 가진다. 그러나 평가자의 주관에 따라 다르게 평가될 수 있고, 각 범주의 범위가 넓어 환자의 청각적 수행력을 민감하게 평가하는 데에는 한계가 있다. 또한 각 범주 간의 수행력의 간격이 일정하지 않으므로, 단계 성취에 필요한 청각 인지 능력의 정도와 소요 시간이 상이하다. 2009년 영국의 The

Ear Foundation은 청각 지각 능력이 우수한 아동의 능력을 세분하기 위하여 교실이나 음식점 등 반향이 심한 소음환경에서 대화가 가능한 수준(Category 8)과 친숙하지 않은 사람과 예측 불가능한 내용의 대화가 가능 수준(Category 9)을 추가하여 CAP-II를 보고하기도 하였다.

(2) Speech Intelligibility Rating (SIR)

원활한 대화가 가능하기 위해서는 말지각 능력뿐만 아니라 말명료도(speech intelligibility) 또한 중요하다. CAP과 마찬가지로, 비전문가도 이해하기 쉬운 말명료도 평가도구인 SIR 검사가 개발되어 현재 사용 중이다.[5] 평가자가 환아의 말소리를 전혀 알아들을 수 없는 수준(Category 1)부터 모든 청자가 연속적인 발화를 알아들을 수 있는 수준(Category 5)까지 5개의 단계로 구성된다.[43] SIR는 말명료도를 빠른 시간 내에 쉽게 평가하는 전반적 측정도구이므로, 환아의 말 발달의 단계를 민감하게 측정하지는 못한다.

(3) Infant-Toddler Meaningful Auditory Integration Scale (IT-MAIS)

3~4세 이상에 적용이 가능한 MAIS 검사와 달리,[51] IT-MAIS는 0~3세의 영유아를 대상으로 하며, 환아의 부모가 작성하는 설문 형태의 검사도구로 청각적 수행력의 변화를 측정하기 위한 검사도구이다.[3,61] 총 10개의 문항으로 구성되며, 각 질문에 대한 답을 증상의 정도에 따라 5단계 중 하나를 선택하는 방식으로 진행된다. 전혀 그렇지 않다(0점)에서 항상 그렇다(4점)까지 단계에 따라 점수가 부여되며, 총 40점 만점이다. 환아의 발성행동, 소리에 집중하기, 소리로부터 의미 도출하기의 청각적 수행 능력을 일상생활에서 부모가 평가하여 보고하도록 한다.

(4) Meaningful Use of Speech Scale (MUSS)

MUSS는 옹알이 단계의 어린 아동부터 학령전기 아동까지 적용이 가능하며, 보청기 혹은 인공와우를 착용한 상태에서 일상생활에서 말 산출 능력을 평가하는 설문지이다. IT-MAIS와 마찬가지로 환아 부모의 보고 형식으로 설문이 진행되며, 총 10개의 질문에 정도에 따라 전혀 그렇지 않다(0점)에서 항상 그렇다(4점)까지 정도에 따라 답하며 총점 40점으로 구성된다.

(5) 환경음지각검사

청지각검사에서 사용하는 환경음이라는 용어는 말소리와 대비되는 개념으로, 말소리를 제외한 주변환경에서 발생하는 소리이다. 위험을 알리는 사이렌 소리나, 듣고 즐거움을 느낄 수 있는 새소리 등이 그 예이다. 다양한 주파수, 다양한 강도의 환경음을 이용하여 환자의 청각 인지 능력을 평가할 수 있다는 점에서 의미가 크지만, 검사실 환경에서 발생할 수 있는 소리의 범위에 한계가 있고 녹음된 소리를 이용할 경우 그 자체로 소리의 왜곡이 발생한다는 점에서 한계가 있다. 개발자마다 사용하는 소리의 종류는 다양하지만, 일반적으로 알람, 자동차, 비행기, 동물, 악기 등의 소리를 들려주고 제시된 보기에서 소리에 부합하는 그림을 고르는 방식으로 진행된다.[2,4]

(6) 음소수준검사

정상적으로 말소리를 인지하고 그 뜻을 파악하기 위해서는 의미를 구분해 주는 소리의 최소 단위인 음소(phoneme)를 지각해야 한다. 음소수준검사 중 가장 널리 사용되고 있는 검사는 Ling 6 소리검사이다.[18] 250~8,000 Hz 범위 내에 /m/, /u/, /a/, /i/, /ʃ/, /s/로 구성되며, 6개 음의 감지, 변별, 확인 수준을 평가할 수 있다. 피검자와 약 1 m 거리에서 입을 가린 상태에서 소리 자극을 제시하며 소리에 반응을 하는 경우 장난감 등 보상을 주어 소리 탐지 능력을 평가한다. 2개의 음소를 제시하여 같고 다름을 표현하게 하여 변별 수준을 평가하고, Ling 6 소리를 듣고 따라 말하게 하여 확인 수준을 평가한다.

(7) 아동용 말소리 지각능력 검사

① **아동용 말소리 지각능력 선별검사(Child screening test)**

말소리 변별 수준을 평가하기 위한 검사도구로, 3세 이상의 언어 연령을 가진 아동을 대상으로한다. 피검자에게 말소리를 듣고 보기로 제시된 그림 중(closed-set) 적절한 답을 선택하는 방식으로 진행된다. 1, 2, 3음절(예: 물-사과-호랑이)의 말소리를 제시하여 단어의 길이를 구분하여 선택하는 word length discrimination, 1음절 단어(예: 밥-눈-공) 혹은 신체 부위어(예: 눈-코-입)를 제시하여 monosyllabic, body part discrimination 능력을 평가한다.

② **아동용 말소리 자질 변별 검사(3)**

모음과 자음의 자질을 변별하는 능력을 평가하는 검사도구로, 3세 이상의 언어 연령을 가진 아동을 대상으로 한다. 조음의 위치(예: 밤-감-담), 조음방법(예: 칼-쌀-말)이 상이한 자음, 또는 서로 다른 모음으로 구성된(예: 발-불-벌) 1음절 단어를 소리 자극으로 제시하고, 피험자는 그림으로 제시된 보기 중 적절한 그림을 선택하도록 한다. 제시한 전체 항목 수 중 맞춘 비율을 %로 표기한다.

③ **아동용 한 음절 낱말 지각능력 검사(Phonetically balanced words; PB words)**

음소 균형을 맞춘 자음-모음-자음으로 구성된 1음절 낱말(예: 뱀, 책, 빵) 20개로 구성되며 3세 수준의 수용 어휘들을 사용한다. 제시어를 들려주고 따라 말하도록 하거나 받아쓰게 하며, 입 모양을 가린 상태(auditory only condition; AO), 입 모양을 같이 보는 상태(audio-visual condition; AV)의 조건으로 검사를 실시한다. 전체 제시한 단어의 개수에 비하여 맞는 반응의 비율로 평가한다.

④ **아동용 일상생활 문장 지각능력검사(Everyday sentence test)**

일상생활에서 친숙하게 빈번히 사용되는 문장들을 정확하게 지각할 수 있는가를 알아보기 위한 검사이다. 3개의 낱말로 이루어진 총 10개의 문장으로 구성되며 3세 이상의 수준에 속하는 수용어휘들이다. 문장을 제시하고 즉시 모방하여 말하거나 받아쓰게 하며, AO와 AV 조건에서 검사를 수행하며, 적절한 반응을 보인 비율로 평가한다.

2. 수술 후 언어 재활치료

언어치료는 환자 개개인의 말지각 능력과 언어 표현능력, 조음능력에 따라 개별화된 치료/교육 프로그램으로 주 1~2회 실시한다. 언어치료 프로그램은 체계화된 단계적 접근으로 구성된다. 소리의 유무를 확인하는 탐지(detection), 소리가 동일한지 다른지를 인지하는 변별(discrimination), 소리를 인지하고 의미를 확인하는 인지(identification), 그리고 문장을 이해하고 이에 적절히 반응하는 이해(comprehension)의 단계로 구성된다. 이와 함께 음소와 음절의 소리를 모방하여 단어와 구문을 발음하고 언어를 습득할 수 있도록 교육한다. 이와 같이 소리를 듣지 못하는 환자에서 듣는 방법을 교육하고, 이를 통해 말할 수 있도록 하는 치료법을 청각구어치료(auditory-verbal therapy; AVT)라고 한다. 청각구어치료의 목적은 전농 혹은 심한 난청 환자가 정상적인 교육을 받고 일반 생활환경에 적응하여 독립적이며 주류 사회의 구성원으로서 살아갈 수 있도록 하는 데에 있다.[22,23] 이를 위해 듣기(audition), 말하기(speech), 언어(language), 인지(cognition)의 영역에서 발달을 유도하여 정상적인 대화가 가능하도록 하며, 독순술 등 비청각 의사소통 방법의 사용을 배제하고자 한다. 청각구어치료는 난청을 조기에 진단하고, 환자의 난청 정도와 청각 환경에 따라서 보청기 혹은 인공와우 등의 개별화된 다양한 치료법을 적용해야 한다.[50] 이러한 청각재활 기기를 이용하여 소리를 듣고, 환자의 발달수준에 맞는 말과 언어를 학습하여 습득하게 한다. 이러한 청각구어치료의 과정은 언어

치료사에 의해 진행되는 언어치료뿐만 아니라, 일상생활과 교육현장에서 부모나 양육자, 교사, 그리고 또래 아동과 의사소통을 하는데 적극적으로 사용할 수 있도록 유도, 촉진하는 것이 중요하다.[11] 이때 아동의 경우 연령이 어릴수록 부모나 양육자와 보내는 시간이 많은 점을 고려하여 치료/교육 프로그램 진행 시 부모나 양육자의 참여를 적극적으로 유도하는 것이 중요하다. 또한 가정에서 할 수 있는 다양한 활동과 방법을 제시하고 모니터하면서 부모나 양육자와 긴밀히 협조한다.

Ⅲ 와우이식의 결과와 예후인자

와우이식은 보청기로 정상적인 언어발달이 불가능한 고도 혹은 심도 난청 환자가 소리를 듣고 말을 할 수 있도록 한다는 점에서 매우 유용한 청력재활 기기이다. 따라서 고도 난청 환자에서 와우이식이 효과적인 청력재활 기기라는 점에는 이견이 없다. 적절한 시기(선천성 난청자는 2세 이전, 후천성 난청자는 난청 발생 후 10년 이전)에 수술을 받고 적절한 청력재활(유경험자에 의한 auditory-verbal therapy)을 받으면 정상 아동의 언어발달 범위의 2표준편차 내에서 언어발달을 성취할 수 있으며, 소음이 없는 환경 에서는 약 80%의 문장변별력을 보인다고 알려져 있다. 그러나 우리 일상생활에서 경험하는 소음환경에서의 말소리 이해능력은 50% 정도로 떨어지고,[24] 음악 감상에는 제한이 많다.[39,44]

와우이식 환자의 말지각, 발화, 언어발달의 정도, 그리고 정상적인 대화 가능 여부는 환자마다 큰 차이가 나타난다. 따라서 수술 전에 환자의 예후에 영향을 미치는 여러 예후인자에 관한 연구가 활발히 진행되어왔다. Pubmed 웹사이트에서 'cochlear implant outcome'으로 검색되어 나오는 학술 논문은 2017년 6월까지 2,758개에 이르고 있고, 대단위 연구를 통해 예후를 예측하기 위한 모델이 제시되기도 하였다.[10,40,52] 현재까지 와우이식에 영향을 미치는 것으로 보고된 대표적인 인자는 제시된 표 44-2와 같다.[36]

표 44-2. 와우이식의 예후인자

분류	예후 인자
와우기기 인자	코딩 방법
	전극의 디자인
환자 인자	난청 발생시기
	난청 기간
	인공와우 이식 연령
	동반 질환
	내이 기형 여부
	잔청
	의사소통 수단
	교육과 수술 후 재활 서비스
사회 경제적 인자	가족의 도움
	사회경제적 상태

1. 와우기기 인자

와우의 기기 인자로는 어음처리장치의 speech coding strategy와 전극의 디자인이 영향을 미친다고 보고되었다. 각 인공와우 회사별로 지속적으로 어음처리 기술을 발전시켜 왔고, 이를 통해 소음 환경에서의 어음이나 음악 등의 인지능력이 향상되고 있다.[56] 전극의 디자인은 잔존 청력을 최대한 보존하고 와우 내 손상을 최소화하여 어음 인지능력을 향상하는 방향과 와우 내에서 나선신경절에 최대한 가깝게 전극을 위치시키기 위하여 modiolar-hugging 형태로 개발하는 방향으로 나눌 수 있다. 와우 내 손상을 최소화하기 위하여 전극을 얇고 유연한 형태로 개발하거나, 잔존 청력을 보존하기 위하여 전극을 짧게 삽입하고 저주파 영역은 보청기를 이용하여 증폭하는 전기음향자극시스템 EAS system이 개발되기도 하였다.

2. 환자인자

전농의 기간이 길어지게 되면 대뇌의 가소성 현상에 따라 청각신경경로의 말단인 청각피질은 점진적으로 그 기능을 잃게 되고, 이 기간이 일정수준 이상이 되면 청각 피질이 대뇌의 다른 영역에 의해 차용되어 청각 신호처리가 불가능해진다고 알려져 있다. 와우이식으로 청각신호 자극을 회복하더라도, 전농 기간이 긴 환자는 이미 청각 피질이 다른 대뇌 영역에 의해 차용되어 청각 신호를 처리할 수 없게 되며, 이러한 경우 와우이식의 결과가 나쁘다고 보고된 바가 있다.[41] 이러한 이유로, 이후 많은 연구에서 선천성 난청 환자에서 와우이식은 조기에 시행할수록 효과적이라고 보고되었고,[17] 최근에는 12개월 이전에 와우이식을 할 경우 예후가 좋다는 결과가 여러 연구에서 보고되었다.[20,35,47,60] 성인을 대상으로 한 연구에서는 언어습득기 전 전농(prelingual deafness) 환자는 언어습득기 후 전농(postlingual deafness) 환자보다 나쁜 수술 후 결과를 보였다.[42]

감각신경성 난청을 가진 소아의 약 1/3은 인지기능장애, 행동/감정 장애, 운동장애, 시작장애 등을 동시에 가진다고 보고된다.[15] 이러한 중복장애를 가진 경우에는 그렇지 않은 환자보다 나쁜 수술 후 결과를 보인다. 그러나 와우이식을 통해 일정 수준의 말지각과 언어발달이 가능하다는 점에서 여전히 와우이식은 효과적인 청력재활치료로 활용되고 있다.[9] 이외 내이기형이 동반된 경우 와우이식의 예후는 나쁘다고 보고되었다. 와우공동강, 와우저형성, 청신경 부전 등이 확인된 환자는 내이기형이 없는 환자보다 나쁜 예후를 보였다.[14,49] 수술 전 청력 상태, 말지각의 정도 또한 예후에 영향을 미치며, 잔존청력이 존재할수록 예후는 좋다고 보고되었다.[8,28] 이외 의사소통 시 구화(oral communication)를 사용하는 경우에 와우이식 후 언어지각력에 긍정적 영향을 미친다는 보고가 있다.[48] 와우이식기 사용기간이 길어지고, 청각구어치료(auditory-verbal therapy)를 이용한 언어 재활치료를

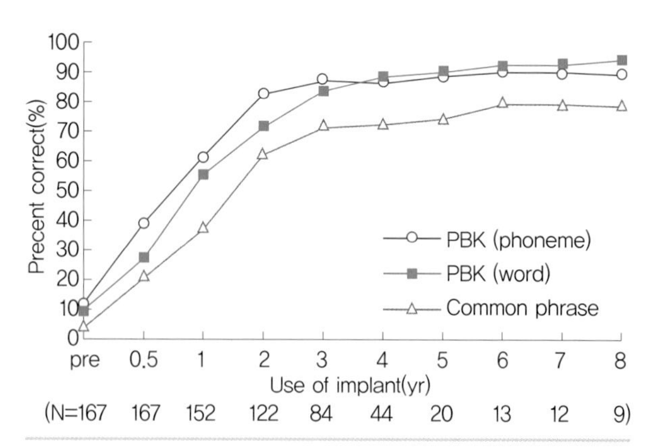

■ **그림 44-1. 선천성 및 언어습득 전 아동에서 수술 후 경과에 따른 청각 수행능력** (김리석 등, 2005)

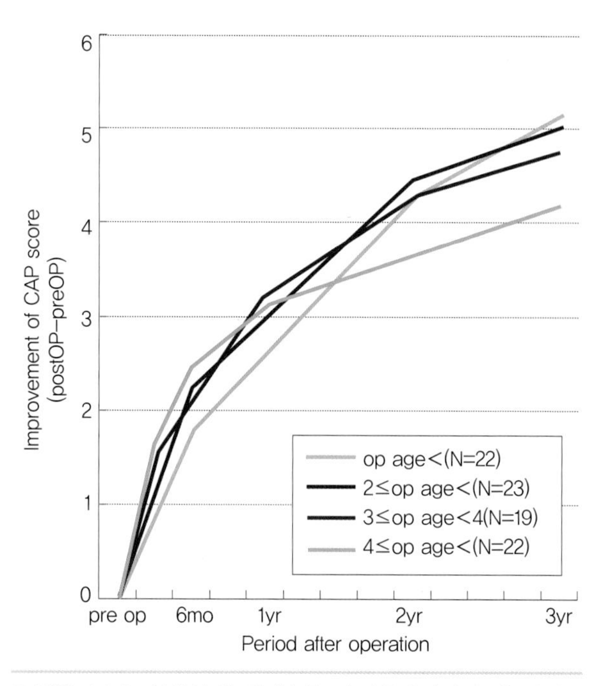

■ **그림 44-2. 선천성 및 언어습득 전 아동에서 수술 후 경과에 따른 CAP scores** (서울대 제공)

지속하면 환자의 수술 후 결과는 향상된다. 언어습득 후 난청 아동 및 성인에서는 약 1년까지, 선천성 및 언어습득 전 아동에서는 재활교육으로 2년까지 청각수행 능력이 빠르게 발달하고(그림 44-1, 2) 이후에는 시시히 빌달한다.[30]

3. 사회 경제적 인자

와우이식 후 언어치료 등 전반적인 과정에서 부모의 적극적인 참여와 관리 등의 역할은 매우 중요하다. 과거 연구에 의하면 사회 경제적 환경이 좋을수록 예후가 좋다고 보고되고 있고,[46] 이는 부모가 적극적으로 언어재활치료를 지원하고 참여하는 경우에 좋은 예후를 보이기 때문으로 판단된다.

Ⅳ 와우이식의 한계점과 전망

와우이식 환자들은 기기 사용과 유지에 각별히 신경을 써야 한다. 운동이나 외상으로 인한 외부장치 및 내부장치의 파손에 유의해야 하며, 누수나 분실 등에도 유의해야 한다. Cochlear사의 BTE형 Nucleus 6, Nucleus 7, OTE형 Kanso, Medel사의 BTE형 Sonnet, OTE형 Rondo2, Adbanced-bionics사의 Neptune, Oticon medical사의 Neuro One, Neuro 2 외부장치는 생활방수 효과가 있다고 소개되고 있다.

사고나 질병으로 MRI 촬영이 필요한 경우에 내부이식장치의 자석(magnet) 때문에 촬영이 제한된다. 최근에 출시된 와우이식기 중에는 3테슬라(tesla)의 MRI까지 허용되는 것도 있고, 대부분의 기기에서 1.5테슬라까지는 큰 문제가 없는 것으로 소개되고 있으나, 영상의 왜곡은 피할 수 없고, 일부 MRI 촬영 후 자석이 이탈되는 증례가 보고된 바가 있다.[19] 3T 이상의 MRI 촬영이 필요한 경우, 부분절개를 통해 내부 장치의 자석만 한시적으로 제거하여 MRI 촬영을 할 수도 있고, 같은 방법으로 이탈된 자석을 원래 위치에 위치시킬 수 있다.

와우이식은 분명 효과적인 청력재활 수단임에는 분명하지만, 소음환경에서 어음인지나 음악청취의 면에서 한계가 있다. 이러한 문제를 보완하기 위하여 양측 와우이식,[16,27] bimodal hearing(한 귀 와우이식, 다른 귀 보청기 착용),[31] 전기음향자극시스템,[26] 방향성 마이크로폰[58] 등이 시도되고 있다.

Bimodal hearing의 경우 소음 방향에 따라 소음 환경에서의 언어 인지가 향상되었고, 소리의 방향 분별력(sound localization)이 향상된다고 보고되었다.[32] 특히 최근 인공와우회사와 보청기회사 간에 적극적인 협력관계가 이루어지고 있으며 그 결과로 보청기와 인공와우 간의 상호 통신에 의한 동기화가 가능해 짐으로써 bimodal이나 전기음향자극시스템의 장점을 극대화할 수 있을 것으로 기대된다.

전기음향자극시스템은 저음역에 유용한 청력이 남아 있는 경우, 중간 및 고음역대는 와우이식에 의한 전기자극으로 소리를 듣고 저음역대는 보청기를 이용하여 소리를 증폭하여 듣는 방법이다. 와우이식 후에도 잔청을 보존할 수 있다는 결과가 발표되면서,[13] 최근 주목받고 있다. 전기음향자극시스템의 핵심은 전극을 와우에 삽입하면서 저음역의 잔청을 보존하는 것으로, 기존의 인공와우 전극보다 짧은 전극을 사용하거나, 일반적인 전극의 일부분만 삽입한다. 전기음향자극시스템은 언어 인지와 음악 감상에서 탁월한 장점을 보인다.[29,30] 하지만 잔청 보존을 위한 노력에도 불구하고 일부 환자에서는 잔청이 소실될 수 있으며, 잔청소실로 인해 장점을 얻을 수 없는 경우에는 일반적인 와우이식에 사용하는 길이의 전극 재삽입이 필요할 수 있다.[25]

일측 와우이식만을 시행할 경우 양이청이 불가능하므로 소리의 방향 분별력 및 소음 상황에서의 언어 인지가 떨어질 수밖에 없다. 이에 반해 양측 와우이식을 하게 되면 양이청이 가능하므로 이와 같은 단점을 극복할 수 있다. 국내에서도 만 19세 미만 소아의 경우 양측 와우이식에 대한 의학적 필요성이 있는 경우 건강보험을 적용받을 수 있게 되어 양측 와우이식은 증가하고 있다.

수술 후 환자 관리를 위해, 매핑과 언어 재활치료에 있어 환자 정보에 대한 데이터 베이스의 구축, 술 후 매핑의 표준화 및 데이터 관리, 술 후 청각언어 재활치료 프로그램의 표준화 및 데이터 관리 등의 필요성이 꾸준히 대두되고 있지만 아직 외국 유수의 기관에서도 이러한 표준화 및 데이터 관리 시스템은 미비한 경우가 많다. 인공와우 수술 환자가 지속적으로 증가하면서 한 센터에서 관리할 수 있는 환자의 한계 때문에 어떻게 효과적인 관리가 이루어질 수 있겠는지에 대한 논의가 최근 많이 진행되고 있다. 이러한 논의의 요점은 환자의 편의와 효율적인 관리 및 추적관찰을 목적으로 하는 것이지만 우리나라와 같이 크지 않은 국가에서도 범 국가적인 관리 시스템을 구축하는 것은 생각보다 쉽지 않다.

평생을 두고 관리해야 하는 인공와우 환자의 특성상 수술 후 환자의 지역 간 이동에 따른 추적 실패나 환자가 성장함에 따른 관리 지표의 변화는 아직 해결해야 할 중요한 문제들이다. 이러한 이유로, 국내의 인공와우 술자, 청각사, 언어치료사, 특수학교 교사 등 각급 전문가들이 모여 표준화와 전국적 관리 시스템의 개발을 위해 꾸준히 논의가 이루어지고 있다. 이를 위해 각종 가이드라인의 구축, 데이터 베이스의 확립, 시범사업을 통한 효용성의 평가 및 피드백이 시행되어야 할 것이며, 이를 통해 환자의 편의를 도모하고, 의료진 및 검사자, 치료사의 소통을 증진하며, 국내뿐 아니라 국제적으로도 모범이 되는 체계를 확립하여야 할 것이다. 더불어, 이러한 데이터 베이스와 관리 시스템에 저장되어 있는 정보를 철저한 관리하고, 정보 보안을 위한 체계를 확립하는 것도 매우 중요할 것으로 생각된다.

앞으로 와우이식의 발전 방향은 크게 두 가지로 요약된다. 첫 번째로, 1세 이하의 소아 환자에서 조기 수술이 증가할 것이므로 영아에서 안전하게 사용할 수 있게 제작되어야 한다. 떨어뜨려도 손상되지 않아야 하고, 아이가 입에 넣고 씹어도 될 정도로 튼튼해야 하며, 크기가 작지만 자극 속도가 빨라야 하고, 보호자가 기기의 작동 여부를 쉽게 알 수 있어야 한다. 그리고 색깔이 아이들의 마음에 들어 착용하는 데 거부감이 없어야 한다. 두 번째는 크기가 점점 작아져서 완전 체내 이식형이 되어야 한다. 이를 위해서는 외부장치 없이 소리 전달이 가능한 고효율의 마이크로폰 개발이 필수적이고 재충전 가능 전지의 개발이 우선되어야 한다.

참고문헌

1. 대한청각학회. 말지각검사의 실제. 학지사, 2015.
2. 배희경. Development of everyday sound recognition test for infants. Master's Thesis, Hallym University 2003.
3. 윤미선. 한국어 영유아청각통합능력척도(IT-MAIS)의 타당도와 신뢰도 평가. 언어청각장애연구 2011;16.
4. 장선아. Frequency-limiting effect on perception of speech and environmental sound in normal-hearing and cochlear implant adults. PhD Diss, Yonsei University 2011.
5. Allen MC, Nikolopoulos TP, O'Donoghue GM. Speech intelligibility in children after cochlear implantation. The American journal of otology 1998;19:742-746.
6. Archbold S, Lutman ME, Marshall DH. Categories of Auditory Performance. The Annals of otology, rhinology & laryngology Supplement 1995;166:312-314.
7. Archbold S, Lutman ME, Nikolopoulos T. Categories of auditory performance: inter-user reliability. British journal of audiology 1998;32:7-12.
8. Arisi E, Forti S, Pagani Det al. Cochlear implantation in adolescents with prelinguistic deafness. Otolaryngology-Head and Neck Surgery 2010;142:804-808.
9. Berrettini S, Forli F, Genovese Eet al. Cochlear implantation in deaf children with associated disabilities: challenges and outcomes. International journal of audiology 2008;47:199-208.
10. Blamey P, Artieres F, Başkent Det al. Factors affecting auditory performance of postlinguistically deaf adults using cochlear implants: an update with 2251 patients. Audiology and Neurotology 2013;18:36-47.
11. Brennan-Jones CG, White J, Rush RW, Law J. Auditory-verbal therapy for promoting spoken language development in children with permanent hearing impairments. The Cochrane database of systematic reviews 2014:Cd010100.
12. Brickley G, Boyd P, Wyllie F, O'Driscoll M, Webster D, Nopp P. Investigations into electrically evoked stapedius reflex measures and subjective loudness percepts in the MED-EL COMBI 40+ cochlear implant. Cochlear implants international 2005;6:31-42.
13. Briggs RJ, Tykocinski M, Xu Jet al. Comparison of round window and cochleostomy approaches with a prototype hearing preservation electrode. Audiology and Neurotology 2006;11:42-48.

14. Buchman CA, Teagle HF, Roush PAet al. Cochlear implantation in children with labyrinthine anomalies and cochlear nerve deficiency: implications for auditory brainstem implantation. The Laryngoscope 2011;121:1979-1988.
15. Chilosi AM, Comparini A, Scusa MFet al. Neurodevelopmental disorders in children with severe to profound sensorineural hearing loss: a clinical study. Developmental Medicine & Child Neurology 2010;52:856-862.
16. Ching T, Van Wanrooy E, Dillon H. Binaural-bimodal fitting or bilateral implantation for managing severe to profound deafness: a review. Trends in amplification 2007;11:161-192.
17. Connor CM, Craig HK, Raudenbush SW, Heavner K, Zwolan TA. The age at which young deaf children receive cochlear implants and their vocabulary and speech-production growth: is there an added value for early implantation? Ear and hearing 2006;27:628-644.
18. D L. Foundations of spoken language for hearing impaired children. Washington, DC: Alexander Graham Bell Association for the Deaf Inc 1989.
19. Deneuve S, Loundon N, Leboulanger N, Rouillon I, Garabedian EN. Cochlear implant magnet displacement during magnetic resonance imaging. Otology & Neurotology 2008;29:789-190.
20. Dettman SJ, Pinder D, Briggs RJ, Dowell RC, Leigh JR. Communication development in children who receive the cochlear implant younger than 12 months: risks versus benefits. Ear and hearing 2007;28:11S-18S.
21. Erber NP. Auditory training. Alex Graham Bell Assn for Deaf, 1982.
22. Eriks-Brophy A. Outcomes of Auditory-Verbal Therapy: A Review of the Evidence and a Call for Action. Volta Review 2004;104.
23. Estabrooks W. Auditory-verbal therapy and practice. Alex Graham Bell Assn for Deaf, 2006.
24. Fetterman BL, Domico EH. Speech recognition in background noise of cochlear implant patients. Otolaryngology-Head and Neck Surgery 2002;126:257-263.
25. Fitzgerald MB, Sagi E, Jackson Met al. Reimplantation of hybrid cochlear implant users with a full-length electrode after loss of residual hearing. Otology & Neurotology 2008;29:168-173.
26. Fraysse B, Mac í as ÁR, Sterkers Oet al. Residual hearing conservation and electroacoustic stimulation with the nucleus 24 contour advance cochlear implant. Otology & neurotology 2006;27:624-633.
27. Galvin KL, Mok M, Dowell RC. Perceptual benefit and functional outcomes for children using sequential bilateral cochlear implants. Ear and hearing 2007;28:470-482.
28. Gantz BJ, Rubinstein JT, Tyler RSet al. Long-term results of cochlear implants in children with residual hearing. Annals of Otology, Rhinology & Laryngology 2000;109:33-36.
29. Gantz BJ, Turner C, Gfeller KE, Lowder MW. Preservation of hearing in cochlear implant surgery: advantages of combined electrical and acoustical speech processing. The Laryngoscope 2005;115:796-802.
30. Gantz BJ, Turner C, Gfeller KE. Acoustic plus electric speech processing: preliminary results of a multicenter clinical trial of the Iowa/Nucleus Hybrid implant. Audiology and Neurotology 2006;11:63-68.
31. Gifford RH, Dorman MF, McKarns SA, Spahr AJ. Combined electric and contralateral acoustic hearing: Word and sentence recognition with bimodal hearing. Journal of Speech, Language, and Hearing Research 2007;50:835-843.
32. Grantham DW, Ashmead DH, Ricketts TA, Labadie RF, Haynes DS. Horizontal-plane localization of noise and speech signals by postlingually deafened adults fitted with bilateral cochlear implants. Ear and Hearing 2007;28:524-541.
33. Helbig S, Van de Heyning P, Kiefer Jet al. Combined electric acoustic stimulation with the PULSARCI100 implant system using the FLEXE-AS electrode array. Acta oto-laryngologica 2011;131:585-595.
34. Hodges AV, Dolan-Ash S, Butts S, Balkany TJ. Using electrically evoked auditory reflex thresholds to fit the CLARION® Cochlear Implant. Annals of Otology, Rhinology & Laryngology 1999;108:64-68.
35. Holt RF, Svirsky MA. An exploratory look at pediatric cochlear implantation: is earliest always best? Ear and hearing 2008;29:492-511.
36. Jang JH, Lee SH. Updates in Prognostic Factors of Cochlear Implantation. Korean Journal of Otorhinolaryngology-Head and Neck Surgery 2014;57:738-747.
37. Karsten SA, Turner CW, Brown CJ, Jeon EK, Abbas PJ, Gantz BJ. Optimizing the combination of acoustic and electric hearing in the implanted ear. Ear and hearing 2013;34:142.
38. Kim LS LY, Huh MJ, et al. Auditory performance in children with cochlear implants at Dong-A University Hospital. Proceedings of 5th Asia Pacific Symposium on Cochlear Implants and Related Sciences 2005:117-120.
39. Kong Y-Y, Cruz R, Jones JA, Zeng F-G. Music perception with temporal cues in acoustic and electric hearing. Ear and hearing 2004;25:173-185.
40. Lazard DS, Vincent C, Venail Fet al. Pre-, per-and postoperative factors affecting performance of postlinguistically deaf adults using cochlear implants: a new conceptual model over time. PloS one 2012;7:e48739.
41. Lee DS, Lee JS, Oh SHet al. Deafness: cross-modal plasticity and cochlear implants. Nature 2001;409:149.
42. Lee Y-M, Kim L-S, Jeong S-W. A Survey of Speech Perception Tests for Children with Hearing Loss Used in Cochlear Implant Centers in Korea. Korean Journal of Otorhinolaryngology-Head and Neck Surgery 2010;53:534-546.
43. Lee YM, Kim LS, Jeong SW, Kim JS, Chung SH. Performance of children with mental retardation after cochlear implantation: speech perception, speech intelligibility, and language development. Acta oto-laryngologica 2010;130:924-934.

44. Limb CJ. Cochlear implant-mediated perception of music. Current opinion in otolaryngology & head and neck surgery 2006;14:337-340.
45. Lorens A, Walkowiak A, Piotrowska A, Skarzynski H, Anderson I. ESRT and MCL correlations in experienced paediatric cochlear implant users. Cochlear implants international 2004;5:28-37.
46. Niparko JK, Tobey EA, Thal DJet al. Spoken language development in children following cochlear implantation. Jama 2010;303:1498-1506.
47. Nott P, Cowan R, Brown PM, Wigglesworth G. Early language development in children with profound hearing loss fitted with a device at a young age: Part I-The time period taken to acquire first words and first word combinations. Ear and hearing 2009;30:526-540.
48. O'donoghue GM, Nikolopoulos TP, Archbold SM. Determinants of speech perception in children after cochlear implantation. The Lancet 2000;356:466-468.
49. Papsin BC. Cochlear implantation in children with anomalous cochleovestibular anatomy. The Laryngoscope 2005;115:1-26.
50. Pollack D, Goldberg DM, Caleffe-Schenck N. Educational audiology for the limited-hearing infant and preschooler: An auditory-verbal program. Charles C Thomas Pub Limited, 1997.
51. Robbins AM, Renshaw JJ, Berry SW. Evaluating meaningful auditory integration in profoundly hearing-impaired children. The American journal of otology 1991;12 Suppl:144-150.
52. Roditi RE, Poissant SF, Bero EM, Lee DJ. A predictive model of cochlear implant performance in postlingually deafened adults. Otology & Neurotology 2009;30:449-454.
53. Shapiro WH. Device programming. Cochlear implants New York: Thieme 2000:185-197.
54. Shapiro WH, Bradham TS. Cochlear implant programming. Otolaryngologic Clinics of North America 2012;45:111-127.
55. Simpson A, McDermott HJ, Dowell RC, Sucher C, Briggs RJ. Comparison of two frequency-to-electrode maps for acoustic-electric stimulation. International journal of audiology 2009;48:63-73.
56. Skinner MW, Fourakis MS, Holden TA, Holden LK, Demorest ME. Identification of speech by cochlear implant recipients with the multipeak (MPEAK) and spectral peak (SPEAK) speech coding strategies II. Consonants. Ear and hearing 1999;20:443.
57. Spivak LG, Chute PM, Popp AL, Parisier SC. Programming the cochlear implant based on electrical acoustic reflex thresholds: patient performance. The Laryngoscope 1994;104:1225-1230.
58. Spriet A, Van Deun L, Eftaxiadis Ket al. Speech understanding in background noise with the two-microphone adaptive beamformer BEAM™ in the Nucleus Freedom™ cochlear implant system. Ear and hearing 2007;28:62-72.
59. Teoh SW, Pisoni DB, Miyamoto RT. Cochlear implantation in adults with prelingual deafness. Part I. Clinical results. The Laryngoscope 2004;114:1536.
60. Waltzman SB, Roland JT. Cochlear implantation in children younger than 12 months. Pediatrics 2005;116:e487-e493.
61. Zimmerman-Phillips S, Robbins AM, Osberger MJ. Assessing cochlear implant benefit in very young children. The Annals of otology, rhinology & laryngology Supplement 2000;185:42-43.

CHAPTER

45

이식형 청각보조장치

이비인후과학 Otorhinolaryngology - Head and Neck Surgery

최재영

1970년대에 개발된 다채널 인공와우는 난청치료에 있어서 획기적인 전기가 되었다. 이후 인공와우와 관련된 기술 개발은 놀라운 속도로 진행되어 현재 인공와우는 신경조절기기(neuromodulating device) 중 가장 성공적인 것으로 받아들여지고 있다. 최근에는 인공와우와 더불어 다양한 이식형 청각 기기(auditory implant)가 개발되어 환자치료에 이용되고 있는데, 이 장에서는 인공와우 외의 다양한 청각이식 기기들에 대해 알아보고자 한다.

I 청성뇌간 이식(Auditory Brainstem Implant; ABI)

1. 개발과정

청신경종양 등 청신경의 병변으로 인한 난청은 인공와우 이식으로 효과를 얻을 수 없다. 이를 해결하기 위하여 뇌간(brainstem)의 청신경핵(cochlear nucleus)을 자극하여 소리를 전달하고자 하는 시도는 1970년대부터 시작되었다. 최초의 청성뇌간 이식술은 1979년 House Ear Institute에서 William House와 Hitselberger에 의해 시행되었는데, 이들은 환자의 4번째 뇌실(4th ventricle)의 외측 함요(lateral recess)에 구형(ball type) 전극을 위치시켜 청신경핵을 직접 자극할 수 있도록 하였다. 이후 다채널 뇌간 이식기가 개발되어 이전보다 더 좋은 결과를 보였으며, 2000년 미국 식품의약국(FDA)의 허가 승인을 받았다.

2. 적응증

청성뇌간 이식술의 가장 대표적인 적응증은 제2형 신경섬유종증 Neurofibromatosis type II (NF-II)이다. NF-II 환자의 약 90%에서 양측성 청신경종양(vestibular schwanomma)이 발생하며, 20%의 환자에서 첫 증상으로 난청이 나타난다. 현재 미국 FDA의 청성 뇌간 이식의 허가 기준은 12세 이상의 NF-II 환자로 수술 결과에 대해 적절한 기대치를 가진 경우에 한한다. 과거에는 두 번째 종양을 제거할 때 청성뇌간 이식술을 함께 시행하였으나, 최근에는 첫 번째 종양을 제거할 때 뇌간 이식을 하거나 양측에 시행하기도 한다. 현재까지 세계적으로 약 1,000명 이상의 NF-II 환자에서 뇌간 이식술이 시행되었으며, 우리나라에서도 2015년부터 18세 이상의 NF-II 환자에게 국민건강보험법 요양 급여가 적용되기 시작되었다.

2000년, Colletti 등은 최초로 NF-II 외의 난청 환자에게서 청성뇌간 이식술을 시행하였다. 청신경(cochlear nerve)이 관찰되지 않는 선천성 난청 소아에게 뇌간 이식술을 시행하여 좋은 결과를 얻었으며, 이후 와우 골화(cochlear ossification)로 인공와우가 불가능한 환자 등에게도 청성뇌간 이식술이 시행되면서 그 적응증이 확대되고 있다. 2013년 청성뇌간이식에 대한 합의회의(Consensus meeting)의 결과에 따르면 NF-II 외의 환자 중 현재까지 알려진 보편적인 적응증은 주로 인공와우 이식술이 불가능한 환자들을 대상으로 하는데, 선천성 난청으로는 와우 무형성증(cochlear agenesis, Michel deformity)과 청신경 무형성증(cochlear nerve agenesis)이 그 적응증이 될 수 있다. 이러한 보편적인 적응증 이외에도 청각 신경병증의 경우에는 인공와우에 반응하지 않을 때 뇌간 이식술의 적응 대상이 될 수 있으나, 청신경핵 이후의 병변으로 인한 청각 신경병증도 있기 때문에 적응증을 고려할 때 신중하여야 할 것이다. 다음으로는 인공와우 이식술 후 예후가 불량한 군에게 청성뇌간이식술을 고려해 볼 수 있다. 기존 보고에 따르면 공동강(common cavity) 기형, 와우 저형성증(cochlear hypoplasia), 청신경 저형성증(cochlear nerve hypoplasia) 등은 인공와우 이식술 후 예후가 상당히 불량하고 환자마다 결과에 큰 차이를 보이며 장기 치료 결과가 보고되지 않은 상태로, 청력 재활의 방법으로 청성뇌간 이식술을 고려해 볼 수 있으나 신중해야 할 것이다. 언어 습득 후 난청으로는 심한 와우 골화와 외상성 청신경 손상 등

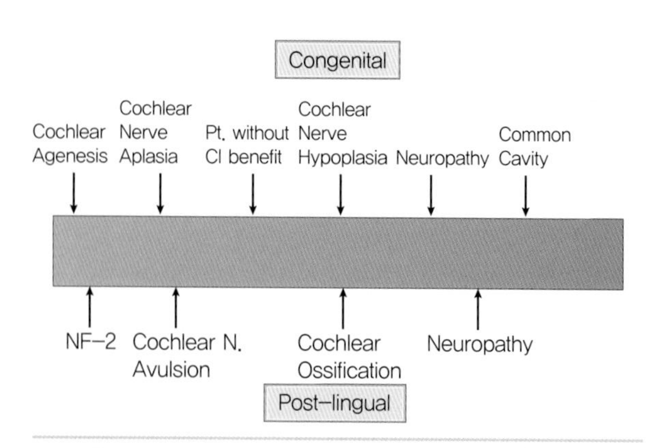

■ 그림 45-1. **선천성 난청과 언어습득후 난청에서 뇌간이식술과 인공와우의 적응증**

이 그 적응증이 될 수 있다(그림 45-1).

3. 해부학적 구조(Surgical anatomy)

뇌간 이식술의 목표 지점은 연수-교뇌 이행부(pontomedullary junction)의 외측함요(lateral resecss)에 있는 청신경핵(cochlear nucleus)이며, 청신경핵은 전복측 와우핵(anteroventral cochlear nucleus; AVCN), 후복측 와우핵(posteroventral cochlear nucleus; PVCN)과 배측 와우핵(dorsal cochlear nucleus; DCN)으로 나누어진다. 청신경핵은 흥분 경로와 억제 경로를 가진 9가지 이상의 다양한 세포로 구성되어 있으며 주파수 특이성이 와우와는 달리 표면에서부터의 깊이에 따라 결정된다. 따라서 인공와우와는 달리 청성뇌간 이식술은 표면전극으로 주파수별 자극을 하는 것이 용이하지 않다(그림 45-2).

4. 수술방법

뇌간 이식술의 수술 접근법으로는 경미로 접근법(translabyrinthine approach)과 하후두접근법(suboccipital approach)이 있나. 먼저 경미로접근법은 청신경핵으로의 직접적인 접근을 가능하게 하며, 이비인후과 의사에게 보다 익숙하고 청신경종양 등의 내이도 병변을 함께 제거할

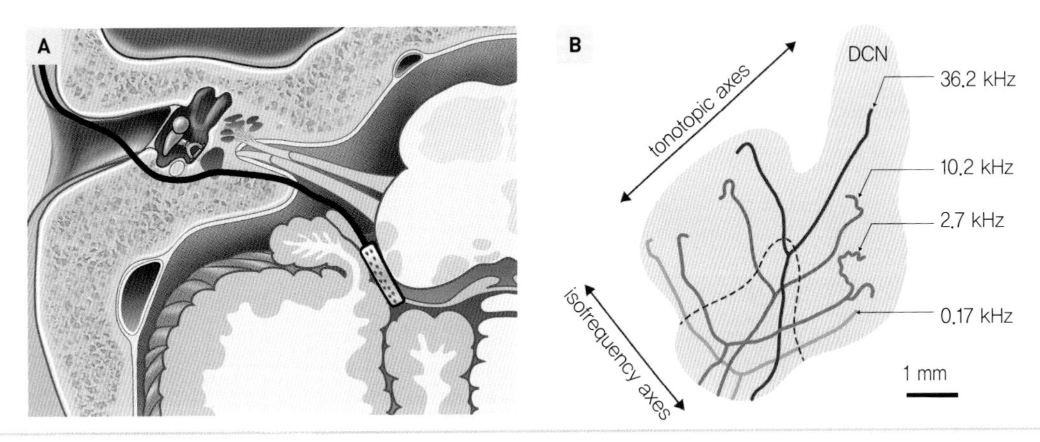

■ 그림 45-2. **뇌간이식술의 모식도(A)와 와우신경핵의 구조(B).** 뇌간이식술은 pontomedullary junction의 와우신경핵이 자극의 목표부위이며 와우신경행은 깊이에 따라 주파수특이성을 갖는다.

수 있다는 장점이 있어 NF-II 환자에게 주로 이용되지만, 전정기관의 기능이 손실될 수 있어 선천성 난청 환자에서는 전정기능이 소실된 경우에 적용할 수 있다. 경미로접근법으로 청신경핵까지 접근하기 위해서는 경정맥공(jugular foramen)을 완전히 노출시켜야 한다. 경정맥공은 그 위치가 환자마다 다양할 수 있기 때문에 접근 시 주의해야 하며 작은 유양동과 높은 경정맥구(jugular bulb)를 가진 경우 이를 노출하는 것은 어려울 수 있다. 하후두접근법은 전정기관 손상을 막을 수 있으나, 소뇌를 견인하는 작업이 불가피하다. 두개골과 경막을 제거하고 소뇌를 견인하면 7번 뇌신경, 8번 뇌신경, 하부 뇌신경 등을 확인할 수 있으며 9번 뇌신경의 근위부를 추적하면 소뇌의 소엽(flocculus)과 4번째 뇌실(4th ventricle, Foramen Luschka)로부터 나오는 맥락총(choroid plexus)이 보이며, 청신경핵이 위치하는 외측 함요(lateral recess)를 확인할 수 있다(그림 45-3). 이 부위에 전극을 삽입해야 하는데 인공와우와는 달리 확실한 해부학적 지표가 없기 때문에 전극을 삽입한 후에 시험 전극(test electrode)을 이용한 수술 중 매핑(mapping)이 필수적이다. 청각신경세포를 전기 자극하면 제3파(wave III) 이후의 뇌파가 발생하는데, 수술 중 삽입한 시험 전극을 자극하여 가장 많은 전극에서 확실한 뇌파가 나오는 부위를 최종 이식 부위로 선정해야 할 것이다. 그 외에도 안면신경의 손상을 피하기 위한 술 중 안면신경 감시 및 하부 뇌신경 자극을 피하기 위하여 술 중 9, 10, 11번 뇌신경의 감시가 필요하다. 또한 수술 직후에는 전극의 위치를 확인하기 위해 단층촬영이 필요하다.

5. 기기

현재 상용화 되고 있는 뇌간 이식기는 표면전극 타입(surface type)의 다채널 기기들이다. Cochlear 사의 이식기(Nuclues 24 ABI system, ABI24)는 실리콘 판에 21개의 전극을 배열해 놓은 형태로 전극은 이식형 내부 수신기/자극기와 연결되어 있다. 자석을 제거할 수 있어 NF-II 환자의 추후 MRI 사용을 더 효과적으로 할 수 있게 하였다. Med-El 사에서는 Combi 40 인공 와우 모델을 바탕으로 청성 뇌간 이식기 전극을 개발하였다. 현재 사용하는 이식기는 자석을 제거할 수는 없지만, 1.5테슬라의 MRI는 사용 가능하다. 이외에도 Digisonic SP 사에서도 15개의 전극을 가진 기기를 개발하여 사용 중이다. Nucleus사의 경우 관통형(Penetrating type)의 전극도 사용된다. 그러나 최근의 보고[1]에 의하면 관통형 전극이 술 후 청력역치는 더 낮았지만, 언어 이해력에는 차이가 없었다. 따라서 전극 이동 등이 제한되는 관통형 전극 타입이 당장 널리 사용되기는 힘들 것으로 보인다.

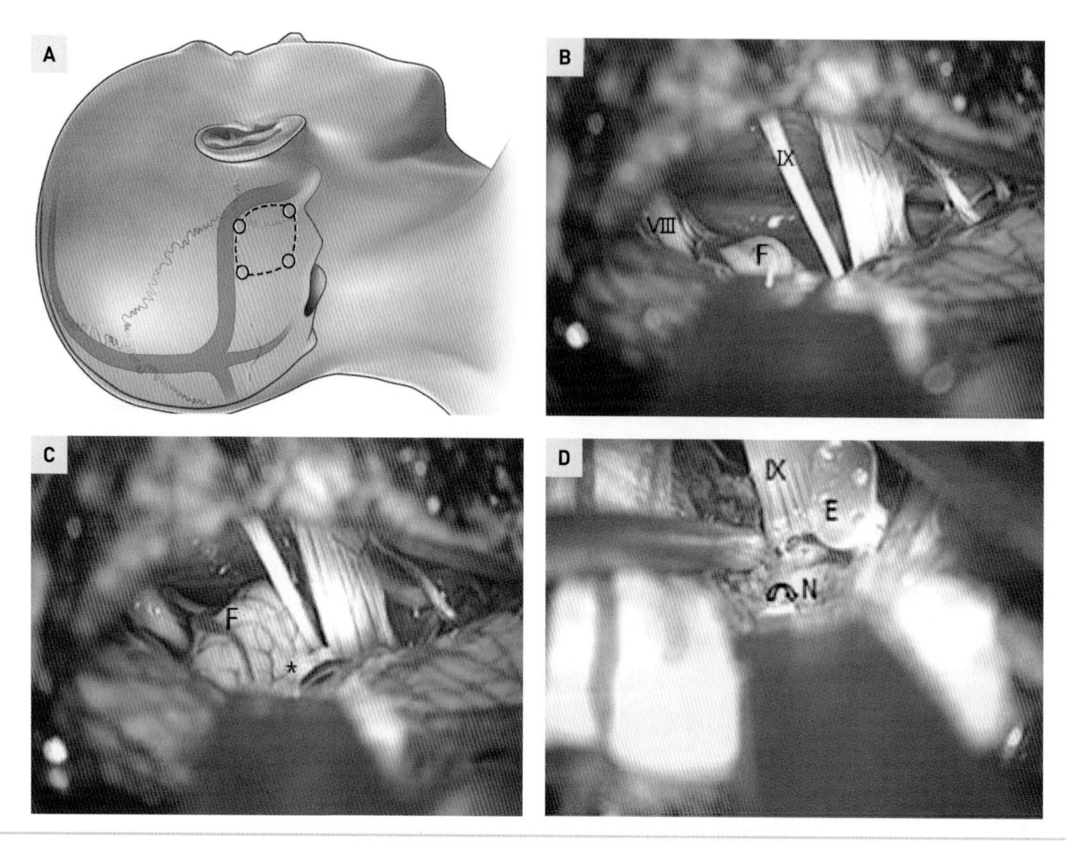

■ 그림 45-3. **하후두접근법의 수술소견. A)** 수술 시 환자의 자세와 골절개부위. **B)-D)** 소뇌를 견인후 9-11 뇌긴경을 확인한 후 Flocculus 와 choroid plesus를 확인 후 제4 뇌실과 통하는Foramen of Luschka에 전극을 삽입한다. VIII; 8번 뇌신경, IX; 9번 뇌신경, X; 10번 뇌신경, F; Flocculus, N; cochlear nucleus, E; electrode, 화살표; Foramen of Luschka, *; Choroid Plexus

6. 뇌간 이식술의 청각 재활 결과

NF-II 환자에서는 뇌간 이식술 후 많은 장기 추적 관찰 결과가 보고되어 있다. 초기에는 90% 이상의 환자가 기기를 매일 사용하며, 80%의 환자들이 구화(lip-reading)를 하는 데에 도움을 받고 있으나, 10%의 환자만이 open-set 상황에서 언어 이해가 가능한 것으로 알려졌다. 그러나 최근 유럽 등에서는 35% 이상의 환자가 open-set 상황에서 문장을 이해할 수 있는 등, 이전보다 향상된 결과를 보고하고 있다(표 45-1).

NF-II 외의 환자에서는 아직 장기적인 보고가 많지 않은데 Colletti는[2] 10년 동안 48명의 비종양성 성인 난청 환자에게서 뇌간 이식술을 시행하여 이 중 두부 손상에 의한 청신경 손상이나 와우 골화, 이경화증이 난청의 원인인 환자에서는 시각적 단서가 없어도 약 60%의 문장 언어의 수행이 가능하다는 우수한 결과를 보고하였다. 이러한 결과는 Grayeli,[3] Sanna[4]의 보고와도 유사하다.

선천성 난청의 경우 추적관찰에 필요한 기간이 길어 결과 예측이 더욱 힘들다. Colletti[5]에 의하면 심한 내이 기형이나 청신경결손을 가진 선천성 난청 환자에서 약 40%의 문장 감별이 가능하다는 희망적인 보고를 하였으며, 이는 House ear institute에서의 평가에서도 확인되었다. 터키의 Sennaroglue 등[9]도 내이형성부전 등으로 인한 선천성 난청 환아 11명에서 뇌간 이식술을 시행하였는데, 이들 중 대부분이 Ling 6 sound의 인식이 가능하였으며 이들 중 일부는 전화 통화가 가능할 정도의 우수한

표 45-1. 제 2형 신경섬유종증(Neurofibromatosis type II) 환자의 뇌간이식술 결과

연구자	연도	항시 사용자	무반응 환자	문장이해비율	부작용
Sollmann (48)	2000	87% (48/55)	-	-	-
Lenharz (16)	2002	93% (13/14)	8%	0% (0/13)	Migration of ABI
Otto (21)	2002	90% (55/61)	5%	9% (6/61)	Non-auditory response in 9%
Behr	2006	90% (18/20)	-	42%	Non-auditory response in 45%
Grayeli (14)	2008	70% (16/23)	22% (5/23)	50% (8/16)	CSF leakage, hematoma
Sanna (1)	2012	83% (19/23)	13% (3/23)	35% (8/24)	-

언어수행능력을 보이고 있다. 국내에서도 최등이 인공와우 이식술에 반응하지 않는 환자에서 청성뇌간이식술을 시행하여 긍정적인 결과를 보고한 바 있다. 그러나 뇌간 이식술에 대한 장기적인 치료 결과가 아직 충분한지 않기 때문에 대상자 선정 시 신중하여야 할 것이다.

7. 수술 후 재활 과정 및 부작용

수술 직후 전극이 정확한 위치에 삽입 되었는지 여부와 뇌출혈 등을 확인하기 위하여 두개골 X-ray 및 뇌 단층 촬영(Brain CT)이 필요하다. 외부기기 장착 및 전극 전원을 켜는 작업(switch on)은 술 후 6~8주 후에 시행한다. 미주신경 자극 등으로 인한 심박동 이상이나 호흡중추의 이상 자극 등을 우려하여 심전도 등의 감시가 가능한 중환자실에서 전극을 켜게 된다. 먼저 각 전극의 저항을 측정한 후 자극강도를 올려 각 전극별 역치를 구하고 이후 pitch ranking을 통하여 주파수별 자극을 설정한다. 이후 2~4주 간격으로 매핑을 조절한다. 인공와우와 마찬가지로 시간이 지남에 따라 최소가청역치(threshold level, T-level)가 낮아지며 가청 범위(dynamic range)가 커지고 사용 가능한 전극의 수가 늘어난다.

가장 흔한 수술 후의 부작용은 뇌척수액의 유출이다. 특히 경미로접근술의 경우 그 빈도가 높다. 그 외에도 두개 내 출혈, 뇌수막염, 전극의 이동 등이 보고되고 있다. 전기 자극이 들어간 후 생길 수 있는 부작용 중 가장 흔한 것은 비 청각적 자극(non-auditory stimulation)이다. 그 중에서도 척수시상로(spinothalamic track)가 자극을 받게 되면서 팔다리의 저림 현상을 호소하게 되는 경우가 가장 많은데 Colletti의 보고[2]에 의하면 뇌간 이식술을 시행받은 환자의 60% 이상에서 나타난다고 한다.

8. 청성 뇌간 이식술의 한계점과 그 밖의 시도들

청성뇌간이식술의 가장 큰 한계는 와우와는 달리 청신경핵의 주파수 특이성이 완전히 파악되지 않았다는 점이다. 따라서 특정 전극에 전기 자극을 주었을 때 어떠한 주파수의 소리를 들을 수 있을지 예측하기 힘들다. 또한 수술 결과가 환자들마다 큰 차이를 보여 예후에 관계되는 요인이 무엇인지에 대한 연구가 필요하다.

청신경핵이 파괴된 경우에는 청신경핵보다 더 청각 전달의 상위경로인 하구(inferior colliculus)의 중심핵(central nucleus)을 자극하는 청성 중뇌 이식술(Auditory midbrain implant)이 시도되었다. Samii 등은 다섯 명의 NF-II 환자에서 AMI array(6.2 mm)를 이식하여 제한된 청각자극 효과를 확인하였다.[7]

II 중이이식(Active middle ear implant)

최근 보청기(conventional hearing aid) 분야에서는

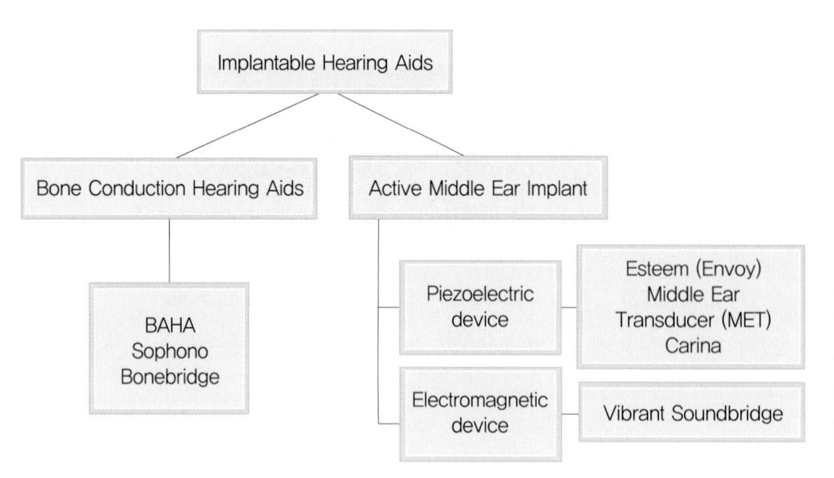

■ 그림 45-4. **이식형 보청기의 분류.** 골도 보청기와 능동형 중이이식기로 분류되며 능동형 중이이식기는 압전기방식과 전자기기각로 나눌수 있다.

다양한 기술적 발전이 있었다. 특히, 되먹임 소리(feed-back) 제거 기술 등의 디지털기술의 발달로 개방형 보청기가 널리 사용되고 있으며, 소음 제거 기술 등으로 소음 상황에서 어음 이해력이 향상되고, 또한 보청기의 크기가 작아지면서 난청 환자들이 보다 쉽게 보청기를 착용할 수 있게 되었다. 그러나 공기 전도(air conduction)라는 소리 전달 방식 때문에 음향 되먹임 소리(acoustic feedback), 귀꽂이(ear mold)로 인한 폐쇄효과, 고주파에서의 불충분한 이득, 비선형적 왜곡(nonlinear distortion) 등의 문제는 여전히 해결되기 어려운 실정이다. 더불어 외이도의 자극이나 착용에 따른 불편감, 이루가 동반된 경우에 착용의 문제점 등 다양한 문제가 여전히 존재한다. 이러한 문제점을 해결하기 위해 다양한 중이 이식 보청기들이 개발되고 있다.

1. 중이 이식기(Active middle ear implant)의 개발 과정 및 분류

중이 이식기는 이소골을 진동시켜 소리를 전달해주는 장치로 기존의 폴리셀(polycell)이나 티타늄(titanium)을 이용한 인공 이소골(ossicular prosthesis)과 구별하기 위해 능동적 중이 이식기(active middle ear implant)라 부르고 있다. 이식형 보청기는 1935년 Wilska 등이 철 입자(iron particle)로 고막을 진동시키는 실험을 하면서부터 시작되었다. 중이이식 보청기는 사용하는 에너지 전달 형태에 따라 압전소자를 이용한 기구(piezoelectric device)와 전자기 기구(electromechanical [electro-magnetic] device)로 나눌 수 있다(그림 45-4). 압전소자 기구는 압전소자결정(piezoceramic crystal)로 구성된 진동자(vibrator)에 의해 소리를 전달한다. 즉, 소리자극이 전기에너지로 바뀐 후 압전소자를 통해 진동을 일으키고, 이소골에 접촉하고 있는 진동자(압전소자)를 통해 이소골의 진동이 발생하여 이 진동에 의해 소리에너지가 내이로 전달된다. 전자기 기구의 경우 소리에너지가 전기에너지로 전환된 후 전자기장 변환기(electromagnetic transducer)에 의해 역시 미세한 진동을 일으키게 된다. 전자기장 변환기는 이소골에 직접 접촉하지 않고 클립(clip) 등을 통해 이소골에 부착되어 진동시킨다. 이 방법은 변환기(transducer)의 크기가 작다는 장점이 있으나 자기공명영상(MRI)을 촬영할 수 없다는 단점이 있다. 반면 압전소자 기구는 직접 이소골과 접촉하여야 하기 때문에 시술이 어렵고 비교적 큰 내부장치가 필요하다. 그러나 소리의 왜곡이 적고 MRI 촬영이 가능하다. 또 다른 분류는 이식기의 위치에 따라 일부의 기기가 체외로 나와 있는 부분적 이식가능 기구(partial implantable device)와 모든 기기가 몸 안에 이식되는 전 이식가능 기구(total implantable device)로 분류할 수 있는데, 여기에는 Envoy와 Carina device 등이 해당되며, 나머지는 모두

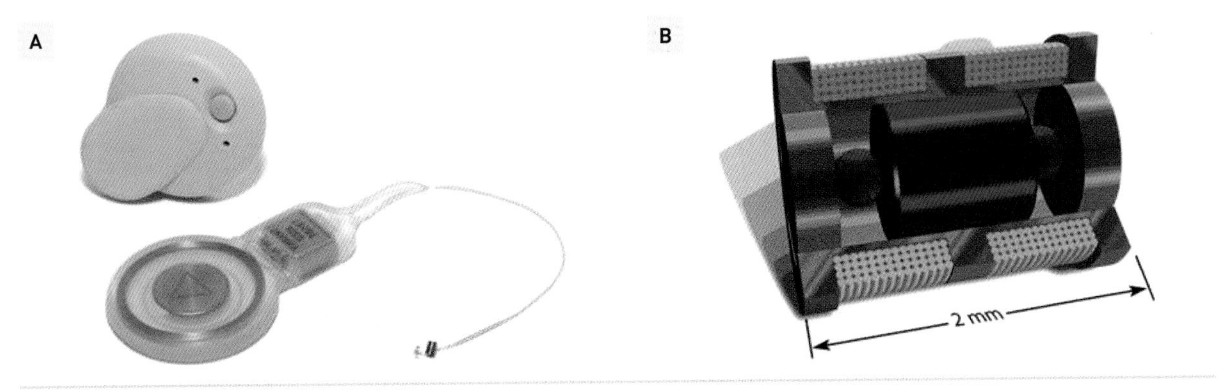

■ 그림 45-5. A) 메델사의 vibrant soundbridge의 내외부 장치, B) Floatign mass transfer

소리전달 장치를 외부에 착용해야 한다. Yanagihara 등이 등골 부착형 감지기를 개발하면서 압전소자 방식이 먼저 환자에게 이용되었으나 현재는 전자석을 이용한 전자기 방식이 널리 사용되고 있다.

2. Vibrant Sound bridge

1995년 개발된 Medel사(Insbruck, Austria)의 Vibrant Soundbridge (VSB)는 현재 가장 널리 사용되는 중이 이식기이다. 이 기기는 전자기 변환기(electro-magnetic transducer)인 부동 변환기(floating mass transducer; FMT)가 핵심 부품이며 외부 어음처리가 및 내부 복조기(demodulator) 등으로 구성되어 있다(그림 45-5).

1) 소리의 전달방식

외부 어음처리기는 마이크로폰(microphone)과 증폭기(amplifier)로 구성되어 소리를 받아들여 증폭한 후 이를 전기신호로 바꿔 다시 전자기 신호로 변환하여 인체 내부로 전달한다. 내부장치는 이 전자기 신호를 다시 복조기(demodulator)에서 전기신호로 바꾸어 자기 구동기(magnetic actuator)인 부동 변환기(FMT)를 자극하게 되고, 부동 변환기는 진동을 만들어낸다. 부동변환기는 침골(incus)의 장각이나 단각, 등골(stapes), 정원창(round window)에 장착할 수 있다(그림 45-6).

2) 적응증

감각신경성 난청의 경우 청력이 70 dB보다는 좋아야 하고, 비진행성 난청에서 시술이 가능하며, 중이의 기능이 정상이고 어음명료도가 쾌적역치(most comfortable level; MCL)에서 50% 이상인 경우에 시도된다. 또한, 청신경(retrocochlear) 혹은 중추신경계에 이상이 없어야 하며, 기존의 보청기로 청력재활에 어려움을 가지고 있는 경우가 좋다. 마지막으로 적절한 기대치와 재활의지가 있어야 한다. 현재 우리나라의 국민건강보험법 요양 급여 기준은 표 45-2와 같다. 전음성 난청 혹은 혼합성 난청의 경우에는 부동 변환기(FMT)가 자리 잡을 수 있도록 중이의 해부학적 구조가 적절하여야 하며, 중이 감염이 없는 상태이고 만성적인 중이 내 저류액이 없어야 한다. 최근에는 외이도폐쇄증이나 중이염수술 이후에 발생한 전음성 및 혼합성 난청 환자에서도 시도되고 있다. 이때는 기도 청력과는 무관하게 골도 청력이 주파수별로 40~60 dB 이내이어야 한다.

3) 수술방법

VSB의 시술방법은 기존의 인공와우와 유사하다. 먼저, 유양동 삭개술 및 안면오목(facial recess)을 개방하여야 한다. 특히 부동 변환기(FMT)를 침골의 장축에 고

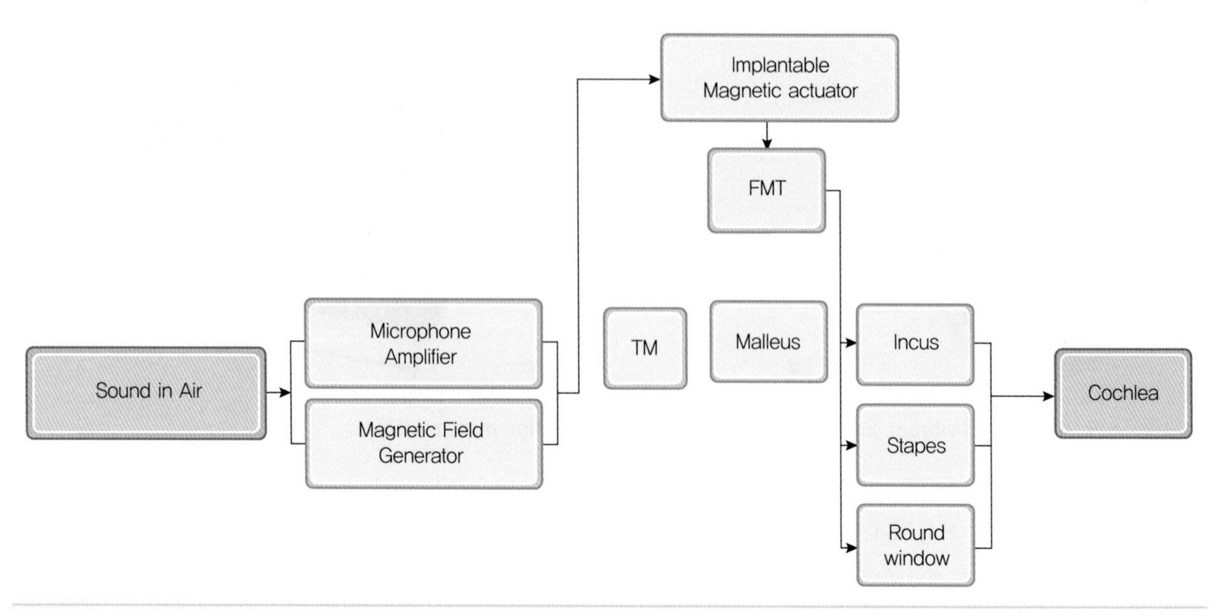

■ 그림 45-6. Vibrant Soundbridge의 소리 전달 방식

표 45-2. 인공중이이식술 보험 급여기준

만18세이상의 양측 비진행성 감각신경성난청 환자로 아래 1)~3) 조건을 모두 충족해야 함 다만, 후미로성 또는 중추성 병변인 경우는 적용대상에서 제외함	
1.순음청력	41~70dB (500,1,000, 2,000, 3,000(혹은 4,000)Hz 평균치
2.어음명료도	≥50%
3. 최소한 1개월 이상 적절한 보청기 착용에도 가) 또는 나)에 해당 되는 경우	가) 청각재활의 효과가 제한적인 경우 나) 지속적인 보청기 착용이 어려운 경우

정하기 위해서는 고삭신경(chorda tympani nerve)을 따라 가면서 안면오목을 개방하여 안면오목의 윗부분을 넓게 노출시켜야 한다. 이후 부동 변환기는 별도로 제작된 조임기(climper)를 이용하여, 침골에 고정하며, 이때 되도록 부동 변환기와 등골판이 수직이 되도록 하고, 와우 갑각(promontory) 등에 고정되지 않도록 하여야 한다. 정원창에 고정하고자 할 때에는 정원창 소(round window niche)를 제거하여 정원창 막(round winodw membrane)을 확인한 후 고정한다. 이때 부동 변환기가 정원착 막에 충분히 밀착되도록 부동 변환기의 장축이 정원창 막에 수직이 되도록 히고, 부동 변환기의 후면에 연골 등을 삽입하여 부동 변환기(FMT)를 고정, 추후 이탈을 방지한다. 이때 별도로 제작된 coupler 등을 사용하기도 한다. 최근에는 침골의 단각 short process이나 등골에 고정하는 방법이 소개되고 있다(그림 45-7).

4) VSB의 수술 후 결과

VSB는 주로 1 KHz 이상의 고주파 영역에서는 개방형 맞춤 형태 open fit type의 기도 보청기보다 우수하지만 500 Hz 이하 저음의 경우 증폭강도가 기도 보청기보다 약하다. 이처럼 고주파의 증폭에 유리하기 때문에 급경사형 감음 신경성 난청 환자에 도움을 줄 수 있다. Uziel 등의 연구[8]에 의하면 고주파 난청 환자에서 기존의 보청기에 비해 VSB가 보다 나은 어음감별력을 보인다. Luetje

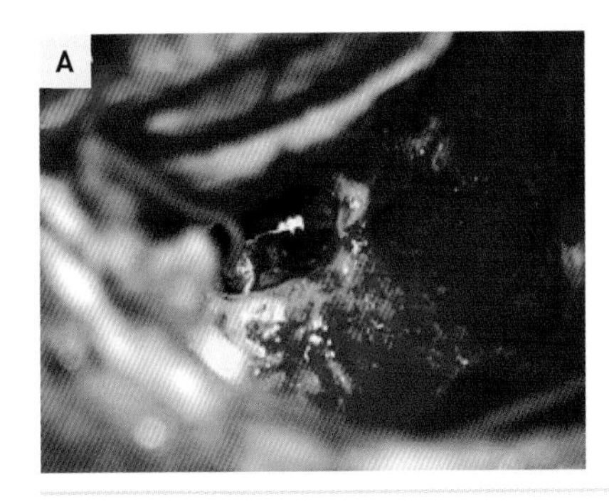

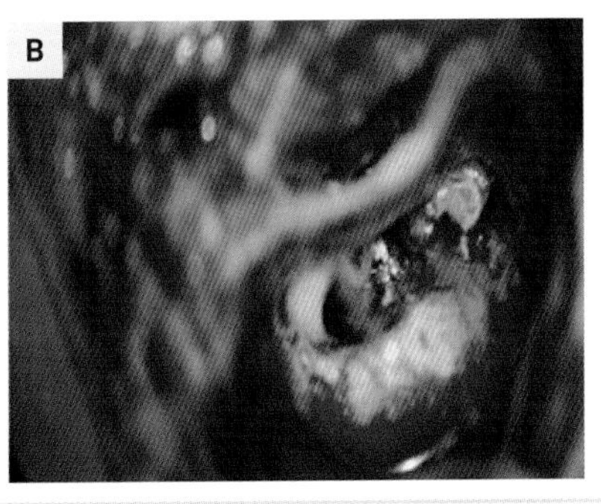

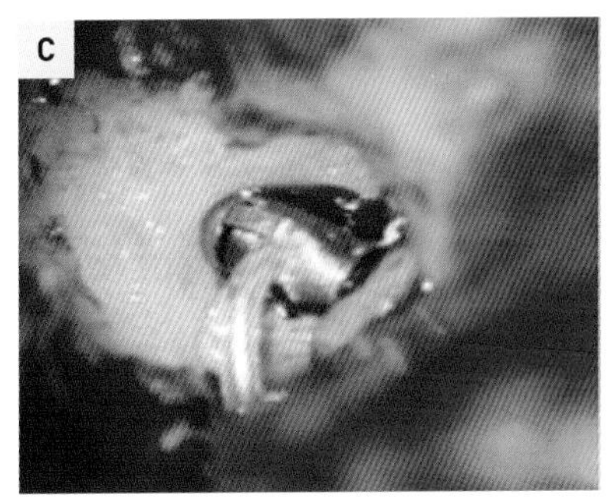

■ 그림 45-7. **Floating mass tranfer (FMT)의 장착부위.** 침골의 장각(A) 등골(B) 정원창(C) 등에 고정할 수 있다.

등[9]도 VSB 이식 후 우수한 주관적 만족도를 보고하였으며, 장기간의 추적관찰에서도 VSB 이식 후 어음이해력은 떨어지지 않았다.

전음성 또는 혼합성 난청 환자의 경우 기도-골도 차(air-bone gap)를 극복할 수 있어 더 큰 이득을 줄 수 있다. 최근의 다기간 연구에 의하면 혼합성 난청 환자에서 55 dB (0.5, 1, 2, and 4 kHz 평균)이라는 큰 이득을 줄 수 있음이 확인되었다.[5] 따라서 외이도 폐쇄증이나 만성중이염에 의한 전음성 또는 혼합성 난청 환자에서 등골이나 정원창에 부동 변환기를 고정하는 방법은, 향후 유용한 청력개선 방법이 될 것이다.

3. 압전지소자 방식의 중이 이식기(Piezoelectic type middle ear implant)

1) Middle ear transducer (MET)와 Carina

MET는 외부어음처리기가 있는 기기로 Otologics사에 의해 개발되었으며 이후 완전 이식 형태의 Carina가 개발되어 유럽 등에서 사용되고 있다. Carina의 소리 전달 방식을 보면 내부 이식기에 포함된 마이크(microphone)에 의해 소리가 탐지/증폭되며, 이는 어음처리기에 의해 전기신호로 바뀐 후 압전지 구동기(piezoelectric actuator)에 의해 기계적 진동으로 침골이나 정원창 등에 전달된다(그림 45-8). 충전식 전지가 내장되어 있어 1시간 충전으로 약 32시간 동안 작동하며, 길어도 10년이 지나면 내부전원 자체를 교환해야 한다.

적응증은 14세 이상의 언어습득 후 양측감음신경성 난청 환자로 40~80 dB의 청력역치를 보이는 경우이다. Carina는 유럽안전인증마크(Communaute Europeenne, CE)의 허가를 받아 유럽에서 약 300명 이상의 환자에게서 시행되었다. Zenner와 Rodriguez는 MET 이식 후 평균 25~30 dB의 이득을 보이며, 어음 평가에서 82%의 향상을 보였다고 하였다.[12] Lefebvre 등은 3 kHz 이상에서 보청기와 동등한 효과를 보인다고 보고하였고,[4] Kam 등은 역시 3 kHz에서 보청기보다 좋은 효과를 보여주었다. 미국에서 시행한 1상 임상시험에서 순음 골도 청력은 술전에 비해 변화가 거의 없었고 순음 기도 청력검사와 편측 단어 인지검사에서는 수술 직후에 약간의 역치값 상승이 있었으나 주관적인 만족도는 수술 후에 더 높았다. 또한 수술 후 12개월 내에 기기 탈출, 재충전시스템 고장 등의 높은 기기 고장률을 나타냈다. 시술이 어렵고 증폭에 제한이 있어 앞으로 개선이 필요한 상태이지만 충분한 기기 개량과 수술 술기 발전이 이루어진다면 환자의 수술 후 만족도를 높이는 데 많은 기여를 할 것으로 생각된다.

2) Esteem 기구(Esteem device, Envoy system)

Esteem도 미국의 Envoy사가 개발한 압전기 감지기 piezoelectric sensor를 이용한 완전이식형 장비이다. Esteem은 마이크(microphone) 없이 이소골의 진동을 감지하여 소리를 전달한다. 즉 압전소자감지기가 추골

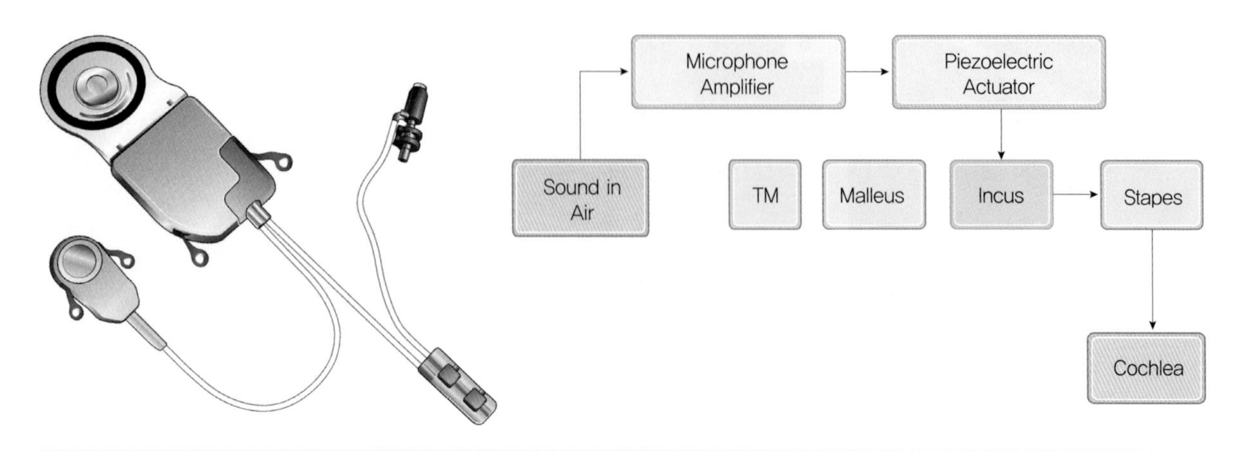

■ 그림 45-8. **Carina의 소리 전달 방식.** 체내에 삽입된 microphoe과 증폭기에 의해 소리가 전달된 후 압전기에 의해 진동에너지로 전환된 후 등골에 전달된다.

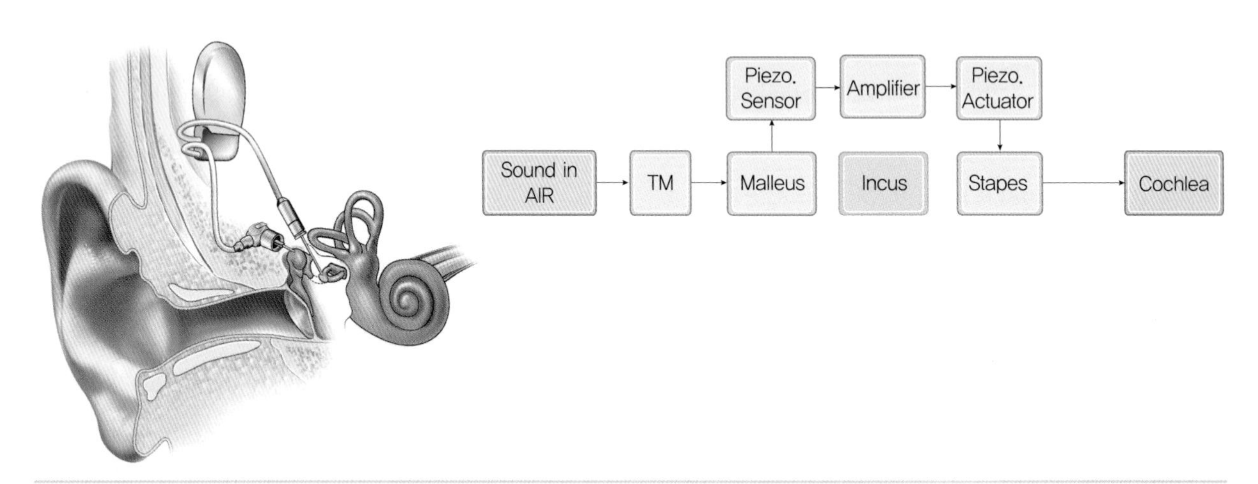

■ 그림 45-9. **Envoy 의 소리 전달 방식.** 추골의 진동은 압전기 감지기에 의해 인식되어 증폭된 후 다시 압전기에 의해 등골에 전달된다.

(malleus)의 진동을 감지한 후 증폭하면 등골(stapes capitulum)에 연결된 압전소자 구동기(piezoelectric actuator)가 증폭된 소리를 받아 등골에 진동을 전달한다(그림 45-9). 적응증은 성인으로서 양측에 중고도 난청 환자로 50% 이상의 어음분별력이 있는 환자에서 청력이 나쁜 쪽 귀에 시행되고 있다. 생리적인 소리전달 기전을 그대로 모방하여 마이크나 어음처리기가 필요 없다는 장점이 있다. 하지만 추골로 들어오는 음향자극을 이용하므로 외이도와 고막 등이 정상적이어야 하며 감지기의 되먹임 소리를 막기 위해 침골의 렌즈모양 돌기(incus lenticular process)를 제거해야 하기 때문에 수술 후 전도성 청각소실(conductive hearing loss)이 발생한다. 전원의 수명이 약 7~10년 정도이므로 주기적으로 부분 마취 하에서 전원을 교체해주어야 한다. Esteem기구는 2006년에 유럽안전인증마크(communaute europeenne, CE)를 받았으며 2011년 미국 식품의약국(FDA)의 인증을 받았다. 이후 현재 몇 개의 나라에서 이식수술이 이루어지고 있다. 전체적으로 안전한 것으로 판단되지만 일부에서 경도의 안면마비와 일시적인 맛감각의 변화를 보고하기도 하였다. 현재는 Esteem II가 임상시험 중에 있으며 2009

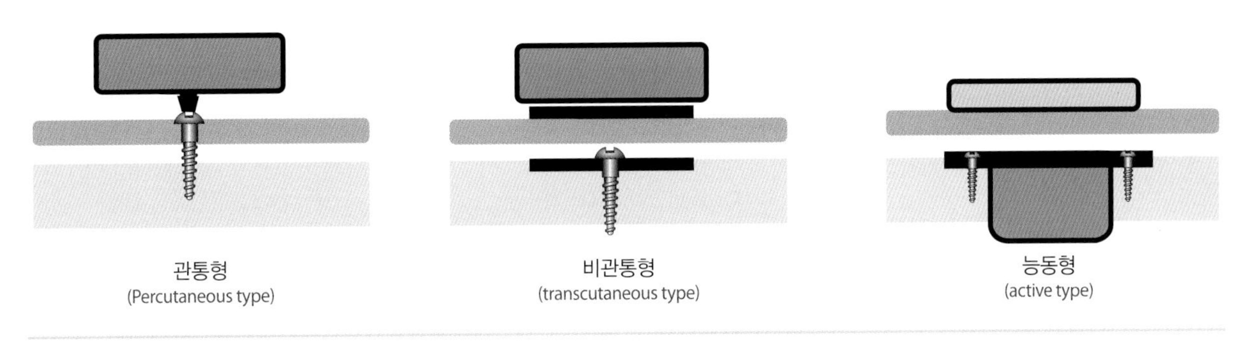

■ 그림 45-10. **골도형 보청기의 분류.** 붉은색 부분이 실제 진동을 일으킴

년에 미국 식품의약국의 패널 모임에서 그 결과가 발표되었는데, 10개월간의 추적검사에서 이식수술 전의 보청기 착용상태와 비교하였을 때 11.4±1.8 dB의 향상을 보였다. 50 dB에서의 단어인지점수는 56%의 환자에서 향상을 보였으며 37% 환자에서 변화가 없었고, 7%에서 4개월째에 감소하였다. 수술 전 보청기 상태의 역치와 비교했을 때 수술 후 골도 역치의 감소는 관찰되지 않았다.

4. 중이이식기의 발전 방향

지금까지 살펴본 바와 같이 중이 이식 장치는 기존의 보청기의 단점을 극복하고 보다 나은 청력을 제공할 수 있는 혁신적인 기술이다. 하지만 현재까지는 자기공명영상촬영에 대한 문제, 수술 과정의 복잡함 및 너무 비싼 기기 가격 등이 한계점으로 지적되고 있다. 각 제조사에서 지속적인 기술 발전과 성능 개량을 시도하고 있으므로 향후 이러한 문제는 해결될 것으로 생각된다. 향후 발전된 중이 이식 장치를 이용한 청력개선 수술이 좀 더 대중화되어 보다 많은 환자에게 도움을 줄 수 있을 것으로 예상된다.

III 골전도 보청기

골전도를 통해 소리를 전달하는 방식은 이식형 보청기의 또 다른 형태이다. 이러한 골전도 보청기는 머리띠 형(hairband type)과 안경형의 골도 보청기가 먼저 임상에 사용되었으며, 생체적합물질이 개발되면서 이식형 골전도 보청기가 사용되기 시작하였다. 특히 최근에는 치아이식에 사용되는 골융합 osseo-intigration 재료들이 이용되면서 급격하게 발전하게 된다.

1. 이식형 골도 보청기의 종류

가장 먼저 개발된 이식형 골도 보청기는 Cochlear (Sydney, Australia)사의 Baha이다. 이는 골융합재질인 titanium을 이용한 implant screw와 abutment 그리고 진동기로 이루어져 있다. Screw가 피부를 관통하여 외부로 노출되어 있는 피부관통형(percutaneous type) 이식기가 먼저 이용되었는데 같은 방식을 상용하는 기기로는 Otocon사의 Ponto가 있다. 이후 피부 안과 밖의 자석을 이용해 진동을 전달하는 경피형(transcutaneous type) 이식기인 Baha Attract가 개발되었다. Sophono는 골융합재질을 이용한 것이 아니며, 두개골에 고정된 screw로 소리를 전달하는 새로운 방식의 경피형 골도 보청기이다(그림 45-10)(표 45-3). 그 외에도 중이 이식기와 같은 골도형 부동 이식기(bone conduction floating mass transducer; BC-FMT)를 두개골에 장착하여, 부동 이식기의 진동이 screw를 통해 전달되는 Bonebridge가 최근에 개발되었다. Bonebridge는 이식된 골도부동 이식기(BC-FMT)가 능동적으로 움직이는 의미의 능동적 기기(active

표 45-3. 골도형 보청기의 분류

분류		상품명	제조사	Screw type (Number)	Battery life (Days)	외부기기 크기	MRI compatibility
관통형(Percutaneous)	-	Baha	Cochlear	O.I. * (1)	10	30*21*12	Up to 1.5Ts
	-	Ponto	Oticon	O.I (1)	10	34*21*14	OK
부착(Transcutaneous)	Passive	Baha attract	Cochlear	O.I. (1)	10	30*21*12	Up to 1.5Ts
	Passive	Sophono	Medtronic	Non-O.I. (5)	20	41*18*11	OK
	Active	Bone Bridge	Medel	Non-O.I (2)	5~7	34*29*9	OK

* O.I. : osseo-integration

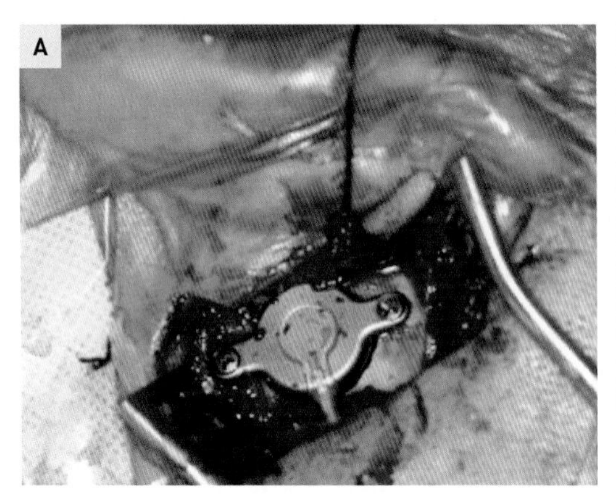

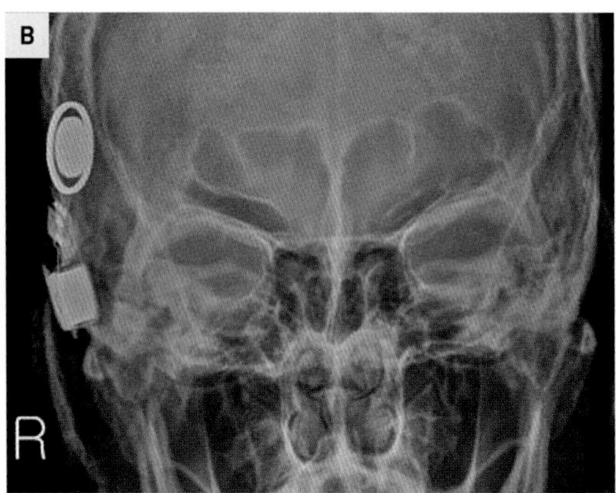

■ 그림 45-11. Bone-bridge의 수술장면(A)과 이식후 방사선 촬영 모습(B)

device)이며, Bonebridge 외의 다른 기기들은 외부 진동기의 진동을 내부의 이식기에 전달한다는 의미의 수동적 기기(passive device)라고도 할 수 있다(그림 45-11). 최근에는 치아에 장착하는 골전도 보청기인 Soundbite가 개발되어 미국 등에서 사용되고 있다.

2. 적응증

이식형 골도 보청기는 만성이루, 기존의 개방형 유양동삭개술 또는 외이도염으로 일반적인 보청기 착용이 어려운 환자나 외이도폐쇄증, 이경화증 등으로 인한 전음성 난청 환자 중 수술적 교정이 어려운 경우, 또는 두개저 수술 후 외이도를 폐쇄한 경우 등에서 시술이 가능하다. 이때 수술하고자 하는 귀의 청력이 65 dB보다는 좋아야 하고, 어음 명료도가 65% 이상이어야 한다. 5세 이하의 소아에서는 수술이 금기이다.

또한 선천적 일측 난청이나 돌발성 난청, 청신경종양 제거 후 발생한 후천성 일측 난청의 경우에도 양이청(biaural hearing)을 위해 이식형 골도 보청기를 사용한다. 이런 경우에는 반대측의 골도 청력이 30 dB보다 좋아야 한다. 현재 15세 이하 양측 외이도 폐쇄증 환자에서만 보험급여가 시행중이다. 외이도 폐쇄증 환자에서는 중이구조나 안면신경의 해부학적 위치 등을 고려하여 외이도 성형술과 이식형 보청기중 치료방법을 선택할 수 있으며, 각 시술의 장단점을 보호자나 환자가 충분히 인지한 후 치료방법을 결정하여야 한다.

3. 합병증

가장 흔한 합병증은 피부 등의 연부조직에 염증반응이다. 관통형 기기를 사용하는 환자의 2/3에서 연부조직 합병증이 발생하였다고 보고되고 있다. 그러나 수술 기법의 발달과 이식기기의 발전으로 연부조직 합병증은 현저히 줄어들고 있다. 이외에도 골유합 실패 등의 합병증이 발생할 수 있다.

참고문헌

1. Colletti L, Zoccante L. Nonverbal cognitive abilities and auditory performance in children fitted with auditory brainstem implants: preliminary report. Laryngoscope 2008 Aug;118(8):1443-1448.
2. Colletti V, Shannon R, Carner M, Veronese S, Colletti L. Outcomes in nontumor adults fitted with the auditory brainstem implant: 10 years' experience. Otol Neurotol. 2009 Aug;30(5):614-618.
3. Luetje CM1, Brackman D,Balkany TJ,Maw J,Baker RS,Kelsall D,Backous D,Miyamoto R,Parisier S,Arts A. Phase III clinical trial results with the Vibrant Soundbridge implantable middle ear hearing device: a prospective controlled multicenter study. Otolaryngol Head Neck Surg.2002Feb;126(2):97-107.
4. Martin C1, Deveze A,Richard C,Lefebvre PP,Decat M,Ibañez LG,Truy E,Mom T,Lavieille JP,Magnan J,Dubreuil C,Tringali S. European results with totally implantable carina placed on the round window: 2-year follow-up. Otol Neurotol. 2009 Dec;30(8):1196-203. doi:10.1097/MAO. 0b013e3181c34898.
5. Mosnier I1, Sterkers O,Bouccara D,Labassi S,Bebear JP,Bordure P,Dubreuil C,Dumon T,Frachet B,Fraysse B,Lavieille JP,Magnan J,Martin C,Meyer B,Mondain M,Portmann D,Robier A,Schmerber S,Thomassin JM,Truy E,Uziel A,Vanecloo FM,Vincent C,Ferrary E. Benefit of the Vibrant Soundbridge device in patients implanted for 5 to 8 years. Ear Hear.2008Apr;29(2):281-284.
6. Otto SR, Shannon RV, Wilkinson EP, Hitselberger WE, McCreery DB, Moore JK, Brackmann DE. Audiologic outcomes with the penetrating electrode auditory brainstem implant. Otol Neurotol. 2008 Dec;29(8):1147-5411.
7. Samii A, Lenarz M, Majdani O, et al: Auditory midbrain implant: a combined approach for vestibular schwannoma surgery and device implantation. Otol Neurotol 28:31-38, 2007.
8. Sanna M, Khrais T, Guida M, Falcioni M. Auditory brainstem implant in a child with severely ossified cochlea. Laryngoscope. 2006 Sep;116(9):1700-1703(7).
9. Sennaroglu L, Ziyal I, Atas A, Sennaroglu G, Yucel E, Sevinc S, Ekin MC, Sarac S, Atay G, Ozgen B, Ozcan OE, Belgin E, Colletti V, Turan E. Preliminary results of auditory brainstem implantation in prelingually deaf children with inner ear malformations including severe stenosis of the cochlear aperture and aplasia of the cochlear nerve. Otol Neurotol. 2009;30:708-715.
10. Uziel et al., Rehabilitation of Patients with High Frequency Sensorineural Hearing Loss using the Symphonix Vibrant Soundbridge. Otology and Neurotology, 2003
11. vGrayeli AB, Bouccara D, Kalamarides M, Ambet-Dahan E, Coudert C, Cyna-Gorse F, Sollmann WP, Rey A, Sterkers O. Auditory brainstem implant in bilateral and completely ossified cochleae. Otology and Neurotology 2003;24:79-82.
12. Zenner HP, Rodriguez Jorge J. Totally implantable active middle ear implants: ten years' experience at the University of Tübingen. Adv Otorhinolaryngol. 2010;69:72-84. doi:10.1159/000318524. Epub 2010 Jul5.

어지럼증의 진단 및 치료_ 어지럼증의 감별진단

이비인후과학 Otorhinolaryngology - Head and Neck Surgery

김규성

어지럼의 형태로 증상이 나타나는 평형장애는 인체의 말초 평형감수기인 전정계, 시각계 및 체성감각계의 각각의 장애, 또는 여기서 발생된 구심성 정보가 통합되는 중추평형계의 장애에 의하여 발생된다. 이러한 장애는 동안운동계(oculomotor system)와 척수운동계(spinal motor system) 및 자율신경계(autonomic nervous sytem)의 반사궁을 경유하는 평형기능에 혼란을 일으키고, 이와 같이 여러 기능이 관여하므로 각 기관에 발생하는 다양한 질환이 어지럼을 유발할 수 있다. 뿐만 아니라 어지럼은 회전감부터 흔들림까지 다양한 범위의 증상을 포함하며, 환자의 주관이 많이 반영되고 객관화에 어려움이 있다. 많은 질환이 주소 또는 부수적인 증상으로 어지럼을 호소하며, 그 원인으로 말초전정 질환, 중추전정 질환, 심장질환, 소화기 질환, 안과 질환, 정신과 질환 및 기타 원인불명 등 다양하다(표 46-1).

어지럼의 감별진단은 진료실에서 수행하는 문진과 이과적 검사 및 뇌신경학적 검사를 포함한 신체검사를 통하여 진단하고, 검사실에서 수행하는 전정기능검사 및 CT, MRI 등 영상검사를 통하여 확인하는 과정으로 이루어진다.

 문진

진료의 첫 단계로 수행하는 문진은 어지럼 질환의 감별진단에 매우 중요하다. 상세하고 정확한 문진에 의하여 병소와 병인를 추리하고 향후 추가적 검사를 수행하고 진단을 확인하거나 추적진료를 할 수 있다. 문진은 어지럼의 양상파악, 발현양상의 특정화, 동반증상 및 과거력의 파악으로 구별하여 진행한다.

1. 어지럼 양상

증상으로서 어지럼은 회전감부터 부유감, 실신감까지 다양한 형태를 망라하여 환자가 표현하게 되므로 어지럼 양상의 파악은 어지럼의 감별진단에 첫 단계이고 매우 중

표 46-1. 어지럼, 평형장애의 병소 진단, 병인 진단에 따른 질환 분류(Matsunaga, 1983)

병인 진단 병소 진단	혈관성	염증성	종양성	외상성	중독성	선천성	가속도 자극	원인불명
말초전정계 질환	내이출혈 내이동맥 폐쇄	내이염 - 바이러스성 - 세균성 - 결핵성 - 매독성 진주종성 귀헤르페스	청신경종양 원발성 · 전이 성 암	미로진탕 측두골골절 정원창파열 음향외상	Aminoglycoside Salicylic acid Loop diuretics Alcohol		동요병 (멀미)	메니에르병 전정신경염 양성발작성두위현훈 돌발성난청 Cogan 증후군 미로성어지럼 다발성경화중 척수소뇌변성증 편두통 간질 다발성신경염 근위축증 중추성어지럼
중추전정계 질환	뇌경색 - 소뇌경색 뇌출혈 소뇌출혈 동맥류 일과성 뇌허혈 발작 추골동맥 순환부전 뇌동맥 다발성경화증	수막염 뇌염 뇌농양	청신경종양 소뇌교각 -부종양 뇌간종양 소뇌종양 전이성 종양	두경부외상 -후유증	유기 수은 카드뮴 일산화탄소 Alcohol	두개저함입증 Arnold-Chi- ari 기형 연수공동증		다발성 경화증 척수소뇌 변성증 편두통 간질 다발성 신경염 근위축증 중추성어지럼
기타	1. 경성어지럼(경추, 추골동맥, 경동맥 이상) 2. 전신 질환 1) 순환장애(고혈압, 저혈압, 동맥경화증, 부정맥, 빈혈) 2) 자율신경장애(기립성 실조증, Shy-Drager 증후군, Barre-Lieou 증후군, 자율신경실조증) 3) 대사내분비장얘(고지혈증, 당뇨병) 4) 알레르기성 질환, 중추성 질환, 변성탈수 질환 5) 심인성어지럼 3. 안과 질환(약시, 굴절이상, 사시, 안경부적자, 외 안근마비) 4. 치과 질환(Costen 증후군) 5. 부인과 질환(갱년기) 6. 기타(비성어지럼 , 고소성어지럼) 7. 병소부위 병인불명							

요하므로 시간이 소요되더라도 세밀하게 파악하여야 한다. 어지럼은 크게 회전성과 비회전성으로 분류한다. 회전성어지럼은 눈 앞의 사물이 실제 돌거나 기울어지는 느낌으로 호소하며 말초전정장애에서 주로 나타난다. 한편 비회전성어지럼은 비말초전정장애에서 주로 나타나며,[16] 그 양상에 따라 부유감, 어찔함, 실신감 등 다양한 증세로 나타나므로 중추신경계 질환을 포함한 다양한 병소와 질환의 감별이 필요하다. 그러나 첫 어지럼 발작과 그 이후의 발작을 조사해 보면 회전감에서부터 여러 종류의 비회전성어지럼으로 이행하는 예가 많기 때문에 어지럼의 양

상을 구분하는 데 있어 현 시점의 어지럼의 양상뿐 아니라 과거 어지럼의 양상과 시간 경과에 따른 변화까지 파악하여야 한다.

1) 회전성어지럼

환자는 어지럼이 심한 경우에는 눈앞이 빙빙 도는 모양으로 표현하며, 어지럼이 심하지 않은 경우 눈앞이 기울어지거나 흐르는 듯한 느낌으로 표현하거나 회전의 방향을 명확히 호소하기도 한다. 이러한 회전성어지럼은 일측 전정기관이 자극 또는 억제되어 양측 전정기능 간 불균형이 유발된 급성기에 발생하며, 추골뇌저동맥 부전, 소뇌경색 등의 중추전정계 장애에서도 발생할 수 있다. 이러한 회전성어지럼의 원인병소가 말초전정계에서 기원할 경우 급성기에서 시간이 경과한 후 만성기에 비회전성어지럼으로 변화된다는 점을 염두에 두어야 한다.[46]

2) 비회전성어지럼

(1) 동요형 어지럼

이 범주에 속하는 것으로 승강감, 경사감, 이동감, 전도감 같이 방향성이 뚜렷한 운동과 위치의 이상감각과 부상감, 부유감, 흔들리는 느낌, 휘청거리는 느낌 등의 방향성이 불명료한 것이 있다. 전자는 회전성어지럼과 같이 반고리관, 이석기관이 관여하는 말초·중추전정계의 장애로 인해 발생하는 것으로 생각되고 있다. 후자는 말초성 신경질환, 시각장애, 전정성 평형장애, 난청, 경부강직 등 두가지 혹은 그 이상의 감각이상이 존재하는 경우로 다중감각기 어지럼(multisensory dizziness)이라고도 한다.

(2) 자세불균형 어지럼

주증상이 평형장애(unsteadiness, disequilibrium)이고, 회전성어지럼은 느끼지 않거나 경도이다. 어지럼이 존재한다면 대부분은 방향이 뚜렷하지 않은 비회전성어지럼이다. 뇌종양, 소뇌척수변성증 같은 두개 내 기질적 질환과 같은 중추전정 질환에서 흔히 나타난다.

(3) 실신형 어지럼

정신의 몽롱해짐과 무력감, 안전암흑감(black out) 등이며, 대부분 일과성 뇌혈류장애로 인해 발생하기 때문에 내과적 질환에서 많이 볼 수 있다.

2. 어지럼의 발현양상

어지럼의 발현양상은, 어지럼이 특별한 유발요인 없이 발생되는 자발성과 자세, 호흡, 압력 등 유발인자에 의하여 발현되는 유발성인지, 어지럼이 발생되어 수 시간에서 수 일 이상 지속되는 지속성과 수 초에서 수십 분 이내로 나타나고 호전되는 일과성인지, 또는 최초 발현 후 재발하지 않는 단발성인지, 일정한 정상기간을 두고 재발하는 재발성인지에 의하여 구별한다. 어지럼의 발현양상을 파악함으로써 그 특성에 따라 가장 흔한 어지럼 질환을 분류하고, 기타 특성을 파악하여 어지럼의 감별진단에 활용한다. 주의할 점은 최초 진료 당시의 상황은 이후 변화가 가능하다는 점을 염두에 두는 것이다. 이를테면 최초 발생되는 어지럼이 시간 경과에 따라 재발할 수 있고, 시간 경과 및 중복되는 다른 어지럼 질환에 의하여 발현양상이 변화할 수 있기 때문이다.

1) 자발성 지속성어지럼

유발요인 없이 일상생활 또는 수면 중에 발생할 수 있으며, 전정신경염, 어지럼을 동반하는 돌발성난청, 내이염 등 급성 일측성 전정기능장애를 초래하는 다양한 원인의 질환의 어지럼 특성을 갖는다. 메니에르병이나 편두통성 어지럼과 같은 재발성어지럼의 특성을 보이는 경우라도 첫 번째 어지럼 발작의 경우가 있다는 점을 고려하여야 한다.[45] 또한 이러한 분류의 어지럼 질환의 경우 급성기가 경과한 이후에는 부분적 회복 및 전정보상에 의하여 어지럼의 양상이 변화한다는 점을 염두에 둔다.

2) 자발성 재발성어지럼

비슷한 양상의 자발성어지럼이 반복적으로 발생되는 경우에 이 영역으로 분류한다. 자발성어지럼의 지속시간은 수 초부터 수 시간에 이를 수 있고, 청각변동 및 이명 또는 두통이나 뇌신경학적 증상의 동반 여부가 중요하다. 대표적으로 난청, 이명 및 이충만감과 동반하는 메니에르병이 있으며, 편두통성어지럼 및 일과성 허혈발작인 추골뇌저동맥부전과 감별이 필요하다.[35]

3) 유발성 일과성어지럼

체위 및 두위변화, 호흡, 복압 또는 외부압력 변화 등에 의하여 유발되는 일과성어지럼의 경우 이 영역으로 분류한다. 양성발작성두위현훈은 특정 방향의 두위 변화에 의하여 수 초에서 수십 초의 회전성어지럼을 호소하며, 목의 회전 및 과신전으로 유발되는 경성어지럼과 신경혈관압박증후군과 감별이 필요하다. 외림프누공의 경우 청력변동과 동반되고 외상에 의하여 발생되는 경우가 많으나 환자 본인이 외상과 연관성을 자각하지 못하는 경우가 많아 자세한 병력청취가 필요하다.[35] 기립성 저혈압 및 회전성 추골동맥증후군(rotational vertebral artery syndrome)에서 어지럼은 기립이나 두부 신전에 의한 뇌로 공급되는 동맥혈류량의 변화에 의하여 유발된다.

3. 어지럼의 동반증상

어지럼과 함께 나타나는 증상 중에서 감별진단에 가장 중요한 것으로는 청각 관련 증상이다. 난청, 이명, 이충만감 등 청각증상은 내이 질환을 시사하며, 내이에 발생되는 다양한 질환에 대한 감별점이 된다. 두통, 복시, 연하장애, 언어, 발음장애 및 의식변화 등 뇌신경학적 증상은 그 빈도가 작지만 소위 '위험한 어지럼'인 중추성어지럼의 감별에 중요한 소견이다.[34] 특히 지속시간과 관련 없이 의식소실, 실신은 말초전정 기원의 어지럼에서는 동반될 수 없는 증상이므로 자세한 뇌신경학적 검사 및 영상의학적 검사 등 빠르고 적극적인 대처가 필요하다. 구역, 구토, 안면창백, 발한 등 자율신경 증상의 정도는 말초, 중추성과 무관하게 환자가 주관적 어지럼의 정도와 연관되지만, 통상 말초전정기원의 어지럼이 주관적으로는 심한 회전성어지럼을 느끼므로 감별점이 된다.

4. 어지럼의 과거력

교통사고, 추락사고 등으로 인한 두부외상의 유무, 중이염 특히 진주종성 중이염의 과거력, 음향 외상, 이독성 약물 투여의 과거력 파악이 필요하다. 이외에 고혈압, 저혈압, 빈혈 등 전신 질환의 과거력, 여성에서는 월경의 시기적 관계, 그리고 멀미의 경험을 물어보는 것도 원인판단에 도움이 될 수 있다. 또한 직업, 특히 소음이 심한 곳에서의 작업, 농약 제조 공장과의 관계, 진동공구의 사용 여부를 문진해야 한다. 혈압강하제, 항경련제, 근이완제 등의 약물 사용도 약제성어지럼의 원인이 될 수 있다.

이렇게 문진으로 얻은 어지럼의 양상, 발작양상과 경과, 수반증상, 과거력 등의 모든 정보를 종합 검토하여 병변부위와 병태(또는 원인)를 어느 정도 추측할 수 있다. 문진만으로 가능한 병소 진단의 감별법을 표 46-2와 같이 요약할 수 있다.

5. 설문지를 이용한 어지럼의 평가

설문지를 이용한 어지럼의 평가는 시간이 많이 소요되고 세밀한 병력청취가 필요한 어지럼 환자의 외래 진료에서 문진을 보완할 수 있는 중요한 수단이 된다. 어지럼 설문지를 통하여 어지럼의 양상 및 발현양상에 대한 정보를 보다 정확히 파악하는데 사용할 수 있고, 환자의 생활의 불편은 일상의 다양한 동작에 따라 정도가 달라지므로, 진료실이라는 정적인 환경하에서 알아내기 어려운 정보를 얻을 수 있으며, 어지럼의 정도를 정량화하여 정도와 치료의 효과 등을 평가하는데 활용할 수 있다. 어지럼의 설

표 46-2. 문진으로 하는 중추성과 말초성어지럼의 감별진단

말초성어지럼	중추성어지럼
회전성이 많다.	회전성도 있으나 비회전성이 많다.
난청, 이명을 동반한다	난청, 이명을 동반하지 않는다.
뇌신경 중상을 동반하지 않는다.	뇌신경중상을통반한다
체위, 두위에 따라 어지럼이 변한다.	체위, 두위에 따라 어지럼이 변하지 않는다.
어지럼의 정도가오심, 구토와 비례한다.	어지럼의 정도가 오심, 구토와 비례하지 않는다.
수일에서 십수일 내에 보상되어 나아지는 경우가 많다.	지속적이며 잘 보상되지 않는다.
의식장애를 수반하지 않는다.	의식장애를 수반하는 수가 있다
자율신경 증상은 어지럼의 강도에 비례한다.	자율신경 증상은 어지럼의 강도에 비례하지 않는다.
보행실조, 자세불안정(±)~(-)	보행실조, 자세불안정(+)~(++)

문지는 자기보고평가척도(self-reported assessment scale)를 활용한다.[23]

일반적으로 가장 널리 이용되는 설문지인 Dizziness Handicap Inventory (DHI)는 모두 25문항, 3단계 척도로 구성되며, 각 항목은 기능적, 감정적, 신체적 영역으로 이루어져 있어 어지럼으로 인한 환자의 각 영역의 장애정도를 평가하여 점수로 반영한다. 현재 한국어판이 완성되어 활용되고 있다(표 46-3).

Activities-specific Balance Confidence Scale은 일상생활에서 흔히 경험하는 신체동작을 중심으로 16항목, 11단계 척도로 구성된 어지럼 설문지로, 환자는 항목에서 설명하는 신체동작 수행 시의 자신감을 백분율로 표현하여 정량화한다. Vestibular Disorders Activities of Daily Living Scale은 28항목, 10단계 척도로 구성되어 있으며, 설문항목에 보다 구체적인 세부동작을 추가하여 전정 질환에 대한 평가의 특이도를 높이고자 개발되었다. 각 항목은 기능성, 활동성, 기구사용성의 영역으로 구분되어 있다.

Functional Level Scale은 1985년 미국이비인후과학회에서 만든 메니에르병 진단기준에서 치료 효과를 정량화할 목적으로 만들었고, 1995년에 6단계 척도로 만들어 일상생활에 대한 어지럼의 영향을 효과적으로 반영하도록 개정된 것이며, 환자가 각 항목 중 자신의 상태에 해당되는 하나를 고른다(표 46-4).

Ⅱ 평형기능 평가를 위한 검사

어지럼 환자에서 평형기능 평가를 위한 검사는 외래에서 시행하는 신체검사와 검사실에서 시행하는 전정기능검사로 구별할 수 있다.

1. 신체검사

신체검사 중 Romberg 검사, Mann 검사, 단각기립검사 등 직립반사검사는 소뇌기능평가의 일환으로 이루어지며, 자세의 편위의 방향성이 일정한지 아닌지, 눈을 감아 시각을 차단하였을 때 편위정도가 커지는지 아닌지 여부를 통하여 전자는 말초전정성을 시사하고, 후자는 소뇌/뇌간 병소를 시사한다. 신체검사 중 편위검사는 자세 유지를 위한 근긴장을 조절하는 미로, 소뇌, 뇌간, 대뇌 등에 좌우비대칭 신경신호가 발생되는 상황에서 근긴장의 좌우 불균형을 파악하기 위한 검사이다. 상지의 편위검사는 지시검사, 세로쓰기검사가 있고, 하지의 편위검사는 제자리걸음검사, 보행검사 등이 있으며, 편위의 방향성과 실조성을 파악하여 병소를 추정한다.[44] 그러나 이 검사를 위하여 소요되는 시간과 노력에 비하여 결과의 유용성이 낮아 최근에는 잘 시행되지 않고 있다.

안진검사는 과거 프랜첼안경을 이용할 때 안진의 파악 및 정량적 평가에 한계가 있었고, 검사실에서 시행하는

표 46-3. 한국어판 Dizziness Handicap Inventory

이 설문지의 목적은 어지럼으로 인한 증상 때문에 당신이 경험하는 어려움을 알고자 하는 것입니다.
각 항목에 대해 "항상", "가끔", "없다"로 답변해 주십시오.

		항상	가끔	없다
P1	위를 쳐다보면 증상이 심해집니까?			
E2	증상 때문에 좌절감을 느낍니까?			
F3	증상 때문에 출장 또는 여행에 제한을 받습니까?			
P4	슈퍼마켓이나 시장 통로를 걸어가면 증상이 심해집니까?			
F5	증상 때문에 잠자리에 들거나 일어나는 것이 어렵습니까?			
F6	증상 때문에 외식, 모임 참석 등의 사회생활에 대한 참여에 제한을 받습니까?			
F7	증상 때문에 글 읽는 것이 어렵습니까?			
F8	운동, 춤, 청소나 설거지와 같은 몸을 더 움직여야만 하는 일을 할 때 증상이 심해집니까?			
E9	증상 때문에 당신 혼자 외출하는 것이 두렵습니까?			
E10	증상 때문에 다른 사람들 앞에서 당황한 적이 있습니까?			
P11	머리를 빨리 움직이면 증상이 심해집니까?			
F12	증상 때문에 높은 곳을 피합니까?			
P13	잠자리에서 돌아누울 때 증상이 심해집니까?			
F14	증상 때문에 힘든 집안일을 하기가 어렵습니까?			
E15	증상 때문에 다른 사람들에게 술에 취했다고 오해를 받을까 봐 걱정됩니까?			
F16	증상 때문에 혼자 산책하는 것이 어렵습니까?			
P17	길을 따라 걸을 때 증상이 심해집니까?			
E18	증상 때문에 집중하기가 어렵습니까?			
F19	증상 때문에 어두운 밤에 집 주변을 걸어 다니는 것이 어렵습니까?			
E20	증상 때문에 집에 혼자 있는 것이 걱정됩니까?			
E21	증상 때문에 스스로 장애가 있다고 느낍니까?			
E22	증상 때문에 가족이나 친구들과의 대인관계에 스트레스를 느낍니까?			
E23	증상 때문에 우울합니까?			
F24	증상 때문에 직장 일이나 집안일에 지장을 받습니까?			
P25	몸을 굽히면 증상이 심해집니까?			

전기안진검사는 즉각적으로 시행하는 신체검사로서 평가에 한계가 있었으나, 최근 비디오안진기 및 분석프로그램을 통하여 쉽고, 빠르고, 비침습적이며 정량적 평가가 이루어지면서 주요 어지럼 검사로 자리잡았다. 안진의 방향은 빠른 성분의 방향으로 정하며, 환자의 눈에 나타나는 방향을 직선 또는 회전 화살표로 표시한다(그림 46-1). 안진의 양상은 안구운동의 형태에 따라 수평안진, 회선안진, 수직안진으로 구분한다. 안진의 진폭은 안진의 크기, 속도를 동시에 고려하여 소타성(안구운동 크기 1 mm 이하), 중타성(1~2 mm), 대타성(3mm 이상)으로 구분한다. 안진의 빈도는 1분간 100번 이상을 고빈도, 1분간 50~100번을 중빈도, 1분간 50번 이하를 저빈도로 구분한다. 안진의 지속시간은 안진이 발현 후 소실 될 때까지 시간이며, 잠복시간은 두위 등 안진 유발자극의 끝에서

표 46-4. 한국어판 Functional Level Scale

아래 6개의 항목 중 당신에게 가장 적합한 항목 하나만 고르세요.

1	어지럼이 일상생활에 전혀 영향을 미치지 않는다.
2	어지럼이 발생시 잠시 동안 하던 일을 멈추게 되지만 곧 증상은 사라지고, 다시 일을 계속할 수 있다. 일이나 운전, 일상생활에 전혀 제약을 받지 않으며 어지럼으로 계획을 변경해야 하는 경우가 없다.
3	어지럼이 발생시 잠시 동안 하던 일을 멈추게 되지만 증상이 사라진 후 다시 일을 계속할 수 있다. 일이나 운전 등 대부분의 일상생활에 제약을 받지는 않으나 어지럼으로 계획을 변경해야 하는 경우도 있다.
4	일, 운전, 여행, 집안일 등 대부분의 일상생활은 할 수는 있지만 많은 주의를 요하며, 활동을 하는데 항상 세심한 계획은 세워야 한다.
5	일, 운전, 집안일 등을 할 수 없다. 대부분의 일상생활을 할 수 없으며 꼭 필요한 일마저도 제약을 받는다.
6	1년 이상 아무 일도 할 수 없었다.

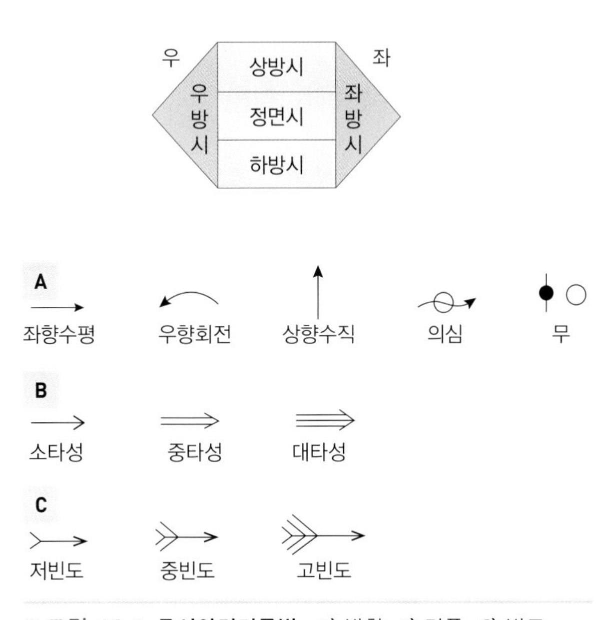

■ **그림 46-1. 주시안진기록법.** A) 방향, B) 진폭, C) 빈도

안진이 나타나기 시작할 때까지의 시간을 의미한다.

자발안진검사는 환자가 편하게 허리를 펴고 앉은 자세에서, 프렌젤안경이나 비디오안진기를 착용하고, 환자에게 눈을 약간 부릅뜨듯 앞으로 보라고 시키면, 보통 시선이 정면 15° 정도 상방을 향하는데 이를 일차안위라고 하며, 이 위치에서 안진을 평가한다. 안진의 빠른 움직임을 보이는 성분의 방향, 수평성, 수직성, 회전성 안진과 같은 안진의 양상 그리고 진폭과 빈도를 평가한다.[18] 양성발작성 두위현훈과 같은 유발성 안진의 경우 안진의 지속시간, 잠복시간 등을 평가한다. 안진을 나안으로 관찰하는 것은, 특히 말초전정성인 경우 시고정의 영향을 받아 안진이 작아지거나 소실될 수도 있어 권장하지 않는다.

주시안진검사는 환자의 정면에서 좌우, 상하 방향으로 약 50 cm 거리에 손가락 등으로 주시점을 바라보게 하고 안진의 유무, 정도, 속도 등을 관찰한다. 안구는 일차안위에서 여섯 개의 외안근의 근력이 중립을 이루지만, 시선을 상하좌우 어느 한쪽으로 이동하면 그 탄성을 극복하고 안구위치를 유지하기 위한 해당 외안근의 근력과, 이 근력을 발생시키기 위한 신경신호가 필요하다. 따라서 중추신경장애에 의하여 이 신경신호가 부적절하면 안구는 탄성을 이기지 못하고 일차안위로 돌아오고, 다시 주시점을 찾아 단속운동이 발생되게 되는데 이것이 주시안진이다. 따라서 주시안진검사는 나안에서 주시점을 보면서 시행하여야 한다. 한편 전정안반사를 포함한 우리의 안구운동계는 속도신호를 받아 근육에서 위치신호로 활용하게 되는데, 이를 위하여 수학적 적분 과정이 필요하며 이를 신경적분계에서 수행한다. 인체의 신경적분계는 불완전적 분계라서 일차안위에서 극단적으로 주시를 하여 많은 탄성을 가하면 안진이 발생될 수밖에 없으며 이를 극위안진(end point nystagmus)이라고 하며 정상에서 발생되는 생리적 안진에 해당된다.[8]

두위안진검사는 두위의 위치 자체에 의하여 유발되는 안진을 평가하는 것으로 두위의 변화에 의한 안진을 측정하는 두위변화안진과 다르다. 두위안진은 누운 자세, 누워서 좌우로 돌린 자세, 머리를 검사대 끝에 떨어뜨린 현수두위에서 안진을 평가하며, 두위변화 자체가 안진을 유발하지 않게 하기 위하여 반고리관의 역치 이하의 각속도(0.3~0.5°/초)로 머리를 움직여 목표 두위에 도달하여야 하며 각각의 두위에서 30초 이상 측정한다.[8] 한편 두위변화안진검사는 두위안진검사와 달리 두위의 변화 자체에 의하여 유발되는 안진을 관찰하며 대표적으로 양성발작성두위현훈에서 전형적 안진을 관찰할 수 있다.

두진후안진검사(head shaking test)는 프랜첼안경을 착용시켜 시고정의 효과를 없앤 후, 초당 2회의 빈도로 20회 좌우로 20~30° 정도 도리운동을 시킨 후 머리를 정면으로 고정한 상태에서 나타나는 안진을 관찰한다. 일측성 전정기능마비에서 두진 후 정상측을 향하는 안진이 발생하며, 이어서 병변 쪽으로 향하는 역상기(reverse phase)의 안진이 발생할 수 있다.[8]

두부충동검사(head impulse test)는 나안상태에서 환자의 양볼을 잡고 검사자의 코를 주시하게 한 상태에서 좌측 또는 우측으로 빠르게 15° 정도 고개를 돌리고, 이때 발생되는 안구운동을 평가한다. 일측 전정장애가 있는 환자에서 환측으로 고개를 돌릴 때 부족한 전정안반사로 인하여 교정성 단속운동이 발생된다. 최근 비디오안진기에 관성센서를 부착한 비디오두부충동검사 장비가 개발되어 이전에 나안으로 관찰할 수 없었던 작은 교정성단속운동이나 잠복단속운동(covert saccade)도 관찰할 수 있게 되었다.[43]

2. 전정기능검사

전정기능검사는 통상 검사실 환경에서 이루어지며, 전정기능을 객관화시켜 평가한다. 이를 통하여 전정기능 이상의 유무 및 방향, 말초성인지 중추성인지 병소의 위치를 파악하고, 병의 진행 및 치료의 효과를 판정할 수 있다. 그러나 전정기능검사는 전정기능의 현재 상태를 반영하는 것으로, 그 결과 자체로 진단명을 확인하는 것은 아닙니다. 전정기능검사는 전정기관과 연계된 반사기능, 즉 전정안반사, 전정척수반사 및 전정경부반사 등을 활용한다. 동안검사는 시자극에 대한 시각반응을 측정하는 것으로 전정기능과는 무관하지만, 동안검사의 이상은 중추신경계의 이상을 시사하며, 전정안반사를 활용한 다른 전정기능검사 결과의 해석에 도움을 받을 수 있으므로 일반적으로 전정기능검사에 포함하여 시행한다. 전정기능검사 소견을 이용한 말초, 중추성 전정장애의 감별진단을 표 46-5에 요약하였다.

Ⅲ 어지럼을 수반하는 질환

1. 급성 자발 현훈(Acute spontaneous vertigo)

급성 자발 현훈은 말초성 또는 중추성 전정신경계의 갑작스런 불균형으로 인해 수 일간 지속되는 현훈을 말한다. 말초성 원인으로는 전정신경염(vestibular neuritis)이[1-5] 중추성 병변에서는 뇌간 및 소뇌 부위의 뇌졸중이 가장 흔하다.[6-7,9-13,20,28]

1) 전정신경염(Vestibular neuritis)

말초 전정기관이나 전정신경의 염증에 의해 발생하는 것으로 추정된다. 현훈은 돌발성으로 나타나고 회전성이며 대개 수 분에서 수 시간에 걸쳐 심해지며 오심/구토 등의 증상을 동반한다. 일부 환자에서는 증상이 발생하기 수 일에서 수 주 전에 상기도 감염을 앓은 병력을 확인할 수 있다. 원인으로는 바이러스 감염이 중요한 역할을 한다. 대부분은 20~60대에 발병하나 평균연령은 30~40세이며 남녀에 비슷한 정도로 발생하고, 계절적으로는 주로 봄과 이른 여름에 유행성으로 또는 가족적으로 발생한다.[1]

안진의 양상, 두부충동검사, 자세불안의 정도, 지시검사 및 신경학적 증상의 동반유무에 의해 쉽게 진단할 수 있다. 자발안진은 회전성 수평안진으로 병변 반대쪽으로

표 46-5. 전정기능검사로 하는 감별진단

말초성장애	중추성장애
시성 보상이 있다(개안시에는 어지럼이 완화 또는 소실된다)	시성 보상이 없다(개안 시나 폐안 시 어지럼에 변화가 거의 없다).
직립검사, 편의검사 시 병변이 있는 쪽으로 전도 및 편위되는 경우가 많다.	직립반사검사, 편의검사 시 전도방향이 일정하지 않고 불규칙적이다.
자발안진은 대개 수평성, 때로 회전성 진폭: 시간 경과에 따라 약화 지속시간: 수분~수주 방향: 일정하다. 고정시: 안진이 억제된다	자발안진이 수직성, 사향성 진폭: 시간 경과에 대한 변화가 없거나 증가 지속시간: 수주~수개월 방향전환성 안진 고정시: 안진이 억제되지 않거나 증가
주시안진은 없는 경우가 대부분이며 있어도 방향이 일정하다	주시안진은 대개 있으며 방향은 불규칙하거나 주시방향에 따라 안진방향이 변한다.
두위안진은 방향일정성(Nylen type II)	두위안진은 방향변환성 또는 양방향(Nylen type I, III)
두위변환안진은 수평회전성	두위변환안진은 수직성
온도안진검사로 반고리관마비 확인	온도안진검사로 반고리관마비 없음
시운동성안진 정상	시운동성안진 이상
시표추적검사 정상	시표추적검사 이상-계단상, 불규칙
정현파 회전검사-이득감소, 위상차선행, 환측으로 비대칭	정현파 회전검사 결과가 일정하지 않음
수반증상-난청, 이명	뇌신경학적 증상 동반

향하며, 주시에 의해 방향이 변하지 않고, 시고정시 안진이 약해지는 특징을 보인다. 일측 두부충동검사에서 양성을 보일 경우 일측 말초성 전정신경병증을 시사하는 소견이다. 온도안진검사에서 환측의 기능저하 내지는 기능소실이 있다.[1]

급성어지럼이나 구토에 대해서는 전정억제제와 구토억제제를 투여한다. 급성기가 지난 후에는 안정보다도 적극적으로 운동을 시키면 평형장해가 빨리 회복된다. 전정보상 및 회복의 과정을 거쳐 어지럼이 점진적으로 감소되며, 전정재활 여부, 일상생활의 활동성, 나이, 동반 질환에 따라 차이가 있으나 3주~3개월 정도에 일상생활로 복귀할 수 있다.[45]

2) 급성 중추성 자발 현훈

급성 중추성 자발 현훈을 일으키는 대표적인 질환으로는 뇌간 및 소뇌의 뇌졸중을 들 수 있다. 일반적으로 어지럼은 추골기저동맥허혈(vertebrobasilar insufficiency)에서 가장 흔히 관찰되는 증상으로 환자의 약 2/3 정도가 경험하는 것으로 알려져 있다. 뇌간 부위에 발생하는 뇌졸중은 다른 부위의 뇌졸중에 비해 치명적인 경우가 흔하며, 후유증도 심각하므로, 증상 초기에 적절히 치료하는 것이 중요하다.[13,20] 뇌간 및 소뇌를 공급하는 추골기저동맥계의 병변에서 흔히 관찰되는 반신 또는 사지마비, 감각장애, 시야장애, 복시, 안면마비, 구음장애, 연하곤란, 실조 등의 동반 증상 유무가 중요하다. 하지만 이러한 징후 없이 단지 현훈과 자세불안 만을 호소한다면 감별이 쉽지는 않다. 위와 같은 증상은 전정 신경핵과 그 주위의 구조물로 가는 혈행장애로 인해 발생하며 상기 증상 중 어지럼만 나타나는 예가 많은데 이것은 전정핵 부위의 혈류공급 경로가 다른 부위에 비해 더 길고 약하며 우회하는 해부학적 특성 때문이다. 추골기저동맥허혈은 자기공명혈관촬영술 자세변동으로 인한 저혈압이나, 심인성 혹은 경부변형성 척추증(cervical spondylosis)으로 인한 물리적 압박 때문에 생길 수도 있다. 또한 경부운동으로 인해 유발되는 것이 특징이다.[32]

중추성 질환이 다른 신경학적 증상 없이 어지럼 단독

표 46-6. 급성전정증후군에서 말초성과 중추성의 감별진단

증상, 징후 및 영상소견	말초성 급성전정증후군 (n=25)	중추성 급성전정증후군 (n=76)	중추성의 음의 가능도비 (95% CI)
관련 증상	12%	41%	0.67 (0.53 - 0.85)*
- 급성 청각 관련 증상	0%	3%	0.97 (0.94 - 1.01)
- 두통 또는 경부 통증	12%	38%	0.70 (0.56 - 0.88)*
신경학적 징후(체간운동실조 포함)	0%	51%	0.49 (0.39 - 0.61)*
- 안면마비	0%	1%	0.99 (0.96 - 1.01)
- 편측 감각신경소실	0%	3%	0.97 (0.94 - 1.01)
- 대칭성 감각소실	0%	3%	0.97 (0.94 - 1.01)
- 연하장애/구음장애	0%	3%	0.97 (0.94 - 1.01)
- 사지운동실조	0%	5%	0.95 (0.90 - 1.00)
- 비정상 의식 상태(무기력)	0%	7%	0.93 (0.88 - 0.99)
- 편마비(상부운동신경 안면마비 포함)	0%	11%	0.89 (0.83 - 0.97)
- 심한 체간 불안정(도움없이 앉기가 불가능)	0%	34%	0.66 (0.56 - 0.77)*
명백한 안구운동 징후	0%	32%	0.68 (0.59 - 0.80)*
- 수직성분 안진	0%	12%	0.88 (0.81 - 0.96)
- 동안신경마비(3-4-6, 핵간성안근마비, 주시마비)	0%	21%	0.79 (0.70 - 0.89)*
정밀한 안구운동 징후	4%	100%	0.00 (0.00 - 0.11)*
- 방향 전환성 수평성분의 안진	0%	20%	0.80 (0.72 - 0.90)*
- 사편위(Skew deviation)	4%	25%	0.78 (0.67 - 0.91)*
- 두부충동검사상 정상 소견	0%	93%	0.07 (0.03 - 0.15)*
초기 영상검사의 비정상 소견	92%	97%	0.33 (0.05 - 2.22)
- 급성 뇌경색 또는 뇌출혈 ± 만성 병변	0%	86%	0.14 (0.08 - 0.25)*
- 다른 급성 병변 ± 만성 병변	0%	1%	0.99 (0.96 - 1.01)
- 만성 병변(백질병변)	92%	11%	11.18 (2.95 - 42.35)*

* 중추성급성전정증후군 그룹과 말초성급성전정증후군 그룹 간의 차이가 P<0.05인 항목

참고: Gillespie MB, Minor LB. Prognosis in bilateral vestibular hypofunction. Laryngoscope 1999:35-41.

으로 발현되는 경우, 그 원인이 중추전정계이건 말초전정계이건 무관하게 급성전정증후군(acute vestibular syndrome)이라는 영역으로 분류하여 연구하고 있다. 대부분은 전정신경염과 같은 말초성 원인이지만, 이 중 일부가 소뇌 또는 뇌간의 뇌혈관 장애에 의하여 발생되는 소위 '위험한 어지럼'에 해당되며, 빈도가 낮더라도 이에 대한 감별은 어지럼 진료에 있어 중요하다. 최근 괄목할 만한 연구로, 정상 두부충동검사, 주시안진 및 사편위(skew deviation)의 발현 등 세 가지 안진소견을 보이는 급성전정증후군의 경우 뇌졸중 진단의 민감도 100%, 특이도 96%의 높은 진단적 가치를 보인다고 보고하였다(표 46-6).[39] 이는 뇌졸중 발생 48시간 이내 촬영 시 12%의 위음성을 보이는 것으로 보고된 뇌자기공명영상에 비하여 우월한 진단적 가치를 지니며, 신체검사로 중추성어지럼을 감별하는데 중요한 수단이 된다.

3) 내이염

내이염은 바이러스, 세균, 매독균에 의해서 발생하는 미로의 염증성 병변으로 난청, 이명과 어지럼이 나타나는 질환이다. 국한성 내이염 또는 미로누공은 골성 미로나 골내막에 국한된 염증으로서 막성미로의 침범은 없는 상태로 반복성어지럼과 구역, 구토가 있으며 특히 두위변환으로 악화될 수 있다. 어지럼은 안진을 동반하며 외이도를 가압할 때 어지럼과 안진이 나타나는 누공검사로 확인할 수 있다. 치료는 원인병소의 제거와 함께 화농성 내이염으로 진행을 예방하는 항생제 투여이다.

2. 재발성 자발 현훈(Recurrent spontaneous vertigo)

재발성 자발 현훈의 원인에는 메니에르병, 편두통성어지럼, 재발성 전정 질환, 추골기저동맥허혈, 제8 뇌신경의 신경-혈관 교차 압박, 청신경종양 등이 있다. 재발성 자발 현훈의 감별진단에서 중요한 것은 동반된 증상과 현훈 발작의 지속시간이다.

1) 메니에르병

메니에르병은 재발성어지럼을 특징으로 하는 대표적인 질환으로 어지럼, 난청, 이명, 이충만감을 특징적인 증상으로 하는 질환이다. 메니에르병의 원인은 아직까지 밝혀지지는 않았으나 염증, 자가면역, 외상, 특발성 등이 원인으로 생각되며, 병리학적 소견상 내림프수종이 관찰된다. 일반적으로 어지럼에는 와우증상이 수반되지만 초기에는 난청이나 이명의 동반없이 시작되는 경우도 있다. 통상 자발적, 발작적으로 생긴 어지럼의 지속시간은 수 분에서 수 시간에 이른다. 발작 시에는 자발안진이 관찰된다. 대개 변동성의 감각신경성 난청이며 청력은 고음역보다 중·저음 영역이 크게 변동한다. 이명은 난청이 발생한 쪽과 동측에 발생하며 발작기에는 저음성, 중간기에는 고음성의 이명이 많고, 강도는 대부분 변동하는 난청의 정도와 연관된다.[36-37]

메니에르병의 진단과 치료에서 전정기능검사의 역할은 제한적이며, 메니에르병의 진단기준에 전정기능검사가 필수적인 것은 아니나, 급성 발작기의 환자의 상태를 살피는데 도움이 되며, 치료방법을 결정하거나, 치료 경과를 관찰할 때 기본 검사로 활용할 수 있다. 전기와우도가 진단에 참고가 되며 내림프수종을 확인하기 위한 탈수검사로 glycerol검사나 furosemide검사가 있다.

치료는 저염식을 중심으로 한 식이요법과 이뇨제, 진정제 투여가 있으며, 항히스타민제나 진토제, 혈관확장제인 nicotinic acid 등도 사용한다. 최근에 고실내 gentamicin 투여를 통해 전정기능을 저하시킴으로써 증상의 호전을 기대할 수 있게 되었다. 고실내 gentamicin 투여는 난청 유발 가능성이 있어 청력이 양호한 경우 또는 유일청 귀의 경우에는 신중한 고려가 필요하다. 고실내 스테로이드 투여는 이독성의 가능성이 적어 널리 시행되고 있다. 수술적 요법으로는 내림프낭 감압술과 와우구형낭 천자, 구형낭천자, 미로적출술, 전정신경절제술 등이 있다.[19,41,47]

2) 편두통성어지럼

편두통을 동반하는 어지럼은 1960년대부터 연구가 진행되었고, 2013년 국제두통학회의 분류(ICHD-Ⅲβ)의 부록(appendix)에 전정편두통(vestibular migraine)으로 채택되었다.[26] 이 진단기준상 어지럼의 조건은 한 번에 4시간에서 72시간 지속되며, 두통의 조건은 편측성, 박동성, 두통으로 인하여 일상생활 지장을 초래할 정도의 중증도, 일상적 동작으로 증상 악화가 되는 네 가지 조건 중 2가지 이상을 충족하고, 동반증상으로 구역, 구토, 광과민, 청각과민 중 한 가지를 충족할 때 진단이 이루어진다. 이처럼 편두통성어지럼은 청각 증상 없이 나타나는 재발성어지럼의 대표적 질환이며 확인을 위한 생물학적 표지자나 검사법이 없고, 진단의 과정이 병력을 통한 진단기준에 의하고 다른 질환들을 배제하면서 이루어지므로 진료를 위해서는 두통 및 동반증상에 대한 자세한 병력청취가 중요하다.[22,26]

편두통 환자에서 다른 신경이과적 질환으로 설명할 수 없는 주기적 현훈이 관찰되며 수 분에서 수 시간 동안 지속될 수 있는데 이것은 급성 말초성, 편측성 병변에 의한 증상과 유사하다. 빛공포증이 흔히 동반되며 소리공포증도 약 반수에서 관찰된다. 급성 현훈증을 보이는 편두통 환자를 진찰하는 경우 일반적으로 자발안진은 관찰되지 않거나 미세한 이상 소견만 보인다. 안진이 있는 경우에는 수직성 안진이 관찰되기도 한다.

편두통의 발생기전은 아직 불분명하나 전정신호를 관장하는 대뇌피질의 신경세포의 활동성의 이상전달(cortical spreading depression)이 중요한 것으로 알려져 있다.[14] Serotonin, calcitonin-gene related peptide (CGRP), noradrenalin, dopamine 등의 신경전달물질의 길항제가 편두통성어지럼의 증상개선에 도움이 되는 것이 밝혀져 편두통과 관련된 어지럼의 전정신호 변화에 관여할 것으로 생각된다.[14,22] 최근에는 편두통의 발생기전과 전정계의 병태생리학적인 연결이 제안되고 있으며 이 연결에는 전정핵과 삼차신경계, thalamocortical pathway가 관여할 것으로 생각된다.[22]

편두통성어지럼 진단에 있어서 전정기능검사의 역할은 미미하다. 대부분의 검사 결과들은 현훈 발작이 없는 무증상기에 시행한 검사로서, 정상 소견을 보이는 경우가 많으며 때때로 이상 소견이 나올 수 있지만 이 또한 비특이적이며 경미한 이상이 대부분을 차지한다.

청각증상은 전정증상에 비해 드물지만 청력저하 및 이명이 동반되는 경우도 보고되고 있다. Olsson은 50명의 기저동맥성 편두통환자의 50%에서 변동하는 저음성 감각신경성 난청을 확인하였고, 약 50%의 환자는 두통발생 직전 청력 변화를 호소하였다.[30]

편두통과 연관된 어지럼의 치료는 두통의 조절과 유사하며 동반증상에 따라 개인마다 조금씩 다르다. 편두통의 예방약제들이 어지럼을 예방하는데 효과가 있는 것으로 알려져 있다.

초콜렛, 치즈, 술, MSG 등이 포함된 음식을 피하는 식이습관의 개선 후, 약 1개월 후에도 증상이 조절되지 않는 경우에는 verapamil, 또는 propranolol 같은 약효가 오래 지속되는 베타차단제, 또는 삼환계 항우울제 등을 사용하기도 한다.[27]

3) 재발성 전정 질환(Recurrent vestibulopathy)

최근까지의 연구에 따르면 재발성 전정 질환은 수 분에서 수 시간 이상 지속되고 불규칙적으로 반복되는 발작성 현훈을 보이나 청력소실과 같은 이과적 증상과 신경학적 증상을 보이지 않는 어지럼 질환으로 편두통과 연관된 혈관수축 또는 바이러스 감염이 원인으로 추정되고 있으나, 그 정확한 원인이나 병태생리는 알려져 있지 않다.[31] 기존의 청각 질환이나 신경학적 질환이 없으며 현훈의 양상은 뚜렷한 회전성 양상부터 비회전성의 어지럼으로 다양하게 나타난다. 단순한 어지럼이 지속적으로 재발하는 경우 Rutka와 Barber의 보고[40]에 의하면 재발성 전정 질환 환자의 평균 8.5년간의 추적관찰 동안 15%에서 메니에르병으로 진행함을 보고한 바 있다. 편두통과의 연관성은 기존의 보고에서 재발성 전정 질환 환자의 7~15.7%에서 편두통과 유사한 두통을 동반한다고 알려져 있어 편두통과 관계없이 재발성 전정기능의 이상을 보이며 재발성어지럼을 보이는 많은 수의 환자에서 재발성 전정 질환을 고려할 수 있다.[40]

과거에는 특별한 원인 없이 편두통과 동반되는 현훈은 양성 재발성 현훈(benign recurrent vertigo), 현훈만이 단독으로 재발할 경우 재발성 전정 질환(recurrent vestibulopathy)으로 진단되어 왔으나, 편두통과 동반되어 현훈이 발생하는 양성 재발성 현훈은 편두통성 현훈으로 진단되는 추세이며 어지럼만 반복되다가 시간이 지난 후 호전되는 임상양상을 가지는 재발성 전정 질환에 대해서도 정확한 병태생리에 대한 연구가 필요하다.

4) 추골기저동맥허혈(Vertebrobasilar insufficiency)

추골기저동맥허혈은 고령의 환자에서는 어지럼의 흔한 원인 중의 하나이다. 추골기저동맥허혈의 어지럼은 갑작스럽게 발현하며 보통 수 분간 지속되고 흔히 오심 구토를 동반한다. 진단은 병력 및 증상에 대한 조사 외에 뇌영상검사를 통해 척추기저동맥의 이상을 객관적으로 확인 하는 것이 중요하다. 전하소뇌동맥과 후하소뇌동맥 영역의 허혈이 어지럼의 주요한 원인 혈관이 될 것으로 판단된다. 우선 전하소뇌동맥은 말단 가지인 내이동맥을 통해서 내이에 혈류공급을 하고 있고, 또 다른 분지들은 뇌간과 소뇌의 타래(flocculus)에 각각 혈류공급을 하고 있나. 특히 내이는 고에너지 대사과정을 요하면서도 측부순환이 충분하지 않아서 일과성 허혈에 민감하다.[33]

5) 제8 뇌신경의 신경혈관압박증후군(Neurovascular cross-compression syndrome)

1994년 Brandt와 Deiterich는 제8 뇌신경의 신경-혈관 교차 압박의 진단을 위한 기준을 제시하였고, 전정발작(vestibular paroxysmia)이라고 명명하였다. 2008년 Hufner 등에 의해 진단기준이 재정립되었다.[9]

6) 청신경종양(Vestibular schwannoma)

청력 감소가 주 증상으로 어지럼은 없을 수도 있으나 비회전성의 어지럼이나 재발성의 어지럼이 동반될 수 있다. 온도안진검사를 비롯한 여러 가지 검사에서 비정상적인 결과를 보여 병변쪽의 전정기능 손상을 확인할 수 있다. 경도의 비회전성어지럼은 청신경종양과 같이 서서히 자라는 종양에서는 흔한 소견으로 병변에 의한 전정기능의 손상이 서서히 발생하여 중추 보상작용을 통해 이러한 전정기능의 손상을 극복할수 있기 때문으로 생각된다.[42]

3. 재발성 두위현훈(Recurrent positional vertigo)

두위현훈은 원인 질환이나 병리현상의 구분 없이 머리나 신체의 자세에 따라 어지럼이나 안진이 나타나는 모든 질환에 통칭되어 사용되어 왔다. 어지럼을 호소하는 환자에서 두위변환검사는 빠져서는 안되는 중요한 진찰 과정이다. 두위현훈을 호소하는 환자들 중 통상 이러한 검사 과정 중 두위안진이 관찰되는 경우가 많다. 두위현훈은 자세변화에 의해 촉발되는 전정신경계의 일시적인 흥분으로 인해 나타나는 것으로 여겨진다.

1) 양성발작성두위현훈(Benign Paroxysmal Positional Vertigo)

양성발작성두위현훈은 말초성어지럼 중에서 가장 많은 비율을 차지하는 질환으로 두위를 일정한 방향으로 움직이거나 일정한 위치를 취했을 때 짧은 시간 동안 지속되는 어지럼과 안진 발생이 주 증상인 질환이다. 타원낭의 평형반에 위치한 이석이 변성되면서 반고리관에 들어가 현훈을 유발하는 것으로 알려져 있다. 원인은 특발성인 경우가 많으나 외상에 의해 발생하기도 하며 미로염이나 전정신경염, 메니에르병이 원인이 되기도 한다. 그 밖에 혈관의 허혈이나 유전적 소인이 영향을 주기도 한다고 알려져 있다. 특정 두위에 유발되는 회전성 현훈, 현훈 시에 안진이 나타나고, 안진에 잠복기가 있으며 두위를 반복해서 취할 경우 점차 소실되는 경향이 있고, 와우증상, 중추신경 증상이 없을 때 진단할 수 있다. 수 주일이나 수개월에 걸쳐 자연치유되기도 하나 이석치환술을 통해 증상이 빠르게 호전될 수 있다.

2) 공포성 체위현훈(Phobic postural vertigo)

공포성 체위현훈은 공황장애 같은 심리적 질환과 구분되는 질환으로, Brandt가 처음 제안하였다.[10] 환자들은 똑바로 선 자세에서 주관적인 자세 불안 및 어지럼을 호소하며 이는 전정신경계 질환이나 심한 스트레스 후에 발생하는 경향이 많고 강박적-충동적인 성향을 가지는 경우가 많다. 진단은 (1) 전정기능검사에서 정상 소견을 보이지만 기립시의 어지럼이나 보행 동안에 자세 불안정을 호소하며 (2) 수 초에서 수 분간 지속되는 자세 불안정감이나 순간적인 신체 동요 (3) 자연적으로 유발될 수도 있지만 계단, 텅빈방, 거리, 공연장 등의 상황에서 잘 유발되며, 위험요소의 빠른 회피와 일반화 그리고 조건화가 이루어지며 (4) 불안과 심한 자율신경증상이 현훈의 중간 또는 후에 발생하고 (5) 강박-충동적 성격이나 경한 우울증을 가지고 있는 경우가 많으며 (6) 기질적 전정 질환, 심리적인 스트레스 등에 의해 증상이 주로 발생한다.[29]

4. 중추성 두위현훈(Central positional vertigo)

중추성 두위안진은 비교적 드물며,[3] 소뇌나 교뇌(pons), 수질(medulla)을 천천히 침범하는 병변은 경도의 두위성어지럼을 호소할 수 있다. 신경학적 이상이나 주시

유발 안진이 관찰되는 경우가 흔하고 오심과 구토는 일반적으로 흔하지 않다. 그러나 뇌출혈과 같은 급속히 일어나는 병변에 의한 어지럼은 오심과 구토를 흔하게 호소하게 되며 국소화된 신경학적 이상 소견이 관찰되는 경우가 흔하다. 소뇌의 중심부를 침범하는 혈관성종양이 있는 경우 가끔 체위성 현훈이 동반되기도 한다. MRI로 확인 되는 두위성 현훈의 가장 흔한 예는 소뇌의 퇴행성 질환이나 고리중쇠탈구(atlantoaxial subluxation), 추골기저동맥허혈, 약물 중독의 경우가 많다.[17]

중추성 두위안진은 흔히 현수위치(head hanging)에서 유발되는 지속적 하방 안진이 특징적인 것으로 알려져 왔으나, 회선 안진, 하방 및 수평 안진, 상방 안진 등 다양한 양상으로 나타날 수 있어 위치 변화에 따라 유발되는 안진의 방향만으로 중추성과 말초성 안진을 감별하는 것은 매우 힘들다. 일반적으로 어지럼이 없는 지속적인 두위안진이 관찰되거나 양성 발작성 두위 현훈으로 의심하고 수차례 이석치환술을 시행했으나 지속적인 안진이 관찰되며 순수하게 회선 또는 수직방향의 안진, 세반고리관 흥분 시 나타나는 안구운동면과 일치하지 않는 두위변화성 안진 등은 중추성 병변일 가능성이 높다. 중추성 두위안진의 정확한 발생기전은 아직 알지 못하나 실험적으로 소뇌소절이나 전정신경핵의 병변에서 관찰되는 것으로 보고된 바 있다.

5. 기타 어지럼 질환

1) 외상성어지럼

미로진탕(labyrinthine concussion)은 이낭의 손상없이 두부 둔상이나 내이압력 외상으로 인하여 청각, 전정기관에 장애를 일으키는 것이다. 기전을 살펴보면 출혈, 삼출물로 인하여 염증반응이 생기고 이는 대부분 수일 내지 수주 후에 없어지나, 일부는 미로의 섬유화나 골화로 진행되어 진행성의 심한 청력손실이나 전정자극 증상을 나타낼 수 있다.

전정증상은 다양하게 나타날 수 있으나 일반적으로 경도의 어지럼과 불균형, 착시, 오심, 구토 등의 증상이 나타나게 된다. 급성기의 안진은 병변측으로 향하다가 수 시간 후 반대측으로 향하게 되며 온도안진검사에서 반고리관마비 감소 소견을 보이고 회전검사에서 위상차와 이득의 이상을 보이게 된다. 치료는 뇌진탕과 동반된 경우에는 안정이 필요하며 대부분 안정제 등의 대증요법을 사용한다.

측두골 골절의 원인 중 가장 많은 것은 교통사고이다. 교통사고로 인한 측두골 골절은 보고에 따라 44~67%까지 보고되어 있고, 이 밖에 탄광사고, 낙마, 둔기에 의한 두부 강타, 높은 곳에서의 추락, 운동 중 사고 등이 원인이다. 남자의 발생률이 여자보다 3배 정도 많다.[12] 이낭 보존 골절(otic capsule sparing fracture)은 전형적으로 측두부나 두정부에 타격을 받아서 발생하며 골절은 주로 편평부(squamous part)와 외이도 후상방에서 시작하여 유양돌기와 중이를 지난다. 주로 내이손상보다는 중이에 손상을 주어 중이골절이라고도 한다. 대개 중이 내로 출혈이 있으며 고막천공도 있을 수 있고 전음성 난청이 주로 발생하며 전정증상은 경미하거나 없을 수 있다. 이낭 손상 골절(otic capsule disrupting fracture)은 주로 후두부나 전두부에 타격을 받아 발생하며 주로 대공(foramen magnum)에서 시작하여 이낭을 침범한다. 내이를 주로 침범하여 감각신경성 난청, 현기증, 안면신경마비의 증상을 잘 유발한다. 뇌척수액 유출의 빈도가 높고 두개내합병증의 빈도도 증가한다.[28]

골절시 발생한 어지럼은 보통 2~3주 내에 중추부의 보상으로써 회복이 되나 전정신경이 직접 손상을 받으면 동측의 전정기능이 완전소실 될 수 있다. 양측 전정기능이 소실되거나 60세 이상인 경우에는 심한 평형장애를 보이며, 회복이 되더라도 영구적인 장애가 남는 경우가 많다.

2) 양측성 전정기능소실

양측성 전정기능소실의 원인으로는 이독성, 양측성 내림프수종, 자가면역 질환, 양측성 전정신경염, 양측성 전정신경초종 등이 있으며 양측의 전정기능이 손상됨에 따라 전정안구반사와 전정척수반사가 적절히 일어나지 않기 때문에 동요시(oscillopsia), 보행실조가 발생한다.[24] 이러한 증상은 급성기에 심한 경향을 보이며 시간이 경과함에 따라 전정보상을 통해 어느 정도 회복하게 된다. 그 기전에 대해서는 많은 이견이 있으나 대체로 경부 고유수용체들이 중요한 역할을 하리라고 알려져 있다.[7] 즉 경부 고유수용체로부터 발생한 신호가 전정신경핵으로 전달되어 보상적인 안구운동인 경부안반사(cervico-ocular reflex)가 활성화된다. 이와 같이 시일이 경과하면 점차 회복하지만 자동차 운전이나 항공기운항, 또는 심한 회전자극이 주어지는 상황에서는 자세 조절이 불가능하게 된다.

3) 상반고리관피열증후군

Minor 등은 상반고리관을 덮고 있는 골의 결손으로 인해 야기되는 어지럼과 동요시(oscillopsia)를 보이는 증후군을 기술하였다. 환자는 종종 만성적인 어지럼을 호소하기도 한다. 안진은 중이강 내의 압력을 변화시킴으로써 유발된다. 강한 소리나 양압을 외이도로 가할 때 중이강 내의 압력이 증가하여 결손된 상반고리관을 통해 상반고리관이 흥분되어 어지럼이 발생되는 Tullio 현상이나 Hennebert 징후가 관찰되며 경도의 전음성 난청이 발견되기도 한다. 전정유발근전위 검사에서 역치가 비정상적으로 감소되는 소견을 보이며, 측두골 전산화단층촬영을 통하여 상반고리관을 덮고 있는 궁상융기(arcuate eminence) 주위의 뼈의 결손을 확인함으로써 진단할 수 있다. 치료는 어지럼이 유발되는 자극을 피하고, 증상이 심한 경우에는 중두개와접근법을 통해 결손된 부분을 덮어주어야 한다.[15,37]

4) 심인성어지럼

심인성어지럼은 정신과적 문제로 인해 어지럼이 일어나는 경우로 모든 신경이학적 검사 소견은 정상이며, 대개 진성어지럼이 아닌 멍하거나 어찔하다는 느낌의 어지럼을 호소하고, 스트레스를 받는 상황에서 악화되는 것으로 알려져 있다. 어지럼을 호소하는 환자들 중 이러한 심인성어지럼의 빈도는 국내의 연구에서는 22.6%로 보고된 바 있으며, 외국에서는 전체 어지럼 환자의 20~50%로 매우 높게 보고되고 있다.[21] 어지럼을 일으킬 수 있는 정신과적 질환으로는 공황장애, 광장공포증, 불안장애, 우울증, 신체형 장애, 체위공포성어지럼 등이 있다. 심인성어지럼의 치료는 기질성 질환에 대한 공포를 줄일 수 있는 정신치료적 접근과 행동치료 및 단기간 항불안제나 항우울제를 투여함으로써 효과를 볼 수 있다.

5) 기립성어지럼

기립성어지럼은 흔히 기립성 저혈압에 의해 유발된다고 생각되는데 기립성 저혈압의 정의는 누워 있다가 일어서서 3분 이내에 수축기 혈압이 20 mmHg 이상 또는 이완기 혈압이 10 mmHg 이상 떨어지는 경우로서 혈압을 측정하여 진단한다. 기립성 저혈압의 혈압이 떨어지는 정도와 기립성어지럼의 어지럼 정도는 서로 잘 들어맞지 않고, 어느 경우에 낙상, 외상 또는 사망률의 증가와 더 깊은 상관관계가 분명한지는 논란의 여지가 많다.[48] 기립성 저혈압이 발생할 때 통합 및 조절하는 중추신경계 중 특히 대뇌의 혈류저하가 더 뚜렷하게 일어날 것이고 이때 어지럼을 느끼는 것은 당연한 것으로 여겨지지만, 기립성 저혈압에 의해 뇌간과 내이의 혈류 부족이 발생하고 전정계의 장애가 발생하는지에 대해서는 더 많은 연구가 필요한 상태이다. 급성으로 발생한 기립성 저혈압은 부신부족, 부정맥, 심근경색, 패혈증, 약물 등에 의해서 초래될 수 있고 만성적인 기립성 저혈압은 노화에 따른 압력반사기능의 저하, 조절되지 않은 고혈압, 자율신경계 기능부전으로 인해 일어날 수 있다. 이 중 약물에 의한 기립성어지럼 및 저혈압을 문진을 통해 반드시 배제하여야 하는데 흔한 약물로는 교감신경차단제, 항정신병약제, 항불안제, 수면제, 항고혈압제, 이뇨제 등이 대표적이다.

6) 간질성어지럼

전정성 간질은 대뇌피질의 측두엽, 두정엽이 연합피질로부터 방전되어 발생하는 대뇌피질성어지럼 증후군(cortical vertigo syndrome)으로 대개 국소성 간질의 전조 증상의 하나로 나타날 수 있다. 환자는 갑작스러운 회전성 또는 선상의 어지럼 또는 평형장애를 경험하며 자율신경계 증상, 시각장애 증상, 청각증상, 안진 등이 동반되기도 한다.[49] 어지럼의 발현 양상은 간질을 일으키는 국소 병변과 반대로 주변이 움직이는 것 같은 착각이 수 초간 지속된다. 중요한 것은 어지럼이 단독증상으로 나타나는 국소성 간질은 매우 드물고 전술한 증상과 동반되어 나타난다는 것이다. 대개 어지럼 발작이 소실된 후 전정기능검사를 하게 되므로 검사 결과가 정상으로 나오는 것이 보통이다.

7) Cogan 증후군

Cogan 증후군은 청각 및 전정기능 장애, 비매독성 간질성 각막염이 특징적으로 나타나는 질환으로 원인은 확실하지 않으나 자가면역 질환으로 추측되고 있으며, 최근에 각막과 내이조직에 대한 항체가 발견되었다. 그리고 Cogan 증후군의 발생에 상기도 감염, 임신, 예방접종, 치농양 등이 소인으로 작용할 수 있다. 메니에르병에서 볼 수 있는 것과 유사한 변동성의 감각신경성 난청, 어지럼, 이명이 나타나며, 병이 진행됨에 따라 진행성, 비변동성 고도난청을 나타내며 어지럼이 보행실조 증상으로 대치된다.[25] 치료로는 발병 초기에 다량의 스테로이드를 투여하는 것이다. 안증상은 국소 스테로이드를 점안하면 효과가 있다.

참고문헌

1. Baloh RW. Clinical practice. Vestibular neuritis. N Engl J Med 2003;348:1027-1032.
2. Baloh RW. Differentiating between peripheral and central causes of vertigo. Otolaryngol Head Neck Surg 1998;119:55-59.
3. Baloh RW. Dizziness: neurological emergencies. Neurol Clin 1998;16:305-321.
4. Baloh RW. Prosper Meniere and his disease. Arch Neurol 58:1151,2001.
5. Baloh RW. The dizzy patient. Postgrad Med 1999;105:161-164.
6. Baloh RW. Vertigo. Lancet 1998;352:1841-1846.
7. Banerjee A, Whyte A, Atlas MD. Superior canal dehiscence: review of a new condition. Clin Otolaryngol. 2005 Feb:9-15.
8. Barber HO. Positional Nystagmus: Testing and Interpretation. Ann Otol Rhinol Laryngol 1964;73:838-850.
9. Brandt T, Dieterich M. VIIIth nerve vascular compression syndrome: vestibular paroxysmia. Baillieres Clin Neurol 1994;3:565-575.
10. Brandt T. Phobic postural vertigo. Neurology 1996;46:1515-1519.
11. Bronstein AM, Hood JD. The cervico-ocular reflex in normal subjects and patients with absent vestibular function. Brain Res 1986:399-408.
12. Cannon CR, Jahrsdoerfer RA. Temporal bone fracture. Arch Otolaryngol 1983:285-288.
13. Chang TP, Wu YC. A tiny infarct on the dorsolateral pons mimicking vestibular neuritis. Laryngoscope 2010;120:2336-2338.
14. Cutrer FM, Baloh RW. Migraine associated Dizziness. Headache 1992;32:300-304.
15. da Cunha Ferreira S, de Melo Tavares de Lima MA. Superior Canal Dehiscence Syndrome. Rev Bras Otorrinolaringol (Engl Ed). 2006:414-418.
16. Drachman DA, Hart CW. An approach to the dizzy patient. Neurology. 1972;22:323-334.
17. Duncan GW, Parker SW, Fisher CM. Acute cerebellar infarction in the PICA territory. Arch Neurol 1975;32:364-368.
18. Eggers SD, Zee DS. Evaluating the dizzy patient: bedside examination and laboratory assessment of the vestibular system. Semin Neurol 2003;23:47-58.
19. Fish U. Vestibular nerve section for Meniere's disease. Am J Otol 1984;5:543-545.
20. Francis DA, Bronstein AM, Rudge P, du Boulay EP. The site of brainstem lesions causing semicircular canal paresis: an MRI study. J Neurol Neurosurg Psychiatry 1992;55:446-449.
21. Furman JM, Jacob RG. Psychiatric dizziness. Neurology 1997;48:1161-1166.
22. Furman JM, Marcus DA, Balban CD. Migranous vertigo: development of a pathogenic model and structured diagnostic interview. Curr Opin Neurol 2003;16:5-13.
23. GC Han, EJ Lee, JH Lee, et al. The Study of Standardization for a Korean Adaptation of Self-report Measures of Dizziness. Res Vestibul Sci 2004;3:307-325.
24. Gillespie MB, Minor LB. Prognosis in bilateral vestibular hypofunc-

tion. Laryngoscope 1999;35-41.
25. Haynes BF, Pikus A, Kaiser-Kupfer MI, et al. Successful treatment of sudden hearing loss in Cogan's syndrome with cortical steroid. Arthritis Rheum 1981:501-503.
26. IHS; Headache Classification Committee of the International Headache Society. The International Classification of Headache Disorders, 3rd edition (beta version). Cephalalgia. 2013;33:629-808.
27. Johnson GD. Medical management of migraine-related dizziness and vertigo. Laryngoscope 1998;108:1-28.
28. Kang, H.M., et al., Comparison of the clinical relevance of traditional and new classification systems of temporal bone fractures. Eur Arch Otorhinolaryngol, 2012. 269(8): p.1893-1899.
29. Kapfhammer HP, Mayer C, Hock U, Huppert D, Dieterich M, Brandt T. Course of illness in phobic postural vertigo. Acta Neurol Scand 1997;95:23-28.
30. Kayan A, Hood JD. Neuro-otological manifestations of migraine. Brain 1984;107(Pt 4):1123-1142.
31. Kim CH, Kim KS, Choi H, Jung YG, Lee SC. Benign recurrent vertigo: clinical manifestations and vestibular function test. J Korean Balance Soc 2008;7:48-54.
32. Kim DU, Han MK, Kim JS. Isolated recurrent vertigo from stenotic posterior inferior cerebellar artery. Otol Neurotol 2011;32:180-182.
33. Kim JS, Lopez I, DiPatre PL, Liu F, Ishiyama A, Baloh RW. Internal auditory artery infarction: clinicopathologic correlation. Neurology 1999;52:40-44.
34. KS Kim. Evoked Nystagmus Res Vestibul Sci 2004;3:266-272.
35. KS Kim. Recurrent Spontaneous Vertigo. Res Vestibul Sci 2008;7:239-243.
36. Merchant SN, Adams JC, Nadol JB. Pathophysiology of Meniere's syndrome: are symptoms caused by endolymphatic hydrops? Otol Neurotol 2005;26:74-81.
37. Minor LB, et al. Sound-and/or pressure-induced vertigo due to bone dehiscence of the superior semicircular canal. Arch Otolaryngol Head Neck Surg 1998:249-258.
38. Minor LB, Schessel DA, Carey JP. Meniere's disease. curr Opin Neurol 2004;17:9-16.
39. Newman-Toker DE, Kattah JC, Alvernia JE, Wang DZ. Normal head impulse test differentiates acute cerebellar strokes from vestibular neuritis. Neurology 2008;70:2378-2385.
40. Rutka JA, Barber HO. Recurrent vestibulopathy: third review. J Otolaryngol 1986;15:105-107.
41. SH Lee. Clinical Application of the Head Impulse Test in Vestibular Disorders. Res Vestibul Sci 2015;14:1-8.
42. Shea JJ Jr, Ge X. Dexamethasone perfusion of the labyrinth plus intravenous dexamethasone for Meniere's disease. Otolaryngol Clin North Am 1996;29:353-358.
43. Shin HA, Jeong YS, Yoo JS, Park H. Results of vestibular function tests in patients with cerebello-pontine angle tumors. J Korean Balance Soc 2006;5:253-261.
44. Smith DB. Dizziness; The History and Physical Examination. In: Dizziness and Balance Disorder (Kaufmann Arenberg). Kugler publications Amsterdam/New York, 1993, p.3-10.
45. SW Chae. Acute spontaneous vertigo. Res Vestibul Sci 2008;7:231-238 1-3.
46. WH Chung. Diagnostic Approach to a Patient with Dizziness. Res Vestibul Sci 2007;6:73-79.
47. Wu IC, Minor LB. Long-term hearing outcome in patient receiving intratympanic gentamicin for Meniere's disease. Laryngoscope 2003;113:815-820.
48. Wu JS, Yang YC, Lu FH, Wu CH, Chang CJ. Population-based study on the prevalence and correlates of orthostatic hypotension/hypertension and orthostatic dizziness. Hypertens Res 2008;31:897-904.
49. Wyllie E. The treatment of epilepsy. 3rd ed. 2001 cott Williams & Wilkins; p.304.

CHAPTER 47

어지럼증의 진단 및 치료_
양성 돌발성 두위 현훈

이비인후과학 Otorhinolaryngology - Head and Neck Surgery

고의경, 박계훈

양성발작성두위현훈(benign paroxysmal positional vertigo; BPPV)은 머리의 움직임에 따라 짧고 반복적인 회전성 어지럼을 보이는 질환으로 어지럼을 일으키는 원인 중 가장 흔한 질환이다.[44] 난형낭반(utricular macule)에 있는 이석(otolith)이 탈락되어 회전성 움직임을 감지하는 반고리관으로 이동함으로써 증상을 유발한다고 알려져 있으며, 이는 이석정복술(canalith repositioning maneuver)을 통하여 BPPV를 치료하는 근거가 된다. 반고리관으로 이동한 이석이 반고리관내에 존재하는 반고리관 결석(canalolithiasis)과 팽대부릉정에 부착되어 있는 팽대부릉정결석(cupulolithiasis)이 있으며, 주로 한 개의 반고리관을 침범하지만 드물게 두 개 이상의 반고리관에 들어가는 경우도 있다. 어느 반고리관의 어느 위치에 이석이 있는지는 머리움직임에 따른 안진의 방향, 지속시간 등을 관찰하여 확인할 수 있으며, 각 경우에 맞는 이석정복술을 시행하여 적절히 치료할 수 있다.

BPPV는 특별한 치료가 없이도 자발적인 관해가 이루어 진다고 알려져 있어 과거에는 전정억제제를 투여하거나 자연관해가 일어날 때까지 증상이 유발되는 자세를 피하는 소극적인 방법이 사용되기도 하였다.[23] 1992년 Epley[15]에 의해 이석정복술이 소개된 후 여러 변형된 방법들이 사용되면서 BPPV을 단기간에 치료할 수 있게 되었고, 현재 널리 사용되고 있다. 본문에서는 BPPV가 세 반고리관 중 어디에 발생하였는지 진단하는 방법과 이환된 반고리관에 따른 치료수기를 자세히 기술하였다.

I 역학

BPPV는 이비인후과 의사가 진료하는 어지러움 환자 중 가장 흔한 원인으로 17~40%를 차지한다고 한다.[44] 특별한 치료 없이 자발적인 관해가 일어나는 경우도 있으므로 정확한 발병률을 제시하기는 어려움이 있으나 일본에서의 역학연구에 따르면 인구 10만 명당 10.7~17.3명에서 발생한다고 하고,[35] 미국에서는 이보다 많은 10만명당 64명으로 보고된 적이 있다.[17] 독일에서는 평생 유병률이

2.4%, 1년 유병률이 1.6%, 1년 발병률이 0.6%로 보고할 정도로 흔한 질환이다.[49] 30~40대에 주로 발생하기 시작하고, 나이가 증가할 수록 발병률이 증가한다.[2,26] 젊은 사람이나 외상에 의하여 발생하였을 때는 남녀비의 차이가 없으나 특발성인 경우에는 여자에서 더 많이 발생하는 경향을 보인다.[2,35]

Ⅱ 병력

주로 이른 아침에 침대에서 일어날 때, 옆으로 돌아 누울 때, 위를 쳐다보거나 고개를 숙일 때마다 회전성 어지러움을 느끼고 구역, 구토를 동반하게 된다. 특정한 방향으로 움직일 때 증상이 일어난다면 병변의 측별을 예측하는데 도움이 될 수 있다. 반고리관이석의 경우는 증상이 1분 이상 지속되는 경우는 드물고, 대개 10~20초 정도 지속된다.[2] 그러나, 주관적으로 환자가 호소하는 어지러움은 더 길게 느낄 수 있고, 갑작스럽게 발생하는 심한 어지러움 때문에 불안장애를 유발하여 지속적인 어지러움으로 표현하는 경우도 있으므로 병력 청취 시에 주의가 필요하다. 처음 방문한 의료기관에서 정확한 BPPV 진단을 받지 못하고 자연 관해 되었다면 호전된 후에도 머리를 움직일 때마다 비특이적인 어지러움(nonspecific dizziness)을 지속적으로 호소하여 만성적인 어지러움이 될 수 있다. 특히, 아침에 일어났을 때 증상이 심하고 이후에는 증상이 완화되는 특징을 보인다.[24]

대략 절반 정도는 특별한 원인을 찾을 수 없는 특발성이며, BPPV를 유발하는 원인으로 두부외상, 전정신경염, 돌발성 난청 등이 있다.[2,25] 특히 두부외상 후에 발생한 BPPV는 특발성으로 발생한 경우보다 여러 번의 이석정복술이 필요할 수 있고, 재발이 많으며, 2개 이상의 반고리관에 이환된 경우도 많은 것으로 알려져 있다.[30] 이외에도 등골수술, 인공와우이식, 만성중이염 수술 등의 이과수술,[2,48] 메니에르병,[1] 편두통[52] 등도 BPPV의 발생과 관련이 있다는 보고가 있다.

Ⅲ 진단과 치료

BPPV는 후반고리관에 가장 호발하여 대략 61~90%를 차지하며, 수평반고리관이 그 다음으로 많이 발생하고, 상반고리관과 혼합형도 드물게 발생한다.[22,31]

1. 후반고리관 양성발작성두위현훈

1) 진단

BPPV가 후반고리관에 가장 많이 발생하게 되는 이유는 후반고리관이 누운 자세에서나 앉은 자세에서 가장 아래쪽에 위치하여 난형낭에서 탈락한 이석이 중력의 영향으로 쉽게 들어갈 수 있기 때문으로 생각된다. 병력을 통하여 BPPV가 의심되면 Dix-Hallpike 검사에서 특징적인 안진을 확인하여 진단할 수 있다. Dix-Hallpike검사는 앉은 자세에서 환자의 머리를 한쪽으로 45° 돌리고, 환자를 눕히면서 머리를 뒤로 젖혀 검사대보다 30° 정도 머리가 낮은 위치가 되도록 한 후 안진을 관찰한다. 특징적인 안진은 잠복기가 1~5초이며, 지속시간은 30초 이내이다(그림 47-1). 검사 전에는 환자에게 심한 어지러움이 발생할 수 있음을 설명하고 검사 중에는 반드시 눈을 뜨도록 한다. Frenzel 안경을 사용하지 않고 나안으로 검사 시에는 환자가 한 점을 주시하여 안진의 방향을 정확히 관찰할 수 있도록 하고, 검사자의 한 손으로는 최소한 환자의 한쪽 눈이 크게 떠진 상태를 유지할 수 있도록 한다. 안진의 잠복기가 긴 환자가 있을 수 있으므로 대략 30초 정도까지 머리를 낮춘 자세를 유지하고 관찰하도록 한다.

진찰대가 좁거나, 노인, 경추부에 문제가 있는 경우에는 검사 시에 진찰대보다 머리가 낮은 자세를 취하기 어렵나. 이런 경우에는 Dix-Hallpike 검사보다는 Side-lying 검사를 시행하게 된다. 환자를 검사테이블 끝에 앉게 하고

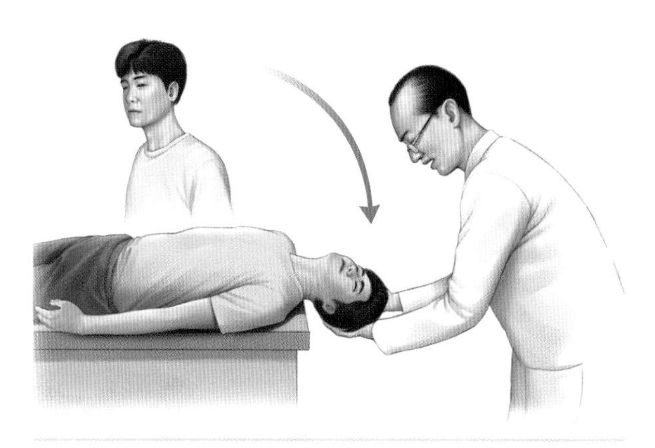

■ 그림 47-1. **Dix-Hallpike 검사.** 검사자의 머리를 45° 회전시킨 상태에서 현수위로 전환시키며 안진을 관찰한다.

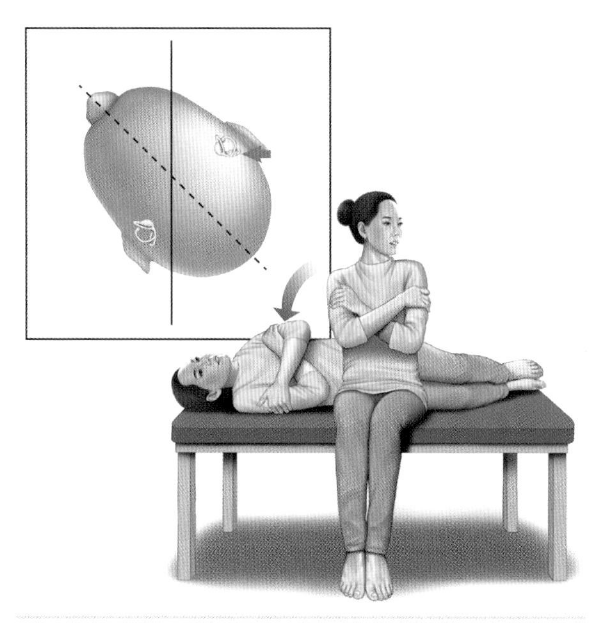

■ 그림 47-2. **Side-lying 검사(우측 귀).** 머리를 좌측으로 돌리고 우측으로 옆으로 눕게 된다. 검사자는 환자의 머리를 잡고 동작이 자연스럽게 이루어지도록 도와주고 환자는 팔짱을 끼게 하여 부적절하게 동작이 멈추어지지 않도록 한다.

머리를 추정 병변 반대측으로 45° 돌리고 병변쪽으로 빠르게 눕히면 된다(그림 47-2).[13]

검사에서 나타나는 특징적인 안진은 상향 안진을 보이면서, 안구 최첨부가 바닥으로 향하는 회전성 안진이 동반된다. 이는 반고리관내 이석이 움직이면서 후반고리관이 흥분되면 동측 상사근과 반대측 하직근의 수축이 일어나기 때문이다. 상사근의 기능은 동측 안구의 내회전(일차기능)과 하방이동(이차기능)이며 하직근의 기능은 하방이동(일차기능)과 외회전(이차기능)이다. 임상적 안진의 방향은 반대쪽으로 향하는 빠른 성분이므로 우측 후반고리관 BPPV의 경우에는 검사자가 피검자를 정면으로 보았을 때 시계 반대방향으로 향하는 회전성 상향 안진이 관찰된다. 그러나, 안진의 방향은 환자가 주시하는 방향에 따라 조금씩 달라질 수 있다. 이는 상사근 활차(trochlea)의 축이 X축과 약 51° 정도 각을 이루고 있기 때문이다. 그러므로, 지면 쪽을 주시할 때는 주로 회전성의 안진이 보이며 지면과 반대쪽을 주시할 때는 상향의 수직 안진이 강조되고 정면을 주시할 때는 두 가지 성분이 다 나타난다(그림 47-3). 환자를 다시 앉은 자세로 하면 안진의 방향이 반대가 되고 반복해서 검사하면 피로현상(fatigability)을 보여 안진의 강도가 약해진다. 팽대부릉정 이석일 경우에는 어지러움이 자주 반복되고, 잠복기가 짧고 비교적 지속시간이 긴 안진을 보이며 치료에 반응이 적은 특징 등을 종합하여 치료 후에 추정하게 된다.[27]

간혹 Dix-Hallpike검사에서 특징적인 안진을 관찰할 수 없지만 회전성 어지러움을 호소하고 잠복기와 피로현상을 보이는 경우 주관적(subjective) BPPV라고 한다. 미세한 안진을 검사자가 발견하지 못한 경우, 이전의 반복적인 검사로 인해 피로 현상이 생기는 경우, 어지러움은 유발하지만 전정안반사를 자극하지 못하는 정도의 경증의 질환인 경우로 추측되며, 이러한 경우에도 이석정복술을 시행하였을 때 76~93%의 환자가 호전되었다는 보고가 있다.[20,45]

2) 치료

후반고리관 BPPV의 치료법은 질환에 대한 이해가 깊어지면서 지난 20여 년간 많은 변화가 있었다. 예전에는 어지럼증을 유발하는 두위를 피하고, 증상조절을 위하여 약물 처방만을 하였던 때가 있었으나 대부분 효과가 없는

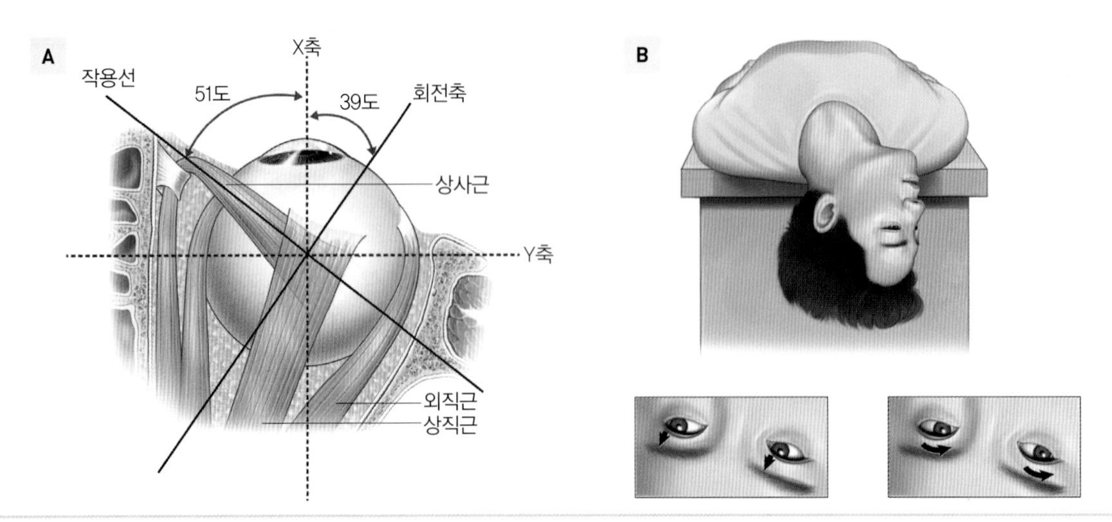

■ 그림 47-3. **우측 후반고리관 BPPV 환자에서 Dix-Hallpike 검사 시 주시방향에 따른 안진.** **A)** 상사근은 안구의 내회전 및 하전을 담당하며 활차를 통해 작용하는데, 활차의 축은 X축과 약 51°정도 각을 이루고 있어서 안구가 39° 정도 외전된 상태에서는 힘이 가해지는 작용선과 안구의 회전축이 직각을 이루어 순수한 내회선을 담당하며 안구가 내전된 상태에서는 순수한 하전을 담당한다. **B)** 우측 BPPV에서 Dix-Hallpike 검사로 유발된 안진은 환측(지면)을 바라볼 때 주로 회전성의 안진이 강조되고 건측(지면과 반대측)을 주시할 때는 상향의 수직안진이 강조되며 정면을 주시할 때는 두 가지 성분이 다 나타난다.

것으로 확인되었다.[34] 다양한 비침습적인 치료법들이 개발된 것은 팽대부릉정결석과 반고리관결석의 개념이 도입되면서부터이다.

(1) 이석정복술(Canalith repositioning procedure)

획기적인 치료법의 도입은 1992년 Epley[15]에 의해 이루어졌다. 그는 팽대부릉정에 붙어있는 이석 때문이 아니라 반고리관 내의 이석이 BPPV의 원인이 된다는 가설을 바탕으로 이석정복술을 개발하였다. 이는 현재까지도 가장 많이 사용되고 있으며 치료 효과를 높이기 위하여 다양하게 변형되어 사용되고 있다.

Epley는 5가지 일련의 동작으로 반고리관 내의 이석이 중력에 의해 난형낭 내로 재위치하는 방법을 고안하여 높은 치료 성공률을 보였다. 그는 운동 시행 전에 환자에게 안정제를 투여하였고 진동기(mechanical skull vibrator)를 유양돌기부에 작동하여 이석의 부양을 유도하였으며, 증세가 없어질 때까지 반복 시행하였다. Parnes 등[40]은 이를 변형하여 안정제와 진동기를 사용하지 않고 3가지 자세 변화를 기본으로 한 번만 시행하는 변형 Epley법(modified Epley maneuver)을 제안하였다. 그는 진동기의 사용이 오히려 이석의 탈출을 조장할 수 있을 것이라 생각하였으며, Hain 등[19]은 진동기의 사용 여부와 치료 성공률은 관련이 없다고 하였다.

방법은 앉은 자세에서 환측으로 Dix-Hallpike 자세를 취한 후 안진을 관찰한다(그림 47-4). 다음 단계로 천천히 머리를 반대쪽으로 90° 돌리며 이때 머리는 최대한 신전된 상태를 유지한다. 이어서 몸전체와 머리를 90° 더 반대쪽으로 돌리고, 이 자세에서 안진(이차 안진)을 짧은 시간 안에 다시 확인한다. 첫 번째 보였던 안진과 동일한 모양으로 나타나면 이관 내 이석이 공통각(common crus)을 통하여 난형낭 내로 제대로 들어가고 있는 것이다. 마지막 단계로 환자를 앉도록 한다. 각 단계별로 자세를 1~2분 정도 유지하도록 되어 있으나, 안진의 지속시간과 이석이 움직이는 시간을 고려할 때 안진이 사라지는 시점까지 약 30초간 자세를 유지시키면 충분하다. 치료 후에 이석이 제자리를 잡고 재발하지 않도록 24~48시간 정도 눕지 말

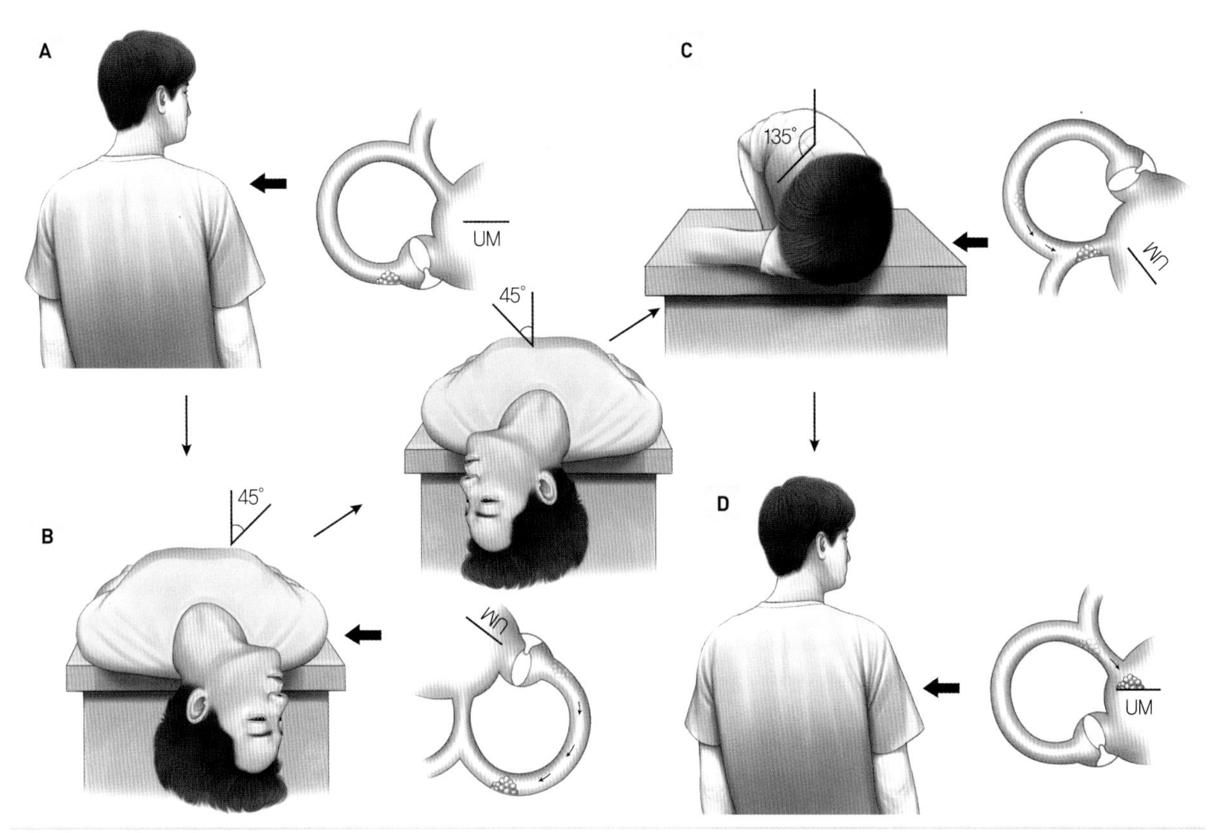

■ 그림 47-4. **변형 Epley법(이석정복술). A)** 환자의 머리를 환측(그림에서는 우측)으로 45° 돌린다. **B)** 그대로 머리를 뒤로 떨어뜨려 안진을 관찰한다. 안진이 나타나지 않을 때까지 자세를 유지하고 사라진 후에도 30초 이상 기다린다. 안진을 관찰하기가 여의치 않으면 2분 정도 이 자세를 유지한다. **C)** 머리를 90° 돌려 반대쪽 Dix-Hallpike 자세로 움직인 후 몸통까지 회전시키며 머리를 계속 돌려 건측 측와위 자세를 취하게 한다. 두위는 첫 번째 Dix-Hallpike 자세에서 180° 돌아가게 된다. 자세 B부터 C까지는 3~5초 내에 이루어져야 한다. 자세 C도 1~2분간 유지한다. **D)** 고개방향은 그대로 유지하며 천천히 환자를 일으켜 앉도록 한 후 고개를 바로 한다. 이때 환자가 어지러워 균형을 잃고 쓰러지지 않도록 환자를 부축한다.

것을 권고하는 경우도 있으나, 이러한 방법이 치료 효과를 더 높이지는 않는 것으로 알려져 있다.[32,37]

이석정복술 시행 횟수에는 이견이 있으나 일반적으로 1회 시행하고 경과관찰을 하게 되며, 이석정복술 시행 중 이차 안진이 나타나지 않는 경우와 마지막 단계인 앉은 자리로 돌아올 때 역안진(reverse nystagmus)이나 어지럼증이 나타나는 환자에서 선별적으로 다시 시행하는 방법 등이 있다. 일반적으로 후반고리관 BPPV에서 변형된 Epley이석정복술을 1회 시행하고, 1주일 후에 추적관찰하게 되는데 80% 이상의 높은 성공률을 보인다.[50]

(2) Semont 이석유리술

1988년 Semont[42]는 한번의 치료운동으로 팽대부릉정으로부터 이석을 떼어내는 이석유리술(Semont liberatory maneuver)을 고안하였다(그림 47-5). Semont는 이 방법을 통하여 단 한 번의 운동으로 84%의 치료효과를 보았고, 1주 후 한 번 더 시행하여 93%까지 치료효과를 높일 수 있었다고 보고하였다. 이 후 다른 보고들에 의하면 52~90%의 치료 결과를 보이며 재발율은 29% 정도로 보고 되었다.[20] 이석정복술과 비교하여 치료성적이 유사하지만 나이가 많고 비만인 사람한테 적용하기 어려운 점이 있고 이석정복술에 비하여 더 좋은 결과를 보이지는 않는

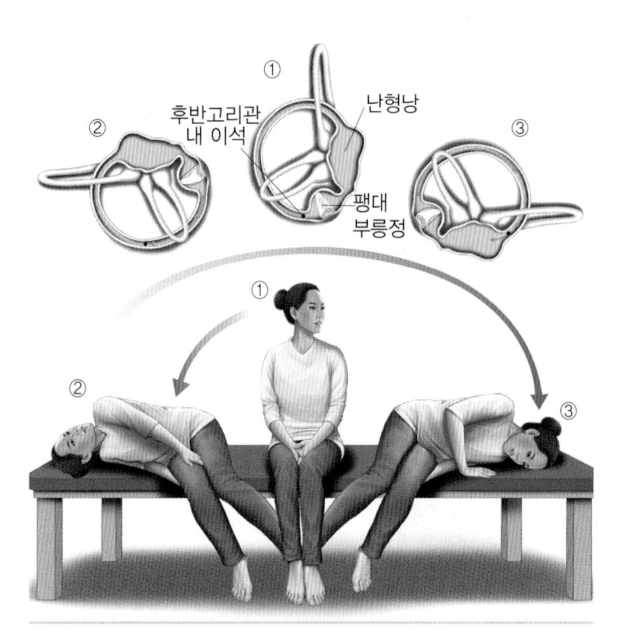

■ 그림 47-5. **Semont 이석유리술(우측 귀).** 환측의 반대쪽(왼쪽)으로 얼굴을 돌리고 빠르게 환측(우측)으로 고개를 들고 눕는다.(1 2) 5분이 지난 후 반대쪽으로 얼굴이 아래를 향하여 귀가 닿도록 빠르게 눕는다.(2 3) 환자는 이 자세를 5~10분간 유지한 후 앉은 자세로 서서히 돌아온다. 건측으로 돌아 누웠을 때(3) 혹은 최종자세를 하였을 때 안진이나 어지럼증이 나타나면 부적절한 치료가 되었을 가능성이 있으므로 반복치료한다.

다.[14,21] 최근 국내에서 시행한 다기관 이중맹검 무작위 연구에서 이석유리술이 이석정복술에 비해서 현저하게 치료 효과가 떨어진다는 보고도 있었다.[28] 그러나, Side-lying 검사를 시행하여 BPPV가 진단이 된 경우에 이석정복술도 시행하기 어려울 수 있으므로 치료방법으로 이석유리술을 먼저 시행해 볼 수 있다.

(3) Brandt-Daroff 습관화 운동

Brandt와 Daroff 는 1980년에 BPPV가 후반고리관의 팽대부에 이석이 달라붙기 때문이라고 가정하여 달라붙은 이석을 작은 조각으로 부스러뜨리는 습관화 운동법을 소개하였다(그림 47-6).[7] 반복된 운동으로 점차 유발되는 증세가 약화되어 연속되는 이틀간 증세가 유발되지 않을 때까지 시행한다. 환자의 증세가 호전되는 기전에 대한 설명은 명확하지는 않지만 후반고리관의 이석 조각이 떨어

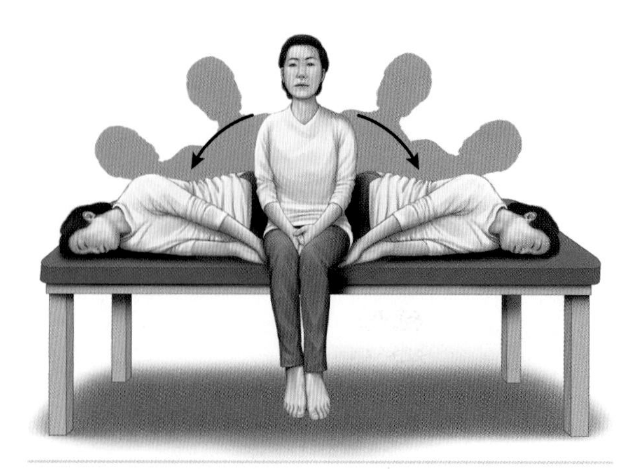

■ 그림 47-6. **Brandt-Daroff 습관화 운동.** 앉은 자세에서 어지러움이 유발되는 쪽으로 빠르게 쓰러지고 어지러움이 없어진 후 30초 정도 더 누워있다가 앉는다. 약 30초 후 반대쪽으로의 운동을 반복하며 이와 같은 운동을 하루 수차례씩 반복 시행한다.

져 나오고 작은 조각으로 부스러져 증세를 유발시키지 않게 된다는 것과 반복되는 자극에 의하여 중추에서 적응이 일어나기 때문인 것으로 설명된다. 이러한 운동법은 환자가 시행하기 번거로움 단점은 있지만, 팽대부릉정이석으로 인해 이석정복술의 효과가 크지 않거나, 이석정복술로 안진은 없어졌지만 주관적인 어지러움을 계속 느끼고 있는 경우 환자의 증상을 호전시킬 수 있다.[5]

2. 수평반고리관 양성발작성두위현훈

1) 진단

수평반고리관 BPPV는 머리회전검사(Head roll test)를 시행하여 진단할 수 있으며 병변의 방향이 불분명할 때는 보조적으로 Bow and lean 검사 등을 시행해 볼 수 있다.

머리회전검사는 피검자를 검사대에 반듯하게 눕히고 병변이 의심되는 귀를 밑으로 향하게 돌린다. 이때 머리를 30° 정도 앞쪽으로 굴곡시키고 Frenzel 안경을 사용하면 안진을 더 쉽게 관찰할 수 있다. 적어도 30초 정도 어지럼증 및 안진이 유발되는지 관찰하고 피검자의 머리를 다시 가운데로 위치시킨 후 반대측으로 90° 머리를 돌려서 어

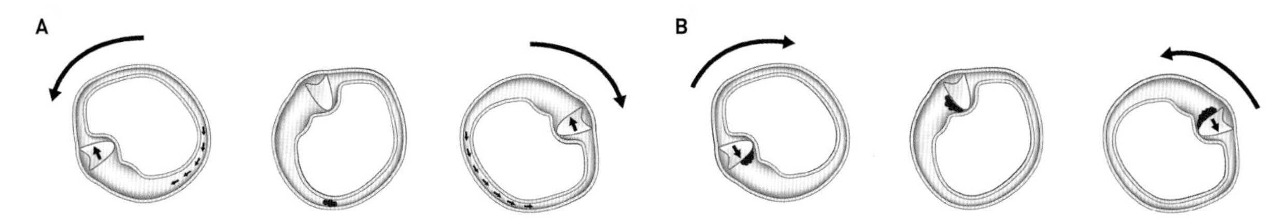

그림 47-7. **우측 수평반고리관 BPPV의 기전.** 반고리관내결석(A)과 팽대부릉정 결석(B). **A)** 앙와위자세에서 머리를 우측으로 90°돌리면 반고리관내에 있는 결석들이 아래로 떨어지게 되고 이러한 움직임으로 인하여 결석들은 난형낭으로 흐르게 되어(ampullopetal direction) 우측 수평반고리관이 자극되므로 향지성의 강한 수평성 안진을 보인다. 관내의 결석들이 멈추면 팽대부릉정은 다시 원래의 위치로 돌아가게 되고 안진은 서서히 줄어들게 된다. 다시 앙와위 자세에서 좌측으로 90°돌리게 되면 관내의 결석들은 난형낭에서 멀어지는 쪽으로 흐르게 되어(ampullofugal direction) 우측 수평반고리관이 억제되므로 좌측으로 향하는 향지성의 안진이 관찰된다. **B)** 앙와위에서 우측으로 90°돌렸을 때 수평반고리관내의 팽대부릉정에 붙어있는 결석이 중력의 영향을 받아 팽대부릉이 난형낭에서 멀어지는 쪽으로 기울게 되어 우측 수평반고리관이 억제 되므로 원지성의 약한 안진이 관찰되고 다시 앙와위에서 좌측으로 머리를 90°돌리면 팽대부릉이 중력의 영향으로 난형낭쪽으로 휘게 되어 더 강한 원지성의 안진이 관찰된다.

지럼증 유발 및 안진을 관찰한다. 검사자는 안진의 강도와 방향을 관찰하는 것이 중요하며 잠복시간, 지속시간, 피로현상 등도 관찰한다. 수평반고리관형 BPPV는 대부분 양쪽 측위 검사 중 어느 한쪽 안진이 더 강하게 나타나는 게 일반적이다. 따라서, 측별 진단은 양쪽 측위에서 안진의 세기를 비교하여 결정한다. 양쪽에서 향지성(geotrophic) 안진이 나타나는 경우는 반고리관내 결석(canalolithiasis)에 해당되며 안진이 더 강하게 나타나는 쪽이 병변 쪽이다. 반면, 원지성(ageotrophic) 안진이 나타나는 경우는 팽대부릉정 결석(cupulolithiasis)에 해당되며 안진이 약하게 나타나는 쪽이 병변측이 된다(그림 47-7). 이것은 Ewald 제2 법칙에 의한 현상으로 팽대부릉정이 같은 크기로 움직인다고 가정하였을 때 반고리관이 흥분하는 것이 억제되는 것보다 더 강한 반응을 나타내게 된다.[33] 수평반고리관의 팽대부릉정 결석에 의한 안진은 잠복시간과 피로현상이 없는 경우가 있으며, 머리회전검사를 시행하여 자세를 계속 유지하는 동안 지속적인 안진을 보일 수 있기 때문에 중추성 원인 질환과 감별해야 한다.[38]

또한, Dix-Hallpike검사에서도 머리를 40° 이상 돌릴 때 안진이 발견될 수 있으며 이때 안진이 회전성인지 수평성인지를 정확히 구별하는 것이 후반고리관 BPPV와 수평반고리관 BPPV를 구별하는데 중요하다. 머리회전검사와 Dix-Hallpike검사를 같이 사용하였을 때 모두 어지러움 증세와 수평안진과 회전성안진이 각각 나타날 수 있으며 이런 경우 후반고리관, 수평반고리관 두 곳에 병변이 있는 것으로 진단할 수 있다. 또한, 후반고리관의 이석정복술 시행 후 수평반고리관과 상반고리관으로 이석이 이행될 수 있기 때문에 치료 후 증상이 지속되는 경우에는 이를 고려하여야 한다.

수평반고리관 BPPV에서 머리회전검사만으로 병변측을 결정하기 어려울 때도 있다. 양측에서 비슷한 강도의 안진이 나타나는 경우가 있을 수 있으며 후반고리관 BPPV의 이석정복술 후 수평반고리관으로 이행된 경우에 머리회전검사를 해보면 Ewald의 제2 법칙을 따르지 않는 예들도 보고되고 있다.[4,43] 따라서, 병변측을 결정하는데 도움을 줄 수 있는 추가적인 검사방법이 필요할 수 있으며 그 중 하나가 Bow and Lean 검사이다.[10] Bow and Lean 검사는 피검자가 앉은 자세에서 고개를 90° 숙일 때와 90° 젖힐 때 나타나는 안진의 방향으로 병변의 쪽을 구별하는 검사이다(그림 47-8).

2) 치료

수평반고리관 BPPV를 치료할 때 다음 세 가지 유형으

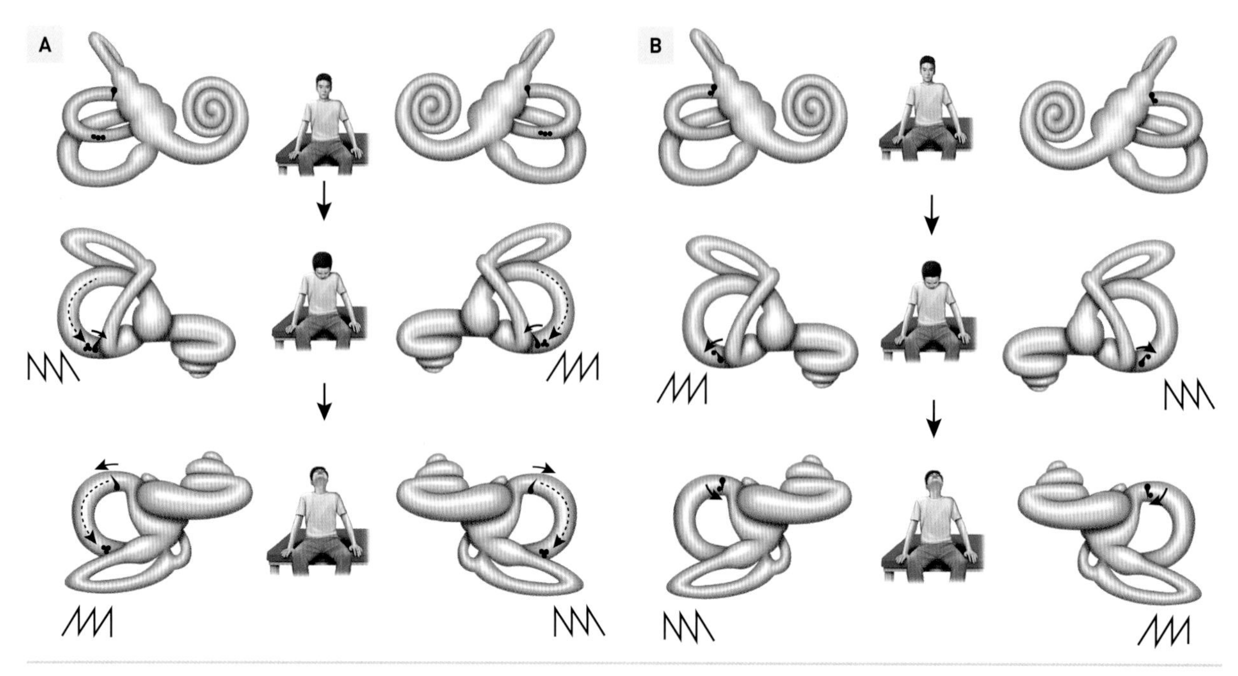

■ 그림 47-8. **Bow and Lean 검사.** **A)** 반고리관내 결석의 경우에는 고개를 숙였을 때(Bow 검사) 난형낭 방향으로의 내림프 흐름을 유발하여 병변측과 같은 방향으로 안진이 발생하며 고개를 젖혔을 때(Lean 검사)는 병변측과 반대방향 안진이 발생한다. **B)** 팽대부릉정결석의 경우에는 중력의 영향으로 고개를 숙였을 때 팽대부릉이 난형낭의 반대방향으로 기울어져서 병변의 반대방향으로 안진이 발생하며, 고개를 젖혔을 때는 난형낭방향으로 기울어져서 병변 방향으로의 안진이 발생한다.

로 나누어 치료한다.[9] 첫째, 반고리관내 부유하는 이석에 의한 양방향 향지성 안진을 유발하는 경우이며 반고리관내 이석정복술에 의하여 관내의 이석을 난형낭쪽으로 배출함으로써 치료한다. 둘째, 이석이 팽대부릉정의 반고리관측으로 부착하는 경우로 양방향 원지성 안진을 보인다. 부착되어 있는 이석은 유발검사 등에서 저절로 떨어져서 관내로 유리되기도 하지만 그렇지 않은 경우 진동기나 빠른 두진(head shaking)을 이용하여 떨어지게 할 수 있고 이후에는 양방향 향지성 안진으로 바뀌어 반고리관내 이석과 같은 방법으로 치료하게 된다. 셋째, 이석이 팽대부릉정의 난형낭 쪽에 부착하는 경우로 양방향 원지성 안진이 나타나는 것은 같지만 이석이 떨어진 후 바로 난형낭으로 배출됨으로 안진 방향의 역전은 관찰할 수 없다. 반고리관내 결석의 경우에는 바비큐법(barbeque maneuver)과 장시간 두위고정법(forced prolonged position; FPP)이 널리 사용되며, 팽대부릉정결석의 경우에 Semont 이석유리술을 변형한 방법이 사용되기도 한다.

바비큐법은 1996년 Lempert[29]에 의해서 고안된 방법으로(그림 47-9), Baloh[3]는 360° 회전하는 방법을 제시하였고 Epley[16]는 환측으로 90° 돌린 상태에서 건측으로 360° 회전하는 방법으로 약간 변형하였다. 바비큐법을 이용한 반고리관내 이석의 정복술은 63~100%, 팽대부릉정의 이석의 경우는 50~100%의 성공률을 보여 전반적으로 반고리관내 이석의 성적이 좋았지만 후반고리관의 이석치환술보다 치료효과는 떨어진다.[36,46] 바비큐법은 빠른 치료효과를 기대할 수 있는 장점에 비해 구역, 구토가 심하여 이석정복을 위한 머리 회전을 잘 견디지 못하는 경우가 있으며, 노인이나 비만한 경우는 신체적인 장애로 360° 회전이 어려운 단점이 있을 수 있다. 팽대부릉정 결석에서는 진동기를 사용하여 치료할 수도 있는데 환자를 앙와위로 눕히고 병변측으로 135°를 회전한 후 병변측 유양돌기에 30초간 진동기로 자극한다. 이후에는 바비큐법과 동일한

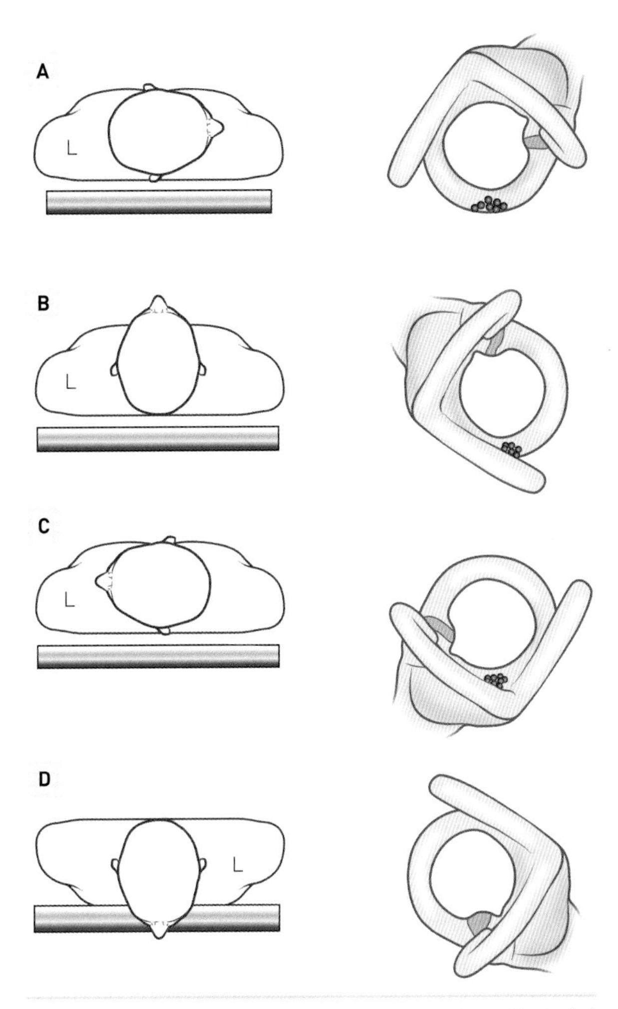

■ 그림 47-9. **바비큐법(Barbeque maneuver).** 우측 수평반고리관BPPV (반고리관내 결석)로 환측으로고개를 90° 돌린 상태(A)에서 향지성 안진을 확인한다. 이어서 건측으로 90°씩 고개를 돌려서 앙와위 상태(B), 건측으로 고개를 90° 돌린 상태(C)를 거쳐 얼굴이 바닥을 향하도록 고개를 90° 돌린다(D). 각 단계에서는 안진이 사라질 때까지 대략 30초에서 1분 정도 자세를 유지하고 D 자세에서 천천히 환자를 일으켜 앉도록 한 후 고개를 바로 한다. 팽대부릉정결석에서는A 자세에서 45° 환측으로 고개를 더 돌린 후 환측유양돌기 부위에 30초간 진동기로 자극한 후 같은 방법으로 치료한다.

방법으로 시행한다.

장기간 두위고정법(FPP법)은 시행방법이 간단하여 건측으로 옆으로 누워 12시간 동안 계속 유지하면 된다.[47] 중력의 영향으로 유리 이석이 조금씩 난형낭으로 이동하는 원리이다. 바비큐법을 시행할 때 어지럼이 심해지고 토하는 환자나 신체적으로 360도 회전이 어려운 경우에 시행하기 용이하지만 12시간 동안 자세를 유지하는 것도 매우 어려워 치료 순응도가 떨어질 가능성이 높다.

Semont 이석유리법을 변형한 방법이 팽대부릉정 결석에 사용되고 있으며, 반고리관내 결석에서도 사용할 수 있다.[11,12]

3. 상반고리관 양성발작성두위현훈

1) 진단

상반고리관 BPPV가 진단되는 경우는 매우 드물어 BPPV 중 3% 미만으로 알려져 있으며, 구조적으로 이석이 들어가기 어려운 위치이고, 이석이 들어가더라도 일상적인 움직임에서 쉽게 나올 수 있기 때문으로 생각된다. 상반고리관 BPPV의 특징적인 안진은 Dix-Hallpike 검사에서 하향안진과 원지성 회전 안진을 보인다. 대체적으로 병변이 있는 상반고리관은 Dix-Hallpike 검사에서 지면의 반대쪽이 된다. 상반고리관의 경우 Dix-Hallpike 검사에서 머리를 얼마나 기울이는가에 따라 병변쪽의 상반고리관이 하부에 위치할 경우에도 전형적인 안진을 보일 수 있다.[8] 이는 앙와위에서 상반고리관 팽대부의 위치가 약간 위로 향하고 있어 팽대부릉정이 공통각 방향으로 굽어 흥분하는 것을 방해하는 한편, Dix-Hallpike 검사에서 하부의 상반고리관 팽대부는 아래로 향하게 되어 흥분할 수 있기 때문이다. 이론적으로는 좌측 Dix-Hallpike 검사시 좌측 후반고리관과 상반고리관, 그리고 우측 상반고리관이 모두 자극받을 수 있기 때문에 Dix-Hallpike 검사로는 상반고리관의 병변쪽을 진단하기 어려운 경우가 있다. 따라서, 병변 쪽의 진단을 위해서는 Dix-Hallpike 검사 시 앉은 자세에서 바로 머리를 침상 밑으로 내리며 이때 머리를 낮게 내릴 수 있을 만큼 내리는 straight head-hanging maneuver가 결석의 움직임을 가장 크게 유발할 수 있다.[6] 안진은 주로 회전 성분을 가진 하향성 안진이 관찰되며, 체위나 두위변환에 관계없이 두위가 수평면 이하로 놓이면 안진이 유발되어 양측이나 중앙 현수두위에서도 관찰할 수 있고, 잠복기와 피로도는 거의 없거나 매우 미약하게 관찰된다. 환자가 경험하는 어지럼증은 다른 형태의 두위현훈에서 관찰되는 비슷한 크기의 안진에 비해 작게 느껴지는 경향이 있다.

그러나, 두위변환검사 시에 발생되는 수직형 안진은 중추성 병변의 가능성을 반드시 염두에 두어야 한다. Bertholon 등[6]은 하향 수직안진을 보인 50명의 환자 중75%에서 중추신경계 병변을 확인하였고 나머지 25%에서 상반고리관 BPPV가 진단되어 하향 수직안진을 보일 때에는 중추성 병변의 가능성이 높을 수 있음을 보여주었다. 그러므로, 상반고리관 BPPV의 경우에는 하향안진 외에도 회전성안진이 존재하는지 여부를 반드시 확인하는 것이 필요하다.

2) 치료

후반고리관형 BPPV에서 사용하는 Epley법 또는 변형 Epley법이 이용되지만 반대쪽(건측) 후고리관형에서 시행되는 방법으로 시행하기 때문에 역전형 Epley법이라고 한다. Rahko[41]는 상반고리관 BPPV 환자에서 먼저 건측의 귀를 아래로 향하도록 Dix-Hallpike 자세를 취한 후 30초 후에 머리를 수평으로 하고, 다시 30초 후 상방으로 45°를 올린 후 30초 지나서 일어나 앉는 Rahko 수기를 제안하였다. 후반고리관, 수평반고리관 BPPV를 치료한 후 하방안진을 동반한 잔여증상이 있는 환자에게 이와 같은 방법으로 치료하였고 모두 호전되었다고 보고하였다.

Ⅳ 두위현훈의 감별진단

전정기능저하환자에서 두위에 따른 어지럼, 안진이 나타날 수 있으며, 정상인에서도 생리적인 두위안진을 보이는 경우가 있다. 그러므로 두위변환 시 안진이 관찰되더라도 반고리관의 자극으로 설명할 수 있는지 구별하는 것이 필요하다. 노화나 이에 따른 소뇌변성, Arnold-Chiari기형에서도 BPPV와 비슷한 안진을 보일 수 있으므로 적절한 이석정복술에도 호전을 보이지 않거나 비전형적인 안진의 모습을 보인다면 면밀한 신경학적 진찰과 영상 검사가 필요하다.

양성발작성두위현훈의 재발과 난치성 두위현훈

장기간 추적관찰연구에서 BPPV의 재발률은 대략 30%정도로 알려져 있으며[15] 이를 환자들에게 교육하는 것이 필요하다. 처음 BPPV에 의한 어지러움을 경험한 환자는 불안감과 두려움을 가지는 경우가 있으므로 이 질환이 간단한 치료방법으로 치료가 가능하고 치료 후에는 후유증을 남기지 않는다는 설명과 함께 재발의 가능성도 설명해야 한다. 그러나, 드물게 오랫동안 이석정복술을 반복 시행하여도 호전되지 않는 두위안진을 보이는 경우도 있으며 지속시간이 일상적인 경우에 비해서 매우 길거나, 진찰시 보이는 안진에 비해서 주관적인 어지럼이 심하지 않은 경우 등은 모두 중추성 질환의 가능성을 시사하는 소견들이며 감별진단이 필요하다.

난치성 BPPV에서 습관화 치료 등의 장기적인 치료에도 반응을 보이지 않는다면 수술적인 치료를 고려할 수 있다. 수술방법으로 후팽대부 신경절제술,[18] 후반고리관폐쇄술[39]이 있으며 후자가 합병증이 적으면서 효과적으로 치료할 수 있는 방법으로 생각된다.[51]

참고문헌

1. Balatsouras DG, Ganelis P, Aspris A, Economou NC, Moukos A, Koukoutsis G. Benign paroxysmal positional vertigo associated with Meniere's disease: epidemiological, pathophysiologic, clinical, and therapeutic aspects. Ann Otol Rhinol Laryngol 2012;121:682-688.

2. Baloh RW, Honrubia V, Jacobson K. Benign positional vertigo: clinical and oculographic features in 240 cases. Neurology 1987;37:371-378.
3. Baloh RW, Jacobson K, Honrubia V. Horizontal semicircular canal variant of benign positional vertigo. Neurology 1993;43:2542-2549.
4. Baloh RW, Yue Q, Jacobson KM, Honrubia V. Persistent direction-changing positional nystagmus: another variant of benign positional nystagmus? Neurology 1995;45:1297-1301.
5. Banfield GK, Wood C, Knight J. Does vestibular habituation still have a place in the treatment of benign paroxysmal positional vertigo? J Laryngol Otol 2000;114:501-505.
6. Bertholon P, Bronstein AM, Davies RA, Rudge P, Thilo KV. Positional down beating nystagmus in 50 patients: cerebellar disorders and possible anterior semicircular canalithiasis. J Neurol Neurosurg Psychiatry 2002;72:366-372.
7. Brandt T, Daroff RB. Physical therapy for benign paroxysmal positional vertigo. Arch Otolaryngol 1980;106:484-485.
8. Brantberg K, Bergenius J. Treatment of anterior benign paroxysmal positional vertigo by canal plugging: a case report. Acta Otolaryngol 2002;122:28-30.
9. Casani AP, Vannucci G, Fattori B, Berrettini S. The treatment of horizontal canal positional vertigo: our experience in 66 cases. Laryngoscope 2002;112:172-178.
10. Choung YH, Shin YR, Kahng H, Park K, Choi SJ. 'Bow and lean test' to determine the affected ear of horizontal canal benign paroxysmal positional vertigo. Laryngoscope 2006;116:1776-1781.
11. Ciniglio Appiani G, Catania G, Gagliardi M. A liberatory maneuver for the treatment of horizontal canal paroxysmal positional vertigo. Otol Neurotol 2001;22:66-69.
12. Ciniglio Appiani G, Catania G, Gagliardi M, Cuiuli G. Repositioning maneuver for the treatment of the apogeotropic variant of horizontal canal benign paroxysmal positional vertigo. Otol Neurotol 2005;26:257-260.
13. Cohen HS. Side-lying as an alternative to the Dix-Hallpike test of the posterior canal. Otol Neurotol 2004;25:130-134.
14. Cohen HS, Jerabek J. Efficacy of treatments for posterior canal benign paroxysmal positional vertigo. Laryngoscope 1999;109:584-590.
15. Epley JM. The canalith repositioning procedure: for treatment of benign paroxysmal positional vertigo. Otolaryngol Head Neck Surg 1992;107:399-404.
16. Epley JM. Positional vertigo related to semicircular canalithiasis. Otolaryngol Head Neck Surg 1995;112:154-161.
17. Froehling DA, Silverstein MD, Mohr DN, Beatty CW, Offord KP, Ballard DJ. Benign positional vertigo: incidence and prognosis in a population-based study in Olmsted County, Minnesota. Mayo Clin Proc 1991;66:596-601.
18. Gacek RR. Further observations on posterior ampullary nerve transection for positional vertigo. Ann Otol Rhinol Laryngol 1978;87:300-305.
19. Hain TC, Helminski JO, Reis IL, Uddin MK. Vibration does not improve results of the canalith repositioning procedure. Arch Otolaryngol Head Neck Surg 2000;126:617-622.
20. Haynes DS, Resser JR, Labadie RF, et al. Treatment of benign positional vertigo using the semont maneuver: efficacy in patients presenting without nystagmus. Laryngoscope 2002;112:796-801.
21. Herdman SJ, Tusa RJ, Zee DS, Proctor LR, Mattox DE. Single treatment approaches to benign paroxysmal positional vertigo. Arch Otolaryngol Head Neck Surg 1993;119:450-454.
22. Honrubia V, Baloh RW, Harris MR, Jacobson KM. Paroxysmal positional vertigo syndrome. Am J Otol 1999;20:465-470.
23. Imai T, Ito M, Takeda N, et al. Natural course of the remission of vertigo in patients with benign paroxysmal positional vertigo. Neurology 2005;64:920-921.
24. Jung HJ, Koo JW, Kim CS, Kim JS, Song JJ. Anxiolytics reduce residual dizziness after successful canalith repositioning maneuvers in benign paroxysmal positional vertigo. Acta Otolaryngol 2012;132:277-284.
25. Katsarkas A. Benign paroxysmal positional vertigo (BPPV): idiopathic versus post-traumatic. Acta Otolaryngol 1999;119:745-749.
26. Kollen L, Frandin K, Moller M, Fagevik Olsen M, Moller C. Benign paroxysmal positional vertigo is a common cause of dizziness and unsteadiness in a large population of 75-year-olds. Aging Clin Exp Res 2012;24:317-323.
27. Korres S, Balatsouras DG, Kaberos A, Economou C, Kandiloros D, Ferekidis E. Occurrence of semicircular canal involvement in benign paroxysmal positional vertigo. Otol Neurotol 2002;23:926-932.
28. Lee JD, Shim DB, Park HJ, et al. A multicenter randomized double-blind study: comparison of the Epley, Semont, and sham maneuvers for the treatment of posterior canal benign paroxysmal positional vertigo. Audiol Neurootol 2014;19:336-341.
29. Lempert T, Tiel-Wilck K. A positional maneuver for treatment of horizontal-canal benign positional vertigo. Laryngoscope 1996;106:476-478.
30. Liu H. Presentation and outcome of post-traumatic benign paroxysmal positional vertigo. Acta Otolaryngol 2012;132:803-806.
31. Liu Y, Wang W, Zhang AB, Bai X, Zhang S. Epley and Semont maneuvers for posterior canal benign paroxysmal positional vertigo: A network meta-analysis. Laryngoscope 2016;126:951-955.
32. Marciano E, Marcelli V. Postural restrictions in labyrintholithiasis. Eur Arch Otorhinolaryngol 2002;259:262-265.
33. McClure JA. Horizontal canal BPV. J Otolaryngol 1985;14:30-35.
34. McClure JA, Willett JM. Lorazepam and diazepam in the treatment of benign paroxysmal vertigo. J Otolaryngol 1980;9:472-477.
35. Mizukoshi K, Watanabe Y, Shojaku H, Okubo J, Watanabe I. Epide-

miological studies on benign paroxysmal positional vertigo in Japan. Acta Otolaryngol Suppl 1988;447:67-72.
36. Nuti D, Agus G, Barbieri MT, Passali D. The management of horizontal-canal paroxysmal positional vertigo. Acta Otolaryngol 1998;118:455-460.
37. Nuti D, Nati C, Passali D. Treatment of benign paroxysmal positional vertigo: no need for postmaneuver restrictions. Otolaryngol Head Neck Surg 2000;122:440-444.
38. Pagnini P, Nuti D, Vannucchi P. Benign paroxysmal vertigo of the horizontal canal. ORL J Otorhinolaryngol Relat Spec 1989;51:161-170
39. Parnes LS, McClure JA. Posterior semicircular canal occlusion for intractable benign paroxysmal positional vertigo. Ann Otol Rhinol Laryngol 1990;99:330-334.
40. Parnes LS, Price-Jones RG. Particle repositioning maneuver for benign paroxysmal positional vertigo. Ann Otol Rhinol Laryngol 1993;102:325-331.
41. Rahko T. The test and treatment methods of benign paroxysmal positional vertigo and an addition to the management of vertigo due to the superior vestibular canal (BPPV-SC). Clin Otolaryngol Allied Sci 2002;27:392-395.
42. Semont A, Freyss G, Vitte E. Curing the BPPV with a liberatory maneuver. Adv Otorhinolaryngol 1988;42:290-293.
43. Steddin S, Ing D, Brandt T. Horizontal canal benign paroxysmal positioning vertigo (h-BPPV): transition of canalolithiasis to cupulolithiasis. Ann Neurol 1996;40:918-922.
44. Strupp M, Brandt T. Peripheral vestibular disorders. Curr Opin Neurol 2013;26:81-89.
45. Tirelli G, D'Orlando E, Giacomarra V, Russolo M. Benign positional vertigo without detectable nystagmus. Laryngoscope 2001;111:1053-1056.
46. Tirelli G, Russolo M. 360-Degree canalith repositioning procedure for the horizontal canal. Otolaryngol Head Neck Surg 2004;131:740-746.
47. Vannucchi P, Giannoni B, Pagnini P. Treatment of horizontal semicircular canal benign paroxysmal positional vertigo. J Vestib Res 1997;7:1-6.
48. Viccaro M, Mancini P, La Gamma R, De Seta E, Covelli E, Filipo R. Positional vertigo and cochlear implantation. Otol Neurotol 2007;28:764-767.
49. von Brevern M, Radtke A, Lezius F, et al. Epidemiology of benign paroxysmal positional vertigo: a population based study. J Neurol Neurosurg Psychiatry 2007;78:710-715.
50. von Brevern M, Seelig T, Radtke A, Tiel-Wilck K, Neuhauser H, Lempert T. Short-term efficacy of Epley's manoeuvre: a double-blind randomised trial. J Neurol Neurosurg Psychiatry 2006;77:980-982.
51. Walsh RM, Bath AP, Cullen JR, Rutka JA. Long-term results of posterior semicircular canal occlusion for intractable benign paroxysmal positional vertigo. Clin Otolaryngol Allied Sci 1999;24:316-323.
52. Yetiser S, Gokmen MH. Clinical aspects of benign paroxysmal positional vertigo associated with migraine. Int Tinnitus J 2015;19:64-68.

CHAPTER 48

어지럼증의 진단 및 치료_ 메니에르병

이비인후과학 Otorhinolaryngology - Head and Neck Surgery

정원호

I 서론

메니에르(Ménière)병은 발작적 어지럼, 난청, 이명, 이충만감(귀먹먹함)의 4가지 증상을 특징으로 하는 임상 증후군이다. 1861년 Prosper Ménière는 이러한 임상증상을 일으키는 원인이 뇌가 아닌 내이에 있다고 보고하였다.[27] 이후 이러한 임상 증상을 보였던 환자의 부검 시 조직학적 소견에서 내이의 내림프수종이 확인되어 조직학적으로는 내림프수종을 보이면서 특징적인 4가지 증상(어지럼, 난청, 이명, 이충만감)을 보이는 질환을 메니에르병이라 하고 있다.[13,15] 그러나 아직 메니에르병을 진단내릴 수 있는 객관적인 진단법이 없고, 치료방법에 대하여도 확실한 근거 자료가 없다. 따라서 메니에르병은 정확한 원인과 진단 및 치료방법이 아직 불확실한 병이지만, 이들을 밝히기 위한 연구가 활발히 진행되고 있는 질환이라 할 수 있다.

II 역학

현재까지 보고된 메니에르병의 유병률은 매우 다양하다. 스웨덴에서는 10만 명당 46명, 프랑스에서는 10만 명당 7.5명으로 보고되었고, 최근 발표된 메타분석에 의하면 0.12~0.5%로 보고되고 있다.[25] 아직 우리나라에서의 보고는 없으나, 일본에서는 인구 10만 명당 16~17명의 유병률을 보고하여[26] 동양인이 서양인보다 발생률이 적을 것으로 추정된다. 연령별로 보면 주로 40~50대에 가장 많이 발생하고, 소아에서는 드물다. 성별로는 여성의 비율이 남성보다 높은 것으로 알려져 있다. 여성의 경우 임신 중에 증상이 악화되고, 분만 후에 증상이 호전되는 경우가 있어 호르몬과의 관련성도 생각할 수 있다. 양측으로 메니에르병이 발생하는 비율은 2~78%까지 매우 다양하게 보고되고 있으나 20% 전후라는 보고가 많다.[2] 성격도 질환의 발생과 연관이 있는데, 주로 섬세하고 완벽한 성격을 가진 사람에서 발생률이 높다.

최근에는 메니에르병이 유전성 경향이 있다는 연구들

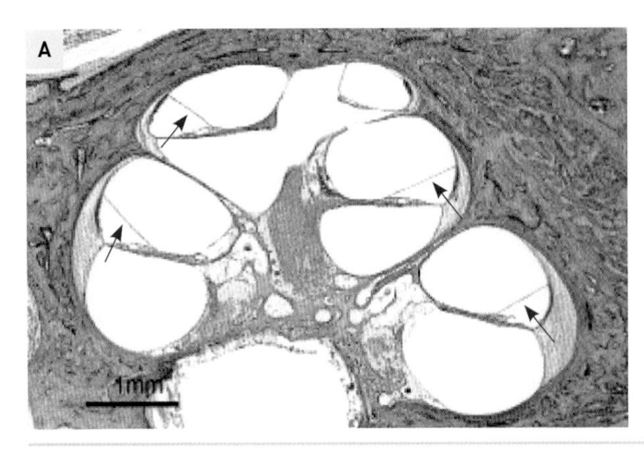

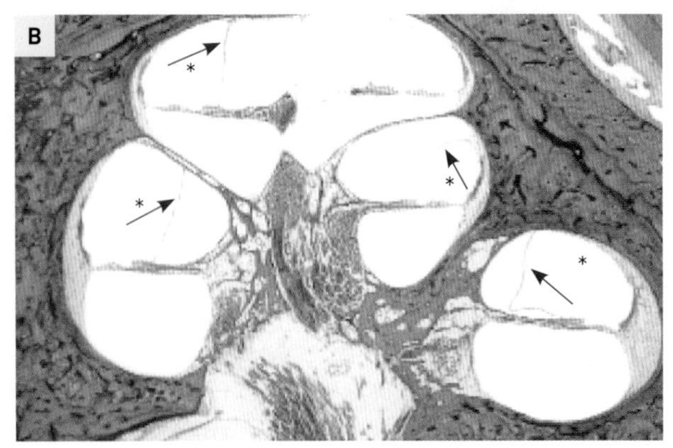

■ 그림 48-1. **A) 정상 와우의 조직학적 소견.** 정상 Reissner 막의 위치(화살표). **B) 메니에르병 환자에서 내림프수종을 보이는 조직학적 소견.** 내림프낭의 수종 소견을 보이고(*), Reissner 막의 팽창이 보인다(화살표).

이 보고되고 있다. 발생하는 메니에르병의 8~9%에서 가족성 경향을 보인다고 하며[33], 주로 상염색체우성(autosomal dominant)의 유전 경향을 보이나 다양한 유전패턴을 보이기도 한다.[18]

Ⅲ 병리 기전

메니에르병을 가진 환자의 부검시 측두골의 조직학적 소견으로 내림프수종이 확인된 이후,[13] 내림프수종과 메니에르병은 동의어처럼 사용되어 왔다. 내림프수종을 일으키는 원인으로는 1927년 Guild가 제안한 생성된 내림프가 내림프관을 통해 내림프낭으로 배설된다는 longitudinal flow에 따라 내림프의 생성이 증가되거나, 내림프낭에서의 흡수가 저하되면 내림프수종이 발생한다고 생각하였다(그림 48-1).[38]

이러한 이론을 뒷받침하는 근거들은 다음과 같다. 내림프관의 폐쇄나 내림프낭의 발달 이상으로 내림프의 움직임이 줄어들면 내림프낭에서 saccin이라는 당단백 호르몬이 분비되어 삼투압을 증가시키고 내림프의 생성을 증가시켜 수종을 일으킨다.[28] 또한 측두골의 조직학적 소견에서 내림프낭주위의 섬유화(perisaccular fibrosis)와, 내림프낭의 위축(saccular atrophy), 내림프관의 협착(stenosis of endolymphatic duct) 같은 내림프관과 내림프낭의 폐쇄의 소견이 확인되었으며,[35] 또한 sigmoid sinus가 메니에르병의 환자에서 정상인에 비해 의미 있게 전방과 내측으로 놓여 있다는 사실도 보고되었다. 최근에는 협착부위가 내림프관이 아닌 saccule과 utricle 사이의 reuniting duct라는 보고도 있다.[44] 또한 내림프낭의 면역학적 기전에 대한 관심이 높아지면서 면역성 질환이 내림프낭의 염증성 변화를 일으켜 메니에르병의 원인에 관여할 가능성을 생각할 수 있다.[23] 그 외에도 메니에르병을 일으키는 특이적인 원인으로 여러 가지가 제안되고 있다. 바이러스나 박테리아의 감염, 알레르기와 자가면역질환, 유전, 외상 등이 메니에르병의 원인이 될 수 있다.[22]

그러나 내림프수종이 어떻게 메니에르병의 특징적인 증상을 발현시키는지에 대한 설명은 1959년에 와서야 이루어졌는데 내림프강의 압력이 높아져서 막의 파열이 발생하면 높은 K성분의 내림프가 외림프와 섞이면서 내이 기능의 변화를 일으켜 증상이 발현한다는 주장이었다.[16] 이러한 파열이론(rupture theory)은 가설이 그럴 듯하여 이를 입증할 만한 뚜렷한 연구결과가 없는데도 불구하고 수십 년간 인정되어 왔다.

하지만 최근에는 이러한 내림프수종이 메니에르병 증상 발생의 직접적인 원인이라는 고전적인 가설에 대한 의문이 생겨나고 있다. Wackym 등은 내림프관 주위의 섬유화의 정도가 메니에르병 환자에서 의미 있게 증가하지 않는다고 보고하였다.[43] 또한 Guild가 주장하였던 longitudinal flow의 개념도 Salt 등은 기니픽 동물실험을 통해서 내림프의 longitudinal flow는 매우 미미하고, 주로 내림프의 조절은 radial flow에 의해서 국소적으로 일어난다고 하였다.[34] 이밖에도 Takeuchi 등은 내림프수종이 있는 환자에서 내림프와 외림프간의 압력차이가 없다는 동물실험 결과를 통해서 압력차이로 인한 막의 파열이 증상을 발현시킨다는 "파열 이론"도 신빙성이 떨어졌다.[41]

Rauch 등은 측두골 연구에서 메니에르병으로 진단받은 모든 환자에서는 내림프수종이 확인되었지만, 메니에르병의 증상이 없는 환자에서도 내림프수종이 확인되었다고 발표하였다.[32] 따라서 내림프수종과 메니에르병을 동의어로 사용할 수 없으며 내림프수종이 메니에르병의 증상을 일으키는 원인이라고도 이야기할 수 없다. 아마도 내림프수종은 메니에르병에 존재하는 조직학적 소견이지만 메니에르병의 증상을 일으키는 원인이 아니라 단순히 함께 공존하는 조직학적 소견의 가능성이 높다.[21]

따라서 최근에는 메니에르병의 병인이 단순히 해부학적인 변화가 아니라 보다 생리학적인 관점에서 접근을 하고 있다. 즉, 메니에르병은 내림프의 수분과 이온성분의 조절에 문제를 일으키는 여러 가지 복잡한 과정에 의해서 발생한다는 생리학적인 병인론이다. Gates는 메니에르병이 체내 이온의 변화와 관계가 있는 channelopathy로 생각하였으며,[11] Rauch는 메니에르병을 내이의 항상성 조절의 이상으로 발생한 내이의 퇴화라고 생각하였다.[31]

따라서 현재의 연구 방향은 과거에는 단순히 측두골의 해부학적인 소견을 통해서 메니에르병의 원인을 찾고자 했다면, 이제는 자가면역 과정이나 바이러스 감염, 세포 내 이온 항상성의 변화와 같은 생리학적인 변화를 병인으로 생각함으로써 메니에르병 환자의 병리기전에 중점을 둔 targeted therapy 개발을 위한 단서를 찾기 위한 동물모델들을 개발하고 있다.[4]

IV 진단

메니에르병의 진단은 객관적인 진단검사법이 없기 때문에 임상증상을 통해서 이루어진다. 따라서 정확한 진단 및 치료 효과를 공유하기 위한 표준화된 진단기준이나 치료 효과의 보고 기준이 마련되었다. 이중 가장 흔히 사용되는 진단기준은 미국 이비인후과학회(AAO-HNS)의 진단기준으로 3회에 걸친 개정 작업을 거쳤다. 1995년도에 개정된 진단기준은 메니에르병의 진단과 치료 효과를 발표하는 가이드라인으로서 주로 많이 사용되어 왔다(표 48-1).[20] 2015년도에는 Bárány Society에서 메니에르병의

표 48-1. 1995년도 AAO-HNS의 메니에르병의 진단기준 [20]

1. 메니에르병의 정의

메니에르병은 조직학적으로 내림프수종을 보이는 원인미상의 증후군으로 이루어진 임상 질환이다. 반복되는 발작성 어지럼증과 청력소실, 이충만감 및 이명 등이 증상으로 나타난다. 어지럼은 회전성으로 적어도 20분 이상, 대부분 수 시간 동안 지속된다. 흔히 어지럼과 함께 구토와 오심이 동반된다. 이명이나 이충만감은 반드시 동측에 동반되어야 한다.

2. 청력소실의 정의

미국이비인후과학회에서 정의한 청력소실은 순음청력 검사를 통하여 다음의 기준을 만족시켜야 한다.

① 0.25,0.5,1 kHz의 평균 역치가 1,2,3 kHz의 평균 역치보다 15 dB 이상 높아야 한다.
② 일측성 질환인 경우 0.5,1,2,3 kHz의 평균 역치가 반대측에 비해 20 dB 이상 높아야 한다.
③ 양측성 질환인 경우, 0.5,1,2,3 kHz의 평균 역치가 25 dB보다 높아야 한다.
④ 청력소실은 청력검사를 통해 객관적으로 입증되어야 한다.
⑤ 청력 변화의 기준은 0.5,1,2,3 kHz의 평균 역치를 기준으로 하고, 평균 순음청력역치가 10 dB 이상 혹은 어음판별력이 15% 이상 변할 때 임상적으로 의미를 부여한다. 만약 2개의 기준이 다르게 나타나면 순음역치의 기준에 따른다.

3. 메니에르병의 진단기준

메니에르병의 진단기준은 아래와 같다. 확실한(certain) 메니에르병은 환자 사후에 부검을 통해서 입증되는 것이므로 임상에서는 명확한(definite), 가능성 높은(probable), 가능성 있는(possible) 메니에르병 등으로만 분류할 수 있다.

확실한 메니에르병
- 명확한 메니에르병의 증상과 함께 부검 시 내림프수종이 조직학적으로 확진된 경우

명확한 메니에르병
- 20분 이상 지속되는 회전성 어지럼이 2회 이상 발생하고, 청력 검사에서 청력소실이 확인되고, 동측의 이명이나 이충만감이 동반된 경우
- 다른 원인은 배제되어야 한다.

가능성이 높은 메니에르병
- 20분 이상 지속되는 회전성 어지럼이 1회 발생하고, 청력 검사에서 청력소실이 확인되고, 동측의 이명이나 이충만감이 동반된 경우
- 다른 원인은 배제되어야 한다.

가능성이 있은 메니에르병
- 난청을 동반하지 않은 주기적 현기증의 병력
- 감각신경성 난청, 변동성 혹은 고정성, 평형장애를 동반하지만 확실한 현기증의 병력은 없음

4. 메니에르병의 병기

병기(stage)는 0.5,1,2,3 kHz의 평균 순음청력역치를 기준으로 하여 치료 전 6개월의 기간 중에서 가장 나쁜 청력에 의거한다.

병기	청력역치
1	≤25 dB
2	26~40 dB
3	41~70 dB
4	>70 dB

5. 치료 효과의 보고

어지럼 증상은 상당히 주관적이기 때문에 객관적으로 비교하기가 쉽지 않다. 따라서 비교적 객관적인 척도인 어지럼의 발작 빈도를 확인하여 증상의 정도를 판단하고 있다. 증상의 정도와 빈도를 산출하기 위해서는 환자로 하여금 매일 가정에서 증상과 관련된 일지를 쓰도록 교육하는 것이 도움이 된다. 외래 방문 시 증상 일지를 가져오도록 하여 증상의 변화를 추적할 수 있다.

어지러운 증상의 조절에 대한 평가는 치료 전 6개월간 어지럼의 발작 빈도와 치료 후 18개월에서 24개월까지의 6개월간 발작 빈도를 비교하여 보고하도록 하였다. 두 빈도의 비율을 산출하여 6단계로 구별하였다.

분류	비율	기술
Class A	0	완전한 효과
Class B	1~40	의미 있는 효과
Class C	41~80	제한적 효과
Class D	81~120	악화
Class E	>120	무의미
Class F	어지럼으로 인한 장애로 2차 치료를 시작함	

6. 기능적 상실 정도

어지럼의 증상이 일상생활에 얼마나 영향을 미치는지를 확인하기 위하여 6단계의 분류를 만들어 사용하고 있다. 발작 중이 아닌 현재 상태의 기능을 평가하도록 하였다.

Functional level scale of the AAO-HNS
1. 어지럼으로 인한 생활의 변화가 전혀 없다.
2. 어지럼이 시작되면 하던 일을 잠시 멈추어야 하지만, 곧 어지럼은 지나가고, 하던 일을 계속할 수 있다. 어지럼 때문에 행동 선택에 재한을 받지 않는다(예: 운전, 시장보기, 외출, 운동, 여행 등의 행동을 시작해야 하는 경우 제약을 받지 않는다). 어지럼 때문에 그날의 계획이나 행동을 변경하지 않는다.
3. 어지럼이 시작되면 하던 일을 잠시 멈추어야 하지만 곧 어지럼은 지나가고, 하던 일을 계속할 수 있다. 어지럼 때문에 행동 선택에 제한을 받지 않는다(예: 운전, 시장보기, 외출, 운동, 여행 등의 행동을 시작해야 하는 경우 제약을 받지 않는다). 하지만 어지럼 때문에 그날의 계획을 변경해야 했고 휴식을 위해 상사의 양해를 구해야 했다.
4. 운전이나 출근, 여행, 아기 보기나 집안일 등 대개의 기본적인 행동을 할 수 있지만 힘이 많이 들어 간신히 이런 일들을 해낸다.
5. 운전이나 직장을 다닐 수 없고, 내 가족을 돌볼 수 없다. 과거에 능숙히 하던 대개의 일을 이제는 거의 할 수 없게 되었다. 나는 장애자이다.
6. 나는 1년 이상 아무 일도 할 수 없었고, 어지럼으로 인해 보상금을 받은 적도 있다.

표 48-2. **Ménière병의 진단기준(International Classification of Vestibular Disorders (ICVD),2016)**

확실한 메니에르병(Definite Ménière's disease)
A. 자발성 회전성 어지러움이 2회 이상 발생하고, 발생시간이 20분에서 12시간까지 지속
B. 한쪽 귀에서 청력 검사로 확인된 저주파수에서 중주파수 대역의 감각신경성 난청이 어지럼 발작 전, 발작 시 또는 발작 후에 이환된 귀에서 최소 1회 이상 보이는 경우
C. 이환된 귀의 변동성이 있는 청각 증상들(청력, 이명, 또는 이 충만감)
D. 다른 전정 질환의 진단으로 설명이 되지 않음
가능성이 높은 메니에르병(Probable Ménière's disease)
A. 20분~24시간 지속되는 자발성 어지럼 또는 현훈이 2회 이상
B. 이환된 귀의 변동성이 있는 청각 증상들(청력, 이명 또는 이충만감)
C. 다른 전정 질환의 진단으로 설명이 되지 않음

이환된 귀의 청력소실의 정도는 순음청력검사에서 2,000 Hz 이하의 두 개의 연속된 주파수에서 최소 30 dB 이상의 골도청력역치의 상승이 반대측에 비하여 있어야 한다. 양측성의 저주파 감각신경성 난청의 경우는 2,000 Hz 이하의 두 개의 연속된 주파수에서 골도청력역치가 35 dB 이상을 보여야 한다.

진단기준을 새로이 만들어서 발표하였다(표 48-2).[18]

 임상 증상 및 증후

급성기에 발생하는 어지럼의 양상은 자기 자신은 움직이지 않는데도 주변이 빙빙도는 느낌을 갖는 회전성 어지럼이다. 어지럼의 지속시간은 흔히 20분 이상 지속이 되며 24시간이 넘지 않는다. 어지럼과 함께 오심과 구토가 흔히 동반된다. 급성기의 회전성 어지럼은 항상 자발안진이 동반되는데, 안진의 방향은 대개 병변의 방향으로 발생하는 자극성 안진(irritative nystagmus)이 흔하나, 병변의 반대 방향으로 발생하는 마비성 안진(paralytic nystagmus)이나 회복성 안진(recovery nystagmus)이 발생할 수 있으므로 안진의 방향으로 병변 측을 확인하기는 어렵다. 어지럼발작이 일어나기 전에는 병변 측의 귀에서 이명소리가 커지고, 먹먹함이 증가하여 발작이 일어남을 예측할 수 있다. 어지럼 발작이 끝나면 정상적인 생활을 할 수 있을 정도로 전혀 증상이 없는 경우가 많으나, 간혹 발작 후 어질한 현기증(lightheadedness), 자세불안(unsteadiness) 등의 잔존증상이 남아 있어 어지럼의 지속시간을 정확히 판정하기 어려울 때도 있다. 병의 진행이 오래되어 말기에 이르게 되면, 20분 이상의 발작성 어지럼의 빈도는 줄어 들고, 간헐적인 자세 불안이나 짧은 어지럼이 반복적으로 발생하기도 한다. 그러나 이런 짧은 어지럼이나 자세 불안의 발생은 급성기 발작으로 볼 수도 있겠으나, 현재의 진단기준에는 포함되지 않는다.

대부분의 환자들은 어지럼의 발생이 특별한 이유가 없이 발생한다. 그러나 일부 환자에서는 염분 또는 카페인과 같은 음식이나 스트레스가 유발인자로 작용할 수 있다. 또한 큰소리나 압력의 변동에 의해 어지럼이 발생되는 Hennebert sign이 발생할 수 있는데, 이는 내림프수종이 진행하여 구형낭(saccule)의 막성미로가 등골족판에 붙게 되면 등골족판의 움직임에 따라 자극이 되어 증상이 유발하게 된다. 이는 주로 병의 말기에 발생한다.

메니에르병의 아형으로서 Lermoyez syndrome과 Tumarkin's otolithic crisis (drop attacks), 지연성 메니에르병(delayed hydrops) 등이 있다. Lermoyez syndrome은 어지럼발작 이전에 이명과 청력소실이 발생하지만 어지럼발작이 끝난 후에 청각증상이 호전되고 청력이 회복되는 경우를 말한다. Tumarkin 발작은 메니에르병의 또 다른 아형으로서 의식소실이 없이 갑자기 쓰러지거나 한쪽으로 쏠리는 듯한 증상이 순간적으로 발생한다. 이는 대개 200명당 11명의 비율로 메니에르병의 말기에

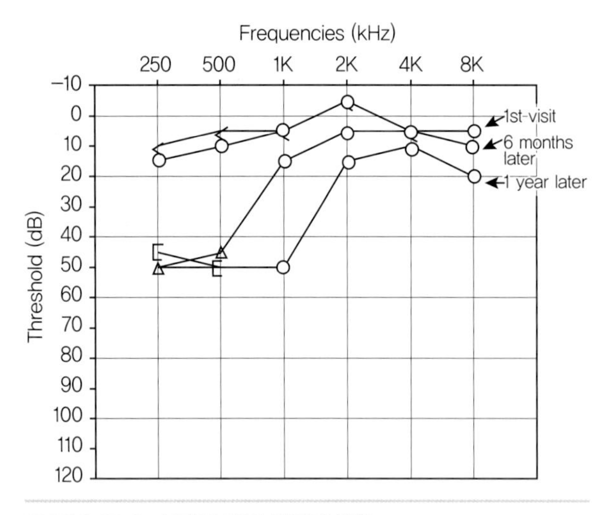

■ 그림 48-2. 시간에 따른 청력의 변화

발생하며 특별한 전조증상없이 전정척수반사의 소실로 인해 순간적으로 쓰러지게 된다.[3] 지연성 메니에르병(지연성 내수종)은 감각신경성난청이 어지럼 발생시기보다 수개월 혹은 수년 전에 선행되었다가 어지럼이 이명과 이충만감과 함께 발생되는 경우를 말한다.

청력소실은 주로 일측성으로 발생하게 된다. 병의 초기에는 저주파난청으로 시작하면서 변동성의 청력소실을 가지는 경우가 많다(그림 48-2). 메니에르병의 진단기준에 따르면 청력검사상 2,000 Hz 이하의 두개의 연속된 주파수에서 최소 30 dB 이상의 골도청력역치의 차이가 반대측에 비하여 있어야 한다. 만약 양측성 메니에르병이 의심할 경우에는 최소 35 dB 이상의 골도청력역치가 양측에 존재하여야 한다.[18]

메니에르병에서의 자연 경과를 보면 초기에 난청과 이명, 이충만감, 어지럼 증상이 함께 발생하는 경우도 있지만, 청각증상이 먼저 나타나고 수년 후에 어지럼 발작이 발생하거나, 반대로 반복적인 어지럼이 생긴 후에 청각증상이 생기는 경우도 있다. 어지럼의 발작은 마치 화산이 폭발하는 것과 같이 발작이 심하게 일어날 때는 발작의 빈도가 매우 높다가 발작이 가라앉으면 오랜 기간 발작이 없이 지낼 수 있다. 병의 말기에 이르면 발삭성 어지럼의 빈도는 감소하게 되어 심한 발작성 어지럼보다 만성적이고 짧게 반복하는 어지럼이 남는 경우가 흔하다. 말기에 이르면 대부분의 환자에서 온도안진검사상상 평균 50%의 반고리관마비가 발생한다.

난청 증상도 시간이 흐르면서 청력이 회복되기도 하고, 악화되기도 하는 변동을 보이게 된다. 청력이 악화되는 경우는 시간이 지나면서 청력도의 모양이 저주파난청에서 점차 편평형의 난청으로 진행하여, 말기에 이르게 되면, 청력의 변동성이 없어지면서 평균 50~60 dB 정도의 편평형 난청과 50% 전후의 어음변별력이 남게 된다. 이명이나 이충만감의 증상도 시간에 따라 줄어들게 되어, 이명은 고정되고, 이충만감 증상은 없어진다.[9] 고도의 난청이 발생하는 경우는 1~2%에 불과하며 양측에 발생하였을 때는 인공와우수술로 도움을 받을 수 있다.[19]

Ⅵ 검사법

메니에르병에서 시행하는 검사는 메니에르병을 확진하는데 도움을 주거나 메니에르병과 유사한 증상을 갖는 다른 질환을 감별하기 위해서 시행한다. 이외에도 환자의 현재의 기능적 상태를 판단하여 환자의 증상을 설명하거나, 치료 방침이나 치료 효과를 판정하는데 도움을 받을 수 있다.

1. 순음청력검사

메니에르병의 진단기준에 따르면 순음청력검사는 진단에 필요한 유일한 객관적 검사이므로 의심되는 환자에게는 반드시 순음청력검사를 시행하여야 한다. 환자가 난청을 호소하더라도 청력검사에 의해 입증되지 않는다면 진단을 내리기 어렵다. 순음청력검사는 골도청력과 기도청력을 측정하며, 어음청력검사를 함께 시행하여 어음변별력을 확인하는 것이 좋다. 병이 경과함에 따라 따라 청력이 변동하게 되므로, 추적기간 동안에는 주기적으로 순음청력검사를 시행하여, 병의 자연경과와 치료효과를 판정할 수 있다.

2. 혈액검사

혈액검사는 메니에르병과 유사한 증상을 일으킬 수 있는 질환을 감별하기 위하여 시행한다. 흔히 매독(RPR or FTA)과 자가면역 질환(CRP, ANA), 갑상선 질환(anti-thyroglobulin, anti-TPG antibodies)에 대한 검사를 시행한다.

3. 전기생리검사

전기와우도검사(Electrocochleography)는 메니에르병의 진단에 보조적인 역할을 할 수 있는 주요한 검사법이다[7]. 메니에르병에서 전기와우도검사를 시행하였을 때 Summating Potential (SP)이 증가하여 SP/AP의 비가 높아지게 된다. 이는 Reissner membrane이 외부로 팽창되어 있는 것을 확인할 수 있는 검사로 SP/AP 비율이 높다면 내림프수종이 있거나 내림프낭의 압력이 높다는 것을 의미하므로 메니에르병의 진단에 이용되어 왔다. 측정방법으로 전극의 종류에 따라 경고막법(transtympanic)과 고막외법(extratympanic) 방법이 있다. 자극음으로는 클릭(click) 음이나 톤버스트(tone burst) 음을 사용한다. 경고막법(Transtympanic ECoG)은 잡음이 적고, 진폭이 큰 파형을 얻을 수 있으나 침습적이므로, 고막외법(extratympanic ECoG)을 사용하여 비침습적으로 측정하는 방법을 선호한다. SP/AP 비율의 정상치는 검사기관에 따라 차이를 볼 수 있지만, 0.34를 기준으로 했을 때 확실한 메니에르병에서 71%의 양성률을 보였다[6]. 또한 전기와우도검사의 SP/AP가 병의 자연경과에서 청력의 예후와 상관관계를 보이기도 한다.[24]

4. 전정기능검사

전정기능검사로서 흔히 사용되는 검사는 온도안진검사(Caloric test)와 전정유발근전위검사(VEMP)가 있다. 온도안진검사는 주로 상전정신경을, 전정유발근전위 검사는 하전정신경의 기능을 대표하면서 전정기능의 상태를 보여준다. 메니에르병의 약 50%에서는 정상적인 전정기능을 갖고 있는 경우가 있으며, 전정기능의 여부와 발작의 정도를 판정하기는 어려움이 있다. 메니에르병의 말기에 가면 온도안진검사상 약 50%의 반고리관마비를 보인다[9]. 최근에는 온도안진검사상 반고리관마비의 발생이 전정기능의 저하가 아니라 내림프수종에 의한 수평반고리관의 내림프강의 직경이 확대되어 온도안진검사에 의한 반응이 떨어져서 발생된다는 가설이 제기되고 있다.[5] 이는 메니에르병 환자에서 온도안진검사에서는 이상을 보이나, 비데오 두부충동검사(video Head Impulse Test, vHIT)에서는 정상을 보이는 환자군이 많은 것으로도 설명될 수 있다.[29]

전정기능검사는 내과적치료에 도움을 받지 못해 고실내 겐타마이신주입술(intratympanic gentamicin injection)을 시행받는 환자에서 치료 전후의 효과를 판정하는데 도움을 줄 수 있다.

5. 영상 검사

메니에르병에서의 영상학적인 검사는 주로 메니에르병과 유사한 증상을 일으키는 다른 질환을 감별하기 위해서 필요하다. 일측성 감각신경성난청을 일으킬 수 있는 청신경종과 같은 후미로성 질환이나, 내이 기형, 회전성 어지럼을 일으킬 수 있는 미로염, 내림프낭종양, 뇌경색(출혈) 등을 감별하기 위하여 CT 혹은 MRI를 촬영한다.

최근에는 MRI를 이용하여 내림프수종을 확인하기도 한다. 정맥내나 고실내로 Gadolinium 조영제를 주사하였을 때 외림프액은 조영증강이 되고, 내림프액은 조영증강이 잘 되지 않아 신호강도의 차이로 내림프수종을 관찰

■ 그림 48-3. MRI 영상을 통해 내림프는 검은색(화살표), 외림프는 흰색, 와우 골구조는 회색을 나타내어 내림프수종을 볼 수 있다.

할 수 있다(그림 48-3).

Ⅶ 감별진단

메니에르병의 진단기준에도 명시되어 있듯이 진단을 위해서는 비슷한 증상을 보이는 다른 전정 질환을 감별하는 것이 매우 중요하다. 이 중 감별진단이 중요한 질환으로 편두통성 어지럼, 양성발작성두위현훈, 외림프누공, 자가면역성 질환, 청신경초종, 내이기형(EVAS) 등이 있다. 이 중 편두통성 어지럼은 메니에르병과 감별하는데 어려운 경우가 많고, 병인에 연관을 갖는 경우가 많아서 감별 시 주의를 요한다.

전정편두통(편두통성 어지럼)

전정편두통(Vestibular migraine)은 이제 Barany Society나 International headache Society에서 하나의 질환으로 인정받은 상태로서 편두통을 가지고 있는 환자에서 반복적인 어지럼이 발생될 때 진단을 내릴 수 있는 질환이다.[17]

편두통은 일반적으로 두통과 관계된 질환이지만, 광범위한 범위의 감각기관의 이상증상을 나타낸다. 예를 들어 빛이나 소리에 민감한 증상으로 보이고, 과민성 피부 감각과 차멀미 증상과 같은 신체의 움직임에 대한 민감도도 높아진다. 편두통 환자의 25~35%에서 반복적인 어지럼과 회전성 어지럼을 호소하기도 하고, 청각증상도 38%에서 나타날 수 있다. 따라서 메니에르병과 유사한 증상을 보이고 두 질환을 정확히 감별하는데 어려움이 있다.

편두통의 유병률은 전체 인구의 13~14%로 보고되고 있고, 전정편두통은 1%로 보고되고 있다. 메니에르병의 유병률을 0.2~0.5%로 보았을 때, 메니에르병보다 전정편두통의 유병률은 훨씬 높다. 또한 메니에르병을 가진 환자에서 그렇지 않은 환자보다 평생 편두통을 가지게 될 유병률이 높다고 보고하여(50% vs. 25%) 메니에르병과 편두통의 병인에 연관성이 있음을 보여주었다.[30]

이러한 두 개의 질환의 감별은 두 질환의 치료에 중요한 영향을 미친다. 특히 메니에르병으로 진단이 되어 약물요법을 시도하였으나 효과가 없어 고실내 겐타마이신주입술이나 수술요법과 같은 비가역적인 시술을 선택할 때에는 더 주의를 요한다. 필요한 경우에는 편두통에 관련된 약물요법을 우선 시도해 볼 수도 있다. 편두통 치료를 시도했는데도 불구하고 증상의 호전이 없는 경우에는 메니에르병에 대한 비가역적인 시술이 가능할 수 있다.

Ⅷ 치료

메니에르병에 대한 치료는 어지럼의 발작이 시작되었을 때 어지럼과 구토를 줄이기 위한 급성기치료와 병의 경과 과정 중에서 어지럼 발작의 빈도를 줄이고 난청, 이명, 이충만감을 호전시키기 위한 만성기 치료로 나눌 수 있다.

급성기치료는 주로 약물 요법이 이용되고, 만성기 치료에는 식생활을 포함한 생활습관의 개선, 약물요법, 고실

표 48-4. 메니에르병의 치료

급성기치료(Acute treatment)
1. 전정억제제(Vestibular suppressant)
2. 항구토제(Antiemetics)
만성기치료(Chronic treatment)
1. 생활습관의 개선(Life style change)
- 저염식(Low salt diet)
- 스트레스 관리(Stress reduction)
2. 약물 요법(Medical treatment)
- 이뇨제(Diuretics)
- 베타히스틴(Betahistine)
- 스테로이드(Steroid)
3. 고실내 주입술(Intratympanic therapy)
- 스테로이드(Steroid)
- 겐타마이신(Gentamicin)
4. 수술요법(Surgical treatment)
- 내림프낭 감압술(Endolymphatic sac decompression surgery)
- 미로절제술(Labyrinthectomy)
- 전정신경절제술(Vestibular neurectomy)
5. 기타 요법(Others)
- Meniette (low pressure therapy)
- 전정재활(Vestibular rehabilitation)
- 청력재활(Hearing habilitation)

내주입술, 수술요법 등이 있다(표 48-4).

1. 급성기치료(Acute treatment)

회전성 어지럼으로 인해 중심을 잡지 못하거나 심한 구토 및 불안감이 심할 때는 전정억제제와 항구토제 등을 투여하여 증상을 줄여준다. 전정억제제의 약물로는 benzodiazepine계, 항 히스타민 계(antihistamine), 항콜린계(anticholinergics) 및 항도파민계(antidopaminergics)의 약제가 있다.

Benzodiazepine계 약물은 전정억제기능을 주로 하면서 항불안 효과를 보이므로 많이 사용되고 있다. 그러나, 전정보상작용을 억제할 수 있으므로 오랜 기간 사용하는 것은 권장되지 않는다. 항히스타민제는 어지럼을 억제하고 구토를 억제하는 역할을 하지만, 항콜린작용이 있으므로 녹내장이나 전립선비대증이 있는 경우에는 주의를 요한다. Scopolamine과 같은 항콜린계 약물은 차멀미와 같은 오심과 구토의 예방에 흔히 사용된다. 항도파민계 약물도 오심과 구토예방에 많이 사용된다. 그러나 소아의 경우 extrapyramidal 증상이 나올 수 있으므로 사용할 수 없다.

또한 급성기에는 약물요법과 함께 보조적으로 심리적인 안정과 충분한 수분공급, 전해질 교정 등이 필요하다.

2. 만성기치료(Chronic treatment)

메니에르병은 어지럼과 난청, 이명, 이충만감 증상이 반복적으로 발생하면서 점차 청력과 평형 기능의 악화가 진행된다. 또한 예측할 수 없는 증상의 발작으로 인해 환자의 불안감이 커지고 일상생활을 제대로 영위할 수 없게 된다. 따라서 만성기치료의 목적은 증상 발작의 빈도를 줄임으로써 병의 진행을 막고, 환자의 불안감을 해소 시켜 정상적인 생활을 영위하도록 하는 데 있다. 또한 병의 말기에 남아있는 만성적 어지럼이나 난청, 이명 증상에 대한 재활치료도 포함된다

1) 생활습관의 변화(Life style change)

메니에르병의 환자 중에는 어떠한 특정 요인에 의해 어지럼이 유발되는 경우가 있다. 흔한 유발 요인으로는 심리적 스트레스, 고염식, 카페인, 술, 니코틴, 알레르기 등이 있다. 여성의 경우는 월경과 같은 호르몬의 변화로 어지럼이 발생되는 경우도 있다. 따라서 이러한 유발요인이 확인된다면, 이를 피하는 것이 병의 진행을 막는데 도움이 된다.

저염식은 메니에르병의 치료에 있어서 오래 전부터 중요하다고 생각되어 왔다. 내림프수종이 메니에르병과 연관이 있다고 보았을 때 고염분은 수분의 흡수를 일으켜 내림프수종을 악화시킬 것으로 생각했고, 실제 고염분이 어지럼 발작을 유발시키는 경우도 있었다. 따라서 환자에게는 수분 섭취는 충분히 하면서 하루 1,500~2,000 mg

이하의 Na을 섭취하도록 권해왔다. 그러나, 이러한 저염식의 효과에 대해서 과학적으로 입증된 것은 없다. 최근에는 메니에르병의 원인이 내림프수종보다는 내이에서 수분이나 전해질의 항상성 조절에 문제가 있는 불안정한 내이 질환이라는 병인론이 대두되면서, 저염식보다는 하루 3,000 mg(끼니당 1,000 mg)의 Na을 일정하게 매일 섭취하는 것이 불안정한 내이의 항상성을 유지하는 데 도움이 될 것이라고 제안되었다.[31]

스트레스는 메니에르르병의 진행과 밀접한 관계가 있다. 정서적인 스트레스가 메니에르병의 발작의 유발 원인으로 알려져 있다.[37] 아직 스트레스가 증상 발현의 원인인지 결과물인지는 논란의 여지가 있지만, 임상적으로 메니에르병의 치료 시 질환에 대한 충분한 설명과 심리적 지지를 통해서 환자의 불안을 줄여 주고 심리적인 안정을 갖도록 하는 것이 증상을 완화시키는데 매우 중요하다.

2) 약물요법

메니에르병의 약물요법으로서 가장 흔히 사용되는 약제는 이뇨제이다. 저염식과 함께 신체의 염분양과 수분양을 줄여서 내림프압을 줄이고, 내림프수종을 줄이는데 도움이 될 것으로 생각되어 사용되어 왔다. 최근에는 불안정한 내이에서 수분이나 전해질의 항상성 유지에 관여할 것으로 생각하고 있다.[31]

이뇨제의 종류는 thiazide 계열, K의 손실 억제 이뇨제, loop 이뇨제와 carbonic anhydrase 억제제, isorbide와 같은 삼투성 이뇨제 등이 있다. 흔히 hydrochlorthiazide와 K의 손실을 억제하는 amiloride 계열의 이뇨제를 함께 사용하고 있다. 이뇨제의 치료 효과에 대해서는 아직 확실한 과학적 증거는 보이지 않지만[42], 저염식과 함께 사용했을 때 60~80%의 증상의 호전을 보인다고 알려져 있다. 따라서 메니에르병의 치료에 있어서 저염식과 함께 이뇨제의 사용은 현재에도 흔히 사용되는 치료법이다. 사용기한에 대한 제한은 없으며, 증상이 없는 기간이 3~6개월 이상 나타나면 약물을 서서히 줄일 수 있고, 다시 증상이 재발하면 재사용이 가능하다.

스테로이드는 메니에르병의 급성기나 만성기치료에 효과를 보인다고 하여 많이 사용되고 있다. 메니에르병의 급성기에 청력이 갑자기 떨어지거나,[14] 어지럼의 빈도가 이뇨제 등의 약물 요법으로도 줄어들지 않을 때 스테로이드를 사용한다. 스테로이드는 주로 고용량(1 mg/kg)의 스테로이드를 1주간 복용하던가, 고실내 주입술을 시행하기도 한다. 일측성 메니에르병 환자에서 고실내 Dexamethasone (4 mg/ml)을 주입하여 2중 맹검 검사를 시행하였을 때 82%의 어지럼 조절, 48%의 이명 개선, 35%의 청력 개선, 48%의 이충만감 증상의 개선을 보여 대조군과 유의한 차이를 보였다.[10]

메니에르병의 원인에서 알레르기나 자가면역 질환이 관계한다고 알려져 있기 때문에 이러한 원인이 의심될 때도 스테로이드를 사용할 수 있다. 반대로 스테로이드 사용 후 청력 호전 등 강한 반응을 보일 때는 자가면역성 질환을 의심하여 이에 대한 추가 검사가 필요할 수 있다. 또한 양측성 청력감소로 자가면역 질환이 의심되는 경우에도 스테로이드나 면역억제제(methotrexate)를 사용할 수 있다. 스테로이드는 흔히 염증반응을 줄이고 와우의 혈류량을 증가시켜 치료 효과를 보일 수 있다.

메니에르병의 치료에 히스타민계열의 약물이 혈류량을 증가시킴으로서 효과적일 수 있다. Betahistine은 히스타민계열의 약물로 중추 전정핵의 활동을 줄일 뿐 아니라 와우의 혈액순환을 증진시켜서 미세순환장애로 인한 메니에르병의 증상을 완화시킬 수 있다. Fraysse 등은 60일간의 betahistine을 복용했을 때 유의하게 어지럼의 빈도와 강도가 줄어들었다고 보고하였다.[8] 그러나 최근에 발표된 연구에 있어서는 저용량(48 mg/day)과 고용량(144 mg/day)의 betahistine을 사용하였을 때 큰 차이를 보이지 않는다는 보고도 있어,[1] 아직 betahistine의 효과는 제한적이라 할 수 있다.

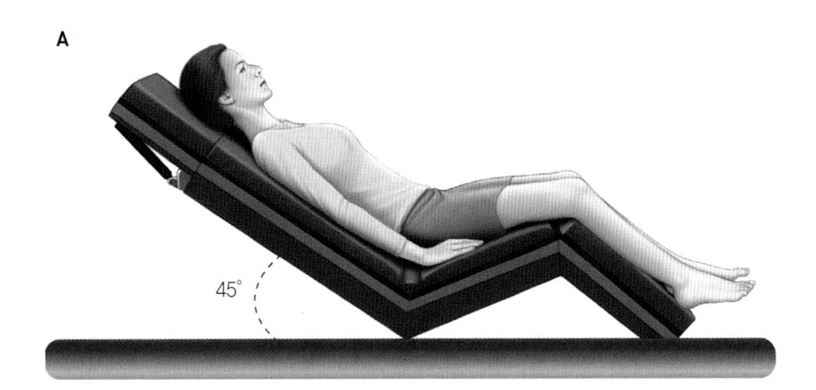

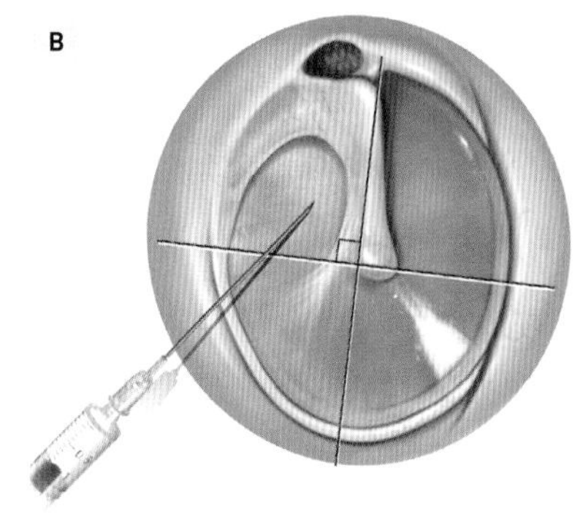

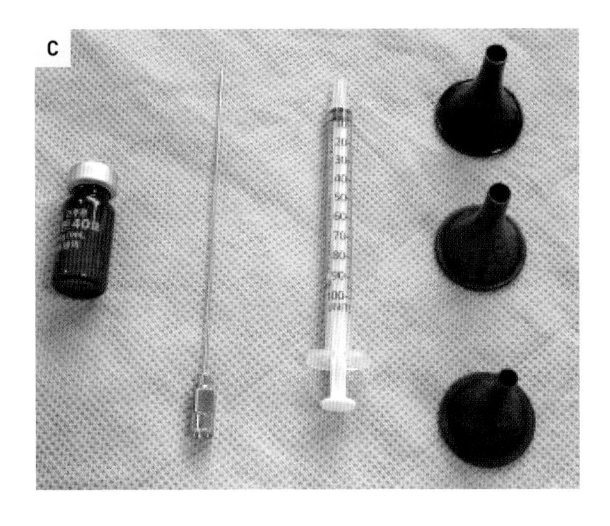

■ 그림 48-4. 환자를 45°로 뒤로 눕힌 자세에서 고개를 건측으로 돌리게 한다. 24 G spinal needle을 이용하여 고막의 전상방이나 후상방을 통하여 고실내로 주입시킨다.

3) 고실내 주입술

생활습관개선과 약물요법을 포함한 내과적 치료에도 불구하고 메니에르병의 증상이 호전되지 않은 경우에는 고실내 주입술을 시행할 수 있다. 고실내 주입술의 목적은 고농도의 약물을 전신적인 부작용 없이 중이를 통해 내이로 전달시키기 위함이다. 고실내 주입술은 수술적 요법에 비해 간단히 외래에서 시행할 수 있고, 환자의 순응도가 높아서 활용도가 점점 높아지고 있다. 메니에르병에서 고실내 주입술에 사용되는 대표적인 약물로는 스테로이드와 아미노글라이코사이드가 있다.

고실내 주입술은 외래에서 간단히 시행할 수 있는 시술이다(그림 48-4). 고막 마취를 위해서 10% xylocaine solution을 솜에 묻혀서 고막 위에 10분간 놓아둔다. 1 cc syringe를 이용하여 주입할 약물 0.3~0.5 cc를 고막 상부를 통하여 고실내로 주입한다. 환자의 자세는 45° 정도 뒤로 제쳐진 의자에 기대앉아 있거나 침대에 누운 상태에서 고개를 건측으로 돌리게 한다. 주입 시간은 20~30분 정도로 하고, 그 동안에는 침을 삼키거나 대화를 하지 못하게 하여 고실 내의 약물이 이관을 통하여 빠져 나가지 못하도록 한다. 주입 시간이 끝나면 귀 안에 남아 있는 약물을 제거해주고, 다음 외래 방문 시 천공이나 염증의 여부를 확인한다.

메니에르병에서의 고실내 스테로이드 주입술은 dexamethasone과 methyprednisolone을 사용하여 왔는데, dexamethasone을 임상에서 더 많이 사용하고 있다. 현재까지 발표된 3가지의 RCT (Randomized Controlled Trial) 연구에서 어지럼발작의 조절에 고실내 스테로이드(dexamethasone)가 도움이 된다고 보고되었다.[39] 그러나 주입 프로토콜은 저자마다 차이를 보이고 확실하게 정립되어 있지는 않다.

메니에르병에서의 고실내 아미노글라이코사이드 주입은 1957 Schuknecht에 의해서 처음 시행되었다. 당시에는 Streptomycin을 이용하였으나, 1970년대 말부터는 대부분 겐타마이신을 사용하였다. 그 이유는 겐타마이신이 고실 내로의 주입이 편하고, 정원창이나 난원창을 통해서 내이로 들어가서 전정유모세포를 효과적으로 손상시킬 수 있다고 생각했기 때문이다. 겐타마이신을 통한 고실내 겐타마이신 주입술의 기본 개념은 주로 전정유모세포를 손상시키는 화학적절제술(chemical ablation)이다. 주입 방법은 주입 횟수와 기간, 용량에 따라 차이가 있는데, 주입방법에 따라 어지럼의 호전의 정도는 차이가 없지만 청력손상의 정도의 차이를 보였다. RCT 검사에서도 고실내 겐타마이신 주입술이 어지럼발작의 호전에는 유의하게 도움이 되지만, 청력손상의 가능성이 있기 때문에 serviceable 청력역치를 가진 환자에서는 주의를 요한다고 하였다[39]. 최근에는 주로 저용량의 겐타마이신을 1회만 투여하여도 어지럼 조절에 좋은 결과를 보이고, 청력 손상이 거의 일어나지 않으므로 이러한 주입방법을 많이 사용되고 있다

양측성 메니에르병의 가능성이 있는 경우에는 고실내 겐타마이신 주입술은 주의를 하여야 한다. 이로 인해 양측 전정소실이 발생한다면 심한 자세 불균형 및 동요시로 인해 평생 심각한 평형 장애 상태로 지낼 수 있기 때문이다.

4) 수술적 요법

(1) 내림프낭 감압술(Endolymphatic sac decompression surgery)

내림프낭 감압술은 내림프수종의 모델에서 내림프의 압력을 줄이기 위해서 고안된 수술이다(그림 48-5). 내림프낭 수술의 이론적 배경은 크게 두 가지이다. 첫째는 내림프낭의 절개를 통해서 내림프의 배출을 유도하고, 둘째는 내림프낭 본연의 흡수 기능을 증강시키는 것이다. 이는 내림프낭을 둘러싸고 있는 뼈를 제거함으로서 내림프낭 주변의 압력을 감소시키고, 내림프낭 절개 후에 silastic sheet을 넣어 내림프를 외부로 배출시켜주게 된다. 내림프낭의 수술에는 external endolymphatic shunt와 internal endolymphatic shunt가 있다.

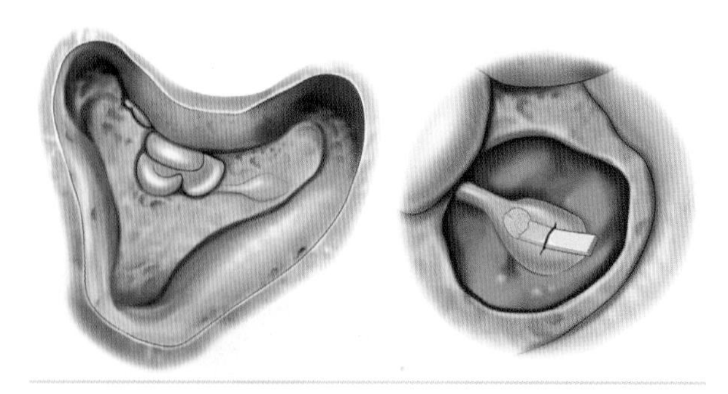

■ **그림 48-5. 내림프낭 감압술의 도식도.** 내림프낭을 둘러싸고 있는 뼈를 제거하고, 내림프낭을 절개하여 내림프의 배출을 용이하게 해준다.

External endolymphatic shunt는 유양돌기 절개술을 통해 내림프낭을 노출시키고, 내림프낭의 내측이나 외측을 절개하여 지주막하공간이나 유양돌기공과 연결을 시켜준다. 그러나 치료 효과 면에서는 보고자마다 상당한 차이를 보이고 있다. Thomsen 등은 내림프강 수술이 단지 placebo 효과라면서 그 효과를 무시하였다. Silverstein도 본 시술의 결과와 메니에르 질환 환자의 자연 경과와 의미 있는 차이를 보이지 않는다고 하였다. 그러나 보고자에 따라서는 90%의 효과를 보이기도 한다. 또한 시술이 비교적 간단하고, 합병증도 드물고 청력이 보전되기 때문에, 내과적 치료로 도움을 받지 못한 환자들에게 우선적으로 시술할 수 있다. 특히 청력이 좋은 환자나 양측성 메니에르병의 환자에서 효과적으로 사용할 수 있다.

Internal endolymphatic shunt는 cochleosacculotomy와 같이 내림프강과 외림프강 간에 누공을 만들어 주어 내림프강의 높은 압력을 외림프강으로 보내는 시술이다. 수술은 국소마취하에서 정원창을 통해 osseous spiral lamina를 통해 saccule까지 누공을 형성시킨다.

본 시술은 비교적 간단하지만 청력소실이 25%까지 보고되고 있다.

(2) 전정신경절제술(Vestibular neurectomy)

내과적 치료에 반응하지 않는 일측성 메니에르병에서 유용한 청력(serviceable hearing) (청력 역치 <50 dB, 어음변별력 >50%)을 가진 경우에 청력보존을 위해 전정신경절제술을 시행할 수 있다. 금기증으로는 유일청(only hearing), 중추신경계의 이상이 동반된 경우, 전신상태가 불량한 경우, 그리고 양측성 질환 등이 있다. 또한 고실내 겐타마이신주입술 후에도 증상이 호전되지 않은 상태에서 청력을 보존하기를 원할 때 사용할 수 있다.

수술은 후두개 접근법과 중두개 접근법이 있는데 주로 후두개 접근법을 통해 시술한다. 수술 결과는 85%에서 어지러움의 발생의 호전을 보였고, 80%에서 청력이 보전되었다. 그러나 본 시술은 난청, 안면신경마비, 뇌척수액 누출, 그리고 뇌막염 등의 합병증을 동반할 수 있다는 단점이 있다.[36]

(3) 미로절제술(Labyrinthectomy)

내과적 치료나 고실내 겐타마이신 주입술에도 반응을 하지 않으면서, 청력이 나쁜 경우(>80 dB, <20%)에는 미로절제술의 적응이 될 수 있다. 그러나 양측성 메니에르병의 경우에는 시행하기 어려우므로 일측성 메니에르병에 사용해야 한다.

5) 기타 요법

(1) Meniett device (Low pressure therapy)

본 기계는 낮은 압력을 중이를 통해 반복적으로 내이에 전달해주면, 내림프강 내의 내림프의 움직임을 일으켜 내림프강 내의 압력을 완화시켜준다는 원리이지만 아직 정확한 기전을 알지 못한다. 장기 추적관찰에서 75%의 어지럼빈도를 호전시킨다는 보고가 있지만 증거가 충분하지 못하다.[40] 또한 환자에게 환기관 삽입술을 시행하여야 하고, 기계값이 비싸서 그 효용성은 높지 않다.

(2) 전정재활(Vestibular rehabilitation)

메니에르병의 말기가 되면 어지럼의 발작의 빈도는 줄어 들었지만 만성적인 어지럼을 호소하는경우가 있다. 또한 심한 어지럼은 조절되었지만, 발작 사이에 여전히 자세불안이나 중심동요와 같은 증상을 보이는 경우에는 전정재활치료의 대상이 된다. 이러한 경우 전정재활치료를 시행하여 대부분의 환자에서 객관적, 주관적으로 의미 있는 향상을 나타냈음을 보고하였다.[12]

(3) 청각재활(Hearing habilitation)

메니에르병의 증상 중 난청과 이명 등의 청각 증상도 환자의 일상생활에 많은 영향을 미칠 수 있다. 일측성 난청이 있는 경우에는 소리의 방향성을 알기가 어렵고, 환측 방향에서의 소리의 감지가 어려울 수 있으므로, 이러한 경우 보청기가 필요할 수 있다. 전통적인 보청기로 사용하기 어려운 고도의 난청이 있는 경우에는 CROS 보청기나 골도 보청기가 필요할 수 있다. 양측성 난청이 있는 경우에도 청력으로 인한 장애가 형성되므로, 이러한 경우 보청기를 착용할 수 있다. 보청기로도 도움이 제한적인 고도 난청의 경우에는 인공와우술을 시행할 수 있다.

이명도 생활에 많은 불편함을 끼칠 수 있다. 따라서 이러한 경우에는 이명재활을 시행하기도 한다.

참고문헌

1. Adrion C, Fischer CS, Wagner J, Gurkov R, Mansmann U, Strupp M. Efficacy and safety of betahistine treatment in patients with Meniere's disease: primary results of a long term, multicentre, double blind, randomised, placebo controlled, dose defining trial (BEMED trial). BMJ 2016;352:h6816.
2. Balkany TJ, Sires B, Arenberg IK. Bilateral aspects of Meniere's disease: an underestimated clinical entity. Otolaryngol Clin North Am 1980;13:603-609.

3. Baloh RW, Jacobson K, Winder T. Drop attacks with Meniere's syndrome. Ann Neurol 1990;28:384-387.
4. Berlinger NT. Meniere's disease: new concepts, new treatments. Minn Med 2011;94:33-36.
5. Choi JE, Kim YK, Cho YS, Lee K, Park HW, Yoon SH, Kim HJ, Chung WH. Morphological correlation between caloric tests and vestibular hydrops in Meniere's disease using intravenous Gd enhanced inner ear MRI. PLoS One 2017;12:epub.
6. Chung WH, Cho DY, Choi JY, Hong SH. Clinical usefulness of extratympanic electrocochleography in the diagnosis of Meniere's disease. Otol Neurotol 2004;25:144-149.
7. Ferraro J, Best LG, Arenberg IK. The use of electrocochleography in the diagnosis, assessment, and monitoring of endolymphatic hydrops. Otolaryngol Clin North Am 1983;16:69-82.
8. Fraysse B, Bebear JP, Dubreuil C, Berges C, Dauman R. Betahistine dihydrochloride versus flunarizine. A double-blind study on recurrent vertigo with or without cochlear syndrome typical of Meniere's disease. Acta Otolaryngol Suppl 1991;490:1-10.
9. Friberg U, Stahle J, Svedberg A. The natural course of Meniere's disease. Acta Otolaryngol Suppl 1984;406:72-77.
10. Garduno-Anaya MA, Couthino De Toledo H, Hinojosa-Gonzalez R, Pane-Pianese C, Rios-Castaneda LC. Dexamethasone inner ear perfusion by intratympanic injection in unilateral Meniere's disease: a two-year prospective, placebo-controlled, double-blind, randomized trial. Otolaryngol Head Neck Surg 2005;133:285-294.
11. Gates P. Hypothesis: could Meniere's disease be a channelopathy? Intern Med J 2005;35:488-489.
12. Gottshall KR HM, Moore RJ, Balough BJ. The role of vestibular rehabilitation in the treatment of Meniere's disease. Otolaryngol Head Neck Surg 2005;133:326-328.
13. Hallpike CS, Cairns H. Observations on the Pathology of Meniere's Syndrome: (Section of Otology). Proc R Soc Med 1938;31:1317-1336.
14. Hillman TM, Arriaga MA, Chen DA. Intratympanic steroids: do they acutely improve hearing in cases of cochlear hydrops? Laryngoscope 2003;113:1903-1907.
15. K Y. Uber die pathologisch Veranderung bei einem M é ni è re-Kranken. J Otorhinolaryngol Soc Jpn 1938;4:2310-2312.
16. Lawrence M, McCabe BF. Inner-ear mechanics and deafness. Special consideration of Meniere's syndrome. J Am Med Assoc 1959;171:1927-1932.
17. Lempert T, Olesen J, Furman J, et al. Vestibular migraine: diagnostic criteria. J Vestib Res 2012;22:167-172.
18. Lopez-Escamez JA, Carey J, Chung WH, et al. Diagnostic criteria for Meniere's disease. J Vestib Res 2015;25:1-7.
19. Lustig LR, Yeagle J, Niparko JK, Minor LB. Cochlear implantation in patients with bilateral Meniere's syndrome. Otol Neurotol 2003;24:397-403.
20. Md PC, Thomas A. Balkany MD, George A. Gates MD, et al. Committee on Hearing and Equilibrium guidelines for the diagnosis and evaluation of therapy in Meniere's disease*. Otolaryngology - Head and Neck Surgery 1995;113:181-185.
21. Merchant SN, Adams JC, Nadol JB, Jr. Pathophysiology of Meniere's syndrome: are symptoms caused by endolymphatic hydrops? Otol Neurotol 2005;26:74-81.
22. Merchant SN, Rauch SD, Nadol JB, Jr. Meniere's disease. Eur Arch Otorhinolaryngol 1995;252:63-75.
23. Moller MN, Brandt C, Ostergaard C, Caye-Thomasen P. Endolymphatic sac involvement in bacterial meningitis. Eur Arch Otorhinolaryngol 2015;272:843-851.
24. Moon IJ, Park GY, Choi J, Cho YS, Hong SH, Chung WH. Predictive value of electrocochleography for determining hearing outcomes in Meniere's disease. Otol Neurotol 2012;33:204-210.
25. Murdin L, Schilder AG. Epidemiology of balance symptoms and disorders in the community: a systematic review. Otol Neurotol 2015;36:387-392.
26. Nakae K KK. Epidemiological study of Meniere's disease Pract Otol (Kyoto) 1984;69:1783-1788.
27. P M. Maladies de l'oreille interne off rant des symptomes de la congestion cerebral apoplectiforme. Gaz Med de Paris 1961;16:88.
28. Paparella MM, Djalilian HR. Etiology, pathophysiology of symptoms, and pathogenesis of Meniere's disease. Otolaryngol Clin North Am 2002;35:529-545, vi.
29. Park HJ, Migliaccio AA, Della Santina CC, Minor LB, Carey JP. Search-coil head-thrust and caloric tests in Meniere's disease. Acta Otolaryngol 2005;125:852-857.
30. Radtke A, Lempert T, Gresty MA, Brookes GB, Bronstein AM, Neuhauser H. Migraine and Meniere's disease: is there a link? Neurology 2002;59:1700-1704.
31. Rauch SD. Clinical hints and precipitating factors in patients suffering from Meniere's disease. Otolaryngol Clin North Am 2010;43:1011-1017.
32. Rauch SD, Merchant SN, Thedinger BA. Meniere's syndrome and endolymphatic hydrops. Double-blind temporal bone study. Ann Otol Rhinol Laryngol 1989;98:873-883.
33. Requena T, Espinosa-Sanchez JM, Cabrera S, et al. Familial clustering and genetic heterogeneity in Meniere's disease. Clin Genet 2014;85:245-252.
34. Salt AN, Thalmann R, Marcus DC, Bohne BA. Direct measurement of longitudinal endolymph flow rate in the guinea pig cochlea. Hear Res 1986;23:141-151.
35. Schuknecht HF. The pathophysiology of Meniere's disease. Am J Otol 1984;5:526-527.
36. Silverstein H, Wanamaker H, Flanzer J, Rosenberg S. Vestibular neurectomy in the United States--1990. Am J Otol 1992;13:23-30.

37. Söderman AC MJ, Bagger-Sjöbäck D, Bergenius J, Hallqvist J. Stress as a trigger of attacks in Menière's disease. A case-crossover study. Laryngoscope 2004;114:1843-1848.
38. SR G. The circulation of the endolymph. Am J Anat 1927;39:57-81.
39. Syed MI, Ilan O, Nassar J, Rutka JA. Intratympanic therapy in Meniere's syndrome or disease: up to date evidence for clinical practice. Clin Otolaryngol 2015;40:682-690.
40. Syed MI, Rutka JA, Hendry J, Browning GG. Positive pressure therapy for Meniere's syndrome/disease with a Meniett device: a systematic review of randomised controlled trials. Clin Otolaryngol 2015;40:197-207.
41. Takeuchi S, Takeda T, Saito H. Pressure relationship between perilymph and endolymph in guinea pigs. Acta Otolaryngol 1990;109:93-100.
42. Thirlwall AS, Kundu S. Diuretics for Meniere's disease or syndrome. Cochrane Database Syst Rev 2006:CD003599.
43. Wackym PA, Linthicum FH, Jr., Ward PH, House WF, Micevych PE, Bagger-Sjoback D. Re-evaluation of the role of the human endolymphatic sac in Meniere's disease. Otolaryngol Head Neck Surg 1990;102:732-744.
44. Yamane H, Takayama M, Sunami K, Sakamoto H, Imoto T, Anniko M. Blockage of reuniting duct in Meniere's disease. Acta Otolaryngol 2010;130:233-239.

CHAPTER

49

어지럼증의 진단 및 치료_ 전정신경염 및 전정재활

이비인후과학 Otorhinolaryngology - Head and Neck Surgery

이치규

전정신경염(vestibular neuritis; vestibular neuronitis)은 청력손실을 동반하지 않는 갑작스러운 회전성 어지럼과 오심, 구토 등이 수일간 지속되는 경우 쉽게 의심해 볼 수 있다. 예전에는 유행성 어지러움(epidemic vertigo), 급성 미로염(acute labyrinthitis), 신경미로염 (neurolabyrinthitis), 원인불명 급성 편측전정병증(acute unilateral vestibulopathy of unknown cause) 등의 다양한 병명으로 불렸으나 최근 청력 손상이 동반된 경우 급성 미로염, 동반되지 않는 경우 전정신경염으로 많이 통일되고 있다.[38] 염증이나 혈류 장애 등으로 일측성 전정기관의 손상이 일어난 경우에 발생하며, 대부분의 말초성 전정장애와 같이 시간이 경과하면서 증상이 점차 자연적으로 호전된다.

I 역학

현재까지 전정신경염의 정확한 전체 유병률은 알려져 있지 않으나, 년간 발생률은 인구 10만 명당 3.5명에서 15.5명 정도로 보고되고 있다.[1,36] 30~60세에 주로 발생하며, 40~50대에 가장 많이 발생한다.[1] 양성발작성두위현훈과 메니에르병에 이어 세 번째로 흔한 말초성 어지럼 질환으로 어지럼증 클리닉을 찾는 환자의 8%를 차지하는 것으로 알려져 있다.[42] 발생률에서 남녀 간의 유의한 차이는 보이고 있지 않으며, 재발률은 1.9%에서 10.7%까지 다양하게 보고되고 있다.[28]

II 병인

양측 전정기관에 의한 두부의 평형유지는 양측 전정기관에서 유발된 구심성 전기신호의 균형에 의해서 이루어진다. 전정신경염에서 특징적으로 보이는 회전 성분이 포함된 수평형 안진은 일측의 자발성 구심성 신호가 단절될 경우, 자발전위가 정상인 건측과 손상된 반대측의 상대적 긴장성 전위차의 불균형에 의한 정상적인 전정안반사

(vestibular ocular reflex; VOR) 조절 장애로 일어나게 된다.

일측 말초 전정기관의 장애를 유발하는 기전에 대해서 아직까지 명확한 증거는 없다. 지금까지 가장 많이 주장되는 가설은 바이러스 감염과 전전정동맥(anterior vestibular artery)의 허혈 또는 출혈 등의 혈관장애이다. 바이러스 감염설을 뒷받침하는 역학적 근거는 전정신경염이 봄에서 초여름까지 집단적으로 자주 발생하며, 같은 가족에서 더 많이 발생한다는 것이다.[38] 해부 병리학적으로 전정신경염 환자의 측두골 부검에서 전정신경염의 병변과 대상포진 바이러스의 감염에 의한 병리학적 소견이 유사하고, 동물실험에서 단순포진바이러스(HSV-1)를 주입하여 전정신경염과 유사한 증상이 발생하였고, 60%의 전정신경핵에서 HSV-1 DNA가 지속적으로 발견되고, 70%의 전정신경핵에서 단순포진 바이러스가 잠복감염의 형태로 존재한다는 것이다.[3,47] 이러한 바이러스 감염은 Bell 마비의 원인으로 추정되는 슬신경절에서의 잠복감염과 같이 바이러스 재활성화에 따른 이차적인 신경의 염증과 부종으로 인한 신경압박을 일으키는 것으로 생각된다. 전정신경염에서 상전정신경에 주로 발생하는 원인으로 상전정신경이 7배 더 긴 골부 터널을 가지고 있어 부종에 따른 신경압박이 더 심할 것으로 추정된다.[12] 부종에 의한 이차적인 신경 손상이 감염과 어지럼 발현의 시간적 차이를 또한 설명한다.

허혈성 혈관 손상의 근거로는 주로 전전정동맥이 혈액을 공급하는 상전정신경의 지배를 받는 외측반고리관, 상반고리관, 난형낭에서 주로 발생한다는 것이다. 또한 외측반고리관과 상반고리관의 기능이 완전히 사라진 전정신경염 환자에서 후유증으로 후반고리관성 양성 발작성 두위현훈이 관찰되는 경우가 있어 하전정신경의 기능이 남아있는 것을 시사한다. 이러한 상·하전정신경의 선별적 침범은 바이러스 감염보다는 혈관 분포에 따른 허혈성 손상을 더 뒷받침하는 것으로 추정된다.[11]

III 진단

비교적 임상적 특징이 분명한 질환이지만 아직까지 명확한 진단기준이 제시되고 있지는 않다. 공통적으로 제시되고 있는 진단기준을 살펴보면, 첫째로 갑작스런 회전성 어지럼이 하루 이상 지속되고, 둘째로 청력손실이나 이명 등과 같은 와우 손상이 없어야 하고, 셋째로, 양온교대 온도안진검사에서 일측 반고리관의 기능저하나 소실이 관찰되며, 넷째로 다른 신경학적 증상과 징후가 없어야 하고, 다섯째로 남녀 구별 없고 중년에 자주 발생한다는 것이다. 이 밖에도 시간이 경과하면서 자연스러운 회복을 보이고, 발병되기 전 상기도 감염력이 있는 경우 등도 진단의 기준으로 주장된다.[6]

급성 어지럼의 진단에서 가장 중요한 것은 중추성과 말초성의 감별진단이다. 이를 위해 무엇보다도 중요한 것은 자세한 병력 청취와 안진 관찰이며, 두부충동검사 head trust test에서의 양성반응과 다른 신경학적 증상이 없으면 다른 검사 없이도 거의 확진할 수 있다. 필요한 경우 선택적으로 전정기능검사 및 영상의학적 검사를 시행할 수도 있다. 병인을 규명하기 위하여 시행하는 바이러스의 혈청학적 검사나 배양검사는 감염의 인과관계를 규명하기 어려워 추천되지 않는다.[38]

1. 말초성 어지럼의 감별진단

말초성 전정장애는 심한 회전성 혹은 수평형 안진이 주시에 의한 방향 변화 없이 지속되며, 오심과 구토를 동반한다 . 환자는 이런 자각적 증상 이외에도 주위 물체가 실제로 도는 것으로 느끼게 되고, 보행 시에 이환된 측으로 몸이 기울게 되는 경향이 있다. 안진은 Alexander의 법칙을 따라 건측을 주시할 때 강해지고, 병변측을 주시할 때 약해지며, 머리를 흔들거나(head shaking), 눈을 감으면 안진의 강도가 커지게 된다. 이러한 급성기의 증상은 하루 이상 지속되지만 2~3일 이내에 호전된다.

표 49-1. 급성 어지럼을 동반하는 전정신경염과 감별을 요하는 질환들

원인	병력	신체검사	검사실 검사
전정신경염	수 시간에 걸쳐 발생되고, 수일 내에 서서히 호전됨, 발병 전 상기도 감염의 병력이 있을 수 있음	1) 말초성 자발안진 2) 급속회전 검사에서 양성 반응 3) 몸이 병변측으로 기울	1) 온도안진검사; 일측 반응 저하 혹은 상실 2) 순음청력검사; 정상 3) 뇌 MRI; 정상
메니에르 병	재발성이며 증상의 기복이 심함. 자발안진이 보통 3~4시간 이상 지속되지는 않음, 청력손실이 동반되는 경우가 많음	1) 많은 경우외래 검사에서 자발안진 사라짐 2) 이충만감, 이명이 동반	1) 전정기능검사; 가역적인 소견 2) 청력검사; 저음역 난청, 변동하는 청력소실
미로염	병의 진행이 수 분에서 수 시간으로 전정신경염에 비해 빠름. 뇌막염이나 진주종 등에 동반될 수 있음	1) 전정신경염과 동일한 증상 2) 병변 측 난청이 동반	1) 온도안진검사; 일측 반응 저하 혹은 상실 2) 순음청력검사; 중,고도 감각신경성 난청, 이명 3) 뇌 MRI; 정상
외림프누공	두부외상, 갑작스런 압력변화, 무거운 물건을 든 병력, 심한 기침, 진주종 등의 병력과 동반	1) 전정신경염과 동일한 증상 2) 난청과 이명이 동반됨 3) 두부 외상의 병력 4) 양성 누공검사 fistula test	1) 온도안진검사; 일측 반응 저하 혹은 상실 2) 순음청력검사; 경도 혹은 중등도 감각신경성 난청, 이명 3) CT; 골절선이나 진주종에 의한 침범소견
뇌간, 소뇌의 허혈	이전 허혈성 뇌 질환이나 혈관 질환의 병력, 다른 신경학적 증상과 동반	1) 방향이 바뀌는 안진 2) 급속회전 검사에서 양성 반응 뇌신경 증상	1) 온도안진검사; 일측 반응 저하 혹은 상실이 보이기도 함 2) 순음청력검사; 동측의 감각신경성 난청, 이명 3) 뇌 MRI; 뇌간 혹은 소뇌의 허혈 소견
이성대상포진	1) 이통이 먼저 발생 2) 청각 증상이 동반되는 경우가 많음	1) 외이의 수포, 발적이 항상 동반 2) 안면마비와 난청이 자주 동반됨	신경전도검사로 예후 판정
전정신경초종	급성어지럼을 동반하는 경우는 20% 미만, 종양내 출혈과 같은 갑작스런 종양의 크기 변화로 난청이나 안면마비 등의 증상과 동반	1) 난청과 이명이 자주 동반됨 2) 안면마비가 동반됨 3) 안면부 이상 감각을 호소하기도 함.	1) 뇌 MRI; 소뇌교각부와 내이도에서 종양 확인 2) 청성뇌간반응; 잠복기의 연장

반면 중추성 안진은 순수 수직안진이거나 회전성 안진이며, 주시 방향에 따라 안진의 방향도 변하게 되고, 시고정의 효과가 없거나 적다. 그 밖에 심한 신체동요로 걷거나 서있는 것이 어려운 경우가 많고, 말을 더듬거나 동측 안면부나 반대측 상, 하지의 감각이상과 같은 뇌신경 증상이 동반될 수 있다.

급성 어지럼을 유발하는 전정신경염과 유사한 증상을 유발하는 중추성 질환을 감별진단하는 것은 임상에서 매우 중요하다(표 49-1).

2. 신체검사

어지럼의 원인 질환 검사에서 반복되는 검사나 시간의 경과에 의해 반응이 약화될 수 있기 때문에 문진 후 되도록 바로 신체검사를 실시하는 것이 중요하다. 전정안반사를 이용한 검사를 할 때는 자발안진을 관찰한 후에 유발검사를 시행하고, 되도록 검사순응도가 높은 검사부터 시행하고, 반복하여 확인한다.

자발안진의 방향을 관찰하면 병변의 위치를 추측해 볼 수 있고, 안진의 크기는 시간의 경과에 따라 작아지지만, 완서상 안진의 강도는 10°/sec 이상이며, 이는 전정신경절제술을 시행했을 때와 유사하다. 전정계가 손상된 환자는 진찰실에 들어오면서부터 자세히 관찰하면 쉽게 병변의 위치를 추측해 볼 수 있다. 환자는 홀로 걸을 수 있지만 한쪽으로 자꾸 쓰러지려는 경향을 보이며, 대부분 보호자의 부축이 필요하다. 이는 외측전정척수반사를 통한 양측

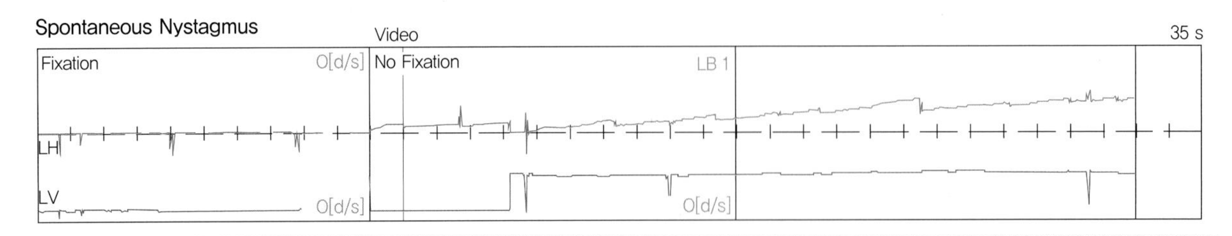

■ **그림 49-1. 우측 전정신경염 환자의 자발안진 소견.** 전기안진검사에서 안진의 빠른 성분이 좌측을 향하고 있다. 시고정시에는 억제가 되고 시고정을 하지 않을 시 자발안진 소견을 보인다.

근긴장도 조절의 불균형에 기인하며, Romberg 검사, 일자보행검사, 제자리걷기검사를 통해 확인할 수 있다.

두부충동검사는 눈동자를 정면 검사자에 고정하게 하고, 순간적으로 환자의 머리를 빠르게 돌려 빠른 회전 자극을 전정기관에 주는 검사이다. 일측의 전정기능이 저하되면 빠른 회전 자극에도 전정안반사의 이득이 감소되어, 병변측으로 두부를 회전시켜도 반사적인 안구의 움직임이 충분히 일어나지 못한다. 즉 환자의 눈동자는 회전 방향으로 돌아가게 되고, 다시 의식적으로 정면의 검사자를 보기 위한 교정성 단속운동이 발생하게 되고, 이 경우 두부충동검사 양성으로 판정한다. 따라서, 급성 어지럼 환자에서 한쪽에서만 두부충동검사가 양성이고, 반대쪽은 음성으로 나타날 경우, 한쪽의 전정계, 즉 미로부터 전정신경의 신경근진입부 사이에 병변이 발생했음을 의미한다.[20]

환자 스스로 또는 검사자에 의해 머리를 흔들게 되면, 양측 말단 전정계에서 발생한 구심성 신호는 양성되먹임 장치인 속도저장계를 통해 진자운동이 멈춘 후에 다시 방출된다. 일측 전정계가 손상된 경우, 병변측의 속도저장계에서 방출될 신호가 없기 때문에 두진후안진이 유발된다. 이 안진은 단상성 monophasic 또는 이상성 biphasic 형태를 보이는데 양성 환자의 75%가 이상성 안진을 보인다. 즉 초기 20초 이내에 건측 방향으로 향하는 짧은 마비성 안진을 보인 후, 병변측으로 향하는 100초 이내의 긴 역상기 안진이 나타난다.[15]

3. 전정기능검사

1) 안구운동검사(Ocular motor test) (그림 49-1)

전기안진검사나 비디오안진검사를 통해 자발안진, 주시유발안진, 두위안진 및 두진후안진 등을 객관적으로 기록할 수 있다. 자발안진의 크기는 개인차가 크고 진정억제제 복용 여부 등 환자의 각성 상태에 많은 영향을 받는다. 전정신경염 환자의 68% 이상에서 건측을 향하는 마비성 안진이 보통 관찰되며, 이후 자발안진은 점차 약화된다. 마비성 안진은 체위변화에 의해 유발되기도 한다. 그리고 회복기에는 환측을 향하는 회복성 안진으로 방향이 바뀌기도 한다.

시추적검사(smooth pursuit test)에서는 건측 방향(안진의 빠른 성분)으로 움직이는 목표물을 보게 할 경우 자발안진의 영향으로 이득이 감소하여 단속성(계단형 혹은 톱날형) 시추적 운동을 보인다. 시운동성 안진검사(OKN)에서는 건측 방향으로 시야가 회전할 때, 안진의 느린 성분의 속도가 감소하고, 환측으로 시야가 회전할 때, 안진의 느린 속도가 증가하게 된다. 시운동성후안진(OKAN)의 경우, 환측의 속도 저장 기전의 소실로 건측으로의 시운동성 자극 시에는 증가하며, 환측으로의 시운동성 자극 후에는 감소하거나 소실된다. 이러한 안구운동검사들의 이상 소견은 중추신경계의 병변을 시사할 수도 있으므로 유의해서 감별하여야 한다.

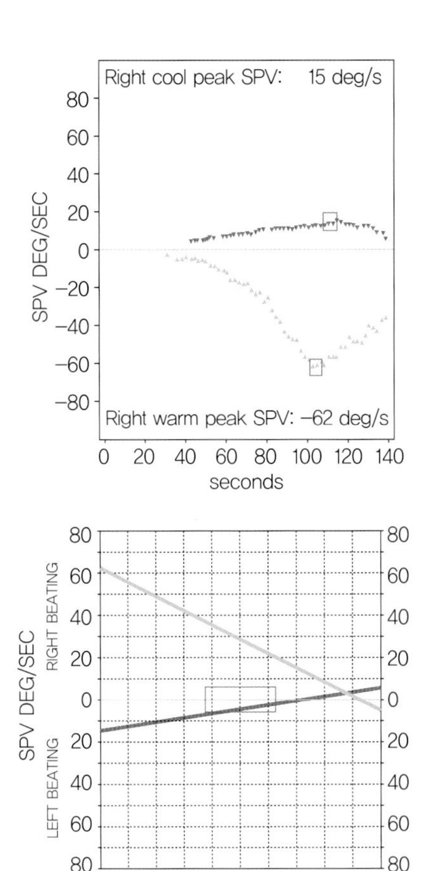

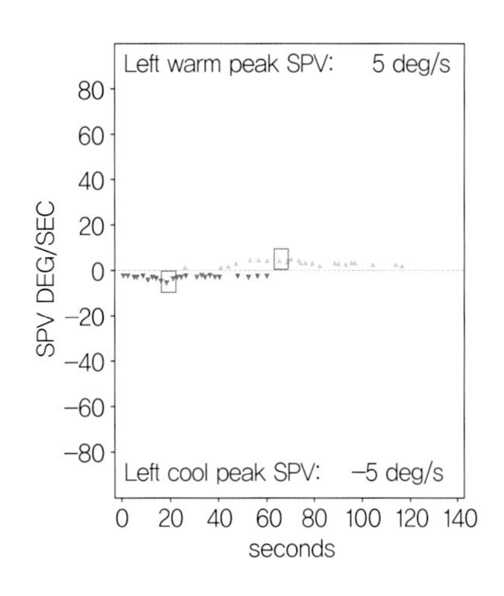

Caloric Analysis

RC SPV = 15 deg/s at 111.3 secs
LC SPV = −5 deg/s at 19.7 secs
RW SPV = −62 deg/s at 104.3 secs
LW SPV = 5 deg/s at 66.5 secs
TotR: 77 deg/s
TotL: 10 deg/s
UW: 77% in the left ear
BS: 0 deg/s
GA: 54% to the right

■ 그림 49-2. **좌측 전정신경염 환자의 양온교대안진검사.** 양온교대안진검사에서 77%의 좌측 반고리관 마비와 54%의 우측 방향 우위성을 보이고 있다.

2) 양온교대 온도안진검사(Bithermal alternating caloric test)(그림 49-2)

양온교대 온도안진검사에서 환측 전정반응의 감소 및 소실은 전정신경염에서 가장 일관된 검사 소견이다.[8] 온도안진검사를 시행하면 환측의 반고리관 마비와 건측을 향하는 안진의 방향우위를 보인다. 방향우위는 자발안진이 감소하면서 점차 줄어들고 반고리관 마비만 남게 된다. 반고리관 마비도 시간이 경과하면 약 40~72%까지 회복된다고 알려져 있다.[37] 만약 자발안진 없이 방향우위만 나타나는 경우에는 중추성 병변을 고려하여 감별해야 한다.

3) 회전검사(Rotational test) (그림 49-3)

회전검사는 정현파 회전검사(sinusoidal harmonic accerlation; SHA)와 등속회전검사(step velocity test)로 구성된다. 회전검사는 양쪽 미로를 동시에 자극하므로 한쪽씩 평가하는 온도안진검사에 비해 제한이 있지만, 비교적 다양한 주파수 범위의 회전자극을 줄 수 있다. 전정신경염에서 정현파 회전검사는 환측의 기능소실로 전정안반사의 이득이 감소하며, 저주파에서 더 뚜렷하다. 대칭성(symmetry)은 환측으로 편위되어 있어 환측을 추정할 수 있다. 또한 위상차 선행(phase lead)이 관찰된다. 등속회전검사에서는 환측 전정신경핵의 감수성 변화와 속도저장계의 기능소실로 환측으로 회전 중 반응 건측으로의 회전 후 반응이 감소하는 소견을 보인다. 즉, 초기 느린 성분 속도의 37%에 도달하는 시간인 시간상수가 감소한다.

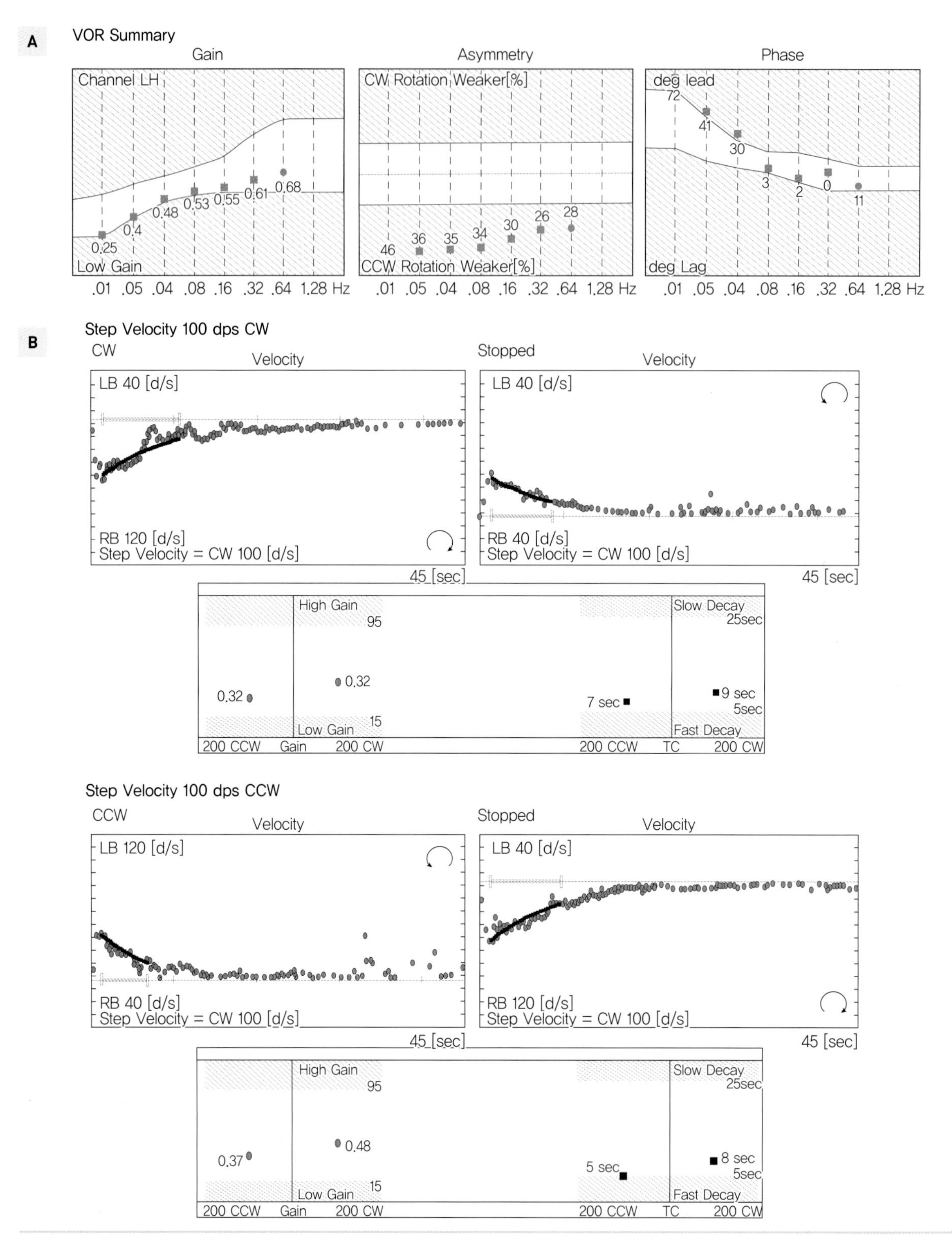

■ **그림 49-3. 좌측 전정신경염 환자에서 회전검사 결과. A)** 정현파회전검사에서 이득은 낮고, 대칭성은 좌측으로 편위되어 있으며 위상 선행을 보인다. **B)** 등속회전검사에서 좌측으로 회전 중의 반응과 우측으로의 회전 후 반응의 시간상수가 짧아져 있다.

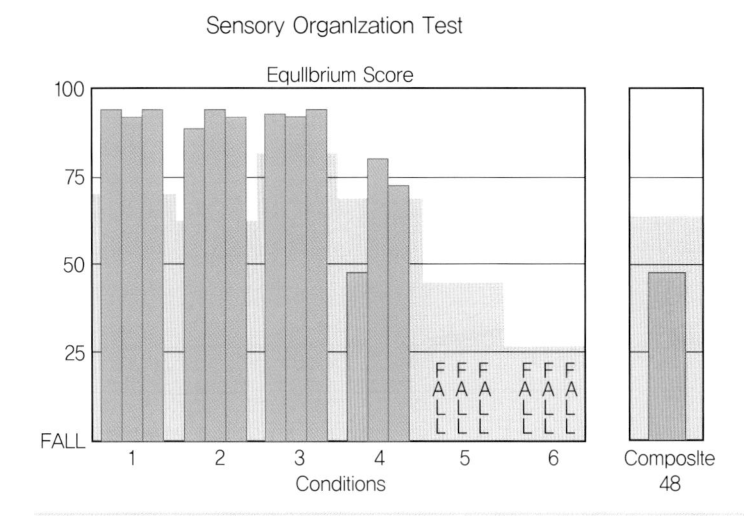

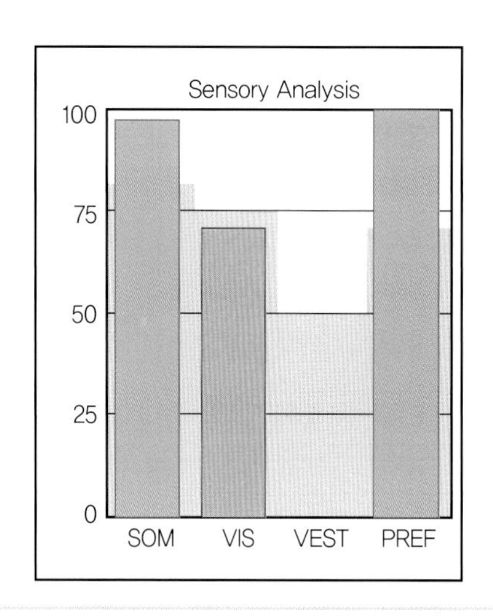

■ 그림 49-4. **전정신경염 환자의 동적자세검사 결과.** 조건 5, 6에서 평형점수가 낮고 감각기관별 총점에서도 평형점수가 낮다.

4) 동적자세검사(Dynamic posturography)

동적자세검사(그림 49-4)는 다른 검사들에 비해 전정신경염 자체를 진단하는 데 큰 도움이 되지는 않지만, 질병의 경과에 따라 중추 보상의 정도를 객관적으로 평가할 수 있다. 급성기에는 자세 유지에 필요한 감각 중 전정 기능이 소실되어 있고, 자발안진으로 시야 안정이 되지 않아 신체 균형을 위해 체성 감각에 의존하게 된다. 따라서 체성 감각의 혼돈을 일으키는 조건 4, 5, 6의 평형점수가 전체적으로 낮다. 그러나 자발안진이 소실되며 시야 안정이 되는 아급성기에는 조건 4의 평형점수가 회복되고, 조건 5와 6에서만 평형점수가 낮은 소견을 보인다. 이후 전정 보상이 이루어지며 점차 정상패턴으로 회복되지만, 보상 과정의 오류나 불안장애의 동반 같은 심인성 감수성의 개인차로 신체균형을 지나치게 시각에 의존하는 경우에는 잘못된 시각 정보에 반응하므로 조건 3과 6의 점수가 낮아지는 소견을 보인다. 이러한 경우 동적자세검사를 추적관찰하여 환자에게 적절한 전정재활방법을 적용할 수 있다.

5) 주관적 시수직 검사(Subjective visual vertical test; SVV) (그림 49-5)

주변의 중력 방향에 대한 시정보를 차폐한 암시야에서 시야에 나타난 시수직막대를 리모콘으로 직접 조작하여 환자가 주관적으로 느끼는 시수직과 실제 시수직 사이의 차이를 측정한다. 좌우 단안과 양안시 상태에서 각각 10회의 교정 기회를 통해 얻어진 시수직의 정상범위는 2.5° 정도이다. 주관적 시수직 편위는 전정신경을 절단한 환자에서는 100%, 전정신경염 환자에서는 89%에서 환측으로 의미 있는 편위를 보이고, 자발안진의 소실과 함께 점차 정상화된다.[13]

6) 전정유발근전위검사(Vestibular evoked myogenic potentials; VEMP)

전정유발근전위는 강한 소리 자극에 의해 경부근육에서 발생하는 전위로 구형낭과 하전정신경을 평가하는 검사이다. 전정신경염의 2/3 정도의 환자에서는 전정유발근전위가 측정되므로 앞에서 언급한 바와 같이 전정신경염이 주로 상전정신경에 발생하는 것을 알 수 있고, 또한 약 30%의 환자에서 전정유발근전위가 나타나지 않아 하전정신경도 동시에 이환될 수 있음을 시사하기도 한다.[19]

이외에도 난형낭의 전기신호가 단절될 경우 수직감의 변화를 초래하여 눈기울임반응이 나타나는데, 이는 안저촬영을 통해 객관적으로 확인할 수 있다.

검사: 임진성

구분	Vertical	Horizontal
Test1	7.11	8.44
Test2	7.45	7.41
Test3	8.83	9.05
Test4	6.87	7.53
Test5	8.04	7.97
MAX	8.83	9.05
MIN	6.87	7.41
MEAN	7.66	8.08
STD	0.70	0.61

부호 +, −는 CW, CCW로 방향임
검사소견

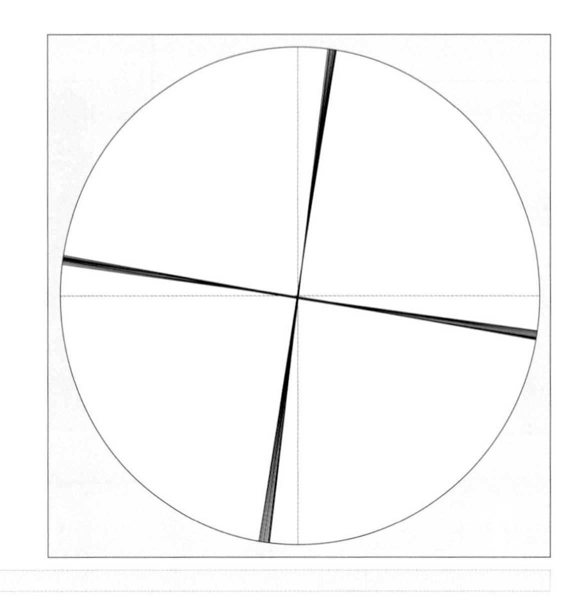

■ 그림 49-5. **우측 전정심경염 환자의 주관적 시수직 검사.** 주관적으로 느끼는 시수직과 실제 시수직 차이가 수직은 8.04°, 수평은 7.97°로 정상 범위보다 크다.

Ⅳ 내과적 치료

1. 보조적 치료

전정신경염은 원인이 명확하지 않고 시간이 경과하면서 저절로 회복되는 질환이기 때문에, 급성기에는 원인치료보다, 증상의 경감을 위한 대증 치료가 우선 시행된다. 급성기에는 되도록 누워서 머리나 몸의 움직임을 최소로 하고 몸의 지지 면을 증가시켜 흔들림을 줄이고 안정감을 주도록 한다. 환자가 가장 편한 자세를 취하도록 하고, 자동차 운전이나 계단 이용, 등산 등은 이차적인 손상을 유발할 수 있으므로 삼가도록 한다. 보호자와 환자에게 병의 경과 등을 자세히 설명하여 불안감을 감소시키고, 일반적으로 단시간 내에 정상 생활이 가능하다는 내용을 설명해주면서 정신적 지지를 하여 준다. 급성기에는 자율신경계 증상으로 오심과 구토 등의 위장관 증상이 자주 동반되기 때문에 음식물 섭취가 어려운 경우 적절한 수액요법을 실시하고, 섭취가 가능한 경우 되도록 부드럽고, 냄새와 맛이 강하지 않는 음식과 신선한 과일과 채소 섭취를 권장한다.[33]

2. 약물요법

급성기 전정신경염에서 환자를 괴롭히는 것은 자세 불균형과 보행장애 및 오심, 구토와 같은 자율신경계 증상이다. 그러므로 어지럼 환자의 약물치료의 원칙은 어지럼과 오심 및 구토를 억제시키고, 정상적인 보행과 균형유지를 촉진시키면서 약에 의한 부작용은 최소화하여야 한다. 그러나 이 모든 조건을 만족하는 약은 현재는 존재하지 않으며, 많은 약제가 장기적으로 사용될 경우 전정 질환의 자연회복 과정을 지연시키는 것으로 알려져 있어, 환자의 회복 경과를 관찰 하면서 신중히 사용하여야 한다.[16]

1) 전정기능 억제제(Vestibular suppressant)와 진토제(Antiemetics)

전정기능 억제제는 어지럼과 오심 및 구토에 모두 효과가 있어 많이 사용된다. 여기에는 항히스타민제, 항콜린제, 벤조다이아제핀 등 다양한 종류가 있다. 이들 약제들의 정확한 작용 기전은 알려져 있지 않지만, 전정신경핵의 여러 신경전달 물질에 작용하는 것으로 추측된다. 선정신경핵의 흥분성 신경전달물질에는 아세틸콜린과 히스타민

표 49-2. 전정기능 억제제의 종류와 용법 및 부작용

약제분류	약제	용법	졸림	진토효과
항히스타민제	Dimenhydrinate	50 mg PO or IM q 4-6h or	+	+
	(Dramamine®)	100 mg suppository q8-10h		
	Meclizine	25 mg PO q 4-6h	+	+
항콜린제	Scopolamine	0.6 mg PO q4-6h or	+	+
	(Kimite Patch®)	0.05 mg transdermal patch q 3h		
	Atropine	0.8 mg SC or transdermal patch q 3h	-	+
항도파민제	Haloperidol	1-2 mg PO or IM q 8-12h	+++	++
(Butyrophenone계통)	Droperidol	2.5-5 mg IM q 12h	+++	++
GABA제제	Diazepam	5-10mg PO bid or qid or IM q 4-6h or IV q 4-6h	+++	+
	(Valium®)	0.5-1.5mg PO bid		
	Lorazepam		+++	+
	(Ativan®)	0.5mg PO tid		
	Clonazepam		+++	+
칼슘채널차단제	Flunarizine	10mg PO qd	-	+

이 있으며, 억제성 전달물질은 GABA와 아드레날린이 있다. 전정기능 억제제의 가장 흔한 부작용은 졸림인데, 이러한 수면을 유도하는 정도가 강한 약제와 약한 약제가 있어 환자의 현재 질환의 상태나 직업 등을 고려하여 적절하게 사용하여야 한다(표 49-2).

구토중추는 연수망상체에 존재하여 전정기관, 대뇌피질과 변연계 등에서 신호를 받아 조절된다. 진토제는 도파민길항체와 같은 작용으로 구토를 억제하지만 일부 무스카린 또는 항히스타민 효과가 있어 전정억제 작용을 하기도 하며, 중추 외에 소화기관에도 영향을 미친다. 대표적인 진토제로는 metoclopramide (Mexolon®)가 있다.

2) 부신피질호르몬제제

스테로이드는 어지럼 완화에 도움을 줄 뿐만 아니라 전정보상을 촉진하기도 한다.[4] 전정신경염을 스테로이드와 항바이러스제를 이용한 치료에 대한 연구에서 스테로이드를 이용한 경우에서만 12개월 후의 전정기관 기능 회복에 유의한 도움을 주는 결과가 있었고, 항바이러스제는 의미 있는 효과가 없었다.[43] 반고리관마비의 회복이 느린 심한 마비라도 2년이 경과한 뒤 주관적으로 느끼는 장애 정도는 스테로이드를 투여한 군에서 훨씬 적다고 보고되었다.[29]

3) 항바이러스제와 혈관확장제

전정신경염의 주요 병리기전인 바이러스 감염과 허혈에 대한 치료는 아직 제한적이다. Acyclovir 등의 항바이러스제제의 사용과 혈관확장제도 임상의에 따라 사용되고 있으나 효과에 대한 연구는 충분치 않다. 허혈에 대한 치료로 혈관확장제가 많이 사용되고 있으나 효과는 아직까지 입증되고 있지 않다.

V 전정재활치료

1940년대에 Cawthorne과 Cooksey는 전정장애 후 활동적이고 머리를 많이 움직이는 경우 회복이 빠른 것을 관찰하고, 처음으로 머리와 눈, 몸 전체가 움직이는 운동요법을 고안하였다.[7] 그러나 아직 우리나라에는 이 치료법에 대한 재활의학과, 정신과, 심리학자 전문가들의 이해와 관심이 부족한 관계로 어지럼 환자의 효과적인 재활치료 시스템 구축이 용이하지 않는 실정이다. 전정재활치료는 양성발작성두위현훈이나 중추 혹은 말초성 전정장애에서 어지럼을 줄이고, 균형을 회복시키며, 삶의 질을 향상시키기 위하여 시행되며, 소아와 성인 모두에서 효과가 이미 충분히 입증되어 있다.[2,30,34] 최근 Cochrane 메타분석과 많은 전향적 비교연구를 통해 전정재활치료(vestibular rehabilitation therapy)가 치료 효과 및 비용 대비 효율성이 높은 것으로 확인하였고, 말초성 전정장애 환자에게 안전하고 효과적인 치료법이라는 유의한 근거들이 많이 제시되고 있다.[23,24]

급성 전정장애에서 조기 전정재활이 중요한데 급성기 증상이 어느 정도 사라지면 전정기능 억제제의 사용을 자제하고, 조기 재활치료를 시작하여야 한다. 조기전정재활은 어지럼증척도(Dizziness Handicap Inventory; DHI) 점수도 향상시키고 불안을 감소시키며, 시각 의존성을 줄여 자세 유지도 좋아진다.[46] 임상실험과 동물실험을 통해 조기 전정재활치료가 최종 전정 기능회복을 촉진하는 것은 이미 증명되어 있다.[22,26] 따라서 조기 전정재활은 어지럼을 줄이고 불안과 같은 장기 합병증을 예방하며 삶의 질을 높이게 된다. 특히 발병 1주일 이내의 행동제한 여부가 기능회복에 매우 중요한데, 고령의 환자, 근육 신경계의 이상으로 인한 활동 제한, 환자가 능동적으로 움직이려 하지 않는 경우, 심한 어지럼으로 불안감이 심한 경우, 중추신경계이상으로 기질적 문제가 있는 경우에는 조기 전정재활이 어렵다. 그러나 이 경우에도 환자의 상황에 맞는 적절한 재활운동은 처방하여 기능 회복을 도와야 한다.[31]

따라서 전정재활치료는 현재 말초성 전정장애뿐만 아니라 중추성 어지럼에서도 다양하게 쓰이고 있으며, 불균형이나 현훈을 느끼는 많은 환자에서 일차 치료법으로 쓰여지고 있다.

1. 전정재활의 목적

전정재활치료는 다음과 같은 목적을 가지고 있다. 1) 양성 발작성 두위 현훈(BPPV)의 증상을 없애주는 것, 2) 고개를 돌릴 때 시야를 안정시키고, 정적 혹은 동적 자세의 안정성을 강화시키고, 고개나 시야의 움직임에 따른 어지럼증 증세를 줄여주는 적절한 운동법을 통해 중추보상 반응을 도와주는 것, 3) 넘어질 위험성을 줄여주는 것이다.

2. 전정재활의 기전

중추신경계는 말초성 전정계의 불균형과, 중추성 전정신경 경로 안에서의 혼란을 보정할 수 있는 능력이 있다. 이러한 중추성 보정 과정을 전정 보상(vestibular compensation)이라고 부르며, 대부분의 전정계 장애 후 자연히 일어나게 된다. 중추성 가소성(plasticity)은 중추성 전정장애 혹은 말초성 전정 장애로 발생한 전정 부조화를 교정하기 위해 소뇌와 뇌간핵에서 신경학적 변화를 통해 일어난다. 전정 보상과 중추 가소성은 전정 장애 증상들을 경감시키며, 이는 전정 재활치료의 핵심이다.

전정보상은 정적 보상(static compensation)과, 동적 보상(적응(adaptation), 습관화(habituation), 감각 대치(sensory substitution)으로 크게 나누어 볼 수 있다.

1) 정적 보상(Static compensation)

급성 현훈은 안진과 오심, 구토와 같은 다양한 자율신경계 증상을 동반한다. 이러한 증상들은 전정 신호의 지속적인 비대칭으로 인해 발생한다. 정적 보상 시기는 전정신경원의 휴지기 활성도의 회복 시기이다. 이는 시각 및 두부회전과 관계 없이 회복되며, 전정핵에서 나오는 이차 뉴런들 사이의 자발홍분도의 불일치를 감소시켜 오심, 구토와 같은 증상들을 24~72시간 내로 경감시키게 한다.[25] 정적 보상이 이루어진 이후에도 정상적인 두부회전에 의해 발생하는 동적인 전정신호에는 여전히 적절히 반응할 수 없어 환자들은 매우 심한 평형 감각 상애를 느끼게 된다. 따라서 심한 현훈이 안정되더라도 계속되는 동적 자세에 의해 유발되는 현훈은 동적 보상이 이루어질 때까지 계속 된다.

2) 동적 보상(Dynamic compensation)

동적 보상기는 말초감각기로부터 전정신경핵으로 신경전달의 조정 없이 뇌간과 소뇌 전달경로에서의 재편성에 의해 이루어지다. 동적 보상은 정적 보상에 비해서 더 느리며, 두부 회전에 따른 안구 움직임과 자세조절반응의 재조절이 필요하다. 말초전정기능이 소실되거나 감소되면 오차신호(error signal)가 발생하며 감각의 부조화가 유발된다. 이 오차신호에 의한 감각의 부조화가 중추보상을 유발하기 때문에 전정재활치료는 시야안정과 자세유지 시스템의 작동이 필요한 다양한 감각 자극에 환자를 노출시키게 된다. 이 보상 과정이 광범위한 전정계의 병리학적 손상, 미로절제술이나 전정신경절제술 같은 전정 수술 후 회복에 중요한 원리이다. 동적 보상은 적응, 습관화, 감각대치로 크게 나누어 볼 수 있다.

(1) 전정 적응(Vestibular adaptation)

전정 적응은 두부 회전으로 유발된 시야의 불안정을 안정시키기 위해 전정신경계통에서 나타나는 장기적인 적응 능력이다. 전정안반사의 장애에 의해 나타나는 망막의 미끄러짐(retinal slip)은 전정 적응을 유발하는 신호이다. 이 망막의 미끄러짐은 오차 신호(error signal)를 뇌에 보내며, 뇌는 이를 시정하기 위해 전정안반사의 이득을 증가시켜 미끄러짐을 최소화하려고 한다.[40] 이러한 회복은 주파수 특이적이며 물체와의 거리와 상관이 있어, 가까운 물체를 바라볼수록 이득은 증가한다.[21]

(2) 습관화(Habituation)

전정 습관화는 어지럼증을 유발하는 자극을 반복하면 장기적으로 어지럼증이 감소하는 현상으로, 여러 시각 환경에서 두부 움직임에 따라 민감도를 올리는데 반드시 필요하다. 말초성 전정장애, 중추성 전정장애, 공황 장애, 그리고 편두통성 질환도 전정 습관화의 적응증이 될 수 있다. 습관화에 의한 적응은 빠르고 정확하지만, 중추신경계에서의 습관화를 위해서는 전정기능상태가 고정된 상태이어야 한다. 즉, 메니에르병과 같이 변동성의 전정기능 장애가 있는 경우에는 습관화에 의한 동적 보상이 불가능하다.

전정 적응과 습관화의 목적은 정적 및 동적 상황에서 시야안정과 자세유지를 향상시키는 것이다. 시야안정과 자세유지를 위한 반응 주파수 범위는 매우 다르다. 시야안정을 위한 주파수 범위는 정적 자세에서부터 10 Hz 정도의 두부 움직임까지이고, 자세유지를 위한 주파수 범위는 4 kHz 이내이다.[14]

(3) 감각 대치(Sensory substitution)

감각 대치는 손상된 전정기능을 대체하여 시각 혹은 체성감각기능을 통해 시야안정과 자세유지에 도움을 주는 것이다. 양측 말초성 전정기능 소실 환자에서는 자세유지를 위해 시각 자극과 체성감각에 오로지 의지하게 된다. 손상된 전정기능을 대치하는 기전으로는 시각과 체성감각 이외 경부안반사(cervico-ocular reflex), 시추적계(smooth-pursuit tracking system), 단속운동(saccade) 등이 있다. 경부안반사는 정상인에서는 기여하지 않으며, 0.5 Hz 이내의 천천히 움직이는 두부 움직임에서 전정안반사를 보조하는 역할을 주로 하는데,[5,27]정상인에서는 15% 정도 기여하나, 양측 전정소실의 경우 25%까지 그 역할이 증가한다.[27] 또, 한쪽 혹은 양쪽 전정 장애에서 머리회전에 대한 전정안반사가 불충분한 경우에는 단속운동으로 대치하게 된다.[39]

3. 전정재활치료의 방법

전정재활운동은 미리 정해 놓은 운동 종류와 순서에 따라 모든 환자에서 공히 사용하는 일반적 전정재활운동(generalized vestibular exercise)과 환자 개개인의 평형상태를 반복적으로 파악하여, 개개인에 맞게 운동방법을 수정하는 맞춤형 전정재활운동(customized vestibular exercise)이 있다.

일반적 운동 중에는 1940년대 Cawthorne-Cooksey가 고안한 방법이 대표적이다. 이 방법은 머리와 눈의 움직임에서 점차 몸 전체를 움직이는 일련의 운동으로 구성되어 있다.[7] 이러한 일반적 재활운동은 비교적 쉽고 비용이 적게 든다는 장점이 있다(표 49-3).

맞춤형재활운동은 비교적 근래 들어 전문 전정재활 치료사들에 의해 많이 사용되고 있으며, 일반적 재활운동과의 치료 효과 비교에서 우수한 것으로 알려져 있다.[45] 그러나 맞춤형 치료를 위해서는 환자 개개인에 따라 호소하는 증세와 원인 질환, 육체적, 정신적 상태 및 치료 경과에 따른 평형기능의 변화 상태를 파악하여 적합한 운동을 처방하여야 하기 때문에 여기에 따른 비용과 전문 인력의 부족을 고려하면, 현재 우리나라의 실정에서 병원에 적용하기는 용이하지 않다.

재활치료의 시행방법으로는 외래진료를 통해 운동을 습득하고, 이를 집에서 하루에 2~3회, 20~30분간, 3~4주 반복하여 시행하는 자가형 가정식(self-home exercise)도 있고, 전문 치료사가 하루 1~2회, 60분간, 8~10주간 시행하는 치료자 지도식이 있다. 치료 효과를 비교하면 후자가 더 효과적인 것으로 알려져 있으나, 환자의 상태를 고려하여 적절히 시행하면 될 것으로 생각된다.[45]

표 49-3. Cawthorne-Cooksey 운동법

눕거나 앉은 자세에서 머리와 안구의 운동(처음엔 느리게, 점점 빠르게)
1) 상, 하로 안구운동
2) 좌, 우로 안구운동
3) 검지 손가락을눈 높이에서 바라보며 30 cm에서 1 m까지 앞, 뒤로 움직임
4) 눈을 뜨고 고개를 앞 뒤로 끄덕이는 동작을 반복
5) 눈을 뜨고 고개를 좌우로 돌리는 운동을 반복
6) 눈을 감고 4), 5)의 운동을 반복
앉은 자세에서의 머리와 몸통의 운동(처음엔 느리게, 점점 빠르게)
1) 어깨를 위아래로 움직이고, 돌리기
2) 앞으로 숙여서 바닥에서 물건 줍기(줍는 동안 계속 물건을 보고 있어야 함)
선 자세에서의 운동
1) 이전의 눈과 머리, 어깨운동의 반복
2) 앉았다 일어서기(처음에는 눈을 뜨고, 다음에는 눈을 감고 시행)
3) 작은 공을 양손으로 번갈아 던지고 잡기(눈보다 높은 곳에서, 무릎보다 낮은 곳에서)
4) 좌, 우로 돌면서 눈을 뜨고 앉았다 일어서기
균형을 증진시키는 운동
1) 오른쪽, 왼쪽 한 다리로 서기(처음에 눈을 뜨고, 다음에는 감고서 시행)
2) 방에서 걷기(처음에는 눈을 뜨고, 다음에는 눈을 감고 시행)
3) 경사지를 오르내리기(처음에는 눈을 뜨고, 다음에는 눈을 감고 시행)
4) 계단을 오르내리기(처음에는 눈을 뜨고, 다음에는 눈을 감고 시행)
5) 몸통을 구부리고 펴는 운동을 시행(야구, 탁구, 배드민턴, 볼링 등)

4. 전정재활운동의 종류

1) 전정적응 강화운동

전정적응을 유발하는 자극은 망막의 미끄러짐에 의한 오차신호이다. 즉 오차신호가 발생하면 이를 교정하기 위하여 전정안반사의 이득을 증가시키려 한다. 전정기능이 저하된 경우, 남아 있는 전정기능의 이득을 증가시키는 적응운동이 증상 완회에 중요한 역할을 하게 된다. 그러나 이 과정은 주어진 자극에 대해서만 선택적으로 일어나는 것으로, 예를 들면 머리 회전의 속도에 따라 적응이 일어나지만 주파수 특이성이 있어 주어진 운동 주파수보다 빠르거나 느리면 적응이 일어나지 않고, 수평운동 자극에 대한 적응은 수직운동에는 전혀 도움이 되지 않는다. 그러므로 적응운동의 처방은 일상생활의 다양한 머리운동을 모두 포함하도록 하여야 한다. 전정적응 강화운동의 종류는 표 49-4와 같다. 증상의 호전도에 따라 주시안정을 위해 환자에게 시추적운동과 단속안구운동 훈련을 위한 여러가지 머리운동과 안구운동을 시킨다. 양측 전정기능이 완전히 소실된 경우, 남아 있는 전정 기능이 없기 때문에 대치작용을 강화시켜 주시의 안정을 도모하는 운동을 시행하게 된다(표 49-5).

2) 습관화 운동(Habituation exercise, motion tolerance exercise)

머리를 움직일 때 발생하는 어지럼이 불완전한 전정보상에 의한 것인가를 판별하고, 가장 심하게 어지럼을 유발하는 동작이나 자세를 찾는다. 이 자세를 자율신경계 증상과 어지럼이 견디기 어려울 정도 전까지 반복해서 시행하며 이러한 운동을 하루에 두 번 이상 반복한다. 처음에는 오히려 증상이 악화될 수 있으므로 상담을 통해 과정을 설명하고, 운동을 계속하도록 격려한다. 한 번 시행할 때마다 어지럼이 유발되어야 하며, 매일 점진적으로 운동의 강도를 높여나간다. 통상 증상은 4~6주 내에 소실된다.

표 49-4. 전정적응 강화운동(그림 49-6)

1. 전정자극 운동 vestibular stimulation exercise (고정 물체 보기 운동)
   - 명함이나 굵은 글자의 종이를 읽을 수 있도록 벽에 붙인다.
   - 글자나 단어에 눈의 초점을 맞추고 고개를 좌우로 돌린다.
   - 초점이 맞는 상태에서 가능하면 빨리 돌린다.
   - 멈추지 말고 1~2분간 계속한다.
   - 같은 방법으로 고개를 아래, 위로 흔든다.
   - 장기판 모양의 커다란 무늬를 주시하며 운동을 반복한다.(시야 전체를 자극)
2. 시-전정 상호작용 visuo-vestibular interaction (이동 물체 보기 운동)
   - 명함을 읽을 수 있게 앞에 손으로 든다.
   - 글자에 초점을 맞추고 명함과 머리를 좌우로 엇갈리게 흔든다.
   - 초점을 맞춘 상태에서 가능하면 머리를 빨리 흔든다.
   - 멈추지 말고 1~2분간 계속한다.
   - 같은 방법으로 고개를 위, 아래로 흔든다.
   - 장기판 모양의 커다란 무늬를 주시하며 운동을 반복한다. (시야 전체를 자극)

주의; 상기운동은 환자가 어려워하면 앉아서 해도 된다. 서서 할 때는 처음에는 발을 넓게 벌리고 하며, 상태가 호전되면 지지면을 점차 좁힌다.

3) 자세조절운동(Postural control exercise, balance and gait exercise, balance retaining)

보행과 자세의 조절은 시각, 고유감각, 전정감각의 감각정보를 중추신경에서 분석하여 개체의 무게 중심을 지지면에 안정적으로 위치시킴으로써 가능하다. 전정감각기관이 손상된 경우 시각과 고유감각의 이용이 더욱 중요한데, 전정재활운동을 통해서 이들 감각들을 매 순간 최대한 적절하게 활용하도록 훈련시킨다. 일반적으로 자세조절운동은 세 가지 감각정보의 조건에 변화를 주면서, 처음에는 쉬운 것부터 점차 어려운 조건으로 변화시키는 것으로 짜여 있다(표 49-5).

4) 일반적 조절운동(General conditioning exercise)

전정 질환 환자는 재활치료 후에 증상이 호전되어도, 일상생활에서 어지럼이 생기는 자세나 동작을 피하고, 움직임을 최소로 하는 생활유형을 보이는 경우가 많다. 이

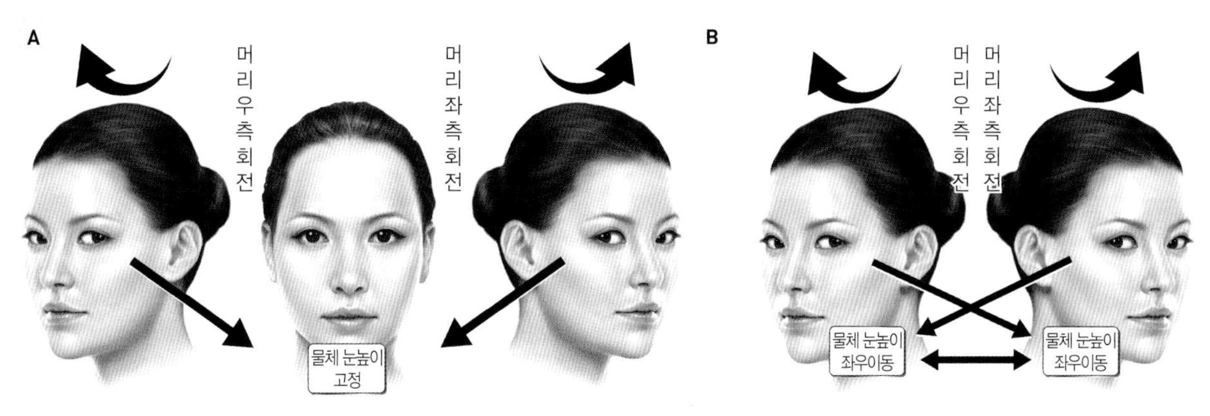

■ 그림 49-6. **전정적응 강화운동**

표 49-5. 자세조절을 위한 운동

다음의 운동은 시각, 고유감각, 전정감각 등이 상실된 상태에서 일상생활을 수행할 방법을 개발하는 것이 목적이다. 이 운동은 환자의 기능적 한계를 규정하고 자신감을 개발하는 데 도움이 된다. 운동을 할 때는 운동하는 도중에 넘어지지 않도록 조심한다.

1. 양쪽 발을 가능한 한 가깝게 붙여 서고 양손은 평형을 유지하도록 벽을 기댄다. 평형을 유지하며 가능한 한 오랫동안 벽에서 손을 뗀다. 최대한 발을 가까이 모은다. 이와 같은 운동을 10분간 하루 2회 시행한다.
2. 양발을 어깨 넓이만큼 벌리고 눈을 떠서 벽에 있는 목표를 주시한다. 한 번에 25 cm씩 양발을 모은다. 차례는
   - 양발을 벌리고
   - 양발을 모으고
   - 한쪽 발 뒤꿈치와 다른 쪽 발 앞이 약간 떨어진 상태로
   - 한쪽 발 뒤꿈치와 다른 쪽 발 앞이 닿은 상태로
   - 양쪽 발 뒤꿈치를 들고 양발을 앞뒤로 모으고

   이와 같은 운동을 다음 순서로
   - 양팔을 펼치고
   - 양팔을 몸에 붙이고
   - 양팔을 반대쪽 어깨로 접어 올리고

   각 자세를 15초간 유지하며, 가장 어려운 자세까지 진행한다.
3. 2번의 운동을 고개를 앞으로 30°, 뒤로 30° 기울인 자세에서 시행한다.
4. 1, 2, 3번의 운동을 처음에는 가끔씩 눈을 감고 시행하며 나중에는 지속적으로 눈을 감고 시행한다. 이때 속으로는 주위의 환경을 보는 것처럼 상상한다.
5. 1, 2, 3, 4번의 운동을 푹신푹신한 쿠션과 같은 부드러운 지지면 위에서 시행한다.
6. 손으로 기댈 수 있게 벽에 가까이 서서 걷는다. 점차 양발의 수평 간격을 좁혀서 걷다가 최종에는 앞꿈치와 뒤꿈치가 닿도록 걷는다. 처음에는 눈을 뜨고, 나중에는 눈을 감고, 5분간 동안 시행한다.
7. 벽에 가까이 서서 고개를 좌우로 흔들며 걷는다. 걷는 동안 계속 다른 물체에 시선을 집중하도록 한다. 점차 고개를 자주 그리고 빨리 돌린다. 2분 동안 시행한다.
8. 걸으며 천천히 돈다. 처음에는 큰 원을 그리고 돌고, 점차 작은 원을 그린다. 양쪽 방향으로 시행한다.
9. 다섯 걸음 걸은 후에 우측으로 180° 돌아 다시 다섯 걸음 걷고 좌측으로 180° 돌아 걷는다. 5회 반복하고 잠시 휴식한 뒤 다시 반복한다.
10. 아케이드(회랑)에서 걷는 연습을 한다.
    - 운반용 수레 없이 걷도록 노력한다.
    - 사람이 적을 때 연습하다, 점차 사람이 많을 때 연습한다.
    - 걷는 통로의 수와 거리를 점차 늘린다.
11. 아케이드(회랑)에서 걷는 연습을 한다.
    - 처음에는 사람이 별로 없을 때
    - 복잡한 곳에서, 처음에는 사람들이 움직이는 방향으로
    - 복잡한 곳에서, 나중에는 사람들의 움직임과 반대 방향으로
12. 골프, 테니스, 라켓볼 등을 한다.

런 환자에게 나이와 건강상태를 고려하여 흥미를 유발할 만한 운동을 권유하여 전제적인 생활이 활동적이 되도록 한다. 기본적으로 걷기가 포함되고, 더 발전하여 조깅, 체조, 자전거, 에어로빅 등이 추천된다. 눈과 머리, 몸통운동의 조화를 위해 골프, 테니스 같은 라켓을 사용하는 운동도 좋다. 그러나 수영은 물속에서 고유감각 기능이 사라지고, 시각도 제한되어 방향을 잃을 수 있기 때문에 주의하여 한다.

5. 전정재활치료 효과의 객관적인 측정

최근에 전정장애 재활치료의 효과를 객관적으로 측정

하려는 연구가 많이 진행되어 왔다. 회전의자검사와 동적 자세검사가 전정기능의 보상의 정도를 기록하는 유용하지만, 일상생활에서 기능장애나 평형장애를 양적으로 평가하기가 어렵고, 진료실에서 쉽게 평가하기 어려운 면이 있다. 어지럼의 객관적 평가를 위해 여러 가지 지표들이 개발되어 사용되고 있는데, 어지럼장애척도(dizziness handicapinventory; DHI), 행동별 균형감확신척도(activity balance confidence; ABC) scale, 시각어지럼척도(visual analog scale; VAS) 등이다.[17] 어지럼에 의한 일상 생활의 장애를 평가하는 데는 평형과 보행의 상태를 평가하는 것이 중요하다. 이를 위해 Romberg, Mann검사 등의 단순한 검사 외에도, 동적보행지수(dynamic gait index; DGI), 보행속도gait speed, 기능적보행평가(functional gait assessment; FGA), Timed Up and Go test (TUG), Five times sitto stand test (FISST) 등의 다양한 지표가 사용되고 있다. 간단히 몇 가지를 살펴보면 동적보행지수는 여덟 걸음을 걷게 하고, 이중 두 번은 고개를 돌리거나 끄덕이면서 걷게 한다. 평가는 24점 만점으로 하여, 19점 이하는 넘어질 가능성이 높다.[18] 보행속도의 평가는 전반적인 보행을 평가하는 유용한 지표로 보행 속도가 느려지면 유병률과 사망률이 증가하고 기대수명의 감소를 의미하기도 한다.[44] TUG 검사는 의자에서 일어나서 3 m를 앞으로 걸어갔다가 돌아와서 앉는데 걸리는 시간을 측정하는 것으로 노인 환자에서 13.5초 이상은 보행 중 넘어질 가능성이 높은 것을 평가된다.[50] FISST검사는 어지럼 환자에서 하지의 힘을 평가하는 유용한 검사로 의자에서 빠르게 5회 앉았다 일어섰다를 반복하게 하는 것이다.[35]

이러한 평가방법을 적절히 이용하면 지루하고 반복적인 운동으로 재활운동 효과에 의문을 품는 환자에게 확신을 심어주어 동기부여를 할 수 있고, 적절한 운동을 처방할 수 있다.

6. 전정재활치료의 발전

전정재활치료에서 새로운 발전 방향은 전자 기기의 발전에 따른 것으로 피부진동 되먹임장치(vibrotactile feedback)의 이용과 이식형 전정보조기(implantable vestibular prosthesis) 및 가상현실 구현을 통한 전정재활운동의 향상 등이다.

피부진동 되먹임장치는 환자의 균형이 무너지면 환자 몸통에 착용하고 있는 장치를 통해 진동으로 경고를 하는 원리이다. 이 장치는 특히 서 있을 때 균형을 잡는 것에 유용하며, 보행 중에도 어느 정도 도움이 되는 것으로 보고되고 있다. 양측 전정마비 환자에서 이 기구의 사용은 환자의 넘어질 위험성을 많이 줄일 수 있다고 주장되기도 한다.[48,49]

이식형 전정보조기는 인공 와우와 같이 자이로스콥의 신호을 전기신호로 전환하여 전정기관을 자극하여 균형을 유지하게 하는 것이다. 현재 여러 연구기관에서 활발하게 이 기기에 대한 연구를 하고 있고, 이미 동물실험들에서는 희망적인 결과를 보고하고 있기도 하다.[9,10,32,41] 그러나 아직도 기기를 소형화 하고, 베터리 수명을 늘려야 하고, 전극에서 방출된 전류에 의해 원하지 않는 반고리관이 자극되는 문제 등, 해결해야 할 문제들이 많아 임상에서 사용되기에는 현재 어려운 상태이다.

정보통신 기술이 발전하면서 가상 현실 구현이 가능해지고, 이를 통해 환자를 직접적인 위험에 노출 시키지 않으면서 쇼핑이나, 운전 등을 간접 경험하게 하고, 환자가 직접 치료센터에 오지 않고도 원격으로 좀 더 효과적인 재활 치료와 평가가 가능해질 것으로 생각된다.

참고문헌

1. Adamec I, Krbot Skoric M, Handzic J, Habek M. Incidence, seasonality and comorbidity in vestibular neuritis. Neurol Sci 2015;36:91-95.
2. Alsalaheen BA, Mucha A, Morris LO, et al. Vestibular rehabilitation for dizziness and balance disorders after concussion. J Neurol Phys Ther 2010;34:87-93.
3. Arbusow V, Schulz P, Strupp M, et al. Distribution of herpes simplex virus type 1 in human geniculate and vestibular ganglia: implications for vestibular neuritis. Ann Neurol 1999;46:416-419.
4. Ariyasu L, Byl FM, Sprague MS, Adour KK. The beneficial effect of methylprednisolone in acute vestibular vertigo. Arch Otolaryngol Head Neck Surg 1990;116:700-703.
5. Bronstein AM, Hood JD. The cervico-ocular reflex in normal subjects and patients with absent vestibular function. Brain Res 1986;373:399-408.
6. Coats AC. Vestibular neuronitis. Trans Am Acad Ophthalmol Otolaryngol 1969;73:395-408.
7. Cooksey FS. Rehabilitation in vestibular injuries. Proc R Soc Lond B Biol Sci 1946;39:273-278.
8. Corvera J, Davalos RL. Neurotologic evidence of central and peripheral involvement in patients with vestibular neuronitis. Otolaryngol Head Neck Surg 1985;93:524-528.
9. Dai C, Fridman GY, Della Santina CC. Effects of vestibular prosthesis electrode implantation and stimulation on hearing in rhesus monkeys. Hear Res 2011;277:204-210.
10. Della Santina CC, Migliaccio AA, Patel AH. A multichannel semicircular canal neural prosthesis using electrical stimulation to restore 3-d vestibular sensation. IEEE Trans Biomed Eng 2007;54:1016-1030.
11. Fetter M, Dichgans J. Vestibular neuritis spares the inferior division of the vestibular nerve. Brain 1996;119 (Pt 3):755-763.
12. Gianoli G, Goebel J, Mowry S, Poomipannit P. Anatomic differences in the lateral vestibular nerve channels and their implications in vestibular neuritis. Otol Neurotol 2005;26:489-494.
13. Gomez Garcia A, Jauregui-Renaud K. Subjective assessment of visual verticality in follow-up of patients with acute vestibular disease. Ear Nose Throat J 2003;82:442-444, 446.
14. Grossman GE, Leigh RJ. Instability of gaze during locomotion in patients with deficient vestibular function. Ann Neurol 1990;27:528-532.
15. Hain TC, Fetter M, Zee DS. Head-shaking nystagmus. In: Sharpe JA, Barber HO, editors. The vestibulo-ocular Reflex and Vertigo. New York: Raven, 1993, p.217-228.
16. Hain TC, Uddin M. Pharmacological treatment of vertigo. CNS Drugs 2003;17:85-100.
17. Hall CD, Herdman SJ. Reliability of clinical measures used to assess patients with peripheral vestibular disorders. J Neurol Phys Ther 2006;30:74-81.
18. Hall CD, Schubert MC, Herdman SJ. Prediction of fall risk reduction as measured by dynamic gait index in individuals with unilateral vestibular hypofunction. Otol Neurotol 2004;25:746-751.
19. Halmagyi GM, Aw ST, Karlberg M, Curthoys IS, Todd MJ. Inferior vestibular neuritis. Ann N Y Acad Sci 2002;956:306-313.
20. Halmagyi GM, Curthoys IS. A clinical sign of canal paresis. Arch Neurol 1988;45:737-739.
21. Herdman SJ. Role of vestibular adaptation in vestibular rehabilitation. Otolaryngol Head Neck Surg 1998;119:49-54.
22. Herdman SJ, Clendaniel RA, Mattox DE, Holliday MJ, Niparko JK. Vestibular adaptation exercises and recovery: acute stage after acoustic neuroma resection. Otolaryngol Head Neck Surg 1995;113:77-87.
23. Hillier SL, Hollohan V. Vestibular rehabilitation for unilateral peripheral vestibular dysfunction. Cochrane Database Syst Rev 2007:CD005397.
24. Hillier SL, McDonnell M. Vestibular rehabilitation for unilateral peripheral vestibular dysfunction. Cochrane Database Syst Rev 2011:CD005397.
25. Igarashi M. Vestibular compensation. An overview. Acta Otolaryngol Suppl 1984;406:78-82.
26. Igarashi M, Levy JK, T OU, Reschke MF. Further study of physical exercise and locomotor balance compensation after unilateral labyrinthectomy in squirrel monkeys. Acta Otolaryngol 1981;92:101-105.
27. Kasai T, Zee DS. Eye-head coordination in labyrinthine-defective human beings. Brain Res 1978;144:123-141.
28. Kim YH, Kim KS, Kim KJ, Choi H, Choi JS, Hwang IK. Recurrence of vertigo in patients with vestibular neuritis. Acta Otolaryngol 2011;131:1172-1177.
29. Kitahara T, Kondoh K, Morihana T, et al. Steroid effects on vestibular compensation in human. Neurol Res 2003;25:287-291.
30. Krebs DE, Gill-Body KM, Riley PO, Parker SW. Double-blind, placebo-controlled trial of rehabilitation for bilateral vestibular hypofunction: preliminary report. Otolaryngol Head Neck Surg 1993;109:735-741.
31. Lacour M. [Relearning and critical postoperative period in the restoration of nerve function. Example of vestibular compensation and clinical implications]. Ann Otolaryngol Chir Cervicofac 1984;101:177-187.
32. Lewis RF, Haburcakova C, Gong W, Makary C, Merfeld DM. Vestibuloocular reflex adaptation investigated with chronic motion-modulated electrical stimulation of semicircular canal afferents. J Neurophysiol 2010;103:1066-1079.
33. Linstrom CJ. Office management of the dizzy patient. Otolaryngol Clin North Am 1992;25:745-780.
34. Meli A, Zimatore G, Badaracco C, De Angelis E, Tufarelli D. Vestibular rehabilitation and 6-month follow-up using objective and subjective measures. Acta Otolaryngol 2006;126:259-266.

35. Meretta BM, Whitney SL, Marchetti GF, Sparto PJ, Muirhead RJ. The five times sit to stand test: responsiveness to change and concurrent validity in adults undergoing vestibular rehabilitation. J Vestib Res 2006;16:233-243.
36. Neuhauser HK. Epidemiology of vertigo. Curr Opin Neurol 2007;20:40-46.
37. Okinaka Y, Sekitani T, Okazaki H, Miura M, Tahara T. Progress of caloric response of vestibular neuronitis. Acta Otolaryngol Suppl 1993;503:18-22.
38. Orr EJ. Vestibular neuritis. N Engl J Med 2003;348:2362-2363; author reply 2362-2363.
39. Schubert MC, Hall CD, Das V, Tusa RJ, Herdman SJ. Oculomotor strategies and their effect on reducing gaze position error. Otol Neurotol 2010;31:228-231.
40. Shelhamer M, Tiliket C, Roberts D, Kramer PD, Zee DS. Short-term vestibulo-ocular reflex adaptation in humans. II. Error signals. Exp Brain Res 1994;100:328-336.
41. Shkel AM, Zeng FG. An electronic prosthesis mimicking the dynamic vestibular function. Audiol Neurootol 2006;11:113-122.
42. Strupp M, Magnusson M. Acute Unilateral Vestibulopathy. Neurol Clin 2015;33:669-685.
43. Strupp M, Zingler VC, Arbusow V, et al. Methylprednisolone, valacyclovir, or the combination for vestibular neuritis. N Engl J Med 2004;351:354-361.
44. Studenski S, Perera S, Patel K, et al. Gait speed and survival in older adults. JAMA 2011;305:50-58.
45. Szturm T, Ireland DJ, Lessing-Turner M. Comparison of different exercise programs in the rehabilitation of patients with chronic peripheral vestibular dysfunction. J Vestib Res 1994;4:461-479.
46. Teggi R, Caldirola D, Fabiano B, Recanati P, Bussi M. Rehabilitation after acute vestibular disorders. J Laryngol Otol 2009;123:397-402.
47. Theil D, Derfuss T, Strupp M, Gilden DH, Arbusow V, Brandt T. Cranial nerve palsies: herpes simplex virus type 1 and varizella-zoster virus latency. Ann Neurol 2002;51:273-274.
48. Wall C, 3rd, Oddsson LE, Horak FB, Wrisley DW, Dozza M. Applications of vibrotactile display of body tilt for rehabilitation. Conf Proc IEEE Eng Med Biol Soc 2004;7:4763-4765.
49. Wall C, 3rd, Wrisley DM, Statler KD. Vibrotactile tilt feedback improves dynamic gait index: a fall risk indicator in older adults. Gait Posture 2009;30:16-21.
50. Whitney SL, Marchetti GF, Schade A, Wrisley DM. The sensitivity and specificity of the Timed "Up & Go" and the Dynamic Gait Index for self-reported falls in persons with vestibular disorders. J Vestib Res 2004;14:397-409.

CHAPTER 50

어지럼증의 진단 및 치료_ 중추성 어지럼증

이비인후과학 Otorhinolaryngology - Head and Neck Surgery

안성기

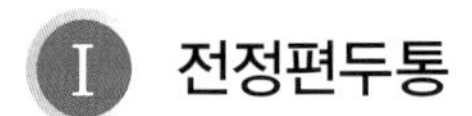

I 전정편두통

전정편두통(vestibular migraine)의 유병률은 전체 인구의 약 1% 정도로 알려져 있으며,[32] 편두통 환자들에서 어지럼증의 발생률이 일반인보다 세 배 정도 높다. 우연히 편두통과 어지럼증이 동시에 발생하기보다는 편두통과 어지럼증 사이의 인과관계에 의해 어지럼증이 발생할 것이라는 것이다. 더욱이 임상적으로 전정편두통은 지속시간이 다양하고, 편두통의 두통이 어지럼증 후에 일부만 발생하는 등 기존에 발표된 편두통 진단기준에 맞지 않는 부분이 많기 때문에 이러한 전정편두통을 다른 하나의 질병명(disease entity)으로 보는 것이 타당하다는 주장이 그 동안 계속 제기되어 왔다. 마침내, 2013년 국제두통학회(International Headache Society)에서는 국제두통질환분류 3판 베타판(The International Classification of Headache Disorders 3rd edition (beta version))에 전정편두통이라는 진단기준을 포함하여 발표하였으며 이를 임상 및 기초 연구에 적용할 것을 권고하였다.[18]

1. 병태생리

전정편두통의 병태생리는 편두통을 일으키는 기전과 비슷하게 설명되고 있으며 추정되는 기전은 다음과 같다. ① 편두통에서의 혈관연축(vasospasm)처럼 미로동맥(labyrinthine artery)과 그 분지들의 가역적인 혈관연축에 의해서 갑작스러운 어지럼증, 청각 증상과 함께 안진을 일으킨다는 것이다. ② 전정편두통에서 어지럼증을 편두통 조짐(aura) 증상의 하나로 보지는 않지만, 편두통에서의 조짐 기전인 대뇌 겉질확산성억제(cortical spreading depression)처럼 전정편두통에서도 서서히 앞으로 전파되는 진행성 파동이 전정 피질(vestibular cortex) 및 뇌간에 위치한 전정핵까지 도달한다는 것이다. ③ 내이는 해부학적으로 삼차신경이 분포되어 있으며, 삼차신경절의 안 분지(ophthalmic branch of trigeminal ganglion)에 의하여 신경 지배를 받는다. 편두통에서 삼차신경의 자극으로 인하여 수막 혈관(meningeal vessel)에 영향을 미치는 삼차신경–혈관반사(trigemino–vascular reflex)와 삼차신경의 종말에서 신경펩티드의 분비로 인한 혈관 확장, 혈장 단백의 유출로 인해 신경성 염증(neurogenic inflammation)을 일으키는 것처럼 내이 또한 삼차신경절의 자극에 의하여 삼차신경-혈관반사 및 신경성 염증을 일으켜 청각 및 전정 증상들이 일어난다는 것이다. ④ 전정편두통에서도 편두통처럼 이온통로 기능장애(dysfunction of ion channel)와 관련이 있으며 일부 환자에서는 보통염색체우성소질(autosomal dominant trait)을 보이는 유전적 요인이 있다. ⑤ 통각 경로(nociceptive pathway)와 전정 경로와의 연결로서, 삼차신경-혈관반사와 통증 전달로(pain pathway)를 조절하는 뇌간 구조물들과 전정핵 사이의 상호연결(reciprocal connection)에 의해 편두통 발작 시 어지럼증이 발생하며, 전정-시상겉질 전달로(vestibulo-thalamocortical pathway)도 관여할 것으로 생각한다.[2,7,8,16]

표 50-2. 조짐을 동반하는 편두통(migraine with aura) 진단기준

A. B와 C를 만족하는 두통발작이 최소한 2회 이상
B. 완전히 가역적인 아래 조짐 증상들 중 하나 이상
  1. 시각
  2. 감각
  3. 말 그리고/또는 언어
  4. 운동
  5. 뇌간
  6. 망막
C. 다음 네 가지 중 최소한 두 가지 이상을 가짐
  1. 최소한 한 가지 조짐 증상이 5분 이상에 걸쳐 서서히 퍼짐 그리고/또는 두 가지 이상의 조짐 증상이 연속해서 발생함
  2. 각각의 조짐 증상은 5~60분 동안 지속됨
  3. 최소한 한 가지의 조짐 증상은 일측성으로 나타남
  4. 두통은 조짐과 동시에 또는 조짐 시작 후 60분 이내에 발생함
D. 국제두통질환분류 3판의 다른 진단으로 설명이 되지 않으며, 일과성허혈발작은 배제됨

국제두통분류 3판 베타판(The International Classification of Headache Disorders 3rd edition (beta version)), 2013

2. 진단기준

2013년에 국제두통질환분류 3판 베타판에 조짐을 동반하지 않는 편두통과 조짐을 동반하는 편두통의 진단기준(표 50-1, 2)이 일부 개정되었으며, 특히, 기존에 없었던 전정편두통의 진단기준(표 50-3)이 포함되어 발표되었다.[18] 그리고 편두통과 관련된 어지럼증에 사용되어왔던 용어들인 전정편두통, 편두통연관 어지럼증/현훈(migraine-associated vertigo/dizziness), 편두통관련 현훈(migraine-related dizziness), 편두통성 현훈/어지럼증(migrainous vertigo) 등을 전정편두통이란 단일 용어로 통일하여 기술하였다. 또한, 이전의 진단기준에 있었던 명확한 전정편두통(definite vestibular migraine)과 가능성이 있는 전정편두통(possible vestibular migraine)이란 용어는 삭제되었으며, 바라니 학회(Bárány society)에서는 전정편두통 진단기준에서 가능성 높은 전정편두통(probable vestibular migraine)을 포함하여 전정편두통의 진단기준(표 50-4)을 발표하였다.[26]

표 50-1. 조짐을 동반하지 않는 편두통(migraine without aura) 진단기준

A. 기준 B-D를 만족하는 두통발작이 최소한 5번 발생
B. 치료하지 않거나 치료가 제대로 안된 경우 두통발작이 4~72 시간 지속
C. 두통은 다음 네 가지 중 최소한 두 가지 이상을 가짐
  1. 일측성
  2. 박동성
  3. 중등도 또는 심도의 통증 강도
  4. 일상적인 신체활동(걷거나 계단을 오름)에 의해 악화되거나 이를 회피하게 됨
D. 두통이 있는 동안 다음 중 최소한 한 가지 이상을 가짐
  1. 구역 그리고/또는 구토
  2. 광선눈통증photophobia과 소리공포증phonophobia
E. 국제두통질환분류 3판의 다른 진단으로 설명이 되지 않음

국제두통분류 3판 베타판(The International Classification of Headache Disorders 3rd edition (beta version)), 2013

3. 증상

전정편두통에서의 전정 증상에 대한 정의는 바라니 학회에서 제시한 것을 사용하였다. 자발성 어지럼증은 내부

표 50-3. 전정편두통(vestibular migraine) 진단기준

A. 진단기준 C와 D를 만족하는 전정발작이 최소 5회 이상
B. 조짐을 동반하지 않는 편두통 또는 조짐을 동반하는 편두통의 현병력 또는 과거력
C. 5분~72시간 지속되는 중등도 또는 심도의 전정 증상
D. 전정발작 중 최소 50%는 다음 세 가지 편두통 특성 중 최소한 한 가지 이상을 가짐
  1. 두통은 다음 중 최소한 2가지 이상
    a) 일측성
    b) 박동성
    c) 중등도 또는 심도의 통증 강도
    d) 일상적인 신체활동에 의해 악화
  2. 광선눈통증(photophobia)과 소리공포증(phonophobia)
  3. 시각 조짐
E. 국제두통질환분류 3판의 다른 진단 또는 다른 전정 질환으로 설명이 되지 않음

국제두통분류 3판 베타판(The International Classification of Headache Disorders 3rd edition (beta version)), 2013

표 50-4. 가능성 높은 전정편두통(probable vestibular migraine) 진단기준

A. 진단기준 C와 D를 만족하는 전정발작이 최소 5회 이상
B. 조짐을 동반하지 않는 편두통 또는 조짐을 동반하는 편두통의 현병력 또는 과거력
C. 5분~72시간 지속되는 중등도 또는 심도의 전정 증상
D. 전정발작 중 최소 50%는 다음 세 가지 편두통 특성 중 최소한 한 가지 이상을 가짐
  1. 두통은 다음 중 최소한 2가지 이상
    a) 일측성
    b) 박동성
    c) 중등도 또는 심도의 통증 강도
    d) 일상적인 신체활동에 의해 악화
  2. 광선눈통증(photophobia)과 소리공포증(phonophobia)
  3. 시각 조짐
E. 국제두통질환분류 3판의 다른 진단 또는 다른 전정 질환으로 설명이 되지 않음

바라니 학회(Bárány society), 2012

와 외부로 구분되며, 내부 어지럼증은 스스로 움직인다고 느끼는 것이며 외부는 주변 환경이 회전하거나 움직인다고 느끼는 것이다. 머리 위치의 변화에 의하여 유발되는 체위성 어지럼증, 복잡하고 큰 시각자극에 의해 유발되는 시각유발 어지럼증, 머리의 움직임에 의해 유발되는 어지럼증과 함께 구역을 동반하는 공간방향감장애(spatial disorientation)가 포함되며, 이외의 다른 형태의 어지럼증은 전정편두통의 분류에 포함시키지 않았다. 또한, 중등도의 어지럼증은 어지럼증으로 인하여 일상생활에 방해를 받지만 지속가능할 때를, 심도의 경우는 일상생활을 영위할 수 없을 때를 의미한다.

어지럼증의 지속시간은 매우 다양하며, 약 30%는 수분, 30%는 수 시간, 30%는 수일간 지속된다. 나머지 10%는 머리의 움직임, 시각자극 또는 머리 위치의 변화로 수 초간 발생하며 이 경우에 있어서 지속시간의 정의는 짧은 발작이 일어나는 동안의 총 지속시간을 의미한다. 심지어 한 번의 발작으로 약 4주가 지나야 회복되는 경우도 있지만 대부분 최대 72시간을 넘지는 않는다. 전정발작 시 동반 증상은 한 가지 증상만으로도 충분하며, 발작 때 마다 각기 다른 증상을 보일 수 있다. 전정 증상 이외에 동반 증상들은 전정발작 전·후 또는 동시에 모두 나타날 수 있다. 소리공포증(phonophobia)은 소리 유발에 의해 불쾌감을 느끼는 것으로 일과성이며 양측성이다. 이는 감각신경성 난청에서 발생하는 지속적이며 일측성의 점증현상(recruitment phenomenon)과는 감별해야 한다.

4. 감별진단

1) 뇌간조짐편두통

뇌바닥동맥편두통(basilar artery migraine)이 국제두통질환분류 3판 베타판에서는 뇌간조짐편두통(migraine with brainstem aura)으로 용어가 변경되었으며 진단기준은 다음과 같다. ① 조짐은 가역적으로 시각, 감각, 및 말 그리고/또는 언어에 관련된 증상을 보이며 운동약화 및 망막편두통에 관한 증상들은 없어야 한다. ② 뇌간조짐의 증상은 구음장애, 어지럼증, 이명, 청각과민, 복시, 실조(ataxia), 의식저하 중 최소 두 가지 이상을 보여야 한다. ③ 조짐의 특징은 표 50-2의 조짐을 동반하는 편두통 진단기준 C와 같다. ④ 국제두통질환분류 3판의 다른 진단으로 설명이 되지 않으며, 일과성허혈발작은 제외한다. 전

정편두통에서는 어지럼증의 지속시간이 다양하고 뇌간조짐편두통 지속시간처럼 5~60분을 보이는 경우는 드물다. 또한, 어지럼증 후에 편두통이 일부 환자에서만 발생하는 것으로 보아서 뇌간조짐편두통의 조짐 증상의 일부로 전정편두통의 어지럼증을 보기는 어렵다는 것이다. 이런 근거로 두 질환은 동일한 것이 아니며, 각각의 진단기준에 부합되면 두 가지 진단을 모두 사용할 수 있다.

2) 양성 발작성 어지럼증

4세 미만의 소아에서 갑자기 놀라서 소리치면서 부모에게 기대거나 마치 술 취한 사람처럼 비틀거리는 반복적인 어지럼증이 발생하는 경우를 소아 양성 발작성 어지럼증(benign paroxysmal vertigo of childhood)이라고 하였다. 그런데, 국제두통질환분류 3판 베타판에서는 이러한 용어에 소아라는 단어를 붙여서 사용하지 않고 그냥 양성 발작성 어지럼증(benign paroxysmal vertigo)이라고만 명명하였으며 이에 대한 진단기준은 다음과 같다. ① 진단기준 ②와 ③을 만족하는 어지럼증이 최소 5회 이상 발생한다. ② 건강한 소아에서 예고 없이 나타나며 의식소실 없이 수 분 또는 수 시간 후에 자연적으로 호전되는 반복적인 어지럼증이 최소 5회 이상 발생한다. ③ 어지럼증 동안에 안진, 실조, 구토, 창백, 두려움 증상들 중에서 최소 한 가지 이상을 동반해야 한다. ④ 발작사이기간(interictal period) 동안에 신경이과적 검사, 청력검사 및 전정기능검사는 정상 소견을 보인다. ⑤ 다른 질환에 의한 것이 아니다. 또한, 국제두통질환분류 3판 베타판에서는 전정편두통을 진단할 때 나이의 제한은 없으며, 진단기준에 부합되면 소아에서도 전정편두통이라는 진단을 내릴 수 있다. 소아의 경우, 발작성 어지러움의 지속시간이 5분 미만의 짧은 어지럼증과 5분 이상의 긴 어지럼증이 같이 존재하는 경우에 전정편두통과 소아에서 발생하는 양성 발작성 어지럼증의 두 가지 진단을 모두 사용할 수 있다.

3) 메니에르병

편두통이 건강한 일반인보다 메니에르병을 가진 환자에서 더 흔하다. 하지만 메니에르병 발작 동안에 편두통성 두통, 광선눈통증(photophobia), 편두통 조짐이 흔하게 발생하지만 편두통과 메니에르병 사이의 병태생리적 연관성에 대해서는 여전히 불명확하다. 어지럼증 발작 동안에 동시에 편두통 증상이 있더라도 순음청력검사에서 메니에르병의 진단기준을 만족하는 난청이 증명되었다면 메니에르병으로 진단을 내려야한다. 하지만, 전정편두통과 메니에르병 진단기준을 모두 만족하고 전형적으로 각각 다른 증상과 어지럼증의 양상을 보이는 경우에는 전정편두통 및 메니에르병 두 가지 진단을 모두 사용할 수 있다.

5. 치료

전정편두통의 치료에 대한 대규모의 무작위대조시험(randomized controlled trial) 연구가 많지 않아, 일반적으로 편두통의 치료법에 준하여 치료를 하고 있다.[3,4,17,21,29]

1) 비약물요법

편두통을 촉진시키는 유발인자들의 제거 또는 회피 요법과 전정재활치료 등이다. 대표적인 유발인자로는 스트레스, 수면 변화, 특정 음식, 빛이나 시끄러운 소리, 날씨 변화, 공복, 여자의 경우 생리, 폐경기와 같은 호르몬 변화 등이다. 따라서 각 개인의 유발인자를 파악하고 환자에게 인지하여 유발 요인을 제거 또는 회피하는 것이 중요하다. 편두통을 유발시키는 것으로 잘 알려진 음식들은 초콜릿, 햄, 소시지, 티라민(tyramine) 성분이 포함된 숙성된 치즈, 커피, 적포도주, 카페인 성분의 음료, 글루탐산모노나트륨(monosodium glutamate; MSG)이 첨가된 음식물, 아스파탐(aspartame)이 들어있는 인공감미료, 땅콩과 호두 같은 견과류 또는 이를 재료를 한 버터 등이다. 식이 조절만을 통해 증상의 호전을 보일 수 있으며,

전정기능의 장애가 동반되는 있는 환자의 경우 전정재활 치료가 환자의 증상에 도움을 줄 수 있다.

2) 급성기 약물요법

급성기 약물은 주로 전정억제제와 전정편두통 발작을 중지시키는 약물을 사용할 수 있다. 대표적인 발작 중지 약물로서는 트립탄계(triptans) 약물 또는 혈관수축제인 에르고트(ergot) 유도체 등이다. 트립탄계 약물은 편두통의 두통 발작 시에 투여하면 투여 한 시간 내에 효과가 나타나며 투여 두 시간이 지나면 환자의 약 80%에서 증상의 호전을 보인다. 무작위대조시험을 한 연구에서 트립탄계 약물 중 zolmitriptan 5 mg을 전정편두통 환자에게 사용한 결과 위약을 사용한 대조군보다 전정편두통의 증상이 현저히 감소하였다고 한다. 대부분의 편두통 치료방침과 같이 한 달에 1회 정도의 심한 발작이 있는 경우와 지속시간이 최소 2시간 이상인 경우는 사용해 볼 수 있다. 그러나 관상동맥에 혈관수축을 일으키기 때문에 허혈성 심장 질환 환자들에게는 사용을 주의하여야 한다.

3) 예방적 약물요법

전정편두통의 예방적 약물요법에 대한 적응증은 확립되어 있지는 않지만 마찬가지로 편두통의 예방적 치료에 준하여 다음과 같은 경우에 고려해볼 수 있다. ① 급성기 약물 요법에도 불구하고 일상생활에 현저한 장애가 있으면서 자주 재발하는 경우로서 한 달에 2회 이상의 발작으로 인해 3일 이상의 일상생활에 지장을 초래할 때이다. ② 둘째, 급성기 약물을 사용할 수 없거나 비약물요법을 사용하여 6~8주 후에도 증상 조절이 되지 않는 경우이다. ③ 1주일에 2회 이상으로 빈도가 매우 잦은 경우와 함께 시간이 경과 하면서 더 자주 발생한 경우이다. ④ 환자가 원하는 경우 즉, 발작의 빈도를 가능한 한 줄이고자 할 때 예방적 요법을 시도할 수 있다.

전정편두통에 사용되는 주요 약물들로서는 베타차단제, 칼슘통로차단제, 삼환계항우울제 등이 있다. 베타차단제가 가장 많이 사용되고 있으며, 대표적인 약물들로서는 propranolol, atenolol 및 metaprolol 등이며, 이 중 propranolol이 가장 널리 사용된다. 칼슘통로차단제는 verapamil과 flunarizine (Sibelium®)이 사용된다. 특히, 전정편두통 환자에게 flunarizine 10 mg/day와 betahistine을 12주 동안 투여한 결과 betahistine 단독으로 투여했을 때보다 의미 있게 증상의 호전을 보였다고 한다. 삼환계항우울제인 amitriptyline, nortriptyline과 항간질제인 valproic acid, topiramate, 및 lamotrigine 등을 사용할 수 있다.

약물을 투여하면서 전정편두통의 빈도와 강도 변화에 대한 일기를 쓰도록 하여 효과를 판정하는 것이 좋으며, 예방적 약물의 사용 시 첫 2~3주 동안에는 증상의 호전을 보이지 않을 수 있기 때문에 환자 및 보호자에게 충분한 설명과 교육이 필요하다. 또한, 최소 4~6주 정도 사용한 후에 약물의 효과를 판정하는 것이 좋으며, 약물의 사용 기간은 정해진 것은 없지만 편두통의 치료를 참고하면 대부분 약 3~6개월 정도 복용시킨 후 서서히 감량시킨다.

II 다발경화증

다발경화증(multiple sclerosis)은 대표적인 중추신경계의 염증성 탈수초성 질환 중의 하나로서 백질 내에 다초점성 탈수초판(demyelinating plaque)을 보이며 이루어진 백질 내 혈관 주위의 염증세포 침윤이 특징인 질환이다. 온대기후 지역에서 흔히 발생하며 호발 연령은 주로 20~40세이며, 남자보다 여자에서 약 2배 더 흔하게 발병한다. 그 원인으로는 면역조절기능의 이상으로 생기는 자가면역질환, 유전적 소인, 바이러스 감염, 생화학적 발병요인 등 복합적 요인에 의해 유발되는 것으로 생각되고 있다.

임상 경과는 활동성과 진행에 따라서 네 가지로 구분한다. 가장 일반적인 형태인 재발 때마다 완전 회복을 보이는 재발-완화형(relapsing-remitting), 처음에는 재

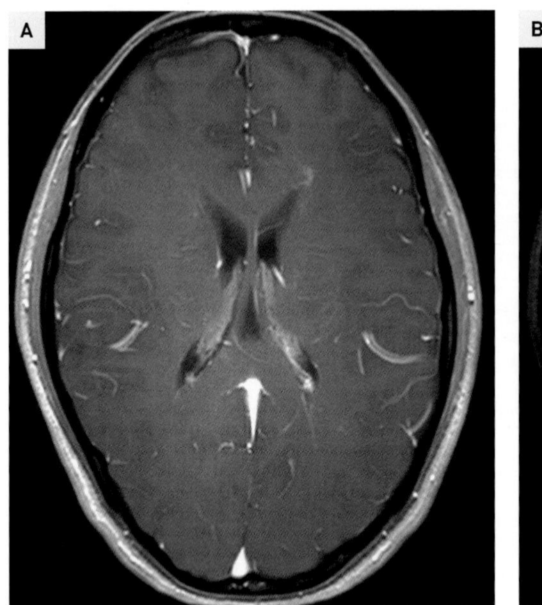

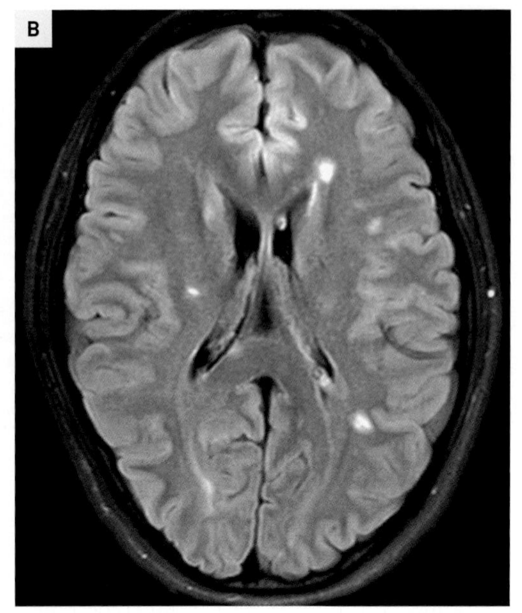

■ 그림 50-1. **다발경화증. A)** 조영증강 축상면 T1강조영상에서 뇌실주위백질(periventricular white matter)과 피질주위(juxtacortical area)부위에 조영 증강이 되지 않는다. **B)** T2 FLAIR 영상에서는 이 부위들이 고강도(hyperintense)의 다발적인 병변들로 보임으로써 시간적 파종(dissemination on time)을 보이는 다발경화증을 진단할 수 있다.

발 및 완전한 관해를 보이다가 어느 시기부터는 재발 후 불완전하게 회복하며 기능상실 및 신체장애가 발생하는 이차 진행형(secondary progressive), 발병 후 처음부터 점진적으로 진행하는 일차성 진행형(primary progressive), 및 갑작스러운 재발 후 부분 또는 완전 회복될 수 있는 진행-재발형(progressive-relapsing)이 있다.[1]

증상으로는 중추신경계의 어느 부위에도 생길 수 있으며, 병변의 위치에 따라 다양한 뇌신경학적 증상을 나타낸다. 초기 증상은 비특이적 증상으로서 무력증, 두통, 우울증, 상하지 통증 등의 증상을 보이며, 이후에 질병의 경과에 따라 어지럼증, 실조, 괄약근 장애, 감각장애 등 다발경화증의 뚜렷한 증상을 보인다. 중추성 어지럼증의 약 10%는 다발경화증에 의한 것이며, 환자의 약 5%에서 어지럼증이 초기 증상으로 발생하며, 질병의 경과 중에 60%까지 보일 수 있다. 어지럼증을 일으키는 주된 호발 부위는 전정핵과 제8 뇌신경의 신경진입부(entry zone of cranial nerve VIII) 등이다.

전정 증상으로는 진동감의 장애, 위치감각 이상을 호소한다. 어지럼증의 특징은 주로 자세의 갑작스러운 변화와 함께 1~2분간 지속되는 회전성 어지럼증이며, 소뇌성 실조, 뇌간의 다른 증상과 연관된 지속성 어지럼증의 형태로도 나타난다. 이러한 어지럼증은 안구운동장애, 실조, 구음장애 등의 증상과 관련성이 많은 것으로 알려져 있다. 다발경화증에 특이하지는 않지만, 안진, 활동떨림(intention tremor), 및 각 음절마다 분리해서 말하는 단속성말투(scanning or staccato speech) 등의 샤르코세증후(Charcot's triad)도 나타날 수 있다.

진단으로는 중추신경계 증상의 시간적 및 공간적 파종(dissemination)을 확인하는 것으로, 다른 가능한 질환은 배제되면서, 뇌, 척수, 시신경 등 중추신경계의 장애가 적어도 다른 두 영역에서 두 차례 이상 보여야한다. 환자의 90% 이상에서 뇌 자기공명영상(magnetic resonance image; MRI)에 뇌실 주위의 백질의 병변 소견이 보인다(그림 50-1). 특징적인 MRI 소견으로는 뇌실에 수직 방향인 병변들, 좌우 반구에 비대칭적으로 보이는 선형 또는 계란형이 병변들 및 'Dawson 손가락'이라고 불리는 세정맥(venule) 주위의 병변 등이다. 전정기능검사는 국소징후를 나타내지 못하며 정상 소견부터 말초성 또는 중추성 전정기능이상 등 다양한 형태로 나타난다. 그 밖에 뇌척수액검사와 시각유발전위(visual-evoked potential)검사를 시행하지만 다발경화증을 진단에 도움을 줄 수 있다.

치료는 장애에 대한 운동 및 물리치료, 강직 및 신경병성 통증을 줄이는 약물과 같은 적절한 대증요법, 재발 시 증상을 완화시키고 장애를 줄이기 위하여 고용량의 글루코코르티코이드(glucocorticoid) 또는 메틸프레드니솔론(methylprednisolone) 등과 같은 급성기치료, 그리고 장기적인 질환을 치료하기 위하여 interferon beta, 4개의 아미노산 복합체인 glatiramer acetate, 단클론항체(monoclonal antibody) 표적치료제인 natalizumab (Tysabri®) 등을 사용한다.[13]

Ⅲ 일과성허혈발작

일과성허혈발작(transient ischemic attack; TIA)의 정의는 뇌혈관 질환의 결과로 인하여 갑작스럽게 발생한 뇌신경학적 증상이 24시간 이내에 완전히 회복되는 것이다.[6] 최근에는 확산강조영상(diffusion-weighted image)을 포함한 뇌 MRI와 같은 영상기법의 발전으로 인하여 TIA도 30~50%에서는 실질적인 뇌 손상을 동반하는 것으로 알려져 있다. 정상 상태의 뇌혈류는 뇌조직 100 mg 당 50~60 mL/min의 혈액이 필요하지만 이런 뇌혈류가 20~30 mL/100 mg/min으로 감소하면 뇌기능이 불안정해져서 공급하는 혈관에 따라 증상이 다양하게 발생하지만 임계기(critical period)에 도달하기 전에 뇌 혈류량이 정상으로 회복되면 증상은 완전 회복된다.

TIA가 생기는 기전은 크게 심장색전증(cardioembolism), 큰 동맥 죽상경화(atherosclerosis), 작은 동맥 폐색으로 나눌 수 있다. 대부분의 TIA는 근위부 큰 동맥의 죽상경화에 의해 발생하거나 심장에서 생성된 혈전이 뇌동맥으로 이동하여 원위부 혈관을 막음으로써 증상이 발생하였다가 혈전이 녹으면서 뇌혈류가 재소통(recanalization)이 되면서 증상이 완전 회복되는 것으로 설명하고 있다.

뇌 순환계는 전방순환계(anterior circulation)와 후방순환계(posterior circulation)로 나누어지며, 전방순환계는 중간대뇌동맥(middle cerebral artery)과 앞대뇌동맥(anterior cerebral artery)으로 구분되어진다. 증상은 중간대뇌동맥 영역에 손상이 오면 편마비 및 감각장애, 언어장애, 구음장애, 시야결손, 안구편위 등이 나타나며, 앞대뇌동맥의 경우는 상지보다 하지의 약화와 시야장애가 관찰되지 않는 것이 특징이다. 후방순환계는 뒤대뇌동맥(posterior cerebral artery), 척추뇌바닥동맥(vertebrobasilar artery)이 크게 포함된다. 이 중 척추뇌바닥동맥의 TIA는 약 10~19%에서 발생하고 의식장애, 실조, 팔다리 운동이나 감각이상, 어지럼증, 이명, 청력 저하, 복시, 시야 및 시력장애, 구음장애 등이 다양하게 나타날 수 있다.[27]

허혈성 뇌경색의 약 15%에서는 TIA가 선행한다고 알려져 있으며, TIA 첫 발생 후에 일주일 이내의 뇌경색 발생률은 1~8%이다.[22,28] 뇌경색의 위험이 가장 높은 시기는 첫 발생 이후 3~6개월 이내이다.[33]

Ⅳ 척추뇌바닥혈류부전

척추뇌바닥혈류부전(vertebrobasilar insufficiency; VBI)은 뇌의 후방순환계에 혈류역동학적으로 허혈을 일으키는 다양한 원인들에 의해서 발생하는 것을 의미한다. 후방순환계 중 특히, 빗장밑동맥(subclavian artery)에서 기시한 양측 척추동맥(vertebral artery)이 만나서 하나로 합쳐지는 뇌바닥동맥이 주된 동맥들이다. 척추동맥의 경우에 전정신경핵이나 결절(nodulus)와 배쪽 목젖(ventral uvula)을 포함하는 전정소뇌 부위의 혈류를 담당하는 뒤아래소뇌동맥(posterior inferior cerebellar artery)의 분지를 낸다. 그리고 뇌바닥동맥의 경우는 위소뇌동맥(superior cerebellar artery)과 내이와 타래(flocculus)와 같은 전정소뇌 부위의 혈류를 담당하는 앞아래소뇌동맥(anterior inferior cerebellar artery)의 분지를 낸다.[11]

VBI는 노인에서 발생하는 어지럼증의 주요 원인 중 하나이다. 어지럼증은 대부분 선행하는 유발요인 없이 갑작스럽게 발생하며 수 분간 지속되며 구역과 구토를 흔히 동반한다. 어지럼증 단독 증상, 즉 고립성 어지럼증(isolated vertigo)의 발생빈도는 1% 미만으로 매우 드물며, 후두부 두통, 복시, 실조, 감각이상, 근력저하, 연하장애, 쓰러짐발작(drop attack) 등과 다양한 증상들과 주로 동반하여 나타난다. 주된 원인은 빗장밑동맥, 척추동맥, 또는 뇌바닥동맥의 죽상경화에 의해 발생한다.[14] 진단은 척추뇌바닥동맥을 확인할 수 있는 영상의학 검사를 통하여 이상을 객관적으로 확인하는 것이다. 주요 영상의학검사는 뇌 전산화단층촬영, 뇌 자기공명혈관촬영술(magnetic resonance angiography; MRA), 및 혈관조영검사(conventional cerebral angiography) 등이 대표적이다. 간혹, 회전성추골동맥증후군(rotational vertebral artery syndrome) 혹은 경추증(cervical spondylosis) 등과 같은 질환으로 인하여 경부운동 시 물리적인 압박에 의해서도 발생할 수 있다.

치료는 고혈압, 당뇨, 고지혈증과 같은 위험인자를 조절하는 것이 중요하며, 증상이 있고 머리뼈안동맥(intracranial artery)의 협착이 50~99%를 보이는 경우는 아스피린 및 와파린과 같은 항혈전요법이 필요하다. 특히, 심장색전증에 의한 뇌경색이 이전에 발생한 환자의 경우는 항응고제인 와파린을 사용한다.[31] 그 밖에, 척추동맥의 협착이 있는 경우 경피적 경혈관 혈관확장술(percutaneous tansluminal angioplasty) 또는 스텐트 삽입술을 시행하기도 한다.

 가쪽 연수경색

가쪽 연수경색(lateral medullary infarction)은 Wallenberg 증후군으로도 불린다. 어지럼증이 주된 증상으로 나타나는 뇌간 경색(brainstem infarction)의 가장 흔한 유형 중의 하나이다. 주된 경색 부위는 연수의 올리브(olive) 바로 후방에 위치한 뒤가쪽 연수(dorsolateral medulla)이다. 원인은 동측 척추동맥의 죽상경화로 인한 폐색에 의하여 발생하며 드물게 뒤아래소뇌동맥의 폐색에 의해서도 발생한다.[10]

증상은 연수의 전정로(vestibular tract) 및 전정핵을 침범하여 어지럼증이 나타나며, 전정소뇌로(vestibulocerebellar tract)에 의해 실조가 나타난다. 전형적인 증상은 뇌경색 병변측의 안면 감각이상, 반대측 몸통과 팔다리의 감각이상, 연하장애, 발성장애, 딸꾹질 및 Horner 증후군을 보인다. 반면, 청력감소는 없는데 그 이유는 외측연수경색의 병변이 와우신경 진입부(cochlear nerve entry zone)와 와우핵보다 아래쪽에 있기 때문이다. 두부충동검사(head impulse test)는 정상이며 안진은 중추성 및 말초성 안진을 모두 보이는 등 다양하게 나타난다. 그리고 안구기울임반응(ocular tilt reaction)과 같은 안정렬(ocular alignment)의 장애가 발생할 수 있다. 또한, 일부 환자에서는 환자의 몸통과 사지가 보이지 않는 힘에 의해 병변측으로 끌리는 듯한 가쪽쏠림보행(lateropulsion)을 보이며, 이러한 증상은 안운동계에도 영향을 주어 병변측으로 매우 큰 신속보기(saccade)를 나타냄과 동시에 병변 반대측에는 상대적으로 작은 신속보기를 보인다.[12] 진단은 가쪽 연수경색이 의심되는 경우 확산강조영상을 포함한 뇌 MRI와 MRA를 시행한다(그림 50-2). 치료는 급성기 환자 중 적응증에 따라 혈전용해요법(thrombolytic therapy) 혹은 신경혈관중재술을 시행한다. 척추뇌바닥동맥의 죽상경화에 의한 경우는 항혈소판제 투여를 시작하고, 심장색전증에 의한 경우는 항응고제를 시행한다.

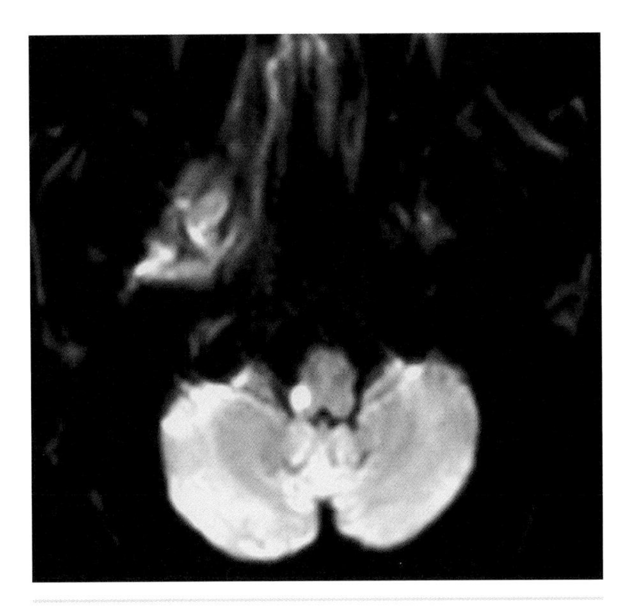

■ 그림 50-2. **가쪽 연수경색.** 77세 여자 환자가 두통과 우측 안면마비, 어지럼을 주소로 내원하여 뇌 MRI를 촬영하였다. 확산강조영상(DWI, diffusion weighted imaging)에서 우측 연수의 외측에서 병변을 확인할 수 있다.

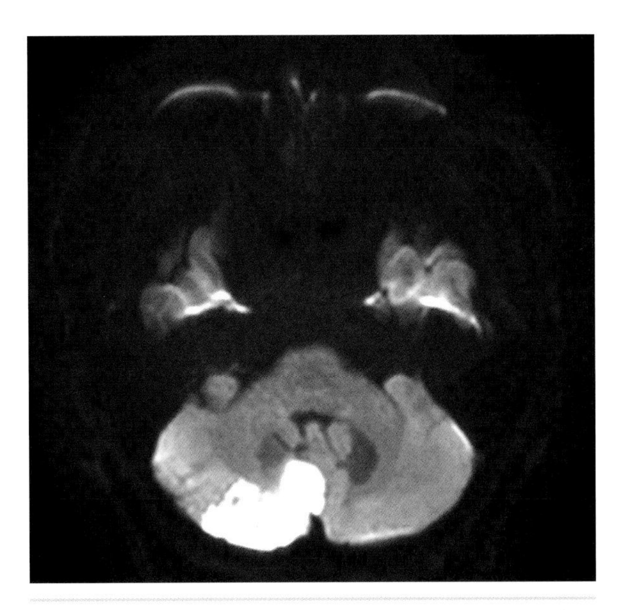

■ 그림 50-3. **우측 소뇌 경색.** 61세 여자 환자가 어지럼과 두통을 주소로 내원하여, 뇌 MRI를 촬영하였다. 확산강조영상(DWI, diffusion weighted imaging)에서 우측 소뇌의 후하부에서 병변을 확인할 수 있다.

Ⅵ 소뇌경색

급성전정증후군(acute vestibular syndrome)은 전정신경염과 같은 대부분 급성 말초성 전정장애를 의미한다. 그러나 소뇌 및 뇌간의 뇌졸중으로 인한 일부 환자에서는 급성 말초성 전정장애와 아주 유사한 임상증상인 어지럼증과 경미한 자세불안만을 보인다. 이러한 급성전정증후군에서 중추성과 말초성 병변을 구분하기 위하여 HINTS (head impulse test, nystagmus, 스큐편위검사(test of skew))검사는 아주 유용하다.[24] 즉, 급성기 전정신경염처럼 교정성 신속보기(corrective saccade)를 보이지 않은 정상 두부충동검사, 순수 수직성 안진 또는 방향이 바뀌는 안진 등 안진의 양상이 중추성 소견을 보이는 경우, 스큐편위를 보이는 경우는 급성중추전정증후군(acute central vestibular syndrome)을 반드시 의심하여야 하며 뇌 영상의학검사를 시행하여야 한다. 이러한 HINTS 검사가 뇌졸중의 조기진단에 있어서 뇌 MRI보다 민감도가 더 높기 때문에 매우 유용한 검사이다. 진단은 소뇌경색이 의심되는 경우 확산강조영상을 포함한 뇌 MRI와 MRA를 시행한다(그림 50-3).

소뇌는 위소뇌동맥, 앞아래소뇌동맥, 뒤아래소뇌동맥에 의해 혈액이 공급된다.[15] 전체 소뇌경색의 10%는 다른 뇌신경학적 증상 없이 어지럼증과 자세불안만을 호소한다. 특히, 뒤아래소뇌동맥의 작은 내측 분지(medial branch)에 의한 소뇌경색인 경우는 급성전정증후군과 감별하기가 어렵다. 따라서 고위험인자가 있는 환자들에서는 2~3일 이후에 뇌신경학적 증상이 발생할 수 있다는 것을 설명하는 것을 권한다. 한편, 앞아래소뇌동맥에 의한 소뇌경색은 뒤아래소뇌동맥에 의한 소뇌경색과 유사한 증상들이 발생하지만, 대부분의 환자에서 앞아래소뇌동맥의 분지인 미로동맥의 폐색으로 인하여 어지럼증과 일측성 청력소실이 같이 나타난다.

Ⅶ 핵간안근마비

핵간안근마비(internuclear ophthalmoplegia)는 반대편 갓돌림신경핵(abducens nucleus)과 동측 눈돌림신경핵(oculomotor nucleus)의 내직근 아핵(subnucleus)을 연결하는 안쪽세로다발(medial longitudinal fascic-ulus)의 병변에 의해 발생하여 이러한 양쪽 안구가 수평적 주시를 조절하지 못하므로 수평안구운동 장애를 일으킨다. 한쪽의 안쪽세로다발의 병변으로 반대측 응시중추인 방정중교뇌망상체(paramedian pontine reticular formation)에서 시작한 흥분이 병변측의 내직근 신경핵에 전달되지 않아 병변의 반대편을 주시할 때, 병변측 안구는 내전(adduction)장애를 나타내며 정상측 안구는 해리외전안진(dissociated abducting nystagmus)현상을 보인다. 즉 안구가 동향운동(conjugate movement)으로 움직이지 않으면서 안진은 정상측 안구에만 발생한다.[3,9] 주시유발안진, 수직성 안진, 안구기울임반응 등이 동반될 수 있다. 다발경화증과 뇌간 경색에서 많이 관찰되며, 출혈, 외상, 연수공동증(syringobulia) 및 페니토인 등의 약물 중독에 의해서도 발생할 수 있다. 핵간안근마비와 감별해야 할 질환들로서는 중증 근무력증, 갑상선병과 연관된 안와병(thyroid associated orbitopathy), 외상성 안와병(traumatic orbitopathy), 안와 종양, 안와근염(orbital myositis) 등이다.[25]

Ⅷ 전정발작

전정발작(vestibula paroxysmia)은 제8 뇌신경인 속귀신경이 혈관에 의해 압박을 받아 발작성 어지럼증이 생기는 신경-혈관 교차압박 증후군(neurovascular cross-compression syndrome)이다. 이와 함께 이명, 감각신경성 난청, 다른 뇌신경학적 증상 등을 동반하기도 한다.

1975년 Jannetta에 의해 장애성자세현훈(disabling positional vertigo)으로 처음으로 기술되었고 미세혈관감압술(microvascular decompression)로 치료하였다.[20] 1994년 Brandt와 Dieterich에 의해 전정발작이라고 명명되었으며,[13] 다섯 가지 진단기준을 제시하였다. 이후, 2008년 Hüfner 등이 진단기준(표 50-5)을 안정 시에도 나타나는 어지럼증, 동반증상이 없는 경우, 뇌 MRI에서 혈관성 신경압박이 관찰되는 경우, 과호흡에 의해 유발되는 안진, 전기안진검사를 통한 추적검사에서 전정기능의 점진적인 기능저하 등의 항목들을 포함하여 새롭게 정립하였다.[5]

기전으로서는 혈관이 지속적인 압박을 받게 되어 제8 뇌신경이 탈수초화됨으로써 과활성 상태의 활동전위가 전달되어 나타난다. 이로 인하여 전정기능저하와 유사한 소견을 보인다. 또한, 탈수초화는 신경섬유 전도속도의 감소 혹은 신경섬유를 비활성화시켜 청성뇌간반응검사에서 이상 소견이 보일 수 있다.

어지럼증과 동반되는 증상은 직립 시 또는 보행시의 불안정감, 구역과 구토, 이명, 이충만감 등을 호소하는 경우가 많았다. 그리고 constructive interference in steady state (CISS) 영상 기법을 이용한 뇌 MRI 영상학적 소견은 대부분의 전정발작 환자에서 혈관이 제8 뇌신경을 압박하는 소견을 보인다고 한다. 하지만, 정상의 경우에서도 이러한 압박이 관찰될 수 있어 진단 시에 주의는 필요하다.

신경압박을 일으키는 주요 혈관들은 앞아래소뇌동맥이 가장 많으며, 뒤아래소뇌동맥 및 척추동맥 등이다.[19] 감별해야 할 주요 질환들로서는 메니에르병, 양성 돌발성 두위현훈, 전정편두통 및 공포체위현훈(phobic postural vertigo) 등이다.

치료에 있어서는 내과적 약물요법 및 외과적 치료법이 있다. 내과적 약물 요법은 carbamazepine, oxcarbaze-pine, 혹은 gabapentin 등의 항경련제를 사용한다. 특히 carbamazepine은 과활성 상태가 된 속귀의 신경막을 안정화시켜 흥분성 신호의 시냅스 전달을 감소하여 전정발

표 50-5. 명확한 전정발작(definite vestibular paroxysmia)

전정발작이 최소 5회 이상 이면서 진단기준 A~E를 만족함
A. 수 초 에서 수 분간 지속되는 어지럼 발작은 특별한 치료 없이 발작은 좋아짐
B. 발작에서 다음 유발요인 중 최소한 한 가지 이상을 가짐
1. 안정
2. 특정한 두부/몸통 체위 (양성 돌발성 두위현훈의 특징적인 체위는 아님)
3. 특정한 두부/몸통 체위에서 변화를 보임 (양성 돌발성 두위현훈의 특징적인 체위는 아님)
C. 발작 동안에 다음 특징 중 하나 이상을 가짐
1. 동반증상 없음
2. 서 있기 어려움
3. 걷기 어려움
4. 편측 이명
5. 귀 안쪽 및 그 주변의 편측 압박감 및 저림
6. 편측 청력감소
D. 다음의 부가적 진단 기준 중 하나 이상을 가짐
1. CISS (constructive interference in steady state) 영상의 뇌 자기공명영상에서 신경-혈관 교차 압박이 관찰됨
2. 과호흡 유발안진이 전기안진검사에서 측정됨
3. 전기안진검사의 추적 검사에서 점진적 전정기능 저하를 보임
4. 항경련제에 대한 치료에 대하여 반응을 보임(단, 일회의 치료로 결정하지는 않음)
E. 증상이 다른 질환으로 설명이 되지 않음
가능성이 높은 전정발작(probable vestibular paroxysmia)
전정발작이 최소 5회 이상 이면서 진단기준 A를 만족하고, 진단기준 B~E 중 적어도 세 개를 만족함

작의 증상을 완화시키는 것으로 생각하고 있다. 이러한 내과적 약물 요법에도 반응이 없는 경우는 미세혈관 감압술을 시행할 수 있다. 약 80~90%의 환자에서 이와 같은 미세혈관 감압술 후에 완치 또는 호전을 보였다고 알려져 있다.[5,19]

참고문헌

1. 김우준, 김호진. 다발성경화증. 대한의사협회지 2009;52:665-676.
2. 안성기. 편두통성 현훈의 병리기전에 대한 이해. Research in Vestibular Science 2008;7:157-163.
3. 안성기. 편두통성 현훈의 진단 및 치료. 대한이비인후과학회지 2009;52:793-800.
4. 안성기, 강규식, 구자원 등. 국내에서 편두통성 현훈의 임상 양상 및 치료에 대한 다기관연구. Research in Vestibular Science 2009;8:122-131.
5. 유병재, 황세환, 유동준 등. 추골동맥에 의해 발생한 전정발작 1예. 대한이비인후과학회지 2012;55:386-389.
6. Ad Hoc Committee on cerebrovascular diseases. Special report form the national institute of neurological disorders and stroke. Classification of cerebrovasuclar diseases III. Stroke 1990;21:637-676.
7. Ahn SK, Balaban CD. Distribution of 5-HT1B and 5-HT1D receptors in the inner ear. Brain Res 2010;1346:92-101.
8. Balaban CD. Migraine, vertigo and migrainous vertigo: link between vestibular and pain mechanisms. J Vestib Res 2011;21:315-321.
9. Baloh RW, Yee RD, Honrubia V. Internuclear ophthalmoplegia: II. pursuit, optokinetic nystagmus and vestibulo-ocular reflex. Arch Neurol 1978;35:490-493.
10. Baloh RW, Yee RD, Honrubia V. Eye movements in patients with Wallenberg's syndrome. Ann N Y Acad Sci 1981;374:600-613.
11. Baloh RW. Vertebrobasilar insufficiency and stroke. Otolaryngol Head Neck Surg 1995 ;112:114-117.
12. Bjerver K, Silfverskiold BP. Lateropulsion and imbalance in Wallenberg's syndrome. Acta Neurol Scand 1968;44:91-100.
13. Brandt T, Dieterich M. Vestibular paroxysmia: vascular compression of the eighth nerve? Lancet 1994;343:798-799.
14. Caplan LR, Wityk RJ Glass TA, et al. New England Medical Center Posterior Circulation Registry. Ann Neurol 2004;56:389-398.
15. Duncan GW, Parker SW, Fisher CM. Acute cerebellar infarction in the PICA territory. Arch Neurol 1975;32:364-368.
16. Espinosa-Sanchez JM, Lopez-Escamez JA. New insights into pathophysiology of vestibular migraine. Front Neurol 2015;6:1-6.
17. Harker LA. Migraine-associated vertigo. In: Balow RW, Halmagyi GM, editors. Disorders of the vestibular system. 1st ed. New York: Oxford University Press;1996. p.407-417.
18. Headache Classification Committee of the International Headache Society (IHS). The International Classification of Headache Disorders, 3rd edition (beta version). Cephalalgia 2013;33:629-808.
19. Hüfner K, Barresi D, Glaser M, et al. Vestibular paroxysmia: diagnostic features and medical treatment. Neurology 2008;71:1006-1014.
20. Jannetta PJ. Neurovascular cross-compression in patients with hyperactive dysfunction symptoms of the eighth cranial nerve. Surg Forum 1975;26:467-469.
21. Johnson GD. Medical management of migraine-related dizziness and vertigo. Laryngoscope 1998;108:1-28.
22. Johnston SC, Fayad P, Gorelick P, et al. Prevalence and knowledge of transient ischemic attacks among US adults. Neurology 2003;60:1429-1434.

23. Kamm CP, Uitdehaag BM, Polman CH. Multiple sclerosis: current knowledge and future outlook. Eur Neurol 2014;72:132-141.
24. Kattah JC, Talkad AV, Wang DZ, et al. HINTS to diagnose stroke in the acute vestibular syndrome: three-step bedside oculomotor examination more sensitive than early MRI diffusion-weighted imaging. Stroke 2009;40:3504-3510.
25. Leigh RJ, Zee DS. The neurology of eye movements. 4th ed. New York: Oxford University Press;2006. p.620-630.
26. Lempert T, Olesen J, Furman J, et al. Vestibular migraine: diagnostic criteria. J Vestib Res 2012;22:167-172.
27. Lewandowski CA, Rao CP, Silver B. Transient ischemic attack: definitions and clinical presentations. Ann Emerg Med 2008;52:S7-16.
28. Lovett JK, Dennis MS, Sandercock DM, et al. Very early risk of stroke after a first transient ischemic attack. Stroke 2003;34:e138-40.
29. Obermann M, Strupp M. Current treatment options in vestibular migraine. Front Neurol 2014;5:1-5.
30. Pola J, Robinson DA. An explanation of eye movements seen in internuclear ophthalmoplegia. Arch Neurol 1976;33:447-452.
31. Savitz SI, Caplan LR. Vertebrobasilar disease. N Engl J Med 2005;352:2618-2626.
32. Stolte B, Holle D, Naegel S, et al. Vestibular migraine. Cephalalgia 2015;35:262-270.
33. Warlow C. Transient ischaemic attacks. Current treatment concepts. Drugs 1985;29:474-482.

CHAPTER 51

어지럼증의 진단 및 치료_
전정 질환의 수술적 치료

이비인후과학 Otorhinolaryngology - Head and Neck Surgery

구자원

I 서론

말초 전정병증으로 인한 어지럼증과 평형장애는 대부분 적절한 중추보상에 의해 점차 호전된다.[10] 그러나 메니에르병처럼 증상의 악화와 호전이 반복되어 적절한 보상이 유지되지 못하는 경우나 외림프누공에 의한 어지럼, 진주종에 의한 미로누공과 드물지만 이석치환술에 호전되지 않는 양성발작성두위현훈(benign paroxysmal positional vertigo; BPPV) 등에서는 내과적인 치료만으로 증상의 완화가 이루어지지 않아 수술적 치료를 고려해야 하는 경우가 있다. 그리고 최근에는 양측성 전정소실 환자의 기능회복을 위한 전정이식기(vestibular implant)가 개발되어 임상시험 중에 있어 머지않아 보행실조와 동요시로 일상생활에 지장을 받는 환자에 적용할 수 있을 것으로 생각된다. 본 단원에서는 어지럼을 초래하는 질환에서 수술이 근본적인 치료 옵션이 되는 경우와 수술의 적응에 대해 정리해보고자 한다.

어지럼 환자에서 수술적 치료를 고려할 때 염두에 두어야 할 사항은 다음과 같다. 먼저 상세한 평가를 통해 환자에 대한 정확한 진단이 선행되어야 하고, 둘째로 환자가 수술 전에 보존적인 치료로 증상의 호전이 있었는지 여부를 확인해야 한다. 셋째는 환자의 일반적인 건강 상태가 수술을 할 수 있을 정도로 양호한지 파악해야 하고 마지막으로 환자에게 수술 후 기대되는 결과나, 발생할 수 있는 부작용에 대한 자세한 설명이 있은 후 이를 환자가 적극적으로 동의하고 수술 결과를 받아들일 수 있는지를 확인해야 한다. 가장 이상적인 수술 결과는 내이의 구조물을 파괴하지 않고 청력을 보존하면서 어지럼의 호전을 이루는 것이다. 표 51-1에서는 각 질환별로 수술적 치료의 종류를 나열하였다. 한편 수술 후 전정기능의 보존 여부에 따라 크게 두 가지로 구분할 수 있다. 첫 번째는 비파괴성 술식으로 현훈을 초래하는 근본적인 원인을 교정하는 수술적 방법이고, 두 번째는 변동성, 재발성 전정병증을 일으키는 한쪽 전정기능을 파괴시킨 후 적절한 중추 보상이 이루어지도록 유도하는 방법이다. 그리고 후자의 경우 청력을 보존하면서 전정기능의 소실이 목적인 술

표 51-1. 전정병증의 수술적 치료

양성발작성두위현훈 - 반고리관 폐쇄술 - 후팽대부신경 절단술
메니에르병과 지연성 내림프수종 - 내림프낭 감압술 - 구형낭 개방술/ 와우 구형낭 개방술 - 고실개방 후 젠타마이신 주입술 - 전정신경 절제술(중두개와 접근법/ 후미로 접근법/ 후S상정맥동 접근법) - 미로절제술
미로누공 - 고실-유양동삭개술 후 누공폐쇄
외림프누공 - 고실개방 후 누공폐쇄술 - 추체아전절제술
상반고리관피열증후군 - 중두개와 접근법을 통한 반고리관 재건 혹은 폐쇄 - 경유양동 접근법을 통한 반고리관 폐쇄술
무력성두위현훈 - 후에스상정맥동 접근법을 통한 감압술 - 전정신경절제술
회전척추동맥증후군 - C1-C2 유합술 - Decompressive Laminectomy

식과 청력과 전정기능이 모두 소실되는 술식이 있다. 술식을 선택할 때는 환자의 청력 상태와 나이, 반대측 귀의 상태 등을 종합적으로 고려하여야 한다.[2]

II 어지럼의 원인에 따른 수술적 치료

1. 미로누공(Labyrinthine fistula)

골성 내이에는 난원창을 통해 소리에 의한 기계적인 진동이 전달되어 와우의 유모세포를 효과적으로 흥분시키고 가해진 압력은 정원창으로 완충된다. 그러나 골성 내이에 이 외의 병적인 골 결손은 비정상적인 내이의 흥분을 일으키게 되어 어지럼증을 유발한다. 가장 흔한 원인은 진주종성 중이염에 의한 미로누공이며 이러한 병적인 골결손에 의한 이상은 전체 내이 질환의 5% 정도를 차지한다.[26] 미로누공은 고막검사를 통해 진주종성 중이염이 있는 환자에서 귀를 만질 때 어지럼이 있다고 표현하는 경우 의심할 수 있다. 이때 누공검사(fistula test)를 하여 안진의 출현과 방향을 확인해보는 것이 중요하다. 누공검사는 이주를 압박하거나, pneumatic otoscope, Politzer Bag을 이용하여 외이도의 압력을 변화시키며 안진을 관찰하는 것이다. 누공검사 시 환자는 주관적으로 어지럽다고 표현하고, 외이도 압력을 가할 때 안진의 빠른 성분이 병변측을 향하고 압력을 낮추었을 때 건측을 향하는 안진이 일반적으로 관찰될 수 있으나, 화농성 미로염의 진행정도, 미로누공의 크기, 진주종으로 인한 유양동의 파괴정도에 따라 방향이 바뀌지 않을 수도 있다. 고해상도측두골 단층촬영으로 누공의 위치와 범위를 예측할 수 있다. 진주종성 중이염에 의한 미로누공은 수술적 치료로 병변의 근치와 함께 어지럼을 호전시킬 수 있다. 미로누공의 수술 시 누공 부위의 기질은 미리 처리하면 안되고 모든 병소를 제거한 후 누공 부위를 막을 재료를 준비하고 수술을 마무리할 준비를 해둔 후 누공 부위는 가장 마지막에 처리를 하는 것이 옳다. 누공의 위치는 술전 CT를 확인하여 대략의 위치를 예상할 수 있고, 수술 중에는 등골을 건드렸을 때 누공 부위의 기질이 움직이는 것을 확인함으로써 누공의 위치와 크기를 대략적으로 알 수 있다. 림프액이 유출되지 않도록 누공 부위 주변의 진주종 기질을 조심스럽게 제거한 후 누공부위를 연조직, bone pate, 연골절편, 조직접착제 등으로 덮게 된다.[1]

2. 외림프누공(Perilymph fistula)

외림프누공은 내이의 림프액이 중이강으로 유출되어 난청과 어지럼이 생길 때 내려지는 진단이다. 이러한 림프액의 유출은 정원창, 난원창과 그 외 선천성 경로를 통해 발생할 수 있다. 외림프누공이 발생할 수 있는 경우는 첫 번째 의인성 원인을 들 수 있다. 등골수술과 인공와우수술은 수술 자체가 내이를 노출시키는 수술이므로 수술 후 외림프의 지속적 누출을 막기 위해 적절한 조치를 하고 수술을 마치게 되는데 이러한 수술 후 다른 이유로 설명할 수 없는 두위어지럼과 청력 저하가 진행하게 될 때 외림프누공의 가능성도 염두에 두어야 한다. 과거 등골제거 후 soft tissue wire로 등골수술을 하던 경우에는 술 후 외림프누공이 3~10%까지 보고되었으나 드릴이나 레이저를 이용하여 등골족판에 작은 개창(fenestration)을 만들고 피스톤을 삽입하는 등골절개술이 보편화되며 거의 없어지게 되었다. 두번째는 외상에 의해 외림프누공이 발생할 수 있는데 측두골 골절에 의한 내이골절이나 면봉으로 인한 손상시 외림프누공이 발생할 수 있다. 측두골 단층촬영에서 골미로의 골절, 이소골 연쇄와 등골의 탈구, 기전정(pneumovestibule)을 확인해 보아야 한다. 세번째는 내이압력손상(inner ear barotrauma)이다. 환자들은 코를 세게 풀거나 무거운 짐을 들다가 '퍽' 하는 소리가 나며 갑자기 안들리고 어지럼이 유발되었다고 표현한다.[29]

외상으로 인해 명백한 누공이 있어 가능한 빨리 수술을 해야 하는 경우를 제외하고는 외미로 누공이 의심되는 경우에는 2~3일 정도는 절대안정을 하며 청력 저하와 어지럼증이 자연 호전이 이루어지는지 경과를 지켜보는 것이 좋다. 외림프누공은 임상적으로 의심은 할 수 있지만 객관적인 진단기준이 없고 시험적 고실개방술을 시행한다 하더라도 외림프액의 유출을 증명하기가 어려워 수술은 신중하게 결정되어야 한다. 여전히 이 진단에 의문을 가진 사람들도 많았으나 최근 외림프에만 존재하는 cochlin-tomoprotein을 시험적 고실개방술 시 얻은 중이강 세척액에서 검출하는 방법을 이용하여 외림프누공을 객관적 진단할 수 있게 됨에 따라 외림프누공이 의심되는 경우 술 후 확진이 가능하게 되었다.[19]

누공의 위치를 찾고 막아주기 위한 고실개방술은 국소마취나 얕은 진정상태하에서 진행하는 것이 좋다. 수술 중 환자가 Valsalva 수기를 수행함으로써 림프액의 유출 부위를 찾는데 도움을 받을 수 있기 때문이다. 국소마취제가 중이강에 고이지 않도록 적당량 주사하고, 고막-외이도 피판은 출혈이 중이강으로 들어가지 않도록 충분히 지혈해 가며 들어올려야 한다. 고막-외이도 피판을 들어올려 고실을 노출시키고 후상방의 골부를 제거하여 난원창을 노출시키고, 정원창 입구도 확인한다. 난원창, 정원창, Hyrtl 열공의 순서로 누공이 호발하므로 해당 부위와 하고실 부위를 자세히 관찰 하여야 한다.[25] 내이기형을 동반한 환자에서 등골족판에 작은 골결손이 있고 이를 통해 외림프와 뇌척수액의 유출이 발생한 경우도 있다. 누공이 확인이 안 되더라도 정원창과 난원창 주변 점막을 제거 후 미리 채취해둔 연조직을 정원창과 난원창에 덮어주고 조직접착제로 처리하고 수술을 마무리 한다. 그러나 외림프누공이 크고 시험적 고실개방술 후에도 지속적인 뇌척수액의 유출이 있는 경우에는 뇌수막염의 예방을 위해 추체부아전절제술(subtotal petrosectomy)을 시행하여 이관과 외이도를 폐쇄해야 한다.

3. 상반고리관피열증후군(Superior semicircular canal dehiscence syndrome)의 수술

상반고리관피열증후군의 주증상은 이충만감, 자가강청, 어지럼증이다.[31] 이 증후군은 큰소리를 들을 때 유발되는 어지럼증인 Tullio 현상과 외이도에 압력을 가할 때 안진과 어지럼이 유발되는 Hennebert 징후의 새로운 원인으로 처음 알려졌지만 Tullio 현상이나 Hennebert 징후보다는 만성 자세불안이나 순간 순간 아찔한 비특이적인 양상의 어지럼을 주로 호소한다. 온도안진검사, 회전의자검사, 비디오두부충동검사에서 정상 소견을 보이기 때문에 환자의 증상과 순음청력검사를 통해 본 진단을 의심하고 진단에 접근하지 않으면 진단을 놓치기가 쉽다. 상반고리관피열증후군이 의심되면 고해상도 측두골단층촬영에서 상반고리관이나 후반고리관에 골부피열이 있는지를

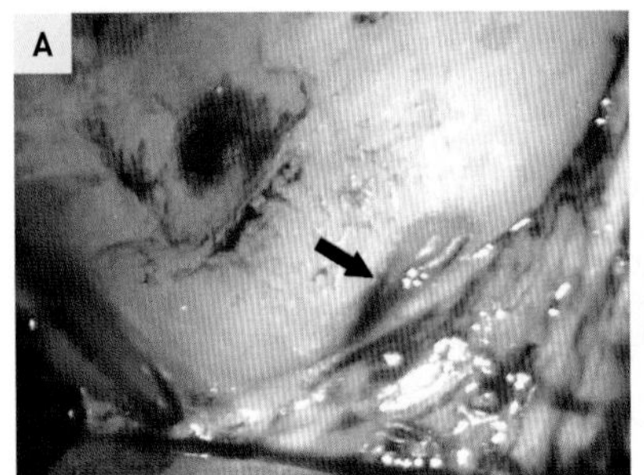

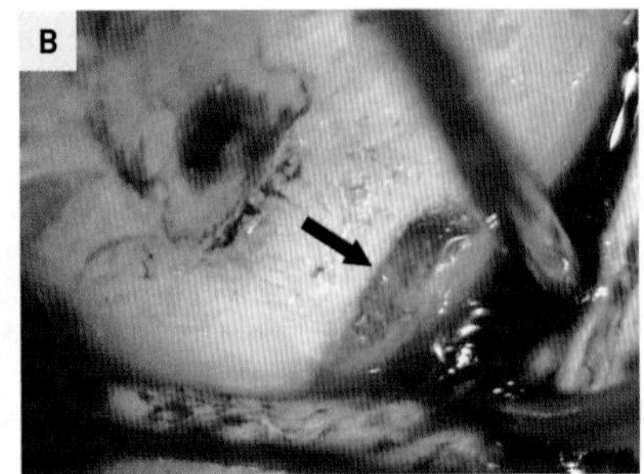

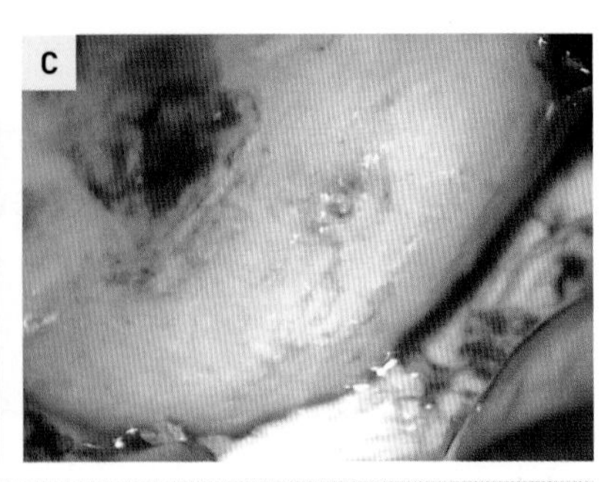

■ **그림 51-1. 상반고리관피열증후군의 수술적 치료.** 중두개와 접근법으로 좌측 중두개와 기저부를 노출시켜 좌측 상반고리관의 피열부를 확인하고(A), 연조직으로 막은 후(B), bone wax로 피열부를 폐쇄시킨다(C).

확인한다. 다만 발견된 골부피열이 CT의 해상도에 따라 위양상인 경우가 있으므로 기능검사를 통해 피열이 증상의 원인인지를 확인하여야 한다. 이러한 기능검사에는 안진검사,[30] 전정유발근전위와 전기와우도검사가 있다.[31] 경부전정유발근전위 검사에서 역치가 비정상적으로 감소하거나 전기와우도 검사에서 summation potential/action potential이 증가하였는지를 확인한다.[31] 상반고리관피열증후군의 수술적 치료는 약 30% 정도의 환자에서만 이루어 진다.[26] 상반고리관 피열증후군은 수술적 치료로 증상의 호전을 기대할 수 있지만 모든 환자에서 수술이 필요한 것은 아니다. 대부분의 환자들은 증상을 유발하는 자극을 알고 있고 이를 회피함으로써 증상을 조절할 수 있기 때문이다. 수술은 어지럼과 자세불안이 심하거나 자가강청의 정도가 안구운동이나 자신의 심음까지 감지할 정도로 심하여 일상생활에 지장을 받는 경우에서 시도되고 있다. 오히려 그동안 원인을 모르며 간혹 나타나는 증상으로 불편을 겪다가 자신의 증상이 어떤 기전으로 나타나는지를 이해하는 것만으로도 환자는 안심을 하게 되고 불가피한 경우 수술로 치료를 받을 수 있다는 조언을 듣게 된다면 현훈을 발생시키는 강한 소리자극을 회피하는 보존적 방법만으로도 증상을 극복하는데 충분할 것으로 생각되는 환자는 많다고 생각된다.[28,31]

피열부의 노출은 일반적으로 중두개와 접근법으로 시도되고 있다. 통상적인 중두개와 접근법과 같은 방법으로 피부절개와 측두부 개두술을 시행하고 피열부을 중심으로 전방과 후방부위 경막을 박리하며 피열부와 닿은 경막은 마지막까지 박리하지 않고 남겨 둔다. 반고리관 폐쇄를 위한 연조직과 조직접착제, 골편디자인을 마무리한 후 림프액이 소실되지 않도록 조심하며 피열부의 경막을 조심스럽게 박리한다. 피열부를 통해 연조직으로 반고리관내부를 폐쇄한 후 bone wax로 피열부를 덮고 연조직과 골편으로 경막과 피열부가 완전히 분리되도록 한 후 측두골편을 제위치 시키고 수술을 마무리 한다(그림 51-1). 내이손상을 예방하기 위해 지혈을 충분히 하여 시야를 확보하고 경막의 박리과정에 navigation 장치를 사용하는 것이 도움이 될 수 있다.[3,23]

수술적 교정은 피열부의 막성미로를 뇌경막과 분리하고 골조직으로 피열 부위를 막아주는 술식으로 여러 방법이 시도되고 있는데 최근의 메타분석연구에서 이를 크게 세 가지 술식으로 구분하였다.[43] 첫째는 피열부의 반고리관을 근막과 bone pâté로 반고리관 내부를 폐쇄하고 그 위를 골편으로 덮어 주는 방법(canal plugging)이며 두 번째는 상반고리관의 막성미로를 뇌경막과 분리시킨 후 근막과 골편으로 결손 부위를 덮어 주는 방법(canal resurfacing)이다. 다만 두 번째 방법이 골편의 이동으로 성공률이 낮아 피열부를 근막으로 덮은 후 hydroxyapatite bone cement로 피열부를 단단히 덮어 싸도록 한 술식(canal capping)도 소개되고 있다. 메타분석결과는

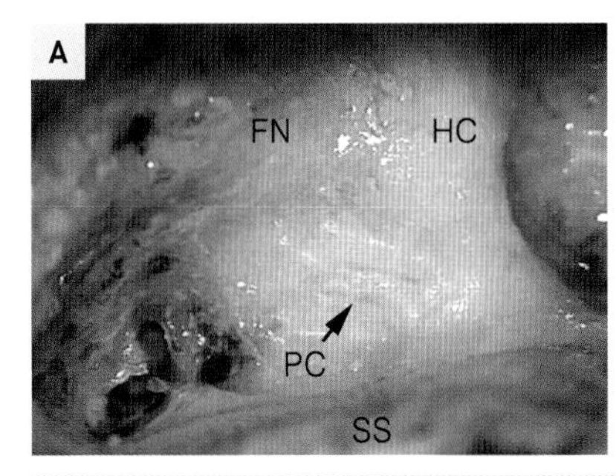

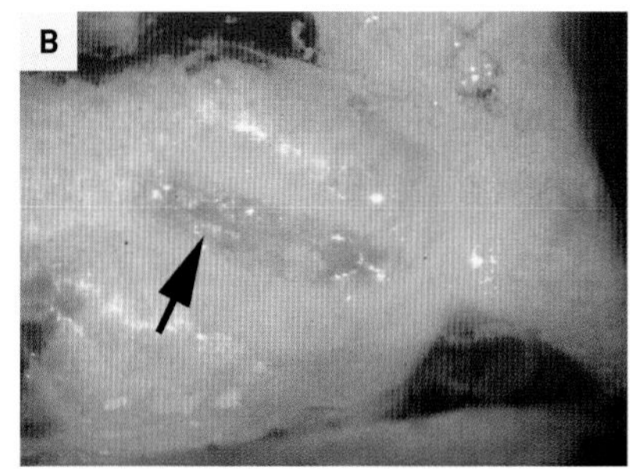

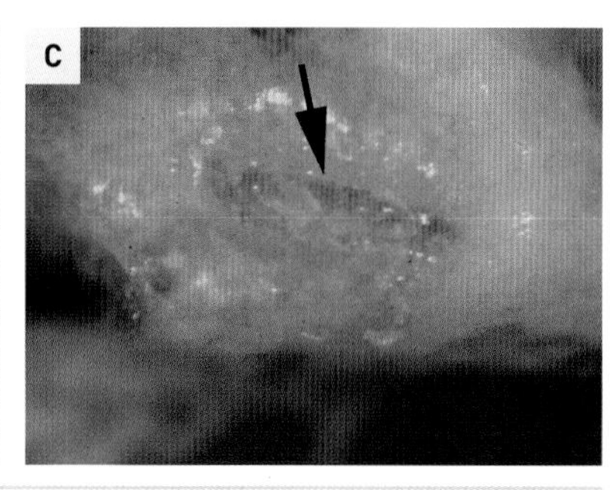

■ 그림 51-2. **후반고리관 폐쇄술.** 안면신경(FN)의 주행을 염두에 두고 수평반고리관(HC), 후반고리관(PC)의 위치를 확인한 후 후반고리관의 내강이 비쳐보이는 blue line을 확인하며 림프액이 유출되지 않도록 주의하며 후반고리관의 골부를 드릴하며 제거한다**(A)**. 후반고리관의 얇은 골미로를 조심스럽게 제거하면 후반고리관 막미로 내강에 탈락되어 유리된 이석부스러기를 확인할 수 있다(**(B)**, 화살표). 후반고리관 골미로 내강을 미리 준비해둔 연조직으로 막고 bone wax로 후반고리관을 폐쇄한다(**(C)**, 화살표).

canal plugging법과 canal capping법이 resurfacing법에 비해 높은 수술 성공률을 보여 주고 있다.[43] 일부 증례에서는 중두개와접근법으로 피열부위의 노출이 한계가 있는 경우에는 제한적으로 경유양동 접근법이 그 대안이 될 수 있을 것으로 생각된다.[5] 다만 술후 증상의 개선 정도는 중두개와 접근법을 통해 피열부를 폐쇄하는 방법이 더 낫다고 보고되고 있다.

4. 양성돌발성두위현훈(Benign Paroxysmal Positional Vertigo; BPPV)

1) 반고리관폐쇄술(Semicircular canal occlusion)

적절한 이석치환술에 효과가 없는 BPPV의 경우 해당 반고리관의 골성 미로를 열어 반고리관을 폐쇄하고 내림프의 흐름을 막아 이탈된 이석에 의해 반고리관이 비정상적으로 자극되는 것을 막기 위한 술식이다. 가장 흔한 후반고리관 BPPV에서 처음 시도되었고(Parnes surgery),[32] 오랫동안 이석치환술을 해도 호전이 없는 경우나 자주 재발하는 경우가 적응이 된다.

유양동삭개술 후 수평반고리관과 안면신경의 주행을 확인한 후 후반고리관의 위치를 확인한다. 다이아몬드드릴로 후반고리관의 내강이 푸르스름하게 비치게 되면 후반고리관을 따라 주변으로 골을 만들어 후반고리관 골부를 얇게 한다. 약 2 mm 정도의 후반고리관을 노출시키고 미리 준비해둔 연조직을 팽대부쪽과 공통각 쪽 반고리관을 막는다. 미리 만들어둔 골분으로 내관을 막고 바깥에는 bone wax로 고정하고 연조직으로 바깥쪽을 덮어 준다(그림 51-2). 수술 후에는 해당 반고리관의 BPPV는 완전히 조절이 되나 약 15%에서는 자세불안과 약한 정도의 어지럼이 장시간 지속될 수 있다. 28명을 대상으로 한 연구에서 수술 전후 Dizziness Handicap Inventory는 70에서 13으로 의미 있게 호전되었고 1명에서 난청이 동반되었다고 보고하였다.[38] 32명 수술례의 메타분석에 따르면 수술로 인한 청력 저하는 평균 6 dB 정도이고 술 후 안면마비는 없었다.[20]

2) 후팽대부신경 절제술(Singular neurectomy)

후반고리관을 지배하는 전정신경 분지를 절단하여 후반고리관의 BPPV에 의해 발생하는 어지럼을 없애고자 하는 술식으로 Gacek에 의해 고안되었다.[14] 수술은 고막외이도피판을 들어 고실을 노출시킨 후 정원창 입구의 골을 제거하여 정원창을 확인하고 정원창 아래의 골부를 드릴하여 후팽대부신경을 확인하고 절단한다. 그러나 이 술식은 난청의 빈도가 높고 상대적으로 쉬운 후반고리관 폐쇄술로 대체되는 경향이다. 수술 성공률은 95~100%로 매우 높지만 술 후 약 3~13%에서 청력의 소실이 발생하였다.[15]

5. 무력성 체위성 현훈(Disabling positional vertigo; DPV), 전정발작(Vestibular paroxysmia), 신경혈관압박증후군(Neurovascular compression syndrome)에서 미세혈관감압술

소뇌교각부의 뇌수조와 내이도에서 상, 하전정신경과 청신경 그리고 안면신경은 주변의 혈관 특히 전하소뇌동맥(anterior inferior cerebellar artery)에 의해 압박을 받을 수 있고 닿아 있는 상태에서 혈관의 지속적인 박동이 신경 변성을 초래하여 다양한 증상을 일으킬 수 있다.

1934년 Dandy[13]가 삼차신경통을 가진 환자들을 분석한 논문에서 혈관의 압박에 의해 신경학적인 증상이 유발되었을 가능성을 처음으로 보고한 이후에도 이것이 정말 질병의 하나일까 하는 논란이 계속되어 왔다. 그러나 Jannetta는 난치성의 안면동통이 있는 환자에서 개두술을 시행하여 Dandy의 가설을 확인하였고 의심되는 원인 혈관을 신경에서 분리함으로써 치료에 성공하였다.[18] 대부분 전하소뇌동맥에 의해 발생하며 척추동맥이나 후하소뇌동맥이 원인인 경우는 드물다.[45]

신경혈관압박에 의한 무력성 두위성 현훈은 앉았다 일어나거나 고개를 돌릴 때 유발되며 보통 수 분 동안 지속될 수 있고 앉아 있거나 누워 있는 상태에서는 증상이 호전된다. 그러나 진단 자체가 어렵고 진단을 위해 고려되는 영상의학적인 검사를 비롯한 여러 검사들이 병을 진단하는 데 특이적이지 않고, 증상이 없는 환자의 뇌 영상에서도 전하소뇌동맥이 8번 뇌신경과 닿아 있는 것은 흔히 관찰되는 소견으로 수술을 통해 확인하기 전에는 이를 확인할 수 있는 진단도구가 없다. 이에 독일 Brandt 그룹에서는 이 질환을 전정발작(vestibular paroxysmia)로 명명하고 진단기준으로 6가지의 특징을 제시하였는데 여기에는 (1) 수 초 혹은 수 분간 지속되는 회전성 현훈이나 흔들림 (2) 특정 두위에 의해 증상이 유발되며 (3) 청각과민이나 이명이 동반될 수 있고 (4) 신경생리검사상 청각이나 평형장애가 있을 수 있고 (5) carbamazepine에 반응하며 (6) 임상양상이나 전기생리학적 검사, 영상검사를 통해 중추성 병변이 배제되었을 때 등이 있다.[8]

무력성체위성현훈은 여러 가지 면에서 다른 이과적인 어지럼증과 구분된다. 메니에르병처럼 먹먹함이나 이명 같은 증상이 흔히 동반되지 않는다. 두위변화에 의하여 어지럼이 유발되는 측면에서 BPPV와 비슷한 양상이나 안진의 양상이 반고리관의 흥분양상에 맞지 않는다.[7]

수술적 치료는 후에스상정맥동 접근법 Retrosigmoid approach를 통하여 8번 뇌신경을 압박할 것으로 의심되는 원인 혈관을 확인 후 이를 분리하거나 지방이나 근육 등을 원인 혈관과 신경 사이에 위치시키는데 내시경을 이용하여 최소침습적 수술법이 효과적으로 응용되기도 한다. 수술 중에는 7번, 8번 뇌신경을 기능을 지속적으로 모니터하는 것이 필요하다.[4]

6. 회전척추동맥증후군(Rotational vertebral artery syndrome)에서 수술적 치료

회전척추동맥증후군은 경부 척추증(cervical spondylosis)으로 인해 추간판의 퇴행성 변화나 골증식, 주변 근육과 인대의 석회화 등으로 척추공으로 지나가는 척추동맥이 고개를 돌릴 때 눌려 뇌간과 소뇌의 혈행장애로 어지럼, 보행실조, 실신 등의 증상이 동반되는 질환이다. 척추동맥 한쪽이 고개 회전 시 눌린다 하더라도 반대편 척추동맥을 통한 풍부한 우회 혈류 때문에 일반적으로 증상은 나타나지 않으나 반대측 척추동맥의 발달부전이나 협착이 있는 경우에 증상이 나타나게 된다. 주로 첫 번째 경추와 두 번째 경추 사이 관절(atlanto-axial joint)에서 주로 발생하고, 고개를 반대측으로 돌릴 때 환측의 척추동맥이 압박되어 증상이 유발된다.[11] 고개를 돌릴 때마다 증상이 유발되고 뇌허혈과 색전증으로 인한 뇌졸중으로 이어지기 때문에 보존적인 치료보다는 수술적인 치료가 근본 치료가 된다. 혈관 압박되는 부위를 감압을 하거나 원인이 되는 두 레벨의 척추를 유합시키는 시술을

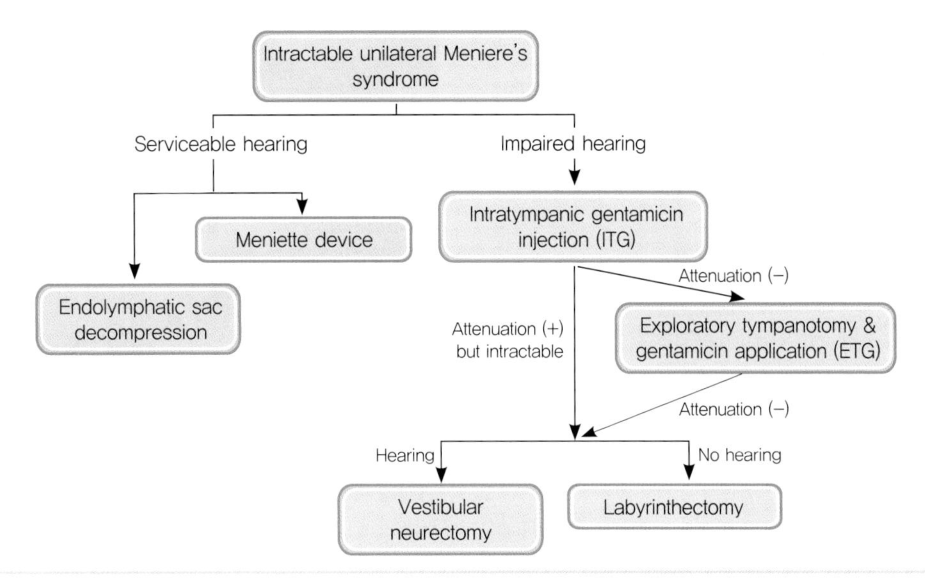

■ 그림 51-3. 일측성 메니에르 증후군 환자에서 내과적 치료로 현훈 발작이 조절되지 않을때 치료방법

하게 된다.[27]

III 메니에르병의 수술적 치료

대부분의 질환에서 수술적 치료는 내과적 치료로 조절되지 않을 때 선택하게 되는데 메니에르병에서도 예외는 아니다. 또한 어지럼증, 이명, 이충만감이 있는 경우 감별해야 할 다른 질환도 많기 때문에 수술적 치료를 선택하기 전 진단이 맞는지 충분한 진단적 검사를 시행하여야 한다. 어떤 수술을 할 것인가는 환자의 청력, 양측성, 잔여 전정기능 상태 등을 고려하여 선택하게 된다. 그림 51-3에서는 메니에르병으로 진단된 환자에서 증상의 조절 정도에 따른 치료법을 정리하였다.

1. 내림프낭 감압술(Endolymphatic sac decompression)

내림프낭 수술의 이론적 근거는 내림프수종이 메니에르병의 원인이라는 전제하에서 출발한다.[36,39] 내과적 치료에도 지속적인 재발을 보이는 경우 선택될 수 있고 메니에르병의 현재 청력 상태를 보존하며 시행할 수 있는 술식이다.[17,35]

메니에르병에서 내림프낭 감압술은 1926년 George Portmann이 처음 기술하였다. 메니에르병에서 내림프낭 감압술의 어지럼증 치료 효과는 문헌마다 60~94% 정도로 다양하게 보고하고 있으나[3,14,37] 내림프낭 감압술이 위약 효과 이상으로 메니에르병에서 어지럼 발작을 조절하는 수단인지에 대해 의문은 끊임없이 제기되었다. 특히 Thompsen 등은 메니에르병 환자에서 내림프낭감압술을 시행한 군을 단순 유양동삭개술만 시행한 군과 비교하여 어지럼증 호전 여부에 뚜렷한 차이를 보이지 않았다고 보고하였다.[40,41] 그럼에도 이 술식이 내이의 구조물을 보존하고 일부에서 어지럼의 호전뿐 아니라 청력 개선 효과가 있다는 점 때문에[6,43] 여전히 청력 저하가 심하지 않은 난치성 메니에르병의 일차적 수술방법으로 인정받고 있다. 게다가 내림프낭 감압술을 시행하며 개방된 내림프낭으로 스테로이드를 주입할 수 있고[22] 이러한 방법이 내과적인 치료 이외에 선택할 수 있는 치료법이 제한된 난치성 양측성 메니에르병에서 그 역할이 인정된다고 보고된 바 있다.[21] 일반적으로 난청이 심하지 않은 일측성 난치성 메니에르병과 2차성 내림프 수종이 수술의 적응이 되고, 반대 측 귀가 전농이 아닌 양측성 메니에르병과 과거에 내림프낭 수술 후 호전되었다가 재발하는 경우도 적절한 수술적응이 될 수 있다. 내림프낭 감압술이 청력을 보존하는 술식으로 분류되기는 하나, 약 2%에서 청력의 손실이 동반된다. 이러한 술 후 난청은 림프액의 소실을 초래하는 수술 결과일 수도 있으나, 수술 후 국소염증반응이나 감염, 메니에르병의 조절이 여전히 잘 이루어지지 않아 발생하는 이차적인 결과일 수도 있는 것으로 추정하고 있다.[14]

술식을 간단히 설명하면 유양동삭개술을 후두개와로 확대 시행하여 에스상정맥동(sigmoid sinus), 경정맥구(jugular bulb), 그리고 안면신경의 수직 분지를 경계로 후두개와 경막이 보일 정도로 충분히 유양동을 삭개한 후 Donaldson 선(Donaldson's line) 하방에 있는 내림프낭의 위치를 확인한다(그림 51-4). 내림프낭을 연 후 silastic sheet를 삽입하여 유양동이나 뇌척수액 공간으로 shunt를 만드는 방법도 있고[47] 단순 감압술만 하는 경우도 있다.[14] 단순 감압술 자체만으로도 메니에르병에서 뚜렷한 어지럼증의 개선 효과를 얻을 수 있다는 보고도 있고 shunt가 내림프낭의 흐름을 막는다는 이유를 들어 shunt를 시행하지 말 것을 권고하는 보고도 있으나 대부분의 술자들은 수술 시 내림프낭과 유양동 사이에 shunt를 시행한다. shunt 시 스테로이드나 mitomycin-C를 사용함으로써 내림프낭 입구의 섬유화를 막을 수 있었다는 보고도 있다.[46]

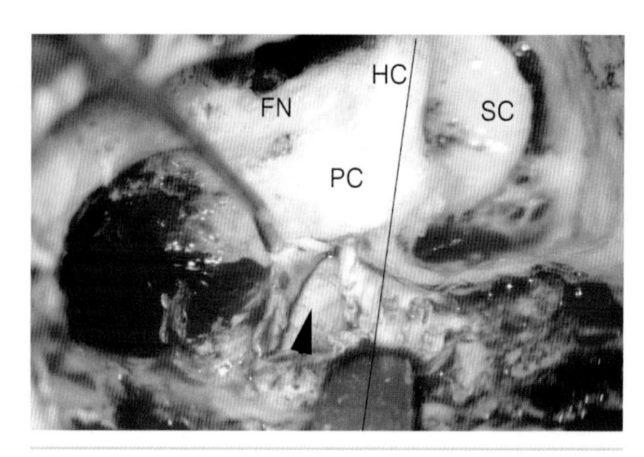

■ **그림 51-4. 내림프낭의 위치.** 안면신경(FN) 및 반고리관의 위치를 파악하며 단순 유양동삭개술을 시행한다. 내림프낭은 후두개와에 위치하기 때문에 S상 정맥동(사진에서는 S상정맥동이 전방에 위치하여 후두개와를 노출시키기 위해 Greenburg 견인기로 후방으로 젖혀진 상태임), S상정맥동-중두개와 경막이 이루는 각(Sino-dural angle), 후반고리관(PC)으로 경계지어지는 Trautmann삼각(Trautmann triangle)을 찾아 후두개와의 범위를 파악한다. 내림프낭은 수평반고리관(HC)의 연장선(Donaldson line) (실선)을 그렸을 때 그 하부의 후두개와에 위치하고 있다. 후두개와 경막을 L형으로 절개하여 내림프낭의 내강을 보여주고 있다(화살표). 좌측귀

2. 구형낭 개방술과 와우-구형낭 개방술(Sacculotomy and Cochleo-sacculotomy)

이 술식은 메니에르병에서 구형낭을 통해 내림프액을 배액시킴으로써 증상의 호전을 도모하고자 하는 술식으로 Cody tack 방법이 있다. 시술방법은 1.5~1.7 mm 되는 길이의 금속을 등골을 통하여 위치시켜 전정에서 팽창된 구형낭이 뾰족한 금속에 의해 천공이 되면 구형낭이 배액되는 원리이다. 어지럼증의 개선 정도는 60% 정도지만 50% 이상에서 청력소실이 발생할 수 있다.[16] Schuknecht는 정원창 round window를 통해 외림프액과 내림프액 사이의 교통로를 만드는 cochlea-sacculotomy를 발전시켰는데 단기적으로 어지럼증 개선 효과는 80%로 높았지만 장기적으로 볼 때 치료 효과가 높지 않고 환자의 30~80%에서 청력의 소실이 발생할 수 있어 젠타마이신 주입술이 도입된 이후 두 방법 모두 요즈음에는 거의 사용되지 않는다.[16]

3. 전정기능소실 수술이 필요한 환자의 선택

내과적인 치료에도 현훈이 반복되어 일상생활에도 지장을 받는 난치성 메니에르병에서는 현훈의 반복을 조절하기 위해 전정기능의 소실을 유도하는 술식이 필요하게 된다. 이러한 목적을 위해 가장 일차적으로 시행할 수 있는 술식은 고실내 젠타마이신 주입술이다. 고실내 젠타마

이신 주입술이 보편화되며 점차 과거에 시행되던 전정신경 절단술이나 미로삭개술의 시술수는 그만큼 줄어들게 되었다.[12] 다만 고실내 젠타마이신 주입술을 하더라도 약 10% 정도에서는 현훈발작이 반복되어 추가 치료가 필요하여 여전히 전정소실을 위한 수술은 메니에르병의 최후 치료방법으로 그 역할이 있다.[33]

전정소실을 위한 수술은 대부분 이미 고실내 젠타마이신 주입을 시도한 환자에서 이루어지기 때문에 수술을 결정할 때 확인하여야 하는 점은 환자의 어지럼이 젠타마이신이 전정소실을 유도하지 못해 메니에르병에 의한 현훈이 반복되는 것인지, 아니면 젠타마이신에 의해 일측 전정기능소실이 유도되어 나타나는 어지럼인지를 구분하는 것이다. 전정기능이 소실되어 전정보상이 진행 중이거나 어떠한 이유로 전정보상이 제대로 되지 않아 환자를 힘들게 하는 어지럼증의 양상을 자세히 물어보고 전정기능의 변화를 확인하지 않는다면 메니에르병에 의한 현훈발작과 구분하기 어려울 수 있다. 다시 말해 전정기능 소실 후 전정보상이 안 되어 나타나는 어지럼이라면 전정신경을 소실시키는 수술(전정신경절제술과 미로절제술)이 환자의 증상개선에 도움이 안 되는 불필요한 치료가 될 것이다. 따라서 전정보상이 안 된 전정기능소실 환자에서 수술의 선택은 신중해야 한다. 외래에서 시행한 고실내 젠타마이신 주입술 후 전정소실을 유도하기 위한 시술로는 시험적 고실개방술을 통한 고실내 젠타마이신 주입술, 전정신경절제술, 미로절제술이 있다(그림 51-3).

4. 고실개방 후 젠타마이신 주입술(Exploratory tympanotomy and gentamicin application; ETG)

고실내 젠타마이신 주입술을 수차례 시행하여도 메니에르병의 발작이 반복되는 경우가 있다. 그 이유로는 젠타마이신이 내이에 도달하지 못했거나 내이로 전달되었어도 전정소실이 충분하지 못한 경우로 추정해 볼 수 있다. 따라서 고실내 젠타마이신 주입술 후 발작이 반복되는 경우

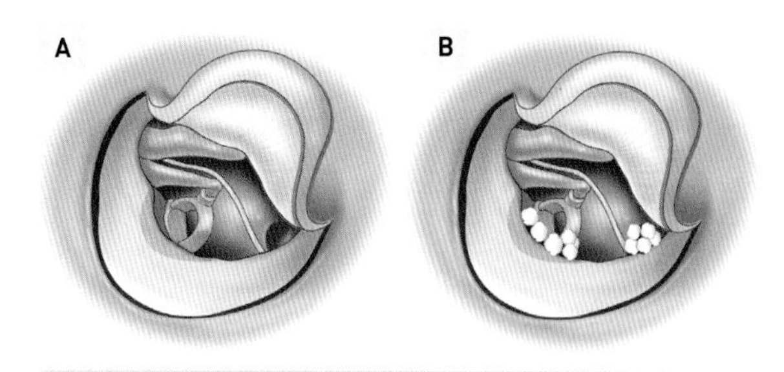

■ 그림 51-5. **고실개방 후 젠타마이신 주입술.** 시험적 고실개방술을 통해 정원창과 난원창의 위치를 확인(**A**)하고 위막, 골편, 섬유대 등 약물의 내이 이동을 저해하는 장애물을 제거한 후 젠타마이신을 젤폼에 적셔 정원창과 난원창에 위치시킨다(**B**).

에 바로 전정신경절제술이나 미로절제술을 시행하기 전에 고실개방 후 직접 젠타마이신 주입을 시도해 볼 수 있다(그림 51-3). 고막외이도 피판을 들고 정원창과 난원창 부위의 해부학적 장애물이 있다면 확인하여 제거하고 젠타마이신을 주입하는 방법을 시도하여 전정소실을 유도할 수 있다면 전정신경절제술이나 미로절제술을 피할 수 있다(그림 51-5).[24] 메니에르병과 2차성 내림프수종 환자 780명을 2년 이상 추적한 결과 고실내 젠타마이신 주입이 필요한 환자는 95명이었고, 10명에서 현훈이 조절되지 않았다. 이들은 전정신경절제술과 미로절제술과 같은 극단적인 수술의 대상이지만, 중이강 내의 해부학적인 문제로 젠타마이신이 내이로 제대로 흡수가 안되어 현훈 조절이 안되었을 가능성을 배제하기 위해 전정신경절제술이나 미로절제술 전 7명에서 시험적 고실개방술을 통해 고실내 젠타마이신을 주입하였고, 5명에서 Class A로 현훈이 조절되어 전정신경절제술과 미로절제술을 피할 수 있었다(표 51-2).[33]

표 51-2에서는 환자들의 치료 경과에 따른 전정기능의 변화와 치료 결과를 요약하였다.

5. 전정신경 절제술(Vestibular neurectomy)

내이도의 상전정신경과 하전정신경을 선택적으로 절제함으로써 일측의 기능적 소실을 유도하여 환측 말초전정기에서 발생하는 비정상적인 자극이 중추신경계로 전달하

표 51-2. 변동성 현훈으로 고실개방 후 젠타마이신 주입술(ETG)을 받은 환자의 고실내 젠타마이신 주입술(ITG)전, ITG후, ETG 후의 전정기능변화와 치료 효과

pt	CP before ITG, %	CP after ITG, % (ITG횟수)	CP after ETG, %	Class*	Dx	Comments
1	21	-	HIT(+)†	A	MD	s/p Meniette, then chronic draining ear
2	35	62 (7 inj)	56	A	MD	
3	10	25 (3 inj)	66	A	MD	Persistent unsteadiness
4	46	44 (2 inj)	97	A	MD	Prominent bony overhang
5	32	90 (3 inj)	90	A	MD	
6	15	28 (3 inj)	32	F	EH	labyrinthectomy
7	4	31 (3 inj)	29	F	MD	Prominent bony overhang, labyrinthectomy

*1995년 미국이비인후과학회 가이드라인에 있는 치료 효과 기준

†두부충동검사는 환측으로 머리를 빠르게 회전시킬 때 단속안구운동이 관찰될 때 양성으로 판정

CP= canal paresis bithermal caloric test; Dx=diagnosis; EH=secondary endolymphatic hydrops; ETG=exploratory tymapanotomy and gentamicin application; HIT=head impulse test; inj=injction; ITG=intratympanic gentamicin injection; MD=definite Meniere's disease; Pt=patient; s/p=status post

는 것을 차단하는 술식이다. 수술로 인한 일측의 전정기능 소실로 수술 직후에는 어지러움이 상당 기간 지속될 수 있으나 양측 전정신경핵의 자발활동성이 균형을 이루는 중추보상(central compensation)이 진행되며 어지럼은 점차 없어지게 되고 반복적인 발작 또한 사라진다. 수술 적응증은 일측성 메니에르병 환자이며 중추전정계의 기능이 정상적이어야 한다. 60세 이상이거나 양측성 전정장애 환자일 때 금기이며 청력을 보존할 수 있는 술식이나 청력 감소의 가능성을 염두에 두어야 한다. 시술방법은 접근방법에 따라 중두개와 접근술, 후미로 접근술(retrolabyrinthine approach), 후에스상정맥동 접근술로 시술할 수 있다.

6. 미로절제술(Labyrinthectomy)

내이의 기관을 파괴함으로써 일측의 기능적 소실을 유도하여 비정상적인 자극이 중추신경계로 전달되는 것을 차단하는 데 근거를 두는 술식으로 반복되는 심각한 어지럼증이나 청력이 완전 소실된 일측성 질환으로 보존적인 치료에 반응이 없는 경우에 시행된다. 나이는 금기 사항이 아니다.

술식은 주로 경유양동 접근법(transmastoid approach)이 외이도 접근법(transcanal approach)보다 영구적인 치료 후 불균형의 발생 비율이 적고 외이도 팩킹을 하지 않아도 되어 더 선호되는 방법이다.[16] 미로절제술 시 불완전한 미로신경 섬유의 절제는 수술 후 치료 실패의 가장 큰 원인이 되므로, 전정신경절단술과 동반되어 같이 시도되기도 한다. 그러나 경미로 접근법에 의한 전정신경 절단술 자체만으로도 미로절제술과 동일한 치료 효과를 나타내는 것으로 알려져 있고 후에스상정맥동 접근법에 의한 전정신경 절단술도 미로절제술과 동등한 효과를 보이는 것으로 알려져 있다. 수술 후 현훈의 반복은 없어지게 되나 막성내이의 섬유화와 골화가 진행될 수 있어 향후 인공와우 이식을 할 경우 수술이 어려울 수 있음을 염두에 두어야 한다.

Ⅳ 결론

어지럼증의 적절한 치료를 위해서 무엇보다 중요한 것은 정확한 진단이다. 흔하지는 않지만 전정병증에 의한

어지럼증 중 수술적 치료가 환자의 증상 개선에 도움이 될 수 있는 경우를 소개하였다. 그러한 질환들로는 미로누공, 외림프누공, 상반고리관피열증후군, 무력성두위현훈, 회전척수동맥증후군, 치료에 반응하지 않는 BPPV, 메니에르병 등이 있다.

메니에르병에서는 청력을 보존하며 어지럼증을 개선하는 방법이 가장 효율적일 것이다. 이러한 의미에서 내림프낭 감압술이 가장 많은 임상의가 선호하는 수술적 치료 방법이지만 그 효과에 대해서 의문을 가지는 이들이 많다. 오히려 재발의 측면에서는 전정신경절제술이 메니에르병의 양측성 진행을 막고 효과적으로 현훈의 빈도를 줄이는 방법으로 선호하는 그룹도 있다.[34] 한편 청력 저하가 있는 환자에게는 수술적 치료보다는 고실 내에 gentamycin 주입을 통해 현훈의 빈도를 줄이는 방법이 효과적이다.[9,33] 난치성 메니에르병에서는 발작이 반복되며 난청이 진행되고 결국 내이 기능이 소진되면 어지럼증의 빈도도 줄어드는 자연경과를 보인다. 많은 연구자들이 대조군에 비해 효과가 있다고 하는 약물치료를 소개하고 있지만 잘 계획된 무작위 이중 맹검 연구에서 현재까지 소개된 어떤 내과적 치료도 난청의 진행을 막을 수는 없었다고 밝히고 있다. 다만 많은 치료방법이 60~80%의 성공률을 보이고 있기 때문에 메니에르병의 치료 원칙에서 중요한 것은 환자의 자연경과보다 더 빨리 청력을 희생시킬 가능성이 있는 치료법은 제한적으로 사용되어야 한다는 것이다.[42] 이를 위해서는 환자에 대한 정확한 진단과 병의 경과와 병리를 정확히 이해하는 것이 필요하며 동시에 시술자의 경험과 판단이 치료 효과에 상당한 영향을 미친다는 점을 숙지해야 한다.

종양과 관련되어 발생하는 어지럼증을 제외한다면 어지럼의 치료에 있어서 수술의 역할은 질병을 완전히 제거하는 것이 아니라 증상의 조절에 있다. 외림프누공이나 미로누공과 같이 수술을 일차적으로 고려해야 하는 경우도 있지만 그 이외의 경우에는 내과적인 치료가 효과를 거두지 못하거나, 내과적 치료보다 수술이 더욱 효과적인 경우에서, 수술의 목적을 환자가 이해하고 수술 후의 변화와 결과를 환자가 충분히 이해한 후에 수술이 이루어져야 한다.

참고문헌

1. 김종선, 최병윤, 황찬호, et al. 진주종성 중이염에서 미로누공의 임상 양상과 치료. 대한이비인후과학회지 2002;45:1039-1045.
2. 홍성광, 구자원. 어지럼증의 수술적치료. 대한평형의학회지 2007;6:274-281.
3. Adams ME, Kileny PR, Telian SA, et al. Electrocochleography as a diagnostic and intraoperative adjunct in superior semicircular canal dehiscence syndrome. Otol Neurotol 2011;32:1506-1512.
4. Amagasaki K, Watanabe S, Naemura K, Nakaguchi H. Microvascular decompression for hemifacial spasm: how can we protect auditory function? Br J Neurosurg 2015;29:347-352.
5. Amoodi HA, Makki FM, McNeil M, Bance M. Transmastoid resurfacing of superior semicircular canal dehiscence. Laryngoscope 2011;121:1117-1123.
6. Bertran J, Alvarez dCF. Results of surgery of the endolymphatic sac. Acta Otorhinolaringol Esp 1999;50:179-183.
7. Brackmann DE, Kesser BW, Day JD. Microvascular decompression of the vestibulocochlear nerve for disabling positional vertigo: the House Ear Clinic experience. Otol Neurotol 2001;22:882-887.
8. Brandt T, Dieterich M. VIIIth nerve vascular compression syndrome: vestibular paroxysmia. Baillieres Clin Neurol 1994;3:565-575.
9. Chia SH, Gamst AC, Anderson JP, Harris JP. Intratympanic gentamicin therapy for Meniere's disease: a meta-analysis. Otol Neurotol 2004;25:544-552.
10. Choi KD, Oh SY, Kim HJ, Koo JW, Cho BM, Kim JS. Recovery of vestibular imbalances after vestibular neuritis. Laryngoscope 2007;117:1307-1312.
11. Choi KD, Shin HY, Kim JS, et al. Rotational vertebral artery syndrome: oculographic analysis of nystagmus. Neurology 2005;65:1287-1290.
12. Colletti V, Carner M, Colletti L. Auditory results after vestibular nerve section and intratympanic gentamicin for Meniere's disease. Otol Neurotol 2007;28:145-151.
13. Dandy W. Concerning the cause of trigemianl neuralgia. Am J Surg 1934;24:447-455.
14. Durland WF, Jr., Pyle GM, Connor NP. Endolymphatic sac decompression as a treatment for Meniere's disease. Laryngoscope 2005;115:1454-1457.

15. Gacek RR, Gacek MR. Singular neurectomy in the management of paroxysmal positional vertigo. Otolaryngol Clin North Am 1994;27:363-379.
16. Goksu N, Bayazit YA, Yilmaz M, Bayramoglu I. Surgical treatment of peripheral vertigo and vertiginous diseases. ORL 2005;67:1-9.
17. Graham MD, Kemink JL. Surgical management of Meniere's disease with endolymphatic sac decompression by wide bony decompression of the posterior fossa dura: technique and results. Laryngoscope 1984;94:680-683.
18. Jannetta PJ. Neurovascular compression in cranial nerve and systemic disease. Ann Surg 1980;192:518-525.
19. Kataoka Y, Ikezono T, Fukushima K, et al. Cochlin-tomoprotein (CTP) detection test identified perilymph leakage preoperatively in revision stapes surgery. Auris Nasus Larynx 2013;40:422-424.
20. Kisilevsky V, Bailie NA, Dutt SN, Rutka JA. Lessons learned from the surgical management of benign paroxysmal positional vertigo: the University Health Network experience with posterior semicircular canal occlusion surgery (1988-2006). J Otolaryngol 2009;38:212-221.
21 Kitahara T, Horii A, Imai T, et al. Effects of endolymphatic sac decompression surgery on vertigo and hearing in patients with bilateral Meniere's disease. Otol Neurotol 2014;35:1852-1857.
22. Kitahara T, Kubo T, Okumura S, Kitahara M. Effects of endolymphatic sac drainage with steroids for intractable Meniere's disease: a long-term follow-up and randomized controlled study. Laryngoscope 2008;118:854-861.
23. Koo JW, Hong SK, Kim DK, Kim JS. Superior semicircular canal dehiscence syndrome by the superior petrosal sinus. J Neurol Neurosurg Psychiatry 2010;81:465-467.
24. Koo JW, Rah YC. Exploratory tympanotomy and gentamicin application in patients with intractable Meniere's Disease. Operative Tech Otolaryngol 2016;27:210-215.
25. Lane JL. Spontaneous labyrinthine window rupture. S Afr Med J 1978;54:977-979.
26. Limb CJ, Carey JP, Srireddy S, Minor LB. Auditory function in patients with surgically treated superior semicircular canal dehiscence. Otol Neurotol 2006;27:969-980.
27. Lu DC, Zador Z, Mummaneni PV, Lawton MT. Rotational vertebral artery occlusion-series of 9 cases. Neurosurgery 2010;67:1066-1072.
28. Minor LB. Labyrinthine fistulae: pathobiology and management. Curr Opin Otolaryngol Head Neck Surg 2003;11:340-346.
29. Park GY, Byun H, Moon IJ, Hong SH, Cho YS, Chung WH. Effects of early surgical exploration in suspected barotraumatic perilymph fistulas. Clin Exp Otorhinolaryngol 2012;5:74-80.
30. Park JH, Kim HJ, Kim JS, Koo JW. Costimulation of the horizontal semicircular canal during skull vibrations in superior canal Dehiscence syndrome. Audiol Neuro-otol 2014;19:175-183.
31. Park JH, Lee SY, Song JJ, Choi BY, Koo JW. Electrocochleographic findings in superior canal dehiscence syndrome. Hear Res 2015;323:61-67.
32. Parnes LS, McClure JA. Posterior semicircular canal occlusion for intractable benign paroxysmal positional vertigo. Ann Otol Rhinol Laryngol 1990;99:330-334.
33. Rah YC, Han JJ, Park J, Choi BY, Koo JW. Management of intractable Meniere's disease after intratympanic injection of gentamicin. Laryngoscope 2015;125:972-978.
34. Rosenberg S, Silverstein H, Flanzer J, Wanamaker H. Bilateral Meniere's disease in surgical versus nonsurgical patients. Am J Otol 1991;12:336-340.
35. Rutka JA, Nedzelski JM, Barber HO. Results of endolymphatic sac surgery for Meniere's disease. J Otolaryngol 1984;13:70-72.
36. Saito H, Kitahara M, Yazawa Y, Matsumoto M. Histopathologic findings in surgical specimens of endolymphatic sac in Meniere's disease. Acta Otolaryngol 1977;83:465-469.
37. Shah DK, Kartush JM. Endolymphatic sac surgery in Meniere's disease. Otolaryngol Clin North Am 1997;30:1061-1074.
38. Shaia WT, Zappia JJ, Bojrab DI, LaRouere ML, Sargent EW, Diaz RC. Success of posterior semicircular canal occlusion and application of the dizziness handicap inventory. Otolaryngol Head Neck Surg 2006;134:424-430.
39. Shambaugh GE, Jr., Clemis JD, Arenberg IK. Endolymphatic duct and sac in Meniere's disease. Arch Otolaryngol 1969;89:816-825.
40. Thomsen J, Bretlau P, Tos M, Johnsen NJ. Placebo effect in surgery for Meniere's disease. A double-blind, placebo-controlled study on endolymphatic sac shunt surgery. Arch Otolaryngol 1981;107:271-277.
41. Thomsen J, Bretlau P, Tos M, Johnsen NJ. Meniere's disease: a 3-year follow-up of patients in a double-blind placebo-controlled study on endolymphatic sac shunt surgery. Adv Otorhinolaryngol 1983;30:350-354.
42. Torok N. Old and new in Meniere's disease. Laryngoscope 1977;87:1870-1877.
43. Vlastarakos PV, Proikas K, Tavoulari E, Kikidis D, Maragoudakis P, Nikolopoulos TP. Efficacy assessment and complications of surgical management for superior semicircular canal dehiscence: a meta-analysis of published interventional studies. Eur Arch Otorhinolaryngol 2009;266:177-186.
44. Wetmore SJ. Endolymphatic sac surgery for Meniere's disease: long-term results after primary and revision surgery. Arch Otolaryngol Head Neck Surg 2008;134:1144-1148.
45. Wilkins RH. Neurovascular compression syndromes. Neurol Clin 1985;3:359-372.
46. Yazawa Y, Suzuki M, Kitano H, Kitajima K. Intraoperative mitomycin C in endolymphatic sac surgery for Meniere's disease: A pilot study. ORL 1999;61:188-194.
47. Yazawa Y, Suzuki M, Tanaka H, Kitano H, Kitajima K. Surgical observations on the endolymphatic sac in Meniere's disease. Am J Otol 1998;19:71-75.

이명_ 이명의 기전과 감별진단

이비인후과학 Otorhinolaryngology - Head and Neck Surgery

이규엽

이명(tinnitus)은 울림(ringing)이라는 뜻의 'tinnire' 라는 라틴어에서 유래한 단어로 기원전 400여 년경 히포크라테스(Hippocrates)가 처음으로 기술하였다.[16] 이명은 매우 흔한 증상으로 외부로부터의 소리 자극이 없이 소리를 인식하는 증상으로 정의할 수 있다.[1] 이명은 일반적으로 쉿(hissing), 지(sizzling), 윙(ringing) 소리가 흔하며 의미가 없는 단순한 소리로서 의미있는 소리, 음악, 언어 등이 들리면 이는 이명이 아니고 환청(auditory hallucination)이다.[1] 완전히 방음된 조용한 방에서도 모든 사람의 약 94%가 20 dB 이하의 이명을 느끼지만(방음실내 이명),[16] 이런 소리는 임상적으로 의미 있는 이명으로 분류하지 않고 환자가 괴로운 증상을 느낄 정도의 강도를 가진 잡음일 때 임상적으로 의미 있는 이명이라 한다.[1]

이명은 난청, 어지럼증과 더불어 이과 영역에서 가장 흔한 증상 중의 하나로 다양한 임상양상과 많은 신체적 질환에 동반되는 증상의 하나로서 나타난다.

 I 역학

우리나라 전 국민을 대상으로 한 국민건강영양조사연구에 따르면 12세 이상 국민 중 19.7%에서 이명을 호소하고, 이 중 29.3%에서는 불편감을 느낄 정도의 이명을 가지고 있었다.[38] 여성에서 유병률이 높았으며 이명은 삶의 질, 우울증, 난청, 어지럼증, 비염과 연관 있으며 특히 불편감을 줄 정도의 이명의 유병률은 나이, 난청, 심혈관계 질환, 스트레스 정도와 연관된다.[38] 이명의 유병률은 나이가 들수록 증가하는데 12~19세 청소년은 17.7%에서 이명을 호소하였고 70세 이상에서는 32%의 유병률을 보였다. 우리나라 조사에 따르면 이명환자 중 30%에서는 심한 이명으로 수면장애, 정신적 고통 등 일상생활에 심각한 영향을 받고 있고, 일반인에 비해 더 많은 자살충동을 느끼며 자살 시도를 하는 것으로 보고 되었다.[4] 다른 나라에서의 유병률은 우리나라와 비슷한 정도로 미국에서의 조사된 이명의 유병률은 25.3%였으며, 이명은 난청, 혈중 총 콜레스테롤, 두부외상, 이경화증, 관절염, 흡연과 연관되며 이 중에서 난청과 가장 밀접한 관계가 있는 것으로 조사되었다.[42] 이명은 자연 소실되는 경우도 많은데 장기간 추적관찰을 통한 연구에서 이명 환자의 40%에서는 5년 후 이명이 사라졌으며 20%에서는 좀 더 심한 이명으로 진행하였다.[45]

부위별로는 일측이 73%, 양측이 26%, 두명(tinnitus of head origin)이 1%이며, 일측 중에서 좌측이 우측보다 월등하게 많았다.[11]

II 이명의 분류

이명은 여러 가지 방법으로 분류한다. 그 중 가장 많은 분류법은 타각적(objective) 이명과 주관적(subjective) 이명으로 나눌 수 있다(표 52-1).[1,5,13] 타각적 이명은 검사자에게도 들리는 이명으로 혈관성, 근육성 등 신체기관에서 기원하며, 이는 다시 박동성(pulsatile) 이명과 비박동성(nonpulsatile) 이명으로 분류할 수 있다.[1,5,13] 박동성 이명은 심박동과 일치하는 동맥성 이명과 심박동에 일치하지 않는 정맥성 또는 근육성 이명이 있다. 박동성 이명은 그 강도가 보통 3 dB 정도로서 보통 상태에서는 자각하지 못하나, 어떤 원인으로 박동음이 증대될 때에는 청취된다.[48] 박동성 이명의 원인 중 가장 많은 것은 혈관성 질환으로 이 중 동맥성으로는 동정맥루, 부신경절종, 경동맥경화증(carotid artery stenosis), 죽상동맥경화증(atherosclerosis), 동맥박리(arterial dissection), 등골동맥, 신경혈관 압박증후군(neurovascular compression syndrome), 고실 내 경동맥(intratympanic carotid artery)과 같은 중이나 혈관 연관 질환이 있으며 임신이나 갑상선기능항진증 등과 같은 심박출량이 증가하는 경우나 이경화증이나 파젯병(Paget disease)과 같은 경우에도 발생할 수 있다.[11] 정맥성으로는 특발성 두개내고혈압, 정맥성 잡음(venous hum), 두개 내 정맥기형 등이 있고 근육성으로는 이소골근, 구개범장근(tensor veli-palatini muscle), 구개범거근(levatorvelipalatini muscle)의 근육간대경련(myoclonus) 등이 있다.[13,36,45] 타각적 이명 중 비박동성 이명으로는 이관개방증, 악관절이상 등이 있다.[5]

표 52-1. 이명의 원인

타각적이명 (Objective tinnitus)	주관적이명 (Subjective tinnitus)
박동성이명	난청
• 동맥성	• 중추성
- 동정맥루	- 청신경 종양
- 부신경절종	- 소뇌교각부 종양
- 경동맥경화증(carotid artery stenosis)	- 수막종, 다발성 경화증
- 죽상동맥경화증(atherosclerosis)	- 소뇌 및 뇌간 출혈
- 동맥박리(arterial dissection)	- 외상성 두부 및 청신경 손상
- 등골동맥	• 말초성
- 신경혈관 압박증후군	- 이독성난청
- 고실내 경동맥	- 노인성 난청
- 임신	- 소음성 난청
- 갑상선기능항진증	체성이명(somatic tinnitus)
- 이경화증	
- 파젯병(Paget disease)	
• 정맥성	
- 특발성 두개내고혈압	
- 정맥성 잡음(venous hum)	
- 두개내 정맥기형	
• 근육성	
- 근육간대경련(myoclonus) 구개범장근 구개범거근	
비박동성이명	
• 이관개방증	
• 악관절이상	

주관적 이명은 성인에서 가장 흔한 형태로 난청과 관련이 있는 경우가 흔하며 주로 비박동성인 경우가 많다. 그 원인과 위치에 따라 중추성과 말초성으로 분류할 수 있다. 중추성으로 기질적 원인으로는 청신경 종양, 소뇌교각부 종양, 수막종, 다발성 경화증, 소뇌 및 뇌간 출혈, 외상성 두부 및 청신경 손상이 있으며 말초성 원인으로 약물에 의한 이독성난청, 노인성 난청, 소음성 난청 등과 같

은 다양한 내이 질환과 동반되어 주관적 이명을 유발할 수 있다.[1,5,13] 그러나 비박동성 이명의 원인 중 수막종에서는 두개내압의 상승과 수막종에 혈류가 풍부하여 박동을 느낄 수 있으며, 내이 매독에서는 국소의 염증에 의해 혈관염이나 와우의 퇴행성 변화를 일으켜 박동성 이명을 유발할 수도 있다.[5] 주관적 이명의 독특한 형태인 체성이명(somatic tinnitus)은 신체 조절(somatic modulation)에 의해 이명의 크기, 방향, 음이 변화하는 것으로 큰 전정신경초종(vestibular schwannoma)을 수술한 후 눈이나 다리운동, 피부자극에 의해 유발될 수 있다.[48,49]

타각적 이명을 유발하는 내경동맥, 뇌 및 척추동맥의 협착 및 경련, 전하소뇌동맥(anterior inferior cerebellar artery)이 와우신경을 압박하여 생기는 신경혈관 압박증후군, 고경정맥구증(high jugular bulb)과 뇌실질의 미세동맥병변(microangiopathy) 등이 박동성 자각적 이명을 유발하는 경우도 있다.[3] 따라서 원인 질환에 따라 자각적, 타각적 이명과 박동성, 비박동성 이명을 확연히 구분하기는 어려울 수 있다.

이명은 난청과 연관성이 많은 것으로 알려져 있으며 난청의 종류와 원인에 따라 전음성 이명, 감각신경성 이명, 혼합성 이명, 무난청성 이명으로 분류할 수도 있다. 이 중에는 감각신경성 이명이 약 반을 차지하며 무난청 이명도 10% 이상이다.[55] 난청이 심할수록 이명이 증가하는데 특히 심도난청 환자의 73%에서 이명을 보고하였다.[20]

III 이명의 발생기전

1. 이명의 원인

이명은 분류에서 기술한 바와 같이 다양한 원인에 의해 발생하며 그 원인을 추정할 수 있는 경우는 71%이고 원인불명인 경우가 29%이며, 원인으로는 내이 질환이 20%, 소음 15%, 두경부 외상 13%, 외이염 및 중이염 7%, 약물 6%, 상기도염 3%, 스트레스 3%, 피로 1%순이다.[11] 이명을 유발할 수 있는 내이 질환으로는 약물에 의한 이독성난청, 노인성 난청, 소음성 난청, 메니에르병 등이 있고 이경화증에서도 동반될 수 있다. 이명을 유발할 수 있는 약물로는 아미노글리코사이드계(aminoglycoside), 마크로라이드계(macrolides), 반코마이신(vancomycin) 등의 항생제와 항우울제, 항말라리아, 시스플라틴(cisplatin) 등의 항암제, 이뇨제, 면역조절제, 비스테로이드성항염제, 아스피린, 카페인, 니코틴 등이 있다.[14]

원인을 쉽게 찾을 수 있는 타각적 이명과는 달리 주관적 이명의 원인은 아직 명확하지는 않지만 다양한 임상양상과 원인에 따라 몇 가지의 가설로써 설명되고 있다. 이 중 초기에 주된 기전으로 인정받은 것은 난청에 따른 말초성 와우기원설로써 소음, 이독성, 두경부 외상 등으로 인한 와우의 손상과 난청이 이명의 원인이며 와우 손상에 따른 와우 내 신경수용체와 신경전달물질의 과활성나 내유모세로와 외유모세포의 손상의 차이에 따른 부조화에 따른 것으로 해석된다.[26,40] 그러나 청신경을 제거한 후에도 이명이 발생되는 것으로 보아 말초성 와우기원설은 이명 발생 초기에는 역할을 할 수 있지만, 이명의 발생과 유지에 중추신경계의 변화가 이명의 주요한 발생 기전으로 현재는 인정되고 있다.[22,44] 이명 발생의 주된 중추신경계의 신경학적 이론으로는 Jastreboff의 신경생리학적 이론 neurophysiological theory, 중추청각계의 자발적 신경점화spontaneous firing rate 증가이론, 신경 동기화 neural synchrony 이론, 토노토피 재구성 tonotopic reorganization 이론, 새로운 시냅스형성 등에 따른 신경가소성neural plasticity 등이 제시되었다.[17,27,28,37]

신경생리학적 이론은 이명 재훈련치료(tinnitus retraining therapy)의 이론적 배경으로 아래에 좀 더 자세히 기술되어 있다. 중추신경계의 자발적 신경점화 증가이론에 따르면 난청에 따른 청신경의 활성이 감소하면 대뇌피질에서 억제성 반응(inhibitory cortical process)이 저하되어 청각중추의 과활성(hyperexcitability)이 발생함으로써 이명이 발생한다는 이론이다.[17,27,28] 신경 동기화(neural synchrony) 이론은 난청으로 인해 청각중추에서 손상이 있는 주파수 부분이 정상인 부분의 주파수 영역으로 토노토피가 변화됨으로써 여러 지역 뉴런에서의 신경점화가 동시에 일어남으로써 이명이 발생한다는 이론이다. 하지만 한 가지 이론만으로는 많은 다양한 임상양상을 나타내는 이명의 원인을 설명할 수 없어 향후 이명의 발생 위치와 임상양상에 대한 연구가 필요하다. 이론들을 종합하면 거의 모든 형태의 와우손상은 초기에는 청각중추로 전달되는 신경반응이 감소되지만 시간이 흐름에 따라 청각신경경로에서 신경점화가 증가하고 중추청각신경계의 과활성과 동기화(synchronization)가 이루어지며,[17,27] 배측와우신경핵을 포함한 청각 중추청각경로를 따라 억제성 신경입력신호의 감소로 인한 흥분성 신호의 증가[21], 청각 신경계의 탈구심성(deafferentation), 그리고 신경점화나 시냅스구조의 변화로 결과적으로 새로운 시냅스형성 등에 따른 신경가소성(neural plasticity)이 발생함으로써 이명이 발생할 수 있다.[37] 또 다른 이론으로는 충추신경계의 역할로 이명이 뇌신경망에 연결되고 불쾌한 감정이 학습 연관되어 거슬리게 될 때 인식된다는 환상지(phantom limb)이론과 같은 혐오기억망(aversive memory network)에 의한 기전이 제시되기도 하였다.[14]

이 외에 몸의 변화에 따라 이명의 강도, 방향성, 음질이 변형되는 것을 일컫는 체성이명증후군(somatic tinnitus syndrome)은 신체적 유발에 의해 귀로 인지되는 이명이 일측성으로 발생하는 경우로 난청과는 무관하게 발생하며 난청이 없거나 난청이 있더라도 양측성 대칭성 난청인 경우에 진단될 수 있다.[32] 청신경종양을 제거하고 나서 눈, 다리의 움직임, 손발의 피부자극에 의해 이명이 발생하는 경우나 평소 이명이 없는 사람의 15~58%에서도 턱, 두경부 근육의 강한 움직임으로 이명이 유발된 경우가 이에 해당된다.[41,48,49] 같은 기전으로 특발성 이명의 65~80%에서 두경부근육의 수축에 따라 이명의 강도나 음이 변할 수 있다.[2,41]

또 다른 이명의 형태로 스타카토형(staccato) 이명이 있는데 이는 체성이명과 비슷하지만 근육움직임 등의 원인이 아닌 혈관에 의한 청신경의 압박으로 발생하며 타자기형 typewriter 이명이라고도 일컫는다.[6,33]

2. Jastreboff의 신경생리학적 이론 Neurophysiological model[25]

Jastreboff의 신경생리학적 이론은 이명 환자의 30%만이 불편감을 느끼며 이명의 크기나 음질 등의 특징이 환자가 느끼는 이명에 대한 불쾌성의 정도나 이명의 중증도, 이명치료 및 예후와 일치하지 않는 결과를 보임으로써 이명이 청각계의 요소가 아닌 다른 요소 특히 신경생리학적 요소가 관여한다는 이론이다. 그리고 이명과 연관된 신경활성은 와우나 청신경의 말초에서 시작되고 대뇌피질하 청각중추에서 인식되어 중추신경계에서 평가되며 변연계(limbic system)와 자율신경계에서 지속적인 신경활성이 이루어 짐으로써 이명이 발생되고 유지된다는 이론이다.[25] 자세히 살펴보면 소리는 와우를 통해 청신경으로 전달되고 최종적으로 대뇌피질로 전달되어 인식되고 분석된다. 소리정보는 최종적으로 청각중추로 전달되지만 잠재의식으로써 자율신경계와 변연계도 거치게 되며 이러한 과정을 통해 놀람반사(startle reflex)와 감정반응 등이 발생하게 된다(그림 52-1). 이 과정에서 중요하지 않은 소리신호(unimportant auditory information)는 잠재의식에서 자율신경계나 변연계에서의 반응이 작게 형성되며 이런 소리가 반복적으로 발생할 때(예; 집안의 냉장고 소리)는 잠재의식에서 걸러지게 되어 청각중추로 전달을 막게 된다. 반대로 중요한 소리는 자율신경계와 변연계에서 강하게 반응하게 되는데 이처럼 뇌는 선택적으로 소리를 인식하는 과정을 거친다. 만약 즐겁지 않은 부정적인(negative) 소리의 경우에는 쉽게 걸러지지 못하고 자율신경계와 변연계를 거치면서 불편감이 증가하게 되며 그 인식과 반응이 조건반사(conditioned reflex)를 형성하게

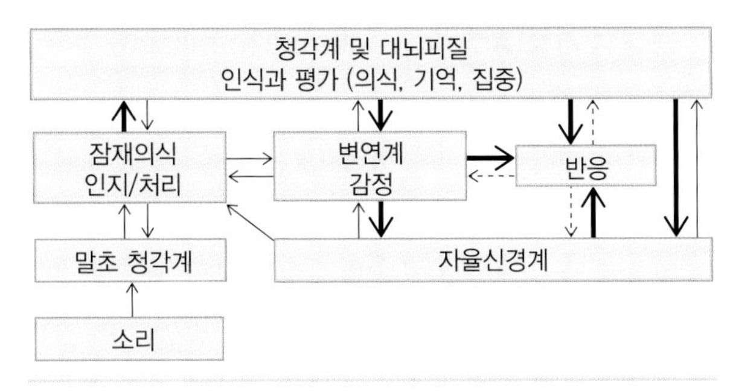

■ 그림 52-1. 소리는 말초청각계인 와우를 통해 청신경으로 전달되고 최종적으로 대뇌피질로 전달되어 인식되고 분석되며 소리정보는 잠재의식으로써 자율신경계와 변연계도 거치게 된다. 이러한 과정을 통해 감정반응 등이 발생하게 된다.

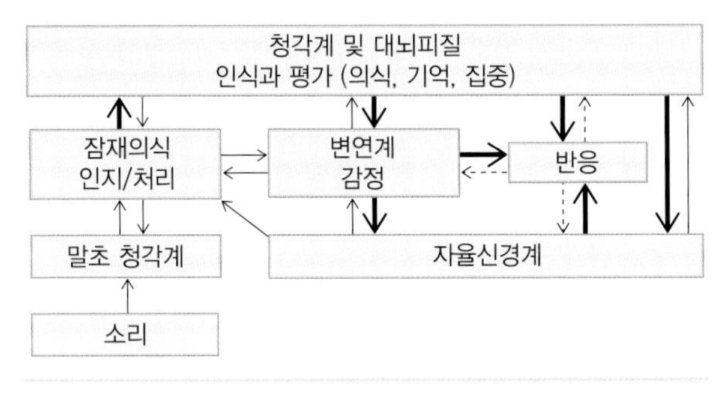

■ 그림 52-2. 강한 불편감을 유발하는 이명은 조건반사로서 관련된 신경반응을 유발하여 변연계와 자율신경계를 자극하게 되고 이것이 부정적인 반응으로써 대뇌피질에서 반응함으로써 악순환(굵은 화살표)을 형성하게 된다.

된다. 이와 같은 기전으로 그림 52-2에서 굵은 화살표처럼 강한 불편감을 유발하는 이명은 조건반사로서 이명과 관련된 신경반응을 유발하여 변연계와 자율신경계를 자극하게 되고 이것이 부정적인 반응으로써 대뇌피질에서 반응함으로써 악순환을 형성하여 변연계와 자율신경계에서의 반응이 점점 커지게 되어 소리자극이 없어도 인식하게 되는 이명이 발생한다. 따라서 변연계에서는 불쾌한 정서를 유발하여 이명 강도가 더욱 커지고, 자율신경계를 통하여서는 긴장, 두통, 홍조, 빈맥, 발한, 위장관 장애 등이 유발되며, 이런 조건반사가 형성되면 이명이 인식될 때마다 부정적인 반응이 반복적으로 나타난다.

이렇게 이명을 호소하는 환자들에게 정서적 불편감을 습관화되도록(habituation of reaction) 유도함으로, 궁극적으로 대뇌 청각중추가 이명을 인식하지 못하도록 차단하려는 인식의 습관화(habituation of perception)가 Jastreboff의 이명 재훈련(tinnitus retraining therapy)의 이론이다.

Ⅳ 이명의 특징과 동반증상

이명이 돌발적으로 발생하는 경우가 51%, 점진적인 것이 49%로 서로 비슷하며, 지속적인 것이 64%로 단속적인 36%보다 훨씬 빈도가 높다.

이명이 심해지는 조건으로는 피로할 때, 조용할 때, 신경을 쓸 때 심해지는 경우가 73% 이상으로 가장 많고, 오히려 긴장이 풀려 있을 때 더욱 악화된다는 예도 있다.[11]

이명에 대한 자각적 표현은 단순음으로 표현하는 예가 76%로, 복합음으로 표현하는 24%보다 3배 정도 많다. 단순음 중에는 윙(웅, 앙)으로 표현하는 예가 월등히 많고, 그 다음으로 쐬(쏴, 쒸), 매미소리, 바람소리 등이고, 복합음은 매미소리와 웅(윙)의 혼합이 가장 많다.[9]

이명 환자에서 동반증상은 원인 질환과 밀접한 관계가 있어 36%에서 난청이 동반되고, 현훈 30%, 우울증 30%, 고막천공 38%, 비염 26%, 삼출성 중이염 37% 등이 연관된다.[38]

이명 환자의 청력검사에서 실제 난청이 나타나는 예가 88%, 무난청성이 12%이다. 난청의 종류는 감각신경성 난청이 44%, 혼합성 난청이 23%, 전음성 난청 21%의 순으로, 이명 환자는 내이 이상의 청각로에 병변을 가진 예가 약 67%로 그 빈도가 많다는 것을 알 수 있다.[11] 또한 대부분의 이명 환자에서 이명 주파수는 청력장애가 가장 심한 주파수나 갑자기 청력이 감소된 주파수와 일치한다.[11]

청력도의 형태는 고음역 난청이 분명한 고음급추형(abrupt drop)이 가장 많고, 고음점경형(descenging), 수평형(flat), 불규칙형(irregular) 및 dip형의 순이며, 고음급추형과 고음 점경형이 전체의 약 60%에 해당하여 난청의 종류 중 감각신경성 난청이 동반된 예 67%와 그 빈도가 비슷하다.[11]

V 감별진단

앞에서 기술한 바와 같이 박동성 이명의 원인으로는 혈관성 기형, 혈관성 종양 등 두개 내 혈관성 질환이 가장 흔하다.[11] 그 외 두개내고혈압, 상반고리관피열증후군, 연구개 및 중이근육 간대경련, 이경화증, 이관개방증, 악관절이상, 이경화증, 삼출성 중이염 등이 많은 원인이다.[13]

1. 혈관성 종양(Vascular neoplasm)

박동성 이명을 유발할 수 있는 혈관성 종양으로는 부신경절종양(paraganglioma), 혈관종 등이 있다. 부신경절종양은 측두골에서 가장 흔한 혈관성 종양으로 와우갑각 가까이 Jacobson 신경과 경정맥구에서 발생한 종양이 박동성 이명을 유발한다.[24] 혈관종은 측두골에서 드문 혈관성 종양으로 안면신경 혈관종은 슬신경절(geniculate ganglion)에서 가장 흔히 발생하며 해면정맥동 혈관종도 박동성 이명을 유발할 수 있다. 박동성 이명일 때에는 심박동과의 연관성, 맥박과 혈압의 측정, 양측 귀와 두경부의 청진, 경정맥 압박에 의한 이명 양상의 변화 여부 등에 대해 면밀한 관찰이 필요하다.[12]

혈관성 종양이 원인인 이명은 경부압박, 두위변화, 체위변화, Valsalva법에 영향을 받지 않으며, 이는 정맥성 잡음과 감별하는 점이다.[12] 임피던스 청력검사계기를 이용한 고막운동성 검사에서 규칙적인 진동파형을 보이고, 통기이경으로 가압할 때 고막이 창백해지는 Brown 징후를 보일 수 있으나 이는 혈관성 종양 외에 중이 하벽의 골결손에 의한 고위 경정맥구 등에서도 관찰될 수 있으므로 감별해야 한다.[5,43]

2. 동정맥 기형(Arteriovenous malformation)

혈관성 종양과 달리 동정맥기형은 정상고막을 보이는 박동성 이명 중 가장 흔한 원인이다.[2,47] 전체 두개 내 혈관성 기형의 10~15%를 차지하며 주로 횡정맥동과 S형 정맥동에서 발생한다.[15] 선천성과 후천성으로 발생할 수 있으며 감염, 임신, 사춘기, 외상으로 악화될 수 있다. 위치와 크기에 따라 박동성 이명, 두통, 두개 내 출혈 등이 발생할 수 있다.

동정맥 누공(fistula) 중에는 후두동맥(occipital artery)과 횡정맥동(transverse venous sinus) 사이의 기형이 가장 많으며, 그 외에도 경동맥(carotid artery)과 해면정맥동(cavernous venous sinus) 사이에 누공이 많이 발생한다.[1] 이외에 경동맥기형이나 피열, 잔존 등골동맥에 의해 박동성 이명이 유발될 수 있다. 정맥구 기형의 발생율은 4~20% 정도로 정맥구가 고실윤보다 높이 위치하거나 내이도 바닥보다 2 mm 내에 위치할 때를 고정맥구라고 한다.[5,18] 정맥구 기형은 주로 후천성으로 발생하지만 그 원인은 알려져 있지 않다. 고정맥구는 이경검사에서 고막을 통해 청색종물로 보일 수 있다. S상 정맥동게실도 박동성 이명의 약 20%를 차지한다.[36] 그 원인은 알 수 없으나 정맥동 내의 난류성 turbulent 혈류에 의해 유양돌기로의 게실을 형성하는 것으로 알려져 있다. 동맥성 박동성 이명 중에서는 경동맥의 죽상동맥경화증이 가장 흔한 원인으로 양측 경동맥 청진으로 진단할 수 있다.[30,36,47] 그 외에 두개 내 동정맥루나 경동맥 해면정맥동루도 안검하수, 피하출혈, 복시 등의 증상과 함께 박동성 이명을 유발할 수 있다.[31]

동정맥기형에 따른 이명의 양상은 심장박동과 일치하며, 임신 중에 갑자기 동정맥 기형의 크기가 증가하여 이명의 강도가 돌발적으로 증가할 수 있다. 특히 동정맥 기형에 의해 이명뿐 아니라 두경부의 비대칭, 피부변색, 치아 흔들림과 급격한 출혈이 주기적으로 나타나기도 한다. 그 외에 50%의 환자에서 안저의 울혈유두(papilledema)

와 두통 등 뇌압상승 징후를 보이며,[34] MRI나 혈관조영술이 진단에 필수적이다.

3. 정맥성 잡음(Venous hum)

정맥의 소용돌이가 경부에서 감지되는 것으로, 거의 대부분 심박출량의 증가와 관련이 있어 정상인에서도 약 52%에서 나타난다.[7,34] 주로 제2 경추의 횡돌기(transverse process)가 경정맥을 압박하여 경동맥의 맥박이 경정맥에 전달될 때 이명을 느끼게 된다. 그 외의 원인으로 임신, 빈혈, 갑상선 기능항진증 등으로 심박출량이 증가할 때, 동정맥 기형에서 뇌압상승에 의해 정맥혈류가 증가하면 정맥성 잡음이 발생하며 이명을 호소한다.[34]

진단의 한 방법으로는 전경부(anterior cervical portion)를 가볍게 누르면 이명이 소실되고, 또한 머리를 건측으로 돌리면 이명 강도가 감소하며, 환측으로 돌리면 증가한다.[13] 이에 대한 기전은 정확하지 않으나, 머리의 움직임에 따라 흉쇄유돌근이 경정맥의 혈류량에 영향을 주어, 이명의 강도가 변하는 것으로 생각된다. 그 외에 Valsava법과 호기 시에는 이명이 약해지고, 흡기 시에는 증가된다.

4. 근 수축(Muscle contraction)

근육성 이명은 심박동수보다 빈도가 높아 분당 60~200회가 되며, 운동시에도 특별한 변화가 없다. 젊은 사람에서 호발하며 뇌경색이나 다발성 뇌경화증(multiple sclerosis)과 관련이 되기도 한다. 가장 흔한 원인은 구개근 경련(palatal myoclonus)으로, 고막장근(tensor tympani muscle), 구개범장근(tensor veli palatini muscle)과 구개거근(levator veli palatini muscle), 상인두수축근(superior pharyngeal constrictor muscle) 등이 이완할 때 소리가 난다. 구개범장근 등의 연구개근육의 경련으로 이관이 개방됨으로써 주관적 혹은 객관적 이명이 발생할 수 있다. 원인에 대해서는 주로 특별한 원인 없는 특발성으로 발생한다는 이론과 뇌간이나 소뇌질환에 의해 발생한다는 설이 있다.[35] 소아에서의 연구개 근육간대경련은 자연 소실되기도 한다.[35] 고막장근이나 등골근의 근육간대경련에서는 이경검사를 통해 고막의 주기적 움직임을 관찰할 수도 있고 고막운동성검사에 나타나기도 한다. 흔히 일측성으로 발생하지만 양측으로 발생 할 수도 있다.[23] Toynbee관으로 소리를 직접 들어보고 진단할 수 있고, 특히 고막장근이나 구개범장근에 의해 발생할 때에는 임피던스 검사계기를 이용한 고막운동성 검사에서 특징적인 톱니 모양이 나타나기도 한다.

5. 지속적 이관 개방(Patulous eustachian tube)

자신의 호흡음이 강하게 들리며, 자성강청(autophony)을 호소하기도 한다.[12] 이경검사에서 호흡음에 일치하여 고막이 진동하는 것을 볼 수 있고, 누우면 증상이 호전되고, 머리를 앞으로 기울이면 이명이 없어지기도 한다.[13] 몸무게의 감소, 비만치료, 이뇨제, 임신, 호르몬 치료, 방사선치료나 수술에 의한 비인강의 반흔이나 위축, 류마티스성 질환, 알러지, 두개안면기형 등으로 발생 할 수 있으나 3분의 1의 환자에서는 특발성으로 발생한다.[19] 임피던스 청력계기를 이용한 고막운동성 검사가 진단에 도움이 된다. 비내시경으로 이관연골부의 앞측면 벽의 결손이 있을 경우 진단할 수 있으며 측두골 단층촬영으로 진단할 수도 있다.[19]

6. 기타

특발성 두개내고혈압은 양성 두개내고혈압 또는 가성뇌종양으로도 알려져 있으며 수두증과 같은 특별한 이유 없이 두개내압이 증가하는 것으로 박동성 이명, 두통, 시야장애, 난청, 어지럼증 등의 증상을 나타낸다. 원인은 알려져 있지 않지만 두개내압의 상승으로 인한 혈류의 난기류[38] 또는 8번 뇌신경 신장extension[24,38]이나 부종, 와우도수관을 통해 외림프액의 압력이 증가함으로써 와우기저막의 경직성이 증가에 따라 이명이 발생한다.[38]

상반고리관 피열증후군 환자의 50%에서 박동성 이명을 호소하고 후반고리관 피열인 경우에는 경정맥구와 S상정맥동과의 접촉에 의해 박동성 이명이 발생할 수 있다.[7]

이경화증에서는 염증이나 골성 신생혈관의 증가에 따라 이명이 발생할 수 있다. 파젯병에서도 박동성과 비박동성 이명이 발생할 수 있다. 삼출성 중이염에서도 폐쇄성 삼출액에 따라 심박동 고리가 증폭되어 박동성 이명이 발생 할 수 있으며 만성 중이염에서도 비슷한 기전으로 이명이 발생할 수 있고 측두악관절 이상시에 클릭 소리가 이명으로 인식될 수도 있다.[31]

참고문헌

1. 전경명. 이비이후과학 두경부외과학. 개정판 ed: 일조각, 2009, p. 938-950.
2. Abel MD, Levine RA. Muscle contractions and auditory perception in tinnitus patients and nonclinical subjects. Cranio 2004;22:181-191.
3. Adler JR, Ropper AH. Self-audible venous bruits and high jugular bulb. Arch Neurol 1986;43:257-259.
4. Association of Hearing Loss and Tinnitus with Health-Related Quality of Life: The Korea National Health and Nutrition Examination Survey. Joo YH, Han KD, Park KH. PLoS One. 2015 Jun 29;10(6):e0131247.
5. Bauer CA. Tinnitus and hyperacusis. Cummings Otolaryngology - Head and Neck Surgery 6th edition ed, 2015, p.2336-2348.
6. Brantberg K. Paroxysmal staccato tinnitus: a carbamazepine responsive hyperactivity dysfunction symptom of the eighth cranial nerve. J Neurol Neurosurg Psychiatry;81:451-455.
7. Chandler JR. Diagnosis and cure of venous hum tinnitus. Laryngoscope 1983;93:892-895.
8. Chi FL, Ren DD, Dai CF. Variety of audiologic manifestations in patients with superior semicircular canal dehiscence. Otol Neurotol;31:2-10.
9. Chon KM, Cho, K.S., Kim, J.D. . Relationship between Subjective Expression and Pitch in Tinnitus. Korean J Otolaryngo 2005;48:961-966.
10. Chon KM. Clinical and Audiological Study of Tinnitus. J Busan Med College 1980;20:225-234.
11. Chon KM. Diagnosis and Treatment of Tinnitus. J Clinical Otolaryngol 1996:326-339.
12. Coles RRA. Tinnitus. 6th ed: Butterworth-Heinemann, 1997, p.1-34.
13. Cosetti MK. Tinnitus and hyperacusis. Bailey's Head and Neck Surgery--otolaryngology 5th edition ed, 2015, p.2597-2615.
14. De Ridder D, Elgoyhen AB, Romo R, Langguth B. Phantom percepts: tinnitus and pain as persisting aversive memory networks. Proc Natl Acad Sci U S A;108:8075-8080.
15. Delgado F, Munoz F, Bravo-Rodriguez F, Jurado-Ramos A, Oteros R. Treatment of dural arteriovenous fistulas presenting as pulsatile tinnitus. Otol Neurotol 2009;30:897-902.
16. Dietrich S. Earliest historic reference of 'tinnitus' is controversial. J Laryngol Otol 2004;118:487-488.
17. Eggermont JJ. Pathophysiology of tinnitus. Prog Brain Res 2007;166:19-35.
18. Friedmann DR, Le BT, Pramanik BK, Lalwani AK. Clinical spectrum of patients with erosion of the inner ear by jugular bulb abnormalities. Laryngoscope;120:365-372.
19. Grimmer JF, Poe DS. Update on eustachian tube dysfunction and the patulous eustachian tube. Curr Opin Otolaryngol Head Neck Surg 2005;13:277-282.
20. Hazell JW, McKinney CJ, Aleksy W. Mechanisms of tinnitus in profound deafness. Ann Otol Rhinol Laryngol Suppl 1995;166:418-420.
21. Heller MF, Bergman M. Tinnitus aurium in normally hearing persons. Ann Otol Rhinol Laryngol 1953;62:73-83.
22. House JW, Brackmann DE. Tinnitus: surgical treatment. Ciba Found Symp 1981;85:204-216.
23. Howsam GD, Sharma A, Lambden SP, Fitzgerald J, Prinsley PR. Bilateral objective tinnitus secondary to congenital middle-ear myoclonus. J Laryngol Otol 2005;119:489-491.
24. Jackson CG. Glomus tympanicum and glomus jugulare tumors. Otolaryngol Clin North Am 2001;34:941-970, vii.
25. Jastreboff PJ, Hazell JW. A neurophysiological approach to tinnitus: clinical implications. Br J Audiol 1993;27:7-17.
26. Kaltenbach JA. Tinnitus: Models and mechanisms. Hear Res;276:52-60.
27. Kaltenbach JA, Rachel JD, Mathog TA, Zhang J, Falzarano PR, Lewandowski M. Cisplatin-induced hyperactivity in the dorsal cochlear nucleus and its relation to outer hair cell loss: relevance to tinnitus. J Neurophysiol 2002;88:699-714.
28. Kaltenbach JA, Zhang J, Afman CE. Plasticity of spontaneous neural activity in the dorsal cochlear nucleus after intense sound exposure. Hear Res 2000;147:282-292.
29. Kapoor KG. Etiology of dizziness, tinnitus, and nausea in idiopathic intracranial hypertension. Med Hypotheses 2008;71:310-311.
30. Krishnan A, Mattox DE, Fountain AJ, Hudgins PA. CT arteriography and venography in pulsatile tinnitus: preliminary results. AJNR

Am J Neuroradiol 2006;27:1635-1638.

31. Lerut B, De Vuyst C, Ghekiere J, Vanopdenbosch L, Kuhweide R. Post-traumatic pulsatile tinnitus: the hallmark of a direct carotico-cavernous fistula. J Laryngol Otol 2007;121:1103-1107.
32. Levine RA, Nam EC, Oron Y, Melcher JR. Evidence for a tinnitus subgroup responsive to somatosensory based treatment modalities. Prog Brain Res 2007;166:195-207.
33. Levine RA. Typewriter tinnitus: a carbamazepine-responsive syndrome related to auditory nerve vascular compression. ORL J Otorhinolaryngol Relat Spec 2006;68:43-46; discussion 46-47.
34. Levine SB, Snow JB, Jr. Pulsatile tinnitus. Laryngoscope 1987;97:401-406.
35. MacDonald JT. Objective tinnitus due to essential palatal tremor in a 5-year-old. Pediatr Neurol 2007;36:175-176.
36. Mattox DE, Hudgins P. Algorithm for evaluation of pulsatile tinnitus. Acta Otolaryngol 2008;128:427-431.
37. Moller AR. The role of neural plasticity in tinnitus. Prog Brain Res 2007;166:37-45.
38. Park KH, Lee SH, Koo JW, et al. Prevalence and associated factors of tinnitus: data from the Korean National Health and Nutrition Examination Survey 2009-2011. J Epidemiol;24:417-426.
39. Rudnick E, Sismanis A. Pulsatile tinnitus and spontaneous cerebrospinal fluid rhinorrhea: indicators of benign intracranial hypertension syndrome. Otol Neurotol 2005;26:166-168.
40. Sahley TL, Nodar RH. A biochemical model of peripheral tinnitus. Hear Res 2001;152:43-54.
41. Sanchez TG, Guerra GC, Lorenzi MC, Brandao AL, Bento RF. The influence of voluntary muscle contractions upon the onset and modulation of tinnitus. Audiol Neurootol 2002;7:370-375.
42. Shargorodsky J, Curhan GC, Farwell WR. Prevalence and characteristics of tinnitus among US adults. Am J Med;123:711-718.
43. Sila CA, Furlan AJ, Little JR. Pulsatile tinnitus. Stroke 1987;18:252-256.
44. Silverstein H, Haberkamp T, Smouha E. The state of tinnitus after inner ear surgery. Otolaryngol Head Neck Surg 1986;95:438-441.
45. Sindhusake D, Golding M, Newall P, Rubin G, Jakobsen K, Mitchell P. Risk factors for tinnitus in a population of older adults: the blue mountains hearing study. Ear Hear 2003;24:501-507.
46. Soderquist DR, Lindsey JW. Physiological noise as a masker of low frequencies: the cardiac cycle. J Acoust Soc Am 1972;52:1216-1220.
47. Sonmez G, Basekim CC, Ozturk E, Gungor A, Kizilkaya E. Imaging of pulsatile tinnitus: a review of 74 patients. Clin Imaging 2007;31:102-108.
48. Wall M, Rosenberg M, Richardson D. Gaze-evoked tinnitus. Neurology 1987;37:1034-1036.
49. Whittaker CK. Tinnitus and eye movement. Am J Otol 1982;4:188.

이명_
이명과 청각과민증의 진단적 접근

이비인후과학 Otorhinolaryngology - Head and Neck Surgery

허경욱

이명은 매우 흔하며 그 자체로는 위험하지 않지만, 드물게는 생명을 위협할 수 있는 질환의 첫 번째 증상인 경우도 있으므로 이명의 평가와 진단에는 모든 가능성을 염두에 둔 포괄적인 접근이 필요하다. 이명의 발생 원인으로 난청과 관련된 질환이 가장 흔하고 두경부 질환, 측두하악관절 이상, 정신의학적 문제, 뇌종양, 뇌혈관 질환 등 다양한 원인이 있으므로 이비인후과 외 여러 전문분야의 협진이 종종 필요하게 된다. 이명에 대한 진단적 접근은 기술한 바와 같이 다양하고 복잡한 과정을 거쳐야 하므로 체계적인 흐름에 따라 빠짐없이 수행해야 정확한 원인을 파악할 수 있고 진료의 효율성을 높일 수 있다. 그리고 그 과정은 대체로 정확한 병력청취, 광범위한 이학적 검사, 청각학적 검사, 영상검사, 그리고 다양한 검사가 필요하게 된다.[30]

I 병력청취

이명의 원인을 찾는 데에 가장 많은 정보를 얻을 수 있는 과정은 자세한 병력을 청취하는 것으로써 이때 기본적으로 포함되어야 하는 정보로는 이명의 부위, 기간, 수 및 종류, 음의 높낮이, 음의 지속성 및 양상, 동반 질환 및 악화인자, 과거 병력 등이다.[41]

이명의 부위는 이명이 느껴지는 부위가 귀인지 머리인지, 일측성 또는 양측성 인지, 일정한 부위인지 변동성이 있는지 여부를 확인해야 한다. 이명을 느낀 기간에 대해서는 이명이 언제 발생했는지와 발생시 갑자기 발생했는지 또는 서서히 발생했는지, 그리고 이명이 갑자기 심해졌는지의 여부와 심해졌다면 언제부터 심해졌는지가 중요하다. 염증성 질환이나 내이 질환에 의해 난청을 동반한 이명이 발생한 경우 이명음의 높낮이와 난청 주파수 간에 상관성이 매우 높으므로 문진 및 청력 검사 시 염두에 두어야 한다.[5] 특히 돌발성 난청은 대다수에서 이명을 동반하고[37] 돌발성 난청의 회복정도에 따라 이명의 예후도 결정되는 것으로 알려져 있다.[39] 이명이 지속적인 경우 대다수는 와우나 청신경로가 이명의 원인인 경우가 많고, 이명음이 단속적인 경우 귀 주변의 혈관이나 근육 또는 두개내의 혈관에서 발생했을 가능성을 염두에 두어야 한다. 근육의 경련에 의한 이명은 원인 근육에 따라 소리의 양상이 달라질 수 있는데, 고실긴장근의 경련에 의한 이명은 '딸가닥'에 가까운 소리로 느껴지고 등골근 경련의 경우에는 '지지직' 또는 '부스럭' 등의 소리를 느끼는 것으로 알려져 있다. 이명과 동반될 수 있는 증상으로 귀 질환이 이명의 원인임을 시사하는 난청, 어지럼, 이루, 이통, 이충만감 등의 여부를 확인해야 한다. 이명이 특정한 머리 위치나 몸의 자세, 운동 중에 심해질 경우 혈관성 이명의 가능성을 염두에 두어야 하고 급격한 스트레스가 이명 발생 및 악화인자가 될 수 있어 그 연관성을 확인해야 한다. 저작운동 또는 경부운동을 하는 시점과 이명의 발생 또는 악화가 시간적으로 밀접한 연관성을 보인다면 체성 이명의 가능성을 의심해야 한다. 과거병력상 귀의 질환, 귀수술, 두부 외상, 직업적 또는 비직업적으로 큰 소음에 노출된 적이 있는지, 고혈압이나 부정맥 등의 심혈관 질환, 당뇨병, 빈혈, 죽상동맥경화증, 갑상선 질환, 비만, 두통, 이독성 약물에 노출된 적이 있는지, 알코올 중독 등의 병력을 확인한다. 하루 중 수면 시간을 제외하고 이명을 느끼는 시간이 평균 어느 정도인지를 기록하고, 환자가 느끼는 이명의 크기를 주관적으로 표현하게 하도록 한다.

Ⅱ 이명 설문지

대부분의 이명은 주관적이므로 환자 자신이 느끼는 이명의 정도를 이명 설문지에 상세히 기록하게 하면 문진 시 간과되기 쉬운 부분이 보완되고 이명치료의 대상을 결정하며, 환자별 치료방법의 선택과 치료의 결과 분석 등에 폭넓게 사용된다(표 53-1).[4] 이명 설문지는 내용에 따라 환자의 증례를 요약한 정성적 접근과 질문에 대한 답변을 점수화하여 치료 결과 수치화에 주목적을 둔 정량적 접근이 있다. 국가별 및 기관별로 비슷한 설문지를 사용하고 있으나 통일된 형식이 없어 자료의 객관적 분석과 비교 등에 장애요인이 되고 있다.[11]

Tinnitus Handicap Inventory (THI)는 정량적 접근 시 사용되는 대표적인 설문지로써, 1996년 개발된 이래 타당성이 입증되었고 국내에서도 번역되어 널리 사용되고 있으며,[36-37] 이명이 환자의 생활에 미치는 영향을 파악하고 치료 전, 후로 측정해서 치료 효과를 간편하게 평가할 수 있다는 장점으로 인해 가장 널리 사용되고 있다.[10,46] THI는 25개 항목으로 구성되어 있고 11개의 기능적 척도, 9개의 감성적 척도, 5개의 절망적 척도의 3가지로 나뉘어 있다(표 53-2). 각 항목에서 내용이 '예'인 경우 4점, '때때로 예'인 경우 2점, '아니오'인 경우 0점을 부여해서 각 항목의 점수를 합산해서 점수가 높을수록 환자의 handicap이 높은 것으로 판단한다. 0~16점은 handicap이 없는 것으로, 18~36점은 경도, 38~56점은 중등도, 58점 이상은 심한 handicap이 있는 것으로 판단한다. THI 외에 Tinnitus Questionnaire (TQ), Tinnitus Handicap Questionnaire (THQ), Tinnitus Reaction Questionnaire (TRQ) 등이 알려져 있다.

Ⅲ 이학적 및 신경학적 검사

1. 이학적 검사

환자가 진찰실로 들어올 때부터 걸음걸이 및 자세, 외견상의 일반적 건강상태, 장애의 유무, 문진 중 정서상태 등을 파악한 다음, 활력 증후를 측정하고 귀를 비롯한 두경부 영역에 대해 전반적인 이학적 검사를 시행한다. 귀의 경우 이구 전색(ceruminal impaction), 외이도 질환, 고막의 움직임과 고막 자체의 병변, 중이 내 병변 등의 여부를 확인한다. 환자가 박동성 이명을 호소할 경우 경부 및 귀주변을 시진, 촉진, 청진하여 검사자가 확인할 수 있는 병변을 찾는다. 혈관성 원인이 의심될 경우 동측 경정맥을 압박하여 이명의 크기 변화를 확인해야 한다. 이때 경

표 53-1. 이명 문진표

진찰권 번호________________ 성명____________________ 나이_______ (남 / 여)

기록일 년 월 일

□ 어느 쪽에서 이명이 들리나요? 오른쪽/ 왼쪽/ 양쪽/ 머리속/ 기타

□ 이명이 생긴지 얼마나 되었나요? 년 개월 일

□ 이명의 양상에 대해 표시해 주세요
음높이: 높은 소리/ 낮은 소리/ 중간 소리/ 기타
소리의 성질: 윙/ 쎄/ 쉬/ 기타(구체적으로) ______________________

□ 이명이 발생한 것은 (서서히/ 갑자기) 입니다.
이명이 갑자기 발생했다면 어떤 상황 이후에 발생했나요? ___________________________

□ 이명이 처음 생겼을 때와 비교하여 현재는 어떻게 변했습니까?
심해졌다( ) 약해졌다( ) 변화 없다( )

□ 어떤 경우에 이명이 심해지는 것을 느낍니까? ____

□ 큰소리를 들었을 때 귀의 아픔이나 불편함이 있습니까? 있다( ) 없다( )

□ 이 병원에 오시기 전에 이명에 대한 치료 받은 일이 있습니까? 예( ) 아니오( ) 있다면 어떤 치료를 받으셨습니까?
____

최근 1개월간 이명에 관한 질문입니다. 가장 적절한 곳에 동그라미 표시(O)를 하십시오.

□ (Aw) 이명 소리의 지속시간은 하루를 지내는 중 어느 정도(몇 퍼센트) 들리나요?
예) 0%: 이명이 없다. 100%: 하루 종일 들린다.
0(%) 10 20 30 40 50 60 70 80 90 100

□ (LD) 이명의 크기를 점수로 매긴다면 얼마나 되나요?
예) 0: 이명이 없다. 10: 견딜 수 없을 만큼 매우 크다.
0 1 2 3 4 5 6 7 8 9 10

□ (An) 이명이 당신을 얼마나 괴롭힌다고 생각하십니까?
예) 0: 전혀 괴롭히지 않는다. 10: 매우 심각하게 괴롭힌다.
0 1 2 3 4 5 6 7 8 9 10

□ (EOL) 현재 이명이 당신의 생활에 미치는 영향을 점수로 매겨 보세요.
예) 0: 전혀 영향이 없다. 10: 생활을 못할 정도이다.
0 1 2 3 4 5 6 7 8 9 10

동맥 박리가 있는 경우 촉진을 하는 과정에서 혈전을 뇌혈관 방향으로 전이시킬 수 있으므로 주의가 필요하다. 난청이 의심되면 Weber검사나 Rinne검사로 감각신경성 또는 전음성 난청을 추정할 수 있다. 그 외에 안구를 관찰하여 안구돌출증 여부를 확인하고, 측두하악관절 부위에 압통이나 저작 시 소리가 나는지 확인한다.

2. 신경학적 검사

병력청취 과정 중 대화를 통해 대뇌의 고위 기능을 확인한다. 안구와 안신경의 경우 시력, 시야, 검안경검사, 안구 정렬 여부, 안진 여부, 6방향 주시 등 안구운동검사 등을 통해 두개내고혈압, 경동맥-해면정맥동루(carotid-

표 53-2. Korean version of Tinnitus Handicap Questionnaire

인자	항 목	아니오	때때로 예	예
1F	이명 때문에 집중하기가 어렵습니까?			
2F	이명의 크기로 인해 다른 사람이 말하는 것을 듣기가 어렵습니까?			
3F	이명으로 인해 화가 날 때가 있습니까?			
4F	이명으로 인해 난처한 경우가 있습니까?			
5F	이명이 절망적인 문제라고 생각하십니까?			
6F	이명에 대해 많이 불평하는 편이십니까?			
7F	이명 때문에 밤에 잠을 자기가 어려우십니까?			
8F	이명에서 벗어날 수 없다고 생각하십니까?			
9F	이명으로 인해 사회적 활동에 방해를 받습니까?(예:외식, 영화 감상)			
10F	이명 때문에 좌절감을 느끼는 경우가 있습니까?			
11F	이명이 심각한 질병이라고 생각하십니까?			
12F	이명으로 인해 삶의 즐거움이 감소됩니까?			
13F	이명으로 인해 업무나 가사일을 하는데 방해를 받습니까?			
14F	이명 때문에 종종 짜증나는 경우가 있습니까?			
15F	이명 때문에 책을 읽는 것이 어렵습니까?			
16F	이명으로 인해 기분이 몹시 상하는 경우가 있습니까?			
17F	이명이 가족이나 친구 관계에 스트레스를 준다고 느끼십니까?			
18F	이명에서 벗어나 다른 일들에 주의를 집중하기가 어렵습니까?			
19F	자신이 이명을 통제할 수 없다고 느끼십니까?			
20F	이명 때문에 종종 피곤감을 느끼십니까?			
21F	이명 때문에 우울감을 느끼십니까?			
22F	이명으로 인해 불안감을 느끼십니까?			
23F	이명에 더 이상 대처할 수 없다고 생각하십니까?			
24F	스트레스를 받으면 이명이 더 심해집니까?			
25F	이명으로 인해 불안정한 기분을 느끼십니까?			
합계				

cavernous fistula), 뇌간의 허혈성 또는 출혈성 병변, 자가면역 질환, Horner 증후군, 종양성 병변 등의 여부를 추정할 수 있다. 안면부 감각의 확인을 통해 삼차신경의 기능을 확인하고 안면운동을 검사하여 안면신경 기능을 확인한다. 전정신경의 경우 이미 시행한 안진검사 외에 두부충동검사 및 Dix Hallpike검사를 우선 시행하여 기본적인 신경이과적 기능을 확인해보고 이상 소견이 확인되거나 특정 질환이 의심되는 경우 전기안전검사, 온도안진검사, 회전검사, 동적자세검사, 전정유발근전위, 동적시력검사, 주관적 시수직 등을 시행할 수 있다. 설인신경과 미주신경은 구강 및 혀의 감각, 구개 운동성 및 대칭성, 구개반사, 성대운동, 쉰 목소리 등 발성, 삼킴 기능 등으로 확인한다. 척수부신경은 어깨운동 및 목운동으로 기능을 확인할 수 있으며 설하신경은 혀의 시진 및 운동 확인으로 기능을 알아볼 수 있다. 상하지의 운동 및 감각기능을 확인하여 허혈성 뇌혈관 질환, 뇌종양, 침습성 뇌

질환 여부를 추정할 수 있으며 소뇌기능은 일렬보행(tandem gait), 손가락-코 검사(finger to nose test), 발뒤꿈치-정강이 검사(heal to shin test) 등을 통해 알아볼 수 있다.

Ⅳ 청각학적 검사

이명을 호소하는 모든 환자에게 청각학적 검사를 시행하게 되며 순음청력검사, 어음청력검사, 이명도검사를 기본으로 필요에 따라 임피던스 청력검사, 이음향방사검사, 청성뇌간유발반응검사, 고음역 청력검사, 등골 반사 등을 시행하게 된다.[14]

1. 순음청력검사

다양한 종류의 난청이 이명과 밀접한 관련을 갖게 되며, 이명과 밀접한 관련성을 띤 난청의 유무와 원인을 정확히 파악하는 것은 이명 발생의 원인이 감각신경성 난청과 관련되어 있음을 확인하는 데 도움을 줄 수 있다. 또한 이명을 호소하는 환자에게 신경생리모델 등 이명의 발병기전을 설명하거나 이명재훈련치료를 할 때는 순음청력검사 결과를 근거로 난청 여부를 판단해서 환자를 분류하므로 순음청력검사가 필수적이며, 환자의 이명과 난청 정도에 따라 소리 발생기나 보청기 등과 같은 소리치료를 적용함에 도움을 받을 수 있다.[6,25] 국내에서는 대부분 8 kHz까지 시행되고 있으며[14] 가능한 경우 16 kHz의 초고주파 청력검사가 권유되기도 한다.[22]

2. 어음청력검사

난청 평가, 후미로 질환의 가능성 평가, 소리치료를 위한 보청기 장착의 가용범위 선정, 동반된 청각과민증의 보조적 진단 등을 위해 시행된다. 문진상 청각과민증이 의심되는 경우 불쾌역치 수준을 확인하게 된다. 이명재훈련치료 시에 어음청력도에 따라 보청기 처방이 결정된다.[20,24]

3. 이명도 검사

환자가 느끼는 이명의 높낮이와 크기를 청각학적으로 평가하는 검사로 이명을 차폐 또는 억제할 수 있는 자극 수준을 알 수 있다. 순음청력검사기기로 측정할 경우 순음, 협대역잡음, 또는 백색잡음을 사용하며 국내에서는 대부분 기존의 청각검사지침에 따라 시행된다.[4,14] 이명의 높낮이와 가장 근접한 자극음 주파수를 찾는 이명 주파수 매칭(tinnitus pitch matching), 이명의 크기와 비슷한 자극음의 강도를 찾는 이명 크기 매칭(tinnitus loudness matching), 이명을 차폐할 수 있는 최소 차폐역치(minimal masking level), 잔존 억제 검사(residual inhibition) 등이 시행되고 청각과민증 진단을 위해 순음 및 백색잡음을 이용하여 불쾌역치 측정을 추가할 수 있다.

4. 임피던스 청력검사

1) 고막운동성 계측

고막의 운동성을 측정함으로써 이관의 기능을 평가하게 된다. 삼출성 중이염 등의 중이 병변시 비정상 소견이 나오는 경우가 가장 흔하며 이학적 검사, 순음청력검사와 더불어 전음성 난청을 진단하는 데에 도움이 된다. 또한 구개근이나 중이근 경련에 의한 이명의 경우 고막반응곡선에서 불규칙적이고 빠른 동요가 관찰된다.[1] 개방성 이관으로 인한 이명이 의심될 경우 고막운동성 계측 시 검사 반대편 코를 막고 크게 호흡하게 함으로써 호흡과 일치하는 고막반응곡선의 큰 동요를 관찰할 수 있다.[13]

2) 등골근 반사 검사

환자의 중이상태와 청력역치의 평가에 이용되며, 특히

중이근 경련에 의한 이명의 경우 등골근 반사 피로 검사에서 기저부의 상승 및 동요가 흔히 관찰된다.[1] 이명을 호소하는 환자 중 청각과민증이 있는 경우 등골근 기능 장애가 원인이 될 수 있으므로 확인이 필요하다.[17]

5. 청성뇌간반응

청성뇌간반응은 청산경 손상이나 전정신경 초종의 존재 여부, 그 외 말초청신경로의 이상을 파악할 수 있는 객관적이고 비침습적인 방법이다. 특히 전정신경 초종의 경우 청성뇌간반응 단독으로 시행했을 때 민감도가 92%에 이르는 것으로 알려져 있어 환자의 이명이 종양과 관련성이 없음을 선별하고 환자의 불안을 종식시키기 위한 상담 치료에도 활용될 수 있다.[4,19,42]

6. 이음향방사검사

이음향방사검사는 와우의 외유모세포 상태를 반영하기에 이명 기원을 추정하는 데 이용된다. 일반적으로 이명 환자에게서는 정상인에 비해 자발이음향방사의 높은 발현율 및 변조이음향방사음의 진폭 상승 혹은 감소 등이 흔히 관찰되는 소견으로 알려져 있으며[21] 다른 연구에서는 이명의 진단에서 이음향방사검사의 결과가 다양한 것으로 보고되고 있다.[38] 임상에서는 이명 발생기전으로 외유모세포의 과흥분 또는 손상 여부를 관찰하여 환자에게 이명 발생기전을 설명하는 데에 활용할 수 있다.

V 영상검사

이명을 호소하는 환자에서 영상검사는 주관적 이명의 경우 이명에 동반된 감각신경성 난청의 원인 질환을 밝히기 위해 시행되는 경우가 많고 객관적 이명에서는 혈관성 병변이나 근 경련에 의한 이명에서 원인 질환을 진단하기 위해 사용되는 경우가 대부분이다. 또한 최근 급속히 발전하고 있는 뇌기능영상들은 이명의 병태생리를 밝히는 데에 큰 기여를 하고 있다.[7] 이명을 호소하는 환자에서 영상검사가 필요한 경우는 양측 귀 증상 또는 난청에 비대칭이 있을 때, 동반된 신경학적 소견이 있을 때, 박동성 이명이 있을 때, 외상으로 인해 이명이 발생했을 때, 두개 내 병변이 의심될 때, 수술적 치료가 필요할 때 등이다.[8,12,16,31,32] 각 영상검사마다 장점과 단점이 있으므로 병력청취 및 이학적 검사로 각 환자에게 필요한 검사를 세심히 구별할 필요가 있다.

1. 박동성 이명에 대한 영상검사

박동성 이명에서 심장 박동과 일치하는 리듬을 가진 경우 혈관성 이명의 가능성이 높다. 혈관성 이명은 이명의 원인 중 흔하지 않으나 이명의 완치가 가능한 경우가 많고, 드물게는 중대한 질환의 증후로 나타나는 경우가 많으므로 가능한 모든 방법을 동원하여 원인을 찾아야 한다.[10,12] 주로 사용되는 영상의학적 검사법은 조영증강 측두골 고해상도 전산화단층촬영(enhanced temporal bone – high resolution computed tomography), 조영증강 뇌 전산화단층촬영(enhanced brain computed tomography), 전산화단층촬영 혈관조영술(computed tomography angiography), 자기공명혈관/정맥조영술(magnetic resonance angiography/venography), 경동맥 및 척추동맥 혈관조영술(4-vessel angiography) 등이 사용된다. 한편 빈혈, 갑상선 기능 항진증, 임신 등의 경우 혈류의 증가로 인해 혈관계의 이상이 없어도 박동성 이명을 일으킬 수 있으므로 주의가 필요하다.[18]

측두골 부위에서 박동성 이명을 잘 동반하는 신생물로는 사구종, 중이선종, 혈관종, 혈관주위세포종, 형질세포종, 거대세포종, 신경내분비암종 등이 보고되고 있으며 이 경우 조영증강 측두골 고해상도 전산화단층촬영 및 조영증강 자기공명영상 검사로 큰 도움을 받을 수 있다.[12,18]

동맥성 원인이 의심되는 박동성 이명의 경우 고막 소견이 정상인 경우가 많으며 경동맥 죽상동맥경화증, 뇌경막의 동정맥 기형 및 동정맥루(Dural arteriovenous malformation/fistula), 경동맥 박리(carotid dissection), 경동맥 해면동루, 미세혈관 압박증후군(Microvascular compression syndrome), 파제트병(Paget's disease) 등의 경우에 호소하게 되며 보고자에 따라 경동맥 초음파검사(carotid Doppler ultrasonography), 전산화단층촬영 혈관조영술, 경동맥 및 척추동맥 혈관조영술, 조영증강 자기공명영상 등이 권유된다.[32] 드물게는 이상 경동맥(aberrant carotid artery)이나 지속성 등골동맥(persistent stapedial artery) 등의 혈관기형에서도 박동성 이명이 동반된다.

정맥기원의 박동성 이명은 고위 경정맥구(high Jugular bulb), 경정맥구게실(Jugular bulb diverticulum), 에스상정맥동의 게실 또는 골관결손(Sigmoid sinus diverticulum or bony dehiscence), Arnold Chiari malformation, 양성 두개내고혈압(Benign intracranial hypertension) 등에서 일어나며 조영증강 측두골 고해상도 전산화단층촬영, 전산화단층촬영 혈관조영술, 자기공명혈관/정맥조영술 등이 시행된다.[27] 그러나 이러한 정맥기원 박동성 이명을 일으키는 조건과 질환들은 환자가 호소하는 증상과 영상검사 결과가 불일치하는 경우들이 종종 보고되고 있어 반드시 영상검사 결과와 임상양상을 종합적으로 고려해야 한다.[29]

2. 비박동성 이명에 대한 영상검사

비박동성 이명의 대다수를 차지하는 주관적 이명이 동측의 난청과 동반될 경우, 내이도나 소뇌교각에 종양 등의 병변을 확인하기 위해 조영증강 자기공명영상을 시행한다. 이명을 호소하는 환자에서 전음성 난청, 어지럼, 이충만감 등이 동반되면 이경화증이나 상반고리관 피열 증후군을 의심할 수 있으며 측두골 고해상도 전산화단층촬영으로 각 질환의 특징적인 소견을 확인할 수 있다.

Ⅵ 기타검사

이명의 원인으로 드물게 측두하악관절의 이상이 있으므로 턱관절의 움직임과 동반하여 이명의 발생 및 악화가 관련되거나, 다른 진찰과 검사에서 이상 소견이 없는 경우 측두하악관절 등에 대한 치과검진을 시행한다. 이명의 체성 조절을 검사할 때에는 저항을 이기면서 턱을 앞으로 내미는 동작으로 저작근을 자극해보고, 편측 흉쇄유돌근을 자극하기 위해 반대편으로 고개를 돌리고 머리를 동측으로 기울인 자세를 유지하게 하거나, 근막 통증 유발점을 찾기 위해 교근(masseter muscle)이나 승모근(trapezius muscle)에 압박을 가할 수 있다.[2,33,45] 진단검사의학적 검사로 CBC, 지질분석과 혈당을 포함한 혈액화학검사, 갑상선 기능검사, 임신검사, 매독검사, Lyme titer, 등을 시행하기도 한다.[9,34] 양성 두개내고혈압이 의심될 경우 요추천자를 시도해서 뇌척수압을 측정할 수 있고, 근경련에 의한 이명이 의심될 경우 병변 근육에 대한 근전도 검사를 시행해서 확진할 수 있다. 전반적인 진찰과 검사에 특이 소견이 없거나 감정적 혹은 정신적 문제가 의심될 경우 정신의학적인 진찰을 시행해 볼 수 있다.

Ⅶ 청각과민증(Hyperacusis)의 진단

청각과민증은 '작은 소리에 비정상적으로 불편함을 느끼는 상태'로써,[15] 대부분의 주파수 대역에서 음 자극강도에 비해 비정상적으로 강한 민감성을 의미한다. 이에 비해 고성공포증(phonophobia) 혹은 고성혐오증(misophonia)은 특정한 종류의 소리에 대해 불편감과 고통을 느끼고 회피하는 증상으로, 식은 땀이나 심박항진 등의 자율신경계의 반응이 동반하게 된다.[16] 일상에서 일어나는 다양한 소리자극에 의해 이통, 긴장, 불안, 공황장애 등을 느낄 수 있다. 이명의 진단에서와 동일하게 증상의 발생 시기, 기간, 측성(laterality), 과거 수술력, 소음에 노출 병력, 외상, 안면신경 질환, 감각저하 여부, 과거 병력 등을 확인해야 하며 우울증 등의 정신의학적 병력 및 전신적인 기저 질환을 배제하기 위해 타과와의 협진이 필요하다.

청각학적 검사로 순음청력검사, 어음청력검사, 불쾌역치검사는 대부분에서 시행되며 필요에 따라 등골근 반사역치검사, 양이 교대성 음크기 평형검사(alternate binaural loudness balance test, ABLB), 등을 시행할 수 있다. 검사들 중 불쾌역치검사가 가장 중요하며 정상인의 경우 500~8,000 Hz의 주파수 대역에서 90~100 dB HL의 불쾌역치를 보이며,[26,43,44] 청각과민증이 존재할 경우 불쾌역치가 특징적으로 60~85 dB HL로 줄어드는 것으로 알려져 있다.[26] 또한 청각 역동범위(dynamic range)는 정상인은 100 dB이상, 청각과민증 환자는 60 dB 이하, 심한 청각과민증의 경우는 24~40 dB로 보고되고 있다.[23,24,40] 그러나 이러한 진단기준이 절대적인 것은 아니며, 청각과민증의 진단은 환자의 진술에 의존하게 되며 주관적인 경우가 많아서 이명의 경우와 마찬가지로 설문지를 통해 많은 도움을 받게 된다. 대표적으로 3종류의 설문지가 있으며[28,35,47] 일반적인 이명 설문지와 비교하여 소음하에서의 불쾌함과 그에 따른 감정적 변화에 많은 항목들이 설문내용에 포함되어 있다. 이들의 진단적 유효성은 높으나 치료 효과 판정에는 민감도가 떨어지는 것으로 알려져 있다.[3]

참고문헌

1. 김이석, 이인효, 박재홍 등. 구개근 및 중이근 경련이 동반된 객관적 이명 1예. 대한이비인후과학회지 2010;53:578-581.
2. 남의철. 체성 이명. In 경희대학교 의과대학 이비인후과학교실편. 1st Kyung Hee Tinnitus Seminar; 2009 March 29th; 서울: 2009. p.25-42.
3. 남의철. 청각과민증. In 경희대학교 의과대학 이비인후과학교실. 2nd Kyung Hee Tinnitus Seminar; 2010 February 21st; 서울: 2010. p.16-34.
4. 박시내. 이명검사. In 대한청각학회. 청각검사지침. 1sted. 서울: 학지사; 2008. p.269-285
5. 박시내, 여상원, 박경호, 등 돌발성 난청 환자에 동반된 이명의 특성 및 난청 회복 정도에 따른 이명의 변화. 대한이비인후과학회지 2004;47:222-226.
6. 박시내, 여상원, 정상희 등. 이명재훈련치료의 적용방법과 치료효과. 대한이비인후과학회지 2002;45:231-237.
7. 송재진. 이명의 기능적 신경 영상 연구의 최신 지견. 대한이비인후과학회지 2015;58:1-6.
8. 안중호, 강우석. 이명의 청각학적 검사 및 평가지침. In 경희대학교 의과대학 이비인후과학교실. 1st Kyung Hee Tinnitus Seminar; 2009 March 29th; 서울: 2009. p.43-57.
9. 염동진, 강재호, 최경민 등. 고령의 이명 환자에서 지단백 분석. 대한이비인후과학회지 2008;51:993-1998.
10. 유화종, 박시내, 김동기, 등. 이명 클리닉을 내원한 환자의 진단적 분류에 따른 빈도와 임상적 특성. 대한이비인후과학회지 2011;54:392-398.
11. 이일우. Questionnaires for Tinnitus. In 대한이과학회. 이명. 1sted.서울: 군자출판사; 2011. p.105-119.
12. 이효정. Imaging for tinnitus. In 대한이과학회. 이명. 1sted.서울: 군자출판사; 2011. p.91-104.
13. 이홍엽. 개방성 이관(Patulous Eustachian Tube)- 진단과 치료의 고찰. 대한이비인후과학회지 2004;47:197-205.
14. 장지원, 김태수, 남의철 등. 우리나라(한국)의 이명검사 현황 및 이명검사방법제안. 대한이비인후과학회지 2014;57:671-686.
15. Baquley DM. Hyperacusis. J R Soc Med 2003;96:582-585.
16. Baguley DM, McFerran DJ. Chapter 3. Hyperacusis and disorders of loudness perception. In: MØller AR, Langguth B, De Ridder D, Kleinjung T, editors. Textbook of Tinnitus. 1sted. NewYork:Springer;2010. p.13-23.
17. Citron D 3rd, Adour KK. Acoustic reflex and loudness discomfort in acute facial paralysis. Arch Otolaryngol 1978;104:303-306.
18. De Ridder D. Chapter 59. Pulsatile tinnitus. In: MØller AR, Langguth B, De Ridder D, Kleinjung T, editors. Textbook of Tinnitus. 1st ed. New York: Springer; 2010. p.467-475.
19. Godey B, Morandi X, Beust L, et al. Sensitivity of auditory brainstem response in acoustic neuroma screening. Acta Otolaryngol 1988;118:501-504.
20. Goldstein B, Shulman A. Tinnitus- Hyperacusis and the loudness discomfort level test - a preliminary report. Int Tinnitus J 1996;2:83-89.
21. Gouveris H, Maurer J, Mann W. DPOAE-grams in patients with acute tonal tinnitus. Otolaryngol Head Neck Surg 2005;132:550-3.
22. Henry JA, Meikle MB. Psychoacoustic measures of tinnitus. J Am Acad Audiol 2000;11:138-155.
23. Hood JD, Poole JP. Tolerable limit of loudness: its clinical and physiological significance. J Acoust Soc Am 1966;40:47-53.

24. Jastreboff PJ, Hazell JW. A neurophysiological approach to tinnitus: clinical implication. Br J Audiol 1993;27:7-17.
25. Jastreboff PJ, Jastreboff MM. Tinnitus Retraining Therapy (TRT) as a method for treatment of tinnitus and hyperacusis patients. J Am Acad Audiol 2000;11:162-177.
26. Jastreboff PJ, Jastreboff MM. Tinnitus retaining therapy for patients with tinnitus and decreased sound tolerance. Otolaryngol Clin North Am 2003;36:321-336.
27. Kang M, Escott E. Imaging of tinnitus. Otolaryngol Clin North Am 2008;41:179-193.
28. Khalfa S, Dubal S, Veuillet E, et al. Psychometric normalization of a hyperacusis questionnaire. ORL J Otorhinolaryngol Spec 2002;64:436-442.
29. Koesling S, Kunkel P, Schul T. Vascular anomalies, sutures and small canals of the temporal bone on axial CT. Eur J Radiol 2005;54:335-343.
30. Langguth B, Biesinger E, Del Bo L, et al. Chapter 46. Algorithm for the diagnostic and therapeutic management of tinnitus. In: Møller AR, Langguth B, De Ridder D, Kleinjung T, editors. Textbook of Tinnitus. 1st ed. New York: Springer; 2010. p.381-385.
31. Madani G, connor SE. Imaging in pulsatile tinnitus. Clin Radiol 2009;64:319-328.
32. Mattox DE, Hudgins P. Algorithm for evaluation of pulsatile tinnitus. Acta Otolaryngol 2008;128:427-431.
33. Michiels S, De Hertogh W, Truijen S, et al. Cervical spine dysfunctions in patients with chronic subjective tinnitus. Otol Neurotol 2015;36:741-745.
34. Moscatello AL, Worden DL, Nadelman RB, et al. Otolaryngologic aspects of Lyme disease. Laryngoscope 1991;101:592-595.
35. Nelting M, Rienhoff NK, Hesse G, et al. The assessment of subjective distress related to hyperacusis with a self-rating questionnaire on hypersensitivity to sound. Laryngorhinootologie 2002;81:327-334.
36. Newman CW, Sandridge SA, Jacobson GP. Psychometric adequacy of the Tinnitus Handicap Inventory (THI) for evaluation treatment outcome. J Am Acad Audiol 1998;9:153-160.
37. Nicolas-Puel C, Akbaraly T, Lloyd R, et al. Characteristics of tinnitus in a population of 555 patients: specificities of tinnitus induced by noise trauma. Int Tinnitus J 2006;12:64-70.
38. Ozimek E, Wicher A, Szyfter W, et al. Distortion product otoacoustic emission (DPOAE) in tinnitus patients. J Acoust Soc Am 2006;119:527-538.
39. Rah YC, Park KT, Yi YJ, et al. Successful Treatment of Sudden Sensorineural Hearing Loss Assures Improvement of Accompanying Tinnitus. Laryngoscope 2015;125:1433-1437.
40. Sammeth CA, Preves DA, Brandy WT. Hyperacusis: case studies and evaluation of electronic loudness suppression devices as a treatment approach. Scand Audiol 2000;29:28-36.
41. Savastano M. Characteristics of tinnitus: investigation of over 1400 patients. J Otolaryngol 2004;33:248-253.
42. Selters WA, Brackmann DE. Acoustic tumor detection with brain stem electric response audiometry. Arch Otolaryngol 1977;103:181-187.
43. Sherlock LP, Formby C. Estimates of loudness, loudness discomfort, and the auditory dynamic range: normative estimates, comparison of procedures, and test-retest reliability. J Am Acad Audiol 2005;16:85-100.
44. Stephens SD, Anderson C. Experimental studies on the uncomfortable loudness level. J Speech Hear Res 1971;14:262-270.
45. Teachey WS, Wijtmans EH, Cardarelli F, et al. Tinnitus of myofascial origin. Int Tinnitus J 2012;17:70-73.
46. Tyler RS, Baker LJ. Difficulties experienced by tinnitus sufferers. J Speech Hear Disord 1983;48:150-154.
47. Tyler RS, Bergan C, Preece J, et al. Audiologische Messmethoden de Hyperakusis. In Nelting M ed. Hyperakusis 6 Stuttgart: Georg Thieme Verlag 2003. p.39-46.

CHAPTER

54

이명_ 이명의 치료

박시내

이명의 치료는 자각적 이명(subjective tinnitus)인 감각신경성 이명(sensorineural tinnitus)과 타각적 이명(objective tinnitus)인 체성 소리(somatosounds)에 대한 정확한 감별진단이 이루어진 후 그 원인과 발생 기전 및 증상의 발생 시기와 정도를 충분히 고려하여 맞춤형으로 시행하는 것이 바람직하다. 이명 발생의 급성기인 발생 3개월 이내에는 원인인자를 찾아 제거하고 약물치료, 보존적 치료를 우선적으로 시행하며, 3개월 이상 만성화된 이명에 대해서는 정확한 진단과 환자의 주관적 불편감을 고려하여 완치 또는 증상 완화를 유도하는 다양한 치료법을 적용할 필요가 있다.

I 자각적 이명의 치료

자각적 이명은 환자가 느끼는 이명이 자각적이고 주관적인 상태로 와우에서 청각 중추에 이르는 다양한 신경계에서 발생하는 이명관련신경신호(Tinnitus-related neuronal signal)를 듣게 되는 상태이다. 특히 이명발생의 신경생리학적 모델에서 제시된 바 있는 시상변연부와 자율신경계의 반응, 그 외 다양한 신경전달물질과 호르몬의 이상 등이 이명 증상의 발생뿐만 아니라 이명으로 인한 환자들의 불편감에 직접적으로 관여하므로 치료를 위해서는 이들 요소를 모두 감안해야 한다.

정상적으로도 이명은 청신경로에서 발생할 수 있지만 청각이 감소하는 다양한 귀 질환 발생 시 더욱 흔히 탐지, 인식될 수 있는 증상이다. 따라서 이명의 발생 원인에 대한 철저한 검진을 통해 교정되거나 치료될 수 있는 원인인자를 찾아 제거해 줄 경우 자각적 이명도 비교적 쉽게 치료할 수도 있다. 자각적 이명 발생의 원인이 되는 귀 질환은 외이도에서 청각중추에 이르기까지 다양한 부위에서 존재할 수 있다. 따라서 자각적 이명 발생의 기전을 이해하고 이명을 쉽게 느끼게 하는 동반 귀 질환을 먼저 정확히 진단하여 치료하는 과정은 자각적 이명 소실을 유도하는 일차적 접근법이라 할 수 있다. 이를 위해 환자 진료의 자세한 병력 청취, 신체검사, 청각학적, 영상학적 검사와 같은 과학적 진단 과정이 필요하며, 이명 발생의 원인이 되는 질환 또는 동반 질환이 발견될 경우 이를 우선적으로 해결할 때 이명이 소실되거나 감소하는 치료 효과를 충분히 기대할 수 있다. 반면 원인 동반 귀 질환 없이 발생한 만성 자각적 이명은 와우에서 청각중추까지 다양한 이명 발생 경로에 대한 평가와 다양한 치료적 접근을 통해 증상 완화 또는 소실을 유도해야 한다.

1) 원인 동반 귀 질환이 있는 급·만성 자각적 이명의 치료

자각적 이명의 발생을 유발하는 원인 동반 귀 질환은 매우 다양하다(표 54-1). 급성 외이, 중이 및 내이 질환이 자각적 이명 발생의 중요 원인으로 진단될 경우 각각의 질환에 대한 처치, 약물 및 수술적 치료가 우선시되어야 한다. 외이도염, 외이도이구전색, 중이염, 이경화증 등으로 인한 전음성 난청은 급, 만성 자각적 이명의 원인이 될 수 있어 이명 환자에게 이 같은 동반 귀 질환이 발견 되었다면 염증이나 이구전색 등을 치료하기 위한 국소 처치, 항생제, 소염제, 점이액 투여, 약물치료뿐만 아니라 수술적인 전음성 난청의 교정 등이 우선적으로 필요하며, 이를 통해 이명 증상의 소실이나 완화를 기대할 수 있다.[7,23]

표 54-1. 자각적 이명 발생의 원인 귀 질환

부위	원인
외이	이구 전색, 외이 폐쇄
	외이도염
중이	급성 중이염
	삼출성 중이염
	만성 중이염: 화농성, 진주종성
	이경화증
내이	이독성 난청
	소음성 난청
	노화성 난청
	메니에르병
	내이 혈류량 저하
	내이 외상

급성 이명이 내이나 청신경로의 급성 질환과 관련된 경우 해당 질환의 치료를 통해 이명 소실을 기대할 수 있다. 내이 질환 중 급성 이명 발생의 대표적 원인 질환인 돌발성 난청은 난청 발생과 함께 95% 이상의 환자에게서 이명이 갑자기 발생한다고 보고되었고, 난청의 치료를 통해 이명이 소실되거나 감소할 수 있다고 알려져 있어,[1] 경구 스테로이드제제의 복용 또는 고실내 스테로이드 주입술 등을 통한 돌발성 난청 치료를 통해 이명의 치료가 가능하다. 저음역감각신경성 난청(low tone hearing loss) 환자도 갑자기 발생한 '웅' 하는 낮은 음조의 이명과 이충만감을 흔히 호소하는데, 이뇨제와 스테로이드 복합제의 치료를 통해 청력 호전을 유도할 수 있고, 이명은 청력 회복과 함께 대부분 소실된다.[10]

이독성 난청이나 소음성 난청에 의해 발생한 이명은 난청이 가변적이라 판단되는 급성기 약물치료가 도움을 줄 수 있다. 소음성 난청에 대한 약물치료로는 마그네슘, N-acetylcysteine (글루타티온 전구물질(prodrug)), Ebselen, 항산화 역할이 있는 은행잎 추출제(Ginko biloba), NMDA 길항제인 AM-101 등이 소개되고 있는데 스테로이드와 함께 이들 약물의 초기치료를 통해 난청이 회복될 경우 동반 이명이 소실 또는 감소될 수 있다.[15]

메니에르병은 현훈 발작 전에 이충만감과 함께 낮은 음의 이명을 동반하는 대표적인 내이 질환이다. 메니에르병 초기 청력이 가변적일 때 이뇨제, 칼슘 길항제, 베타히스틴 등의 약물치료는 어지럼 발작의 예방뿐만 아니라 청력의 호전을 통한 이명치료 효과도 보이는 것으로 알려져 있다. 그 외 내이 혈류량의 변화, 외상 등으로 발생한 급성 이명 또한 원인 질환의 교정으로 청각 회복이 가능하다면 이명이 소실될 수 있다.

2) 원인 동반 귀 질환이 없는 만성 자각적 이명의 치료

동반된 귀 질환을 발견하기 어려운 만성 자각적 이명의 치료법은 다양하다(표 54-2). 이명 발생의 원인과 기전으로 난청, 스트레스, 불안, 불면, 우울 등 청각계와 감정

표 54-2. 만성 자각적 이명치료법의 종류

1. 약물치료(Pharmacological therapy)
2. 소리치료(Sound therapy)
3. 이명재훈련치료(Tinnitus Retraining Therapy)
4. 인지 행동치료(Cognitive-Behavioral Therapy)
5. 수술적 치료(Surgical Therapy)
6. 경두개자기자극치료(Transcranial magnetic stimulation)
7. 전기자극치료(Electric stimulation)
8. 기타: 레이저, 보톡스, 성상신경절 차단술, 고실내 약물 주입술 등

계, 신체 반응계의 상호작용이 제시되고 있는 만성 자각적 이명의 치료는 난청 등의 원인인자를 제거하거나 발생기전 관련 부위에 대한 다양한 치료방법의 적용을 통해 이루어진다.

1. 약물치료(Pharmacologic therapy)

만성 자각적 이명의 약물치료는 자각적 이명을 유발하는 흥분성, 억제성 청신경로의 균형 회복을 통해 와우 및 중추신경계의 반응을 조절하고, 이명으로 인한 불편감, 불안, 스트레스, 불면, 우울 등의 증상 완화를 통해 이명을 경감시킬 목적으로 시행한다. 만성 자각적 이명의 약물치료에 흔히 사용되는 약제는 다음과 같다(표 54-3).

표 54-3. 만성 자각적 이명의 약물치료

1. 항불안제(Anxiolytics)
   - clonazepam, oxazepam, alprazolam
2. 항우울제(Antidepressants)
   - nortriptyline, amitriptyline, sertraline
3. 항경련제(Anticonvulsants)
   - carbamazepine,gabapentin, valproic acid
4. 항글루타메이트 제제(Antiglutamatergic agents (NMDA receptor antagonists))
   - acamprosate,memantine,neramexane
5. 도파민 수용체 조절제(Dopamine receptor modulators)
   - sulpiride,melatonin,pramipexole
6. 근육이완제(Muscle relaxants)
   - baclofen, cyclobenzaprine
7. 은행잎 추출제(Ginkgo biloba extract)
8. 국소 마취제(Local anesthetics)
   - lidocaine
9. 기타 약물치료제
   - misoprostol, vardenafil, naltrexone, zinc,
   - ATP (adenosine triphosphate), Methylcobalamin,
   - Vitamine B1, B6, B12

1) 항불안제(Anxiolytics), 벤조디아제핀계(Benzodiazepines)

항불안제인 벤조디아제핀계 약물은 이명 발생이 억제성 신경전달감소와 이로 인한 중추청각계 자발적 과활동성으로 이루어진다는 가설에 근거하여 투여하는 약물로, GABA수용체에 작용하여 억제성 신경전달 증가를 통해 이명치료 효과를 기대하는 대표적인 약물이다. 이 약물은 이명 증상에 흔히 동반되는 불안 및 불면 증상 역시 경감시켜 자각적 이명의 치료에 도움을 줄 수 있다. 대표적인 약제로는 클로나제팜(clonazepam), 디아제팜(diazepam), 옥사제팜(oxazepam), 알프라졸람(alprazolam) 등이 있고, 이 중 가장 긴 반감기를 지닌 약물은 클로나제팜이다. 하루 0.5~1 mg을 2개월에서 6개월간 투여한 이명 환자에게 30~56%까지 증상 호전 효과를 보였고 다른 약물과의 병용 투여 시 효과를 높일 수 있음이 보고된 바 있다. 반감기가 짧은 항불안제인 알프라졸람 역시 이명 증상 개선에 도움이 되는 것으로 보고되고 있는데 일반적으로 하루 0.5~1.0 mg씩 하루 2회 투약할 수 있지만 졸음 증상으로 인해 임상에서는 저녁에 흔히 더 많이 처방한다. 이중맹검법으로 시행한 임상 연구에서 이명 증상의 경감을 76% 이상에서 가져왔다고 보고되었지만 중독성과 습관성이 있어 장기간 투여 시 주의를 요하며, 감량하여 중단할 것을 권한다.[19] 반면 디아제팜은 이명치료의 효과가 적은 것으로 알려져 있다. 벤조디아제핀계 약물은 이명치료에 단기간의 이득을 주된 목적으로 해야 하며, 부작용으로 졸음, 행동변화, 시각장애, 약물 의존성 등이 발생할 수 있어 이명치료를 위해 투약시 주의 및 정기적인 관찰을 요한다.

2) 항우울제(Antidepressants)

이명과 우울증은 그 인과 관계가 불명확하지만 두 증상 사이에 높은 상관 관계가 있음이 밝혀져 있으며, 항우울제는 우울 지수가 높은 이명 환자의 치료를 위해 투약을 고려하는 약물이다. 노르트립틸린(nortriptyline)은 심한 우울증을 가진 이명 환자에서 우울 점수, 이명장애 점수, 이명의 크기를 줄이는데 효과적이었지만 우울증이 없는 환자에서는 이득이 없었다고 보고된 바 있고,[44] 아미트립틸린(amitriptyline) 역시 이명의 불편감과 크기를 줄이는데 효과가 있음이 밝혀진 바 있다.[34] 선택적 세로토닌수용체 방해물질(selective serotonine receptor inhibitor; SSRI) 제제인 세르트랄린(sertraline)은 우울과 불안을 가진 이명 환자에서 이명의 크기와 괴로움을 감소시키는데 위약보다 효과적임이 보고 되었다.[50] 그러나, 항우울제 투약 중단 시 이명이 악화될 수 있어 환자들이 지닌 우울의 정도를 고려한 적절한 양과 기간의 약물치료가 필요하다.

3) 항경련제(Anticonvulsants)

이명치료를 위해 항경련제 사용이 다양하게 보고되어 있다. 이명치료를 위한 항경련제의 주된 작용 기전은 전압조절 나트륨/칼슘 채널(voltage-gated sodium/calcium channel)의 차단으로 인한 신경세포 탈분극 억제, 억제성 GABA의 작용 증가, 흥분성 글루타메이트(glutamate) 전달 감소 등을 통한 중추 청각계의 활성화 억제 및 신경 과흥분성 감소로 알려져 있다. 카바마제핀(carbamazepine), 가바펜틴(gabapentin), 발프로익산(valproic acid) 등이 이명 환자에게 적용되어 왔지만 아직까지 뚜렷한 치료 효과가 일관되게 보고되지는 못하였다. 반면, 청신경에 대한 전하소뇌동맥고리(anterior inferior cerebellar artery loop; AICA loop)의 압박과 관련해 발생할 수 있는 타자기 이명(typewriter tinnitus)의 경우 신경세포 탈분극을 억제시키는 카바마제핀 투여가 효과적임이 밝혀져 있으며,[26] 발프로익산 은 양측성 측두엽 뇌졸중(bilateral temporal lobe stroke) 환자에게서 신속하게 이명을 억제한 효과가 보고된 바 있다.[28]

4) 항글루타메이트 제제(Antiglutamatergic agents, NMDA receptor antagonists)

와우 내유모세포에서부터 대뇌청각피질 연결된 청신경로는 글루타메이트, GABA, 세로토닌(serotonin), 아세틸콜린(acetylcholine), 도파민(dopamine) 등 많은 신경전달물질에 의해 조절된다고 알려져 있다. 이들 중 글루타메이트는 청신경로의 주된 흥분성 신경전달물질이며 청신경로의 과흥분 관련 이명 발생 기전에 대해 항글루타메이트 제제를 사용하는 이명치료법이 보고되고 있다. 대표적인 글루타메이트 수용체인 N-methyl-D-aspartate (NMDA) 글루타메이트 수용체가 이명 발생에 중요한 역할을 한다고 알려져 있어 NMDA 수용체 길항제 또는 글루타메이트 길항제 등이 가능성 높은 약제로 대두되었다. NMDA 수용체 길항제인 카로베린(caroverine)은 이명의 치료 효과에 일관된 결과를 보이지는 못하였고, 글루타메이트 길항제인 아캄프로세이트(acamprosate)는 이명을 호전시킨다고 보고되었다.[38] 그 외 메만틴(memantine)이나 그 유사체인(neramexane) 등도 이명치료에 적용되어 그 효과가 보고되고 있는데, 이명 동물모델을 이용한 기초 연구와 임상 연구에서 일부 효과가 입증된 바 있다.[36,43]

5) 도파민 수용체 조절제(Dopamine receptor modulators)

이명 발생과 관련하여 도파민은 청각로와 시상변연부에서 다양하게 발견되고 있으며, 외측 올리브와우 원심성 신경(lateral olivocochlear efferent nerve)의 신경전달물질로 와우 내에도 존재함이 알려져 있다. 또한 대뇌에서 이명을 지각하는 부위가 중요 도파민 억제성 투사 부위와 일치하며 노화로 인한 도파민 수용체의 밀도와 기능 감소가 이명 발생에 영향을 준다고 알려져 있다. 이에 따라 도파민 수용체 조절제가 이명치료 효과를 지닐 수 있음이 제안 되었는데, 도파민 길항제인 설프라이드(sulpiride)와 도파민 억제작용을 하는 멜라토닌(melatonin), 파킨슨병 치료제인 D2/D3 작용약(agonist) 프라미펙솔(pramipexole) 등이 이명 증상을 호전시킨다고 보고된 바 있다.[27,45]

6) 근육이완제(Muscle relaxants)

GABA수용체 작용약agonist인 바클로펜(baclofen)에 대한 최근 동물 연구 및 임상 연구에서 L-baclofen이 흰쥐의 이명 행동 반응을 감소시키고 이명 환자에게 증상 완화를 가져왔다고 보고되었고,[40,49] 사이클로벤자프린(cyclobenzaprine)도 이명 억제에 도움을 준다고 보고되었다.[11] 근육이완제 투여시 부작용은 진정, 어지럼 등이 있다.

7) 은행잎 추출제(Ginkgo biloba extract)

은행잎 추출제의 유효한 화학성분인 플라보노이드(flavonoids) (ginkgo-flavone glycosides)와 터페노이드(terpenoids) (ginkgolides, bilobalide) 등이 포함된 상품화된 약제가 임상적으로 이명치료에 흔히 사용되고 있다. 주된 작용기전은 혈관확장제로서 말초 혈류량 증가, 항산화작용, 신경세포 대사 변화 등이 알려져 있다.[16,41] 임상적으로는 감각신경성난청의 예방, 청각과민과 이명의 치료에 효과적이라고 알려져 있어 흔히 사용하며, 부작용으로 소화기 장애, 피부 발적, 두통 등이 보고되고 있다. 은행잎 추출제의 이명에 대한 약물치료 효과를 과학적으로 검증하기 위한 임상 연구가 지속적으로 필요하다.

8) 국소 마취제(Local anesthetics)

이명의 발생 기전 중 신경계의 과활동성이 중요한 역할을 차지하며, 국소 마취제의 정맥내, 경피, 경구 또는 고실내 투여가 이명 증상의 호전을 가져올 수 있음이 보고된 바 있다.[47] 리도카인(lidocaine)은 와우와 중추청각경로 모두에 작용하여 혈관 확장, 내이 혈류 개선, 와우 마이크로포닉(microphonics) 및 활동 전위(action potential)을 감소시키고, 중추신경계의 과흥분성을 억제하는 기전을 통해 이명치료에 도움을 준다고 알려져 왔다. 경구 복용제가 없어 정맥내, 경피 투여가 필요하며, 성상신경절 차단 요법에도 이용된다. 부작용으로 쇼크, 졸음, 불안, 구역, 구토 등이 발생할 수 있어 주의를 요한다.

9) 기타 약물치료제

이명에 대한 치료 효과가 입증된 기타 약물로는 합성 PGE1유사체로 혈관확장제인 미소프로스톨(misoprostol), HMG-CoA reductase inhibitor로 혈청 콜레스테롤을 낮추는 아트로바스타틴(atorvastatin), 제5형 포스포디에스테라제(phosphodiesterase type 5; PDE5) 억제제로서 나선혈관조(stria vascularis)에서 일산화질소 의존성 혈관확장을 강화하는 바데나필(vardenafil), 오피오이드 수용체 길항제(μ-opioid receptor antagonist)로서 진통작용이 있는 날트렉손(naltrexone) 등이 알려져 있다. 또한 아연(zinc)도 와우에서는 구리/아연 Cu/Zn superoxide dismutase SOD의 구성요소로서 항산화작용을 하고, 중추신경계에서 NMDA 수용체 억제, GABA 수용체 강화 등의 기전으로 중추 흥분성을 감소시켜 이명치료에 도움을 준다고 알려져 있다.[15] 아연 결핍은 신경 자발전위 방사를 증가시켜 이명 발생에 관여할 수 있는데, 이명 환자군에서 혈중 아연치가 대조군에 비해 감소되어 있음이 보고된 바 있다.[8] 그 외, ATP (adenosine triphosphate), Methylcobalamin, Vitamine B1, B6, B12 등도 신경세포 재생, 회복 및 뇌혈류량 개선 등의 기전으로 이명치료에 도움을 준다고 알려져 있다.

2. 소리치료

1) 소리치료의 목적

이명에 대한 소리치료의 목적은 청신경로에 소리 자극을 주어 이명과 배경음 사이의 대비(contrast)를 감소시킴으로써 이명 증상의 완화 또는 소실을 기대하는 것이다. 소리 자극을 통해 환자들은 이명에 대해 직접 혹은 간접적으로 주의 분산의 효과를 보임이 밝혀져 있다.[18] 또한 다양한 종류의 소리치료는 이명에 대한 집중과 불안, 스트레스, 우울감을 줄일 수 있어 이명에 대한 좋은 치료법으로 알려져 있다. 소리치료는 진정 소리(soothing sound), 배경 소리(background sound), 흥미로운 소리(interesting sound)로서의 역할을 하게 된다.

진정 소리는 이명이 느껴지는 고주파음이 아닌 편안한 음을 들려줌으로써 자율신경계 내에서 교감 신경계와 부교감 신경계 사이의 균형을 맞추고 항상성을 유지하도록 돕는 목적이며 이로 인해 불안감을 줄이고 신경계의 과흥분을 감소시킨다. 교감신경의 과도한 흥분으로 인한 자율신경계 교란은 스트레스와 불안을 야기하여 이명을 악화시키게 되는데 이 같은 이명발생의 기전에서 진정 소리는 시상변연부(limbic system)에 긍정적인 영향을 주고 부교감 신경계를 자극하여 이명으로 인한 불안과 신경과민증을 감소시키는 효과가 있다.

배경 소리는 이명 신호와 배경 사이의 대비(contrast)를 줄여 이명으로부터의 수동적 주의 분산(passive attention diversion)을 일으키고 이명 인식의 습관화를 쉽게 유도한다. 즉, 소리자극을 통해 이명 신호와 환경 소리 신호 사이에서의 대비 현상을 감소시켜 이명에 대한 집중과 주의를 분산시켜 대비 현상에 의한 감각계의 과민반응을 줄여줄 목적으로 사용된다. 배경 소리는 조용한 환경일 때 더욱 뚜렷이 느껴지는 이명과 환경 사이의 대비를 줄여줌으로써 신호대잡음비(signal-to-noise ratio)를 감소시켜 이명에 대한 주의 분산 효과를 유도함이 알려져 있다.

흥미로운 소리는 소리에 대한 집중도를 높여 이명으로부터의 능동적 주의분산(active attention diversion)을 유도할 수 있다. 흥미로운 소리는 이명 신호보다 훨씬 더 의미 있는 신호를 청신경계에 줌으로써 이명에 대한 집중 상태를 이동시키는 역할을 한다. 작용 기전은 흥미로운 소리가 유입될 때 뇌의 여과 기능을 담당하는 의식하 수준(subconscious level)의 망상체(reticular formation)와 시상 변연부가 상대적으로 덜 중요한 신호인 이명에 대한 측면 억제(lateral inhibition)를 일으키고 이를 통해 이명신호전달이 차단되는 현상이 보다 쉽게 일어난다는 것이다.

2) 소리치료의 종류

소리치료의 종류에는 환경음이나 음악, 소리 발생기, 보청기 등을 사용하는 방법과 난청이 동반된 이명 환자에게 시행하는 다양한 수술적 방법이 모두 포함된다. 일반적으로 환경음이나 음악 소리에 지속적으로 노출될 경우 배경 소리 효과를 통해 이명과의 대비 현상이 뚜렷이 감소됨으로써 치료 효과를 기대할 수 있지만 이어폰이나 헤드폰 등의 사용은 피할 것을 권한다. 특히 외이도를 완전히 막는 음향 도구의 사용은 폐쇄효과로 인해 이명 증상이 더욱 악화될 수 있어 다양한 소리 치료 적용 시 스피커나 개방형의 도구 사용이 추천되며, 가능한 양측 귀에 적용하는 것이 자극음의 비대칭으로 인해 이명이 발생하거나 느끼는 증상을 예방할 수 있다. 소리치료를 위해 개발된 기기에는 이명의 차폐 목적으로 과거 주로 사용되었던 이명차폐기(tinnitus masker), 이명재훈련치료(tinnitus retraining therapy)의 보급과 함께 널리 사용되어 온 소리발생기(sound generator) 등이 있다. 또한 난청이 동반된 이명 환자에게 소리의 증강 목적으로 착용하는 보청기 역시 소리치료의 한 방법으로 이명 증상의 완화에 큰 도움을 준다.[9,48] 특히 근래에는 보청기 내에 소리 발생기를 포함시켜 소리의 증폭뿐만 아니라 다양한 주파수대의 소리를 발생시킴으로써 대화음의 증폭과 함께 이명 증상 완화를 동시에 기대하는 기기도 개발 보급되어 임상에서 이용되고 있다.

소리치료 목적으로 난청이 동반된 이명 환자에게 시행하는 인공와우 이식술, 중이이식술 등도 소리의 증폭을 통해 이명을 감소시키는 소리치료의 목적을 모두 달성할 수 있다는 측면에서 큰 도움을 준다.

3) 소리치료 방법

(1) 소리 발생기(Sound generator)

이명재훈련치료를 통해 널리 알려지게 된 소리 발생기는 백색잡음(white band noise)을 유발하는 기기를 귀걸이 혹은 귓속형으로 제작하여 양측 귀에 착용하게 함으로써 소리치료의 목적을 달성하고자 하는 기기이다. 같은 목적으로 소리베개, 탁상형 소리 발생기 등이 개발되어 있다. 이명이 심하거나 청각 과민증 환자에게 우선적으로 처방한다. 귀에 착용하는 소리 발생기는 하루 8시간 이상의 사용을 통해 이명 인식의 습관화(habituation of perception)를 유도하며, 큰 환기구(vent)나 개방형 몰드 제작으로 착용 시 폐쇄효과를 최소화해야 한다. 또한 환자 자신이 소리의 크기를 쉽게 조절할 수 있도록 볼륨 조절기를 달아 적절한 크기의 소리를 줄 수 있어야 하며, 소리 발생기 착용 전에는 이명 발생 기전과 소리치료의 목적 및 방법을 충분히 이해할 수 있도록 상담 치료를 시행하여 순응도 및 치료 효과를 높일 것을 권한다.

소리 발생기는 출력되는 소리의 음량을 증가시킬 때 이명의 크기가 최초로 감소되는 지점인 혼합점(mixing point)보다 약하게 사용하도록 한다(그림 54-1, 2). 소리발생기에서 나는 소리 자극이 환자에게 불쾌감을 줄 정도로 커서도 안 되며, 특히 이명이 완전히 차폐될 경우 습관화를 유도할 신호 자체가 소실되므로 주의 한다. 청각과민증 환자의 경우 불편감을 주지 않는 가장 작은 소리부터 시작하여 점진적으로 소리 강도를 높여 가는 방법으로 사용한다. 이명의 습관화 과정에서 청각계의 재구성에 비대칭을 초래하지 않고자 일측성 이명이라도 양측 귀 착용을 원칙으로 한다.

(2) 보청기

보청기를 통한 소리치료의 목적은 난청이 있는 귀에 소리가 풍부한 환경을 만들어 줌으로써 이명의 탐지와 인식

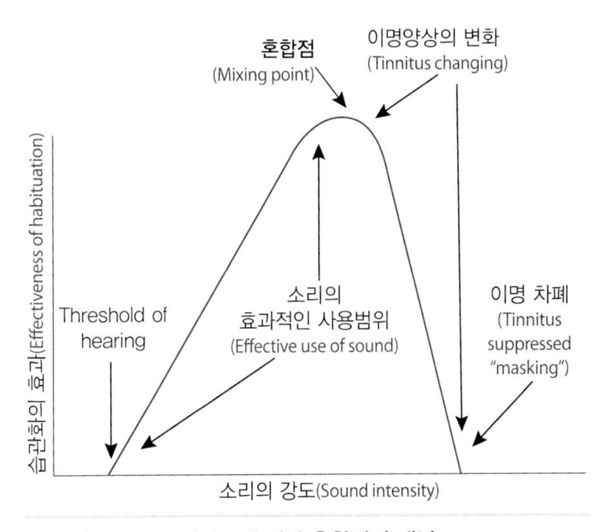

■ 그림 54-1. **소리치료에 대한 혼합점의 개념**

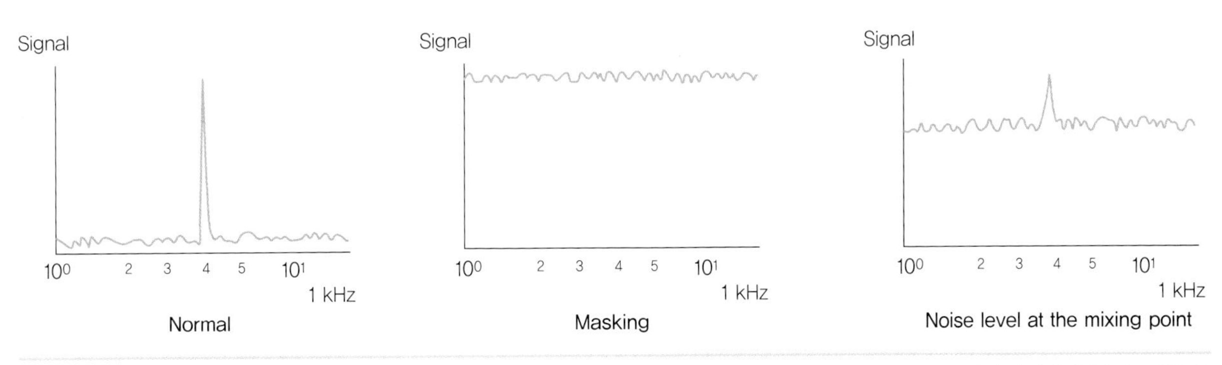

■ 그림 54-2. **이명 신호와 소리치료의 크기에 따른 신호 관련성.** 배경 신호음에 대해 두드러지게 높은 이명관련신경신호(**A**), 강한 소리치료음으로 과도하게 차폐된 이명관련신경신호(**B**), 이명관련신경신호와 배경신호 사이의 대비를 줄인 혼합점에 맞춘 적절한 소리치료음(**C**)

을 줄이고, 이차적으로 대화 능력을 향상시켜 흥미로운 소리를 더 쉽게 듣도록 함으로서 능동적인 주의 분산 효과를 기대하는 것이다. 또한 난청으로 인한 스트레스, 우울감을 줄여 이명의 완화 또는 소실을 촉진할 수 있다. 양측 난청을 동반한 이명 환자에게는 양측 귀 보청기 착용이 청각 재활뿐만 아니라 이명의 치료에 큰 도움을 주며, 이명이 심한 일측 난청 환자에게 일측 보청기 처방도 이명 증상 호전에 도움을 준다. 특히 디지털 보청기가 보편화된 2000년도 이후에는 적절한 보청기 착용으로 이명이 호전될 확률이 90% 이상으로 보고되고 있다.[48] 보청기를 통한 이명의 소리치료 성공률을 높이기 위해서는 정확한 진단, 적절한 보청기의 선택, 상담, 맞춤 및 문제 해결 등의 과정이 필수적이며, 이명과 소리치료의 전 과정에 대한 정확한 지식을 갖춘 임상의의 관심과 개입이 중요하다.

3. 이명재훈련치료(Tinnitus Retraining Therapy)

1) 정의와 구성 요소

이명재훈련치료는 1990년 Jastreboff와 Hazel 등이 처음 소개한 이래 전 세계 많은 이명 크리닉에서 적용되고 있는 이명치료법이다.[17] 지시적 상담(directive counseling)과 소리치료(sound therapy) 두 가지 요소로 구성된 이명재훈련 치료는 이명 환자를 불편감, 난청, 및 청각과민증 정도와 여부에 따라 분류하고 각 분류에 따른 적절한 치료방법을 제안하고 있다. 또한 이명 신호에 대한 감정적 의미(emotional significance)를 차단하고 습관화를 유도함으로써 이명을 탐지, 인식하지 못하도록 유도하는 것을 목적으로 한다. 치료를 통해 이명 환자들이 지닌 이명에 대한 불안감, 잘못된 인식을 없애고, 이명발생 기전에 대한 이해와 긍정적인 사고를 갖게 하여 이명으로 인한 괴로움, 불편감, 불면증, 우울증 등의 다양한 감정 및 신체 반응 관련 증상을 해소시킬 수 있음이 알려져 있다. 이명재훈련치료의 주된 구성 요소인 지시적 상담 과정을 통해 이명으로 인한 불안감과 신체 반응을 감소시키는 반응의 습관화(habituation of reaction; HR)를 유도되고 분류에 따라 적용하는 소리치료의 과정을 통해 이명 인식의 차단이 일어나는 인식의 습관화(habituation of perception; HP)가 일어날 수 있다.

표 54-4. 이명재훈련치료의 과정

1. 초기 면담(Initial interview)
2. 청각학적/내과적 평가(Audiologic evaluation & Medical evaluation)
3. 진단과 치료 분류(Diagnosis and treatment category)
4. 지시적 상담(Directive counseling)
5. 소리치료법의 적용과 상담(Sound therapy fitting/Counseling)
6. 추적관찰과 상담(Follow-up/Counseling)

2) 이명재훈련치료의 실제적 적용방법

이명재훈련치료는 초기 면담에서부터 청각학적/내과적 평가, 진단과 치료 분류, 지시적 상담, 소리치료법의 적용과 상담, 추적관찰과 상담의 과정으로 요약된다(표 54-4).

(1) 초기 면담(Initial Interview)

이명 환자가 느끼는 이명의 정도를 평가하는 과정으로 환자가 느끼는 이명의 정도와 이로 인한 일상생활에서 불편함이 각각 다를 수 있으므로 매우 다양한 수준의 이명과 청각 과민증에 대해 문진과 이학적 검사 및 설문 조사를 시행하는 과정이 초기 면담이다. 이명 환자들이 호소하는 증상의 정확한 평가를 위해 다양한 이명설문지를 사용한다.

(2) 청각학적/ 내과적 평가(Audiologic & Medical Evaluation)

이명의 정도와 청각 과민증(hyperacusis) 및 난청 여부를 평가하여 이명 환자를 분류하는데 도움을 줄 다양한 청각학적 평가와 이명의 원인이 될 수 있는 전신 상태를 평가하는 내과적 평가의 과정은 이명재훈련치료를 위해 필수적이다. 순음청력검사, 어음청력도, 임피던스 청력검사를 통해 환자가 지닌 난청의 여부와 종류를 판단하여

표 54-5. 이명재훈련치료를 위한 환자의 분류와 치료방법

분류	청각과민증	소음노출후 악화	난청	이명정도	치료
0	-	-	-	약	상담, 환경음
1	-	-	-	강	상담, 소리발생기(혼합점)
2	-	-	+	강	상담, 보청기, 환경음
3	+	-	무관	강	상담, 소리발생기(역치)
4	+	+	무관	강	상담, 소리발생기(역치하~증가)

이명 환자의 분류를 해야 하며, 청성뇌간유발반응검사의 경우 후미로성 병변을 감별하고 타자기 이명(typewriter tinnitus)으로 인한 파형의 변화를 관찰하는데 도움을 준다. 이음향방사 검사를 통한 외유모세포의 기능 감소 여부는 이명 발생의 기전 중 외유모세포 기원과 달팽이관 기원의 이명을 환자에게 설명할 때 유용하다. 이명도 검사에서는 이명의 주파수와 크기를 파악함으로써 그 특성을 이해할 수 있고 치료 과정에서 이명의 호전 여부를 확인할 때 유용하며, 특히 불쾌청각수준(loudness discomfort level)의 측정 결과는 환자가 호소하는 주관적인 청각과민증을 좀 더 객관적으로 확인할 때 도움을 준다. 이명 발생의 원인이 될 수 있는 내과적 문제점을 찾아보고 환자들이 지닌 이명과 관련한 여러 불안감을 해소시키기 위해 기본적인 내과적 검사를 시행할 수 있다. 내과적 검사 결과를 확인하여 환자의 건강상태에 문제가 있을 경우 이를 치료해야 하며, 어지럼, 두통, 심각한 스트레스를 동반할 경우 두경부에 대한 영상학적 검사 및 전정기능검사 등을 통해 동반된 신체적 원인을 찾을 필요가 있다. 이명의 원인을 밝히고 신경계나 신체의 심각한 문제에 대해 객관적으로 평가를 하는 이 과정을 통해 환자들의 이명에 대한 부정적 연관성(negative association)을 불식시킬 수 있다.

(3) 진단 및 치료 분류(Diagnosis and Treatment Category)

이명과 동반된 증상의 유무에 따라 환자를 분류하는 과정으로 각 분류의 의미를 살펴보면, 분류 0은 이명으로 인한 생활에의 불편함이 크지 않고 정상적인 청력을 지니며 청각과민증이 없는 환자로 일반적으로 지시적 상담과 함께 환경음을 이용한 소리치료로 치료가 가능한 군이다. 분류 1은 난청이나 청각과민증은 없으나 이명으로 인해 생활에의 불편함을 겪는 환자군으로 임상적으로 의미 있는 심각한 이명 환자들이 포함된다. 지시적 상담과 함께 소리 발생기(양측 귀)를 활용한 소리치료를 병행한다. 분류 2는 난청을 동반한 이명 환자군으로 환자가 자각적인 난청을 호소하는 경우이다. 지시적 상담과 함께 보청기를 통한 소리치료가 효과적이다. 분류 3은 청각과민증을 지닌 이명 환자군으로 난청의 동반 여부보다 청각과민증을 더 중요시 하고 먼저 치료한다. 지시적 상담과 함께 역치 정도의 낮은 수준에서부터 서서히 소리 크기를 증가시키는 소리 발생기를 활용한 소리치료를 병행하도록 한다. 분류 4는 청각과민증이 특히 심해 소음 노출 후 증상이 악화되는 흥분 효과(kindling effect)가 동반된 환자군으로 증상이 가장 심한 환자군이다. 지시적 상담과 역치하 수준(subthreshold level)에서부터 소리 발생기를 착용하는 소리치료가 필요하다(표 54-5).

(4) 지시적 상담(Directive Counseling)

이명재훈련치료 과정에서 가장 핵심적인 과정인 지시적 상담의 과정은 청각검사 결과, 청각계의 기본 해부와 기능, 자극 신호를 받아들이는 인식의 기본 역할과 대비효과, 뇌기능과 뇌 내부의 다른 신경계(감정계, 반응계)와의 상호작용, 이명 신경생리모델의 기본 개념, 습관화가

일어나는 이유와 과정, 치료 과정과 소리 사용법 및 소리 치료의 역할 등을 충실히 설명하는 교육적 상담 치료의 과정이며, 상담 후 이명 발생의 신경생리학적 모델에 근거한 환자의 추가 질문에 대한 답변을 통해 환자가 지닌 이명에 대한 잘못된 인식과 불안감을 해소할 수 있도록 한다. 이 과정이 적절히 이루어질 경우 이명으로 인한 신체 반응의 습관화가 보다 빨리 일어난다.

(5) 소리치료 맞춤/상담(Sound Therapy Fitting/Counseling)

지시적 상담과 함께 이명재훈련치료의 또 다른 중요 구성 요소인 소리치료는 환자의 분류에 따라 적절하게 적용될 때 이명의 치료 기간을 단축시키고 보다 쉽게 이명의 습관화를 유도한다. 소리치료는 환경음, 소리 발생기 및 보청기가 모두 해당되며, 이명 환자의 분류에 따라 적절한 소리치료법이 적절한 크기로 적용될 수 있도록 한다. 특히 이명 환자들에게 중요한 소리치료의 개념 중 이명 신호를 더욱 예민하게 느끼는 상황인 적막한 상황을 피하도록(avoid silence) 강조하는 것은 매우 중요하다. 또한 소음 노출 후 증상이 악화되는 흥분 효과(kindling effect)가 동반된 청각과민증 환자의 경우 큰 소리 노출 또한 피할 것을 권해야 한다.

(6) 추적관찰과 상담(Follow up and Counseling)

초기 3개월 간은 1개월 간격의 추적관찰을 하도록 하고, 치료 효과에 따라 3~6개월 간격의 추적관찰을 24개월까지 시행한다. 추적관찰 및 상담의 과정에서는 이명재훈련치료의 초기 상담 과정에서 설명했던 내용을 환자가 잘 인지하고 따르고 있는지 살펴보고 설문조사를 통해 증상의 호전을 관찰한다. 또한 정기적으로 청력 및 이명도 검사를 시행하여 청각 및 이명의 변화를 추적관찰할 수도 있다. 또한 소리 발생기나 보청기 등의 소리치료를 받는 환자들의 소리치료기와 보청기가 적절하게 사용되고 있는지 확인하고 문제점을 해결하며, 필요에 따라 추가적인 지시적 상담/교육을 시행할 수 있다.

3) 치료 성적

이명재훈련치료는 이명을 감소시키고 그 불편감을 의미 있게 감소시키는 치료로 여러 연구에서 이명감소효과가 80%까지 보고되고 있으며, 20~30% 환자에서의 이명의 소실을 경험하는 것으로 알려져 있다.[2,17] 부작용이 없이 많은 이명 환자들에게 도움을 줄 수 있는 장점을 지니고 있지만, 장기간의 치료와 경과 관찰, 소리치료를 병행해야 하므로 초기에 지시적 상담 과정을 통해 환자의 이해를 돕고 치료에 순응할 수 있도록 교육해야 하며 치료 기간 동안의 인내가 필요하다.

4. 인지행동치료 및 정신과적 치료

1) 인지행동치료(Cognitive behavioral thearpy; CBT)

이명 환자들의 20% 이상이 심리적 고통을 느낄 정도의 심한 스트레스를 경험하며, 이 같은 스트레스는 직업적, 사회적 기능에 영향을 미칠 수 있다. 또한 스트레스 상황 이후 이명이 발생하거나 악화되는 경우가 많이 이명과 스트레스와의 관련성은 매우 높다는 것이 이미 밝혀져 있는데,[5] 스트레스가 클수록 불안, 우울, 수면 장애 등의 정신적 증상이 커지고 이명과 스트레스, 정신적 증상 사이의 악순환의 고리(vicious cycle)가 만들어져 각각의 증상이 더욱 악화되는 경우가 흔하다. 따라서 이 같은 부정적인 심리 상태를 완화하기 위한 정신과적 치료가 도움을 줄 수 있다. 인지행동치료는 구조화된 정신치료 기법 중 하나로 정신과에서 흔히 적용되는 주요 정신치료법이다. 환자에게 매회 상황에 대한 반응을 바꾸도록 하는 과제를 주고 환자가 오랫동안 잘못 인식하고 있는 이명에 대한 인지적 왜곡을 교정해 주는 것을 목적으로 할 수 있다. 특히 환자의 부정적 인지가 이명 발생 상황과 맞닥뜨릴 경우 잘못된 핵심적 믿음이 되살아나 환자의 이명 증상이 악화될 수 있는데, 인지 행동 치료를 통해 사건에 대한 잘못 연결된 악순환의 고리를 차단시키고 이명에 대한 잘못된 핵심적 믿음, 인지적 왜곡을 교정 받을 수 있다. 이 과정은 교육, 토론, 심상 교정, 주의 집중, 자극에 대한 노출 및 이완 등의 과정을 통해 이루어질 수 있다. 결국 환자의 인지 과정이 변화되면 행동도 교정되어 이명에 대한 잘못된 반응과 인식이 감소할 수 있으며, 이 같은 인지 행동치료는 과거 우울증에 주로 사용되었지만 현재 불안, 불면, 만성 통증 등에 활용되고 있고 이명에 대한 높은 치료 효과도 다양하게 보고되어 있다. 이명에 대한 인지행동치료의 효과는 이명 유병기간이 짧고 치료 전 청력 손실이 적을 때 더 좋은 성적을 보인다고 보고되기도 했다.[4]

2) 기타 정신과적 치료

이명 환자들이 흔히 동반하는 우울증, 불안증 등에 대해 이완훈련치료(relaxation training therapy)가 도움을 줄 수 있다. 이완훈련치료는 점진적 근육이완 훈련, 이완을 유도하는 심상 image 떠올리기, 빛에 대한 집중 등을 통해 이명에 집중되고 있는 정신활동을 느슨하게 하는 치료법이며, 정서와 생각으로부터 자신을 분리시켜 집중하는 마음 챙김 명상(mindfulness), 스트레스를 감소시키고 이완하는 방법의 훈련치료법인 생체되먹임(biofeedback) 등도 이명치료에 도움을 줄 수 있다고 알려져 있다.

5. 수술적 치료

1) 전음성 난청에 동반한 이명의 수술 요법

이명 발생의 원인이 되는 외이나 중이의 전음성 난청 인자를 수술적으로 교정하는 방법인 외이도 폐쇄증에 대한 외이도성형술, 중이염이나 이소골 기형, 탈구 등에 대한 중이 및 이소골 재건술, 선천성 등골고정이나 이경화증에 대한 등골절제술 등은 대표적으로 이명을 완화시킬 수 있는 수술 요법이다. 이들 수술 요법은 전음성 난청의 교정을 통해 외부 환경음과 대화음을 증폭하는 소리치료 효과를 줌으로써 이명을 경감시킬 수 있다.

2) 감각신경성 난청에 동반한 이명의 수술 요법

외림프누공으로 인한 난청과 이명이 의심될 때 누공에 대한 수술적 치료로 청각 회복과 함께 이명의 호전을 기대할 수 있다. 보청기를 통한 청각 재활이 어려운 난청 환자에게 인공중이 수술 이후 이명이 경감됨이 보고되었고, 고도의 난청 환자에게 이명이 동반된 경우 인공와우 이식술을 통해 이명의 현저한 감소 72~92% 또는 소실을 기대할 수 있음이 여러 연구에서 보고된 바 있다. 초기의 소리 자극을 통한 청각 차폐 효과(acoustic masking effect)가 이명 호전의 주된 기전일 수 있지만, 장기적으로는 잘못 형성된 중추의 가소성 변화를 교정하는 역할 즉 중추신경계의 재조직(reorganization) 등도 중요한 치료 기전으로 알려져 있다.[22,37]

자각적 이명에 대한 미세혈관감압술(microvascular decompression)의 이명치료 효과도 보고되고 있다. 내이도로 유입된 전하소뇌동맥고리(anterior inferior cerebellar artery loop, AICA loop)에 의한 와우 신경의 압박이 감각신경성 이명의 원인으로 추정되는 경우 신경으로부터 혈관을 분리하는 수술적 신경 감압술을 통해 이명의 완화를 관찰한 경우들이 보고되고 있으나,[13] 이명이 없는 정상인들에게도 영상 검사에서 흔히 내이도로 유입된 전하소뇌동맥고리가 관찰되는 점, 술 후 이명 호전률이 일관되지 않은 점, 수술 중 혈관의 압박으로 인한 와우 신경 압박 병리 소견이 매우 드물게 관찰되는 점 등으로 인해 기전과 치료 효과를 확신하기 어려워 정확한 적응증을 찾기 위한 다양한 연구가 필요하다.

6. 경두개 자기 자극(Transcranial magnetic stimulation; TMS)

경두개 자기 자극치료는 이명관련 대뇌피질 활동을 조절하는 치료법으로 제안되었다. 만성적인 자각적 이명이 초기 비정상적인 와우에서의 청각계 흥분-억제 불균형에 이어 대뇌의 잘못 적응된 병적 변화(maladpative pathologic plastic changes)로 인해 지속될 수 있음을 고려할 때 반복적으로 경두개 자기 자극을 줌으로써 관련 부위의 대뇌 활성도를 감소시켜 이명을 조절하고자 개발되었다. 자극 부위를 결정하는 방법으로 기능적 자기공명영상(functional MRI)을 이용하여 활성화된 대뇌 피질 부위를 찾고 내비게이션 시스템(navigation system)을 활용하는 방법이 흔히 적용되며, positron emission tomography, PET 또는 10-30 EEG system을 활용하여 자극 부위를 결정하는 방법도 임상에서 사용하고 있다. 1 Hz 미만의 저주파수를 반복적으로 주는 경두개자기 자극 치료를 통해 대뇌피질의 흥분성은 감소되고, 5~20 Hz의 고주파 자극을 통해 흥분성이 증가된다고 알려져 있으며, 최근 대조군 연구를 통해 다양한 주파수의 경두개자기자극 치료의 효과를 관찰한 연구에서 대조군에 비해 경두개자기자극을 받은 환자군에서 통계적으로 유의한 이명 호전 효과를 보였고 이명의 기간이 길수록 호전률이 감소함이 관찰되기도 하였다.[20]

7. 전기신경자극치료(Electric nerve stimulation)

전기자극을 통한 이명의 치료는 19세기 이후 꾸준히 보고되고 있다. 경피적 전기신경자극(Transcutaneous electric nerve stimulation; TENS)과 같은 비침습적인 방법과 수술을 통해 와우와 중추에 전기 자극을 가하는 침습적인 방법으로 크게 나누어진다.

경피적 전기 신경 자극술은 주로 유양돌기나 이개의 전, 후 피부를 전기적으로 자극하는 방법으로 정확한 자극 위치나 방법은 아직까지 밝혀지지 않았다. 직류 혹은 교류 전류를 활용한 전기자극이 보고되고 있으나 직류 자극의 경우 내이 손상의 위험이 있어 고도난청이 있는 환자들에게 주로 사용되어 왔으며, 교류 전류의 경우 이명 억제 효과가 직류 전류에 비해 적지만 조직 손상이 적어 더 많이 사용되고 있다. Levine 등은 전기자극 치료에 반응하는 이명의 대부분이 체성 조절(somatic modulation)이 가능한 이명임을 밝혀 체성 감각계(somatosensory system)과 연관성을 지닌 이명에서 전기자극 치료가 보다 효과적일 수 있음을 시사하기도 했다.[25]

침습적 전기자극치료법 중 하나인 인공와우 이식술은 와우에 대한 직접적인 전기자극치료법으로 이명에 대한 호전률이 다채널 인공와우 기기가 보급된 이래 90% 이상으로 보고되고 있다. 활동전극에 의한 와우전기자극이 와우를 착용한 상태에서 뿐만 아니라 전원을 끈 후에도 이명 억제 효과를 보이고 장기 착용 시에는 양측 귀의 이명 감소 효과를 보여 그 기전이 전기 신경 자극에 의한 효과 뿐만 아니라 중추신경계의 재조직(reorganization)과도 관련되어 있다고 보고되고 있다. 갑개 전기 자극술(electric stimulation to promontory)은 와우갑개에 전기 자극을 가해 이명을 치료하는 방법으로 와우병변이 후미로병변에 비해 이명치료 효과가 높다고 하지만 보고자마다 다른 결과를 보여 결론을 짓기에 어려움이 있다. 와우신경 전기자극술(electric stimulation to cochlear nerve) 역시 와우신경에 대한 직접적인 전기신경자극술로 다양한 수술적 접근법을 통해 전정와우신경 주변에 전기장치를 위치시키고 전류량을 조절해 이명을 감소시키는 치료법으로 소개된 바 있지만 아직은 전농인 편측성 이명에만 적용되고 있고 그 치료 효과가 널리 인정받지는 못하고 있다. 청각중추에 대한 직접적인 전기 자극은 De Ridder 등에 의해 보고되었는데 청각중추 뇌경막에 전극을 부착한 후 전기자극을 가했을 때 순음형 이명 환자에게는 97%에서 이명 억제 효과가 나타난 반면 소음형 이명 환자에게는 24%에서만 이명이 감소되는 효과가 있었다.[12] 심부뇌(deep brain)에 대한 전기자극술로 불수의적 경련과 이명을 지닌 환자에게 시상(thalamus)에 전기자극을 가했을때 이명이 감소되었다는 보고도 있어 다양한 방법의 전기자극술이 이명치료에 활용될 수 있음을 보여주었다.[39]

8. 기타 치료

1) 레이저치료(LASER therapy)

이명의 치료를 위한 저용량 레이저 치료법(low level laser therapy)은 20여 년 전 소개되어 임상에서 적용된 바 있지만 아직까지 치료 효과가 일관되지 못한 한계점이 있다. 레이저의 투사는 생체자극(biostimulation)이 주된 기전으로, 만성 통증, 상처 치유 등에 흔히 적용되어 오다가 이명치료법으로 적용 가능성이 소개된 바 있다.[29] 외이도에 투사된 레이저는 연조직을 거쳐 와우에 도달한 뒤 유모세포의 자극, 주변 조직의 세포 증식, ATP와 콜라겐의 합성, 성장물질을 분지, 국소 혈류량의 증가 등의 기전을 통해 이명을 감소시킬 것으로 제안되며, 동물실험을 통해 효과가 검증된 바 있다. 임상연구에서는 15~67% 환자에서 이명이 호전된다는 보고가 있다.[46] 그러나 무작위 대조군 임상 연구를 통한 효과가 검증되지 못해 향후 임상 적용을 위한 추가적 연구가 필요하다.

2) 보톡스 치료

보톨리늄 톡신 A형(Botulinum toxin type A)을 국소 주사하여 이명을 치료하는 방법이 소개된 바 있다. 알려진 기전은 보톡스가 신경-근육 접합부의 아세틸콜린분비를 감소시켜 근육운동을 약화시키므로 체성이명(somatic tinnitus)의 치료 효과를 기대할 수 있다는 것이고 또 다른 기전은 자율신경계의 통각수용성 신경전달물질의 분비를 억제시켜 중추 민감화를 억제하는 기전을 통해 이명을 억제한다는 것이다. 이개 주변의 피하 보톡스 주사를 통해 27%에서 이명호전을 보인 연구 결과에서 대조군 7%에 비해 이명치료 효과가 높았다는 보고가 보톡스의 이명치료 효과를 소개하고 있지만,[42] 기전에서 기대되는 체성이명 환자만을 선택한 연구는 아니었다. 따라서, 적절한 보톡스 치료의 적절한 대상군으로 기대되는 체성 이명 환자에게는 더 큰 도움을 줄 수 있는 치료법으로 치료 효과를 밝히는 추가 연구를 통해 적응이 되는 환자에게 보편적 적용의 가능성을 확인할 필요가 있다.

3) 고실내 약물 주사치료

최근 임상에서 활발히 적용되고 있는 고실내 약물 주사 치료로 이명에 대한 직접적인 치료 효과를 밝힌 약제는 스테로이드와 리도카인이 소개되었고, 메니에르병 환자에게 겐타마이신 또는 스테로이드의 고실내 주사 후 이명 증상이 호전될 수 있음이 보고되기도 하였다.[14] 그러나 이명에 대한 고실내 약물 주사 치료의 적절한 적응증을 찾고 치료 효과를 검증하기 위해 과학적으로 설계된 임상 연구가 추가로 필요한 실정이다.

Ⅱ 타각적 이명의 치료

1. 근경련성 이명(Myoclonic Tinnitus)

1) 구개근 경련성 이명(Palatal myoclonic tinnitus)

구개근 경련성 이명이 수의적이고 습관적인 특발성으로 진단된 경우 원인인자를 찾아 교정하고 구개근 수축 또는 경련이 클릭음의 이명을 발생시킨다는 사실을 환자에게 인지시키고 이를 회피하도록 하는 행동 요법을 통해 증상을 호전시킬 수 있다. 뇌 질환에 동반된 이차적 구개근 경련성 이명이나 행동 요법만으로 치료가 어려운 특발성 구개근 경련성 이명은 일차적으로 약물치료를 시행할 수 있는데, 항경련제, 근이완제, 벤조티아제핀계, 바비튜레이트계(barbiturates) 및 항콜린제제 등을 경구 투여한다. 원인인자의 치료나 회피, 상담, 행동치료 및 약물 요법 등과 같은 보존적 치료에 반응하지 않는 구개근 경련성 이명은 보톡스 주사를 통해 치료할 수 있다. 근전도유도(EMG-guided)를 통해 심한 근수축을 보이는 지점에 구개근 보톡스 주사를 시행할 수 있고(그림 54-3), 내시경이나 육안으로 심한 경련을 보이는 구개근을 찾아 직접 주사할 수도 있다. 보톡스 주사를 통한 구개근 경련성 이명

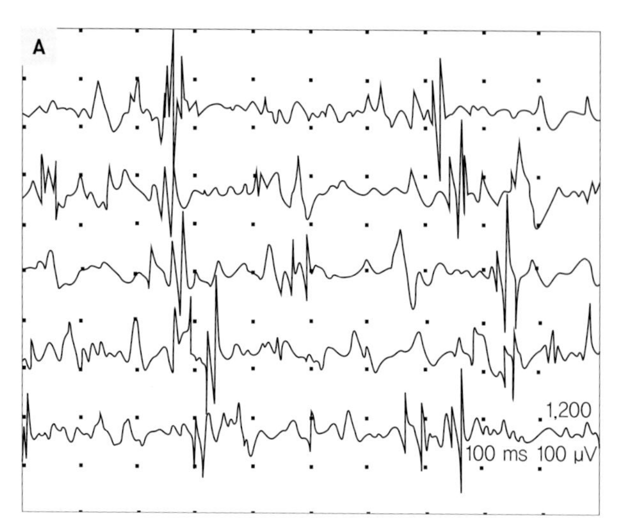

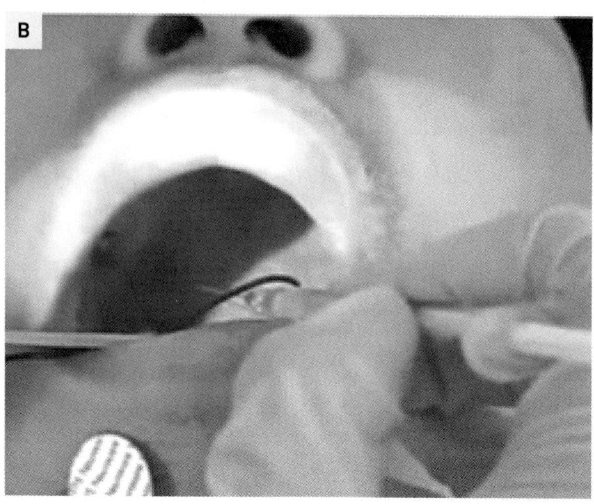

■ 그림 54-3. 근전도로 확인된 구개근의 경련성 수축(A)과 근전도 유도하 구개근 보톡스 주사치료(B)

의 치료는 증상의 소실을 비롯해 좋은 치료 성적을 기대할 수 있지만, 구개인두부전, 과비음 등의 부작용을 초래할 수 있고 재발될 수 있다는 점에 대한 환자의 동의를 구한 후 시행하는 것이 바람직하다.[31,33] 과거에 보고되었던 구개거근 및 구개긴장근의 수술적 절개는 부작용이 심해 근래에는 잘 사용되지 않고 있다.

2) 중이근경련성 이명(Middle ear myoclonic tinnitus)

중이근경련성 이명은 고실긴장근(Tensor tympani muscle)이나 등골근(Stapedial muscle)의 수축 또는 경련에 의해 발생하며, 소음의 과도한 노출, 눈깜빡임, 큰소리에 대한 반응 등과 관련된 두두둑, 지지직 등의 소리로 표현되는 이명이다. 치료로는 추정되는 원인인자를 피하도록 교육하고 눈깜빡임과 관련된 이명일 경우 행동치료를 통한 교정이 증상 호전에 도움을 줄 수 있다.[24] 약물치료는 진정제, 항경련제, 근육이완제 투여를 먼저 시도해 볼 수 있고, 그 외 최면요법, 정신치료, 이명차폐기 등의 치료법과 환기관 삽입술, 중이강 내 보톡스 삽입 등이 증상 완화를 위해 시도되었고 다양한 치료 효과를 보고하고 있다. 보존적 치료나 약물치료에 반응하지 않는 중이근경련성 이명의 수술적 치료는 중이근건 절제술(sectioning of tendons of the middle ear muscles)이 효과적일 수 있으며, 3개월 이상의 약물치료에 반응하지 않는 환자에게 시행한 수술적 중이근건 절제술의 치료 효과가 90% 이상으로 보고되기도 하였다.[32]

2. 혈관성 이명(Vascular tinnitus)

비교적 흔한 혈관성 이명은 정맥성 잡음(venous hum), 젊은 여성에서 뚜렷한 뇌병변 없이 발생하는 양성 두개강내압상승(benign intracranial hypertension), 고실하부로 돌출된 고위경정맥구(high jugular bulb) 등이 있고 그 외에 동정맥기형(arteriovenous malformation), 귀 혹은 측두골 부위의 외상 후 발생하는 동정맥루(arteriovenous fistula), 중이강 혹은 측두골 부위에 발생한 사구체종(glomus), 경동맥 협착(carotid artery stenosis) 등에서 비정상적으로 증가된 혈류량 혹은 흐름이 원인으로 알려져 있다.[6] 혈관성 이명의 치료는 심박출량의 증가를 초래하는 고혈압, 빈혈, 갑상선기능항진, 임신, 고지질혈증 등 동반된 전신 질환을 찾아 우선적으로 치료하고, 약물 요법으로는 이뇨제, 베타 억제제 등의 투여가 도움을 줄 수 있다. 동정맥루, 동정맥기형, 사구체종 등과 같은 귀 주변 혹은 측두골의 국소 질환은 혈관조영술과 함께 시행하는 코일색전술, 글루(glue) 적용술 등의 방사선학적 침습술 또는 수술적 제거를 통해 증상의 완전 소실을 기대할 수 있으며, 고위경정맥구나 S자형 정맥동의 과도한 혈류를 수술적으로 보정하는 방법 등도 증상 완화 또는 완치의 방법으로 소개되고 있다.[21]

3. 개방성 이관(Patulous Eustachian Tube)

환자 자신의 목소리나 숨소리가 울려 들리는 자가강청, 이충만감, 자가 호흡음 청취 등이 특징인 개방성 이관 역시 타각적 이명의 하나로 많은 환자들에게 심각한 불편감을 느끼게 한다. 증상의 호전을 위해 환자들은 흔히 누워있는 자세를 취하며, 심각한 자가강청이 동반된 경우 대화에 어려움을 겪는다. 치료를 위해서는 증상을 야기하는 원인 질환 또는 인자를 제거하고 체중을 증량시키거나, 항콜린제의 비강 분무, 중이 환기관의 삽입을 시도 할 수 있고, 수술적으로는 이관 입구부의 카테터 삽입, 자가 지방이나 연골 이식, 국소 피판술을 활용한 이관 입구부 재건술 등이 소개되고 있다.[30,35]

참고 문헌

1. 박시내, 여상원, 박경호 등. 돌발성 난청 환자에 동반된 이명의 특성 및 난청 회복 정도에 따른 이명의 변화. 대한이비인후과학회지(한이인지) 2004;47;222-226.
2. 박시내, 여상원, 정상희 등. 이명재훈련치료의 적용방법과 치료 효과. 대한 이비인후과학회지(한이인지) 2002;45:1136-1140.
3. 정지현, 변재용. 이명의 전기자극치료. 대한 이비인후과학회지(한이인지) 2015;58:73-78.
4. 지연숙, 김은옥, 홍성광 등. 이명의 유병기간과 동반 청력손실이 인지행동치료에 미치는 효과. 대한이비인후과학회지(한이인지) 2014;57;596-602.
5. Al-Mana D, Ceranic B, Djahanbakhch O, et al. Hormones and the auditory system: a review of physiology and pathophysiology. Neuroscience 2008;153:881-900.
6. Bae SC, Kim DK, Yeo SW, et al. Single-center 10-year experience in treating patients with vascular tinnitus: Diagnostic approaches and treatment outcomes. Clin Exp Othorhinolaryngol 2015:8:7-12.
7. Bast F, Mazurek B, Schrom T. Effect of stapedotomy on pre-operative tinnitus and its psychosomatic burden. Auris Nasus Larynx 2013;40:530-533.
8. Berkiten G, Kumral TL, Yildirim G, et al. Effects of serum zinc level on tinnitus. Am J Otolaryngol 2015;36:230-234.
9. Bo LD, Ambrosetti U. Hearing aids for the treatment of tinnitus. Prog Brain res 2007;166:341-345.
10. Choi HK, Park KH, Seo JH, et al. Clinical and audiologic characteristics of acute low-tone sensoeineural hearing loss: therapeutic response and prognosis. Korean J Audiol 2011;15:8-13.
11. Coelho C, Figueiredo R, Frank E, et al. Reduction of tinnitus severity by the centrally acting muscle relaxant cyclobenzaprine: an open-label pilot study. Audiol Neurootol 2012;17:179-188.
12. De Ridder D, De Mulder G, VerstraetenE, Seidman M, Elisevich K. Auditory cortex stimulation for tinnitus. Acta Neurochirurgica. Supplement 2007;97:451-462.
13. De Ridder D, Vanneste S, Adriaenssens I, Lee AP, Plazier M, Menovsky T, et al. Mocrovascular decompression for tinnitus: significant improvement for tinnitus intensity without improvement for distress. A 4-year limit. Neurosurgery 2010;66(4):656-660.
14. Dodson KM, Sismanis A. Intratympanic perfusion for the treatment of tinnitus. Otolaryngol Clin North Am 2004;37:991-1000.
15. Elgoyhen AB, Langguth B. Pharmacological approaches to tinnitus treatment. In: Moller AR, Langguth B, DeRidder D, et al, editors. Textbook of tinnitus. New York: Spinger Year Book;2011. p.625-638.
16. Hilton MP, Zimmermann EF, Hunt WT. Ginkgo biloba for tinnitus. Cochrane Database Syst Rev 2013;3:CD003852.
17. Jastreboff PF. Phantom auditory perception (tinnitus):mechanisms of genereation. Neurosci Res 1990;8:221-254.
18. Jastreboff PJ, Hazell JWP. Tinnitus retraining therapy: Implementing the neurophysiological model. 2004. New York: Cambridge University Press.
19. Johnson RM, Brummett R, Schleuning A. Use of alprazolam for relief of tinnitus. A double-blind study.Arch Otolaryngol Head Neck Surg 1993;119:842-845.
20. Khedr EM, Rothwell JC, Ahmed MA, et al. Effect of daily repetitive transcranial magnetic stimulation for treatment of tinnitus: comparison of different stimulus frequencies. J Neurol Neurosurg Psychiatry 2008;79:212-215.
21. Kim CS, Kim SY, Choi H, et al. Transmastoid reshaping of the sigmoid sinus: preliminary study of a novel surgical method to quiet pulsatile tinnitus of an unrecognized vascular origin. J Neurosur 2016;8:1-9.
22. Kim DK, Moon IS, Lim HJ, et al. Prospective, multicenter study on tinnitus change after cochlear implantation. Audiol Neurotol 2016, In

Press.

23. Kim DK, Park SN, Kim MJ, et al. Tinnitus in patients with chronic otitis media before and after middle ear surgery. Eur Arch Otorhinolaryngol. 2011 Oct;268(10):1443-1448.
24. Lee GH, Bae SC, Jin SK, et al. Middle ear myoclonus associated with forced eyelid closure in children: Diagnosis and treatment outcome. Laryngoscope 2012;122:2071-2075.
25. Levine RA, Nam EC, Oron Y, et al. Evidence for a tinnitus subgroup responsive to somatosensory based treatment modalities. Prog Brain Res 2007;166:195-207.
26. Levine RA. Typewriter tinnitus: a carbamazepine-responsive syndrome related to auditory nerve vascular compression. ORL J Otorhinolaryngol Relat Spec 2006:68:43-46.
27. Lopez-Gonzalez MA, Santiago AM, Esteban-Ortega F. Sulpiride and melatonin decrease tinnitus perception modulating the auditolimbic dopaminergic pathway. J Otolaryngol 2007;36:213-219.
28. Menkes DB, Larson PM. Sodium valproate for tinnitus. J Neurol Neurosurg Psychiatry 1998;65:803.
29. Mirz F, Zachariae R, Andersen SE, Nielsen AG, Johansen LV, Bjerring P, Pedersen CB. The low-power laser in the treatment of tinnitus. Clin Otolaryngol Allied Sci 1999;24(4):346-354.
30. Oh SJ, Lee IW, Goh EK, et al. Trans-tympanic catheter insertion for treatment of patulous eustachian tube. Am J Otolaryngol 2015;36:748-752.
31. Park SN, Park KH, Kim DK et al. A case of palatal myoclonus associated with orofacial buccal dystonia. Clin Exp Otorhinolaryngol 2012;5:44-48.
32. Park SN, Bae SC, Lee GH, Song JN, Park KH, Jeon EJ, et al. Clinical characteristics and therapeutic response of objective tinnitus due to middle ear myoclonus: A large case series. Laryngoscope 2013; 123:2516-2520.
33. Penney SE, Bruce IA, Saeed SR. Botulinum toxin is effective and safe for palatal tremor: a report of five cases and a review of the literature. J Neurol 2006; 253:857-860.
34. Podoshin L, Ben-David Y, Fradis M, et al. Idiopathic subjective tinnitus treated by amitriptyline hydrochloride/biofeedback. International Tinnitus Journal 1995;1:54-60.
35. Poe DS. Diagnosis and management of the patulous eustachian tube. Otol Neurotol 2007; 28(5):668-677.
36. Ralli M, Troiani D, Podda MV, et al. The effect of the NMDA channel blocker memantine on salicylate-induced tinnitus in rats. Acta Otorhinolaryngol Ital 2014;34:198-204.
37. Seo YJ, Kim HJ, Moon IS, et al. Changes in tinnitus after middle ear implant surgery: comparisons with the cochlear implant. Ear Hear 2015;36:705-709.
38. Sharma DK, Kaur S, Singh J, et al. Role of acamprosate in sensorineural tinnitus. Indian J Pharmacol 2012;44:93-96.
39. Shi Y, Bruchiel K, Anderson V, Martin W. Deep brain stimulation effects in patients with tinnitus. Otolaryngol Head Neck Surg 2009; 141:285-287.
40. Smith PF, Zheng Y, Darlington CL. Revisiting baclofen for the treatment of severe chronic tinnitus. Front Neurol 2012;3:34.
41. Smith PF, Zheng Y, Darlington CL. Ginkgo biloba extracts for tinnitus: More hype than hope? J Ethnopharmacol 2005;100:95-99.
42. Stidham KR, Solomon PH, Roberson JB. Evaluation of botulinum toxin A in treatment of tinnitus. Otolaryngol Head Neck Surg 2005;132:883-889.
43. Suckfüell M, Althaus M, Ellers-Lenz B, et al. A randomized, double-blind, placebo-controlled clinical trial to evaluate the efficacy and safety of neramexane in patients with moderate to severe subjective tinnitus. BMC Ear Nose Throat Disord 2011;11:1.
44. Sullivan M, Katon W, Russo J, et al. A randomized trial of nortriptyline for severe chronic tinnitus. Archives of Internal Medicine 1993;153:2251-2259.
45. Sziklai I, Szilvassy J, Szilvassy Z. Tinnitus control by dopamine agonist pramipexole in presbycusis patients: a randomized, placebo-controlled, double-blind study. Laryngoscope 2011;121:888-893.
46. Tauber S, Schorn K, Beyer W, Baumgartener R. Transmatal cochlear laser (TCL) treatment of cochlear dysfunction: a feasibility study for chronic tinnitus. Lasers Med Sci 2003;18(3):154-161.
47. Trellakis S, Lautermann J, Lehnerdt G. Lidocaine: neurobiological targets and effects on the auditory system. Prog Brain Res 2007;166:303-322.
48. Trotter MI, Donaldson I. Hearing aids and tinnitus therapy: a 25-year experience. J Laryngol Otol 2008;122(10):1052-1056.
49. Zheng Y, Vagal S, McNamara E, et al. A dose-response analysis of the effects of L-baclofen on chronic tinnitus caused by acoustic trauma in rats. Neuropharmacology 2012;62:940-946.
50. Zöger S, Svedlund J, Holgers KM. The effects of sertraline on severe tinnitus suffering - a randomized, double-blind, placebo-controlled study. Journal of Clinical Psychopharmacology 2006;26:32-39.

안면신경 질환_ 안면신경의 해부 및 평가

이비인후과학 Otorhinolaryngology - Head and Neck Surgery

변재용

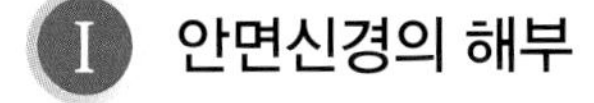

I 안면신경의 해부

1. 안면신경의 발생

안면신경은 태생 최초 3개월 이내에 제2 새궁에서 발생하며, 분지되게 된다. 안면신경의 기원은 안면청성원기(facioacoustic primordiom)의 세포들이 모여 태생 3주에 이루어지며 청신경과 함께 발생하게 된다(그림 55-1). 태생 5주경 고삭신경의 분지가 기시하며, 태생 6주에는 측두골 내에서 슬신경절의 원위부가 형성되고, 이복근의 후복(posterior belly of digastric muscle)으로 가는 신경 분지가 발생한다. 태생 7주가 되면 고삭신경의 분지는 설신경(lingual nerve)과 연결되게 되며, 이 시기에 대천추체 신경(greater superficial petrosal nerve)과 후이개신경(posterior auricular nerve)도 함께 발생한다. 태생 8주경 막성 미로(membranous labyrinth) 주변에 안면신경이 나타나게 된다. 또한 측두골외로 안면신경의 두협골가지(temporozygomatic branch)와 경부 안면가지(cervicofacial branch)로 나누어지게 된다.

출생 시 안면신경은 측두골 외측의 피부 바로 하층에 있어 손상받기 쉽다. 이는 신생아 시에는 유양돌기(mastoid process)의 발달이 이루어지지 않고 고실륜(tympanic ring)도 좁기 때문에 안면신경이 충분히 보호받지 못하기 때문이다. 생후 2~4세가 되면 고실륜이 점차 커지고 유양돌기가 형성되어 감에 따라 점차 측두골의 내측에 위치하게 되며, 안면신경의 운동섬유는 출생후부터 4세 사이에 점차 수초형성(myelination)이 되어 신경의 신호전달이 빨라지고 수초형성된 섬유의 비율이 늘어난다. 그러나 40세 이후에는 각 신경당 수초형성 된 섬유의 수가 점차 감소하게 되어 어린 소아에서의 신경재생(nerve regeneration)의 속도가 장년층에 비해 빠르다.

2. 안면신경의 해부

안면신경은 운동 및 감각 기능을 동시에 하는 혼합신경으로 운동신경은 얼굴 및 경부의 근육의 움직임을 담

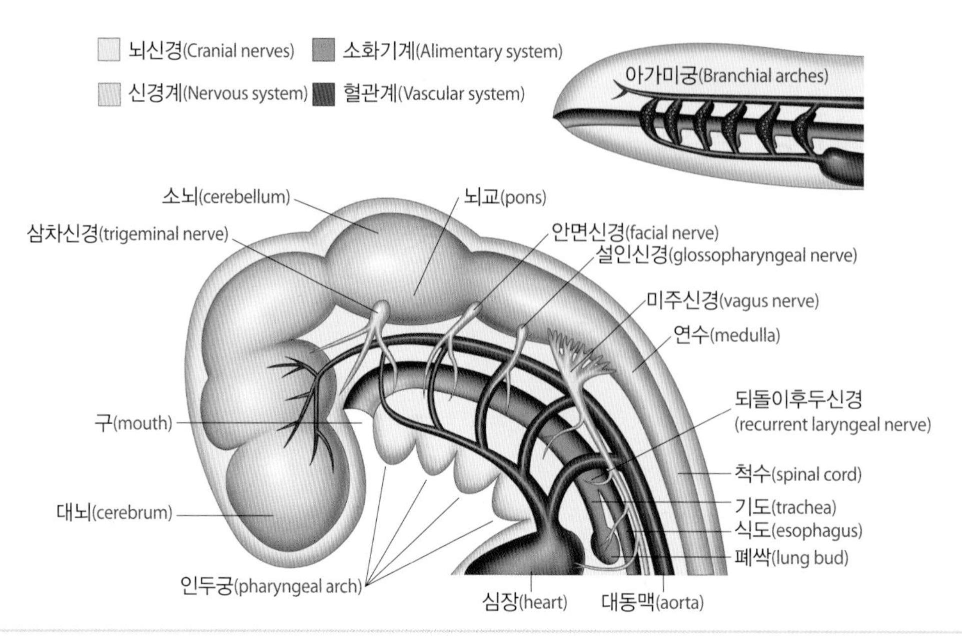

■ 그림 55-1. **둘째아가미궁(2nd branchial arch)으로부터 안면신경의 기원**

당하고, 누선(lacrimal gland)과 타액선(salivary gland)의 분비 등을 담당하는 부교감 신경 성분도 포함하고 있다. 또한 혀의 앞쪽 2/3의 미각을 인지하는 특수 감각 신경과 이개(auricle), 외이도 후벽, 이수(ear lobe)와 안면 연조직의 심부 지각을 담당하는 일반 감각신경으로 구성되는 혼합 신경이다. 결과적으로 안면신경은 원심성 신경 두 가지와 구심성 신경 두 가지로 구성되며, 네 가지 기능을 함께 지닌다(그림 55-2). 안면신경은 운동신경인 특수내장원심성분(special visceral efferent component), 누선 및 타액선 분비와 관련된 부교감 신경 성분인 일반내장원심성분(general visceral efferent component), 미각과 관련된 내장구심성분(Special visceral Afferent component), 이개 등의 감각을 담당하는 일반체구심성분(general somatic afferent component)의 네 가지 성분으로 구성되며, 특수내장원심성분은 내측의 큰 운동근에서, 나머지 성분은 모두 중간신경에서 기원한다.

그 중 안면신경의 특수내장원심성분은 안면신경의 대부분을 구성하며, 뇌교(pons)의 안면신경핵(facial motor nucleus)에서 기원하여, 운동근(motor root)을 형성하고, 둘째아가미궁(second branchial arch)에서 기원된 안면과 경부의 표정근(muscles of expression)과 등골근(stapedius muscle), 경상설골근(stylohyoid muscle), 이복근의 후복(posterior belly of digastric muscle)을 지배하게 된다.

안면신경은 운동핵을 기준으로 상부와 하부로 나눌 수 있는데, 운동핵의 상부는 뇌교(pons)에서 교차섬유와 비교차 섬유를 받아 안면의 양측을 지배하게 되며, 운동핵의 상부 신경섬유는 후두전두근(occipitofrontal muscle), 상부 안륜근(upper part of orbicularis oculi muscle), 추미근(눈썹주름근, corrugator supercilli muscle)의 신경 지배를 담당한다. 운동핵 하부의 신경섬유는 반대쪽 대뇌피질에서만 신경지배를 받으며 그 외의 안면근육, 협근, 경돌설골근, 이복근의 후복 그리고 광경근(platysma muscle) 등을 담당한다. 따라서 운동핵 일측의 상부 병변의 경우 상부 안면은 양측의 지배를 받기 때문에 주로 얼굴 아래쪽 입주위의 표정근에 마비가 나타나고 얼굴의 상부 안면근인 이마나 눈둘레의 표정근에는 마비가 나타나지 않으며, 미각, 타액 분비, 눈물 분비에는

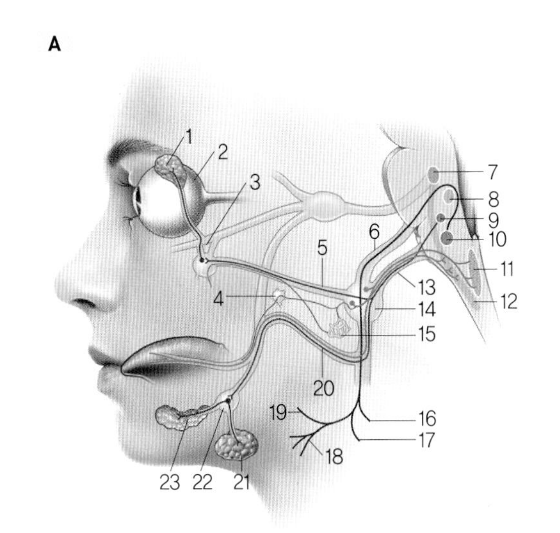

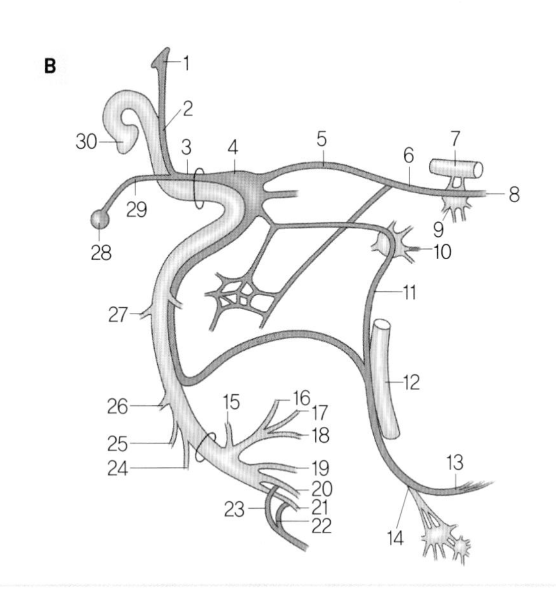

■ 그림 55-2. **안면신경의 구성 및 주행 경로.** **A)** 1: 누선(Lacrimal gland), 2: 협골측두 신경(Zygomaticotemporal nerve), 3: 접형구개신경절(Sphenopalatine ganglion), 4: 이신경절(Otic ganglion), 5: 대천추체신경(Greater superficial petrosal nerve), 6: 안면신경의 운동뿌리(Motor root of facial nerve), 7: 제5번뇌신경의 운동핵(Motor nuc. of nerve V), 8: 제6번뇌신경의 핵(Nuc. of nerve VI), 9: 상타액핵(Sup. salivatory nuc.), 10: 제7번뇌신경의 운동핵(Motor nuc. of nerve VII), 11: 고속핵다발(Nuc. fasc solitarius), 12: 제5번뇌신경의 하강뿌리 핵(Nuc. of descending root of nerve V), 13: 중간신경(Nervus intermedius), 14: 슬신경절(Geniculate ganglion), 15: 고실신경총(Tympanic plexus), 16: 이복분지(Digastric branch), 17: 경돌설골 분지(Stylohyoid branch), 18: 목얼굴 분지(Cervicofacial div.), 19: 측두안면분지(Temporofacial div.), 20: 고삭신경(Chorda tympani), 21: 턱밑샘(Submaxillary gland), 22: 턱밑샘 신경절(Submaxillary ganglion), 23: 혀밑샘(Sublingual gland) **B)** 1: 고속핵(Nucleus Salivatorius Superior), 2: 중간신경의 원심성분지(Efferent division of N. intermedius), 3: 중간신경(N. intermedius), 4: 중간신경(Geniculate Ganglion), 5: 대천추체(Large Superficial Petrosal), 6: 익돌관신경(Vidian N.), 7: 상부상악신경(Superior Maxillary N.), 8: 누선으로가는 원심섬유(Efferent fibers to Lacrimal Gland), 9: 접형구개신경절(Sphenopalatine Ganglion), 10: 이신경절(Otic Ganglion), 11: 교통분지(Communicating Branch), 12: 설신경(Lingual N.), 13: 구심성 섬유(Afferent (taste) Fibers), 14: 턱밑샘, 혀밑샘으로 가는 원심성섬유(Efferent (excito-glandular) fibers to submaxillary and sublingual ganglion and glands), 15: 전이개분지(Pre Auricular Branch), 16: 측두분지(Temporal), 17: 운동분지(Motor), 18: 안와하(Infraorbital), 19: 협분지(Buccal), 20: 하악분지(Mandibular), 21: 경부분지(Cervical), 22: 경횡(Transverse Cervical), 23: 대이개(Greater Auricular), 24: 경돌기설골방향(To Stylohyoid), 25: 이복 방향(To digastric), 26: 후이개분지(Post Auricular Branch), 27: 미주신경의 이개분지(To Auricular Branch of Vagus N. (Arnold's N)), 28: 고속핵(Nucleus of Tractus Solitarius), 29: 중간신경의 구심성분지(Afferent division of N. intermedius), 30: 안면신경핵(Nucleus of Facial N.)

이상이 없다. 반대로 일측 운동핵 하부 병변의 경우는 병변측의 얼굴의 상부와 하부의 안면근에서 마비가 전체적으로 발생하게 된다(그림 55-3).

둘째로, 일반내장원심성분은 이하선을 제외한 얼굴 대부분의 타액선에 분포하는 교감신경절이전섬유(parasympathetic preganglionic fiber)로 상타액핵(superior salivatory nucleus)에서 기시한다. 일부 축삭은 대추체신경(greater petrosal nerve)을 거쳐 익구개신경절(pterygopalatine ganglion)의 신경절이후신경원(post-ganglionic neuron)과 시냅스한 후 누선과 비강선(nasal gland), 구개선(palatine gland)에 분포하며, 일부 축삭은 고삭신경(chorda tympani nerve)을 거쳐 악하신경절(submandibular ganglion)의 신경절 이후 신경원과 시냅스를 이룬 후 악하선(submandibular gland)과 설하선(sublingual gland) 및 구강저(mouth floor)에 있는 소타액선에 분포한다.

셋째로, 미각(taste)을 전달하는 일차신경원인 특수내장구심성성분은 혀의 앞쪽 2/3의 미각을 담당한다. 혀에

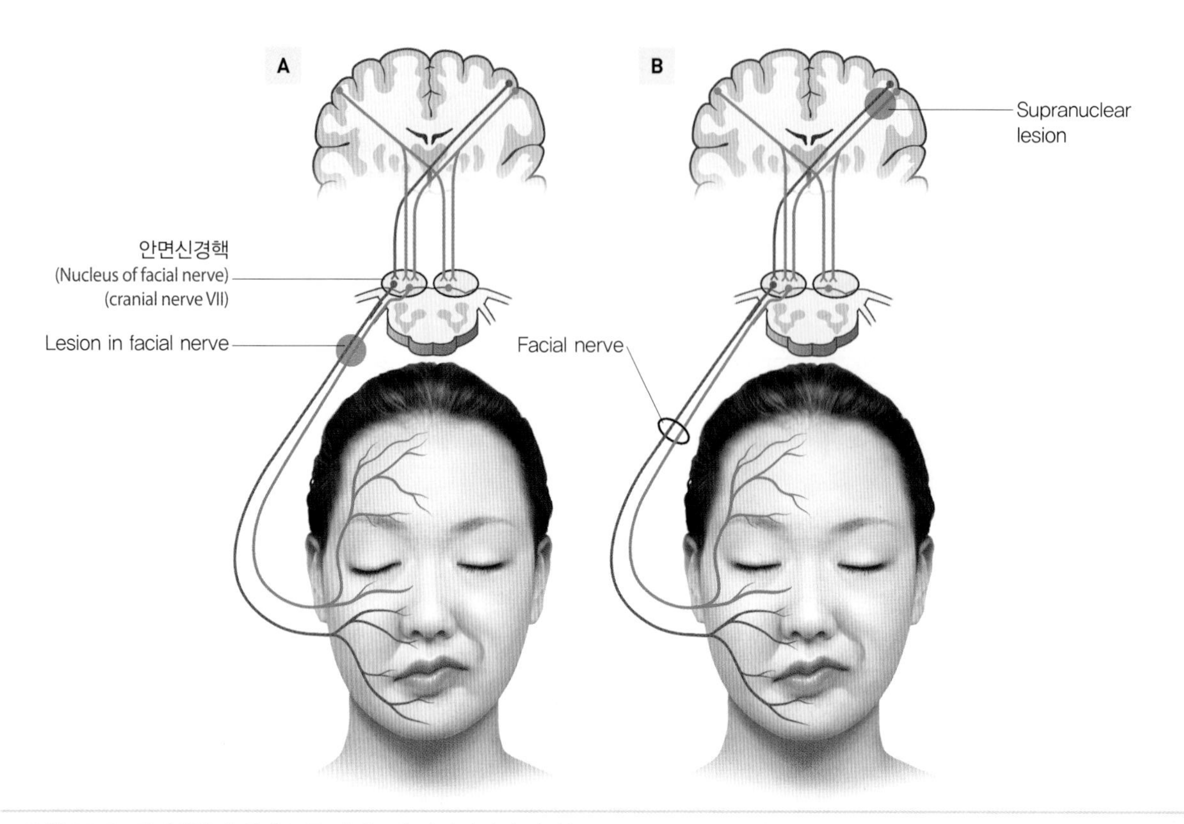

■ 그림 55-3. **안면신경과 안면 근육 마비.** **A)** 안면신경의 병변(Facial nerve lesion (Bell's palsy)), **B)** 핵 상부의 병변(Supranuclear lesion)

있는 맛봉오리(taste bud)를 통하여 신경 자극이 이루어지면, 고삭신경(chorda tympani nerve)을 거쳐 슬신경절(geniculate ganglion)에 이르게 된다. 이후 중심가지는 뇌간으로 들어간 후 고립로를 통해 연수의 고립로핵(solitary tract nucleus)의 상부 미각핵(gustatory nucleus)으로 연결된다.

마지막으로, 일반체구심성분은 특수내장구심성분과 같이 슬신경절(geniculate ganglion)에서 미주신경의 귓바퀴가지와 이어져 이개와 외이도에 분포하여 감각을 담당하며, 이는 미주신경, 설인신경의 말초가지와 서로 이어져 있기 때문에 분포하는 영역도 같다. 중심가지는 삼차신경척수핵(spinal nucleus of trigeminal nerve)과 주감각핵(main sensory nucleus)으로 최종적으로 도달된다.

3. 안면신경의 주행

안면신경은 뇌교와 연수 사이에서 나와 운동근과 중간신경이 함께 하나의 신경을 이루고, 전정와우신경과 함께 내이도를 지난다. 이후 내이도 기저부에서 분리되어 안면신경만이 안면신경관(facial canal)으로 들어간다. 안면신경관의 첫 부분은 외측으로 향해 있으며 와우(cochlea)와 반고리관 사이에 위치한다. 고실(tympanic cavity) 근처에서 안면신경은 뒤쪽으로 크게 굽어지며 고실의 내측벽을 따라 주행한다. 안면신경슬(geniculum of facial nerve)은 안면신경관 내에서 안면신경이 굽어지는 곳으로 슬신경절이 위치해 있다. 안면신경슬 이후에서 안면신경은 다시 아래쪽으로 휘어지며 등골근(stapedius muscle)으로 가는 가지와 고삭신경, 미주신경의 이개분지와 이어지는 교통가지를 낸 후 경상유돌공(stylomastoid fora-

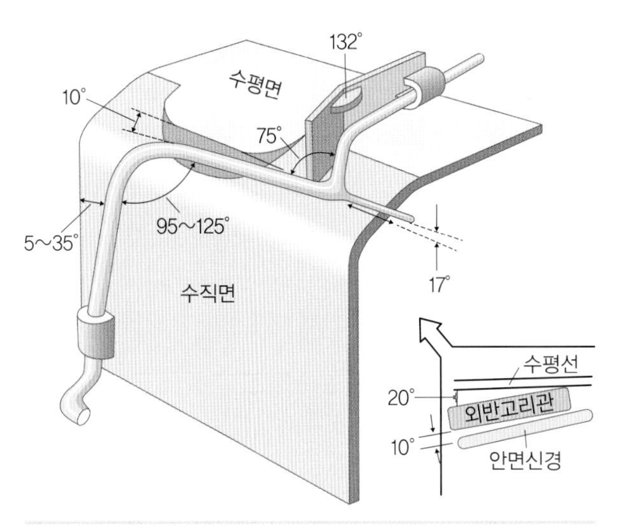

■ 그림 55-4. **안면신경의 분절**

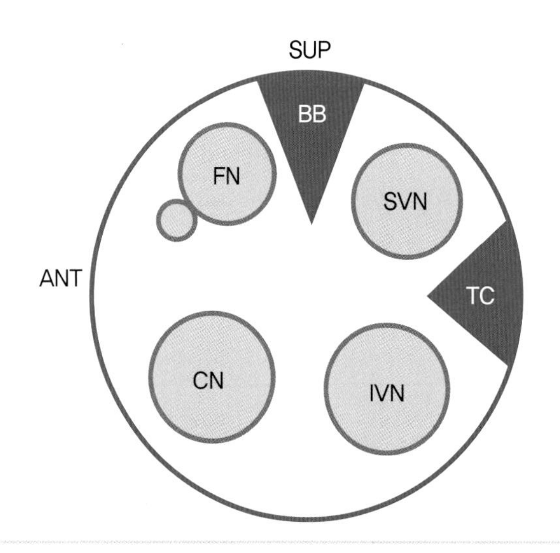

■ 그림 55-5. **안면신경의 내이도 분절과 주변 구조.** BB: 빌스바, TC: 가로능선, falciform crest(낫형능선), FN: 안면신경 (중간신경 같이 보임), SVN: 상전정신경, IVN: 하전정신경, CN: 와우신경

men)을 통해 측두골 밖으로 나온다. 안면신경 주행은 위치에 따라 6분절로 구분할 수 있으며, 두개 내 분절(intracranial segment), 미로분절(labyrinthine segment), 고실 또는 수평분절(tympanic, horizontal segment), 유돌 또는 수직 분절(mastoid, vertical segment), 측두골외 분절(extratemporal segment)으로 나눌 수 있다(그림 55-4).

1) 두개 내 분절(Intracranial segment)

두개 내 분절은 뇌교(pons)의 아래, 외전 신경(abducens nerve)의 외측, 전정와우신경의 내측에서 기시하며, 이는 중간 신경 다발로 합쳐져 소뇌교각(cerebellopontine angle)을 통하여, 내이도(internal acoustic meatus)로 들어가게 된다. 즉 두개 내 분절은 뇌간에서 내이공(porus of internal auditory canal)까지로 길이는 15~17 mm이다.

2) 내이도 분절(Meatal segment)

내이도 분절은 내이공에서 도내공(meatal foramen)까지 8~10 mm이고 내이도내에서 안면신경은 청신경의 상전방에 위치한다. 즉 falciform crest 위쪽, Bill's bar의 전방에 위치하게 된다(그림 55-5).

3) 미로 분절(Labyrinthine segment)

미로 분절은 슬신경절에서 첫 번째 분지인 대천추체신경을 분지하며, 이는 대천추체신경관(hiatus of greater superficial petrosal nerve)을 통하여 중두개와(middle cranial fossa)로 다시 들어가 파열공(foramen lacerum) 부위에 이르러 교감신경인 심추체 신경(deep petrosal nerve)과 함께 익돌관신경(vidian nerve, nerve of pterygoid canal)을 형성하여 익구개신경절(sphenopalatine ganglion)과 접합한다. 미로분절은 도내공에서 슬신경절까지로 길이는 3~5 mm이며, 전체 안면신경관중 골관의 면적이 가장 작은 부위이며, 혈관성 허혈시 가장 쉽게 손상 받을 수 있는 부분이다.

4) 고실분절(Tympanic, horizontal segment)

고실분절은 8~11 mm의 길이로 슬신경절에서 후방으로 진행하는데 40~80°의 각도를 형성한다. 중이 내의 내측 벽에서 외측 반고리관의 하방에 위치하며, cochleariform process, tensor tympani, 난원창(oval window)의 후방으로 주행하여, 말단에서 추체융기(pyramidal eminence)로 이어진 후 외슬(second genu)을 형성하여, 수직방향의 유돌 분지로 이어진다. 이 부위의 골벽, 특히 전하부는 결손된 경우가 20~50%에 달해 중이 수술 시에 손상되기 쉽다. 고실분절에는 분지되는 신경은 존재하지 않는다.

5) 유양 분절(Mastoid, vertical segment)

유돌 또는 수직 분절은 추체융기부터 경유돌공까지이며, 길이는 10~14 mm이다. 섬유속이 배열되는 부위이고 3가지의 신경이 분지된다. 그것은 등골신경, 고삭신경이며, 외이도의 후방의 통증을 감지하는 안면신경의 감각이개 분지(sensory auricular branch)이다. 등골신경은 유돌분절 시작부위에 있는 소공을 통하여 등골근에 이르며 고삭신경은 등골신경 분지부의 1~2 mm 하방 혹은 경유돌공의 5~6 mm 상방에서 분지되어 추체융기와 고실륜 사이의 후고삭로(iter chordae posterius)를 통하여 고실로 들어와 추골의 경부 부위에서 추골과 침골 사이를 지나 전장으로 2주행하여 Huguier관 canal of Huguier을 통해 고실 밖으로 나와 내익돌근(medial pterygoid muscle)과 외익돌근(lateral pterygoid muscle) 사이에서 설신경과 합쳐져 혀의 전방 2/3의 미각, 악하선 및 설하선에 분포한다.

6) 측두골 외 분절(Extratemporal segment)

측두골 외 분절은 경유돌공 이후부터의 안면신경을 의미하며, 측두골 외에서 가장 먼저 분지하는 감각신경은 후이개분지(posterior auricular nranch)로 외이도 및 고막의 감각을 담당한다. 이후, 후이개근, 이복근의 후복과 경설골근(stylohyoid muscle)에 운동신경 섬유를 분지하고 전하방으로 주행하여 이복근의 후복이 위치하는 부위에서 이하선의 후면으로 들어간다. 이하선 내에서 안면신경은 상부의 측두협골 분지(temporozygomatic branch)와 하부의 경부안면 분지(cervicofacial branch)로 나뉘며, 이는 이하선의 전방 경계에서 5개의 분지를 내며, 각각의 가지는 거위발(goose foot, pes anserius)이라는 다양한 문합으로 연결되어 있다. 6개의 분지는 측두분지(temporal branch), 협골 분지(zygomatic branch), 협부 분지(buccal branch), 하악 분지(marginal mandibular branch), 경부 분지(cervical branch)로서 안면과 경부에 있는 표정근에 분포한다. 그 중 협골 분지는 협골궁(zygomatic arch) 위에서 superficial musculoaponeurotic system, SMAS와 함께 주행하기 때문에 수술 시 손상의 위험성을 가지고 있으므로, 협골궁 골절 정복 시 안면신경의 손상을 줄이기 위해서는 SMAS보다 깊게 접근해야 한다. 또한 하악 분지의 80%는 하악의 하부를 따라 주행하나, 20%의 경우에서는 하악의 아래 경계의 최대 2 cm 아래로 주행하므로, 악하선 주변의 수술 시 손상의 위험성을 가지고 있다. 만약 하악 분지에 손상으로 하악 분지의 지배를 받는 하순하제근(depressor labii inferioris muscle), 구각하제근(depressor anguli oris muscle), 이근(mentalis muscle)의 마비를 가져올 수 있다.

4. 측두골내 수술 시 안면신경의 Landmark

중이수술 중 안면신경 확인에 도움이 되는 해부학적 구조는 유양동과 중이 내에서 침골소돌기(short process of the incus), 와우각상돌기, 외반고리관, 후반고리, 고실유돌열의 내측면, 이복근 융성(digastric ridge) 등이다. 안면신경의 외슬(second genu) 부위는 침골 소돌기의 직후하방에 위치하고 외반고리관의 직하방에 위치한다. 안면신경관의 고실분절의 경우 선천적으로 골벽의 결손이 있어 수술 시 손상받기 쉬운 부위이며, 진주종에 의한 골벽 결손은 외슬(second genu)의 근위부에서 흔하다. 이는 근처에 좁아지는 유돌동구(aditus ad antrum)으로 인하여, 진주종의 진행이 천장(attic)의 후방으로 이루어

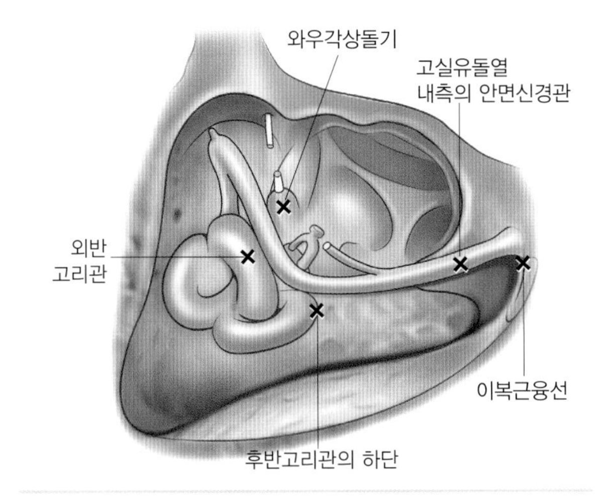

■ 그림 55-6. **안면신경의 고실과 유양분절의 수술지표**

지기 때문이다(그림 55-6).

경미로접근법(translabyrinthine approach)으로 청신경종양을 수술하는 경우 안면신경의 미로분절은 반고리관을 제거한 다음에 확인할 수 있다. 보통 상반고리관, 후반고리관의 팽대부와 정맥동경막각 사이의 선은 내이도의 상,하의 경계가 되므로 내이도 노출 직전까지 남겨두고 지표로 사용하는데, 안면신경 미로분절은 상반고리관의 팽대부의 전상방에서 확인할 수 있다. 슬신경절은 고실분절을 따라가면 와우각상돌기와 고막장근(tensor tympani muscle)의 상부에서 확인할 수 있다.

내이 구조물의 손상 없이 경막의 외측에서 내이도와 주위 구조물을 노출하는 술식인 중두개와접근법(middle cranial fossa approch)은 우선 경막을 들고 중두개와를 노출시키면 중경막동맥을 먼저 확인할 수 있고, 내측에서 대천추체신경을 확인할 수 있다. 대천추체신경을 확인하고 후방으로 가서 슬신경절을 찾고 내이도의 외측에서 와우와 상반고리관 사이를 지나는 미로분절을 찾는다. 내이도는 대개 안면열공 또는 대천추체 신경과 궁상융기(arcuate eminence)가 만나는 각을 이등분하는 선의 내측에 위치하며, 중두개저에서 내이도를 찾는 방법은 Garcia Ibanez 방법, House 방법 등 여러 가지가 있다.[3,16,18,28,34]

5. 안면신경의 혈액 공급

안면신경은 각 분절마다 혈행 공급이 다르며, 유돌분절은 외경동맥의 분지인 경유돌동맥(stylomastoid artery)이 유돌공을 통하여 들어와 혈액을 공급받으며, 중경막 동맥(middle meningeal artery)의 분지인 천추체동맥(superficial petrosal artery)은 고실 분절의 혈액 공급을 담당하게 된다. 두개 내 분절에는 전하소뇌동맥(anterior inferior cerebellar artery)의 분지인 미로동맥(labyrinthine artery)이 분포한다. 안면신경에 분포하는 혈관들은 신경외막(epineurium) 밖에 있어 신경 외부에서 혈관체계를 형성하며 이를 통해 신경 내부에 존재하는 혈관과 연결된다. 하지만 내이도에서 미로분지로 이행하는 도내공(meatal foramen)은 가장 좁고, 신경외막이 존재하지 않고, 공급하는 혈류가 적어 가장 손상받기 쉬운 부위이다.[7,26]

II 신경 손상 후 변성과 재생

1. 신경변성

신경원의 세포체가 파괴될 정도의 손상을 입으면 그 신경원은 더 이상 생존할 수 없다. 그렇지만 축삭의 일부가 절단된 경우 신경원은 이 축삭을 재생시킬 수 있으며, 적절한 조건하에서는 이 세포가 시냅스하고 있던 다른 세포와 다시 시냅스가 이루어질 수도 있어 완전한 기능의 회복이 올 수도 있다. 특히 말초신경섬유(peripheral nerve fibers)는 세포체의 손상이 없는 경우에는 재생(regeneration)될 수 있다. 신경손상 후 신경섬유의 변화는 손상 정도에 따라 다르며, 신경 1단계 손상(neuropraxia)과 같이 경미한 손상인 경우에는 국소적인 탈수초형성(demyelination)과 재수초형성(remyelination) 과정을 거치게 되나, 손상이 심한 경우에는 축삭의 변성(degeneration)과 재생(regeneration)이 일어나게 된다.

축삭(axon)절단이 있는 경우 신경은 세포체에 연결된 근위부와 하부의 원위부 두 방향으로 degenerative change가 일어나며, 이 두 부위는 절단부에서부터 서로 반대 방향으로 변성이 진행되며 축삭을 따라 운반된 물질이 축적되어 두 절단면에서 종창이 발생한다.[1,5,17,19,27]

1) 세포체 변화

신경손상 후 세포체 내의 변화를 세포체의 퇴행성 반응이라 한다. 대개 24시간 이내에 시작되며 10~21일에 완성된다. 세포체 내의 대사 증가로 세포체의 크기가 커지고 핵도 주변부로 치우치게 되며, 소포체(endoplasmic reticulum)도 역시 핵과 함께 이동한다. 이는 정상적인 축삭 종말로 보내던 단백질 대신 재생을 위한 물질의 전달이 필요하게 됨에 따른 변화라고 생각할 수 있다.

2) 근위부 변화

축삭이 절단되면, 변성이 말초부터 근위부로 진행하여 세포체의 변화를 일으키는데, 이를 역행성 변성(Retrograde degeneration)이라고 한다. 일단 축삭이 절단되면 세포체에서 합성되는 세포골격(cytoskeleton) 성분이 신경말단으로 이동하게 되는데, 이로 인하여, 근위부에서의 두 절단연의 종창이 더욱 현저하게 나타나게 된다. 신경손상 후 3일 이내에 근위부 절단부가 커지기 시작하며 말단 종창부의 끝에서 축삭발아(axon sprout)가 일어난다. 축삭의 성장 속도는 하루에 약 1 mm 정도이다. 근위부 절단연은 대개 손상부위 상부 첫 Ranvier 결절까지 국한되어 역행성 변성이 일어난다. 또한 축삭의 직경도 감소하게 되는데, 안면신경이 손상된 지 2주 후에는 축삭의 직경이 40% 정도로 줄어든다.

3) 원위부 변화

축삭이 절단되면 원위부에 해당하는 축삭 종말 쪽은 퇴행성 변화를 보이게 되는데, 이를 '왈러변성(Wallerian degeneration)'이라고 한다. 왈러변성은 축삭과 수초막(myelin sheath)의 변성과 Schwann 세포의 팽창으로 인해 수초가 파괴되는 과정이며, 이는 손상 후 24시간 이내에 일어난다. 손상된 신경의 원위부에서는 축삭의 부종이 나타나고, 3~5일 후에는 여러 개의 작은 조직파편들이 발생한다. 이러한 축삭과 수초의 조직파편들은 대식세포(macrophage)와 슈반세포에 의해 포식되며, 신경손상 후 12~14일 내에 제거되나 일부는 약 3개월까지 지속된다. 축삭이 끊어지면, 전기적 흥분성(electrical excitability) 역시 저하되다가 신경손상 후 약 2~3일 후면 사라지게 된다.

2. 신경재생

신경손상의 재생 과정에서 경우에 따라 급성의 심한 손상은 축삭의 변성 후 재생이 일어나는 과정을 거치며, 만성 압박성 손상의 경우에는 축삭의 변성과 재생이 동시에 유발된다. 절단된 신경섬유로부터 신경내막 섬유모세포(endoneurial fibroblast)와 Schwann세포가 증식하고 이동하여 손상 부위를 연결하는 골격이 형성된다. Schwann 세포의 기둥인 Bungner 띠(band)가 하부의 신경내초(endoneurial sheath)를 채워 내려가면서 축삭이 자라기 위한 통로를 형성한다. 또한 세포체의 대사 변화로 인하여 RNA, 효소 및 단백질 형성이 증가하여 축삭의 재생능력이 생기게 된다. 축삭이 재생이 되지 않으면, Bunger 띠는 수축하게 되고, Schwann 세포도 줄어들며, 손상 부위는 결국 결체조직에 의해 채워지게 된다.

축삭의 절단면에는 손상 후 수 시간 내에 축삭형질(axoplasm)과 신경세사(neurofilament)들에 의하여 종창이 일어나고 4일이 지나면 손상 부위의 상부 말단 종창부에서 많은 축삭발아들이 손상 원위부 쪽으로 자라나온다. 이때 손상 부위의 상태가 신생 축삭들의 재생 방향을 결정하게 된다.

신경재생 시 잘못된 신경 재생은 반흔신경종(scarneuroma)의 형성이나 동조운동(synkinesis) 등을 유발한다. 보통 Sunderland에 의한 신경 손상 2단계인 축삭절단증(axonotmesis)에서는 축삭 발아가 원래의 신경내세관(endoneurial tubule)을 따라 자라므로 기능이 완전히 회복된다. 하지만 손상의 정도가 증가할수록 기질화된 섬유조직이 많아져 축삭발아를 통한 신경 재생이 억제되며, 수초를 형성하는 재생섬유는 반흔신경종을 형성한다.

또한 신경재생 시 신경 내 세관으로 잘못 들어간 축삭에 의해 동조운동이 나타날 수 있다. 이는 신경재생 시 축삭발아는 원래의 세관이 아닌 다른 세관으로 들어갈 수 있기 때문이다. 동일한 상부 축삭으로부터 1개 혹은 2개의 축삭발아가 이전의 신경 내 세관으로 들어갈 수는 있으나 1개의 섬유만이 수초화되고, 세관과 연결되지 못한 축삭발아는 위축된다.

신경의 회복은 손상 초기에 활발하게 일어나며, 직경이 가늘고 수초가 얇을수록 회복이 잘된다. 또한 통각, 촉각, 고유수용성감각, 운동신경 순으로 회복이 잘 이루어지며, 연령이 어릴수록 신경말단부에 가까울수록 예후가 양호하다. 연부조직 손상이 동반되거나 운동신경과 감각신경이 동시에 손상되었을 경우에는 예후가 불량한 것으로 알려져 있다.

3. 근육의 탈신경, 재신경 지배 및 재생

신경 손상 후 탈신경(denervation)이 일어나면 근섬유 내의 근원 섬유의 수 및 크기의 감소가 일어나 결과적으로 근육은 위축되게 된다. 탈신경 이후 처음 3개월 동안 근육의 무게는 50~70%까지 빠르게 감소하며, 이후 약 1년에 걸쳐 서서히 변화가 진행되어 80%까지 무게가 감소한다. 탈신경된 근육에 근전도 검사시 발생하는 세동전위 fibrillation potential는 신경지배의 단절 및 근섬유의 생존을 의미한다. 오랜 기간 지속된 안면신경 마비의 경우 치료방법을 결정하는데 근육 생검의 방법을 사용할 수 있으며, 신경 마비 초기 2주간에는 근육의 조직학적 변화가 적으므로 유용성이 떨어진다. 근생검 결과 근육위축이 심하지 않으면 신경재지배(reinnervation)를 위한 방법을 고려해야 하며 근육의 변성이 명확하면 근육 혹은 근막의 전이술이 더 적절한 치료 방법이다.

일정한 수의 정상 세포체를 가진 안면신경핵, 신경핵과 연결된 신경 상단이 있으며 축삭 재생이 가능한 신경, 신경내세관이 있는 신경, 하단신경으로 재생하는 축삭을 받아 근육으로 전달할 수 있는 신경, 그리고 변성과 괴사가 없는 안면근육 등은 신경재지배에 필요한 요건들이다.

탈신경 이후 약 18개월이 지나면 신경재지배율은 현저히 감소하므로 근육의 변성 시기를 함께 고려할 때 신경재지배를 위한 처치는 신경손상 후 1년 이내에 가능한 한 빨리 시행하는 것이 좋다.

근육 변성 시 원래의 근핵(myonuclei)은 변성되고 위축되어 근육재생에 관여하지 못하나 활성화된 위성세포(satellite cell)들은 기저판(basal lamina) 아래에서 증식하고 서로 융합하여 근관(myotube)을 형성한다. 근관 내에서는 수축단백질(contractile protein)이 합성되며 액틴(actin)과 근섬유소(myosin filament)를 가지는 새로운 근원섬유가 형성된 후 더욱 성숙되어 근섬유가 되나, 신경 재지배가 안 될 경우 재생되는 근섬유는 성숙되지 않고 위축되거나 변성된다.[1,19,27]

III 신경손상의 분류와 평가

1. 신경손상의 분류

신경손상은 축삭의 변성과 재생, 세포체와 안면근육의 기능 변화에 의한 전기생리 및 해부학적 특성에 따라 신경차단(neuropraxia), 축삭절단(axonotmesis), 신경절단(neurotmesis)으로 나눌 수 있으며(Seddon 분류), 축삭절단 이후 신경 손상 단계를 3부분으로 세분화하여 총 5단계로 나눌 수 있다(Sunderland 분류)(그림 55-7).

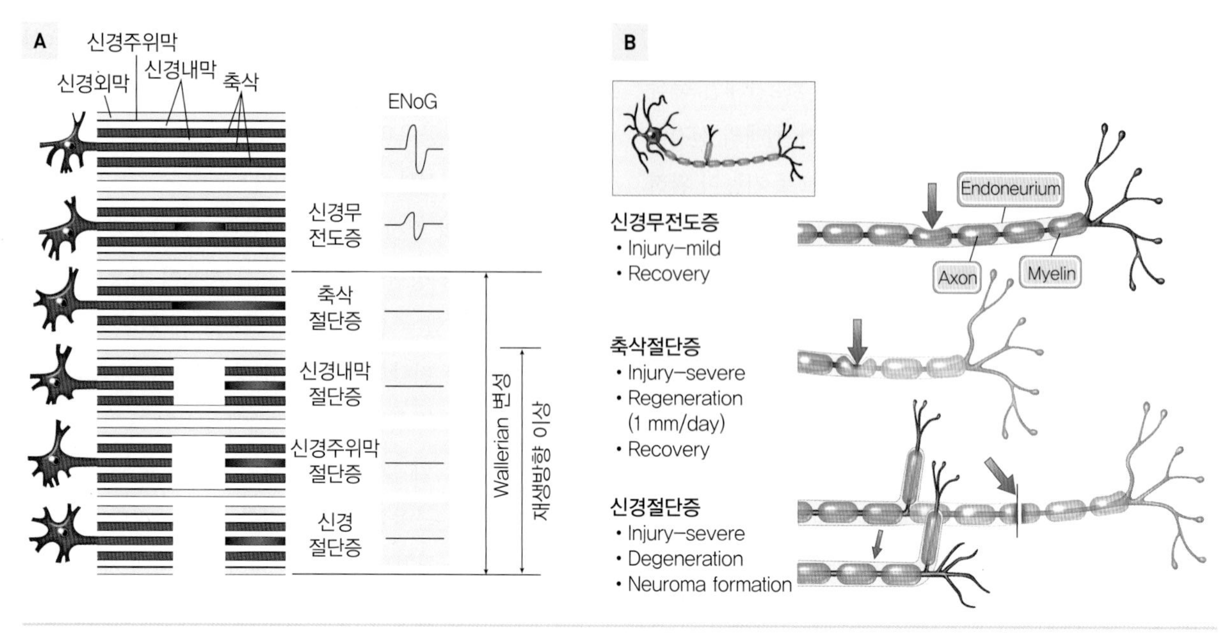

■ 그림 55-7. **안면신경의 손상 분류와 신경전도검사 결과**

1) 1단계 손상(Neruopraxia), 신경 차단, 신경무전도증

신경의 압박이나 당겨짐 등의 원인으로 인해 신경내 압력이 증가하여 일어나는 것으로 생각되며, 해부학적으로 손상이 없는 상태로 단지 신경의 흥분성, 생리적 전도장애가 일어나는 단계를 말한다. 이 경우 신경손상 부위에서만 신경전도가 국소적으로 차단되며, 신경세포체와 신경 말단 사이의 축삭(axon) 연결은 유지되어 있어 축삭을 통한 신경전달이 일부 가능한 상태로, 병변부의 상부와 하부 모두 전기 자극에 반응하나 병변 부위를 통한 전기 전도는 발생하지 않는다. 임상적으로 수의적 운동 기능의 감소 및 소실이 일어난다. 병변 하부에서 왈러변성은 발생하지 않으며 원인이 제거 되면 3주 이내에 정상적으로 회복될 수 있고, 영구적인 기능장애는 없다. 또한 전기자극 검사 시 비변성 반응을 보이며, 운동 신경의 마비가 감각 신경의 마비보다 크게 나타난다.

2) 2단계 손상(Axonotmesis) 축삭 절단증

신경내막(endoneurium) 결합조직이나 schwann cell 손상 없이 축삭의 연결성이 절단된 상태이다. 이로 인하여 신경은 상하로 양분되며, 주로 압박이나 좌상(crushing) 때문에 발생한다. 손상 후 병변 하부에서는 흥분성을 3~4일 유지하나, 이후 왈러변성이 일어난다. 따라서 병변 하부의 감각, 운동신경 반응을 상실하게 된다. 병변의 회복은 3~8주 사이에 시작되어 완전 회복되게 되는데, 병변 상부에는 손상된 지 2~3주 후에 단백 생성물질(proteosynthetic substance)의 통로가 형성되어 축삭의 재생이 가능하게 된다. 수초층(myelin layer)은 조금 얇아져 있으나 신경내세관의 연결성과 신경주위막(perineurium)과 섬유속(fascicle) 배열이 정상적으로 유지되어 이전의 신경내세관을 통하여 축삭이 재생되어 신경재지배가 일어난다.

3) 3단계 손상(Endoneurotmesis) 신경내막 절단증

축삭, 수초와 신경내막이 모두 절단되어 축색의 연속성은 손상되었지만, 신경주위막은 유지된 상태를 의미한다. 압박, 견인(traction), 좌상 등 다양한 손상기전으로 발생하고, 신경 섬유속의 혈관망 손상으로 인해 섬유속의 출혈, 부종, 허혈 등이 유발된다.

회복은 2~4개월에 시작되나 재생하는 축삭은 부분적으로 반흔조직으로 대치되어 막히며, 부정확한 nerve sheath로 들어가 비정상적이고 불완전한 재생을 초래한다. 따라서 3단계 이상의 손상에서는 안면의 한 근육이 움직일 때 주변의 다른 근육이 불수의적으로 함께 움직이는 안면근 동조운동(synkinesis)이 발생하게 된다.

4) 4단계 손상(신경주위막절단증, Perineurotmesis)

신경외막(epineurium)만을 유지하고 있는 상태로 각각의 신경 섬유속을 둘러싸는 신경주위막까지 절단된 상태를 말한다. 이는 좌상에 의한 신경 손상 시 흔히 나타나며, 신경주위막까지의 절단으로 재생 시 축삭이 다른 신경 섬유속으로 들어갈 수 있다. 회복은 4~18개월에 걸쳐 서서히 불완전하게 이루어지며, 근위부의 신경종(neuroma)이 흔하게 발생한다.

5) 5단계 손상(신경절단증, Neurotmesis)

가장 심각한 단계의 신경 손상으로 신경 체간(nerve truck)이 완전히 절단된 상태를 의미한다. 보통 자상 및 허혈성 손상에 의한 신경 손상에서 나타나며, 2단계 손상인 축삭 절단증과 마찬가지로 왈러변성이 시작되기는 하나, 그 예후는 좋지 않으며, 자연적으로 회복을 기대할 수 없고 신경종 형성, 신경소실 등이 많이 발생하므로 신경 문합 수술을 시행하는 것이 효과적이다. 또한 지속적인 신경 외막의 출혈과 반흔이 형성된다. 이 단계가 Seddon에 의한 신경 손상 단계 중 신경절단증에 해당한다.

2. 안면신경 손상 평가방법

1) 안면신경마비 평가방법의 종류

안면신경마비 평가방법에는 여러 가지가 있다. 이상적인 안면마비 평가법은 재현성이 뛰어나며, 쉽게 널리 사용될 수 있는 방법이어야 한다. 그 중 가장 많이 사용하는 방법은 안면 전체의 마비 정도에 따라 등급을 나누어 평가하는 총체적 평가법(gross scale)으로 House-Brackmann 방법이다.[17]

총체적 평가방법인 House-Brackmann 방법은 짧은 시간 안에 환자를 분류할 수 있는 장점이 있으나, 같은 등급으로 분류된 환자들 사이에도 정도의 차이가 존재할 수 있으며, 안면마비의 분지 별로 차이가 있을 때 평가자의 주관적 판단이 들어갈 수 있어 재현성이 떨어진다는 단점이 있다. 하지만 이 방법이 일반화되면서 안면신경마비 치료 결과를 전 세계적으로 상호 비교할 수 있게 되었다.

반면에 국소 평가방법은 안면을 세분하여 각각의 마비 정도를 분류하고 개개의 마비 정도를 합하여 최종 마비 정도를 산출하는 방법이다. 이는 각 부위의 마비정도를 동일하게 반영하는 방법(unweighted)과 각 부위의 마비 정도를 외관과 기능에 대한 기여도에 따라 차등을 두는 방법 weighted으로 나뉜다.[5,10]

이러한 평가법은 다양한 정도의 안면마비를 정량적이게 평가할 수 있어 좀 더 객관적이며, Yanagihara, Sunnybrook, Fisch[12] 등급 등의 방법이 있다. 하지만 국소 평가방법은 자세한 계산이 필요하고 많은 시간이 소요되므로 실용성이 떨어진다. 이러한 이유로 현재까지 대부분의 연구에서 House-Brackmann과 Sunnybrook 등급이 널리 사용되고 있다.

안면신경마비 평가방법은 안면마비의 정도를 가늠하고 치유 과정 중 회복의 진행 상태나 최종 결과를 판정하고자 할 때 이용된다.

2) House-Brackmann 안면신경마비 평가법[17]

가장 많이 사용되는 총체적인 방법으로 전체적인 안면운동 정도, 휴식 상태에서의 안면마비 정도 이마, 눈, 입의 움직임을 관찰하여, I등급의 정상 상태에서부터 VI등급의 완전 마비 상태로 분류하여 평가한다. 현재 사용되고 있는 안면신경마비 회복 정도의 평가는 안면신경마비 회복 시 I, II 등급으로의 회복은 만족할 만한 회복으로, 그 이상은 불만족스러운 회복 단계로 분류한다. III 등급

표 55-1. House-Brackmann 안면신경마비 평가 기준(1985)

단계	정도	특징
I	정상(Normal)	정상(normal facial function in all areas)
II	경도 마비(Mild dysfunction)	얼굴 외관: 약간 약함 (Slight weakness noticeable on close inspection; may have very slight synkinesis)
		정지 시: 좌우대칭 정상, 긴장도 정상 (Normal symmetry & tone)
		운동 시:이마-양호(Moderate - good function)
		눈-작은 노력으로 잘 감김 (Complete closure with minimal effort)
		입-미세한 비대칭(Slight asymmetry)
III	중등도 마비 (Moderate dysfunction)	얼굴 외관: 약함,일그러짐 (Obvious weakness but not dysfiguring)
		정지 시: 좌우대칭 정상, 긴장도 정상 (Normal symmetry & tone)
		운동 시: 이마-양호 또는 약함 (Slight - moderate function)
		눈-보통 노력으로 잘 감김 (Complete closure with effort)
		입-최대 운동 시 약간 비대칭 (Weak with maximum effort)
IV	중등고도 마비 (Moderate severe dysfunction)	얼굴 외관: 미세한 정도의 움직임 (Obvious weakness dysfiguring Asymmetry, severe synkinesis)
		정지 시: 비대칭(Asymmetry)
		운동 시: 이마-불가능(None)
		눈-감을 수 없음(Incomplete closure)
		입-약한 움직임(Slight movement)
V	고도 마비 (Severe dysfunction)	얼굴 외관: 미세한 정도의 움직임 (Only barely perceptible motion)
		정지 시: 비대칭(Asymmetry)
		운동 시: 이마-불가능(None)
		눈-감을 수 없음(Incomplete closure)
		입-약한 움직임(Slight movement)
VI	완전마비(Total palsy)	완전마비(No movement & tone)

과 달리 IV 등급의 경우, 휴지 시 비대칭을 동반한 눈을 완벽하게 감지 못하며, 이마의 움직임이 없고, 최대한의 노력에도 입의 움직임이 제한되어 입 모양이 비대칭적이다. IV, V 등급은 마비된 측의 눈썹을 올릴 수 없거나 심각한 동조운동이 있는 경우이다(표 55-1).

3) Fisch 안면신경마비 평가법[30]

Fisch 점수법(Fisch score)은 마비된 환자의 얼굴 표

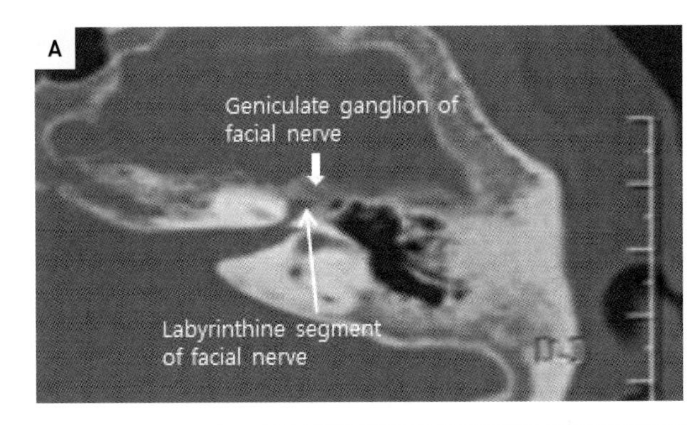

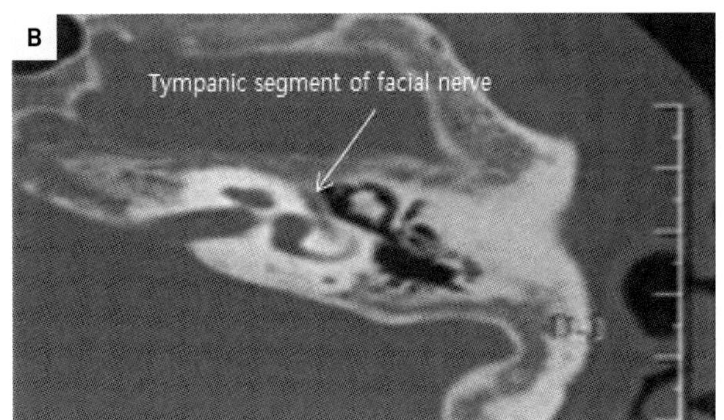

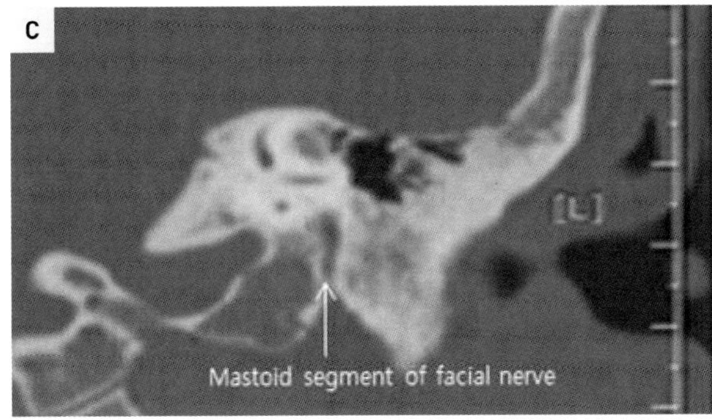

■ 그림 55-8. temporal bone CT상의 안면신경 주행

정을 가지고 점수화하여 평가하는 방법이다. 정지 시 모습과 더불어 4가지의 안면운동시의 표정을 기준으로 하여, 마비 정도를 0%(완전 마비), 30%, 70%, 100%(정상)으로 점수화하여 평가한다. 정지 시 모습, 이마의 움직임, 눈 감김, 웃는 동작, 휘파람을 불 때 등의 다섯 가지 상황을 안면근 움직임의 비중에 따라 각각 20%, 10%, 30%, 30%, 10%로 경중을 두고 다섯 가지 상황에서의 점수를 더하여 안면의 기능을 평가하는 방법이다. 보통 100점일 경우 House Brackmann grade I, 76점에서 99점일 경우 grade II, 51점에서 75점은 grade III, 26점에서 50점까지는 grade IV, 1점에서 25점까지는 grade V, 0점일 경우 grade VI로 생각할 수 있다.[5]

4) Yanagihara 안면신경마비 평가법[35]

Fisch에 의한 안면신경마비 평가법과 각 부위별로 달리 비중을 두지 않는 방법으로 안면 기능의 영역을 10개로 동일하게 분류하여, 각 기능을 0, 1, 2, 3, 4점 혹은 0, 2, 4점으로 평가하여, 안면마비 정도를 평가하는 방법이다. 이는 House Brackmann 방법에 비하여, 초기 ENoG 결과와 연관성이 있어 초기 예후 판정에 유용하게 사용될 수 있다는 보고가 있다.[4,11]

Ⅳ 안면신경검사

1. 영상검사

1) 전산화단층촬영

고해상 전산화단층 촬영을 통하여, 내이도에서 시작된 안면신경의 주행 및 각 분절에서의 안면신경관의 개방 여부 등을 확인할 수 있다. CT상 체축면상에서 내이도와 안면신경관의 내이분절 그리도 고실분절을 같은 면에서 관찰할 수 있으며, 유돌분절의 단면을 관찰할 수 있다. 관상면상에서는 내이분절과 고실분절을 단면으로, 유돌분절을 동일한 면에서 관찰할 수 있다(그림 55-8). 또한 진주종 및 외상에 의한 안면 마비가 의심될 경우 안면신경의 손

상 부분 및 유양동, 중이강, 측두골의 병변을 확인하여, 수술을 계획하는데 유용하게 사용될 수 있다.

2) 자기공명영상

자기 공명영상은 연조직을 평가하는데 주로 사용된다. 또한 gadolium 조영제를 사용하면 소뇌교각(cerebello-pontine angle) 부위 및 측두골 내의 혹은 안면신경 자체의 종양 관찰에 유용하며, 자기 공명영상을 통하여 염증반응 혹은 종양 때문에 나타나는 신경반응의 증가 등을 확인할 수 있다.

고해상 박편기법영상(thin slice imaging)을 사용하여 안면신경을 확인하는데 대개 3 mm 이내의 두께로 간격없이 촬영을 시행한다. 내이의 위치를 기준으로 하여 안면신경 부위의 위치를 확인한 후 그 부위의 비정상적인 조영증강 여부를 확인한다.

특발성 안면신경마비(idiopathic facial nerve palsy), Bell's palsy와 Ramsay- Hunt 증후군 모두에서 신경의 신호강도가 증가함을 확인할 수 있다. 그러나 신호강도 증가는 안면 마비의 정도, 안면신경 전기검사 결과, 예후와는 연관성이 없으며,[4,22,32] 안면신경 마비가 회복된 이후에도 지속적으로 나타날 수 있다. 이는 안면신경 손상 시 발생한 신경의 변성 및 재생 과정에서 혈관 및 신경의 경계가 깨져 나타나는 현상으로 생각할 수 있다.[6,9,20]

2. 국소진단과 예후검사

국소진단검사(topognostic test)는 안면신경의 여러 분지에 대한 기능검사를 시행하여 신경 손상 부위를 확인하고 안면신경 손상의 예후를 판정하는 데 목적이 있다. 즉 국소진단검사를 통하여 안면신경에서 분지되는 특정 신경의 기능적 이상을 평가하고, 이상이 없을 경우 안면신경의 손상 부위는 그 하위 위치한다는 것을 의미한다. 예를 들어 안면부에 신경 손상이 있다면, 누액, 타액 분비 및 맛 검사, 등골 반사 검사상 정상을 보일 것이며, 안면마비와 더불어 누액분비에 이상을 보인다면, 누액 분비와 관련된 부교감 신경과 수의 운동신경이 함께 주행하는 소뇌교각과 슬신경절 사이의 이상을 의심할 수 있다. 하지만, 국소진단검사 방법은 신경의 상태나 예후를 판정하는 데 있어 한정된 정보만을 제공하며, 질환에 따라 심한 정도에 따라 부정확한 결과가 나올 수도 있다.

1) 누액분비검사(Schirmer's test)

미로 분절에서 분지하는 대천추체신경 기능에 대한 검사로 여과지의 한쪽 끝을 접어 하안검에 걸쳐 놓고 5분 동안 유지한 다음 누액에 젖은 양측 여과지의 길이를 측정하여 양측의 차이를 확인한다. 환측에서 정상측 측정치의 50% 이하로 감소되어 있거나 환측에서 양측 측정치의 합의 30% 이하로 감소되어 있으면 양성으로 판정한다. 또한 특발성 안면신경마비에서는 양측에서 누액분비가 감소할 수 있으므로 양쪽의 측정치의 합이 25 mm 이하일 때에도 비정상으로 간주한다.

2) 등골반사검사(Stapedial reflex test)

유양 분절이 시작하는 second genu에서 등골근으로 가는 신경의 기능을 보기 위한 검사법이다. 일단, 귀에 큰 자극음을 주면 등골근(stapedius muscle)이 반사적으로 수축하여 고막 긴장도가 변하게 되는데, 이러한 변화는 임피던스 청력검사의 등골반사검사를 통하여 확인할 수 있다. 등골반사검사에서는 등골신경 분지보다 근위부에 병변이 있을 때 등골반사소실 또는 건측의 50% 이하로 나타나며 이로써 안면신경 병변의 위치를 확인 할 수 있다. 벨마비 환자에서의 69%가 이 반응의 소실을 보였고, 완전 마비의 경우 84%에서 반응이 소실되는 결과를 나타내었다.[11,31]

3) 타액분비검사(Salivary flow test)

악하선의 타액분비를 유발한 다음 나오는 타액 분비량을 악하선관을 통하여 측정하는 것으로 정상측에 비하여

25% 미만으로 감소되었을 때 유의하나, 시행의 불편성으로 인하여 널리 사용되고 있는 방법은 아니다. 고삭 신경 chorda tympanin 분지 부위나 근위부의 이상은 타액 분비 검사상의 이상을 보일 수 있으나, 그렇지 않은 경우에도 타액 분비의 이상을 보이는 경우가 있어, 이 검사의 결과를 통하여 정확한 신경 손상 부위를 정하는 것은 어렵다.

4) 미각검사(Taste test)

고삭 신경의 경우 혀의 전방 2/3에 해당하는 부위의 미각을 담당하는 신경과 함께 주행하기 때문에, 안면신경 마비 시 미각의 이상을 보일 수 있다. 미각검사는 소금(짠맛), 설탕(단맛), citrate(신맛), quinine(쓴맛)의 시료를 이용하여, 맛의 느낌을 알 수 있는 최저 농도인 감지역치와 무슨 맛인지를 구분하는 인지역치를 구하는 방법과 전기 미각 측정기(electrogustometer)를 사용하여 역치를 구하는 방법이 있다. 전기 미각 측정기는 혀에 전기적 자극을 가하여 금속성 미각을 유발하여 측정하는 방법으로 간단하고, 결과를 정량화할 수 있는 장점을 가진다. 정상인에서 양측 혀는 전기자극에 대하여 서로 25% 이내의 비슷한 역치를 가진다. 특발성 안면 마비의 초기 대부분의 환자에서 미각의 이상을 보이기 때문에, 미각 검사 결과만을 가지고 예후를 판단하기는 어렵다.

하지만, 눈에 띄는 안면운동의 회복 이전에 미각가능이 먼저 회복되는 경우가 있어, 안면 마비 발생 이후 전기 미각 검사 결과가 정상일 경우 임상적인 회복이 가까이 있음을 알 수 있다.

3. 전기신경검사

전기신경검사에는 신경흥분성 검사, 최대자극 검사, 신경전도 검사, 근전도 검사의 방법이 널리 사용되어진다. 이러한 전기신경검사는 안면신경마비의 예후, 마비가 지속되는 경우에는 추적관찰, 안면신경 감압술 등의 수술적

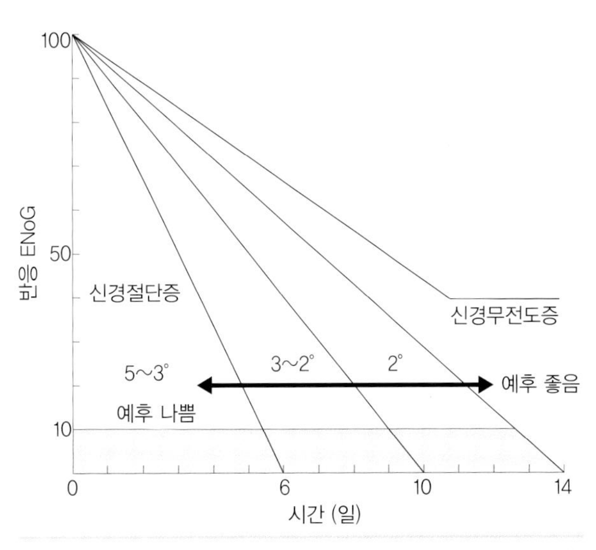

■ 그림 55-9. 신경전도 검사 ENoG에 따른 안면신경 회복의 예후

결정을 하는 데 이용된다.

신경자극검사, 최대자극검사, 신경전도검사의 경우 안면신경 자체의 신경 전도성을 측정하는 방법으로 변성이 진행 중인 급성기에만 검사 결과가 유효하다.[14,21,23] 즉 신경 손상 후 변성이 시작되는 2~3일 후부터 변성이 완료되어지는 2~3주 후까지만 결과를 얻을 수 있다.

불완전 안면신경마비의 경우 예후검사로 적절한 정보를 얻을 수는 없으나 안면기능의 활동이 완전회복 가능성이 있다는 것을 알려주게 되며, 대부분의 급성 안면신경마비는 발생 첫 2~3주 동안 신경 퇴행 양상을 보인다. 급성기 안면신경마비의 경우 전기 신경 검사를 연속적으로 시행하여 신경 손상의 정도와 예후를 판정할 수 있다(그림 55-9).[2,8,12,13,15,24,25,29,33]

1) 신경흥분성검사(Nerve excitability test; NET)

신경흥분성검사는 정상측과 안면신경 마비측에서 최소 근육수축을 유발할 수 있는 전류 역치를 비교하는 방법으로, 직류전류로 경유돌공 부위의 안면신경을 경피적으로 자극한다.

신경 변성이 시작되는 시기는 신경 손상 후 2~3일이 소요되기 때문에 마비 발생 3일 이전 검사는 의미가 없으

며, 변성이 완료되는 시점인 2~3주 전까지만 결과를 얻을 수 있다. 또한 신경 흥분성 검사를 통하여 안면신경 마비가 일시적 전도 장애인지 변성으로 인한 것인지 확인할 수 있는데, 경유돌공 부위 경피적 자극 시 표정근의 연축이 관찰되면 전도 장애이며, 그렇지 않으면 변성으로 인한 안면 마비를 의미한다. 보통 양측의 차이가 3.5 mA 이상이면 유의한 차이가 있는 것으로 판정하며 이는 안면신경의 퇴행을 시사하며, 변성의 진행을 막기 위하여 감압술의 시행을 고려해야 한다. 과거 연구에 의하면, 안면마비 후 14일에 실시한 신경흥분성 검사상 정상 소견을 보인 경우, 좋은 예후를 보였고, 반응이 없을 때는 영구적인 안면신경마비를 보였다고 보고하였다.

2) 최대자극검사(Maximum stimulation test; MST)

최대자극 검사는 신경 마비 후 2~3일부터 시행하며, 신경흥분성검사(NET)와 달리 정상측의 전 안면 표정근을 연축시킬 수 있는 최대의 자극을 마비된 측에 주어, 양측의 안면근육운동 정도를 비교하는 방법이다. 최대 자극을 주었을 때 전체 신경 크기에 비례하여 반응이 유발되므로 탈신경(denervation)된 정도를 예견할 수 있다. 상대적인 반응의 정도가 큰 변화가 없으면 예후가 좋으나, 약해지면 예후가 나쁘다. 검사방법상 검사 결과의 판독이 주관적이고, 비정량적이며 경우에 따라서는 환자가 통증을 느낄 수 있는 단점이 있다.

수술 대상 환자를 선택하는 데는 중요한 정보를 주지 못하나 특발성 안면신경마비 환자의 치료 경과와 예후를 판단하는 데에는 간편하며 재현성이 높은 가장 좋은 검사로 여겨진다. 첫 10일 동안 동일한 반응이 있던 환자의 92%는 완전 회복되며, 현저한 감소를 보이거나, 반응이 없을 경우의 86%에서는 불완전한 회복을 보였다.

특발성 안면신경마비 환자에서 최대자극검사를 마비 발생 후 빠른 시일 안에 시행하여 기초자료로 사용하면 최대자극검사를 경과 관찰에 이용할 수 있으며, 신경흥분성검사의 결과와 함께 사용하면, 검사의 단점을 보완할 수 있다. 안면마비 발생 1주일 후에도 불완전마비 상태이면 예후가 양호하므로 더 이상 검사가 필요 없으나 완전마비 상태이면 2주 이내에 최대자극 검사를 반복적으로 시행하여 경과를 관찰할 수 있다.

3) 신경전도검사(Electroneuronography; ENoG)

신경전도 검사는 마비된 신경의 변성 정도를 정량적으로 분석할 수 있으므로 안면신경에 대한 모든 전기검사 중 가장 객관적인 예후 지표를 알려준다. 현재 임상에서 근전도 검사와 더불어 안면마비 환자의 예후 및 상태를 평가하는데 가장 많이 사용되는 방법이다.

먼저 안면신경을 경유돌공 부위에서 양극성 표면전극으로 자극하여 자극에 대한 양측 안면신경 복합근 활동전위(compound muscle action potentials; CMAP)의 진폭을 비교한다. 신경섬유 다발을 전부 이용하므로 충분한 강도로 자극해 나타나는 활동전위를 분석하며, 검사 결과는 환측의 최대 진폭을 건측의 최대 진폭에 대한 백분율로 표시하여 나타낸다. 검사 시 최대자극을 찾기 위해 복합근 활동전위의 변화가 없을 때까지 자극의 강도를 높이나 통증이 심하거나 삼차신경에 의한 반응이 발생하면 자극의 정도를 낮추어야 한다. 마비된 부위의 측정치가 건측의 10%라면 환측의 90%가 변성됐다는 뜻이다.

보통 안면 마비의 경우 비구순구(nasolabial groove)에 전극을 위치시키나, 일부에서는 파형을 쉽게 인식할 수 있고, 저작근육의 수축도 적어 비익(nasal alae) 부위에 기록전극을 부착하기도 한다. 보통 정상인에서의 양측의 신경전도 검사의 차이는 평균 3%로 이하이다.[8]

하지만 Ranslan[29]은 전극의 위치를 표준화하여 시행한 두 번의 검사에서도 20% 정도의 결과의 오차를 보고하여, 이러한 오차를 줄이기 위해서는 신경전도검사는 잘 훈련되어진 검사자에 의해 시행되어야 한다고 하였다. 검사 결과의 양측 차이가 30% 이상의 불균형이 있어야 임상적으로 유의하다고 할 수 있다.

신경전도검사는 급성 안면신경마비의 초기 예후 판단

과 수술적 처치 판단에 도움이 되므로 특히 특발성 안면신경마비 환자의 추적관찰에 많이 사용되고 있다. 특히 완전 마비를 평가하거나 향후 비완전한 회복을 예상할 수 있는 중요한 자료로 사용될 수 있다. 보통 안면신경마비의 신경전도 검사 결과는 마비가 발생하고 2주 이내에만 유효하다. 이는 그 이후 신경의 재생이 시작되고, 주변 정상 신경으로부터 측부신경(collateral nerve)이 발달되어, 정확한 신경손상 정도를 파악하기 힘들기 때문이다.

보통 신경전도검사는 안면신경마비가 발생하면, 신경 변성이 시작되는 2~3일 후에 시행하게 되며, 검사 결과 건측에 비해 90% 이하의 변성 및 전도장애에 대해 이러한 경우 예후가 양호하다. 원위부로 진행하는 신경변성이 보통 2~3일 이후 진행되므로, 검사 결과와 실제적인 손상 정도에는 차이가 있다. 이러한 2~3일의 지연현상을 감안하면 마비 발생 초기의 신경의 변성의 진행이 완료되는 시점 일반적으로 Bell 마비의 경우 10일까지는 신경 전도 검사 결과가 80%라면, 실제로는 이보다 더 큰 약 90%의 손실이 있음을 의미한다.

신경전도검사 결과와 안면신경마비의 회복간의 관계를 보면 10~30%의 변성이 있는 환자는 2~8주 정도에 회복되는 것을 기대할 수 있으며, 90% 이상의 변성이 있는 경우는 예후가 좋지 않고, 자연회복도 기대하기 어렵다. 90% 이상의 손상은 대략 6~10개월의 회복 기간이 필요한 것으로 알려져 있다. 특발성 안면신경마비의 경우 최초 14일 이내에 95% 이상 변성이 되는 경우 50%에서 불완전 회복을 보인 것으로 알려져 있다.[11,14]

신경전도 검사에서 변성 정도가 건측의 90~95% 이상인 경우는 예후가 좋지 않고, 안면신경 감압술의 적응증이 될 수 있다. Gantz[14]는 신경전도검사의 결과를 토대로 하여 (1) 외상성 안면신경 마비의 경우 수상 6일 이내 변성 정도가 90% 이상, (2) 특발성안면신경 마비의 경우는 2주 이내 변성 정도가 90% 이상일 때 안면신경 감압술의 적응증이 된다고 하였다.

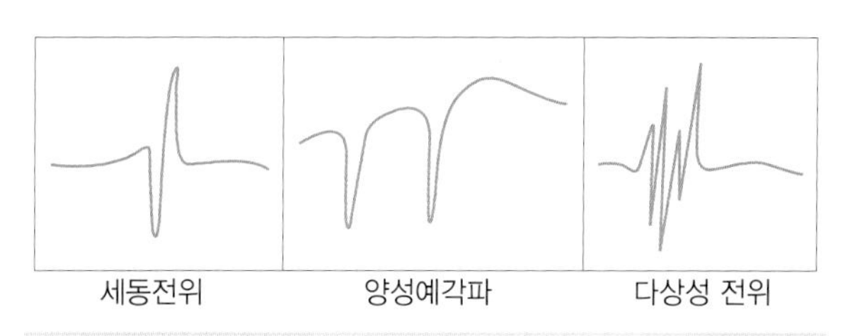

■ 그림 55-10. 근전도 이상 자발전위 형태

4) 근전도검사(Electromyography; EMG)

1주 이내의 급성 안면신경마비나 2주 이상의 만성 마비 시에 이용되며, 세침 전극을 근육 내에 삽입하고 휴지기와 수의적 수축 기간 중 전위를 측정하는 방법이다. 세동전위(fibrillation potential)는 운동 신경이 손상된 근육에 나타나는 과흥분성 자발 전위로 보통 손상 후 14~21일 사이에 나타난다. 마비 후 세동 전위가 발생하지 않으면, 신경 변성의 가능성이 적은 것을 의미하고, 전위 발생 후 없어진다면 신경의 재생을 의미한다. 신경 손상 초기, 안면 표정근의 운동활동전압(Motor unit action potential; MUAP)이 사라지지 않고, 지속되면 신경의 축삭(Axon)은 정상으로 볼 수 있으며, 손상 2주 정도 후 Fibrillation potential 탈신경전압과 운동활동전압이 동시에 관찰되면 부분적인 변성이 일어난 것으로 볼 수 있다.

다상성 신경재지배 활동전위(polyphasic nerve reinnervation action potential)는 변성되었던 신경의 재생을 의미하며, 좋은 예후를 기대할 수 있다. 보통 임상적으로 안면기능 회복을 확인하기 6~12주 전에 발생하고, 근육의 운동이 시작하기 1~2주 전에 나타나는 것으로 알려져 있다(그림 55-10).

근전도 검사는 다른 검사에서는 발견하지 못하는 활동 운동단위(active motor unit)를 찾을 수 있어 안면신경에 대한 불필요한 검사를 피할 수 있다는 장점이 있다. 특발성 안면 마비 환자에서의 안면 감압술 시행에 있어, 대부분의 술자들은 신경전기검사 및 신경흥분성검사 결과를 기초로 하여, 근전도 검사를 확정적 자료로 사용한다.

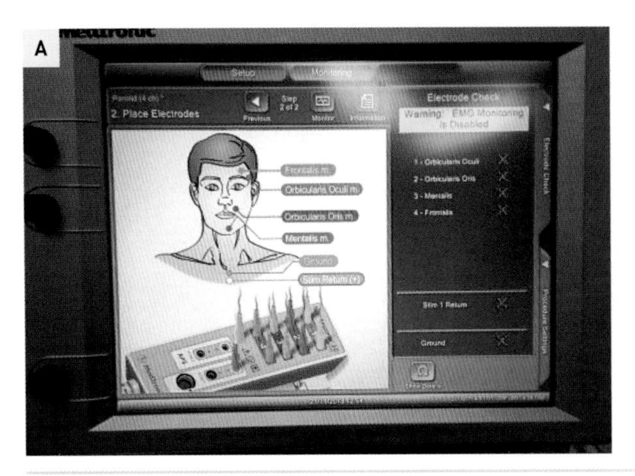

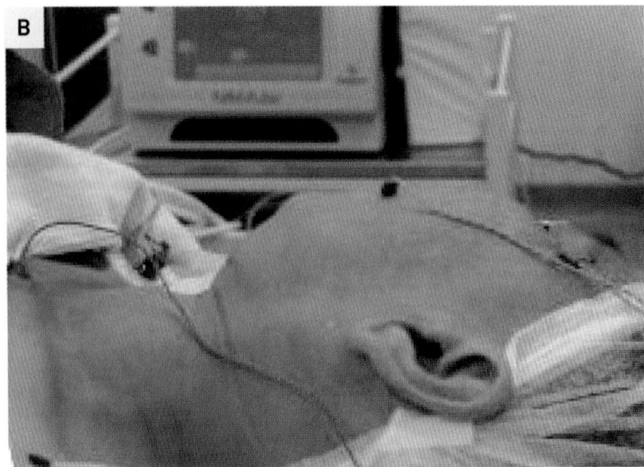

■ 그림 55-11. **수술 시 안면신경의 감시 및 평가**

5) 삼차신경안면신경반사검사(Trigeminofacial reflex, Blink test)

삼차신경의 분지인 안와상신경(supraorbital nerve)에 경피적 전기자극을 주면 안륜근(orbicularis oculi muscl)의 반사적인 수축을 유발하여 눈을 깜빡이게 되며, 이 반응은 삼차신경과 안면신경 반사궁(trigerminal facial arc)의 반응으로 근전도로 측정하여 평가하는 방법이다. 중추성 질환 중 청신경 초종 환자에서, 마비 증상 이전에 양성을 나타냈다는 보고도 있다(그림 55-11).

참고문헌

1. Adkins WY, Osguthrope JD. Management of trauma of the facial nerve. Otolaryngol Clin North Am 199124:587-611.
2. Barr JS, Katz KA, Hazen A. Surgical management of facial nerve paralysis in the pediatric population. J Pediatr Surg. 2011 Nov;46(11):2168-2176.
3. Baugh RF, Basura GJ, Ishii LE, Schwartz SR, Drumheller CM, Burkholder R, Deckard NA, Dawson C, Driscoll C, Gillespie MB, Gurgel RK, Halperin J, Khalid AN, Kumar KA, Micco A, Munsell D, Rosenbaum S, Vaughan W. Clinical practice guideline: Bell's Palsy executive summary. Otolaryngol Head Neck Surg. 2013 Nov;149(5):656-663.
4. Brandle P, Satoretti-Schefer S, Bohmer A, et al. Correlation of MRI, clinical and electroneuronographic findings in acute facial nerve palsy. Am J Otol 1996;17:154-161.
5. Burres S, Fisch U. The comparison of facial grading systems. Arch Otolaryngol Head Neck Surg 1986;112:755- 758.
6. Dobie RA. Test of facial nerve function. In:Cummings CW,Fredrickson JM, Harker LA, et al, eds. Otolaryngology Head and Neck Surgery, 3rd ed. St. Louis: Mosby, 1998, p.2757-2766.
7. Eicher SA, Coker NJ, Alford BR, Igarashi M, Smith RJ. A comparative study of the fallopian canal at the meatal foramen and labyrinthine segment in young children and adults. Arch Otolaryngol Head and Neck Surg 1990;116:1030-1035.
8. Esslen E: The Acute Facial Palsies: Investigations on the Localization and Pathogenesis of Meato-Labyrinthine Facial Palsies. 1976 Springer-Verlag Berlin.
9. Faleiros MC. Importance of the stapedial reflex in the diagnosis of several pathologies. Rev Laryngol Otol Rhinol (Bord). 2000;121(5):345-348.
10. Fattah AY, Gurusinghe AD, Gavilan J, Hadlock TA, Marcus JR, Marres H, Nduka CC, Slattery WH, Snyder-Warwick AK; Sir Charles Bell Society. Facial nerve grading instruments: systematic review of the literature and suggestion for uniformity. Plast Reconstr Surg. 2015 Feb;135(2):569-579.
11. Fisch U. Prognostic value of electrical tests in acute facial paralysis. Am J Otolaryngol 1984;5:494.
12. Fisch U. Surgery for Bell's palsy. Arch Otolaryngol 1981;107:1-11.
13. Friedman RA. The surgical management of Bell's palsy: a review. Am J Otol. 2000 Jan;21(1):139-144.
14. Gantz BJ, Rubinstein JT, Gidley P, Woodworth GG. Surgical management of Bell's palsy. Laryngoscope. 1999 Aug;109(8):1177-1188.
15. Hilger JA. Facial nerve stimulator-New instrument.. Transactions. Am Acad Ophth Otolaryngol 1964;68:74-76.
16. Holland J, Bernstein J. Bell's palsy. BMJ Clin Evid. 2011 Mar 7;2011.

17. House JW, Brackmann DE. Facial nerve grading system Otolaryngol Head Neck Surg 1985;93:146-147.
18. Hughes GB. Practical management of Bell's palsy. Otolalyngol Head Neck Surg 1990;102:658-663.
19. Hu Y. Axon injury induced endoplasmic reticulum stress and neurodegeneration. Neural Regen Res. 2016 Oct;11(10):1557-1559.
20. Koike Y, Hojo K, Iwasaki E. Prognosis of facial palsy based on the stapedial reflex test. In: Fisch U (Ed): Facial nerve surgery. Brimingham: AL Aesculapius Publishing. 1977. p.159-164.
21. Lee DH. Clinical Efficacy of Electroneurography in Acute Facial Paralysis. J Audiol Otol. 2016 Apr;20(1):8-12.
22. Manning JJ, Stennert E. Diagnostic methods in facial nerve pathology. Adv Otol Rhinol Laryngol 1984;34:202.
23. May M, Harvey JE, Marovitz WF: The prognoslic accuracy of the maximal stimulation tescompared t with that of the nerve excitability test in Bell's palsy. Laryngoscope 1971;81:63-70.
24. McAllister K, Walker D, Donnan PT, Swan I. Surgical interventions for the early management of Bell's palsy. Cochrane Database Syst Rev. 2011 Feb 16;(2).
25. McAllister K, Walker D, Donnan PT, Swan I. Surgical interventions for the early management of Bell's palsy. Cochrane Database Syst Rev. 2013 Oct 16;(10).
26. Nakashima S, Sando I, Takahashi H, Fujita S. Computer-aided 3-D reconstruction and measurement of the facial canal and facial nerve. I. Cross-sectional area and diameter: preliminary report. Laryngoscope 1993;103:1150-1156.
27. Pardal-Fernández JM, García-Alvarez G, Jerez-García P, Marco-Giner J, Almodóvar-Alvarez C. Peripheral facial paralysis. The value of clinical neurophysiology. Rev Neurol. 2003 May 16-31;36(10):991-996.
28. Patel DK, Levin KH. Bell palsy: Clinical examination and management. Cleve Clin J Med. 2015 Jul;82(7):419-426.
29. Raslan WF1, Wiet R, Zealear DL.A statistical study of ENoG test error. Laryngoscope. 1988 Aug;98(8 Pt 1):891-893.
30. Rickenmann J, Jaquuenod C, Cerenko D, Fisch U. Comparative value of facial nerve grading systems. Otolaryngol Head Neck Surg 1997;117:322Y5.
31. Sadiq SA, Usmani HA, Saeed SR. Effectiveness of a multidisciplinary facial function clinic. Eye (Lond). 2011 Oct;25(10):1360-1364.
32. Sartoretti-Schefer S, Brandle P: Intensity of MR contrast enhancement does not correspond to clinical and electroneurographic findings in acute inflammatory facial nerve palsy. AJNR Am J Neuroradiol. 12:1229-1996.
33. Schularick NM, Mowry SE, Soken H, Hansen MR. Is electroneurography beneficial in the management of Bell's palsy? Laryngoscope. 2013 May;123(5):1066-1067.
34. Vakharia K, Vakharia K. Bell's Palsy. Facial Plast Surg Clin North Am. 2016 Feb;24(1):1-10.
35. Yanagihara, N. Grading of Facial Palsy. In Facial Nerve Surgery, Proceedings: Third International Symposium on Facial Nerve Surgery, Zurich, 1976. U. Fish (Ed.). Amstelveen, Netherlands: Kugler Medical Publications. Birmingham, Al: Aesculapius Publishing Co. 1977;533-535.\

CHAPTER

56

안면신경 질환_
안면신경 질환

이종대

안면신경마비는 다양한 질환에 의하여 발생될 수 있으며 감염, 외상, 종양, 선천성, 특발성, 대사성 및 전신성 질환에 의하여 발생할 수 있다(표 56-1). 대부분의 질환이 급성마비를 일으키는 데 비해 종양이나 진주종 등은 진행성으로 마비를 일으킨다.[6,31]

안면신경마비는 삶의 질에 직접적인 영향을 미치며 국내 연구에 의하면 안면신경 마비를 가진 환자들이 더 높은 우울증 빈도와 사회활동에 제한을 보인다고 보고하였다.[13]

 벨마비(Bell's palsy)

1. 발생률

벨마비는 명확한 원인이 밝혀지지 않아 특발성 안면신경마비로 불려지기도 하며 10만 명당 20~30명이 매년 발생하며 65세 이상 환자에게는 높고 13세 이하 소아에게는 낮은 비율로 발생한다. 발생 남녀 비는 동일하나 20세 이하의 경우 여자에, 40세 이상의 경우 남자에 많다.[37,38]

좌우측에 동일하게 발생하고 대부분 일측성이며 30%는 불완전마비의 형태로 70%는 완전마비의 형태로 발생한다.[37] 양측성으로 발생하는 경우는 0.3%이며 9%는 과거 안면신경마비의 기왕력을 갖는 것으로 알려져 있고, 8%는 안면신경마비 가족력이 있다.[4]

벨마비는 비임신기에 비하여 임신 중 3.3배나 많이 발생하며 호르몬과 체액의 변화가 그 원인으로 추정되며 임신 말기 혹은 출산직후 산욕기(postpartum)에 주로 발생한다. 전자간증(preeclampsia)이 있는 임산부는 정상 임산부에 비하여 안면신경 마비의 발생이 6배나 많으며 임신 중 발생한 벨마비는 조기 출산, 저체중아, 선천성 기형 등과 연관성이 없는 것으로 밝혀져 있다.[20]

2. 발생 원인

벨마비의 발생 원인에 대한 가설로는 바이러스 감염,

표 56-1. 안면신경마비의 감별진단

벨마비
감염 - 이성대상포진 - 삼출성 중이염 - 급성 화농성 중이염 - 만성 중이염 - 악성 외이도염 - 결핵 - Lyme 병 - 후천성 면역결핍 증후군
외상 - 측두골 골절 - 분만손상 - 안면열상 - 관통손상 - 의인성 손상 - 방사선 손상
종양 - 진주종 - 사구체종 - 악성종양 - 안면신경초종 - 수막종 - 백혈병 - 조직구증 - 횡문근육종
선천성 - 압박손상 - Möbius 증후군 - 하순마비
재발성 - 반복성 안면마비 - Melkersson-Rosenthal 증후군
대사성 및 전신성 - 사르코이드증 - Guillain-Barre 증후군 - 자가면역 질환

허혈성 혈관 질환에 의한 마비, 혈액순환 장애, 자가면역성 질환 등이 있다. 그 중에서 바이러스 감염이 가장 유력하게 알려져 있고 현재까지 환자의 혈청에서 바이러스가 분리된 적은 없으나, 임상적 증상과 바이러스 항체 역가의 변화로 바이러스 감염이 원인이라고 추정하고 있다. 주로 물리적 또는 대사적 스트레스에 의해 잠복기의 단순포진 바이러스(herpes simplex virus; HSV)가 재활성화되어 발생하는 것으로 여러 연구를 통해 인식되고 있고 벨마비 수술 시 얻은 신경내(endoneurial) 체액에서 HSV DNA를 발견한 연구가 근거를 뒷받침한다.[32]

이성대상포진(herpes zoster oticus)에서 보이는 발적이나 수포 등의 특징적인 피부병변 없이 대상포진 바이러스(varicella zoster virus)에 의해 발생하는 급성 안면신경마비를 무수포성 대상포진(zoster sine herpete)이라고 명명하며 벨마비 환자의 8~28%를 차지한다고 알려져 있다.[1,21]

측두골내의 안면신경관의 직경은 1.02~1.53 mm인데 비해 내이도에서 미로분절사이의 가장 좁은 부분인 내이도공(meatal foramen)은 0.68 mm로 벨마비에서 이 부분의 부종이 벨마비의 가장 주요 질환 부위이다. 대부분의 병리조직학적 소견에서 측두골내 전 안면신경의 광범위한 탈수초(demyelination)가 일어나고 그 중에서 미로분절과 내이도공에서 가장 심한 변화가 관찰되고 있다.[25]

3. 증상

벨마비 발생은 갑자기 나타나며 일반적으로 첫주에 가장 심하게 나타난다. 벨마비의 50% 이상의 환자에서 안면신경이외의 다른 뇌신경의 이상 소견을 보인다.[5] 삼차신경 또는 설인신경의 감각저하 또는 이상감각(80%), 안면 또는 이개후부 통증(60%), 이상미각(dysgeusia, 57%), C2 감각저하(20%), 미주신경 운동저하(20%), 눈물감소(17%), 삼차신경 운동저하(3%) 등의 다른 뇌신경 장애를 보인다. 이개후부의 통증에서 50%는 마비와 동시에 나타나는 반면 25%는 마비 이전에 25%는 마비 이후에 나타난다. 청각과민(hyperacusis) 같은 청각증상이 벨마비 환자에서 30%까지 보고되고 있고 이런 청각과민은 등골근의 이상으로 인한 충격완화의 이상으로 발생된다고 추정되나 명확한 증거가 없다.

4. 검사

누액분비 검사 Schirmer's test, 등골반사 검사 stapedial reflex test, 타액분비검사 salivary flow test 등의 국소진단검사(topodiagnostic test)는 안면신경의 여러 분지에 대한 기능검사를 시행하여 신경손상 부위를 확인하고 안면신경 손상의 예후를 판정하는 데 목적이 있으나 벨마비 환자에서는 진단적인 검사로서 의의가 적다.[24] 전기 생리학적 검사로 신경흥분성 역치(nerve excitability threshold), 최대자극검사(maximum stimulation test) 등의 검사도 있지만 벨마비에서는 예후를 예측하기 위해 일반적으로 신경전도 검사(electroneuronography), 근전도 검사(electromyography)를 주로 사용하게 된다.[17]

벨마비 환자에서 자기공명영상(magnetic resonance imaging; MRI)은 일반적으로 이차적인 원인을 배제하기 위해 시행할 수 있고 주로 미로분절이나 내이도 원위부에서 안면신경의 조영증강을 보이나 예후와의 연관성은 현재까지 명확하지 않다.[26,39]

5. 진단기준

진단기준으로서 일측의 모든 안면근육의 불완전 혹은 완전마비가 있고, 갑자기 발생해야 하며, 중추신경계 질환, 이과 질환이 없는 경우에 벨마비라 할 수 있다.[43] 따라서 모든 가능한 원인에 대한 배제가 된 후 특별한 이상 없이 발생한 안면마비가 벨마비이다. 수 주에서 수개월 이상 진행되는 안면마비는 벨마비가 아니다.

6. 예후

벨마비의 예후는 비교적 좋은 것으로 알려져 있고 대부분의 환자는 치료 없이 71%에서 완전 회복되고 84%에서 거의 정상에 가깝게 회복된다.[36,37] 우리나라의 경우 인구통계를 이용하면 1년에 1,000명 이상의 벨 마비 환자들이 아무런 치료를 받지 않았을 때 후유증이 있게 된다고 추산된다. 불완전마비의 경우는 94%의 경우 4개월 내에 완전 회복되고, 완전마비의 경우는 61%에서 완전 회복된다.[37] 따라서 예후인자에서 가장 중요한 것은 마비가 불완전마비인가 완전마비인가 이다. 이밖에 나쁜 예후인자로는 청각과민, 눈물감소, 60세 이상, 당뇨, 고혈압, 심한 이통 또는 안면통증 등이다.[4]

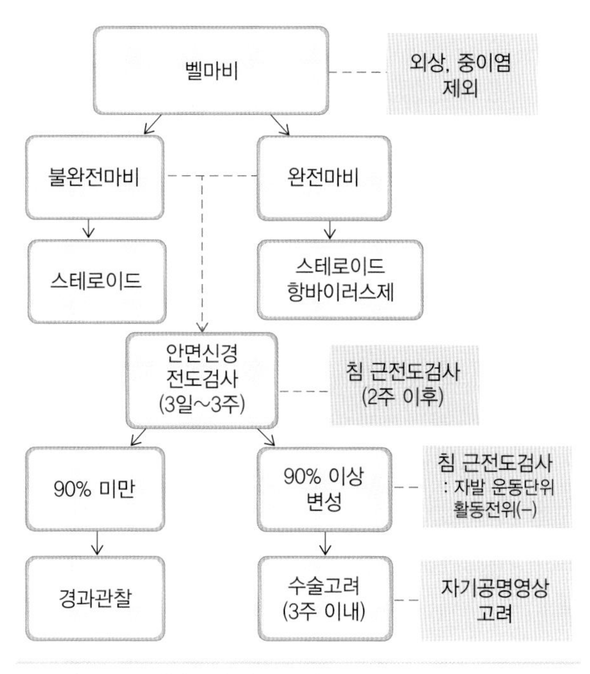

■ 그림 56-1. **벨마비의 치료 모식도**

7. 치료(그림 56-1)

벨마비에서 가장 중요한 치료는 스테로이드(steroid)이다. 벨마비 환자에서 스테로이드 치료는 마비 발생 72시간 이내의 빠른 시간내에 사용된 경우에 효과가 있었다.[16,41] 스테로이드의 항염증 작용이 안면신경의 부종을 감소시켜 안면신경 기능회복을 촉진 하는 것으로 알려져 있다. 또한 연합운동(synkinesis) 같은 후유증을 줄이는 데도 역할을 한다.[7] 스테로이드 용량 및 기간은 일반적으로 고용량 스테로이드 경구치료로 시작하는 데 prednisone 60 mg를 5일간 사용 후 5일 동안 감량하여 총 10일간 사용하는 것을 권고하고 있다.

항바이러스제 단독치료는 벨마비 환자에서 시행되서는 안된다. 스테로이드와 항바이러스제 병합요법은 대규모 무작위 비교 연구에서는 효과가 확실히 입증되지 않았지만 항바이러스제를 추가하는 것이 안면신경기능 회복에 효과가 있을 것으로 생각되므로 처방될 수 있다.[22] 특히 완전마비를 보이는 경우에 스테로이드와 항바이러스제를 같이 사용한 경우 효과가 있다고 알려져 있다.[29]

벨마비에서 잘 감기지 않는 눈에 대한 처치가 매우 중요해서 인공눈물이나 안연고를 초기에 사용해야 하며 통증이나 소양감이 발생하면 각막손상을 예방하기 위해 안과의사의 협진이 필요하다.[24]

벨마비에서 물리치료는 회복기에 통상적으로 사용되고 있으나 효과가 확실치 않으며 한방치료도 근거 기준으로 효과를 판단할 수 있는 자료가 부족한 상태이다.[2,10]

수술적 안면신경감압술(facial nerve decompression)은 광범위한 신경 변성의 증거가 있는 완전마비의 경우에 한정적으로 사용되며, 임상적으로 연속된 신경전도 검사에서 건측대비 병변측의 안면신경 전도검사상 10% 미만이고 침근전도검사에서 자발 운동단위활동전위(voluntary motor unit potential)가 관찰되지 않을 때, 조기에 시행하는 경우에 치료 효과를 기대할 수 있다.[3,19] 안면신경감압술은 안면신경관의 전장 중 내이도 분지에서 미로분지로 이행하는 내이도공(meatal foramen)이 가장 좁은 부위이므로 벨마비의 주 병변인 신경부종을 수술적으로 감압할 때에는 중두개와 접근법이 효과적이나 경유양동 접근법으로 시행되기도 한다.[46] 특히 수술의 적응증이 되고 정상 청력을 갖는 안면신경마비는 중두개와 접근법 또는 경유양동 접근법으로 안면신경 감압술을 시행하고, 잔청이 없는 경우는 완전한 감압술 시행이 가능한 경미로 접근법으로 시술한다.[18]

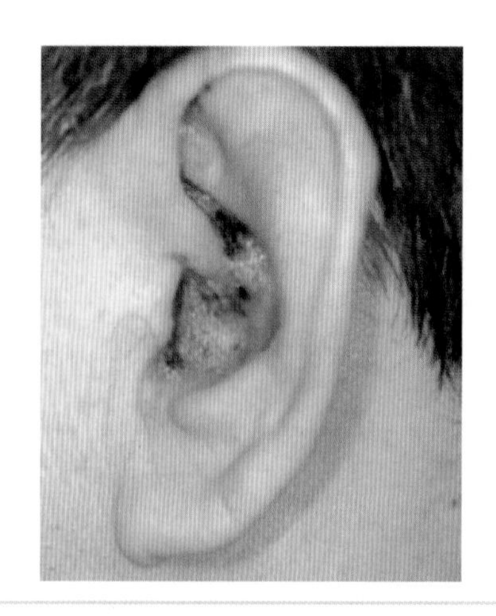

■ 그림 56-2. **이성대상포진환자의 귀**

II 감염

1. Ramsay Hunt 증후군

이성대상포진(herpes zoster oticus)은 이개 부위부터 외이도까지 발생하는 소수포성 발진과 이통을 특징으로 하며 수두대상포진 바이러스(varicella zoster virus)가 원인으로 여겨진다(그림 56-2). 이성대상포진이 안면신경 마비와 동반되는 경우 Ramsay Hunt 증후군이라 하며, 세포면역기능이 저하되는 60세 이상에서 급격히 많이 발생하는 양상을 보인다.[23] 염증성 안면마비에서 벨마비 다음으로 흔한 질환으로 안면마비환자의 4.5~9%를 차지한다. 면역혈청학적 및 역학적 조사상 재감염보다는 슬신경절(geniculate ganglion)에서 잠복기 바이러스의 재활성화(reactivation)에 의하여 발생되는 것으로 생각되며 감염기에 수두대상포진 바이러스 항체가 체내에서 증가한다.[42]

증상으로는 이통, 소수포성 발진, 안면신경마비 외에 다른 뇌신경 증상도 함께 발생하여 감각신경성 난청, 청각과민 또는 어지럼증 등의 동반률이 벨마비에 비해 높게 나타나며 약 30% 이상의 환자에서 보고된다. 대개는 포진(eruption)과 안면신경 마비가 동시에 발생하나 25%에서는 포진이 먼저 일어난다. 포진이 먼저 발생하거나, 동시

에 발생하는 경우에 비하여 예후가 양호하다.[30]

이성대상포진은 벨마비에 비하여 예후가 불량하다. 벨마비와 달리 완전 회복은 16~22% 정도로 예후가 불량하고, 완전 마비의 경우 약 10%에서, 불완전 마비 시 66% 정도만이 완전 회복된다.[30]

전신적 코티코스테로이드 투여와 항바이러스 치료가 주 치료이다. 스테로이드의 조기투여는 급성 동통, 어지럼증 및 포진후 신경통(post-herpertic neuralgia)의 빈도를 줄이며 용법 및 용량은 벨마비에 준하여 치료한다. 항바이러스제와 스테로이드를 함께 사용한 경우 단일 약제에 의한 결과보다 양호한 안면신경 회복 결과를 얻을 수 있는지는 아직 명확하지는 않으나 통증과 수포감소에는 효과가 있는 것으로 알려져 있다. 항바이러스제는 acyclovir가 고전적으로 사용되어 왔으나 acyclovir의 생체내 이용률을 높이기 위한 개량형태로 나온 valacyclovir나 famciclovir 등이 주로 사용되며 valacyclovir는 1,000 mg 씩 하루 3번, famciclovir는 500 mg씩 하루 3번 7일간 사용된다. 수술적 치료의 역할은 증명되지 않은 상태이다.[45]

2. 후천성 면역결핍 질환

안면신경마비는 후천성 면역결핍 질환(acquired immune deficiency disease)의 어느 시기에나 발생 가능하며, 안면신경 마비는 후천성 면역결핍 바이러스에 의한 일차적인 손상이거나 대상포진 바이러스에 의한 이차 감염의 형태로 발생한다. 초기 질환의 경우 벨마비와 유사하게 갑자기 발생하며 안면마비는 일반적인 사람들과 예후에 있어서 차이는 없다.[11,33]

3. Lyme 병

진드기에 서식하는 스피로헤타균인 *Borrelia burgdorferi*에 의해 유발되는 질환으로 참진드기 *Ixodes ticks*가 그 매개 역할을 한다.[9] 주로 북미지역에서 흔한 병으로 국내에서는 매우 드물게 보고되었다.

매독과 같이 여러 단계를 갖는 질환으로 먼저 감기증상이 동반되며 피부에 유주성 홍반(erythema migrans), 림프절 종창, 전신쇠약이 특징적으로 발생하는 데 발진은 편평하게 시작하여 크기가 증가하면서 중심부는 창백해지는 양상을 갖는다. 이러한 1단계 시기 이후 수 주 혹은 수개월이 경과한 뒤 2단계로 진행하여 중추 신경계 질환, 말초 신경계 질환이 발생하여 이 시기에 안면신경마비가 생긴다.[14]

이비인후과적 증상으로는 두통, 경부 동통, 현기증이 가장 흔하며 편측 혹은 양측에 안면신경 마비가 Lyme 병의 4.5%에서 발생하며 안면신경 마비는 진드기에 물린 흔적이 소실된 후 혹은 유주성 홍반이 소실된 이후 발생하므로 진단에 어려움이 있다.[15]

치료방법으로는 ceftriaxone 2 g을 14일간 정맥주사하며, 회복은 수개월 이상 기다려야 하며 완전회복은 거의 되지 않는다.

4. 세균 감염

중이를 침범하는 세균 감염은 모두 안면신경 마비를 유발할 수 있으며 주로 불완전 마비로 임상적으로 급성 화농성 중이염, 삼출성 중이염, 만성 화농성 중이염, 유양돌기염, 결핵성 중이염, 악성 외이도염 등에 의해 발생할 수 있다. 대부분의 환자에서 안면신경관(fallopian canal)의 결손이 특히 고실분절(tympanic segment)에서 관찰되고 그 부분의 염증이 신경으로 전파되어 발생한다.[47]

1) 급성 중이염

급성 중이염으로 인한 안면신경마비는 주로 소아에 발생한다. 안면신경관의 결손 부위, 중이와 안면신경관 사이의 생리적 소관(physiologic canaliculi), 안면신경관과 유양동 사이의 혈관을 통한 세균성 염증의 직접 전파로 주변에 염증을 일으켜 마비가 일어난다.

급성 중이염에 의한 안면신경 마비의 치료로 항생제 사용과 함께 고막절개술을 시행한다.

2) 만성 중이염

만성 중이염에 의한 안면신경 마비는 주로 진주종이 안면신경관을 침범하여 종괴에 의한 압박이나 안면신경을 감싸는 주변 골조직의 골염 등으로 발생한다. 진주종에 의한 안면마비는 서서히 진행하여 벨마비와 구별된다. 고실유양동(tympanomastoid)수술이 중이와 유양동 병변을 제거하기 위해 반드시 필요하다. 진주종 및 육아조직, 감염된 뼈를 제거하는 것이 중요하며 의인성(iatrogenic) 손상을 받지 않도록 주의하며 신경외막(epineurium) 절개는 하지 않는다. 마비가 급성인 경우 즉각적인 치료로 대부분 회복되나 수주이상 지속된 마비는 예후가 좋지 않다.

3) 악성 외이도염

악성 외이도염은 고령의 당뇨병 환자나 면역억제 환자에서 주로 녹농균(*Pseudomonas aeruginosa*)에 감염되어 외이도와 주변의 연조직을 침범한다. 이 질환은 Santorini 열(fissure)을 통해 두개저로 침범하고 고실유돌봉합(tympanomastoid suture)을 통해 경유돌공(stylomastoid foramen)을 침범하면 안면신경마비가 생긴다. 환자들은 대개 심한 이통을 호소하며, 안면신경 마비를 보이면 예후가 나쁘다.[8] 치료는 항녹농균 항생제를 이용한 약물치료를 주로 사용한다. 안면신경마비에 안면신경감압술은 시행할 수 있지만 논란의 여지가 있다.

Ⅲ 외상

외상에 의한 안면신경마비는 원인에 따라 측두골 외상에 의한 마비와 의인성(iatrogenic)마비로 나눌 수 있다. 측두골 외상에 의한 안면신경마비는 측두골 외상 부분에서 자세하게 다루어지므로 여기서는 의인성(iatrogenic) 안면신경마비만 다루고자 한다.

수술 중 발생하는 안면신경 손상은 매우 드물지만 귀 수술의 가장 두려운 합병증이다. 이하선, 경부 종양 및 청신경종양 등을 제거할 때 안면신경을 희생하는 경우 수술 시 즉시 확인이 가능하여 적절한 처치, 즉 직접 신경문합술(direct nerve anastomosis) 혹은 신경간치이식술(interpositional nerve graft)을 시행한다.

중이수술 후 예측하지 못한 안면신경 마비의 경우 처치가 매우 중요하다. 수술 중 사용한 국소마취제에 의한 마비는 대부분 2시간 이내 효과가 감소함으로 이 기간 동안 관찰할 필요가 있으며, 마비가 지속되는 경우 충전물(packing) 에 의해 안면신경관 결손 부위에 압박 가능성이 있으므로 일단 제거해야 한다. 불완전 마비가 발생한 경우 경미한 외상, 부종에 의하여 발생한 경우이므로 스테로이드를 사용하면서 경과를 관찰한다.

완전마비가 발생한 경우 안면신경을 수술 시 확인하지 못한 경우나 안면신경 손상의 가능성이 있으면 가능한 속히 재수술을 시행해야 한다.[30]

Ⅳ 종양

종양에 의한 안면신경 마비는 안면신경에서 직접 발생한 경우와 주위조직에서 발생한 종양이 안면신경 기능의 장애를 초래하는 경우로 대별할 수 있다.

종양 발생에 의하여 유발되는 안면신경 마비의 특징은 3주 이상에 걸쳐 서서히 진행하거나, 회복되지 않는 경우, 편측에 반복되는 경우, 안면 수축(twitching)이 동반되는 경우, 중이염 병력이 없는 환자에서 만성 편측 이관장애가 발견되는 경우, 다발성 뇌신경 마비와 함께 발생하는 경우, 이하선 종양 또는 경부 종양이 존재하는 경우, 그리 악성종양의 기왕력이 있을 때 종양에 의한 안면신경 마비

를 의심해야 한다.[45]

종양에 의한 안면신경마비는 측두골 종양 부분에서 자세하게 다루어 질 것이다.

 선천성 및 소아 안면신경마비

신생아에서 발생하는 안면신경마비는 출생환아의 0.23% 정도로 추정된다. 원인에 따라 선천성 안면신경마비와 분만손상에 의한 안면신경 마비로 나눌 수 있고 분만손상에 의한 경우가 78% 정도를 차지한다.[34,40] 소아 안면신경 마비 중 가장 많은 것은 벨마비이지만 다른 원인에 의한 감별이 필요하다.

1. 선천성 안면신경마비

안면신경마비 외에 다른 뇌신경장애와 더불어 뇌간유발반응 검사에서 파간 간격의 연장등의 이상 소견이 선천성을 의심하는 소견이다.

가장 경미한 선천성 안면신경 마비로서 선천성 편측 하순마비(congenital unilateral lower lip palsy)는 아래입술내림근(depressor labii inferioris muscle) 발육부전에 의해 의하며 뇌간의 병변과 연관이 있다.

Möbius 증후군은 편측 안면마비로부터 양측 안면마비와 안구외전근 장애까지의 다양한 병리 형태로 다른 뇌신경 기능이 약화된다. 자기공명영상에서 내이도내 안면신경이 관찰되지 않으나 Möbius 증후군의 대부분은 얼굴 아랫부분의 안면신경 기능이 보존된다.[44]

CHARGE 증후군에서도 안면마비를 포함한 다양한 뇌신경마비가 동반되며 청각신경이 60%, 안면신경이 43%에서 이환된다.

선천성 안면신경 마비의 예후는 불량하여 주로 역동적 재건술을 통해 교정한다.

2. 분만외상에 의한 안면신경 마비

분만외상에 의한 안면신경 마비는 안면마비 외에 안면부종, 측두골 부위의 반상출혈, 혈고실이 동반될 때 의심한다. 위험인자로 겸자분만(forcep delivery), 3,500 g 이상의 몸무게, 초산인 경우이다. 분만외상에 의한 신생아 안면신경 마비는 원인에 관계 없이 대개 완전 회복된다.[12]

3. 소아 안면신경마비

소아의 안면신경마비의 원인들은 성인의 원인들과 같지 않으므로 주의를 요한다. 소아 벨마비는 성인에 비해 드물게 발생하며 여아에서 더 흔하다. 소아 벨마비의 예후는 보고자마다 다양하나 어른과 마찬가지로 신경전도 검사로 측정하는 신경 변성의 정도에 의해 결정된다. 소아 벨마비의 치료에 있어서 스테로이드의 역할은 어른과 달리 명확하지 않다.[35]

 기타

1. Melkersson-Rosenthal 증후군

이 증후군은 재발성 구강안면 부종, 재발성 안면신경마비, 균열설(fissured tongue) 세 가지를 특징으로 한다. 구강안면 부종이 주된 특징이며 안면신경마비와 균열설은 약 반수에서만 나타난다. 원인은 잘 모르며 안면신경 마비는 세 가지 특징 중 가장 빈도가 낮으며 벨마비와 같이 갑자기 시작된다. 양측에 순차적으로 생기고 회복되는 시기를 거치나 자주 재발하는 특성이 있고 안면신경마비 병변의 위치는 안면부종의 위치와 일치한다. 치료방법은 특징적인 병인이 없어 대증적 요법만을 시행한다.[30]

2. 대사 질환

당뇨병에 의하여 안면신경에 분포하는 미세혈관의 변화가 발생하며 이는 혈류장애의 형태로 나타나며 당뇨병에 의한 안면신경마비의 치료는 특발성 안면신경마비와 유사하나 당뇨 조절이 함께 필요하다.[27] 가역적인 안면신경 마비가 비타민 A의 결핍과 연관이 있다는 보고도 있다.[30]

3. Kawasaki 병

영아 급성 열성 점막피부 림프절 증후군(Infantile acute febrile mucocutaneous lymph node syndrome)으로 알려져 있으며 영아 및 유아에서 발생하며 대개 여러가지 질환이 합병증으로 유발된다. 주로 점막, 피부, 림프절, 심장의 장애가 발생하며 약 30%에서 신경계 합병증이 발생하며 무세균성 뇌막염과 흥분성이 가장 빈번한 신경 증상으로 안면신경 마비가 신경증상의 일환으로 발생한다.[30]

4. 사르코이드증(Sarcoidosis)

만성 비치즈 육아종(chronic noncaseating granuloma)을 일으키는 질환으로 전신적으로는 폐 림프절 증식, 다발성 관절통, 무력증, 간이상, 칼슘 상승이 발생한다. 사르코이드증의 변형인 Heerfordt 병은 비화농성 이하선염, 포도막염, 미열과 중추 신경장애를 일으키는데 중추 신경장애의 일환으로 안면신경을 가장 많이 침범한다. 안면신경마비가 양측성으로 발생하는 경우 감별진단해야 하는 질환으로 안면신경 마비는 이하선염 이후 수일부터 수개월 이후 갑자기 발생하며 육아종이 신경을 직접 침범하여 발생하는 것으로 생각되고 있다.[30]

5. Guillain-Barre 증후군

바이러스 감염후 주로 하지의 근력 저하로 시작하여 서서히 상행운동 마비를 일으키는 급성 염증성 탈수초 말초성 신경 질환으로 안면마비가 50%의 환자에서 발생하며 양측 안면신경 마비의 주된 감별질환이다. 전염성 단핵구증, Lyme 병, 매독, 양성 두개내고혈압, 사르코이드증, 백혈병 등이 양측 안면신경 마비의 감별 질환이다.[30]

6. 백혈병(Leukemia)

급성 백혈병이 있는 경우 골수외 침범으로 안면신경마비가 발생할 수 있다. 백혈세포가 직접적으로 중이나 측두골에 직접적으로 침윤을 일으키거나 신경주위 수막침범으로 안면마비를 일으킨다. 치료방법으로는 환자의 전신 상태를 고려하여 항암화학요법 또는 방사선요법을 시행한다.[28]

7. 중추성 안면신경 마비

중추성 안면신경마비는 두정부운동 피질이나 안면신경핵과 피질 사이의 연결에 문제가 있을 때 발생하며 주로 중추성 질환을 의심할 만한 다른 신경학적 증상과 함께 발생한다. 안면의 이마는 침범하지 않고 아래쪽만 주로 침범한다. 다른 중요한 징후는 자발적운동이 심하게 손상되어도 정서적인 안면 반응은 유지된다.[30]

참고문헌

1. 박상유. 이성대상포진. 대한이비인후과학회지 2014;57:78-83.
2. 이종대. 급성 염증성 안면신경마비. 대한이비인후과학회지 2011;54:386-391.

3. 조양선. 급성 안면신경마비의 수술적 치료. 대한이비인후과학회지 2005;48:950-954.
4. Adour KK, Byl FM, Hilsinger RL Jr, et al. The true nature of Bell's palsy: analysis of 1,000 consecutive patients. Laryngoscope. 1978;88(5):787-801.
5. Adour KK. Current concepts in neurology: diagnosis and management of facial paralysis. N Engl J Med. 1982;7:348-351.
6. Adour KK, Hilsinger JRL, Callan EJ. Facial paralysis and Bell's palsy: A protocol for differential diagnosis. Am J Otolaryngol 1985;(Suppl):68-73.
7. Adour KK, Wingerd J, Bell DN, et al. Prednisone treatment for idiopathic facial paralysis (Bell's palsy). N Engl J Med. 1972;287:1268-1272.
8. Amorosa L, Modugno GC, Pirodda A. Malignant external otitis: review and personal experience. Acta Otolaryngol Suppl. 1996;521:3-16.
9. Belman AL, Coyle PK, Roque C, et al. MRI findings in children infected by Borrelia burgdorferi. Pediatr Neurol. 1992;8:428-431.
10. Baugh RF, Basura GJ, Ishii LE, et al. Clinical practice guideline: Bell's palsy. Otolaryngol Head Neck Surg. 2013;149:S1-27.
11. Belec L. Peripheral facial paralysis and HIV infection: Report of four African cases and review of the literature. J Neur 1989;236:411.
12. Bergman I, May M, Wessel HB, et al. Management of facial palsy caused by birth trauma. Laryngoscope 1986;94:381-384.
13. Chang YS, Choi JE, Kim SW, et al..Prevalence and associated factors of facial palsy and lifestyle characteristics: data from the Korean National Health and Nutrition Examination Survey 2010-2012. BMJ Open. 2016;6(11):e012628.
14. Clark JR, Carlson RD, Sasaki CT: Facial paralysis in Lyme disease. Laryngoscope 1985;95:1341-1345.
15. Cook SP, Macartney KK, Rose CD, et al. Lyme disease and seventh nerve paralysis in children. Am J Otolaryngol. 1997;18:320-323.
16. Engström M, Berg T, Stjernquist-Desatnik A, et al. Prednisolone and valaciclovir in Bell's palsy: a randomised, double-blind, placebo-controlled, multicentre trial. Lancet Neurol. 2008;7:993-1000.
17. Fisch U. Prognostic value of electrical tests in acute facial paralysis. Am J Otolaryngol 1984;5:494.
18. Fisch U. Surgery for Bell's palsy. Arch Otolaryngol 1981;107:1-11.
19. Gantz BJ, Rubinstein JT, Gidley P, et al. Surgical management of Bell's palsy. Laryngoscope. 1999;109:1177-1188.
20. Gillman GS, Schaitkin BM, May M, et al. Bell's palsy in pregnancy: a study of recovery outcomes. Otolaryngol Head Neck Surg. 2002;126:26-30.
21. Hato N, Murakami S, Gyo K. Steroid and antiviral treatment for Bell's palsy. Lancet 2008;371:1818-1820.
22. Hato N, Yamada H, Kohno H, et al. Valacyclovir and prednisolone treatment for Bell's palsy: a multicenter, randomized, placebo-controlled study. Otol Neurotol. 2007;28:408-413.
23. Hunt JR. "On herpetic inflammations of the geniculate ganglion: a new syndrome and its complications". J Nerv Ment Dis 1907;34:73-96.
24. Hughes GB. Practical management of Bell's palsy. Otolaryngol Head Neck Surg 1990;102:658-663.
25. Jackson CG, Johnson GD, Hyams VJ, et al. Pathologic findings in the labyrinthine segment of the facial nerve in a case of facial paralysis. Ann Otol Rhinol Laryngol. 1990;99:327-329.
26. Jonsson L, Tien R, Engstrom M, et al. Gd-DPTA enhanced MRI in Bells palsy and herpes zoster oticus: An overview and implications for future studies. Acta Otolaryngol 1995;115:577-584.
27. Korczyn A. Bell's palsy and diabetes mellitus. Lancet 1971;1:108-109.
28. Krishnamurthy S, Weinstock AL, Smith SH, et al. Facial palsy, an unusual presenting feature of childhood leukemia. Pediatr Neurol. 2002;27(1):68-70.
29. Lee HY, Byun JY, Park MS, et al. Steroid-antiviral treatment improves the recovery rate in patients with severe Bell's palsy. Am J Med. 2013;126:336-341.
30. Mattox DE. Clinical disorders of the facial nerve. In: Cummings Otolaryngology-head and neck surgery, 6th ed. St. Louis, Mosby, 2015. p.2617-2628.
31. May M, Klein SR. Differential diagnosis of facial nerve palsy. Otolaryngol Clin N Am 1991;24:613-645.
32. Murakami S, Mizobuchi M, Nakashiro Y, et al. Bell palsy and herpes simplex virus: identification of viral DNA in endoneurial fluid and muscle. Ann Intern Med. 1996;124:27-30.
33. Murr AH, Benecke JE. Association of facial paralysis with HIV positivity. Am J Otol 1991;12:450-451.
34. Orobello P. Congenital and acquired facial nerve palsy in children. Otolaryngol Clin N Am 1991;24:647-652.
35. Pavlou E, Gkampeta A, Arampatzi M. Facial nerve palsy in childhood. Brain Dev. 2011;33(8):644-650.
36. Peitersen E. The natural history of Bell's palsy. Am J Otolaryngol 1982;4:107-111.
37. Peitersen E. Bell's palsy: the spontaneous course of 2,500 peripheral facial nerve palsies of different etiologies. Acta Otolaryngol Suppl. 2002;549:4-30.
38. Rowlands S, Hooper R, Hughes R, et al. The epidemiology and treatment of Bell's palsy in the UK. Eur J Neurol. 2002;9:63-67.
39. Schwaber MK, Larson TC 3rd, Zealear DL, et al. Gadolinium-enhanced magnetic resonance imaging in Bells palsy. Laryngoscope 1990;100:1264.
40. Smith JD, Crumley RL, Harker LA. Facial paralysis in the newborn. Otolaryngol Head Neck Surg 1981;89:1021-1024.
41. Sullivan FM, Swan IR, Donnan PT, et al. Early treatment with prednisolone or acyclovir in Bell's palsy. N Eng J Med. 2007;357:1598-607.

42. Sweeney CJ, Gilden DH. Ramsay Hunt syndrome. J Neurol Neurosurg Psychiatry. 2001;71:149-154.
43. Tavener D. The prognosis and treatment of spontaneous facial palsy. Proc R Soc Med 1959;52:1077-1080.
44. Verzijl HT, Padberg GW, Zwarts MJ. The spectrum of Mobius syndrome: an electrophysiological study. Brain. 2005;128:1728-1736.
45. Vrabec JT and Lin JW. Acute paralysis of the facial nerve. In: Bailey's Head & Neck Surgery Otolaryngology, 5th ed. Lippincott Williams & Wilikins, 2014. p.2503-2518.
46. Yanagihara N, Hato N, Murakami S, et al. Transmastoid decompression as a treatment of Bell palsy. Otolaryngol Head Neck Surg 2001;124:282-286.
47. Yetiser S, Tosun F, Kazkayasi M. Facial nerve paralysis due to chronic otitis media. Otol Neurotol 2002;23:580-588.

안면신경 질환_
안면신경마비의 수술적 치료와 재활

이비인후과학 Otorhinolaryngology - Head and Neck Surgery

전범조, 김 진

안면신경은 감염, 종양, 외상, 선천성 질환 및 대사성 질환 등의 다양한 원인에 의해 손상 받을 수 있으며, 손상된 안면신경은 정도의 차이는 있으나 이학적 검사상 단지 안면근육의 마비 형태로만 나타나게 되는 특성을 가지고 있다. 이러한 안면신경의 다양한 병태생리와 더불어 측두골 깊숙이 위치하고 있는 해부학적 접근성의 어려움은 안면신경 질환의 진단, 치료 및 재활을 어렵게 만들어, 각 분야 전문가들의 유기적인 협동 작업을 요구하게 된다.

안면신경마비는 비록 생명을 위협하는 질환은 아니지만, 정서 및 사회적인 생활을 영위하는 인간의 삶을 황폐하게 만들어 무엇보다 치료 결과와 예후가 중요하며, 안면신경마비 환자의 예후를 결정짓는 것은 바로 그 질환의 원인과 손상 정도 및 환자에게 제공된 치료방법이다. 물론 수술적 치료방법의 일부인 안면신경 감압술에 대한 적응증과 수술 시기 및 안면신경 접근법은 논란의 여지가 많은 부분이지만 안면신경마비 질환을 접하는 임상의는 수술적 적응증과 치료방법 및 안면마비 환자에게 적용할 수 있는 재활치료에 대해 면밀히 숙지함으로서 환자의 예후를 보다 향상시킬 수 있다.

I 안면신경마비의 수술 계획

안면신경마비는 단순히 기능적 장애 외에도 안면부라는 특수성으로 사회적 관계에 영향을 미쳐 환자의 심리적, 경제적인 영향을 미칠 수 있다. 따라서 수술을 계획할 때에는 기능적, 미용적 복원 외에도 향후 일련의 변화과정과 그 예후를 예측 설명하여 환자의 심리적인 안정과 치료에 협조를 구해야 한다. 환자의 나이와 여명을 고려하고 환자의 수술 후 효과에 대한 기대 정도를 미리 파악하여 예측되는 효과에 대해 수술 전 충분한 설명과 동의를 받아야 한다. 재활은 마비 발생과 동시에 계획되어야 하며 이상적인 재활은 안정 시에 얼굴의 균형적인 모습을 유지하고, 수의적, 불수의적 선택적 안면 근육의 움직임을 회복하는 것이다.

치료 계획에 영향을 미치는 요인으로는 손상의 정도,

손상부의 해부학적 위치, 마비의 발생 시점과 정도, 마비의 기간으로 요인에 따라 수술의 필요성과 수술방법이 달라진다. 따라서 수술에 앞서 질병의 병리학적 상태와 정확한 안면마비의 정도를 파악하는 것이 선행되어야 한다.[38]

수술적 치료를 위해서는 환자에 대한 정확한 평가가 이루어져야 하며 이를 위해 자세한 문진, 이학적 검사 및 방사선 검사와 함께 신경전도검사(electroneurography)나 근전도검사(electromyography)가 필요하다. 우선 문진을 통하여 안면신경 손상의 종류와 시점, 환자의 나이, 전반적인 건강상태 및 기대 수명, 영양상태, 수술 및 방사선 치료에 대한 과거력 등을 알아볼 수 있다. 이학적 검사를 통하여 과거 수술의 흔적과 반흔, 삼차신경(trigeminal nerve) 미주신경(vagus nerve), 설하신경(hypoglossal nerve) 등의 상태, 안면 근육의 움직임과 구조, 안구 및 안륜근(orbicularis oculi muscle)의 상태를 확인하며, 근전도 검사를 통하여 안면신경 및 근육의 기능을 알아보고 CT 및 MRI검사를 통하여 안면신경의 형태학적인 상태와 그 주위 구조물과의 관계, 이하선(parotid gland) 등의 상태를 면밀히 알아볼 수 있다(표 57-1).[1,43]

안면신경이 손상이 되면 다른 말초신경과 같이 손상 정도를 분류할 수 있으며 그 정도에 따라 서로 다른 변성시기(degeneration phase)와 재생시기(regeneration phase)를 가지게 된다. 흔히 신경 손상을 전기생리 및 해부학적 특성에 따라 신경차단(neuropraxia), 축삭절단(axonotmesis) 신경절단(neurotmesis)의 3가지로 분류한 Seddon의 분류방법과 신경손상을 5가지로 세분한 Sunderland의 분류법[41,42]을 참고하여 손상된 안면신경이 어느 등급에 속하느냐를 예측하여 그 예후를 짐작할 수 있다(그림 57-1). 하지만 임상적인 면에서 표면적으로 안면 근육의 상태를 바로 알 수 있고 임상의간 원활한 의사소통과 추적

표 57-1. 수술 전 시행할 수 있는 문진 및 검사

과거력	이학적 검사	전기생리학적/영상학적 검사
• 안면신경의 손상 정도 • 안면신경마비의 기간 • 나이, 기대수명, 전반적인 건강상태 • 영양학적 상태, 수술력이나 방사선치료 등의 과거력	• 과거 수술적 반흔, 흔적·삼차, 미주, 설하신경의 상태·안면움직임, 톤, 구조파악 • 안구 및 안검상태	• 신경전도검사(2주 이내) • 근전도검사 • CT 혹은 MRI 검사

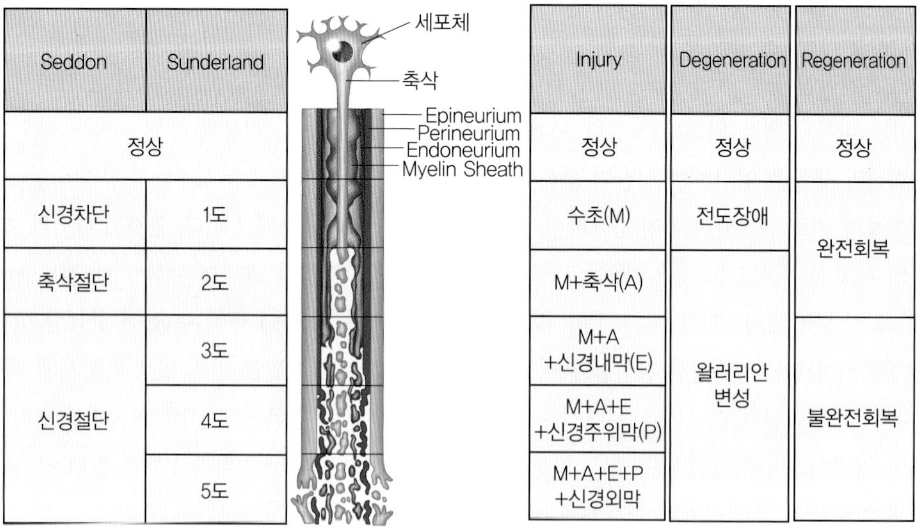

Seddon	Sunderland	Injury	Degeneration	Regeneration
정상		정상	정상	정상
신경차단	1도	수초(M)	전도장애	완전회복
축삭절단	2도	M+축삭(A)	왈러리안 변성	
신경절단	3도	M+A +신경내막(E)		불완전회복
	4도	M+A+E +신경주위막(P)		
	5도	M+A+E+P +신경외막		

■ 그림 57-1. Seddon과 Sunderland 구분법에 따른 신경 손상 정도의 특징

관찰이 용이하게 구분할 수 있는 House-Brackmann 분류법(House-Brackmann facial nerve grading system, H-B system)은 표준적인 평가방법으로 널리 쓰이고 있다.[23]

안면신경 손상 후 그 운명은 손상되는 순간 결정이 된다 해도 과언은 아니다. 즉 안면신경이 신경내막(endoneurium)을 포함하여 손상을 받게 되면 안면신경은 재생 과정 중에 이상재생(aberrant regeneration), 전기연접전달(ephaptic transmission) 및 중추세포 과민증(cellular hypersensitivity) 현상을 가지게 되어 안면 근육에 비정상적인 움직임과 수축이 유발된다(그림 57-2).[34,35]

하지만 안면신경 손상 후 안면신경 내 섬유다발(axon fascicle)이 어떠한 상태에 있느냐를 예측하기는 매우 어려운 경우가 있다. 그 이유는 모든 섬유다발이 동일한 손상 정도를 가지는 것이 아니라 서로 다른 손상 정도를 가지고 있으며, 전기생리학적 검사가 신경차단(neuropraxia)과 Wallerian 변성(Wallerian degeneration)이 일어나는 축삭절단(axonotmesis)을 구별해 줄 수 있으나, 축삭절단(axonotmesis)과 신경절단(neurotmesis)을 정확히 구별해 주지는 못하기 때문이다. 다만 안면신경 내에 신경절단(neurotmesis)의 손상을 가지고 있는 신경 섬유가 많은 비율로 존재한다면 전기생리학적 검사상 변성비율(degeneration ratio)이 수일 내 비교적 급격하게 증가하는 것으로 알 수 있으며 이는 House-Brackmann분류법상 grade V나 grade VI에 해당되는 상태로서 불완전 회복될 가능성이 높다고 할 수 있다.[18,33]

급성 안면신경 손상과 달리 만성 압박성 손상(chronic compressive injury)의 경우 위의 경우와 다른 병태생리학적 과정을 가진다. 안면신경에 만성적인 압력이 가해진다면 슈반세포(Schwann cell, 신경섬유 초(鞘) 세포)의

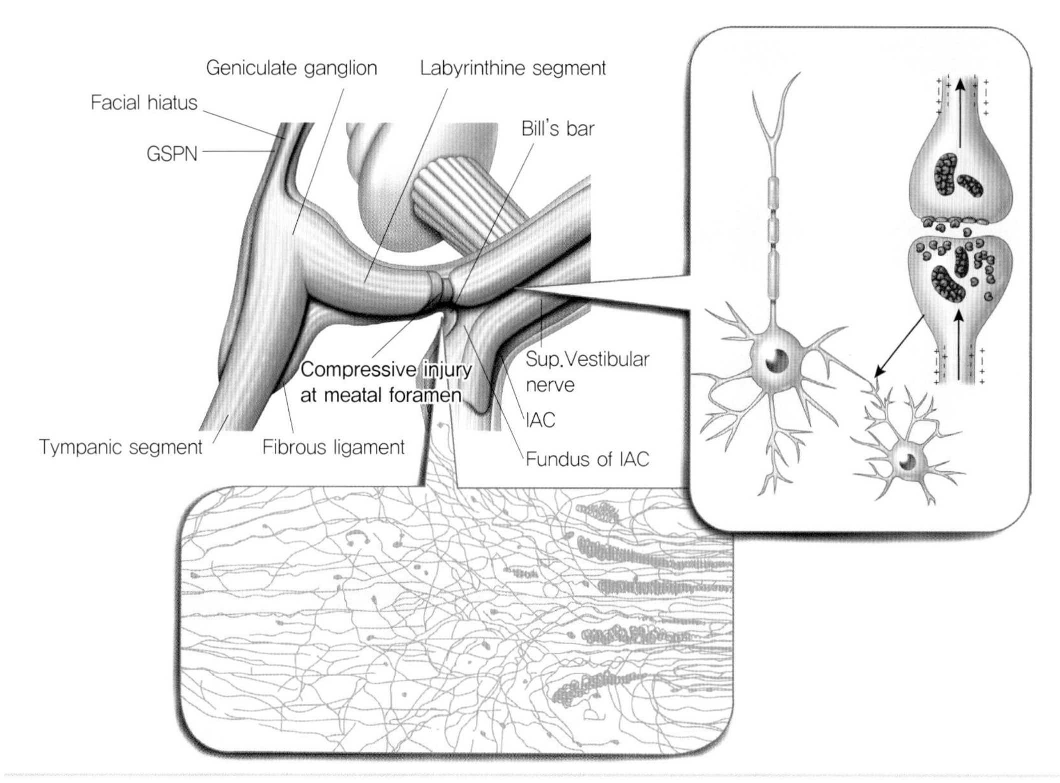

■ 그림 57-2. **신경절단(neurotmesis) 후 재생 과정에 형성되는 이상재생(aberrant regeneration)과 신경연접현상(ephaptic transmission)에 의한 안면신경의 불완전회복**

변성(degeneration)과 재생(regeneration)이 동시에 일어나 안면신경의 기능에는 큰 문제가 없으나 시간이 오래 지속되거나 압력이 높아지는 경우에는 변성된 슈반세포(degenerative Schwann cell)의 비율이 상대적으로 증가하여 결국 안면신경의 기능이 저하되고 안면마비가 생기게 된다. 따라서 진주종(cholesteatoma)이나 청신경초종(acoustic schwannoma, vestibular schwannoma), 혹은 안면신경초종(facial nerve schwannoma, facial neurinoma)에 의해 안면마비가 발견이 된 경우, 근전도 검사상 안면 근육의 퇴화된 소견을 보인다면 이미 안면신경과 근육의 불가역적 손상이 생기게 된 경우로서 종양이 수술적 제거가 된다 하더라도 그 예후는 좋지 않은 경우가 많다.[4,27]

1. 안면신경 절단 시 기간에 따른 수술적 치료

1) 손상 후 한 달 이내

수술적 방법에 따라 분류해 보면, 신경이 절단되어 마비가 생긴 경우에 손상부위 신경을 직접 연결하는 방법인 직접신경 문합술(direct end-to-end anastomosis)이 예후가 가장 좋다. 이는 1 cm 이내의 신경 결손이 있을 경우 tension 없이 측두골 내에서 rerouting 과정을 거쳐서 tension 없이 문합술을 진행한다. 하지만 봉합하기가 곤란한 부위의 경우 신경봉합을 하지 않고 신경도관 혹은 혈장응고 방법으로 신경을 연결하는 비봉합 방법을 이용하기도 하나 이물질 반응이나 연결부위 사이로 응고액이 들어갈 수 있어 주위를 요한다. 결손 부위가 약 1~1.5 cm 이상인 경우에는 공여 신경을 이용한 신경이식술(nerve graft) 시행을 하며 많이 쓰이는 공여 신경으로서는 대이개신경(greater auricular nerve)과 비복신경(sural nerve)이 있다.

신경이 절단된 경우 즉시 신경 문합술을 하는 것이 예후가 좋으나, 그러한 상황이 되지 않으면 적어도 72시간 내에 수술을 하는 것이 좋다. 왜냐하면 이 시간 내에는 원위부의 신경이 전기적 자극에 반응을 하여 다시 수술을 하는 경우 찾기가 쉬우며 수술 부위의 섬유화가 진행이 되지 않아 접근이 쉽기 때문이다. 72시간이 지나서 수술을 해야 한다면 원위부의 안면신경에 tag를 하여 표시를 해두는 것이 좋으며 적어도 30일 이내, 즉 신경 절단 이후 원위부의 안면신경핵에 의한 자극이 사라지기 전 이내에 봉합술을 시행하여야 안면신경의 기능을 되돌릴 수 있다.

2) 손상 후 한 달 이상 일 년 이내

수상 후 30일에서 1년 정도의 경과된 후이거나 근위부 안면신경을 이용할 수 없는 경우에는 다른 대뇌신경을 이용하여 안면운동의 재활을 도울 수 있는 신경 치환술(nerve substitution)을 시행할 수 있다. 제일 많이 행하여지는 술식으로는 설하신경을 이용하여 원위부의 안면신경을 자극하는 설하-안면신경 문합술(hypoglossal-facial anastomosis)이 있으며, 이때 혀의 움직임이 제한이 되는 것을 피하려면 설하안면신경 교차술(XII-VII cross over technique) 혹은 설하안면신경 개입이식술(XII-VII jump graft)을 하기도 한다. 드물게는 반대측의 안면신경을 이용하는 안면신경 교차술(VII-VII cross-over graft)이나 설인-안면신경교차술(XI-VII cross-over technique)의 방법도 있는데 이는 뇌간 부위 안면신경 핵에 종양이 있거나 손상된 경우 고려할 수 있다.[39] 신경치환술을 계획할 때에는 마비된 안면부의 기능 회복과 동시에 공여부의 기능소실을 최소화할 수 있는 방법을 선택한다.[12]

3) 손상 후 일 년 이상 경과

근전위술(muscle transposition)은 1년 이상 안면신경마비로 안면근육위축이 심한 경우 측두근(temporal muscle), 교근(masseter muscle), 이복근(digastric muscle)을 이용하여 시행하며 신경교차술과 근전위술을 동시에 시행할 수도 있다. 신경교차술 혹은 근전위술이

표 57-2. 안면신경 절단 후 기간별 시행할 수 있는 술식

Reanimation procedure	Time from injury	Surgical techniques
신경재건	30일 이내	신경 문합술, 공여신경이식, 이중 선 이식
신경 치환술	30일에서 1년까지	XII-VII 설하안면신경 교차술, XII-VII 설하안면신경 개입이식술, VII-VII 안면신경 교차술, XI-VII 인-안면신경교차술설
근전위술	1년 이상	측두근, 교근, 자유 근전위술
정적재건법		눈썹올림술, 얼굴주름성형술, 눈꺼풀성형술, 금판이식술, 눈꺼풀봉합술
기타 술기	1년 이상	보톡스, 필러 삽입술

동적재건(dynamic reconstruction)임에 비해 정적 재건법(static reconstruction)은 안면마비의 부위별로 시행하며 주로 대퇴근막(fasacia lata)이나 건(tendon)을 이용한 현수법(suspension operation), 안구보호를 위한 금판이식술(gold weight implant)이나 스프링 삽입방법이 있다. 정적 개건술은 단독으로 또는 동적 재건술과 함께 사용할 수 있다(표 57-2).[25,39]

비가역적인 수술방법인 신경이식술, 안면신경이식술, 신경치환술 등은 자연 회복이 가능한 시기에는 시행하지 않는다. 청신경종양 수술 시 종양 제거 이후 안면신경이 미세하게 유지되면 가능한 12개월까지 기다린 뒤 이차적인 처치를 시행하는 것이 좋다.

신경재생 이후 안면신경 회복 결과에 영향을 미칠 수 있는 요소에는 술자의 술기가 가장 중요하며, 봉합면의 장력(tension), 잔존 종양 여부, 신경절단면 상태, 감염 여부가 치료 결과에 영향을 미치며, 신경손상의 원인, 손상 부위, 문합술의 횟수, 이식편의 길이 등도 영향을 미친다

2. 급성 안면신경마비의 원인에 따른 수술적 고려

원인에 따른 수술적 치료방법을 살펴보면 가장 많은 형태의 특발성 안면신경마비인 벨마비(Bell's palsy)의 경우는 바이러스 감염으로 인한 신경 내 염증 변화와 이에 따른 안면신경관 내의 신경 압박을 가설로 하여 안면신경 감압술이 시행되고 있다. 특히 내이도 분절에서 미로 분절로 이행하는 도내공(meatal foremen)이 해부학적으로 가장 좁은 부위이므로 중두개와 접근법(middle cranial fossa approach)을 이용한 시술이 주로 사용된다. 약물치료에도 불구하고 전혀 반응이 없는 H-B grade VI의 완전마비인 경우, 연속된 신경전도 검사상 운동섬유가 정상측의 10% 미만이 되는 경우 혹은 근전도 검사상 근세동전위(fibrillation potentials), 양성예각파(positive sharp wave) 등의 근육의 탈신경(denervation) 전위가 보일 경우,[6,9] 다른 내과적 질환 혹은 생명에 치명적인 외상이 없을 경우에 안면신경 감압술을 시행할 수 있다. 신경전도검사에서 90% 이상의 심한 변성은 H-B분류법에서 grade I, Grade II로 자연 회복될 가능성이 50% 미만이기 때문이다. 수술 시기는 안면마비 발생 후 2주 안에 시행하는 것이 바람직하며(그림 57-3), 그 이유는 손상된 안면신경 말단부위에 생기는 Wallerian degeneration이 손상 후 2주 길게는 3주에 종료되기 때문이다.[15,17]

신경손상 정도에 따라 안면신경의 변성의 속도가 다르며 이는 전기 생리학적 검사상의 변성섬유의 비율로 나타난다. 심한 안면마비의 경우 연속적인 신경전도검사를 통해 변성 섬유의 진행 속도와 비율을 파악하여 안면신경 감압술을 고려할 수 있다. 중두개와 접근법은 수술 후 잔존청력을 보존할 수 있는 술식이지만 수술 과정 중의 의도하지 않은 내이 손상으로 인해 전정 및 청력이 손상되거나, 뇌척수액 유출의 합병증이 생길 수 있으므로 수술 중 주의해야 한다. 소아에서는 급성 특발성 안면마비의 경우에 자연 회복률이 좋고 수술적 효과가 증명되지 않아 감압술이 추천되지 않는다.[39]

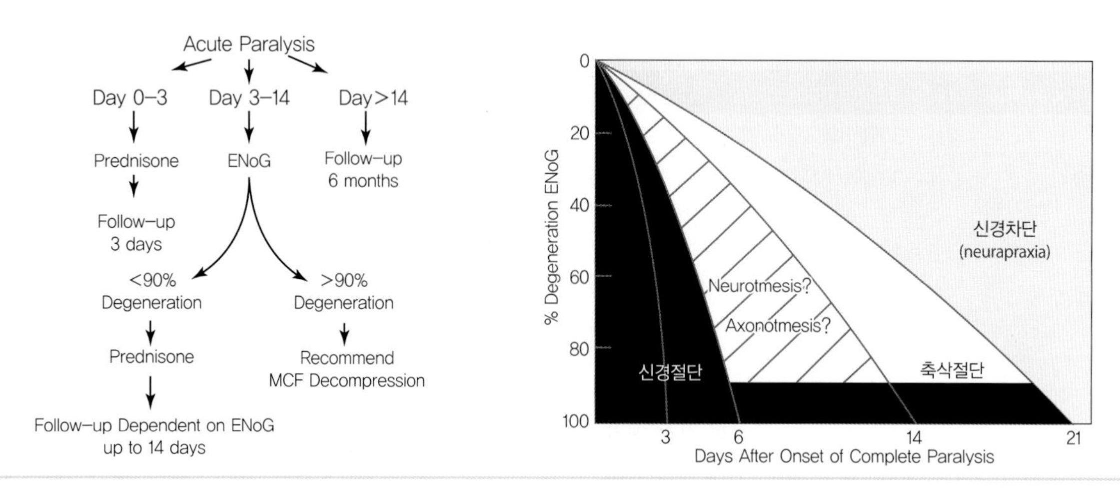

■ **그림 57-3. 급성 안면신경마비의 수술적 적응증을 위한 모식도.** 전기신경 생리학검사와 안면신경마비의 기간을 고려하여 약물치료와 수술치료를 고려할 수 있다.

중이염수술 이후 발생하는 의인성 안면시경 마비의 경우 안면신경을 수술 중 확인하지 못했거나 수술 중 예상되었던 절단 부위가 있으면 가능한 속히 재수술을 시행한다.[19] 재수술의 적응증은 H-B grade V 이상인 완전마비인 경우와, 술 후 5일째까지 안면신경 전기 자극의 반응이 없는 경우이다. 지연성 마비나 혹은 불완전 마비는 경미한 외상, 부종으로 발생하는 경우로 완전마비로 진행하는 경우는 드물다. 중이염 수술 직후에 마비가 발생한 경우, 술자가 수술시야에서 안면신경의 보전을 확인한 경우에는 Lidocaine 마취로 인한 일시적은 마비의 가능성과 술 후 팩킹을 통한 압박의 가능성이 있으므로 일단 압박을 해소하고 스테로이드 약물치료를 하면서 안면 마비의 호전 여부를 관찰한다.

측두골 골절에 의한 안면신경 감압술은 최초 손상 시 완전마비가 있는 경우, 진행성 안면마비가 있는 경우에 신경전도 검사에서 6일 이내 운동섬유의 90% 이상이 변성되면 시행한다. 감압술의 시기는 손상 후 2주 이내 시행한 군이 그 이후에 시행한 군보다 효과가 좋은 것으로 보고되었다.[22,26] 측두골 CT를 통해 병변 부위를 확인해야 하며 완전마비의 경우 슬신경절(geniculate ganglion)과 미로분절(labyrinthine segments)이 손상되므로 미로분절 이상을 감압할 수 있는 접근법을 선택해야 하며 청력이 보존되어 있는 경우 중두개와 접근법(middle cranial fossa approach)과 경유양동 접근법(transmastoid approach)을 함께 시행할 수 있다. 잔존 청력이 없는 경우 경미로 접근법(translabyrinthine approach)을 시행할 수 있다.

Ⅱ 안면신경 감압술

1. 경유양동 접근법

후이개 절개를 통해 유양동(mastoid)을 노출한 후 유양돌삭개술(mastoidectomy)을 시행하여 측반고리관(lateral semicircular canal), 유양동천장(mastoid tegmen), S자 정맥동(sigmoid sinus), 이복능선(digastric ridge)을 확인한다. 안면신경의 주행의 주요 지표로 측반고리, 이복능선, 침골단각(short process of incus)울 이용하며 측반고리관 직하방에 안면신경의 고실부가 주행하고 이복능선 전방부가 경유돌공(stylomastoid foramen)의 지표가 된다. 안면신경와(facial recess)를 작은 직경의 다이어몬드 버어(burr)를 이용하여 개방하고 나면 중이강 내부를 관찰할 수 있다. 계속하여 중간 크기

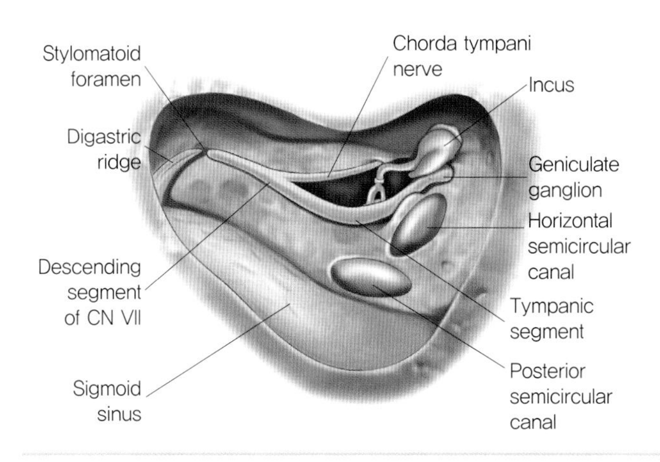

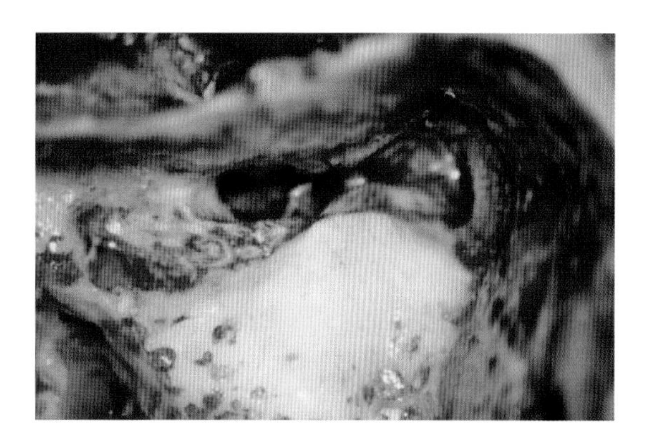

■ 그림 57-4. **경유양동 접근법을 통한 안면신경의 노출.** 안면신경 외막 제거 후 고실분절 및 슬상신경와 부분의 부종이 관찰이 된다. 하지만 경유양동 접근법으로는 미로분절을 포함한 내측 부분의 시야가 제한이 된다.

의 다이아몬드 버어를 이용하여 신경관을 측반고리관 직하방에서 경유돌공까지 드릴하고 180°의 정도로 골부 측면을 제거한다. 1 mm 다이아몬드 버어를 이용하여 중이강을 통해 슬상절까지 골부를 제거 한 후, 필요에 따라 신경박리술을 시행한다. 슬상절까지 접근을 위해서는 침골의 제거가 필요할 수 있으며 제거된 침골은 수술 마치기 전에 복원한다. 이 수술 접근법을 이용한 수술시야로는 슬상절의 충분한 감압을 위한 노출이 어려운 점과 벨마비 혹은 외상성 마비에서 주요 침범부위인 미로분절의 접근이 어렵다는 단점이 있다(그림 57-4). 따라서 필요시에는 중두개와 접근술과 동시에 시행한다. 경유양동을 통한 안면신경 감압술은 신경의 rerouting이 필요할 경우, 악성 종양의 침범 시, 측두하와종괴(infratemporal fossa tumor) 제거 시, 그리고 안면신경관의 유양분절 골절에 시행되며 안면신경 전장의 노출이 필요한 경우는 중두개와 접근법으로 내이기능을 보전할 수 있다.

2. 중두개와 접근법

중두개 접근법은 청력을 보존하면서 내이도 전장과 안면신경의 미로분절을 노출할 수 있는 장점이 있고 경유양동접근법과 함께 적용하면 측두골 내의 안면신경 전체를 노출할 수 있다. 주로 벨마비나 측두골 종골절(longitudinal temporal bone fracture)에서의 감압술에 적용된다. 하지만 고령 환자에서는 경막이 얇고 중두개저에 고착되어 거상이 어려운 점과 술 후 뇌척수액 누출에 주의해야 하며 중두개와의 지표가 뚜렷하지 않으면 내이도와 미로분절의 위치를 찾기 어려울 수 있다(그림 57-5).

따라서 측두골 입체 구조에 대한 술자의 해부학적 지식과 술 전 충분한 해부 실습이 필요하다. 경유양동 접근술보다 수술시야가 조밀하며 상고실 내부의 이소골 손상으로 인한 전음성 난청이나 와우 손상으로 인한 감각신경성 난청과 세반고리관 손상으로 인한 전정기능 소실을 유발할 수 있다. 전하소뇌동맥(anterior inferior cerebellar artery)의 손상은 수술 중의 심각한 문제로 이 수술 시야에서는 지혈이 어려울 수 있고 합병증으로 뇌간(brainstem)과 소뇌(cerebellum)의 경색을 유발할 수 있으므로 주의를 요한다.

3. 경미로접근법을 이용한 안면신경 전체의 노출(Total facial nerve exposure)

경유양동 접근법과 동일한 자세로 접근하며 S상 정맥동을 충분히 노출하여 시야를 확보한다. 침골을 제거하여

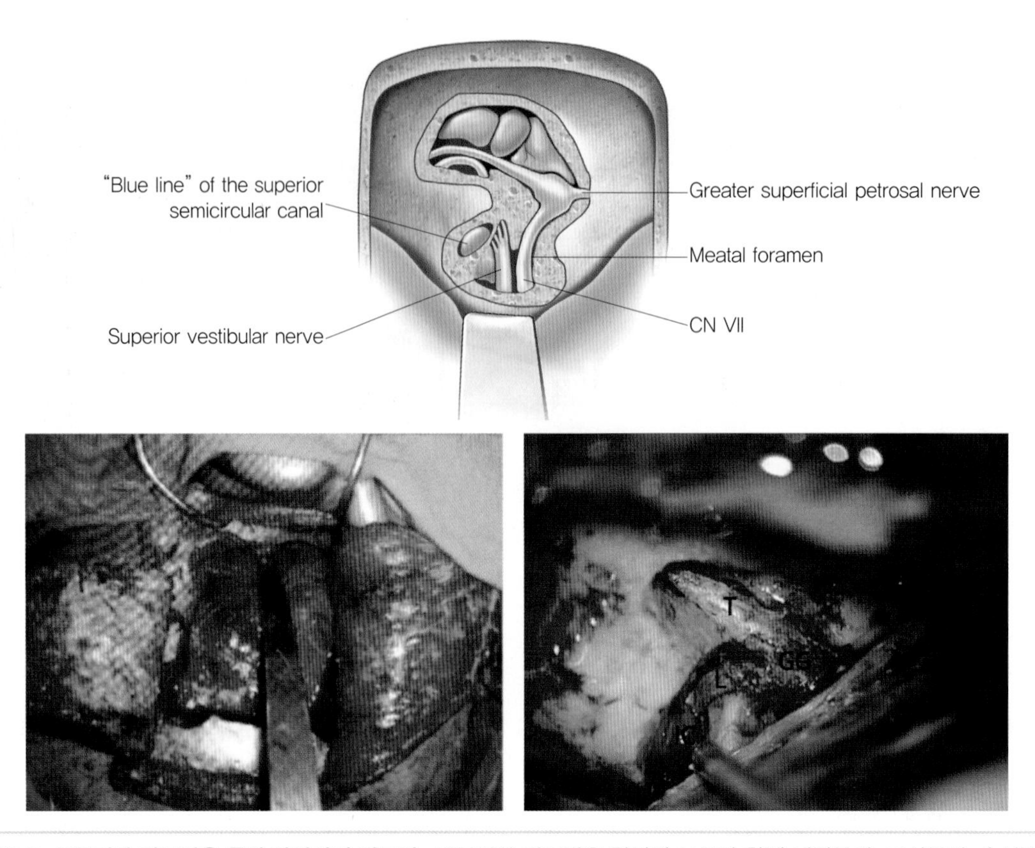

■ 그림 57-5. **중두개와 접근법을 통한 안면신경 접근법.** 중두개와 접근법은 청력의 보존과 함께 내이분절, 고실분절, 슬신경절 및 고실분절 일부를 효과적으로 노출시킬 수 있는 장점이 있다.

안면신경의 고실분절을 노출하고 안신경와(facial recess)를 개방하여 중이강과 유양동의 안면신경관의 윤곽을 확인한다. 후반고리관 아래의 골부를 제거하면 경정맥구(jugular bulb)와 후두개경막(posterior fossa dura), 내림프낭(endolymphatic sac)을 확인하고 측반고리관과 상반고리관의 팽대부 내측에 내이도가 있으며 내이도 외측면의 골부를 180° 정도 제거하면 내이도를 개방할 수 있다. 내이도의 외측면에서의 안면신경의 위치는 상전정신경의 내측과 약간 상부에 주행한다. 미로분절에서 슬상절을 덮고 있는 골부를 제거하고 마지막으로 이복능선 전방의 골부를 드릴한 후 마지막 골편은 무딘거상기로 제거한다.

술 후에는 경막을 봉합하고 측두근막과 준비한 복부지방을 이용하여 유양동을 폐쇄하고 수술을 마친다. 이 수술방법 한 번의 접근으로 안면신경 전체의 주행을 확인할 수 있으나 내이기능의 손상을 유발하므로 술 전에 이미 청력이 소실된 경우에만 시행한다. 측두골 횡골절, 여러 분절을 침범한 안면신경초종, 내이도까지 침범한 추체골진주종(petrous bone cholesteatoma)에도 적용될 수 있다. 충분한 수술시야가 가능하므로 신경 문합술이 필요한 경우에도 사용된다. 뇌척수액 유출과 감염이 드문 합병증이지만 주의해야 한다.

4. 술 중 안면신경 감시법

가장 단순한 감시는 환자의 안면부를 관찰자가 육안으로 관찰하는 것이다. 중요 수술 단계별로 안면부의 움직임을 관찰하는 것이지만 가능하면 바늘 근전도검사기(needle electromyography)를 이용하여 감시를 하는 것이 좋다. 적절한 시각적, 전기생리적 감시를 위해 환자의 술부 측의 이마, 눈, 입, 협부와 어깨를 노출시키고 기관 내 튜브(endotracheal tube)는 반대측으로 안전하게 고정한다. 바늘근전도검사기는 눈둘레근(orbicularis oculi muscle)과 입둘레근(orbicularis oris muscle)에 부착하고 수술 전 안면 부위를 손으로 자극하여 전기적 반응이 잘 나오는지 확인한다. 수술 중에는 안면신경에 일정한 전류 혹은 전압을 준 후 나타나는 반응을 소리를 통해 감시하는 것이 편리하다.

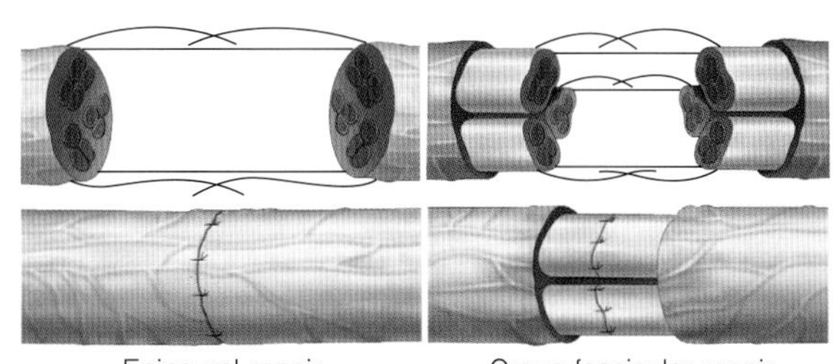

	Epineural repair	Group fascicular repair
수술적 테그닉의 난이도	비교적 간단함	기술적 어려움
수술적 신경손상	박리 중 신경손상이 적음	박리 중 신경손상의 위험이 있음
접합부위면의 일치	비교적 부정확할 가능성	정확한 접합이 가능
주위 조직의 제거	주위 조직 정리가 어려움	주위 조직 정리가 용이

■ 그림 57-6. **일차적 단단문합술의 종류와 장·단점**

5. 안면신경 주위의 수술 중 요령

안면신경 주위를 드릴할 때 절단용(cutting) 버어(burr)는 특성상 순간적으로 이탈하여(catch and jump) 의도하지 않은 손상을 줄 수 있으므로 가급적 직경이 큰 다이아몬드 버어를 이용하는 것이 안전하다. 지속적인 관류(irrigation)는 버어를 세척하고 열을 방출시켜 열에 의한 신경손상을 예방할 수 있어 중요하다. 신경관을 덮고 있는 골파편을 제거할 때는 드릴을 사용하지 않고 끝이 무딘 거상기(elevator)를 이용한다. 신경박리술(neurolysis)을 시행할 때는 Beaver Knife를 이용하고 신경을 신경관으로부터 거상할 때는 예리한 박리(sharp dissection)를 하는 것이 신경 손상이 적다. 신경은 신경관 골부 내측에 고정되어 있는 경우가 많고, 혈류가 풍부한 경우가 많으므로 주의하고 지혈은 필요시에만 양극전기소작기(bipolar electrocautery)와 절연된 미세겸자(microforcep)를 사용하여 전기적 손상을 피한다.[16]

Ⅲ 안면신경 이식술

1. 일차적 단단문합술

일차적 단단문합술에는 신경외막 봉합법(epineural suture)과 신경다발 봉합법(group fascicular repair)이 있다. 신경외막 봉합법은 비교적 술기가 쉽고 신경다발에 손상을 적게 줄 수 있는 장점이 있으나 봉합되는 내부 접합면(coaptation)이 일치되는 면적이 상대적으로 적어 재생 시 연결되는 신경 다발의 수가 적은 단점이 있다. 신경다발 봉합법은 술기가 비교적 어렵고 신경다발에 손상을 많이 줄 수 있는 단점은 있으나 봉합되는 내부 접합면이 일치되는 면적이 상대적으로 많고 좀 더 깨끗한 접합면을 만들어 줄 수 있어 신경의 재생에 더욱 유리한 조건을 만들어 준다(그림 57-6).[37] 단단문합술 후 안면기능의 회복은 환자의 상태, 재건의 시기, 술자의 능숙도에 따라 그 결과가 달라질 수 있는데, 환자가 내과적 질환이 없을 경우, 안면신경 절단 후 바로 재건을 시행하였을 경우, 수술 중 안면신경의 손상이 적을수록 예후가 좋으며 일반적으로 House-Brackmann grade II, III 정도의 안면기능을 기대할 수 있다.

2. 신경간치이식술

신경간치이식술은 종양 제거 후 안면신경의 결손이 5~10mm 이상 생겼을 경우 안면신경을 재건할 수 있는 방법으로서 주로 대이개신경(greater auricular nerve)이나 비복신경(sural nerve)을 이용한다(그림 57-7). 대이개신경은 이하선 종양수술과 한 시야에서 얻을 수 있어 시간을 절약할 수 있으며 귀의 감각마비(numbness) 외에 다른 합병증이 없으나 길이가 약 7~10 cm 정도만을 얻을 수 있기 때문에 안면신경의 여러 분지의 재건이 필요한 경우에는 쓰일 수 없다. 비복신경은 최대 40 cm까지의 신경을 얻을 수 있는 것에 비해 공여부의 합병증이 외측 발목 부위의 감각저하 외에 없기 때문에 주로 많이 쓰인다. 특히 여러 분지의 결손이 생기거나 결손의 길이가 길 경우, 측두내 안면신경의 결손이 있을 경우 비복신경은 유용하게 쓰일 수 있다(그림 57-8).[20] 비복신경을 이용할 경우에는 비복신경을 크게 반으로 잘라 2개로 나누어 사용하게 되며 나뉘어진 비복신경은 각 신경 다발을 2~3개로 나누어서 안면신경의 찾아 놓은 분지에 연결을 하게 된다. 안면신경의 주분지와 비복신경을 연결하는 경우에는 2개로 나누어진 비복신경의 단면적이 안면신경의 주분지의 단면적보다 크기 때문에 연결 시에 사행(bevel shape)으로 신경외막을 봉합하여 연결하는 것이 좋은 방법이라 할 수 있다. 각 분지와 비복신경과 봉합은 1차례의 봉합으로 충분하며 주분지와의 연결은 2~3차례 봉합하는 것이 좋으나 신경 다발에 손상이 되지 않도록 주의해서 봉합하는 것이 좋다.[31] 측두골 내에서 안면신경과 봉합을 해야 한다면 조작이 자유롭지 않아 봉합하는 과정에서 신경 다발에 많은 손상을 줄 수 있어 주의를 요하며 이러한 경우 무

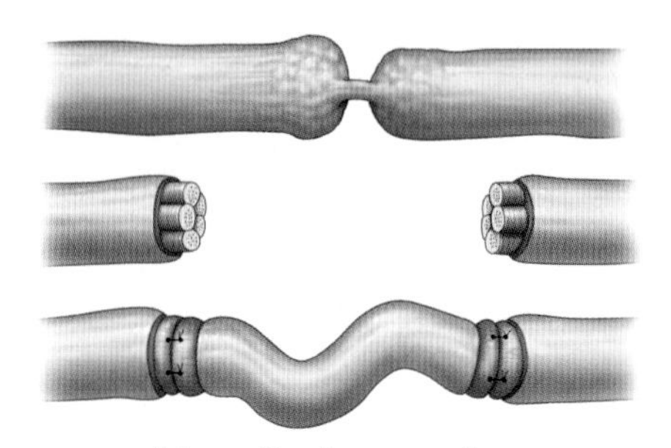

	Sural nerve	Greater auricular nerve
Length	up to 40 cm	7~10 cm
Donor site	Lateral ankle	Upper neck
Complication	Lateral foot numbness	Ear lobe numbness
Merit	enough length and axonal volume	Convenient location
Surgical technique	Connect the defect without tension Match the endoneural surface of each end "S" or "C" shape ensuring extra length	

■ 그림 57-7. **안면신경이식술을 위한 비복신경과 대이개신경의 비교**

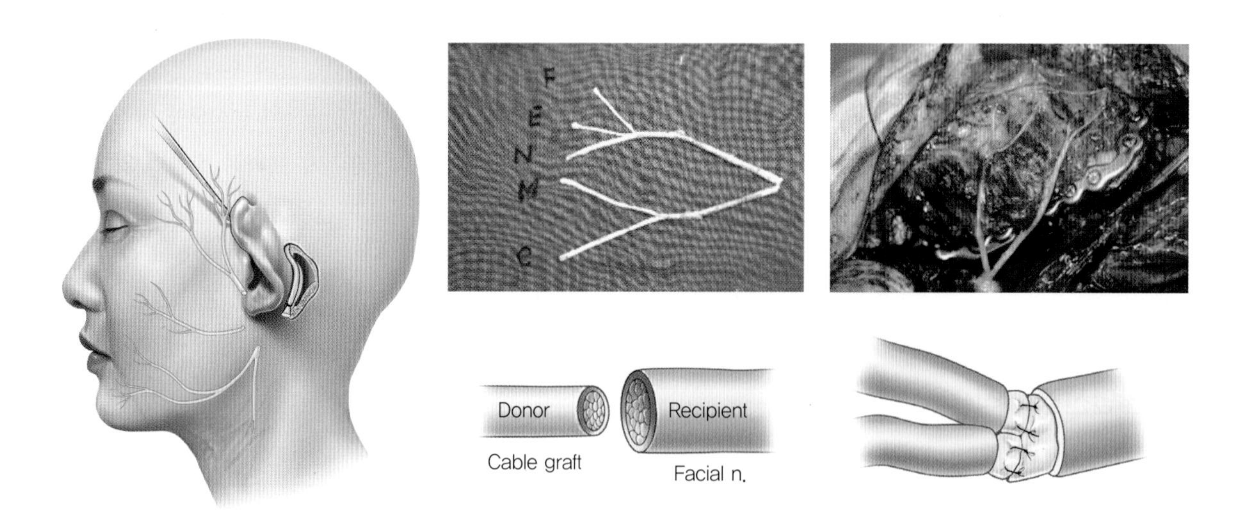

■ 그림 57-8. **안면신경이 광범위하게 제거되고 안면신경 이식술을 통한 안면신경 재건술.** Double cable graft를 이용히여 bevel shape으로 측두골내 유양분절에 접합하여 안면 기능의 장애를 최소화하였다.

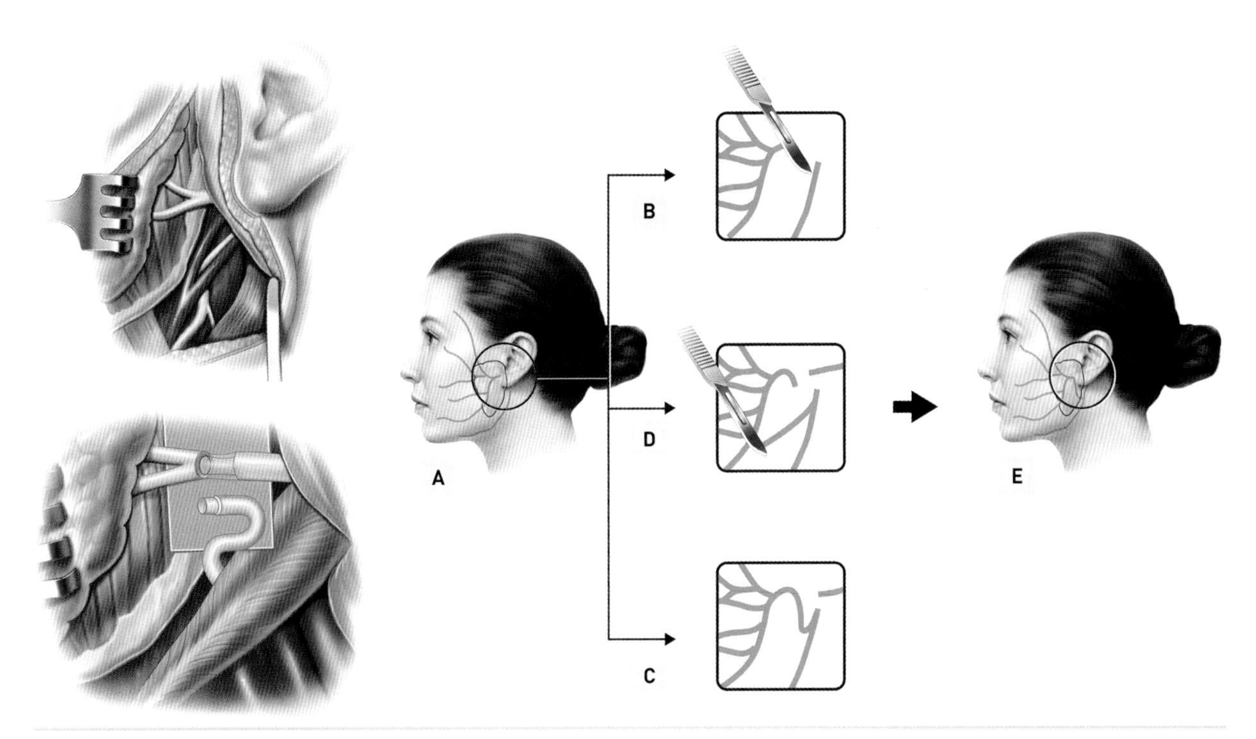

■ 그림 57-9. **설하-안면신경접합술.** 혀의 운동의 장애를 최소화하기 위한 설하안면신경 교차술을 통해 안면신경을의 재건하는 방법

리한 봉합을 시도하는 것보다 Fibrin glue를 이용하여 손상을 최소화하여 접합시키는 것도 좋은 방법이라고 할 수 있다.[3] 술 후 안면기능의 회복면에서도 단단문합술과 비슷한 결과를 기대할 수 있으나 술전 안면마비의 기간이 길거나 환자가 내과적 질환이 있을 경우, 봉합시 신경간 내부 접합면의 신경다발의 비율이 적을수록 예후는 좋지 않으나 최대 H-B grade III까지 기대할 수 있다.

3. 설하-안면신경 교차술

설하안면신경 교차술은 절단된 안면신경의 근위부를 이용할 수 없을 경우 안면신경의 원위부를 설하신경과 봉합하여 주는 술식으로서 수술 시 한 시야 안에서 시행할 수 있는 장점이 있다. 하지만 일반적으로 안면신경의 일차적 단단문합술이나 신경간치이식술보다는 안면마비에 의한 안면기능의 저하가 좀 더 심하며 설하신경의 손상으로 인하여 혀운동의 장애가 생겨 저작과 발음에 불편을 겪게 되는 단점이 있다. 설하신경의 전부를 절단하여 안면신경 원위부와 봉합하는 설하안면신경 봉합술(hypoglossal-facial anastomosis)과 혀운동의 장애를 최소화하기 위한 설하안면신경 교차술(hypoglossal-facial nerve cross-over technique)과 설하안면신경 개입이식술(hypoglossal facial jump graft)이 있다.[10] 그 중 설하안면신경 교차술이 가장 많이 쓰이는 술식으로서 설하신경의 단면적 1/2를 절단하여 신경다발을 끌어올려 안면신경과 봉합하는 방법으로서 혀운동의 저하를 최소화하며 안면신경의 기능을 최대 House-Brackmann grade III까지 유지시켜 줄 수 있는 좋은 술식이라고 할 수 있다(그림 57-9).

Ⅳ 안면 재건술

1. 정적 안면 재건술

정적 안면 재건술은 안면 마비에 의해 유발된 비대칭 안면을 안정 시에 대칭을 맞추어 주는 것이 주 목적으로

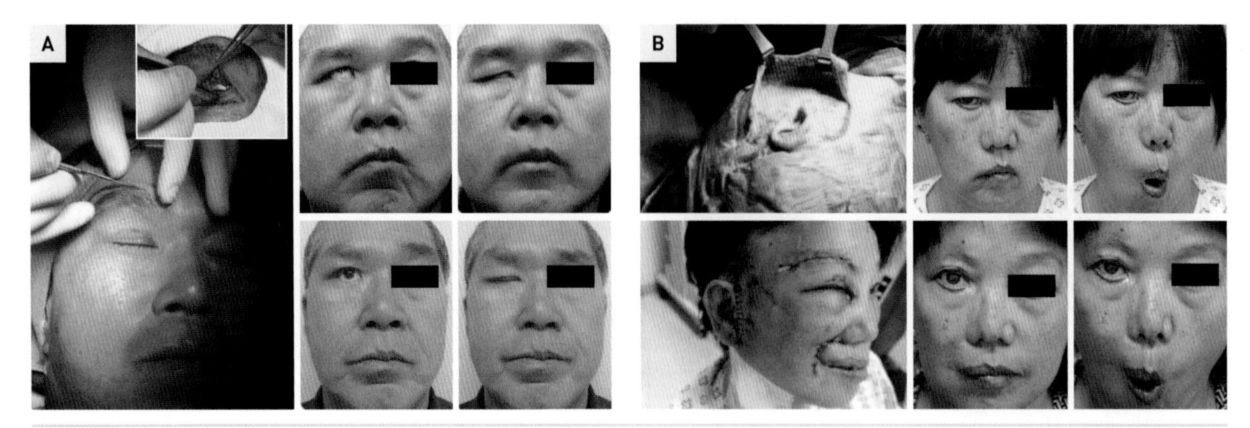

■ 그림 57-10. **다양한 정적 안면 재건술. A)** 눈썹처짐과 토안을 교정하기 위한 눈썹교정술과 금판이식술. **B)** 심한 안면처짐을 교정하기 위한 안면거상술 및 슬링거상술과 함께 시행한 눈썹교정술

서 동적 안면 재건술에 비해 수술방법이 간단하나 여러 가지 동적인 안면 표정이나 기능을 개선시키지 못하는 단점이 있다. 주로 내과적인 기저 질환으로 인한 동적 안면 재건술을 할 수 없는 경우, 동적 안면 재건술이 불가능한 부위의 문제를 해결하고자 할 때, brow ptosis, external nasal valve collapse 등을 교정하고자 할 때 할 수 있다.

술식으로는 안검하수의 개선술(repair of brow ptosis), 토안(lagophthalmos)을 위한 금/프라티넘 재건술(gold/platinum weight reconstruction)(그림 57-10A), 하안검의 재건술(lower eyelid reconstruction), 하순근 단축술(lower lip shortening), 외비 판막 재건술(external nasal valve reconstruction), SMAS층을 이용한 주름 개선술(superficial musculoaponeurotic system (SMAS) rhytidectomy), 정적 슬링 거상술(static sling suspension) 등의 술식(그림 57-10B)을 안면부의 결함이 있는 부위에 따라 적응시킬 수 있다. 그 중 정적 슬링 거상술은 정적 안면 재건술 중 가장 많이 행해지는 술식으로서 안면부의 대칭을 맞추고 구순 기능 부전증(oral incompetence), 치은의 깨물림(biting of inner gums), 악 관절의 기능저하(poor articulation)을 개선시키고자 시행하며 때로는 신경 접합술이나 신경간 치이식술, 설하 안면신경 교차술 등의 동적 안면 재건술 후 미용적인 혹은 기능적인 면을 호전시키고자 함께 행하여지는 경우도 많이 있다. 가장 손쉽게 사용할 수 있는 방법이 외측 허벅지(lateral thigh)로부터 얻을 수 있는 대퇴근 막장근(tensor fascia lata)을 이용한 방법인데 이는 여러 층으로 나누어 구강 교련(oral commissure)과 함께 외비 판막 재건술(external nasal valve reconstruction)을 함께 시행할 수 있는 적당한 양을 얻을 수 있는 큰 장점이 있다.[5] 동종진피에서 유래된 인체피부조직을 가공하여 동결 건조한 알로덤(Allederm Regenerative Tissue Matrix, LifeCell, Branchburg, NJ)이나 합성물질인 고어텍스(Gore-Tex, Implantech Associates, Santa Barbara, CA)를 이용한 정적 슬링 거상술도 손쉽게 이용될 수 있는 방법이다.

2. 동적 안면 재건술

동적 안면 재건술은 안면의 비대칭을 교정하는 것뿐 아니라 자연스러운 미소를 갖게 하는데 그 목적이 있다. 이러한 동적 안면 재건술은 근전이술 (regional muscle transfers (temporalis)), 뇌미세혈관 유리 근이식술(microvascular free muscle grafts) 등이 있다.

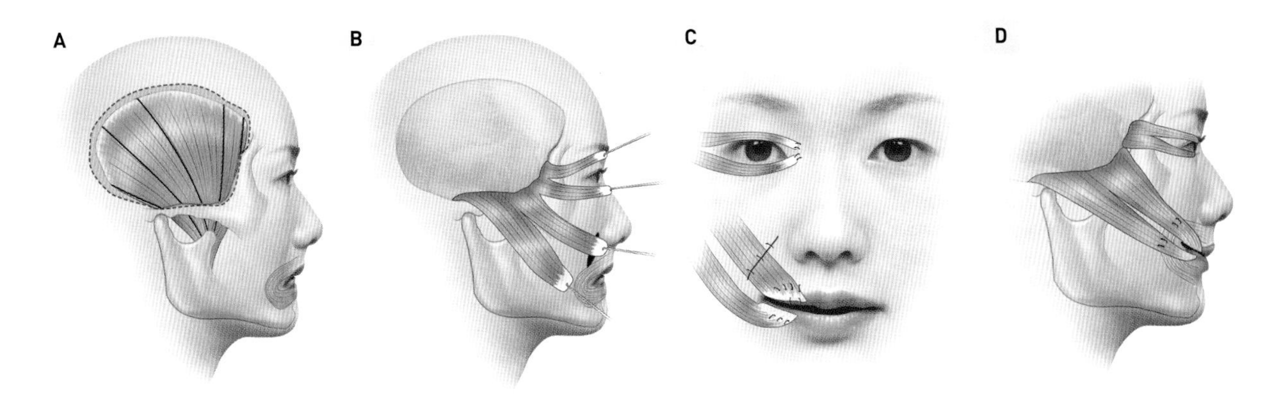

■ 그림 57-11. **측두근 전이술을 통한 안면재건술.** 술자에 따라 여러 가지 방법이 알려져 있으며, 삼차신경의 운동섬유에 의해 지배를 받는 측두근을 이용하여 자연스러운 미소를 가져오게 하는 방법으로서 측두근을 병변 측의 구강 교련에 부착하는 수술방법이다.

1) 측두근 전이술(Temporalis Muscle Transfer)

측두근 전이술은 삼차신경의 운동섬유에 의해 지배를 받는 측두근을 이용하여 자연스러운 미소를 얻을 수 있는 방법으로서 측두근을 병변측의 구강 교련에 부착하는 수술방법이다. 1903년 Lexer에 의해 처음 소개된 측두근 전이술은 효과적으로 구강 교련을 당겨줄 수 있으나 술 후 측두근의 비교적 두툼한 덩어리 효과로 인하여 안면부의 대칭이 자연스럽지 못한 단점과 함께 시간이 지나면서 근육이 늘어나게 되어 다시 구강 교련이 처지는 결과를 초래하는 경우가 있어 그 이후 여러 변형된 술식이 소개되고 있다.[5] 1993년 May와 Drucker는 이를 개선하고자 측두근의 중간 1/3을 박리하여 협골궁(zygomatic arch) 안으로 tunneling하여 넓게 펴주고 구강 교련에 연결하는 방법을 사용하여 덩어리 효과를 줄였으며,[30] 2000년에는 Labbe와 Huault가 전 측두근을 박리 후 구상돌기(coronoid process)를 잘라 붙어 있던 인대를 협골궁 안으로 tunneling 후 구강 교련에 연결하는 방법을 보고하였다.[29]

이러한 측두근 전이술의 가장 큰 장점은 단 한 번의 수술을 통해 동적 안면 재건술을 시행할 수 있다는 점과 안면신경의 정상적인 재생이 방해 받지 않고 비교적 손쉽게 구순 교련을 능동적으로 움직이게 할 수 있다는 점이다. 하지만 오랜 기간의 재활 기간이 요구되며 환자에 따라서는 조화로운 미소를 만들지 못하는 경우가 있어 어느 정도 한계가 있는 술식이기도 하다(그림 57-11).

2) 유리 근전이술

안면마비를 위한 안면 재건술 중 안면근육의 자발적인 움직임을 가져올 수 있는 술식은 안면신경 단단문합술(primary end to end anastomosis)과 신경간치이식술(interpositional nerve graft)과 반대편 안면신경을 이용한 교차안면신경이식술(cross-facial nerve graft)에 의한 유리 근전이술뿐이라 할 수 있다.

1970년 Scaramella에 의해 처음 고안이 된 교차안면신경이식술은 반대편 정상의 안면신경 가지를 신경 자극원으로 이용하여 신경이식술을 통해 병변의 안면신경 가지로 연결하여 주는 방법이다. 하지만 그 결과가 만족스럽지 않아 현재는 많이 쓰이고 있지는 않으며 1976년 Harii에 의해 처음 유리 근전이술을 안면마비 환자에게 적용하여 성공함으로서 현재로서는 가장 좋은 결과를 가져올 수 있는 방법이다.[21]

신경원으로서 반대편 안면신경의 가지와 유리된 gracilis muscle의 신경 가지와 연결해 주는 방법으로서 반대편 정상측 안면신경의 볼가지(buccal branch) 또는

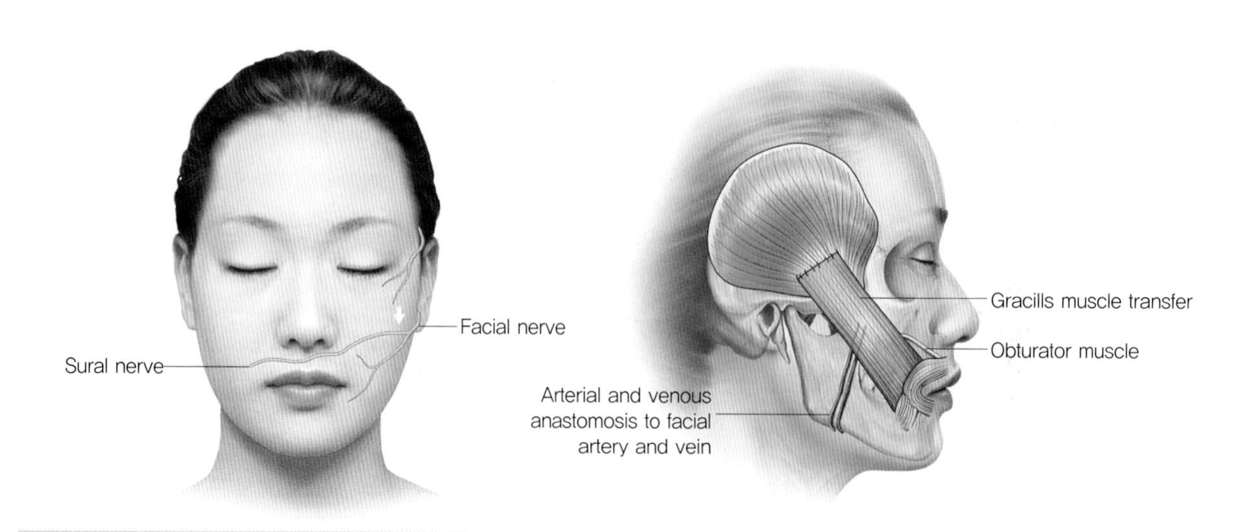

■ 그림 57-12. **Harii에 의해 처음 고안된 유리 근전이술.** 신경원으로서 반대편 안면신경의 가지와 유리된 gracilis muscle의 신경 가지와 연결해주는 방법으로서 반대편 정상측 안면신경의 볼가지(buccal branch) 또는 목가지(cervical branch)와 유리된 비복신경을 연결한 후 윗입술 위로 subcutaneous tunneling하여 비복신경의 말단 부분을 병변 측에 옮긴 후 위치를 표시(marking)한 후 수술 부위을 덮는다. 그 이후 Tinel's sign이 생기는 약 1년 뒤에 근전이술을 반대편 신경원과 연결이 되어 있는 표시가 되어 있는(marking이) 된 비복신경과 이어 줌으로서 2차 수술을 마치게 된다.

목가지(cervical branch)와 유리된 비복신경을 연결한 후 윗입술 위로 subcutaneous tunneling하여 비복신경의 말단 부분을 병변 측에 옮긴 후 위치를 표시(marking) 한 후 수술 부위을 덮는다. 그 이후 Tinel's sign이 생기는 약 1년 뒤에 근전이술을 반대편 신경원과 연결이 되어 표시(marking)가 되어 있는 비복신경과 이어 줌으로서 2차 수술을 마치게 된다(그림 57-12).[28,36]

신경원으로서 반대편의 안면신경이 아닌 다른 신경을 이용하여 한 번의 수술로(one stage로) 하는 경우도 있는데 Zunker와 Manktelow는 삼차신경의 교근가지(masseteric branch)를 유리된 gracilis muscle과 연결해 줌으로서 마비된 안면 근육의 움직임을 유도하기도 하였다. 현재는 One stage로 하는 술식 중 가장 결과가 좋은 것으로 알려져 있어 이러한 trigeminal-gracilis flap이 반대편의 안면신경을 이용하는 2단계 수술법(two stage 수술)이 여의치 않을 경우 많이 쓰이는 방법이다.

3. 과민운동과 동조현상의 치료

급성이나 만성 질환에 의한 안면신경이 손상을 받았다면 그 이후에는 불가역적인 재생 과정이 일어나게 되는데, 대표적인 현상이 안면 동조현상(facial synkinesis, 혹은 연합운동)이다. 안면의 동조현상은 수의적이건, 불수의적 움직임에 상관없이 일측 안면근육이 한 덩어리와 같이 움직이는 현상으로 모든 안면 근육에서 일어날 수 있다.

대표적인 동조현상으로 입가의 움직임에 안륜근이 움직이는 현상(oral-ocular synkinesis)과 그와 반대로 안륜근의 움직임에 입가의 근육이 움직이는 현상(ocular-oral synkinesis), 음식을 씹을 때 눈물이 나는 자율신경계의 동조현상(악어눈물, crocodile tear)이 있다.[35,45] 전형적인 안면운동과다(facial hyperkinesis)증으로는 병변 측에 좁은 눈(narrow eye), 깊은 팔자주름(deep nasolabial fold)과 깊은 입술외측 슬픈 주름(deep bitterness furrow)의 형성을 들 수 있다.[14] 또한 안면마비 이후 시간이 지남에 따라 건측의 근육이 보상적으로 발달하게 되어

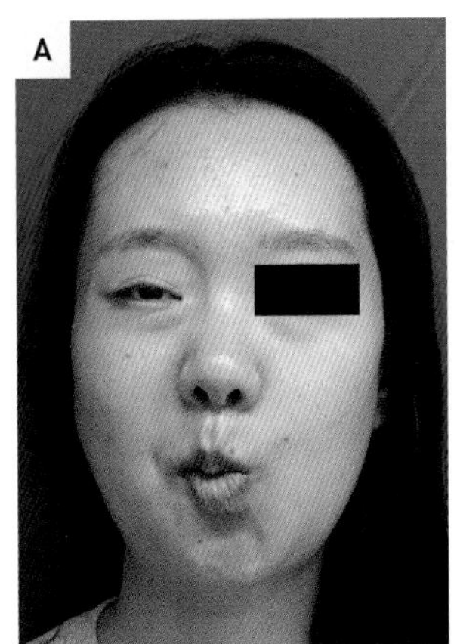
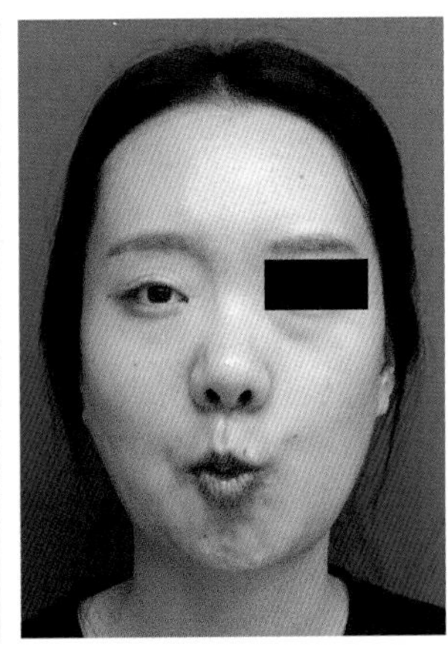

보톡스 주사 전 · 후

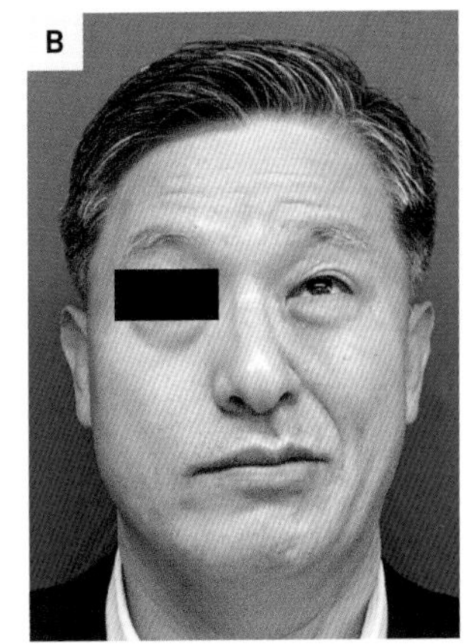
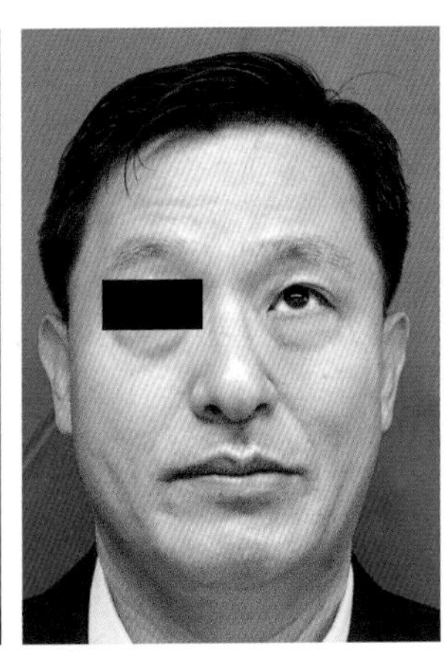

보톡스 주사 전 · 후

■ 그림 57-13. **A)** 우측의 심한 안면마비 이후 발생한 동조현상(Oral-ocular synkinesis)이 보톡스 주입 후 많이 개선이 됨. **B)** 좌측의 심한 안면마비 이후 생긴 동조현상(Ocular-oral synkinesis)이 보톡스 주입 후 호전이 됨.

(weak antagonism of the contralateral muscles) 건측 안면 근육의 진행성 비대증과 깊은 주름이 생기게 된다.[13]

이러한 동조현상을 위해 효과적으로 치료할 수 있는 방법은 보툴리눔 독소(Botulinum toxin A, BTX-A)를 안면 근육에 주사하는 것이다. 1895년 클로스트리디움 보툴리눔(Clostridium botulinum)이라는 병원균이 최초로 알려지게 된 후[11] 86년이 지난 1981년 보툴리눔 독소 A형이 인체에 처음으로 인간의 사시(strabismus)교정에 사용되기 시작하였다.[40] 그 이후 안검경련(blepharospasm)의 치료, 양미간 이마 양측 눈가의 주름치료로 확대되었고,[7] 안면경련(hemifacial spasm)의 치료와 여러 주름 제거 시술에 널리 쓰이기 시작하여[8] 1990년대 초반부터는 보톡스(Botox®, Allergan, CA, USA)가 안면마비 후에 생긴 동조현상과 유루과다(hyperlacrimation)의 치료, 최근에는 안면운동과다 및 안면 근육 비대(facial muscular hypertrophy)에도 효과적으로 쓰이고 있다(그림 57-13).[24,32]

하지만 오랫동안 안면 장애를 가지고 있는 해당 근육은 신경의 전도 속도가 느리고 진폭이 작으며, 탈신경(denervation)에 의한 신경근 접합부(neuromuscular junction)가 퇴화되었기 때문에[2,44] 정상 근력을 가지고 있는 부위와 다르게 고려하여 주사 용량과 주사 부위를 결정해야 한다. 특히 해당되는 근육에 과도한 용량이 주사되었을 때 생기는 부작용과 안와(orbit)내로 보톡스가 우연히 스며들어 생기는 부작용으로 크게 나눌 수 있으며, 그에 해당하는 것들로 안검하수(eyelid ptosis), 가성안면마비(pseudo Bell's palsy), 복시(diplopia) 등이 생길 수 있어 주의를 요한다.

V 요약

안면신경 손상 후 안면신경 마비를 보이는 경우 안면신경 수술의 적응증과 예후 예측에 있어 어려움이 있다. 급성안면마비 시에 계획하는 안면신경 감압술은 조기에 시행할수록, 신경 손상 상태가 경미할수록, 수술 후 안면마비의 호전이 더 양호하며, 안면신경 마비의 재건술의 경우 손상 후 수술 시기를 고려하여 술식을 선택하되 봉합면의 장력, 잔존 종양 여부, 신경절단면 상태, 감염 여부가 신경재생 이후 안면신경 회복 결과에 영향을 미칠 수 있다. 안면신경의 수술적 치료로 얻을 수 있는 결과는 손상된 정도에 따라 다르나 술 후 회복에 한계가 있다. 특히 절단된 신경은 어떠한 방법으로도 이상적인 완벽한 기능의 회복을 기대할 수는 없다.

오래된 안면마비를 치료하는데 가장 중요한 것은 안면의 대칭성과 자연적이고 자발적인 움직임을 유도하는 것이다. 정적 재건술과 동적 재건술은 의학이 발달함에 따라 계속 발전하고 있으며 최대한 좋은 결과를 얻기 위해 수술적인 방법과 함께 비침습적이고 다각도의 접근이 필요하다. 특히 완전회복 되지 않은 안면기능은 시간이 지남에 따라 안면에 뜻하지 않은 비대칭과 동조현상을 유발하는데 보톡스 주입술과 같은 여러 안면 개선술을 통해 교정해 줄 수 있으며, 이를 통하여 환자의 사회적인 활동 및 경제적인 활동에 큰 도움을 줄 수 있다

참고문헌

1. 이원상, 김 진. 안면신경마비와 수술적 치료. 대한의사협회지. 2009;52(8):807-818.
2. Borodic G, Bartley M, Slattery W, et al. Botulinum toxin for aberrant facial nerve regeneration: double-blind, placebo-controlled trial using subjective endpoints. Plast Reconstr Surg. 2005;116:36-43.
3. Bozorg Grayeli A, Mosnier I, Julien N, El Garem H, Bouccara D, Sterkers O. Long-term functional outcome in facial nerve graft by fibrin glue in the temporal bone and cerebellopontine angle. Eur Arch Otorhinolaryngol. 2005;262:404-407.
4. Burggraaff B, Luxford WM, Doyle KJ. Neurotologic treatment of acquired cholesteatoma. Am J Otol 1995;16:480-485.
5. Byrne PJ, Kim M, Boahene K, Millar J, Moe K. Temporalis tendon transfer as part of a comprehensive approach to facial reanimation. Arch Facial Plast Surg. 2007 Jul-Aug;9(4):234-241.
6. Canter ARJ, Naedzelski JM, McLeasn JA: Evoked electromyography in Bell's palsy: a clinically useful test? J Otolaryngol 1986;15:344-347.
7. Carruthers A, Carruthers J. History of the cosmetic use of botulinum A exotoxin. Dermatol Surg 1998; 24:1168-1170.
8. Clark RP, Berris CE. Botulinum toxin: A treatment for facial asymmetry caused by facial nerve paralysis. Plast. Reconstr. Surg.84:353, 1989.
9. Coker NJ, Fordice JO, Moore S: Correlation of the nerve excitability test and electroneuronography in acute facial nerve paralysis. Am J Otol 1992;13:127-133.
10. Conley J, Baker D. Hypoglossal-facial nerve anastomosis for reinnervation of the paralyzed face. Plast Reconstr Surg 1979;63:3-72.
11. Dirk Dressler. Botulinum toxin therapy. georg thieme Verlag p3,2000.
12. Faris C, Lindsay R. Current thoughts and developments in facial nerve reanimation. Curr Opin Otolaryngol Head Neck Surg 2013,21:346-352.
13. Ferreira MC. Aesthetic considerations in facial reanimation. Clin Plast Surg. 2002;29:523-32Dirk Dressler. Botulinum toxin therapy. georg thieme Verlag p3, 2000.
14. Filipo R, Spahiu I, Covelli E, Nicastri M, Bertoli GA. Botulinum toxin in the treatment of facial synkinesis and hyperkinesis. Laryngoscope. 2012 ;122(2):266-270.
15. Fisch U. Surgery for Bell's palsy. Arch Otolaryngol. 1981;107:1-11.
16. Gantz BJ, Nelson RF, Rubinstein JT, et al. Intratemporal Nerve Surgery. In: Flint PW, Haughey BH, V, et al eds. Cummings Otolaryngology-Head and Neck Surgery. 6th ed. Philadelphia: Elsevier; 2015. p.2629-2642.
17. Gantz BJ, Rubinstein JT, Gidley P, Woodworth GG. Surgical management of Bell's palsy. Laryngoscope 1999;109(8):1177-1188.
18. Gantz BJ, Rubinstein JT, Gidley P, Woodworth GG. Surgical management of Bell's palsy. Laryngoscope. 1999 Aug;109(8):1177-1188.
19. Glasscock ME, Shambaugh G. Facial nerve surgery in; Sugery of the EAR. 4th ed. Philadelphia;Saunders;1990. p.435-465.
20. Hankin FM, Jaeger SH, Bedding A. Autogenous sural nerve grafts: a harvesting technique. Orthopedics. 1985;8:1160.
21. Harii K. Microvascular surgery in plastic surgery: free-tissue transfer. Clin Plast Surg. 1979 Jul;6(3):361-375.
22. Hato N, Nota J, Hakuba N, et al. Facial Nerve Decompression Surgery in Patients With Temporal Bone Trauma: Analysis of 66 Cases. J Trauma. 2011;71:1789-1793.
23. House JW, Brackmann DE: Facial nerve grading system. Otolaryngol Head Neck Surg 93:146-147,1985.
24. Hussenman J, Mehta RP. Management of synkinesis. Facial Plast Surg. 2008;24:242-249.
25. Ibrahim AM, Rabie AN, Kim PS, et al. Static Treatment Modalities in Facial Paralysis: A Review. J Reconstr Microsurg 2013;29:223-232.
26. Kim J, Moon IS, Shim DB, Lee WS. The effect of surgical timing on functional outcomes of traumatic facial nerve paralysis. J Trauma. 2010 Apr;68(4):924-929.
27. Kim J. Jung GH, Park SY, Lee WS. Facial nerve paralysis caused by chronic otitis media and surgical intervention. Yonsei Med J.2012;53(3):642-648.
28. Kumar PA, Hassan KM. Cross-face nerve graft with free-muscle transfer for reanimation of the paralyzed face: a comparative study of the single-stage and two-stage procedures. Plast Reconstr Surg. 2002 Feb;109(2):451-62; discussion 463-464.
29. Labbe DI, Huault M. Lengthening temporalis myoplasty and lip reanimation. Plast Reconstr Surg. 2000 Apr;105(4):1289-97; discussion

1298.

30. May M, Drucker C. Temporalis muscle for facial reanimation. A 13-year experience with 224 procedures. Arch Otolaryngol Head Neck-Surg. 1993 Apr;119(4):378-82; discussion 383-384.
31. May M, Sobol SM, Mester SJ. Managing segmental facial nerve injuries by surgical repair. Laryngoscope 1990;100:1062-1067.
32. May M. Management of facial hyperkinesis: overview of hyperkinesis. In: May M, Schaitkin B, eds. The Facial Nerve. New York:Thieme; 2000:431-439.
33. McCabe BF. Injuries to the facial nerve. Laryngoscope. 1972;82:1981-1986.
34. Montserrat L, Benito M. Facial synkinesis and aberrant regeneration of facial nerve. In Jankovic J, Tolos E, eds. Advances in Neurology. New York, NY: Raven Press; 1988:211-224.
35. Moran CJ, Neely JG. Patterns of facial nerve synkinesis. Laryngoscope 1996;106:1491-1496.
36. O'Brien BM, Pederson WC, Khaznchi RK, Morrison WA, Maclend AM, Kumar V. Results of management of facial palsy with microvascular free-muscle transfer. Plast Reconstr Surg 1990;86(1):12-22.
37. Orgal MG, Terzis JK. Epineurial versus perineurial repair in ultrastructural and electrophysiological study of nerve regeneration. Plast Reconstr Surg 1977;60:80-81.
38. Ridgway JM, Bhama PK, Kim JH. Rehabilitation of Facial Paralysis. In: Flint PW, Haughey BH, Lund V, et al eds. Cummings Otolaryngology-Head and Neck Surgery. 6th ed. Philadelphia: Elsevier; 2015. p.2643-2661.
39. Samii M, Matthies C. Indication, Technique and Results of Facial Nerve Reconstruction. Acta Neurochir (Wien) 1994;130:125-139.
40. Scott AB. Botulinum toxin injection of eye muscles to correct strabismus. Trans Am Ophthalmol Soc 1981;79:734-770.
41. Seddon H. Surgical disorders of the peripheral nerves, 2nd ed. Edinburgh:Chuchill and Livingston; 1972.
42. Seddon H. Three types of nerve injury. Brain. 1943;66:237-288.
43. Selesnick SH, Patwardhan A. Acute facial paralysis: Evaluation and early management. Am J Otolaryngol 1994;15:387-408.
44. Toffola ED, Furini F, Redaelli C, Prestifilippo E, Bejor M. Evaluation and treatment of synkinesis with botulinum toxin following facial nerve palsy. Disabil Rehabil. 2010;32:1414-1418.
45. Yamamoto E, Nishimura H, Hirono Y. Occurrence of sequelae in Bell's palsy. Acta Otolaryngol Suppl 1988;446:93-96.

CHAPTER

58

측두골과 외측 두개저의 종양_ 외측 두개저의 질환 및 접근법

조양선

총론에서 소개한 바와 같이 본 절에서는 경정맥공, 측두하와를 포함하는 외측 두개저의 질환을 소개하고 협의의 외측 두개저 접근법인 측두하와 접근법(Fisch-type infratemporal fossa approach)에 대해서 기술하였다.

I 외측 두개저의 일반 해부학

그림 58-1은 두개저의 골격의 해부학적 지표를 나타낸 그림이다. 그림 58-1A는 두개저를 위에서 내려본 모습이며 전두골, 사골, 접형골, 측두골의 추체부과 후두골로 구성되며 이 중 외측두개저는 접형골, 측두골의 추체부과 후두골이 모여서 형성한다.

그림 58-1B는 두개저를 하방에서 바라본 모습이며, 세 개의 다른 뼈들이 합쳐지면서 복잡한 봉합선(suture line)을 만든다. 두개저의 하방에는 경동맥(carotid artery)이 통과하는 관(canal)과 경정맥공(jugular foramen)과 같은 다양한 열공이 관찰된다.

1. 동맥(그림 58-2)

두경부 영역에서 두개외 동맥에는 외경동맥(external carotid artery)의 분지인 안면동맥(facial artery), 천측두동맥(superficial temporal artery), 후두동맥(occipital artery)과 후이개 동맥(postauricular branch)이 있다. 내상악동맥(internal maxillary artery)의 심측두동맥(deep temporal artery)과 중경막동맥(middle meningeal artery)은 상행인두정맥(ascending pharyngeal artery)과 함께 주행한다.

두개 내 동맥들은 크게 내경동맥(internal carotid artery)과 척추뇌기저동맥(vertebrobasilar artery)의 분지로 구성된다. 내경동맥의 경부(cervical portion)는 경동맥 분기(bifurcation)에서 수직으로 상승하고 흉쇄유돌근(sternocleidomastoid muscle), 이복근(digastric muscle), 경상설골근(stylohyoid muscle)의 내측에 위치한다. 추체내경동맥(petrous carotid segment)은 처음에 측두골, 경정맥구(jugular bulb)와 와우(cochlea)의 전방

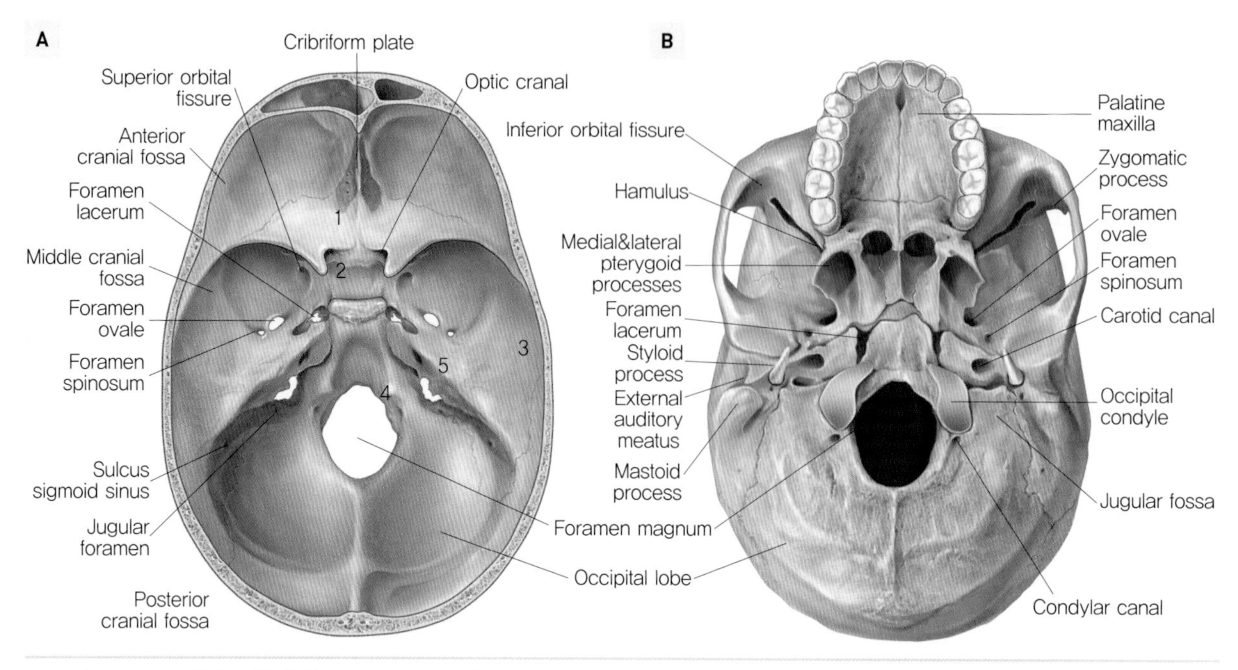

■ 그림 58-1. **두개저의 골해부학. A)** 두개저의 골해부학 위에서 내려다 본 두개저, **B)** 아래에서 올려다 본 두개저. 1: Sphenoid bone, 2: Sellae tuberculum, 3: Parietal bone, 4: Hypoglossal canal, 5: Petrous portion of temporal bone

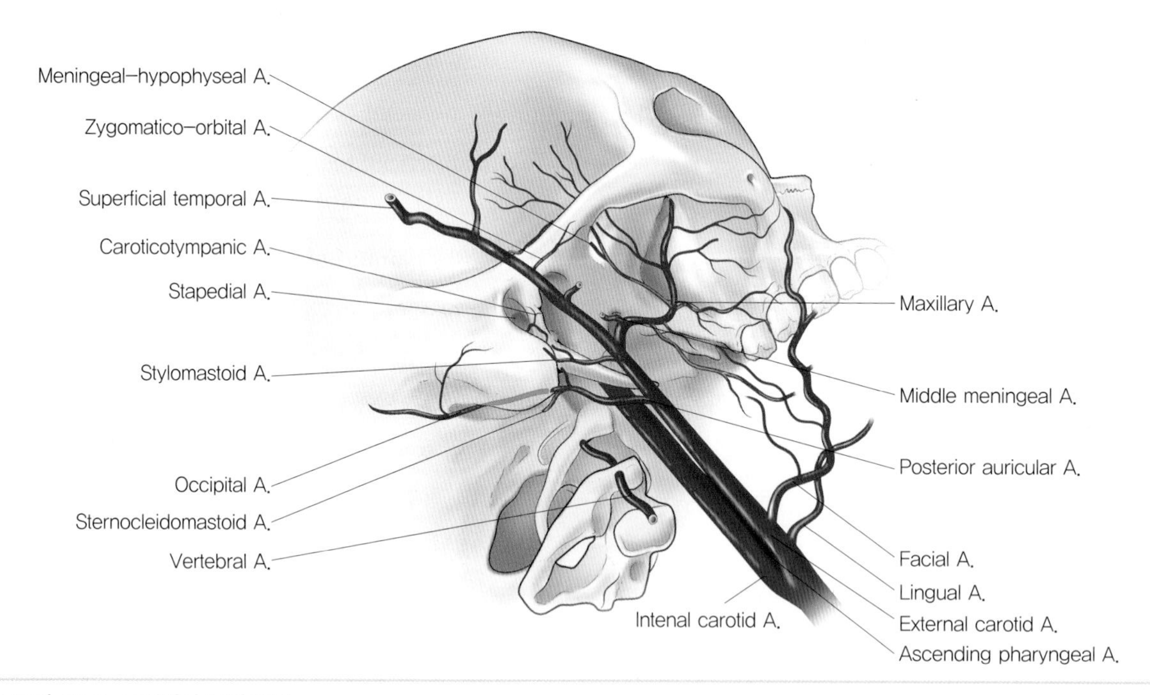

■ 그림 58-2. **두개저의 동맥 체계**

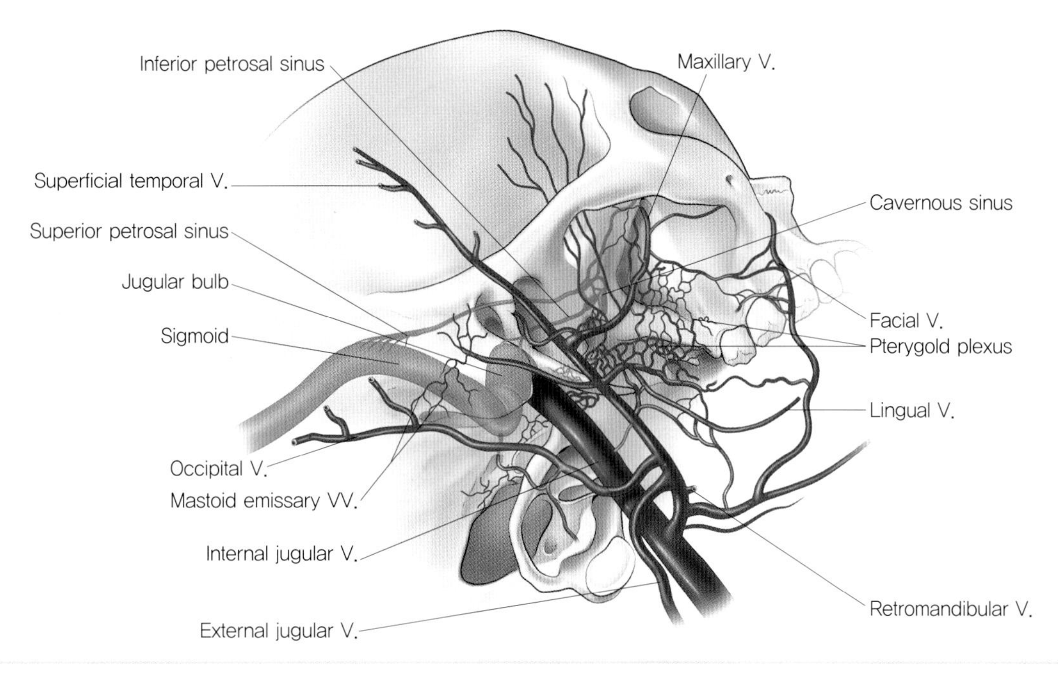

■ 그림 58-3. **두개저의 정맥 체계**

에서 수직으로 올라가지만 전내측 방향을 향해 이관의 내측, 중경막동맥과 삼차신경(trigeminal nerve)의 하악분지(mandibular division) 아래로 수평하게 주행한다. 경동맥의 수평부는 측두골의 추체첨부(petrous apex)를 통과하여 해면정맥동의 내측을 구성하게 된다.

척추동맥(vertebral artery)은 제6번 경추의 횡돌기를 통해 수직으로 주행하고 환추후두막(atlanto-occipital membrane)을 통과하여 두개 내 공간으로 들어간다. 두개 내에서 양쪽의 척추동맥들이 합쳐져 기저동맥(basilar artery)을 형성하고 후두개와의 혈액공급을 담당한다.

2. 정맥(그림 58-3)

외측 두개저로 접근하면서 중요한 구조물은 횡정맥동(lateral sinus), S상정맥동(sigmoid sinus), 경정맥구(jugular bulb) 그리고 내경정맥(internal jugular vein)이다. 상·하추체정맥동(superior & inferior petrosal sinus)들은 전방에서 해면정맥동(cavernous sinus)로부터 정맥혈이 유입되어 각각 횡정맥동과 경정맥구로 이어진다.

3. 신경(그림 58-4)

III, IV, VI번 뇌신경은 해면정맥동을 박리하면서 관찰할 수 있다. 삼차신경은 삼차신경절(trigeminal ganglion)에서 분지되며 안신경(ophthalmic nerve), 상악신경(maxillary nerve), 하악신경(mandibular nerve)으로 나뉘고 이들은 각각 상안와열(superior orbital fissure), 정원공(foramen rotundum), 난원공(foramen ovale)을 통과한다. 안신경과 상악신경은 얼굴상부의 감각을 담당하며 하악신경은 얼굴 하부의 감각신경과 저작근에 운동신경을 제공한다.

VII번 뇌신경은 VIII번 뇌신경과 함께 내이도(internal auditory canal)로 들어가 측두골을 통과하고 경유돌공(stylomastoid foramen)을 통해 나오며 이하선에 분지를 내고 얼굴 표정에 작용하는 근육들을 지배한다. 경유돌

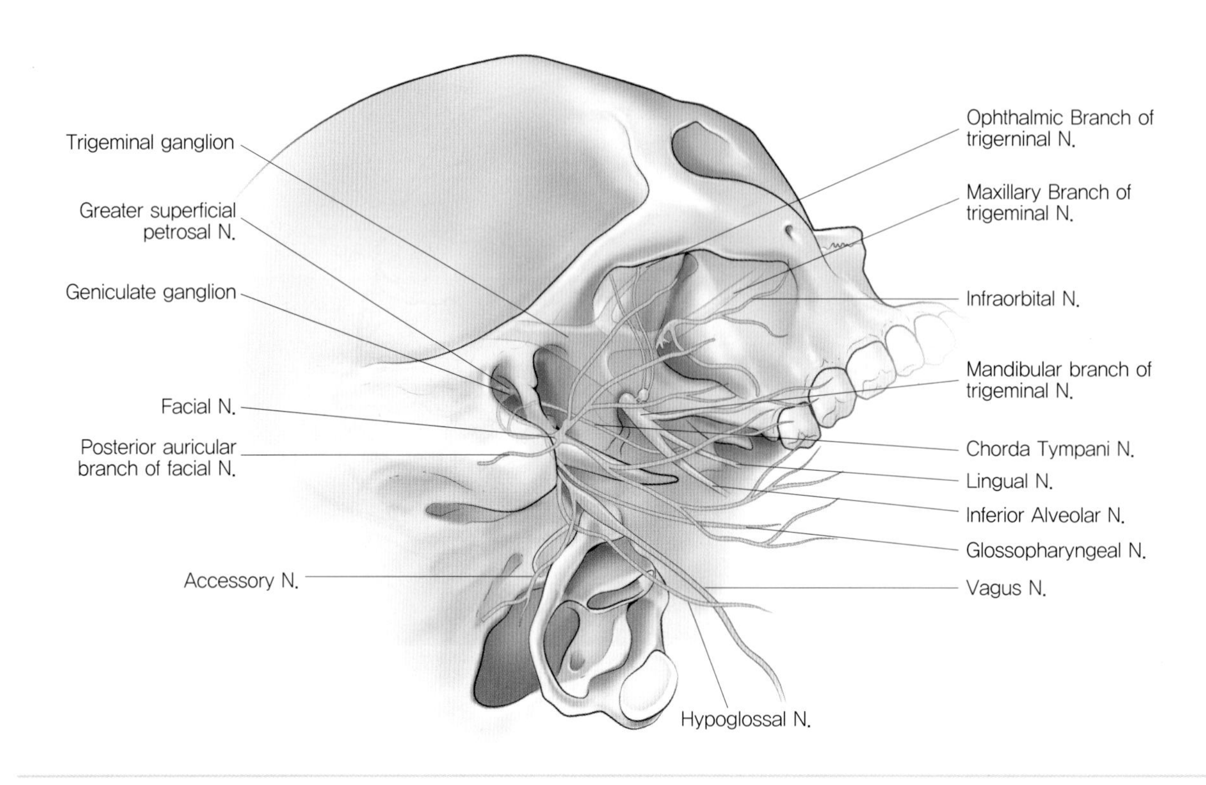

■ 그림 58-4. **두개저의 신경 분포**

공을 나오기 전에 후이개 분지(postauricular branch)를 내며 후두(occipital), 이개(auricular), 이복근(digastric), 경상설골(stylohyoid) 분지 그리고 설인신경(glossopharyngeal nerve)과 합쳐지는 교통분지(communicating nerve)를 낸다. 고삭신경(chorda tympani)과 등골분지(stapedius branch)는 7번 신경의 유양돌기 분절(mastoid segment)에서 분지하고 슬신경절(geniculate ganglion)에서 나오는 대추체신경(greater superficial petrosal nerve)은 안면신경관 열공(facial hiatus)을 나와 심추체신경(deep petrosal nerve)과 합쳐져 익돌관신경(vidian nerve)이 된다. 고삭신경은 설신경(lingual nerve)과 만나 혀의 앞 2/3의 미각을 담당한다.

IX번 뇌신경은 경정맥공에서 나와 뇌막분지(meningeal), 이개분지(auricular), 인두분지(pharyngeal), 경동맥소체분지(carotid body), 상후두분지(superior laryngeal), 심장분지(cardiac), 식도신경얼기(esophageal plexus), 전, 후 미주신경간(anterior and posterior vagal trunk)을 분지하게 된다. X번 뇌신경도 경정맥공에서 나와 뇌막분지(meningeal), 이개분지(auricular), 인두분지(pharyngeal), 경동맥소체분지(carotid body), 상후두분지(superior laryngeal), 심장분지(cardiac), 식도신경얼기(esophageal plexus), 전·후 미주신경간(anterior and posterior vagal trunk)을 분지한다. XI번 뇌신경은 경정맥공으로 나와서 척수부신경(spinal accessory nerve)을 구성하여 흉쇄유돌근과 승모근(trapezius) 등에 분포하는 신경이다. XII번 뇌신경은 설하신경관(hypoglossal canal)으로 나와 혀분지와 근육분지(lingual and muscular branch)로 나뉘게 된다.

4. 경정맥공(Jugular foramen)의 해부(그림 58-5)

경정맥공은 내이도의 후하측에 위치하고 있으며 측두

골과 후두골 사이에 형성된 틈새에 의해 형성되어 있다. 경정맥공은 두 가지 구획으로 나누어지는데, 전내구획(anteromedial compartment)은 설인신경(CN IX)과 하추체정맥동을 포함하고 후외구획(posterolateral compartment)은 미주신경(CN X)과 부신경(CN XI), 그리고 경정맥구를 포함한다. 두 부분을 나누는 격막은 15%에서는 완전한 골성격막이고 5%에서는 불완전한 골성격막, 그리고 나머지에서는 섬유성으로 이루어져 있다. 대부분인 96%에서는 뇌신경 IX번이 두개저에서 나와서 전내구획을 지나가고, 뇌신경 X, XI번은 후외구획을 지나가지만, 4%에서는 3개의 뇌신경이 모두 전내구획에 있을 수도 있다.[19] 우측 경정맥공이 좌측에 비해서 보통 직경이 크며 이는 횡정맥동(lateral sinus)의 크기와 관련성을 가지는 것으로 보인다. 하추체정맥동은 경정맥구의 내측벽을 다양한 위치에서 통과하며 보통 다수의 개별적인 채널로 구성되어 있어 경정맥공의 종양을 제거할 때 다량의 출혈이 발생하는 원인이 되기도 한다. 지혈을 위해서 하추체정맥동을 과하게 팩킹하면 경정맥구 내측의 섬유집(fibrous sheath) 안에 위치한 뇌신경 IX, X, XI번의 일시적 또는 영구적 마비를 일으킬 수 있다.

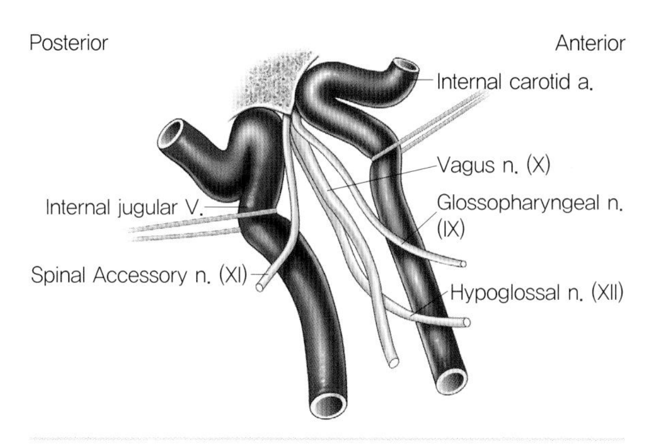

■ 그림 58-5. **경정맥공의 해부**

5. 측두하와(Infratemporal fossa)의 해부(그림 58-6)

측두하와는 외측두개저에 위치하면서 상악골의 후방 협골궁의 내측에 위치하는 사각형의 공간이다. 대부분의 공간은 내익돌근 및 외익돌근으로 채워져 있고 외측으로는 구상돌기(coronoid process)에 부착하는 측두근이 위치한다. 측두하와에 있는 혈관은 상악동맥과 하악신경을

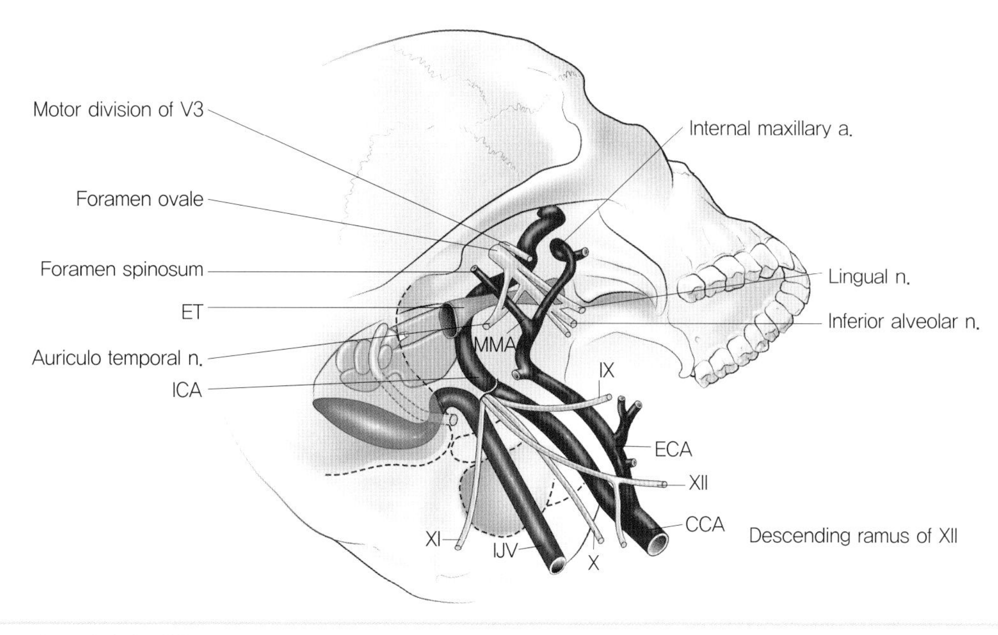

■ 그림 58-6. **측두하와의 해부.** CCA: common carotid artery, ECA: external carotid artery, ET: Eustachian tube, ICA: internal carotid artery, IJV: internal jugular vein, MMA: middle meningeal artery

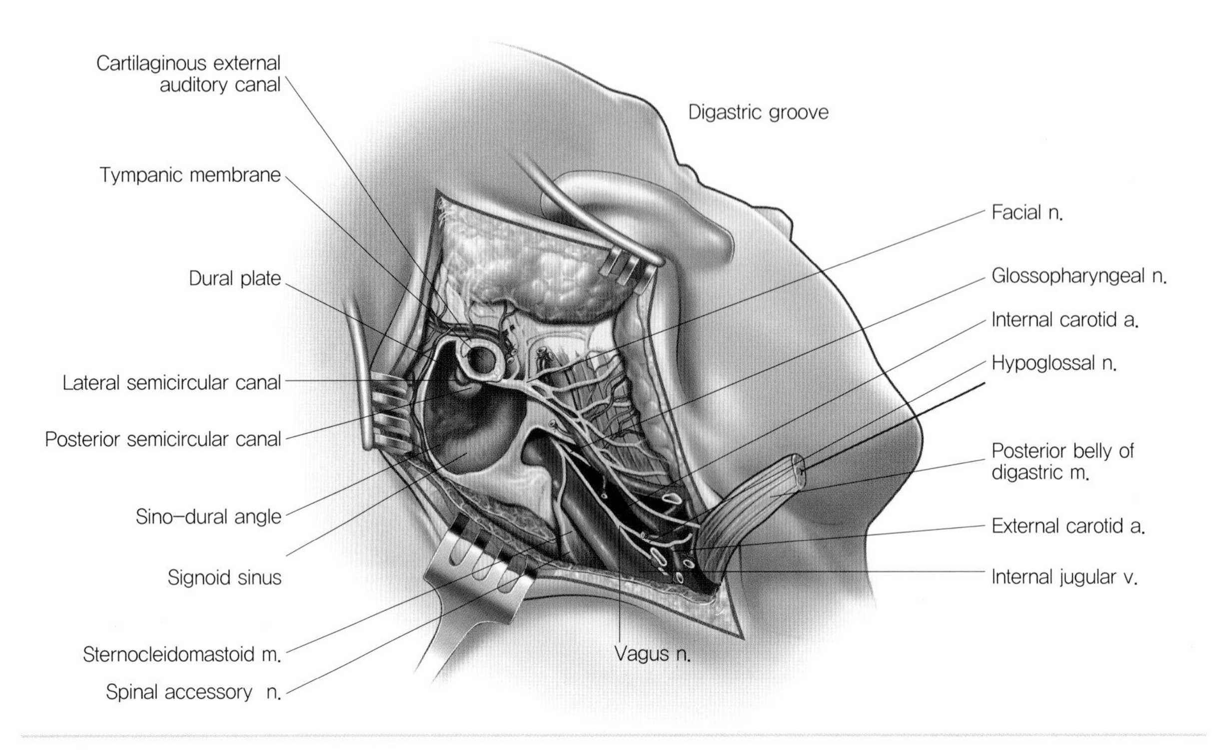

■ 그림 58-7. 외측두개저 접근법의 1단계

따라 분포하는 익돌정맥총(pterygoid venous plexus)이 있다.

중요한 해부학적 지표는 외측에서부터 중경막동맥이 통과하는 극공(foramen spinosum), 하악신경 및 부경막동맥(accessory meningeal artery)이 통과하는 난원공, 내경동맥이 통과해서 해면정맥동으로 가는 파열공이 있다. 이관을 포함하는 이관주위공간(peritubal space)은 외측으로는 구개범장근(tensor veli palatini muscle), 내측으로는 구개거근(levator veli palatini muscle)을 경계로 측두하와의 전하내측으로 놓여 있다. 측두하와의 내측으로는 상악신경과 익구개신경절(pterygopalatine ganglion)이 위치하는 익구개와(pterygopalatine fossa)가 있다.

II 외측두개저의 수술해부

다음 세 단계의 그림에서 측두하와 접근법을 비롯한 외측두개저 접근법으로 수술할 때 나타나는 해부학적 소견을 기술하였다.

1. 1단계

그림 58-7은 외측두개저 접근을 시작할 때의 수술시야를 나타내고 있다. 유돌절제술(mastoidectomy)과 경부청소술(neck dissection)이 함께 시행되어 있다. 유양돌기 절제를 더 진행하여 경막판(dural plate), 정맥동경막각(sinodural angle), S자 정맥, 그리고 안면신경의 유양돌기 분절이 노출되어 있다. 이하선은 앞쪽으로 들어올리고 이복근의 후복(posterior belly of digastric muscle), 흉쇄유돌근을 제쳐서 경상돌기의 기저부를 확인한다. 경부를 박리하여 하부 뇌신경(X, XI, XII), 내경정맥, 내경동맥 등을 노출시킨다.

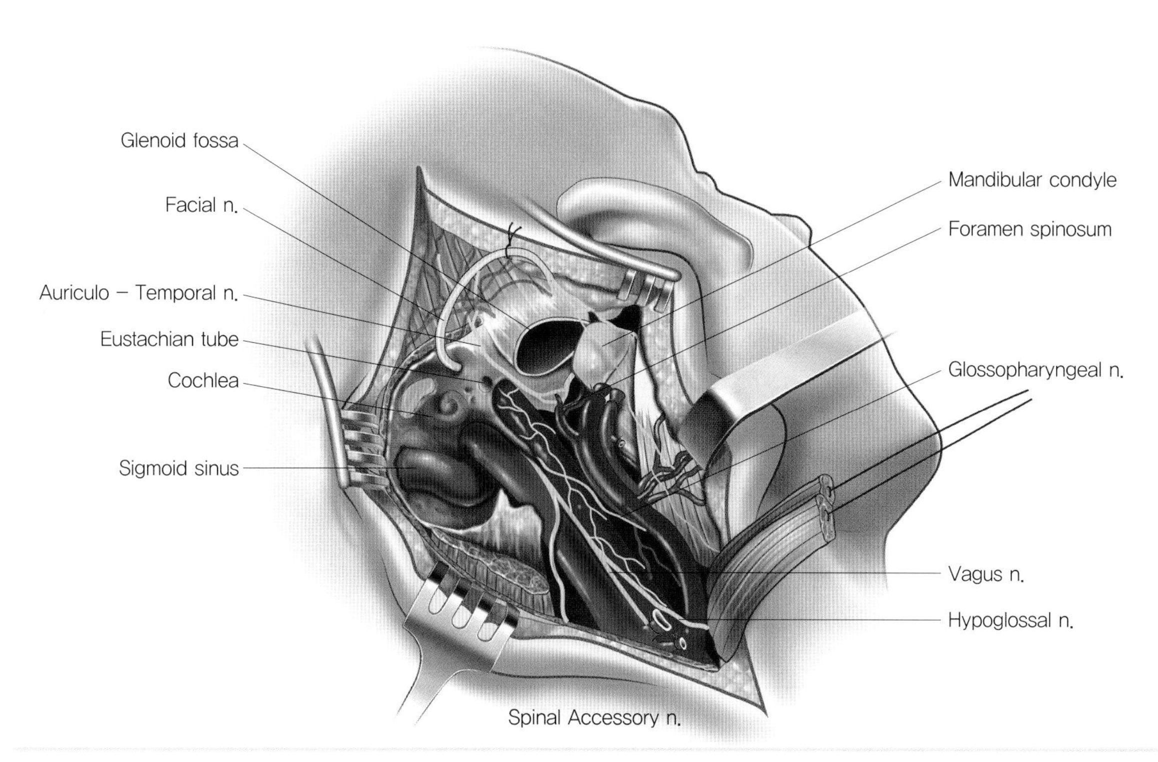

■ 그림 58-8. **외측두개저 접근법의 2단계**

2. 2단계

그림 58-8은 안면신경을 전방으로 전위시켜서 경정맥공 부위를 노출시킨 시야이다. 내경동맥은 경상돌기 기저부(styloid base)에서 전내측으로 경동맥관(carotid canal)으로 들어간다. 주위로 경정맥공, 경동맥관(carotid canal)과 그리고 하부 뇌신경들(X–XII)이 노출되어 있다.

추체내경동맥(petrous carotid artery)은 경상돌기 기저부의 내측에서 경동맥관으로 들어가고 와우의 전내측에서 수직으로 주행하며 이관의 중이 입구의 내측에서 전내측방향으로 향하여 주행한다. 추체내경동맥의 수직부분과 경정맥구는 crotch라고 불리는 뼈돌기에 의해 구분이 되지만 경정맥공에 큰 종양이 있는 경우에는 이러한 구조물이 관찰되지 않는다. 이 상태에서 와우를 완전히 제거하면 경정맥구와 경동맥을 윤곽화(skeletonization)시키면서 정중선에 위치한 두개저 병변을 측면에서 노출시킬 수 있다. 경동맥관의 내측 그리고 하방으로 진행하면 추체경사대(petroclival), 추체후두(petrooccipital), 경사대 주위(periclival region)로 접근할 수 있다.

악관절 돌기(mandibular condyle) 주변의 연골캡슐은 외이도의 전방 및 상방의 뼈를 제거하면 노출된다. 하악을 하방으로 내리거나 관절돌기(condylar process)를 제거하면서 하악와(glenoid fossa)의 연골을 제거하면 내측과 전방으로의 노출이 더 이루어질 수 있다. 그림에는 관절돌기가 전하방으로 전위되어 있다.

3. 3단계

그림 58-9는 추체부의 심부 박리가 된 모습을 보여 주고 있다. 이관의 골부와 연골부를 제거하면 추체내경동맥의 수평부가 노출된다. 중경막동맥이 지나가는 극공의 바로 전내방으로 난원공이 있고 이 구조물로는 삼차신경의 하악분지, 소추체신경(lesser petrosal nerve), 부경막동맥, 익돌 도출정맥(pterygoid emissary vein) 등이 통과

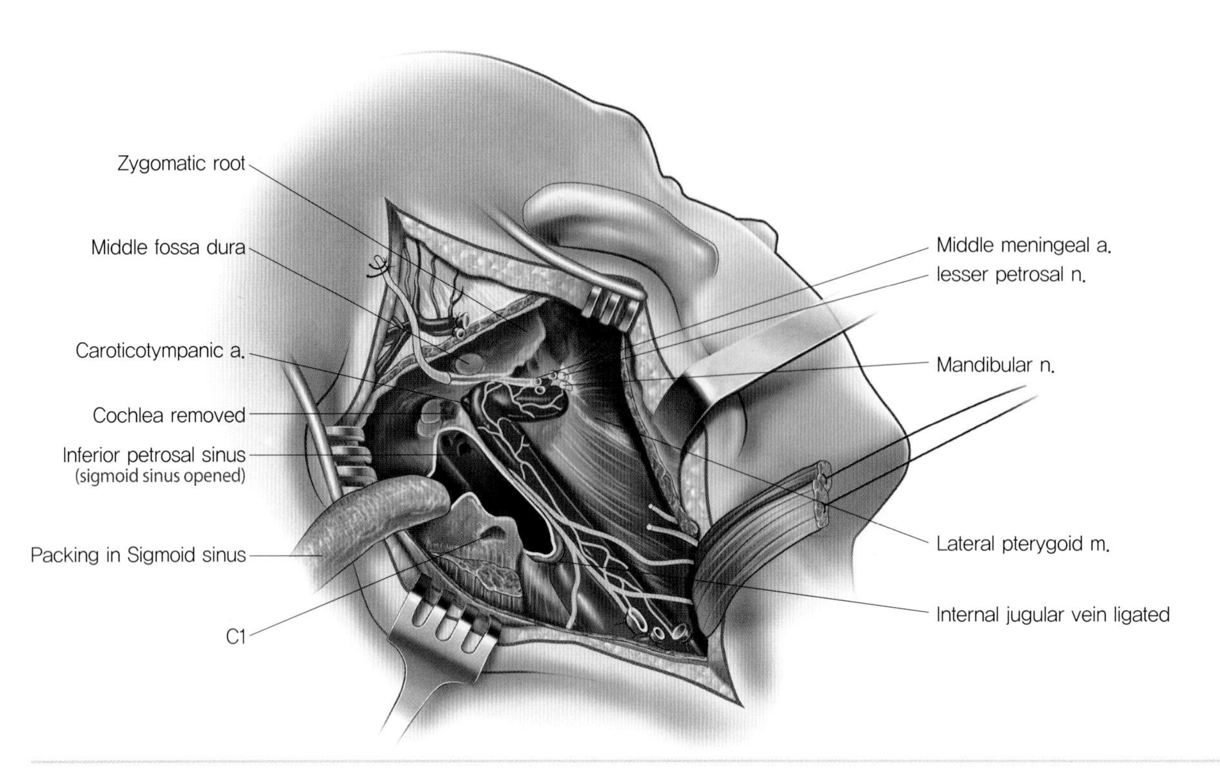

■ 그림 58-9. 외측두개저 접근법의 3단계

한다.

이관의 내측벽은 매우 얇고 경동맥을 둘러싼 뼈가 결손되어 있기도 한다. 이관의 연골부는 종양 제거 후에 뇌척수액 비루를 방지하고 비인강 내 오염이 유입되는 것을 방지하기 위해 막거나 봉합한다.

경동맥관은 파열공의 후외측으로 들어가기 전에 추체첨(petrous pyramid)을 수평으로 가로질러 주행한다. 대추체신경은 경동맥관의 상부 위로 지나게 되고 중경막동맥와 하악신경은 추체내경동맥의 수평부를 수직으로 지나게 된다.

하악와가 완전히 제거되고 나면 중두개와의 경막이 넓게 노출된다. 그림에서는 중경막동맥은 결찰되어 있고 하악신경이 그 전방에서 잘려져 있다. 난원공의 전방은 외측익돌판(lateral pterygoid plate)의 후부와 접해 있고 내측으로 내측익돌판(medial pterygoid plate)이 있다.

III 외측 두개저의 질환

1. 경정맥공을 침범하는 질환

경정맥공을 침범하는 종양 중에는 경정맥사구종양(glomus jugulare), 신경초종과 뇌수막종이 빈발하는 종양들이다. 경정맥공종양의 대부분은 원발종양이지만 두개저의 다른 부위에서 발생하는 여러 질환들이 이차적으로 이 부위를 침범할 수도 있다. 이들 이차종양들은 악성 종양일 수도 있으며 방사선학적으로는 원발종양의 양상을 보일 수 있다.

경정맥공을 침범한 종양에 대한 메타 분석에서는 경정맥구사구종양이 509례, 신경초종이 104례, 그리고 뇌수막종이 34례로 부신경절종의 발병률이 가장 높았다.[17]

1) 경정맥구사구종양(Glomus jugulare tumor), 부신경절종(Paraganglioma)

부신경절종은 부신경절, 또는 사구세포(glomus cell)에서 유래하며 독특한 조절 기능을 보유하고 있는데 이는 부신 외 신경내분비계의 일부분이다. 측두골 내에서는 대부분의 부신경절이 경정맥공 내부에 위치한 경정맥구의 외막층(adventitia)에 존재하며, 두경부에서 부신경절종은 경정맥공, 경동맥 소체, 중이 내 미주신경의 경로를 따라 호발한다. 부신경절종은 전체 두경부 종양의 0.6%를 차지하며 그 중 80%는 경정맥사구종양과 경동맥소체 종양이다. 경정맥 사구종양에서 많이 호소하는 증상은 박동성 이명인데 약 반수에서 나타나며, 난청과 이명은 70% 정도에서 나타난다. 이과적 증상 이외에 흔한 증상은 애성이다.

CT영상에서는 두개저 골부의 탈회작용(demineralization)과 경정맥공의 골부 경계의 침습적 파괴로 좀이 먹은 듯한 소견 "moth-eaten" appearance과 경정맥공의 확장이 보인다(그림 58-10A). 이러한 골파괴를 보이는 소견은 조기에는 뚜렷하지 않을 수 있지만 병이 진행하면서 경정맥공에서부터 주변으로 병변이 더욱 확장하여 내이의 골미로와 하고실, 중고실, 고실동, 설하공에서도 골파괴의 소견을 보일 수 있다. 자기공명영상에서 감별진단에 도움이 되는 소견인 "salt-and-pepper" 양상은 조영증강 T1강조영상이나 T2 강조영상에서, 종괴 내의 저속 혈류 부위를 반영하는 특징적인 소견이다(그림 58-10B). 조영증강 영상에서 종괴는 뚜렷하게 조영증강을 보인다.

경정맥사구종양의 혈관조영상의 소견은 전형적인 과혈관성종양의 모습이며 동정맥 단락의 소견도 흔히 발견할 수 있다(그림 58-10C). 주로 상행인두동맥을 통한 외경동맥계에 의해 혈액공급을 받으며 혈관성 종양이므로 혈관조영술로 진단을 확인하면서(그림 58-10D), 수술 전 색전술로 영양동맥을 막음으로써 수술 중 출혈을 유의하게 줄일 수 있다.

종양이 경동맥을 따라 전방으로 성장하므로 측두하와 접근법을 이용한 넓은 시야가 수술적 제거에 필수적이다. Sanna 등은 수술적으로 치료를 한 53례의 경정맥공 사구종양의 91%에서 전절제가 가능하였으며 새로운 하부뇌신경마비는 25%에서만 생겨서 수술이 기본적인 치료방법이 되어야 한다고 했지만,[22] 최근에는 전절제를 하지 않고 부분절제 및 방사선치료를 이용해서 기능을 보존하면서 97%에서 종양의 성장을 조절할 수 있다는 보고나[15] 정위방사선 치료만으로도 90% 이상의 종양 조절률을 보인다는 보고들도 있어서,[7,12] 환자의 나이나 건강상태를 고려하면서 수술적 치료의 합병증에 대해 충분히 상담을 하고 치료방법을 정해야 할 것이다. 수술적 제거 후에는 10~20%에서 재발할 수 있다.[16]

2) 신경초종(Schwannoma)

신경섬유종증(neurofibromatosis)을 제외하면 IX, X, XI번 뇌신경에서 유래하는 신경초종은 상대적으로 드물어서 전체 두개 내 신경초종의 2.9%만을 차지한다. 경정맥공의 신경초종과 청신경종의 발생 비율은 약 1:24 정도로 보고된다.[21]

종양에 의한 초기 증상은 주로 종괴의 기원에 따라 달리 나타나지만 종양이 진행한 후에는 종괴의 기원뿐만 아니라 크기, 위치, 주변 조직의 압박 등에 따라 증상이 나타나는 양상이 결정된다. 두개 내를 침범한 경우에는 주된 증상이 난청, 현훈, 실조증상이며, 종양의 대부분이 두개외에 위치한 경우에는 애성이나 승모근, 흉쇄유돌근의 근력 약화의 증상이 두드러진다.[14] 경정맥공의 신경초종의 경우 난청을 호소하는 경우도 많아[24] 청신경종으로 오인할 수도 있다. 경정맥공 신경초종의 기원은 확인이 어려운 경우가 많으나 미주신경에서 유래하는 경우가 가장 많으며, 부신경 기원의 신경초종이 가장 드물고,[2] 수술적으로 제거를 할 때에는 경정맥공에서 가장 외측에 위치하는 설인신경이 손상 받기가 가장 쉽다. 신경초종은 일반적으로 경계가 명확한 고형 병변이지만, 경정맥공의 경우 24%에서 내부에 낭성 변화가 동반되며, 악성신경초종도 드물게 보고되어 있다.[4]

CT에서는 경계가 분명한 경정맥공의 확장 소견을 보이

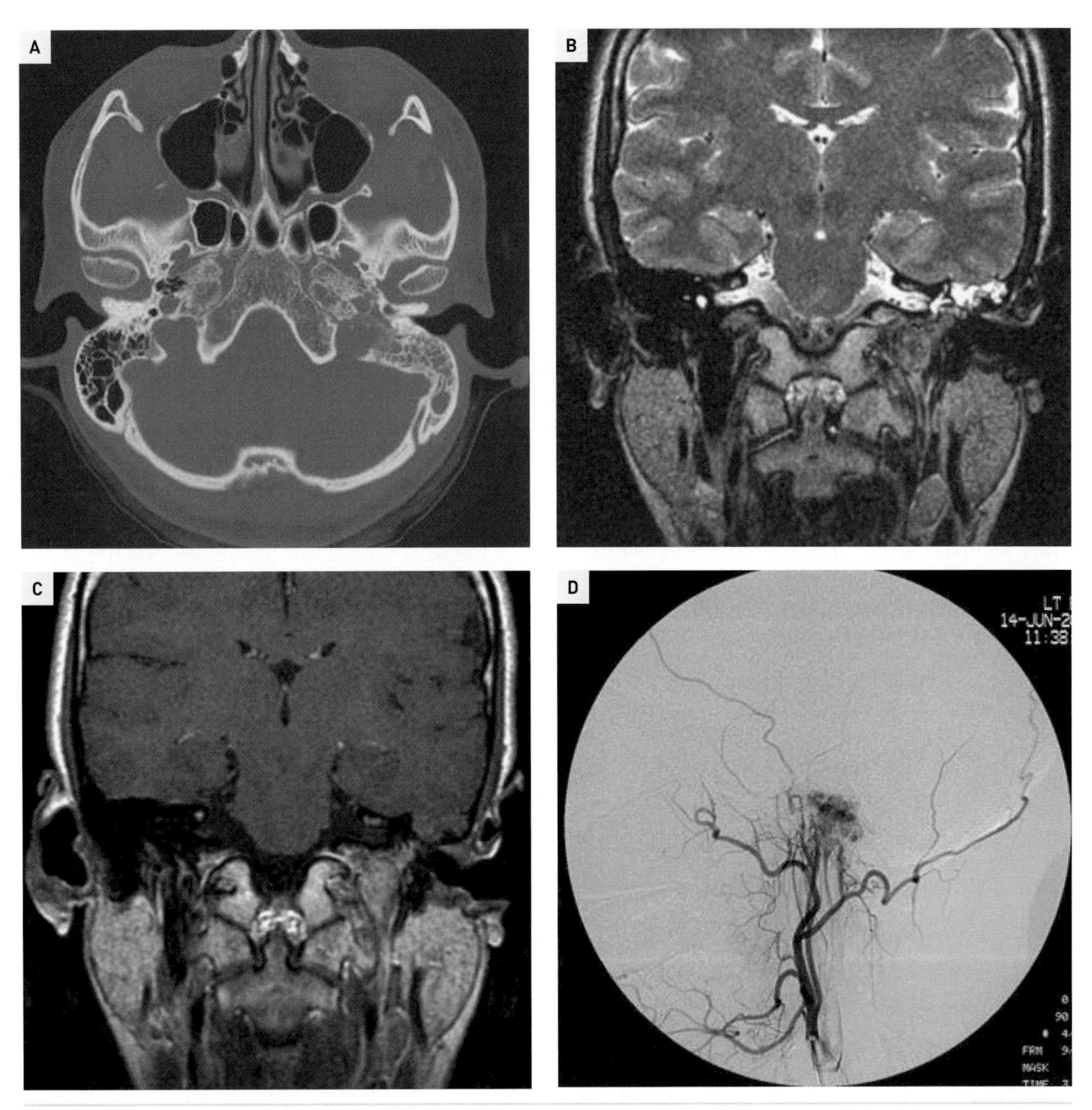

■ **그림 58-10 좌측 경정맥사구종양. A)** 골격창 설정 CT상에서 종양에 의한 좌측 경정맥공 주변의 골미란, 침습적 골파괴 소견이 있다. **B)** MRI T2 강조영상에서 종괴의 내부에 무신호영역이 보인다. **C)** MRI 조영증강 T1 강조영상에서 종괴가 뚜렷한 조영증강을 보인다. **D)** 측면 혈관조영상에서 특징적인 과혈관성 종괴와 영양 혈관의 비대가 보인다.

며, 골수의 침범은 없다(그림 58-11A). 종괴는 동일 음영, 또는 다소 저음영을 보이며 조영증강 시에 미세한 정도의 조영증강을 보인다. MRI상 신경초종은 T1 강조영상에서 저신호강도를, T2 강조영상에서 고신호강도를 보이고 조영 증강시에 강하게 조영이 증강되며, 특히 크기가 큰 종양에서는 괴사나 낭성변화에 의해 종괴 내부의 조영이 고르게 이루어지지 않을 수 있다(그림 58-11B).[4,25] 두개 내 신경초종의 경우 내이도의 침범 여부를 평가하면 청신경종과 감별할 수 있으며 아령 모양의 형태를 보이는 경우가 가장 특징적인 진단적 소견을 보인다. 혈관조영상에서는

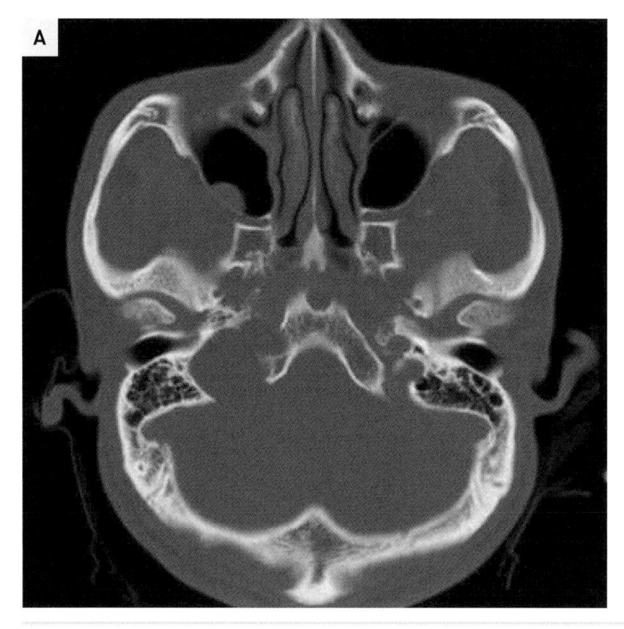

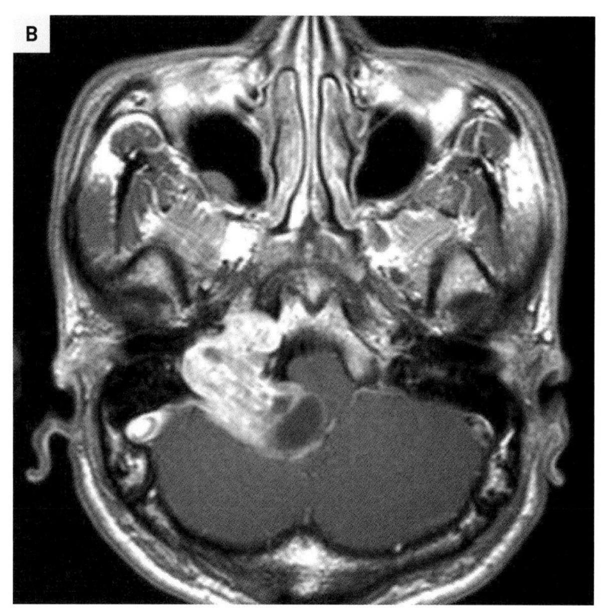

■ 그림 58-11. **우측 경정맥공의 신경초종.** **A)** CT상에서 경계가 분명한 경정맥공의 확장이 보인다. 골파괴의 소견은 보이지 않는다. **B)** 조영증강 MRI 축상 T1 강조영상에서 종괴는 경계가 분명하며 조영증강이 뚜렷하다. 종괴의 내부에 낭성변화 또는 괴사로 인해서 조영이 되지 않는 저신호강도의 부위가 보인다.

경도 또는 중등도의 혈관 증가를 보여서 경정맥사구종양과는 감별되나 비슷한 소견을 보이는 뇌수막종과는 감별이 어려울 수도 있다.

수술적 전절제가 가장 좋은 치료방법이지만 크기가 크지 않은 경정맥공 신경초종에 대한 정위방사선치료의 장기적인 성적도 우수한 것으로 보고되고 있으므로,[11,18] 환자의 나이와 건강상태를 고려하면서 치료방법을 정해야 한다.

3) 뇌수막종(Meningioma)

경정맥공에서 발견되는 뇌수막종은 뇌수막종 중 가장 드물게 나타난다. 이들은 대개는 내이도와 경정맥공 사이에서 발생하지만 드물게는 경정맥공에서 원발할 수도 있으며, 경정맥공을 거쳐 후두개와나 부인두공간 등지로 파급된다. 증상으로 난청, 연하곤란, 부신경 마비, 두통과 어지러움 등이 다양하게 나타날 수 있다.[1]

방사선학적으로 신경초종에 비해서는 불규칙한 모습을 보인다. CT상에서는 종양에 의해 경정맥공과 주변의 뇌기저부의 불규칙한 침습적인 골변화가 일어나지만 그 기본 골구조는 상대적으로 유지되는 양상을 보인다(그림 58-12A). 이러한 경도의 골변화는 경정맥사구종양에서 흔히 보이는 뚜렷한 골미란과는 대비되는 소견이다. 뇌수막종내의 석회화 소견은 흔한 소견이 아니지만, 신경초종이나 경정맥사구종양에서는 관찰할 수 없는 소견으로서 감별진단에 도움을 줄 수 있다. MRI에서 뇌수막종은 T1 강조영상에서 동일 신호강도 또는 저신호강도를 보이며, T2 강조영상에서는 중등도의 신호강도를 나타내고 조영 증가 시에 균질한 조영증강의 양상을 보이며,(그림 58-12B) 종괴가 뇌수막에 비교적 넓은 기저를 부고 부착되어 있는 소견은("dural tail" sign) 뇌수막종에서 볼 수 있는 가장 중요한 소견이다(그림 58-12C).

뇌수막종도 수술적 전절제가 가장 좋은 치료방법으로 알려져 있지만, 다른 종양과 마찬가지로 환자의 나이나 상태, 그리고 수술 후 합병증을 고려하여 보존적인 치료(방사선치료, 일부 절제 및 방사선치료)도 고려해 볼 수 있다.

경정맥공에서 호발하는 종양의 영상소견은 표 58-1에 정리되어 있다.

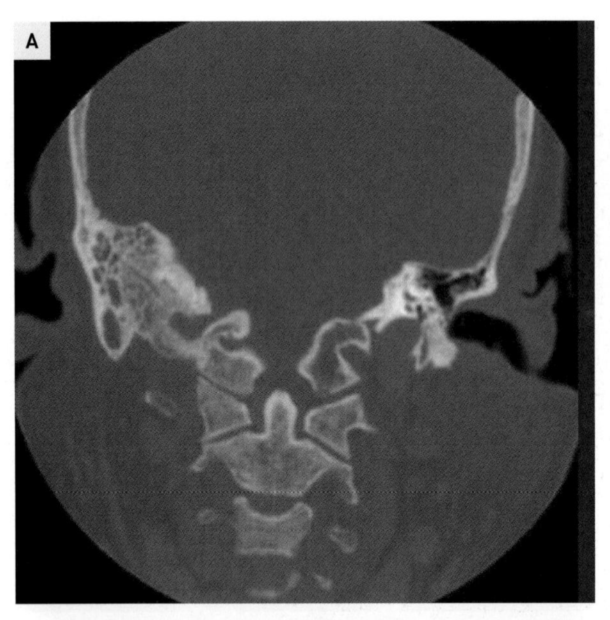

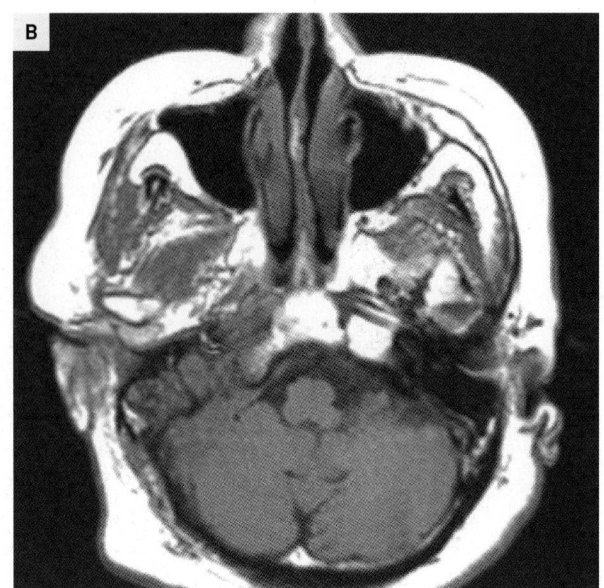

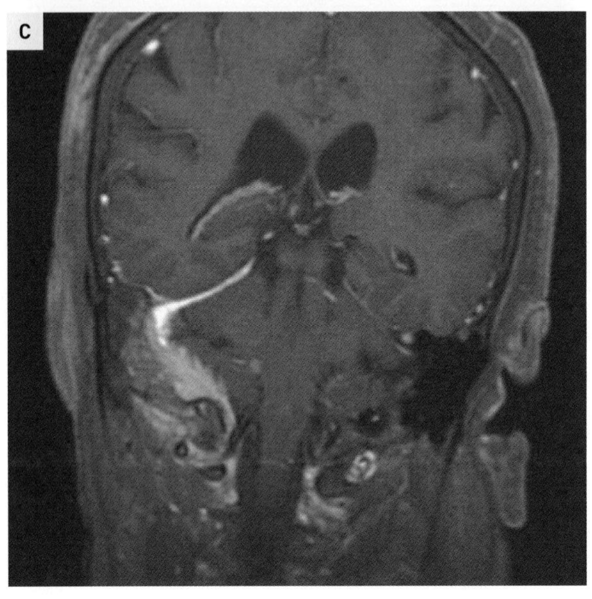

■ 그림 58-12. **우측의 경정맥공 뇌수막종.** **A)** CT 관상 영상에서 우측 후두와를 따라 불규칙한 골변화를 보인다. **B)** 조영전 MRI T1 강조 축상영상에서 우측 경정맥공과 후두개와를 침범하는 저신호강도의 종괴가 보인다. **C)** 조영증강후 MRI T1 강조 시상영상에서 조영이 잘 되는 종괴가 보이며 특징적인 "dural tail sign"이 보인다.

표 58-1. 경정맥공에 호발하는 종양의 방사선학적 특징

종양	T1 MRI	T2 MRI	CT
신경초종 (Schwannoma)	뇌의 백질과 비교하여 낮은 신호강도 조영 증강	뇌의 백질과 비교하여 높은 신호강도	뇌와 비슷한 밀도 부드러운 경화성 모서리
부신경절종 (Paraganglioma)	뇌의 백질과 비교하여 비슷하거나 낮은 신호강도 조영증강	뇌의 백질과 비교하여 높은 신호강도 "salt and pepper"	침윤성 소견
뇌수막종 (Meningioma)	뇌의 백질과 비교하여 낮은 신호강도 조영 증강 "dural tail" sign	뇌의 백질과 비교하여 중등도의 신호강도	경계가 불분명한 침윤성 소견

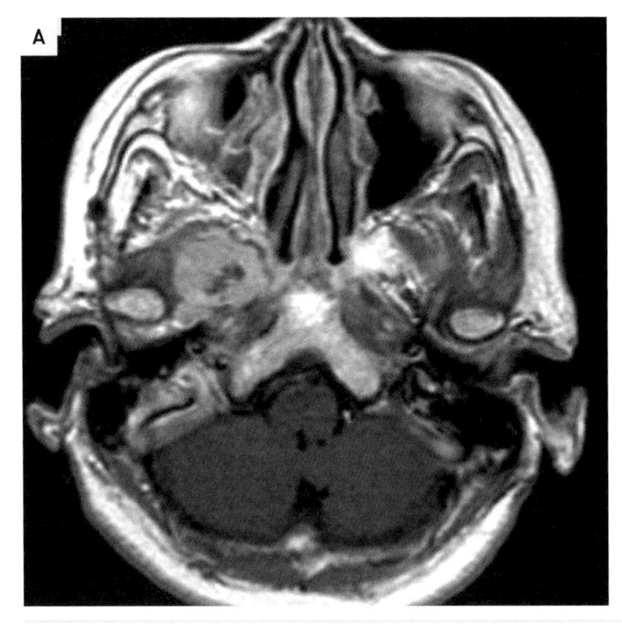

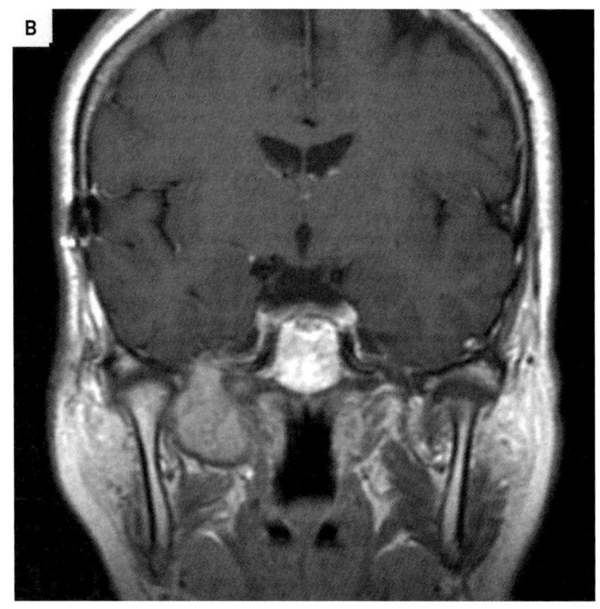

■ 그림 58-13. **우측 측두하와와 난원공에 발생한 삼차신경초종.** **A)** axial view, **B)** coronal view

2. 측두하와를 침범하는 질환

측두하와에서 발생하는 종양은 유년성 비인강 혈관섬유종(juvenile nasopharyngeal angiofibroma), 삼차신경초종(trigerminal schwannoma) (그림 58-13) 이 있고 드물게 기형종(teratoma)도 생길 수 있다. 척삭종(chordoma)과 같이 사대에 생기는 종양 중 한쪽으로 치우친 경우도 측두하와를 침범할 수 있다.

Ⅳ 외측두개저 질환에 대한 접근법

두개저 종양은 발견 당시에는 질환의 위치나 범위에 비해서 경미한 증상으로 나타나는 경우가 많다. 그러므로 광범위한 수술의 결과로 생길 수 있는 합병증에 대해서 생각하고 종양이 실제로 자라거나 뇌신경 마비가 생길 때까지 기다리는 것이 좋을 수도 있다. 실제로 환자의 삶의 질은 종양이 제거된 후에 더 나빠질 수도 있으므로 이런 면에 대해 미리 예측하고 충분히 설명하는 것이 중요하고, 여러 가지 치료방법들 중에서 양성종양인 점을 고려하고 환자의 의견도 존중하여 치료방법을 선택하여야 한다. 그러한 면에서 수술 동의서는 매우 구체적이어야 하며 수술의 과정과 치료 팀의 성적에 대해서도 충분히 설명이 되어야 한다.

두개저수술은 대개 팀으로 접근하게 되며 그 안에서 진단과정, 수술방법의 결정 및 수술의 목표를 최대한 공유하는 것이 좋다. 과거에는 종양의 완전 제거가 대부분 수술의 목표였지만 최근의 경향은 안면신경의 손상을 피하기 위하여는 종양을 약간 남길 수도 있고, 팀의 치료원칙에 따라서는 종양을 남기고 방사선치료를 하는 것을 미리 계획할 수도 있다.

외측두개저 접근법에 필요한 수술 술기는 외이도 맹관폐쇄(blind-sac closure of external auditory canal), 아전추체골절제술, 이관폐쇄, 안면신경의 감압 및 이동(rerouting), 경미로 접근법 등이 필요하다. 수술에는 안면신경 감시가 필수적이며 필요에 따라 청신경 및 하부뇌신경의 감시도 필요하다. 또한 내시경 기구 및 술기의 발달로 현미경을 사용한 수술에 보조적으로 내시경을 사용하여 도움을 받을 수 있으며,[20] CT나 MRI를 이용한 navigation[6]도 두개저수술에는 유용한 도구이다.

측두하와에 위치한 종양을 외측에서 접근하는 것은 몇 가지 장점이 있는데, 그 부위의 광범위한 시야를 얻을 수 있고, 병변의 기시부에 있는 내경동맥을 먼저 찾을 수 있으므로, 종양 내부로 내경동맥이 주행하는 경로를 쉽게 파악할 수 있으며, 만약 출혈이 발생되는 경우에도 비교적 쉽게 지혈할 수 있다. 그러나 두개저로의 외측 접근법은 해부학적으로 복잡하면서, 안면신경이 측두골을 가로질러 가고 있으므로 이를 극복해야 한다. 최근 외측 접근법이 발전하게 된 이유로 첫째, 안면신경을 심각한 술 후 마비 없이 안면신경관에서부터 이동시킬 수 있게 된 것이고, 둘째로는 미세혈관 유리피판술의 발전에 따라 결손부위를 안전하게 재건함으로써, 두개강 내부가 비인강이나 부비동으로 인해 오염되지 않게 할 수 있게 된 것이다.

측두하와 접근법을 비롯한 외측 접근법은 경정맥공에 생긴 종양을 수술하기 위해 개발되었다. 1964년에 Shapiro와 Neues가 가장 먼저 외측 접근법을 발표하였으며,[23] 10년 후에 Gardner가 Combined approach라는 이름으로 약간 변형한 방법을 소개하였다.[10] 1977년에 Fisch는 측두하와 접근법(infratemporal fossa approach)이라는 수술방법을 발표하였는데, 이 방법은 경정맥공 사구종양이 경정맥공으로부터 내경동맥을 따라서 전상방으로 확장될 때 이에 따라서 수술적 접근을 A형에서 B, C형으로 확대할 수 있다는 개념이 이전 방법들과 다른 점이다.[8]

A형 접근법은 경정맥공을 포함한 측두골 하부의 병변을 제거하기 위한 접근법이며, B형 접근법은 하악골의 내측으로 측두골 첨부와 사대, 내경동맥의 수평분절을 포함한 시야를 얻는 것이다. C형 접근법은 B형 측두하와 접근법을 앞쪽으로 확장하는 것으로 측두하와와 익구개와, 터키안 주변(parasellar region), 비인강의 병변을 수술할 때 시행할 수 있지만 이 부위로의 접근은 경안면 접근법(transfacial approach) 등의 전방 접근법으로도 가능하다.

1. A형 측두하와 접근법

경정맥구는 하고실을 통해서도 접근할 수 있지만 경정맥공은 A형 측두하와 접근법이나 그 변형된 접근법으로 가장 넓게 접근할 수 있다.

1) 수술방법

먼저 후이개로 넓게 접근하여 외이도를 맹낭으로 폐쇄한다. 그 후의 과정은 고실부의 제거, 유양동 삭개술, 흉쇄유돌근과 이복근의 분리, 슬상신경절부터 경유돌공까지의 안면신경의 노출 및 전위, S자 정맥동과 후두개와 경막의 노출을 포함하며, 하부로도 대혈관들과 뇌신경 IX-XII번을 찾아내는 과정이 포함된다. 경정맥공에 있는 종양을 제거하기 위해서는 혈관을 제어하기 위하여 측두골에서 경부까지의 정맥 체계를 모두 노출하는 것이 중요하다.

외측으로부터 접근을 할 때 안면신경의 주행으로 인해 경정맥공 및 종양으로의 접근 자체가 방해된다. 따라서 측두하와로 접근할 때에는 안면신경을 전방으로 영구적으로 전위를 시키고, 하악골을 전방으로 견인함으로써 경정맥공과 측두골내 내경동맥을 넓게 노출하는 과정이 필요하다(그림 58-14).

측두하와 접근법은 원래 경정맥구 사구종양과 같이 전방으로 진행하는 혈관성 종양을 제거하기 위해 고안되었다. 이 접근법은 넓은 시야를 제공하여 내경동맥을 따라 앞쪽으로 진행된 종양까지 다 노출할 수 있지만, 단점으로 영구적인 전음성 난청이 생기며 23%에서 일시적인 안면신경의 마비와 10~13%에서 House-Brackmann (H-B) grade III-IV의 영구적인 안면신경 마비의 가능성이 있다.[5,9,13]

안면신경 마비를 방지하기 위해 수술 중 안면신경 감시(facial nerve monitoring)가 필수적이며,[16] Brackmann 등은 안면신경을 경유돌공의 골막 및 이하선의 심엽과 함께 들어서 전위시키는 방법을 제안하였다.[3]

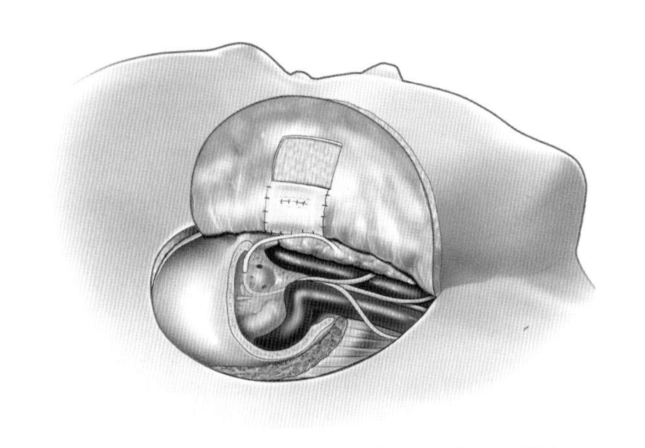

■ 그림 58-14. **측두하와접근법.** A형으로 경동맥, 경정맥 및 경정맥공이 노출된 모습

안면신경에는 외부혈관과 내부혈관이 있는데 외부혈관은 경유돌동맥(stylomastoid artery), 대추체동맥(greater petrosal artery)과 내청동맥(internal auditory artery)으로부터 유래한다. 이 혈관들은 신경막과 안면신경관의 골막 사이에 위치하므로 안면신경을 전위시키는 과정에서 허혈성 손상으로 일시적인 안면신경마비가 올 수 있다. 측두하와 접근법의 단점인 전음성 난청과 안면신경의 손상을 피하기 위하여 종양의 종류나 위치에 따라 수술의 범위를 최소한으로 하여 합병증을 줄여 보려는 시도가 많이 되고 있다. 특히 혈관이 많지 않고 덜 침습적인 신경초종은 크기가 작고 국한되어 있을 경우에는 안면신경을 완전히 전방으로 전위시키는 대신 수직분절 이후로 일부만 전위하거나, 외이도를 보전하면서 종양을 제거할 수 있다.[5] 이러한 방법들은 종양의 크기가 작고 중이와 고막이 침범되지 않았을 때, 그리고 청력이 남아 있을 때 사용할 수 있는 방법이고, 종양의 크기가 크거나 추체첨부까지 진행이 되었거나, 내경동맥의 조작이 필요한 경우, 그리고 중이 쪽으로 많이 침범되었을 경우에는 안면신경의 전위가 필요하다.

2) 하부뇌신경에 대한 처치

하부뇌신경(뇌신경 IX-XII)은 A형 측두하와 접근법을 이용하여 경정맥공에 접근해서 종양을 제거하는 과정에서 손상을 받을 수 있는데, 손상은 두개 내, 두개외 또는 경정맥공 안에서 모두 일어날 수 있다.

경정맥사구종양은 경정맥구에서 생기므로 외측에서 뇌신경을 밀게 되며 일반적으로 수술 전에 뇌신경의 기능은 보존된다. 종양이 큰 경우에는 내측으로 침범을 하게 되는데 약 20% 정도에서 뇌신경의 마비가 생긴다. 수막종은 기원에 따라 외측이나 내측에서 생길 수 있으며 약 35%에서 수술 전 뇌신경 마비를 일으킨다. 신경초종은 신경에서 기원하므로 수술 전 마비의 가능성이 50% 정도로 가장 높다.

수술 후에 새로 생기는 뇌신경 마비는 종양의 침범 정도에 따라 수막종, 경정맥사구종양, 신경초종 순서로 많이 생기며 가장 외측에 위치하는 설인신경의 손상이 가장 많다. 종양을 박리하면서 하부뇌신경을 손상할 수 있는 중요한 부분은 하추체정맥동 쪽으로 종양이 침투해 있는 경우이다. 하추체정맥동과 경정맥구 사이의 다수의 입구 사이로 종양이 침투해 있을 때에는 그곳에 위치하는 하부뇌신경 가닥들이 종양과 매우 가까이 있을 가능성이 높으며 이때는 경정맥구가 개방이 되어도 하추체정맥동으로부터의 출혈이 심하지 않다. 경정맥구종양은 두개 내로 자라 들어갈 때 주로 경정맥구의 내측벽을 통해서 들어가므로 종양의 두개강 침범 여부가 하부 뇌신경의 기능이나 보전과 밀접한 관계가 있다.[22] 이러한 경우에 종양을 완전히 제거하는 여부는 환자의 나이, 수술 전 신경의 기능 그리고 환자의 건강상태 등을 고려해야 한다. 경정맥공에 생기는 대부분의 종양은 양성이고 자라는 속도가 빠르지 않으므로 일반적으로 하부 뇌신경의 기능이 정상적으로 남아 있을 때에는 종양을 남기더라도 신경기능을 보존하는 것이 좋다. 반대로 수술 전에 신경의 기능이 없거나, 종양이 재발한 경우에는 종양을 완전히 제거해야 한다. 이러한 결정에는 환자의 나이도 고려해야 하는데 젊은 환자들은 하부뇌신경 마비 후 수 주 안에 적응할 가능성이 높지만 나이가 많은 환자들은 증상이 훨씬 심하고 적응에

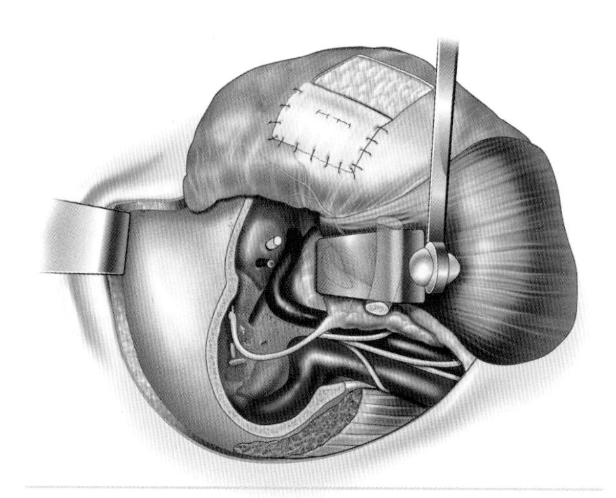

■ 그림 58-15. **B형 측두하와 접근법으로 측두하와가 노출된 모습**

도 시간이 많이 걸리게 된다. 연하장애가 적응되는 데는 대뇌피질이나 피질하의 조절작용이 필요하며 대개 6개월 정도가 걸린다.

2. B형 측두하와 접근법

B형 측두하와 접근법의 목적은 측두골 첨부와 사대, 내경동맥의 수평분절을 포함한 시야를 얻는 것이다. B형 접근법에서 안면신경은 안면신경관에서 이동되지 않으며, 내경동맥의 수직 및 수평분절이 완벽히 노출되어야 할 필요가 있을 때에는 A형 접근법과 병합해서 이용할 수 있다. 협골 궁과 측두근을 아래쪽으로 옮기고, 외측 두개저 부위의 뼈를 제거함으로써 측두하와 부위의 시야를 얻을 수 있다(그림 58-15).

1) 수술방법

먼저 후이개 절개를 넓게 시행한 후 외이도는 맹낭으로 폐쇄한다. 안면신경의 상부 분지들을 분기점에서부터 협골 궁을 지나 안면 근육들로 들어가 사라질 때까지 확인한다. 협골 궁을 노출하여 가능한 한 가장 앞쪽과 뒤쪽에서 분리하여 교근(masseter)의 근막에 붙여 놓았다가 수술이 끝나고 miniplate나 wire로 다시 고정시킨다. 측두근은 두정부 두개골의 부착 부위부터 거상하여 부착부인 구상돌기를 중심으로 아래로 젖힌다.

추체아전절제술(subtotal petrosectomy)을 시행하여 고실과 유양동은 완전히 제거하면서 외이도 피부, 고막, 침골, 추골의 제거를 포함하여 모든 고실유양 내의 함기화된 공간을 제거한다. 안면신경관의 얇은 뼈는 남겨두어 안면신경을 보호할 수 있도록 하고, 내경동맥의 수직분절은 중이 공간의 앞쪽에서 확인한 후 이관의 내측으로 지나는 것을 확인한다. 그 후 관절 돌기가 하악와와 붙는 인대조직을 제거하고 측두하악관절의 관절 디스크도 제거한다. 하악와를 제거하여 중두개와 경막을 노출하고 측두하와 견인기를 하악 관절 돌기와 측두근 사이에 넣어 관절 돌기를 아래쪽으로 밀면 두개저로 약 4 cm 정도의 공간이 생기며 측두하와로 접근이 가능해진다.

측두하와로 진행하면서 극공 및 중경막동맥, 삼차신경의 세 번째 분지인 하악신경을 확인할 수 있다. 중경막 동맥은 소작 후 자르고 더 깊은 시야가 필요하면, 하악신경도 자를 수 있다. 이어서 이관의 골부와 연골부를 완전히 제거하고 고막범장근도 제거하면 내경동맥의 수평분절이 파열공으로 들어가는 것을 볼 수 있다. 병변을 제거한 후에는 이관 연골부를 봉합하고, 수술 후 생긴 공간을 유리피판이나 측두근 피판으로 채운 후 수술부위를 봉합한다.

2) 후유증 및 합병증

B형 접근법의 단점은 중이 구조가 없어짐으로써 생기는 전음성 난청과 삼차신경의 하악분지를 절단해서 생기는 안면 하부와 혀의 감각저하이다. 9~12개월이 지나면, 주위의 신경들로부터 감각이 서서히 돌아오기 때문에, 장기적인 무감각이나 통증을 호소하는 경우는 드물다. 관절돌기를 절제하지 않으면 측두하와로 집어 넣은 측두근이 악관절을 대신하므로, 입을 벌리거나 저작할 때 문제는 발생하지 않지만, 일시적으로는 입을 크게 벌리는데 제한을 느낄 수 있다. 그 외에 합병증으로 비인강에서부터 상행성 감염이 발생할 가능성이 있으므로 수술 부위를 막

을 때 지방조직보다는 혈관공급이 좋은 근육조직을 이용하는 것이 바람직하다.

참고문헌

1. Arnautovic KI, Al-Mefty O. Primary meningiomas of the jugular fossa. J Neurosurg 2002;97:12-20.
2. Balasubramaniam C. A case of malignant tumour of the jugular foramen in a young infant. Childs Nerv Syst 1999;15:347-350.
3. Brackmann DE. The facial nerve in the infratemporal approach. Otolaryngol Head Neck Surg 1987;97:15-17.
4. Carvalho GA, Tatagiba M, Samii M. Cystic schwannomas of the jugular foramen: clinical and surgical remarks. Neurosurgery 2000;46:560-566.
5. Cho YS, So YK, Park K, et al. Surgical outcomes of lateral approach for jugular foramen schwannoma: postoperative facial nerve and lower cranial nerve functions. Neurosurgical Review 2009;32:61-66.
6. Cinibulak Z, Krauss JK, Nakamura M. Navigated minimally invasive presigmoidal suprabulbar infralabyrinthine approach to the jugular foramen without rerouting of the facial nerve. Neurosurgery 2013;73:ons3-15.
7. Dobberpuhl MR, Maxwell S, Feddock J, St Clair W, Bush ML. Treatment Outcomes for Single Modality Management of Glomus Jugulare Tumors With Stereotactic Radiosurgery. Otol Neurotol 2016;37:1406-1410.
8. Fisch U, Pillsbury HC. Infratemporal fossa approach to lesions in the temporal bone and base of the skull. Arch Otolaryngol 1979;105:99-107.
9. Fisch U. Intracranial extension of jugular foramen tumors. Otol Neurotol 2004;25:1041; author reply 1041-1042.
10. Gardner G, Cocke EW, Jr., Robertson JT, Trumbull ML, Palmer RE. Combined approach surgery for removal of glomus jugulare tumors. Laryngoscope 1977;87:665-688.
11. Hasegawa T, Kato T, Kida Y, et al. Gamma Knife surgery for patients with jugular foramen schwannomas: a multiinstitutional retrospective study in Japan. J Neurosurg 2016;125:822-831.
12. Ibrahim R, Ammori MB, Yianni J, Grainger A, Rowe J, Radatz M. Gamma Knife radiosurgery for glomus jugulare tumors: a single-center series of 75 cases. J Neurosurg 2016:1-10.
13. Jang K-S, Cho Y-S. Clinical Features and Surgical Outcomes of Glomus Tumors in the Temporal Bone and Skull Base. Korean J Otorhinolaryngol-Head Neck Surg 2014;57:752-758.
14. Kaye AH, Hahn JF, Kinney SE, Hardy RW, Jr., Bay JW. Jugular foramen schwannomas. J Neurosurg 1984;60:1045-1053.
15. Kunzel J, Iro H, Hornung J, et al. Function-preserving therapy for jugulotympanic paragangliomas: A retrospective analysis from 2000 to 2010. Laryngoscope 2012;122:1545-1551.
16. Leonetti JP, Brackmann DE, Prass RL. Improved preservation of facial nerve function in the infratemporal approach to the skull base. Otolaryngol Head Neck Surg 1989;101:74-78.
17. Lustig LR, Jackler RK. The variable relationship between the lower cranial nerves and jugular foramen tumors: implications for neural preservation. Am J Otol 1996;17:658-668.
18. Peker S, Sengoz M, Kilic T, Pamir MN. Gamma knife radiosurgery for jugular foramen schwannomas. Neurosurg Rev 2012;35:549-553; discussion 553.
19. Rubinstein D, Burton BS, Walker AL. The anatomy of the inferior petrosal sinus, glossopharyngeal nerve, vagus nerve, and accessory nerve in the jugular foramen. AJNR Am J Neuroradiol 1995;16:185-194.
20. Samii M, Alimohamadi M, Gerganov V. Surgical Treatment of Jugular Foramen Schwannoma: Surgical Treatment Based on a New Classification. Neurosurgery 2015;77:424-432; discussion 432.
21. Samii M, Babu RP, Tatagiba M, Sepehrnia A. Surgical treatment of jugular foramen schwannomas. J Neurosurg 1995;82:924-932.
22. Sanna M, Jain Y, De Donato G, Rohit, Lauda L, Taibah A. Management of jugular paragangliomas: the Gruppo Otologico experience. Otol Neurotol 2004;25:797-804.
23. Shapiro MJ, Neues DK. Technique for Removal of Glomus Jugulare Tumors. Arch Otolaryngol 1964;79:219-224.
24. Sweasey TA, Edelstein SR, Hoff JT. Glossopharyngeal schwannoma: review of five cases and the literature. Surg Neurol 1991;35:127-130.
25. Vogl TJ, Bisdas S. Differential diagnosis of jugular foramen lesions. Skull Base 2009;19:3-16.

CHAPTER

59

측두골과 외측 두개저의 종양_ 측두골의 양성종양

이비인후과학 Otorhinolaryngology - Head and Neck Surgery

남성일

I 서론

측두골에 발생하는 양성종양들은 다양한 위치에 분포하고 있으며, 두개저의 복잡한 해부학적 구조와 좁은 수술시야 때문에 수술적 접근이 쉽지 않다. 병리조직상 '양성' 소견임에도 불구하고 중요 기관과 밀접한 곳에 발생해 국소적 파괴를 일으켜 난청, 어지럼증, 뇌신경마비 등의 합병증이 발생할 수 있으므로 신속한 진단과 치료가 필요하다. 과거에는 접근이 불가능하였고 수술 후 발생할 수 있는 심각한 합병증으로 인해 제거할 수 없다고 여겨졌던 종양들도 최근에는 수술 전 평가와 수술 기법 그리고 술 후 관리의 발전으로 해결이 가능해지고 있다. 두개저 수술은 이비인후과와 신경외과 의사의 협조하에 접근하는 경우가 많으며, 다양한 접근법의 장단점을 충분히 고려하여 적절한 수술법을 선택하는 것이 중요하다.

이 단원에서는 측두골에 발생하는 대표적인 양성종양과 염증성 질환에 대해 소개하고자 한다. 측두골종양 중에는 청신경초종이 가장 흔하게 발생하며, 그 외에 원발성 선천성 진주종, 안면신경초종, 콜레스테롤 육아종, 내림프낭종 등이 있다. 이 중 소뇌교각 및 경정맥공에서 흔히 발생하는 양성종양은 다른 장에서 설명된다(표 59-1).

II 원발성 선천성 진주종 (Primary Congenital Cholesteatoma)

선천성 진주종은 점막으로 구성된 중이강 내에 각화된 편평상피가 케라틴을 축적시키면서 주위의 골조직을 파괴하는 진주 형태를 지닌 유표피 낭종이다. 병인은 아직 불분명하다. 원발성 선천성 진주종의 발생은 드물며, 추체첨부, 소뇌교각, 중이강, 외이도, 유양돌기 등에서 발생할 수 있다. 추체첨부 병변의 4~9%를 차지하며 콜레스테롤 육아종 다음으로 흔하게 발생한다. 대부분 어린 시절에 임상적으로 나타나지만, 출생 시부터 젊은 성인까지 어느 연령에서도 발생할 수 있다. 선천성 진주종은 많은 경우에서 증상이 없이 우연히 발견되지만 병변의 위치와 진행

표 59-1. 측두골 양성 종양

위치	종류
외이도	골종(Osteoma)
	외골종(Exostosis)
	섬유형성 이상(Fibrous dysplasia)
	x 조직구증(Histiocytosis x)
	혈관종(Hemangioma)
중이	선종(Adenoma)
	수막종(Meningioma)
	사구종(고실)(Glomus tympanicum)
	선천성 진주종(Congenital cholesteatoma)
	신경초종(Schwannoma)
내이/추체첨부/소뇌교각	신경초종(Schwannoma)
	뇌수막염(Meningioma)
	콜레스테롤 육아종(Cholesterol granuloma)
	혈관주위세포종(Hemangiopericytoma)
	지방종(Lipoma)
	내림프낭종(Endolymphatic sac tumor)

양상에 따라 전음성 난청, 이통, 안면신경마비, 감각신경성 난청, 현훈, 이명 등 다양한 이과적 증상을 동반할 수 있다. 이루, 고막천공과 같은 만성 귀 질환의 증상이 없으면 진단 내리기는 쉽지 않다. 방사선학적 검사로 측두골 전산화 단층촬영과 프로펠러 확산강조영상(PROPELLER diffusion-weighted image)이 진주종 진단에 많은 도움을 줄 수 있다.[3,18] 정확한 병소를 확인하고 수술로 제거한다(그림 59-1).

III 콜레스테롤 육아종 (Cholesterol Granuloma)

콜레스테롤 육아종은 다양한 신체 장기인 측두골, 부비동, 폐, 늑막, 신장, 종격동, 갑상선, 그리고 하악 등에서 발생할 수 있는 질환으로, 측두골은 가장 흔히 발견되는 부위이다. 측두골에 발생하는 콜레스테롤 육아종은 두 종류로 구분할 수 있는데, 추체 첨부에 발생하는 경우와 중이강과 유양동에 발생하는 경우이다.[9,21] 중이강과 유양동에 발생하는 콜레스테롤 육아종은 흔히 만성 중이염과 관련되어 나타나며 만성 중이염을 가진 환자의 측두골 조직학적 연구에서 만성 중이염 환자의 20%에서 콜레스테롤 육아종이 발견되었다는 보고가 있다.[10] 추체첨부 콜레스테롤 육아종은 진정한 의미의 종양이라기보다 측두골 내의 반응성 과정(reaction process)에 의해 생성된 종물로 이해되며, 영상학적 검사에 의해 진단된다.

중이 콜레스테롤 육아종은 이물질 거대세포에 의하여 둘러싸인 콜레스테롤 크리스탈(cholesterol crystal)을 특징으로 하는 육아종성 병변으로 흔히 중이의 불충분한 배액 장애, 출혈과 환기 장애로 인해 형성되며 측두골 내에서 병변의 확장이 일어날 수 있다.[4,11,16] 또한 고막의 천공을 동반한 경우보다 고막 천공이 없이 고막의 함몰 등이 있는 경우에 더 많이 발견된다고 보고하였다.[2] 일반적으로 성별 간의 차이나 호발 연령은 없다. 콜레스테롤 육아종의 대부분은 증상이 경미하지만 육아종이 주변 조직에 손상을 주는 경우 이소골 파괴, 난청, 안면신경마비, 미로 손상 및 두개내 합병증을 일으킬 수 있다.

추체첨부 콜레스테롤 육아종은 중이염이나 진주종과의 긴밀한 연관성은 없지만, 유사한 병태생리학적인 과정에 의해 발생되었을 가능성이 있다. 함기화가 잘된 추체첨부에서 약 30% 발견된다. 측두골 외상, 이관 기능장애 혹은 점막 부종 등으로 인해 이차적으로 생긴 추체부 봉소의 환기가 막힘으로 초기 병변은 시작되고, 염증이나 혹은 외상은 추체첨부에 출혈을 일으키고, 봉소의 환기장애가 생겨 봉소내에 혈액이 고이게 된다. 이 변성된 적혈구와 괴사조직에서 생성된 콜레스테롤, 혈철소(hemosiderin), 섬유소 등이 외부로 배출되지 못하고 한정된 공간안에 오랫동안 고여 있게 되면 염증성 이물 반응이 유발되어 육아종을 형성하게 되는 것이다.[5]

콜레스테롤 육아종이 추체첨부에 국한되어 있을 수 있

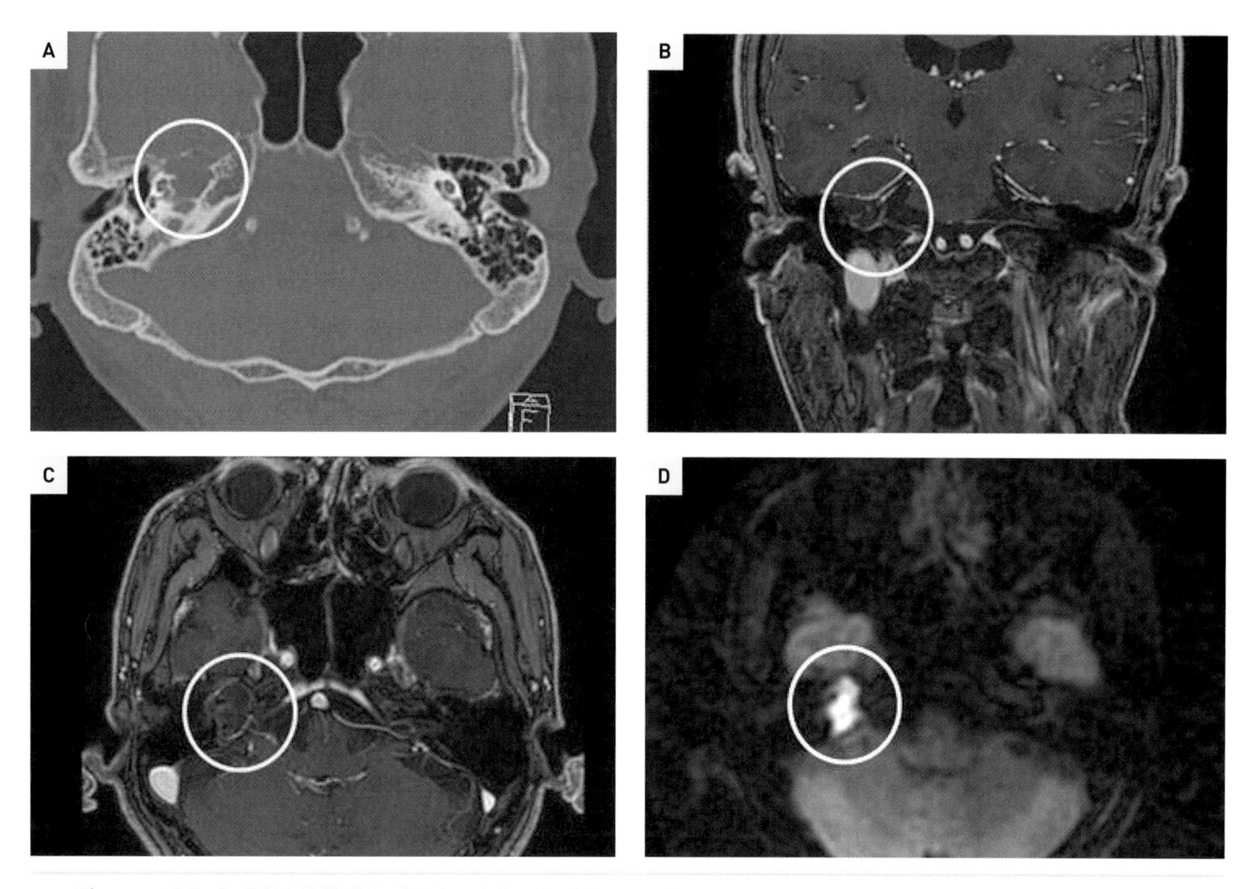

■ **그림 59-1. 우측 추체첨부에 발생한 진주종. A)** 측두골전산화 단층촬영. **B)** MRI T1 enhanced Coronal. **C)** MRI T1 enhanced, Axial. **D)** PROPELLER DWI

어 무증상일 수도 있지만, 후두개와로 확장되어 외전신경 마비(abducens nerve palsy), 복시, 안면통, 안면마비, 안면경련, 두통, 어지럼증, 이명 그리고 난청 등을 초래할 수 있다.

수술적 치료의 핵심은 병소 공간 내에 영구적 환기상태를 유지시키는 것이다.

이경검사에서 고막의 운동성이 감소하고 청색 고막으로 보이는 경우 콜레스테롤 육아종을 의심할 수 있으나, 경정맥구(jugular bulb), 미입내경동맥(aberrant internal carotid artery), 사구종양(glomus tumor) 등과 감별을 요하므로 영상의학적인 검사가 필수적이라 할 수 있겠다.[15,17] 콜레스테롤 육아종은 컴퓨터단층촬영(computed tomography; CT)에서 뇌실질과 비슷한 음영을 가진 종괴로 관찰되고, 자기공명영상(magnetic resonance imaging, MRI)에서 T1-weightedimage (T1WI), T2-weighted image (T2WI) 모두 고신호 강도(hyper-intense)를 보이며 조영증강되지 않는다.[19] 그러나 MRI는 골조직의 미란을 관찰하기는 힘들다는 단점이 있다(표 59-2). 병리조직학적으로 콜레스테롤 육아종은 현미경상에서 원형 세포(round cell)와 대식세포(macrophage), 많은 혈관들을 포함하고 있는 섬유성 결합조직 안에, 콜레스테롤 결정과 이를 둘러싸는 다핵 거대세포(multinucleated giant cell)들을 관찰할 수 있다(그림 59-2). 추체첨부의 콜레스테롤 육아종의 치료는 병변의 크기, 환자의 청력상태, 나이, 청력상태 그리고 술자의 선호도에 따라 수술을 시행할 수 있다.[20] 수술은 병변을 배액하여 추체첨부를 환기

표 59-2. 추체첨부 원발병변의 영상 소견

병 변	Computed Tomography	MRI			
		T1	T2	Enhancement	Diffusion (DWI)
점액낭종(mucocele)	Hypodense	Hypointense	Hyperintense	No	No
진주종 (유피낭종)	Hypodense or isodense with CSF	Hypointense	Hyperintense	No	Yes
콜레스테롤 육아종	Isodense with brain	Hyperintense	Hyperintense	No	No
전이(metastatic)	Destructive, calcification	Isointense-75% Hypointense-25%	Hyperintense	Yes	No

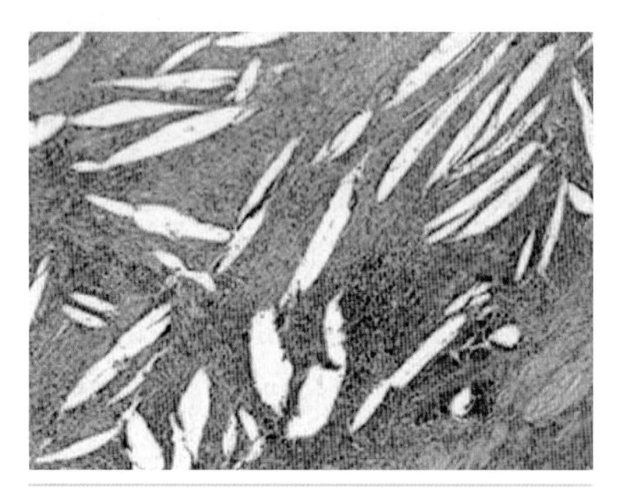

■ 그림 59-2. **콜레스테롤 결정과 주변에 만성 염증세포의 침윤 소견(H&E 염색)**

화하는 것이다. 추체첨부에 접근은 청력 유무에 따라 즉, 잔청이 없는 경우에는 경와우 접근법(transcochlear approach) 혹은 경미로 접근법(translabyrinthine approach)이 이용되며, 대부분의 경우에 청력이 남아 있으므로 미로하 접근법(infralabyrinthine approach), 달팽이관하(infracochlear), 경측두엽 (transtemporal) 또는 중두개와 접근법이 이용된다. 이러한 전통적 방식의 접근은 청력, 안면마비의 위험성 및 뇌 견인에 따른 손상의 위험성을 동반할 수 있어 최근에는 내시경적 경접형동 접근이 개발, 발전되고 있다.[25]

Ⅳ 안면신경 초종

안면신경 초종은 비교적 드문 질환으로 유병률이 낮고 성장이 느려서 진단이 비교적 어려운 질환이다. 안면신경 초종은 연수교뇌 이행부(pontomedullary junction)부터 이하선까지 안면신경의 주행경로에 따라 어느 위치에나 발생할 수 있으나 대부분 측두골 내에 발생한다. 흔하게 발생하는 곳은, 슬신경절, 고실(tympanic), 혹은 유양(mastoid) 분절이다. 그리고 여러 분절에서 동시에 침범되는 경우도 종종 있다. 임상증상이 없이 우연히 발견되는 경우도 있지만, 가장 흔한 임상적 증상인 안면마비는 수주 혹은 수개월에 걸쳐 서서히 진행된다. 하지만 안면신경초종의 20%는 급성 안면마비와 유사한 증상을 나타내므로 벨 마비로 오인되는 경우도 있다. 난청은 두 번째로 흔한 증상이다. 그 외에 이명, 이충만감, 이통, 이루, 중이염을 일으키기도 한다. 내이를 침범하거나 청신경을 압박할 경우 감각신경성 난청, 전정기능 감소가 생길 수 있다.

임상적으로 안면신경 초종이 의심이 될 때 확진 및 범위를 평가하는 방법은 안면신경의 전체 주행경로를 고해상도의 측두골 전산화단층촬영과 가돌리늄 조영증강 자기공명영상(Gadolinium-enhanced MRI)으로 확인하는 것이 제일 확실한 방법이다. 안면신경 초종의 호발 부위인 슬신경절 주위는 반드시 관찰이 필요하다(그림 59-3).

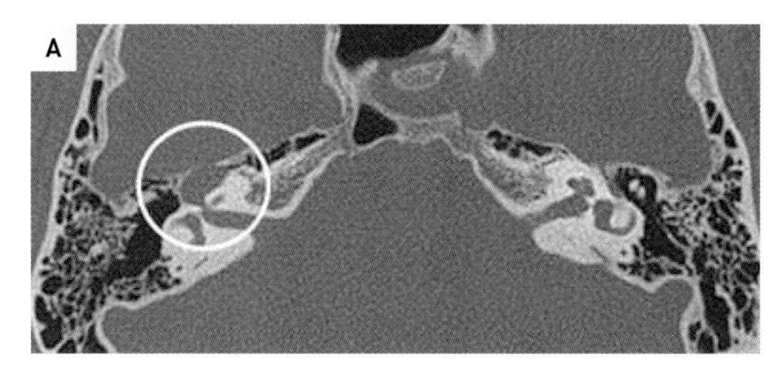

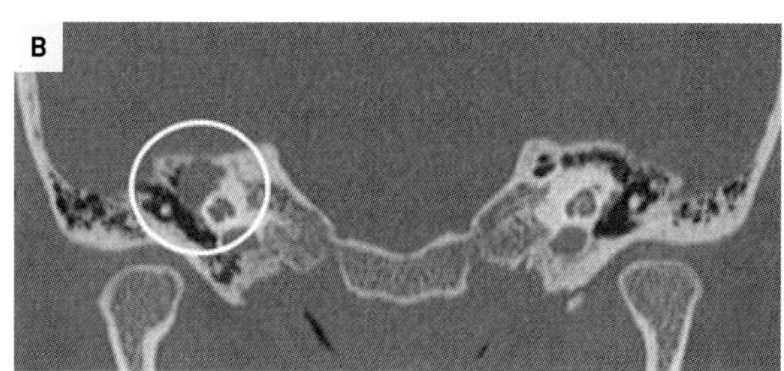

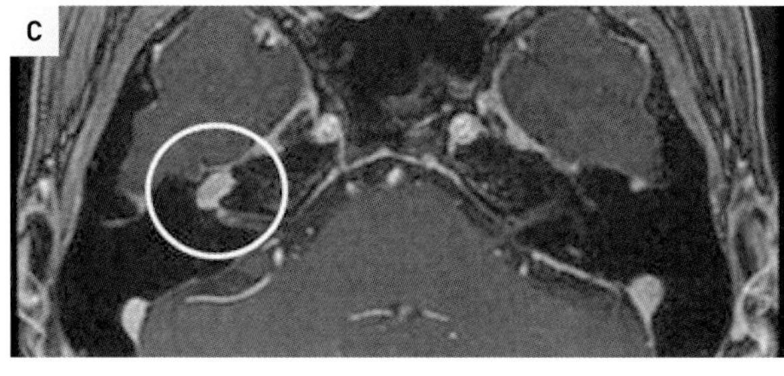

■ **그림 59-3.** 경계가 명확한 연조직음영을 나타내며 강한 조영증강을 보이는 종괴가 안면신경의 슬신경절 주위에 있음. **A)** 측두골전산화 단층촬영 Axial. **B)** 측두골전산화 단층촬영 Coronal. **C)** MRI T1 enhanced, Axial

안면신경 초종의 치료 목표는 안면신경과 청력기능을 보존하면서 종물을 완전 제거하는 것이다.[24] 따라서 치료방법을 결정하기 전에 먼저 종양의 크기와 위치, 안면신경의 기능과 청력상태를 확인하는 것이 매우 중요하다. 치료방법에는 이견들이 있지만, 대개 경과관찰, 방사선치료 그리고 수술적 제거로 분류할 수 있다. 치료방법의 결정은 진단 시의 안면신경기능, 청력상태, 술자의 경험 그리고 환자 선호도에 따라 결정되지만, 수술적 제거가 궁극적인 치료방법이라 할 수 있다. 수술적 치료 시기에 대해 많은 논란이 있다. 진단된 종양이 작으면서 안면신경 기능이 좋을때는 가능한 조기에 종양 핵적출술이 좋을 수 있으나,[23] 대부분 수술을 하게 되면 종양이 있는 안면신경의 분절을 함께 제거되므로 신경문합술을 하더라도 H-B grade III보다 좋은 결과를 예상하기 어려우므로 H-B grade III 이상의 환자들인 경우에 수술을 고려하고, 나이가 많거나 증상이 없는 환자들은 오랜 기간 동안 안면신경 기능을 유지할 가능성이 높으므로 정기적인 방사선 검사 및 경과 관찰을 시행한다. 이러한 원칙에 예외적인 경우는 수술 전 안면신경기능과 청력이 좋더라도 (1) 이하선내에 큰 종양이 자랐거나 (2) 소뇌교각과 중두개와로 자란 다분절 종양 (3) 빠른 속도로 자라거나 (4) 측두엽을 압박하는 큰 종양은 조기수술이 필요하다.[1] 안면신경 초종의 수술적 접근방법은 다양한데, 보통 경유양동 접근법, 경미로 접근법, 이하선 접근법, 중두개와 접근법 중에서 한 가지 또는 두 가지 이상의 접근법을 선택한다. 다양한 수술적 접근법 중에 청력을 보존하기 위해 경유양동 접근법이나 중두개와 접근법을 이용하는데, 이 경우에 안면신경의 최근위부를 노출하기가 어렵고 이 부위의 종양을 적출하기가 어렵다는 단점이 있다. 청력이 나쁜 경우에는 경미로 접근법을 사용하는데, 이 접근법은 안면신경의 최근위부를 가장 직접적으로 보여주고 수술적인 조작이 비교적 용이하다는 장점이 있다. 안면신경 재건을 위한 술식에는 다양한 방법이 있는데, 이론적으로는 10-0 단세사 나일론을 이용한 단단문합술(end to end anastomosis)이 가장 좋은방법이지만, 신경우회술 후에도 연결한 안면신경에 장력이 걸리는 경우에는 대이개신경이나 비복신경을 이용하여 유리신경이식술을 시행한다.

 V 내림프낭 종양

내림프낭 종양은 1984년 Hassard 등이 메니에르병을

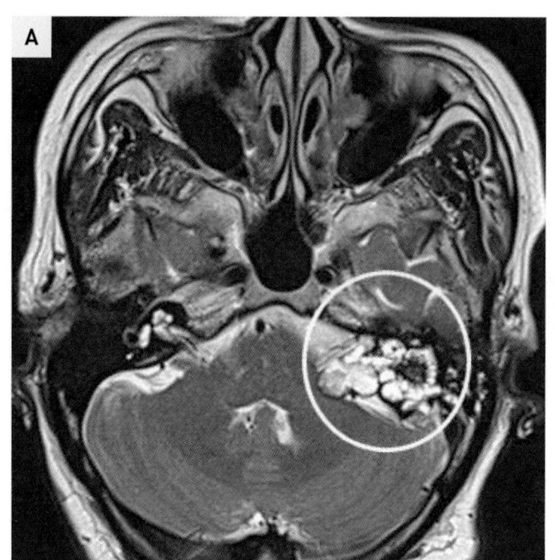

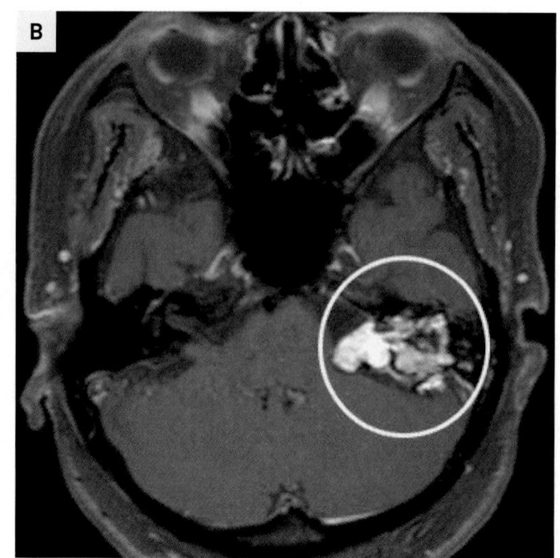

■ **그림 59-4. 내림프낭 종양. A)** MRI T2W. **B)** MRI T1W. 5×4 cm 크기 종양이 T2 강조영상에서는 고음영을 보이며, T1 강조영상에서는 고음영과 저음영이 혼합된 양상을 보이며, 소뇌교각을 침범하는 공격적인 성향의 병변으로 moth-eaten pattern과 honeycomb 병변을 보인다.

의심하여 내림프낭 감압술을 하던중 유두상종양이 발견되어 처음 보고하게 되었다.[7] 그 후 Heffiner 등이 측두골의 내림프낭에서 기원하는 20예의 유두상 종양을 선암종 adenocarcinoma으로 보고하였다.[8] 내림프낭 종양은 혈류가 풍부하지만 서서히 자라기 때문에 파괴적인 성향을 보이기 전까진 진단하기 어렵다. 이 종양은 여성에서 발생률이 훨씬 높으며, 호발 부위는 전정도수관 근처 내이도와 S자 정맥부위 사이이다. 전형적 임상적 증상은 감각신경성 난청(돌발성 혹은 진행성), 안면마비이고 그 외 이명, 어지럼증, 장액성 중이염, 경정맥공 증후군, 뇌교각 증후군 등이 있다. 종양의 발생 부위의 특성 때문에 수술 전에 조직 생검을 통한 확진을 못하는 경우가 많으므로, 치료계획을 세우는데 임상 소견, 영상검사 등은 매우 중요하다. 자기공명영상에서는 낭종성 부위와 비낭종성 부위가 혼재되어 T1WI와 T2WI에서 고신호강도와 저신호강도가 혼합되는 것이 특징이다(그림 59-4).

Gaffey 등은 내림프낭 종양환자의 10~30%가 von Hippel-Lindau disease (VHL)와 연관성이 있다고 보고하였다.[13] VHL은 상염색체 우성유전을 하는 3번 염색체 (3p25~26)의 VHL gene의 이상으로 생기는 질병으로, 신낭종이나 암종, 갈색세포종, 췌장낭종, 신경내 분비종, 자궁 부속기 낭선종 등이 동반될 수 있다.

치료는 완전 절제를 위한 적극적인 수술적 치료가 일차 선택이며, 광범위하게 침범을 한 경우에는 완전 절제가 힘든 경우도 있다.

Ⅵ 두개저 골수염 (Skullbase Osteomyelitis)

두개저 골수염은 생명을 위협하는 질환이며 측두골과 두개저 영역을 침범한다. 그리고 당뇨, 면역력이 약화된 (immunocompromised) 노인에서 호발하므로, 이런 환자에서 외이도 감염치료에 반응이 없는 경우 두개저 골수염 발전을 염두에 두어야 한다. 두개저 골수염은 드문 질환으로 Toulmouche[22]에 의해 1838년 처음 소개되었으며 Meltzer 와 Kellemen[14]에 의해 1959년에 발표되었다.

악성 외이도염이 두개저 골수염으로 발전하는 것은 괴

사성염증이 외이도에서부터 Santorini fissure를 통해 두개저까지 퍼지기 때문이다. 감염은 측두골의 혈관 통로를 통해 퍼지게 되고 결국 추체 첨부에 도달한다. 그리고 감염이 두개저와 연부조직으로 퍼지면서 육아종과 농양이 발생되고 하부 뇌신경에 영향을 미친다.

두개저 골수염의 임상적 증상은 다양하므로 정확한 진단을 위해 병력, 이학적 검사와 혈액학적 검사가 필요하다. 전형적인 소견으로는 지속적이며 심한 이통, 지속적인 농성 이루 및 육아조직, 당뇨, 면역력이 약화된 상태, 고령, 뇌신경 병변이다. 당뇨는 말단 동맥염과 미세순환의 부족, 면역학적 문제 등에 의해 두개저 골수염의 위험인자가 된다. 감별진단으로는 심한 급성 중이염, 편평상피암, 진주종, 사구체 종양, 비인두암, Hand-Schuller-Christian 병, Wegener 육아종, 호산구성 육아종(eosinophilic granuloma), 사대 척삭종(clival chordoma) 등이 있다.

두개저 골수염은 주로 급성 외이도염으로 처음 시작되어 약물요법에 반응을 하지 않아 병변이 진행된다. 이학적 검사상 대부분의 환자에서 외이도 하부에 경화된 육아조직과 화농성 분비물이 관찰된다.

가장 흔한 원인균은 *P. aeruginosa*이며, 그 외 *P. mirabilis*, *Proteus sp.*, *Klebsiella sp.*, 그리고 *Staphylococcus sp.* 등이 있다. 세균 외에 Aspergillus flavus는 두개저 골수염의 흔한 곰팡이균으로 알려져 있다. 1990년대에 접어들면서 ciprofloxacin-resistant Pseudomonas (PACR)가 발생하고 있으며, 최근 수년간 증가하고 있다.[12] 병원균을 감별하는 것은 최근의 경구 항생제의 사용이나 biofilm의 영향으로 어려울 수 있다. 첫번째 세균학적 배양에서 균이 확인되지 않을 경우는 적어도 48시간의 therapeutic window 후에 골부 깊숙히 생검하는게 바람직하다.

두개저 골수염의 자연 경과상 대부분 뇌신경을 침범하는데 특히, 안면신경(75%), 미주신경(70%), 부신경(56%)에 호발된다.[6]

발병 초기의 혈액검사상 적혈구 침강 속도의 증가 소견을 보이며, 두개저 골수염에 특이적이지는 않지만 악성종양 등 다른 질환과의 감별에 유용하게 사용할 수 있다.

영상학적 검사로는 측두골 컴퓨터 단층촬영 및 뇌자기공명영상이 초기 검사로 이용되고 있는데, 컴퓨터 단층촬영에서 외이도 골미란과 악관절, 두개저 침범 소견을 볼 수 있다. 뇌자기공명영상에서 골변화 관찰은 적절하지 않으나, 골주변의 연조직의 병적 변화를 관찰하기에 휠씬 유용하며 T1 강조영상에서 사대의 지방 골수(fatty marrow)가 저강도의 음영으로 보이는 것이 가장 특이적 소견이다. 병변의 진행정도를 파악하는데는 유용하지만, 병적인 영상은 감염의 완치 후에도 남아 있을 수 있으므로 추적관찰용으로는 부적합하다.

Technetium-99m 스캔 검사는 초기 골침윤 상태를 파악하는데 매우 유용하지만 골구조에 대한 정보를 얻기는 부족하다 비록 특이성이 다소 떨어지나 CT에서 발견하지 못한 골침윤도 확인할 수 있어 민감성이 높다. 스캔의 양성 소견은 급만성 골수염외에 외상에서도 나타난다. Gallium-67 스캔은 93%의 특이도를 가지며 활성감염 상태를 민감하게 반응한다. 현재 감염이 있으면 연조직이나 뼈에서의 갈륨 흡수가 증가하고, 염증이 조절되면 갈륨 흡수는 없어진다. 따라서 Gallium-67 스캔은 두개저 골수염의 치료 경과와 호전 상태를 파악하는 데 가장 유용한 검사이다. 또한, 인디움섬광조영술(indium scintigraphy) 등이 사용될 수 있으며 이 중 어떤 검사들이 더 유용한지에 대해서는 많은 논란이 있다.

외이도에서의 균 배양은 반드시 시행되어야 할 검사이며, 육아종이 있으면 암종을 배제하기 위해 생검을 실시해야 한다. 배양된 균주는 대부분 Pseudomonas이다. 최소한 6주 이상의 항녹농균 항생제를 사용하며 상승효과와 저항성 균주 출현을 막기 위해 aminoglycoside 계열의 항생제를 복합 투여치료한다. 두개저 골수염은 장기간 경과관찰이 필요할 뿐만 아니라 뇌신경 평가 및 증상의 변화나 적혈구침강속도, C-반응성 단백질의 호전 여부 등을 종합적으로 판단하여 경과를 평가해야 한다.

정맥항생제를 충분히 투여함에도 불구하고 화농성 이루가 지속될 때에는 내성균의 발생 가능성을 염두에 두고 반복적 균 배양이 필요하다.

초기치료 성공 여부는 이통이 없어지는 것이며, 성공적인 치료를 위해서는 최소한 6주 이상의 항생제치료, 섬세한 귀세척과 철저한 혈당 관리가 필수적이다. 육아조직이 있을 경우는 병변이 없어질 때까지 수술현미경하에 철저히 제거하면서, 항 녹농균 점이액을 사용해야 한다.

고압산소(hyperbaric oxygen)치료는 골병변 부위를 재생시키는 효과가 있어, 진행된 두개저 질환과 두개 내 침범, 재발된 경우에 사용된다.

적극적인 약물치료에도 불구하고 이통이 심해지며, 육아조직이 계속 남아 있고 뇌신경 병변이 발생하게 되면 흉조(ominous sings)로서 수술적인 치료가 필요하다.

ENOG상에서 90% 이상 신경변성이 지속되는 안면마비가 있으면 초기에 육아조직을 수술적으로 제거를 하면서 안면신경 감압술을 권한다. 병변이 광범위한 경우는 측두골 절제술을 시행할 수 있다. 합병증으로는 뇌신경 마비, 뇌막염, 뇌농양 그리고 사망 등이 있다.

요약하면 두개저 골수염은 이환률과 사망률이 높으므로 초기 질병에 대한 의심을 가지고, 빠른 진단과 적극적인 치료가 필요하다.

참고문헌

1. Bacciu A, Nusier A, Lauda L, Falcioni M, Russo A, Sanna M. Are the current treatment strategies for facial nerve schwannoma appropriate also for complex cases? Audiol Neurootol. 2013;18(3):184-191.
2. Da Costa SS, Paparella MM, Schachern PA, et al. Temporal bone histopathology in chronically infected ears with intact and perforated tympanic membranes. Laryngoscope 1992;102(11):1229-1236.
3. De Foer B, Vercruysse JP, Bernaerts A, et al. Detection of postoperative residual cholesteatoma with non echo-planar diffusion-weighted magnetic resonance imaging. Otol Neurotol. 2008 Jun;29(4):513-517.
4. Ferlito A, Devaney KO, Rinaldo A, et al. Ear cholesteatoma versus cholesterol granuloma. Ann Otol Rhinol Laryngol 1997;106:79-85.
5. Friedmann I. Epidermoid cholesteatoma and cholesterol granuloma; experimental and human. Ann Otol Rhinol Laryngol 1959;68(1):57-79.
6. Gangadar SS, Kwartler JA. Skull base osteomyelitis secondary to malignant otitis externa. Current Opin Otol HN Surg 2003;1:316-323.
7. Hassard AD, Boudreau SF, Cron CC. Adenoma of the endolymphatic sac. J Otolaryngol 1984;13(4):213-216.
8. Heffner DK. Low-grade adenocarcinoma of probably endolym-phatic sac origin. A clinicopathologic study of 20 cases. Cancer 1989;64(11):2292-2302.
9. House JL, Brackmann DE. Cholesterol granuloma of the cerebellopontine angle. Arch Otolaryngol 1982;108(8):504-506
10. Jaisinghani VJ, Paparella MM, Schachern PA, et al. Tympanic membrane/middle ear pathologic correlates in chronic otitis media. Laryngoscope 1999;109(5):712-716.
11. Kerstetter JR, Dolan KD. Middle ear cholesterol granuloma. Ann Otol Rhinol Laryngol 1991;100:866-868.
12. Loh S, Loh WS. Malignant otitis externa: an Asian perspective on treatment outcomes and prognostic factors. Otolaryngol Head Neck Surg 2013;148:991-996.
13. Manski TJ, Heffner DK, Glenn GM, et al. Endolymphatic sac tumors. A source of morbid hearing loss in von Hippel-Lindau disease. JAMA 1997;277(18):1461-1466.
14. Meltzer PE, Kellernen G. Pyocyaneus osteomyelitis of the temporal bone, mandible and zygoma. Laryngoscope 1959;60:1300-1316
15. Miglets AW, Booth JB. Cholesterol granuloma presenting as an isolated middle ear tumor. Laryngoscope 1981;91(3):410-415.
16. Nager GT. Pathology of the ear and temporal bone. Baltimore, Md: Williams and Wilkins;1993. p.913-939.
17. Nager GT, Vanderveen TS. Cholesterol granuloma involving the temporal bone. Ann Otol Rhinol Laryngol 1976;85(2):204-209.
18. Park SH, Lee YW, Park JW, et al. The Value of PROPELLER Diffusion-Weighted Image in the Detection of Cholesteatoma. Korean J Otolaryngol-Head Neck Surg. 2016 Dec;59(12):813-818.
19. Pisaneschi MJ, Langer B. Congenital cholesteatoma and cholesterol granuloma of the temporal bone: role of magnetic resonance imaging. Top Magn Reson Imaging 2000;11(2):87-97.
20. Rinaldo A, Ferlito A, Cureoglu S, Devaney KO, Schachern PA, Paparella MM. Cholesterol granuloma of the temporal bone: a pathologic designation or a clinical diagnosis? Acta Otolaryngol 2005;125(1):86-90.
21. Royer MC, Pensak ML. Cholesterol granulomas. Curr Opin Otolaryngol Head Neck Surg 2007;15(5):319-322.
22. Toulmouche MA. Observations d'otorrhee cerebrale suivis des reflexions. Gazette Med Paris 1838;6:422-426.
23. Won Sang Lee, Jang Hoon Chi, Young Myung Chun, Kee Hyun

Park. Surgical Management of the Facial Nerve Schwannoma. Korean J Otorhinolaryngol-Head Neck Surg. 1999;42(7):849-854.
24. Yamaki T, Morimoto S, Ohtaki M, Sakatani K, sakai J, Himi T, et al. Intracranial facial nerve neurinoma: Surgical strategy of tumor removal and functional reconstruction. Surg Neurol. 1998;49:538-546.
25. Zanation AM, Snyderman CH, Carrau RL, Gardner PA, Prevedello DM, Kassam AB. Endoscopic endonasal surgery for petrous apex lesions. Laryngoscope 2009;119:19-25.

CHAPTER

60

측두골과 외측두개저의 종양_ 측두골의 악성종양

정종우

I 특징

측두골 악성종양은 외이도, 중이와 유양동에서 발생하며, 가장 많은 종양은 편평상피암종이다. 종양이 외이도에 위치하는 경우 조기에 발견되는 경우가 있으나 외이도 깊이 위치하거나 무증상의 종물로 발현할 때는 진단이 늦어지는 경우가 많다.

나타나는 증상으로는 지속적인 이통, 출혈, 이루, 소양감, 귀먹먹함 등이 있으며 중이 쪽으로 침범하여 안면신경마비, 난청을 주 증상으로 나타날 수도 있다. 외이도에 위치하고 통증이나 이루같은 증상이 나타나는데도 외이도염, 중이염 등으로 진단되어 질병이 진행된 후에 진단되는 경우도 보고되므로 진주종 여부와 무관하게 통증이 있는 만성 중이염 환자 또는 외이도 내의 종물이나 중이강의 종물이 발견되는 경우 악성 질환의 가능성을 생각하고 조직생검을 시행하여 악성 여부를 판단하여야 한다.

종양의 침범부위를 평가하기 위하여 전산화 단층촬영(CT), 자기공명영상(MRI)을 비롯한 방사선 검사가 필요하다. 대개 초기 증상은 피부조직과 연부조직의 침범이 관찰되고 진행하면 골파괴 증상과 중이강, 두개저 쪽으로 진행하는 종양의 양상을 보인다.

골조직 침범 여부와 경부림프절 확인을 위해 조영제 증강 CT가 유용하다. 두개골 내로 확장된 종물이나 내경정맥, 경동맥을 침범하는 종물에서는 MRI 영상이 유용하다. 일반적으로 혈관침범 유무를 확인하고 두개골 내 전이여부를 확인하는 데는 CT보다 MRI 영상이 우수하다.

II 분류

1. 측두골 악성종양의 분류

측두골에 발생하는 악성종양은 상피세포암(Epidermal carcinoma), 선세포암(Adenocarcinoma), 육종(Sarcoma)을 포함한 중배엽세포 악성종양이다. 각각의 분류는 표 60-1과 같다.

표 60-1. Malignant tumors in temporal bone[27]

Epidermal carcinoma
- Squamous cell carcinoma
- Verrucous carcinoma
- Basal cell carcinoma
- Melanoma
Adenocarcinoma
- Adenoid cystic carcinoma
- Ceruminous adenocarcinoma
- Mucoepidermoid adenocarcinoma
- Sebaceous cell adenocarcinoma
- Papillary cystadenocarcinoma
Mesenchymal neoplasm (Sarcoma)

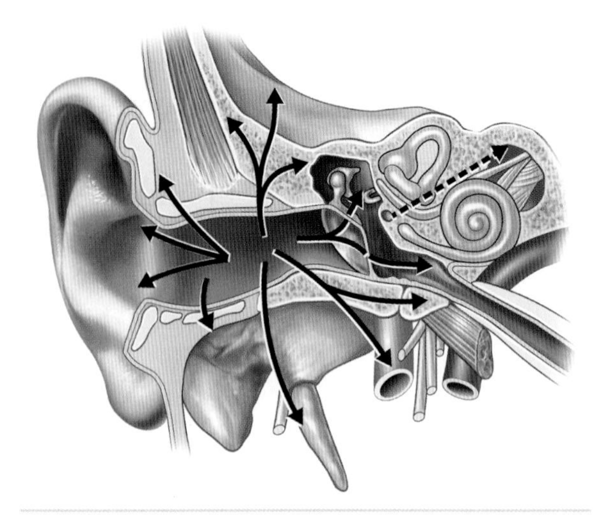

■ 그림 60-1. 외이도 악성종양의 전파경로
(modified from Moody, et al. 2000)

2. 병기분류(Staging system)

외이도와 측두골의 상피암은 드물지만 그중에서 편평상피암이 대부분을 차지하므로 주로 편평상피암에 대해 많은 연구가 이루어졌다. 질병의 초기에는 피부조직 아래에 있는 골조직이 저항선 역할을 하여 질병이 주로 피부를 따라 옆으로 커지게 된다. 고막도 저항선 역할을 하여 중이강 쪽으로 자라는 것을 지연시키지만 일단 중이강 내로 침범하면 측두골의 함기조직으로 쉽게 퍼질 수 있다.[31]

외이도에서 종양이 파급되는 경로는 저항선에 따라 달라지는데 그림 60-1과 같은 경로로 퍼지게 된다.

보편적으로 사용하는 Modified University of Pittsburgh TNM staging system은 이와 같은 질병의 특징을 고려하여 만들어졌다(표 60-2).[31]

질병의 병기(stage)는 조영제 증강을 포함한 고해상도 측두골 CT촬영 영상 소견을 바탕으로 주위 골조직과 연부조직의 침범 정도를 평가하여 판단한다. CT소견상 골조직이나 주위 연부조직이 침범되었을 때는 가돌리늄(gadolinium) 증강 MRI를 촬영하여 측두골, 이하선, 경부, 두개골 내 병변 등을 확인하여야 한다. 때로는 뇌혈관 조영술 4 vessel angiography가 필요할 수도 있다. 체내 다른 부위의 전이 여부도 검사하여 전체 병기를 결정하여야 한다.

전체적인 질병의 병기는 I, II, III, IV로 나뉘는데 주로 T 병기에 따라 결정된다(그림 60-2).

III 치료방법

악성종양은 하나의 큰 조직으로(en bloc) 제거하는 것이 원칙이다. 초기 치료가 전체 치료의 성적을 결정하기 때문에 악성종양을 충분히 제거할 수 있을 정도의 광범위한 술식을 사용하여야 한다. 측두골의 내측은 중요 구조물이 놓여 있어서 종양의 제거 시 청각, 안면신경, 다른 뇌신경, 내경동맥, 뇌간 등이 손상될 수 있다. 또한 수술 후 뇌척수액 유출 등의 합병증이 발생할 가능성이 있으므로 수술적 접근방법은 안전하고 술후 합병증을 줄이는 방향으로 고안되어야 한다.

외이도의 골부를 침범하지 않고 연골부에 한정된 악성종양일 때는 부분절제(sleeve resection)가 가능하다.[2] 외이도의 골부위까지 침범된 경우에는 외측부 측두골 절제술(lateral temporal bone resection)이 필요하다. 이 술식은 안면신경의 외측부위를 제거하며 이하선 절제술을 포함할 수도 있다. 측두골 아전절제술(subtotal tempo-

표 60-2. Modified University of Pittsburgh Staging system for SCC of the external auditory canal[31]

T stage
- T1: Tumor limited to the external auditory canal without bony erosion or evidence of soft tissue extension
- T2: Tumor with limited external auditory canal bony erosion (not full thickness) or radiographic finding consistent with limited (<0.5 cm) soft tissue involvement
- T3: Tumor erodes the osseous external auditory canal (full thickness) with limited (<0.5 cm) soft tissue involvement or tumor involves middle ear or mastoid
- T4: Tumor erodes the cochlea, petrous apex, medial wall of middle ear, carotid canal, jugular foramen, or dura or shows extensive (>0.5 cm) soft tissue involvement or evidence of facial paralysis

Nodal Status
- Involvement of lymph nodes is a poor prognostic finding and automatically places the patient in an advanced stage (i.e., stage III [T1, N1] or stage IV [T2, T3, and T4 N1] disease).

Metastatic Status
- Distant metastasis indicates a poor prognosis and immediately places the patient in the stage IV category.

Overall stage
- I T1N0
- II T2N0
- III T3N0, T1N1
- IV T4N0, T2-4N+, T1-4N0-3M1

T1N1의 경우 분류방법에 따라 III 또는 IV의 병기에 해당한다.

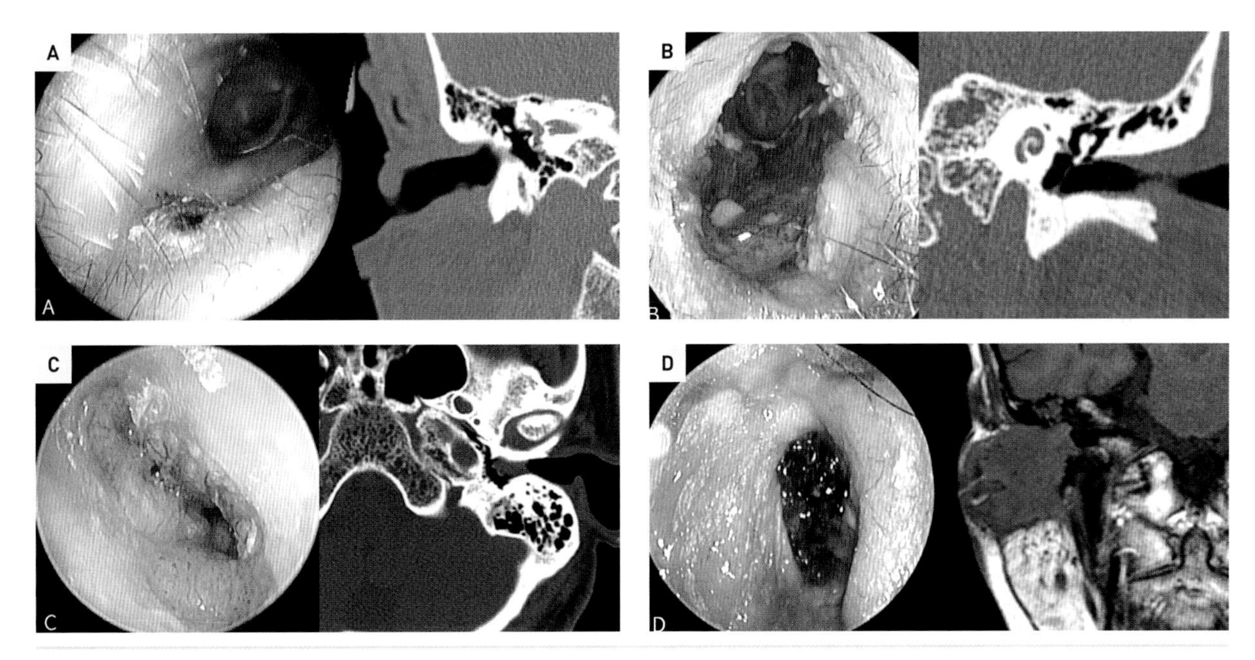

■ 그림 60-2. **외이도 악성종양의 병기.** **A)** 우측 외이도 외측부의 아래쪽으로 종양이 관찰되며 측두골 CT 소견에서 주위 골조직의 손상은 관찰되지 않으므로 T1 병변이다. **B)** 좌측 외이도 외측부 아래쪽에 종양이 관찰되며 측두골 CT소견상 골조직의 약간의 미란(erosion)이 관찰되어 T2 병변이다. **C)** 좌측 외이도를 채우고 있는 종양이 관찰되며 조영증강 측두골 CT 소견상 골부 외이도를 채우는 연부조직음영이 고막 내측으로 침범하고 있다. T3 병변이다. **D)** 우측 외이도를 가득 채우고 있는 종양이 관찰되며 측두골 MRI 소견상 외이도와 주위조직으로 0.5 cm 이상 침범한 커다란 종양이 관찰된다. T4 병변이다.

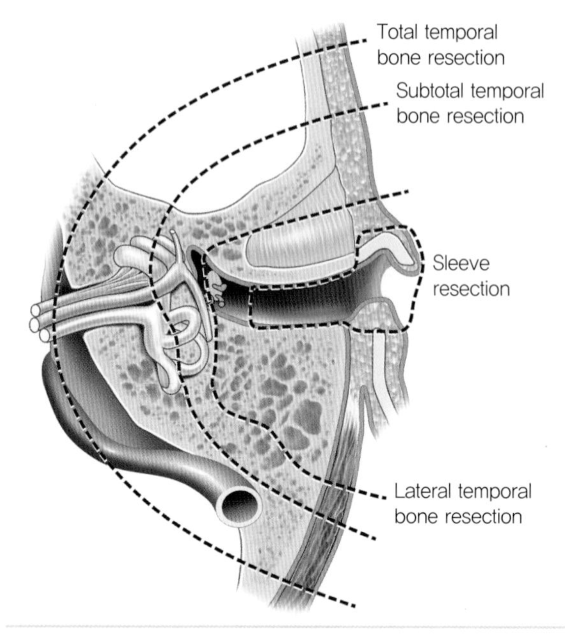

■ 그림 60-3. **측두골 악성종양치료를 위한 측두골 절제술의 종류와 범위**

ral bone resection)은 외이도, 중이, 추체골, 측두하악관절을 제거하고 부분적 또는 완전 이하선 절제술을 포함한다.[1] 악성종양이 안면신경을 침범한 경우에는 안면신경절제가 불가피하다. 경부 림프절 침범이 있을 때에는 경부절제술이 필요하며 경부림프절 전이가 없는 경우에도 예방적인 상부경부절제술을 시행할 수 있다. 측두골 내부의 추체골까지 종양이 진행된 경우 내경동맥의 절제술을 포함한 측두골 전절제술이 필요하다(그림 60-3).

측두골절제술 후에는 적출 범위와 추후 치료 계획에 따라 다양한 종류의 피판을 이용하여 재건하여야 한다.[3]

1. 이하선 절제술과 경부 절제술

종양이 이하선이나 경부에 침범하였을 때는 이하선 절제술과 경부 절제술을 시행한다.[7] 이하선이 침범되지 않은 경우 예방적 이하선 절제술의 효과는 아직 증명되지 않았다. 종양이 침범되지 않은 경부에 대해 경부림프절 절제술의 효과에 대해서도 확립되지 않았다. 진행된 병기의 악성종양의 경우 이하선 침범이 36%까지 보고되며[33] level II, III의 경부림프절침범이 10% 정도 보고되므로[49] 진행된 병기의 종양에서는 이하선 절제술과 경부림프절 절제술을 적용하는 것이 좋다.

수술 후 합병증은 종양의 크기와 위치, 적용된 술식에 따라 다양하지만 일반적으로 수술 주위기간 동안의 사망율(perioperative mortality)은 크게는 5%까지 보고되므로 합병증을 줄이고 안전한 수술이 되도록 주의하여야 한다.

방사선 치료는 수술적 치료 후 이차적으로 적용되는 것이 일반적이다. 술 후 방사선 치료는 대개 T2, T3, T4 환자의 경우, 재발한 경우, 절제 부위에 종양이 남은 경우(positive margin), 신경 주위 침범(perineural spread), 림프절 침범, 피막 침범(extracapsular spread)의 경우에 적응이 된다.

전신화학요법의 효과에 대해서는 잘 알려져 있지 않다. 그러나 T4, 수술적 치료 후 종양이 남았을 때, 타 장기로의 전이가 있을 때는 전신화학요법을 사용할 수 있으며 cisplatin을 기본으로 하여 화학요법약물을 구성한다.

술 전 전신화학요법/방사선병합치료를 사용하여 좋은 효과를 보고한 경우도 있다.[46]

2. 수술방법

1) 부분 측두골 절제술(Sleeve resection of external auditory canal)

이 술식은 외이도 연골 부위에 국한된 종양을 제거할 때 사용한다. 이는 외이도의 연골 부위와 일부의 골부위를 포함하여 외이도의 피부조직을 모두 제거하는 술식이다. 제거하는 조직의 내측 경계는 외이도 골부위이지만 고막을 최종 내측경계로 고막 직전까지 골 부위를 제거하는 경우도 있다. 외이도를 재건하기 위해 피부이식을 시행한다. 종양이 외이도의 골 부위를 침범한 경우 이 술식은 해당하지 않으며 적어도 외측부 측두골 절제술 이상의 범위를 제거하여야 한다.

2) 외측부 측두골절제술 (Lateral temporal bone resection)

이 술식은 골부 외이도를 침범한 악성종양에 적용되며 종양이 중이강으로 침범된 경우에는 측두골 아전절제술을 시행하여야 한다. 이 술식은 고막을 포함한 연골부와 골부 외이도를 하나의 덩어리로(en bloc) 제거하는 술식이다. 고막을 포함하기 때문에 침등관절(incudostapedial joint) 부위에서 이소골을 분리시켜서 추골(malleus)과 침골(incus)을 제거 부위에 붙여서 한꺼번에 제거한다. 이 경우 등골, 안면신경, 내이는 남게 되어 안면신경와(facial recess)가 절제의 내측경계가 되며 일반적인 앞쪽경계는 이하선이다. 병변의 진행 정도에 따라 이하선절제술, 경부절제술, 또는 측두하악 관절절제술을 추가할 수 있다. 외측으로 귓바퀴를 얼마나 남길 것인가는 종양의 침범 정도에 따라 결정된다.

(1) 절개(Incision)

외이도에 종양이 있을 때 후이개부위(postauricular)에 C-형의 큰 절개를 한다. 외이도의 종양 부위는 종양을 포함하여 외이도를 둥글게 절개하고 외이도를 결찰하여 수술 과정에서 외부로 종양이 노출되지 않도록 한다(그림 60-4). 종양의 침범 부위가 크지 않은 경우 외이도를 둥글게 절개하고 이 절개선을 경부 쪽으로 연장하고 윗쪽으로는 측두골 피부(temporal scalp) 쪽으로 연장하여 앞쪽에서 종양 제거를 할 수 있다. 이 경우 귓바퀴는 뒷쪽으로 당겨서 시야를 확보한다.

귓바퀴를 제거할 경우는 종양과 귓바퀴를 포함하여 둥그렇게 하나의 절개를 하여 수술을 진행한다.

(2) 유양돌기절제술(Mastoidectomy)과 외이도 적출술

외이도를 뒷쪽에서 접근하여 한꺼번에 제거하는 것이 목적이므로 외이도의 뒷쪽 골조직을 손상시키지 않도록 조심하면서 완전하게 유양돌기절제술(complete mastoidectomy)을 시행한다. 후방에서는 안면신경와를 넓혀

A

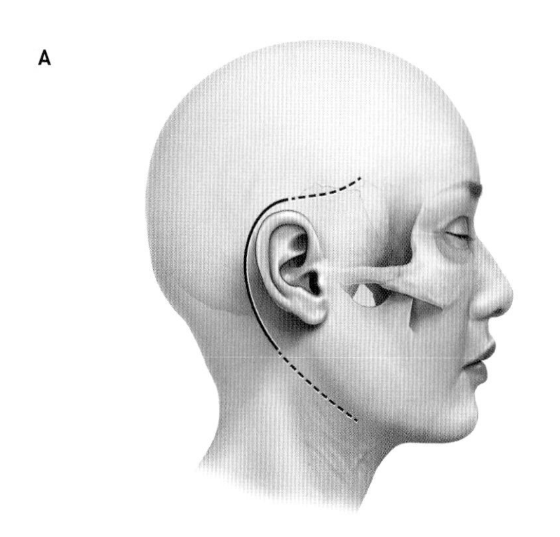

B

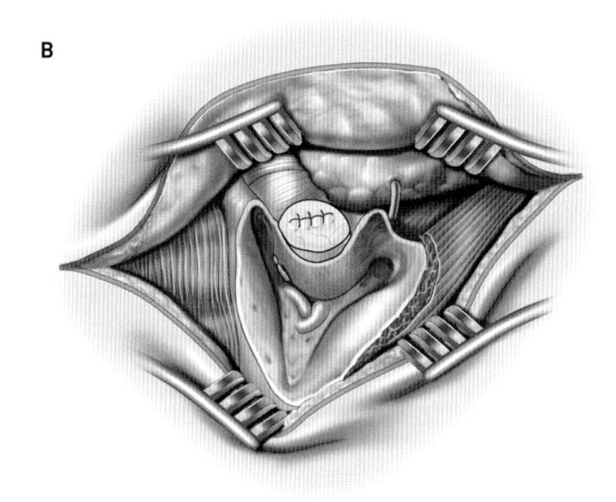

■ **그림 60-4. 외측부 측두골 절제술, 절개와 병소접근방법. A)** 외이도를 봉합하고 외이도를 포함한 커다란 후이개 절개를 시행한다. 절개선은 윗쪽으로는 측두근 조작이 가능하도록 연장하고 아랫쪽으로는 경부림프절 제거가 가능하도록 연장한다. 이주(tragus)를 남길수 있다면 남기는 것이 술후 미용적으로 모양이 좋다. **B)** 외이도의 봉합, 유양돌기절제술, 상고실 접근(epitympanic dissection)이 시행된 상태이다.

서 중이강으로 접근하고(그림 60-5A), 침등관절(incudostapedial joint)을 분리하며 고막장근건(tensor tympani tendon)을 절제한다. 유양돌기절제술은 내측으로는 상고실(epitympanum)까지 접근하고 앞쪽으로는 측두하악관절(temporomandibular joint)까지 확장한다. 이때 외이도의 골부위나 경막을 손상시키지 않도록 주의하여야 한다. 안면신경은 경상유돌기구멍(stylomastoid

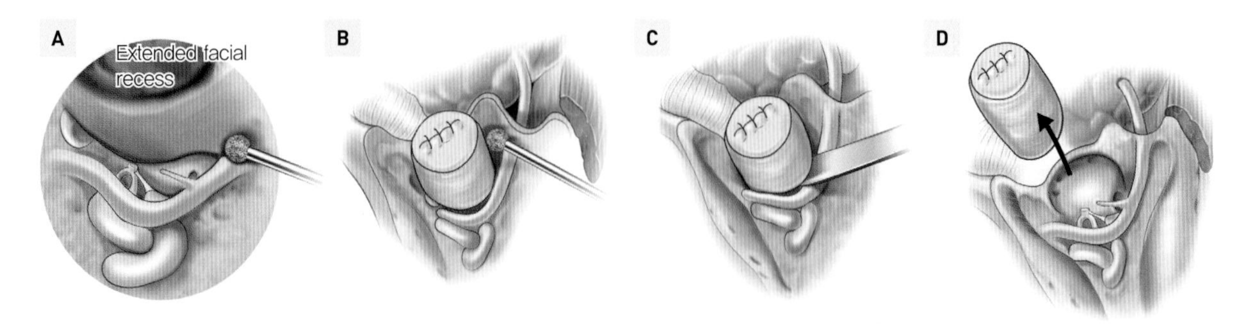

■ 그림 60-5. **외측부 측두골 절제술, 병소제거.** **A)** 유양돌기 쪽에서 안면신경와를 노출시킨다. **B)** 골조직을 제거하여 하고실 쪽으로 접근한다. **C)** Osteotome을 이용하여 외이도 골조직을 골절시킨다. **D)** 내측의 골조직과 연부 조직으로부터 병소를 제거한다.

foramen) 부위까지 확인하고 신경이 손상되지 않도록 주의하면서 안면신경와에서 고삭신경을 자르고 아래쪽으로 더 확장하여 이륜(annulus)의 내측으로 하고실(hypotympanum) 쪽으로 진행한다(그림 60-5B). 이때 경동맥과 경정맥구(jugular bulb)의 외측으로 진행하여야 한다.

남아 있는 약간의 골조직은 절골도(osteotome)를 이용하여 분리시키고(그림 60-5C) 종양을 포함한 외이도를 모두 하나의 덩어리(en bloc)로 적출한다(그림 60-5D). 고막과 추골은 떼어낸 적출 부위 쪽으로 제거하여야 한다. 외이도에 있는 종양은 수술 시작 시 외이도를 결찰하여 수술 기간동안 노출되지 않도록 한다(그림 60-6A).

(3) 재건, 폐쇄

외측부 측두골 절제술 후에는 이관과 중이강이 노출되므로(그림 60-6B) 이 공간을 적절한 조직으로 재건 또는 폐쇄하여야 한다. 방사선 치료가 예정되었거나 청력이 이미 나쁜 경우, 이하선 절제술을 시행한 경우는 수술 후 남은 측두골 공간을 근피판, 복부지방, 미세혈관유리피판 등으로 막아서 외부와 통하지 않도록 막는 것이 좋다. 방사선 치료 계획이 없는 경우, 청력을 회복시켜야 하는 경우는 중이강을 재건하고 부분층피부이식(split thickness skin graft)을 시행한다. 이 경우 술 후 반복적인 감염과 이루가 발생할 가능성이 있으며 특히 방사선 치료를 하고 난 후에는 더 심해진다.

3) 측두골 아전절제술(Subtotal temporal bone resection)

이 술식은 중이강을 침범한 악성종양에 적용된다. 이 술식은 와우와 반고리관의 중간 부분에서 절제하여 중이강의 내측 부위를 경계로 하여 외측의 조직을 하나의 덩어리(en bloc)로 제거하는 술식이다. 그러므로 제거 후 골미로의 일부와 추체골의 함기세포가 남게 된다. 이 술식에서는 안면신경을 절제하여야 하며 침범 부위에 따라 여러가지 형태의 안면신경 재건술을 시행할 수 있다.

(1) 절개(Incision)

외측부 측두골 절제술과 마찬가지로 후이개 부위에 커다란 C-자 형태의 절개와 외이도 종양부위의 둥그런 절개가 일반적이다. 그 밖에 이개 앞쪽에서만 절개하거나 Y-자 형태의 절개를 하기도 한다(그림 60-7).

(2) 안면신경

안면신경은 이하선의 침범이 없다면 경상유돌기구멍(stylomastoid foramen) 부위에서 절제한다. 이하선 침범이 있다면 조금 더 말초 주변으로 가서 안면신경의 여러 분지에서 절제한다. 내측 안면신경의 절제 부위는 내이도 부위가 된다. 종양을 모두 적출한 후 남아 있는 안면신경의 내측과 외측 절제면을 대이개신경(greater auricular nerve) 또는 비복신경(sural nerve)을 이용하여 신경이식(cable graft)을 한다.

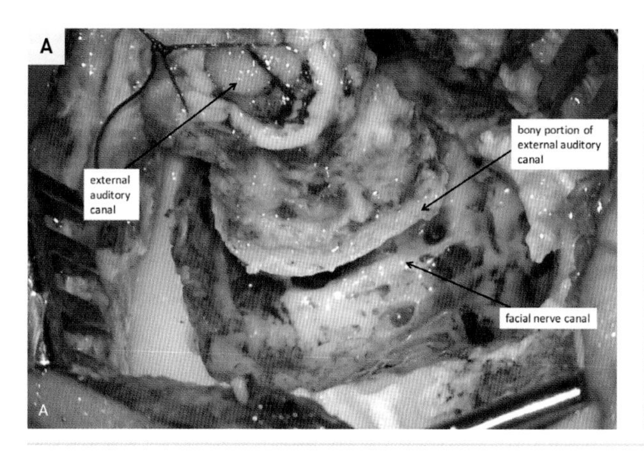

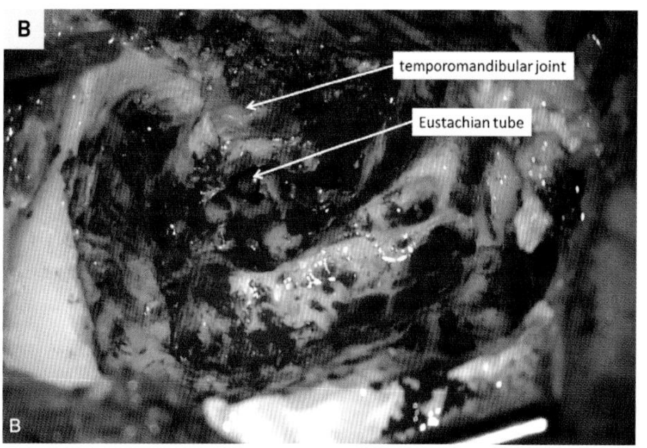

■ 그림 60-6. **외측부 측두골 절제술의 술식.** **A)** 외이도를 결찰하고 유양돌기절제술을 통해 안면신경와를 넓혀서 외이도를 적출할 준비를 한다. **B)** 외이도 적출 후 소견이다. 앞쪽에 측두하악관절과 이관이 노출되었다.

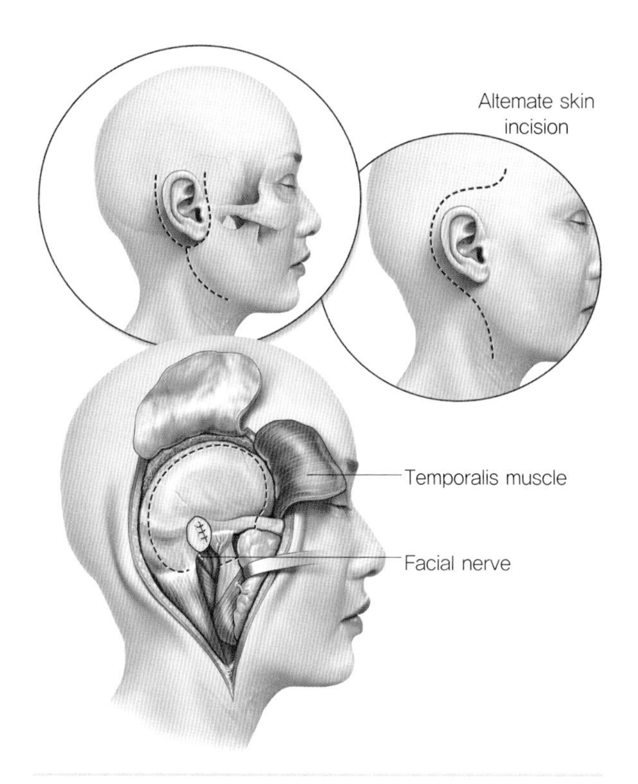

■ 그림 60-7. **측두골 아전절제술.** 외이도를 봉합하고 외이도를 포함한 커다란 후이개 절개를 시행한다. 이주(tragus)를 남길 수 있다면 남기는 것이 술후 미용적으로 모양이 좋다. 측두두개골 절개(temporal craniotomy)를 시행하고 이하선과 안면신경을 근(masseter)으로부터 분리하여 거상한다.

(3) 경부절제술

경부접근은 경부의 림프절 절제와 혈관 노출을 위해 시행한다. 경부림프절 절제는 대개 견갑설골상부경부절제술(supraomohyoid neck dissection)을 하며 내경동맥과 내경정맥, 하부뇌신경(lower cranial nerve)을 확인하고 윗쪽으로 진행하여 주위조직과 분리한다.

(4) 측두하와(Infratemporal fossa) (그림 60-8)

종양을 모두 제거하기 위해 앞쪽에서 경동맥을 앞쪽으로 당기고 골조직을 제거하여 이관쪽으로 접근한다. 이를 위하여 관골궁(zygomatic arch)을 잘라서 교근(masseter muscle)에 붙여둔 상태로 하방 전위시키고 하악 절흔(mandibular notch)과 하악각(angle) 사이에서 하악 절골술(mandibular osteotomy)를 통해 하악을 하악와(glenoid fossa)에서부터 분리한다. 이때 내상악동맥(internal maxillary artery)의 출혈을 조심한다. 측두근(Temporalis muscle)은 두개골에서부터 골막하면(subperiosteal plane)에서 분리하여 구상 돌기(coronoid process)에 붙힌 채로 아래쪽으로 내린다.

이 앞쪽의 공간을 이용하여 이미 확인된 내경동맥을 앞쪽으로 견인하고 하악와를 다이아몬드 드릴로 절제하여 이관 부위로 접근하여 이관을 절제한다. 절제된 이관의 원위부는 봉합하거나 다른 조직으로 막는다.

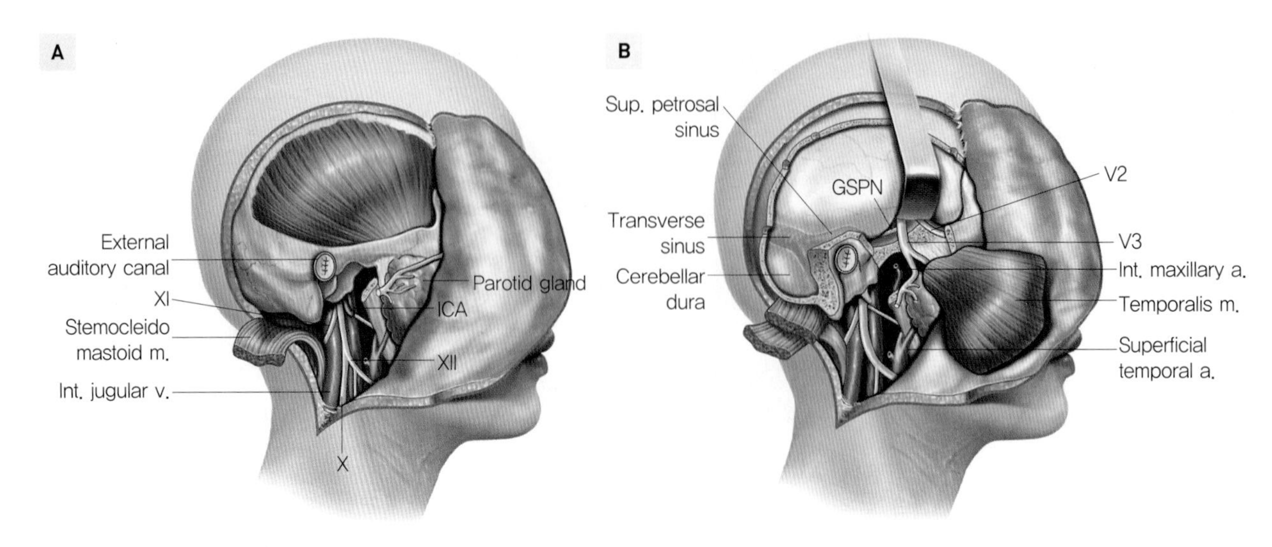

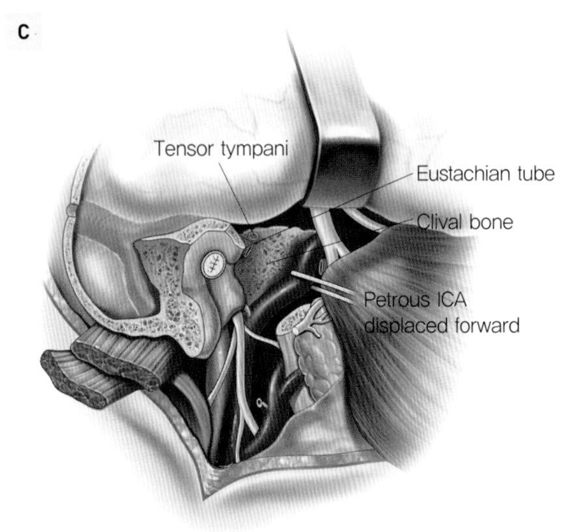

■ 그림 60-8. **경부와 측두하와 접근법을 포함한 측두골 전절제술.** **A)** 피부절개 후 피판을 앞쪽으로 박리하여 젖힌다. 외이도는 결찰하여 종양부위에 남기고 안면신경은 경유돌공(stylomastoid foramen) 부위에서 절단한다. 측두하악관절부위를 열고 하악골 상부를 제거한다. 경부를 박리하여 경동맥, 경정맥과 주요뇌신경(IX~XII)을 노출시킨다. **B)** 측두골과 하후두골 두개골 절개를 하여 후두개와와 횡정맥동을 노출시킨다. 관골궁을 자르고 유양돌기절제를 시행한다. 중두개와쪽으로 접근하여 중두개골을 절개하고 삼차신경의 두번째(V2)와 세번째 분지(V3), 대천추체신경(GSPN)을 노출시킨다. 중경막동맥(middle meningeal artery)은 결찰한다. **C)** 이관과 고막장근(tensor tympani muscle)을 절단하고 내경동맥의 ascending segment와 transverse segment부위의 골조직을 제거하고 내경동맥을 앞쪽으로 움직인다.

(5) 유앙돌기절제술

완전한 유양돌기절제술을 시행하고 S상정맥동, 경정맥구는 다이아몬드 드릴을 이용하여 주위 골조직으로부터 분리한다. 출혈이 심한 경우 결찰할 수도 있다. 미로절제술(labyrinthectomy)을 시행하여 내이도로 접근한다.

(6) 중두개와 접근

개두술(craniotomy)을 시행하여 추체골로부터 경막을 분리한다.

드릴을 이용하여 하악와, 내이도, 유양돌기의 후상부와 연결되는 경로에 따라 골조직에 고랑(groove)을 만든다.

절골도(osteotome)를 경동맥관(carotid canal)의 외측부 부위에서 내이도 쪽으로 향하여 넣고 골을 절제한다. 이미 약해진 골조직 부위를 따라 내이도를 포함한 측두골의 외측부위를 종양과 함께 제거한다. 이 경우 하추체정맥동(inferior petrosal sinus)의 출혈이 발생하는 경우가 있으니 연부 조직이나 oxidozed cellulose로 막아서 출혈을 막는다.

(7) 재건

안면신경은 남은 두 부위는 신경이식술을 시행하고 경막이 손상된 부위는 근막이나 두개골막(pericranium)으로 막는다. 종양을 제거하고 남은 공간은 국소피판(local flap)이나 미세혈관 유리피판으로 막는다. 두개골과 광대뼈는 원위치하여 미니플레이트(miniplate)로 고정한다.

4) 측두골 전절제술(Total temporal bone resection)

이 술식은 S상 정맥동을 포함하여 추체골까지 모두 제거하는 술식이다. 때로는 내경동맥의 절제를 포함할 수도 있다. 악성도가 낮은 선양낭성암종이나 근육종의 경우 이 술식이 도움이 될 수 있으나 추체골을 침범한 편평상피암종의 경우에 이 술식이 치료에 도움이 되는지는 알 수 없다.

5) 재건술

부분측두골 절제술(sleeve resection)은 외이도의 골부를 일부 남기고 고막 또는 고막륜을 남기기 때문에 유양동을 폐쇄하는 술식을 이용하여 외이도를 만들 수 있다. 외측부 측두골절제술(lateral temporal bone resection) 후에는 유양동을 폐쇄하고 근막 등을 이용하여 고막을 만들고 외이도 부위에 피부이식을 하여 외이도를 재건할 수 있다. 또는 유양돌기 부위, 중이강을 모두 폐쇄하고 외이도 부위의 피부를 봉합하거나 피부이식을 하여 외이도를 폐쇄하는 방법으로 적출 부위를 재건한다.

측두골 아전절제술이나 전절제술의 경우에는 뇌경막이 절개되어 뇌척수액이 유출되기 때문에 절개된 경막을 직접 봉합하거나 근막, 인조경막 등을 이용하여 봉합하여 막아야 한다. 뇌척수액 유출은 술후 심각한 합병증이 되며 재수술을 하는 경우가 많으므로 절제 부위의 내측면을 조심스럽게 봉합, 폐쇄하여야 한다. 절제 부위는 지방조직이나 혈관성 근피판(vascularized muscular flap), 혈관성 근피부판(vascularized musculocutaneous flap)으로 폐쇄한다.

재건의 목적은 (1) 측두골의 소실된 공간을 적당한 부피의 연부조직으로 막아 모양을 유지시키고 (2) 내부의 경막이나 대혈관 등의 중요 구조물을 노출되지 않도록 막고 (3) 제일 바깥에는 깨끗한 피부조직을 형성시키는 것이다. 이런 재건술식의 형태와 재료는 막아야 할 공간의 크기, 술전 방사선 치료의 유무, 경막 노출 유무, 대혈관의 노출 유무, 미용 등의 요소를 고려하여 결정하여야 한다.

작은 공간은 측두근 피판으로 막을 수 있고 외측피부 결손은 직접 당겨서 봉합하거나 피부이식(split thickness skin graft)으로 막을 수 있다. 외측피부 결손 부위가 크거나 술 전 방사선 치료를 시행받은 경우, 경막이나 대혈관이 노출된 경우 국소피판(local flap)이나 미세혈관 유리피판(microvascular free-flap)으로 재건한다.

초기 재건이 실패하여 재수술하는 경우의 대부분은 방사선 치료를 받은 수술 부위인 경우이므로 이런 경우에는 초기부터 혈관공급이 풍부한 피판을 선택하여 재건하여야 한다.[35,43]

안면신경은 측두골아전절제술이상을 시행하거나 종양에 의해 침범된 경우 제거하고 이식편(graft)을 이용하여 재건한다. 직접 재건이 불가능한 경우 안면신경-설하신경 문합술(VII-XII anastomosis)을 시행한다.

IV 치료 효과와 예후

1. 치료 전략

편평상피암과 같은 외이도와 측두골의 고위험도 악성종양의 경우 T1병기이면서 연골부위의 외이도 피부에 국한된 병변의 경우 부분측두골 절제술(sleeve resection)이 가능하고 골부에 위치하거나 골부위를 침범하고 있을 때에는 외측부 측두골절제술(lateral temporal bone resection), 중이강을 침범하였거나 주위연부조직으로 침범한 경우는 측두골 아전절제술(subtotal temporal bone resection)을 시행한다. 골부위와 주위조직의 침범여부에 따라 술 후 방사선 치료를 병행한다. 광범위하게 주위조직을 침범하여 경동맥, 추체첨부, 1 cm 이상의 경막침범, 뇌실질침범의 경우는 수술적 완치가 어렵다. 이

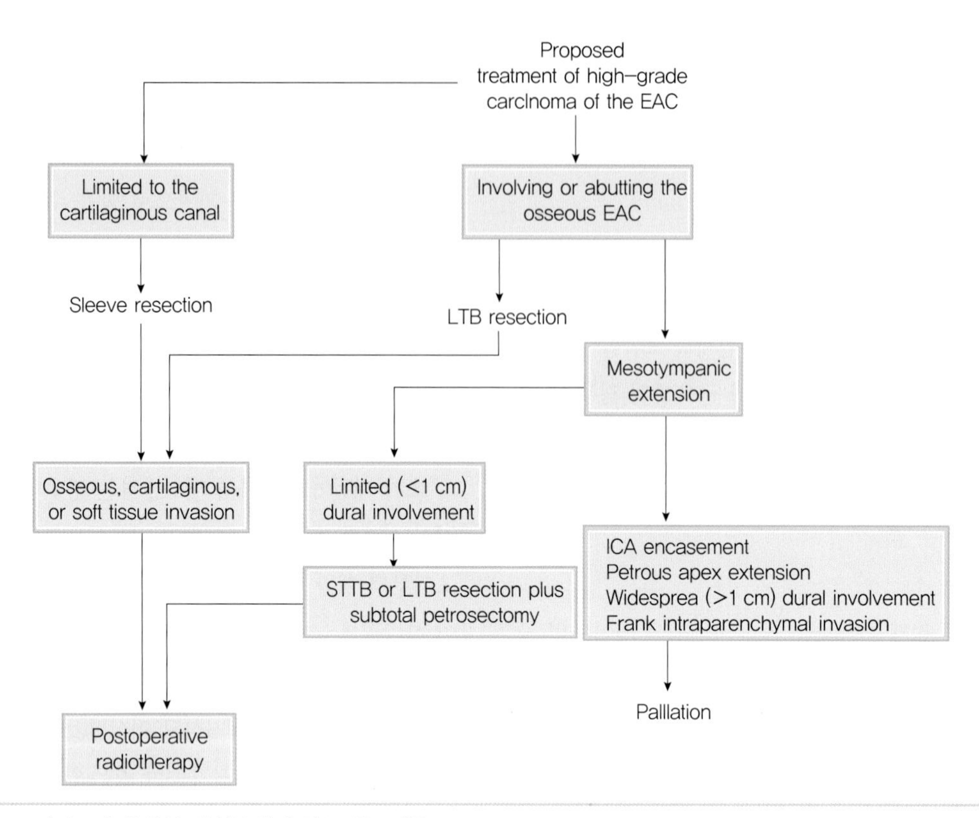

■ 그림 60-9. **외이도와 측두골 악성종양의 치료 알고리즘.** ICA: internal carotid artery; LBT: lateral temporal bone; STTB: subtotal temporal bone

경우는 증상에 따라 고식적 치료(palliative therapy)를 시행한다(그림 60-9).

2. 예후

치료의 예후는 각 병기마다 차이가 심하며 T1, T2의 초기 병기의 경우는 수술과 선택적인 방사선 치료를 통하여 70~100%의 5년 생존율을 보인다. T3는 질병의 진행 정도에 따른 차이가 심해서 21~60%의 5년 생존율을, T4의 경우에는 14~48%의 5년 생존율을 보인다.[12,13,21,38]

3. 예후인자

치료 후 재발을 잘하는 요소로는 이하선 침범, 이하선 부위의 피부 침범, 신경주위 침범, 경부림프절 침범, 절제연 양성(positive margin),[29] 이낭 침범, 경정맥구 침범[9] 등이 있다. 생존율과 연관되는 요소는 경부 림프절 침범, 이하선 또는 이하선 림프절 침범, 절제연 양성, T 병기, 중이 침범, 하악 침범, 골조직 침범,[33] 내경동맥 침범(internal carotid artery involvement)[28] 등이 보고되어 진행된 질병 병기, 이하선 침범, 절제연 양성, N 병기 양성의 경우 생존율이 저하된다.[50]

V 편평상피암 이외의 측두골 악성 종양들

1. 선양낭성암종(Adenoid cystic carcinoma)

외이도를 포함한 측두골에 발생하는 경우는 선양낭성암종은 외이도암의 5~20% 정도이다.[12,17,32] 선양낭성암종이 외이도에 생긴 경우 에크린 땀샘, 이소성 침샘 또는 이도선(귀지선)이 기원일 가능성이 제시되고 있다.[24,36] 발생 연령은 대다수의 보고에서 20대에서 60대까지 보고하였고, 호발연령은 40대이며 종족이나 흡연과는 무관한 것으로 알려져 있다.[44]

임상양상은 원발 병소에 따라 다양하게 나타나는데 주로 이통을 호소하며 진행된 경우에는 이루, 난청, 안면마비 등의 증상을 보인다. 선양낭성 암종은 비교적 천천히 자라며 초기 증상이 비특이적이어서 진단이 다소 늦게 되는 편이다. 그렇기 때문에 오랫동안 지속되거나 재발하는 이통이 있는 경우 임상적으로 주의를 기울여야 한다.

진단을 위해 임상적 접근 및 CT와 MRI 등의 적절한 영상검사가 이루어져야 하겠지만 보다 중요한 것은 의심부위의 조직학적 확진이며 한번 검사에서 결과가 음성으로 나왔다고 하더라도 임상적으로 의심이 되는 경우 추가 조직검사를 시행하는 것이 바람직하다. 최근에는 외이도의 초기 선양낭성암종의 진단을 위해 세침흡인검사를 이용하기도 한다.[25,30]

조직학적 특징상 관상형(tubular type), 사상형(cribriform type), 고형형(solid type)으로 나눈다. 일반적으로 가장 흔한 조직형인 사상형은 조직학적 소견상 'Swiss cheese appearance'를 보이고 고형형에 비해 예후가 좋으며 고형형은 세포가 거의 없으며 예후는 가장 나쁜 것으로 보고되고 있다. 관상형은 조직 소견상 선조직이 풍부하며 사상형과 고형형에 비해 예후가 가장 좋은 것으로 알려져 있다. 하지만 외이도의 선양낭성암종은 조직학적 소견과 무관하게 다른 침샘에서 발생한 선양낭성암종보다 더 공격적이고 예후가 좋지 않다.

선양낭성암종은 비교적 초기에 신경 주위를 침습하는 특징이 있는데 신경 주위 침범이 있는 경우 암재발률이 높아진다. 림프혈관으로의 침습은 흔하지는 않으나 림프혈관 침범이 있는 경우에도 마찬가지로 암재발률이 높다.

치료는 수술과 방사선 치료, 항암요법 등이 소개되고 있으나 외이도의 선양낭성암종이 흔하지 않기 때문에, 아직도 적절한 치료법을 결정하는 것은 어려운 일로 남아 있다. 선양낭성암종은 치료 후에도 국소 재발 및 원격전이를 잘하기 때문에 병변의 범위를 정확히 파악하고 적절한 치료 계획을 세울 필요가 있다. 외이도에 병변이 국한된 경우에는 국소절제술로 치료가 가능하겠지만 조금 더 광범위한 병변의 경우 가능한 한 측두골절제를 동반한 병소의 완전절제가 필요하다. 선양낭성암종은 국소 재발이 많기 때문에 수술 시에는 최대한 완전절제를 통해 절제면에 병변이 없도록 해야 하며 절제면 외에도 이하선, 신경 및 뼈로의 침범 여부가 국소 재발의 예후에 중요한 요소이다.[26] 수술 전 이하선으로의 침범이 없었으나 수술 후 조직학적 소견상 암이 발견될 수 있기 때문에 초기의 선양낭성암종의 경우에도 선택적 이하선 절제술이 추천된다.

보편적으로 진행된 원발암, 림프절전이가있는 경우, 고형형의 선양낭성암종, 신경주위 침범, 재발한 암종인 경우에는 수술에 의한 완전절제 후 추가적 방사선 치료를 시행한다.[39,41,45] 수술적 절제 없이 단독 방사선 치료나 항암치료는 아직까지는 생존률이 높지 않다.[16]

선양낭성암종의 원격전이는 저자에 따라 35~40%에서 일어난다고 보고되었고, 진단 후 첫 5년 내에 가장 흔하게 일어나지만 20여 년 이상이 지난 후에도 원격전이가 가능하다. 원격전이는 폐가 가장 흔하게 침범되고 골, 간, 신장, 횡격막 등의 순이다.[17]

2. 우상암, 사마귀양 암종(Verrucous carcinoma)

우상암은 편평세포암의 변종 중 하나로 국소적으로 침윤하나 천천히 자라고 원격전이가 드문 것으로 알려진 분화도가 매우 좋은 암종이다. 우상암은 두경부 영역에서 구강과 후두에서 가장 호발하고 항문 주위, 식도, 피부 등에서도 발생하는데 측두골에서의 발생은 매우 드문 것으로 알려져 있다.[8,37]

우상암은 구강 내에 발생한 경우 흡연, 음주, 불결한 구강 위생 등이 원인으로 알려져 있으나 그 외의 위치에 나타난 병변의 경우 원인이 확실치 않다. 측두골의 경우 만성 중이염을 오래 앓은 과거력이 있거나 습한 환경 또는 국소적인 자극 등이 우상암의 발생에 영향을 미친다고 보고되었다.[8,18,40]

중이 또는 측두골의 우상암에 대한 치료로는 수술적 절제가 선호되고[47] 방사선 치료는 우상암의 초기 치료로 효과적이지 않다.[20] 방사선 치료는 진행된 암종 또는 수술을 받을 수 없는 환자에서 고려될 수 있다.[47]

측두골 외 부위까지 암이 침범된 경우 예후가 안 좋은 반면, 측두골 내에 국한된 경우 비교적 좋은 예후를 보고하고 있어서 암이 침범된 영역에 따라 예후가 다른 것으로 생각된다.

3. 횡문근육종(Rhabdomyosarcoma)

측두골에는 다양한 형태의 육종이 발생한다.[5] 횡문근육종은 중간엽세포에서 기원하여 연부조직에 생기는 악성종양으로 약 35~40%에서 두경부 영역에서 발생하고 두경부 영역에서는 주로 안와(25%), 부비동, 비인두 등에 발생한다. 비록 측두골에서는 두경부 횡문근육종의 5% 미만으로 그 발생률이 낮으나 소아에서는 횡문근육종이 측두골에 생기는 가장 흔한 종양이다.[22]

병리조직학적으로 배상형(embryonal), 포상형(alveolar), 포도상형(botryoid) 및 다양형(pleomorphic)으로 분류되며 이 분류에 따라 호발 연령, 원발 부위, 그리고 치료 예후에도 차이가 있다. 가장 흔한 조직 소견은 배상형으로 소아에서 가장 흔하며 두경부 영역, 특히 측두골에서 많이 발생하고 방사선 치료와 항암화학 요법에 잘 반응하여 포상형에 비교하여 예후도 좋은 편이다. 다양형은 성인에서 호발하고 치료에 잘 반응하지 않는 편이라 예후가 좋지 않다.[42]

횡문근육종은 중이, 외이도 및 유양돌기 등 측두골의 어디에서든 발생할 수 있다. 중이 내에서 발생한 횡문근육종은 세 가지 단계를 통해서 확장하게 되는데 첫 번째로, 중이 내에 국한된 암은 난청, 이루 등의 증상을 일으키면서 이경 검사상 폴립형의 감염된 종괴의 형태로 보이게 된다. 두 번째 단계에서는, 측두하와 영역으로 진행을 하면서 통증, 난청의 악화, 안면마비 등이 발생하고 말기에는 측두하와 및 부인두공간, 두개저, 뇌, 경부 측으로 침범할 수 있다. 이관 부위에 횡문근육종이 발생한 환자는 추체부내로 병변이 침범하면서 전두부의 두통 및 복시 등을 호소하기도 한다.[11]

치료는 원발 병소, 조직학적 분류 및 Intergroup Rhabdomyosarcoma Study (IRS) 분류에 따라 다르며 수술적 종양 제거와 항암화학요법, 방사선 치료를 병행한다.

횡문근육종은 수술적 완전 제거가 예후에 중요한 영향을 미치기 때문에 이상적으로는, 위치에 상관없이 절제연이 깨끗한 암종의 광범위한 수술적 완전 절제가 필요하다. 하지만 대부분의 측두골 횡문근육종은 단순히 외이도에만 국한되어 있는 것이기 아니기 때문에 외측부 측두골절제술로는 완전 절제가 불가능한 경우가 많다. 그렇기 때문에 가능한 측두하와 영역까지 접근하면서 외측부 측두골절제술 및 측두골아전절제술을 이용한 단계적 절제(piecemeal dissection)를 통해서 완전 절제를 시도해 볼 수 있다.[14]

완전제거가 어려운 경우에도 수술을 통해 암종의 부피를 축소시키고 적절한 항암화학요법과 방사선 치료를 병행하면 생존율이 증가하는 것으로 알려져 있다. 소아에서는 저위험군의 경우에도 항암 방사선 치료를 받는 것이 좋은 것으로 알려져 있다.[19]

배상형 조직 소견을 보이면서 초기인 경우 2년 및 5년 생존률이 각각 79%, 60% 정도로 보고되고 있다. 두개저를 침범하였거나 재발한 경우에는 예후가 좋지 않고 포상형의 경우, 병기에 상관없이 예후가 좋지 않다. 횡문근육종의 위험군 분류에 따른 5년 생존률은 저위험군에서 90%, 중등도위험군에서 60~80%, 고위험군에서 20~40% 정도를 보인다.[10]

참고문헌

1. 김종선, 장선오, 오승하 등. 측두골 악성종양에서 실시한 측두골 아전절제술. 한이인지 1998;41:1406-1412.
2. 김종선, 장선오, 오승하 등. 외이도 악성종양에서 실시한 측두골 부분절제술. 한이인지 1998;41:1540-1544.
3. 김혁, 정종우, 이광선. 외이도 악성종양 4례. 한이인지 1998;41:117-121.
4. 손인정, 정성현, 이한빈 등. 측두골에 발생한 골수설육종 1예. 한이인지 2011;54:794-796.
5. 전현수, 김무필, 임기정 등. 측두골에 발생한 골육종. 한이인지 2007;50:468-471.
6. 정상호, 김창우, 김한수 등. 외이도 편평상피암종의 치료 경험. 한이인지 2005;48:136-141.
7. 최재영, 이호기, 유종범 등. 외이도 악성종양의 이하선 침범 및 림프절 전이 양상. 한이인지 2004;47:99-102.
8. Aydogan LB, Ozdemir S, Gumurdula D. Verrucous carcinoma of the temporal bone. Am J Otolaryngol 2008;29(1):69-71.
9. Bacciu A, Clemente IA, Piccirillo E, et al. Guidelines for treating temporal bone carcinoma based on long-term outcomes. Otol Neurotol 2013;34(5):898-907.
10. Breneman JC, Lyden E, Pappo AS, et al. Prognostic factors and clinical outcomes in children and adolescents with metastatic rhabdomyosarcoma--a report from the Intergroup Rhabdomyosarcoma Study IV. J Clin Oncol 2003;21(1):78-84.
11. Canalis RF, Gussen R. Temporal bone findings in rhabdomyosarcoma with predominantly petrous involvement. Arch Otolaryngol 1980;106(5):290-293.
12. Chang CH, Shu MT, Lee JC, et al. Treatments and outcomes of malignant tumors of external auditory canal. Am J Otolaryngol 2009;30(1):44-48.
13. Chi FL, Gu FM, Dai CF, et al. Survival outcomes in surgical treatment of 72 cases of squamous cell carcinoma of the temporal bone. Otol Neurotol 2011;32(4):665-669.
14. Crist W, Gehan EA, Ragab AH, et al. The Third Intergroup Rhabdomyosarcoma Study. J Clin Oncol 1995;13(3):610-630.
15. Crist WM, Garnsey L, Beltangady MS, et al. Prognosis in children with rhabdomyosarcoma: a report of the intergroup rhabdomyosarcoma studies I and II. Intergroup Rhabdomyosarcoma Committee. J Clin Oncol 1990;8(3):443-452.
16. Dodd RL, Slevin NJ. Salivary gland adenoid cystic carcinoma: a review of chemotherapy and molecular therapies. Oral Oncol 2006;42(8):759-769.
17. Dong F, Gidley PW, Ho T, et al. Adenoid cystic carcinoma of the external auditory canal. Laryngoscope 2008;118(9):1591-1596.
18. Edelstein DR, Smouha E, Sacks SH, et al. Verrucous carcinoma of the temporal bone. Ann Otol Rhinol Laryngol 1986;95(5 Pt 1):447-453.
19. Feldman BA. Rhabdomyosarcoma of the head and neck. Laryngoscope 1982;92(4):424-440.
20. Ferlito A, Rinaldo A, Mannara GM. Is primary radiotherapy an appropriate option for the treatment of verrucous carcinoma of the head and neck? J Laryngol Otol 1998;112(2):132-139.
21. Gillespie MB, Francis HW, Chee N, et al. Squamous cell carcinoma of the temporal bone: a radiographic-pathologic correlation. Arch Otolaryngol Head Neck Surg 2001;127(7):803-807.
22. Greenberg JJ, Oot RF, Wismer GL, et al. Cholesterol granuloma of the petrous apex: MR and CT evaluation. AJNR Am J Neuroradiol 1988;9(6):1205-1214.
23. Griffin C, DeLaPaz R, Enzmann D. MR and CT correlation of cholesterol cysts of the petrous bone. AJNR Am J Neuroradiol 1987;8(5):825-829.
24. Ito K, Ito T, Tsukuda M, et al. An immunohistochemical study of adenoid cystic carcinoma of the external auditory canal. Eur Arch Otorhinolaryngol 1993;250(4):240-244.
25. Kagotani A, Ishida M, Yoshida K, et al. Adenoid cystic carcinoma of the external auditory canal successfully diagnosed by fine-needle aspiration. Diagn Cytopathol 2014;42(1):102-104.
26. Kinney SE, Wood BG. Malignancies of the external ear canal and temporal bone: surgical techniques and results. Laryngoscope 1987;97(2):158-164.
27. Marsh M, Jenkins HA. Temporal bone neoplasms and lateral cranial base surgery. In: Flint PW, Haughey BH, Lund VJ, et al., editors. Cummings Otolaryngology Head and Neck Surgery. 6th ed. Philadelphia: Elsevier Saunders; 2015. p.2179-737.
28. Masterson L, Rouhani M, Donnelly NP, et al. Squamous cell carcinoma of the temporal bone: clinical outcomes from radical surgery and postoperative radiotherapy. Otol Neurotol 2014;35(3):501-508.
29. McRackan TR, Fang TY, Pelosi S, et al. Factors associated with recurrence of squamous cell carcinoma involving the temporal bone. Ann Otol Rhinol Laryngol 2014;123(4):235-239.
30. Mohan H, Handa U, Amanjit, et al. Adenoid cystic carcinoma of the external auditory canal. A case report with diagnosis by fine needle aspiration. Acta Cytol 2003;47(5):792-794.
31. Moody SA, Hirsch BE, Myers EN. Squamous cell carcinoma of the external auditory canal: an evaluation of a staging system. Am J Otol 2000;21(4):582-588.
32. Moore MG, Deschler DG, McKenna MJ, et al. Management outcomes following lateral temporal bone resection for ear and temporal bone malignancies. Otolaryngol Head Neck Surg 2007;137(6):893-898.
33. Morris LG, Mehra S, Shah JP, et al. Predictors of survival and recurrence after temporal bone resection for cancer. Head Neck 2012;34(9):1231-1239.
34. O'Connell DA, Teng MS, Mendez E, et al. Microvascular free tissue transfer in the reconstruction of scalp and lateral temporal bone de-

fects. Craniomaxillofac Trauma Reconstr 2011;4(4):179-188.
35. O'Connell DA, Teng MS, Mendez E, et al. Microvascular free tissue transfer in the reconstruction of scalp and lateral temporal bone defects. J Craniofac Surg 2011;22(3):801-804.
36. Perzin KH, Gullane P, Conley J. Adenoid cystic carcinoma involving the external auditory canal. A clinicopathologic study of 16 cases. Cancer 1982;50(12):2873-2883.
37. Pleat JM, Bradley M, Orlando A, et al. Verrucous carcinoma of the temporal bone: a wolf clothed in wool. Skull Base 2004;14(1):39-46.
38. Prasad SC, D'Orazio F, Medina M, et al. State of the art in temporal bone malignancies. Curr Opin Otolaryngol Head Neck Surg 2014;22(2):154-165.
39. Prokopakis EP, Snyderman CH, Hanna EY, et al. Risk factors for local recurrence of adenoid cystic carcinoma: the role of postoperative radiation therapy. Am J Otolaryngol 1999;20(5):281-286.
40. Proops DW, Hawke WM, van Nostrand AW, et al. Verrucous carcinoma of the ear. Case report. Ann Otol Rhinol Laryngol 1984;93(4 Pt 1):385-388.
41. Sadeghi A, Tran LM, Mark R, et al. Minor salivary gland tumors of the head and neck: treatment strategies and prognosis. Am J Clin Oncol 1993;16(1):3-8.
42. Sbeity S, Abella A, Arcand P, et al. Temporal bone rhabdomyosarcoma in children. Int J Pediatr Otorhinolaryngol 2007;71(5):807-814.
43. Shonka DC, Jr., Potash AE, Jameson MJ, et al. Successful reconstruction of scalp and skull defects: lessons learned from a large series. Laryngoscope 2011;121(11):2305-2312.
44. Spiro RH, Huvos AG, Strong EW. Adenoid cystic carcinoma of salivary origin. A clinicopathologic study of 242 cases. Am J Surg 1974;128(4):512-520.
45. Spiro RH, Huvos AG, Strong EW. Adenoid cystic carcinoma: factors influencing survival. Am J Surg 1979;138(4):579-583.
46. Takenaka Y, Cho H, Nakahara S, et al. Chemoradiation therapy for squamous cell carcinoma of the external auditory canal: A meta-analysis. Head Neck 2015;37(7):1073-1080.
47. Tharp ME, 2nd, Shidnia H. Radiotherapy in the treatment of verrucous carcinoma of the head and neck. Laryngoscope 1995;105(4 Pt 1):391-396.
48. Wiatrak BJ, Pensak ML. Rhabdomyosarcoma of the ear and temporal bone. Laryngoscope 1989;99(11):1188-1192.
49. Yin M, Ishikawa K, Honda K, et al. Analysis of 95 cases of squamous cell carcinoma of the external and middle ear. Auris Nasus Larynx 2006;33(3):251-257.
50. Zanoletti E, Marioni G, Stritoni P, et al. Temporal bone squamous cell carcinoma: analyzing prognosis with univariate and multivariate models. Laryngoscope 2014;124(5):1192-1198.

CHAPTER

61

측두골과 외측두개저의 종양_
소뇌교각의 질환 및 접근법

이비인후과학 Otorhinolaryngology - Head and Neck Surgery

장기홍

I 소뇌교각에 발생하는 질환

소뇌교각(cerebellopontine angle)은 후두개와에 위치하는 상·하 소뇌교뇌열(superior, inferior cerebellopontine fissure) 사이의 공간을 말하는데 삼차신경부터 설인신경 까지 여러 뇌신경의 기시부가 속해 있다. 소뇌교각에 발생하는 종양에는 청신경종양, 수막종, 표피유사종양(epidermoid), 지방종(lipoma) 등이 약 95%를 차지한다.

1. 청신경종양

청신경종양으로 알려진 전정신경초종은 제8 뇌신경의 수초(myelin sheath)를 구성하는 신경초세포(Schwann cell)에서 발생하며 소뇌교각에 생기는 가장 흔한 양성종양으로 두개 내 종양의 약 8%를 차지한다.

1) 발병률

청신경종양의 발병률은 1991년 미국 국립보건원 자료에 따르면 1년에 인구 10만 명당 1명이라고 한다. 최근 자기공명영상의 발달과 광범위한 보급으로 이전에는 발견되지 않았던 작은 크기의 종양이 조기 발견되거나 무증상의 청신경종양의 발병률은 증가하는 경향이다.[4,15]

2) 증상

95%에서 편측에 발생하며 서서히 진행하는 감각신경성 난청과 이명이 가장 흔한 증상이고 20% 정도에서는 돌발성 난청으로 나타나기도 한다.[17] 평형장애나 안면신경마비는 드물지만 큰 종양의 경우 안면신경마비, 구음장애(dysarthria), 연하곤란(dysphagia), 뇌수종(hydrocephalus) 등의 증상을 보인다.

3) 종양의 자연적 경과

청신경종양의 크기는 약 1/2~2/3에서는 증가하며 약 1/5~1/2에서는 변화 없으며 1/10 이하에서는 감소하는 등

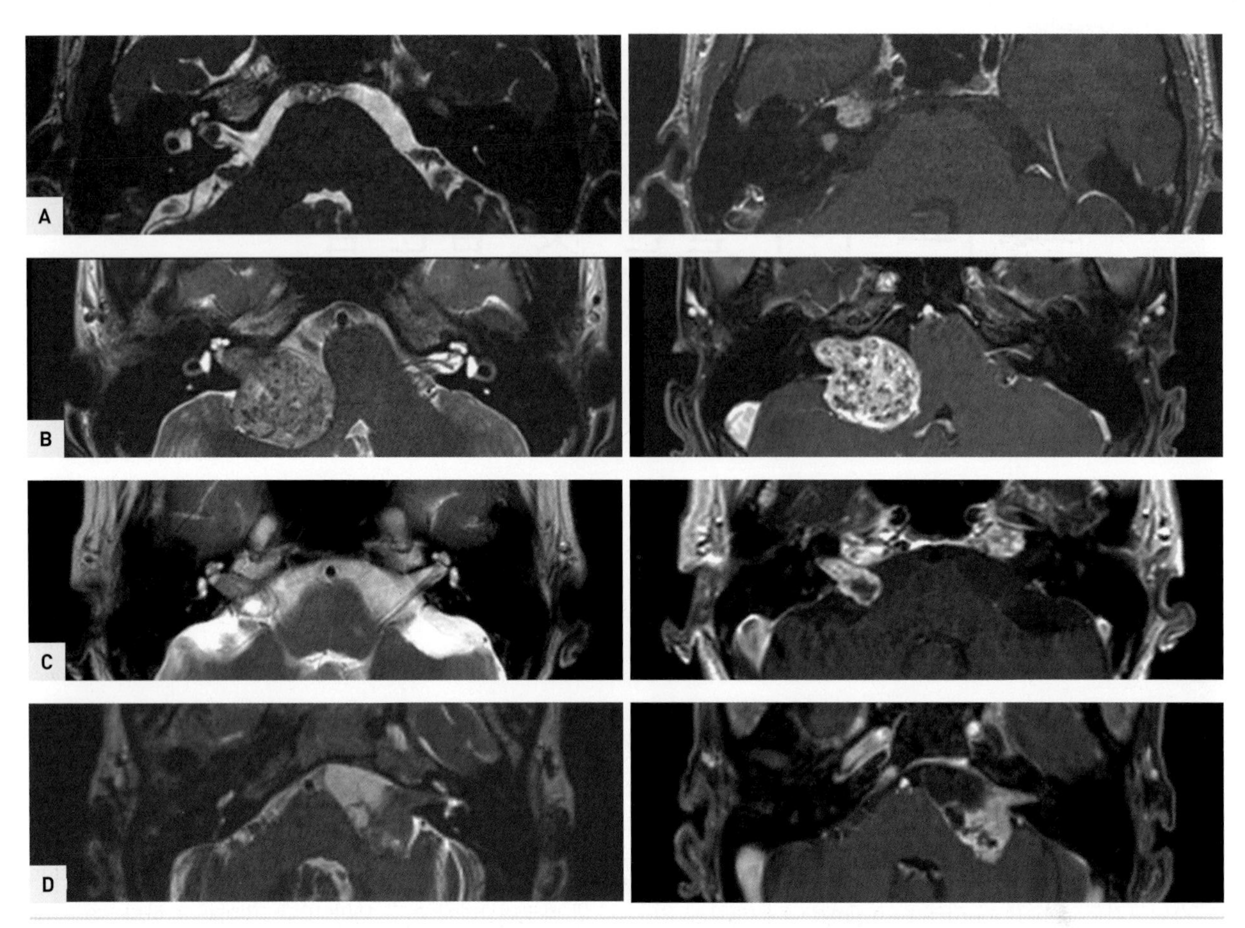

■ **그림 61-1. 다양한 크기의 청신경 종양.** **A)** 내이도에 국한된 종양(intracanalicular tumor), **B)** 큰 크기의 청신경 종양(large sized tumor), **C)** 낭종성 변화를 동반한 작은 크기의 청신경 종양(small sized tumor with cystic change), **D)** 낭종성 변화를 동반한 큰 크기의 청신경 종양(larged sized tumor with cystic change). 좌측 그림: T2 자기공명영상, 우측 그림: Gadolinium 조영증강 T1 자기공명영상

보고자마다 매우 다양한 자료를 발표하고 있다. 내이도에 국한된 종양의 경우 83%는 계속 내이도 종양으로 남아 있었으며 17%는 내이도를 넘어 소내교각으로 자랐다. 내이도를 넘어 소내교각으로 진행한 종양의 경우에도 약 1/3에서만 종양의 크기가 증가하였다. 종양의 크기가 증가하는 경우 모두 4년 이내에 일어났다. 또한 내이도의 종양은 소뇌교각의 종양에 비해 느린 성장 속도를 보인다.[16]

4) 진단

진단은 청성뇌간반응검사상 V파 잠복기의 지연이나 파형의 소실과 같은 후미로성 질환의 소견을 보이는 경우 의심해 볼 수 있다. 그러나 종양의 크기에 따라 위음성의 경우가 있으므로 자기공명영상촬영이 진단에 가장 중요하다. 자기공명영상의 T1영상에서 뇌실질과 동질의 밀도 또는 저신호강도(isointense/hypointense)를, T2영상에서는 뇌실질과 동질의 밀도(isointense)를 보이며 gadolinium에 강하게 조영증강이 된다.[2] 종양의 크기는 내이도에 국한된 종양에서부터 소내교각으로 확장된 종양 등 다양하게 발견된다(그림 61-1).

5) 치료

전정신경초종의 치료방법에는 주기적인 관찰, 방사선

치료 그리고 수술적 제거 등이 있다.

(1) **추적관찰**(Wait & Scan)

대부분 청신경종양은 자라는 경우 1~2 mm/년으로 매우 서서히 자라므로 크기가 작거나 노인에게서 생긴 경우 특별한 치료 없이 주기적으로 자기공명영상을 이용하여 관찰할 수 있다. 추적검사의 단점으로는 자기공명영상 촬영이 고가이며, 추적검사 중 환자의 소재가 파악되지 않을 수 있으며,[5] 드물게 종양이 자라지 않다가 갑자기 커지는 경우가 있으며, 추적관찰 중 종양이 커져 수술을 할 경우 환자의 나이가 많아 수술의 위험성이 높아지며 안면신경의 보존이 어렵게 된다.[11]

(2) **정위적 방사선수술**(Stereotactic Radiosurgery)

방사선수술의 목적은 신경학적 기능을 보존하면서 종양의 크기가 증가하지 않거나 줄어드는 종양의 성장억제다. 정위적 방사선수술의 정확한 기전은 방사선 조사로 인해 종양의 세포분활에 비가역적인 손상을 주어 결국에는 종양으로 가는 혈관들에 지연성 혈관폐색을 일으킴으로써 종양의 성장을 멈추게 하거나 종양 내 괴사를 일으켜 치료 효과를 나타낸다고 한다. 이전의 방사선수술의 적응증으로는 노인에서의 작은 종양, 내과적 문제가 있는 경우, 수술을 원하지 않는 좋은 청력을 가진 젊은 환자의 작은 종양, 수술 후 잔존 종양 및 유일청의 귀에 크기가 증가하는 종양 등이었으나 최근에 크기가 3 cm 이하의 대부분의 종양에서 우선적인 치료로 선택되기도 한다.[6]

방사선 조사량이 너무 낮으면 종양의 성장억제율이 나쁘며 조사량이 너무 많으면 종양의 성장억제율은 좋은 반면 뇌신경의 합병증 특히 청력보존율이 떨어진다. 과거에는 방사선 조사량이 20 Gy로 삼차신경, 안면신경 및 청신경의 손상이 많았으나 최근에는 13 Gy 이하로 조사량을 줄임으로써 삼차신경, 안면신경의 손상이 거의 없으면서 청력보존율을 68~78%까지 증가시켰다.

방사선 수술의 문제점으로는 방사선수술 후 외과적 절제술을 시행할 경우 섬유화와 유착으로 인한 안면신경과 뇌간의 처치의 어려움, 2.5 cm 이하의 종양에서는 문제가 안 되는 뇌수종(hydrocephalus)이 방사선조사 후 발생하는 문제, 악성변환, 방사선조사 부위의 육종이나 수막종의 발생 등이 있다.[9]

(3) **미세수술**(Microsurgery)

수술의 목적은 종양의 완전제거와 가능하면 청력을 포함한 신경학적 기능의 보존이다. 어떤 술식을 사용하느냐는 환자의 나이, 종양의 크기 및 위치, 술 전 청력이나 안면신경 상태, 환자가 바라는 기능보전의 종류 및 수술자의 숙련도와 선호도에 좌우된다.

수술적 치료로는 청력보존이 가능한 중두개와 접근법과 후두하 접근법이 있으며 청력보존을 고려하지 않은 경미로 접근법이 있다. 여기서 청력보존이 가능하다는 말은 그 술식을 이용할 경우 청력을 보존할 기회가 있다는 것이지 항상 청력이 보존된다는 의미는 아니다.

안면신경과 청신경에 대한 수술중 뇌신경 감시(intraoperative monitoring)의 사용으로[7,8] 과거에 비해 기능보존율은 크게 향상되고 있다.

2. 수막종(Meningioma)

소뇌교각을 침범하는 두개 내 종양은 약 10% 미만이며 가장 흔한 것은 청신경종양이고 다음으로는 수막종으로 소뇌교각종양의 약 5~15%를 차지한다. 전체 수막종의 약 10%는 소뇌교각에 발생한다. 경막(dura)의 지주막융모(arachnoid villi)에서 기원하는 수막종은 양성종양으로 주위조직에 침윤(infiltration)하기보다는 주로 주위조직을 편위시킨다.

1) 증상

청신경종양과 달리 수막종의 증상은 난청, 이명 및 어지럼증과 같은 이과적 증상은 드물다. 그러나 내이도 주위에 발생하는 경우 난청, 어지럼증, 이명 등의 이과적 증상을 나타낸다. 이외에도 청신경종양에서는 거의 나타나지 않는 안면부 통증, 감각이상(dysesthesias), 안면경련 등의 증상이 있으며 청신경종양 보다는 소뇌증상(cerebellar sign)이 흔하다.[14]

2) 진단

자기공명영상 소견은 대체적으로 청신경종양과 같다. 자기공명영상에서 균일하게 조영증강을 보이며 주위 뼈의 골형성 과다증(hyperostosis)이나 석회화를 보인다. 청신경종양과 달리 추체골에 넓은 바탕을 가지면서 경막을 따라 dural tail이 특징적이고 내이도를 침범해도 내이도를 확장시키는 경우는 매우 드물다.

3) 치료

증상이 없는 수막종은 종양이 자라는지를 자기공명영상으로 추적관찰한다. 고령이나 수술의 위험이 높은 경우 정위적 방사선수술을 고려한다. 수술의 목적은 종양을 최대로 제거하는데, 침범된 뇌신경의 손상을 피하고, 경막에 유착된 부분의 광범위 절제, 그리고 종양이 침윤한 주위의 뼈를 같이 제거한다. 소뇌교각을 침범한 수막종의 수술방법은 청신경종양에서와 같은 방법이 이용되나 내이도에 국한되는 경우는 드물어 중두개와 접근법은 잘 사용 안한다. 드물게 수막종이 내림프관(endolymphatic duct)을 침범하는 경우 메니에르병에서와 같이 현훈, 난청 및 이명을 호소하기도 하며,[10] 중두개나 후두개를 통하여 중이강을 침범하는 경우 중이의 종양으로 오인되기도 한다.[1]

3. 제2형 신경섬유종증(Neurofibromatosis type2: NF2)

NF2는 초기 증상으로 난청을 보이므로 이과전문의에게 매우 중요한데 진단기준은 양측 청신경종양이 있거나 혹은 가족력이 있는 30세 이전의 편측 청신경종양이 있는 경우 또는 편측 청신경종양과 수막종, 신경교종(glioma), 신경초종(schwannoma), juvenile posterior subcapsular lenticular opacity/juvenile cortical cataract 중 2개 이상을 가지는 경우 등이 있다. 발병률은 35,000명당 1명 정도이며 평균 진단 연령은 25세다.[13]

NF2는 22번 염색체이상으로 발생하는데 17번 염색체 이상으로 발생하는 NF1과는 전혀 다른 질환이다. NF2는 상염색체 우성유전으로 환자 자녀의 약 1/2이 병에 이환된다.

NF2가 의심되는 환자는 꼭 자기공명영상을 이용하여 내이도를 검사해야 하며 편측 청신경종양이 있는 경우 반대측에 종양이 있는지를 점검한다. NF2로 진단된 경우 뇌신경뿐만 아니라 경추, 흉추, 요추에 대한 자기공명영상을 시행한다.

NF2의 치료는 가능한 청력을 보존하는데 주안점을 둔다. 청신경종양과 달리 NF2는 주위 뇌신경의 미세침윤(microinvasion)을 보이므로 수술 시 안면신경이나 청신경을 보존하기가 어렵다. 종양의 크기가 작고 청력이 좋은 경우 경과관찰이 최선이나 종양이 자라고 청력이 나빠지는 경우 수술적 제거를 고려한다.

II 소뇌교각 질환의 수술 접근법(Surgical approach to cerebellopontine angle)

청신경종양의 기본적인 치료는 미세수술 절제술을 통한 종양의 완전제거와 뇌신경의 기능적 보존이다. 과거 방사선수술은 미세수술 절제술의 보완적 방법으로 사용되었으나 정위적 방사선수술의 발달로 그 적응증이 넓어지고 있으며 치료 성적도 미세수술 절제술을 능가하고 있다는 보고가 많다. 그러나 방사선수술에서의 치유와 미세수술 절제술에서의 치유가 개념상 차이가 있으며 방사선수술의 결과에 대한 추적검사의 기간이 아직은 짧기 때문에 방사선수술과 미세수술 절제술의 결과를 직접 비교하기는 아직 이르다. 난청 및 이명이 청신경종양의 가장 흔한 증

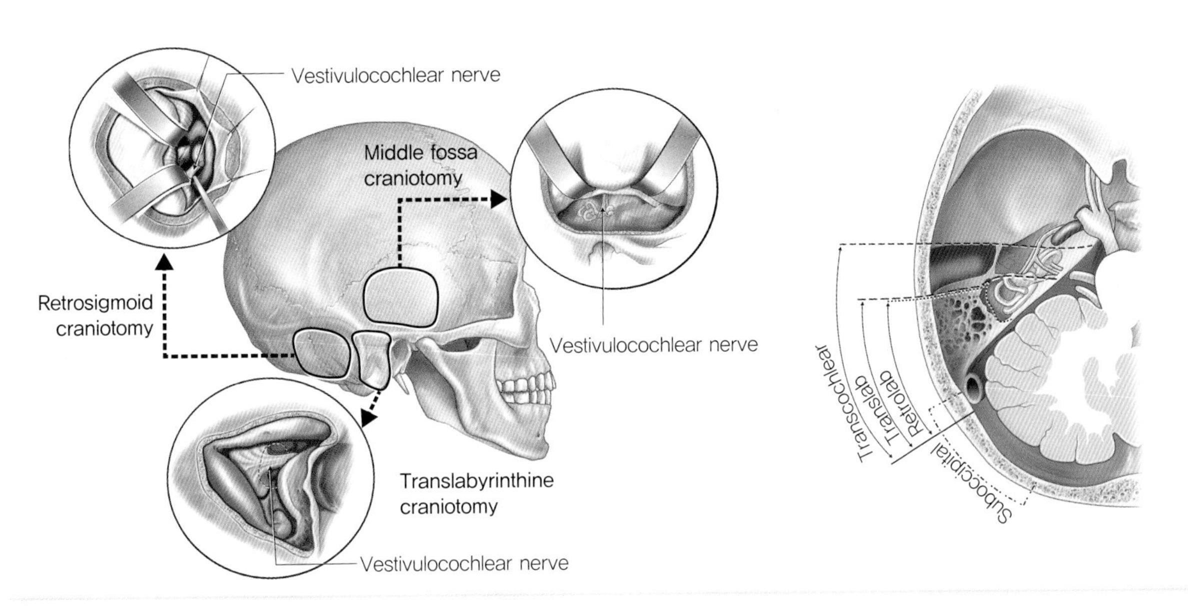

■ 그림 61-2. **소뇌교각 종양에 대한 다양한 수술 접근법의 비교**

상이기 때문에 청신경종양 환자를 맨 먼저 접할 가능성은 이비인후과 의사가 매우 높다. 따라서 청신경종양 환자에게 균형 있는 치료법을 제시할 수 있는 이비인후과 의사의 역할이 매우 중요하다고 할 수 있다. 소뇌교각에 대한 수술 접근법에는 다음과 같은 방법이 있다(그림 61-2).

1. 중두개와 접근법(Middle fossa approach)

중두개와 접근법는 내이 구조물의 손상 없이 경막의 외측에서 내이도와 주위 구조물을 노출하는 술식으로 술전 청력이 좋으며(순음청력검사상 50 dB, 어음명료도검사상 50%) 종양이 내이도에 국한되어 있거나 소뇌교각으로의 진행이 경미한(0.5 cm 내지 1 cm 진행) 청신경종양, 안면신경 병변(안면신경감압술, 안면신경초종), 전정신경절제술(vestibular neurectomy) 등에 이용된다. 또한 중두개와를 노출시킬 수 있으므로 고실개(tegmen tympani)를 통한 뇌탈출증(encephalocele)이나 뇌척수액 유출의 치료, otic capsule의 내측의 추체부, 사대(clivus)의 외측 병변에 이용된다.

1) 수술술기

환자의 머리는 앙와위에서 수술하는 반대쪽으로 돌려서 고정한다. 이때 머리 위쪽(수술자의 수술위치)에서 보았을 때 수평이 되어야 할 부위는 관골궁(zygomatic arch)이 아니라 측두와(temporal fossa)이므로 머리는 수술 반대쪽으로 90°가 아니라 약 60° 정도만 돌린다. 피부 절개는 완만한 "S"자형의 경우 이주의 전방 약 1~2 cm에서 시작하여 상방으로 7~8 cm 정도 연장하며, "C"자형의 경우 이개의 상방 7~8 cm 부위에서 시작하여 약간 앞쪽으로 치우친 "C"자 모양의 절개를 한 후 후이개 쪽으로 연장한다. 피부 절개의 다른 방법은 측두부의 머리털이 있는 부위에 "ㄷ"자 모양으로 "ㄷ"자의 벌어진 부분이 뒤쪽으로 또는 아래쪽으로 향하게 약 6×6 cm 크기의 피부절개를 한다. 개두술(temporal craniotomy)은 4×4 cm 크기로, 외이도를 기준으로 앞쪽으로 2/3, 뒤쪽으로 1/3이 되도록 위치시킨다. 관골근(zygomatic root) 근처의 뼈는 두꺼워 한 번에 제거하기 어려우므로 측두골편의 위치는 가능한 관골근에 가깝게 위치시킨 후 여분의 뼈는 론저(Rongeur)로 추가 제거한다(그림 61-3). 경막의 박리는 수술현미경하에서 뒤쪽에서부터 앞쪽으로 진행하여

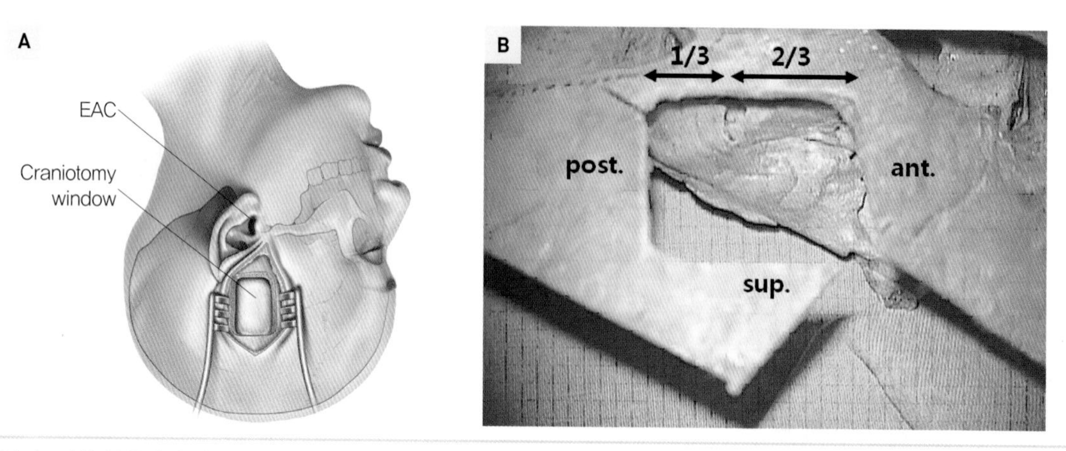

■ 그림 61-3. **좌측 중두개와 접근법 시 시행되는 개두술의 위치.** 골편은 외이도를 기준으로 앞쪽으로 2/3, 뒤쪽으로 1/3이 되로록 위치시킨다. EAC: external auditory canal

혹시 뼈로 덮여 있지 않은 대천추체신경의 손상을 피하도록 한다. 중두개와를 노출 시 50~70%에서 궁상융기를 확인할 수 있으며 드물게는 상반고리관의 장축이 추체능과 평행한 경우도 있다. 중경막동맥은 대천추체신경의 외측에 위치하며 내이도는 대개의 경우 안면열공 또는 대천추체신경과 궁상융기가 만나는 각을 이등분하는 선의 내측에 위치한다. 중두개와에서 내이도를 찾는 방법에는 술자에 따라 선호하는 방법이 다르지만 환자의 해부학적 차이가 있는 예외적인 경우가 있으므로 가능한 다양한 방법을 숙지하는 것이 좋으리라 생각된다. 일반적으로 내이도를 찾는 데에는 제안한 술자의 이름을 딴 다음과 같은 방법이 이용된다(그림 61-4). 내이도 위를 덮고 있는 뼈는 약 40%에서 함기화된 뼈가 존재한다. 하나의 큰 함기화된 뼈는 문제없으나 여러 개의 작은 함기화된 뼈는 내이도 위치 찾는데 큰 혼란을 준다. 따라서 수술 전 CT가 매우 중요하며 내이도 주위를 드릴 시 와우와 상반고리관 주위는 함기화된 뼈가 없이 단단하고 노리끼리한 뼈로 이루어졌다는 것을 염두에 둔다. 상기와 같이 내이도를 찾는 방법은 매우 다양하며 어느 것이 우월하다고 할 수 없다. 따라서 술자에게 친숙한 방법을 사용하면 되겠으나 필자의 경우 기본적으로 Sanna법을 사용하며, 해부학적 지표가 모호한 경우 중두개와에서 가장 일관된 해부학적 지표는

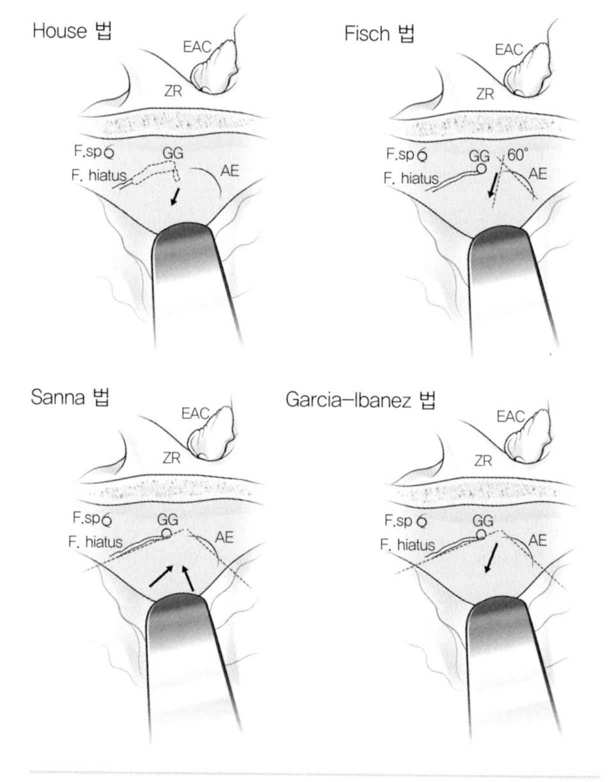

■ 그림 61-4. **내이도를 찾는 여러 방법.** F. sp: foramen spinosum(극공), GG: geniculate ganglion(슬상신경절), F. hiatus: facial hiatus(안면열공), AE: arcuate eminence(궁상융기), EAC: external auditory canal(외이도), ZR: zygomatic root(관골근)

안면열공이므로 이를 이용한 House 법을 다음으로 사용하고, 이마저도 불가한 경우 고실개에 구멍을 내어 추골두

를 확인하고 슬상신경절을 찾은 후 역으로 내이도를 찾는 House 법을 이용한다. 내이도를 찾은 후 드릴을 진행하여 내이도 경막이 일부가 보이기 시작하면 내측으로는 내이공(porus)을, 외측으로는 내이도저(fundus)의 Bill's bar까지 노출시키고 내이도의 경막을 270° 이상 충분히 노출시킨다. 우측 측두골의 경우 수술시야에서 내이도의 좌측 상단에 안면신경, 우측 상단에 상전전신경, 좌측 하단에 청각신경 그리고 우측 하단에 하전정신경이 위치하므로 경막절개는 노출된 내이도의 우측 즉 상전전신경 쪽에 하여 안면신경의 손상을 예방한다. 다음으로 내측에 절개를 연장하여 내이도와 소내교각을 노출시킨다.

내이도저(fundus)에서 경막절개 전과 후에 facial nerve stimulator를 이용하여 안면신경의 위치를 확인한 후 Bill's bar에 의해 분리되어 바로 뒤쪽에 위치하는 상전정신경(superior vestibular nerve)을 확인한다. 그러나 종양의 기원에 따라 구분이 모호한 경우도 있다. 내이도저에서 안면신경을 확인 후 안면신경의 후내측의 종양을 축소(debulking)시킨다. 종양을 축소시킴으로써 종양에 의해 앞쪽으로 밀린 안면신경이 제 위치를 찾게 되고 이후의 종양을 제거 시 청신경을 분리할 수 있는 공간을 확보할 수 있으므로 매우 중요하다. 종양의 크기가 줄어들고, 충분한 뇌척수액이 배출되면 뇌간에서 안면신경을 확인할 수 있다. 안면신경의 경로는 정도의 차이는 있지만 종양에 의해 전위되는데 전하방으로 전위가 가장 흔하고 다음으로 전상방, 상방, 후방순이다. 그러나 안면신경의 주행을 예단하는 것은 매우 위험하므로 항상 내이도저와 뇌간에서 안면신경을 확인 후 충분히 종양을 축소시킨 후 수술현미경 시야에서 확인하는 것이 안전하다. 중두개와 접근법의 적용이 되는 작은 종양이므로 대부분 뇌간에서 전정와우신경(cochleovestibular nerve complex)을 확인할 수 있으며, 계속해서 추가의 종양을 축소시켜 내이도의 내측에서 공간을 확보하면 약간 외측에서 전정와우신경과 종양을 분리시킬 수 있다. 이때부터 종양의 제거는 절대적으로 내측에서 외측 방향으로 시행한다. 추가의 종양을 내측에서 외측 방향으로 제거해 나가면 안면신경 전하측에서 전정와우신경으로 오는 와우신경을 일부 확인할 수 있다. 외측으로 종양과 와우신경을 분리시킨 후 마지막으로 내이도저에서 와우신경과 분리한 종양을 제거한다. 안면신경과 청신경을 보존하기 위해서는 충분한 종양의 축소가 중요하며, 전정와우신경과 종양을 구별한 후 종양과 와우신경을 분리 시에는 항상 내측에서 외측으로 분리시키며 기구로 당기지 말고, 가능하면 미세가위를 이용한다. 마지막으로 내시경을 이용하여 내이도저의 종양이 충분히 제거되었는지를 확인한다. 드릴로 노출된 내이도는 측두근막이나 측두근 등으로 막아주고 주위의 출혈 부위는 타코콤(Tacocomb) 등으로 지혈한다. 지혈을 충분히 한 후 측두골편을 원위치시키고, 음압이 걸리는 Hemo-vac은 뇌척수액의 유출을 조장시키므로 반드시 피한다. 일반 drain을 측두근 외측에 위치시킨 후 피부봉합하고 압박붕대를 감아준다. 술자에 따라서 뇌척수액 유출을 방지하기 위해 복부지방을 채취하여 노출된 내이도 부위에 이식하는 경우도 있다.[3]

2. 후미로 접근법(Retrolabyrinthine approach)

후미로 접근법은 내이를 보존하면서 소내교각 중간 정도를 노출시킬 수 있는 술식으로 전정신경 절제술이나 미세혈관 감압술(microvascular decomprssion)과 같은 7번, 8번 뇌신경이 뇌간에 들어가는 부위의 병변을 다루는데 적당하다. 경미로 접근법에서와 같이 외이도를 보존하면서 유양돌기 삭개술을 시행하고 정맥동경막각(sino-dural angle)과 S상 정맥동 주위의 함기세포 그리고 안면신경 유돌분절의 후하방에 위치한 안면신경후 함기세포(retrofacial cell)를 충분히 제거하고 전정미로를 충분히 노출시킨다. S상 정맥동과 세반고리관 그리고 경정맥구 사이의 후두개와를 통해 소뇌교각을 노출시킨다(그림 61-2).

경미로접근법과는 달리 미로절제술을 생략한 채 소뇌교각을 노출하므로 수술시야에서 좀 더 앞쪽에 위치하는 내이도나 소내교각의 구멍(porus)의 병변은 세반고리관에 의해 시야가 제한된다. 후두개와 접근법보다 수술 후 두통이 훨씬 적으나 수술시야가 좁아 종양수술에는 적당하지 않다. 그러나 병변의 위치에 따라 중두개와 접근법과 병행하는 경우 유용하게 시용될 수 있다.

3. 후두개와 접근법(Retrosigmoid approach)

후두개와 접근법은 S상 정맥동의 뒤쪽에서 접근한다는 의미이며, 와우를 우회하여 내이도와 소뇌교각의 뒤쪽으로 접근하므로 중두개와 접근법과 마찬가지로 청력을 보존할 수 있는 술식이고 종양의 크기에 상관없이 이용될 수 있다. 그러나 내이도저를 침범한 경우 노출에 제한이 있으며 두개 내에서 내이도를 드릴하는 경우 뼈분말 등이 주위의 신경이나 혈관 등에 흡착되어 수술 후 두통 등이 발생할 수 있다.

1) 수술술기

환자는 앙와위에서 머리를 반대쪽으로 돌리고 목은 약간 굴곡시킨다. 피부절개는 일반적으로 성상점(asterion)에서 유양돌기첨(masoid tip)까지 연장한다. 횡-S자정맥동(transverse-sigmoid sinus)의 이행 부위는 시옷봉합(lambdoid suture)이 만나는 부위인 성상점 혹은 orbitomeatal line과 유양동의 뒤쪽을 따라 접선을 그은 선과 만나는 부분에 위치한다. 개두술은 횡-S자정맥동(transverse-sigmoid sinus)의 이행 부위의 후하방에서 시작한다(그림 61-2). 드릴 시 개두술의 앞쪽 중간 부위에서 유돌돌출정맥(mastoid emissary vein)을 만나는데 출혈에 주의한다. 드릴 시 유돌봉소(mastoid air cell)가 노출되는 경우 수술 후 뇌척수액의 누출이 발생할 수 있으므로 골밀납(bone wax)으로 꼼꼼이 막아준다. 드릴 후 적당한 크기의 골판(2.5×2.5 cm)을 제거하여 후두개경막이 노출되면 U자 모양의 경막절개를 한다. 경막절개 후 뇌척수액을 충분히 배출시키면 소뇌가 밑으로 가라앉게 되며 특별한 견인 없이 소뇌교각을 노출시킬 수가 있다. 왼쪽 소뇌교각의 경우 수술시야에서 좌측에는 하부뇌신경(low cranial nerve)들을 발견할 수 있으며 중앙에 내이도와 와우전정신경이 위치하며 전상방에 5번 뇌신경을 발견할 수 있다. 안면신경은 와우전정신경을 젖혀야만 볼 수 있다. 종양이 내이도를 침범하는 경우 내이도의 후측 경막에 절개하여 피판을 만든 후 후반고리관에 손상을 주지 않도록 주의하면서 내이도내의 종양이 노출될 때까지 드릴한다. 드릴의 범위는 수술 전 측두골 CT에서 미리 계측해 두면 안전하다.[12] 종양을 제거하기 전에 안면신경과 청각의 감시장비를 이용하여 안면신경과 청신경을 확인하는 것이 중요하다. 일단 청신경의 일부가 수술현미경하에서 확인되면 안면신경과 청신경에 가해질 수 있는 당겨지는 손상(stretching injury)을 피하기 위해 이후의 모든 종양제거 술식은 내측에서 외측 방향으로 진행한다. 좌측 병변인 경우 수술시야에서 보았을 때 내이도의 바닥에서 안면신경은 우측, 청신경은 좌측에 깔려 있게 위치한다. 마지막으로 내시경을 이용하여 내이도저의 종양이 충분히 제거되었는지를 확인한다. 내이도 주위에 함기화된 뼈(air cell)가 잘 발달된 경우 내이도 드릴로 인해 수술 후 뇌척수액이 측두골과 이관을 통해 뇌척수액 비루가 발생할 수 있으므로 노출된 함기화된 뼈는 골밀납, 지혈제인 타코콤(Tacocomb)과 채취된 근육 등으로 잘 막아준다.

4. 경미로 접근법(Translabyrinthine approach)

청력이 나쁜 청신경 종양이나 뇌기저동맥(basilar artery)의 중간 부위에 생긴 동맥류의 치료에 적당한 술식이다. 뇌교의 외측, 소뇌의 앞면, 5번 뇌신경의 근위부, 6번, 7번, 8번 뇌신경을 노출시킨다. 그러나 S자 정맥동의 위치에 따라 9번 뇌신경에서 11번 뇌신경의 노출은 제한될 수 있다. 즉 종양이 후두개와의 하방으로 진행된 경우에는 경정맥구(jugular bulb)에 의해 수술시야가 가려지므로 사용에 제한을 받는다. 이 술식이 적절히 시행된 경

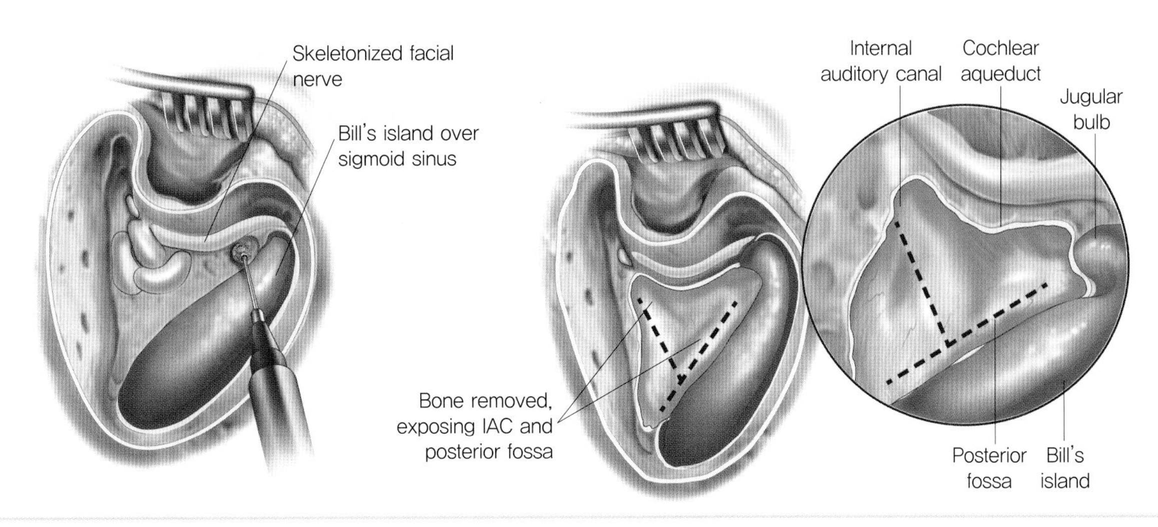

■ 그림 61-5. **경미로 접근법의 수술적 단계.** 미로절제술을 시행하고 내이도(IAC)를 노출하여 T자 모양의 경막절개를 한다(dotted line).

우에는 소뇌천막(tentorium)에서 경정맥공(jugular foramen)까지의 소뇌교각이 노출된다(그림 61-2, 5).

1) 수술술기

약 4 cm 정도의 후이개 피부를 절개한다 외이도 후벽을 보존하면서 유양돌기절제술을 시행한다. 가능한 중두개와와 후두개와의 경막이 노출될 정도로 드릴하여 충분한 시야를 확보한다. S상 정맥동과 후두개와의 뼈를 충분히 제거하는 것이 S상 정맥동을 처치(mobilization)하는데 중요하다. 안면신경관을 이복근 융선(digastric ridge)에서부터 제2슬(2nd genu)까지 확인하여 보존한다. 이때 후안면신경 함기봉소(retrofacial air cell)를 충분히 제거하여 S상 정맥동이 경정맥동으로 들어가는 부분까지 확보한다. 이때 후반고리관 팽대부의 후하방에 위치하는 내림프관을 후두개와에서 확인할 수 있다. 골미로 주위의 뼈를 제거한 후 미로절제술을 시행한다. 미로절제술 시 측반고리관의 후방은 드릴하고 전방은 보존하여 수술 중 안면신경을 보호하는 장벽으로 이용한다. 상반고리관을 드릴 시 상반고리관의 팽대부는 나중에 내이도를 개방할 때 까지 보존하여 상전정신경을 찾는데 지표로 이용한다. 내이도의 위치는 상반고리관의 팽대부에서 뒤쪽의 정맥동경막각(sinodural angle)을 연결한 가상의 선이 상연이 되고 후반고리관의 팽대부에서 내이도의 상연에 평행한 가상의 선이 하연되는데 이 사이에 위치한다. 내이도를 덮고 있는 뼈를 충분히 얇게 드릴 후 제거하여 내이도의 경막을 노출시킨다. 내이도 경막의 절개는 안면신경 손상을 피하기 위해 내이도의 하방과 후방에 절개한다. 충분한 뇌척수액을 유출시킨 후 경막을 젖히면 위쪽에 상전전신경, 아래쪽에 하전정신경이 나타난다. 그러나 이러한 해부학적 위치는 청신경 종양 등에 의해 왜곡될 수 있으므로 예단하는 것은 매우 위험하다. 따라서 다음과 같은 절차를 따라 상전정신경과 안면신경을 확인하는 것이 중요하다. 상반고리관의 팽대부를 좀 더 드릴하면 내이도에서 상전전신경이라고 예상된 신경이 팽대부로 연결됨을 확인할 수 있다. 상전정신경을 옆으로 젖히면 내측에 Bill's bar를 확인할 수 있으며 이 Bill's bar의 내측에 안면신경의 미로분절이 위치한다. 병변을 제거 후 뇌척수액 누출을 예방하기 위해서 경막을 봉합한다. 그러나 후두개와 부위에 절개 시 경막이 쪼그라들며, 종양에 의해 늘어난(stretching) 일부 경막이 수술 중 소실되기 때문에 완벽한 봉합은 불가능하다. 따라서 경막의 결손 부위가 최소화될 수 있도록 경막을 봉합하고, 어쩔 수 없이 발생되는 결손 부위에는 복부에

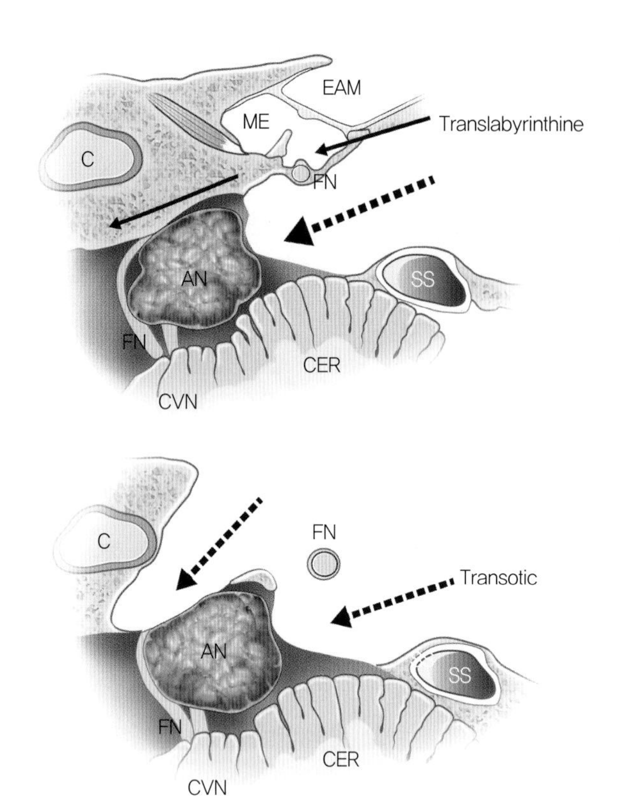

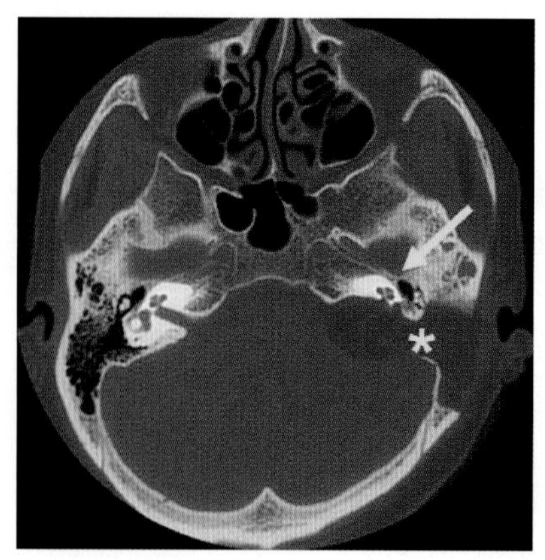

■ 그림 61-6. **경미로 접근법과 경이 접근법의 비교.** 경미로 접근법의 경우 와우가 보존된다(yellow arrow). 경이 접근법 시 안면신경은 제 위치를 유지시킨다. EAM: external auditory canal(외이도), ME: middle ear(중이), FN: facial nerve(안면신경), AN: acoustic tumor(청신경종양), C: cochlea(와우), SS: sigmoid sinus(s자정맥동), CVN: cochleovestibular nerve(와우전정신경), CER: cerebellum(소뇌)

서 채취한 지방조직을 이용하여 일부는 두개 내에 그리고 나머지 일부는 두개외인 측두골에 있도록 위치시킨다. 미로절제술로 발생한 측두골의 공간은 복부지방으로 충분히 폐쇄시킨 후 마지막으로 근피하조직판(mastoid musculoperiosteal flap)과 피부절개를 봉합하고 압박붕대를 감아준다. 충분히 지혈이 됐다면 Hemo-vac이나 drain은 필요 없다.

5. 경와우 접근법(Transcochlear approach)과 경이 접근법(Transotic approach)

경와우 접근법은 경미로 접근법에 비해 소뇌교각의 전방부 노출이 용이하다. 경와우 접근법은 House(1976)에 의해 소뇌교각의 전방부 병변의 치료로 처음으로 시술되었으며 변형된 술식으로 Fisch에 의한 경이 접근법(transotic approach)이 있다. 경와우 접근법과 경이 접근법(transotic approach)은 보통 경미로 접근법과 결합하여 시행하는데 경미로 접근법에서는 처치하기 어려운 소뇌교각 전방부의 청신경 종양에 적용된다. 경이 접근법은 안면신경을 원래의 위치에 둔 상태에서 안면신경관을 얇은 뼈만 남도록 드릴한 후 병변을 처리하므로 소뇌교각의 전방부에 위치하거나 와우를 침범한 청신경종양의 치료에 제한적으로 이용된다.

경와우 접근법은 경미로 접근법의 연장으로 안면신경을 원래의 위치에서 후방으로 전위시키고 전정미로를 포함하려 대부분의 내이구조물을 제거한다(그림 61-6, 7). 따라서 뇌교의 외측, 상부 연수(upper medulla oblongata), 5번 뇌신경부터 11번 뇌신경까지 노출할 수 있다. 경와우 접근법은 안면신경의 전장을 원래의 안면신경관에서 유리시켜 후방으로 전위시키므로 수술 후 안면신경마비의 발생을 피하기 어렵다.

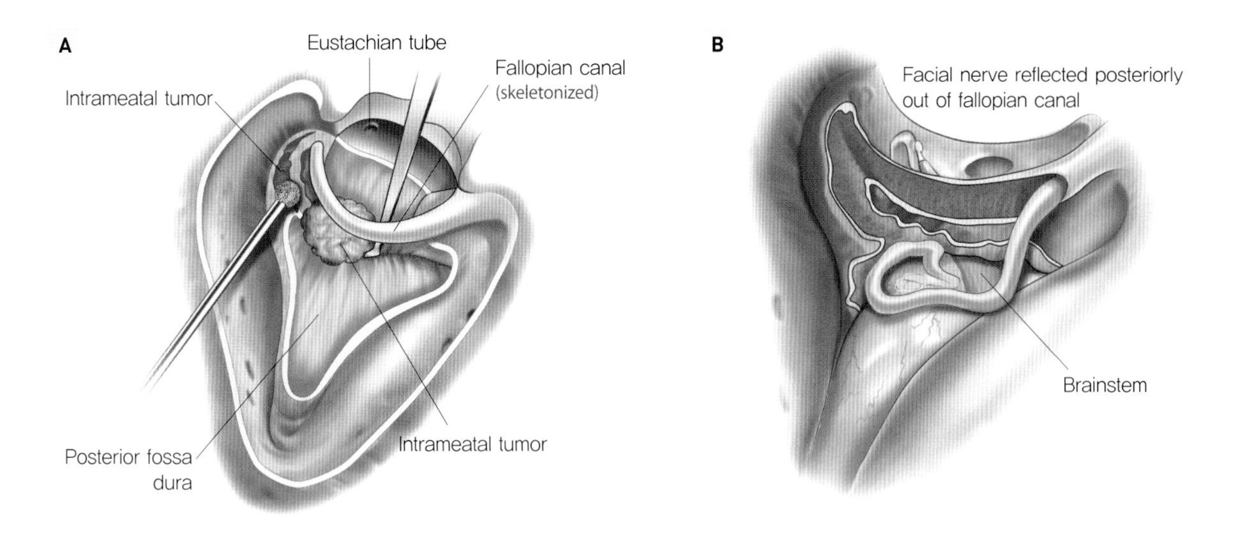

■ 그림 61-7. **우측 경이 접근법과 경와우 접근법의 비교.** 경와우 접근법의 경우 안면신경을 싸고 있는 뼈를 제거 후 후방으로 전위시킨다. **A)** 경이 접근법(transotic approach), **B)** 경와우 접근법(transcochlear approach)

참고문헌

1. Coelho DH, Roland JT Jr, Golfinos JG. Posterior fossa meningiomas presenting with Meniere's-like symptoms: case report. Neurosurg 2008;63(5):E1001.
2. Curtin HD. Rule out eight nerve tumor: contrast-enhanced T1-weighted or high-resolution T2-weighted MR? Am J Neuroradiol 1997;18(10):1834-1838.
3. Fishman AJ, Marrinan MS, Golfinos JG, et al. Prevention and management of cerebrospinal fluid leak following vestibular schwannoma surgery. Laryngoscope. 2004 Mar;114(3):501-505.
4. Gal TJ, Shinn J, Huang B. Current epidemiology and management trends in acoustic neuroma. Otolaryngol Head Neck Surg 2010;142(5):677-681.
5. Hillman TA, Chen DA, Quigley M, et al. Acoustic tumor observation and failure to follow-up. Otolaryngol Head Neck Surg 2010;142(3):400-404.
6. Karpinos M, Teh BS, Zeck O, et al. Treatment of acoustic neuroma: stereotactic radiosurgery vs. microsurgery. Int J Radiat Oncol Biol Phys 2001;54(5):1410-1421.
7. Kinney S, Prass R. facial nerve dissection by use of acoustic loud speaker EMG monotoring. Otolarymgol Head Neck Surg 1986;95:458-463.
8. Lenarz T, Ernst A. Intraoperative monitoring by transtympanic electrocochleography and brainstem electrical response audiometry in acoustic neuroma surgery. Eur Arch Otolaryngol 1992;249:257-262.
9. Pannullo SC, Fraser JF, Moliterno J, et al. Stereotactic radiosurgery: a meta-analysis of current therapeutic applications in neuro-oncologic disease. J Neurooncol. 2011 May;103(1):1-17.
10. Prayson RA. Middle ear meingioma. Ann Diag Pathol 2000;4:149-153.
11. Quesnel AM, McKenna MJ. Current strtegies in management of intracanalicular vestibular schwannoma. Curr Opin Otolaryngol Head Neck Surg 2011;19(5):335-340.
12. Savardekar A, Nagata T, Kiatsoontorn K, et al. Preservation of labyrinthine structures while drilling the posterior wall of the internal auditory canal in surgery of vestibular schwannomas via retrosigmoid suboccipital approach. World Neurosurg. 2014 Sep-Oct;82(3-4):474-479.
13. Seizinger BR, Martuza RL, Gusella JF. Loss of genes on chromosome 22 in tumorigenesis of human acoustic neuroma. Nature 1986;322:644-647.
14. Springborg JB, Poulsgaard E, Thomsen J. Nonvestibular schwannoma tumors in the cerebellopontine angle: a structured approach and management guidelines. Skull Base 2008;18(4):217-227.
15. Stangerup SE, Caye-Thomasen P. Epidemiology and natural history of vestibular schwannomas. Otolaryngol Clin North Am. 2012 Apr;45(2):257-268
16. Stangerup SE, Caye-Thomasen P, Tos M et al. The natural history of vestibular schwannoma. Otol Neurotol. 2006 Jun;27(4):547-552.
17. Suzuki M, Hashimoto S, Kano S, et al. Prevalence of acoustic neuroma associated with each configuration of pure tone audiogram in patients with asymptomatic sensorineural hearing loss. Ann Otol Rhinol Laryngol 2010;119(9):615-618.

찾아보기

한글

ㄱ

ㄴ

ㅅ

ㅇ

ㅈ

ㅊ

ㅋ

ㅌ

ㅍ

영문

A

B

C

D

E

F

G

H

I

M

N

O

R

S

T

U

V

W

X

Z

기타